ISBN 978-0-331-95866-9
PIBN 11029680

1 MONTH OF
FREE
READING

at

www.ForgottenBooks.com

By purchasing this book you are eligible for one month membership to ForgottenBooks.com, giving you unlimited access to our entire collection of over 1,000,000 titles via our web site and mobile apps.

To claim your free month visit:

www.forgottenbooks.com/free1029680

English
Français
Deutsche
Italiano
Español
Português

www.forgottenbooks.com

Mythology Photography **Fiction**
Fishing Christianity **Art** Cooking
Essays Buddhism Freemasonry
Medicine **Biology** Music **Ancient
Egypt** Evolution Carpentry Physics
Dance Geology **Mathematics** Fitness
Shakespeare **Folklore** Yoga Marketing
Confidence Immortality Biographies
Poetry **Psychology** Witchcraft
Electronics Chemistry History **Law**
Accounting **Philosophy** Anthropology
Alchemy Drama Quantum Mechanics
Atheism Sexual Health **Ancient History**
Entrepreneurship Languages Sport
Paleontology Needlework Islam
Metaphysics Investment Archaeology
Parenting Statistics Criminology
Motivational

Volksthümliches

Handbuch

der

Staatswissenschaften

und

Politik.

Ein

Staatslexicon für das Volk,

herausgegeben

von

Robert Blum.

Erster Band.

A — L.

Leipzig,
Verlag von Robert Blum und Comp.
1848.

A.

Aachen, Stadt in Rheinpreußen, nahe der belgischen Grenze; hier genannt als einstige Krönungsstadt der deutschen Kaiser, als Stätte, wo mehrere wichtige Friedensschlüsse (s. d.) vereinbart wurden, auch 1818 ein für Deutschlands Geschichte nicht unwichtiger Kongreß (s. d.) Statt fand. St.

Aargau, s. Schweiz.

Abbé, franz. Benennung für Abt (s. d.).

Abandon, wörtlich: aufgeben, verlassen, ein gebräuchlicher Ausdruck im Versicherungswesen. Ist ein Haus, Schiff, Waarenlager u. s. w. versichert und leidet wesentlichen Schaden, über dessen Größe der Versicherer und Versicherte verschiedener Meinung sind, so wendet man das A. an, d. h. man verlangt die volle Versicherungssumme, tritt dagegen den versicherten und beschädigten Gegenstand dem Versicherer ab und überläßt es ihm, denselben zu verwerthen. v. L.

Abberufung oder Zurückberufung heißt die Handlung einer Regierung, durch welche sie einen ihrer Staatsbürger oder Unterthanen, der in fremdem Dienste steht, oder in ihrem Dienste in der Fremde weilt, wie Gesandte, Offiziere u. s. w. zurück verlangt. Die A. eines Gesandten erfolgt entweder, wenn derselbe a) seine Aufgabe nicht oder ungenügend gelöst hat und die Regierung mit ihm unzufrieden ist; b) wenn sein Auftrag erfüllt ist; c) wenn die fremde Regierung an der Person oder dem Benehmen des Gesandten begründeten Anstoß nimmt, und d) wenn ein Personenwechsel zu Grunde liegt und der Gesandte in ein anderes Amt berufen oder in den Ruhestand versetzt wird. Diese A. ist aber auch ein Zeichen diplomatischen Böseseins oder Bösethuns. Wenn zwei Staaten miteinander unterhandeln, sich nicht einigen können, wegen Mangel an Nachgiebigkeit miteinander schmollen, sich einige diplomatische Grobheiten sagen, die in der Menschensprache immer noch wie große Höflichkeiten aussehen, so greift derjenige, welchem der Geduldsfaden zuerst reißt, zur A. des Gesandten. Das kann sehr ernst werden und ein Vorzeichen des Krieges sein, denn mit der A. pflegt auch oft die ganze diplomatische Verbindung aufgehoben, sogar die Kriegserklärung gegeben zu werden. Oft ist die A. auch nur ein Mittel, sich aus einer unangenehmen Lage zu ziehen: stellt der eine Staat eine entschiedene Forderung und findet beim andern unerwarteten Widerspruch, hat aber weder den Willen noch den Muth, es zum Bruche kommen zu lassen, so hilft er sich mit der A. und stellt sich an, als ob der Gesandte die Sache verfahren habe, während er nur that, was ihm vorgeschrieben war. Es ist nur gut, daß die Diplomaten solche unverwirkte Strafe ruhig hinnehmen; es ist noch keiner aus Empfindlichkeit darüber gestorben. M. B.

Abbitte. Eine Strafe für Beleidigungen und Ehrenkränkungen, deren es dreierlei Gattungen giebt, nämlich: a) die bloße Privatstrafe, oder die dem Beleidigten zu gewährende **Privatgenugthuung**; sie stammt aus dem römischen Rechte, vermöge dessen der Beleidigte die sogenannte ästimatorische (Würderungs- oder Schätzungs-) Klage anstellen und verlangen konnte, daß der Beleidiger zur Zahlung einer bestimmten Geldsumme verurtheilt werde; nebenbei war er noch befugt, auf Schadenersatz zu klagen. Nach den meisten neuern Gesetzgebungen giebt es (in Sachsen seit 1712) eine solche **Privatstrafe** nicht mehr und es besteht an deren Stelle die Vorschrift, daß der Verletzte auf Kosten des Beleidigers eine beglaubigte Abschrift des Straferkenntnisses erhält, letzteres auch dann, wenn die Beleidigung öffentlich verübt wurde, veröffentlicht wird. b) **Oeffentliche Strafen**. Diese sind sehr mannigfaltig und bestehen, je nach dem Grade der Beleidigung, in Geldbuße und Gefängniß bis zur Höhe von 2 Jahren. c) **Abbitte, Ehrenerklärung und Widerruf**. Diese Art der Genugthuung, welche das Eigenthümliche hat, daß sie der Verurtheilte an sich selbst vollziehen soll, hat im Einfluß der Kirche und im Streben der Geistlichen, auf Versöhnung hinzuwirken, ihre Entstehung; sie hatte verschiedene Abstufungen, indem die A. vor Gericht, oder außergerichtlich, schriftlich oder mündlich, mit besondern Feierlichkeiten, oder ohne solche geleistet wurde. Die A. bestand in der Bitte des Beleidigers um Verzeihung; die **Ehrenerklärung** enthielt die Versicherung, daß er die Ehre des Beleidigten anerkenne und sie herabzusetzen nicht beabsichtigt habe; der **Widerruf** endlich war die Erklärung, daß die Beleidigung unwahr sei. In den neuern Gesetzgebungen findet sich auch diese Strafe (unter c.) nicht mehr, denn wenn der Beleidiger die Erklärung abzugeben verweigert, ist die Vollstreckung entweder unmöglich, oder doch, wenn er in Stimme und Geberde ein seinen Worten entgegengesetztes Gefühl an den Tag legt, völlig wirkungslos; auch ist es unsittlich, Jemand zum Aussprechen einer Gesinnung gegen seine Ueberzeugung, zur Lüge zu zwingen. In **Baiern** (Strafgesetzbuch v. 1831 Art. 311.) ist auch jetzt noch öffentliche A. vor dem Bildnisse des Königs in Verbindung mit geschärfter Arbeitshausstrafe dem Beleidiger der Majestät angedroht, und es ist diese Strafe gegen die verdientesten und verehrtesten Männer, wie den Bürgermeister Hofrath Behr, Dr. Eisenmann (im J. 1832) u. A. zur Vollziehung gekommen. Daß die Majestät bei solchen Strafen nicht an Heiligkeit und Ehrfurcht gewinnen kann, das bedarf wohl keines Beweises.   W. Bertling.

Abdankung (Abdication). Jedem **Staatsdiener** steht die A. frei, d.h. seinem Amte freiwillig zu entsagen, und es kann ihm die Entlassung nur so lange vorenthalten werden, bis er über seine Amtsführung Rechenschaft abgelegt hat. Dem **Staatsoberhaupte** dagegen haben einige das Recht der A., und auf die Ausübung der Regierungsrechte zu verzichten, bestritten, indem sie anführten, daß er durch Staatsvertretung zur Regierung sich verpflichtet habe und Niemanden gestattet sei, der vermöge eines Vertrags übernommenen Verpflichtungen sich nach eignem freien Willen zu entledigen. Allein die Uebernahme einer lebenslänglichen Dienstverpflichtung widerspricht dem Grundsatze der Unveräußerlichkeit der persönlichen Freiheit und es lehrt ebenso wohl die Natur der Sache, als die Erfahrung der Geschichte, daß ein Verbot willkürlicher A. des Staatsoberhauptes nicht ausführbar ist. So dankte in den Niederlanden der König **Wilhelm I.** im J. 1840 zu Gunsten seines Sohnes, des jetzigen Königs **Wilhelm II.**, ab, weil die von ihm, einem 68jährigen Greise, beabsichtigte Vermählung mit der katholischen Gräfin von Oultremont im Volke bedenkliches Mißvergnügen erweckte; in Sachsen verzichtete 1830 Prinz **Maximilian** auf die Anwartschaft auf die Krone zu Gunsten seines ältesten Sohnes, des jetzt regierenden Königs **Friedrich August**, in Rambouillet entsagte 1830 König **Karl X.** von Frankreich im Einverständniß mit seinem Sohne, dem Herzog **Ludwig v. Angouleme**, der Regierung, zu Gunsten seines Enkels, des Herzogs **Heinrich v. Bordeaux**, eine A., welche jedoch keine Anerkennung fand, weil zur Zeit, als sie erfolgte, Karl X. bereits des Thrones entsetzt war, und daher über ein Regierungsrecht, welches er nicht mehr besaß, nicht mehr verfügen konnte; in Rußland bestieg 1825 den Thron der jetzige Kaiser Nikolaus, nachdem sein älterer Bruder Konstantin seiner Anwartschaft auf die Regierung entsagt hatte. Der Entsagende kann, da das Thronfolgerecht als ein angebornes betrachtet wird, nur für seine Person abdanken und mithin auf keine Weise die Thronfolgerechte der nächst ihm zur Thronfolge Berufenen schmälern. Die A. kann übrigens nicht blos ausdrücklich, sondern auch stillschweigend erfolgen, wenn das Staatsoberhaupt etwas vornimmt, was er verfassungsmäßig zu thun nicht befugt ist, wenn er z. B. ohne Zustimmung der Stände eine fremde Krone annimmt, wenn er ohne eine solche Zustimmung seinen Wohnsitz außerhalb Landes verlegt, (s. Residenz), wenn er beim Antritt seiner Regierung die Erhaltung der Verfassung anzugeloben sich weigert, (s. Verbürgung der Verfassung) (vergl. Sächs. Verf.-Urk. §. 5. 138.; Baier. Verf. X. §. 1.; Würtemberg. Verf. II. §. 10.; Kurf. Hess. Verf. I. §. G.; Niederl. Verf. §. 53 u. 29.) u. s. w.. Auf so lange, als der Grund, weshalb eine stillschweigende A. stattfindet, fortdauert, würde eine Regierungsverwesung (Regentschaft, Reichsverwesung) zu bestellen sein.   W. Bertling.

Abdeckerei, s. Gesundheitspolizei.

Abdication, Abdiciren, die nur zu üblichen Fremdworte für **Abdanken** (s. d.). Entsagen, Niederlegen.

Abelianer, eine christliche Sekte in Afrika im 4. Jahrh. Sie gestatteten die Ehe, aber nicht die Ausführung derselben, keine Geschlechtsgemeinschaft. Sonst glaubten sie Alles. Sie verschwanden im 5. Jahrh. von selbst.   L. R.

Abendmahl, Abendmahlstreit. Die verschiedene Auffassung der Einsetzungsworte beim A. hat von jeher in der christlichen Kirche vielfachen Stoff zu Zwistigkeiten und Reibungen gegeben. Der bedeutendste, folgenreichste Streit darüber entbrannte aber im Zeitalter der Reformation, und zwar unter den Reformatoren selbst. Er war der erste Anlaß, daß die Evangelischen sich in 2 feindliche Lager spalteten, in Protestanten und Reformirte, und an ihn hat man vorzugsweise zu denken, wenn vom A. die Rede ist. Unter der Herrschaft der Päpste hatte das A. einen ganz andern Charakter angenommen, als es anfangs besessen. Aus der einfachen A.-feier hatte sich ein Sakrament und das Meßopfer mit all seiner äußern Pracht, und mächtig auf die Sinne wirkendem Glanze herausgebildet. Dies war so zugegangen: Jene Feier wurde gewöhnlich erst nach Beendigung des Gottesdienstes vorgenommen, und der Diakonus pflegte sie dadurch einzuleiten, daß er an den nicht daran theilnehmenden Theil der Gemeinde die Worte richtete: „Ite, missa est ecclesia!" (Gehet, die Gemeinde ist entlassen!) Davon erhielt die Feier selbst den Namen Missa, woraus das deutsche Messe entstanden ist. Die Gegenwart des Erlösers bei dieser Feier zu seinem Gedächtniß faßte man nicht als eine geistige Gegenwart auf, sondern man glaubte, daß durch die priesterliche Einsegnung eine körperliche Verwandlung des Brodes und Weines in den Leib und das Blut Jesu bewirkt werde, und zwar in den nämlichen Leib, den die Jungfrau Maria geboren, Pilatus gekreuzigt und Gott wieder erweckt habe. Durch diese Lehre, von der Brod- und Weinverwandlung oder Transsubstantiation, die zuerst im 9. Jahrh. von Paschasius Ratbert, einem Mönche aus der Abtei Corvey, aufgestellt und dann von der Kirche als Glaubenslehre angenommen wurde, ward die Hostie (Oblate) zum Gott erklärt und mußte als solche auch göttlich verehrt werden. Während nun Christus den gemeinschaftlichen Genuß des Brodes und Weines zur Hauptsache gemacht hatte, so wurde jetzt die äußere Verehrung dieses Brodes zur Hauptsache. Sorgfältig wurde die geweihte Hostie in der silbernen oder goldnen Monstranz aufbewahrt und beim Anblick des leiblichen Gottes fiel alles auf die Knie und kreuzte sich. Doch hiermit war es nicht genug; neue Mißbräuche erzeugten sich aus den alten. Die mystischen Vorstellungen, die gleich einem geheimnißvollen Schleier die Messe umgaben, gestalteten sie zu einem Opfer, und statt im A. die lebendige geistige Erin-

nerung an die Aufopferung Jesu zu feiern, feierte man darin eine förmliche Wie=
derholung des Opfers, nur mit dem Unterschiede, daß das Opfer auf Golgatha
ein blutiges gewesen, dieses ein unblutiges war und genannt wurde. Während die
Bibel lehrte, daß Jesus das Ende der Opfer sei, lehrte die Kirche, daß Christus jedes=
mal, wenn die Messe gefeiert werde, aufs Neue vom Himmel herniedersteige, um sich
Gott dem Vater zu opfern durch die Hand des Priesters. Je mehr nun die Messe
ein Opfer wurde, desto mehr verschwand aus der A.feier der Begriff der Gemein=
schaft (Communio), und das äußerlich verrichtete Werk des Einzelnen trat an
die Stelle. Endlich knüpfte sich noch an die Lehre von der Brodverwandlung
die Entziehung des Kelches beim A.genusse der Laien. Diese konnten nach
der Meinung der Kirche den Kelch um so eher entbehren, als ja in dem Brode schon
der ganze Leib, also auch das Blut Christi, enthalten war. Nur die Priester be=
hielten das Vorrecht, das A. unter beiderlei Gestalt zu genießen. So der katho=
lische A.begriff und die katholische A.feier bis zur Reformation. Diese räumte
natürlich auch hier auf. Luther und die Wittenberger sowohl, als Zwingli und
die Schweizer erkannten in der A.lehre eine Hauptquelle der Mißbräuche, die zum
Heile der Religion verstopft werden müßte. Sie bestritten die Lehre von der Brod=
verwandlung als unbiblisch, mißbilligten die äußere Verehrung der Hostie, verwarfen
die Opferidee, tadelten die Messe, gaben den Laien den Kelch wieder und führten beim
A. die Landessprache wieder ein. So weit waren sie einig; als sie aber zur Gegen=
wart Christi im A. kamen, schwand auch ihre Eintracht. Luther theilte zwar nicht
die Ansicht, daß das Brod gänzlich in den Leib des Herrn verwandelt (transsubstan=
zirt) werde; aber er nahm doch eine wesenhafte Gegenwärtigkeit dieses Lei=
bes an, die wir nicht begreifen können, aber glauben müssen. Er nahm an, daß
der Leib des Herrn in, mit, und unter dem Brode enthalten sei, und daß Jeder,
auch der Ungläubige, diesen Leib wirklich und wesentlich genieße. Eben so dachte er
sich's mit dem Kelche und dem darin enthalteten Blute Jesu. Karlstadt, Lu=
thers anfänglicher Mitstreiter, behauptete: Jesus habe nicht von dem Brode gesagt:
„das ist mein Leib," sondern er habe, indem er das Brod gebrochen, auf seinen eig=
nen Leib gezeigt und von diesem gesagt: „das ist mein Leib, der für euch gebrochen
wird." Das Brechen des Brodes erschien dann nur als eine begleitende Handlung
zu der Rede; das Symbolische verlor seine Bedeutung und sank zu einer Ceremonie
herab. Karlstadts Erklärung gab den Anstoß zu weitern Untersuchungen. Der A.=
streit nahm seinen Anfang. Karlstadt selbst wurde zwar von Luther bald zum
Schweigen gebracht, aber Andere faßten die Behauptung Karlstadts auf und erklärten,
entweder: in den Worten „das ist mein Leib" sei das Wörtchen ist so viel als
bedeutet, oder: „mein Leib" sei so viel als Zeichen meines Leibes. Darin
aber stimmten alle zusammen, daß sie statt der leiblichen Gegenwart Christi im A.
nur eine geistige annahmen. Luther sah in dieser Ansicht eine frevelhafte Herab=
setzung und Schändung des Sakraments, nannte die Vertreter derselben seine „Absalone
und Sakramentszauberer, gegen deren Wahnsinn er die Papisten noch mild und zahm
nenne und durch die ihn der Satan versuche." Ihren Hauptsitz hatte die neue Ansicht
in der Schweiz und einigen Reichsstädten, ihre gewichtigsten Vertheidiger an Zwingli
und Oekolampadius. Luther selbst verhehlte sich nicht, daß die Auffassung dieser
Männer für den gemeinen Menschenverstand etwas sehr Anlockendes habe, während
die seinige demselben weit weniger zugänglich sei. Die Schwierigkeit für ihn lag nur
darin, einen Schriftbeweis beizubringen, um seinem Lehrsatze den gehörigen Nach=
druck zu geben. Christus hatte sich aber nirgends weiter über diese Sache ausgespro=
chen; er hatte zu den Einsetzungsworten keine Erklärung gegeben, und Jedem stand
das Recht zu, besagte Erklärung nach seinem Gewissen selbst zu machen. Somit
blieb Luther nichts übrig, als das Wörtchen „ist" in den Einsetzungsworten in sei=
ner ganzen Buchstäblichkeit zu fassen, ihm einen übermäßigen Nachdruck zu geben und

darauf seinen ganzen Beweis zu stellen, während Zwingli und seine Anhänger
zeigten, daß das Wörtchen „ist" diese buchstäbliche Bedeutung nicht haben könne,
da die Bibel voll bildlicher Art und voller Gleichnisse ist. So, wenn Christus sagte:
„Ich bin der Weinstock und ihr seid die Reben (führt Zwingli an), so meinte er
doch nicht, er und seine Jünger seien wahres und wirkliches Rebholz. Wenn er den
Petrus einen Fels nennt, so meint er nicht, daß der Apostel nicht aus Fleisch und
Bein, sondern ein Stein sei." Allein je mehr man Luther von der Unmöglichkeit der
leiblichen Gegenwart Christi im A. überzeugen wollte, um so einseitiger rannte er sich
in seiner Meinung fest. Selbst eine persönliche Zusammenkunft zwischen ihm und
seinen schweizerischen Gegnern, die auf Veranstaltung des Landgrafen Philipp von
Hessen im Oktober 1529 in Marburg stattfand, führte nicht zu dem gewünschten
Ergebnisse. Luther hatte die Worte „das ist" mit großen Buchstaben vor sich hin
auf den Tisch geschrieben; er hatte seine Seele gleichsam in diesen Buchstaben wie in
einer Bannformel gefangen, aus der er nicht mehr heraus konnte. Vergebens bot
Zwingli mit thränendem Auge die Hand zum Frieden; Luther blieb unbeweglich und
wies jede brüderliche Gemeinschaft ab. Ihm war sein Theuerstes geraubt, Weib und
Kind war ihm gleichsam ermordet, sein Augapfel angetastet, wenn der Glaube angegriffen war. Die Gesinnung ist schön; nur irrte er darin, worin so oft die Strenggläubigen irren, wenn sie Andersdenkende lieblos beurtheilen, daß er den Glauben
mit der Glaubensmeinung, die Religion mit der Dogmatik verwechselte.
Die Sache wurde nicht besser, als Zwingli's Nachfolger, Calvin, mit einer 3ten Ansicht hervortrat und behauptete, daß der Leib und das Blut Christi zwar gegenwärtig seien und wirklich empfangen würden, aber auf eine geistige Art; daß beim
Genusse des A. von dem im Himmel verbleibenden Christus eine übernatürliche Kraft
ausgehe, welche die Seele des Gläubigen auf eine geheimnißvolle Art durchdringe
und stärke. Die Meinung Luthers, daß der Leib Christi unter dem Brode empfangen werde, nannte er unverträglich, entweder mit der Herrlichkeit seiner göttlichen,
oder der Wahrheit seiner menschlichen Natur, und dann eben so ungereimt, als
die Brodverwandlung der römischen Kirche. Calvins Ansicht vom A. fand in der
reformirten Kirche bald allgemeine Verbreitung und verdrängte die Zwinglische. Aber
vor Luthers Augen fand sie keine Gnade. Noch kurz vor seinem Tode verdammte er
sie und warf ihre Urheber unter „die Schwärmgeister, Rottengeister, Tollköpfe und
Satansknechte." Als Luther vom Schauplatze abgetreten war, wollte Melanchthon, der sich bis dahin sklavisch vor ihm beugte, obgleich er den Schweizern bei-
gestimmt, eine Vereinigung beider Ansichten bewirken. Aber schon die ersten Versuche
dieser Art stießen bei den orthodoxen Lutheranern, die wo möglich lutherischer waren,
als Luther selbst, auf den entschiedensten Widerstand. Der Streit entbrannte hitziger
denn je; eine Menge Streitschriften wurden gewechselt und der Haß gegen Calvin und
seine Lehre übertrug sich nun auch auf diejenigen Lutheraner, welche in einzelnen
Punkten mit ihm übereinstimmten. Eine grenzenlose Verdächtigungswuth bemächtigte
sich der Gemüther. Wie man heutzutage nach Demagogen, Communisten und Jesuiten schnopert, so spürte man damals nach heimlichen Reformirten oder Kryptocalvinisten, wie sie mit dem Kunstausdruck benannt wurden. Diese Kryptocalvinisten-
riecherei wüthete namentlich in Kursachsen und forderte zahlreiche Opfer. Die
bedeutendsten darunter waren: Melanchthons Schwiegersohn, Kaspar Peucer, welchen Kurfürst August 12 Jahre lang (1574—1586) im Gefängnisse schmachten ließ,
und der Kanzler Nikolaus Krell, welcher 1601 zu Dresden enthauptet wurde.
Viele Andere, meist Geistliche, Professoren und Staatsmänner, wurden eingekerkert
oder verjagt. Das Ende vom Liede war, daß jede Partei bei ihrer Ansicht blieb und
zwischen sich und der übrigen Christenheit eine mit Bannflüchen wohl verwahrte
Grenzlinie zog. Wie die katholische A.lehre durch die Beschlüsse des Tridenti-
ner Concils aufs Neue bestätigt worden war, so wurde die calvinische 1563

durch den Heidelberger Katechismus und die lutherische 1580 durch die
Concordienformel anerkannt. Die Aufführung dieser papiernen Scheidemauer
vollendete die Kirchenspaltung. Fortan war an keine Annäherung mehr zu denken;
jede Abweichung von der gegebenen Glaubensnorm wurde als Ketzerei betrachtet und
behandelt, und mit innerer Befriedigung sah die eine Partei zu, wenn es der andern
übel erging. Die Niedermetzelung der Hugenotten in Paris, die Vertreibung des reformirten Kurfürsten Gebhard von Köln, die Entthronung des reformirten Böhmen-
königs Friedrich und ähnliche Ereignisse, erfüllten die Lutheraner mit Freude und erhielten oft ihre laute Billigung. Der gegenseitige Haß erreichte eine kaum glaubliche
Höhe. Dies hatten nun wohl Luther und seine Gegner nicht beabsichtigt. Schwerlich
war ihnen jemals der Gedanke beigekommen, daß ihre theologischen Streitigkeiten eine
bleibende Kirchentrennung nach sich ziehen würden. Die feste Ueberzeugung von der
Wahrheit der eignen Lehre, die jeder hatte, machte es ihnen gewiß, daß der Zwiespalt
nicht lange dauern würde. Gleichwohl dauert er bis heute. Nur in Preußen hat
man in neuerer Zeit den Versuch zu Bildung einer protestantisch-evangelischen Union
gemacht. Auf Friedrich Wilhelm's III. Betrieb (s. Agende) reichten sich dort die
meisten Lutheraner und Reformirten die Hand zur Versöhnung und feiern seitdem in
anscheinend brüderlicher Eintracht das A. In andern deutschen Ländern ist man dem
Beispiele Preußens nachgefolgt. Ob indeß die Verschmelzung eine innige ist, ob die
Vereinigungsideen wirklich in Blut und Saft des Volkes übergegangen sind, das ist
eine Frage, die von verschiedenen Seiten verschieden beantwortet werden dürfte. Jäckel.

    Aberglaube. Ein Glaube, der keinen Grund der Vernunft hat und entweder
auf Schwäche des Verstandes, oder auf Verleitung und Verführung beruht. Also
der Glaube an Hexen, Gespenster, Wunder, an Verkehr mit der angeblichen Geisterwelt, an die Unfehlbarkeit irgend eines Menschen, oder die Vollkommenheit menschlicher Werke u. s. w. Der A. ist eine Erscheinung im Leben, welcher mit allen Kräften und Mitteln entgegen gearbeitet werden muß, denn er schwächt und vernichtet die
edelste menschliche Kraft, den Verstand, und hat zu den größten Verirrungen und
schwersten Verbrechen Veranlassung gegeben. Wenn man bedenkt, daß wissenschaftlich
gebildete und gelehrte Männer, Pfleger des Rechts und der Gerechtigkeit, allein in
Deutschland über 100,000 unschuldige Menschen als Hexen verbrannt haben, so hat
man ein Bild davon, was der A. vermag und wozu er den einzelnen Menschen
fähig macht. Alle weltliche und geistliche Tyrannei, die jemals die Menschheit belastete, hat im A. ihren Grund und Ursprung, weil man dem Volke eine göttliche Ordnung vorspiegelte, die seine Unterdrückung wolle. Ist es demnach Pflicht jedes denkenden und wohlwollenden Menschen, den A. unablässig zu bekämpfen auf jedem
Gebiete des Lebens, so fragt sich doch in der Politik, wie weit der Staat dazu berechtigt und verpflichtet ist, seine Gewalt gegen den A. zu kehren? Die 2 Staaten,
welche nächst Norwegen die freiesten Verfassungen in Europa haben, Frankreich und
England, gehen dabei von ganz verschiedenen Grundsätzen aus. In Frankreich hält
sich der Staat für verpflichtet, Vorkehrungsmaßregeln gegen den A. zu treffen
und denselben bei jedem Erscheinen anzugreifen. In England dagegen wird der A.
als eine Erscheinung des freien Menschengeistes betrachtet, gegen welche der Staat
erst dann einschreiten kann und darf, wenn sie gegen die bestehende Ordnung sündigt.
Diese Auffassung ist auch gewiß die allein richtige; diejenige, welche die Freiheit des
Gedankens und der Lehre am meisten schützt und die Gelegenheit abschneidet, Dinge
als A. zu verketzern, die es keineswegs sind, oder gar politischen A. zu verbreiten.
Wie sehr dies zu geschehen pflegt, dafür giebt zunächst Napoleon ein Beispiel, welcher
den politischen und religiösen A., daß Gott ihn zur Herrschaft und Knechtung der
Völker erkoren habe, in einem besonders dazu gemachten Katechismus in allen Schulen verbreiten und die Herzen der Kinder damit vergiften ließ. Es giebt auch heute
noch derartige Schulbücher genug und die Eltern mögen gegen den heillosen A. ver-

selten sehr auf der Hut sein. Der Staat hat, außer der Abwehr der schädlichen Geburten des A., die Pflicht, die wirksamste Waffe gegen denselben zu kehren, die allgemeinste und freieste Belehrung auf jedem Gebiete und nach allen Richtungen. Wenn er selbst eine gewisse Richtung, sei es eine politische, eine religiöse, eine wissenschaftliche oder eine gesellschaftliche, begünstigt und die andere unterdrückt oder zurücksetzt, so macht er sich der Verbreitung des A. theilhaftig. Der einzelne Mensch aber bekämpft den A. am sichersten, wenn er bei jeder Erscheinung oder Lehre unerbittlich fragt: warum? einen vernünftigen Grund verlangt und sich durch keinen äußern Schein blenden läßt; wenn er annimmt, daß jede Lehre, welche die Prüfung der Vernunft, das vollste Licht des menschlichen Geistes scheut, ihren Gegnern vielmehr das Wort abschneidet und deren Meinung unterdrückt, nichts als A. ist, gleichviel, ob derselbe von alten Weibern, vom Lehrstuhl, von der Kanzel oder von der Staatszeitung vorgetragen wird.   R. B.

Abfahrt, eine Abgabe, s. Abschoß.

Abfall, (Abtrünniger, Apostasie, Apostat). Bezeichnung für den A. von einer Religion oder Confession, von einer Regierung oder einem Regenten, von einer politischen Partei oder einer politischen Richtung. Doch muß man hier wohl unterscheiden: Wenn z. B. ein Saulus zum Paulus wird, wenn ein Canning, nachdem er Tory gewesen, sich zum Organ der Zeitforderungen erhebt, wenn ein Freiligrath, nachdem er die Fortschrittspartei heftig befehdet, selbst zu derselben übertritt, so kann nur von einer Fortbildung, einer Weiterentwickelung, nicht von A. gesprochen werden, denn das Wort A. hat einen beschimpfenden Nebenbegriff. Man kann es nur dann brauchen, wenn ein A. vom Bessern zum Schlechtern, von der Vernunft zur Unvernunft, von der Freiheit zur Knechtschaft, von der Tugend zum Laster vorliegt; und da man anzunehmen berechtigt ist, daß ein Mensch, der seine fünf Sinne beisammen hat, nicht ohne materielle Entschädigung einen solchen Schimpf auf sich nimmt, so werden in der Regel bei einem A. die niedrigsten Beweggründe vorausgesetzt. In der That spielen Geld, Orden, Titel, Ehrenstellen u. s. w. gewöhnlich eine bedeutende Rolle dabei. Manche verleugnen ihre bessere Ueberzeugung auch aus Feigheit, aus purer schmachvoller Nachgiebigkeit gegen die herrschende Gewalt. Die alte Geschichte kennt wenig politische Abtrünnige, die neue eine Unzahl. Jedes Volk hat davon eine Musterkarte aufzuweisen und Deutschland nicht die am wenigsten zahlreiche. Um von der großen Menge derer zu schweigen, welche mit jedem Winde zu segeln gewohnt sind und keine Ueberzeugung opfern können, weil sie keine haben, genügt es, hier zwei der bekanntesten deutschen Abtrünnigen namhaft zu machen: den verstorbenen Ritter v. Gentz und den noch lebenden Joseph Görres in München. Ein bemerkenswerthes Kennzeichen der Abtrünnigen ist es, daß sie durchgängig einen übertriebenen Eifer gegen ihre frühern Meinungsgenossen an den Tag legen. Sie thun dies eines Theils, um sich für deren Verachtung zu rächen, andern Theils, um sich das Vertrauen ihrer neuen Freunde zu erwerben und dem empfangenen Judaslohn treulich abzuverdienen. Nichtsdestoweniger gelingt es ihnen nur selten, der Mißachtung der Partei zu entgehen, an die sie sich verkauft haben. Man benutzt sie als Werkzeuge, läßt sich aber sonst nicht viel mit ihnen ein. Haben sie ihre Dienste geleistet, so wirft man sie weg, wie ausgepreßte Citronen. Mußte doch Einer von dieser Sorte, der berüchtigte Kuhl in Butzbach, selbst ein Theils, gestehen: er käme sich vor, wie ein Aas, das Allen Ekel einflöße und von Allen gemieden würde!   Jäckel.

Abfindung, s. Familienrecht.

Abgaben. Wie ein jeder Privatmann, um seine und seiner Familie Bedürfnisse zu befriedigen, nothwendig Mittel braucht, so braucht auch der Staat und die Gemeinde, um den gemeinsamen Zwecken und Bedürfnissen der Gesammtheit zu genügen, solche Mittel. Lassen sich diese aus dem Ertrage von Domänen oder Gemeindeland gewinnen, um so besser; wo aber solche Einnahmequellen entweder gar nicht ober boch nicht in genügenber Masse vorhanden sinb; wo vollenbs mit ber Zunahme ber Bevölkerung unb ber Bilbung, in sesshaften Verhältnissen mit ausgebilbetem Privateigenthum, die Ansprüche an das Gemeinwesen sich steigern: ba tritt bann bie Nothwenbigkeit ein, burch Leistungen ober Beiträge ber Staats= ober Gemeinbegenossen jene Mittel aufzubringen. In kleinen Gemeinben mag es vorkommen, baß sie alle ihre Bebürfnisse aus bem Gemeinbevermögen bestreiten können: nicht so bei größern Gemeinben unb bei Staaten. Die Hofhaltung, bas stehenbe Heer, bie Kriegsflotte, bie Beamten, bas Armenwesen, bas Schul= unb Kirchenwesen, bie Polizei, bie Rechts= pflege, ber öffentliche Verkehr, forbern so große Summen, baß bie Kräfte ber Bürger bafür in Anspruch genommen werben müssen. Das, was man zu biesem Enbe leisten ober entrichten muß, nennt man A. Es wäre Thorheit, unwillig barüber zu sein, baß A. überhaupt entrichtet werben müssen. Hält man einmal eine Einrichtung für nothwenbig, hat man vollenbs Nuzen bavon, so kann man sich auch nicht über bie Kosten beschweren, bie sie verursacht. Kann ber Staat bestimmt vorgezeichnete Zwecke nur bann erreichen, überhaupt nur bann bestehen, wenn er gewisse Mittel ba= für aufwenbet, so muß man ihm auch biese Mittel gewähren. Sie ihm verweigern, heißt sein ganzes Räberwerk zum Stillstanb bringen. Die Erfahrung hat inbeß ge= lehrt, baß bie A. für bie Völker bisweilen nicht blos brückenb, sonbern auch uner= schwinglich waren, baß manche Arten von A. ganz besonbers ben öffentlichen Haß auf sich zogen. Hier also entsteht bie boppelte Frage: wer soll bestimmen, was an Abgaben zu leisten ist? unb bann: nach welchem Maßstabe hat ber Einzelne bazu beizutragen? In ber ersten Beziehung ist bie Sache klar. Das Volk hat bie A. aus seinem Beutel zu bezahlen; es muß also auch bamit einverstanben sein. Denn so wie es einem Einzelnen nimmermehr erlaubt ist, mir von meinem Eigenthume etwas gegen meinen Willen wegzunehmen, ebenso wenig kann bas einer Gesammtheit, bem Staate, erlaubt sein. In frühern Zeiten war es wohl so, baß bie Fürsten ganz nach eignem Ermessen A. ausschrieben, so viel sie wollten unb so oft sie wollten, weil sie meinten, „Lanb unb Leute" gehörten ihnen, unb baher kamen bann bie Verschleu= berung ber öffentlichen Gelber, ber A.bruck, bie Verarmung ber Völker. Einer ber ersten Rechtssäze aber, ber sich mit bem Sturze bes unumschränkten Herrscherrechts Bahn brach, war ber, baß bie A. vom Volke, ober, was basselbe ist, von ber Volks= vertretung zu verwilligen sinb unb nur mit bessen Zustimmung erhoben werben bür= sen. Nur baburch wirb es möglich, bie Anforderungen ber Staatsverwaltung auf ein gewisses Maß einzuschränken unb ber Gefahr vorzubeugen, baß bie Kräfte bes Volkes bis zur Ermattung angespannt, ober auf Dinge verwenbet werben, bie nicht zum allgemeinen Besten gereichen. Das Recht, bie A. zu verwilligen, haben alle frei= heitsliebenben Völker für eines ihrer wesentlichsten Freiheitsrechte gehalten, unb als Englanb seinen norbamerikanischen Colonien A. auflegen wollte, ohne beren Genehmi= gung, ba erklärten biese ihre Unabhängigkeit vom Mutterlanbe! Was ben 2. Punkt anlangt, nach welchem Maßstabe ber Einzelne zu ben öffentlichen Bebürfnissen bei= tragen habe? so ist bie allereinfachste Antwort bie: Jeber nach Verhältniß seiner Kräfte, seines Vermögens ober Einkommens. Ungerecht nämlich wäre es, wollte man hier eine äußerliche Gleichheit zwischen allen Bürgern herstellen, von bem Armen gerabe so viel verlangen, wie von bem Reichen. Vielmehr verlangt bie Gerechtigkeit, baß bie Verhältnisse jebes Einzelnen in Anschlag gebracht, ber Arme niebrig, ber Mittel= mäßig, ber Reiche hoch, ber ganz Reiche noch höher angesezt werbe. Offenbar ist es bas Natürlichste, baß, wenn ber Staat Mittel braucht, er sich gerabezu an seine Bürger, an jeben Einzelnen um einen verhältnißmäßigen Beitrag wenbet. Man nennt solche A., bie unmittelbar von ben zahlungspflichtigen Personen geforbert werben, birekte A. Will man ben Grunbsaz rein unb streng burchführen, so muß man sagen, baß es nur eine birekte A. geben kann, nehmlich bie allgemeine unb alleinige Vermögens= unb Einkommensteuer, bie nehmlich ben Bürger nach Maßgabe seines ganzen Vermögens und Einkommens trifft. Um so auffälliger ist es, daß man diesen einfachsten, natürlichsten Weg in der Wirklichkeit fast überall verlassen und lieber einen künstlichen eingeschlagen hat. Statt nämlich geradezu an bestimmte Personen die Forderung nach dem Maße ihres Gesammtvermögens und Einkommens zu richten, richtet man sie gewöhnlich an bestimmte Theile oder Quellen desselben, mithin an die S a ch e n (Grund und Boden, Häuser, Kapitalien, Gewerbe, Besoldung, nimmt Einkommensteuer, Grundsteuer, Häusersteuer, Kapitaliensteuer, Gewerbesteuer, Klassensteuer u. s. w., die jedoch immer noch im weitern Sinne direkte A. genannt werden), wodurch man freilich Gelegenheit erhält, von jedem einzelnen Theile eine A. erheben zu können; oder man nimmt vollends gar den Umweg, daß man i n d i r e k t e A. erhebt, von Dingen, die an sich wohl freizulassen wären, aber doch mit herangezogen werden, weil sie etwas einbringen. Dahin gehören besonders die Zölle (s. d.). Zu leugnen ist nicht, daß diese Art A., bei denen der Pflichtige meist nur einen Vorschuß leistet, den er von Andern wiedererstattet erhält, in sofern etwas Bequemes an sich haben, als sie in sehr kleinen Theilen und so, daß man es gar nicht merkt, bezahlt werden. Gar viele, die jetzt diese A. ohne Widerrede, und ohne es sonderlich zu fühlen, zahlen, würden erschrecken, wenn sie es wüßten, wie viel sie im Ganzen zu tragen haben. Im Grunde ist es aber doch keine wirkliche Erleichterung, sondern eher eine Täuschung, wenn Jemand in dem Glauben gelassen wird, er zahle wenig, und zahlt in der Wirklichkeit viel, viel mehr, als er glaubt. Dazu kommt, daß bei ihnen der leitende Grundsatz kein anderer zu sein scheint, als der: man nimmt eben so viel, als man braucht, und nimmt es da, wo man es bekommt. Werden sie dann noch gerade auf Gegenstände des täglichen Bedarfs gelegt, auf Salz, Brod und Fleisch, Bier und Kaffee, Lebensmittel und Rohstoffe aller Art, und meistens geschieht dies des ausgezeichnetsten Ertrags willen — so treffen sie den ärmsten Theil des Volkes am meisten und in dieser Härte gegen die Armen, in dieser Begünstigung der Reichen, liegt auch der Grund, warum wohlwollende Regierungen, die es auf eine Erleichterung der ärmern Bürger abgesehen haben, von den indirekten A. immer mehr zurückkommen und an ihre Stelle eine allgemeine Vermögens- und Einkommensteuer setzen sollten, von welcher eine solche Benachtheiligung der Armen nicht zu fürchten, wohl aber eine gerechtere Heranziehung der Reichen zu erwarten wäre. Ohnehin kommen die Wohlthaten des Staates den Reichen in weit größerm Umfang zu Gute, als den Armen — die letztern haben fast nur Lasten zu tragen, während ausschließlich zum Besten der erstern gar Vieles geschieht; schon das sollte sie der Erwägung zugänglich machen, daß es gerecht sei, die A. hauptsächlich auf ihre Schultern zu wälzen. Freilich setzt eine solche Einrichtung, bei der sich Jeder selbst zu schätzen hätte, voraus, daß im Volke so viel Ehrenhaftigkeit und Gemeinsinn herrsche, daß Jeder nach seinen Kräften beizutragen geneigt und willig sei. Aber soll man eine solche Bereitwilligkeit nicht gerade bei den Bemittelten, die meist zugleich auch die Gebildeten sind, voraussetzen dürfen? Und ginge selbst etwas durch die Selbst- und Gewinnsucht Einzelner der Gesammtheit verloren, würde das mehr sein, als die mit der Erhebung der indirekten A. beschäftigten zahlreichen Beamten, die Steueraufseher und Grenzjäger, gegenwärtig verschlingen? Wenn es auch schwer sein mag, von diesem falschen Wege auf den richtigen sich zurecht zu finden, so wird die gesündere Einsicht sich doch auch hier Bahn brechen, wie sie ja darin schon durchgedrungen ist, daß es kein Vorrecht, keine A. zu geben, was früher die Rittergüter oder die Kirche besaß, für die staatsbürgerliche Gleichheit verletzend sei. — Außer diesen öffentlichen A. gab es, namentlich in früherer Zeit, eine große Anzahl A., die privatrechtlicher Natur waren, von den Bauern an die Gutsherrschaft entrichtet wurden, und bei so vielerlei Veranlassungen, bei Sterbefällen, bei Käufen, bei Festtagen, bei der Ernte vorkamen, daß sie in den meisten Fällen wohl noch mehr betrugen, als die öffentlichen A. Man braucht nur an den Zehnten, das Lehngeld, den Grundzins zu erinnern. Großentheils nur durch Anmaßung

der Vornehmen entstanden, die sich in der Zeit des Faustrechts zu Grund- und Leib-
herren über freien Boden und freie Bewohner aufwarfen, das Emporkommen der
Landwirthschaft durch Herabwürdigung und Entmuthigung des Bauernstandes hindernd,
sind diese A. unter dem Einflusse einer aufgeklärtern und menschlichern Zeit von der
Gesetzgebung in vielen Fällen ohne Nachsicht aufgehoben, in andern aber auch mit
schwerem Gelde der Betheiligten abgelöst worden, indem man den Grundsatz vergaß,
daß ein „Jahrtausend Unrecht keine Sekunde Recht ist" und die Feudalherren noch
dafür bezahlte, daß sie Jahrhunderte lang ungerechtes Gut besessen und genossen
hatten.   C. C. Cramer.

Abgeordnete. Im weitern Sinne Jeder, der von einem Andern, einem Vereine, einer Gesellschaft, oder Körperschaft zur Besorgung einer Botschaft oder eines Geschäftes
ermächtigt wird; also gleichbedeutend mit Agent, Bevollmächtigter, Delegirter u. s. w.
Im engern Sinne aber der Erwählte, welcher das Volk oder bestimmte Abtheilungen
desselben verfassungsmäßig vertreten, für dasselbe an der Gesetzgebung Theil nehmen,
in seinem Namen Abgaben und Lasten bewilligen, kurz, alle die Rechte ausüben und
handhaben soll, welche der Gesammtheit durch die Verfassung zukommen. Ueber die
Art, wie der A. gewählt wird und gewählt werden sollte, ist das Nähere unter
Wahlen, Wahlgesetz, Wahlrecht angegeben; die Rechte und Pflichten desselben aber sind unter Verfassung zu suchen, weil es sich dort nur um Erklärung
der Volksrechte handeln kann, die der A. eben vertritt. Der A. soll nach den Bestimmungen der meisten Verfassungen das ganze Land vertreten, nicht den Bezirk
oder den Stand, welche ihn gewählt haben; nur in der ungarischen Verfassung ist
das anders: dort vertritt der A. nur seinen Bezirk und zwar nach der bestimmten
Anweisung (Instruktion) seiner Wähler; diese haben das Recht, ihn zurück zu rufen,
wenn er nicht nach ihrer Anweisung stimmt. Als politischer Lehrsatz ist es ganz richtig, daß der A. nur das Allgemeine ins Auge fassen und für dasselbe wirken soll;
denn ohne diese Bestimmung würde die Volksvertretung in eben so viele Einzelbestre-
bungen sich zersplittern, als A. einzelner Bezirke und Stände vorhanden sind. Im
Leben aber ist das strenge und folgerichtige Festhalten an dieser Bestimmung unausführbar, denn jeder Wählerkreis, selbst der vortrefflichste, wird auch darauf sehen, daß
der A. seine besondern Bedürfnisse und Interessen vertritt; der A., wenn er sich die
Wahl sichern will, muß die Besonderheiten beachten. Nach den meisten deutschen
Verfassungen ist die Ausführung der Bestimmung auch noch dadurch unmöglich,
daß man künstlicherweise Sonderinteressen geschaffen, das Volk nach Ständen, Provinzen und Bezirken zerklüftet und getheilt hat, und die Wähler zwingt, ihren A.
innerhalb dieser engen und künstlichen Schranken zu suchen; woraus folgt, daß der
A. schon seiner Stellung und Natur nach an die Sonderinteressen seines Standes und
Bezirkes gebunden ist. Wie sehr dies wirklich der Fall ist, beweist das so oft erfolgreiche Bestreben schlechter Minister, durch Förderung der Sonderinteressen einzelner
Bezirke oder Stände wohlgefällige Wahlen zu erzielen, oder die A. zu einer bestimmten Abstimmung zu vermögen. Soll der A. das ganze Land und nur dieses vertreten, so muß nothwendig die Wahl im ganzen Lande freistehen. Der Vertretung der Allgemeinheit widerspricht eben so sehr die Bestimmung, daß der A. ein gewisses Vermögen besitzen soll, um wählbar zu sein. Würdigkeit und Tüchtigkeit sind
die einzigen Merkmale, die man von einem A. verlangen darf, selbst da, wo man
das Recht, mit zu wählen, an den Besitz eines Vermögens knüpfen zu müssen glaubt.
Der A. muß ferner selbstständig und unabhängig sein, darf nur seiner Ueberzeugung,
keiner äußern Einwirkung folgen; abermals Eigenschaften, die nur der innere Menschenwerth, nicht der Besitz, nicht der Stand und nicht der Wohnort verleihen können.
Daraus folgt, daß unselbstständige und abhängige Personen zum A. nicht tauglich und
fähig sind. Häufig hat man die Staatsbeamten, oder wie man leider oft bezeichnender sagen muß, die Staatsdiener, zu den Abhängigen gezählt und für untüchtig

gehalten; mit großem Unrecht. Denn der Staatsbeamte ist durch seine Sachkenntniß häufig der wünschenswertheste und fähigste A. und muß außerdem wie jeder andere Staatsbürger berechtigt sein, wenn er innerlich tüchtig ist. Allerdings, wo ein Regierungssystem so ausgeartet ist, daß es zu Staatsbeamten nur willenlose Werkzeuge brauchen kann; daß es dieselben zu ministeriellen Maschinen herabwürdigt, ihnen vorschreibt, wie sie denken und fühlen sollen; ihnen die Theilnahme am Volksleben verbietet; sie zur Heuchelei zwingt, indem sie nur eine regierungsgefällige politische Meinung zeigen dürfen, oder wenn sie die Heuchelei verschmähen, die mißliebige Ueberzeugung ächtet, verfolgt, zurücksetzt oder gar brodlos macht, — da ist der Staatsbeamte als A. untüchtig und gefährlich; seine Wahl ist eine Leichtfertigkeit und Grausamkeit zugleich; leichtfertig, weil ein Mann in solcher Stellung niemals Bürgschaft giebt, daß er das allgemeine Beste vertreten kann; grausam, weil man ihn stündlich der Gefahr aussetzt, entweder seine Ueberzeugung zu verleugnen, oder seine Stellung und seine Familie zu gefährden. Thöricht und ungerecht ist es also, den Beamten zum A. nicht wählen zu wollen, weil er Beamter ist; aber seine Stellung zur Regierung verdient die ernsteste Prüfung der Wähler. Wo ein solches System einseitiger politischer Rechthaberei, Unterdrückung und Willkühr, wie das geschilderte, herrscht, da ist der Wahlspruch: Keinen Staatsbeamten zum A. wählen! nicht nur gerechtfertigt, sondern er wird zur Pflicht und Nothwendigkeit, wenn nicht die ganze Volksvertretung, das ganze Verfassungswesen in ein leeres Gaukelspiel ausarten soll. Ist nun auch der A. hinsichtlich seines Wirkens allein an seine Ueberzeugung gewiesen, hat er keinerlei Anweisungen und Vorschriften hinsichtlich seiner Richtung anzunehmen, so versteht es sich doch von selbst, daß die Wünsche und Meinungen des Volkes seine vollste Beachtung in Anspruch nehmen; denn sobald er mit diesen in Widerspruch steht, so hört er eben auf, A. im wahren Sinne, d. h. Vertreter des Volkes zu sein. Wer es fühlt, daß er mit den Ansprüchen der Gesammtheit, oder nur der Mehrheit im Widerspruch ist, der wird; wenn er ein Ehrenmann ist, seine Würde als A. in die Hände der Wähler zurückgeben. In dieser Beziehung ist die Sitte sehr lobenswerth, daß der A., wie in England und Amerika, offen vor das Volk tritt und sich mit Darlegung seiner Ansichten um die Wahl bewirbt. Dadurch wissen die Wähler, woran sie sind, und es wird ihnen manche schwere und bittere Täuschung erspart, die sie in andern Ländern erfahren müssen, wo das Wahlgeschäft, wie so manches Andere, heimlich betrieben wird, und die Wähler sich untereinander, also auch den zu Wählenden, oft gar nicht kennen. Da wirbt man denn auch heimlich, hat aber alle süßen Versprechungen vergessen, wenn man sein Ziel erreicht hat. Der A. erhält in den meisten Staaten für Reisen und Zeitverlust eine Entschädigung (Diäten der A.), die selten weniger als 3, selten mehr als 5 Thaler täglich beträgt; in einigen Staaten ist dies jedoch auch nicht der Fall und die Prediger des Stillstands und Rückschritts möchten das Volk gerne glauben machen, daß ein solches Ehrenamt nicht bezahlt werden dürfe. Aber diese Lehre ist nur darauf berechnet, das Wahlrecht zu einer Täuschung zu machen und die ganze Vertretung den Reichen und Bevorzugten allein in die Hände zu spielen; denn es würde sich nicht mehr fragen, wer am tüchtigsten zum A. ist, sondern wer das Geld dazu aufwenden kann. Die persönlichen Rechte eines A. sind groß und ausgedehnt, er ist für seine Meinungsäußerung in der Kammer völlig frei und unverantwortlich, nur der Vorsitzende hat ihm Schranken zu setzen, wenn er die Gesetze des allgemeinen Anstandes, oder der bestimmten Geschäftsordnung überschreitet; er darf ohne Bewilligung der Volksvertretung nicht verhaftet und vor Gericht gestellt werden, es sei denn, daß er bei einem Verbrechen ergriffen würde u. s. w. A. zu sein, ist die höchste Ehre und Würde, die ein wahrer Mann erringen kann; sie legt ihm allerdings schwere Pflichten auf, aber die Erfüllung derselben schwellt auch seine Brust mit dem stolzesten und schönsten Bewußtsein. Schmach und Schande aber gebührt dem, der diese Würde annimmt, ohne nur ben Willen zur Erfüllung ihrer Pflichten zu haben; der vielmehr seine Stellung nur mißbraucht, um durch gefällige Wirkung und Abstimmung Stellen, Orden, oder andere Begünstigungen zu erhaschen. Die Bestimmung einiger Verfassungen, daß der A., so lange er dieses Ehrenamt bekleidet und eine gewisse Zeit nachher, weder eine Stelle, noch sonst eine Auszeichnung annehmen darf, ist eine sehr weise. Wäre sie allgemein, so würden viel weniger schmachvolle Meinungswechsel und Abtrünnigkeiten vorgekommen sein, als man leider zur Schande der Volkssittlichkeit zählen muß. Wohin die Abhängigkeit der A., die schlechte Wahl durch den Reichthum allein, der übermäßige Regierungseinfluß, die Wirkung des Geldes, und der Bestechung mit Aemtern, Orden u. dergl. führen, das zeigt die dermalige franz. Volksvertretung, die alle Gesetze des Anstandes und der Ehre eben so sehr mit Füßen tritt, als das Wohl des Landes, jede beliebige Schändlichkeit durch ihre Zustimmung heiligt und das Mark des Landes für Gegenwart und Zukunft gewissenlos vergeudet.   R. B.

Abgesandter, s. Gesandter.

Abgötterei. Anbetung eines falschen Gottes oder Götzen, eines Bildes, das ein höheres Wesen versinnlichen soll. Schon das mosaische Gesetz verwarf die Versinnlichung Gottes durch Bilder, indem es den Israeliten verbot, sich von Gott „ein Bild oder Gleichniß" zu machen. Das Christenthum wiederholte dieses Verbot, indem es Gott als einen „Geist" darstellte, der „im Geist und in der Wahrheit" angebetet werden müsse. Am schärfsten aber prägte sich die Abneigung gegen eine bildliche Darstellung der Gottheit im Muhamedanismus aus. Die Aegypter, Griechen und Römer waren nach jüdischen und christlichen Begriffen nichts als Götzendiener, weil sie vor selbstgefertigten Götterbildern ihre Andacht verrichteten. Aber auch die Juden und Christen hielten sich nicht frei von A. Die Erstern wandten sich mehrmals von Jehovah ab und fremden Göttern zu; die Letztern, nicht zufrieden mit Gottvater, Gottsohn, der Gottesmutter und dem heil. Geiste, schufen sich noch eine Masse von Heiligen, bildeten sie ab und verehrten sie. Nur der Muhamedanismus wußte sich vor solchen Verirrungen zu bewahren. — Im politischen Sinne versteht man unter A. die übertriebene Schmeichelei gegen die Gewaltigen der Erde. Im Alterthume kam es vor, daß sich Herrscher wirklich göttlich verehren ließen. So Alexander der Große und, seinem Beispiele folgend, einzelne römische Kaiser. Während sich aber Alexander selbst unter die Götter versetzte, wurden die römischen Kaiser von der Niederträchtigkeit der Menschen dazu erhoben. Nachdem der speichelleckerische Senat an einen solchen gekrönten Tyrannen alle Formen der Schmeichelei erschöpft hatte, blieb ihm natürlich nichts weiter übrig als ihn zu guter Letzt noch für ein übermenschliches Wesen zu erklären und ihm bei Lebzeiten Altäre zu errichten. Auf diese Weise stiegen mitunter die größten Scheusale zu Göttern auf. Ekel über die Entwürdigung der menschlichen Natur muß Jeden erfassen, der die heuchlerischen Lobgesänge liest, womit die feilen Schreiber jener Tage die Namen ihrer Bedrücker vergolden. So redet — um nur ein Beispiel anzuführen — Valerius Maximus in der Einleitung zu seiner „Sammlung merkwürdiger Reden und Thaten" den Despoten Tiberius mit den Worten an: „Deinen Schutz erbitte ich mir vor Allem für dieses Werk, mein Kaiser, du Pfeiler der vaterländischen Wohlfahrt, von Göttern und Menschen zum Herrn von Land und Meer einstimmig erkoren. Mit himmlischer Milde und Theilnahme weckst und pflegst du die Tugenden, von denen ich reden werde; mit unerbittlicher Strenge verfolgst du das Laster. Und hatten die alten Redner Recht, mit dem erhabenen Jupiter ihre Vorträge zu beginnen, durften die berühmtesten Dichter den Faden ihrer Gesänge an den Thron irgend einer Gottheit anknüpfen, so habe ich Niedriger noch mehr Fug, deine Huld in Anspruch zu nehmen u. s. w." Seit dies geschrieben wurde, sind 18 Jahrh. verflossen. Leider ist die Menschheit während dieser Zeit in dem Bewußtsein ihrer Würde nicht so weit vorgeschritten, sich einer solchen Sprache zu schämen. Immer noch hat man Gelegenheit, dergleichen Ausbrüche knechtischer Gesinnung zu hören, und es würde uns keineswegs schwer fallen, aus Schriften unserer Tage Dutzende von Stellen herauszugreifen, die der eben mitgetheilten an die Seite gesetzt zu werden verdienten. Hier nur eine, die vor etwa 10 Jahren in einem Würzburger Blatte erschien, als der König dort war: „Und er erschien, der große erhabene Monarch, den Alexander und Perikles, Cäsar und Titus, die Hohenstaufen und die Medicäer sich zum Muster genommen haben würden, wenn er vor ihnen gelebt hätte." Es ist offenbar, daß mit den Fürsten oft noch dieselbe A. getrieben wird, wie vordem. Sie werden zwar nicht mehr als Götter verehrt, aber sie werden auch nicht als Menschen behandelt. Sie sind „geheiligte" Personen; sie stehen über der gewöhnlichen Menschenwelt; man betrachtet sie als höhere Wesen. Die unterwürfige Art, mit der man ihnen begegnet, die überschwengliche Weise, mit der man von ihnen spricht und schreibt, die Bereitwilligkeit, womit man ihre Schwächen beschönigt und alle menschlichen Tugenden und Vorzüge auf ihre Häupter häuft, beweisen dies nur zu deutlich. Oder ist es nicht A., wenn politische Verbrecher vor dem Bilde des Königs niederknieen und Abbitte thun müssen? Die Priester der Alleinherrschaft trennen den Fürsten als übermenschliches Wesen von der übrigen Menschenwelt; von ihnen rühren auch die Bezeichnungen „Majestät", „Allerhöchster", „Divus", „Augustus" u. s. w. her. In Verfassungsstaaten erscheint der Fürst weit vermenschlichter, als in absoluten; aber auch hier giebt es noch überflüssige Schranken, welche ihn vom Volke scheiden. Sicher kommt es uns nicht bei, daß die Achtung, welche dem Staatsoberhaupt gebührt, irgendwie geschmälert werde; aber eben darum wäre es besser, die Fürsten mehr als menschliche, denn als höhere Wesen anzusehen und, statt ihren Blick mit dem Weihrauchdampfe der Schmeichelei zu umnebeln und ihre Ohren mit dem Geräusche der Lobpsalmen zu betäuben, ihnen stets die ganze und volle, wenn auch mitunter bittere Wahrheit zu sagen, damit sie allezeit wüßten, wie es in ihrem Lande aussehe und was ihrem Volke Noth thue. *Jäckel.*

Abjuration. Deutsch: Abschwörung. In England hatte das Wort eine zweifache politische Bedeutung: So lange gewisse Kirchen noch Freistätten waren, in welchen selbst ein Verbrecher nicht ergriffen werden durfte, mußte ein dorthin Geflüchteter dem Richter die A. leisten, daß er binnen 40 Tagen das Land verlassen wolle und konnte dann seines Weges ziehen. Dann hatte beim Eintritt ins Parlament jeder Gewählte den Eid zu leisten, daß er den König allein als Oberherrn der Kirche anerkenne; auch dieser Eid hieß A. Von demselben waren natürlich die Katholiken ausgeschlossen, weil sie den Papst nur dafür erkennen dürfen. Mit der Anerkennung gleicher Rechte der Katholiken ist die A. weggefallen. *v. L.*

Ablaß. Die Lehre vom A., die als der schlimmste Auswuchs der römischen Kirche betrachtet werden kann, entsprang aus der Verehrung der Heiligen. Die Kirche stellte nämlich den Satz auf, daß die Heiligen sich während ihres Lebens einen Schatz von guten Werken erworben, d. h. mehr Gutes gethan hätten, als sie zu thun schuldig gewesen wären. Dieser Ueberschuß komme der sündigen Menschheit, die weniger Gutes gethan, als sie zur Seligkeit brauche, zu gute. Nun bedeutet zwar Christus die Seinen (Ev. Luc. 17, 10): „Wenn ihr Alles gethan habt, was euch befohlen ist, so sprechet: wir sind unnütze Knechte, wir haben gethan, was wir zu thun schuldig waren"; allein die Priester der Religion Christi nahmen auf diese Schriftstelle wenig Rücksicht. Sie rühmten sich, daß sie von Gott die Macht erhalten hätten, aus dem Born jener Verdienste zu schöpfen und denen, die sich durch Reue und Buße dessen würdig zeigten, etwas davon abzulassen. Bald aber konnte man Reue und Buße sparen und die Sache mit Geld abmachen. So entspann sich jener schändliche A.handel, der eine Geldquelle für die römische Priesterschaft und endlich die unmittelbare Ursache der Reformation wurde. Anfangs hatte jeder Bischof das Recht, A. zu ertheilen. Als aber die Päpste sahen, wie ergiebig dieser Handel sei, suchten sie ihn zu einem päpstlichen Monopol zu erheben. Sie verordneten, daß dem Papste allein vollkommene Sündenvergebung zustehe, die Bischöfe aber nur in ihrem Sprengel und höchstens auf 1 Jahr und 40 Tage A. ertheilen könnten. Sie erreichten ihren Zweck vollständig. Der bischöfliche A. verlor an Ansehen, sobald der päpstliche als sein Nebenbuhler auftrat. Der gemeine Mann hörte auf, jenen zu kaufen, als er für dasselbe Geld diesen, den er für weit wirksamer hielt, haben konnte. Eine besondere Stütze erhielt der A.handel an dem sogenannten päpstlichen Jubeljahr, das nur alle 100 Jahre vorkam. Erfinder desselben war Papst Bonifacius VIII., der auf das Jahr 1300 die ganze Christenheit nach Rom einlud, um das Fest der päpstlichen Herrlichkeit (das die Kirche auch wohl jährlich an Petri Stuhlfeier zu begehen pflegte) mit der größtmöglichsten Pracht zu feiern. Dabei verhieß er einen allgemeinen A., dem er wegen seiner Seltenheit eine außergewöhnliche Kraft zuschrieb. Er betrog sich nicht in seiner Erwartung. Der Zulauf der A.käufer war so ungeheuer, daß unermeßliche Summen Geldes nach Rom und in die geistlichen Kassen flossen. Die Einträglichkeit dieser Spekulation verlockte die Nachfolger Bonifazens, den Zeitraum von 100 Jahren auf 50, dann auf 30 und endlich auf 25 Jahre herabzusetzen, so daß der Nutzen 4 Mal in einem Jahrh. zu machen war. — Mittlerweile wurde die Gewalt, die man dem A. zuschrieb, immer ausgedehnter. Während man früher blos Erlaß der Kirchenstrafe darunter verstanden hatte, verstand man jetzt auch Erlaß der ewigen Strafen darunter. Für diejenigen, welche genügenden A. gelöst hatten, gab es kein Fegfeuer mehr; ihre Seelen schwangen sich nach dem Tode über das Fegfeuer hinweg sogleich in den Himmel. So plump und abgeschmackt jetzt diese Vorspiegelungen erscheinen, so fest glaubte man damals daran. Sogar die Fürsten konnten sich dem Vorurtheil ihrer Zeit nicht entziehen; allein man muß gestehen, daß sie ihren Vortheil trefflich damit in Verbindung zu setzen wußten. Wenn sie z. B. einen wichtigen Bau, wie den einer Kirche, Brücke, Stadt oder Festung, vor sich hatten, so ließen sie sich für denselben vom Papst gegen Entrichtung einer gewissen Abgabe A. ertheilen. Dieses A. wurde dann Jeder theilhaftig, der eine bestimmte Zeit unentgeltlich an dem Bau arbeitete. Die Armen nun, die sich keinen A. kaufen konnten, nahmen begierig solche Gelegenheiten wahr, um sich durch solche Hände Arbeit welchen zu verdienen. Auf diese Weise entstand — ohne sonderliche Kosten — die Elbbrücke bei Torgau, die Schloßkirche in Wittenberg, die Wolfgangskirche in Schneeberg, die Annenkirche in Annaberg u. s. w. Herzog Albrecht von Sachsen verschaffte sich 1492 einen A. auf 20 Jahre, um die abgebrannte Stadt Freiberg wieder aufbauen zu lassen, doch so, daß der 4. Theil des Einkommens nach Rom ging. Gleichermeise erlangte die Stadt Leipzig 1430, als sie befestigt werden sollte, einen A.brief, wonach Alle, die an Sonn- und Festtagen unentgeltlich an den Befestigungen arbeiteten, auf 40 Tage Vergebung der Sünden haben sollten. — Je mehr die Päpste durch ihr verschwenderisches Leben in Geldverlegenheit geriethen, um so systematischer betrieben sie den A.handel. Sie sandten fortwährend Legaten in Europa herum und ließen ihre geistliche Waare feilbieten. Oder sie verpachteten auch das A.privilegium an einen Großwürdenträger der Kirche, der dann seine Untercommissarien in den einzelnen Staaten herumschickte. Deutschland war in dieser Hinsicht die ergiebigste Goldgrube! denn hier war der Glaube an die Kraft des A. am stärksten. Daher entstand in Rom das Sprüchwort: Ex aquilone omne aurum (aus dem Norden, d. i. aus Deutschland kommt alles Gold). Dafür mußte das arme Deutschland noch obendrein den Spott der Italiener erdulden, welche die durch den A. eingegangenen Gelder nicht anders als „die Sünden der Deutschen" zu nennen pflegten. Unter mancherlei Vorwänden ward Deutschland von den A.krämern heimgesucht. Bald war es dieser, bald jener gute Zweck, zu dem man die eingehenden Gelder verwenden wollte. Papst Julius II. hatte den Türkenkrieg und den Bau der Peterskirche in Rom vorgeschützt; Leo X. ließ unter denselben Vorwänden neuen A. predigen. Den Gene-

ralpacht für Deutschland übertrug er dem Erzbischof Albrecht von Mainz, und zu
den Untercommissarien dieses Albrecht gehörte Tetzel, welcher die Schamlosigkeit dermaßen auf die Spitze trieb, daß sich der Augustinermönch Luther in Wittenberg in
seinem Gewissen getrieben fand, öffentlich dagegen aufzutreten. Wie aus diesem
Schritte weitere Schritte entsprangen, wie aus dem Senfkorn der 95 Sätze der Rie-
senbaum der Reformation erwuchs, ist bekannt, und so bewahrheitete sich auch der
alte Satz, daß der Gipfel der Tyrannei immer auch der Sturz derselben ist. Seit
jener Zeit war man mit dem A. etwas vorsichtiger. Als aber neuerdings 1844 mit
der Ausstellung des heiligen Rockes zu Trier der alte Unfug wiederkehrte, ergab
sich auch ein ähnliches Resultat. Ronge schrieb seinen Brief und dieser gab von
Neuem das Zeichen zur Losreißung aller aufgeklärten Katholiken von Rom.   Jäckel.

Ablaßhandel, s. Ablaß.

Ablösung. Die Aufhebung gewisser Lasten, Eigenthumsbeschränkungen oder zu
Gunsten eines Dritten bestehender Verbote, gegen Entschädigung des Berechtigten.
Die Lasten, deren Aufhebung durch die A. erlangt wird, sind meistentheils bäuerliche und betreffen entweder die Grundstücke selbst (Dienstbarkeiten, Servituten), oder
gewisse mit dem Besitze der Grundstücke verbundene oder sonst hergebrachte persönliche
Verrichtungen (Dienste, Frohnden), oder bestimmte Abentrichtungen in Naturalien oder
Geld (Lehnwaare, Besthaupt, Zehnten, Grundzinsen, Gülten). Die Eigenthumsbeschränkungen, welche Gegenstand der A. sind, beziehen sich auf Grundstücke,
welche nicht im vollen, unbeschränkten Eigenthume sich befinden, sondern rücksichtlich
der Vererbung, der Eigenthumsübertragung durch Kauf und Tausch, der Verpfändung u. s. w. gewissen Beschränkungen eines Andern, des Grundoberherrn, unterworfen sind (Erbpachtgüter, Erblaßgüter). Die zu Gunsten eines Dritten bestehenden
Verbote endlich erstrecken sich auf gewisse Erzeugnisse und Verrichtungen, welche
die Pflichtigen bei einem Andern, als dem Berechtigten, nicht holen oder bestellen
dürfen (Bier-, Wein-, Mahlzwang). Die Entstehung fast aller dieser Lasten, Beschränkungen und Verbote fällt in die Zeiten des Mittelalters. Bald war die Uebernahme derselben die Bedingung, unter welcher ein reicher Grundbesitzer neuen An-
kömmlingen den Besitz und die Bewirthschaftung gewisser Grundstücke überließ; aber
öfter noch wurden sie den bereits im wohlerworbenen Besitze kleinerer Grundstücke befindlichen Eigenthümern von mächtigern und reichern Grundbesitzern auferlegt.
Diese beriefen sich zu diesem Zwecke auf das Recht des Eroberers, die eroberten Grundstücke an sich zu nehmen, oder nur unter vorgeschriebenen Bedingungen sie den vorigen Besitzern wieder zu überlassen; oder sie legten jene Lasten unter dem nicht selten
blos scheinbaren Vorwande auf, daß ihnen für den Schutz, welchen sie gewährten, eine
Vergütung gebühre; oder sie benutzten den Vorgang anderer mächtiger Grundbesitzer
und suchten die Erhebung gewisser Abentrichtungen als angeblich allgemeine Vorschrift,
als ein gemeines Recht, darzustellen. Das Letztere gelang namentlich rücksichtlich des
geistlichen Zehnten. Der Grundsatz der Verjährung endlich schuf das, was anfänglich
in Willkür oder in Gewalt seinen Grund hatte, in eine privatrechtliche Zwangspflicht
um, so daß zuletzt fast überall der Besitzer bäuerlicher Güter von den unwürdigsten
und fast unerträglichen Lasten sich gedrückt sah. Schon seit dem Ende des 16. Jahrh.
suchten die Bauern dieser drückenden Lasten hier und da mit Gewalt sich zu entledigen (s. Bauernkriege), allein das Mißlingen dieser Versuche hatte meist die traurige
Folge, daß sie die bestrittenen Abgaben mit um so größerer Strenge eingetrieben und
durch förmliche Urkunden, Rezesse, als anerkannte Obliegenheiten festgestellt wurden. —
Erst in Frankreich, wo der bäuerliche Stand von denselben Lasten sich gedrückt
sah, erfolgte eine umfassende und radikale Aufhebung derselben, als zu Versailles die
erste Nationalversammlung in der Nacht vom 4. August 1789 auf den Antrag des
hochherzigen Vicomte v. Noailles die Aufhebung aller Lehnsverhältnisse beschloß und
mit dieser alle Frohnen, die geistlichen Zehnten und andere Grundlasten, als unver-

einbar mit der Gleichheit der Bürger, in Wegfall kamen, und zwar mit Ausnahme der auf dem Privatrechte beruhenden Grundzinsen und weltlichen Zehnten, ohne Entschädigung. Dieselbe Wohlthat wurde später denjenigen deutschen Ländern zu Theil, in welchen die franz. Gesetzgebung Eingang fand. Dagegen wurde in den übrigen Ländern Deutschlands erst in den letzten 30 Jahren die Sehnsucht nach einer Entfesselung von jenen Lasten, hauptsächlich durch die mehr und mehr gewonnene richtige Einsicht in die Forderungen der Staatswirthschaft und der Staatsklugheit, und die demzufolge ertheilten gesetzlichen Vorschriften, zur Geltung gebracht. Bei der Aufhebung jener Lasten, Beschränkungen und Verbote hat man, je nach dem verschiedenartigen Ursprunge derselben, auch verschiedene Grundsätze aufgestellt. Insbesondere sind alle diejenigen, welche aus der Leibeigenschaft (Erbunterthänigkeit, Erbpflichtigkeit) herrührten, fast überall ohne Entschädigung gesetzlich aufgehoben worden, weil dergleichen Lasten mit der unveräußerlichen persönlichen Freiheit in Widerspruch stehen. Die Aufhebung derjenigen Lasten aber, deren Grund muthmaßlich in einem den allgemeinen Rechtsgrundsätzen nicht zuwiderlaufenden privatrechtlichen Anspruche zu suchen war (z. B. Grundzinsen), ist von einer den Berechtigten Seiten der Pflichtigen zu leistenden Entschädigung abhängig gemacht worden, wogegen alle diejenigen Lasten, die den Charakter einer öffentlichen Steuer an sich trugen, allerdings auch nur gegen eine dem Berechtigten zu gewährende Entschädigung aufgehoben, diese Entschädigungen aber nicht allenthalben blos den Pflichtigen auferlegt, sondern theilweise mit von der Staatskasse übernommen worden sind. In den beiden letzten Fällen ist die A. insofern nicht zwangsweise angeordnet worden, als sie jedenfalls blos auf Verlangen eines Betheiligten stattfinden konnte; dagegen wurde meistentheils entweder sofort, oder nach einer gewissen Zeit (nach zwei Jahren) den Pflichtigen das Recht eingeräumt, durch ihren einseitigen Antrag (Provokation) den Berechtigten zur Abschließung eines A.vertrages zu nöthigen. Darüber, wie die A. stattfinden soll, sind überall gesetzliche Vorschriften gegeben. Von besonderer Wichtigkeit ist die Ausmittelung des Werthes der Leistung, und man hat hierbei den Grundsatz aufgestellt, daß der Werth nach der Höhe des Verlustes, welchen der Berechtigte durch Wegfall der Leistung erleidet, nicht aber nach dem Gewinne, welcher dadurch dem Pflichtigen zufließt, zu bemessen sei. War nun hiernach und nach den diesfalls gegebenen, je nach der Eigenthümlichkeit des Falles sehr verschiedenartigen besondern gesetzlichen Bestimmungen der jährliche Durchschnittswerth oder der Reinertrag der Leistung ermittelt, so diente diese Ermittelung als Grundlage der Entschädigung. Diese wurde, vorzugsweise nach Wahl des Pflichtigen, entweder zu einer bestimmten jährlichen A.rente — deren A. mit Kapital zu einem gewissen Prozentsatze dem Pflichtigen freigestellt blieb — oder zu einer ein für allemal zu entrichtenden A.summe angeschlagen. Die Umwandlung der jährlichen Rente in Kapital fand bald nach dem 15fachen, bald nach dem 18fachen, 20fachen oder 25fachen Betrage der erstern statt. — Um endlich den Berechtigten die Möglichkeit zu gewähren, die ihnen zukommende Entschädigung auf einmal als Kapital zu erhalten, ohne hierbei die Pflichtigen, welchen die Aufbringung eines solchen Kapitals in den meisten Fällen nicht möglich sein würde, unbilliger Weise zu belästigen, richtete man nicht selten eine Staatskreditanstalt (Landrentenbank, Zehntschuldentilgungsbank) ein. Diese Anstalt gewährt dem Berechtigten das A.kapital in einem verzinsbaren Staatspapiere vom gleichen Werthe, erhebt dagegen die jährlichen Renten von den Pflichtigen und erlangt dadurch, daß die Verzinsung der Staatskreditscheine (Landrentenbriefe) an die Berechtigten zu einem etwas niedrigern Zinsfuße erfolgt, als die Erhebung der Renten von den Pflichtigen, einen Tilgungsfond, mittelst dessen die Kreditscheine bezahlt werden und nach einer gewissen Reihe von Jahren die Renten der Pflichtigen in Wegfall kommen. — Die A. mittelst Abtretung von Grundstücken an den Berechtigten ist in Deutschland nicht gewöhnlich. — Ueber die Menge der stattgefundenen A.

gewährt beispielsweise eine Uebersicht dessen, was diesfalls von 1833 an (rücksichtlich des Bier= und Mahlzwangs, so wie der Lehngelder erst seit 1838 und August 1846) bis zu Ende 1846 in Sachsen zu Stande gekommen war, eine Uebersicht. Von 9437 anhängig gewordenen A. waren daselbst zu Ende 1846 gänzlich beendigt wor=

1692 Hütungen, 535 andere Dienstbarkeiten, 20 Bierzwangsrechte, 7,9 Mahlzwangs= rechte, 13 Lehngelder betrafen, ungerechnet mehrerer hundert freiwilliger, ohne Zuthun der dazu niedergesetzten Unterbehörden, getroffener Vereinigungen. Auf die Landren= tenbank waren daselbst bis zu derselben Zeit 441,570 Thlr. 25 Gr. 5 Pf. Jahres= renten, d. i. ein Kapitalwerth von 11,039,271 Thlr. 8 Gr. 5 Pf., überwiesen wor= den; es hatten sich aber diese Summen durch die Abzahlungen der Rentepflichtigen bis zu 435,395 Thlr. 14 Gr. Jahresrenten, d. i. 10,884,886 Thlr. 20 Gr. Kapi= talwerth, verringert. Rücksichtlich der Naturalleistungen an die Geistlichen bewirkte in Sachsen ein Gesetz vom 14. Juli 1840 eine Hemmung der auf die erstern sich beziehenden A., gewiß nicht im beabsichtigten wahren Interesse des geistlichen Standes, wohl aber zu Gunsten des mit jenen Leistungen unzertrennlich verbundenen morali= schen und ökonomischen Verderbs. Im Großherz. Baden waren bis 1844 von 5868 Zehnten 3399 abgelöst worden. — Nicht ohne den heftigsten Kampf, nament= lich gegen die privilegirten Grundherren, errangen die Freunde der Volksfreiheit von den Regierungen die Zustimmung zu diesen Gesetzen, und wie im J. 1840 in Sach= sen die Geistlichen mit Erfolg, so suchten im Großherz. Hessen die Standesherren in setze sich zu entziehen. **W. Bertling.**

Abmachung, ein gebräuchlicher Ausdruck im Versicherungswesen, womit die Feststellung des Schadens und die Uebereinstimmung des Versicherten mit dieser Fest= stellung bezeichnet wird. **v. L.**

Abmeierung, (Entsetzung Expulsion, Meier, Meierrecht, Meier= brief, Aufholung, Aufholungsprozeß). Die Rechte des Bauern an seinen Gütern sind in Deutschland sehr verschieden. Er hat nämlich entweder volles oder beschränktes Eigenthum; oder er hat ein Eigenthum gar nicht, sondern blos entweder ein dingliches oder nur ein persönliches Benutzungsrecht. Die A. kann nun nicht bei den Gütern, welche im vollen Eigenthume sind, wohl aber bei den übrigen vorkommen und besteht darin, daß der Gutsherr, welchem das wirk= liche Eigenthum oder nur das Obereigenthum zusteht, den Hintersäßer oder Meier (Anbauer, Kolone oder Bauer) von dem Gute (Bauerlehn, emphyteusis, Me= iergut; Leihegut) vertreibt, ihn des Besitzes entsetzt und ihm sein Meierrecht, wel= ches im beschränkten Eigenthume, oder im dinglichen oder persönlichen Benutzungs= rechte besteht, nimmt. Dies zu thun, ist jedoch der Gutsherr nur aus bestimmten Rechtsgründen befugt, und diese Rechtsgründe sind in einer Urkunde, dem Meier= briefe oder Verleihungsbriefe enthalten, oder für ganze Orte durch das Landesgesetz festgesetzt. Bei Gütern, auf welche die römischen emphyteusis, das ager vectigalis, Anwendung leiden, kann der Gutsherr dem Meier seine Rechte entziehen, ihn abmei= ern, wenn dieser das Grundstück verschlechtert, es, ohne dem Gutsherrn es zum Ver= kauf anzubieten, verkauft, oder mit dem Kanon und Abgaben (Pacht, pensio, vecti= gal) 3 Jahre in Rückstand verbleibt (A. s= oder Kaduzitätsgründe). Nach dem deutschen Rechte gelten als Gründe der A. außerdem noch die Versäumniß im Ansuchen, Bemeierung. d. h. Herstellung des Vertrags, durch welchen dem Bauer das Meierrecht verliehen wird. Der Gutsherr darf die A. nicht eigenmächtig unternehmen, sondern hat sich an das Gericht zu wenden, worauf ein summarischer Prozeß eingeleitet wird, welcher der A.'s=, Aufholungs=, Expulsionsprozeß heißt. In diesem hat der Gutsherr das Meierrechtsverhältniß und den A.grund nachzuweisen, und erst, wenn der Verklagte verurtheilt ist, kann die A. durch das

Gericht erfolgen. — Gegenwärtig ist das Recht der A. fast in allen deutschen Staaten aufgehoben oder in der Aufhebung begriffen; in Baiern seit 1808, Würtemberg 1817, Preußen 1820, Sachsen, Kurhessen und Braunschweig 1832, Baden und Hannover 1833. Bald ist die Aufhebung durch völlige Auflösung der gutsherrlichen Verhältnisse, bald im Wege der Ablösung (s. d.) erfolgt.   W. Bertling.

Abnehmer, so viel wie Käufer und Empfänger, s. Handel.

Abolition, s. Begnadigung.

Abolitionisten, eine politische Partei in Nordamerika, welche für Abschaffung der Sclaverei wirkt. Sie hat es nie zu einer großen Bedeutung gebracht, wie anerkennungswerth auch ihre Grundsätze sind, weil sie etwas für den Augenblick Unmögliches will. Die Sclaverei plötzlich aufheben, heißt, entweder den Bund trennen, oder die Staaten, welche nur mit Sclaven arbeiten können, zu Grunde richten. Dieses wird näher dargethan unter Sclaverei.   v. L.

Abrechnung, ein Mittel im Handel, durch welches die Geldsendungen vermieden werden; haben 2 Kaufleute sich gegenseitig Waaren gesendet, so halten sie zu einer gewissen Zeit, z. B. zur Messe, A., gleichen ihre Forderungen aus und wer am meisten empfangen, der zahlt endlich. Auch größere Gemeinschaften können zur A. zusammentreten, indem sie sich ihre Lasten und Forderungen überweisen, was im Handel scontriren heißt. In London halten täglich sämmtliche Bankiers A. in clearing house und gleichen Millionen aus, die sie einer für den andern zahlen. Die A. ist ein wesentliches Erleichterungsmittel für den Handel.   v. L.

Abrundung, s. Arrondiren.

Absatz nennt man im Handel die ganze Masse dessen, was verlangt und gekauft wird. Das Nähere darüber s. Handel.

Abschätzung von Lasten u. s. w., s. Ablösung, Eigenthumsabtretung.

Abschlußwechsel (Appoint, Appunto) wird bei der Abrechnung (s. d.) der Wechsel genannt, welchen derjenige, der zu fordern hat, statt baaren Geldes erhält.

Abschied, s. Erkenntniß und Landtagsabschied.

Abschoß, (Abfahrt, Abzug). So heißt das angebliche Recht des Staats, der Magistrate oder der Gerichtsherrschaften, von dem auszuführenden Vermögen einen Theil zurückbehalten. Wurde dieses Recht gegen Auswandernde am Vermögen ausgeübt, was sie mit nahmen, heißt es Nachsteuer, Nachschoß, Abfahrtsgeld, Weglosung, Butenschoß, Auswanderungsgebühr, detractus personalis, gabella s. census emigrationis; wurde es dagegen in Erbschaftsfällen erhoben, nämlich, wenn eine Erbschaft (als Brautschatz, Schenkung, Abzug unter Lebendigen, Vermächtniß) ins Ausland ginge, nannte man es Erbsteuer, Vererbungsabzug, detractus realis, census hereditarius, gabella hereditarius, quindena. Die Nachsteuer hatte ihren Ursprung in der Hörigkeit; die hörigen Personen mußten damit ihr Vermögen aus der Gewalt des Schutzherrn lösen. Die Erbsteuer entwickelte sich aus der Ansicht, daß Fremde und Ausländer gar nicht erben könnten und das Erbrecht mit einer Gebühr erkaufen mußten. Theils als eine reiche Quelle von Einkünften (daher das Rechtssprüchwort: „Wenn Einer ziehet ein, soll man ihm helfen mit Rath; wenn er ziehet aus, soll man ihm nehmen, was er hat"), theils als Vergeltungsrecht wurde der A. mehr und mehr verbreitet, und als im 16. Jahrh. die Reichsgesetze ihn sogar billigten, fingen die Rechtsgelehrten an, nicht nur dem A.rechte eine gemeinrechtliche Gültigkeit beizumessen, sondern auch dasselbe durch Scheingründe zu rechtfertigen, indem sie behaupteten, das auszuführende Vermögen müsse für den genossenen Schutz eine Gebühr entrichten; es müsse zur Tilgung der Schulden einen Beitrag geben, die Befreiung von Dienstleistungen müsse durch eine Geldleistung erkauft werden, endlich, es müsse die Ausführung des Vermögens, um die Verarmung des Staats zu verhüten, möglichst erschwert werden. Der Betrag des A. war verschieden, bald der 20ste, bald der 10te, ja sogar der 3te Pfennig (d. i. 5 v. H., 10 v. H., 33 v. H.). In der deutschen Bundesacte vom 8. Juni 1815 Art. 18 c. kam man überein, den Angehörigen der Bundesstaaten „die Freiheit von aller Nachsteuer, insofern das Vermögen in einen andern deutschen Bundesstaat übergeht und mit diesem nicht besondere Verhältnisse durch Freizügigkeitsverträge bestehen, zuzusichern,“ und im Bundesbeschlusse vom 23. Juni 1817 traf man hierüber noch nähere Bestimmung. Man setzte fest: 1) Die Nachsteuer und A.freiheit bezieht sich auf alle deutschen Bundesstaaten gegen einander; 2) jede Art von Vermögen, möge es aus Anlaß einer Auswanderung, eines Erbanfalls, Verkaufs, Tausches u. s. w. aus einem Bundesstaate in den andern übergehen, ist unter der A.freiheit begriffen; jede Abgabe ist aufgehoben; nur insofern sie bisher ohne Unterschied, ob das Vermögen im Lande bleibe, oder hinausgezogen werde, ob der Erwerber ein Inländer oder ein Fremder sei, erhoben worden (z. B. Kollateralerbschaftssteuer, Stempelsteuer) bleibe sie bestehen; die zum Besten der Schuldentilgungskasse oder Gemeindeschulden eingeführten Abzüge sind durch Art. 18. der Bundesacte auch als aufgehoben erklärt; die festgesetzte Nachsteuer oder A.freiheit findet ohne Unterschied statt, ob die Erhebung bisher dem landesherrlichen Fiskus, den Standesherren, Gemeinden, Patrimonialgerichten oder Privatberechtigten zustand, und zwar ohne Entschädigung, und gleichviel zu welchem Zwecke die Gefälle verwendet worden sind; die besondern Freizügigkeitsverträge bestehen nur, insofern sie diesem Bundesbeschlusse nicht entgegenstehen oder, wenn sie die Freiheit vom A. noch weiter ausdehnen, als dieser Beschluß; vom 1. Juli 1817 soll die völlige Nachsteuerfreiheit in den deutschen Bundesstaaten statthaben und es wird hierbei der Zeitpunkt der Vermögensausfuhr und des Verzichts auf das Unterthanenrecht zur Richtschnur angenommen. Preußen erstreckte diesen Bundesbeschluß zum Vortheil verschiedener Bundesstaaten auch auf seine zum Bunde nicht gehörenden Staaten. — Hiernach kann in Deutschland die Erhebung des A. nur gegenüber den nicht zum Bunde gehörigen Staaten stattfinden, und selbst bei diesen ist das Recht dazu meistens durch Verträge theils aufgehoben, theils beschränkt. In einigen Staaten ist aber der A. gänzlich aufgehoben, z. B. in Würtemberg durch §. 32 der Verf.-Urk. (vor Alters schon im Tübinger Vertrag von 1514), in Sachsen durch §. 29 der Verf.-Urk., im Großherz. Hessen durch §. 7 des Gesetzes v. 26. Juni 1836, in Braunschweig, in Hohenzollern-Sigmaringen u. s. w. Da, wo der A. noch erhoben werden kann, ist zu beachten, daß ein gemeines Recht dafür nicht nachgewiesen werden kann; die rechtliche Vermuthung also für das Nichtvorhandensein spricht und die Begründung durch besondere Rechtstitel in jedem einzelnen Falle gefordert werden muß und daß überhaupt hier die Anwendung der beschränkenden Auslegung Platz greift, da der A. den allgemeinen Rechtsgrundsätzen widerspricht.　　　　　　　　　　　　　　　　　　　　　　　　W. Bertling.

Abschriften, s. Urkunden.

Abschwörung, s. Abjuration und Reinigungseid.

Absetzung, s. Amt.

Absicht, in der Rechtswissensch., die nicht deutsch ist und sich nicht deutsch ausdrücken kann, Dolus genannt, ist eine erschwerende Eigenschaft bei jedem Vergehen und Verbrechen; wer ein solches mit A., d. h. im vollen Bewußtsein des Unrechts und dem klaren Willen, es trotz dieses Unrechts auszuführen, begeht, wird härter gestraft, als derjenige, der dieses Bewußtsein und diesen Willen nicht gehabt hat; im letztern Falle heißt das Verbrechen Culpa (Schuld, Verschuldung). Zeigen wir den Unterschied durch ein Beispiel: Wer mit ruhigem Blute einem Menschen aus Rache einen schweren Stein an den Kopf wirft, oder ein Messer in die Brust stößt und ihn dadurch tödtet, hat einen absichtlichen, einen dolosen Mord begangen; wer dagegen mit diesem Steine nur dem Nachbarn die Fenster einwerfen will,

2*

dabei aber einen in der Stube befindlichen Menſchen tödtet, den er gar nicht geſehen hat, der iſt nur einer unabſichtlichen, einer culpoſen Tödtung ſchuldig.　R. B.

Abſolute Monarchie, ſ. Alleinherrſchaft.

Abſolution, ſ. Entbindung von der Inſtanz, Freiſprechung und Vergebung der Sünden.

Abſolutismus, ſ. Alleinherrſchaft.

Abſperrung. Die Hemmung des Verkehrs mit einem Theile des Staates, an= geordnet zu einem Zwecke, welcher die Wohlfahrt des Ganzen erheiſcht. Die Wiſſen= ſchaft iſt uneinig darüber, ob der Staat das Recht habe, dieſe Verhinderung des Ver= kehrs anzuordnen und auszuführen, indem ſie vielfach behauptet, daß die Nachtheile der A. ſtets größer ſeien, als die möglichen Vortheile, welche dadurch erlangt werden. Daß eine A. gegen die Fremden, oder vielmehr gegen das Licht der Zeit und der Vernunft, das durch Fremde eingeſchleppt werden könnte, nachdem es im Innern glück= lich ausgelöſcht war; eine A. alſo, wie ſie in Paraguay unter der Jeſuitenherrſchaft ſtattfand, in unſerer Zeit keinen Sinn und keine Berechtigung mehr hat, bedarf wohl keiner Erörterung; auch die einſtigen Prieſterherrſchaften, die das Gebiet ihrer „Heerde“ gegen den Unglauben abſchloſſen, ſind untergegangen. Es bleibt alſo nur die A. 1) we= gen anſteckender Krankheiten unter Menſchen und Thieren; 2) die A. gegen andere Staaten im Falle eines Krieges, oder in Folge der Zoll= und Handelsverhältniſſe; 3) die A. einzelner Theile im Falle eines Aufruhrs. Die A. unter 1 betreffend, wird das Geeignete unter anſteckende Krankheiten, die A. unter 2 anlangend, unter Krieg, Handel, Zoll u. ſ. w. geſagt werden. Die A. unter 3 aber fällt mit dem Kriege zuſammen, denn ein Aufruhr, welcher nicht mehr ſofort überwältigt werden kann, viel= mehr ſich über ein ganzes abzuſperrendes Stück Staatsgebiet erſtreckt, iſt ein Krieg. Die Gründe, welche in den genannten Fällen gegen die A. vorgebracht werden, ſind eben ſo ſtark, als die, welche dafür ſprechen; auch iſt die Nothwendigkeit der A. ein Fall, der ſich kaum im Voraus nach Gründen der Vernunft und der Wiſſenſchaft regeln läßt; das aber muß man jedenfalls verlangen, daß die A. nicht über die Grenzen der äußerſten Nothwendigkeit hinaus gehe, denn jedes Zuviel rächt ſich ſchwer durch die Zerſtörung oder doch Verminderung des Wohlſtandes und die Richtung der Zeit iſt der Art, daß ſie ſich mit gerechtem Zorne gegen jede unnöthige Hemmung des Verkehrs erklärt und jeder künſtlichen Schranke zürnt, die zwiſchen Volk und Volk, Stamm und Stamm errichtet wird, während die Völker allſeitig an der Beſei= tigung der noch vorhandenen Schranken arbeiten und ſich über den Trümmern der= ſelben freudig die Hände reichen.　v. L.

Abſtimmung. Die Handlung, durch welche die Theilnehmer großer berathen= der Verſammlungen ihre Meinung, ihren Willen ausſprechen, ſich mit Ja oder Nein, für oder gegen die verhandelten Vorſchläge und Anträge ausſprechen. Die A. geſchieht öffent= lich durch Worte oder Zeichen: alſo durch die Antwort Ja oder Nein beim Namensaufruf, durch Zuruf (Acclamation), durch Aufſtehen, Händeerheben u. dergl.; oder ſie geſchieht heimlich durch Abgabe von beſchriebenen Zetteln, weißen oder ſchwarzen Kugeln (Ballo= tage) u. ſ. w. So war es bei den Griechen, Römern und unſern Vorfahren, ſo iſt es noch bei uns. Die Art, wie die Entſcheidung durch A. herbeigeführt wird, iſt ſehr verſchieden: Oft wie bei manchen Wahlen, giebt eine kleine Zahl Stimmen die Entſcheidung, indem ſich z. B. ein Viertel aller Stimmen für eine Perſon oder Sache ausſpricht, während die übrigen drei Viertel ſich zerſplittern; dies nennt man einfache, oder relative Mehrheit. Oft iſt die Mehrheit der Anweſenden, oder auch die Mehrheit der ganzen Verſammlung zur Entſcheidung nothwendig, was abſolute Mehrheit heißt. Oft endlich iſt es ſogar erforderlich, daß ſich zwei Drittheile einer Verſammlung für eine Sache ausſprechen, wenn ſie zu einer Entſcheidung gelangen ſoll. In den erſtern Fällen ruht alſo die Entſcheidung in der A. der Mehrheit, im letztern Falle aber in der Minderheit, was der eigentlichen Natur der A. wi=

verſpricht. Dieſe Verſchiedenheit deutlicher zu machen und zugleich zu zeigen, wie die Politik künſtlich die Verſchiedenartigkeit der Entſcheidungen durch A. benutzt hat, mag ein beſtimmter Fall aus der neueſten Zeit zeigen. Nach dem Preuß. Patente vom 3. Februar 1847, der ſogenannten Preuß. Verfaſſung, iſt für die Bewilligung einer noch ſo hohen Geldforderung der Regierung nur die einfache Mehrheit des vereinigten Landtags, alſo der Herrenbank und der drei Stände - Kammer nöthig, die in ſolchen Fällen zuſammentagen und abſtimmen. Soll aber der allerkleinſte Wunſch des Volkes vor den Thron gebracht werden, wobei von ſeiner Bewilligung noch keine Rede iſt, ſo müſſen ſich zwei Drittheile beider — dann getrennte Kammern dafür ausſprechen; ſo daß alſo 27 Stimmen der aus 80 Mitgliedern beſtehenden Herrenbank die deutlich ausgeſprochenen Wünſche von Hunderttauſenden und die Meinung von über 500 ſogenannten Volksvertretern null und nichtig machen, begraben können. Es finden ſich in vielen deutſchen und außerdeutſchen Verfaſſungen Seitenſtücke zu dieſer Einrichtung. Man nennt das in der Politik eine „gleichmäßige Abwägung der Rechte.‟ Eine beſondere Art der A. iſt noch die motivirte, d. h. eine mit Gründen belegte A. Bei ihr fällt Verhandlung und A. zuſammen. Jeder erwähnt ſeine Gründe und ſagt ſchließlich: deshalb ſtimme ich ſo. Sie macht die Verhandlung entweder ganz nutzlos, oder dehnt ſie ins Unendliche aus: denn abgeſehen davon, daß nun Jeder ſeine Gründe ausſprechen muß, ſo iſt es auch überflüſſig, wenn bereits die Mehrheit Ja geſtimmt hat, noch Gründe für Nein zu entwickeln. Kommen dieſe aber dennoch zum Vorſcheine, ſo muß die Mehrheit entweder des äußern Anſtandes wegen auf ihrem Ausſpruche beharren, oder die Verhandlung muß von Neuem beginnen. Auch iſt die motivirte A. faſt ganz außer Gebrauch gekommen, nur in Würtemberg iſt ſie noch in einzelnen Fällen üblich. Die A. iſt eine der heiligſten Handlungen für den Vertreter allgemeiner Intereſſen; ſie ſoll das Ergebniß der reiflichſten Prüfung und der wahrhaftigſten Ueberzeugung ſein. Wer aus Rückſicht, Eigennutz, Feigheit oder gar für Geld anders ſtimmt, als er fühlt, iſt ein erbärmlicher Menſch; er verkauft ſeine Seele, ſeine Menſchenwürde, ſeinen Antheil am Göttlichen. Grundſätzlich ſollte die A. ſtets öffentlich ſein, denn der Mann ſollte ſeine Ueberzeugung vertreten und „wenn die Welt voll Teufel wär.‟ Thatſächlich und bei unſern Verhältniſſen iſt die geheime A. faſt vorzuziehen. Denn es iſt leider ein gar mißliches Ding für den Beamten z. B., bei wichtigen Fragen dem Miniſter ein Nein entgegen zu donnern, der befördern und belohnen, aber auch zurückſetzen und quälen, wohl gar entlaſſen kann. Das freie Griechenland hat dieſelbe Erfahrung gemacht und die geheime A. eingeführt, das freie England ſtrebt noch heute danach. Es muß ſich ſo mancher Grundſatz nach dem Leben biegen; geſchähe es hier, ſo käme vielleicht die Zeit eher, wo blos Grundſätze des Rechtes und der Freiheit das Leben regeln. R. B.

Abſetzbarkeit, ſ. Amt und Unabſetzbarkeit.

Abt, der Aufſeher eines Kloſters im Allgemeinen, einer Abtei bei den Benedictinern, Bernhardinern, Ciſterſienſern u. ſ. w. Er folgt, dem Range nach, nach dem Biſchof, hat Sitz und Stimme auf den Synoden, verwaltet die Güter des Kloſters oder der Abtei und wacht über die Aufrechthaltung der Ordensregeln; auch die Gerichtsbarkeit im Kloſter hat er unbeſchränkt und kann z. B. einen Mönch lebenslänglich bei Waſſer und Brod einſperren laſſen, ohne daß ein Hahn danach kräht. E. R.

Abtei, bei den unter Abt genannten Orden, das Kloſter mit ſeinem ganzen Gebiet und Beſitz.

Abtrennung, ſ. Theilbarkeit des Bodens.

Abtretung, ſ. Theilbarkeit der Güter.

Abtriebrechte, ſ. Näherrecht.

Abtrünnigkeit, ſ. Abfall.

Abweſenheit, ſ. Verſchollene.

Abzug oder Rabatt iſt im Handel ein Vortheil, welcher dem Käufer gewähret wird, der baar bezahlt, statt den sonst üblichen Kredit zu benutzen; ferner die Vergütung, welche der Unterhändler vom Kaufpreise der durch ihn verkauften Waaren bezieht; endlich der Nachlaß, welchen der Zoll gewährt, wenn die zu verzollenden Waaren verdorben oder beschädigt sind. Die Höhe der A. richtet sich nach dem Werthe und Preise der Waaren, der Schnelligkeit des Umsatzes und der darauf zu verwendenden Mühe. *v. L.*

Abzugsrecht, eine Abgabe, s. **Abschoß, Abfahrt.**

Accept, der übliche Ausdruck für die Annahme eines Wechsels und die schriftliche Erklärung, denselben am Verfalltage bezahlen zu wollen. Diese Erklärung wird gegeben mit den Worten: „**Acceptirt** (oder **angenommen**) am 7. September 1847. Carl Schulz.“ Das A. verpflichtet zur Zahlung, schützt aber den Aussteller des Wechsels vor weitern Ansprüchen nicht, falls die Zahlung nicht erfolgte. *v. L.*

Acceptant, heißt derjenige, welcher einen Wechsel in vorbezeichneter Weise annimmt.

Accessist, ein Amtsgehülfe, der gewöhnlich nur eine kleine Besoldung erhält, aber die Anwartschaft auf die nächste erledigte Stelle hat.

Accidentien, s. **Besoldung.**

Accise heißt eine Abgabe, welche auf den nothwendigsten Gegenständen des täglichen Verkehrs und Lebens, also auf Bier, Wein, Branntwein, Mehl u. s. w. ruht, obgleich dieselben im Innern des Landes erzeugt und verbraucht werden; demnach ist die A. dem Zoll entgegengesetzt, welcher die vom Auslande eingeführten Gegenstände trifft. Die A. war schon den Römern unter dem Namen vectigal bekannt; in Holland wurde sie 1587 eingeführt, 1643 erschien sie in England bei großer Geldnoth und sollte nur über die Kriegszeit hinweghelfen; als man aber sah, wie ergiebig und bequem diese Abgabe war, indem durch sie nicht nur der ärmere Theil des Volkes sich leicht besteuern, sondern sogar am sichersten besteuern ließ, blieb sie bestehen und verbreitete sich über die ganze Welt. Ueber die Natur und Gerechtigkeit der A. vergl. **Abgaben und Zoll.** *v. L.*

Acclamation, s. **Abstimmung.**

Accord nennt man die Uebereinkunft eines zahlungsunfähigen Kaufmanns mit seinen Gläubigern, nach welcher er denselben einen Theil ihrer Forderungen **gleich** bezahlt, für den Rest aber eine bestimmte Stundung, oder gar Erlaß erhält. Das Nähere s. unter **Bankerott.** *v. L.*

Accreditiv, ein Beglaubigungsschreiben, durch welches der Besitzer desselben zu einem Geschäfte, oder zur Erhebung einer bestimmten Geldsumme für berechtigt erklärt wird. Vergl. **Creditiv und Gesandter.** *v. L.*

Acht, Aechtung, s. **Bann.**

Ackerbau, A.-Anstalten, A.-Gesellschaften, A.-Interessen, A.-Musterwirthschaften, A.-Staat, s. **Landwirthschaft** ꝛc.

Acten (Acta). Das römische Wort acta (auch gesta, regesta) bezeichnet in seiner **ursprünglichen** Bedeutung: Alles, was geschehen ist, die Ereignisse, die Vorfälle; in 2. abgeleiteter Bedeutung aber bezeichnet es Das, was über das Geschehene oder Verhandelte schriftlich aufgezeichnet oder beurkundet worden ist, wie man auch in deutscher Sprache mit Verhandlungen oft das über das Verhandelte Aufgezeichnete und Beurkundete bezeichnet. Insbesondere gab es bei den Römern acta publica (öffentliche Acten), kurze Berichte, welche über die Verhandlungen und Beschlüsse der höchsten Staatsbehörden und über merkwürdige Ereignisse im Staate aufgestellt wurden; also eine Art römischer Staatszeitung. In demselben Sinne nannte man die Verhandlungen und Beschlüsse der vormaligen teutschen Reichstage und die Nachrichten darüber acta publica, die Geschichte der Apostel acta apostolicorum, die Geschichte der Märtyrer acta martyrum, die Geschichte der Heiligen acta sanctorum, (einen Namen, welchen in der Literatur der Kirchengeschichte verschiedene Werke führten, in welchem das Leben und die Thaten der chriſtlichen Heiligen beſchrieben wurde, insbeſondere aber ein vom Jeſuiten Bolland und ſeinen Nachfolgern, den Bollandiſten, v. J. 1643 bis 1794 herausgegebene Werk von 53 Foliobänden). In einem 3. jeßt am meiſten gebräuchlichen Sinne endlich verſteht man unter A. Niederſchriften und Beſchlüſſe über irgend einen Gegenſtand des Staats- oder Privatlebens, die von einer Behörde oder einer Privatperſon gefertigt wurden ſowohl, als auch die an jene Behörde oder Perſon über jenen Gegenſtand von den Betheiligten oder Andern, gelangten Eingaben. Dergleichen A. ſind nach dem Gegenſtande, welchen ſie behandeln, Verwaltungs-A., Polizei-A., Prozeß-A. (Kriminalprozeß-A., Civilprozeß-A., A. in Sachen der freiwilligen Gerichtsbarkeit, als: Vormundſchafts-, Nachlaßregulirungs-, Grund- und Hypotheken-A.), Steuer-A., Dismembrations- (Abtrennungs)A., Kirchen-A., Schul-A., Ablöſungs-A. ꝛc. Mit Hinſicht auf ihre Entſtehung theilt man die A. in öffentliche — welche von einer öffentlichen Behörde — und in Privat- oder Manual-A. — welche von Privatperſonen gehalten werden. Unter die erſtern ſind zu zählen

miſſions-A. ꝛc., unter die leßtern gehören z. B. die A. der Advokaten, der verſchiedenen Privatvereine, Erwerbs- und Actiengeſellſchaften und aller andern Privatperſonen.—

gewiſſen Gegenſtand zu erlangen, ſo ſind Vollſtändigkeit, Ordnung und Genauigkeit (Treue) nothwendige Erforderniſſe der A. und es hat dafür unter Aufſicht des Vorſtandes der Behörde zunächſt der Actuar (Gerichtsſchreiber) oder Regiſtrator beſorgt zu ſein. — Früher pflegte man die A. nach einzelnen Bogen in Quartform (die Bogen einmal zuſammengebrochen) ungeheftet zuſammenzulegen und

ungeheftete Zuſammenlegen z. B. in Würtemberg gebräuchlich. Die einzelnen Stücke werden dann der Reihe nach mit Zahlen verſehen und ein Verzeichniß derſelben wird den A. vorgelegt. Gebräuchlicher aber und zweckmäßiger iſt das Folioformat (Blattform, die Form des ganzen oder vielmehr halben Bogens ohne weitern Bruch) der A., deren Zuſammenheften nach der Zeitfolge und das Bezeichnen der Blätter mit fortlaufenden Zahlen. Die ſo geordneten A. heißen ein A.ſtück; wenn es kleiner iſt, ein A.fasz̄ikel. Werden in den A. weitläufige und verwickelte Geſchichten behandelt (z. B. Konkurſe), ſo iſt eine Abſonderung der einzelnen Beſtandtheile des Geſchäfts und die Anlegung verſchiedener A.ſtücke, und oft gar mehrerer Bände nöthig, welche dann mit „Bd. I. II. ꝛc." bezeichnet werden. Bei jeder Eingabe, die zu den A. genommen wird, iſt oben der Tag, bisweilen ſelbſt die Stunde des Eingangs bemerkt (Eingangsbemerkung), unten aber die Nummer, welche die Eingabe in der Regiſtrande (d. i. dem Verzeichniſſe, welches über ſämmtliche Schriften gehalten wird) erhalten hat. Vorgeheftet wird jedem A.ſtück ein Repertorium oder Inhaltsverzeichniß, der darin befindlichen Schriften, entweder nach der Reihe der Blätter und der Zeitfolge oder — was namentlich bei umfänglichen Kriminal-A. empfehlungswerth iſt — mit Sonderung der ungleichartigen Gegenſtände (ſyſtematiſch), und auf dem Umſchlage, Aktenmantel, welcher an den A.-Sattel geheftet iſt, bezeichnet eine Ueberſchrift (das ſ. g. A.-Rubrum) den Gegenſtand, über welchen, die Behörde, vor welcher und das Jahr, in welchem die A. „ergangen" ſind, auch wird auf demſelben meiſt mit Buchſtaben und Nummern angegeben, zu welchem Repoſitorium und Lokale, und unter welcher Nummer des A.archivs das A.ſtück gehört. — Den

können, ſteht das Recht zu, die in der Sache ergangenen Gerichts-A. einzuſehen; dagegen wird den Betheiligten das Recht zur Einſicht der Kriminal-A., bevor ſie zum Spruch reif ſind, und der Verwaltungs-A. nicht ſelten beſtritten. Ueberhaupt aber ſteht das Recht, die Edition (d. i. die Vorlegung der A.) zu fordern, einem Jeden zu, welcher nachweiſt, daß er dabei rechtlich betheiligt ſei. Ehe in einer Rechtsſache ein Erkenntniß abgefaßt wird, müssen die Betheiligten vom Tage, an welchem der A.schluß stattfinden soll, benachrichtigt werden. Sie haben bis dahin Das, was sie noch für nöthig finden, zu den A. zu geben und können am Tage des A.schlusses im Gericht erscheinen und nachsehen, ob die A. vollständig und in Ordnung sind. In demselben Termine (Inrotulationstermin) soll Seiten des Gerichts die Inrotulation der A. bewirkt werden, d. h. die Bezeichnung der Blätter, die Entwerfung des A.repertoriums, und die Einsiegelung der A.; wenn dann die Behörde nicht selbst entscheidet; so erfolgt die A.versendung (s. d.). Beschwert sich eine Parthei über die Verzögerung der Sache, oder findet die Oberbehörde aus andern Gründen es für nöthig, so verfügt die letztere die A.abforderung (A.avokation) d. h. sie besiehlt der Unterbehörde die Einsendung der A. an. — Die Advokaten sind verpflichtet, Manual-A. (Anwaltsverhandlungen) zu halten. Es enthalten diese die von den Advokaten gefertigten Eingaben, die Briefe der Klienten und Anderer, die Registraturen der Sachwalter über gepflogene Verhandlungen und die Ausfertigungen und Beschlüsse der Behörden. Gehen die Gerichts-A. verloren, so dienen zu deren Wiederherstellung (Reintegration der A.) die A. der Sachwalter. Das Eigenthum an diesen A. legt man gemeiniglich den Klienten bei, allein die Sachwalter haben das Recht der Aktenretention, d. h. dem Betheiligten die Privat-A. so lange vorzuenthalten, bis die Advokatenkosten berichtigt sind und dem Advokaten die Erfüllung seiner Verbindlichkeiten bescheinigt ist. Leugnen kann man nicht, daß hinsichtlich der Anlegung und Handhabung der A. alles aufs Genaueste bestimmt und geordnet ist; allein es kann damit doch nur eine äußere Vollständigkeit erreicht werden. Für Unfähigkeit, menschliche Schwäche, verkehrte Auffassung, und das falsche Streben nach einer andern Aussage, als die freiwillig gemacht wird, liegt kein Schutz in dieser äußern Ordnung; noch weniger kann dieselbe das Leben, die Aussprache und den Ausdruck der Seele wiedergeben. Diese aber ist bei gerichtlichen Verhandlungen das wichtigste und deshalb sind A., auch die vollkommensten, stets ungenügend, wo es sich um die Beurtheilung menschlicher Handlungen, um einen Ausspruch über Freiheit, Ehre und Leben eines Menschen handelt.   *W. Bertling.*

Actenauszug (Actenextract, Actenexcerpt) heißt die Zusammenstellung des Inhalts der A. zu einem gewissen Zwecke, namentlich der zur Vorbereitung der Entscheidung durch das rechtsprechende Kollegium von einem Referenten (Berichterstatter) zu erstattenden Berichte oder Vorträge. Der A. ist ein chronologischer, wenn er den Inhalt der Acten nach der Zeitfolge darstellt, ein methodischer (Separazions-, Absonderungs-A.), wenn er das Ungleichartige, das Einflußlose absondert und das Gleichartige, das erheblich ist für die Entscheidung, zusammenstellt, oder ein gemischter, wenn der Acteninhalt bald nach der Zeitfolge, bald nach der Gleichartigkeit des Gegenstandes vorgetragen wird. Zur Fertigung des A. bedarf es des Actenlesens, welches entweder ein kursorisches (flüchtiges) ist und nur zur Orientirung dient, oder ein statarisches (spezielles), welches mit Aufmerksamkeit auf den gesammten Acteninhalt Alles, zur Erwägung des Für und Wider zur Vorbereitung der Entscheidung zusammenfaßt.   *W. Bertling.*

Actenmäßigkeit (Schriftlichkeit, Mündlichkeit; Mittelbarkeit, Unmittelbarkeit). Jede Verhandlung, welche von oder vor dem Gericht gepflogen wird, findet entweder mittels des Mundes oder mittels der Feder statt; im ersten Falle ist das Verfahren (der Prozeß) ein rein mündliches oder unmittelbares; im letzteren dagegen ein rein schriftliches oder mittelbares. Ein rein mündliches Verfahren ist es, wenn das Gericht die mündlich ausgesprochenen Vorträge der Partheien, Zeugen und Sachverständigen blos anhört, die von ihm zur Hebung von Zweifeln an die Aussagenden gerichteten Fragen sofort beantwortet erhält, und hierauf die gerichtliche Verfügung oder Entscheidung auf den Grund des von ihm geführten Beweises blos mündlich ausspricht, ohne daß irgend eine Gerichts-

person ihre Vorträge oder deren vom Gericht ausgesprochenen Erfolg schriftlich beurkundet. Ein solches Verfahren fand ursprünglich in Deutschland statt, so lange noch
in Gegenwart der Partheien, ihrer Zeugen und Sachwalter der genossenschaftliche
Verein oder die aus ihm gewählten Schöffen (Geschworene) unter dem Vorsitze des
Beamten den Rechtsspruch ertheilten. Bald entstand aber bei größerer Verbreitung
der Schreibekunst die Gewohnheit, die gefällten Urtheile in Gerichtsbücher einzutragen;
als endlich das kanonische Recht Geltung erhielt, von ihm auch im Strafverfahren
der Anklageprozeß (s. d.) durch das s. g. Inquisitions- oder Untersuchungsverfahren
im 15. und 16. Jahrh. verdrängt wurde, verschwanden die bisher aus dem Volke
geschöpften Richter und an ihrer Stelle traten gelehrte Richter; an die Stelle der
Oeffentlichkeit des Gerichtsverfahrens trat der Grundsatz der Heimlichkeit, und, da die
gelehrten Richter, bei Ermangelung einer genügenden Anzahl, nicht allen Verhandlungen beizuwohnen vermochten, so nahm ein einzelner Richter über die von ihm gepflogenen Verhandlungen schriftliche Urkunden auf, welche nachmals den das Urtheil fällenden gelehrten Richtern zur Grundlage ihres Rechtsspruchs dienten. So verschwand
allmählig in Deutschland das rein mündliche Verfahren, indem es anfangs in ein
gemischtes, und endlich in ein rein schriftliches Verfahren überging. Das
Wesen desselben besteht darin, daß alle Verhandlungen urkundlich niedergeschrieben,
actenmäßig gemacht werden müssen, weil lediglich nach dem Inhalt der Acten
von dem rechtsprechenden Richter das Urtheil gefällt wird, und daher von dem
schriftlichen Verfahren der Grundsatz gilt: quod non est in actis, non est in mundo.
(Was nicht in den Acten steht, ist für den Richter nicht in der Welt.) Da hiernach
der Richter lediglich aus den Acten die Umstände nehmen darf, aus welchen er
auf die Thatsache zu schließen hat, welche die Anwendung des Gesetzes bedingt, so
ergiebt sich hieraus einerseits die Pflicht des Richters, seiner Privatwissenschaft von
dem Streitgegenstand keinerlei Einfluß auf die Entscheidung einzuräumen, sowie andererseits die Verbindlichkeit des unmittelbar den Prozeß leitenden Richters, Alles acten-
kundig zu machen, was in einem Rechtsstreite geschieht. Der Richter darf daher
keine schriftliche Eingabe ohne vorgängige Prüfung zurückweisen; er hat vielmehr jede
Eingabe als Actenstück (s. Acten) zu behandeln, und wenn er sie nach erfolgter Prüfung
zurückzugeben beschließt, zu den Acten über die ihn dabei leitenden Gründe Nachricht
zu bringen. Er muß ferner jedes mündliche Vorbringen der Partheien anhören,
über die Statthaftigkeit und Unstatthaftigkeit des Antrags förmlichen Beschluß fassen
und diesen mit jenem Vorbringen in den Acten aufzeichnen. Auch hat er, wenn er
Etwas in den Acten beurkundet, nicht nur, daß es geschehen, sondern auch genau wie
es geschehen sei, zu den Acten zu bemerken. Aus diesen in dem Partheienpro-
zesse und dem Strafprozesse verfolgten Grundsätzen entwickelte sich das Bestreben, auch
in allen übrigen Angelegenheiten, welche zur Begutachtung und Beurtheilung der
Behörden gelangen, nur auf Das zu bauen, was in den Acten vorliegt, die unmittelbare Anschauung gering zu schätzen und nur die Acten zur größten Vollständigkeit zu
erheben. — Das Grundwesen der A. oder der Schriftlichkeit beruht auf der
Voraussetzung, daß es möglich und zu erwarten sei, die schriftliche Darstellung gebe
ein eben so genaues, treues und vollständiges Bild der ganzen Sachlage, als die eigene
sinnliche Wahrnehmung, und vermöge diese vollständig zu ersetzen. Allein eine solche
Voraussetzung ist unrichtig. Es ist insbesondere im Strafverfahren, wo so sehr Vieles
auf die Auffassung der Persönlichkeit, der Stimme, des Ausdrucks und der Bewegung
ankommt, selbst wenn man die in neuerer Zeit empfohlenen Geberdenaufzeich-
nungen einführt, eine Unmöglichkeit, die Bilder der Partheien, des Angeschuldigten,
der Zeugen, der Sachverständigen, den rechtsprechenden Richtern vollständig und ohne
fremden Beisatz in der Schrift vorzuführen; es ist ferner ein unbestrittener Erfahrungssatz, daß der die Niederschrift beaufsichtigende Prozeßrichter und der in der Wirklichkeit, wenn auch nicht immer nach dem geschriebenen Gesetze, von ihm abhängige Actuar

selbst bei dem reinsten Streben nach wahrheitsgemäßer Niederschrift von ihrer mensch-
licheigenen, nicht selten unrichtigen Auffassung sich leiten lassen; es erscheint dieses um
so gefährlicher, als die Fähigkeit, gemachte Wahrnehmungen durch die Schrift unverändert wiederzugeben, bei der damit verbundenen außerordentlichen Schwierigkeit höchst
selten oder nie angetroffen wird, zumal da die persönliche Auffassung, selbst beim ernsten
Streben nach Objectivität (Sachlichkeit), sich nicht zurückdrängen läßt. Es liegt in der Natur der Sache, daß bei der im schriftlichen Verfahren bestehenden Einrichtung, wo
der rechtsprechende Richter nach den Auszügen des Berichterstatters und Dieser nach
den Acten des Prozeßrichters urtheilt, Jener also nach der 2. Abschwächung des Ur-
bildes sich richtet, das Urbild nicht selten falsch beurtheilt werden wird. Es ist nicht
minder ausgemacht, daß die Stellung des Strafrichters als Anklägers und als
Untersuchungsbehörde, ihn verleiten muß, eine dem Angeschuldigten ungünstige
Stimmung anzunehmen, den Zeichen der Anschuldigung eine größere Wichtigkeit, als
denen der Entschuldigung, beizumessen; jene zu begünstigen und diese zu vernachläs-
sigen, zumal wenn er etwa bemerkt, daß es gilt, einen gethanenen Mißgriff zu verbergen und sich gegen begründete oder unbegründete Vorwürfe, die er von der Oberbehörde beim „Mißglücken" der Untersuchung befürchtet, zu schützen. — Diesen Nachtheilen gegenüber gewährt die Mündlichkeit oder Unmittelbarkeit des Verfahrens den Richtern die Gewißheit, daß die Aussagen der Partheien, der Zeugen und
Sachverständigen treu, vollständig und ihrem Zusammenhange nach zu ihrer Kenntniß
gelangen; sie gewährt ihnen die Möglichkeit, durch geeignete Fragen an die Aussagenden alle Zweifel zu beseitigen; sie setzt die Richter in den Stand, die ganze persönliche Eigenthümlichkeit der Aussagenden selbst wahrzunehmen und ihre Glaubwürdigkeit danach zu beurtheilen, („denn nicht den Zeugenaussagen, sondern den Zeugen
zu trauen", befiehlt schon das römische Recht); sie bietet den Partheien und den Angeklagten die Gelegenheit, durch Fragen an die Gegenpartei, die Zeugen und die Sachverständigen jeden erheblichen Punkt ins Klare zu setzen und die etwa von der Gegenpartei oder dem Ankläger vorgebrachten Beschuldigungen in ihrer Nichtigkeit oder
Blöße sofort nachzuweisen; sie erhält durch die lebendige, die äußern Sinne ununterbrochen in Anspruch nehmende Darstellung in den Richtern eine immerwährende geistige
Spannung und läßt das Gemüth der Richter nicht unberührt, so daß dieselben um
so mehr sich in Stand gesetzt finden, ein der Wahrheit und der Gerechtigkeit entsprechendes Urtheil zu fassen; sie äußert ihren günstigen Einfluß überall da, wo der entscheidende Richter, seiner Auffassung des Gesetzes gemäß, auf bestimmte Umstände Gewicht
legt, die den Partheien im schriftlichen Verfahren nicht selten in ihrer Erheblichkeit
unbekannt bleiben; wie z. B. bei dem s. g. Anzeichen- oder Indizienbeweis (s. Beweis)
bei welchem es nicht selten vorkommt, daß im schriftlichen Verfahren der Angeschuldigte sich und der Vertheidiger den Angeschuldigten unvertheidigt läßt, weil sie
den Einfluß, welchen die Richter gewissen Umständen beilegen, nicht kannten; sie beschleunigt den Gang der Prozesse und die Entscheidung, im Gegensatze gegen das
schriftliche Verfahren, außerordentlich; vergrößert dadurch die Wirksamkeit der Strafvollstreckung, giebt der Unschuld und der Herstellung des Rechtszustandes größere
Bürgschaft und verschafft bei den Partheien sowohl, als, insbesondere wenn die Oeffentlichkeit damit verbunden ist, bei dem ganzen Volke der Gerechtigkeitspflege dasjenige
Vertrauen, welches sie zu verdienen sich grade zur Aufgabe machen muß. — Erscheint
hiernach die Mündlichkeit allenthalben im Interesse des Zweckes der Gerechtigkeit, so
trägt sie zugleich dem natürlichen Rechte des Richters sowohl als den Partheien
Rechnung, indem Jener zu verlangen berechtigt ist, daß er nur in derjenigen Rechtssache, in welcher er der Beweisaufnahme persönlich beigewohnt hat, eine Entscheidung
ertheile, Diesen aber eben so wenig das Recht abgesprochen werden kann, von den
Richtern, welche in ihrer Sache entscheiden sollen, persönlich gehört zu werden. Die
Wahrheit dieser Sätze und das völlig Unzureichende der gegen sie von den Vertheidigern

des ſchriftlichen Verfahrens und der erhobenen Einwendungen iſt in den letzten Jahren bei Gelegenheit der Verhandlungen der Ständeverſammlungen in Baden, Würtemberg, Sachſen, Baiern, Schleswig-Holſtein, Braunſchweig u. ſ. w., ſo überzeugend nachgewieſen und Männer, wie Mittermaier, Abegg, Leue, Temme, Mollitor, Welcker, Biener, Zachariä, Hudtwalker, Braun u. A haben durch ihre mit Gründen der Wiſſenſchaft und des Rechts belegten Stimmen ſo lebendig auf die öffentliche Meinung eingewirkt, daß die Ueberzeugung von der Nothwendigkeit der Mündlichkeit des Verfahrens ein Eigenthum aller Verſtändigen geworden iſt, und nachdem ſelbſt Preußen unter dem Einfluſſe der Juſtizminiſter Mühler und Uhden die Mündlichkeit des Verfahrens, verbunden mit Oeffentlichkeit geſetzlich einzuführen begonnen hat, kann es nicht fehlen, daß auch die übrigen Regierungen Deutſchlands jenen Forderungen der Gerechtigkeit nachzukommen nicht länger ſäumen werden. **W. Bertling.**

Actenverſendung. (Actenverſchickung, Weisthum, Rechtsgutachten, Spruchcollegium, Schöppenſtuhl). Die A. iſt eine urſprünglich deutſche Rechtsanſtalt. An die Stelle der in den Zenten en (Hunderten) und Dekanieen (Zehnten), in Gericht ſitzenden Volksgemeinden, welche „ungebotene und echte Dinge" (Gerichte) zu beſtimmten Zeiten hielten, waren allmälig die aus den Gemeinden gewählten Schöffen getreten, welche Anfangs für jede Sitzung des Gerichts beſonders, ſpäter aber auf Lebenszeit gewählt, in „gebotenen (d. i. beſonders angeſagten) Dingen" den Gerichtsverhandlungen beiwohnten und Urtheile fällten. Einige von dieſen Schöppenvereinen (Schöppenſtühlen, Schöppenkollegien) erlangten durch ihre Rechtskenntniſſe ein vorzügliches Anſehen, ſo daß nicht ſelten andere Gerichte in ſchwierigen Rechtsfragen ſich Belehrung von ihnen erbaten. Eine ſolche Belehrung, in welcher ein Schöppenſtuhl weiß, was Rechtens ſei, nannte man ein „Weisthum," und da man nach dergleichen Weisthümern (inquestae und daher die in neuerer Zeit in gewerblichen u. a. Angelegenheiten vielfach empfohlenen enquêtes der Franzoſen) ſich in gleichen Fällen zu richten pflegte, ſo veranſtaltete man von ihnen Sammlungen, wie z. B. die der Schöppenſtühle von Frankfurt, Aachen, Tübingen, Görlitz, Dohna, Magdeburg, Köln, Soeſt, Lübeck u. ſ. w. In Städten, welche ihre Rechtsverfaſſung von einem dieſer angeſehenern Schöppenſtühle entlehnt hatten, geſtaltete es ſich zum Herkommen, in jeder wichtigen Rechtsſache von jenem Schöppenſtuhle, deſſen Rechtsverfaſſung man angenommen hatte, dem Oberhofe, den Rechtsſpruch einzuholen. Auch wurde es gewöhnlich, von den erſt in ſpäterer Zeit, als die Volksgerichte allmälig verſchwanden, vorzüglich in Franken und Schwaben eingeſetzten kaiſerlichen Hof- und Landgerichten Rechtsſprüche ſich ertheilen zu laſſen. Und als endlich nach Gründung der Univerſitäten die an ihnen angeſtellten Doktoren der Rechte den Ruf beſonderer Befähigung in Entſcheidung von Rechtsſtreitigkeiten erlagt hatten und das römiſche und kanoniſche Recht über das einheimiſche deutſche Gewohnheitsrecht im 15. Jahrh. den Sieg davon trug, wurden es die Juriſtenfakultäten, an welche man die Akten verſendete und von welchen man ſich Rechtsbelehrung erbat. So wurde es durch die Gewohnheit, welche die Reichsgeſetze in der Privat-Gerichtsordnung v. 1523, im Reichsabſch. v. 1570, im Deput-Abſchiede von 1600 und im jüngſt. Reichsabſch. von 1654 beſtätigten, gemeinen Rechtens, daß in wichtigern Straffachen ſtets, und in Partheiſachen auf das Verlangen der einen oder andern Parthei, die A. an einen Schöppenſtuhl oder eine Juriſtenfakultät, zum Behufe der Abfaſſung eines Erkenntniſſes ſtattfinden mußte; von dieſer Vorſchrift waren blos die höchſten Reichsgerichte und in den ſ. g. befreiten Ländern (welchen das privilegium de non appellando s. evocando verliehen worden) die höchſten Landesgerichte, wenn dieſe ſo wie die höchſten Reichsgerichte beſetzt waren, eine Ausnahme bildeten. Dem Prozeß leitenden Richter ſtand hierbei die Wahl frei, an welches Spruchkollegium (Juriſtenfakultät oder Schöppenſtuhl) er die Akten verſenden wollte; jedoch durfte jede Parthei, ſelbſt ohne Gründe anzuführen, drei Rechtskollegien, und aus zureichenden Gründen auch noch mehr erbitten (Ausſchlleßungsrecht, ius eximendi). An welches Spruchkollegium der Richter ſodann die Akten verſendete, ſollte den Partheien geheim bleiben und erſt bei Eröffnung des zurückgelangten Urtheils durften dieſelben erfahren, von welchem Spruchkollegium dieſes abgefaßt worden war. Das zurückgelangte Ur-theil war der Richter bei Strafe verpflichtet, unverändert den Partheien bekannt zu machen, und auch hierdurch unterſchied ſich ein Urtheil von einem bloſen Rechtsgut-achten, welches das Gericht ſowohl als die Partheien aus eigener Anregung, ohne daß vorher ein Jurotulazionstermin ſtattfand, von einem Spruchkollegium ſich biswei-len ertheilen ließen. — Die A. hatte nur mit dem Untergange des vormaligen münd-lichen Verfahrens ins Leben treten können, da ſie ihrem Weſen nach mit dem rein mündlichen Verfahren, in welchem das Gericht blos nach eigener Wahrnehmung der Verhandlungen urtheilt, unverträglich iſt. Es erſchien aber auch gerade, wegen der dem ſchriftlichen Verfahren ermangelnden Bürgſchaften des mündlichen, als ein natürliches Civirhaus und als ein unentbehrliches Mittel, durch welches man den Gefahren des rein ſchriftlichen Verfahrens (ſ. Actenmäßigkeit) nach Möglichkeit vorzu-beugen ſuchte. Denn häufig fehlte es bei den Untergerichten an der vom Geſetz vorgeſchriebenen Zahl von Richtern; häufig vermißte man bei ihnen die zur Entſchei-dung wichtiger Rechtsſachen erforderliche Einſicht, Kenntniß der Geſetze, perſönliche Unabhängigkeit und Unbefangenheit; am dringendſten aber empfahl ſich die A. da-durch, daß ſie das Vertrauen des Volks auf eine unpartheiiſche Gerechtigkeitspflege, welche Feuerbach „das Herz des Staatskörpers" nennt, zu befördern vorzüglich geeig-net war, indem den Partheien vermöge des ihnen zuſtehenden Ausſchließungsrechts ein Einfluß auf die Wahl des erkennenden Richters anheimgegeben war, wodurch ſie wußten, daß über ihre Rechtsſache Männer urtheilten, die in keiner Weiſe mit den Partheien und dem prozeßleitenden Richter in Verbindung ſtanden, oder bei der Füh-rung und dem Ausgange der Rechtsſache betheiligt waren; die vielmehr der Kritik an-derer Rechtsverſtändigen ſich unterwerfen mußten, mithin an Ertheilung eines gerech-ten Rechtsſpruches mit ihrer eigenen Ehre intereſſirt und vermöge ihrer Stellung (die Mitglieder der Schöppenſtühle wurden meiſt durch die Stadtmagiſtrate, die der Juri-ſtenfakultäten durch dieſes Kollegium ſelbſt ernannt) unabhängig und zugleich mit der Kenntniß der Rechte am meiſten vertraut waren: alles Umſtände, die in dem von der Regierung abhängigen Einzelrichter grade in entgegengeſetztem Sinne vorhanden wa-ren. Und in der Wirklichkeit rechtfertigten auch namentlich die Juriſtenfacultäten ver-möge ihrer bis zum J. 1820 ihnen bewahrten unabhängigen Stellung jenes in ſie geſetzte Vertrauen vollſtändig; ſie wirkten auf den Rechtszuſtand auf das Wohlthätigſte durch die Vereinigung ein, in welche ſie durch Anwendung richtiger Grundſätze der Auslegung, die Praxis mit der Theorie brachten, wodurch ſie nicht ſelten die Unver-einbarkeit veralteter Geſetze mit neuen Geſtaltungen der Dinge und die Unanwendbar-keit der erſtern auf letztere nachwieſen und durch die hierdurch in gewiſſem Grade hergeſtellte Einheit deutſcher Rechtsbildung. In lebhafter Ueberzeugung für das beim ſchriftlichen Verfahren mit dem unentbehrlichen Vertrauen des Volks unzertrennlich verbundene Inſtitut der A. zu einer unpartheiſchen Gerechtigkeitspflege, und im innig-ſten Gefühle für Recht, beſchwor daher noch der berühmte Rechtslehrer Görner im Anfange dieſes Jahrh., als die Regierungen ſchon damit umgingen die A. abzuſchaf-fen, die deutſchen Fürſten, dieſelbe ihren Völkern zu erhalten, denn „man könne in dem Verbote der A. nichts als den Umſturz eines Palladiums der deut-ſchen Freiheit ſehen, auf welchem Jahrh. lang das Glück der Unterthanen be-ruhte." Und wenn hinterher gleichwohl in verſchiedenen deutſchen Ländern, zum Theil im natürlichen Gefolge der Einführung eines dem franz. ähnlichen Gerichtsverfahrens, die A. verboten oder doch beſchränkt wurde, ſo erlangte doch das ſie anordnende ge-meine deutſche Recht in der Bundesacte Anerkennung, indem dieſe in Art. 12. feſtge-ſetzt, daß in den mit einem gemeinſchaftlichen oberſten Gerichte verſehenen deutſchen

Staaten „den Partheien gestattet sein solle, auch die A. an eine deutsche Fakultät oder an einen Schöppenstuhl zur Abfassung des Endurtheils anzutragen." Die Anerkennung dieses Rechts war aber um so mehr von der Gerechtigkeit geboten, als dasselbe vermöge der Verfassung des deutschen Reichs jedem Bürger zustand und ihm nicht anders als im gesetzmäßigen Wege genommen werden konnte. Gleichwohl faßte später die deutsche Bundesversammlung Beschlüsse, welche dem klaren Wortverstande jenes 12. Artikels widersprachen und gab diesen abändernden Beschlüssen den Namen „authentischer Auslegungen." Sie erhob eine von einer Anzahl deutscher Regierungen bei den Wiener Ministerial-Conferenzen v. 12. Juni 1834 abgegebene Erklärung, nach welcher jener Art. 12. nicht auf Polizei- und Kriminalerkenntnisse, für welche dem deutschen Bürger das Vertrauen auf unabhängige Rechtskollegien grade den größten Werth hatte, sondern „nur auf bürgerliche Streitigkeiten Anwendung zu finden habe," am 13. November 1834 zum Bundesbeschluß, und da selbst nach diesem Beschlusse nur die Bundesgarantie rücksichtlich der A. in Polizei- und Kriminalsachen aufgehoben, aber noch keineswegs den Regierungen das Recht genommen worden war, sie stattfinden zu lassen, so wurde auch dieses Recht der souveränen deutschen Staaten durch einen Bundesbeschluß v. 5. November 1835 zerstört, welcher anordnete, daß alle A. in Polizei- und Kriminalsachen an in- und ausländische Universitäten und die Annahme solcher Sachen von den Universitäten zu verbieten sei. So sank auch diese Schutzwehr eines gesicherten Rechtszustandes dahin; in ihrer Grundlage war sie schon durch den am 20. Sept. 1819 gefaßten und am 12. August 1824 und 5. Juli 1832 erneuerten provisorischen Bundesbeschluß erschüttert worden, welcher die Regierungen verpflichtete, Universitätslehrer in gewissen Fällen ohne richterliches Urtheil ihres Amtes zu entsetzen, und daß ein solcher bei einer öffentlichen Lehranstalt wieder angestellt werden dürfe — ein Beschluß, welcher auch die Mitglieder der Juristenfakultäten ihrer frühern unabhängigen Stellung beraubte.

W. Bertling.

Actie, zu deutsch Antheil, Loos, Loostheil, bezeichnet die schriftliche Urkunde, mittels welcher der Besitzer oder Inhaber derselben seine Betheiligung an einem im Vereine mit einer Anzahl Anderer begonnenen industriellen, commerciellen oder finanziellen Unternehmen nachweist und geltend macht. Außer dem Betrag der Summe, welche zur Ausführung und zum Betriebe des Unternehmens zusammengeschossen wird, ist darauf die Größe und der Werth des Einzelantheils, wie gewöhnlich die Art und Weise der Vertheilung des Gewinnes verzeichnet. Angenommen, daß ein auf diese Weise beabsichtigtes Unternehmen die Summe von 100,000 Thaler erfordert und man übereingekommen ist, dasselbe in 1000 A. oder Loostheilen aufzubringen, so wird jede einzelne A. als eine Bescheinigung ausgefertigt werden, daß deren Besitzer sich mit dem tausendsten Theil einer solchen Summe, d. i. mit 100 Thlrn. dabei betheiligt und auf einen verhältnißmäßigen Antheil des reinen Gewinns Anspruch hat. — Zum Unterschied von gewöhnlichen Theilhaber- und Compagniegeschäften, wo jeder einzelne offene Theilhaber nicht nur für den Betrag des eingelegten Geldes, sondern mit seinem ganzen Hab und Gut den Gläubigern des Unternehmens verhaftet ist, reicht die Verpflichtung des Theilnehmers an einer Actienunternehmung, wo nicht in einzelnen Fällen anders bestimmt ist, nicht weiter, als zur vollen Einzahlung des auf jeder A. bemerkten Antheils; so kann z. B. im oben angeführten Einzelfalle der Besitzer einer A., er mag außerdem nur 100 oder 1,000,000 Thlr. an Vermögen haben, nicht weiter in Anspruch genommen werden, als bis zur vollen Einzahlung von 100 Thlrn., ja in vielen Fällen reicht bei den größern Actienunternehmungen, wo die Einzahlung des Actienbetrags nicht auf einmal, sondern in gewissen Zeitfristen, in Raten oder Theilbeträgen erfolgt, die Verpflichtung nicht einmal so weit, indem der Inhaber eines Loostheils jeder Zeit sich von der Verpflichtung der noch bevorstehenden Fristzahlungen, durch den Verlust der bereits geleisteten Raten und die darin eingeschlossene Verzichtleistung auf verhältnißmäßigen Antheil an jeden möglichen Ertrag des Unternehmens oder durch Uebertragung seiner Pflichten und Rechte auf Andere mittels Verkaufs oder in anderweitigem Wege, losmachen kann. Diese letztere Gattung A., die zahlreichste von allen, welche gerade dieser Eigenschaft wegen, den weitaus größten Bestandtheil des Actienhandels bilden, nennt man A. au porteur, oder auf den Inhaber, insofern der jeweilige Besitzer durch die Thatsache des Besitzes in den vollen Umfang des darauf bezeichneten Antheils an dem Unternehmen, eintritt. — Im übrigen giebt es eine Menge Arten und Abarten von A., deren unterschiedliche Merkmale gewöhnlich aus der Art und Eigenthümlichkeit der Unternehmungen hervorgehen, zu deren Ausführung und Ausbeutung sie geschaffen werden. So giebt es A., die sogleich zum vollen Betrag eingezahlt werden müssen; andere, die je nachdem das Unternehmen in seiner Ausführung fortschreitet, wie dies besonders bei dem Bau großer öffentlicher Werke oder Gewerbsanlagen, Eisenbahnen, Kanäle, Bergwerksunternehmungen, Fabriken 2c. der Fall, in Raten von einem bestimmten Satz, wie 5, 10, 20 oder 25 vom Hundert nach und nach eingezahlt werden; ferner gibt es A., wo die Einzahlungen des genannten Betrags bloß für den Fall gewährleistet wird, daß das Unternehmen die ganze Kapitalsumme in Anspruch nehmen sollte. Dies ist besonders bei den Actienunternehmungen der Fall. Endlich giebt es A., wobei die Verpflichtung der A.-Inhaber ausbedungen wird, nöthigenfalls auch über den ursprünglich genannten Betrag Einschüsse leisten zu müssen, im Falle sie nicht ihrer bereits geleisteten Zahlungen verlustig gehen wollen. — Hinsichtlich der Verzinsung der A. werden gleichfalls verschiedene Verfahren eingehalten. Es giebt A., die sogleich vom Tage ihrer Einzahlung an mit einem vorausfestgesetztem Satze verzinst werden; bei einigen A.-Unternehmungen trift diese Verzinsung schon für die Ratenzahlungen ein, bei andern erst nach der vollen Einzahlung; bei wieder andern endlich werden erst Zinsen gezahlt, sobald das dadurch zu Stande gebrachte Unternehmen in Betrieb gesetzt worden ist. Der Gewinnantheil, welchen ein A.-Unternehmer, außer der im Voraus festgestellten Verzinsung liefert heißt die Dividende. Wenn z. B. das obenangeführte A.-Unternehmen von 100,000 Thlrn. einen jährlichen Reingewinn von 7,500 Thlrn. ergiebt, und die Verzinsung des eingezahlten Kapitals auf 4 vom Hundert festgesetzt worden ist, so würden auf jede A. 3¼ Thlr. als Gewinnantheil ausgezahlt werden. Dagegen giebt es A.-Unternehmungen, die keine Zinsen, sondern nur Gewinnantheil zahlen, d. h. wo der Inhaber der A. einen Ertrag nur so weit und in dem Verhältniß erwarten darf, als sich ein Reingewinn ergiebt.

Actionair, der Inhaber von Actien.

Actiengesellschaft bezeichnet einen Verein von Geldbesitzenden, die zur Ausführung und zum Betrieb eines Unternehmens, welches größere Geldkräfte erfordert, als sie dem Einzelnen zur Verfügung stehen, Geld zusammenschießen, und deren einzelnen Mitgliedern, den Actionairen für den festgesetzten Einzelantheil eine Urkunde, die Actie ausgestellt wird. Die Rechte und Pflichten der Theilnehmer, wie der allgemeine Plan des Unternehmens selbst und die Art seines Betriebs und seiner Verwaltung sind gewöhnlich in einer besondern Satzung oder Statut festgesetzt, welches insofern der Verein die Eigenschaft einer Körperschaft und deren Berechtigungen theilhaftig werden will, die Genehmigung der Regierung erhalten haben muß. Die Geschäftsführung wird gewöhnlich durch ein Directorium oder Vorstand besorgt, der durch Wahl aus der Mitte der Actionaire hervorgeht und dem oft ein auf gleiche Weise gewählter Ausschuß, als beaufsichtigende Vertreter der Gesellschaftsinteresse zur Seite steht. Das Directorium ernennt und beaufsichtigt das übrige Verwaltungspersonal und legt der Gesellschaft in Generalversammlungen Rechnung über seine Geschäftsführung und das Ergebniß des Unternehmens ab. — Der Umstand, daß die großen gewerblichen und verkehrlichen Unternehmungen, wie jene nothwendige finanzielle Maßregeln, die für Kultur- und Gesittungsstaaten der Jetztzeit ein unentbehrliches Bedürfniß geworden sind, nur durch unermeßliche Geldkräfte, wie sie sich in den Händen der Einzelnen nur selten finden, ausgeführt werden können. Der Umstand ferner, daß nur auf dem Wege der Vergesellschaftung (Association) der Geldkräfte, wie sie in Actienunternehmungen eröffnet ist, die kleinern Kapitalien an dem Gewinne solcher Unternehmungen Theil nehmen können, rechtfertigt es, daß man solchen Vereinen gleichsam ein Ausnahmsrecht (s. Actie) zugestanden hat. Zudem giebt die Oeffentlichkeit, zu welcher sich die Geschäftsführung solcher Vereine in den meisten Fällen mehr oder weniger verpflichtet sieht, dem Volke eine gewisse Gewähr dafür, daß der Credit, welcher demselben geschenkt wird, nicht in einer Weise mißbraucht wird, welche dem durch diese Unternehmungen erzielten allgemeinen Nutzen gegenüber auch nur in Betracht kommen könnte. Schon jetzt liegen die segensreichen Ergebnisse dieser Vereine in den großartigsten Schöpfungen, welche dem schnellen Austausch aller geistigen und stofflichen Güter, der wohlfeilen Herstellung und Herbeischaffung aller Bedürfnisse und Genüsse des Volks dienen, dem blödesten Auge offen da. Und wenn auch nicht geläugnet werden mag, daß viele dieser Hülfsmittel der Gesittung und Fortschritte auf andere Weise und namentlich durch eine größere Betheiligung des Staats selbst, hätten beschafft werden können, so ist auf der andern Seite zu bedenken, daß der Anstoß, welcher durch jene Vergesellschaftung der stofflichen Vermögensvorräthe den schlummernden Kräften jeder Art im Volke mitgetheilt worden ist, das letztere erst auf die ungeheure und unwiderstehliche Macht des Zusammenthuns und Zusammenhalts für gemeinschaftliche Zwecke aufmerksam gemacht, ihm durch die großartigsten Erscheinungen zur Anschauung gebracht hat, auf welche Weise und mit welchen Mitteln man das Unglaublichste durchführen könne. — Und doch stehen wir erst an der Schwelle dieser Entwickelung und können selbst ihren nächsten Ruhepunkt kaum mit dem Auge ermessen. Daß wir in Zeit von längstens 14 Tagen das atlantische Weltmeer überfliegen; daß wir in wenig Stunden von einem Ende des Vaterlands zum andern eilen, daß wir des Nachts unsre Straßen mit Tageshelle erleuchten, daß wir auf auf eine Entfernung von 10 und 100 Meilen, ja auf unbegrenzte Weiten hin, in Zeit weniger Sekunden Mittheilungen machen können, daß wir bei ausbrechender Feuersbrunst unsre Habe ohne Gefahr des Verlustes im Stiche lassen und auf Rettung unsres und der Unsrigen kostbaren Lebens allein Bedacht nehmen dürfen, daß uns die Bedürfnisse und Bequemlichkeiten des Lebens in Erzeugnissen des vaterländischen Bodens, wie von den entlegensten Weltgegenden her in größter Menge und zu den wohlfeilsten Preisen beschafft werden — an Allem diesen und an tausend ähnlichen herrlichen Erfolgen können die Actienunternehmungen ihr volles, ja das vorzüglichste Theil, als ihr Werk beanspruchen. — Die Nachtheile, welche solche Einrichtungen dagegen mit sich bringen, sind zum großen Theil die allernothwendigsten Schattenseiten, welche die Verhältnisse des Handels und Wandels unter gegenwärtigen Umständen überhaupt darbieten. Nur in der weitern Ausbildung der Einrichtungen selbst, zu Stande gebracht durch allseitige Einsicht in ihr Wesen und Wirken, werden diese Uebelstände zu beseitigen sein. Vor Allem ist in dieser Hinsicht nothwendig, daß die Theilnehmer an einem Actienunternehmen selbst gründlichste Einsicht in alle Verhältnisse desselben zu gewinnen suchen, daß sie seinen Gang aufmerksam verfolgen, daß sie bei der Wahl der Geschäftsführung mit gehörigem Bedacht zu Werke gehen — daß sie mit einem Wort sich in einen andern und nähern Zusammenhang mit ihrem Vereine fühlen und setzen, als in demjenigen, in welchen das bloße Erheben der Zinsen und Gewinnantheile sie gelegentlich bringt. Die A. müssen, wenn sie wirklich alle Bedingungen, die man von ihnen erwarten darf, erfüllen sollen, mehr oder weniger zu wirklichen Associationen sich umgestalten (s. d.). J. G. Günther.

Actienhandel. Der Handel mit Actien (s. d.) bildet nur einen Theil der

chen Urkunden, wie Staatsschuldverschreibungen, Renten- und Pfandbriefen, Actien u. drgl. Papieren bestehen. Aus der Natur der Sache geht hervor, daß im allgemeinen Interesse der Umsatz in diesen Werthschaften möglichst unbehindert stattfinden muß und daß jede bevormundende Einmischung des Staats oder der Polizei die Vortheile verschwinden machen und die Schattenseiten erst recht fühlbar hervortreten lassen wird. Den Ausartungen, zu denen der A. Veranlassung giebt, wird nicht dadurch, sondern durch eine die verkehrlichen Beziehungen und Handelsverhältnisse ordnende unzweideutige und vernünftige Gesetzgebung und durch deren angemessene Ausübung gesteuert werden, welche für jedes leichtsinnige und betrügerische Treiben in diesem Handel eine eben so schnelle als gebührende Ahndung stattfinden läßt, als sie in den andern Zweigen des Handels in Anwendung gebracht wird. So lange der A. nicht in ein bloßes Spiel des Zufalls, ein Wetten ausartet, muß derselbe vom Gesetz als ein vollkommen zulässiges und ehrbares Geschäft anerkannt und überall als solches geschützt werden. Aber selbst hinsichtlich der bloßen Agiotage, dem Handel, welchem kein wirklicher Kauf und Verkauf zur Grundlage dient, muß die Gesetzgebung sehr vorsichtig zu Werke gehen und nicht durch Ausnahmemaßregeln, die allgemeinen Grundsätze und der Natur des freien Verkehrs widersprechen, Unheil veranlassen, welches größer ist, als die dadurch erzeugten Nachtheile. Jeder Zeit soll sich die Gesetzgebung ferne halten, sich in Privatangelegenheiten zu mischen, und als solche sind Käufe und Verkäufe zwischen Privatpersonen zu betrachten, die Gegenstände dieses Handels mögen nun die Waaren oder Geld und Geldwerth sein. Das Aeußerste, wie weit die gesetzliche Vorsorge in dieser Hinsicht gehen darf, ist, daß sie dem bloßen Glückspiele, dem Wetten auf das Steigen oder Fallen des Curses, auch bekannt unter dem Namen: Differenzgeschäfte, im Falle dieselben Anlaß zu Klagen bei den Gerichten geben, nirgend rechtliche Gültigkeit beilegt und sich bloß darauf beschränkt, erwiesenen Betrug und Gaunerei bei diesem, wie bei allen ähnlichen Treiben zu ahnden. Man verfolgt mit Recht die furchtbaren Ausartungen, zu welchen das Börsenspiel unter solcher Gestalt gediehen ist, die vielen Opfer, die dasselbe verschlungen hat. Aber die Mittel, welche man gewöhnlich gegen dasselbe zu ergreifen sich bewogen fand, haben sich gleichfalls als traurige und meistens völlig fruchtlose Nothbehelfe erwiesen, besonders weil sie das Gepräge der Bevormundung an sich trugen. Es giebt ein gründliches Heilmittel gegen dieses Krebsübel, ein Heilmittel, welches einen ganz entgegengesetzten Charakter besitzt: die wahre Bildung und der gründliche Unterricht des Volks über seine Interessen im Einzelnen und Ganzen, über das Wesen aller der Einrichtungen und ihrer Wirkung, die in Bezug auf seine materielle und geistige Wohlfahrt stehen. Mit dieser Bildung wird sich unter den Massen die Einsicht und Ueberzeugung verbreiten, daß die durch das Spiel des Zufalls leicht erworbenen Reichthümer die Gewohnheiten des Müßigganges, der Verschwendung, der Ueppigkeit und der Ausschweifung zur Folge haben und unter deren Einflüssen meist eben so schnell zerrinnen wie sie gewonnen wurden, während der in mühsamer Arbeit errungene Wohlstand die gegentheiligen Wirkungen hervorbringt, die Ausbildung der Fähigkeiten des Menschen, seine Um- und Einsicht, Fürsorge, Sparsamkeit und regelmäßige Lebensweise fördert. — Ein anderes Mittel zur Steuerung des Actienschwindels der Stockjobberei, und mit welch andern Namen man die vielgestaltigen Arten dieses Glückspiels nennen mag, ist in der Förderung aller güterzeugenden Arbeit gegeben, wodurch die Kapitale bewogen werden, statt sich in den Strudel der Börsengeschäfte zu stürzen, sich derartigen Unternehmungen zuzuwenden; endlich mit damit in Zusammenhang stehende Beseitigung der thörichten Wuchergesetze, wodurch gerade eine Menge großer und kleiner Kapitale, die außerdem als verzinsliche Darlehen den gewerblichen Unternehmungen, dem Landbaue, der Industrie und der Schifffahrt zuströmen würden, in den meist Alles verschlingenden Abgrund des Börsenspiels hinabgezogen werden. Vergl. Anleihe, Credit, Staatsschulden.   J.-G. Günther.

Actienschwindel, A.=spiel, s. Actienhandel.

Actuar, ein Beamter im Gerichts= und Verwaltungsfache, welcher befähigt und berechtigt ist, Acten, d. h. beglaubigte Niederschriften der gepflogenen Verhandlungen anzulegen und zu führen. Nachdem der A. seine wissenschaftliche Tüchtigkeit nachgewiesen, wird er für die Treue und Richtigkeit seiner Niederschriften, die auch Protokolle und Registraturen heißen, verpflichtet, weshalb denselben denn auch volle gerichtliche Glaubwürdigkeit beiwohnt.   v. L.

Adel. „In einem wohlgeordneten Staate ist der Fürst der sichtbare Gott (La cause), das bürgerliche Volk die gemeine Kreatur (Les effets) und der A. der Heiland, der Vermittler (Le mediateur)!" Also lehrt uns in allem Ernste von Bonald, indem er die Dreifaltigkeitslehre auf den Staat überträgt, und also beten ihm nach Fr. Schlegel, A. Müller, v. Haller, v. Harthausen u. A. Dagegen sagt Niebuhr d. Aelt., auch kein Revolutionair: „Der A. ist ein müßiges Drohnengeschlecht, welches auf Grund der sehr zweifelhaften Verdienste seiner Vorfahren die Honigstöcke des Volkes verzehrt. Daß die Völker doch von den unvernünftigen Thieren (den Bienen) nicht lernen, was mit den Drohnen zu machen ist!" so sagte er, als er, „um seine Familie nicht zu beleidigen", den A. ausschlug, welcher ihm angeboten wurde. Zwischen diesen beiden äußersten Aussprüchen schwankt das Urtheil über den A. noch heute und es ist Pflicht des Volksschriftstellers, die richtige Mitte zu suchen und das Urtheil auf geschichtliche und moralische Thatsachen zu gründen, um der dünkelhaftesten Anmaßung und der unbegründeten Anfeindung zugleich Schranken zu setzen. Betrachten wir das Werden des A.s, so finden wir 1) einen A. der Abstammung in Rom, wo die Quiriten oder Römer, später Patrizier genannt, wirklich ein anderes Volk waren, als die Plebejer: denn die letztern waren andere Stämme, die von den erstern besiegt und unterjocht wurden. Dieser A. verschwand durch die Mischung der Stämme und das spätere römische Patrizierthum hatte keinen Sinn mehr. Wir finden ferner 2) einen A., der sich an die Stellung und Würde knüpft, indem gewisse Aemter und Verrichtungen allerdings über die Masse des Volks erheben. Dieser A. ist ein rein äußerlicher. Es zeigt sich 3) ein A. des Verdienstes und der Leistungen, indem Muth und Tapferkeit im Kriege, Weisheit im Rathe und strenge Gerechtigkeit im Gerichte dem Manne, welchen diese Tugenden zierten, eine erhabene Stellung gaben, oder diese ihm als Lohn und Anerkennung ausdrücklich gegeben wurde. Dieser A. ist ein rein persönlicher. Dann bildete sich 4) ein A. des Vermögens, indem derjenige, welcher dasselbe besaß, im Kriege als Reiter erscheinen, auch sich Knechte und Knappen halten konnte, während der Unvermögende allein und zu Fuß gehen mußte, der Reiche im Frieden in der Nähe der Fürsten, an den verschwenderischen Höfen weilen konnte, während der Arme zu Hause bleiben und arbeiten mußte. Das war der A. des Glückes und des Zufalls, der mit seinen Ursachen von selbst erlosch. Diese Klassen des A.s, wenn man nämlich diese Bevorzugungen, die in der Sache selbst liegen, A. nennen will, haben wir mit Ausnahme der ersten heute noch und werden sie haben, so lange nicht die Staats= und Gesellschaftsverhältnisse sich gänzlich umgestalten; sie sind, wenn nicht unbedingt vernünftig, doch in der Natur der Verhältnisse begründet und unvermeidlich. Dieser A. hat auch durchaus nichts Verletzendes, er gründet sich auf persönliche und zufällige Vorzüge und zerfällt mit denselben; will man die letztern nicht als Grund einer Erhebung des Besitzenden gelten lassen, so arbeite man gegen die Bedeutung und Geltung dieser Zufälligkeiten und drücke sie herab; dem Besitzenden aber verarge man nicht, wenn er die Vortheile des Besitzes genießt. An diesen natürlichen und deshalb vernünftigen A. aber schließt sich nun ein anderer, welcher das Gegentheil ist, ein A., der Patrizier sein will, weil der Ururururgroßvater Patrizier war, obschon es nicht blos zweifelhaft, sondern gewiß ist, daß die Stammesverschiedenheit aufhörte, auch ursprünglich blos ein anderer Stamm, nicht ein besserer vorhanden war;

ein A., der mehr sein will, als Andere, weil seine Vorfahren durch Amt und Würden ausgezeichnet waren; ein A., der geehrt sein will, weil seine Väter tapfer, weise und gerecht waren; ein A. endlich, der blos Reiterdienste thun und verschwenderisch leben will, weil seine Stammeltern einst Geld dazu hatten, während er ein armer Schlucker ist, den die Natur an die Arbeit gewiesen hat. Dieser A., der sogenannte Geburts- und Erb-A., ist allerdings eine Erscheinung, die eine an Bildung und Rechtsentwicke- lung vorgeschrittene Zeit nur bemitleiden und belächeln kann. Wenn derartigen dün- kelhaften Ansprüchen häufig noch von Seiten des Staates Vorschub geleistet wird, so beweist das nichts für ihre Vernünftigkeit, sondern nur dafür, daß unsinnige und verrottete Ansichten auch in unsern Tagen noch blinde Anhänger haben. Eine solche Ansicht ist ohne Zweifel, außer der lächerlichen Bonald'schen, die v. Haller's, der in dem A. ein „Erzeugniß der Natur, eine einfache Ordnung Gottes, einen Sam- melpunkt alles Edeln und Guten, höhere Erkenntniß, Macht und Freiheit, mit Ausschluß alles Gemeinen und Niedrigen" erblickt, den Beweis für die Möglichkeit einer solchen bevorzugten Menschenkaste aber völlig schuldig bleibt. Alle geschichtlichen Ausführungen, welche selbst beachtenswerthere Forscher, z. B. Hüllmann, aufge- stellt haben, beweisen nichts, als daß es zu allen Zeiten und bei allen Völkern Men- schen gegeben hat, die nach den Eingangs bezeichneten Richtungen ausgezeichnet waren; eine besondere, abgeschlossene, bessere Menschensorte aber findet sich zu keiner Zeit und bei keinem Volke. Vielmehr haben selbst die überspanntesten Lobredner des A.s zugeben müssen und oft willenlos dargethan, daß die ursprünglichen Staatszu- stände durchaus auf Freiheit und Gleichheit aller Angehörigen begründet waren, die Ueberhebung und Bevorzugung einzelner Stämme und Stände und die Unterdrü- ckung und Knechtung der Masse nur das Erzeugniß einer falschen Entwickelung war. Nur Freie und Unfreie kennt die alte Geschichte, oder mit andern Worten: Sie- ger und Besiegte, die lange Zeit unvermischt und getrennt blieben, später in Be- sitzende und Besitzlose ausarteten, die aber auch beständig ineinander spielten und wechselten, so daß der Unterschied zwischen Blut und Abstammung nirgend fest- steht; die Freien und Besitzenden hatten allerdings alle politischen Rechte allein, aber sie waren kein A., sondern das eigentliche Volk. Für unser Deutschland gilt diese Behauptung mindestens ein volles Jahrtausend unsers geschichtlichen Volksdaseins. Auch die Namen des A.s deuten keineswegs auf Geburtsunterschied, sondern nur auf Amt und Stellung hin: Fürst: der Vorderste, Erste; Herzog: der Heerführer; Graf: der erwählte Richter des Gaues, Gaugraf; Baron: von baro, ein gemeiner, niedrigstehender Mensch, ein Diener, ein Mann des Gefolges; Edler, ein Braver, Tüchtiger; Freiherr: ein Freier, freier Mann; u. s. w. Erst das Feudalwesen (s. d.) brachte die Monarchie im heutigen Sinne und mit ihr den A., der demnach nichts Ursprüngliches, sondern etwas rein Aeußerliches, will- kührlich auf unser Volksleben Gepfropftes ist. Daß dieser A. im Vereine mit der Monarchie allmählig alle Würde und Ehre, alle Macht und Gewalt, ja alles Gut und Besitzthum an sich gerissen hat, beweist aber für sein Recht auf irgend eine Bevorzugung nicht das Geringste. Auch das Ritterthum war durchaus kein A., d. h. kein besonderer Stand; es mußte vielmehr durch persönliche Tugenden und Ver- dienste erworben werden, und wenn auch später die Abstammung berücksich- tigt wurde, so liegen doch tausend geschichtliche Thatsachen vor, daß die Ritterwürde ohne Rücksicht darauf ertheilt wurde und daß sogenannte geborene Ritter sie we- gen unritterlichen Thuns verloren. Daß diese Ansicht richtig ist, beweist auch der Umstand, daß es vor dem 10. Jahrh. für den A. gar keinen Ausdruck in der Sprache, so wie keine adlichen Stamm- und Familiennamen oder Wappen gab. Erst später wurden erstere von den Besitzthümern entlehnt, die letztern willkührlich zusam- mengestellt. In der Stellung des A.s zum Fürsten und Staat liegt indessen die Er- klärung seiner Erhaltung, wie seiner Ansprüche und Bevorzugung noch in der Neuzeit.

„Der A. verkaufte sich — wie Savigny und Grimm sagen — den Fürsten, opferte denselben seine Ehre (b. h. seine Freiheit), verschwand als Volksstand und verwandelte sich in königl. Antrustionen (Dienstmannen), die für ihre Dienste Geld, Grundstücke und Aemter erhielten." Der A., durch das Feudalwesen entstanden, drängte sich also zwischen Fürst und Volk, diente den erstern, half das letztere unterjochen und bereicherte sich mit seinem Gut. So wurde ein Bund geschlossen, welcher durch den Lauf der Jahrhunderte erhalten, ja fester werden mußte. Denn der A., einmal im Besitze großer Güter, konnte der Monarchie am leichtesten Mittel zur Verfolgung ehrgeiziger Pläne bieten; der A., groß und reich gemacht auf Kosten des Volks, war der natürliche Verbündete der Monarchie gegen jeden Versuch dieses Volks, sein geschmälertes Recht und Gut wieder zu erobern. Der A. riß nunmehr auch alle politischen und Kriegsrechte, alle einflußreichen Stellen und Aemter, die Rechtspflege, die allgemeine Vertretung des Volks, die Auflage und Bewilligung der Steuern, kurz Alles, Alles an sich, würdigte das Volk zu dienstbaren Werkzeugen, zur rechtlosen Sache herab und theilte sich mit der Monarchie in die volle Herrschaft über Leib und Seele, Gut und Blut. Aber die Theilung und der Friede derselben war nicht beständig; als der A. mächtig genug war, wandte er seine Macht gegen die Fürsten, rang nach der wirklichen Landeshoheit und errang dieselbe im vollen Umfange. Dadurch schwang sich der erste Feudal=A. zum sogenannten hohen A. empor, rief aber auch den niedern A. gegen sich in die Schranken. Denn es waren verhältnißmäßig nur wenige Feudalherren, die sich zu fürstlicher und fürstenähnlicher Gewalt und Unabhängigkeit emporschwangen; gegen diese vertraten die minder mächtigen entschieden die alten Freiheitsrechte des Volks, allerdings zunächst im eignen Interesse; kräftiger und uneigennütziger kämpften die Städte für das geschmälerte Recht und bestanden auf der Theilnahme an allen Landesangelegenheiten; endlich, als mit der thatsächlichen Erhebung auch die Einbildung entstand, daß die Gewaltträger einer bessern Menschensorte entstammt seien, reineres Blut in den Adern hätten und eine besondere Kaste bildeten, schufen die Kaiser den Briefa. — schon unter Kaiser Carl IV. —, um den übermüthigen Feudalherren sogenannt Ebenbürtige entgegen zu stellen. Daß auch der niedere A. später ausartete, sich bald mit den Fürsten gegen den hohen A. und das Volk, bald mit dem hohen A. gegen die Fürsten und das Volk verbündete, seinen Ursprung und seine Bestimmung vergaß und von dem Traume eines besondern Standes berückt, die Interessen dieses Standes vor Allem förderte, ist ebenfalls wahr; aber Träume werden dadurch nicht wirklich. Da nun mit den Rechten des Volkes auch der Begriff desselben mehr und mehr schwand, alle Gewalt und Kraft des Landes in den Bevorzugten vereinigt war, mußte die Monarchie mit dem Gesammt=A. halten und kannte bald nur ihn, als Träger des Rechts und Inhaber aller Mittel. Diese Jahrhunderte dauernde Verbindung ist Schuld, daß die Monarchie vielfach noch heute im A. ihre kräftigste Stütze sieht und derselben nicht entbehren zu können, sondern sie heben und stärken zu müssen meint. Sie vergißt, daß sie diese Stütze sich erst künstlich geschaffen hat, während sie für eine der Natur und Gerechtigkeit entsprechende Stellung im Volke eine weit billigere und kräftigere Stütze hätte haben können; sie vergißt, daß sie die Stütze mit denselben Mitteln bezahlen und erhalten muß, mit welchen der A. geschaffen wurde, Mittel, über welche die Monarchie gar nicht mehr zu verfügen hat; sie vergißt, wie eigennützig und habgierig der A. sich stets bewiesen bei Theilung des gemeinsam Erworbenen, wie rebellisch er war gegen die Fürstenmacht, sobald er so stark geworden war, ihr trotzen zu können, wie er auch die Fürstenrechte und die unumschränkte Herrschaft sofort an sich riß, wo er es vermochte; wie jede nothwendige Hülfeleistung ihm abgezwungen und abgekauft werden mußte; sie vergißt endlich — was die Geschichte der letzten 30 Jahre doch so deutlich herausgestellt hat — wie er stets mit maßlosen Ansprüchen hervortritt, sobald er sein bedrohtes Dasein wieder gesichert meint. Alle diese Nachtheile sind in alter

und neuer Zeit, vom griechischen Weisen Plato begonnen] bis auf die freisinnigen
Schriftsteller unserer Tage hervorgehoben und der A., d. h. ein Kasten= und Standes=
Unterschied als ein Unglück für ein Volk hingestellt werden. In einem Verbande,
wie der Staat, ist Gleichheit der Rechte wie der Pflichten nicht nur eine Forderung
des Rechtes und der Gerechtigkeit, sondern auch die Grundbedingung der innern Zu=
friedenheit und Harmonie, auf der allein die ungehemmte Entwickelung beruht; das
angeborne Gefühl der Gemeinsamkeit jedes Volkes wird verletzt durch jede Bevorzu=
gung in der Stellung und im Genuße, wenn diese Bevorzugung nicht eine Belohnung
für persönliche Verdienste ist und folglich nur dem gilt, der sie erworben, nicht seinen
Nachkommen, die nicht allein keine Verdienste haben, sondern blos Taugenichse sein
können. Niemand wohl hat einfacher und schlagender das Unvernünftige solcher Be=
lohnungen in den Nachkommen dargethan, als Franklin in seinem Briefe über den
Cincinatius=Orden, welcher einen A. in Amerika einzuführen drohte, indem er dar=
thut, daß man natürlicherweise aufwärts steigen müße und die Eltern belohnen
für die Erzeugung und Erziehung eines verdienstvollen Mannes, nicht aber die Kinder
desselben, in denen übrigens bei dem 9. Geschlechte auch nur noch $\frac{1}{512}$ seines Blutes
stecke. Auch Voltaire bezeichnet das Unsinnige der bevorzugten Stellung einer sich
beßer dünkenden Kaste deutlich in der Frage: ob denn einige Menschen etwa mit
Sporen an den Füßen, andere aber mit Sätteln geboren seien? Die kastenmäßige
Abschließung des A.s und der damit zusammenhängende Wahn, daß der A. nur so=
genannt ritterliche Beschäftigungen treiben dürfe, hemmt die Entwickelung der Ge=
sammtkraft eines Volkes; auch war es dieser Wahn besonders, welcher den A. selbst
zu Grunde richtete. Zu Grunde gerichtet aber ist der A., moralisch wie materiell,
und sein Dasein ist nur noch Schein und Blendwerk; der Boden, auf welchem er em=
porwuchs, ist verschwunden; die Unmündigkeit alles Volkes, aus welcher er seine Kraft
sog, ist aufgehoben; die besondern Berechtigungen hat er verloren, die Mittel, durch
welche er besonders im Kriege wichtig war, besitzt er nicht mehr und seine Stellung
zwischen Thron und Volk ist unmöglich geworden. Was blieb ihm? Die Einbil=
dung einer beßern Abstammung, eines reinern Blutes, und auf Einbildungen giebt
in unserer Zeit Niemand etwas. Deshalb ist es wohl gerechtfertigt, wenn v. Schlie=
fen den A. „ein entbehrliches Trümmerwerk der Vorzeit" nennt, Schlözer nur ein
„keineswegs nothwendiges Uebel" in ihm sieht und Klüber ihn als ein „Institut
des Mittelalters, welches sich selbst überlebt hat", betrachtet. — Ja, der A. hat sich
überlebt, seine Lebensbedingungen sind nicht mehr da; er steht als Leiche in der Ge=
genwart, und alle Versuche, ihn wieder zu beleben, bringen nichts als galvanische
Zuckungen hervor, die man bekanntlich auch Leichen machen lassen kann. Mag in
einem romantischen Herrscherkopfe der Gedanke an die Wiederherstellung besonders des
höhern A. spuken und durch Erhaltung der Reste der Feudalherrschaft, Herstellung
von Majoraten (s. d.) Verwirklichung suchen — das sind nur Formen, die nimmer
Leben geben. Den Inhalt zu erneuern, dem A. die Mittel wieder zu geben, durch
welche allein er leben und bestehen kann, das vermag keine fürstliche Macht mehr,
und Geschenke selbst von 100,000 Thalern an ruinirte adliche Familien gegeben,
helfen hier nichts; die Beaufsichtigung des Volkes durch seine Vertreter hebt die Be=
deutung auf. Die bevorzugte Stellung aber, welche dem A. in vielen Verfaßungen in
der Landesvertretung vorbehalten ist, bringt ihn vollends um alle Theilnahme des
Volkes, erhöht den Widerwillen desselben, indem man es den Rückschritts= und Still=
stands=Bestrebungen des A.s allein zuschreibt, wenn die Dinge sich langsamer ent=
wickeln, als es die Zeit wünscht. Auch fühlt der A. selbst, daß seine Zeit vorüber
ist, und nichts ihn vom Untergange retten kann. Daher einerseits die wahrhaft
lächerlichen Bestrebungen der A.kette und A.reunionen (s. d.), andererseits das
Liebäugeln mit dem Volke und das scheinbare Bestreben nach Vereinigung mit dem=
selben. Dieses hat sich in mehrern Ständeversammlungen, zuletzt beim vereinigten

Preuß. Landtage deutlich offenbart, auch ist erst im Sommer 1846 in den „höchsten Kreisen" eine Schrift des A.s und vieler seiner Vertreter verbreitet worden, welche die Volksforderungen anerkennt und mit Vereinigung droht. Die Gründung der Herrencurie in Preußen wird den angeblichen Volksfreunden wohl die gewichtigsten Stimmen entzogen haben. Die Vereinigung des A.s mit dem Volke betreffend, so ist sie gewiß wünschenswerth und gut; aber sie ist auch sehr leicht. Der A. darf nur seinen Standesdünkel fallen lassen und sich mit dem Volke verschmelzen; eine andere Vereinigung ist nicht denkbar, mit dem Stande hat das Volk nichts zu schaffen, ihn erkennt es nicht an, der Stand ist überwunden, ist untergegangen. Ueber ein halbes Jahrh. ist gearbeitet, die Scheidewände nieder zu reißen, ein Bündniß mit dem A.-Stande hieß sie wieder aufbauen. Immer noch ist das Volk betrogen worden und hat die Zeche bezahlen müssen, wo es sich mit dem A. als Stand verbündete und der Kampf mit dem A. wurde nach gemeinschaftlich erfochtenem Siege ernster, als mit dem ersten Gegner. Die Befreiungskriege haben dies gelehrt, da nach demselben der A. nur für sich sorgte, und maßlose Ansprüche machte; Belgien zeigt dies im gegenwärtigen Augenblicke. Der A. als Stand kann auch kein Bündniß mit dem Volke eingehen, er muß seine Standesvortheile der Volkswohlfahrt vorziehen, er hörte ja sonst auf, Stand zu sein, bedürfte kein Bündniß, sondern wäre mit dem Volke verschmolzen. So freudig und offenen Armes und Herzens das Volk den Adlichen empfangen wird, der sich in seine Reihen stellt, mit dem Stande kann und darf es kein Bündniß schließen. Zwar giebt es auch achtungswerthe, für den Fortschritt rüstig kämpfende Männer, z. B. Welcker, die dem A. die Stellung an der Spitze des Volkes, im Rathe, wie im Heere, einräumen oder erhalten wollen, sofern derselbe nämlich sich selbst als Vorkämpfer für Recht und Freiheit dahin stellt. Wer würde die Menschen, die jetzt einem A. anzugehören meinen, nicht gerne dort sehen? Wer die Genossen Steins, Wangenheims, Fürstenbergs, Itzsteins, Rottecks, Benzel-Sternaus, Gagerns, Thon-Dittmers, Watzdorfs, Dieskaus, Binkes, Bardelebens, Brünnecks, Reichenbachs u. A. nicht freudig begrüßen? Aber diese Stellung können auch nur Menschen einnehmen, nicht der Stand; nicht der A., sondern die Adlichen. Der Stand, wie er keine innere Wahrheit hat, wie er seine bessere und reinere Abstammung eben so wenig nachweisen kann, als die naturrechtlichen und moralischen Gründe seiner Bevorzugung, ist todt und den Versuchen, ihn wieder zu beleben, kann man nur mit Georg Herwegh zurufen:

Laß', was den Würmern längst verfiel,
In Frieden bei den Würmern liegen.
Fürwahr, fürwahr, Du hast nicht Recht,
Wenn Du ein moderndes Geschlecht,
Wenn Du zu Würden hebst den Knecht;
Nur wer ein Adler, sei von Adel.

R. B.

Adelskette. Eine zur Zeit des Wiener Kongresses gestiftete geheime Adelverbindung, welche unter dem Vorwande, den Adel sittlich heben zu wollen, die alten kastenmäßigen Bevorrechtungen wieder erstrebte, die der Kongreß ihm versagte. Einige stellen die Gründung der A. in eine frühere Zeit und weisen besonders auf das gleichmäßige Widerstreben des preußischen und schlesischen Adels hin, als die Gesetzgebung Preußens von 1808 an einen neuen, dem Adel und seinen Ansprüchen gefährlichen Geist verkündete. Selbst mit schnöder Willkühr und Hintansetzung aller Pflichten gegen den Staat, wurden die damaligen Gesetze dem Volke verborgen und außer Wirksamkeit gehalten. Mag eine Verabredung stattgefunden haben, die A., als Verbindung des deutschen Gesammtadels, oder doch vieler seiner Angehörigen, erscheint erst 1814 und 15 und zwar zunächst von Mediatisirten (s. d.) begründet. Ihre Wirksamkeit begann sie mit einem Manifest: „Ueber die Grundlagen unserer Verfassung", in welchem sie der Monarchie und dem Volke einen förmlichen

Fehdebrief schrieb, stellte in der „Denkschrift des deutschen Reichsadels" vom 28. Januar 1815 die Forderung völliger Wiederherstellung der alten Feudal-verhältnisse auf und bekannte in der „Kette vom 10. Januar 1818" ihren förmlich geschlossenen Bund. Die Heftigkeit ·und Maßlosigkeit der Forderungen, die Verkehrtheit der Mittel und das gänzliche Verkennen der Zeit machte die A. ohnmäch-tig. Als die Untersuchungen wegen demagogischer Umtriebe begannen, verschwand die A. aus dem Gesichtskreise, wahrscheinlich nur um desto geheimer fortzuwirken; in Untersuchung wurden diese Umtriebe nicht gezogen, obgleich sie staatsgefährlicher wa-ren, als die demagogischen.　　　　　　　　　　　　　　　　　　　　　R. B.

Adelsprobe und **Ahnenprobe.** Eine natürliche Folge des Wahnes, daß der Adel eine besondere, bessere Menschenkaste sei, war die Prüfung der Abstammung, die A. Sie entstand aus der im Alterthume nöthigen Nachweisung der **freien** Abstam-mung, indem die Kinder der Unfreien bis zum 3. Geschlechte für makelhaft galten, artete aber dann in einer Prüfung der **adlichen** Abstammung aus. Die A. wurde durch eine Ahnentafel geliefert, welche die Herkunft aus einer adlichen Familie darthat und bewies, daß kein unreines, d. h. bürgerliches Blut sich in das Geschlecht gemischt habe. Unrichtig wird diese Ahnentafel **Stammbaum** genannt, denn der Stammbaum beweist nur den Ursprung und die Verzweigung einer Familie, nicht die adliche Abkunft. Je mehr sich das Adelswesen entwickelte, um so höhern Werth legte man auf die A. und eine große Ahnentafel; die Lächerlichkeit dieser Bestrebun-gen ging so weit, daß man noch ·in den 20ger Jahren in Frankreich nachwies, wie die Ahnen des Fürsten von Croix sich bei der Sündfluth in die Arche Noah gerettet hatten und die Jungfrau Maria den Ahnherrn des Grafen Marcellus mit den Wor-ten begrüßte: Couvrez vous, mon Cousin (Bedeckt Euch, mein Vetter), woraus folgte, daß dieser Edle als Verwandter von Christus in die Erste Kammer des himm-schen Staates unbedingt gehörte. v. Schlieffen nennt die A. den „Riegel, womit die Eitelkeit dem Verdienste ohne Geburt die Thüre der Vorzüge versperrt."　　　R. B.

Adelsreunion. Eine geheime Adelsverbindung der neuern Zeit, wie Einige meinen, eine Fortsetzung, nach Andern eine Erneuerung der Adelskette. Sie entstand oder rang nach formeller Gestaltung nach den in den sächs. Vaterlandsblättern ver-öffentlichten Acten und Statuten am 27. Juni 1841 in Leipzig, gegen Ende 1840 in Schlesien. Ihr Zweck war Wiederherstellung der alten sogenannten Rechte des Adels, kastenmäßige Sonderung und Abschließung, und Wiedererhebung der schon ge-sunkenen Vermögensverhältnisse desselben. Also gesellte sich mit den alten Träumen eine willenlose Anerkennung der neuen Zeit, mit der Anmaßung eines besondern bes-sern Standes auch die Aufgabe eben dieses Standes, schnöden Geldes wegen. Die Herren Von, unter welchen auch der dermalige sächs. Justizminister v. Carlowitz genannt wurde, erklärten allem Bestehenden frischweg den Krieg, indem durch „das Aus-bleiben schützender Schritte diesem Stande — dem Adel nämlich — nur die längst gefundene Ueberzeugung forterhalten würde, daß bei den durch neuere Staatslehren schwankend ·gewordenen alten Rechtsverhältnissen, durch hiernach scheinbar legale Eingriffe einer von verworfenen Staatstheorien erfüllten Partei sein Zustand und Bestand noch ferner bedroht sei und er sich gegen dieselbe in wirklichem und natürlichem Kriegszustande befinde." Sein Heil sah die A. in glänzendem Hervortreten, Turnieren, Jagden, Kleidern, Waffen, Diener-Gefolge und burgartigen Wohnungen: das Geld dazu hofften die A. durch huldvolle Herablassung des Adels zu „den wohlhabenden Töchtern des Bürgerstandes" zu gewinnen. Aber die „wohlhabenden Töchter" scheinen ihr Glück nicht erkannt zu haben, das Geld blieb aus, der Jagd-Reit-Verein in Schlesien erlag den „krankhaf-ten Staatstheorien" und der Drohung ·der Bauern, den Mitgliedern die Knochen entzwei zu schlagen, die Jagden in rothen Röcken zu Berlin fürchteten sich ·vor dem höhnenden Proletariat, die „Adelszeitung" verschied aus Ueberfluß an Mangel von

Abnehmern und das Gespenst der A. floh, als das Licht der Oeffentlichkeit durch die Presse auf dasselbe fiel, in die „burgartigen Wohnungen", wo es gemeinschaftlich mit den Eulen dem Einsturz verwitterter Thürme und verwitterter Begriffe entgegen sieht.　　　　　　　　　　　　　　　　　　　　　　　　　　　　　　R. B.

Adiaphora, in der Religions- und Sittenlehre gleichgültige Handlungen, die weder gut noch böse sind, eben so gut unterlassen, als ausgeübt werden können. Nach diesem Ausdrucke wurde eine Partei der Protestanten bald nach der Kirchenverbesserung Adiaphoristen genannt, die es für gleichgültig hielten, ob die römischen Gebräuche, Meßgewänder, Bilder u. s. w., wie es das Interim verlangte, wieder eingeführt würden oder nicht; Melanchthon stand an ihrer Spitze, wurde aber von Flacius u. A. heftig angegriffen und bestegt. So weit jede Handlung der Ueberzeugung entspringen und mit ihr in Einklang stehen soll, ist die Lehre falsch, denn beim denkenden Menschen ist keine gleichgültig.　　　　　　　　　　　　　v. L.

Adjudication, s. Lehnsreichung.

Administration, s. Verwaltung.

Administrativjustiz, s. Rechtspflege u. Verwaltung.

Adoption, s. Annahme an Kindesstatt.

Adresse, wörtlich: sich an Jemand wenden, daher auch Bezeichnung für die Aufschrift eines Briefes; politisch: eine feierliche Zuschrift an eine bestimmte Person, Körperschaft oder sonstige Gesammtheit, um Ansichten, Gesinnungen oder Gefühle darzulegen. In Verfassungs-Staaten versteht man vorzugsweise unter A. die Antwort der Stände auf die Thronrede, womit das Staatsoberhaupt die Ständeversammlung eröffnet. Man würde die Bedeutung der Thronrede wie der darauf erfolgenden A. verkennen, wollte man darin nichts weiter als eine Auswechselung gegenseitiger Höflichkeit erblicken. Vielmehr ist die Aufgabe der A., das Staatsoberhaupt im Allgemeinen von der Ansicht und dem Urtheile der Stände über die Lage des Landes und das herrschende Regierungssystem zu unterrichten. Denn insofern der Einklang des Regierungssystems mit der durch die Mehrheit der Volksvertreter wenigstens vermuthungsweise dargestellten öffentlichen Meinung Grundbedingung eines wahrhaften Verfassungs-Lebens ist, bedarf es nothwendig eines Mittels, um den Regenten darüber aufzuklären, ob seine Regierung mit der öffentlichen Meinung in Uebereinstimmung sich befindet. In England, wo das Verfassungswesen am reinsten und folgerichtigsten ausgeprägt ist, entscheidet die A. über das Bestehen des Ministeriums. Das Verfahren ist einfach: Ein der Regierungspartei zugehöriges Mitglied liest den Entwurf einer dem dermaligen System entsprechenden A. vor und beantragt dessen Annahme. Ist eine gegnerische Mehrheit vorhanden, welche Aenderung des Regierungssystems verlangt, so wird durch Beschluß ein mißbilligender Satz in den vorgeschlagenen Entwurf eingeschoben. Letztern Falls bleibt dem Ministerium nichts übrig, als entweder abzutreten, oder durch Auflösung der Ständeversammlung (s. d.) und Anordnung neuer Wahlen an die öffentliche Meinung des Landes sich zu wenden. In Frankreich und theilweise in den übrigen Verfassungsstaaten wird ein Ausschuß mit der Abfassung eines A.-Entwurfs beauftragt, welchen sodann die Kammern abschnittsweise berathen und mit oder ohne Aenderungen annehmen. Diese Art des Verfahrens bietet zwar den Vortheil dar, daß die Partheien gegenseitig sich kennen lernen und ihre Kräfte messen; als ein Nachtheil aber erscheint die Langwierigkeit der Verhandlung sowie die allzugroße Ausdehnung der Schlachtlinie, wodurch der A.kampf mehr den Character eines Plänklergefechts erhält. Der Engländer hat für das Plänkeln, wobei viel Pulver ohne großen Erfolg verschossen wird, keinen Geschmack; er drängt lieber seine Kämpfe in eine Hauptschlacht zusammen und liefert auch diese nur, wenn er Aussicht zum Siege hat. Außerdem schont er seine Kräfte. Was die Bedeutung und Wirksamkeit der A. in den deutschen Verfassungsstaaten betrifft, so gilt davon, was überhaupt von unserm politischen Leben gilt: es liegt Alles noch in den Anfängen. Erst wenn Preußen das Beispiel gegeben

haben wird, wird man es vielleicht auch in Deutschland für schicklich finden, daß ein
Minister, deffen Regierungsfystem von der Mehrheit der Volksvertreter gemißbilligt
wird, sein Amt niederlegt. — Noch ist der A. zu gedenken, welche in öffentlichen Angelegenheiten zu Gunsten gewisser Ansichten und Gesinnungen als Demonstration (Zeichen
der Zustimmung und Theilnahme) erlassen werden. Diese Art von A. bildet ebenso
wie die Presse und die Volksversammlung eines der wichtigsten und wirksamsten Mittel
für die Entwickelung der politischen und gesellschaftlichen Verhältnisse, sie sichten und
sammeln die in Verwirrung durcheinander laufenden Ansichten und Gesinnungen, sie
schließen die Gleichdenkenden und Gleichgesinnten enger aneinander, sie bilden und befestigen die Partheien. Es liegt in diesen A. eine große Aufmunterung und Unterstützung für Alle, welche für die Freiheit ihres Volkes kämpfen, sei es beim Angriff, sei
es bei der Vertheidigung. „Die öffentliche Meinung ist stärker als Napoleon!" Dieß
hat sich selbst bei uns oft als wahr erwiesen. Wir erwähnen nur die A. an Itstein
und Hecker nach ihrer Ausweisung aus Berlin, die A. an die Schleswig-Holsteiner
wegen ihres mannhaft treuen Zuhaltens zum deutschen Vaterlande, die A. an Ronge,
die ihm erst zeigten, was er konnte und mußte, und die A. an so manche unsrer edelsten Volksvertreter. Aus diesen A. haben die Machthaber den Umfang und die Stärke
der öffentlichen Meinung erkannt und es ist manches Stillstands- und Rückschrittsge-
lüste zu gewaltsamer Verfolgung und Unterdrückung im Keime erstickt worden. Das
nun auch bei uns zur politischen Sitte gewordene A.wesen ist einer unserer besten
Fortschritte im politischen Leben. Die Presse, die Volksversammlungen und die A. sind
die eigentlichsten und wahrsten Organe der öffentlichen Meinung. Deshalb werden sie
auch von den Feinden des Fortschrittes so heftig angegriffen und verdächtigt. Kann
man den Inhalt nicht angreifen, so eifert man gegen die politische Demonstration, als ob darin was Gehässiges und Unwürdiges läge, während sie nichts als ein
erfreuliches Lebenszeichen politisch mündiger Menschen ist. Leider fühlt das Volk nur
oft nicht, welche Schmach man ihm anthut, wenn man den Ausspruch seiner Liebe
und seiner Ueberzeugung also herabsetzt und sich geberdet, als sei die Meinung ihm künstlich eingeimpft und es gleichsam als willenlose Maschine zu dem Ausspruche gebraucht
worden. Aber es sollte nur ein aufmerksames Auge auf die Folgerichtigkeit Derer
werfen, die also verfahren, sehen, wie sie ihre Freude nicht zu mäßigen vermögen,
wenn einer ihrer Getreuen einen Zustimmungsausspruch zu ihrem falschen Systeme
zu Stande bringt. Dann wird eine A. nicht „politische Demonstration" genannt,
sondern der ungetrübte Ausspruch der Volksmeinung. Klarer Verstand ist
der Schmuck der Presse, die Zierde der Volksversammlung und der A. aber ist Entschiedenheit der Gesinnung.   **Wehner.**

Advokat (Advocatenordnung, Advokatenvereine). Von der Advokatur, ihrer Würde und Bedeutung zu dem Volke zu sprechen, könnte eine der schönsten Aufgaben sein, wenn es sich allein darum handelte, dieses Amt in seiner Hoheit
und seiner Reinheit, wie es uns die gesunde Vernunft und das natürliche Recht erscheinen läßt, darzustellen. Denn dieses Amt, von dem der Vorstand der Justiz in
Frankreich, der Kanzler d'Aguerreau einst sagte, es sei so alt, wie das Richteramt, so
ehrwürdig wie die Tugend und so nothwendig wie die Gerechtigkeit; dieses Amt hat
in der bürgerlichen Rechtsmeinung eine so tiefe Begründung und seine Wirksamkeit
für das Wohl der Einzelnen wie der Gesammtheit stehe so hoch in der Reihe der
verschiedenen Berufsarten, daß es nicht mit Unrecht einem Baum zu vergleichen ist,
dessen Wurzeln tief in dem Leben des Volkes geschlagen sind, und der mit seiner
Krone zu den höchsten Höhen des Amtslebens reicht, während des Segens seiner
Früchte alle Bürger und Glieder des Staates theilhaftig werden. Das natürliche
Recht eines Jeden zur Selbstvertheidigung seiner Rechte ging ganz von selbst mit dem
Steigen der Civilisation auf diejenigen über, welche aus dem Studium der Gesetze
einen besondern Berufszweig gemacht hatten und diese Kenntniß zum Wohle der mit

den immer verwickeltern Rechtsverhältnissen minder Vertrauten anwendeten, und so bildete sich schon in dem römischen Reiche, dem Boden aller neuern Rechtsentwickelung, das Berufsamt derer aus, welche damals advocati (wörtlich: herbeigerufen), im alten deutschen Rechte aber bezeichnender: Fürsprecher (ein Name, der noch jetzt dem A. in der Schweiz beigelegt wird) genannt wurden. Das Ansehen dieser Männer und des Standes, den sie bildeten, die Würde, die sie selbst aufrecht erhielten und die die Gesammtheit in ihnen anerkannte, hing im Laufe der Geschichte stets von der Bedeutung ab, die das Recht und die Rechtspflege für das Volk hatte. In denjenigen Staaten, wo das Band zwischen Recht und Volk ein unmittelbares, nicht durch feindliches Dazwischentreten der Macht gelockertes, wo nicht zerrissenes, oder ein durch künstliche Wendungen und Verschlingungen beide auseinander haltendes war, hat der Stand der A. nach innen und außen, sowohl was die Kraft und Tüchtigkeit seiner Glieder, als ihre Wirksamkeit für das Ganze anlangt, seine hohe und wahre Bedeutung stets bewahrt. Wo aber das Interesse des Volkes in dem des Staates und dieses wieder zumeist in dem einzelner Gewalthaber aufging, wo das Recht sich nicht in gleichem Schritte mit dem Geiste des Volkes fortbildete, sondern vielfach künstlich fort und weiter und wieder zurück und hin und her gebildet ward, wo mißverstehende und mißverstandene Gelehrsamkeit Hand in Hand mit einer nur sich selbst verstehenden Politik die freie, vernunft- und zeitgemäße Gestaltung des Staats- und Rechtslebens Jahrhunderte lang zurückhielt, da konnte es nicht fehlen, daß jener edle Baum mit seinen Wurzeln aus dem Leben und Herzen des Volkes herausgerissen und entweder in eine von Staatswegen angelegte Pflanzschule, wo er unter sorgfältiger Regierungsbewachung verschnitten und verkümmert hinsiechte, oder in einen Winkel versetzt wurde, wo seine Wurzeln verdorrten, seine Früchte verfaulten und er selbst dem Volke immer unscheinbarer und widerlicher ward. Das erstere Bild ist das der A. und ihrer Geschichte in den Verfassungs-Staaten, vorzugsweise Frankreich und England; das letztere — leider! das der A. in den meisten Staaten Deutschlands bis auf die neuere Zeit herab. In beiden erstgenannten Ländern unterscheidet man unter den A. zwischen denen, welche die Sache der Parteien vor Gericht, in den öffentlichen Sitzungen durch Rede (Plaidoyer) vertreten, und denen, welche unmittelbar mit dem Clienten verkehren und (in Frankreich wenigstens) die betreffenden prozessualischen, mehr formellen Schritte thun. Jenes ist in England Sache der barristers, in Frankreich der avocats, dieses ist dort Sache der attorneys, hier der avoués. Durch solche Unterscheidung ist das höhere, eine freiere Geistesthätigkeit, eine durchgreifende Rechtskenntniß bedingende Berufselement der A. von dem niedern, mehr auf mechanische Formerfüllung oder doch untergeordnete Gesetzanwendung gerichteten; dadurch ist aber auch der Advokatur im höhern Sinne des Wortes eine Würde, und denen, die sie üben, ein Ansehen verliehen, welches sowohl die hohe Bedeutung, die dieser Beruf an sich hat, als auch die tiefe Stellung, in welche er anderwärts gesunken ist, erkennen läßt. Die Advokatur in diesem Sinne ist in England und Frankreich ein Amt, welches denen, die sich ihm widmen, nicht blos an sich eine viel höhere Stellung im Staate und der bürgerlichen Gesellschaft, verbunden mit einem viel glänzendern materiellen Erfolge ihrer Thätigkeit verleiht, als bei uns, sondern auch ihnen den Weg zu den höchsten Staatsämtern dergestalt bahnt, daß zu manchen der letztern nicht anders als durch die Advokatur zu gelangen ist. Der Weg zu dem Wollsack (sprüchwörtlich dem Platze des Lordkanzlers von England) geht nur durch die bar, d. h. den Platz der barristers vor Gericht. Kein Wunder, daß sich unter diesen Umständen bei der freien Stellung, die sie den Richtern gegenüber einnehmen, bei der erhabenen Geltung, die ihr Wirken nicht blos bei ihren Clienten, sondern vor dem ganzen Volke durch die Oeffentlichkeit in Gerichtsverhandlungen hat, die ausgezeichnetsten Talente diesem Stande zuwenden, daß hier ein edler Wetteifer ein rühmliches Streben herrscht, welches zugleich die sicherste Bürgschaft für die Wichtigkeit

ihrer Leistungen ist. Wie ganz anders in Deutschland. Von jeher seit dem Untergange des alten deutschen Gerichtsverfahrens auf die engen Schranken schriftlicher
Rechtswahrung beschränkt, wurden die Fürsprecher, die man dann Procuratoren und
A. nannte, noch durch Gesetze und Gerichtspraxis, durch Recht und Gewalt
in ihrem Wirken beengt und auf eine Stufe der bürgerlichen Stellung wie ihrer Geltung vor Gericht hinabgedrückt, auf welcher es freilich nicht Wunder nehmen kann,
wenn ihr Stand und ihre innere Befähigung für ihren Beruf in demselben Maße sank
und entartete, in welchem das Recht und das Rechtsleben in Staat und Volk im
Sinken begriffen war. Wo der A. mit seinem Wirken mitten in einem schriftlichen Prozeßverfahren stand, durch dessen Windungen und Verschlingungen hindurch er
in „Sätzen“, deren Inhalt seinem Clienten geheim blieb, zu den Richtern und dem
Recht zu gelangen suchte; wo er, nicht gegenüber, sondern unter diesen Richtern stand,
denen gegenüber er gleichwohl das Recht seines Clienten frei aufrecht zu erhalten den
Beruf hatte; wo er fern von seinen Schutzbefohlenen, wie fern von allen Zeugen,
außer Denen, die auf die Gerichtsgeheimnisse verpflichtet waren, jene Rechtswahrung
und Rechtsvertretung durchzuführen hatte: da konnte es nicht fehlen, daß leicht unedlere
Mittel hierbei in Anwendung kamen und eine minder redliche Handlungsweise im
Verborgenen ihre Künste üben konnte. Aber, wie es der Unsegen alles Geheimnisses
ist, daß es für die Nichtwissenden zum gespensterhaften Schreckbild anschwillt, wenn sich
irgend eine Besorgniß daran knüpft, so fehlte es auch nicht, daß die Depravation, welche
über einzelne Mitglieder dieses so gedrückten und in das Dunkel gestellten Standes
gekommen sein mochte, die Quelle jener traurigen Vorurtheile ward, welche seit
langer Zeit im deutschen Volke einwurzelten, und ihrem bittern Haß gegen alle A. sogar in so manchem bekannten Sprüchworte Luft machten. Erst in neuerer Zeit, wo
Hand in Hand mit den sonstigen Fortschrittsbestrebungen auch in dem A.stande eine,
auf das allgemeinere und höhere Interesse des bürgerlichen Lebens hinzielende edlere
Richtung sich zeigte, erkannte man wieder in weitern Kreisen, welche tüchtige Vorkämpfer für d'e Rechte und Freiheiten des Volkes dasselbe gerade in diesem, dem Volke
wie dem Rechte gleich nahe stehenden Stande zu suchen und zu finden habe, und es
ist bekannt, wie in den Ständeversammlungen der letzten Jahrzehnte die Männer
dieses Staats zu den einflußreichsten und der Sache des Fortschritts förderlichsten
Abgeordneten gehörten. Wir erinnern nur beispielsweise an die Namen: Glaubrech
in Hessen, Hecker in Baden, Veiel in Würtemberg, Todt, Braun, Hensel, Schaffrath
und Joseph in Sachsen, Steinacker, der jüngst dahin geschiedene, in Braunschweig,
der, wie Braun, sogar zur Würde der Präsidentur in der Kammer erhoben
ward. Und so möge auch fortan das deutsche Volk den, durch die Einrichtung unserer
bürgerlichen Zustände zu seinen nächsten Rechtsvertheidigern berufenen Männern dieses
Standes vertrauen. Mögen aber auch diese selbst die hohe Bedeutung ihres Berufs
immer klarer erkennen und sich in demselben mit der innern Kraft und Tüchtigkeit
bewegen, welche allein die wahre Grundlage des muthigen Auftretens zum Schutze
des Rechtes und der nothwendige Grundstein alles Vertrauens des Volkes ist! — Von
den Rechten und Pflichten der A. hier des Weiteren zu reden, kann nicht unsere
Aufgabe sein, nur mit Wenigem sei bemerkt, was hauptsächlich den A. in Deutschland noch hinderlich gewesen ist zur freiern Herausbildung ihres Standes auf die
Stufe, welche derselbe von Rechtswegen einnehmen sollte, und in andern Ländern auch
wirklich einnimmt. Es ist dieß zunächst die Abhängigkeit von den Richtern, welche
theils die Disciplinargewalt über sie in einer durch Gesetze sehr wenig geregelten,
durch Praxis gar oft in Willkühr ausgearteten Weise üben, theils die Honorarbestim-
mung für sie dadurch in der Gewalt haben, daß die nach einer gewissen Taxe ange-
setzten Gebühren ihrer Moderation zu unterliegen haben. Erst wenn beides in die Hände
der Körperschaft der A. selbst gelegt ist (wovon gleich weiter Näheres) kann es hiermit besser stehen. „Wenn wir von der Würde des Fürsprecher-Amtes sprachen — sagt

der berühmte Feuerbach — so dachten wir nur an Männer, welche in freier Selbstständigkeit den Parteien zur Seite und dem Gerichte gegenüber stehen, welche in Sachen
ihres Berufs unerreichbar der Gewalt der Richter, vor welchen und gegen welche sie
das Recht beschützen sollen, auch die Freiheit haben, ihren Beruf aus unbeengter Brust
mit muthigem Worte zu erfüllen, welche als Glieder eines Standes per Ehre, durch die
Achtung ihrer Mitbürger und des Staates an die Würde ihres Berufes fortwährend
erinnert, einen edlen Stolz, eine edle jeder Nichtswürdigkeit feindselige Gesinnung
nähren. Von denen sprechen wir nicht, welchen der Staat aus heilloser Verblendung
das Recht seiner Mitbürger anvertraut, während er sie zugleich wie eine halbverwor-
fene Menschenklasse mit Schmach und Schimpf überhäuft, und als gehorsame willige
Knechte den Richtern unter die Füße legt, um sie, wenn ihnen allenfalls einmal in
unbewachter Stunde ein zu freies Wort entfallen sollte, sogleich mit Fußtritten bedienen
zu können, und ihnen für die Zukunft gefälligere Sitten zu lernen." — Ein zweites Haupt-
hinderniß der Hebung dieses Standes bei uns liegt aber in den Grundmängeln
unsers ganzen Gerichtsverfahrens, und insbesondere in der mangelnden Oeffentlichkeit
derselben, welche die Grundlage der würdigern Stellung und Berufsübung der A.
in Frankreich und England ist. — Mit der Betrachtung des Wesens der Advokatur
hängt eng zusammen die der A.vereine und A.ordnungen; um so enger, als sich hier
ganz dieselbe Beobachtung aufdrängt, welche wir oben in Betreff der erstern machten.
In den Ländern mit frei ausgebildeter Rechts- und Staatsverfassung ist die Nothwendigkeit einer aus dem Stande der A. selbst hervorgehenden Ueberwachung der Standesehre und der Berufserfüllung der einzelnen Glieder desselben, so wie einer eigenen Ordnung ihrer Standesangelegenheiten anerkannt. In England, wo es neben vielen
politischen Freiheiten auch viele veraltete Formen giebt, ist diese Vereinigung der einzelnen zu einem gewissen Stande gehörigen A. an mancherlei äußere Förmlichkeiten
gebunden, während der einzelne A. dort in seinem Berufswirken auch in dieser
Hinsicht ziemlich frei steht. In Frankreich aber ist eine höchst zweckmäßige Organisation
des ganzen Instituts in der Weise eingerichtet, daß besondere Disciplinarkammern bestehen. Die A. jedes größeren Gerichtshofes (dieselben haben nämlich dort ihre bestimmten Gerichte, an denen nur sie practiciren können), vertheilen sich in verschiedene Colonnen, aus deren ältesten Mitgliedern die Disciplinarkammer gewählt wird. Unter besonderm Vorsitze zweier älteren A. übt dieser Ausschuß die Disciplinaraufsicht über die
Mitglieder, straft Disciplinarvergehen durch Verweis, Suspension von höchstens einem
Jahre oder Ausstreichung aus den Matrikeln (doch findet gegen die beiden letztern
Strafen Berufung an den Generalprocurator des Appellhofes statt), entscheidet außerdem über die Honoraransprüche und muß bei der Inmatriculation gehört werden.
So manche Mängel auch dieses Institut, wie es dermalen in Frankreich besteht, haben
mag, so liegt ihm doch die richtige Idee zum Grunde, daß die genannten innern Ange-
legenheiten des A.standes lediglich von ihm selbst — versteht sich unter Aufsicht der
Justizbehörden — zu ordnen sind. In Deutschland hat man verschiedentlich versucht, A.vereine zu bilden, welche die Aufrechthaltung der Standesehre der A. und die
Wahrnehmung ihrer Standes-Interessen zum Gegenstand haben, und — Anfangs
wenigstens — noch gar nicht in das, bei uns nun einmal der Regierung zugetheilte
Disciplinarstrafbefugniß eingreifen wollten. Die ersten Versuche dieser Art scheiterten
jedoch auf eine betrübende Weise. Einem von den Hofgerichtsadv. der Provinz Ober-
hessen 1821 eingerichteten Entwurf zu einem solchen Vereine ward die landesherrliche
Bestätigung versagt, ein 1½ Jahre später daselbst gebildeter Verein ging an eigner
Schwäche unter. Ein gleiches Schicksal hatten die im Anfange des vorigen Jahr-
zehnts in Kurhessen an mehrern Orten gebildeten Vereine. Besser schien es mit einem
um dieselbe Zeit in Hannover gegründeten Vereine zu gehen, den jedoch fortdauernde
Conflicte mit der Regierung später gleichfalls veranlaßten, sich auf rein juristische Be-
rathungsgegenstände zu beschränken. Die gegenwärtig daselbst bestehenden A.vereine

haben nur geringe Bedeutung. Erſt nach 1840 bildeten ſich in Süddeutſchland (Würtemberg und Baden), ſo wie in Holſtein und Schleswig A.vereine mit ausgedehnterem Einfluſſe und in Sachſen traten 1845 die in den beiden Hauptſtädten beſtehenden Vereine zur Bildung eines Geſammtvereins zuſammen, der ſich bald über das ganze Land verbreitete. Von dieſen Landesvereinen iſt allerdings viel Gutes zu erwarten, was den moraliſchen Einfluß derſelben auf die ihnen angehörigen Mitglieder anlangt, wiewohl ſelbſt dieſer wieder dadurch gehemmt wird, daß ſie nur auf freiwilliger Vereinigung beruhen und daher ſo gerade auf die nicht wirken können, welche einer Einwirkung am meiſten bedürften, da ſie ihnen nicht angehören. Allein die rechte Bedeutung können ſie erſt dann erlangen, wenn die Anerkennung der Geſammtheit der A. eines Landes als einer Körperſchaft erlangt iſt, in welcher dann jene Vereine aufgehen müßten; womit dann die weitere Uebertragung der Disciplinargewalt an die aus der Körperſchaft ſelbſt hervorgehenden Ausſchüſſe der Disciplinarkammern zuſammenhängt. Dies bedingt zugleich die Entwerfung beſonderer Aordnungen, wie ſie durch den ſächſiſchen A.verein auch neuerlich in Vorſchlag gebracht worden ſind. Zum Schluſſe iſt noch der deutſchen Anwaltverſammlung zu gedenken, deren Geſchichte ein Muſterbild der jetzigen politiſchen Zuſtände Deutſchlands iſt, wie es kaum ſatyriſcher erfunden werden könnte. Im J. 1843 hatten die Würtemberger Rechtsanwälte den Beſchluß gefaßt, einen Aufruf zur Theilnahme an einer allgemeinen A.verſammlung zum Zwecke geſetzmäßiger Thätigkeit für gemeinſame deutſche Rechts- und Gerichtsverfaſſung zu erlaſſen. Man ſtimmte für Mainz; die großh. heſſiſche Regierung ertheilte ihre Genehmigung unter gewiſſen Bedingungen, und es ward Anfang 1844 dazu eingeladen. Dieſe Einladung machte ein preußiſcher Juſtizkommiſſär, Rhau in Sensburg, mit beſonderer Aufforderung an ſeine Amtsgenoſſen öffentlich bekannt: da erging vom Miniſter Mühler in Preußen ein Verbot an alle preußiſche A., dieſe Verſammlung zu beſuchen. Kurz vor dem zu derſelben angeſetzten Tage erklärte das Comité zu Mainz, dieſelbe könne nicht ſtattfinden. Das waren die Segnungen polizeilicher Hinderniſſe. Trozdem fanden ſich eine gute Anzahl Anwälte aus verſchiedenen deutſchen Landen dort im Juli 1844 zuſammen, und einer von ihnen, P. Römiſch v. jüng. aus Leipzig, ward beauftragt, in dieſer Stadt, oder in Würtemberg oder in Baden das Zuſtandekommen einer Anwaltverſammlung im nächſten Jahre zu bewirken. Er verſuchte es in Leipzig, in Würtemberg, in Baden; er ſtieß auf Hinderniſſe. Da erließ er zum Auguſt 1845 auf ſeine eigene Hand einen Aufruf zur gemeinſamen Beſprechung hierüber nach Leipzig. Es kamen aus Norddeutſchland mehrere tüchtige Männer und in Leipzig ſchloſſen ſich manche Gleichgeſinnte an. Man vereinigte ſich über das, was für nächſtes Jahr zur Erreichung des erſtrebten Zuſtandekommens der Verſammlung gethan werden ſollte. Drei Leipziger (Römiſch, Hermsdorf und Schletter) und zwei Norddeutſche, Gülich aus Holſtein und Deiters aus Mecklenburg übernahmen die Sache. Man ſchrieb wieder nach Würtemberg, nach Baden; man verhandelte mit den ſächſiſchen Vereinen; aber vergeblich, man mußte nach Kiel, an das Ende Deutſchlands flüchten, bis man offene Arme fand, und als man dieſe gefunden hatte, da kam auch dort ein Regierungsverbot acht Tage vor der Verſammlung. Da erboten ſich die Hamburger Anwälte zur gaſtlichen Aufnahme und im Auguſt 1846 wurde endlich die erſte deutſche Anwaltverſammlung in Hamburg unter Römiſch's Vorſitz gehalten, freilich immer nur vorzugsweiſe von Norddeutſchen beſucht. Auch für dieſes Jahr iſt ſie wieder nach Hamburg ausgeſchrieben. Wir hoffen bald von ihren Erfolgen zu hören!

Aebtiſſinnen. Die Oberinnen der Nonnenklöſter. Sie hatten dieſelbe Befugniß wie der Abt (ſ. d.). Nur für die Verwaltung des Kloſtergutes war ihnen ein männlicher Beiſtand, Kloſtervoigt, geſtattet.

Aeltermann ſ. Albermen.

Aelteſte. Die bejahrteſten Mitglieder einer Körperſchaft und als ſolche deren

Vertreter. Besonders in der christlichen Kirche bildete sich diese Vertretung aus, wo indessen die A. bald nicht mehr die bejahrtesten, sondern die von der Gemeinde gewählten Würdigsten und Tüchtigsten waren. Im Presbyterialsystem (f. d.) hat sich diese Art Vertretung der Kirchengemeinde, wenn auch wesentlich verändert, erhalten und ist also dort von den Pflichten und Rechten der A. zu sprechen.   v. L.

Aerarium, der fremde Ausdruck für Staatsvermögen. f. d.

Aestimatorische Klage f. Abbitte.

Agende (Agendenstreit) A. oder richtiger Kirchena. (ordo sacrorum agendorum) nennt man das von der obersten Kirchenbehörde eingeführte Buch, welches für die Geistlichen die bei Verrichtung gottesdienstlicher Handlungen außer der Predigt zu gebrauchenden Formulare enthält. Die A. begreift einen Theil der Kirchenordnung in sich, und zwar beziehen sich ihre Vorschriften nur auf solche Formeln, wo die Gemeindeglieder unmittelbar mit dem Geistlichen in Gemeinschaft und Einstimmung stehen (Beichte, Trauung, Taufe, Abendmahl u. f. w.). Die gegebenen Vorschriften sind indeß für den Geistlichen nicht unbedingt bindend; sie dienen ihm vielmehr nur als Muster und Anleitung und bieten ihm bei Zeitmangel eine Aushülfe. — In den ersten Jahrh. des Christenthums kannte man keine A., sondern der Geistliche sprach seine Gebete aus dem Herzen. Erst seit dem 4. Jahrh. stellten sich liturgische Formulare fest. Die meiste Geltung erlangte in der römischen Kirche das Sacramentarium Gregor des Großen, welchem alle andern A. weichen mußten. Die Reformation führte die Abfassung mehrerer A. herbei, theils lutherischer, theils calvinischer, theils mehr oder weniger gemischter Natur, je nach den Bedürfnissen der verschiedenen neuen Kirchengemeinschaften. Dieselben erhielten sich meist unverändert bis zum Ausgang des 18. und zum Anfang des 19. Jahrh. Da erschienen wieder mehrere, ihrer Zeit in Form und Inhalt angemessene A., z. B. in der Pfalz 1783, in Oldenburg 1795, in Anhalt-Bernburg 1800, in Würtemberg und Schweden 1809, in Sachsen 1812. Großes Aufsehen und vielfachen Streit (die sogenannten A.-streitigkeiten) erregte die neue preußische A., welche Friedrich Wilhelm III. 1822 ergehen ließ. Ein Jahr vorher hatte er nämlich seinen Lieblingsgedanken, die Vereinigung der protestantischen mit der reformirten Kirche, wenigstens äußerlich verwirklicht. Die Union war endlich nach vielen und weitläuftigen Verhandlungen zu Stande gekommen. Um nun den vereinigten Kirchen einen gemeinsamen Gottesdienst nach den Bedürfnissen der neuern Zeit zu geben, hatte der König durch eine Commission eine A. verfertigen lassen. In dieser traten die äußern Gebräuche des lutherischen Kirchenthums stark hervor. Dabei konnte nicht verhindert werden, daß die Reformirten, die bisher solcher Dinge nicht gewohnt waren, sich abgestoßen fanden, ohne daß die Lutheraner, denen wieder Einiges genommen war, sich durch den angebotenen Ersatz befriedigt erklärten. Der König führte die neue A. zunächst nur in der Hof- und Garnisonkirche ein, empfahl sie aber allen Gemeinden seines Staates. Sie fand indeß vielen Widerspruch, namentlich in den Provinzen Sachsen, Rheinpreußen, Schlesien, Pommern, sogar in Berlin. Die Anhänger der frühern Aufklärungstheologie fanden sie zu orthodox, zu altkirchlich; sie erkannten ihre theologische Denkweise nicht wieder darin, sondern das Gegentheil, und von ihrem Standpunkte aus trugen sie mit Recht Bedenken, sich Ausdrücken und Formen zu bequemen, mit denen sie nur einen ihrer Ueberzeugung widersprechenden Sinn verbinden konnten. Dem reformirten Volke kam das Lichteranzünden am hellen Tage, das Knieen, das Singen des Geistlichen vor dem Altare u. dergl. m. vollends als „katholisch" vor, während den strengen Lutheranern die A. noch zu nachgiebig gegen die Reformirten, zu unbestimmt und charakterlos war. Es fehlte auch nicht an Solchen, welche ihre politische Verstimmung auf dieses Gebiet übertrugen und dem Könige die Absicht unterlegten, sich eine Herrschaft über die Gewissen anzumaßen, um desto leichter auch Anderes durchzuführen. Nun wurde der Streit ein Rechtsstreit, und verschieden ließen sich Rechtsgelehrte und Theologen in der Beantwortung der Frage vernehmen, wie weit dem Könige als Landesfürsten das Recht zustehe, dem Volke seine Kirchengebräuche vorzuschreiben und einen Gottesdienst ihm aufzudringen? Schleiermacher gab seine gewichtige Stimme zu Gunsten der Gewissensfreiheit ab. — Erst nach neuen Verhandlungen und Ueberarbeitungen, wobei auf ländliches Herkommen und persönliche Wünsche die möglichste Rücksicht genommen wurde, trat 1830 die A. als die der vereinigten evangelischen Landeskirche in Kraft, Sie wurde jetzt fast allgemein, selbst von dem am meisten widerstrebenden Schlesien angenommen. Nur die altlutherische Partei, die ihre Hauptsitze in Breslau und Halle hatte und an den Professoren Scheible und Guerike streitbare Führer besaß, leistete noch Widerstand. Sie sah das Heil der Kirche lediglich im Separatismus, und nicht blos Theologen, sondern auch Laien von Ruf, wie Steffens und Andre, waren es, welche sich zu Wortführern dieser Meinung aufwarfen. Die Regierung suchte Anfangs auf friedlichem Wege zu ihrem Ziele zu gelangen; da aber dies nichts half, so machte sie von der Gewalt Gebrauch. Scheible und Guerike wurden ihres Amtes entsetzt. Gleiches geschah mit den zelotischen Pfarrern Berger und Kellner zu Hermannsdorf und Hänigern in Schlesien, die dem unirten Consistorium fortwährend den Gehorsam versagten. In Hänigern äußerte sich der Widerwille gegen die Union so stark, daß (am 24. Dec. 1834) militärisches Einschreiten nöthig ward, um den neuen Pfarrer in Besitz der Kirche zu bringen. Nach solchen energischen Maaßregeln hörte zwar der offene Widerstand auf; aber im Schooße der überwundenen Partei grollte ein dumpfer Mißmuth fort, und noch heute sind die Gemüther nicht völlig versöhnt. — Denn in dem neuesten Zwiespalt des preuß. Ministeriums u. des Magdeburger Konsistoriums mit Pastor Uhlich spielt die A. eine große Rolle, indem Vorschriften der A. Uhlich und seiner Gemeinde, die entschieden widerstreben, als neues Symbol, als Glaubenszwang aufgedrungen werden sollen. Man wird und muß auch dort die Erfahrung machen, daß der Staat sich um Kirche und Glauben gar nicht bekümmern darf, wenn er sich nicht endlose Verwickelungen bereiten will, in denen er am Ende stets unterliegen muß. Schließlich sei noch erwähnt, daß auch der Großherzog von Baden 1830 den preußische A. in seinem Staate einzuführen versuchte; doch gelang ihm dies nur zum Theil. _Jäckel._

Agent. Ein Beauftragter, Bevollmächtigter, Geschäftsführer, Vermittler, der für einen Dritten Geschäfte abmacht und dafür gewöhnlich einen Antheil von dem gemachten Gewinne, oft aber auch eine feste Besoldung erhält.

Ager vestigalis, s. Abmeierung.

Agio, ein allgemein gebräuchliches Fremdwort, zur Bezeichnung des Aufgeldes, welches beim Tausche von Münzsorten gegen andere, oder dadurch, daß eine Münzsorte sehr gesucht ist, auch über deren Nennwerth gezahlt wird; so z. B. beim Louisd'or 17¼—20 Ngr. über dem Nennwerthe von 5 Thalern.

Agiotage, eine übliche Bezeichnung für den Handel mit Actien, Staatspapieren und andern Werthurkunden. Die Benennung rührt daher, weil Gewinn und Verlust bei diesem Handel in dem Betrag liegen, welchen diese Urkunden über ihren Nennwerth steigen, oder auch unter demselben bleiben. Vergl. Actienhandel. _v. L._

Agitation. Je rechtloser und gewaltthätiger die Zustände in einer Zeit und in einem Volk sind und waren, für ein desto größeres Verbrechen wird es gehalten, den Gedanken nach Abhülfe dieser Gebrechen zu äußern, oder gar auf Abhülfe-Maßregeln zu diesem Zweck hinzuwirken. Wo eine freiere Gestaltung der öffentlichen Zustände Platz greift, wird die Berechtigung nicht nur der Verlautbarung der umgestaltenden Gedanken, sondern auch des thatkräftigen Wirkens, um sie ins Leben zu führen, mehr und mehr anerkannt. Dieses Wirken faßt sich in dem Begriff A. zusammen, wie derjenige, in welchem es durch Befähigung und Selbstbestimmung als charakteristes Merkmal hervortritt, mit dem Namen eines Agitators bezeichnet wird. Die Gewaltherrschaft benamt und bestraft als Aufwiegelei des Volks, was unter der Herrschaft vernünftiger Staatsgesetze als ein nothwendiger Bestandtheil des öffentlichen Lebens selbst, als ein Hebel zeitgemäßer Fortentwickelung betrachtet wird. Die Träger der neuen Ideen, ihre glühenden Verkündiger und Verbreiter werden dort verfolgt, in das Verlies geworfen, gefoltert, am Rad, Galgen und Kreuz hingeschlachtet; hier finden sie in den Grenzen der Gesetze bis zu deren äußersten Marken die völligste Freiheit mit Rath und That, mit Wort und Willen für die Verwirklichung ihres Gedankens thätig zu sein; dort entartet die ursprünglich heilsame Idee in dem Dunkel der Verborgenheit, wohin man sie zurückdrängt, nur zu oft zur Schwärmerei, zur Glaubenswuth, die von ihrem Verfolger alle seine Laster und alle seine unsittlichen Auskunftsmittel entlehnt; hier streift der Besserungsgedanke unter dem scharfen und frischen Hauch der öffentlichen Meinung und des freigegebenen Widerstreits bald jede unwesentliche und seine gedeihliche Ausführung hinderliche Hülle ab, die er im Kopfe seines Urhebers angenommen haben mochte; dort nistet sich eine verkehrte Richtung der Geister, hervorgebracht durch einen verfolgten und in Geheimen gepredigten, aber von der Menge falsch verstandenen Gedanken, wie ein Erbübel in dem Volke ein und pflanzt sich als Vorurtheil von Geschlecht zu Geschlecht fort; hier kann selbst die blendendste Idee auf die Dauer keinen Einfluß üben, der größer wäre, als die zeitgemäße Wahrheit, die sie ausspricht. Das eigentliche Wesen der A. liegt in diesen Gegensätzen ausgesprochen, sie ist die mit allen in den Schranken der Gesetze liegenden Mitteln an hellem, lichtem Tage betriebene Bearbeitung der Geister, um sie für gewisse Ideen empfänglich zu machen und mittels der gewonnenen Ueberzeugungen den antreibenden Gedanken selbst in Ausführung zu bringen. A. in dieser Gestalt ist von Aufwiegelung eben so sehr verschieden, wie der frische Luftzug, der die dumpfe stille Schwüle aus der Atmosphäre vertreibt, verschieden ist von dem unterirdischen Schwaden, der im Innern der Erde kocht, bis er sie bersten läßt. Wie das ganze öffentliche Leben eines freien Volks eine von den verschiedensten Seiten betriebene fortdauernde A. ist, wie die Presse in einem solchen Gemeinwesen das Amt eines ständischen Agitators bei allen Fragen des Fortschritts im Allgemeinen versteht, so fällt der Anstoß für einzelne zeitgemäße Ideen und die Anstrengung, ihnen Anerkennung und Geltung zu gewinnen, um so mehr oft nur einzelnen befähigten Menschen zu, je mehr dergleichen Gedanken mit gewissen Vorurtheilen, Einrichtungen, Gesetzen, Vorrechten und Angewöhnungen der Gesammtheit oder mächtiger Klassen in Widerspruch treten. Je klarer bezeichnet und in festern Umrissen das Ziel der A. hervortritt, je inniger und kräftiger in Folge dessen der Agitator seine Mittel zur Erreichung desselben zusammenfassen kann, desto gewaltiger muß die Bewegung, die er erzeugt, werden, sobald der Gedanke selbst Lebensfähigkeit besitzt. Das erste Erforderniß der Wirksamkeit und des Einflusses eines Agitators ist, daß er von der Wahrheit und Unwiderstehlichkeit seiner Idee selbst lebhaft ergriffen sein muß und daß er mit dieser tiefen Ueberzeugung eine unerschütterliche Ausdauer verbindet, sie allen Hindernissen und Entgegenwirkungen zum Trotz durchzuführen. Er darf es sich nicht verdrießen lassen, das tausendmal für seine Ansicht Gesagte, heute und morgen und noch viele tausendmale zu wiederholen und mit immer neuen Wendungen zu versehen; er darf den Blick von seinem Ziel nach andern Gegenständen nur allein zu dem Zwecke abschweifen lassen, um darin neue Belege für seine Meinung zu suchen und zu finden. Er wird in der Selbstständigkeit seiner Gesinnung und Anschauung und seiner unbeargwohnten Redlichkeit in dieser Hinsicht die unwiderstehlichste Gewalt erkennen, seine eigene Ueberzeugung in die Seelen und das Auffassungsvermögen des Volks zu verpflanzen und damit endlich seine Ideen zur Verwirklichung zu bringen. — Als Beispiel eines solchen Wirkens muß vor allen die A. Daniel O'Connell's für die Freiheit seines Vaterlands, ferner die **Bestrebung des Paters Matthew** zur Verbreitung der **Mäßigkeits-**

grundsätze (s. Mäßigkeitsvereine), endlich die Wirksamkeit der Freihandelsleague in England und ihrer Führer Cobden, Bowring, Bright, Villers u. A. erwähnt werden. Was auf dem Continent von ähnlicher Art vorgekommen, hat wegen der daselbst geltenden polizeistaatlichen Grundsätze, die alle Willens- und Thatkraft der Einzelnen unter Bevormundung stellen, jenen großartigen Erscheinungen gegenüber bisher ein ziemlich armseliges Gepräge getragen. Die bedeutendsten Kundgebungen einer A., auf die dieser Ausdruck in dem hier aufgefaßten Sinne paßt, sind in Deutschland auf religiösem Gebiete und zwar in der römischen Kirche durch Ronge und seine Anhänger, in der protestantischen durch Uhlich und seine Freunde hervorgetreten. J. G. Günther.

Agitator, s. Agitation.

Agnaten, Verwandte durch männliche Abstammung, heißen im Altdeutschen Schwertmagen, im Gegensatze zu den Cognaten: Verwandte von weiblicher Abstammung, die Spillmagen hießen. Nur hinsichts der Majoratsverhältnisse und der Thronfolge hat das Wort noch Bedeutung, wie daselbst nachzulesen ist.

Agnoeten. Eine Ketzersecte aus dem 4. Jahrh., die die Allwissenheit und Fürsehung Gottes leugneten. Im 5. u. 6. Jahrh. hießen sie Eutychianer und verschwanden dann. Rom war noch nicht stark genug, die A. zu verbrennen, darum ließ es sie widerlegen.

Agonistiker. Eine christliche Secte im 4. Jahrh., ein Zweig der Donatisten, eins der entsetzlichsten Beispiele religiösen Wahnsinns; sie führten ein Nomadenleben ohne Wohnung und Obdach, predigten auf Jahrmärkten u. s. w., marterten, mordeten und schlachteten sich gegenseitig aus Frömmigkeit. Die „Kirche" ließ sie in diesem entmenschten Treiben ungestört.

Agrarische Gesetze. Bei den Römern solche Gesetze, welche die Anhäufung des Grundbesitzes in Einer Hand beschränkten und eine Vertheilung des übergroßen Besitzes unter das Volk feststellten. Was in unserer Zeit diesen Gesetzen Verwandtes noch passend und wünschenswerth ist, ist unter Landwirthschaft und Theilbarkeit des Bodens nachzusehen.

Agronom: ein Bodenkundiger.

Agronomie: Bodenkunde.

Ahnenprobe, s. Adelsprobe.

Ahnentafel, s. Adelsprobe.

Aichen. Die Prüfung des Maßes — des Scheffels, der Kanne, der Elle u. s. w. — ob dasselbe richtig ist, und die Bezeugung der Richtigkeit durch einen Stempel, oder irgend ein sonstiges Zeichen. Ein geaichtes Maß ist also ein geprüftes und gestempeltes Maß.

Aide-toi et le ciel t'aidera. (Hilf dir selbst und der Himmel wird dir helfen.) Eine politische Verbindung in Frankreich, 1824 gegründet, die auf freisinnige Wahlen hinarbeitete. Der jetzige Minister Guizot, der die geheimen und öffentlichen Verbindungen so sehr verfolgt, war ihr Mitglied und von 1828 bis 1830 ihr Präsident. Sie hatte großen Einfluß auf das Zustandekommen der Kammer, die dem Rückschrittssystem entschieden entgegen trat und auf die Julirevolution selbst. Nach derselben wollte sie in Spanien und Belgien Revolutionen hervorrufen, um Frankreich vor einem Kriege zu sichern. Als dies gelungen war und ihre Führer und Leiter sich warme Ministerstühle erworben hatten, mochten sie von ihren „Brüdern und guten Vettern" nichts mehr wissen und drohten ihnen sogar mit Verfolgung. Da löste sich die Verbindung 1832 auf, um das lauwarme und unentschiedene Element los zu werden, und die Entschiedenen gründeten neue Verbindungen oder gingen in andere über. R. B.

Akademie. Stammt auch der Name A. aus dem Alterthume, von einem ge-

räumigen Platz bei Athen, deſſen Beſitzer Akademos hieß und in deſſen Nähe der
größte griechiſche Philoſoph Plato lehrte; weßhalb deſſen Schule auch den Namen A.
erhielt; ſo kennt doch das Alterthum ſelbſt ſolche gelehrte Geſellſchaften, wie wir heutzutage mit dem Namen A. bezeichnen, nicht. Erſt im Mittelalter kommen ſie vor.
Alfred der Große von England gründete die A. von Orford, die Mauren gründeten
deren in Granada und Cordova; mit dem Wiederaufblühen der Wiſſenſchaften im
Abendlande aber entſtanden ſo viele A., daß in Italien namentlich faſt jede bedeutende Stadt davon eine aufzuweiſen hat. Es iſt nicht zu leugnen, daß der Eifer für
Verbreitung tüchtiger Kenntniſſe und wiſſenſchaftlicher Bildung in vielen Fällen die
An ins Leben rief, oft war es aber auch die Prunkſucht der Fürſten, die darin der
Mode huldigten und wie ſie ſich auf ihre Prunkzimmer, auf ihre Theater, Kapellen
und Marſtälle etwas zu Gute thaten, auch auf ihre A.n oder Geſellſchaften der Wiſſenſchaften, deren Ruf doch auch auf ſie ſelbſt als „Beſchützer der Künſte und Wiſſenſchaften“ einige Strahlen zurückwarf. So finden wir denn in allen Ländern Europas, ſelbſt in Aſien und Amerika A.n. Zu großem Rufe iſt die franzöſiſche A. gelangt, unter Ludwig XIII. von Cardinal Richelieu gegründet; in Deutſchland die Berliner, unter Friedrich I. von Leibniz geſtiftet. Doch iſt die Wirkſamkeit der A.n auch
vielfach überſchätzt worden. Oft beſchränkte ſich ihre Forſchung allein auf die claſſiſche
Vorzeit, auf die Behandlung von Wörterbüchern und Sprachlehren, ſo daß es in den Goethe-
Schillerſchen Xenien über eine Preisfrage der A. nützlicher Wiſſenſchaften mit Recht heißt:

„Wie auf dem n fortan der theure Schnörkel zu ſparen?
Auf die Antwort ſind 30 Dukaten geſetzt.“

Bedeutender war es, wo ſie ſich mit den phyſikaliſchen und mathematiſchen Wiſſenſchaften
und der Geſchichte beſchäftigten, obgleich auch hier das Hauptverdienſt nicht ſowohl in der
Thätigkeit der gelehrten Körperſchaften, ſondern vielmehr in der Aufmunterung
und Anregung beſteht, die ſie durch Darreichung von Geldmitteln zu Forſchungsrei-
ſen und ausgeſetzte Preiſe für Löſung geſtellter Preisaufgaben äußerten, und die talentvollen Geiſter der Nation zuletzt die Werke ihres Genies doch wohl zu Tage
gefördert haben würden, auch wenn ſie einer ſolchen äußern Vereinigung nicht angehört oder nahe geſtanden hätten. Für die Staatswiſſenſchaften und die Verbeſſerung
des politiſchen Zuſtandes der Völker haben die A.n wenig oder Nichts gethan. Einmal waren die moraliſchen und politiſchen Wiſſenſchaften oft ausdrücklich von dem
Kreiſe ihrer Thätigkeit ausgeſchloſſen, aber auch wo ſie das nicht waren, waren ſie
von den Fürſten, durch deren Großmuth und Freigebigkeit ſie allein beſtanden und
ausgeſtattet wurden, deren Ernennung oder Beſtätigung die Berufung ihrer Mitglieder vorbehalten war, ſo abhängig, daß ſie ſchon aus Dankbarkeit darauf angewieſen
waren, Alles zu vermeiden, wodurch ſie die höchſte Ungnade auf ſich ziehen könnten,
ſich es vielmehr angelegen ſein ließen, möglichſt unterthänig und gehorſam zu ſein:
weßhalb man auch ſagen muß, daß ſie die Geſtaltung der öffentlichen Verhältniſſe
und die Entwickelung der bürgerlichen Freiheit nicht nur nicht gefördert, ſondern wohl
ſogar auf den Volkscharakter einen nachtheiligen Einfluß geübt haben, indem ſie
das Volk, das ſeine „edelſten und begabteſten Geiſter“ in tiefſtem Gehorſam verharren
ſah, durch ihr Beiſpiel noch mehr an unterwürfige Geſinnung gewöhnten. Ein recht
ſchlagender Fall hat ſich noch in der neueſten Zeit mit der Berliner A. ereignet.
Zur Geburtstagsfeier Friedrichs des Großen hatte einer der Akademiker, Raumer,
in der A. eine Rede gehalten, die den alten König wegen ſeines bekannten Ausſpruchs
„daß Jeder nach ſeiner Façon ſelig werden könne“ gegen die Läſterungen übereifriger
Zionswächter in Schutz nahm und dabei leiſe Anklänge an die veränderte Richtung der
preußiſchen Regierung durchhören ließ, aber das Mißfallen des jetzigen Königs erregte.
Um das „Unrecht“ wieder gut zu machen, richtete die hochberühmte A. ein von
ſämmtlichen Mitgliedern unterzeichnetes „allerunterthänigſtes Schreiben“ an den König,
das ſo unterthänig iſt, für den Geiſt deutſcher Gelehrten zugleich ſo bezeichnend, daß

es als würdiges Denkmal deutscher Gelehrtendemuth vollständig der Nachwelt aufbewahrt zu werden verdient: „Allerdurchlauchtigster, großmächtigster König und Herr! Ew. k. Maj. haben Allerhöchstdero allerunterthänigster und allergetreuester A. der Wissenschaften so viele hohe Zeichen der Huld und Gnade gegeben, daß sie sich erkühnt, Allerhöchstdenselben auch jetzt in einer sie schmerzlich berührenden Angelegenheit zu nahen. Ew. k. Maj. haben auf die schonendste Weise, welche Allerhöchstdero sämmtliche Handlungen bezeichnet, zu erinnern geben lassen, daß die am 28. Juni d. J. von unserm Secretair v. R. zur Feier des Jahrestags Friedrich II. Maj. vorgetragene Einleitungsrede durch Ton und Haltung Allerhöchstdero Misfallen erregt habe, Ew. k. Maj. jedoch die A. von aller Schuld an dem dabei vorgekommenen Unangemessenen oder Ungeziemenden allergnädigst freisprechen. Indem Ew. k. M. jedoch die A. für diese huldvolle Aeußerung unser innigst gefühlter Dank dargebracht wird, wagen wir es zugleich, das tiefste Bedauern über diesen beklagenswerthen Vorfall und unsre Misbilligung alles dessen auszudrücken, was Ew. k. M. Ungnade veranlaßt hat, glauben aber, ohne hierdurch das Geschehene entschuldigen zu wollen, in tiefster Ehrfurcht hinzufügen zu dürfen, daß der Vortragende nicht mit sträflicher Ansicht, sondern nur durch unvorsichtige Ausführung des Gegenstandes und Wahl des Ausdrucks gefehlt habe, gleichmäßig sein größtes Bedauern über den unglücklichen Erfolg erkläre und jede Zurechtweisung ohne Widerrede hinnehme, wie es sich einem Vater, einem Könige gegenüber gebührt. Allerhöchstdies. mögen zugleich der A., deren edelster Schmuck und höchster Ruhm es ist, der Gnade des hochherzigsten Königs sich zu erfreuen, huldreichst gestatten, die sichre Ueberzeugung auszusprechen, daß in Zukunft niemals durch irgend ein Versehen oder unrichtige und leichtsinnige Beurtheilung der Verhältnisse und Umstände von Seiten eines ihrer Mitglieder das königliche Gemüth verletzt oder sonst ein Aergerniß gegeben werden könne. Die wir in tiefster Unterwürfigkeit ersterben E. k. M. allerunterthänigste und allergetreueste A. d. W." — — Wenn also heute immer noch An. gestiftet werden, so weiß man, was man von solchen „weltgeschichtlichen Ereignissen" zu halten. Der Eitelkeit vieler Gelehrten mag es schmeicheln, daß sie in einer A. aufgenommen werden und sich als deren Glieder aufführen können: die Höfe mögen sie zum eignen Schmuck oder auch als Mittel der Auszeichnung und Versorgung einführen: Bedürfniß der Zeit, eingreifend in das Leben der Völker, wirksam in den politischen Kämpfen der Zeit sind sie nicht und dem Volke, zu dem sie nicht herabsteigen, deshalb auch sehr gleichgültig. Vergessen darf man übrigens nicht einmal, daß nur „vollendete Größen" der Wissenschaft, Männer, die bereits auf dem Gipfel ihres Ruhms angelangt sind, in eine A. aufgenommen zu werden pflegen, also in den Jahren, wo Liebe zur Ruhe und eine gewisse beschauliche Zufriedenheit über das erreichte Ziel an die Stelle des unbefriedigten Forschungseifers der Jugend getreten ist: dann aber auch, daß die Wissenschaften nicht mehr Geheimbesitz einer geschlossenen Priestercaste sind, die durch eine höhere Weihe zur Wahrung des göttlichen Feuers allein berufen zu sein glaubt, sondern sich in vielen Armen über die ganze bürgerliche Gesellschaft ergossen und den Weg zum Ziele Allen aufgethan haben. Man kann getrost behaupten: Sollten selbst alle An. auf einmal untergehen: — die Wissenschaften selbst, vollends die Staatswissenschaften würde dies nicht berühren. Die Gunst der Großen nützt ihnen nichts, wenn ihnen die Freiheit fehlt!

C. C. Cramer.

Albigenser. Eine Ketzersecte in Frankreich im 12. Jahrh., so genannt von der Stadt Albi, wo sie zuerst öffentlich auftraten und kämpften. Sie erkannten die Unfehlbarkeit des Papstes nicht an, verwarfen den Bilderdienst, die Heiligenverehrung, die Fasten, die Sacramente, lasen die Bibel und erkannten die Gleichheit aller Menschen an; sie waren die Deutschkatholiken, die freien Gemeinden des 12. Jahrh., deshalb warf auch Rom seinen ganzen Zorn auf sie, und nachdem sie der heil. Dominicus nicht bekehren konnte, veranstaltete Alexander III. einen Kreuzzug gegen sie. Die A. hatten sich indessen über das ganze südliche Frankreich, einem Theil von Italien und Spanien und nach Deutschland verbreitet, viele Fürsten und Mächtige gewonnen, und schlugen sich wie Helden. Von 1208 bis 1230 dauerte der Kampf und wurde erst entschieden als König Ludwig VIII. seine Macht mit dem Papste vereinte. Mehr als 300,000 Opfer hat Rom bei dieser Gelegenheit seiner Unfehlbarkeit geschlachtet, blühende Städte und unermeßliche Landstriche verwüstet und überhaupt gewüthet im Namen des Gottes der Liebe, wie es die rohesten Barbaren nie gethan. Der Rest der A. floh theils in die Gebirge Piemonts und schloß sich den Waldensern (s. d.) an, theils wurde er von der 1229 errichteten Inquisition langsam gemordet. Die A. sind die ersten Verkünder wahrhaft kirchlicher und Glaubensfreiheit. R. B.

Aldebertiner, die ketzerischen Anhänger eines franz. Schwärmers, Adelbert, im 8. Jahrh.; sie achteten denselben den Aposteln gleich, weil er einen Brief von Christus erhalten zu haben behauptete und wollten seine Nägel und Haare als Heiligthümer verehren. Rom verdammte sie 743.

Aldermen. Die Aeltesten, d. h. Tüchtigsten der Gemeinde; Gemeindebeamte in England, die einem Stadtviertel oder kleinern Bezirk vorstehen; sie werden von den Wählern gewählt und wählen selbst den Mayor, der in London und den andern Hauptstädten Lord-Mayor heißt, den Rang aber nur in London hat. Vereint mit diesem bilden sie unsern Stadtrath. In einigen Städten Hannovers hat sich der verwandte Name Aeltermann erhalten, der aber keinen Gemeindebeamten, sondern den Vorsteher der Kaufmannschaft, auch wohl anderer Körperschaften bezeichnet.

Alibi, wörtlich: anderswo, A. wird der Beweis genannt, daß ein Angeschuldigter zu der Zeit, als das Verbrechen, dessen er verdächtig ist, begangen wurde, sich an einem andern Orte befand, wo das Verbrechen nicht begangen wurde, oder er keinen Theil an demselben nehmen konnte. Kann demnach ein Angeschuldigter das A. beweisen, so ist das der kürzeste Weg, sich von der Untersuchung zu befreien.

Alimente, s. Ziehgelder.

Alle für Einen und Einer für Alle (In solidum). In der Rechtspflege ein Ausdruck, durch welchen eine Mehrzahl von Menschen eine gemeinschaftliche Verpflichtung übernimmt; namentlich im Schuldenwesen die Verpflichtung einer Anzahl Personen zur Zahlung der gesammten Schuld, ohne daß der Gläubiger durch die Säumigkeit oder den bösen Willen des Einzelnen benachtheiligt wird. Auf dem Gebiete der Nationalität und der Politik sollte der Grundsatz A. für jeden wahren Mann gelten und die Richtschnur seiner Handlungen sein. Erst dann, wenn ein Volk oder eine politische Partei ihn festhält und ohne alle Rücksicht auf persönliche Neigung oder Abneigung danach handelt, werden sie stark und geachtet, d. h. gefürchtet. Die Zeit, in welcher der Sachse heimlich jubelte, wenn dem Preußen etwas Uebles widerfuhr, wo der Schleizer lachte, wenn ein Greizer recht „abgemuckt" wurde, war die Zeit von Deutschlands tiefster Ohnmacht und tiefster Schmach. In dem Wahlspruche A. ruht unsere Kraft, unsere Hoffnung, unsere Zukunft; ruht die Ueberwindung jeder Zersplitterung und Zerklüftung, die von den Feinden unserer Volksblüthe so sorgsam gepflegt und erhalten wird. R. B.

Alleinhandel, häufiger mit dem Fremdwort Monopol bezeichnet, ist eine Einrichtung vergangener Zeit, als die Ansicht und Kenntniß über die Natur des Handels noch in der Kindheit war. Der A. war mancherlei Art: entweder man schloß sich ab, und bewahrte allen innern Verkehr den Einheimischen, in dem Wahne, dadurch ihren Wohlstand zu fördern, während man den Handel und seinen Gewinn dadurch nur auf der niedrigsten Stufe hielt; oder man gab Einzelnen und Gesellschaften, die dem Handel eine neue Bahn gebrochen hatten, den A. als eine Entschädigung für ihre Opfer und Belohnung für ihre Anstrengungen, oder man band endlich den Verkehr der Kolonien mit dem Mutterlande an den A. des letztern, indem die Kolonien

4*

nur dem Mutterlande ihre Erzeugnisse verkaufen, nur von ihm ihre Bedürfnisse beziehen durften. Diese unvernünftige Beschränkung hat fast mehr, als der politische Druck dazu beigetragen, daß sich die Kolonien vom Mutterlande trennten. Oft auch behält sich der Staat den A. mit gewissen unentbehrlichen Bedürfnissen vor, um eine Abgabe dadurch zu erzielen; so in Oesterreich und Frankreich den A. mit Tabak, in ganz Deutschland mit Salz u. s. w. Dadurch vertheuert und verschlechtert der Staat diese Waare zugleich, indem er dieselbe nie so billig erzeugen oder erkaufen kann, als der Einzelne bei freiem und offenem Markte; er verkümmert seinen Angehörigen die Erwerbszweige und entwerthet ihren Boden und ihren Fleiß, und belastet endlich vorzugsweise die Aermern mit einer drückenden Abgabe. Eine reifere Zeit hat gelehrt, daß der Handel nur in der unbedingtesten Freiheit seine volle Blüthe erreicht. China, welches bis in die allerneueste Zeit den A. aufrecht erhielt, gelangt selbst zu dieser Erkenntniß, nachdem es die Engländer gewaltsam geöffnet haben, wenn auch zunächst nur zum eigenen Vortheile, und England hat längst die Erfahrung gemacht, daß seine amerikanischen Kolonien ihm jetzt mehr eintragen, wo sie frei und selbstständig mit allen Völkern verkehren, als einst, wie ihr Handel gefesselt war. Nur in Deutschland nimmt das Chinesenthum im Handel wie in der Politik eher zu als ab; nicht nur hält man fest an dem unpassenden und ungerechten A., sondern hin und wieder, wie z. B. in Preußen, beeinträchtigt auch der Staat den Handel und die Gewerbthätigkeit, indem er selbst handelt und Fabriken gründet, um seine Geldverhältnisse auf Kosten der Staatsbürger zu verbessern, was ihm übrigens nicht einmal gelingt. Die Freiheit ist das Lebenselement jeder menschlichen Thätigkeit; in demselben Grade, wie sie verkümmert wird, schrumpfen auch die natürlichen Erfolge zusammen.

v. L.

Alleinherrschaft (Absolutismus, Autokratie, Despotismus, Monokratie, Selbstherrschaft), nach dem Wortlaute die Herrschaft eines Einzigen, nach der Auffassung des meist gebräuchlichen Fremdwortes: Absolutismus, diese Herrschaft eines Einzigen, wenn sie unumschränkt, durch nichts in ihren Gelüsten begrenzt ist. Beides aber fällt zusammen, denn wo ein Etwas den Willen des Herrschers bindet und beschränkt, also mitherrscht, indem es seinen Willen dem Herrscher aufzwingt, da hört die A. auf. Eben so wenig ist die unbeschränkte Herrschaft, die A., denkbar, wenn mehrere als Herrscher an der Spitze des Staates stehen; da ist jeder beschränkt durch den Willen des andern, jeder ist, weil er eben nicht die A. ausübt, auch nicht unumschränkt. Eine fernere künstliche Unterscheidung hat man gemacht zwischen willkührlicher und gesetzlicher A. hat auf diese Weise die unumschränkte Monarchie vom Despotismus unterschieden und behauptet, es gebe im ganzen Europa keine willkürliche A., keinen Despotismus mehr. Bei der Masse der Urtheilsunfähigen und Denkfaulen, welchen demungeachtet die immer steigende Abneigung gegen eine Regierungsform nicht fremd geblieben ist, die in den Bewohnern eines Staates nur eine willenlose und unmündige Heerde mit einem Treiber an der Spitze sieht, mag man mit solchen Wortspielen noch wirken; bei denen aber, die über die sehr enge Grenze des „Oesterreich. Beobachters" — der vorzugsweise diese Lehre verkündet — hinausdenken, haben sie ihre Wirkung verloren. Was nützt denn ein Gesetz, wo der Herrscher alle Herrlichkeit und den ganzen Willen des Volkes, wo er die gesetzgebende, ausführende und richterliche Gewalt in sich vereinigt? Er hebt das Gesetz auf, ändert es ab, oder macht es durch ein entgegengesetztes unwirksam, und die Sache ist abgemacht. Haben wir nicht noch in der neuesten Zeit gesehen, daß dies geschehen ist? Oder daß Aussprüche des alleinherrschenden Willens, die doch ebenfalls Gesetze sind und die man gerade da am Heiligsten halten sollte, wo man die A. als das Heil der Welt anpreist, bis zum Nichts gedeutet, oder geradezu für „unverbindlich" erklärt wurden? In diesem Verfahren spricht sich die ganze Wesenheit der A. aus, sie giebt aber auch den Völkern den besten Maßstab zu ihrer Beurtheilung. Absolutismus,

Autokratie, Despotismus, Monokratie, Selbstherrschaft — es sind nur verschiedene
Namen für ein und dieselbe Sache. Schon der Grieche Aristoteles konnte für die
A. nur einen Grund aufstellen, nämlich, daß sie gut sei, wenn man nachweisen
und verbürgen könne, daß der Herrscher der beste Mensch im Staate sei und
daß seine Erben dies stets sein werden. Diesen Nachweis haben die Lehrer und Anbeter der A. nie zu liefern, noch weniger die Bürgschaft zu leisten vermocht. Gründe
der Moral, der Vernunft und des Rechtes konnten sie überhaupt nicht aufstellen,
wenn sie nicht zu dem Unsinne kamen, die Menschen als eine Sache darzustellen,
welche die Beute des Eroberers wird. Die Nützlichkeit war daher der einzig
durchschlagende Grund der A., den man mit Erfolg anwenden konnte. Die Einheit
des Willens, sagte man, gebe jeder Kraft des Staates eine höhere Spannkraft, setze
sie rascher in Bewegung und leite sie eher zum Ziele; sie mache eins und einig im
Innern, stark und gefürchtet nach Außen. Aber das Alles ist nur dann richtig, wenn
die Forderung des Aristoteles erfüllt ist; denn der Mißbrauch der unermeßlichen Kraft
auf nur kurze Zeit, ihre Leitung gegen den Staatszweck, etwa zu bloßer Befriedigung
schrankenloser Leidenschaft, kann dem Staate mehr schaden, als Jahrhunderte der vollkommensten A. zu ersetzen vermögen. Auch sind menschliche Kräfte eben keine Puppen,
die sich durch den Wink einer Hand an einem Drahte regen und bewegen sollen
und können, sondern sie sind geistige Pflanzen, die frei im Boden stehen und sich
frei entfalten müssen nach innerm Naturtrieb, wenn sie zu ihrer vollen Herrlichkeit
gedeihen sollen. Eine komische Seite gewinnen die Bestrebungen der Prediger der A.
noch dadurch, daß sie den Herrscher mit allen nur denkbaren Tugenden geboren werden lassen, ihn über die Menschen erheben müssen, um seine Stellung nur scheinbar
zu rechtfertigen; es ist aber Thatsache, daß diese Bevorzugungen dem Staate meist
gar nichts nützen, weil meist nicht der Herrscher die A. ausübt, sondern die Geliebte,
Maitresse, der Minister, Kammerherr, Beichtvater, Kammerdiener, Barbier, Ofenheizer,
kurz derjenige, der den Herrscher zu beherrschen weiß. Daher hat sich die fortgeschrittene Bildung entschieden von der A. abgewendet, das unwandelbare Gesetz über die
wandelbare Fähigkeit des Herrschers gestellt, ihm eine menschlichere, aber dennoch edlere
Stellung gegeben. Denn wenn die A. alles Gute und Schöne im Staat an den
Herrscher knüpft, so muß sie auch alles Unheil und allen Fluch auf ihn zurückführen;
die neue Staatsweisheit hat dem Herrscher den erhabensten Beruf des Menschen unge-
trübt zugetheilt: Wohl und Segen entströmt seiner mächtigen Hand, aber das Wehe
des Staates lehnt sich nicht an ihn. — Der Begriff absolut: durchaus, unumschränkt,
ist übrigens nicht blos auf die Monarchie (Fürstenherrschaft), sondern auch auf die
Demokratie (Volksherrschaft) und jede andere Herrschaftsform anwendbar, indem er
andeutet, daß die Grundsätze dieser Form und Art rein durchgeführt sind, daß die A.
eines Princips im Gesetze, aber nicht eines Menschen, eines persönlichen Willens
vorhanden ist und allein herrscht.   N. B.

Alleinseligmachend, s. Katholicismus.
Allerchristlichster, Benennung des Königs von Frankreich; **Allerdurchlauchtigster,** Benennung der Könige und Herrscher im Allgemeinen: **Allergetreuester,**
Benennung des Königs von Spanien; **Allergläubigster,** Benennung des Königs
von Portugal; **Allergnädigster** und **Allergroßmächtigster,** Benennung der
regierenden Fürsten; **Allerheiligster,** Benennung des Papstes; Erfindungen einer
knechtischen Schmeichelei, der der höchste Steigerungsgrad der Sprache (der Superlativ):
durchlauchtigster, gnädigster, mächtigster u. s. w. noch nicht genug war. In manchen
Ländern hat man diese Ueberschwenglichkeit, die den Glauben an die Gnade, Größe
und Macht der Fürsten gerade nicht vermehrt, abgeschafft und in Frankreich z. B.
heißt der König blos: Sire; in Deutschland blüht sie noch üppig fort.

Allianz, heilige Allianz, s. Bund, heiliger Bund.
Allocution, bei den Römern die Anrede, welche der Feldherr vor der Schlacht

ober nach einem Siege an die Soldaten hielt. Jetzt heißt die Anrede des Papstes an die Kardinäle A., sofern sie einen kirchlichen oder politischen Gegenstand betrifft. Sie vertritt demnach die Stelle einer Staatsschrift und ist als Vorläuferin einer Bulle (s. d.) zu betrachten, die ein päpstlicher Befehl ist. In demselben Grade, als die päpstliche Macht gesunken ist, hat auch eine A. an Wichtigkeit verloren; doch haben in der letzten Zeit einige A.en, z. B. die, über das Verfahren Preußens gegen die Erzbischöfe von Cöln und Posen, die, über die Gewaltthaten Rußlands gegen die Katholiken, die, über die Deutschkatholiken u. a. Abtrünnige, Aufsehen erregt, wenn sie auch mehr die Neugier, als die tiefere Theilnahme reizten.   v. L.

Allodium, s. Lehn.

Almanach, Hof- und Staats-A., eine Art Handbuch, welches in einigen Staaten alljährlich zu erscheinen pflegt. Es enthält gewöhnlich die Abstammung und Verwandtschaft des regierenden und der übrigen europäischen Fürsten, ein Verzeichniß der Würdenträger und Beamten in den verschiedenen Fächern der Staatsverwaltung und des Militairs, und sonstige zur Staatskunde gehörige Angaben. Da in einem monarchischen Staate der Fürst mit vollstem Rechte stets der Erste (Fürste, Vorderste) ist, so darf es wohl als ein bedeutungsvolles Zeichen der Zeit erwähnt werden, daß in Nassau in einem solchen A. die Herzogin zuerst stand, der Herzog erst die 2. Stelle einnahm, weil sie eine — russische Prinzessin war. Gott habe sie selig! Auch verkündet ein solcher A. oft diplomatische Geheimnisse, wie z. B. 1846, daß der Kaiser von Rußland rechtmäßiger Erbe von Schleswig-Holstein sei, was man bis dahin nicht gewußt und nicht geahnt hatte.   v. L.

Almend, im Altdeutschen Gemeindegut überhaupt, jetzt bezeichnet A. nur dasjenige Gemeindegut, welches den Gemeindegliedern zur Benutzung zusteht, ohne daß sie Eigenthumsrecht daran haben; z. B. Weideplätze, Waldstriche, Steinbrüche, Sandgruben u. s. w. Man trachtet meist, daß A., wo es noch vorhanden ist, abzuschaffen, weil der Boden dadurch verschlechtert und entwerthet wird, indem zwar Jeder Nutzen ziehen, aber Niemand etwas dafür thun will. Wo derartige Gemeindebesitzungen noch bestehen, ist es wenigstens besser, wenn die Gemeinde sie verwaltet und die Erträge vertheilt, statt die Benutzung dem Einzelnen, etwa nach dem Loose zu überlassen.   v. L.

Almosen. Alle Lehrer der Moral und die Stifter aller Religionen haben ihren Anhängern die Pflicht der Wohlthätigkeit auferlegt, theils als ein bestimmtes Gebot, theils als freiwillige Opferungen, welche der Gottheit angenehm sind. Sie gingen dabei von der Ueberzeugung aus, daß die Armuth eine unabweisliche Begleiterin jeder Gesellschaft sei, und der menschliche Eigennutz zur Abhilfe derselben durch die Aussicht auf göttliche Vergeltung am leichtesten zu bewegen sein werde. Gewichtiger als diese religiöse Verpflichtung zum A.geben ist der Gesellschaft, ihren Mitgliedern die Mittel zur Entwickelung ihrer Thätigkeit und Erwerbsfähigkeit, den erwerbsunfähig Gewordenen aber die Mittel zum Unterhalt zu gewähren. Die letztern hat man nothwendige A. genannt, für welche die Gesellschaft statt der himmlischen Wiedererstattung eine Anweisung auf Sicherheit und Ruhe empfängt; auch hat der Staat sich der A.pflege angenommen und den Gemeinden die Erhebung einer bestimmten Steuer zur Abwehr der entsittlichenden und gefährlichen Folgen der Armuth gestattet, oder — wie in England — seinen sämmtlichen Angehörigen eine solche Steuer auferlegt (s. Armensteuer). In der neuesten Zeit hat die Erscheinung der zunehmenden Verarmung die Ansprüche an die Gesellschaft unendlich vermehrt und den Regierungen vielfältige Veranlassung zu Beseitigungssorgen gegeben. Bisher hatte man die Armuth als eine einzelne Erscheinung betrachtet, die entweder nur Folge des Zusammentreffens unglücklicher Verhältnisse, anhaltender Körperleiden, oder einer mit Faulheit gepaarten Liederlichkeit, welche der Arbeit ein Leben auf Kosten der Gesellschaft vorzieht, oder dergl. sei und durch die Privat-Wohlthätigkeit, durch A. nach und nach wieder gehoben werden könne. Mit dem Wachsthum und dem Fortschreiten der Armuth glaubte man sie durch Wohlthätigkeitspflege der Gemeinden und Gesetze gegen das A.heischen, Betteln, die der Staat erließ, um das Umsichgreifen der selbstverschuldeten Armuth, der Faulheit und Liederlichkeit, zu verhindern, bemeistern zu können. In der neuesten Zeit aber, in welcher der falsche Gang unserer Gewerbthätigkeit, die Uebermacht des Kapitals und so manches Andere die unverschuldete Armuth massenhaft hervorriefen und ein drohendes Proletariat erschufen, hat sich die bisherige Armenpflege als völlig unzureichend erwiesen. Hat auch bis zum Eintritt einer Besserungsperiode die Gesellschaft die Verpflichtung einer ausnahmsweise ausgedehnten Wohlthätigkeit gegen das Elend, bei dem man nicht nach der Würdigkeit fragen kann; hat auch die Noth das Betteln gerechtfertigt und A. für den Augenblick unentbehrlich gemacht, so muß man doch den Grundsatz aussprechen, daß A. nicht nur das unzureichendste, sondern das schädlichste und gefährlichste Mittel gegen die Armuth sind. Sie besolden den Müßiggang und die Faulheit, fördern die Eigenthumsverbrechen, oder rufen sie hervor und stürzen die armen Schichten der Gesellschaft in immer tiefere Entsittlichung. — Anerkennung des Armen im Staate, Rechtsgewährung an den bisher rechtlosen vierten Stand, gleichmäßigere Vertheilung der Abgaben, die jetzt vorzugsweise auf den Armen ruhen, Schutz und Hülfe gegen die Uebermacht des Kapitals, nicht durch Polizei- und Zwangsmaßregeln, sondern durch Förderung der Selbstständigkeit, indem man Kreditanstalten für den armen und redlichen Arbeiter gründet, wie man sie fast allenthalben für den Reichthum und Adel geschaffen hat; wenn man zu diesem Zwecke nur eben so viel an die zahlreichste und nützlichste Klasse der Staatsangehörigen wendet, als man an den Adel zur Entschädigung für sehr zweifelhafte Rechte und Vorrechte gewendet hat, so kann sehr viel geschehen; endlich Förderung der Arbeit, nicht etwa durch Mittel, die nur den Reichen zu Gute kommen und einen sehr großen Theil der Armen benachtheiligen, sondern durch Leitung der Gewerbthätigkeit auf eine natürliche und starke Grundlage und durch Erleichterung des Absatzes, das sind einige der Mittel, welche die Gerechtigkeit fordert und durch welche die A. mit der Zeit unnöthig gemacht werden. *Bertholdi.*

Almosenier. In den Klöstern der Geistliche, welcher die Almosen auszutheilen hatte. In Frankreich ehedem einer der ersten Beamten, dem die geistlichen Orden und frommen Stiftungen anvertraut waren; die Stelle hatte gewöhnlich ein Kardinal.

Alten, Rath der, ein Theil der Volksvertretung in der franz. Staatsumwälzung, s. **Alter.**

Alter. Seit ein geordnetes Staatsleben vorhanden ist, hat man gewisse Stellungen in demselben an das A. geknüpft; ein Geront in Sparta mußte 60, ein Ephet in Athen 50, ein Volksredner daselbst 30, ein Konsul in Rom 42, ein Prätor 27, ein Senator 28 J. alt sein u. s. w. Auch heute noch knüpft man die Staatslasten wie die Staatswürden an das A., weil körperliche und geistige Reife allerdings dazu gehören. Soldat soll Niemand werden vor dem 20. J., selbstständig über sein Vermögen verfügen nicht vor dem 20.—24., also vor völliger Mündigkeit, die Erlangung der Bürgerrechte, der Vormundschaft, des Wahlrechts, eines Staatsdienstes, erheischen ebenfalls dieses A., ein Abgeordneter soll meist 30 J. alt, allermindestens mündig sein u. s. w. Im Staatsdienste entscheidet wieder das A., d. h. die Dauer des Dienstes, das Aufrücken und die Gehaltserhöhungen, so daß man überall der größern Reife und der bewährtern Erfahrung gerecht wird. Selbst die franz. Staatsumwälzung kehrte, nachdem sie in ihrem ersten Strudel dem A. keinerlei Bevorzugung eingeräumt hatte, zu der Anerkennung desselben, d. h. der reifern Erfahrung zurück, indem sie in ihrer Volksvertretung einen Rath der Alten schuf, welcher eine Art Erste Kammer bildete. Die Achtung vor dem A. liegt in der Menschenbrust selbst, nur muß sie die Würdigkeit, Geprüftheit und Erfahrung als Grundlage haben. Das

A. als solches hat Anspruch auf Schonung und Ruhe, aber nicht auf Geltung und die scheinheilige große Verehrung des A.s und des Alten in unserer Zeit hat meist keinen andern Grund, als Furcht vor dem Jungen, dem Frischen, Lebendigen und That-kräftigen.

v. L.

Alterego, wörtlich: Ein anderes Ich, hieß ehedem ein Bevollmäch-tigter, ein Stellvertreter mit der ausgedehntesten Vollmacht, der handeln konnte, wie er wollte, ohne an die nachträgliche Zustimmung des Vollmachtgebers gebunden zu sein; in der Diplomatie besonders der Stellvertreter des Herrschers, wenn derselbe ab-wesend oder verhindert war, seine Pflichten zu erfüllen. Name und Sache kommen fast nicht mehr vor. 1820 noch wurde der Kronprinz von Neapel zum A. ernannt, um mit den Vertretern des aufrührerischen Volkes, den Kortes, zu unterhandeln. Die Neapolitaner aber machten, wie so viele andere Völker, die Erfahrung, daß sich zwar Name und Person, aber nicht Willen und Streben geändert hatten.

Alterniren heißt wörtlich abwechseln und kam in der Politik ehedem in so weit vor, als gewisse fürstliche Aemter unter mehrern wechselten, so z. B. Oesterreich und Salzburg im Directorium des Reichsfürstenraths; Pommern, Mecklenburg, Wür-temberg, Hessen, Baden im Reichsfürstenrath selbst, u. s. w. Selbst Regierungsrechte wurden von mehrern abwechselnd, oder gemeinschaftlich ausgeübt. Die Fürstenhäuser, bei denen das Statt fand, hießen alternirende Häuser.

Alterthum. Unter dieser Benennung begreift man nicht nur die graue Vorzeit, sondern auch ihren ganzen stofflichen und geistigen Inhalt. Da die Bildung der Menschheit, wie die Entwickelung der Staaten, auf dem Leben und Thun der frühern und frühesten Geschlechter beruht, so ist die Kenntniß des A.s für jeden gebildeten Menschen von höchster Wichtigkeit; für den Deutschen ist dieselbe aber doppelt wichtig, weil bei uns, mehr als bei irgend einem andern Volke, Bildung und Zustände im A. wurzeln. Werden wir nun durch sorgsames Studium dem A. gerecht, so können wir doch auch nicht leugnen, daß die Art wie man in Deutschland das A. behandelt, nicht die wünschenswerthe ist. Unsere Jugend wird gewissermaßen mit dem A. gesäugt, aber es ist leider das todte, starre, fruchtlose A., welches ihr eingezwungen wird. Nicht das Leben mit seinem Inhalte bei den freien Griechen und Römern wird ihr bekannt gemacht, sondern die völlig gleichgültige Form desselben; nicht der Geist der Schriftsteller des A.s wird ihnen mitgetheilt, sondern die Art, wie sie geschrieben, die sprachlichen Wendungen, das äußere Kleid ihrer Werke. So ist das Studium des A.s, welches dazu noch begonnen wird, wenn die junge Seele durchaus noch nicht empfänglich dafür ist, der Jugend nicht eine Quelle des Lebens, der Anregung, der Nacheiferung großer Menschen und großer Thaten, sondern ein Mittel, den Geist abzu-stumpfen, zu tödten und mit überflüssigem Wissen dergestalt zu überfüllen, daß er allen Sinn für das Leben verliert. Diese verkehrte und verderbliche Behandlung des A.s wird erst aufhören, wenn die Schule aufhört, die Dressuranstalt zu sein, in welcher der Staat sich seine Unterthanen zurichtet, aber nicht Staatsbürger bilden läßt. Bis dahin sind aber auch unsere sogenannten classischen Studien nicht nur überflüssig, sondern verderblich. — Gleiche Bewandniß hat es mit dem Rechte; nach dem Satzungen eines seit Jahrhunderten untergegangenen Volkes wird bei uns Recht gesprochen; daher ist das Recht dem Volk fremd, es ist ihm ein unbekanntes todtes Formenwesen, zu dem es keine Liebe und kein Vertrauen haben kann. In dem Grübeln der Berufenen aber über dieses todte Recht und seine Formen, in dem Be-streben, die Bestimmungen einer untergegangenen Welt gewaltsam auf unsere Zustände zu zwängen, ist das „Recht, welches mit uns geboren ist", was unserm Volke, unsern Sitten und Bedürfnissen entsproß, zu Grunde gegangen; es liegt begraben in einem Wuste von Gelehrsamkeit des A.s. — Endlich spielt das A. besonders in neuester Zeit in der Politik die Hauptrolle, wo man die Zustände der Schule und des Rechtes gerne ebenfalls heimisch machen und alles Leben der Gegenwart in Moder einwickeln möchte.

Nur was vom „verſchönernden Reſten der Jahrhunderte" bedeckt, d. h. was ſchimmlich und zur Ruine geworden iſt, ſoll gut ſein, und man ſtellt ſich ſo verliebt in das A., daß man die ganze Weltgeſchichte nur fort und fort zurückſchrauben möchte. Könnte man es, ſo würde man freilich nicht bis zum Zeitalter der agrariſchen Geſetze oder des Perikles, der Blüthezeit römiſcher und griechiſcher Freiheit und Volksherrlichkeit zurückgehen, ſondern man würde uns plötzlich in dem traulichen romantiſchen Dunkel des Mittelalters ſitzen laſſen. Wir ſprechen darüber mehr bei der Geſchichtlichen Entwickelung und geſchichtlichen Schule. R. B.

Amendement, der faſt allgemeine Ausdruck für: Beſſerungsantrag, Veränderung, Zuſatz; man verſteht darunter die Aenderungen, welche in Verſammlungen, die über öffentliche Fragen und Angelegenheiten berathen, von irgend einer Seite in Bezug auf beſtimmte Vorſchläge, Anträge, Geſetzentwürfe oder einzelne Beſtimmungen derſelben, über die berathen wird, in Vorſchlag gebracht werden. Das Nähere in Geſchäftsordnung und Geſetzentwurf. J. G. Günther.

Ammann ſ. Amtmann.

Amneſtie, das ausſchließlich gebräuchliche Fremdwort für Vergeben und Vergeſſen der in Verſchwörungen, politiſchen Parteikämpfen und Bürgerkriegen von den Unterliegenden wirklich begangenen, oder durch richterliche Urtheile anerkannten politiſchen Verbrechen Seitens der Regierungen, gegen welche die Angriffe gerichtet waren, und die ihre politiſchen Gegner beſiegt haben. Der ſiegreiche Gewalthaber, unter deſſen Einfluß und häufig auf deſſen Gebot, ſelbſt mit offnen Geſetzübertretungen dergleichen Urtheile erfolgt ſind, oder noch häufiger deſſen Nachfolger findet ſich entweder aus wahrhafter Großmuth oder aus Gründen der Politik oder anderweitigen Beweggründen veranlaßt, ſeinen verurtheilten Feinden die Strafe nachzulaſſen. Nur dort, wo dergleichen Straferlaſſe wirklich Ausfluß eines wahrhaft edlen und großmüthigen Geiſtes ſind, wo ein ſolcher Geiſt den in den Gemüthern eines Volkes oder großer Partheien gährenden Groll beſchwichtigen und durch Thaten der Milde die ſtrengen Maßregeln ſühnen will, welche früher durch die Pflicht der Selbſterhaltung geboten oder durch unrichtige Auffaſſung des Volksgeiſtes veranlaßt waren, — nur dort iſt eine A. etwas Anderes, als bloße Komödie, die man aufführt, um irgend Kindtaufen, Hochzeiten und Thronbeſteigungen zu verherrlichen, oder um zu alten Täuſchungen neue hinzuzufügen. Sobald die A., wie es in den letzten Jahrzehnten ſo manchmal geſchehen, nichts bedeuten will, als daß man ein Paar Dutzend politiſche Verurtheilte, die durch zehn- und zwanzigjährige Mißhandlung in ſchwerer Kerkerhaft und in Eiſen und Banden wie die italieniſchen Vaterlandsfreunde auf dem Spielberg, Silvio Pellico, Grafen Gonſaloniere, Andrayne u. A. an Seele und Leib gebrochen ſind, aus ihren Verließen herausläßt und den Reſt ihrer Tage am Sonnenlicht vielleicht unter polizeilicher Ueberwachung fortzukränkeln geſtattet; wenn das Theilhaftigwerden ſolcher Gnade zudem noch an die Bedingung erzwungener Reue und Abbitte geknüpft iſt, ja wenn man vielleicht ſogar noch Ausnahmen feſthält und in dem Geiſt ſolcher Ausnahmen augenſcheinlich die Rache, welche man dadurch ausüben will, beurkundet; — wenn man eine A. ſo verſteht und übt, ſo darf man ſich nicht wundern, wenn dadurch etwas ganz Anderes erzielt wird, als eine Beſchwichtigung der in den Gemüthern herrſchenden Erbitterung; und diejenigen verrechnen ſich, welche für ſolchen Prunk falſcher Großmuth und Milde, Dank und Anerkennung zu erndten hoffen. Die Erfahrung hat ſo häufig gelehrt, daß ſo wenig die ſchwerſte und grauſamſte Beſtrafung politiſcher, wider ein Syſtem der Unterdrückung und der Gewaltthat geübten Verbrechen, daſſelbe auf die Dauer gegen ähnliche erneute Angriffe ſicher ſtellen können, wie theilweiſe oder allgemein erlaſſene politiſche Begnadigungen, die von ſolcher Seite ausgehen, die öffentliche Meinung nie einem ſolchen Syſtem zuwenden und zumal in Zeiten großer Kriſen deren aufrichtige Unterſtützung gewinnen können. Unverſöhnlicher Haß und Groll niſtet ſich dadurch erst recht tief in die Gemüther; denn die also Begnadigten sind nur wandelnde Denkmäler der Verworfenheit der politischen Zustände und in den Zügen solcher Dulder predigt sich auch ohne ihr Zuthun aufs Neue Verschwörung und Aufruhr. Welche Früchte hat die ihrer Zeit so sehr gepriesene A. Oesterreichs in Mailand 1838 getragen? haben die Verschwörungen dort aufgehört? haben sich nicht die Söhne der edelsten Familien Italiens aufs Neue in Complotte gestürzt? die edle Jugend im Waffenrock des Begnadigers sich an die Spitze gestellt und mit ihrem Blute Zeugniß geredet, in welcher Weise dergleichen Gnadenakte von einem sich nach Freiheit und Selbstständigkeit sehnenden Volke aufgenommen werden? — Und nun halte man gegen diese österreich. A. diejenige des jetzigen Papstes Pius IX. — welcher Unterschied in ihrem Wesen und in ihren Wirkungen! Ein Volk, nein die ganze gebildete Welt, der Menschengeist selbst in seiner reinsten Begeisterung, für den Mann und sein Wirken entbrannt, den vor 2 Jahren noch keine Lippe genannt! Und weshalb! Weil jene erhabene Handlung der Milde kein vereinzeltes Kunststück schlau berechneter Staatskunst war, sondern das erste Eingeständniß, daß eine neue Zeit anheben solle, daß die Ursache entfernt werden müsse, welche die Auflehnung gegen die bestehende Gewalt erzeugt, wegen der Jene in die Kerkergruft geworfen worden waren, die Pius' Huld dem lebendigen Grabe entrissen hat. Das war, das ist A. — Gnade, wie sie unser großer Dichter malt:

     — frei wie das Firmament die Welt umschließt
     So muß die Gnade Freund und Feind umschließen!

Sie ist nicht Gnade mehr, die der Spender für den Empfänger in unnahbare Ferne rückt, sie ist Versöhnung, welche Beide nahe bringt; sie ist Erlösung, welche Beide durch unzerreißbare Bande verknüpft. — In diesem Sinne A. geübt, bleibt eine solche Versöhnungshandlung keine einzelne Erscheinung; sie ist und muß der Anfang einer großen schönen Zeit werden, wo „selbst die Nothwendigkeit menschlich ist." Die Thüren der Kerker öffnen sich dann nicht für die Einen, damit nur die Andern, welche mit oder ohne Schuld hineingerathen, denselben unmenschlichen Martern und Foltern unterworfen werden, womit man aus jenen Opfern politischer Verfolgungssucht Geständnisse herausgepreßt oder unmenschliche Rache gekühlt; die Schergen grausamer Gewalt, die Tschoppe, die Georgi, die Sabotti und Andre ähnlichen Gelichters werden zur Unmöglichkeit; die Strafe für wirkliche Verbrechen trägt nicht mehr das Gepräge wilder und unversöhnlicher Rache der Gesellschaft an den Uebertretern ihrer Gesetze, die Todesstrafe wird ausgestrichen aus den Gesetzbüchern und für ewige Zeiten im Voraus die A., die Begnadigung mit dem Leben, mit der „süßen und freundlichen Gewohnheit des Daseins" ertheilt für das im wilden Wahnsinn oder in krankhafter Seelenrichtung begangene Verbrechen. Solche Milde der Sitten aber wird ihre Segnungen über die Völker selbst und ihr Verhältniß zu und gegen einander ausbreiten und aus ihrer Mitte wird für immer die Gewohnheit des gegenseitigen Zerfleischens in verwilderndem Kriege verschwindern; Menschlichkeit, Brudersinn, Freiheit und Gerechtigkeit werden die Richtschnur ihrer Handlungen bleiben; eine wahre A. und der ihr zu Grunde liegende Gedanke wird der Ausgangspunkt einer solchen Entwickelung sein.   *J. G. Günther.*

Amortisation, Amortisationskasse, s. Staatsschuld u. Tilgung derselben.

Amovibel, s. Amt und Unabsetzbarkeit.

Amt der Schlüssel, s. Schlüsselgewalt.

Amt, nennt man die Stellung, in welcher Jemand im Auftrage des Staates gewisse Verrichtungen auszuüben und gewisse Pflichten zu erfüllen hat, und dafür entweder Besoldung erhält, oder die Aufgabe des A. es unentgeltlich erfüllt, was man Ehrena. nennt. Wer mit einer solchen Stellung betraut ist, heißt Beamter oder Staatsdiener, oder wie man in neuester Zeit, im Bestreben den Ausspruch Ludwigs XIV.: L'etat c'est moi! (Der Staat bin ich!) wieder zur Wahrheit zu machen, in einigen Staaten noch lieber sagt: Königliche Diener; eine Benennung, die jedoch nur in den Staaten wirklich paßt, wo die Alleinherrschaft (s. d.) sich erhalten hat. — Auch die Gemeinde kann natürlich Jemand ein A. geben, was im Gegensatz zum Staatsdienste auch Gemeindea. heißt, eine Privatbedienstung jedoch pflegt man nur dann A. zu nennen, wenn der Verleiher einen Theil der Staatsgewalt ausübt, z. B. die Patrimonialgerichtsherren und Kirchenpatrone. — In der alten Zeit, wo die ganze Masse der Staatsangehörigen noch wie eine willenlose Heerde betrachtet wurde, die „von Gottes Gnaden" zu ihrem Glücke geleitet, geweidet und geschoren werden mußte, war ein A. ein Familienerbstück, wie ein gehenkelter Ducaten; ob Jemand Fähigkeit zu einem A. hatte, oder nicht, das kam nicht darauf an; der Besitz des Vaters, der Adel, hohe Gönnerschaften und Fürsprache und höchstens eine passende Anwendung des Sprichwortes: Wer gut schmärt, der gut fährt! entschieden und von einer Prüfung war nicht die Rede. Diese A. besetzung nach Gunst, Geburt und Verwandtschaft nannte man Nepotismus und auf ihm wurzelt das Sprichwort: Wem Gott ein A. giebt, dem giebt er auch den Verstand! Die Ausübung des A. es war übrigens auch leicht, Kenntniß des Rechts und der Gesetze, gewissenhafte Prüfung und selbstständige Entscheidung waren vielfach überflüssig; der Wille des höchsten oder der höhern Vorgesetzten war das höchste Gesetz und wenn der erfüllt wurde, kam es auf das Uebrige nicht an. Das ist allerdings anders geworden; zwar hat der Adel noch drei Viertheile der höchsten bürgerlichen und Militair-Aemter allein in Besitz; wenn man die Minister, Präsidenten, Kreisdirectoren, u. s. w., so wie die Militärämter vom Feldmarschall bis zum Offizier herab zusammenstellt, findet man selten einen Namen ohne Von, was ohne Gönnerschaft und Bevorzugung nicht möglich wäre; aber die Geburt entscheidet nicht mehr allein und die Befähigung muß nachgewiesen werden. Wie sehr man aber auch auf die Befähigung und Vorbildung, die Mittel zur selbstständigen Stellung und Verwaltung des A. es sieht, der Gehorsam wird noch immer als die erste Haupttugend verlangt und zwar oft Gehorsam ohne Wahl und Prüfung und in Dingen, die keinesweges zum A. gehören.   R. B.

Amthaus. Das Gebäude, in welchem der Amtmann oder der Amtshauptmann seine amtlichen Geschäfte besorgt.

Amtmann ist der Vorstand eines Bezirksgerichtes, welches vom Staate eingesetzt ist und erhalten wird; daher auch häufig der Name Justiza. Je nachdem Rechtspflege und Verwaltung völlig getrennt sind, ist der M. blos Richter, oder er übt auch die höhere Polizei aus und hat sogar die Staatsabgaben theilweise zu erheben. — A. heißt auch der Pächter eines Krongutes, in Preußen heißt der Pächter eines ganzen und großen derartigen Gutes Obera. Amtliche Gewalt hat derselbe indessen keine.

Amtseid oder **Diensteid** nennt man den Schwur eines Beamten beim Antritt seines Amtes, dasselbe gewissenhaft zu verwalten und alle Pflichten desselben zu erfüllen, auch den Vorgesetzten ergeben und gehorsam zu sein, so weit seine Befehle die Amtspflichten nicht verletzen heißen. Dieser Eid ist gewiß etwas sehr Ueberflüssiges, weil er nichts nutzt und wie die meisten andern Eide, die Heiligkeit dieses Geldbnisses nur herabbringt. Denn der ehrliche und gute Mensch erfüllt seine Pflicht auch ohne A., der schlechte Mensch aber wird durch denselben um kein Haar besser; wenn übrigens Leben und Wissen eines Menschen den prüfenden Vorgesetzten die Ueberzeugung geliefert haben, daß er tüchtig sei, so hat der A. noch dazu etwas Verletzendes. Häufig ist auch der A. abgeschafft und durch ein einfaches Gelöbniß und Handschlag ersetzt.

Amtseifer ist im guten Sinne das Bestreben, sein Amt treu und gewissenhaft zu verwalten, jede Verrichtung pünktlich und gerecht zu erfüllen und das Wohl des Ganzen nach Kräften auf der angewiesenen Stelle zu fördern; zugleich den Vorgesetzten treue Berichte über den wahren Zustand der Stimmung zu geben und durch

Liebe, Milde und Gerechtigkeit das Band, welches Volk und Regierung verknüpft, zu stärken und zu befestigen. Im schlimmen Sinne ist der A. das Bestreben, das Amt überall einzumischen, wohin es nicht gehört; Alles und Jedes zu beaufsichtigen, zu bevormunden, zu beherrschen und zu regeln; kurz, die Vielregiererei auszuüben, die wie ein Alp auf dem Volke liegt. Dieser A. führt in seiner Ausartung auch zum Spioniren und zur Angeberei, zur Verdächtigung und Quälerei wegen unschuldiger Handlungen; er streut und nährt den Saamen des Unfriedens und Mißmuths und trägt am meisten dazu bei, Spannung und Mißtrauen zwischen Volk und Regierung zu pflanzen und zu nähren. Leider wird dieser falsche und verderbliche A. oft mehr gefördert und gewünscht, als der wahre. Bei Regierungen, die im Widerspruche mit dem Geiste der Zeit und den wahren Bedürfnissen des Volks stehen, wird er durch Beförderungen und Auszeichnungen angestachelt, während der wahre A. zurückgesetzt und verachtet wird. Das böse Gewissen treibt solche Regierungen dazu, das Volk zu fürchten, und deshalb jede Lebensregung desselben ängstlich und mißtrauisch zu betrachten, den falschen A. aber als dienstwilliges Werkzeug hierzu zu benutzen. Die Art, wie sich der A. in einem Lande offenbart, ist der sicherste Maßstab für die Stellung, Kraft und Gerechtigkeit der Regierung. Wo der falsche A. an der Tagesordnung ist, da regiert nur Gewalt ohne Grundlage und Dauer, die nur in der überzeugungsvollen Zustimmung des Volks zu finden sind; da muß man vor jedem ernsten Zeitensturm zittern. R. B.

Amtsentsetzung ist eine Strafe für schlechte Besorgung des Amtes, für Verletzung des Amtseides. Wer seine Pflicht nicht erfüllt, muß Strafe erwarten und hat sie verwirkt, es ist also gegen die A. insofern nichts einzuwenden. Nur darf eine Strafe nicht ohne Urtheil und Rechtsspruch ergehen und es sollte demnach den Vorgesetzten niemals gestattet sein, die A. nach Belieben und Ermessen auszusprechen. Man weist zwar auf das Beispiel des Dienstherrn hin, der, wenn er mit seinem Diener ausgemacht habe, in dem oder jenem Falle wirst du entlassen, im Rechte sei, wenn er nun die Entlassung mit dem Falle eintreten lasse. Allein dieses Beispiel zieht nicht, denn der Vorgesetzte ist nicht der Dienstherr und wäre derselbe auch Minister; sondern der Dienstherr ist der Staat, oder was dasselbe ist: das Volk, welches den Staat ausmacht. Der Dienstherr will aber gerecht sein und daher Strafe nur nach einem Rechtsspruche eintreten lassen. Wohin das Ermessen der Vorgesetzten führt, davon haben wir sonderbare Beispiele erlebt; wenn z. B. Hoffmann von Fallersleben abgesetzt wird als Professor und Bibliothekar, weil er politische Lieder geschrieben hat, die er weder den Studenten vortrug, noch in der Bibliothek aufstellte, die also mit seinem Amte gar nichts zu thun hatten; oder wenn Welckers A. erfolgt, weil auf einer Reise die Leute ihm ehrende Beweise der Anerkennung und Liebe gegeben, so tragen solche A. den Stempel des Neides, des Aergers und der Rache, was dem Staate nimmermehr wohlthun kann. — Eine besondere Art der A. ist die einstweilige A. (Suspension), die oft eintritt, wenn man noch nicht weiß, ob Veranlassung zur wirklichen A. vorhanden ist. Mißliebige Beamte werden durch dieselbe oft unwirksam gemacht, und man denkt gar nicht daran, eine Untersuchung einzuleiten, sondern ist zufrieden, eine unangenehme Thätigkeit zur Ruhe gebracht zu haben. R. B.

Amtserschleichung ist ein Wort, welches keiner Erklärung bedarf; jedes durch unerlaubte Mittel, durch Bestechung, Drohung, Gewalt, Erpressung oder Zwang erlangte oder vergebene Amt ist mittelst A. erlangt. Sie wird mit Entlassung vom Amte und Ersatz dessen, was der durch A. eingesetzte Beamte bereits genossen hat, auch noch härter bestraft. Im Allgemeinen kommt dieses Vergehen in Verfassungsstaaten seltener vor und man kennt fast nur noch eine Gattung desselben; es ist die, daß ein Abgeordneter (s. d.) vor und bei der Wahl schöne und kräftige Reden hat über sein Bestreben, Freiheit und Fortschritt zu fördern, in den Kammern auch einen sehr entschiedenen Anlauf nimmt, um sich bemerkbar nnd gefürchtet zu machen, dann aber seine gewichtig gewordene Stimme den Ministern zur Verfügung stellte und sich dadurch ein Amt erschleicht. Diese A. wird vom Volke blos mit Verachtung bestraft, da sie aber so oft vorkommt, sollte man mit der Prüfung der zu Wählenden etwas vorsichtiger sein. R. B.

Amtsgewalt umfaßt den Inbegriff der einem Beamten zustehenden Befugnisse. Innerhalb derselben gebührt ihm Ansehen, Achtung und Gehorsam, denn er vertritt die heilige Macht des Gesetzes, ohne welche ein Staat weder bestehen kann, noch ein wahrhaftiger Fortschritt möglich ist. Nichts ist ungerechtfertigter, als die Abneigung besonders gegen die untern Beamten, wie Polizeidiener, Gensb'armen u. dergl., denen man oft ihr ohnehin schwieriges Amt zu erschweren und unmöglich zu machen sucht. In England ist das Volk stets für die Polizei und ein Konstabler kann im größten Volkshaufen allein 10—12 Personen verhaften, die er mit seinem weißen Stabe berührt; er findet sofort Folgsamkeit und Hülfe. In Deutschland findet das Gegentheil statt, das Volk nimmt fast stets Partei gegen die Polizei und für den Angegriffenen, der immer als eine Art Opfer betrachtet wird. Woher kommt das? Daher, daß in England die tagtägliche Erfahrung lehrt, daß die Freiheit der Person jedem Beamten etwas unantastbar Heiliges ist, in welche er nur im äußersten Nothfalle eingreift; in Deutschland nimmt mans damit lange nicht so genau, in jedem Zweifelsfalle steckt man die ganze Gesellschaft ein und erweist sich's, daß das unnöthig war, so „ist's kein Unglück!" Die Grenze der A. ist im Allgemeinen sehr schwer zu ziehen, [aber unter der Burraukratie (Schreibstubenherrschaft) wo man sich

> Nach Oben bückt,
> Zur Seite drückt,
> Nach Unten spreizt
> Und pufft und reißt

ist es am Allerschwersten; dort wird der Beamte von Oben herab als Puppe betrachtet, die sich nur bewegen darf, wie man den Draht zieht, und es ist daher kein Wunder, wenn er's nach Unten eben so macht. R. B.

Amtshauptmann. Ein Staatsbeamter, welcher als Oberaufseher über gewisse Bezirke gesetzt ist, welche A.-schaft heißen und innerhalb derselben er die höhere Polizei auszuüben, auf die Befolgung der Landesgesetze zu sehen und die untern Beamten zu beaufsichtigen hat. Wo der A. geradezu mit den Ministern verkehrt, nicht noch eine Mittelbehörde zwischen sich hat, nimmt er die Stellung eines Drosten oder Landvoigts ein.

Amtshauptmannschaft, s. Amtshauptmann.

Amtshelfer, gebräuchlicher Assistent, nennt man die niedern Beamten im Verwaltungsfache, die theils dem höhern Beamten helfend zur Seite stehen, theils ihn vertreten können. Bei richterlichen Beamten heißen sie Actuar (s. d.).

Amtskleidung, s. Amtstracht.

Amtsmißbrauch, s. Amtsverbrechen.

Amtsrath. Ehedem besonders in Süddeutschland ein Richter erster Instanz, also dem Amtmann gleich; in der Schweiz Mitglied eines Richtercollegiums erster Instanz; in größern Verwaltungs-Aemtern der Gehülfe des Amtshauptmanns oder Landvoigts.

Amtssassen, Gutsbesitzer, welche ihren Gerichtsstand im Amte haben, im Gegensatze zu den Schriftsassen, welche unmittelbar unter der Landesregierung stehen.

Amtstracht. Die besondere Kleidung, welche in den meisten Staaten den Beamten vorgeschrieben ist, oder geliefert wird. Es ist nicht zu verkennen, daß gewisse Beamte, z. B. die untern Beamten der Post und Eisenbahnen äußerlich durch irgend etwas kenntlich gemacht sein müssen, damit bei dem lebhaften Verkehr der Fremde und

Unbekannte weiß, an wen er sich zu wenden hat. Ueber dieses Bedürfniß hinaus aber muß man die A. als etwas Ueberflüssiges bezeichnen, ja zuweilen als etwas Gefährliches, wenn sie nämlich ein Ausfluß des Bestrebens ist, den Beamten in jeder Weise, selbst durch die äußere Erscheinung, vom Volke zu trennen und zu scheiden und ihn als zu einer besondern Kaste gehörig darzustellen, als ein uniformirtes, unbewaffnetes Heer, dessen erste und höchste Pflicht Disciplin, d. h. unbedingter Gehorsam ist. — Oft ist auch die A. nur ein Nachlaß vergangener Zeiten, ein sogenannter Zopf, welcher sich der Gegenwart angehängt hat. Dahin gehören z. B. die schwarzen Roben und großen Perrücken der englischen Richter und Advokaten.

Amtsvergehen und **Amtsverbrechen** heißen alle Handlungen gegen die Amtspflicht. Sind dieselben nicht schwerer Natur, betreffen sie z. B. nur kleine Ueberschreitungen, Vernachlässigungen u. dergl., so ziehen sie nur eine Disciplinaruntersuchung und Disciplinarstrafe (Untersuchung und Strafe wegen Ungehorsam) nach sich, die in einer Ermahnung, einer Rüge, einem Verweis der Vorgesetzten, einer Geldbuße, Entfernung vom Amte auf bestimmte Zeit, oder höchstens Amtsentsetzung (s. d.) besteht. Sind die A. schwerer Art und enthalten sie wirkliche Verbrechen, so fällt der Schuldige dem gewöhnlichen Verfahren anheim und wird oft mit der schwersten Strafe belegt, weil der Beamte besonders auf die Aufrechterhaltung der Gesetze zu wachen hat. — Eines der größten Amtsverbrechen war von jeher der Mißbrauch des Amtes zu Erpressungen, der Verkauf der pflichtmäßigen Amtshandlungen, die Amtsuntreue (Prevarication wie es in der Juristerie heißt), Bestechung, Beugung des Rechts, Fälschung, Veruntreuung u. dergl. Diese A., besonders wenn sie in geistlichen Aemtern begangen wurden, begreift man unter dem Namen Simonie.

Amtsverschwiegenheit ist eine der ersten und heiligsten Pflichten des Beamten, da oft Geheimnisse in seine Hand gelegt werden müssen, deren zu frühe Kundwerdung unberechenbaren Schaden herbeiführen, oder die Handhabung des Rechtes und Gesetzes, die wichtigste Aufgabe des Staates, unmöglich machen kann. Der Bruch der A. wird daher auch als eines der schwersten Amtsvergehen behandelt. Erkennt man nur die Nothwendigkeit der A. in gewissen Fällen an, so ist eine Forderung der Gerechtigkeit, daß dem Beamten diese Fälle klar bezeichnet werden, denn das Verlangen der Schreibstubenherrschaft, daß Alles und jedes als Geheimniß betrachtet werden soll, was einmal geschieht, ist zwar dem Wesen des durch und durch geheimen Staates ganz angemessen, überschreitet aber die Grenze der Billigkeit und untergräbt in seiner Uebertreibung die Heiligkeit der A. in wichtigen Dingen selbst.
                                                                            R. B.

Anachoreten, s. Einsiedler.
Analogie, s. Auslegung.
Anarchie heißt ein Staatszustand, in welchem die Herrschaft der Gesetze, wie die Wirksamkeit der gewöhnlichen Gewalten aufgehört hat und also Alles ohne Ziel und Ordnung drunter und drüber geht. Dieser Zustand kann immer nur verderblich sein und höchstens Verbrecher können ihn herbeiführen wollen, um ihre strafbaren Absichten während der A. zu verwirklichen. Zum Troste aber kann man sich nicht verhehlen, daß das Bedürfniß der Staatsordnung und der Gesetzesherrschaft so tief in den Völkern wurzelt, daß selbst die blutigsten Aufstände nur sehr vorübergehend A. herbeigeführt haben und es stets das Bestreben auch der rohesten Massen war, eine gewisse Ordnung einzuführen. Dieser Thatsache gegenüber, die sich durch den ganzen Lauf der Geschichte bewährt, ist es eine wahre Nichtswürdigkeit der Stillstands- und Rückschrittsprediger, daß sie die Bestrebungen der Fortschrittsmänner verdächtigen, als ob sie A. wünschten oder suchten. Es glaubt übrigens auch Niemand mehr derartige Mährchen.
                                                                            R. B.

Anathema, s. Bann.
Anbauer, s. Abmeiern.

Auerber, s. Erbschaft.

Anerkennung ist im Leben, wie im Rechtsverfahren, die Zustimmung zu irgend einem Verhältnisse, die Versicherung dasselbe nicht stören, oder falls eine Verpflichtung vorliegt, dieselbe erfüllen zu wollen. Diese Zustimmung und Gutheißung bedeutet A. auch in der Politik und besonders in dem europäischen Staatsverhältnisse spielt die A. eine große Rolle. Der Bestand dieser Staaten sowohl hinsichtlich der Ausdehnung, als der Verfassung u. s. w. ist durch zahlreiche Verträge, Kongresse u. dergl. geregelt und allseitig anerkannt; auf dieser A. aber beruhen die Beziehungen der Staaten unter einander, beruht der Friede und die Eintracht. Gehen nun in einem Staate bedeutende Veränderungen vor, ändert ein Volksaufstand die Verfassung oder den Herrscher wie 1830 Frankreich; löst sich ein Stück von einem alten Staate ab und bildet einen eignen und selbstständigen Staat, wie 1830 Belgien; oder gestaltet man auf friedlichem Wege die Verfassung gänzlich um, ändert die Thronfolge, oder dergl., wie beim Tode Ferdinands VII. in Spanien und solche umgestaltete oder neue Staaten wollen mit den übrigen ebenfalls in Frieden und Eintracht leben, so suchen sie die A. ihrer neuen Zustände nach. Diese wird auch meistentheils gewährt, denn die faits accomplis, wie die Diplomaten sagen, die nicht deutsch reden und also die Bezeichnung „vollendete Thatsachen" nicht gebrauchen können, haben in der Politik ein gar gewaltiges Gewicht. Die Regierungen, welchen der neue Zustand nicht [be]hagt, schmollen zwar oft eine Zeitlang, dann aber beißen sie in den sauern Apfel und wenn sie die A. nicht ausdrücklich aussprechen, so schicken sie doch ihren Gesandten hin und setzen den gewöhnlichen Verkehr fort, worin dann die thatsächliche A. liegt. So hat z. B. der Kaiser von Rußland heute die franz. Julistaatsumwälzung von 1830 und den König Ludwig Phillip noch nicht anerkannt; aber er verkehrt mit demselben wie gewöhnlich und hat sich sogar in neuester Zeit eine Kleinigkeit von 150 Millionen in franz. Staatspapieren angelegt. Ob er dabei an den „Wechsel alles Menschlichen" gedacht hat, das geht uns hier nichts an. Oft geschehen aber auch hinsichtlich der A. sonderbare Dinge, wie z. B. daß ein Staat die neue Ordnung in Spanien, die ihm vollkommen gleichgültig sein konnte, nicht anerkennt und dadurch seinem Leinwandhandel jährlich Millionen entzieht; die sonst noch Spanien abgesetzt wurden. — Eine andere Art der A. ist noch die eines neuen Regenten von Seiten des Volks. In vielen Verfassungen ist es vorgeschrieben, daß der Regent, ehe er den Thron besteigt, die Verfassung beschwören muß, und erst nachdem das geschehen ist, wird er von der Volksvertretung anerkannt, oder es wird ihm, wie man zu sagen beliebt, gehuldigt. Eine derartige Bestimmung der Verfassung ist unbedingt nothwendig, wenn dieselbe nicht bei jedem Thronwechsel gefährdet sein soll.

Anfall und **Antritt,** s. Erbschaft.

Angeberei heißt, im Gegensatze zu Anzeige, (s. d.) die oft Pflicht und Nothwendigkeit sein kann, die gemeinste und verächtlichste Art des Hinterbringens und Verdächtigens der Handlungen seiner Mitbürger bei der Behörde. Es ist ein schönes Zeugniß für den deutschen Charakter, daß unsere Sprache kein ganz geeignetes Wort für dieses niederträchtige Verfahren hat, weshalb das Fremdwort Denunciation auch meistens gebraucht wird. Die A. ist meist verbunden mit geheimer Aushorchung (Spionerie), moralischer Verderbniß des Angebers (Denuncianten) und dem nichtswürdigen Trachten, das Glück, die Ehre, die Freiheit des Mitbürgers zu verkaufen und sich mit dem Schandgelde zu bereichern. Deshalb begnügt sich die A. auch nicht, Handlungen zu verdächtigen, sondern ein Wort, eine Geberde, ein Wunsch, ein Gedanke genügt ihr, um ihres Opfers Ziel und Absichten zu verläumden. Diese widerwärtige Giftpflanze gedeiht nur in moderigen Staatszuständen, im Sumpfe des Stillstandes und des Rückschritts, in der Nacht der Willkühr und der Unterdrückung, wo man jegliches Vertrauen zu sich selbst und seiner Sache verloren hat und vor jedem freien Gedanken zittert und zittern muß. Dort braucht man sie, dort sucht man sie und bietet ihr den Judaslohn sogar mitunter öffentlich in der Zeitung an. Des Volkes Gefühl für Ehre und Sittlichkeit aber hat sie gebrandmarkt und wird es hoffentlich, bei fortschreitender Entwickelung dahin bringen, daß ein so ehrloses Handwerk im Uebermaße seiner Schande ersticken muß. R. B.

Angeld, s. Draufgeld.

Anglikanische Kirche (Episcopalkirche). Als mit Luther in Deutschland das Morgenroth einer bessern Zukunft aufging, befand sich England in einem über alle Beschreibung finstern und traurigen Zustande. Auf dem Throne saß ein wollüstiger Tyrann; das Parlament war eine Heerde zitternder Sclaven; das Volk küßte in stumpfer Gedankenlosigkeit die Ruthe, womit es gezüchtigt wurde. Nirgend schienen die Aussichten für kirchlichen und staatlichen Fortschritt trostloser zu sein, als hier. Aber wunderbar genug, gerade durch jenen Tyrannen sollte der Anstoß erfolgen, der zur Trennung von Rom führte. Heinrich VIII. war persönlich ein geschworner Feind Luthers und seiner Lehre; denn das Lutherthum erweckte damals bei den Priestern und Königen denselben Haß und dieselbe Unruhe, wie neuerlich der Liberalismus. Da er nun die Eitelkeit besaß, Theolog sein zu wollen, so ließ er sich mit Luther in einen Federkrieg ein, ward zwar von demselben derb abgefertigt, erwarb sich aber doch von Papst Leo X. den Titel eines „Beschirmers des Glaubens". Die Verbindung zwischen Heinrich und Rom schien demzufolge eine sehr innige zu sein. Sie löste sich aber sofort, als ein späterer Papst, Clemens VII., sich weigerte, seine Einwilligung zu der Scheidung Heinrichs von seiner Gemahlin Katharina zu geben. Der gereizte König, der von einer heftigen Leidenschaft für eine schöne Hofdame entzündet war und dieselbe um jeden Preis befriedigen wollte, ließ eigenmächtig durch seine willfährige Geistlichkeit seine Ehe auflösen, heirathete seine Geliebte, sagte dem Papste den Gehorsam auf und erklärte sich zum Oberhaupte der A. K. in England. Die nächste Folge war, daß er von Clemens VII. in den Kirchenbann gethan wurde. Dies vollendete den Bruch; das Volk, das Parlament, die Geistlichkeit, Alles stimmte für die Trennung. 1534 erschien eine Parlamentsakte, welche die neue Ehe bestätigte und dem Könige den Titel „Oberhaupt der A." gab, mit allen geistlichen und weltlichen Autoritäten des Papstes. Heinrich befand sich nun an der Spitze einer Empörung gegen den Papst und haßte doch die Protestanten, deren Freiheitsgeist er verabscheute. Um nun den Schein der Folgerichtigkeit zu retten, sah er sich genöthigt, in der Lehre, zu deren Vertheidiger er sich aufgeworfen hatte, so wenig als möglich zu ändern. Er faßte demnach das Werk nur von außen an; nur in der Verfassung der Kirche und mit den äußern Einrichtungen derselben sollten Aenderungen eintreten, alles Uebrige beim Alten bleiben. So wurden zuvörderst die Klöster aufgehoben und die Kirchengüter eingezogen; daran reihten sich einige Aenderungen im Gottesdienst und nun war das Lied am Ende. In Bezug auf den Glauben machte Heinrich 6 Artikel bekannt, worin über die Brodverwandlung, das Cölibat der Priester, die Keuschheitsgelübde, den Genuß des Abendmahls unter einer Gestalt, die Ohrenbeichte und die Privatmessen gehandelt und Alles zu Gunsten der römischen Lehre entschieden wurde. Das Volk nannte diese Artikel das Blutgesetz, weil jeder dagegen erhobene Widerspruch Gefängniß, Galgen oder Scheiterhaufen nach sich zog. In der That fielen zahlreiche Opfer. Der Tyrann begnügte sich nicht mit der Herrschaft über Menschen; er wollte auch über die Geister, über die Gewissen herrschen. Rechtgläubig war nur, wer ihm nachsprach ohne Bedingung und Vorbehalt; alle Andersdenkende, mochten sie Papisten, Lutheraner oder Calvinisten heißen, waren geächtet durch sein Gesetz, und nach allen Seiten wüthete das Henkerschwert. Statt eines unfehlbaren Papstes hatte England jetzt einen unfehlbaren König, und der Abjurations- (s. d.) oder Suprematseid verpflichtete Jeden, der ein kirchliches oder Staatsamt bekleiden wollte, ihn als Oberhaupt, als letzte Instanz in Glaubenssachen anzuerkennen. 1547 starb Heinrich, und nun erst erhielt die religiöse Bewegung einen freiern Gang. Unter seinem minderjährigen Nachfolger Eduard VI. ward die Herrschaft des alten Glaubens gebrochen; die 6 Artikel kamen in Wegfall; die Privatmessen wurden abgeschafft, die Bilder aus den Kirchen entfernt, die römischen Gebräuche umgewandelt. Ausländische Theologen von Ruf bekamen Professuren an der Universität zu Orford, und da dieselben meist Schüler und Anhänger Calvins waren, so trat nun auch die calvinische Fassung der Lehre, der reformirte Lehrbegriff, immer mehr neben dem lutherischen hervor, der von den bisherigen Leitern der Bewegung festgehalten worden war. Cranmer und Ridley, zwei Hauptbeförderer der Reformation, erhielten den Auftrag, neue Artikel des Glaubens und eine neue Liturgie zu entwerfen. Sie entledigten sich desselben in der Art, daß in Beziehung auf den Glauben weder die lutherische noch die calvinische Ansicht in ihrer Strenge hervortrat, sondern ein Mittleres zwischen beiden erzielt, in Beziehung auf den Cultus aber und die Kirchenverfassung noch Einiges von den römischen Formen beibehalten wurde. Diese Bestimmungen waren in 42 Artikeln zusammengefaßt, deren Heilighaltung durch Strafbefehle gesichert wurde. Ein allgemeines Gebet- und Ritualbuch, das sogenannte Book of common prayer, das 1551 veröffentlicht ward, enthielt die liturgischen Vorschriften. Hiermit war der Grund zur englischen oder A. gelegt, die zwar später in ihren Grundzügen mehrfache Aenderungen erlitt, aber doch von der reformirten gesondert blieb, indem sie viele Ceremonien und hierarchische Formen beibehielt. Man nennt sie auch die Hochkirche, weil sie die herrschende in England wurde, oder die Episcopalkirche (bischöfliche Kirche), weil sie das bischöfliche Regiment fortbestehen ließ und in ihr Glaubensbekenntniß ausdrücklich den Satz aufnahm, daß die Bischöfe ihre Macht nach göttlichem Rechte besäßen. — Nach Eduards VI. 1553 erfolgtem Tode versuchte seine Nachfolgerin, Maria Tudor, eine Wiederherstellung des Katholicismus. Sie starb aber schon 1558 und ihre entschieden protestantische Stiefschwester, Elisabeth, setzte das Werk Eduards fort, ohne sich durch den Bannstrahl, welchen Papst Paul IV. gegen sie schleuderte, beirren zu lassen. Doch verfuhr sie mit großer Mäßigung. Sie ließ sich zuvörderst von sämmtlichen Geistlichen den Eid der Suprematie leisten. Dann schritt sie zur Verbesserung des Gottesdienstes. Sie ließ aus eigner Neigung dem Cultus eine gewisse Wirksamkeit auf die Sinne, und so erwuchs allmählig jene Liturgie der A., wie sie sich bis auf den heutigen Tag erhalten hat; die zwischen der Ueberladung der römischen Messe und dem allzusehr nur auf den Vortrag der Lehre beschränkten reformirten Cultus die Mitte zu halten strebt. Hiernächst ward auch der kirchliche Glaube in eine neue Fassung gebracht. Elisabeth ließ das von Cranmer und Ridley verfaßte Glaubensbekenntniß aufs Neue durchsehen und besonders dahin abändern, daß in Beziehung auf die Abendmahlslehre solche Ausdrücke gewählt wurden, daß sie sowohl die Lutheraner als die Reformirten befriedigen konnten. Dieses Glaubensbekenntniß wurde mit Uebergehung einiger darin enthaltenen Bestimmungen auf 39 Artikel gebracht, und der Name der 39 Artikel blieb von da an die übliche Bezeichnung des anglikanischen Bekenntnisses. — Die Verkündung all' der Beschlüsse, wodurch das englische Kirchenwesen bestimmt geregelt wurde, erfolgte 1563 durch die sogenannte Uniformitätsacte; sie vollendete die Gründung der herrschenden Episcopalkirche, indem sie ihr das Recht gab, alle diejenigen mit Geldstrafen, Gefängniß, Amtsentsetzung und Landesverweisung zu verfolgen, welche sich ihr widersetzen, oder am Sonntage beim Gottesdienst zu erscheinen weigerten. Und Solcher gab es eine nicht geringe Anzahl. Viele nämlich, die vor Maria Tudors Verfolgungen nach Deutschland und die Schweiz geflüchtet waren und nun, in ihr Vaterland zurückgekehrt, der ganzen Strenge der dort angenommenen calvinischen Grundsätze gemäß leben wollten, nahmen sowohl an der bischöflichen Verfassung als an der römischen Färbung der gottesdienstlichen Gebräuche Anstoß. Sie traten, aller Verbote ungeachtet, zu einer Gemeinschaft zusammen und wurden daher Dissenters oder Nonconformisten genannt, im Gegensatze zu den Anhängern der Uniformitätsacte, welche den Namen Conformisten führten. Die Dissenters, insofern sie auf die Reinheit der Kirche von allen päpstlich scheinenden Gebrechen drangen, hießen auch Puritaner und, weil sie das Kirchenregiment nicht durch Bischöfe, sondern durch freigewählte Aelteste geführt wissen wollten, Presbyterianer. Dieser kirchliche Zwiespalt trat, wegen der Verwandtschaft der Ideen von bürgerlicher und kirchlicher Freiheit, nachmals in auffallenden Zusammenhang mit den politischen Parteiungen des Landes. Die Presbyterianer oder Puritaner mit ihren calvinischen Gleichheitsbegriffen neigten sich natürlich den demokratischen, die Episcopalen oder Conformisten den monarchischen Grundsätzen zu. Dafür hat sich aber auch nicht ein englischer König den Presbyterianern hold erwiesen. Wie sehr dies der regierenden Dynastie zum Nachtheile ausschlug, ist bekannt. Schon Jakob I. verbitterten die kirchlichen Kämpfe das Leben. Unter Karl I. entwickelten sie sich zur politischen Staatsumwälzung, in deren Laufe die entfesselte Volkskraft den Thron zerschmetterte und den König unter den Trümmern begrub. Karl II. stellte zwar das Königthum wieder her, wurde aber dessen nicht recht froh. Die kirchlichen und politischen Stürme erneuerten sich unter ihm, dauerten unter Jakob II. fort und führten endlich zur gänzlichen Vertreibung der Stuarts. Erst Wilhelm III. setzte den Zwistigkeiten ein Ziel, indem er die Toleranzacte gab, worin er allen Parteien eine freilich noch ziemlich beschränkte Religionsfreiheit zusicherte. Die A. blieb die herrschende und sogar die Testacte, wodurch alle Nonconformisten für unfähig erklärt wurden, eine Civil- oder Militairstelle im Reiche zu erhalten, blieb in Kraft. Besonders drückend war diese Acte für die Katholiken, die, namentlich in Irland sehr zahlreich, hierdurch alle bürgerlichen Rechte verloren. Erst 1829 wurde dieser Ungleichheit durch die Emancipation der Katholiken (s. d.) ein Ende gemacht. Aber immer ist es noch eine Ungleichheit, daß die katholischen Irländer an 4 Erzbischöfe, 18 Bischöfe, 300 Dignitarien und 1200 Pfarrer der A. hohe Besoldungen und Zehnten, im Betrage von 679,000 Pfd. Sterl. zahlen müssen. — In der A. ist vieles Mißbräuchliche, Vieles, was dem vorgeschrittenen Geiste des Zeitalters geradezu widerspricht. Die Alleinherrschaft der Bischöfe hält jede freie geistige Regung nieder, weiß alles frische, aufkeimende Leben zu ersticken, sie ist Schuld daran, daß die Engländer in religiöser Beziehung so beschränkt geblieben sind. Sie hat nie eine Aenderung, weder in der Lehre noch im Cultus zugelassen, weil sie fürchtete, daß man sich dann auch an ihren Einkünften vergreifen würde. Einer der vorzüglichsten Mißbräuche ist das Pfründewesen. Es giebt im Ganzen ungefähr 4050 Pfründen, zu denen die Mitglieder des Oberhauses das Recht des Vorschlags haben. Man betrachtet diese Pfründen als passende Versorgungen für jüngere Söhne hochadliger Häuser, und sie sind in der That recht anständige Versorgungen. Kein Bisthum hat unter 1000 Pfd. Sterl. Einkünfte; eins (Durham) hat sogar 10,000. Auf diese Weise können die Bischöfe ein faules und bequemes Leben führen, und es ist begreiflich, wie sie und ihr Anhang alle Kraft gegen die Appropriationsclausel (s. d.) aufboten. Die niedere Geistlichkeit theilt sich in Rectoren, Vicare und Curaten. Unter diesen sind die Rectoren am besten gestellt. Aber eben deshalb machen sie nichts und lassen ihre Stellen durch Curaten verwalten, die nur 30 — 50 Pfd. Gehalt haben. Das Loos dieser armen Menschen ist wirklich zu beklagen; gegen einen Hundelohn müssen sie alle Arbeiten für die faulen Prälaten machen. Leider sind unter 10,000 Pfarren 6155 solche Stellen. — An der Spitze der A. steht der Erzbischof von Canterbury, der den Titel „Primas von England" führt. Ihm zunächst kommt der Erzbischof von York, ebenfalls mit dem Titel „Primas von England" geschmückt. Dann folgen die 4 Erzbischöfe in Irland, der von Armagh, welcher auch „Primas von Irland" heißt, der von Dublin, der von Cashel und der von

Thum. Der gesammte englische Klerus bezieht ein jährliches Einkommen von 9,400,000 Pfd. Sterl. (116,000,000 Gulden). Eine ungeheure Summe, wenn man bedenkt, daß der christliche Klerus der ganzen Welt nicht mehr als 900,000 Pfd. Sterl. jährlich bekommt. Hier thäte eine Radicalreform dringend noth. Leider ist aber dazu gar keine Aussicht vorhanden. *Jäckel.*

Angriff heißt der Versuch, die Rechte eines Andern sich gewaltsam zuzueignen, seien dies nun moralische oder stoffliche Güter. Demnach ist der A. ein Unrecht, welchem die Vertheidigung als Recht entgegen steht. Was nun Recht und Unrecht ist, bleibt zwar immer so, doch wird im Kriege der A. oft zur Nothwendigkeit, um dem A. des Gegners zuvor zu kommen. — Häufig verbünden sich mehrere Staaten zu gemeinschaftlichem Handeln im Kriege, und je nachdem sie dann den A. wagen, oder sich blos vertheidigen wollen, heißt ihr Bündniß: A.-Bündniß (Offensiv-Allianz) oder Vertheidigungs-Bündniß (Defensiv-Allianz), s. d.

Anklage, ist die vor Gericht erhobene Beschuldigung, daß eine bestimmte Per-

gangbaren, schriftlichen Inquisitionsprozeß ist der Begriff der A. nicht anwendbar und keineswegs mit der Anzeige des untern Polizeipersonals, oder auch der Privatperso-nen, daß ein Verbrechen begangen worden sei, gleichbedeutend. Ebensowenig darf man das Wort A. mit Klage verwechseln, welche letztere die mündliche oder schriftliche Aufforderung des Civilgerichts ist, ein dem Kläger zustehendes Privatrecht gegen eine andere Person (den Beklagten) durch Zwang geltend zu machen oder zu schützen. Wie jedoch die Klage die erste Handlung im bürgerlichen Prozesse ist, so ist die A. die erste Handlung in dem, die Verbrechen verfolgenden A.prozesse, nur daß in den Ländern, wo der A.prozeß eingeführt ist, eine Voruntersuchung vorauszugehen pflegt. Derjenige, welcher die A. erhebt, heißt Ankläger und kann eine Privatperson und ein angestellter Beamter sein. Die Gesetze, nach welchen ein öffentlicher Be-amter zur Erhebung der A. verpflichtet ist, verdienen den Vorzug vor dem Sy-steme der Privat-A., wonach entweder der Verletzte selbst, wie dies die pein-liche Halsgerichtsordnung Karls V. vorschreibt, oder jeder Bürger, wie dies in Eng-land hinsichtlich gewisser Verbrechen (der Kathegorien des Verraths und der Felonie) vorgeschrieben ist, die A. stellt. Durch das Verbrechen wird die öffentliche Rechtsord-nung gestört, folgerichtig hat daher auch der Staat durch seine Beamten die Ver-brecher zu verfolgen. Wird dies den durch das Verbrechen verletzten oder andern Privatpersonen überlassen, so ist es nothwendig, die guten Bürger vor falscher A. zu schützen und Maßregeln zu treffen, welche die Fortsetzung der A. sichern. England, dessen Gerichtsverfassung nicht durch eine in sich abgeschlossene Theorie, sondern im Laufe der Jahrh. nach den zeitweiligen Bedürfnissen geschichtlich gebildet worden, hat außer der Privat-A. eine zweite A.form, indem das Gericht selbst Jemand zur A. im Namen des Königs ermächtigt oder der Kronadvokat die A. anstellt. In Frank-reich, Belgien, Holland und in den deutschen Ländern, in welchen der A.prozeß ein-geführt ist, wird die Ueberwachung der Gesellschaft vor öffentlichen Rechtsstörungen und die Verfolgung der Verbrecher vom Staate selbst durch eine besondere Anstalt, die Staatsanwaltschaft oder die Staatsprocuratur ausgeübt. Der Staats-anwalt (Generalprocurator) mit seinen Gehülfen ist hier der Ankläger und hat die Verpflichtung, die Gerechtigkeit gegen das Verbrechen und dessen Urheber in Bewegung zu setzen. Die A. erfolgt in der A.schrift oder A.acte, sie muß das Verbrechen bestimmt bezeichnen, die That und alle die Strafe erhöhenden oder mildernden Um-stände enthalten, und den Namen des Beschuldigten nennen. Nach franz. Recht darf der Generalprocurator durchaus kein anderes Verbrechen benennen, als dasjenige, hin-sichtlich dessen in dem Erkenntniß der A.-Kammer die Versetzung des Beschuldigten in A.-Stand entschieden worden ist. Das engl. Recht fordert ebenfalls aufs Strengste, daß die vorgeschriebenen Formen bei der A.-Acte befolgt werden. Der

5*

Grund hiervon liegt in der hohen Achtung, welche die Gesammtheit (der Staat) für die persönliche Freiheit und Ehre jedes einzelnen Staatsbürgers hegt, welche die Amts-gewalt der Staatsbehörden überall in enge, für die Unabhängigkeit und Sicherheit der einzelnen Gesellschaftsglieder unentbehrliche Schranken verweist.   **Adolf Hensel.**

Anklage der Minister durch die Landstände, s. Gewährleistung der Ver-fassung, Verantwortlichkeit und Verfassung.

Anklageprozeß heißt derjenige, welcher in der vorbeschriebenen Art mittelst einer Anklage, eingeleitet wird. — Der Staat ist bei jedem Verbrechen als Ver-letzter betheiligt, da die Gesammtheit zur Gewährung allgemeiner Freiheit zusammen-getreten ist, und durch die in den Gesetzen als Verbrechen bezeichneten Rechtsstö-rungen in Erreichung ihres Zweckes gehindert wird.   Die Verbrechen enthalten ent-weder einen unmittelbaren Angriff auf den Staat, dessen Oberhaupt und Regierung, oder nur eine mittelbare Störung des Rechtszustandes durch Angriffe auf das Frei-heitsgebiet einzelner Staatsgenossen.   Die Aufrechthaltung der Rechtsordnung in jedem Staate erheischt es nun, daß die Verbrecher nicht unbestraft bleiben, oder mindestens unschädlich für die Gesammtheit gemacht werden. Das Verfahren, um dazu zu gelangen, ist sehr verschieden, und läßt sich besonders in den gesitteten Ländern in 2 Hauptfor-men theilen, in den A. und in den Inquisitionsprozeß.   Die Gerechtigkeit stellt zwei heilig zu haltende Gebote an den Staat, nämlich: keinen Unschuldigen zu bestrafen, und: die Höhe der Strafe nach dem Grade der Verschuldung abzumessen.   Die christliche Religion und die Menschenliebe (Humanität) gebieten ferner, in dem gefallenen Bruder, in dem Verbrecher noch den Menschen zu achten. Bei näherer Betrachtung des A.s überzeugt man sich bald, daß in dieser Form des Strafverfahrens diesen Grundsätzen gehuldigt wird.   Der Inquisitionsprozeß ist die Ausgeburt barbarischer Vorurtheile, ebenso unwürdig der vorgeschrittenen Rechts-wissenschaft, wie gesitteter Völker.   Dieses Urtheil gilt der Beschaffenheit dieser Form, im Allgemeinen hat sich der deutsche Richterstand dadurch ausgezeichnet, daß er ungeachtet dieser der Ausschreitung der Amtsgewalt so günstigen Form dennoch ge-wissenhaft nach Gerechtigkeit strebte und sie auch auszuüben verstand. — Jeder Straf-prozeß setzt 3 wesentliche Hauptpersonen voraus: 1) den durch das Verbrechen Ver-letzten; 2) den Verbrechens Beschuldigten; 3) den untersuchenden, erkennen-den und strafenden Staat, vertreten durch den Ankläger und Richter.   Wie in den bürgerlichen Rechtsstreitigkeiten über Mein und Dein die Personen des Klägers, Be-klagten und Richters mit ihren Verrichtungen streng gesondert sind, so ist dies auch bei dem A. der Fall.   Der Verletzte tritt entweder selbst, oder in der Person des öffentlichen Staatsbeamten als Ankläger auf, der Beschuldigte und der ihm zur Seite stehende Vertheidiger läßt sich auf die Anklage ein, und der Richter steht inmitten dieser beiden Parteien, die beiderseitigen Vorbringen, Beweise, Entkräftungen und Entschuldigungen unparteiisch anhörend, prüfend und abwägend. Im Inquisitions-prozesse treten nur 2 Hauptpersonen auf, der Richter und Beschuldigte. Ersterm ist die schwere Pflicht auferlegt, die Rolle des Anklägers zu übernehmen und auch die Unschuld des Beschuldigten zu schützen.   Im Laufe der Untersuchung soll er 3 geistige Verrichtungen vollziehen: er soll alle mögliche Sorgfalt anwenden, um die Schuld des Bezüchtigten aufzudecken (Ankläger), er soll aber auch als unpar-teiischer Richter alle Verdachtsgründe, welche er oft nach mühsamen Arbeiten zusam-menstellen konnte, wieder prüfen und seine erste Thätigkeit völlig unbeachtet lassen, weil er den Grund oder Ungrund der einzelnen Anzeichen, deren Trüglichkeit, Stärke und Ueberzeugungsfähigkeit abzumessen hat; ihm liegt ferner die Pflicht ob, in der Stel-lung eines Vertheidigers zu dem Beschuldigten alle Aussagen und Anzeichen, welche auf Ermittlung der Unschuld desselben hinführen können, sorgfältig zu erör-tern und zu verfolgen. Fürwahr, ein von der Gesetzgebung dem menschlichen Geiste und Wesen gestelltes Räthsel, eine fast unmögliche Aufgabe. Der Inquisitionsrichter

bestrebt sich wohl (man braucht hierbei freilich nicht an den rheinhessischen Hofgerichtsrath Georgi, den Untersuchungsrichter Weidig zu denken), seine schwere Aufgabe
zu erfüllen, aber er vermag nicht, sich widerstreitende Handlungen in einer
Handlung zu vollziehen. Es ist ein arger, unverzeihlicher Mißgriff der Gesetzgebung,
wenn sie dem Träger und Verwalter der Gerechtigkeit, dem Richter, eine Bürde auferlegt, von welcher nur zu leicht die in dem Herzen des Richters lodernde Flamme
der Gerechtigkeit erdrückt wird. Der A. verdient also wegen der, dem Wesen des
Strafprozesses entsprechenden genauen Sonderung der darin vorkommenden Hauptpersonen und ihrer Verrichtungen den Vorzug. Der A. hat vem Inquisitionsprozeß gegenüber einen 2. außerordentlich wichtigen Vorzug durch die scharfe
Trennung der Voruntersuchung von der Hauptuntersuchung. Ist ein Verbrechen begangen worden, so gelangt die Anzeige hiervon an den Staatsanwalt, welcher den Inhalt und die gegen eine bestimmte Person gerichteten Verdachtsgründe
prüft und hierauf den Untersuchungsrichter, welcher auch Instructionsrichter heißt, auffordert, genau bezeichnete Handlungen vorzunehmen, durch welche erörtert werden soll: ob das bezeichnete Verbrechen wirklich, an welchem Orte und gegen
welche Personen, so wie unter welchen Umständen es verübt worden. Ferner erstreckt
sich die Thätigkeit des Untersuchungsrichters dahin, die Verdachtsgründe, welche gegen
eine oder mehrere Personen als Thäter, Gehülfen oder Begünstiger vorliegen, sorgfältig zu verfolgen, die verdächtigen Personen zu vernehmen, Zeugen abzuhören, und
diese einander und den verdächtigen Personen gegenüber zu stellen. Im Inquisitionsprozesse verrichtet alle diese zur Ermittelung des Verbrechens und des Verbrechers (Erörterung des objectiven und subjectiven Thatbestandes genannt)
unentbehrlichen Handlungen der Untersuchungsrichter zwar auch, ebenso hat die Voruntersuchung im A. mit der nach der Inquisitionsmanine geführten Untersuchung das
schriftliche und geheime Verfahren gemein, allein im A. ist dieses Verfahren nur eine der Hauptuntersuchung vorausgehende Vorerörterung und bildet
einen von der Hauptuntersuchung völlig getrennten Abschnitt. Im Inquisitionsprozeß
bestand zwar früher auch, wenigstens bei schweren Verbrechen, eine General- (allgemeine) Untersuchung, welche der gegen stark verdächtige Personen gerichteten Spe-
cial-Untersuchung vorausgehen mußte; dies ist aber jetzt, wenigstens in Sachsen,
nicht mehr der Fall. Ist im A. die Voruntersuchung beendigt, so muß darüber: ob
der des Verbrechens Beschuldigte in Anklagestand zu versetzen sei, d. h. ob gegen ihn
die Hauptuntersuchung geführt werden könne? besonders erkannt werden, worüber in
Frankreich, was die mit entehrender oder Leibesstrafe gesetzlich bedrohten Verbrechen anlangt, die Anklagekammer (Anklagesenat), eine aus 5 Mitgliedern mindestens bestehende Abtheilung jedes Gerichtshofes, was die einfachen, oder die Zucht-
polizeisachen betrifft, die Rathskammer, eine aus mindestens 3 Mitgliedern bestehende Abtheilung des Bezirksgerichts, entscheidet. In Frankreich erkennt die Anklagekammer nach Stimmenmehrheit: ob hinreichender Verdacht gegen den Beschuldigten vorliegt, um ihn in Anklagestand zu versetzen und es wird solchen Falls ein
Verweisungserkenntniß gegeben, worin an das zuständige Gericht die Untersuchungsführung angeordnet wird. In den deutschen Provinzen, in welchen die Geschwornengerichte beibehalten sind, findet ein im Wesentlichen gleiches Verfahren statt.
In England, dem Vorbild bürgerlicher Freiheit, entscheidet die große oder Anklage-
Jury über die Führung der Hauptuntersuchung, indem, wenn 12 Geschworne sich
dafür erklären, auf den Rücken des Klagelibells geschrieben wird: daß die Anklage
gegründet sei. Diese scharfe Trennung der Voruntersuchung von der Hauptuntersuchung ist eine unerläßliche Schutzwehr des rechtlichen Staatsbürgers
gegen die Beamtengewalt und zugleich eine nothwendige Forderung der Gerechtigkeit. Was soll man von dem Inquisitionsprozesse halten, wenn, wie Braun
in seinem Rechenschafts-Berichte (Hauptstücke des öffentlich-mündlichen Strafverfahrens)

S. 65 sagt: „es sind Fälle nicht ganz selten — ich spreche aus meiner Erfahrung als Sachwalter — wo Jemand in dem Glauben, seine Aussagen als Zeuge oder als Sachverständiger abzugeben, in einer Criminaluntersuchung sich befindet, ohne es zu wissen, und dies erst erfährt, wenn es zur Vertheidigung kommt.". Nicht selten kommen Fälle vor, wo gegen eine Person die Untersuchung eingeleitet, fortgeführt, der Inculpat (Beschuldigte) mit seiner Vertheidigung gehört wird und sodann das Erkenntniß lautet: es sei kein Grund vorhanden, gegen ihn eine Untersuchung einzuleiten, das in den Acten Verhandelte sei als polizeiliche Erörterung zu betrachten. Wie leicht kann eine unbescholtene und rechtschaffene Person in Verhältnisse kommen, aus welchen ein entfernter Verdacht eines Verbrechens abzuleiten ist; es wird von der Gensd'armerie oder dem untern Gerichtspersonal Anzeige an den Richter erstattet, dieser stellt Erörterungen an, findet im Verfolg derselben in der Geistesrichtung als Ankläger die Verdachtsgründe erheblich, und es wächst unter seiner Hand ein Actenstück mit der Bezeichnung: „Untersuchungsacten gegen N. N. — wegen Diebstahlsverdachts" heran, welches endlich geschlossen wird, nachdem oft die unerheblichsten und unwesentlichsten Umstände mit einer schreibseligen Weitläufigkeit zum Ruhme der Justiz niedergeschrieben sind, nach dessen Durchsicht aber das obere zur Erkenntnißfällung bestimmte Gericht sich überzeugt, daß hinreichender Grund zur Untersuchungsführung gar nicht vorlag. Die wirklich geführte Untersuchung wird dann Erörterung genannt, obwohl alle Formen der Untersuchungsführung (Besetzung der Gerichtsbank ꝛc.) dabei beobachtet wurden. Die Schuld hiervon, einzelne Fälle ausgenommen, liegt nicht oder doch weniger an dem Untersuchungsrichter, welcher alle Spuren von Verbrechen zu verfolgen verpflichtet ist, sondern hauptsächlich an der nicht stattfindenden Trennung der Vor- oder General-Untersuchung von der Hauptuntersuchung. An den Einrichtungen, nicht an den Personen müssen wir das Mangelnde und Fehlerhafte aufsuchen. Der Nachtheil, welcher hierdurch der bürgerlichen Freiheit und Ehre der Staatsbürger zugefügt wird, ist unberechenbar. Bei der Dunkelheit, in welcher die Mitbürger über die Vorgänge in den Gerichtsstuben gelassen werden, mußte allmälig sich das Vorurtheil bilden, daß derjenige, welcher zur Criminaluntersuchung gezogen wird, nicht schuldlos sei. Es war dem gewöhnlichen Verstäudnisse nicht denkbar, daß eine Staatsbehörde, ein Gericht, gegen einen ganz Unschuldigen eine Untersuchung einleiten könne. Daher der Glaube, das Vorurtheil Vieler im Volke, daß derjenige, welcher sich einmal in Untersuchung befunden, doch nicht rein von Schuld sein könne. Mag er auch freigesprochen werden, es bleibt an seiner Ehre in den meisten Fällen für seine Lebenszeit in den Augen des Volkes ein Makel hängen, und sein Zutrauen hat es verloren. Welche unabsehbare Folgen für einen Geschäftsmann, dessen Credit von dem Vertrauen seiner Mitbürger allein abhängt! Wie oft sind aber mit solchen sich als unnöthig oder erfolglos herausstellenden Untersuchungsführungen Verhaftungen und längere Entziehung der persönlichen Freiheit verbunden. Welcher namenlose Schmerz wird dem unschuldig Verfolgten und seinen Angehörigen bereitet. Eine besonders hervorzuhebende Schattenseite des Inquisitionsprozesses ist das Aufsichgewiesensein des Untersuchungsrichters. Ganz abgesehen von manchem jungen Manne, welcher vom Staat oder vom Patrimonalgerichtsherrn mit dem Richteramte belastet wird, und welchem eine gereifte Erfahrung und Umsicht abgeht, befindet sich der Untersuchungsrichter als Einzelrichter, der allein dem Staate und seinem Gewissen verantwortlich ist, als ehrlicher Mann nicht selten in Verlegenheit und Unentschlossenheit: ob er auf die von ihm allein erwogenen Gründe gegen die verdächtige Person einzuschreiten, ob er die Untersuchung einzuleiten und fortzusetzen habe. Während der Untersuchungsführung im Inquisitionsprozeß (der weit schwierigern Arbeit, als das Erkenntnißsprechen) steht er unbewacht, unbeaufsichtigt, sich selbst überlassen da. Beim A. beobachtet in der Voruntersuchung der Staatsanwalt unausgesetzt jeden einzelnen Schritt des Instructionsrichters, er kann gegen einzelne Verfügungen desselben, z. B. wenn er einen Antrag für unzulässig erklärt, Berufung an das collegialische Gericht ergreifen, dagegen hat der Instructionsrichter dasselbe Recht; mit einem Worte: es findet eine gegenseitige Beaufsichtigung und Ueberwachung statt, welche gegen Willkürlichkeiten und Mißbrauche der Amtsgewalt einen gegenseitigen Schutz gewährt. — Eine 3. wesentlicher und überaus wichtiger Vorzug des A.s vor dem Inquisitionsprozesse besteht in der Unmittelbarkeit des erkennenden Gerichts zur Beweisführung. Ist auf Führung der Hauptuntersuchung erkannt, so wird der Angeklagte hiervon in Kenntniß gesetzt, zur Annahme eines Vertheidigers aufgefordert, der Tag zur Gerichtsverhandlung anberaumt und die Zeugen und etwa erforderlichen Sachverständigen werden vorgeladen. Vor dem Gerichtshofe, er bestehe nur aus einem Juristencollegium oder aus richterlichen Beamten und Geschwornen (s. d.), werden mündlich alle Umstände, welche sich auf das Verbrechen und dessen Urheber beziehen, verhandelt, die Anklageschrift wird vorgelesen, der Staatsanwalt als Ankläger setzt nach Befinden den Inhalt der Anklageschrift auseinander, der Angeklagte und sein Vertheidiger werden hierüber gehört, die Zeugen vereidet und abgehört, Dunkelheiten oder widersprechende Aussagen durch Fragen des Gerichts, des Staatsanwaltes oder Vertheidigers aufgeklärt, die Sachverständigen, z. B. Gerichtsärzte, über ihr abgegebenes Gutachten nochmals befragt und haben dasselbe mündlich zu entwickeln. Ist auf diese Weise das Verfahren beendigt, der Staatsanwalt oder der Angeklagte oder sein Vertheidiger nochmals gehört worden, so wird in der Regel von dem Präsidenten des Gerichts der Inhalt der Verhandlung nochmals kurz wiederholt und von dem Gerichtshofe das Erkenntniß berathen, gefaßt und bekannt gemacht. In Holland, wo die aus rechtsgelehrten Richtern bestehenden Provinzialgerichtshöfe über Verbrechen, welche eine Leibes- oder entehrende Strafe nach sich ziehen, entscheiden, berathschlagt der Gerichtshof unter Bezugnahme auf die Verhandlung über das Bewiesene oder Unbewiesene der Thatsachen, über deren strafrechtliche Beschaffenheit, die Urheberschaft und über die auszusprechende gesetzliche Strafe. Das Erkenntniß muß daselbst mit Entscheidungsgründen versehen sein. In Preußen, wo der A. durch das Ges. v. 17. Juli 1846. zunächst für das Kammergericht in Berlin, dann für alle Provinzen, in welchen das Landrecht gilt, eingeführt wurde, hat der Gerichtshof nach genauer Prüfung aller Beweise für die Anklage und die Vertheidigung nach seiner freien, aus dem Inbegriff der vor ihm erfolgten Verhandlungen geschöpften Ueberzeugung zu entscheiden: ob der Angeklagte schuldig oder nicht schuldig, oder ob derselbe von der Anklage zu entbinden sei (§. 19). Im Inquisitionsprozeß findet dagegen eine Trennung des Untersuchungsrichters vom erkennenden Richter statt. In allen wichtigen Fällen, so in Sachsen bei allen Verbrechen, welche unter den vorliegenden besondern Umständen Todes-, Zuchthaus-, Arbeitshaus- oder eine, die Dauer von 3 Monaten übersteigende Gefängnißstrafe nach sich ziehen können, hat das höhere Gericht das Erkenntniß abzufassen. Die einzige Quelle, aus welcher dasselbe das Urtheil schöpfen darf, sind die Acten. Diese werden einem Einzelnen zur Durchsicht und zur Entwerfung des Urtheils übergeben, der über den Inhalt Vortrag hält, worauf über das Urtheil berathen und Beschluß gefaßt wird. Das erkennende Gericht muß sich demnach auf die vorgeschriebenen Acten und den Vortrag des Berichterstatters (Referenten) verlassen, Uebelstände, welche die Auffindung der Wahrheit unsicher machen. Die Acten enthalten die Aussagen der Zeugen und des Beschuldigten; diese sind aber in den meisten Fällen mit andern, als den eignen Worten der aussagenten Personen niedergeschrieben, es ist daher nicht nur sehr leicht möglich, sondern wirklich der Fall, daß von dem, häufig den niedern Klassen angehörenden Beschuldigten ein Ausdruck gebraucht wird, welcher von dem Untersuchungsrichter in einer ganz andern Bedeutung aufgefaßt und niedergeschrieben wird. Oft werden von Zeugen und Angeklagten über Nebenumstände ausführliche Angaben gemacht, welche gar nicht, ober doch nur abgekürzt niedergeschrieben werden, die aber dennoch oft für die Bildung eines sichern Urtheils von großer Wichtigkeit werden. Sind die Acten auch noch so gewissenhaft treu und geschickt niedergeschrieben, so sind sie doch nur mit einem Gemälde zu vergleichen, welches Licht, Schatten und Leben der im A. stattfindenden Verhandlung vor dem erkennenden Gericht nicht wiederzugeben und auszudrücken vermag. Der Berichterstatter trägt dem erkennenden Gericht ferner nur einen Auszug aus den Acten vor und es ermangelt auch hierbei die sichere Gewährleistung: ob derselbe treu alle für die Verurtheilung oder Freisprechung des Beschuldigten sprechenden Umstände aufgenommen hat. Wie ganz anders im A., wo dem gesammten Richtercollegio unmittelbar durch die lebendige mündliche Verhandlung die Beweise für die Schuld oder Unschuld des Bezüchtigten aufgerollt werden (vergl. Acten und Actenmäßigkeit). — Ein 4. großer Vorzug des A. besteht in dessen kürzerer Dauer. Die schriftliche Voruntersuchung im A. (die Instruction) erfordert je nach der Anzahl der verübten Verbrechen oder der Menge der Beschuldigten zuweilen auch mehrere Monate; die Hauptuntersuchung aber wird vermöge der mündlichen Verhandlung viel schneller geführt, als es beim schriftlichen Inquisitionsprozesse der Fall sein kann. Die lange Dauer der Untersuchungen in Deutschland ist fast sprüchwörtlich geworden, insbesondere haben die Untersuchungen gegen die politischen Vergehen im Vergleich zu ähnlichen Prozessen in Frankreich und England eine auffallend lange Dauer gehabt. Der gegen Jordan geführte Untersuchungsprozeß dauerte 5 Jahre, und da der Beschuldigte, welcher durch obergerichtliches Erkenntniß sodann freigesprochen wurde, während der Untersuchung, also 5 Jahre unschuldig verhaftet blieb, so hat dieser Prozeß ganz besonders die rege Theilnahme des Volkes auf sich gezogen und den Widerwillen gegen den Inquisitionsprozeß erregt. Wie lange schleppten sich fast in allen deutschen Staaten die Untersuchungen wegen burschenschaftlicher oder demagogischer Umtriebe hin; es verging oft ein Jahr und längere Zeit, ehe der Angeschuldigte nur wieder vernommen wurde. Blickt man hingegen auf den in Berlin verhandelten Polenprozeß, in welchem gegen 254 Theilnehmer die Anklage erhoben worden, so wird man bei der Nachricht freudig überrascht, daß die Verhandlungen bis zum Erkenntnisse nur einen Zeitraum von 8 Monaten und 14 Tagen erfordern, so daß die Verhandlung über einen Angeklagten nur einen Tag Zeit erfordert. Man kann getrost behaupten, daß, würde dieser Riesenprozeß nach der Inquisitionsmaxime schriftlich verhandelt, mindestens eben so viele Jahre, als jetzt Monate zu dessen Durchführung erforderlich sein würden. — Eine unzertrennliche Begleiterin des A. pflegt die Oeffentlichkeit der Verhandlungen zu sein, an sie knüpfen sich aber besondere Betrachtungen, welche in einem selbstständigen Artikel vorgetragen werden sollen. Hier genügt es, die aus dem innern Wesen des A. nothwendig fließenden Vortheile in Vergleich zu dem Inquisitionsprozesse hervorzuheben, um dem Leser die Auffassung beider Prozeßformen zu erleichtern. — Nachdem Preußen den meisten Verfassungs-Staaten (mit Ausnahme von Baden, welches durch die Strafprozeßordnung vom 6. März 1845 den A. mit Staatsanwaltschaft annahm, aber allerdings noch nicht einführte) in rascher Durchführung einer nothwendigen, gerechten und heilsamen Strafprozeßreform voranschritt, läßt sich mit Sicherheit erwarten, daß die kleineren Staaten Deutschlands, an deren Berufe zu eigenen großartigen Verbesserungen der ruhige Beurtheiler zu zweifeln immer mehr Veranlassung findet, im Laufe von Jahren oder Jahrzehnten nachfolgen werden. A. Hensel.

Anklageschrift, s. Anklageprozeß und Anklagestand.

Anklagestand. Wo der Anklageprozeß eingeführt ist, wird über die Anklageschrift des Staatsanwaltes oder Anklägers ein Erkenntniß des Gerichts darüber gefaßt: ob der Angeklagte in A. zu versetzen sei, d. h. ob ausreichender Verdacht vorliege, um gegen ihn die Hauptuntersuchung zu eröffnen. Diese förmliche Anordnung zur Eröffnung der Hauptuntersuchung mittelst Erkenntnisses oder collegialischen

Beschlusses findet auch nach der neuen badischen Strafprozeßordnung (VI. Titel) und nach dem preußischen Strafprozeßgesetze (§. 40 und 66) statt. Sobald Jemand in A. versetzt ist, wird über seine Schuld oder Schuldlosigkeit entschieden (vergl. Anklage und Anklageprozeß). Der Ausdruck „Versetzung in A." wird in Verfassungs-Staaten besonders auch auf die Minister angewendet, welche sich Handlungen zu Schulden kommen lassen, die auf den Umsturz der Verfassung gerichtet sind, oder die Verletzung einzelner Punkte der Verfassung betreffen. Den Ständen steht das Recht der Anklage zu und es entscheidet hierüber in der Regel eine besondere Gerichtsbehörde (der Staatsgerichtshof). Das Verfahren findet nach den Regeln des Anklagepro-zesses statt. *A. Hensel.*

Anleihe, s. Staatsschuld.

Annahme an Kindesstatt (Adoption) erfolgt in zweifacher Weise; entweder gewährt die A. alle Familienrechte und stellt das angenommene Kind einem von den Eltern erzeugten gleich (Wahlkindschaft); oder sie bezieht sich nur auf die Erziehung ohne weitere Rechte zu gewähren und heißt dann Pflegekindschaft. Die A. stammt aus Rom und ist mit dem römischen Rechte zu uns gekommen; dort hatten gewisse Gemeindeabtheilungen (Curien, Decurien, Guentes) sich besondere Schätze und Vorrechte erworben, die man durch A. zu erhalten suchte, wenn eine solche Abtheilung auszusterben drohte. Rechtlich bestimmt ist nach dem römischen bei uns noch gültigen Rechte bei der A., daß derjenige, welcher ein Kind annimmt, 1) ent-weder selbst keine Kinder hat, oder diese doch nicht benachtheiligt werden; 2) wenig-stens 18 Jahre älter ist als das Kind; 3) wenn er des Anzunehmenden Vormund war, erst Rechnung ablegt; 4) die Einwilligung der Verwandten beibringt und 5) die A. vor Gericht erklärt. Ist das Alles geschehen, dann tritt das angenommene Kind in alle Rechte eines wirklichen ein und fügt den Familiennamen dessen, welcher die A. bewerkstelligte, dem seinigen bei. *v. L.*

Annahme eines Wechsels, s. Accept.

Annalen, wörtlich Jahrbücher, oder Aufzählung der merkwürdigen Ereig-nisse, sind der Anfang der geschriebenen Geschichte, indem selbst die ältesten Völker A. über ihr Leben anlegten und führten. So z. B. haben die Chinesen A., die über 5000 Jahre, also über die Sündfluth hinausreichen. Diese ursprüngliche Bedeutung der A. ist Ursache, daß man später Geschichtswerke vielfach A. genannt hat, wohl auch noch nennt.

Annaten, wörtlich Jahrgelder, Name der Abgabe, welche für die Verleihung einer Kirchenpfründe an den päpstlichen Stuhl bezahlt wird. Sie besteht theils im halben, theils im ganzen Ertrage der ersten Jahreseinnahme. Anfangs wurden die A. nur in außerordentlichen Fällen erhoben; seit dem 14. Jahrh. aber wurden sie eine regelmäßige Steuer. Besaß Jemand seine Pfründe über 15 Jahre, so mußte er noch einmal zahlen. Auf diese Weise flossen ungeheure Summen aus allen Ländern in Rom zusammen. Die Reformation that auch hierin Schaden. Die deutschen Erzbi-schöfe, Bischöfe und Aebte wollten sich seitdem nicht mehr so ausbeuten lassen wie es früher geschehen war; sie zahlten bei Antritt ihres Amtes eine gewisse Summe, ver-weigerten aber jede Nachzahlung. Als mit dem Reichsdeputationshauptschlusse die deutsche Kirchenverfassung sich auflöste, kam die Sache noch mehr ins Stocken. Neuer-dings nun sind durch die Concordate einzelner deutscher Länder mit dem römischen Stuhle die A. für höhere Kirchenämter wieder hergestellt worden; doch ist es Rom nicht gelungen, eine fortlaufende Abgabe daraus zu machen. Sie werden nur einmal als Bestätigungs- und Weihegebühren bezahlt. Merkwürdig ist es, daß Rom, wel-ches die Simonie (s. Amtsverbrechen) mit weltlichen und geistlichen Strafen verfolgte, sie zu seinem Besten förmlich einführte und die ganze Christenheit dadurch plünderte. *Jäckel.*

Annuitäten, s. Jahrgelder, Leibrenten.

Anonymität, (Namenlosigkeit) s. **Preßgesetze.**

Anrüchigkeit, s. **Ehrlosigkeit.**

Ansteckende Krankheiten. Eine Krankheit, welche in einem Landstrich eine große Menschenzahl fast gleichzeitig erfaßt und sich immer weiter verbreitet, nennt man epidemisch (eingeführt), so wie man diejenige endemisch (heimisch, örtlich) nennt, welche in einem bestimmten Landstriche zu einer bestimmten Zeit wiederkehrt und von der selbst vorher Gesunde ergriffen werden, wenn sie sich in solche Landstriche begeben. Fragt man nach den Ursachen solcher Krankheitserscheinungen, so liegen dieselben entweder in Kleidung und Nahrung, Witterungsverhältnissen u. s. w. oder selbst in der Luft, die wir einathmen. Wissenschaftliche Untersuchen von der Erfahrung unterstützt, haben gelehrt, daß a. K., wenn es nicht örtliche (endemische) sind, entweder durch einen die Luft vergiftenden, nicht darstellbaren Stoff (Miasma, d. i. das Verunreinigende) oder durch einen als Körper (Pilz und Schimmelartig) vorhandenen Krankheitsstoff (Contagium), oder auch durch eine Vereinigung Beider ihre Verbreitung finden. Zu den letztern gehören namentlich: Pocken, Masern, Typhus, Scharlach, Influenzen, Ruhr, Pest, Cholera u. s. w., während Syphilis, Krätze, Rotz und Wurm der Pferde, so wie die bösartige Klauenseuche nur durch die Berührung von Stoffen, welche das Krankheitsgift aufgenommen haben, fortgepflanzt werden. — Diese Erfahrungen bestimmen die Maaßregeln, welche der Staat gegen das Umsichgreifen der a. K. zur Ausführung bringen läßt und ergreifen muß. Wenn bei rein contagiösen, d. h. durch greifbare Stoffe weitergepflanzten Krankheiten, die überhaupt außer bei den Hausthieren nie so massenhaft auftreten, die Absperrung und Beaufsichtigung der Erkrankten der einzig mögliche Weg zur Verhinderung der Ausbreitung scheint, so haben sich dagegen bei miasmatischen Krankheiten, deren Fortpflanzung durch die Luft geschieht, wie bei der Cholera und dem Typhus, die Absperrungsmaßregeln nicht allein als unwirksam, sondern sogar als nachtheilig erweisen. Von den a. K. ist namentlich die Lustseuche (Syphilis) in ihrer weitern Verbreitung gefährlich; da diese Krankheit aber nur durch Berührung fortgepflanzt wird, ist die Beaufsichtigung der prostituirten Dirnen, der großen Militair- oder andern Menschenmassen der einzige Weg zur Verhinderung und Verminderung. Maßregeln also, wie die der preuß. Regierung die aus falschverstandenen Sittlichkeitsbegriffen sich durch Aufhebung der Bordelle den einzigen Weg zur Beaufsichtigung verschlossen hat, sind entschieden verwerflich, wenn man mit der äußern Erscheinung des Uebels nicht auch das Uebel selbst entfernen kann. Bei den miasmatischen Krankheiten haben die Absperrungsmaaßregeln, wie bei der Cholera, sich nicht allein als unwirksam, sondern sogar dadurch als nachtheilig erwiesen, daß sie durch die Furcht eine für die Erkrankung vorbereitende ungünstige Aufregung der Gemüther hervorriefen, die manches Opfer gefordert hat. Anders verhält es sich mit der Absperrung gegen Personen und Güter, welche aus Pestgegenden kommen, da der Peststoff, außer der Vertragung durch Personen, besonders noch durch Wolle, Baumwolle, Häute und Haare u. s. w. verschleppt und verbreitet wird. — Im Allgemeinen sind die verheerenden Folgen der a. K. durch die Fortschritte der medizinischen Wissenschaften, durch die allgemeine Bildung und die strenge Beaufsichtigung über Personen, Gewerbe und Anstalten, durch welche die Gesundheit gefährdet werden kann, in engere Grenzen gebracht; England, das ohne Gesundheitspolizei sogar den Arzneihandel dem freien Schalten der Aerzte überläßt, giebt die sprechendsten Beweise dafür. Muß der Staat in einzelnen Fällen sich gegen a. K. absperren, so geschieht dieß mittelst einer Grenzbewachung (Cordon), die dann möglichst vollständig und streng sein muß. An den Verkehrsstraßen werden Prüfungshäuser (Contumazanstalten) errichtet, in welchen die Menschen eine Gesundheitsprüfung (Quarantaine = wörtlich 40 Tage) aushalten müssen, bevor sie die Grenze überschreiten dürfen und die im äußersten Falle 40 Tage dauert. Waaren aber werden daselbst durch zweckmäßige Mittel von dem Krankheitsftoffe gereinigt und dann weiter befördert. Natürlich müffen in diesen Anstalten alle Hülfsmittel für etwaige Erkrankungen eben so vorhanden, als die Beamten selbst von dem Verkehre abgeschnitten und denselben Anordnungen unterworfen sein. Bis jetzt haben sich all diese Anstalten fast nur gegen die Pest und gegen Viehseuchen bewährt, bei vielen a. K. aber hat die Grenzbewachung gewissermaßen als Mittel gedient, dieselben einzuführen. Ist eine a. K. im Lande selbst ausgebrochen, so pflegen die Maßregeln gegen Provinzen, Kreise, Orte und Häuser meist nutzlos und durch die große Hemmung des Verkehrs, die Störung, Angst und Aufregung, welche sie verbreiten, sogar gefährlich zu sein. Die Thätigkeit des Staates sollte sich dann ausschließlich auf die Herbeischaffung von Aerzten, Arzneimittel, Krankenwärter, u. s. w. beschränken. Namentlich aber ist die Maßregel falsch, den von einer a. K. Befallenen aus der Familie zu reißen und ins Spital zu stecken, eben dadurch wird das Uebel meistens gefährlicher gemacht, indem die Furcht vor dem Krankenhause zur Verheimlichung der Krankheit und zu Quacksalbereien verleitet. Sorge für Arzneien und die nöthigen Lebensmittel, Erhaltung von Zufriedenheit, Heiterkeit, die im Großen wie beim Einzelnen Vorbeugungsmittel sind, ist das fast Einzige, was der Staat thun kann und thun sollte. Zu Erhaltung der guten Stimmung trägt auch wesentlich bei, daß, wenn die a. K. die Vernichtung der Betten und Kleider nothwendig macht, den Armen, deren ganze Habe oft darin besteht, andere Betten verabreicht werden; ohne diese Maßregel wird entweder dem Kranken das nöthige Lager entzogen, oder die Betten werden wenigstens gleich nach dem Tode versteckt und die Maßregel erbittert also nur, ohne zu nützen. Das letzte Erscheinen der Cholera hat die Zwecklosigkeit der meisten bisher üblichen Sperrmaßregeln so schlagend dargethan, daß sich wahrscheinlich dieselben bald ausschließlich auf die Häfen beschränken und im Lande höchstens gegen Viehseuchen kehren werden. *Bertholdi.*

Antheile an großen Unternehmungen, s. Actien.

Anthropologie, wörtlich Menschenkunde oder Menschenlehre, und zwar sowohl von den geistigen als körperlichen Eigenschaften des Menschen. Daß im Gebiete der Politik diese Kunde eine gewichtige sei, bedarf wohl keines Beweises, da sich ein Gesetz, welches beachtet werden und den Menschen sogar beglücken soll, nicht schaffen läßt, ohne den Menschen, seine Eigenschaften und seine Bedürfnisse zu kennen. Namentlich aber bei Aufstellung eines Straftsystems und Strafgesetzes ist die A. eine unerläßliche Wissenschaft. Leider hat man vielfach Ursache zu glauben, daß die A. den Staatsmännern völlig fremd geblieben, oder verloren gegangen sei, denn es giebt Gesetze, und Bestrebungen, die weit eher für wilde Thiere, als für Menschen gemacht scheinen.

Anthropolaträ, s. Appollinaristen.

Anti corn Law legua, s. Getreidegesetze.

Antichambre, wörtlich Vorzimmer, besonders gebräuchliche Benennung der Vorzimmer der Großen und Gewaltigen, in welchem die Bittenden warten müssen, bis sie vorgelassen werden, oder bis ihnen die „Gnade zu Theil wird, sich allerunterthänigst nach dem hohen Befinden erkundigen oder fragen zu dürfen, wie man allergnädigst zu ruhen geruht hat.“ Weil die A. häufig mit Heuchlern, Schmeichlern und eigennützigen Bettlern im Großen gefüllt ist, hat ihre Bedeutung einen gehässigen Beigeschmack erhalten, und a n t i c h a m b r i r e n heißt ziemlich eben so viel als: sich wegwerfen.

Anticipation heißt Vorausnahme. Es kommt im Staatswesen vor, daß Steuern und Abgaben im Voraus entnommen werden, wenn das Bedürfniß die Einnahme übersteigt und andere Deckungsmittel für den Augenblick nicht zu haben sind. Meist werden für solche A.en Scheine gegeben, die nachher als eine Art Papiergeld wieder angenommen werden. A.sscheine heißen die Papiere, welche nach dem österreichischen Staatsbankerott 1811 ausgegeben wurden, um nur etwas Mittel wieder zu schaffen. Für die volle und richtige Einlösung war Seele und Seligkeit verschrieben; das hinderte indeſſen nicht, daß ſie ſpäter auf ⅖ ihres Nennwerthes herabgeſetzt, also wieder Staatsbankerott gemacht wurde.

Antik: alterthümlich. — **Antiquirt:** veraltet.

Antiquitäten: Alterthümer. Vergl. Alterthum.

Antinomie, ſ. Auslegung.

Antitrinitarier, Gegner der Dreieinigkeit, die Chriſtus nur für einen bevorzugten Menſchen und den heil. Geiſt für eine Eigenſchaft Gottes, beide aber nicht für Gott ſelbſt halten. Demnach gehören auch die Arianer zu den A., ferner Socinianer und Unitarier. Bekannte A. ſind Ludwig Hetzer, der 1526 deshalb zu Koſtnitz hingerichtet, und Michael Servetus, der 1553 auf Calvins Betreiben zu Genf verbrannt wurde.

Antrag nennt man einen Wunſch oder eine Bitte eines Landtagsmitgliedes, welcher in der Kammer mit dem Anſuchen vorgebracht wird, die Kammer möge den Gegenſtand des A.s der Regierung empfehlen. In England wird ein A. grade ſo behandelt, wie ein vom Miniſter eingebrachter Geſetzentwurf (eine Bill); in Deutſchland herrſcht darin eine große Verſchiedenheit: nach einigen Verfaſſungsbeſtimmungen muß jeder A. gegen die Regierungsvorlagen zurückſtehen; nach andern kann er mit einfacher Mehrheit verworfen werden, während gegen eine Regierungsvorlage ſich zwei Dritttheile ausſprechen müſſen; hier entſcheidet erſt ein Ausſchuß über die Zuläſſigkeit eines A.s, dort darf er ſogar nicht ohne Genehmigung der Regierung eingebracht werden, kurz, es zeigt ſich überall, daß nicht zwei Gleichberechtigte mit einander verhandeln, ſondern Rechte und Pflichten ſehr ungleich abgewogen ſind. Wie ein A. — auch vielfach Motion genannt, weil wir zwar immer deutſch ſein wollen, aber nicht einmal deutſch reden können — in der Kammer behandelt wird, iſt unter Geſchäftsordnung nachzuſehen.

Antritt, die Ueber- und Beſitznahme eines durch Erbſchaft oder ſonſt erworbenen Rechtes oder Gutes. Hier haben wir nur den A. der Regierung zu betrachten, welcher mit beſondern Feierlichkeiten und nach beſtimmten Vorſchriften erfolgt. Liegt es auch in der Lehre der Monarchie, daß der König eigentlich nicht ſtirbt und der Thronfolger vollberechtigt iſt, ſobald der Fürſt den letzten Athemzug ausgehaucht hat, ſo iſt die Wirklichkeit über dieſe Lehre doch hinausgeſchritten. Wie der A. einer Erbſchaft von ſelbſt die Pflicht auferlegt, die Verbindlichkeiten des Erblaſſers zu erfüllen, ſo legt der A. der Regierung entweder ſtillſchweigend die Pflicht auf, nach den ſtaatsgrundgeſetzlichen Beſtimmungen zu regieren; oder dieſe Verpflichtung muß vor dem A. ausdrücklich ausgeſprochen werden, wie das z. B. die engliſche, bairiſche u. a. Verfaſſungen beſtimmen. Wie nothwendig eine ſolche Beſtimmung iſt, hat in neueſter Zeit die Aufhebung der Verfaſſung in Hannover gelehrt und es ſollte jeder Volksvertreter es als Pflicht betrachten, derartige ſchützende Beſtimmungen in die Verfaſſung zu bringen, wo ſie mangeln; es müßte denn der Fall ſein, daß er die ganze Verfaſſung der Erhaltung nicht werth achtet, was auch vorkommen kann.

Antruſtionen (Dienſtmannen), ſ. Adel.

Anwalt, ſ. Advokat.

Anwaltsverhandlungen, ſ. Acten.

Anwaltsvereine und Verſammlungen, ſ. Advokatenvereine u. ſ. w.

Anwärter, ſ. Anwartſchaft.

Anwartſchaft (Exspectativa, Erſpectanz). So nennt man das Rechtsverhältniß, kraft deſſen Jemand (der Anwärter, exspectativarius, Erſpectant) ein Recht, welches einem Andern zuſteht, nach Erledigung deſſelben beanſpruchen kann. Die A. kann in den verſchiedenartigſten Fällen vorkommen; von beſonderer Wichtigkeit iſt ſie aber rückſichtlich erledigter Lehne, kirchlicher Aemter und Pfründen und der Staatsämter. Die Lehnsanwartſchaft (exspectativa feudalis) begreift eine vom Lehnsherrn getroffene Verfügung, nach welcher er ein Lehn unter

der Bedingung, daß es ihm heimfällt, einem Andern (Anwärter) zu bestellen verpflichtet ist. Sie findet entweder in Bezug auf ein bestimmtes Lehn (exsp. specialis),
oder auf das zuerst zur Erledigung kommende Lehn (exsp. generalis) statt.
Sie kann ferner entweder nur bei einem im Voraus bestimmten Grunde (exsp. de-
terminata), oder bei jedem Grunde der Erledigung, sei es Todesfall, Unwürdigkeit,
freiwillige Aufgebung (exsp. indeterminata) vorkommen. Sie kann weiter entweder
schon mit der Eventualbelehnung verbunden sein (exsp. qualificata) oder nicht (exsp.
simplex). Ist endlich bereits ein Anwärter vorhanden und es wird auf den Fall,
daß dessen Recht, noch ehe das Lehn heimfällt, sich erledigt, eine A. ertheilt, so heißt
diese Superexspektanz (überzählliche A.) Die Entstehung der Lehns-A. rührt
daher, daß Lehnsherren Denjenigen, welche ihnen Dienste geleistet hatten, oder welchen
sie ihre Erkenntlichkeit bezeigen wollten, statt eines Lehns nur das Recht auf ein künftiges ertheilten. Die Verleihung einer A. vermöge Vertrags oder letzten Willens,
verpflichtete den Verleiher nur für seine Person, nicht auch seine Erben, weil Diese
ihr oberherrliches Recht nicht vom Erblasser, sondern vermöge der Lehnsgesetze vom
Beginn des Lehns (ex pacto et providentia maiorum) ableiteten; nur wenn die
Erben auch in das Allodialerbe (das nicht mit Lehnseigenschaft versehene Vermögen)
nachfolgten, waren sie zur Anerkennung der A. verpflichtet. Dagegen ging das Recht
der Anwärter, dafern es nicht ausdrücklich auf deren Person beschränkt war, auch
auf ihre Erben über, ohne daß es zu dessen Erfüllung bei Wechselfällen einer Lehns-
erneuerung (Renovation) bedurfte. Bei der Eventualbelehnung (exsp. qualificata)
dagegen sind die Anwärter verpflichtet, bei jeder Veränderung der Lehnsherren um Belehnung nachzusuchen und alle Pflichten zu erfüllen, die einem Lehnsvasallen, dem
Lehnsherrn gegenüber obliegen. Auch steht ihnen ein dingliches Recht dergestalt zu,
daß sie bei eintretendem Heimfall des Lehns ihr Recht gegen Jedermann zu verfolgen
berechtigt sind, wogegen bei der einfachen A. (exsp. simplex) der Anwärter bloß ein
persönliches Recht, ein Klagerecht auf Lehnsverleihung gegen den Lehnsherrn, hat.
Sind mehre A.en ertheilt worden, so geht die qualifizirte der einfachen vor, und
auch hat die frühere den Vorzug. Beim Heimfall gehen nach der richtigern
Meinung die Früchte des Lehns auf den Anwärter von der Zeit an über, zu welcher
er um die Belehnung angesucht hat. Auch hat der Anwärter das Recht, zu verlangen,
daß der Lehnsherr und dessen an die Verleihung gebundenen Nachfolger sich alles dessen
enthalten, was den künftigen Eintritt der A. verhindert. — Der deutsche Kaiser war
bei Ertheilung von Lehns.en sowohl als bei Verleihung von Lehen selbst an die Einwilligung der Kurfürsten und Reichsstände gebunden. Nach Auflösung des Reichs
dauerte zwar das Recht der A., weil dasselbe ein wohlerworbenes Privatrecht und von
der Staatsverfassung unabhängig ist, fort; allein der That nach ist ein solches Recht,
insofern es an der Gewalt, es wirksam zu machen, mangelt, allerdings für ein erlo-
schenes zu achten. Uebrigens ist auch in mehrern deutschen Staaten, wo das Lehnswesen noch besteht, in den Verfassungsurkunden bestimmt worden, daß Lehns.a. nicht
ertheilt werden sollen, wie z. B. in der Sächs. und der Baier. (Vergl. Erbver-
brüderungen). — Im Kirchenrechte ist A. das vom Verleihungsberechtigten
ertheilte Recht auf eine künftige Pfründe oder Stelle. Insbesondere verlangten die
Fürsten schon frühzeitig das Recht, Panisbriefe (ius primarum precem), d. h.
eine A. auf die erste nach ihrem Regierungsantritt in jedem Kapitel ledig werdende
Stelle zu ertheilen, und es hat sich dieses Recht bis zur Auflösung des deutschen
Reichs erhalten. Ein gleiches Recht bezüglich aller geistlichen Stellen maßten sich
auch die Päpste, und zwar anfänglich nur in Form höflicher Bitten und Gnadenem-
pfehlungen an, sowie auch Andere, welchen die Besetzung geistlicher Aemter zustand,
von Ertheilung von A.en umfänglichen Gebrauch machten. Durch verschiedene Bullen
und Concilienbeschlüsse, zuletzt durch die Kirchenversammlung von Trident, wurde die
Ertheilung von A.en, da durch sie fast stets versteckte Simonie (s. Amtsverbrechen) ge-

trieben wurde, gänzlich verboten, und mit Bezug auf diese Gesetze ist auch in neuerer Zeit selbst in protestantischen Ländern von den Gerichten jede A. auf ein geistliches Amt für ungültig und verboten erkannt worden. Dagegen sind dermalen noch gültig: 1) die dem außerordentlichen Gehülfen eines Bischofs (Coadiutor) nach altem Herkommen zugesicherte Nachfolge im Bischofssitze, 2) die A. auf Stellen in Hoch- und Kollegiatstiftern, in welche, unter den stimmberechtigten Capitularen auch nicht stimmberechtigte aufgenommen wurden; von letztern haben Einige den Genuß einer Pfründe, Andere nur die A. auf eine solche bei eintretender Erledigung; eine selbst bei den vorhandenen protestantischen Stiftern jetzt noch bestehende Einrichtung, 3) die A. auf den Pfründen ähnliche akademische Stipendien und auf Freistellen bei höhern Schulen (Vergl. Benefizien). — A. kommt endlich auch in Bezug auf Staatsämter vor, und sie kann bei diesen dann einigermaßen gerechtfertigt werden, wenn sie sich mit einer Stellvertretung (Adjunction) und Unterstützung des noch lebenden wirklichen Beamten verbindet; denn in solchen Fällen ist die A. als ein Ersatz für die meist geringe Besoldung zu betrachten und dem Bedenken nicht unterworfen, welche eine A. ohne diese Pflicht erregt. Die letztern verleiten nämlich nicht selten die Anwärter, in sicherer Aussicht auf die bevorstehende Versorgung sich dem Nichtsthun zu ergeben; sie nähren das unmoralische Verlangen nach dem baldigen Ableben des Amtsinhabers und sind der Erfahrung nach oft lediglich aus persönlicher Gunst ertheilt worden. Auch hinderten sie nicht selten eine zweckmäßige Besetzung des Amtes, wenn im Verlauf der Zeit der Anwärter sich als minder fähig gezeigt, und gleichwohl den Anspruch auf das Amt, entweder durch Verleihung oder Erbrecht (Erbstaatsämter in Sachsen war das gräfl. Geschlecht v. Bosen zum Vorsitz der landschaftlichen Mitglieder im Obersteuerkollegium berechtigt) erlangt hatte. Daher ist auch die Ertheilung dieser letztern Art von A. in den meisten Staaten untersagt, im Kurfürstenthum Sachsen schon durch ein, sogar mit rückwirkender Kraft versehenes Rescript v. 28. Okt. 1763, in welchem es u. a. heißt: „wir sind entschlossen, unter den verschiedenen Competenten um eine erledigte Stelle selbige allemal Demjenigen zu verleihen, welchen wir dazu am geschicktesten zu sein erachten, und mögen nicht geschehen lassen, daß diese unsere Absichten durch im Voraus zu ertheilende oder bereits ertheilte Anwartungen vereitelt werden." In Baiern und den beiden Hessen ist die A. durch die Verfassungsurkunden v. 1818, 1820 und 1831 aufgehoben. Dagegen hält man die A. auf Hofämter weniger für tadelnswerth, da zu solchen meistens nur ein günstiges persönliches Aeußere, und Reichthum gefordert wird, und es kommen daher noch bisweilen Erbhofämter vor, welche mit einer A. der Nachfolger auf das Hofamt verbunden sind.   Bertling.

Anweisung heißt der schriftliche Auftrag an einen Dritten, dem Besitzer der A. Geld oder Geldeswerth auszuhändigen. Sie ist ein wesentliches Erleichterungsmittel des Handels, indem sie die Abrechnung vereinfacht und die Geldsendungen vermindert. Die A. hat fast die Geltung eines Wechsels, wenn auch nicht die rechtlichen Folgen desselben. Ist sie auf Zeit gestellt, z. B. einen Monat nach Sicht, so verlangt der Besitzer gewöhnlich von Demjenigen, welchen sie befriedigen soll, die Anerkennung, die in dem einfachen Bemerken des Tages, an welchem die A. vorgezeigt wurde, besteht, aber nicht in dem Grade verbindlich macht, wie die Annahme (s. Accept) eines Wechsels.

Anzeichen (Indicien) s. Beweis.

Anzeigen (Indicien) s. Beweis.

Anzeige (Denunciation, Anzeigepflicht). A. heißt im Strafverfahren die Benachrichtigung der Obrigkeit von einem vorgefallenen oder bevorstehenden Verbrechen. Beruht die A. lediglich auf der Ueberzeugung von einer moralischen oder bürgerlichen Verpflichtung und geschieht sie demnach freiwillig, so erscheint sie, abgesehen von der möglichen Irrigkeit einer solchen Ueberzeugung, in einzelnen Fällen, als gerechtfertigt. Wirkt aber der Staat durch seine Behörden ein, indem er unter Verheißung von Belohnungen zur A. auffordert, so ist solche Maßregel den Grundsäzen der Moral und Ehre entgegen, da dann der Staat selbst es ist, welcher in den Bürgern unsittliche und schimpfliche Gründe begünstigt (Vergl. Angeberei). Dies geschah zu den Zeiten des tiefsten Sittenverfalls unter den berüchtigsten römischen Kaisern, von welchen die Delatoren (Angeber) durch Belohnungen aufgemuntert wurden. Gleichwohl hat man für die äußersten Nothfälle solches Verheißen von Belohnungen für die Angeber mitunter gebilligt, namentlich bei A. der Verbrechen der Brandstiftung, des Hochverraths u. s. w. Ist die A. als eine Amtspflicht auferlegt, so erscheint dies, so lange die Beamten von unwürdigen und unsittlichen Mitteln zur Erreichung ihres Zweckes sich fern halten, als gerechtfertigt. Dagegen würde die Anordnung einer allgemeinen bürgerlichen Zwangspflicht zur A. verübter Verbrechen nicht zu billigen sein, wie denn auch eine solche in den positiven Gesetzen nicht vorgeschrieben ist. Nur rücksichtlich bevorstehender Verbrechen bestimmen die Gesetze, daß bei gewissen schweren Verbrechen (wie namentlich Hochverrath und Brandstiftung) die A. bei Strafe geschehen müsse, und daß nur, wenn sie gegen Verwandte, Ehegatten oder sonst nahe stehende Personen gerichtet sein würde, die Unterlassung straflos sei. Der Angeber (Denunziant) ist verschieden vom Ankläger und vom Zeugen. Dem Ankläger liegt die Nachweisung des Verbrechens und die Beweisführung ob, wogegen der Denunziant sich begnügt, das, was er zu erfahren Gelegenheit gehabt hat, anzuzeigen, die Beweisführung der Behörde überläßt und nur wenn er wissentlich falsche Aussage gethan hat, sich der Verantwortung und Strafe aussezt. Der Zeuge wird vom Richter zur Ablegung seines Zeugnisses aufgerufen und hat als solcher, dafern nicht andere Umstände seine Glaubwürdigkeit schwächen, volles Vertrauen. Der Denunziant dagegen kann schon als solcher nicht auf Vertrauen Anspruch machen und wird daher auch nur, wenn die Umstände ihn als glaubwürdig erscheinen lassen, zur Vereidung zugelassen. *Vertling.*

Anzugsgeld oder **Einzugsgeld** heißt die Abgabe, welche die Gemeinde oft von dem erhebt, welcher Aufnahme bei ihr erhalten hat. Sofern die Gemeinde jedem Neuanziehenden, außer Schuz und Sicherheit, stets eine Menge Annehmlichkeiten gewährt, z. B. Antheil am Pflaster, der Straßenbeleuchtung, den Spaziergängen, Kirchen, Schulen u. s. w. ist das A. nicht unbillig. Verwandt mit dem A. ist das Bürgergeld, welches beim Eintritt in die berechtigte Bürgerschaft auch von dem bereits Einheimischen bezahlt wird, weil ihm mit diesem Eintritt höhere Rechte und Genüsse gewährt werden. Auf dem Lande heißt das A. meist Nachbargeld.

Apanage, s. Jahrgelder fürstl. Personen.

Apostasie, Apostat, s. Abfall.

Apostolicum, s. Symbole.

Apostoliker, eine oft auftauchende Kezersecte; schon im 2. und 3. Jahrh. tauchte dieselbe auf, wollte gleichberechtigt mit den Aposteln sein, deren Schriften ändern, verbessern und verwerfen. Dann erschienen im 12. Jahrh. A. am Rhein, welche die Taufe, den Ehestand, das Fegfeuer, die Seelenmesse und dergl. verwarfen, und sich für die wahre alleinseligmachende Kirche erklärten. Sie verschwanden bald von selbst. Endlich kehrten sie unter den Wiedertäufern des 16. Jahrh.s in fast gleicher Weise zurück, auch wollten dieselben wie die Apostel lehren und taufen. In dieser Beziehung sind die Herrnhuther ebenfalls A., und der Name schreibt sich in dieser Bedeutung von den Predigern her, die im 6. Jahrh. die heidnischen Bewohner Englands zum Christenthum bekehren wollten.

Apostolisch heißt Alles, was angeblich von den Aposteln abstammt, oder sich auf sie bezieht. Deshalb nennt sich die römische Kirche a., weil sie von den Aposteln abzustammen behauptet. Der Papst sizt auf dem a. Stuhl und ertheilt den a. Segen; auch hält sie am a. Bekenntniß, welches aber im 4. Jahrh. erst entstand. A. hieß auch der König von Ungarn seit dem 10. Jahrh., weil er das Christenthum verbreitete; unter Maria Theresia ging der Titel auf das österreichische Kaiserhaus über.

Apotheken, s. Arzneihandel.

Appellation, s. Berufung.

Appellationsgerichte, s. Gerichte.

Appoint, s. Abschlußwechsel.

Appolinaristen. Eine Ketzersecte im 4. Jahrh., welche behauptete, Christus habe nur eine menschliche Seele gehabt, mit welcher sich der göttliche Gedanke (Logos) vereinigt habe. Appolinaros, Bischof von Leocadia, war ihr Stifter. Nach seinem Tode, und nachdem die Lehre von mehrern Concilien verdammt war, theilten sich die A.; die einen blieben der Lehre treu und hießen von ihrem Haupte (Valentinus) Valentinianer; die andern behaupteten, Christus sei Gott gewesen mit Leib und Seele, und hießen nach ihrem Haupte (Polemo) Polemianer, auch Vermischungsgläubige (Synusiasten), Fleischanbeter (Sarkolaträ) und Menschenverehrer (Anthropolaträ) genannt. Trotz der Verfolgung, zerfielen sie doch im 5. Jahrh. in sich selbst. Bei der Reformation tauchten alle diese Namen wieder auf, indem sowohl Katholiken und Protestanten, als die Partheien des Abendmahlsstreites (s. d.) sie sich gegenseitig ertheilten.

Appropriationsclausel, ein Vorschlag im engl. Parlament, welcher viele Jahre die heftigsten Kämpfe veranlaßte. Als die Minister 1833 den Gesetzentwurf brachten, durch welchen die Katholiken Irlands von der ungerechten Steuer für die engl. Hochkirche befreit werden sollten, beantragten sie zur Deckung des Ausfalls, man möge die engl. Bisthümer vermindern, die bischöflichen Ländereien verpachten, und den Geistlichen eine Steuer auferlegen. Sollte dadurch etwas über den Bedarf erzielt werden, so möge dies dem Staat anheimfallen. Dagegen erhob sich Alles, was der Kirche treu war und was Geld von ihr zog, so entschieden, daß das Ministerium genöthigt war, den Vorschlag zurück zu ziehen. Fünf Ministerwechsel haben sich an diesen Vorschlag geknüpft, indem wenn die Torrys am Ruder waren, die Whigs ihn — unter verschiedenen Formen — ins Parlament brachten, und eine Mehrheit dafür gewannen, wogegen es den Torrys gelang, die Whigs durch Mehrheit zu stürzen, wenn diese Minister waren, und den Gesetzentwurf wieder brachten. Nicht einmal die Bestimmung, daß die etwaigen Ueberschüsse blos für Erziehung und Volksunterricht verwendet werden sollten, ging durch. Man fühlte beiderseits, daß mit dieser Bestimmung der erste tödtliche Streich gegen die unabhängige und anmaßende Stellung der Hochkirche und den ungeheuren Reichthum derselben geführt werde, dessen Folgen unberechenbar sein würden. Merkwürdig ist, daß nach diesem langen und hitzigen Kampfe beide Partheien die Sache fallen ließen, so daß mit dem Regierungsantritt der Königin Victoria die A. verschwand.

Appunto, s. Abschlußwechsel.

Arbeit ist jede bewußte Thätigkeit des Menschen, welche irgend ein Ziel erstrebt. Sie ist das mächtigste Mittel zur Erhebung und Veredlung des Menschen und die Allgemeinheit und Schönheit der A. kann als Gradmesser für die Bildung eines Volkes betrachtet werden. Dies zeigt schon ein Blick auf die Entwicklungsgeschichte der Menschheit: Sobald der Mensch die Erzeugnisse des Bodens und des Waldes genießen, Wohnung, Kleidung und Bequemlichkeit haben wollte, drängte sich ihm die A. als Nothwendigkeit auf. Aber die A. war roh, mühsam und gar nicht genußreich, deshalb lockte sie den Menschen nicht und er zog es vor, seine Kraft zur Unterjochung des Mitmenschen zu verwenden, und ihn durch die Furcht vor seiner körperlichen Uebermacht zu zwingen, daß er die A. für ihn mache. So sonderten sich Freiheit und Sclaverei, Herrschaft und Unterthänigkeit ab; so entstanden die Unterschiede der Stände, die Kasten und Zerklüftungen der Gesellschaft, die sich zuletzt alle auf den großen Unterschied der Faulen und Müßiggänger und der Arbeitenden zurückführen laffen. Wie sich die Menschen und mit ihnen die A. veredelte, so verschwanden diese Unterscheidungen; der A. strömten immer mehr Hände zu, der müßig ruhenden wurden immer weniger und heute ist die A. dem denkenden Menschen Bedürfniß, der Müßiggang nur noch eine Ausnahme. Sobald es gar keine Menschen mehr geben wird, die selbst nichts thun und von der A. Anderer leben wollen, wird es auch keine Unfreiheit und keine Noth mehr geben. Ist nun die A. eine Quelle der Veredlung, so ist sie in noch höherm Grade eine Quelle unberechenbarer Genüsse und Wohlthaten; die A. vertausendfacht den Ertrag des Bodens und alle Erzeugnisse der Natur, sie bildet jedes Erzeugniß in tausend Formen und Gestalten um, die alle dem Leben neuen Reiz und neue Genüsse verleihen und schmückt so das Dasein mit unnennbaren Herrlichkeiten. Aber durch diese zauberhafte Wirkung ist sie auch eine unerschöpfliche Quelle des Reichthums und vermag es, Tausende zu ernähren, wo der karge Boden fast jede Mithülfe versagt. — Als man anfing über die A. zu denken, schachtelte man sie nach deutscher Gelehrtenweise in verschiedene Fächer ein und kam zu dem Unsinne erzeugende (productive) und nichterzeugende (unproductive) A. zu finden; als die erstere betrachtete man die A., welche dem Boden seine Erzeugnisse abzugewinnen trachtet, als letztere jede andere A. Als ob es nicht eben so erzeugend wäre, dem Landbauer Werkzeuge, Kleider und Betten zu schaffen, als Korn ausdreschen oder Kühe melken! Erzeugend ist jede A. und nur der Müßiggang ernährt sich unberechtigt und unbefugt, weil er nichts erzeugt. Muß man einschachteln, so ist vielleicht die Abtheilung zulässig in 1) rohe A., welche sich mit dem Einsammeln der Naturerzeugnisse beschäftigt; 2) veredelnde oder gewerbliche A., welche die Naturstoffe verändert und vervielfacht; 3) vermittelnde A., welche die Verwerthung der A.s-Erzeugnisse befördert und 4) verschönernde A., d. h. solche, welche Belehrung und dadurch höhern Genuß zu schaffen strebt. — Die meisten Erfolge der A. werden durch die Theilung derselben erzielt, welche wir besonders zu besprechen haben. — Hat man die unberechenbare Wichtigkeit der A. erkannt, so ist es allerdings Aufgabe des Staates, dieselbe zu fördern mit allen Kräften, vor allem aber dem Arbeitenden diejenige Freiheit, Sicherheit und Selbständigkeit zu gewähren, ohne welche keine menschliche Kraft und Thätigkeit den Höhepunkt ihres Wirkens erreichen kann. Es ist Vieles und Großes geschehen in dieser Beziehung; aber daß bei Weitem nicht genug geschehen ist, das zeigt uns ein Blick auf den Zustand des Arbeiters, welcher statt in dieser Freiheit und Unabhängigkeit, großentheils in einer wahren Sclaverei lebt, die seine Kräfte und Veredlung hemmt und ihm die Frucht der A. raubt. Wir werden die Ursachen dieser Stellung näher zu untersuchen haben, wenn wir die Verarmung betrachten. R.W.

Arbeiter, derjenige, welcher arbeitet.

Arbeiterunruhen sind ein Erzeugniß der neuern Zeit, welches mit der zunehmenden Verarmung in dem innigsten Zusammenhange steht. Zwar hat es bei keinen Unruhen der frühern Zeit an theilnehmenden Arbeitern gefehlt; allein so ausschließlich aus dem Kreise der Arbeiter hervorgegangen sind sie nie. Die Ursache der A. war fast immer ein Mißverhältniß des Lohns zur Arbeit, oder zum Preise der Lebensmittel, so daß Ziel und Zweck stets Erhöhung des Lohnes war. Lange kannten wir die A. nur aus der Ferne, aus England und Frankreich, leider hat die neueste Zeit sie uns näher gebracht. In Langenbielau und Prag brachen schon vor einigen Jahren A. aus, die nur durch offenen Kampf und Blutvergießen gedämpft werden konnten; die Eisenbahnarbeiter in den verschiedenen Gegenden unsers Vaterlandes suchten durch A. Lohnerhöhungen, die Festungsarbeiter in Ulm erstrebten mehrmals dasselbe und die Theuerung des Winters von 1847 hat in den verschiedensten Städten A. hervorgerufen. Man kann derartige Verirrungen nur aufs Tiefste beklagen und mißbilligen, denn sie verletzen die Ordnung und das Gesetz, hemmen den ruhigen Fortschritt und führen auch nicht einmal das Gewünschte herbei, sondern verschlimmern nur die Zustände und die Noth. Aber die Mäßigung der Arbeiter bei dieser Erscheinung muß man meist anerkennen, und dem Sprichwort gerecht werden: Noth kennt kein Gebot. Möchten Alle, die dazu berufen sind, eifrig Hand anlegen an eine Verbesserung des Looses der Arbeiter, dann werden A. nicht mehr zu fürchten sein.   R. B.

Arbeitshäuser oder **Werkhäuser** sind ein Mittel zur Förderung der Arbeit, wenigstens **sollen** und **sollten** sie eins sein. Wenn man die Arbeit in ihrer ganzen Wichtigkeit betrachtet, taucht natürlich der Gedanke auf, daß es nothwendig sei, demjenigen, welcher keine Arbeit und damit keinen Verdienst und keine Lebensmittel hat, beides zu verschaffen. So hat man die A. errichtet und in denselben zugleich für Arbeit und Unterkommen, Nahrung u. s. w. dessen gesorgt, welcher keine Arbeit hat. Allein man hat sich vom ersten Augenblick an in der Ausdehnung des Mittels vergriffen und die Anlage gemacht, ohne das Bedürfniß genau zu ermessen; die A., wo sie bis jetzt entstanden sind, reichen bei Weitem für die Arbeitsbedürftigen nicht hin, können nur den kleinsten Theil derselben aufnehmen und befriedigen. Daraus folgte, daß man den Eintritt erschweren mußte und durch harte Behandlung, karge Nahrung und besonders schwere Arbeit die Aufnahmesuchenden abzuschrecken trachtete. Hierzu kam noch, daß man, von dem Grundsatze ausgehend, der Mensch muß sich durch A. ernähren, Zwangsmaßregeln gegen Diejenigen ergriff, welche angeblich oder wirklich nicht arbeiten **wollten**, sie gewaltsam in die A. steckte, und dieselben dadurch zu einem Sammelplatze der Müßiggänger, Herumtreiber und unentdeckter Verbrecher machte, deren Zahl bald überwog, weil sie sofort aufgenommen wurden, wenn man sie aufgriff, während der ordentliche Arbeiter Mühe und Noth hatte, ein Plätzchen zu finden. Schreckte nun schon die Behandlung den anständigen Arbeiter aus den A. zurück, so that dies die Gesellschaft noch weit mehr, namentlich deshalb, weil man keinen Unterschied in der Behandlung machte und Alles als Herumtreiber und Verbrecher betrachtete. So verfehlten die A. — mit sehr wenigen Ausnahmen — gänzlich ihres Zweckes und der Abscheu gegen dieselben geht z. B. in England soweit, daß der Arbeitslose oft lieber ein Verbrechen begeht, um ins Gefängniß, statt in die A. zu kommen. Die A. unsrer Zeit sind — abermals mit wenigen ehrenvollen Ausnahmen — nicht nur ungenügend, sondern geradezu verderblich; statt eine Zufluchtsstätte für die Arbeitslosen zu sein, sind sie **Strafanstalten, Zuchthäuser,** wo der Wille zu arbeiten, gezüchtigt wird, und die Gemeinschaft mit Herumtreibern und Verbrechern entsittlicht. Sollen A. ihren Zweck erfüllen, so muß der Arbeitslose sich geachtet sehen, es muß eine **Ehre,** ein Beweis des Fleißes und redlichen Willens zu arbeiten sein, wenn Jemand die A. bewohnt hat, nicht eine **Schande** wie jetzt. Die Gemeinschaft mit Verbrechern ist etwas so Empörendes, wie es nur in Zuständen gefunden werden kann, in welchen der Geldsack und nur der Geldsack den Staat vertritt, die Gesetze macht und die öffentliche Gewalt zu seinen Gunsten ausbeutet; der Geldsack, welcher in jedem brodlosen Arbeiter seinen Todfeind sieht, und sehen muß durch die falsche Stellung, die er einnimmt, während sie als unentbehrliche und gleichberechtigte Genossen Hand in Hand zu gemeinschaftlichem Segen durch das Leben wallen sollten. Ueberhaupt hat der Staat gar kein Recht, irgend Jemand zur Arbeit zu zwingen, wie sehr man auch anerkennen muß, daß ihn unsere Gesellschaftsverhältnisse oft dazu zwingen. Die Arbeit ist eine Nothwendigkeit, aber keine Pflicht, deren Unterlassung Strafe verdient; sie bestraft sich selbst. Wollte man aufstellen, daß die Arbeit eine Pflicht sei, zu deren Erfüllung man zwingen darf; daß derjenige, welcher der Gesellschaft nicht durch Arbeit nützen will, auch nicht ihre Wohlthaten genießen soll, so müßte man die A. weit mehr aus den obern Schichten der Gesellschaft füllen, als aus den untern. — A. heißen auch eine besondere mildere Gattung Zuchthäuser (s. d.), sie sind es alle.   R. B.

Arbeitslohn, heißt der Betrag an Geld, Lebensmitteln oder andern Werthgegenständen, welcher für die A. gewährt wird. Der A. richtet sich genau nach der Menge der Arbeit, welche gesucht und begehrt ist; übersteigt das Begehr das Verhältniß der Arbeit und Arbeiter, so steigt der A.; übersteigen die Arbeiter den Bedarf, so fällt derselbe. Wo viel Arbeit ist, aber wenig Hände, wie in Nordamerika, da ist der A. so hoch, daß die Arbeiter sich nicht nur ernähren, sondern sogar sparen, und zu einem gewissen Wohlstand gelangen können; wo das umgekehrte Verhältniß stattfindet, wie in den meisten Gegenden Europas, ist der A. so gering, daß der A. sich und den Seinen das Leben kaum auf die elendste Weise erhalten kann. Es ist nicht nur empörend, wenn die nützlichste Thätigkeit des Menschen, die Arbeit, so schlecht lohnt, daß der Arbeiter sich jeden Genuß versagen muß; sondern es ist auch gefährlich und vom höchsten Nachtheile für die Gesammtheit. Denn der schwache entnervte Arbeiter erzeugt ein noch schwächeres und unfähigeres Geschlecht und mit dem Abnehmen der Menschenkraft vermindert sich das Wohl des Einzelnen wie des Ganzen. Die zu schlecht bezahlte Arbeit wirkt nachtheilig auf die allgemeine Bildung und Veredlung, denn der Arbeiter kann theils Zeit und Kosten für sich und seine Kinder nicht aufwenden, theils erschlafft auch die Spannkraft des Geistes und geht der Gesammtheit verloren. Dies zeigt sich deutlich in den Staaten, wo der Arbeiter keinen Theil am Ertrag der Arbeit hat, wo Sclaverei und Leibeigenschaft herrschen; dort mangeln auch die Talente, die Erfindungen, die Zeugnisse regen Geisteslebens. Wie sehr also der Staat, als Vertreter der Gesammtheit, dabei betheiligt ist, daß der A. den Arbeiter völlig befriedigt, so darf er doch nicht geradezu eingreifen. So ungerecht und unpassend es wäre, für jede Arbeit einen bestimmten Lohn festzustellen, wie das in kindlichen Staatszuständen oft geschah, so ungerecht und störend würde es sein, ein Kleinstes festzustellen, was der Arbeiter verdienen muß. Die einzige Hülfe, welche der Staat leisten kann, liegt in der Förderung der Arbeit und Förderung des Arbeiters, in Anwendung der Mittel, welche schon unter Almosen angedeutet sind. So lange man die Kraft, welche in den arbeitenden Klassen wohnt, fürchtet und nur unter dem Joche der Unselbstständigkeit nützlich verwenden zu können glaubt, wird das Mißverhältniß immer schlimmer werden und die Sicherheit der Gesellschaft ist von Tag zu Tage mehr gefährdet, weil die Verarmung mit all' ihren Wehen unaufhaltsam fortschreitet. Giebt man aber die Kraft der vollen Selbstständigkeit und freien Schaltung anheim, so wird sie unermeßliche Hülfsmittel in sich selbst finden und mit dem Werthe der Arbeit den A. auf eine ungewohnte Höhe steigern. N. B.

Arbeitsteuer, s. Gewerbsteuer.

Arbiter, der Schiedsrichter bei den Römern, s. Schiedsrichter.

Arbitrage, der Ausspruch des römischen Schiedsrichters, s. Schiedsrichter.

Arbitragerechnung, im Handel die Rechnung, durch die ermittelt wird, an welchen Geldsorten bei einer zu leistenden oder zu empfangenden Zahlung am meisten gewonnen wird.

Arbitrium, der Ausspruch, die Meinung, das Gutachten des Schiedsrichters, s. Schiedsrichter.

Arbitrirung heißt die Erwägung und Vorausberechnung eines Handelsgeschäftes nach seinem muthmaßlichen Gewinne oder Verluste.

Archidiaconus, ehedem ein bischöflicher Unterbeamter, welcher einem gewissen Sprengel (Archidiaconat) vorgesetzt war; jetzt in der römischen Kirche nur noch ein Titel ohne Bedeutung. In der protestantischen Kirche Benennung des zweiten Geistlichen an einer Kirche, welcher dem Pfarrer theils unter-, theils beigeordnet ist. Vergl. Diacon.

Archipresbyter, s. Erzpriester.

Architectur, s. Bauwesen.

Archiv, Archivrecht, s. Urkunden.

Arglist, eine böse Eigenschaft des Menschen, welche er anwendet, schlechte Absichten zu verbergen, oder schlechte Handlungen in ein scheinbares Gewand zu hüllen. Wird auch häufig — wenn auch unrichtig — gebraucht zur Bezeichnung der Absicht (s. d.)

6*

Argulets, s. Arkebusirer.
Argument, s. Beweisgrund.
Argumentation, s. Beweisführung.
Arianer, eine Ketzersecte im 4. Jahrh., die Christus nicht für Gott, sondern nur für das edelste Geschöpf nächst Gott hielten. Arius, ihr Gründer, und sein Anhang wurden auf 3 Synoden verdammt und landesverwiesen, auch stellte man dieser Irrlehre wegen das Nicäischen Bekenntniß (s. Symbole) auf. Aber die Kirche war damals der weltlichen Herrschaft der Römer dienstbar und so kams, daß die Gegner der A. in Ungnade fielen und die A. zurückgerufen und die herrschende Partei wurden. Sie verloren sich aber nur in kleinliches Gezänk, indem der Eine Wesensgleichheit, der Andere Wesensähnlichkeit des Sohnes mit dem Vater lehrte, feindeten sich gegenseitig an und verschwanden allmälig. Doch war die Lehre der römischen Kirche noch später so verhaßt, daß alle auftauchenden Ketzer des Arianismus beschuldigt wurden.
v. L.

Aristocratie heißt wörtlich die Herrschaft der Besten und Vorzüglichsten (Aristen) und ist demnach die beste und wünschenswertheste Form jeder Staats- und Gemeindeverwaltung, denn nur die Besten und Vorzüglichsten sollten die öffentlichen Angelegenheiten leiten. Aber unendlich verschieden vom Wortlaute ist der Begriff der A., wie ihn die Geschichte uns entgegenbringt; da heißt A. nichts andres, als die Herrschaft der Anmaßendsten und Gewaltigsten. So tritt in den ältesten Staaten die A. des Lehr- und Wehrstandes auf, d. h. die Herrschaft der Pfaffen und Soldaten, die durch ihr Wissen, verbunden mit täuschenden übersinnlichen Vorspiegelungen, und durch rohe Waffengewalt das Volk knechteten; so herrschte in Griechenland und Rom die A. des Besitzes und der Stadtangehörigkeit, indem die verhältnißmäßig wenigen Bürger der gewaltigen Städte über ihre Heere von Sclaven ebenso wie über die kleinern Orte geboten; so bildete sich in Rom die A. der Abstammung und Geburt aus, indem die ursprünglichen Gründer und Bewohner der Stadt über Alles gebieten wollten. Mit dem Auftauchen des Feudalwesens und der damit zusammenhängenden Entstehung des Adels (s. d.) tauchte die A. der Geburt und der Erbschaft auf, die mit der A. des Besitzes zusammenfällt, da die Feudalherren eben so alles Eigenthum, wenigstens Grundeigenthum, wie als Recht an sich rissen. Erst mit dem Emporkommen des niedern Adels wurde die A. der Geburt und des Erbes überwiegend und ein Heer von Familien hing sich von Geburts wegen wie Blutigel an alle Aemter und Stellen des Staates und sog ihm und dem Volke das Mark aus. Das Aufblühen der Städte förderte wieder die A. des Besitzes, indem die reichen Handelsherren und Vollbürger in lächerlicher Nachäffung der Adelsanmaßungen sich für etwas Besseres hielten, die städtische Verwaltung an sich rissen und sie in ihren Familien und Geschlechtern erblich machten. Dazu gesellte sich die A. der Bürger, indem diese schnell alle Rechte und Vortheile zusammenrafften, welche die „Stadtjunker" ihnen noch übrig gelassen hatten, sich kastenmäßig abschlossen und gegen den spätern Zuwachs der Bevölkerung eine bevorrechtete Stellung sich erwarben. Wie aber ein neuer Morgen des Volkslebens anbrach und alle Adels- und Geburtsbevorrechtungsträume in das Nichts zurückdrängte, aus dem sie entstanden waren, blieb die A. des Besitzes, als die einzige mit einer mindestens stofflich festen Unterlage bestehen und wäre längst die alleinherrschende, wenn sie nicht so thöricht wäre, um die Gunst des morschen Adels zu buhlen und ihn mit aller Anstrengung über dem Grabe, welches schon unter ihm geöffnet ist, emporzuhalten. Endlich bildete sich in letzter Zeit mit dem ungeahnten Wachsthum des Handels und der Gewerbe und dem sich daran knüpfenden Emporblühen des Fahrnißstaates innerhalb der Besitzer, die reine Geldaristocratie aus, die gegenwärtig im Staats- und Gemeindeleben ihre Macht ausübt. Daß nun alle diese Gattungen der A., welche wir hier aufgezählt haben, nicht die Herrschaft der Besten, sondern nur die Herrschaft des Dünkels, der Anmaßung und des Zufalls dar-

stellen, das bedarf keines weitern Beweises. Wahr ist es, was ein ungenannter Lobredner der Alleinherrschaft (s. d.) sagt: „A. war es, was den ägypt. Priester- und
Kriegerkasten ihre Macht verlieh; A. ist es, was noch heute die Stämme der Juden
auseinanderhält; A. war es, was die Welt in Fesseln schlug und die Gerechtigkeit
nur mit dem Schwerte maß; A. kämpfte in den Jahren der Finsterniß den wüthenden Kampf der Guelfen und Gibellinen, färbte die Wellen der Themse mit Königs-
blut, hintertreibt noch heute die Verminderung der Volkslasten und tritt gegen die
Forderungen der Vernunft und Sittlichkeit in die Schranken; A. trieb die verzwei-
felnden Franken zur Revolution, entzündete die Bürgerkriege und erschöpft die Hülfsquellen Frankreichs, daß es unter den Milliarden seiner Staatsschulden erliegt; A. begleitete jeden Thronwechsel in Rußland mit Königsmord und Aufruhr, meuchelte
Schwedens beste Könige, vernichtete Recht und Freiheit in Ungarn und Polen, hielt
Deutschland durch Jahrh.e in schmachvoller Leibeigenschaft, und schmiedete, während die
europäischen Großmächte sich über Deutschlands Wohl beratheten, eine Kette, die sie
unter dem Namen: Adelskette (s. d.) den Deutschen an die Glieder legen wollte.“
Wahr, sagen wir, sind diese Behauptungen; aber es würde eben so wahr sein, wenn
man der A. so viele glänzende als schlechte Thaten nachrühmte, denn sie stand eben
allein handelnd auf dem Schauplatze der Geschichte. Will nun der Staat die
wahre A. einführen, und in ihr allein beruht sein Heil, seine Kraft und seine
Dauer, so wird es seine Aufgabe sein, die Besten und Vorzüglichsten (Aristen) aus
allen Klassen seiner Bewohner zu suchen; finden aber wird er dieselben nimmer, wenn
er die thätige Theilnahme am Staatsleben und jede Berechtigung einzig und allein
an Geld und Besitz knüpft. Dann kann es kommen, daß nicht die Besten, sondern
die Schlechtesten ausschließlich die Wahl und andere Rechte eines Kreises ausüben,
weil sie zufällig die Reichsten, ja es liegt wenigstens die Möglichkeit vor, daß gerade
der Unfähigste eines ganzen Kreises gewählt werden muß, weil er allein das gesetzliche Vermögen besitzt. Einzelne Verfassungen haben in dieser Beziehung anerkennenswerthe Vorschritte gemacht, z. B. die Sächsische, indem sie die vom Volke durch
freie Wahl als Aristen bezeichneten Vertreter der Städte wahlberechtigt hat; allein
leider ist sie auf halbem Wege stehen geblieben, indem sie den Aristen des platten
Landes, den Vertretern der Landgemeinden nicht dasselbe gewährte. Eine reine Geld-
setzen wir dagegen in Frankreich, wo von 36,000,000 Einwohnern nur 230,000
Aristocraten berechtigt sind; die Folgen liegen vor: die höchste A. liefert im Besitze der höchsten Staatsämter und Staatswürden Diebe, Betrüger, falsche Spieler, Meuchelmörder u. s. w. und im tiefsten Frieden steigen die Staatslasten und
Staatsschulden zu einer Höhe, daß das Volk ausgesogen wird auf Jahrh.e. Will
nun der Staat zur wahren A. gelangen und die Besten aus allen Volksklassen am
Staatsleben betheiligen, so folgt daraus, daß die falsche A. keineswegs ausgeschlossen
werden darf; sei es Geburts oder Geld-A. — wenn sie vorhanden ist, ist sie ein
Theil des Volks und muß als solcher vertreten sein; der Besitz selbst aber ist so gewaltig in unserm Leben, daß der Staat in allen seinen Regungen auf ihn rücksichti-
gen muß. Aber sie ist eben Theil, nicht eine Kaste des Volks, kann und darf
nicht von demselben getrennt, besonders vertreten, bevorzugt und begünstigt werden,
sondern muß in einer und derselben Vertretung das allgemeine Wohl berathen. Wo
der Staat die A. der Geburt und des Besitzes bevorzugt und trennt, da veranlaßt er
nicht nur die Vertretung der Sonderinteressen, begünstigt die Zerklüftung des Volkes
und den Kastengeist, sondern er bringt auch die Begünstigten in die schlimme Lage,
daß sich das Mißtrauen und die Abneigung des ganzen Volkes gegen sie kehrt. Die
Stellung unsrer Pairs-, Adels- und Ersten-Kammern geben den Beweis dafür; sie
werden leider! nicht mehr als Vertreter des Volkes betrachtet, obgleich sie einen sehr
wichtigen Theil derselben bilden. Glaubt der Staat diese Theile der Gesammtheit zum
Hemmen des allzuraschen Fortschrittsdranges zu gebrauchen, so würden sie ihm in

der Volksvertretung dieſen Dienſt vollkommen leiſten, ohne Mißtrauen und Haß auf ſich zu laden und ihr Daſein zu gefährden; in ihrer jetzigen Stellung aber kann man nicht oft genug auf die franz. Nationalverſammlung hinweiſen, die mit Einem Schritte über dieſe A. hinwegſchritt und ſie völlig nichtig machte im Staatsleben. R. B.

Arkebuſirer hießen bis nach dem 30j. Kriege die mit Feuergewehren (Arkebuſen) bewaffneten Soldaten zu Fuß; die Berittenen hießen Argulets, die ohne Feuergewehre Lanzenknechte.

Armee — Armeebeamte — Armeecorps, ſ. Heer und Militair.

Armencolonien, ſ. Colonien.

Armenanſtalten, Armenrecht, Armenſteuer, Armentaxe, Armenweſen können wir wegen Erkrankung des Bearbeiters hier nicht geben, verweiſen dieſe Ausführungen alſo auf Verarmung, wodurch auch der Vortheil innigen Zuſammenhangs erzielt wird, indem die Armenanſtalten u. ſ. w. erſt richtig gewürdigt werden können, wenn man das Uebel — die Verarmung — kennt, welches ſie aufheben oder mildern wollen.

Arreſt, ſ. Beſchlagnahme, Haft, Verhaftung.

Arrieregarde: der Nachtrab, die letzte Abtheilung eines Heeres.

Arrondiren, das faſt ausſchließlich gebrauchte Fremdwort für abrunden, womit man das Beſtreben des Staates bezeichnet, ſeine Grenzen in möglichſt gerader Linie oder regelmäßiger Rundung hinlaufen zu laſſen, ſo daß nicht eine lange Spitze in den Nachbarſtaat hineinläuft, während dieſer ebenfalls mit einem ſchmalen Stücke in das Gebiet einſchneidet. Das A. geſchah ſonſt durch Tauſch oder Kauf, ohne daß man die Bewohner fragte, ob ſie wechſeln wollten, oder nicht. Geſchieht das A. nun auch heute auf gleiche Weiſe, wenn es eine politiſche Nothwendigkeit iſt, ſo müſſen in Verfaſſungsſtaaten mindeſtens die Stände zu Rathe gezogen werden, und man kann nicht mehr nach Laune Menſchen tauſchen, wie Pferde und Jagdhunde.

Arrondiſſement, ein ſtädtiſcher oder ländlicher Bezirk in Frankreich.

Arroſiren, iſt ein in der Staatsgelowirihſchaft gebräuchlicher Ausdruck und heißt: nachzahlen. Entweder giebt der Staat Schuldſcheine zu einem gewiſſen Betrage aus, unter der Bedingung, daß die Inhaber erforderlichen Falles nachzahlen und verweigert die Zinſen, wenn ſie dies nicht thun, wie es in Oeſterreich geſchehen iſt; oder der Staat arroſirt ſeine Schuldſcheine, wenn er einmal nicht im Stande war, Zinſen oder Abſchlagszahlungen zu leiſten, wie das mehrmals in Spanien vorgekommen. Endlich hieß a., wenn der Staat ein höheres Papier gegen ein geringeres umtauſcht und den Unterſchied nachzahlt.   R. B.

Arſenal: das Zeughaus, wo die Waffenvorräthe aufbewahrt, oft auch neue gemacht werden.

Artikel, der Abſchnitt einer Schrift, in welchem ein beſtimmter Theil derſelben abgehandelt iſt; beſonders die einzelnen Abſchnitte eines Vortrages, eines Bekenntniſſes u. ſ. w. wie Kriegs-, Friedens-, Glaubens-. Daher im Gebrauch auch öft gleich bedeutend mit Geſetzen oder Lehrſätzen (Dogmen).

Artikel der engliſchen Kirche, ſ. Anglikaniſche Kirche.

Artikularkirchen hießen im vor. Jahrh in Ungarn die proteſt. Kirchen, welche einen eignen Prediger hatten. Die andern wurden aufgehoben.

Artillerie: die Abtheilung eines Heeres, welche das ſchwere Geſchütz (die Kanonen) handhabt; A. heißt auch die Wiſſenſchaft, dieſes Geſchütz zu gebrauchen. Die Zuſammenſetzungen: A.-Corps, A.-Feuer, A.-ſchulen, A.-Train (Fuhrweſen), A.wiſſenſchaft verſtehen ſich von ſelbſt.

Arzneihandel. In der Mitte des 15. Jahrh.s machte man in Deutſchland den erſten Verſuch den bisher wild betriebenen A. durch Einführung einer Zunftordnung zu beſchränken. Dennoch wurde bis zur Mitte des 17. Jahrh.s durch italieniſche Marktſchreier im A. viel Unheil geſtiftet. Erſt mit dem Wachsthum der allgemeinen

Bildung, den Fortschritten der Naturlehre und der Chemie, und der Ausbildung der medizinischen Wissenschaft nahm das Zutrauen zu den Specerei- und Balsamleuten ab und wendete sich den vom Staat beaufsichtigten Apotheken zu, da zugleich das Hausiren mit Arzneien streng verboten oder doch sehr erschwert wurde. Für die Apotheken wurde ein besonderes Gesetz erlassen, welches vor Arzneiverfälschungen und durch Einführung einer bestimmten Taxe vor Uebertheuerungen bewahren, aber auch die Apotheken durch Beschränkung der Zahl beschützen soll. Die Apotheker werden einer wiederholten Staatsprüfung unterworfen und die Arzneimittel jährlich mehrmals untersucht. Werden sie dann nicht in erforderlicher Güte, oder die nothwendigen nicht vorgefunden, so verfällt der Apotheker in Strafe, die schon beim 3. Wiederholungsfall bis zur Concessionsentziehung gesteigert werden kann. Bei der großen Wichtigkeit und Gefährlichkeit des A.s wird Niemand die Berechtigung des Staates zur strengsten Beaufsichtigung in Zweifel ziehen, so wenig wie die Beschränkung der Anlagen, welche von einer gewissen Seelenzahl (4—5000) abhängig gemacht wird, damit nicht die Concurrenz zur Verschlechterung der Waare reizt. Daß aber auch auf 3—5000 Menschen mindestens eine Apotheke komme, dieselbe in den größern Städten möglichst in alle Theile, in kleinern möglichst in den Mittelpunkt der Stadt oder des Kreises gelegt werden, dafür zu sorgen ist andererseits Pflicht des Staates oder der Gemeinde, und unverantwortlich ist es, wenn in einer Stadt wie Leipzig 4 Apotheken, die für 25—30,000 Einwohner berechnet waren, 54,000 Einwohner an den Riesenzopf ihres Privilegiums binden können und große, weite Vorstädte ohne A. sind. Bertholdi.

Arzt, s. Medicinalpolizei.

Assecuranz, s. Versicherung.

Assecuranzcompagnien, s. Versicherungsgesellschaften.

Assemblé national, s. Nationalversammlung.

Assientovertrag hieß eine Uebereinkunft, durch welche ein Volk von der spanischen Regierung das Recht erlangte, den schmachvollen Sclavenhandel in Amerika zu üben.

Assignaten, ein franz. Papiergeld zur Zeit der Staatsumwälzung; binnen etwa 3 Jahren wurden für 10,000,000,000 (zehn Tausend Millionen) Franken A. ausgegeben, die durch die Schreckensherrschaft im Werth erhalten, mit derselben aber auch auf Nichts herabsanken.

Assignation: Anweisung (s. d.)

Assisen: Sitzungen, hießen ehedem die offenen Gerichtstage der Freien; auch Verordnungen, welche in den Sitzungen größerer Versammlungen beschlossen und erlassen wurden. Jetzt nennt man A. die öffentlichen Verhandlungen der Geschwornengerichte (s. d.).

Assistent, s. Amtshelfer.

Association (Vergesellschaftung, genossenschaftliches Zusammenwirken für einen festbezeichneten Zweck). Alles Große in der Welt ist durch Vereinigung der sittlichen, der intellectuellen und der sogenannten materiellen Kräfte vollbracht worden. Je zahlreicher und vielartiger diese Kräfte waren, je mehr man es verstanden, sie ohne irgend welchen Verlust ihrer Einzelwirkung ineinander greifen zu lassen, je bestimmter und deutlicher man ihnen Richtung und Ziel anzuweisen wußte, desto gewaltiger, desto vollkommener mußte ihre Wirkung sein. In diesem allgemeinen Sinne das fremde Wort aufgefaßt, reicht die Verwirklichung der A. bis zu den Anfängen der Gesellschaft selbst zurück, sie bezeichnet den Uebergang aus dem einzelnen Familienleben zum Leben im Stamme im Kindheitsalter der Welt, sie tritt mit dem Dämmern der Geschichte in der ersten Gründung der Städte, in den frühesten Versuchen politischer Gestaltung, in den Anfängen der Gesetzgebung, des Kultus, der wissenschaftlichen Forschungen, der Kriegführung, des Bodenanbaus und der Gewerbe deutlich hervor. Dieser dem Menschen innewohnende Trieb der A. hat die Entwickelung der Menschheit veranlaßt, sie auf den Standpunkt geführt, auf welchem wir ſie heute in ihren gegenwärtig vollkommenſten Geſtaltungen erblicken. Je weiter aber mit Hülfe dieſes Triebs jene Entwickelung vor ſich gegangen, deſto mehr iſt der Menſch ſich auch der Eigenthümlichkeit dieſer Eigenſchaft ſeiner Natur bewußt gewor-ben, deſto klarer hat er das **Recht auf freieſte Bethätigung** derſelben erkennen, deſto vollkommener hat er alle die Segnungen würdigen lernen, die in der Ausübung ſolchen Rechtes ihm erreichbar werden. Wenn in der Gegenwart von A. und von dem A.srecht die Rede iſt, ſo wird barunter die ſelbſtbeſtimmende und ſelbſt-bewußte freie Vereinigung einer Anzahl Staatsbürger zu gemeinſamen Zwecken, ſeien dieſelben nun politiſcher, religiöſer, wiſſenſchaftlicher oder gewerblicher Natur, verſtanden. Aller Fortſchritt der Geſittung, alle Hervorbringung der Hülfsmittel, die dazu dienen können, ſind durch die immer ausgedehntere und umfangreichere Geltendmachung dieſes Rechts bedingt. Die Macht des namenloſen Dings, Zufall, minbert ſich und ſchwindet immer mehr zuſammen, je weiter die A. ihre Kreiſe ausdehnt; jede Willkür der einzelnen Kraft, mit welcher Stärke und welchem Einfluß ſie auch von der Natur oder durch ererbte Verhältniſſe begabt wurde, muß ſich brechen an der Gewalt des engverſchlun-genen und feſtgegliederten Wirkens eines ſelbſtbewußten gemeinſchaftlichen Wollens Vie-ler; die Einſicht und der Wille des Einzelnen, wie überlegen und ſtark ſie auch ſein mögen, können, wenn ſie Erſprießliches ſchaffen und dem Allgemeinen dienen wollen, nur in dem Anſchließen, in dem Aufgehen in der Wirkſamkeit genoſſenſchaftlicher Kreiſe und Beſtrebungen ihrem Berufe genugthun. In einer ſolchen Entwickelung liegen alle Geſtaltungen der Zukunft der Geſellſchaft, alle erreichbaren Vervollkommnungen des Menſchengeſchlechts. Es geht aus dieſem Weſen der A. aber zur Augenſcheinlich-keit hervor, daß die Verkümmerung dieſes Rechts von Seiten welcher Gewalt immer, einen Angriff auf die ſelbſteigenſte Beſtimmung der Menſchheit ſelbſt in ſich ſchließt, daß in der Entziehung dieſes Rechts ein Frevel an der Geſellſchaft ſelbſt begangen wird, indem man ſie des unentbehrlichſten und ſicherſten Mittels ihrer Selbſtausbil-bung, ihrer Selbſtvervollkommnung, ihrer Selbſtbeſtimmung beraubt. — Ein Blick auf die Geſchichte der Gegenwart reicht hin, um die Wahrheit dieſer Behauptung dar-zuthun. In den Ländern, wo das Recht der A. im weiteſten Umfang anerkannt wird; wo es keiner beſondern Genehmigung irgend welcher Behörde bedarf, damit ſich ſo viel Leute als wollen untereinander zu gemeinſchaftlichem Wirken für Erſtrebung eines beſtimmten offen ausgeſprochenen Zweckes, der kein gewaltthätiger und unerlaub-ter, vereinigen können; wo keine polizeiliche Erlaubniß dazu erforderlich iſt, daß Hun-derte und Tauſende, ſo viel ihrer wollen, ſich verſammeln dürfen, um über ihre In-tereſſen, oder was ſie dafür halten, zu berathen und Beſchlüſſe bezüglich der Mittel und Wege zur Erreichung ihres Zweckes zu faſſen — in dieſen Ländern, in dem freien Nordamerika und in Großbritanien, erblickt man das Volk von jener tiefen Achtung vor dem Geſetz erfüllt, welches mehr als jeder Zwang der Bürgſchaft ſeiner Heilig-haltung iſt; dort ſieht man es in allen Kreiſen im raſtloſen Eifer an Verbeſſerung ſeiner Lage, ſeiner Einrichtungen, ſeiner Geſetzgebung arbeiten; dort entſtehen wunder-gleich und wie hervorgezaubert jene großartigen Werke, die Schöpfungen des A.sgeiſtes, neue Hülfsmittel des Austauſches, der Vereinigung, der allgemeinen Wohlfahrt dar-reichen; dort löſt auf friedlichem und darum auf ſo ſicherem und nachhaltigerm Wege eine große Reform, eine große Umgeſtaltung die andere ab; dort iſt der Vater-landsſinn, die Hingebung für das Allgemeine, die Theilnahme am Gemeinweſen unbe-grenzt und ſteigt mit den Anforderungen, die in den Zeiten der Dringlichkeit und der Gefahr an ſie gemacht werden. — In ſolchen Ländern kommt man nicht in Ge-fahr, daß weitverzweigte Verſchwörungen der mit den beſtehenden Zuſtänden Mißver-gnügten ten Boden des Staats und der Geſellſchaft unterwühlen; jede wirkliche Ge-fahr der Mißſtimmung tritt in ihrem Keime ſchon offen ans Tageslicht und macht es der Regierung möglich, Vorkehrungen zu treffen, die Mißſtimmung zu beſchwichti-gen, den Ausartungen vorzubeugen. Ein einfacher Haftbefehl gegen den Stifter und ·

Führer einer A., wie ſie ſo zahlreich und gewaltig die Welt noch nicht geſehen, gegen Daniel O'Connell, reichte hin, dem Wirken derſelben, nachdem man es auf der Schwelle ſtaatsgefährlicher Ungeſetzlichkeit angekommen glaubte, dieſen Charakter zu nehmen und die aufgeregten Gemüther auf die geſetzliche Bahn zu verweiſen. — Der Verſchwörung von ein paar hundert Edelleuten dagegen in einem Lande, wo die Polizei Alles, das Recht freier Vereinigung nichts gilt, wußte die Regierung nicht anders zu begegnen, als mit zugelaſſenen Niedermetzelungen der Verſchwörer durch die Hand ihrer eignen Landsleute und mit aufgerichteten Galgen und Einkerkerungen. — So lange ein Volk ſich noch nicht durch entſchiedenen Willen die Anerkennung des Rechts der A. erworben hat, ſo lange darf es ſich nicht ſchmeicheln, in den freien Gebrauch aller ſeiner Kräfte und Hülfsmittel getreten, aus dem Laufſtuhl der Bevormundung entlaſſen zu ſein; ſelbſt mit der freien Preſſe ausgerüſtet, hat ein ſolches Volk, wie das Beiſpiel der Franzoſen lehrt, nur halbe Freiheit und Selbſtſtändigkeit, halbe Anerkennung ſeiner Männlichkeit erlangt. Ja bei der Vervollkommnung der Verkehrsmittel, welche die Entfernungen von Ort zu Ort, von Gegend zu Gegend immer mehr ſchwinden macht, wird das Recht der freien A. und der damit untrennlich verbundenen Volkverſammlungen, noch weit höher anzuſchlagen ſein, als das Recht der freien Preſſe, da die letztere nur das geſchriebene Wort handhabt, die erſtere das lebendige Wort, den urſprünglichen Born alles Austauſches, aller Belehrung, aller Aufklärung von Mund zu Mund ſtrömen läßt. J. G. Günther.

Affociation für große Unternehmungen, ſ. Actiengeſellſchaft.

Aſyl: Freiſtatt, alſo ein Ort, der frei macht auch den Schuldigen und Verbrecher. Schon bei den Israeliten, Griechen und Römern boten die Tempel, heiligen Haine, Bildſäulen der Götter und ſpäter der Kaiſer A.; der Verbrecher, welcher ſie erreichte, war ſtraflos. Im 4. Jahrh. wurden die chriſtlichen Kirchen zum A. erklärt, doch wurde auf Andringen der weltlichen Macht die Zahl der Verbrecher immer mehr beſchränkt, welchen das A. zu Gute kam, und die ſchweren Verbrechen waren ausgenommen. Eine Art A. bieten noch die Wohnungen der Geſandten und Kardinäle, indem ohne Einwilligung der Beſitzer kein dorthin Geflüchteter ergriffen wird.

Atheismus, ſ. Gottesleugnung.

Attentat. Im weitern Sinne heißt A. jede Frevelthat, jeder Eingriff in fremde Rechte; im engern politiſchen Sinne ein gewaltſamer Angriff auf die öffentliche Ordnung oder das Leben gekrönter Häupter, gleichbedeutend mit einem hochverrätheriſchen Verſuch. So hat man die verſchiedenen Verſuche, die in Frankreich aus politiſchen Gründen, oder aus Rache gegen das Leben Ludwig Philipps gemacht worden ſind, gewöhnlich A. genannt. Bekannt iſt unter dem Namen des Frankfurter A.s auch der im April 1833 mit gewaffneter Hand auf die Conſtablerwache in der Abſicht unternommene Angriff, den Bundestag zu ſtürzen und dann Deutſchland zur Gründung einer demokratiſchen Verfaſſung aufzurufen. Aus der neueſten Zeit iſt noch das A. des Bürgermeiſters Tſchech auf das Leben des Königs von Preußen zu erwähnen. Aus welchem Geſichtspunkte derartige Verbrechen zu beurtheilen ſind, iſt aus dem Artikel „Hochverrath" zu erſehen. Die Strafgeſetze bedrohen hier den Verſuch (ſ. d.), auch wenn er mißglückt iſt, mit der ganzen Strafe des vollendeten Verbrechens: mit dem Tode, und es iſt auch in den obenerwähnten Fällen des gewaltthätigen Angriffs auf das Leben des Königs der Franzoſen die Todesſtrafe faſt jedesmal und auch in Preußen an Tſchech vollzogen worden. C. E. Cramer.

Attorney, ſ. Advokat.

Auburnſches Gefängnißſyſtem. Dieſes Gefängnißſyſtem (ſ. d.) hat ſeinen Namen von der Stadt Auburn im Staate New-York, wo zuerſt ein Muſtergefängniß dieſer Art Straf- und Beſſerungshäuſer erbaut wurde. Es unterſcheidet ſich von einem andern, in demſelben Lande gleichfalls zuerſt in Ausführung gebrachten, dem

philadelphischen oder pennsylvanischen Systeme dadurch, daß nach dem
A. G. die Gefangenen des Nachts zwar in Einzelzellen gebracht und dadurch jeder
Umgang, Austausch oder Verständigung verhindert wird, des Tages über aber die
Arbeit unter beständiger Ueberwachung und Aufrechthaltung unverbrüchlichen Stillschweigens gemeinschaftlich geschieht; während bei dem philadelphischen System
die völlige und unbedingte Absonderung der Gefangenen während der ganzen Dauer
ihrer Strafzeit, des Tages über sowohl, als während der Nacht in der Einzelzelle
stattfindet, so daß der Sträfling nie mit irgend einem seiner Mitgefangenen in Berührung kommen, noch von der Anwesenheit eines derselben im Gefängniß Kenntniß
erhalten kann. Ueber die Vorzüglichkeit eines oder des andern dieser Systeme sind
bis zu dieser Stunde die Urtheile sehr verschieden. Mit Recht wird gegen die Zweckmäßigkeit des A. G.s geltend gemacht, 1) daß dadurch, daß die Gefangenen sich einander von Angesicht zu Angesicht kennen lernen, nach überstandener Strafzeit durch die
im Kerker gemachte Bekanntschaft nicht nur Rückfälle in das Verbrechen veranlaßt
werden, sondern dem gebesserten Sträfling durch den Zeugen seiner Strafhaft die
Möglichkeit des Fortkommens erschwert werden kann; 2) daß nur durch die härtesten,
selbst grausamen Strafen, ja oft selbst blos auf den Verdacht der Uebertretung hin
ungerechterweise ertheilten Züchtigungen das unverbrüchliche Stillschweigen aufrecht
erhalten werden mag, ohne welches das Zusammenleben der Gefangenen bei der Arbeit
leicht in einen gegenseitigen Unterricht in Unmoral und Verbrechen ausartet; daß endlich 3) auch bei der Aufrechthaltung des vollkommensten Stillschweigens der Gedanken-
Austausch zwischen den Gefangenen mittelst Zeichensprache und anderer Auskunftsmittel
nicht ganz verhütet werden kann. Alle diese Mängel fallen bei dem pennsylvanischen
System hinweg und in dieser Hinsicht verdient es den unbestrittenen Vorzug. Dagegen hat man nicht ohne Grund gegen die Einzelhaft bei Tag und Nacht eingewendet,
daß durch die fortdauernde Einsamkeit, welche mit der menschlichen Natur selbst in
Widerspruch tritt, nicht nur die Körper-, sondern auch die Geisteskräfte geschwächt
und zuletzt in diesem Zustande auch die Beschäftigung und Arbeit, welche man den
Sträflingen nach ihrer Wahl zuertheilt, ihre sittigende und bessernde Eigenthümlichkeit
verlieren muß. Weniger von Gewicht ist ein anderer Einwand, den man gegen das
pennsylvanische System wegen der Kostspieligkeiten der Gefängnißbauten erhebt. Denn
wenn die Besserung der verurtheilten Verbrecher nur auf eine solche Weise, oder schneller
und vollkommner als auf jede andere Art zu bewerkstelligen ist, so ist es die heiligste
Pflicht der Gesellschaft, daß sie sich keine Kosten verdrießen läßt, den einzig vernünftigen und menschlichen Hauptzweck des an den Gesetzen der Gesellschaft frevelnden
Menschen, die Besserung und sittliche Wiedergeburt desselben zu erreichen. — Leider
läßt sich immer noch behaupten, daß die Gefängnißreform, diese von der Menschlichkeit so dringend gebotene Maßregel, selbst in der unvollständigen Weise, in der sie
größtentheils bewerkstelligt worden ist, den allgemeinen Volksanschauungen über die
Natur und die Ursachen der Verbrechen, ja selbst den festgehaltenen Grundsätzen der
Strafgesetzgebung noch um ein gutes Theil vorausgeeilt ist. Wie viel sich unser
Zeitalter auch auf den humanen Geist, dem es zu huldigen glaubt, zu Gute thut,
die allgemeine unnachsichtliche und erbarmungslose Beurtheilung, welche weniger das
Verbrechen, als der Verbrecher oder der Gesetzübertreter vor, während und nach überstandener Strafe im Volke findet; die Aechtung, welche ihn in der Gesellschaft gewöhnlich bis zum Grabe verfolgt, und die außer der zeitlichen Buße den Strafgerechtigkeit
und vielleicht der innern Reue des Herzens eine ewige Geißelung der Verachtung über
ihn verhängt, stellt der heutigen Gesellschaft ein wenig ehrenvolles Zeugniß aus.

J. G Günther.

Audienz: Gehör, hießen sonst die öffentlichen Sitzungen des Reichskammerge-
richts und des franz. Parlaments; jetzt nur das Gehör, welches die Fürsten und
Großen allen Hoffähigen, oder einzelnen Personen, die darum bitten, gewähren. Die

erstern heißen öffentliche, die letztern Privat-A. In manchen Staaten ist ein bestimmter A.tag festgestellt, an welchem der Herrscher Jeden anhört.

Auditeur heißt der Untersuchungsrichter bei den Militair- oder Kriegsgerichten.

Auf den Inhaber, s. Au porteur.

Aufenthaltskarten sind Erlaubnißscheine zum Aufenthalt eines Fremden an einem Orte auf bestimmte Zeit. Die Polizei nimmt den Paß in Empfang und giebt dagegen die A.

Aufgebot hieß im Mittelalter der Ruf des Lehnsherrn, seine Vasallen sollten die Waffen ergreifen; daher bezeichnet A. auch noch jetzt eine Abtheilung Wehrpflichtiger, z. B. das A. von 1847 heißt: die im J. 1847 in das Heer getretene Mannschaft. Bei der preuß. Landwehr umfaßt das erste A. alle Waffenpflichtigen bis zum 35. Jahre, das zweite A. alle Waffenpflichtigen bis zum 45. J. — A. heißt endlich noch die übliche Verkündung von der Kanzel, daß ein Paar sich verheirathen will. Sie geschieht deshalb, damit derjenige, welcher gegen die Ehe einen Einspruch erheben will und kann, dies zu thun Veranlassung findet, ehe es zu spät ist.

Aufgeklärter Despotismus, s. Auflösung.

Aufgeld, s. Agio.

Aufholung, s. Abmeierung.

Aufholungsprozeß, s. Abmeierung.

Aufklärung ist ein niederer Grad der Bildung; während diese nämlich schon einen durch Wissen und Erfahrung aufgehellten Geist voraussetzt und erheischt, strebt die A. das Dunkel, welches Unwissenheit, Vorurtheil oder absichtliche Verdummung ausgebreitet haben, zu lichten und zu entfernen. Demnach wendet sich die Bildung zunächst nur an die durch Erziehung bevorzugten Theile des Volks, die A. aber an die ganze Masse. Auch umfaßt die Bildung mehr das ganze Gebiet des geistigen Lebens, die A. hält sich vorzugsweise bei der Religion und dem bürgerlichen Leben. Wie Alles, was den Menschen erheben und veredeln soll, so ist auch die A. von Denen, welche den Menschengeist im Dunkeln halten wollen, um in diesem Dunkel fischen zu können, angefeindet worden; aber ihr Licht hat bereits so mächtig gewirkt, daß die Dunkelmänner, weinend über den unverbesserlichen Zustand der Welt, ihre vergeblichen Mühen aufgeben.

Auflage heißt die Anordnung eines Beitrags zu Staats- und Gemeindelasten und bezeichnet deßhalb auch die dazu verlangte Abgabe (s. d.) selbst. Dann aber heißt A. auch die Ermahnung, Warnung der betreffenden Behörde, eine fällige Abgabe zu bezahlen; erfolgt die Zahlung nicht, so wird die A. geschärft und bei Strafandrohung erneuert. A. heißt endlich im Buchhandel die Zahl der nach einander von einem Satze gemachten Abdrücke.

Auflauf heißt in unruhigen Zeiten das Zusammenlaufen der Menge, oft ohne Zweck und Ziel, oft auch in der Absicht, durch die Masse irgend etwas zu thun, oder zu erzwingen. Der A. ist oft der Vorbote, oft gar die unmittelbare Veranlassung zum Aufstand (s. d.), indem der Masse erst das Gefühl der Kraft kommt, wenn sie sich zusammen sieht, auch die aufgeregte Stimmung gesteigert wird. Rasches und entschlossenes Einschreiten der Behörden, ein Verfahren, welches Ernst mit Milde paart und vor Allem Entfernung der unmittelbaren Veranlassung des A.s ist gewöhnlich geeignet einer ernstern Wendung desselben vorzubeugen.

Auflösung der Ständeversammlung. — Der Verfassungsstaat, wo die Macht der Regierung mehr oder weniger durch den Willen der Stände beschränkt ist,

trägt seiner Natur nach ben Keim des Zwiespalts in sich. Während bei der Allein=
herrschaft, wie in der Republik ausschließlich nur ein Wille, hier des Volkes, dort
des Herrschers gilt und herrscht, stehen sich im Verfassungsstaate zwei zwar unter sich
durch die Verfassung abgegrenzte, dennoch aber innerhalb dieser Grenzen selbstständige
Gewalten einander gegenüber: die Regierung auf der einen, die Stände auf der andern
Seite. Da beide Gewalten einen und denselben Beruf haben, den nämlich: des Volkes
Wohl zu schaffen und zu fördern, so sollte man meinen, daß beide stets Hand in Hand
mit einander gehen müßten. Allein nicht selten ist die Trennung von Haus aus da,
indem der eine Theil das Volkswohl vorzugsweise wo nicht ausschließlich in der Hebung
und Förderung des Ackerbaues, der Gewerbe, des Handels u. s. w. erblickt, während
der andre die Sorge für die geistige, namentlich auch für die politische Bildung des
Volks gleich hoch, wo nicht höher stellt. Eine weitere Meinungsverschiedenheit tritt
aber häufig hervor bei der Wahl der Mittel zu Beförderung der Volkswohlfahrt.
Oft huldigen hier die Regierungen dem Bevormundungsprincip oder dem sogenannten
aufgeklärten Despotismus, d. h. sie betrachten und behandeln das Volk wie einen Un=
mündigen und halten demnach an dem Satz fest: Alles für das Volk, nichts
durch das Volk! Diesem Principe stellt sich nicht selten schroff die Ueberzeugung
der Stände gegenüber, daß es weit heilsamer sei, das Volk als einen Mündigen zu
behandeln und ihm selbst die Förderung seines eigenen Wohls so weit als möglich
zu überlassen. In gleicher Weise ließen sich noch manche andere Gegensätze anführen,
welche Zwiespalt zwischen Regierung und Ständen erregen können und nach dem Zeug=
nisse der Geschichte auch häufig genug erregt haben. Findet sich bei einem derartigen
Zwiespalte, daß beide Theile an ihren sich entgegenstehenden Ansichten mit unerschüt=
terlicher Beharrlichkeit festhalten, so muß, wenn es sich dabei um wichtige tiefeingrei=
fende Fragen handelt und damit das Volkswohl darunter nicht leide, dieser Zwiespalt
nothwendig irgend eine Erledigung finden. Es ist deshalb in allen Verfassungsstaaten
dem Regenten das Recht eingeräumt worden, die A. d. St. auszusprechen, jedoch unter
der beschränkten Bedingung, binnen einer bestimmten Zeit neue Wahlen anzuordnen
und die neuerwählten Stände wieder einzuberufen. Wo das Zweikammersystem besteht,
betrifft die A. nur die II. Kammer, die der Volksabgeordneten, während dadurch die
I. Kammer zugleich für vertagt erklärt wird. Glaubt der Regent, daß die Mehrheit
der Volksabgeordneten den wahren Willen des Volkes nicht ausdrücke, so ist ihm durch
das Recht der A. ein Mittel gegeben, die wahren Ansichten des Volks oder doch der
hier die Stelle des Volks vertretenden Wähler kennen zu lernen. Insofern die A. in
der Regel durch den Rath und Einfluß der Minister herbeigeführt wird, nimmt sie
die Natur eines Rechtsmittels an; es ist gleichsam eine Berufung der Minister an
das Volk, welches dann durch die neuen Wahlen die Minister entweder rechtfertigt
oder verurtheilt. In diesem Sinne wird das Recht der A. in England wie
in Frankreich aufgefaßt. Dort tritt jedes Ministerium ab, wenn ihm nach er=
folgter A. auch die neuen Wahlen die Mehrheit der Stimmen in der Abgeord=
neten=Versammlung nicht verschaffen. Und so muß es auch sein, soll anders das
Verfassungssystem eine folgerechte und zugleich heilsame Entwickelung gewinnen.
Das System eines Ministeriums kann ohne Verletzung der Verfassung wie ohne
große Gefahr beseitigt und verändert werden; die Ansichten und Gesinnungen der
Stände aber, sobald sie fest im Volke wurzeln, lassen sich ohne Verfassungsverletzung
und ohne große Gefahr nicht beseitigen. Wenn man sich in Deutschland von der
Wahrheit dieser Sätze noch nicht überzeugen will, wenn bei uns ein Ministerium,
trotzdem daß es die Mehrheit der Stimmen in der Abgeordneten=Versammlung
durch eine A. nicht erlangt, dennoch nicht zurücktritt, so erklärt sich dies theils durch
die Abhängigkeit, in welcher sich die kleinern Verfassungsstaaten den mächt'gern einem
andern Systeme huldigenden Bundesgenossen gegenüber befinden, theils aber und haupt=
sächlich durch die Jugend unsers politischen Lebens. Indessen läßt die immer mehr

erstarkende öffentliche Meinung in Verbindung mit der Wendung der Dinge, welche
sich in Preußen vorbereitet, mit Zuversicht hoffen, daß der Tag nicht allzufern mehr
ist, wo die neuen Wahlen nach einer A. über das Seyn oder Nichtseyn eines Ministeriums entscheiden, und wo die Minister wenigstens den politischen Muth haben,
eine A. folgen zu lassen, wenn die Kammermehrheit gegen sie ist.

Wehner.

Aufruhr, s. Aufstand.

Aufruhracte heißt ein Gesetz in England, welches bei jedem Auflauf (s. d.)
dem Volke vorgelesen werden muß, und das Zeichen ist, daß man die Zusammenrottung als Aufruhr (s. Aufstand) betrachtet und behandelt. Wo der Gesetzlichkeitssinn
so mit dem Volke verwachsen ist, wie in England, wirkt das Vorlesen der A. Wunder
und Tausende entfernen sich friedlich, wenn auch keine Waffengewalt den Beamten begleitet, der sie vorliest. Eine A., d. h. klare und jedem Staatsangehörigen bekannte
Bestimmungen über das Verfahren beim Auflauf sind eine Nothwendigkeit, theils als
ernste Mahnung für die vielen müßigen Zuschauer, die stets bei einem Auflauf zugegen
sind, theils als Richtschnur für die Beamten, da Ungeschicklichkeit, Angst oder aufgeregte Stimmung oft Scenen herbeiführt, welche die Gefahr vergrößern, oder einem
ungefährlichen Auflauf einen blutigen Ausgang geben.

Aufschlag, im Allgemeinen die Preiserhöhung im Handel, doch versteht man
unter A. auch häufig diejenige Vertheuerung der Verkaufsgegenstände, welche durch
das Draufschlagen der indirecten Steuern (s. Abgaben) herbeigeführt wird.

Aufsehende Gewalt nennt man häufig die Regierung, weil ihre Hauptaufgabe
ist, zu sehen und zu wachen, daß Gesetz und Recht im Staate nicht verletzt werden.

Aufstand, (Aufruhr, Insurrection). Es ist ein Kennzeichen der Gewaltherrschaft, daß sie, indem sie die natürlichen Lebensäußerungen eines Volkes lähmt
und zurückdrängt, die Gefühle, die Gedanken, die Meinungen und den Willen desselben, so lange noch Lebenskraft da ist, in eine gefährliche Richtung treibt. Der
Drang nach geistiger Vereinigung und nach freiem Austausch der Meinung wird zur
Gier nach geheimer Verständigung, die Lust am gemeinschaftlichen Zusammenstehen und
Zusammenwirken für gemeinsinnige Zwecke wird zum ränkesüchtigen Anzetteln hinter-
listiger Anschläge, die männliche Entschlossenheit für Durchführung großer staatlicher
Verbesserungen zu hinbrütender Tollkühnheit strafbarer Verschwörungen, der gesetz-
mäßig und achtunggebietende Widerstand gegen Eingriffe in Volksthümlichkeit, Volksfreiheiten und Volksrechte zu wilder, zu blutiger Schilderhebung. — Das sind
die Lehren der Geschichte durch Jahrh.e, die mit warnender Blutschrift von den
Tagen der 30 Tyrannen zu Athen an bis herab zu den letzten Regungen der Polen und
Sicilier an zertrümmerten oder erschütterten Herrscherstühlen verzeichnet steht, die aber
bis zum heutigen Tage am wenigsten von denen beachtet oder verstanden wird, an
welche die Mahnung vorzugsweise sich richtet. — Gewaltthätige Auflehnung gegen
die bestehende Ordnung der Dinge, massenweise Angriffe gegen die Einrichtungen
des Staats und der Gesellschaft sind Zeichen tiefer und dauernder Gebrechen in
diesen Dingen, an deren Heilung im natürlichen Wege das Volk, von einem dunkeln
Vorgefühl getrieben, verzweifelt, so daß es um sich zu retten dies letzte verzweifelte
Mittel ergreift. Wo auf den Höhen des gesellschaftlichen und staatlichen Körpers Einsicht, Wohlwollen, Milde, Gerechtigkeit walten und sich durch That überall beurkunden, dort werden jene Gefahren, wie tief und unheilbar jene Gebrechen auch als
ein Vermächtniß der Vergangenheit auf die Gegenwart vererbt scheinen, nie zu allgemeinen gewaltthätigen und blutigen Ausbrüchen des Volksunwillens führen; selbst
die mit weiser Vorsicht langsam spendende Hand des Herrschers oder der Herrschenden
wird gesegnet werden und bleiben, wenn sie nicht abläßt an der Verbesserung der

Zustände des Volks zu arbeiten, wenn sie namentlich dafür Sorge trägt, daß Unterricht, Bildung, Wohlstand und Selbständigkeit bis in die untersten Schichten verbreitet werden. Die Gewaltigen der Erde, bestehen sie nun in Einzelnen durch Geburt dazu Ausersehenen oder in ganzen Klassen Bevorzugter, lassen sich ein schreiendes Unrecht zu Schulden kommen, wenn sie bei ihrer Gewohnheit der Unterdrückung und Fesselung des Volksgeistes verharren, und ohne Unterlaß das Volk der Unreife und damit der Unwürdigkeit der Freiheit und Selbständigkeit anklagen; denn der Vorwurf kehrt sich gegen sie selbst und lastet weit schwerer auf ihrer eignen Fähigkeit und Art, als die thatsächliche Verwahrlosung des Volks an Einsicht, Unterricht und Bildung als selbstverschuldeter Flecken an dessen Charakter haftet. — Es ist richtig, ein politisch gebildetes, ein sich selbst vertrauendes und in erprobter Kraft sich wiegendes Volk, wird sich nur dann bewogen finden, in seinem Widerstand gegen die Hartnäckigkeit seiner Gewalthaber an die rohe Gewalt Berufung einzulegen, wenn es wie die Nordamerikaner 1775 und die Franzosen 1830 durch Pflicht der Selbstvertheidigung gegen die vorausgegangenen Angriffe roher Gewalt, durch Bajonette und Feuerschlünde, sich dazu genöthigt sieht. Aber es giebt Völker, denen nie erlaubt worden ist, die unwiderstehliche Kraft des passiven Widerstandes kennen zu lernen, und die ohne irgend ein Recht oder ein Gesetz, worauf sie ihre Begehren stützen können, unter dem fortgesetzten Druck ihrer Machthaber stöhnen, oder die geknechtet und gehemmt in der Entwickelung ihrer Volkseigenthümlichkeit durch den fremden Eroberer mit wachsender Inbrunst den Gedanken der Wiedergeburt ihres Vaterlandes nachhängen, ohne ihn auszudrücken zu dürfen. Bei solchen Völkern kann man nimmermehr in den verzweifelten Mitteln, die sie zu ihrer Befreiung ergreifen, die maßvolle Haltung und die Selbstbeherrschung verlangen, welche politisch gebildete in Uebung öffentlicher Tugend unter milden und weisen Gesetzen aufgewachsene Völker in solchen schwierigen Zeiten auszeichnet. Aber der Fehler liegt an denen, die ihnen solche Bildung vorenthalten. — Der A., die Schilderhebung eines Volks, oder eines Theils des Volks ist stets ein großes öffentliches Unglück; da es nicht nur beweist bis zu welch unerträglichem Zustande die Lage einer Nation gediehen sein muß, sondern weil sie damit auch Alles, was ihr geblieben ist, ihr ganzes Dasein aufs ungewisse Spiel setzt, um eine ebenso unsichere Zukunft zu gewinnen. Die Kräfte, die dabei in Kampf gegen einander treten, sind stets zu ungleich, als daß auf Seite des A.s das Spiel günstig stände; je größer der an einem Volke begangene Verrath, je maßloser der Druck ist, unter dem es seufzt, desto argwöhnischer ist in der Regel der Sinn der Gewaltherrschr, mit desto größerem Eifer rüsten sie Alles gegen jedwede Auflehnung der Geknechteten, desto unnachsichtiger unterdrücken sie jede Mittheilung, wodurch Einheit des Entschlusses und Willens in den Geist der Bevölkerung gebracht werden könnte. Aber ein knirschendes Volk überlegt nicht, oder ein dunkler Drang sagt ihm, daß es die ihm beschiedene Zerstörung seiner Lebenskraft nur aufhalten könne durch freiwillige Blutopfer. Man thut Unrecht, wie es gewöhnlich geschieht, den Erfolg als Maßstab der Entscheidung aufzustellen, nicht nur über die Rechtmäßigkeit, sondern auch über die Nothwendigkeit eines A.s; daß die Diplomatie, die alte feige Staatskunst mit ihrem Rechte der vollbrachten Thatsachen so zu Werke geht, kann nicht Wunder nehmen. Aber die Geschichte, die Darstellung der Zeiten in dem Herzen und der Einsicht des Volks, seine Lehrerin und Rcatherin, darf nicht so verfahren. Sie legt noch heiligere Kränze als damals auf die Gräber der Opfer mißglückter Volksaufstände, in denen es sich um Wiedererringung der Freiheit und des Volksthums, um den Sturz entwürdigender Zwangsherrschaft gehandelt. „Thoren! — herrschte der napoleonische General Lagrange den Kurhessen im Anfange des Jahres 1807 zu, nachdem der dortige Volks-A. durch die Ueberlegenheit der Waffen niedergeschlagen worden war — Thoren, zu welchem Resultat hat euch euer Wagestück geführt? — zum Verderben!" Aber die Geschichte hat ein ächteres Urtheil gesprochen — aus dem dort vergossenen

Blute nur konnten die Rächer erstehen, welche, als die Zeit erfüllt war, die Fremdherrschaft brachen. — Dieselbe Staatskunst der alten Zeit, welche nur dem Erfolg
gewaltsamer Selbsthülfe, sie mag gerecht oder ungerecht sein, Recht einräumt, und
die selbst eine neue Ordnung der Dinge die über eingestürzten Thronen und abgeschla-
genen Königshäuptern sich gründet, anerkennt, — dieselbe Staatskunst hält den
Grundsatz fest, der unterdrückten Schilderhebung des Volkes unnachsichtliche Strenge
und Ahndung, blutige und grausame Rache folgen zu lassen, ohne Rücksicht darauf,
wie viel sie selbst Schuld getragen an Herbeiführung insurrectioneller Bewegungen.
Die wahre Staatskunst dagegen, wie sie hoffentlich in einer nicht fernen Zukunft zur
Geltung gelangen wird, empfiehlt dem Sieger und zwar unmittelbar nach dem entscheidenden Siege und unter dem ganzen Eindruck der Größe seiner Großmuth und
des Bewußtseins seiner Stärke, Milde und Verzeihung, schnelle und rasche Abhülfe
der Mißbräuche und verkehrten Einrichtungen und Maßregeln, die Ursache der gewaltsamen Auflehnung gewesen sind. — Die vorstehenden Bemerkungen gelten vorzugsweise demjenigen, was man unter dem Worte Volks-A. zu verstehen pflegt, d. h.
der theilweisen oder allgemeinen Erhebung des Volkes in den Waffen zur Erringung
der Freiheit und des Volksthums gegen fremde oder einheimische Zwingherrschaft und
Unterdrückung. Die theilweisen Auflehnungen solcher Art, gewöhnlich die Vorläufer
oder die Einleitungen allgemeiner Insurrectionen, hat man durch die Bezeichnung von
Empörung oder Rebellion unterschieden, und selbst wenn allgemeine Schilderhe-
bungen des Volkes einen unglücklichen Ausgang nehmen, lieben es die Sieger dem
besiegten A. diesen Namen beizulegen, um die Akte unnachsichtiger Strenge und Härte
an den Theilnehmern zu rechtfertigen, womit sie dergleichen zu ahnden pflegen. Denn

Entworfen bloß, ist's ein gemeiner Frevel;
Vollführt, ist's ein unsterblich Unternehmen,
Und wenn es glückt, so ist es auch verziehen:
Denn aller Ausgang ist ein Gottesurtheil.

Nichts destoweniger läßt sich das Meiste von dem, was oben über A. gesagt ist, auch
auf Empörungen anwenden, da die traurigen Erscheinungen dieser Art gewöhnlich
dieselbe Ursache haben, die wirkliche Insurrectionen veranlassen. Ja selbst der bloße
Aufruhr, wenn er nicht durch zufällige Ereignisse veranlaßt wird, sondern wenn
er in einer tiefen Mißstimmung eines gedrückten und leidenden Volkes wurzelt, die
sich in wiederkehrender Widersetzlichkeit gegen die öffentlichen Gewalten kundgiebt, ist
ein sicheres Zeichen tiefer Gebrechen des Staats und der Gesellschaft, einer falschen
und verderblichen Richtung der Handhabung der Gewalt; die ernsteste Mahnung für
die Machthaber, einzulenken in eine Bahn, welche den billigen und gerechten Wünschen der Regierten, ihren geistigen und materiellen Bedürfnissen entspricht. J. G. Günther.

Aufstehen, s. Abstimmung.

Aufwand, Aufwandgesetze, s. das gebräuchlichere und im Begriffe weitere
Fremdwort Luxus.

Aufwiegeln heißt eine Masse für einen bestimmten politischen Gedanken bearbeiten und zwar in dem Grade, daß ihre Stimmung nach Befinden drohend und
schwierig wird. Vergl. Agitation.

Augsburgische Confession. Die bedeutendste Bekenntnißschrift der Protestanten. Sie wurde am 25. Juni 1530 dem zu Augsburg versammelten Reichstage übergeben und hat davon ihren Namen. — Schon 1529 waren mehrere evangelische Fürsten übereingekommen, gewisse Artikel, auf denen die Einheit ihres Glaubens beruhe,
gegen einander zu bekennen und Niemanden als den Ihrigen zu betrachten, der nicht
mit denselben übereinstimme. Die Entwerfung dieser Artikel fand auf einem Convente
zu Schwabach statt, wovon sie die „Schwabacher Artikel" hießen. Es waren ihrer
17. Im Reichstag zu Augsburg sah man evangelischerseits allgemein das längster-
wartete Nationalconcilium, wo die religiösen Streitigkeiten zum Abschluß kommen

sollten. Kurfürst Johann von Sachsen, das weltliche Haupt der neugläubigen Partei, verlangte daher von seinen Theologen eine Uebersicht der evangelischen Hauptlehren, die den Verhandlungen zur Unterlage dienen könnte. Die Theologen nahmen die Schwabacher Artikel her, änderten sie ein wenig um und übergaben sie dem Kurfürsten zu Torgau, von welcher Stadt sie fortan den Namen „Torgauer Artikel" trugen. Nun erhielt Melanchthon den Auftrag, auf Grund dieser Artikel die dem Reichstage zu überreichende Confession (das Glaubensbekenntniß) auszuarbeiten. Melanchthon that dies und als seine Arbeit Luther zur Beurtheilung zugeschickt wurde, schrieb dieser zurück: „Ich habe M. Philipp's Apologia gelesen. Dieselbe gefällt mir fast wohl, und weiß ich nichts daran zu bessern, noch zu ändern, würde sich auch nicht schicken, denn ich so sanft und leise nicht treten kann." Christus, unser Herr, helfe, daß sie viele und große Frucht schaffe, wie wir hoffen und bitten! Amen." Hierauf ließ der Kurfürst 2 Reinschriften in deutscher und lateinischer Sprache anfertigen, und legte sie seinen Glaubensverwandten zur Unterzeichnung vor. Die Unterzeichner waren außer dem Kurfürsten: der Markgraf Georg von Brandenburg, Herzog Ernst von Lüneburg, Landgraf Philipp von Hessen, Fürst Wolfgang von Anhalt und die Städte Nürnberg und Reutlingen. Während des Reichstags traten noch die Reichsstädte Frankfurt a. M., Kempten, Heilbronn, Windsheim und Weißenburg und in der Folge mehrere andere bei. Auch der sächsische Kurprinz Johann Friedrich und der Herzog Franz von Lüneburg unterschrieben die Confession mit; sie sind aber nicht in allen Ausgaben derselben mit aufgeführt, weil sie zur Zeit jenes Actes noch keine regierenden Herren waren. Luthers Lehre, die bisher nur als Sectenmeinung gegolten, trat nun als Kirche vor die Augen der Welt, indem in der Reichsversammlung vom kursächsischen Kanzler Bayer die Confession laut und deutlich verlesen wurde, daß nicht nur im Gemache selbst, sondern auch unten im Hofe, wo die Zuhörer Kopf an Kopf gedrängt standen, jenes Wort verstanden werden konnte. Dann übergab der Kanzler beide Abschriften dem Kaiser; sie sind heute noch im österreich. Archive vorhanden. — 1531 erschien die A. C. zum erstenmale in Druck. Bei einer spätern Ausgabe (1540) nahm Melanchthon einige Aenderungen vor, indem er mehrere Artikel so zu fassen suchte, daß sowohl Lutheraner als Reformirte ihre Ueberzeugung darin ausgedrückt finden konnten; bezweckte damit eine Vereinigung der gesammten evangelischen Partei, und es schien, als sollte seine Absicht gelingen. Denn diese veränderte A. C. wurde auch von den deutschen Reformirten angenommen, was zur Folge hatte, daß dieselben als A. C.verwandte in dem Religionsfrieden von 1555 mit eingeschlossen wurden. Als aber Melanchthon todt war, zerstörte der Fanatismus sein Werk. Die orthodoxen Lutheraner verwarfen die veränderte A. C. und schwangen die unveränderte als Panier. Sie setzten es auch durch, daß dieselbe 1580 unter die symbolischen Bücher aufgenommen und zur Lehrnorm erhoben wurde, obgleich sie noch das Sacrament von der Buße, die Lehre von der Brodverwandlung und manche andre Säze enthielt, zu welcher sich schon damals die Protestanten nicht mehr bekannten. — Das 300jährige Jubiläum der A. C.übergabe wurde 1830 in allen protestantischen Ländern mit großen Feierlichkeiten begangen und gab einer Unzahl von Schriften über diesen Gegenstand das Dasein. Die A. C. zeichnet sich vor allen andern Bekenntnißschriften der protestantischen Kirche durch Einfachheit und Zweckmäßigkeit aus. Sie berührt nur die gröbsten Mißbräuche, weil diese am wenigsten vertheidigt werden konnten und weil, wenn diese fielen, auch vieles Andere mit abgethan werden müßte, was an jenen hing. Bewundernswerth ist die große Mäßigung und Ruhe — der Glimpf, um mit Spalatin zu reden — womit sie verfaßt ist. Sie trägt von Anfang bis zu Ende die Spuren des feinen und besonnenen Geistes, der in Melanchthon lebte. Dem ungeachtet ist sie, nach der Auffassung ihrer Schöpfer selbst, nur ein Zeugniß der Glaubensgemeinschaft damaliger Zeit, nicht etwas Unantastbares und ewig Gültiges. **Jäckel.**

An porteur (auf den Inhaber) ist eine übliche Bezeichnung auf Werthscheinen: Wechseln, Anweisungen, Schuldbriefen u. s. w., wodurch jeder Besitzer des Scheins berechtigt wird, den Betrag desselben oder die Zinsen zu verlangen; im Gegensatze zu den Werthscheinen, welche auf eine bestimmte Person lauten, die allein als berechtigt anerkannt wird. Vergl. Actien.

Auscultator, wörtlich Zuhörer, bezeichnet in Preußen die erste Stellung eines Gerichtsbeamten, in welcher er durch Zuhören sich für die künftige Laufbahn vorbereiten soll.

Ausfuhr bezeichnet die ganze Masse der Boden- und Gewerbserzeugnisse, welche über den inländischen Bedarf hinaus gehen und andern Völkern zugeführt werden. Ueber die Wichtigkeit der A. s. Handel.

Ausfuhrprämien. Wenn gewisse Gewerbserzeugnisse in einem Lande gar nicht, oder nur für den innern Verbrauch gemacht werden, und hinsichtlich des Preises nicht ausgeführt werden können, da andere Völker dieselbe Waare billiger liefern, so sucht der Staat durch A. den Handel möglich zu machen. Gesetzt England könnte eine Waare für 100 Thlr. verkaufen, welche in Deutschland nicht unter 110 Thlr. gegeben werden kann, so müßte der Staat 10 Thlr. A. geben; damit der deutsche Handel dieselbe Waare auf den fremden Markt bringen kann. Man muß dieses künstliche Mittel der Handelshebung meistentheils für unnöthig und unzweckmäßig halten: bei dem Gange der Gewerbthätigkeit wird dasjenige, was in einem Lande erzeugt werden kann, nicht vergebens auf Unternehmer warten. Dann ist die A. ein Privilegium, welches die Gesammtheit benachtheiligt, um Einzelne zu begünstigen und Privilegien sind auf jedem Gebiete unnütz; die Gesammtheit muß nämlich die Abgabe von 10 Thlrn. bezahlen, damit der Einzelne seine Waare ausführen kann. Will man aber behaupten, was der Einzelne erwerbe, komme auch der Gesammtheit zu gut, so stellt man damit den Satz auf: ein Handel, bei welchem Geld zugelegt werden muß, sei vortheilhaft, denn die Gesammtheit muß ja eben bei dem betreffenden Erzeugnisse 10 Thlr. zulegen. Sie wird auch noch insofern benachtheiligt, als dieselbe Waare durch die künstliche Ausfuhr im Innern theurer wird. Endlich rächt sich im Handel jede unnatürliche Bewegung; eine solche A. führt demselben Kräfte zu, die lediglich der A. wegen sich dorthin wenden, für das Gedeihen aber keine Gewähr haben und daher, wenn auch andre Staaten nun zu diesem künstlichen Mittel greifen, entweder den Staat nöthigen, die A. zu steigern und seine Gesammtangehörigen mehr und mehr zu belasten; oder sie leiden dann Schiffbruch und benachtheiligen das Ganze durch ihren Fall. England scheint die Erfahrung gemacht zu haben, daß A.n weder dem Ganzen noch dem Handel und der Gewerbthätigkeit frommen, denn es hat seit 1815 begonnen, dieselben aufzuheben, 1830 ist ein großer Theil derselben gefallen und an Entfernung des Restes ist seitdem unablässig gearbeitet worden. v. L.

Ausgabe, s. Staatshaushalt.

Ausgangszoll, s. Zoll.

Ausgleichung der Kriegsschulden, s. Kriegsschulden.

Ausgleichungsabgaben, s. Zollverband.

Aushebung heißt die dienstpflichtige junge Mannschaft eines Staats zusammenraffen und in das Heer einreihen. Napoleon erst hat die allgemeine A. (Conscription) eingeführt und die meisten Staaten sind ihm darin gefolgt. Das Nähere s. Heer.

Aushorchen, s. Angeberei.

Aushungern heißt in der Belagerungskunst das Umschließen einer Festung, so daß jede Zufuhr von Lebensmitteln ihr abgeschnitten ist und der Hunger die Eingeschlossnen zwingt, dem Feinde die Thore zu öffnen. Die neuere Kriegskunst, welche sich um die Eroberung der Festungen nicht mehr so sehr anstrengt, hat das unmoralische und verwerfliche Mittel des A.s weniger nöthig; dagegen ist es auf dem Gebiete der Politik

erschienen. Ober kann man es anders nennen als A., wenn unfähige und rückschrei-
tende Minister die hohe Regierungsstellung über den Partheien verlassen, selbst
Partei werden, und die Gegner, die sie nicht besiegen können, insofern durch A. zu
vernichten trachten, als sie keinen derselben zum Staatsdienste zulassen, keinem ein Amt
geben oder gönnen, keinen bestätigen, wo ihnen Bestätigungsrecht zusteht und ihren
Haß so weit treiben, daß sie selbst den Söhnen der Fortschrittsmänner das Dasein
abschneiden. Man erinnere sich an die Söhne Jordans, Schomburgs und
Schwarzenbergs in Kurhessen! Ist nun das A. im Kriege verwerflich, wie viel
mehr im Frieden? Wie die Eingeschlossenen verzweifelte und blutige Ausfälle machen,
um sich zu ernähren, so müssen die Gefährdeten Alles aufbieten, sich zu retten. Dadurch
wird der Krieg in den Staat geschleudert, der unblutige Krieg, der doch der gefährlichste
ist. Das von Oben begonnene System wird sich ins Leben übertragen, man wird
— und man muß — nur kaufen und arbeiten lassen beim Parteigenossen, und die
Zeiten der Guelfen und Gibellinen werden gewaltsam in eine friedliche Bevölkerung zurück geführt. Wer in diesem unmoralischen System sein Heil suchen muß,
der mag wohl das Ende bedenken.   R. B.

   Ausländerei ist eine Krankheit, an welcher Deutschland lange gelitten hat.
Als es am tiefsten gesunken war an Geltung, Kraft und Freiheit, stand die A. in
ihrer höchsten Blüthe und Alles, was gut sein sollte, mußte aus dem Auslande
sein. Daß das Ausland jenseits der zufälligen Staatsgrenzen begann und also jeder
deutsche Staat ein halbes Hundert deutsche Ausländer hatte, versteht sich von selbst.
Im Volke ist wenigstens die letzte Gattung A. verschwunden, wenn auch die erstere
Art noch nicht ganz geheilt ist; das Gefühl der Volkszusammengehörigkeit wächst, und
das geistige Leben hat die engen Grenzen überschritten. Leider wird an der deutschen
A. in gewissen Höhen noch immer festgehalten, worüber das Nähere unter Ausweisungen.

   Auslegung heißt den Sinn und Geist des Gesprochenen oder Geschriebenen
erklären, wenn derselbe nach dem Wortlaute zweifelhaft ist. Besonders wichtig ist für
uns die A. der Gesetze, worüber unter Gesetz das Nähere.

   Auslieferung. Zwischen den verschiedenen Staaten bestehen Verträge über
die A. von Sachen und Menschen, die sich im Gebiete eines andern Staates, als
dem sie angehören, befinden. Die Sachen betreffend ist das Geeignete unter Abschoß bereits mitgetheilt. Die A. von Menschen wird beansprucht 1) bei Verbrechern; 2) bei Verfolgten; 3) bei unberechtigt sich im Auslande Aufhal-
tenden. Was den Verbrecher betrifft, so erheischt allerdings das Recht, denselben
entweder zu ergreifen und zu bestrafen, wo man ihn findet, oder ihn dem Staate,
welchem er angehört, auszuliefern. Da die Aufgabe des Staates, Recht und Gesetz
zu hüten, überall dieselbe ist, auch die Verbrechen in einem Staate dieselben sind, wie
im andern, so sollten die Staatsverträge nicht die A., sondern nur die gegenseitige
Bestrafung und allenfallsige Schadloshaltung für die Pflege des Verbrechers festsetzen;
um so mehr, als der Verbrecher durch seinen Uebertritt sich dem Schutze und der
Gerichtsbarkeit des andern Staates unterwirft und es eine heilig zu haltende
Rechtsregel ist, daß er nach dem mildesten Gesetze gerichtet werden soll. Indessen
es ist nicht so, und so mag die A. des Verbrechers gerechtfertigt sein, wenn der Staat,
bei welchem er Schutz suchte, sich überzeugt hat, daß er Verbrecher ist. Diese
Ueberzeugung aber muß er sich vorher verschaffen, weil es denkbar ist, daß auch ein
blos Verfolgter als Verbrecher bezeichnet wird; die A. der Verfolgten aber, die keine
Verbrecher sind, nimmermehr gerechtfertigt werden kann. Denn wenn z. B. in einem
politischen Parteistreite es zu gegenseitiger Anwendung der Gewalt gekommen, durch
welche der eine Theil überwunden und dann flüchtig geworden ist, so ist die Grenze
des Verbrechens verwischt; was einerseits für das schwerste Verbrechen erklärt wird,
gilt andererseits für die höchste Tugend, und lediglich der Erfolg der Gewalt, nicht

Gesetz und Recht haben entschieden. In diesem Streite durch A. der Verfolgten zu entscheiden, wo das Verbrechen ist, steht keinem andern Staate zu und er kann höchstens den gesuchten Schutz dauernd verweigern und es dem Verfolgten überlassen, denselben nach seinem Belieben anderswo zu suchen. Diese Grundsätze sind zu allen Zeiten und bei allen Völkern anerkannt worden, selbst der Kaiser von Marokko verweigerte die A. der Freiheitskämpfer, die dem Henkerschwerte Ferdinands VII. entflohen waren, und heute noch verdammt die Nachwelt die schmachvolle A. Arnolds von Brescia und Patkuls eben so sehr, als sie dereinst die A. der Polen im Jahre 1846 an ihre Henker verdammen wird. Eben so wenig kann der unbefugte Aufenthalt im Auslande jemals eine A. rechtfertigen; der Staat, welcher seine Angehörigen so sehr beschränkt, daß er sie gewissermaßen nur an der Leine wandern läßt, der mag auch selbst dafür sorgen, daß diese Leine straff genug ist, dieselben zurück zu ziehen. Der fremde Staat hat zu einer Beihülfe in dieser Beziehung nicht nur keine Pflicht, sondern auch gar kein Recht. R. B.

Auslösung heißt die Entschädigung, welche einem Beauftragten, Abgeordneten u. s. w. für Aufwand und Verzehrung gewährt wird. Vergl. Abgeordnete.

Auslösung der Gefangenen, s. Auswechselung.

Ausmärker heißt dasjenige Mitglied einer Gemeinde, dessen Besitzthum außerhalb des Gemeindegebietes liegt.

Ausnahmegesetze nennt man diejenigen Anordnungen, welche in außerordentlichen Zuständen getroffen werden und nur bis zur Beseitigung derselben Geltung haben. Daß außerordentliche Zustände auch außerordentliche Mittel erheischen, ist nicht in Abrede zu stellen und thatsächlich werden die A. erst dann zu vermeiden sein, wenn Menschen und Gesetze einen weit höhern Grad der Vollkommenheit erlangt haben. Sind doch selbst in dem freien England der Regierung A. gegeben, durch welche sie die Habeas-corpus-Akte (s. d.) aufheben kann, und die Fremdenbill wie mehrere Strafbills sind als A. zu betrachten. Allein das englische Volk ist allerdings auch dadurch geschützt, daß die Minister nach jedesmaliger Anwendung der A. durch die Bill of Indemnity vor der Volksvertretung sich ausweisen und von ihr bestätigen lassen müssen, daß sie dieselben nicht überschritten und nicht mißbraucht haben. Wie sorgsam man dort mit den A.n umgeht, wie selten man sie anwendet, das beweist der Umstand, daß die Habeas-corpus-Akte in 132 Jahren (von 1715—1847) nur 9mal und zwar im Ganzen nur 2 Jahre, also im Durchschnitt nicht 3 Monate anhaltend aufgehoben war. Und in diese 132 J. fallen Englands furchtbarste Kriege und innere Umgestaltungen! Grundsätzlich kann man A. niemals billigen, weil sie die erste Gelegenheit bieten zur Willkühr, zur Aufhebung jedes Gesetzes, wie das unter allen Regierungsformen und zu allen Zeiten sich bewährt hat; kam doch die franz. Staatsumwälzung mit ihrer angeblich absoluten Volksherrschaft aus den A.n gar nicht heraus, und regiert doch das angebliche Bürgerkönigthum in Frankreich jetzt fast nur nach A. und zwar seit 1832, also 15 Jahre. Aber dasselbe zeigt auch am deutlichsten, wohin die A. führen. In Deutschland bestehen als A. die (Karlsbader) Bundesbeschlüsse von 1819, so wie deren Verlängerung und Erweiterung von 1824 und 1832, durch welche die Gewährungen der Bundesakte und der einzelnen Verfassungen über Preßfreiheit u. s. w. aufgehoben sind. Gebe Gott, nicht lange mehr! R. B.

Ausschließungssystem nennt man ein trauriges Kind vergangener Zeiten, wodurch gewisse Stände, Personen oder Glaubensbekenntnisse von allen oder den meisten Staatsrechten ausgeschlossen waren. Die Neuzeit hat das A. entschieden verworfen und diejenigen, welche es wieder in Aufnahme zu bringen trachten (vergl. Aushungern), werden nur sich selbst von aller Staatsgeltung ausschließen. Ueber das A., welches gewisse Waaren vom Markte fern halten will und ebenso veraltet ist, wie das politische A., s. Handel und Schutzzoll, auch Alleinhandel. v. C.

7*

Ausschließungsrecht, altdeutsche Rechtspflege s. Actenversendung.

Ausschuß. Im politischen Sinne versteht man darunter einen aus der Mitte eines größern Vereins gewählten engern Kreis von Mitgliedern zur Verwaltung oder Vorbereitung gewisser jenem größern Vereine obliegenden Berufsgeschäften, oder auch zur Vertretung der diesem größern Vereine zustehenden Rechte. So werden die undeutschen Deputationen, Commissionen und Comités der Ständeversammlungen, welche die Geschäfte derselben vorbereiten, in manchen Ländern auch A. genannt, es sollte in allen geschehen. Als A. bezeichnet man bisweilen auch die Gemeindevertretung (Gemeinde-A., Gemeinde-A.-Personen). Eine ganz eigenthümliche Bedeutung haben die landständischen Ausschüsse, wie sie in Würtemberg, Kurhessen, Braunschweig und einigen andern deutschen Verfassungsstaaten vorkommen. In der Regel, namentlich in Würtemberg, gilt der ständische (dort aus 12 Personen, nämlich den Präsidenten der beiden Kammern, 2 Mitgliedern der I. und 8 Mitgliedern der II. Kammer bestehende) A., so lange die Stände nicht versammelt sind, als Stellvertreter derselben und zwar für diejenigen Geschäfte, deren Besorgung von einem Landtage zum andern zur ununterbrochen Wirksamkeit der Vertretung des Landes nothwendig ist. In dieser Hinsicht liegt dem A. ob, die ihm nach der Verfassung zur Erhaltung derselben zustehenden Mittel in Anwendung zu bringen und hiervon bei wichtigen Angelegenheiten die übrigen Ständemitglieder in Kenntniß zu setzen, in den geeigneten Fällen bei der Staatsbehörde Vorstellungen, Verwahrungen und Beschwerden einzureichen und nach Erforderniß der Umstände um Einberufung einer außerordentlichen Ständeversammlung zu bitten, welche, wie es §. 188 in der Würtembergischen Verfassung heißt, nie „verweigert werden wird, wenn es sich von der Anklage der Minister handelt, vorausgesetzt, daß der Grund der Klage und die Dringlichkeit derselben gehörig nachgewiesen ist." Noch gehört es zu seinem Wirkungskreise, die für die Ständeversammlung sich eignenden Geschäftsgegenstände, namentlich die Erörterungen vorgelegter Gesetzentwürfe zur künftigen Berathung vorzubereiten und für die Vollziehung der landständischen Beschlüsse Sorge zu tragen. Daß das Bestehen landständischer Ausschüsse manche Vortheile darbietet, wer möchte es läugnen? Sich aber davon einen großen Schutz für die Verfassung selbst zu versprechen, dürfte Selbsttäuschung sein. Denn so lange der ständische A. die Ständeversammlung nicht selbst einberufen, sondern nur um deren Einberufung bitten darf, ist keine Gewähr für Erhaltung der Verfassung. Eine Regierung, welche die Verfassung vernichten oder verletzen will, braucht ja nur den Bitten des A.es kein Gehör zu geben. Ueberhaupt giebt es nur einen einzigen wahrhaften Schutz für eine Verfassung: eine starke und wachsame öffentliche Meinung, stets vertreten durch eine freie Presse und getragen von einem politisch gebildeten und thatkräftigen Volke! Als eine Schattenseite der landständischen Ausschüsse erscheint dagegen die darin liegende Vervielfältigung der Verfassungsorgane. Je einfacher der Organismus des verfassungsmäßigen Staatslebens ist, desto reiner wird das Verfassungssystem sich gestalten, desto verständlicher und leichter wird es vom Volke aufgenommen und allseitig gehandhabt werden, desto weniger wird es Vernichtungen und Mißbräuchen unterworfen sein. Aehnliche Betrachtungen mögen die Ursache sein, weshalb die in Preußen versuchten „vereinigten Ausschüsse", gebildet aus einer Anzahl Abgeordneten der 8 verschiedenen Provinzialstände-Versammlungen dort so wenig Anklang gefunden. Die 1844 berufenen Ausschüsse, welche die erste Weiterbildung der preuß. Verfassungszustände vertreten sollten, scheiterten vollständig an dem Mangel aller Bedeutung und jede Entwicklung zerstörenden Geschäftsordnung; die aus dem Patente vom 3. Febr. 1847 hervorgehenden scheitern an der Uebermacht ihrer Befugnisse, indem sie die kargen Verfassungsrechte allein tragen und allein ausüben, über die Staatsmittel allein verfügen sollen, was die Stände zu gewähren eben so wenig Lust hatten, als die Ausschüsse Verantwortlichkeitsmuth dazu haben werden. Daher erfolgte die Wahl sehr bedingungsweise und es werden wohl die Ausſchüſſe gar nicht zum Leben kommen. Dieſe Vorgänge auf dem erſten vereinigten Landtage laſſen erwarten, daß man dieſes mehr hemmende als wirkende, mehr ſtörende als einklingende Mittelglied aus dem Mechanismus des preußiſchen Verfaſſungslebens wieder entfernen werde. **Wehner.**

Ausſchuß bei Actienunternehmungen, ſ. Actiengeſellſchaft.

Ausſetzen der Kinder iſt eine Handlung, durch welche die Eltern ſich derſelben entledigen wollen. Im Alterthume war das A. eine erlaubte Handlung, in Sparta wurde das ſchwache oder verkrüppelte Kind amtlich zerſchmettert, bei den Griechen, Römern und Scandinaviern war das A. erlaubt, bei den Chineſen, Japaneſen und Hindus iſt es noch heute geſtattet. Dagegen war bei den Aegyptern, Juden, Thebanern und Germanen das A. verboten, und alle gebildeten Völker der jetzigen Zeit betrachten es als Verbrechen, welches theils dem Kindesmord gleich gerechnet wird. Erfolgt das A. an einen Ort, wo es wahrſcheinlich iſt, daß das Kind verhungern muß, ſo iſt es auch ein Mord und zwar ein grauſamerer, als das Erſchlagen des Kindes; erfolgt es jedoch an einen Ort, wo das Kind gefunden werden muß, ſo iſt es kaum noch ein Verbrechen und wird, namentlich beim Nachweis, daß die Unmöglichkeit das Kind zu ernähren, Urſache des A.s war, gar nicht, oder nur milde geſtraft. Wie unſere Geſellſchaftsverhältniſſe beſchaffen ſind, kann oft — beſonders bei der unverheiratheten Mutter — keine Wahl vorhanden ſein, als Mord oder A. und dies erkennend hat man in manchen Staaten oder großen Städten Findelhäuſer errichtet, in welche die Kinder ohne weitere Nachfrage oder Verfolgung ausgeſetzt werden können, z. B. in Petersburg, Paris, London u. ſ. w. Dieſe Kinder werden entweder vom Staate oder von Wohlthätigkeitsvereinen erzogen. In dieſen Anſtalten liegt ein trauriges Zugeſtändniß der Verkehrtheit und Entſetzlichkeit unſerer Zuſtände, allein wie dieſelben eben ſind, ſind die Anſtalten ein Gebot der Menſchlichkeit, welchem allenthalben genügt werden ſollte. **R. B.**

Austauſch, ſ. Handel.

Austauſch von Ländern, ſ. Arrondiren.

Austräge, Austrägalinſtanz, ſ. Schiedsgericht.

Auswanderung. Bis in das graueſte Alterthum hinauf reichen die Nachrichten über A.; theils waren es ganze Stämme, herumziehende Horden, die aus unwirthlichen Gegenden einem mildern Himmel zuwanderten und ſich mit den Waffen in der Fauſt einen Wohnſitz erkämpften, in welchem Falle die Ureinwohner entweder in die Sklaverei der Sieger fielen, oder ebenfalls weiter zu wandern und ſich neue Sitze zu ſuchen genöthigt waren; theils auch zogen aus blühenden Reichen, freiwillig oder entſendet, Schaaren von Bürgern aus über Land und Meer, um neue Reiche, Handelsplätze oder militäriſche Niederlaſſungen zu gründen. Solcher kriegeriſchen A.en, die zuweilen ein Drängen und Stoßen aller Völker eines ganzen Welttheils auf einander zur Folge hatten, nennt die Geſchichte unter dem Namen Völkerwanderungen viele: die Wanderung der Dorier, der Gallier, die Züge der Hunnen, ſpäter der Mongolen, der Normannen, der Cimbern und Teutonen, der Angeln und Sachſen ꝛc. Noch größer iſt die Zahl der friedlichen Niederlaſſungen, die von unternehmenden ſeefahrenden Völkern, theils aus Rückſichten des Handels, theils um die mißzufriedenen thatenluſtigen Bürger auswärts zu beſchäftigen (Phönicier, Griechen und Römer), bald an benachbarten Küſten, bald aber auch in weit entfernten Ländern gegründet wurden (Colonien, Pflanzſtädte), mit dem Mutterlande in freundſchaftlicher Verbindung blieben und mitunter zu ſo großer Macht und Blüthe gelangten, daß ſie ſelbſt das Mutterland überragten, jedenfalls aber durch die Bildung, die ſie aus der Heimath mitbrachten, durch den Anbau des Landes, die Gründung von Städten und feſten Plätzen den Uebergang von rohen in geſittetere Zuſtände förderten und vermittelten. Doch ſo lohnend es auch wäre, nachzuweiſen, wie Vieles dieſe Wanderungen umgeſtaltet, wie oft ſie alternden Völkern friſches Blut zugeführt oder die vorgefundene Bildung weiter fortgepflanzt haben: wir müssen hier diesen Faden verlassen, über die unfreiwilligen, durch den bei der Reformation von bigotten Herrschern geübten Glaubenszwang bewirkten A.en zahlreicher Protestanten aus katholischen Ländern, wie namentlich auch zur Zeit der ersten Staatsumwälzung (die franz. Emigration), über die A. aus Polen nach dem Mißlingen der letzten Staatsumwälzung (die polnische Emigration) hinwegeilen und uns auf die alljährlichen, immer umfangreicher werdenden A.en der neuesten Zeit beschränken. Thatsache nämlich ist es, daß aus verschiedenen Ländern Europas, auch aus Deutschland, jährlich eine große Anzahl Bewohner wegziehen, und sich weit in der Ferne unter andern Völkern eine andere Heimath suchen. So lange das nur von Einzelnen geschieht, die sich auswärts niederlassen wollen, kann es dem Staate gleichgültig sein. Wenn aber, wie dies gegenwärtig der Fall, die A.en so überhand nehmen, daß sie massenweise geschehen, daß der jährliche Abfluß der Bevölkerung weit in die Tausende geht: dann ist diese Erscheinung wohl geeignet, die Aufmerksamkeit des Staates zu erregen. Und dies um so mehr, je offener die Gründe, weshalb man auswandert, zu Tage treten. Denn nicht ein unbestimmter Hang zum Wandern ist es, welcher die Tausende aus dem Vaterlande forttreibt, sondern theils offen erklärte Unzufriedenheit mit den öffentlichen Zuständen, theils die Sorge um den Lebensunterhalt und die Hoffnung in bessere äußere Verhältnisse zu kommen. Ja die Verhältnisse ganzer großen Classen des Volkes haben sich zu einer solchen Trostlosigkeit gesteigert, die Abgaben an den Staat und an den Gutsherrn können sie nicht mehr erschwingen, oder es ist vollends gar alle Hoffnung auf ein kleines Besitzthum oder einen eigenen selbstständigen Geschäftsbetrieb für sie verschwunden, oder mit ihrer Hände Arbeit können sie sich und eine zahlreiche Familie kaum auf das Kümmerlichste ernähren, daß A.en im Großen als Heilmittel gegen die anschwellende Massenarmuth auch von Freunden des Volkes empfohlen worden sind. Diesen Erscheinungen gegenüber, wie hat sich der Staat zu verhalten? Soll er die A. hindern und erschweren, oder befördern und unterstützen, oder als etwas Unvermeidliches geschehen lassen, ohne daß er sich weiter darum kümmert? In früherer Zeit brachte es das Feudalrecht so mit sich, daß der Leibeigene und Hörige nur mit Erlaubniß des Gutsherrn, und auch der Freigeborene nur mit Erlaubniß des Landesherrn wegziehen durfte, und für diese Erlaubniß sogar noch mehr oder weniger bezahlen mußte (s. Abschoß 2c.) Man betrachtete eben den Menschen mit der Scholle, auf der er geboren war, so fest zusammengehörig, gewissermaßen so ganz verwachsen, oder als ein Zubehör derselben, daß man ihn auch gegen seinen Willen darauf zurückhalten und nur gegen ein Lösegeld freigeben könne. Seitdem menschlichere Ansichten über die Würde und die Rechte des Menschen aufgekommen sind, ist die A.sfreiheit als eine natürliche Folge der persönlichen Freiheit in einigen Ländern, wie in Würtemberg, Frankreich und England oder innerhalb der deutschen Bundesstaaten durch die Bundesacte ausdrücklich anerkannt worden, und auch wo solche ausdrückliche Erlaubniß nicht besteht, oder vielleicht sogar noch aus früherer Zeit ein Verbot der A., wie in Preußen und Oesterreich läßt man sie geschehen, weil man sie denn doch einmal nicht hindern kann. In der That hat ein A.sverbot heutzutage keinen Sinn mehr, es ist der grade Gegensatz der persönlichen Freiheit, und wenn auch der Nachtheil des Vermögensauszuges für die Staatswirthschaft, selbst für die Staatskasse mitunter sehr fühlbar werden kann, besonders wenn die A. stark ist, so fordert doch die Gerechtigkeit, daß man dem, der sich in einem Staate nicht wohl fühlt und auswärts besser durchzukommen oder seinen Kindern eine sichere Zukunft zu gründen meint, ruhig ziehen lasse. Der Mensch ist mehr werth, der Zufall der Geburt ist so maßgebend, daß der Mensch mit Leib und Seele an den Staat gefesselt, gewissermaßen verkauft wäre, in dem er gerade zur Welt kam. Der Mensch strebt ewig nach einer Verbesserung seiner Verhältnisse, der vollends Gedrückte sehnt sich darnach, aus seiner Lage herauszukommen und eine bessere Stellung zu gewinnen. Kann er das in der Heimath nicht erreichen, kann ihm sein Vaterland dazu nicht verhelfen, so mag es ihm den Entschluß weiter zu ziehen und auswärts sein Heil zu versuchen, nicht verargen; ihm den Weg dahin erschweren oder gar vermauern, wäre eine maßlose Härte. Will der Staat die A. verhüten, so gewähre er in religiöser und politischer Hinsicht die größtmöglichste Freiheit, deren Versagung viele seiner besten Bürger im Unmuth über den Gang der öffentlichen Angelegenheiten, zur A. treibt, so befreie er den Landbau und die Gewerbe von den Fesseln, in denen sie immer noch schmachten, erleichtere überhaupt das Loos der ärmern Classen, die er zum Vortheil der reichern immer noch zu sehr belastet und doch zu sich nicht heranzieht. Kann er das nicht oder will er das nicht — so muß er die A. geschehen lassen. Wie sehr wir also auch fühlen mögen, daß durch die A. viele Capitalien, viel geschickte Hände, viel gute Köpfe, viel brave Herzen dem Vaterlande verloren gehen, die für die Entwickelung, für die Vermögens- und Arbeitsverhältnisse desselben unersetzlich sind; wehren dürfen wir ihnen die A. nicht, und aus Menschenliebe mögen wir ihren Auszug mit unsern besten Wünschen für Erfüllung ihrer Hoffnungen begleiten. Nicht einmal dazu hat man ein Recht, von dem Auswanderer eine Steuer von seinem Vermögen, das er mitnimmt, (Nachsteuer, Emigrationssteuer) zu fordern. Doch so wenig wir dazu rathen können, die A. zu verbieten oder zu erschweren, weil sie der Staat nicht zu wünschen hat, eben so wenig möchten wir ihm rathen, sie mit allen ihm zu Gebote stehenden Mitteln zu betreiben. In der neuern Zeit, wo die Verarmung der Massen reißende Fortschritte macht, wo namentlich in stark bevölkerten Fabrikbezirken und dürftigen Gebirgsgegenden die Armuth und das Elend zu einer entsetzlichen Höhe gestiegen ist, hat man ein Heilmittel gegen diese Schäden der Gesellschaft darin finden wollen, daß der Staat die A. aus solchen Gegenden geradezu betreibe, theils der Auswandernden wegen, denen dadurch geholfen werde, theils der Zurückbleibenden wegen, deren Erwerb durch den Abfluß einer überzähligen Bevölkerung erleichtert werde. Aber einmal ist es eine ausgemachte Sache, daß in keinem europäischen Lande von Uebervölkerung die Rede sein kann, eine starke Bevölkerung aber kein Unglück, sondern ein Glück, weil nämlich von zunehmendem Wohlstand zeugend und durch ihn bedingt, mit ihm gleichen Schritt haltend ist. Dann aber was die Fabrikbezirke im Besondern anbelangt, so zeigt gerade diese Bevölkerung die wenigste Lust zum A., ist auch meist zum Landbau nicht abgehärtet und kräftig, und der Staat würde daher eine große Verantwortlichkeit auf sich laden, wollte er sie zu einem Tausch verleiten und zu einer Arbeit in Verhältnisse überführen, von der er nicht mit Bestimmtheit voraussagen kann, daß sie sich dann besser befinden und zufrieden gestellt werde: wozu noch kömmt, daß ein starker Abfluß der Fabrikbevölkerung den betreffenden Geschäftszweig ganz in Frage stellen und zum Stillstand bringen, dadurch aber allen übrigen volkswirthschaftlichen Verhältnissen Eintrag thun würde. Uebrigens wer schneidet gern ein Glied von seinem Körper, und deshalb weil sie arm sind, sind die Armen doch nicht krank. Besser also, der Staat mischt sich nicht in diese Dinge. Damit soll indeß nicht gesagt sein, daß er sich nun überhaupt um die A. gar nicht kümmern solle. Es wandern jährlich so viele tausend Bürger fort, aus dem Vaterlande, daß eine menschenfreundliche Regierung sich aufgefordert fühlen muß, für Sicherstellung ihres künftigen Looses etwas zu thun. Wenn sie die A.lustigen darüber belehrt, wo sie sich am zweckmäßigsten ansiedeln und wie sie sich gegen Betrug oder Unglück sicher stellen können; wenn sie mit den Ländern, wohin der Strom der A. seine vorzüglichste Richtung nimmt, in Unterhandlungen tritt, in den Aus- und Einfuhrhäfen und an den Hauptorten der Ansiedelung Agenten oder Consuln zur Berathung, Unterstützung und Beschirmung der Auswanderer anstellt u. dgl. m. wird sie viel Gutes stiften und dadurch nicht blos manche Härte, die der Auswanderer früher von ihr zu erdulden hatte, ausgleichen, sondern auch einen beiden Theilen Vortheil bringenden Verkehr zwischen den Ansiedlern und dem Mutterland auf die leichteste Weise anknüpfen und unterhalten können. — Sollen wir noch etwas darüber sagen, wohin die A. für Deutsche am rathsamsten sei, so sagen wir unbedingt: nach den vereinigten Staaten von Nordamerika. Was auch für Vorschläge gemacht worden sind, den Strom der A. nach andern Ländern und andern Himmelsstrichen zu leiten, nach Polen und Rußland, nach Ungarn und in die untern Donauländer, nach Australien, nach Algier, Südamerika rc., die nordamerikanischen Freistaaten behaupten den Vorzug. Einmal geht der Hauptzug der A. dorthin, dort findet der Deutsche am meisten seine Landsleute wieder. Ohnehin werden die, welche aus rein politischen oder religiösen Gründen Deutschland verlassen, sich zumeist nach jenen Freistaaten wenden, wo sie jede politische Meinung und jeden Glauben als gleich berechtigt anerkannt und für ihr Streben das weiteste Feld offen finden. Aber auch wer der Nahrungsverhältnisse wegen, namentlich als Landbauer, auswandern will, wandert am sichersten in die Vereinigten Staaten, wo noch Raum und Land für Millionen, wo dem Bauer kein Gutsherr, keine kostspielige Staatsverwaltung, keine unersättliche Finanz die Früchte seines sauren Schweißes verkümmert, wo die bürgerliche und persönliche Freiheit und Gleichheit jedes Unternehmen, jede Kraftentwickelung gestattet, und im Schutze dieser Freiheit eine Cultur erblüht, deren Anfänge das alte Europa schon jetzt mit Bewunderung erfüllen. C. E. Cramer.

Auswanderungsgebühr, eine Abgabe, s. Abschoß.

Auswärtige Angelegenheiten heißen in der Politik die Beziehungen zu fremden Staaten, zu deren Pflege und Erhaltung ein eigener Minister, der Minister der a. A., vorhanden zu sein pflegt. Das Nähere s. unter Diplomatie.

Auswechslung der Gefangenen ist eine Sitte, durch welche man den Krieg selbst menschlicher zu machen strebt und die unter allen Völkern üblich ist. Ehemals kannte man die A. weniger als die Auslösung, indem die Kriegsgefangenen nach den Graden abgeschätzt wurden und bezahlt werden mußten. Konnte oder wollte der eine Theil nicht zahlen, so war man so barbarisch, die Gefangenen zu morden. Jetzt herrscht die mildere Sitte, und wenn nicht schon während des Krieges, erfolgt die A. jedenfalls nach demselben. Nur in wirklich fanatischen Kriegen, z. B. in demjenigen zwischen den Russen und Tscherkessen kommt die A. selten vor, theils weil man keine Gefangenen macht, sondern nur niedermetzelt, was man kann; theils weil die wirklich ausnahmsweise Gefangenen der Rache Preis gegeben werden, die in jeder Brust brennt. Nur Rohheit oder fanatische Bosheit und Grausamkeit, wie sie 1845 z. B. die Jesuiten in Luzern gegen die Freischärler zeigten, kann ein so blutiges Verfahren erzeugen, niemals rechtfertigen. R. B.

Ausweisung. Wenn die Polizei des einen Staats Angehörige eines andern Staats, die vielleicht beim Betteln betroffen werden, oder ein herumschweifendes, verdächtiges Leben führen, sogenannte gemeinschädliche Herumtreiber (Vaganten, Vagabunden), über die Grenze zurückweist, bezüglich unter sicherer Bedeckung zurückbringt, unter der Verwarnung, das Gebiet dieses Staates nie wieder zu betreten, so beruft sie sich darauf, daß dies zum Besten der öffentlichen Sicherheit, zum Schutze des Eigenthums u. s. w. geschehe, und es läßt sich dagegen, daß sie auf d i e s e m Gebiete recht wachsam und thätig sei, wenn nur es sonst nur unter den gesetzlichen Normen und ohne Barbarei geschieht, in unsern heutigen Verhältnissen nicht viel einwenden. In neuerer Zeit hat man indeß noch eine andere Art von A. erfunden. Die „höhere" oder Staatspolizei, die in einigen Staaten geheime Agenten und Angeber in ihre Dienste zog, in andern ein schwarzes Cabinet zur Oeffnung der Briefe errichtete, hat auch A.en aus politischen Gründen, aus „höhern Staatsrücksichten" erfunden, und in kurzer Zeit oftmals und unter den auffallendsten Umständen davon Gebrauch gemacht. Männer vom unbescholtensten Ruf, deren Name über die Grenzen ihres Heimathlandes hinausreicht, die eine Zierde ihres Volkes und ein Vorbild für dasselbe sind — solche Männer wurden in deutschen Bundesstaaten auf Reisen durch dieselben, oder nach einem zeitweiligen Aufenthalt in denselben politischer Be-

denken halber von der hohen Polizei ausgewiesen. So Dr. Grün, ein geborner
Preuße, aus Baden, weil er als Mitarbeiter an der freisinnigen Mannheimer Abend-
zeitung dem badischen Ministerium unbequem war. So der Dichter Herwegh aus
Preußen, weil ein Brief von ihm an den König mit unterschiedlichen Anklagen gegen
die preuß. Minister in die Oeffentlichkeit gelangt war. So die beiden Badenser
v. Itzstein und Hecker, gleichfalls aus Preußen, weil man — es ist jetzt noch
nicht bekannt, was — von einer Vergnügungsreise fürchtete. So der deutschkathol.
Pfarrer Scholl von Mannheim aus Neustadt in Rheinbaiern, weil er bei einem Freunde
zu Besuch und, obgleich nicht in seiner Eigenschaft als Pfarrer zu irgend einer geistlichen Verrichtung herübergekommen, doch aber deutschkathol. Pfarrer war. So
Hoffmann v. Fallersleben sogar aus der Residenz seines Vaterlandes, weil bei
einem Fackelzuge zu Ehren der Brüder Grimm von den Studenten auch ihm ein
Hoch gebracht worden. Auch die A.en, die in Sachsen nach den Leipziger Auguster-
eignissen über eine Menge fremder Schriftsteller und nach der letzten Krakauer Schilderhebung über alle in Sachsen lebende Polen verhängt wurden, gehören hierher.
Zur richtigen Würdigung solcher Maßregeln genügt es, darauf hinzuweisen, daß es
ein anerkannter Satz des Völkerrechts ist, Fremden die freie und sichere Durchreise
durch einen befreundeten Staat und den Aufenthalt zu gestatten, so lange sie sich den
Gesetzen dieses Staates unterwerfen und die öffentliche Ordnung nicht stören. In
Kriegszeiten mögen hier Ausnahmen stattfinden; zur gesetzlichen Strafe wegen Vergehungen gegen die Landesgesetze mag man Fremde verweisen. Aber in Friedenszeiten
sie ausweisen, friedliche Reisende über die Grenze zurückweisen, ihres Namens wegen,
ihres Standes wegen, ihres Glaubens wegen, ihrer politischen Meinung wegen, der
man nicht wohl will, aus Staatsrücksichten — über die man Niemandem Auskunft noch
Rechenschaft giebt — ohne daß sie sich eines Vergehens schuldig gemacht, auf den
bloßen Verdacht hin, daß sie, oder einer von ihnen auf Gott weiß welche Weise sich
unangenehm machen könnten, ohne andern Anhalt zu solchem Verdacht, als die Eingebungen der eignen Einbildungskraft: das ist nicht blos mit dem bei allen Völkern
geehrten Gastrecht, nicht blos mit der Ehre der Fremden, die mit schlechtem Gesindel auf
gleichem Fuß behandelt werden, mit der Würde des Staates, dessen Bürger diese
Fremde sind und mit dessen Papieren sie reisen, nicht vereinbar, sondern es heißt
auch die Polizei mit einer Macht ausrüsten, wo sie sich von Willkühr nicht mehr
unterscheidet. Wenn vollends in deutschen Bundesstaaten gegen deutsche Bürger solche
A.en vorkommen, so zeigt das nur, was die vielgerühmte deutsche Freiheit zu bedeuten hat, die noch nicht einmal zur Freiheit des Reisens und des Verkehrs durchgedrungen ist, oder wenigstens von der Polizei jeden Augenblick in Frage gestellt werden kann. So kommt es dahin, daß der Deutsche im Auslande mehr Schutz findet,
als in Deutschland, und umgekehrt der Ausländer in Deutschland mehr als der Deutsche.
Der Franzose reist ruhig in Preußen, wo er als Badenser ausgewiesen zu werden
befürchten mußte, und der Badenser, der in Preußen ausgewiesen ist, reist unangefochten
in Frankreich. Das ist aber ein Widerspruch. Die Liebe des Deutschen zu seinen vaterländischen Zuständen kann dadurch unmöglich erhöht werden. Das sollte man wohl
bedenken.   C. E. Cramer.

Auszüger, Auszügler nennt man einen Dorfbewohner, welcher sich in einem
ehemals ihm gehörigen Hause eine freie Wohnung beim Verkaufe vorbehalten hat.
Diese Wohnung selbst heißt Auszug.

Authentisch, s. Urkunden.

Auto da fe, wörtlich Glaubenshandlung, nannten die geistlichen
Henkersknechte Roms die grausame Verbrennung ihrer Opfer, welche sie in großer
Zahl und in feierlichem Zuge zum Scheiterhaufen schleppten. Man rechnet, daß von
1229 an, wo die scheußliche Inquisition ins Leben trat, bis zur Mitte des 18. Jahrh.s,
wo das letzte A. stattfand, beinahe eine halbe Million Menschen von der frevelnden
Priesterherrschaft auf dem flammenden Altare geschlachtet wurde, weil sie nicht glaub-

ten, was Rom vorſchrieb.. So bewies Rom ſeinen Beruf, die Statthalterſchaft Gottes auf Erben auszuüben.   R. B.

Autokratie, ſ. Alleinherrſchaft.

Autonomie, ſ. Geſetzgebungsrecht.

· **Avanciren,** vorrücken, aufſteigen, höher geſtellt werden im Heer-
weſen, ſ. d.

Avantgarde, der Vortrab eines Heeres.

Avoué, ſ. Advocat.

Aßungsgeld hieß ehedem eine Abgabe, mit welcher die Betroffenen oder Be-
glückten ſich von der Pflicht, den Landesherrn und ſein Gefolge zu bewirthen, los-
kauften; auch wurde die für ſolche Bewirthung geleiſtete Vergütung ſo genannt.
Häufig wurde auch der Ausdruck A. zur Bezeichnung des Ziehgeldes (ſ. d.)
gebraucht.

B.

Babeouſismus, oder Baboufismus -heißt eine Gattung des Communismus (ſ. d.)

Backpolizei. Diejenige Beaufſichtigung des Backweſens, welche zum Zwecke
hat, das unentbehrliche Nahrungsmittel, das Brod, in geſundem und nahrhaftem
Zuſtande zu ſchaffen und zu erhalten. Die B. hat demnach zu verhüten den Verbrauch ſchlechten und verdorbenen Getreides, die Miſchung anderer beſonders ſchlechter
Beſtandtheile unter daſſelbe, die Sorge, daß ſtets Brod für den Bedarf vorhanden
iſt, die Beſtimmung des Brodpreiſes (ſ. Brodtare) und die Verhütung von Feuersgefahr durch das Backen. Hinſichtlich der erſten Punkte iſt die B. überflüſſig, wenn
das Verkaufen ſchlechter Waare geſetzlich beſtraft wird. Die Käufer werden bald
ſelbſt finden, wo man gutes Brod liefert. Nur da, wo man den Wetteifer unter den
Bäckern durch Zunftzwang und Bevorrechtungen (Privilegien) gehemmt und es einer
zu kleinen Zahl Menſchen überlaſſen hat, ob ſie die Gnade haben wollen, Brod zu
liefern oder nicht, da muß man nun auch künſtlich die Hinderniſſe wieder entfernen,
die man ſelbſt geſchaffen hat, oder beſtehen läßt. Wie bei jedem Handel iſt auch beim
Brodhandel die Freiheit das einzig belebende und das einzig ſichere Mittel dafür, daß
der Handel möglichſt gute Waare bringt. Die Abwendung der Feuersgefahr betreffend,
ſo gehört dieſe Aufgabe in das Gebiet der Baupolizei.   v. L.

Badepolizei. Das Baden iſt eine dem Körper ſo zuträgliche Erfriſchung, iſt
zugleich in warmer Jahreszeit ſo beliebt und geſucht, daß es wohl Pflicht des Staates und der Gemeinde iſt, daſſelbe zu fördern und die Gefahren abzuwenden, welche
mit dem unbeſonnenen Baden verbunden ſind. Der Staat kann nun allerdings nichts
thun, als durch Geſetz den Gemeinden dieſe Pflicht einſchärfen und ihre Ausübung
regeln; die Gemeinden dagegen haben die Pflicht, für geeignete Badeſtellen zu ſorgen,
wo die Gefahr des Ertrinkens nicht vorhanden iſt und durch die Lage an beſuchten
Verkehrsſtraßen kein Aergerniß gegeben werde. Eine weitere Aufgabe dürfte der B.
nicht zu ſtellen ſein.

Bader heißen an mehrern Orten die Wundarzneikundigen (Chirurgen). Wie
weit Staat und Gemeinde ſie zu beaufſichtigen hat, ſ. unter Medicinalpolizei.

Bagage nennt man die Wagen, auf welchen einem Heere die Lebens- und
Kriegsbedürfniſſe zu- oder nachgeführt werden. Durch Abſchaffung der Zelte und
anderer Schwerfälligkeiten iſt die B. in neuerer Zeit ſehr vermindert; ſonſt nahm ſie
faſt ſo viel Raum, Zugmittel und Kraft in Anſpruch, als das Heer ſelbſt.

Bagatellsachen (geringe, geringfügige Rechtssachen). Die Grundsätze des Rechts und des Verfahrens sind ursprünglich für größere und geringe Rechtssachen dieselben; das, was rücksichtlich der einen für Recht gilt, muß es auch für andere sein, und ein anderer Maßstab für die Geringfügigkeit, als die Höhe der Vermögensverhältnisse, um die es sich handelt, ist kein gerechter. Die ganze Wohlfahrt des Armen hängt oft von 5 Thalern ab, während der Reiche gleichgültig über 1000 verfügt. Mit diesen Grundsätzen des Vernunftrechts steht die Erfahrung insofern in Widerspruch, als es zur Verfolgung jedes Privatrechts eines Aufwandes von Zeit, Mühe und Geld bedarf, der, wenn er bei größern und geringern Rechtssachen gleich ist, die letztern häufig außer allem Verhältnisse mit dem Streitgegenstande selbst bringt. Daher ist von den Gesetzen bei geringern Rechtssachen eine Abkürzung des Verfahrens vorgeschrieben (summarischer Prozeß), entweder mit genauer Angabe der zu befolgenden Regeln (bestimmter summar. Proz.), oder ohne dieselbe (unbestimmter summar. Proz.). Die Geringfügigkeit eines bürgerlichen Rechtsstreites wird nach dem Werthe des Streitgegenstandes bestimmt; meistens gilt die Vorschrift, daß jeder Streitgegenstand unter 50 Thlr. im abgekürzten B.Verfahren zu behandeln sei; so in Preußen (wo der nicht empfehlungswerthe Ausdruck „B." der gesetzliche ist), Sachsen, Hannover u. s. w.; doch ist die Normalsumme bald höher, bald niedriger. Auch giebt es, z. B. in Sachsen und Würtemberg, verschiedene Klassen der B., je nachdem der Streitgegenstand 20 oder 50 Thlr., 50 oder 100 Fl. werth ist. Der Unterschied des Verfahrens in B. besteht darin, daß kürzere Fristen für Ladungen, Eidesleistung, Führung des Beweises, Eröffnung der Bescheide u. s. w. vorgeschrieben sind, daß es einer speciellen Einlassung auf die Klage nicht bedarf, daß Beweis und Gegenbeweis (hier Bescheinigung und Gegenbescheinigung genannt) einfacher geführt wird, daß dem einleitenden·Richter selbst die Abfassung des Bescheides vorgeschrieben ist, die Instanzen beschränkt und überhaupt die erschwerenden Formen aufgehoben sind. Auch finden geringere Kostenansätze sowohl für das Gericht, als für die Anwälte statt. Die Zuziehung der letztern ist in einigen Ländern untersagt, in andern ist sie nachgelassen, allein jede Verbindlichkeit zur Erstattung der Anwaltskosten durch den Gegner ausgeschlossen — eine Bestimmung, die es nicht selten unnöthig macht, auswärtige Schuldner durch gerichtliche Maßregeln zur Erfüllung ihrer Verbindlichkeiten anhalten zu lassen. Uebrigens wird in keiner Art des gerichtlichen Verfahrens die Nothwendigkeit der Mündlichkeit so augenscheinlich, als bei der Behandlung der B., denn gerade bei ihnen steht der Zeitund Kostenaufwand des schriftlichen Verfahrens, selbst wenn die Kostenansätze ermäßigt werden, nicht selten im schreiendsten Mißverhältnisse mit der Geringfügigkeit des Streitgegenstandes. _W. Bertling._

Bagno. Der Aufbewahrungsort für die Galeerensträflinge, also ein Gefängniß. Dann der Aufenthaltsort der Sclaven in den Städten, wo noch Sclaven sind.

Bahrrecht, s. Gottesurtheil.

Bailli, Baillif. Früher der Name eines Beamten in Frankreich, der zugleich Heerführer, Güterverwalter und Richter eines Bezirks war. — In England heute noch Bezeichnung eines hohen richterlichen Beamten, wie z. B. der Lord-Mayor von London noch B. heißt, weil er die Gerichtsbarkeit über Old Bailey (das alte Amt) führt. In der englischen Volkssprache ist B. ein Schimpfname und bedeutet Häscher, Scherge.

Ballotage, s. Abstimmung.

Ban heißt der höchste Beamte eines Grenzbezirks in Ungarn, Serbien, Kroatien, Bosnien u. s. w. Der Bezirk, über welchen er gesetzt ist, heißt Banat. Der Titel hat sich nur in Dalmatien, Kroatien und Slavonien noch erhalten, doch ist die Macht lange nicht mehr so groß, wie ehedem.

Bande hieß ehedem eine Abtheilung des Heeres von 100—500 Mann; an die Stelle der B. ist jetzt die Compagnie getreten.

Bande noire nannte man in der franz. Staatsumwälzung eine Gesellschaft, welche gemeinschaftlich öffentliche Güter, Klöster u. s. w. kaufte, um sich durch deren Verkauf zu bereichern.

Banken (Bankwesen). Unter diesem Ausdruck begreift man diejenigen Anstalten und Einrichtungen, welche dem Handel seine Geld- und Ausgleichungsgeschäfte vermitteln und erleichtern, und die sonach als eins der hauptsächlichsten Förderungsmittel aller Verkehrsthätigkeit zu betrachten sind, sobald man ihnen eine den Bedürfnissen und dem Gemeinwohl angemessene Gestaltung zu geben weiß. Mit dem Aufblühen des Handels und der Gewerbe machte sich die Nothwendigkeit der B. bald bemerklich; aus den jüdischen Geldwechslern, Pfandverleihern und Lombarden im Mittelalter, die auf offenem Markte feilhielten, bildete sich das Wesen der B. heraus. Was im Anfang blos Geschäfte in baarem Gelde, Umwechslung oder Darlehen gewesen, ward in nothwendiger Entwickelung bei der Ausdehnung des Verkehrs zu einem Handel mit allen geldwerthlichen und schnell umzusetzenden Werthschaften, Schuldurkunden, Zahlungsanweisungen, Wechseln u. s. w. Die Vielgestaltigkeit der Handelsgeschäfte gab diesem einen Zweig derselben, dem Geldhandel selbst, gleichfalls eine sehr unterschiedliche Einrichtung, bis die B. zu jenem Umfang und jener Organisation gediehen, in der sie heutzutage als der unentbehrliche Hebel des öffentlichen Credits (s. d.) in der gebildeten Welt dastehen. — Nach der verschiedenen Natur der Geschäfte, welche die B. besorgen, sowohl, wie nach der Beschaffenheit ihrer Elemente und ihrer Einrichtungen zerfallen dieselben in mehrere Gattungen, deren Aufgaben jedoch größtentheils bei den neuern vollkommnern Anstalten dieser Art vereinigt erscheinen. Die ursprünglichen Formen der B., wie sie sich aus dem einfachen Geldwechsel- und Pfandleihegeschäft entwickeln, sind wohl in den Leih-B., Depositen- und Giro-B. und Disconto-B. zu erkennen. Die Leih-B. verleihen auf bestimmte Zeit gegen die ihr gewährten Sicherheiten in Niederlegung von edeln Metallen, gemünzt oder ungemünzt, geldwerthen Papieren und andern werthvollen Pfändern bis zu einem gewissen Betrage des Werthes der letztern gegen eine bestimmte Verzinsung Kapitalien. In dieser ausschließlichen Form bestehen solche Anstalten jetzt nur noch unter dem Namen Leihanstalten (s. d.). — Ein anderer Zweig der B., die sich aber gleichfalls nur mit Geldverleihen beschäftigen, sind die Hypotheken-B., welche, wie andere Creditanstalten, bestimmt sind, den Besitzern liegender Gründe und Gebäude die Mittel zur Verbesserung ihrer Grundstücke und Häuser in Geldvorschüssen gegen hypothekarische Sicherleistung zur Verfügung zu stellen. B., die den gewöhnlichen Handelsverkehr hauptsächlich berücksichtigen, können sich nicht ohne Gefahr mit diesem Fach des B.wesens befassen, da die Natur der auf Liegenschaften gewährten Darleihen die Verfügung darüber auf allzulange Zeit hemmt und daher die betreffenden B. leicht in Verlegenheiten bringen kann; jedoch giebt es auch B., die wie die Baiersche Hypotheken- und Wechsel-B. auch diesen Zweig in den Kreis ihrer Geschäftsthätigkeit gezogen haben. — Die Depositen- und Giro-B. machen sich gleichsam zum Cassirer des Handelsstandes in dem Orte ihres Bestehens, indem sie nicht nur gegen eine geringfügige Vergütung Geld und Geldwerth in sichere Aufbewahrung nehmen, sondern auch von Mitgliedern des Handelstandes eine bestimmte Summe edler Metalle, gewöhnlich ungemünzt, in Empfang nehmen und dafür dem Einlegenden eine besondere Rechnung in ihren Büchern eröffnen, worin sie auf Anweisungen die an einen Dritten zu leistenden Zahlungen vom Guthaben ab- und dem Empfänger zuschreibt, so wie sie im umgekehrten Falle umgekehrt verfährt. Für ihre Mühewaltung zieht sie dagegen eine kleine Entschädigung, welche in der Hamburger B., worin die Eigenthümlichkeit der Giro-B. am unvermischtesten sich darstellt, darin besteht, daß bei der Deponirung des edlen Metalles das Reingewicht um eine Kleinigkeit geringer berechnet wird, als bei der Rückzahlung. Die Vortheile, welche dergleichen B. bieten, sind meistens rein brillicher Natur und beschränken sich nur auf den eigentlichen Handelsstand, jedoch sind sie für diesen von großem Belang, indem sie nicht nur große Zeitersparniß in der Geschäftsabmachung und Ausgleichung erzielen, sondern auch eine viel größere Sicherheit der Geldvorräthe zu Stande bringen, indem die Schätze des edlen Metalles unberührt in den Gewölben liegen bleiben, wodurch endlich der Abnutzung des edlen Metalles im Umlauf vorgebeugt wird. — Die Disconto-B. befassen sich mit dem Discontiren von geldwerthlichen Papieren und Urkunden: Wechseln, Staatspapieren u. s. w., d. h. sie kaufen dergl. Werthschaften, insofern sie die vorausbedingte Sicherheit gewähren, vor der Zeit ihrer Rückzahlung, oder ihres Fälligwerdens und bringen dem Verkäufer derselben von dem Werthbetrag, auf welchen jene lauten, die vom Tage des Verkaufs bis zum Verfalltage darauf fallenden Zinsen, berechnet nach dem von ihr für diese Zeit festgesetzten Zinssatz, den sogenannten Disconto in Abzug. Diese Art B.geschäfte sind es, welche dem allgemeinen Verkehr und Gewerb von der größten Förderlichkeit sind, da sie die Flüssigmachung und Verwendbarkeit der darin beschäftigten Kapitalien erleichtern. Die Sicherung, welche solche B. bei diesem Geschäfte zu ihrem eignen Frommen und Gedeihen sich ausbedingen müssen, ist die, daß die Wechsel u. s. w., welche sie disconiren, nicht allein mit dem Giro (der Unterschrift) zweier als unzweifelhaft zahlungsfähig betrachteter Handelshäuser versehen sein müssen, sondern daß diese Papiere bis zu ihrer Verfallzeit auch keine allzulange Frist zu laufen haben. Die Höhe des Zinssatzes der Disconto, welchen diese B. beim Wechseleinkauf geltend machen, wird von ihnen gewöhnlich nach gleichfalls für eine bestimmte Zeit festgesetzt. — Seine Vollendung und seine unendliche Wichtigkeit für allen Verkehr hat aber das B.wesen mit der Gründung der sogenannten Zettel-B. erhalten, mit deren Einführung der öffentliche Credit sein kräftigstes Förderungsmittel erhalten hat. Der Grundsatz, auf welchen sich die Einrichtung, das Bestehen und die Wohlthaten dieser Anstalten gründen, ist derselbe, worauf der Credit, das Zutrauen, dessen sich der einzelne Geschäftsmann erfreut, sich gründet, wenn er auf das schriftliche Versprechen, die Zahlung nicht sogleich, sondern in einer festgesetzten Frist zu leisten, ein Geschäft abschließt, wovon er sich Nutzen verspricht. Auf dem zweifellosen Credit solcher B., auf dem durch den Betrag der Geschäftsfonds, die Geschäftskenntniß und geschickte Leitung gerechtfertigte Zutrauen in die fortdauernde Zahlungsfähigkeit sich stützend, können sie dem allgemeinen Verkehr, der Belebung der Handels- und Verkehrsthätigkeit die Vortheile bieten, welche im Wesen dieser Einrichtungen selbst liegen. Das Eigenthümliche dieser B., welche gewöhnlich Disconto- und Leih-B. sind, besteht darin, sei es, um Geldbarlehne zu erhalten, sei es, um ihre Papiere discontiren zu lassen u. s. w. nicht baares Geld, sondern ihre eignen Schuldverschreibungen — Banknoten anbieten, Papiere, die auf festbestimmte Summen lauten und zu jeder Zeit bei den Kassen der B. gegen baares Geld ausgewechselt werden können. — Die Statuten solcher Zettel-B., die entweder Staatsanstalten oder Privatunternehmungen sein können, haben gewöhnlich vorgesehen, bis zu welchem Betrage, im Verhältniß zum B.kapital und zu der Ausdehnung ihrer Geschäfte sie ihre Notenausgabe ausdehnen, so wie welches der niedrigste Betrag der einzelnen Noten sein dürfe. Durch die Beschränkung der Notenausgabe auf ein gewisses Quantum, z. B. des 1½ bis 2fachen des Stammkapitals, will man verhüten, daß eine solche Creditanstalt, von unüberlegter und wilder Unternehmungslust hingerissen, nicht das in sie gesetzte Vertrauen der Handelswelt täusche und dieselbe in ihren eigenen Sturz verwickele; die Festsetzung des niedrigsten Betrags der einzelnen Appoints der Banknoten, ist gewöhnlich so hoch, daß sie nur eine sehr beschränkte Ausdehnung im Umlauf einnehmen, soll hinwieder dem daraus besorgten Hinausdrängen des baaren Geldes nach dem Auslande und die Entwerthung der Banknoten selbst verhindern.

Leider haben dergleichen gesetzliche Vorkehrungen nicht verhüten können, daß durch gewissenlose B.speculationen mehrmals unsägliches Unglück und ungeheure Verluste über die Handelswelt gekommen und diese Trübsale sich in natürlicher Folge auf alle Kreise der Gesellschaft fortgepflanzt haben. Durch diese traurigen Erscheinungen, namentlich durch die Vorgänge im Jahre 1836—37 erschreckt, hat sich die öffentliche Meinung gewöhnt, mit einem gewissen Mißtrauen das ganze B.wesen zu betrachten, ja eine noch viel entschiedenere Einmischung der Gesetzgebung in das Gebahren der B. hinsichtlich der Notenausgabe- u. s. w. zu fordern. Reiflichere Nachforschungen über die Natur der Banknoten in ihrer doppelten Eigenschaft als Gelddarlehn und als Umlaufsmittel beginnen jedoch den Ungrund dieser Besorgnisse darzuthun. Thatsache ist, daß jene Erschütterungen des Credits und des Besitzstandes, welche durch die B. in mehrern europäischen Ländern und zuletzt in Nordamerika veranlaßt worden sind, weniger in dem Mangel gesetzlicher Bestimmungen hinsichtlich einer Beschränkung der Notenausgabe ihren Grund hatten, als in dem rücksichts- und kopflosen Unternehmungsschwindel, welcher eine ganze Bevölkerung, die man nicht zum Nachdenken und zur Selbstbeherrschung gewöhnt hat, oft plötzlich ergreift. Der beste Beweis, daß gerade das Fernhalten gesetzlicher Einmischung in die Verwaltung der B.geschäfte und ihre Regelung durch sich selbst dazu beiträgt, daß die drohenden Krisen glücklich überstanden werden, wenn nur die Einrichtung der B. in jeder andern Hinsicht Bürgschaft für deren Solidität und weise Leitung bietet, liegt in der Geschichte der schottischen B. vor, die bis vor Kurzem noch unbeschränkt in ihrer Notenausgabe waren, Banknoten bis zu 1 Pfd. Sterl. in Umlauf setzten und selbst Noten von noch geringerm Betrag ausgeben durften. Weil aber diese schottischen B. als Muster von wahren Volks-B. gelten können, so erscheint es angemessen, derjenigen Einrichtungen dieser Creditanstalten zu gedenken, die ihnen vorzugsweise dieses volksthümliche Gepräge verleihen. Schottland ist das Land, worin bis auf die neuere Zeit ein völlig freies B.wesen vorgeherrscht und es ist ein großer Irrthum, wenn man annimmt, daß Nordamerika ähnlichen Einrichtungen sein letztes Unglück verdanke, wie die amerikanischen Zettel-B. waren und sind alle privilegirt (chartered) und können ohne ein solches Privilegium keine Noten ausgeben. In Schottland dagegen stehen keine gesetzlichen Beschränkungen der Art den Zettel-B. entgegen; alle B. stehen auf gleichem Fuße, kein Monopol, keine Beschränkung der Theilhaber findet statt. Was aber ihre wohlthätigen Folgen für die Hebung des Erwerbs des Volkes, ihren segensreichen Einfluß auf die Angewöhnungen regelmäßiger Lebensweise, des Fleißes und der Sparsamkeit besonders erzeugt, ist das System des baaren Credits, der von ihnen in der ausgedehntesten Weise gewährt wird. Jedermann, der sich um einen solchen Credit an eine Bank wendet, wird aufgefordert, zwei oder mehr Bürgen zu stellen, die für ihn gutsagen; und nachdem man sich über den bürgerlichen Leumund desselben vergewissert, die Art seines Berufes kennen gelernt und die Zulänglichkeit der Bürgen untersucht, wird ihm ein Credit in den Büchern der B. eröffnet und er kann bis zum Betrag desselben auf die B., wie es seine täglichen Ausgaben erfordern, seine Anweisungen abgeben. Mittlerweile zahlt er auf sein Conto dasjenige ein, was er von seinen Einnahmen nicht benöthigt, oder anderweit nützlich zu verwenden nicht Gelegenheit hat und es werden ihm, je nachdem seine Einlagen den erhaltenen Credit übersteigen, oder unter diesem Betrag bleiben, Zinsen dafür entweder gutgeschrieben, oder er damit belastet. Die Erleichterung, welche diese baaren Credite allen kleinen Geschäftsleuten des Landes verschaffen, und die Gelegenheit, welche sie fleißigen und geschickten Personen gewähren, ein Geschäft mit wenig oder gar keinem Kapital als dem ihrer Geschicklichkeit und Arbeitsamkeit, zu beginnen, so wie endlich auch die kleinsten Gewinne ihrer Arbeit sogleich nutzbringend anzulegen — Alles dies trägt dazu bei, die mittlern und arbeitenden Klassen in ihrem Streben nach Verbesserung ihrer Lage zu unterstützen und ihnen die Gewohnheiten der Arbeitsamkeit, der Mäßigkeit und der Sparsamkeit mitzutheilen. Die B. ihrerseits ziehen den Vortheil aus diesen baaren Krediten, daß dadurch eine beständige Nachfrage nach ihren Noten veranlaßt und eine nutzbare Verwendung der bei ihnen deponirten Werthschaften möglich wird. Der Vortheil, welche die B. aus diesen für den Gewerbsfleiß und die Arbeitsverwerthung des Volkes so nützlichen Baarcrediten solchergestalt ziehen, wird von ihnen so hoch angeschlagen, daß sie sich dann und wann weigern, ihn fortzugewähren, wenn er nicht häufig genug benutzt wird. — Ein anderer Vorzug, wodurch die schottischen B. sich auszeichnen, ist der, daß sie ihren Kunden für das Auszahlen von deren Anweisungen auf die B. selbst, so wie ihrer bei den betreffenden B. domiliirter Wechsel keine Provision berechnen, während sie auf der andern Seite nicht nur auf gewöhnliche Depositen, sondern auf das Guthaben des Contocurrent Tag für Tag Zinsen berechnen, so daß sich jeder Gewerbsmann bewogen fühlt, nur das zum allernöthigsten Bedürfniß erforderliche Geld bei sich zu behalten und was er davon entbehren kann, Tag für Tag in die B. zu tragen um dort zinsentragend seine Vermögensvorräthe, das Ergebniß seiner Thätigkeit, aufzusammeln. Auf diese Weise sind die schottischen B. wahre Spar-B. des Volkes, die, indem sie die Ersparnisse der Volksarbeit aufsammeln, zugleich durch die Art ihrer Thätigkeit in den Gewerben selbst eine fortwährende Ersparung an Zeit und Kosten vermitteln, und dadurch die Production zu verwohlfeilern dienen, während sie endlich durch das Ausgeben der kleinen Noten das Metallgeld aus dem Umlauf verdrängen, und mittelst dessen, abgesehen von den übrigen Erleichterungen des Verkehrs, der Abnutzung des edlen Metalles vorbeugen und dem außerdem zinslos umlaufenden Gold und Silber die Möglichkeit einer nutzbringenden Verwendung in Gestalt von Kapitalien gewähren. — Die überraschenden und heilsamen Erfolge, welche das schottische B.wesen in allen diesen Beziehungen seit seinem Bestehen erzielt hat, sind so einleuchtend, daß man sich wundern muß, weshalb es in andern Ländern noch nicht in ausgedehntere Anwendung gekommen. Jedenfalls ist der Einfluß, welchen die monopolisirten B. in England, Frankreich, Oesterreich und Deutschland geltend machen, ein Grund hiervon. In neuester Zeit hat sich in England selbst eine mächtige Bewegung in dieser Sache erhoben, welche darauf hinausgeht, an die Stelle des engl. B.systems, welches, wie das der B. von England selbst auf eine durch die B.gesetze erzwungene Beschränkung und Hemmung des sich sonst selbst regelnden natürlichen Spiels der Notenausgabe und des Bedarfs an Kapitalien und Umlaufmitteln, sich gründet, das schottische Verfahren einzuführen. Jedenfalls wird England, wenn dies, wie vorauszusehen, durchgesetzt wird, einen neuen mächtigen Vorsprung vor den andern Nationen in den vernünftigen zur Hebung des Wohlstandes und der Verbesserung der Lage der Bevölkerung dienlichen Einrichtungen erhalten haben. — Die Volkspartei in Deutschland sollte es sich deshalb angelegen sein lassen, auch hier diesem System Eingang zu verschaffen. — Daß dies möglich ist, beweist das Schleswig-Holsteinische Bankgeschäft zu Flensburg, welches zunächst gegen die Ueberschwemmung mit dänischen Bankzetteln gerichtet, vom Volksfreunde Tiedemann mit nur 15,000 Mark begonnen, durch allgemeine Volktheilnahme binnen 3 Jahren bis auf 1,000,000 Mark gestiegen ist und in seinen Wechseln au porteur (s. d.) von 25, 50, 100 und 300 Mark die Banknoten ersetzt, welche ihm auszugeben nicht gestattet sind. Diese Mittel hat das Volk zusammengebracht, indem jeder Mann des Fortschritts sich im Betrage seiner jährlichen Steuer betheiligt, und sie kommen dem Volke zu gut, denn die Bank nimmt Einlagen von einigen Mark oder Schillingen an und betheiligt dieselben bei ihrem Gewinne, so daß sie eine Sparkasse im ausgedehntesten Maßstabe zu werden verspricht. Jetzt schon ist es üblich, alle Pathengeschenke u. dergl. in die Bank zu legen und bald wird dieselbe über Millionen zu verfügen haben und eine Macht sein im Lande.   J. G. Günther.

Banknoten nennt man die Schuldverschreibungen, welche die Banken sei es als gewährte Darlehne, sei es bei Discontirung der Wechsel oder in andern ihrer Ge-

schäfte statt baaren Geldes ausgeben, und wovon sie dem Inhaber derselben das Versprechen leisten, den Betrag der darauf ausgedrückten Summe, auf Verlangen jederzeit
aus der dazu bezeichneten Einlösungskasse in Baarem auszuzahlen. Der Credit, welchen eine Bank genießt und den sie sich durch die von Zeit zu Zeit in bestimmter
Frist erfolgende Veröffentlichung ihrer Geschäftsbewegung, ihrer vorhandenen Baar-
vorräthe, ihrer Depositen, ihrer Discontirungen und des Betrags ihrer in Umlauf
befindlichen B. zu erhalten suchen muß, bedingt die Willigkeit des Publikums, sich
dieser B. als Umlaufsmittel zu bedienen und ihnen, wegen der Bequemlichkeit und
der Erleichterung der Versendung, die sie dem allgemeinen Verkehr gewähren, den
Vorzug vor dem Gold- und Silbergelde einzuräumen (s. d. Art. Banken).

                  J. G. Günther.

 Bankerott (Falliment, Fallissement). Wenn ein Schuldner erklärt,
daß sein Vermögen zur Bezahlung seiner Gläubiger nicht hinreicht und es also unter
sie vertheilt werden müsse, so tritt der Zustand der Zahlungsunfähigkeit (Insolvenz) ein, da man nach dem italienischen banco rotto, d. h. zerbrochene
Tafel, weil die Zahlbank der zahlungsunfähigen Kaufleute in Italien im Mittelalter öffentlich zerbrochen wurde, B. nennt. Ein solcher Zustand kann entweder durch
Vergleich (Accord s. d.) beseitigt werden, oder er findet seine Erledigung im gerichtlichen Wege des Concurses (s. d.). Der B. kann sehr verschiedener Art sein
und wird daher auch mit Recht sehr verschieden behandelt. Der unverschuldete
durch Unglücksfälle, namentlich durch B. Anderer, mit denen der Schuldner in Ge-
schäftsverbindung stand, herbeigeführte B. hat keine Strafe zur Folge; den Bedauerns-
werthen, der in diese Lage gekommen ist, der über sein Vermögen den Concurs
hereinbrechen lassen muß, gewähren vielmehr die Gesetze noch mancherlei Rechtswohlthaten. Anders verhält es sich mit dem leichtsinnigen B.; ihn strafen die meisten
neuern Gesetzgebungen. Der betrügliche B., also wenn ein Schuldner seinen Vermögenszustand in der Absicht seine Gläubiger zu hintergehen, fälschlich als unzureichend
darstellt, wird mit Recht mit starken Freiheitsstrafen geahndet; ihm ziemlich gleich strafen
viele Gesetzgebungen den durch betrügliches Schuldenmachen herbeigeführten B. In Frankreich und England gelten übrigens diese Strafbestimmungen in der Regel nur an
Kaufleuten.

 Bankert hieß im Mittelalter und bis zum 18. Jahrh. ein mit einer schlechten
Weibsperson erzeugtes Kind. Der B. war an Rechtlosigkeit dem Bastard (s. d.) gleich,
doch lastete die Verachtung mehr auf ihm.

 Bann. (Lateinisch: bannus, bannum.) Ein Wort, das früher verschiedenen
Begriffen zum Ausdrucke diente, jetzt aber so ziemlich außer Gebrauch gekommen ist.
Am häufigsten wurde es angewendet zur Bezeichnung: 1) der höchsten Gewalt oder
Landesherrlichkeit, 2) der peinlichen Gerichtsbarkeit (Blutbann), 3) des Gerichts-
bezirks (Stadt-, Dorf-, Burg-B.), 4) des Ausschlusses aus aller Rechtsgemeinschaft.
In letzterm Sinne ist B. gleichbedeutend mit Acht und Excommunication. Die
Acht war eine politische Maßregel. Sie wurde in Deutschland über Landfriedens-
brecher, über Rebellen gegen Kaiser und Reich verhängt und hieß daher auch die
Reichsacht. Wer mit ihr belegt war, verlor seine Würden und Güter, mußte das
Land meiden und konnte von Jedem nach Belieben todtgeschlagen werden. Eigentlich
hatte nur der Reichstag das Recht, die Reichsacht auszusprechen; nicht selten ächteten
aber auch die Kaiser auf eigene Faust. Furchtbarer noch, als die Acht, war die Excommunication, der sogenannte Kirchen-B., der von der geistlichen Gewalt
verhängt wurde, indem sie den Fluch (das Anathema) über den Gebannten aussprach.
Während die Acht nur aus einem Staate ausschloß, schloß der Kirchen-B. aus der
Gemeinschaft der Christen, also gewissermaßen aus der Welt aus. Niemand durfte
einen Gebannten beherbergen, Niemand mit ihm umgehen. Wer es that, den
traf selbst der B. Einem gebannten Fürsten brauchte kein Gehorsam mehr geleistet

zu werden. Die Luft um ihn war verpestet, sein Hauch vergiftend. Wankten aber die Völker trotzdem nicht in ihrer Treue für den excommunicirten Herrscher, so wurde zum Interdicte gegriffen. Während der B. nur den Einzelnen traf, traf das Interdict das ganze Land. Aller Gottesdienst hörte dann in demselben auf, keine Messe wurde gelesen, kein Sacrament gereicht, keine Glocken geläutet. Die Altäre trauerten verwaist. Die Todten wurden ohne Sang und Klang, ohne Begleitung eines Priesters begraben, aber nicht in geweihter Erde, sondern gleich Hunden auf Straßen und in Gräben. Kein Volk hielt lange diese Strafe aus, wodurch es gleichsam geistlich verschmachtete. England, dessen König Johann den Petersgroschen, eine Abgabe an den römischen Stuhl, verweigert hatte und das dafür von Innocenz III. mit dem Interdicte belegt worden war, ertrug dasselbe 6 Jahre. Endlich aber mußte der König nachgeben und sich den Wünschen des Papstes fügen. B. und Interdict waren früher furchtbare Waffen in den Händen der Päpste, hatten aber schon zur Zeit der Reformation ihre Kraft verloren. Eigentlich sollte der B. nur über Solche ausgesprochen werden, die sich durch grobe Vergehungen, insbesondere durch jede Art der Unkeuschheit und des Abfalls vom Christenthume der Gemeinschaft mit den übrigen Christen unwürdig gemacht hatten. Statt dessen wurde er meist gegen Solche geschleudert, die sich der päpstlichen Politik entgegengesetzt hatten. Durch diesen Mißbrauch kam der B. um sein Ansehen. — Es gab einen großen und einen kleinen B. Letzterer schloß nur von einem Theile des Gottesdienstes, z. B. vom Abendmahle aus. Entsühnung vom B. (Absolution) konnte man nur durch schwere Kirchenbußen erlangen. Am meisten wurde der B. von den Päpsten gehandhabt; doch verhängten ihn auch Bischöfe, Concilien und Synoden.   Jäckel.

Banner. Im Mittelalter die Hauptfahne des Heeres, die so groß war, daß sie auf einem Wagen gefahren werden mußte. Daher auch heute noch Bezeichnung für ein Sinnbild, eine Idee, welche den Mittelpunkt einer Bewegung bildet; z. B. um das B. der Gewissensfreiheit sammeln sich die Aufgeklärten aller Bekenntnisse.

Bannerherr hieß der Heerobere, welcher das Banner führte und hütete; dann aber auch ein Edler, welcher eine Anzahl Vasallen — eine Fahne oder ein Fähnlein, ein Banner — ins Feld führte. Später hieß B. derjenige, welcher die Gerichtsbarkeit auszuüben befugt war, und endlich blieb blos der Titel B. ohne weitern Sinn und Recht übrig.

Bar, s. Advokat.

Barabisten. Eine geheime politische Verbindung zu Neapel 1823, welche die Regierung stürzen wollte; war ein Zweig der Carbonaris (s. d.), sie hüllte sich in religiöse Formeln und verkehrte besonders mit den Leiden Christi viel, sie als Sinnbild und Deckmantel brauchend.

Baron, s. Adel.

Baptisten (Täufer) nennt man die christlichen Secten, welche die Kindertaufe verwerfen, und sie nur an Erwachsenen und Mündigen vollziehen. In England und Nordamerika sind die B. sehr zahlreich.

Barre, (Barreau) heißt in Frankreich der Sitz der Advokaten im Gerichtssaale, welcher sich zwischen der erhöhten Bank der Richter, dem Sitz der Geschworenen, der Bank des Angeklagten und den Plätzen der Zuschauer befindet, er ist durch Schranken (barre, wörtlich Gitterstange) von diesen geschieden. Man versteht unter B. ferner alle zu einem Gerichtshof gehörigen Advokaten, wie man unter dem Worte „Bank" in der Gerichtssprache den Sitz der Richter und diese selbst begreift. Diese Bezeichnungen, dem Englischen entlehnt, kommen in den Ländern, in welchen das öffentliche Gerichtsverfahren eingeführt ist, vor. . Wo die bürgerliche Freiheit, insbesondere auch in dem den Angeklagten gewährten umfangreichen Vertheidigungsrechte, practisch sich äußert, steht der Advokatenstand, zum Schutze und zur Vertheidigung der Rechte der Staatsbürger berufen, in einer eben so hohen Achtung, als der Richterstand, weshalb

in dem Redegebrauche „die Herren von der B." (Advokaten) eine große Auszeichnung liegt. Auch werden die Richter in England, Frankreich und Nord-Amerika aus
dem Bar gewählt. *Adolph Hensel.*

Barriere-Tractat: Schrankenvertrag, nannte man ehedem ein Staatsbünd-
niß, welches den Zweck hatte, dem einen oder andern der verbündeten Staaten solche
Grenzen zu verschaffen, die ihn vor feindlichen Ueberfällen schützten. So hießen mehrere
Bündnisse, welche Holland und England schlossen, B., weil sie Holland gegen Frankreich hin Sicherung gewähren sollten.

Barrikaden. Ursprünglich Ketten, mit welchen die Straßen von Paris
Nachts gesperrt wurden, später überhaupt Straßensperrungen durch Wagen, Bäume,
Möbel u. s. w. zum Zwecke der Vertheidigung im Bürgerkriege, welche das Vorrücken
des Militärs hemmen oder unmöglich machen, auch den Streitenden in den Straßen
Schutz gegen die Kugeln gewähren. Im Straßenkampfe sind die B. von ungeheurer
Wichtigkeit und bilden dieselben zu wahren Festungen um. Die B. von Paris spielen
eine weltgeschichtliche Rolle.

Barrister, s. Advokat.

Bastard. Ehedem Benennung eines unehelich geborenen, oder eines aus un-
standesmäßiger Ehe geborenen Kindes. In der alten Gesetzgebung machte man kaum
einen Unterschied zwischen dem B. und andern Kindern, später aber häufte man Schande
und Unrecht auf den B.; er war geborener Leibeigener, konnte nicht erben, selbst nicht
von der Mutter, nichts besitzen, war ein verachteter Sclave sein Lebenlang. Der Adel
machte, wie überall eine Ausnahme, wenn's ihm nöthig war; wollte ein Geschlecht
aussterben, so wurde der B. anerkannt, und in Frankreich prunkte man damit, B.
eines Königs oder Fürsten zu sein. In der Neuzeit ist der Name B. mit der Ungerechtigkeit gegen das schuldlose Kind fast gänzlich verschwunden.

Bastille. Wo irgend ein unterdrücktes Volk sich zur Freiheit erhob und seine
Ketten zerbrach, da vertilgte es der früheren Knechtschaft Zeichen. Wenige Denkmäler
der Unfreiheit wurden indeß rascher hinweggeräumt, als die B.; aber auch an wenige
knüpften sich so unheilvolle Erinnerungen an frech zerstörtes Menschenglück, und him-
melschreiendes Unrecht an, als an jenes festungsartige Staatsgefängniß in Paris, dessen
Bestimmung es seit Jahrh.en gewesen war, einer tyrannischen Staatsgewalt zu dienen.
Ein unüberlegtes Wort reichte hin, mittelst eines Lettre de cachét (s. d.) hinter den
Mauern der B. auf immer zu verschwinden. Daher kehrte sich in der franz. Staatsumwälzung der Volksunwille zunächst gegen die B. und am 14. Juli 1789 zogen
Tausende mit dem Ruf: „Fort, nach der B.!" durch die Straßen, um in den Besitz
der dort aufgehäuften Waffen und Schießbedarfs zu gelangen. Unter dem Schutz einer
Friedensfahne zogen mehre Tausende hin. Etwa 200 ließ der Gouverneur herein,
um besser unterhandeln zu können; ließ aber sofort 80 durch Kartätschen zerschmettern.
Das gab das Zeichen zum Sturm, die Zugbrücken sanken, und als der Abend dämmerte, war kaum der Platz noch zu erkennen, wo die B. gestanden hatte. Ihr Fall
giebt die Lehre, daß nicht durch Kerker, Kanonen und Bajonette, sondern durch eine
freie und ungehemmte Entwickelung des Volkslebens wahres Menschenwohl befördert,
dauernder Friede begründet, und jede Gewaltthat vermieden wird, daß aber auch nichts
so stark ist, um einem zur Verzweiflung getriebenen Volke widerstehen zu können.
Pretzsch.

Bastonnade: Stockprügel. Bei den Türken: Schläge mit Stricken auf den
Rücken, oder auf die Fußsohlen, im geheimen Gerichtsverfahren: Beliebtes Mittel zur
„Erforschung der Wahrheit."

Batonier, wörtlich: Stabhalter. Der auf ein Jahr gewählte Vorsitzende
der Disciplinarkammer der Advokaten in Frankreich.

Battaille, das vielfach gebräuchliche Fremdwort für Schlacht.

Batterie, eine Anzahl schwerer Geschütze (Kanonen) mit ihrer Mannschaft, auch der Platz, wo dieselben aufgestellt sind.

Bauermiethe, s. Bedemund.

Bauern (Bauernstand). Wenn man selbst heutzutage noch sieht, welcher Abstand zwischen den verschiedenen Klassen der bürgerlichen Gesellschaft stattfindet, wie Geburt, Vorrechte oder Glück Einen über den Andern erheben, wie scharf die Grenzen zwischen Arm und Reich sich scheiden, so sollte man allerdings meinen, die Stelle in der Bibel: „der Mensch soll der Erde Herr sein" beziehe sich blos auf die bevorrechteten Stände, indeß alle Andern nur die Zornesworte: „Im Schweiße deines Angesichts sollst du dein Brod essen!" als Erbtheil empfangen hätten. Im Anfange waren diese Unterschiede nicht vorhanden; die Freien saßen auf ihren Höfen, fischten und jagten nach Herzenslust und bebauten das Feld; darnach nannten sie sich Bauern, dieser Stand ist der älteste und vornehmste, aus dem alle andern Stände hervorgingen. Eben so wenig, wie von einem Adel, wußte man etwas von Unfreien, Leibeigenen und Sklaven. Selbst die Dienstleute wurden nicht als Unfreie, sondern als Hörige betrachtet, die einen Theil der Familie ausmachten und wenn sie einen eigenen Hausstand (Hausfrieden) begründeten, Frilinge, Frie, d. h. Freie genannt wurden. Um aber die öftern Einfälle östlicher Barbarenhorden abzuwehren, machte sich häufig das Aufgebot der ganzen waffenfähigen Mannschaften nöthig, und da hierunter der Feldbau leiden mußte, so überließ man das kriegerische Geschäft der kampflustigen Jugend, die dem Anführer, den die Väter erwählten, folgte, und daher Gefolge genannt wurde; dieses Gefolge wurde später von den Anführern oft nur zum Staate gehalten, woraus nach und nach die Haustruppen, Garden und Dienstleute sich bildeten und zugleich der Grund zur Lehns- oder Feudalherrschaft gelegt wurde. Mit der alten Freiheit und Gleichheit der B. war es von Stund an vorbei; denn indem ein Theil des Volkes sich über den andern erhob, wurde dieser um eine Stufe niedriger gestellt. Entstandene Uneinigkeiten im Volke raubten diesem seine alte Stärke, und machten es zuletzt (um's Jahr 800 n. Chr.) völlig unterthan einem schlauen Eroberer, in der Geschichte unter dem Namen Kaiser Karl der Große bekannt. Soweit hatten nun die B. einen Herrn, zwar einen gesetzlichen Herrn durch die Wahl des Volkes oder seiner Stellvertreter; auch regierte er nicht nach Willkür, sondern nach Gesetzen, die mit Zustimmung der Vornehmsten und Verständigsten im Volke (Stände) erlassen wurden. Allein die alte Gleichheit war dennoch vernichtet, die Selbstständigkeit des Volkes dahin, und seine Freiheit bedroht. Es entstand um den Thron ein Adel und Vorrechte der Günstlinge des Herrschers; es bildete sich nach Oben die Herrschaft und nach Unten die Knechtschaft völlig aus und dem vormals freien B. blieb nichts übrig, als sich der Gewalt zu bequemen. Die schlimmste Zeit des deutschen B. begann, der er jetzt noch alle ihn treffenden Nachtheile und Uebelstände zu verdanken hat. Die Gemeindeeinrichtungen wurden aufgehoben, die Gesetze und natürlichen Rechte an Waldungen und Weiden, Jagden und Fischereien, mit Füßen getreten, und endlich auch noch das letzte alte Recht der Dorfgemeinden: ihre Obrigkeiten und Gemeindebeamten durch freie Wahl selbst zu ernennen, aufgelöst. Von da an gab es nur noch Herren und Knechte; die roheste Willkür und der ausgesuchteste Zwang regierten das Volk, welches in grenzenloser Unwissenheit lebte und blindlings, wie die Heerde dem Treiber, dem Herrn gehorchen mußte. Die Herren aber, welche selbst dem Ansehen der Kaiser spotteten, waren die Pfaffen, die Edelleute, die Vögte und Büttel, welche mit Bannstrahlen, mit Peitschen, Kerker und Galgen die Menschheit tyrannisirten und von dem Schweiße der B. sich mästeten. Doch als die B. von ihren geistlichen und weltlichen Drängern am tiefsten erniedrigt und fast dem Vieh gleich gestellt waren, da brach die Tyrannei an ihrer eigenen Uebertreibung und der kirchliche Freiheitskampf ging mit dem weltlichen

Hand in Hand; Luther gab mit der Bibel dem Volke das Denken, dem B. die Menschheit zurück, um denselben Raum, welchen er bisher rückwärtsgehend durchschritt, auf
derselben Stufenleiter wieder aufwärts zu steigen. Ein langer mühsamer Weg, denn
Unterricht und Wissenschaft lagen gänzlich darnieder, der Gottesdienst beschränkte sich auf
das Wiederkäuen einiger auswendig gelernter Gebetsformeln, und die Kirche, deren
Beruf es gewesen wäre, Licht und Aufklärung zu verbreiten, nährte geflissentlich die
Unwissenheit, um desto leichter herrschen zu können. Doch waren auch für des B.
Gemüth die Worte „Geistesfreiheit, Abschaffung des Ablasses" u. s. w. nicht klanglos,
sie weckten die Meinung, als sei das Ende der Leiden seines sklavischen Zustandes,
der mit Waffengewalt beseitigt werden müsse, gekommen. So entstand der Bauernkrieg (s. d.), der zwar in der traurigen Lage der Empörten nichts verbesserte, die
der gewandtern Kriegskunst ihrer Gegner erlagen und von diesen mit der unmenschlichsten Härte bestraft wurden; aber doch das Morgenroth einer bessern Zeit verkündete. Mit der Kirchenverbesserung ging die Verbesserung der politischen Zustände
Hand in Hand, sie erstreckte sich auch auf den B. und es fielen allmählig seine
Fesseln. Er trat ein in die Reihen der Staatsbürger, und nimmt jetzt in den meisten
deutschen Staaten, wo die Volksrechte durch Verfassungen festgestellt sind, als
Landtagsabgeordneter — freilich nur der Begüterte — an der Gesetzgebung und
am ganzen Staatsleben Theil. Welche unermeßliche Opfer dies dem B. gekostet hat
und noch kostet, ist in den Artikeln: Bäuerliche Lasten, Ablösung, u. s. w. dargelegt.
Hat nun die Neuzeit den B. dieselbe Aufgabe gestellt, wie jedem andern denkenden
Menschen, nämlich: zu arbeiten für das Fortschreiten im Staatswesen, in Wissenschaften
und Künsten, im Handel und Gewerbe, im freien Denken und Leben zum Volksthum
in höherer Einheit, so möge auch bei ihm immer mehr und mehr verschwinden, was
ihn zur Scholle niederzieht: starres Festhalten am Alten und Hergebrachten, und er
das zu werden trachten, was die meisten seiner deutschen Standesgenossen leider noch
nicht sind: ein Landwirth, der in Allem nach vernünftigen Grundsätzen verfährt, mit
der Zeit Hand in Hand fortgeht und seine geistige Bildung nie und nirgends ver-
nachläßiget. Die Lehren der Geschichte dürfen ihn nicht anstacheln zur Rache an seinen
Unterdrückern, oder deren Nachkommen; aber sie müssen ihn warnen vor einem unheilvollen Bündnisse, welches man, seinem Bildungsmangel vertrauend, ihm gleißnerisch
anbietet; zu einem Bündniß mit dem sterbenden Adel oder sogenannten „großen Grundbesitz". Dieser war es, welcher die B. knechtete, entmenschte, ihm die Augen ausstach
und ihn in den Pflug spannte. Das ist in der Neuzeit nicht mehr möglich, aber
wenn der B. offene Augen und offenen Sinn hat, so muß er erkennen, daß der „große
Grundbesitz" nur sein Bündniß sucht, um dem Fortschrittsdrange der Städter zu widerstehen, der die Bevorzugungen bedroht, welche der „große Grundbesitz" noch immer vor
dem kleinen, vor dem B. voraus hat.

Pretzsch.

Bauerngut. Als unsere Vorfahren ihr unstät umherschweifendes Leben aufgaben, vertauschten sie auch das leichte Zelt mit einer festern Wohnung, die gewöhnlich inmitten ihres Grundbesitzes lag, dessen Beurbarung ihre vorzüglichste Beschäftigung wurde. Daraus erwuchs das heutige B., unter dem man ein mit Wirthschafts-
gebäuden und liegenden Gründen umgebenes Wohnhaus, aber auch wohl den Grundbesitz überhaupt versteht. Wie jetzt noch, so war auch vordem schon die Eintheilung
der B. verschiedener Art. Bei den alten Sachsen z. B. bildete jedes B. gleichsam
eine Staats-Actie, die nicht getheilt werden durfte, sobald sie der Bearbeitung von
2 Pferden oder Ochsen bedurfte. Hier war also das B. geschlossen. In Westphalen lagen gewöhnlich mehrere B. in einem Verbande und standen unter einem
Oberhofe, auf dem die Erstgeburt (Ursprung des Majorats oder Aeltestenrechts)
forterbte. Starben die Besitzer der Unterhöfe ohne männliche Erben, so fiel das Besitzthum an den Oberhof, der es in Erbpacht oder sonst weiter vergab u. s. w. Als

der Adel und seine Vorrechte entstanden und der Bauer dienstbar (leibeigen) wurde, empfing er nur sein altes Eigenthum, das ihm mit Gewalt oder List genommen war, zur Lehn und mußte für seine Grundherren nun arbeiten; es gab also damals kein B. Wie sich von der Leibeigenschaft allmählig ein Stück nach dem andern ablöste, erschien auch das B. wieder, wenn auch anfangs mit unerschwinglichen Lasten (s. bäuerliche Lasten) behaftet, und mehr zur Plage als zur Wohlthat der Besitzer, die lange dienstbar blieben. Die Zeit hat auch dies allmählig beseitigt, oder doch wesentlich gemildert, und besonders die Neuzeit das B. und seinen Besitzer in die alten Freiheitsrechte wieder einzusetzen gestrebt. So traten in Preußen 1810 Ackergesetze ins Leben, welche das Herrenrecht sprengten und das B. wieder in einen freien Hof verwandelten. Andere deutsche Länder folgten dem gegebenen Beispiele nach, und nur in Oesterreich hat das Robott- und Dienstbarkeits-Verhältniß sich erhalten. Großes ist bereits geschehen — Größeres noch darf man erwarten: Sind in den meisten deutschen Ländern Leibeigenschaft, Dienste und Frohnen, Zehnten und Lehne nicht mehr, haben Ablösungsgesetze die Lasten gemindert, so wird hoffentlich auch den noch übrigen Erbfeinden des B.s, als da sind Jagd- und Gerichts-, Patronats- und andere Befugnisse des Adels ein Ende gemacht werden. *Pretzsch.*

Bauernkrieg. Es kann nicht in unserer Absicht liegen, den geschichtlichen Verlauf des B.s zu erzählen oder die Persönlichkeiten zu schildern, die in diesem blutigen Trauerspiele die Hauptrollen spielten. Doch muß hier um deswillen vom B. die Rede sein, weil damals, zur Zeit der Reformation, Ideen von Freiheit und Gleichheit in Umlauf waren und die Massen in Gährung versetzten, die, wie gesund und berechtigt sie auch waren, doch erst viel später von der Wissenschaft angenommen, noch später von der Gesetzgebung ausgeführt, zum Theil aber heute noch nicht zur vollen Geltung oder zur äußern Verwirklichung im Leben durchgedrungen sind. Die Bauern waren hauptsächlich über die Anmaßung des Adels und der Geistlichkeit aufgebracht. Das Joch unwürdiger Knechtschaft wollten sie nicht länger tragen, sondern durch einen allgemeinen Aufstand abschütteln und frei sein. Wie vernünftig ihre Begriffe von Freiheit und Recht waren, geht aus ihren bekannten 12 Artikeln — einer wahren *magna charta* des Bauernstandes — hervor, in denen sie 1525 ihre Forderungen zusammengestellt hatten. Sie forderten als ihr Recht, daß ihnen das Evangelium lauter und rein, ohne allen menschlichen Zusatz, Menschenlehr' und Gebot, gepredigt werde; daß die Gemeinden die Wahl ihres Pfarrers selbst hätten; daß der Zehent abgeschafft oder abgelöst, oder auf den Kornzehent zum Unterhalt der Pfarrer beschränkt, die Leibeigenschaft und der Todfall aufgehoben, Gülten und Dienste auf ein billiges Maß gesetzt, Jagd und Fischerei freigegeben, Gericht und Recht, wie von Alters her (nach geschriebener Straf', nicht parteiisch nach Gunst oder Haß) gehandhabt, die Gemeindeländereien, welche sich die Herrschaften eigenmächtig zugeeignet, den Gemeinden zurückgegeben und dann aus den Gemeindehölzern Jedem sein Bedarf umsonst gewährt werde: das Alles nicht in zerstörender Ungebundenheit, sondern mit ausdrücklichem Vorbehalt von Ordnung und obrigkeitlicher Leitung. Wie weit waren diese Bauern ihrer Zeit vorausgeeilt! Wie viel Blut ist vergossen worden, um ihre Forderungen niederzuschlagen! Wie lange sind sie „geschunden und geschaben" worden, bis ein aufgeklärteres Jahrh. Hand anlegte an die Verbesserungen der bäuerlichen Verhältnisse! Und sind auch die schreiendsten Mißstände im Laufe der Zeit abgethan, (Friedrich der Große und Joseph II. gingen mit Aufhebung der Leibeigenschaft voran!), die Bauern in freiere Verhältnisse eingesetzt worden: — volle Gerechtigkeit ist ihnen doch nicht geworden: ihre Gemeindeäcker und Wiesen und Hölzer haben sie nicht wiederbekommen, den Pfarrer dürfen sie nicht selbst wählen, im Gericht, wenn's dem Gutsherrn gehört, geht's oft noch nach Gunst oder Haß, und wer weiß, wann endlich die 300jährige Klage verstummen wird, daß die Obrigkeit das Wild den Bauern zum Trotz und mächtigen Schaden hege und sie leiden müssen, daß, was

Gott den Menſchen zu Nuz hat wachſen laſſen, die unvernünftigen Thiere zu Unnuz muthwillig verfreſſen! — Auf derſelben Grundlage der Freiheit und Gleichheit, auf welcher die Bauern zunächſt ihre bäuerlichen Verhältniſſe zu ordnen und zu verbeſſern ſtrebten, — auf derſelben Grundlage beruhte auch die Verfaſſung, die ſie dem deutſchen Reiche zu geben gedachten: ja dieſer Verfaſſungsentwurf (von Wendel Hippler verfaßt) iſt ein ſo großartiges Meiſterſtück deutſcher Politik, daß heute noch, nach 3 Jahrh.en, nach der franz. Staatsumwälzung und den Freiheitskriegen, die Ideen deutſcher Freiheit und Einheit, von denen er getragen war, zwar in den Herzen von Hunderttauſenden deutſcher Männer leben, aber in der Wirklichkeit noch lange nicht zur Ausführung gelangt ſind. Die Hauptbeſtimmungen dieſer Verfaſſung waren: Alle Gewählten ſollten reformirt, von allen weltlichen Aemtern, von den Gerichten, von des Reiches und der Fürſten und der Gemeinden Rath ausgeſchloſſen werden, ihre Güter zum gemeinen Nuzen fallen. Wider die Reformation ſolle weder alte noch neue menſchliche Erdichtung eingeführt werden. Jede Gemeinde wähle ſich ſelbſt ihren Hirten. Alle weltlichen Fürſten und Herren ſollen gleichfalls reformirt werden. Gleiches ſchleuniges Recht dem Höchſten wie dem Geringſten. Alle Bodenzinſe ſind ablösbar. Kein Doctor des römiſchen Rechts iſt bei einem Gericht, oder in eines Fürſten Rath zuzulaſſen. Nur drei Doctoren des kaiſerlichen Rechts auf jeder Univerſität, um vorkommenden Falls bei ihnen Raths zu erholen. Alles weltliche Recht iſt ab, es gilt nur das göttliche und das natürliche Recht, und die Richter an allen Gerichten, auch an dem oberſten, dem kaiſerlichen Kammergericht deutſcher Nation, werden aus allen Ständen, auch aus dem Bauernſtand gewählt. Alle Zölle, alles Geleite hört auf, außer den Zöllen, die zu Brücken, Stegen und Wegen nothwendig ſind. Alle Straßen ſind frei. Alles Umgelt iſt ab. Alle im Reiche, auch Fremde aus andern Königreichen, mögen frei und ſicher wandern zu Roß und zu Wagen, zu Waſſer und zu Fuß, und zu keinem Geleit oder andern Abgaben weder von ihrem Leib noch Gut gezwungen werden. Keine Steuer als die Kaiſerſteuer, die in 10 Jahren einmal kommt. Alle Bergwerke ſind frei. Nur eine Münze in deutſcher Nation. Gleiches Maß und Gewicht überall. Die großen Handelsgeſellſchaften, das Geldwechslergeſchäft hört auf. Freiheit des Adels von jedem geiſtlichen Lehensverband. Aufhebung aller Bündniſſe der Fürſten, Herren und Städte. Ueberall nur Schutz und Schirm und Friede des deutſchen Kaiſers. — Das ſind die Grundzüge der Verfaſſung, die die Bauern dem deutſchen Reiche zugedacht hatten! Und auch hier muß man wiederum fragen, wie weit iſt Deutſchland heute noch von einer ſolchen Verfaſſung entfernt! Es iſt nicht zu viel geſagt, wenn man behauptet, daß alle Wünſche, die gegenwärtig unter den deutſchen Männern für die Freiheit und Einheit ihres Vaterlandes laut werden und laut werden dürfen, in der Verfaſſung enthalten ſind, die vor 300 Jahren ſchon von den Bauern aufgeſtellt, aber durch die blutige Unterdrückung des B.s in der Geburt erſtickt worden iſt! (Wer über den B. etwas Gutes leſen will, der nehme die Schriften von Oechsle, Zimmermann, Burckhardt, Weill u. ſ. w.) C. C. Cramer.

Bauernlaſten (Bäuerliche Laſten), d. h. die Laſten, welche vom Bauernſtande dem Staate, der Gemeinde, den Guts- oder Gerichtsherrſchaften und der Kirche zu leiſten ſind; im engern Sinne die den Guts- und Gerichtsherrſchaften ſchuldigen Leiſtungen. Der Urſprung derſelben iſt ein verſchiedener. In den älteſten Zeiten waren die deutſchen Ländereien freies Eigenthum der Wehrmänner und in gleichmäßige Acker vertheilt. Als die urſprünglichen Bewohner durch Eroberung unterdrückt wurden, und das Lehnsweſen und Fauſtrecht überhand nahmen, trat die Schuz- und Oberherrlichkeit der Sieger über die Beſiegten und deren Grundeigenthum ein, oder die Grundbeſitzer begaben ſich ſelbſt in ein Abhängigkeitsverhältniß zum Grundherrn, um gegen Angriffe geſichert zu werden. Als die Kirchengewalt groß ward, wurde zwar der ſchwere Druck der Hinterſaſſen und Leibeigenen durch das Chriſtenthum gemildert,

nahm aber bei Ausbildung der Landeshoheiten wieder zu, bis die Gleichheitsideen der
franz. Staatsumwälzung und die Grundsätze einer geläuterten Rechtsweisheit das
Streben nach gleichmäßiger Vertheilung der Lasten erzeugte und nährte. Die B.
sind also theils aus der Unterjochung der freien Eigenthümer, theils aus der
freiwilligen Begebung derselben unter gutsherrliche Oberherrschaft und den dem zufolge geschlossenen Verträgen entstanden, ferner aber durch Gesetze und Herkommen begründet. Hinsichtlich der Entstehung der B. finden wir den verschiedensten Gang: früher und noch jetzt in Oesterreich, wo keine Repräsentativ-Verfassung
eingeführt ist, bildeten die Rittergutsbesitzer mit den Abgeordneten einiger bevorzugten Städte und die Geistlichkeit die Stände, welche die Steuern und Landesabgaben
bewilligten und über ihre Aufbringung entschieden. Der bäuerliche Stand war gar
nicht vertreten und so wurden auf ihn die drückendsten Staatsleistungen geworfen.
Die Rittergutsbesitzer wußten sich der Verpflichtung zu Kriegsdiensten zu entziehen, und
neben den Städten war es der Bauernstand, welcher die Mannschaften zu den Kriegs-
und stehenden Heeren zu stellen hatte. Bei Kriegführung der Landesherren mußten die Bauern die beschwerlichen, ihre Wirthschaft häufig zu Grunde richtenden,
Kriegsfuhren leisten, in Friedenszeiten wurden sie zu den Wegebaufuhren
und Diensten angehalten. Das Schneeauswerfen auf den Landstraßen liegt den
Landgemeinden, wenn auch gegen eine geringe Vergütung an Arbeitslohn, in mehrern deutschen Ländern noch ob. — Wenn diese Leistungen an den Staat neben den
Steuern und Abgaben ohne Vergütung verrichtet werden müssen, dann hat der Bauer
Grund, sich über ungerechte Vertheilung der Staatslasten zu beschweren. Die
neuere Gesetzgebung ist auch bemüht, die Ueberlastung des Bauernstandes aufzuheben
und in den Staaten, wo auch er an der Vertretung Theil nimmt, wird es seinen Abgeordneten nicht mehr schwer, die Aufhebung der noch vorhandenen Ungleichheiten zu
bewirken. — Jedes Gemeindeglied hat nach seinem Besitzthume und nach den Vortheilen, die es aus dem Gemeindeverbande zieht, zu den Gemeindelasten beizutragen,
und wo den Landgemeinden die selbstständige Verwaltung des Gemeinde-Vermögens
überlassen ist, wie in Sachsen, steht es ihnen auch frei, eine gleichmäßige Vertheilung
der Gemeindelasten vorzunehmen. Die Anforderungen der Gemeinden bestehen theils
in Naturalleistungen, Spannfuhren und Handdiensten, theils in Geldentrichtungen. —
Die Kirche bedarf als besondere Glückseligkeitsanstalt zu ihrer Erhaltung auch äußerlicher Mittel, und ihre Diener sind von jeher bedacht gewesen, das Fortbestehen derselben zu sichern. Die Liebesgaben der Gläubigen verwandelten sich durch dieses
Streben in gezwungene Leistungen; die Kirchen gewannen Grundeigenthum und einzelne Bauern traten zu den Kirch- und Pfarrlehnen in dasselbe Dienstverhältniß, wie
gegen die Rittergüter statt fand (Kirch- und Pfarrbauern), und hatten alle Dienste,
wie auf andern Grundstücken, zu verrichten. Nicht selten sind gewisse Klassen der
bäuerlichen Wirthe zu landwirthschaftlichen oder Hausdiensten an den Ortspfarrer verpflichtet. Häufig kommen auch Naturallieferungen vor, wie die Abgabe von Hühnern,
Eiern ꝛc., die sich oft in Geldleistungen verwandelten. Die drückendste Last an
die Geistlichkeit ist der Zehnte (Decem). Diese Lieferungen, Dienste, Frohnen,
Zehnten haben die Geistlichen häufig in mißliche Verhältnisse zu ihren Eingepfarrten
gebracht, auch die verständige Bewirthschaftung des Eigenthums der Bauern gehindert;
sie haben manchen Geistlichen zur eifrigern Verfolgung des Irdischen, als des Himmlischen geführt, und die Sorge um die Einbringung und Verwerthung der Früchte
und Beitreibung der Leistungen nimmt zuweilen das Gemüth des Geistlichen mehr
ein, als für den Dienst der Kirche zu wünschen ist. Weit angemessener seinem Berufe würde die Stellung des Geistlichen sein, wenn für ihn nach seinem bisherigen
Einkommen ein fester Gehalt ermittelt und von den Eingepfarrten gewährt, dagegen
alle Naturalleistungen gänzlich erlassen würden. Die Gemeinden würden hierdurch
ebenfalls nur Vortheil haben. — Guts- und gerichtsherrliche B. waren früher

nicht vorhanden, die bäuerlichen Grundbesitzungen waren freie Güter und es haben
sich nicht nur einzelne **Freigüter** erhalten, sondern in ganzen Gemeinden hat
die Freiheit von guts- und gerichtsherrlichen Lasten fortgedauert. Als aber die Faust
des Stärkern zugleich das Recht bestimmte, den Rittern der in der Kriegskunst un-
geübte Bauer sich beugte, und Juristen die Gesetze über fremde Verhältnisse auf deutsche Rechtsgestaltungen übertrugen, bildete sich die dem Bauernstande so nachtheilige
Vermuthung, daß er der Leibeigenschaft, und sein Besitz der Gutsherrlichkeit oder dem
Zeitpacht unterworfen sei. Diese verkehrten Rechtsansichten gingen in die Gesetzgebungen über, und der Bauernstand wurde der Lastträger der Rittergutsbesitzer. Die so
entstandenen B. sind so mannigfach und kommen unter so verschiedenen Benennungen
vor, daß die Aufzählung der Namen kaum möglich ist. Die allgemein verbreitetsten
sind noch folgende: Aus der Guts- und Schutzherrlichkeit der Rittergüter entsprangen die **Frohnarbeiten** (Roboten), welchen die Rechtsansicht zum Grunde liegt,
daß sie für den gewährten Schutz und für die Vertretung der dem Staat schuldigen Leistungen gewährt werden sollten. Die Frohnen werden eingetheilt in **persönliche**
oder **dingliche**, je nachdem sie als angeborne (aus der Leibeigenschaft) durch den
Aufenthalt im frohnpflichtigen Bezirke, durch Einathmen der Luft entstandene, oder
auf den bäuerlichen Gütern haftende betrachtet werden. Sie sind ferner **gemessene**,
welche nach gewissen Tagen oder Stunden geleistet werden, oder **ungemessene**, indem sie nicht nach der Zeit und Art beschränkt sind. Die Bezeichnungen derselben
nach **Spann-**, **Hand-**, **Männer-** und **Weiberdiensten** geben auch über den
Begriff Aufschluß. Eine 2. Gattung der aus der Schutzherrlichkeit fließenden B. ist
der **Grundzins**. Je nachdem der bäuerliche Wirth das volle Eigenthum am Grundstücke besitzt (Zinsgut), oder ihm nur ein durch Verkaufsrecht oder andere Vorrechte
beschränktes daran zusteht (Erbzinsgrundstücke), oder er endlich gar kein Eigenthum, sondern nur ein erbliches Nutzungsrecht genießt (Erbpachtgut), zahlt er davon an die
Herrschaft einen Zins, einen Erbzins, ein Erbpachtgeld. Eine 3. schutz- und
gerichtsherrliche Last ist die **Lehnwaare**, das **Lehngeld**, welches beim Wechsel
des Besitzers und oft auch beim Absterben des Berechtigten zu bezahlen ist. Der **Ge-**
richtsherrlichkeit sind in manchen Gegenden noch besondere Leistungen entflossen,
so der **Theilschilling**, welcher nach Theilen der Erbschaft von den Erben, zuweilen
nur wenn Unmündige miterben, entrichtet wird; das **Confirmationsgeld**, welches außer den Gerichtsporteln noch besonders bei Kaufbestätigungen erhoben wird,
der **Quittirkreuzer**, welcher bei Löschung von Hypothekenschulden gefordert wird
u. s. w. Die doppelte und dreifache Belastung des bäuerlichen Grundeigenthums mehrere
Jahrh. hindurch, war das Hinderniß für den Bauernstand, sich die Bildung der Städte
anzueignen. Ihm war jede Stunde zugemessen, um neben der nothdürftigen Ernährung seiner Familie die kaum erschwingbaren Lasten aufzubringen. Erst das 19.
Jahrh. und in ihm vorzugsweise die Verfassungseinrichtungen und lauten Rechtsforde-
rungen der freisinnigen, meist städtischen, Abgeordneten haben ihn, wenn auch in
Folge der Ablösungen mit schweren Opfern, zum freien Staatsbürgerthume erhoben.
Ueberall, wo der bäuerliche Grundbesitz von den gutsherrlichen Frohnen und Diensten
entfesselt wurde, grünt eine frische Saat empor, und ist es auch den jetzigen Besitzern
noch nicht gestattet, die volle Ernte des freien Eigenthums zu genießen, so wird sie
doch gewiß den freier denkenden und gebildetern Enkeln unfehlbar zu Theil werden.
Sie werden als freie Grundbesitzer gewiß auch freie Männer im Denken, Wollen,
und Handeln sein.   **Adolph Hensel.**

Bauernlehn, s. Abmeiern.

Baugefangene heißen die Verbrecher, welche in den Festungen ihre Strafe
verbüßen, in Preußen u. a. Staaten. Sie sind oft — wie in Preußen — zweifar-
big (schwarz und gelb) gekleidet, tragen Ketten an den Füßen und werden zu rauhen
Arbeiten verwendet.

Baumpflanzung, f. Feld- und Flurschutz.

Bauwesen. Zu dem Rechtsschutze, welchen der Staat seinen Angehörigen zu gewähren hat, gehört ohne Zweifel auch die Sorge, 1) daß der allgemeine Verkehr nicht gehemmt, sondern befördert werde; 2) daß das Bauen des Einen das Rechtsgebiet des Andern nicht verletze, und 3) daß diejenigen Bauten, welche das Gemeinwohl erheischt, ausgeführt werden, auch wenn Einzelne oder kleine Gesammtheiten — Gemeinden — keine Pflicht haben, dieselben herzustellen. Daraus fließt also die Pflicht des Staates, gewisse Bauten selbst auszuführen, alle aber zu beaufsichtigen und gesetzlich zu regeln. Zu den Bauten, die der Staat zu übernehmen hat, gehören alle Kriegs-, Wasser-, Wege- und Brückenbauten, ferner die Gebäude für den öffentlichen Dienst, für die Rechtspflege, die Gefängnisse, die Kirchen und Schulen, u. s. w. Die Natur dieser Bauten erklärt, daß nach Umständen der Staat selbst bauen, oder den Bau mindestens veranlassen muß. Abgesehen von den Kriegsbauten ist auch die erstern Gebäude auszuführen unbedingt seine Sache, da der Staat aus dem öffentlichen Verkehre seine Abgaben zieht, auch für die Erhaltung von Straßen, Brücken u. s. w. meist eine besondere Abgabe erhebt. Blos wo Straßen u. dgl. nur dem örtlichen Verkehr dienen, oder blos kleinere Orte verbinden, ist es Aufgabe der Gemeinden, sie herzustellen und der Staat hat nur zu wachen darüber, daß sie ihrem Zwecke entsprechen und gefahrlos zu gebrauchen sind. Kirchen und Schulen, Gerichtshäuser und Gefängnisse, hat der Staat nur dann herzustellen, wenn diese Anstalten nicht den Gemeinden oder Einzelnen gehören, oder von denselben abhängen. Aber auch in diesem Falle hat der Staat die Gemeinden oder Einzelnen zur Herstellungspflicht anzuhalten, wohl auch mindestens einen Beitrag dazu zu leisten, da Bildung, Rechtspflege und Sicherung der Gesellschaft vor schädlichen Menschen (Verbrechern) nie blos örtliche Bedürfnisse, sondern stets allgemeine sind. Hinsichtlich der bürgerlichen Gebäude nun hat der Staat die Sorge, daß dieselben nicht zweckwidrig, ungesund oder von so schlechtem Stoffe, oder in so schlechter Art gebaut werden, daß ihr Einsturz Gefahr droht, oder ihre leichte Entzündbarkeit Tausende gefährdet, endlich daß sie nicht den Verkehr durch ihre Lage hemmen. Eine Beaufsichtigung des gesammten B.s, eine eigentliche Baupolizei, folgt demnach aus diesen Pflichten und Bedürfnissen, die er indessen großentheils von den Gemeinden ausüben läßt und sich mit Herstellung der zur Ausübung nöthigen Gesetze und der Ueberwachung ihrer Handhabung begnügt.   v. L.

Bazar heißt besonders im Orient ein dem Handel gewidmeter Platz oder großes Gebäude. Die großen Waarenhallen und Verkaufshäuser nennt man auch bei uns häufig B.

Beamteter, f. Amt.

Bede, Beede u. **Beete,** f. Bete.

Bedemund (auch Bauermiethe, Bettmund, Brautlauf, Bumede, Bunzenzins, Busenhuhn, Frauenzins, Freudengeld, Hemdlatten, Handschilling, Kardieselgeld, Klauenthaler, Mannthaler, Maidenrente, Meitschoß) hieß eine Abgabe der leibeigenen Frauenzimmer, mit welchen sie sich die Erlaubniß zu heirathen, vom Herrn erkaufen mußten. Auch die Leibeigene, welche unverheirathet schwanger wurde, mußte mit dem B. die Dienste bezahlen, welche sie versäumte. Die vielfache Benennung zeigt, wie allgemein diese Abgabe gewesen sein muß.

Bedingung heißt die nähere Zweck-, Zeit- und Ausführungsbestimmung einer Uebereinkunft, Rechtshandels, u. s. w. Obgleich an und für sich Nebensache, kann die B. doch die Hauptsache verschieben, oder aufheben. Z. B. ein Schuldner erklärt: „ich zahle meine Schuld in 6 Monaten, unter der B., daß bis dahin mein Gehalt erhöht ist", so ist zwar die Schuld und Zahlungspflicht Hauptsache, aber die B., die Nebensache, verschiebt die Erfüllung. Jede B., welche das Recht verletzt, thatsächlich unmöglich ist, oder der Moral widerspricht, ist ungültig und nichtig. Z. B. B.en wie: ich gebe Dir lebenslang freie Wohnung, wenn Du täglich Holz stiehlst; oder: ich bezahle meine Schuld, wenn Du in den Mond steigst; oder: ich gebe Dir eine Anstellung, wenn Du nur denkst und fühlst, wie ich vorschreibe, nur für gut hältst, was mir gefällt, nur die Pflicht erkennst, mir zu gehorchen — sind unmoralische, unrechtliche und ungültige B.en, deren Haltung, nicht deren Bruch ein Vergehen, ein Unrecht in sich schließt.

Beerdigung, s. Begräbniß.

Befehl (Decret, Ordre, Cabinetsordre) heißt das Gebot, so oder so zu handeln. Nur in Staaten, wo Alleinherrschaft vorhanden ist, und bei der Heerführung und Verwaltung, wo unbedingter Gehorsam vorgeschrieben ist, pflegt das Wort B. oder die verwandten Ausdrücke noch gebraucht zu werden. In Verfassungsstaaten, wo nicht der einzelne Wille vorschreiben kann, was geschehen soll, sondern Gesetz und Verfassung jeden Willen beschränken, sind die Ausdrücke verschwunden und werden durch die weit mildere Verordnung u. dergl. ersetzt. Allerdings wird die höchste Staatsbehörde überall und unter der freiesten Verfassung in den Fall kommen zu befehlen, z. B. im Kriege, bei Aufruhr, u. s. w., allein selbst in diesen Fällen unterliegt der B. gewissen Milderungen und das unsittliche Verhältniß, daß ein Mensch seinen freien Willen dem andern unbedingt unterordnen soll, ist in seiner ganzen Schroffheit nicht mehr vorhanden.   *v. L.*

Befestigung heißt in der Kriegskunst die Herstellung der Werke und Herbeischaffung der Mittel, welche einen Platz fest, haltbar machen, ihn in den Stand setzen, feindlichen Angriffen zu trotzen. Auch in der Politik giebt es eine B. der Zustände und die politische B.skunst ist wahrlich nicht leichter als die kriegerische. Sie besteht vorzüglich darin, alle Staatseinrichtungen so dem wahren Bedürfnisse der Zeit und des Volks anzupassen, daß sie im Herzen derselben wurzeln und ihre Grundlage so jeder Macht der Erde unzugänglich ist.

Beförderung. Die Hülfe, Mitwirkung, Unterstützung, welche einem Menschen oder einer Sache zu Theil wird, damit sie eher ans Ziel gelange; in der Politik besonders die Erhebung und Erhöhung im Amte. Die B. soll der Lohn des Verdienstes, die Anerkennung erfüllter Pflicht und redlichen Willens sein; in dieser Reinheit ist sie zugleich Veredlungsmittel für das Leben und Streben der Beamten. Die Ausartungen und falschen Arten der B. s. unter Amt, Begünstigung u. s. w.

Beförsterung heißt auf allen Waldstellen die dem Boden und der Lage entsprechenden Hölzer anlegen und passend pflegen.

Befriedete Sachen, s. Beschädigung.

Beglaubigung, s. Urkunden.

Begleitende Berichte. s. Bericht.

Begnadigung. Selbst bei vollkommenster Strafgesetzgebung ist nicht zu verhindern, daß nicht im einzelnen Falle Jemand eine härtere Strafe nach dem Gesetze treffe, als dem natürlichen Rechte entsprechend ist. Mag man noch so sehr durch einen den Richtern bei der Strafzumessung gelassenen Spielraum, oder durch gesetzliche Bestimmungen, welche unter gewissen Voraussetzungen nur eine geringere oder gar keine Strafe aussprachen für die ungewöhnlichern, aber doch vorkommenden Fälle einer so geminderten Strafbarkeit Vorsorge getroffen haben, so bleibt immer eine Lücke, welche nur im Gebiete der durch die Gesetze gebundenen Rechtspflege nicht ausgefüllt werden kann. Das führt auf das Recht der B., das dem Staatsoberhaupte zusteht. Durch die B. wird im einzelnen Falle der Widerspruch gehoben, der zwischen dem allgemeinen, für Alle gültigen Gesetze und den besondern Verhältnissen dieses Falles vorhanden ist; durch die B. wird das wahre Recht erzielt, das im Wege der durch die Gesetze geordneten Strafrechtspflege bisweilen bei der allzugroßen Verschiedenheit menschlicher Zustände nicht zu erreichen steht. Eben deßhalb aber muß die B. eine wohlüberlegte und in den besondern Verhältnissen des einzelnen Falls begründete sein, sie darf nicht von einem Zufall, von einer Laune des Begnadigenden herbeigeführt, oder gar durch persönliche Rückstchten auf gewiße, das Verbrechen gar nicht berührende Umstände des Begnadigten veranlaßt werden. Daher sind B.en verwerflich, wie sie z. B. in absoluten Staaten nicht selten bei Gelegenheit eines freudigen, die Person des Regenten betreffenden Ereignisses, einer Hochzeit, Kindtaufe u. dgl. vorkommen: denn hier ist kein ursachlicher Zusammenhang zwischen dem Verbrecher und seiner B. Auch in anderer Beziehung ist das Vorrecht der B. großem Mißbrauch ausgesetzt und die Beispiele sind gar nicht selten, wo es nur dazu benutzt wurde, thatsächlich das Recht zu beugen, d. h. große und hochstehende Missethäter der gerechten Strafe zu entziehen. Aber der mögliche Mißbrauch kann keinen Grund abgeben, die Nothwendigkeit und Zweckdienlichkeit einer solchen Befugniß an und für sich zu bestreiten. Je starrer das Gesetz und Recht in einem Lande, je strenger und härter die Strafbestimmungen sind, desto nothwendiger erscheint es, daß irgendwo die Möglichkeit vorhanden sei, die schreckliche Wirkung solcher Einrichtungen zu mildern. Je menschlicher die Gesetze werden, je fortbildsamer sich das Recht nach den mildern Sitten gestaltet, je mehr der Grundsatz in der Strafgesetzgebung Würdigung findet, daß alle Strafe sich nach ihrem höchsten Zweck, nach der wahren Besserung des Gesetzübertreters hinstreben müsse, je zweckdienlicher die Anstalten und Einrichtungen für solche Strafe und Besserung werden, desto weniger wird jenes B.srecht geltend gemacht zu werden brauchen; die Natur der Strafe wird bei dem Fortschritte der Gesittung und der Geltung menschlicher Würde, in sich selbst die B., die Wiedergeburt des Verbrechers, das Wiederschenken desselben an die Gesellschaft tragen. Wo aber noch Todesstrafen, schwere und entehrende Kerkerstrafen und dergleichen zu den für nothwendig erachteten Mitteln der Handhabung der Gesetze und des Rechts gehören, dort wird man trotz des möglichen Mißbrauchs, das Recht der B. bei der höchsten Gewalt als eine wohlthätige Befugniß, als ein für die höchste Gerechtigkeit, welche die Billigkeit in sich faßt, heilsames Vorrecht anzuerkennen haben. — Etwas andres als B. ist die oft gleichfalls unter dieser Benennung einbegriffene Abolition, oder die Niederschlagung eines Prozesses vor erfolgtem Strafurtheil. In so weit eine solche Maßregel nicht den Charakter einer Amnestie (s. d.) trägt wird sich stets gegen die Ausübung dieses Rechts viel einwenden laßen und nur dort, wo ein schleppender Prozeßgang, eine lange Untersuchungshaft den Angeklagten, aber noch nicht Ueberwiesenen, gleichsam im Voraus strafen, kann es Gründe geben, die Niederschlagung des Prozesses anzuordnen, statt kraft des gesprochenen Urtheils die gänzliche Straflosigkeit anzuerkennen, oder durch die danach gewährte B. dieselbe eintreten zu laßen. *J. G. Günther.*

Begräbnisse. Die Behandlung der Leichname ist für die Beurtheilung des Gesittungszustandes der Völker nicht unbedeutend. Auf niedern Bildungsstufen finden wir Gleichgültigkeit und Nichtachtung der entseelten Hülle, während die steigende Gesittung sich durch Aufwand und ceremonielle Umständlichkeit bemerkbar macht. Die Art und Weise der B. war nach Sitte und Religion verschieden und wird namentlich im Christenthum vielfältig zu erwerblichen Zwecken benutzt. Während im Alterthum Verbrennen und Einbalsamiren, also die beiden am meisten entgegengesetzten Arten der B. am üblichsten waren, hat mit Ausnahme einiger indischen Völker das B. fast überall Eingang gefunden. Beim Hinsterben des 33. Theils der Bevölkerung jährlich hat der Staat die Beaufsichtigung der B. übernommen, um die Lebendigen vor Gefährdung durch die Todten zu schützen, und zwar 1) die Lebendigen vor den Qualen des Scheintodes, 2) die Sittlichkeit und Menschenwürde vor Beleidigung durch unschickliche Behandlung der Leichname, 3) die allgemeine Gesundheit vor den Gefährdungen durch unpassende B. und endlich 4) die Vermögenszustände der Hinterbliebenen vor zerstörendem Aufwand und Erpressungen zu bewahren. — 1) Schon im Alterthum fürchtete man den Scheintod und suchte sich durch Einbalsamiren, Lösung einzelner Glieder und vielfältige Waschungen dagegen zu sichern. In der Kindheit der Heilkunde mag der Scheintod eine häufigere Erscheinung gewesen sein; seit aber durch

Einführung der Armenärzte wohl selten Jemand ohne ärztlichen Beistand stirbt, hat man durch Leichenschau und Leichenhäuser (s. d.) der Gefahr des Scheintodes entgegengewirkt, indem der Todte nicht beerdigt werden darf, bis die Leichenschau über ihn gehalten wurde, oder er im Leichenhause bis zu eintretender Fäulniß gestanden hat. Schützt nun die Leichenschau nicht vor menschlichem Irren, so bietet das Leichenhaus größere Sicherheit. Die Kosten von Leichenhäusern mit Wärter und Heizung sind zwar für das Vermögen kleiner Gemeinden zu hoch, ein kleines Häuschen aber, in welches der offene Sarg gestellt und die Leiche für den Fall der Wiederbelebung im Winter durch hinreichende Bedeckung gegen das Erfrieren geschützt wird, können auch kleinere Gemeinden schaffen. 2) Rohe Behandlung, frivole Bloßstellungen, und Verunglimpfung eines Leichnams kommen in unserer Zeit nicht mehr vor. Im Gegentheil legt die Aufopferung, mit welcher oft die Armuth die Leichen ihrer Angehörigen von der Verwendung zu anatomischen Zwecken loszukaufen sucht, ein günstiges Zeugniß für den Standpunkt unserer Gesittung ab. 3) Die Anlage von Gottesäckern in der Nähe von Lebenden, namentlich um die Kirchen herum, kann so wenig wie die Beisetzung in den Kirchengewölben gebilligt werden. Ganz abgesehen von der Stimmung, welche bei ansteckenden Krankheiten das Anschauen der steten B. erzeugt, kann geradezu solchen Schreckenszeiten die Verpestung der Luft durch den nahen Gottesacker höchst gefährlich werden. Tadelnswerth und gefährlich ist auch die zu schnelle Wiederbenutzung der Grabstätten, die bei unzureichendem Raume oft wieder geöffnet werden, bevor noch der Verwesungsprozeß vollendet ist. 4) Das Gepränge und der übertriebene Aufwand bei B. hat namentlich in neuester Zeit zu vielfältigen Erörterungen Veranlassung gegeben. Wenn es lächerlich erscheint, Schmausereien zu Ehren eines Todten zu halten, so erscheint es noch lächerlicher, kostbare Stoffe, reiche Särge, übertheuern Schmuck und eine Reihe kostspieliger oft leeren Kutschen an einen Todten zu wenden, was schon manche Familie schwer betroffen oder gar an den Bettelstab gebracht hat. Der Staat hat zur Steuerung dieses Mißbrauchs nicht mehr Recht, als zur Verhinderung des Aufwandes überhaupt, er darf der Verwendung des Eigenthums, sobald Niemand dadurch verletzt wird, keine Schranken setzen (s. Luxus). Wohl aber hat er das Recht, durch eine Taxe Erpressungen und Uebertheuerungen zu verhüten, zu denen der Schmerz nur zu oft mißbraucht wird. Wie viel in katholischen Ländern durch Vorspiegelungen von der Unerläßlichkeit der Seelenmessen u. s. w. erpreßt worden ist und noch wird, bedarf wohl keiner Erwähnung. In der neuesten Zeit haben in mehrern Städten, wie in Magdeburg, Danzig, Königsberg sich Vereine zur Abstellung unnützen Leichengepränges gebildet und allgemeine Anerkennung gefunden. Was der Staat durch ein Gesetz nicht verbieten darf, wird durch das Beispiel verständiger Bürger am leichtesten seine Abstellung finden. *Bertholdi.*

Begünstigung. Im Allgemeinen der thätige Beweis von Liebe und Zuneigung, in der Politik aber die Bevorzugung einzelner Personen zum Schaden Anderer, oder des Ganzen, gewöhnlich Nepotismus (Vetterschaft, Gönnerschaft) genannt. Wie das meiste Uebel, an welchem wir in Staat und Leben leiden, so hat Rom uns auch die B. gebracht, indem die Päpste ihr Amt mißbrauchten, um ihre Familie, Neffen, Enkel, Beischläferinnen und deren Freunde u f. w., in die höchsten Staatsstellen, die besten Pfründen und reichsten Güter und Besitzungen zu bringen. Alexander VI. z. B. machte seine mit der Buhlerin Vanozza erzeugten 6 Kinder zu Fürsten (die Familie Borgia) und vergeudete unermeßliche Schätze an sie, die er durch Annaten (s. d.) und Simonie (s. Amtsverbrechen) zusammen schaarte. Roms Beispiel wirkte auf die weltlichen Fürsten und Gewaltigen zurück und die B. war in der Vorzeit stets die Feindin des Verdienstes; die Fürsten wandten ihre B. dem Adel, dieser die seinige seinem Anhang zu und der ganze Staat wurde Beute derselben. Daß die B. dem Gemeinwohl unheilbare Wunden schlägt, bedarf wohl keiner Ausführung; abgesehen von der unrechtmäßigen Bereicherung Einzelner gehen auch Würde, Ehre, Ord=

nung und Vertrauen zum Amte, welches durch B. errungen ist, zu Grunde und bald
entbehrt die ganze Verwaltung diese Erfordernisse; dem Verdienste und Talent mangelt
der Sporn und es verkümmert unentwickelt, Schmeichelei und Kriecherei, durch welche
man B. zu erlangen glaubt, mehren sich, das Gefühl des Stolzes und der Würde
geht verloren und die Entsittlichung verbreitet sich im ganzen Volke. Die Neuzeit
hat die B., besonders in den Verfassungsstaaten, meist besiegt, wenigstens tritt sie
nur in einzelnen Fällen und beschränkten Kreisen auf, wie z. B. bei Verleihung von
Hof- und Kirchenämtern; daß sie nicht ganz verschwunden ist, beweist die Stellung
des Adels, der sich eben so im Besitz der meisten hohen und einträglichsten Staatsstellen, als eines überwiegenden Einflusses in der Volksvertretung (vergl. Adel, Amt,
Aristokratie) befindet. Doch wird auch dieser Rest eines verderblichen Ueberbleibsels
vergangener Zeiten wohl nicht lange mehr leben.   R. B.

Begünstigung der Flucht eines Gefangenen ist ein besonderes, schwer bedrohtes Amtsverbrechen, dessen stets harte Strafe nach der Wichtigkeit des Entflohenen
steigt und beim Soldaten, welcher etwa die Wache hat, sogar mit Todesstrafe geahndet wird.

Behörde heißt die Stelle, das Amt, die Person, wo irgend welche Angelegenheiten des Staates, der Verwaltung, der Rechtspflege, besorgt werden und zu suchen
sind. Die einzelne B. steht unter der höhern, wie z. B. das Untergericht unter dem
obern (Appellationsgericht), der Stadtrath unter der Vogtei, Landdrostei, Kreisdirection, diese unter dem Ministerium u. s. w. Diejenige Zusammensetzung der B.n ist
die beste, wo jeder ihr bestimmter Wirkungskreis vorgezeichnet ist und sie sich innerhalb desselben frei bewegt, wobei sich die Berufung an die höhere B. im Falle eines
Unrechts von selbst versteht. Aber die in manchen Staaten herrschende Sucht der
höchsten B.n, alles irgend Wichtige selbst zu thun und zu entscheiden, verbittert dem
Volke und der B. das Leben, verschleppt den Geschäftsgang, schneidet die Berufung
auf eine höhere Entscheidung thatsächlich ab, nährt und pflegt die Unselbstständigkeit
der Beamten und bringt in folgerichtiger Durchführung den Staat in den Zustand
einer seelenlosen Maschine, die von Einem Punkte aus bewegt wird. Ist's dann an
Einem Punkte einmal schlecht bestellt, so fällt die ganze unnatürliche Bescherung
zusammen. Vergl. Amt u. s. w.

Beichte, s. Sündenvergebung.

Beisassen, s. Bürger.

Bekanntmachung der Gesetze, s. Gesetz.

Bekenntniß, s. Geständniß, Symbole und Sündenvergebung.

Bekehrung. Die Umkehr des Menschen von einer Ansicht zur andern, von
einem Glauben zum andern. Die Ansicht, von welcher die B. erfolgt, nennt sie
Abfall (s. d.), die Ansicht, zu welcher sie erfolgt, sieht eine Veredlung, ein Besser-
werden darin. Die B. selbst ist als Sache innern Bedürfnisses und wahrer Ueberzeugung zu achten auf dem kirchlichen, politischen und jedem andern Gebiete; die B.
aus Interesse aber ist gemein und zeigt von innerer Verworfenheit. Zur wahren B.
vom Falschen zum Guten wirkt und führt nur Belehrung, Ueberzeugung,
nicht Zwang; die Rechthaberei und angemaßte Unfehlbarkeit bekehrt nie. Rom
führte seine B. mit Feuer und Schwert und vernichtete, wer nicht seines Glaubens
war; in der Türkei bekehrte man ehedem durch Säcken, d. h. man band denjenigen,
der nicht die politische Ansicht der Regierung hatte, in einen Sack und warf ihn ins
Meer. Hat das etwas geholfen? Nein; die halbe Christenheit ist von Rom abge-
fallen und von den Gebliebenen hält abermals die Hälfte nur noch nach Form und
Schein, nicht von Herzen zu ihm; in der Türkei aber ist troß alles Säckens die
Neuzeit hereingebrochen. Wer mit Orden, Geld und Anstellungen oder mit Anstel-
lungs- und Bestätigungsverweigerungen, Zwang und Verfolgung bekehren will, ver-

fährt zwar milder, als Rom und die Türkei, aber klüger nicht und er wird dieselbe
Frucht ernbten. **R. B.**

Belagerung. Die Umschließung einer Festung durch Waffengewalt und die
Vorbereitungen, dieselbe zu nehmen, den Einlaß zu erzwingen. Durch die B. wird
der Verkehr der Festung gehemmt, oder gänzlich aufgehoben, denn wer sich den Bela-
gerern naht, muß den Tod fürchten, und daher nennt man B. szustand denjenigen,
wo der Verkehr gehemmt und Alles dem Befehl des Militairbefehlshabers unterworfen
ist, der jeden Ungehorsamen ohne Urtheil und Rechtsspruch erschießen läßt. Dies
geschieht zuweilen in einer empörten Stadt oder Provinz und pflegt nur so lange zu
dauern, bis man die Kraft des Widerstandes überwunden und die „Schuldigen"
ergriffen hat. Ob das Recht ist? — es ist Krieg, in diesem ist Gewalt Recht
und diese thut, was ihr Recht scheint, d. h. was ihr zum Ziele hilft.

Belehnung, s. Lehn, Lehnsreichung.

Belehrung. So heißt der Zauber, welcher den Wilden zur Gesittung, den
Rohen zur Bildung, den Unwissenden zur Weltweisheit, den leidenschaftlich Rasenden
zur Ruhe, die Feigheit zum Heldenmuth, die Selbstsucht zur aufopferndsten Vaterlandsliebe, die ganze Menschheit zur Veredlung und Vervollkommnung führt. Es
kann demnach für den Staat keine höhere Pflicht geben, als die B. zu fördern mit
allen seinen Kräften und in allen seinen Gebieten, denn auf ihr beruht seine Dauer
und Kraft, auf ihr allein die Möglichkeit allen Wechselfällen zu trotzen, auf ihr allein
das Heil aller seiner Angehörigen. Leibeigenschaft und Dienstbarkeit waren nur in
der Unwissenheit möglich, die B. macht frei. Was will die B.? Sie will aus
dem Zustande des Dunkels, der Unklarheit, des mangelnden Begriffs zur Klarheit der Erkenntniß, der Ueberzeugung führen. Wie kann sie das? Dadurch, daß
sie sich an die menschliche Auffassungsfähigkeit, an den Verstand wendet, ihn erleuchtet
und dahin führt, den Stoff der B. zu erfassen und zu prüfen, seine Einsicht daran
zu üben, und ihn endlich im ganzen Umfange zu erkennen. Wie ist aber das möglich? Nur dadurch, daß die B. völlig frei ist, daß sie jeden Einwand annimmt und
gelten läßt und daß sie denselben widerlegt einzig durch Klarheit und Wahrheit, niemals durch ein gebieterisches: es ist so. Jede B., welche sich nicht an die Einsicht
der Menschen wendet, und durch dieselbe seine Ueberzeugung zu gewinnen sucht, ist
eine Abrichtung (Dressur), der jede moralische Kraft fehlt, die eine Minute zerstört, wenn ihr Aufbau auch Jahrhre kostete. Ist demnach B. über Staatsdinge das
Nothwendigste, auf welches der Staat seine Grundlage bauen kann, so wird dieselbe
doch nie haltbar sein, wenn sie sich als Gebot giebt und keine Prüfung, keinen Widerspruch zuläßt. Ja, wäre sie wahr und klar, wäre sie so vollkommen, als irgend
etwas Menschliches sein kann, ihre Wirkung würde doch aufgehoben, wenn gegen den
Irrthum und falsche B. Schranken gezogen, wenn ihnen die Ausbreitung nicht gestattet
ist. Denn theils wird die B. vollkommener, wenn neben dem Wahren auch das
Falsche steht und den Werth des erstern erhöht; theils läßt sich die Ueberzeugung
niemals gewinnen, wenn eine Seite zum Schweigen gezwungen ist, denn der Zweifel
liegt zu tief in der menschlichen Natur, ja der Zweifel ist der eigentliche Hebel der
B., ihr Sporn und Antrieb; die Entfernung des Zweifels ist ihr Triumph, so lange
noch Zweifel übrig bleibt, ist sie unvollkommen. Aus diesen Grundsätzen, die in der
Neuzeit wissenschaftlich kaum mehr angefochten, aber leider thatsächlich nicht anerkannt werden, folgt, daß der Staat die B. fördern soll auf jedem Gebiete des Lebens; daß dieselbe in dem Grade vollkommener ihren Zweck erreicht, als sie freier
und schrankenloser ist; daß sie aber auch in dem Grade unwirksamer, mangelhafter
und unvollkommener ist, als der Staat seine B. als Gebot ausspendet, die eine
Richtung begünstigt und die andere zurückdrängt, und in anmaßender Rechthaberei
allein ermessen will, was seinen Angehörigen frommt und worüber sie B. bedürfen.
Das Nähere ist unter Association, Censur und Lehrfreiheit nachzusehen.   **R. B.**

Beleidigung (Injurie) iſt eine Handlung oder Aeußerung gegen einen Andern, welche an ſich oder nach der gemeinen Meinung Verachtung ausdrückt oder eine Ehrenkränkung enthält, auch wird die abſichtliche Verbreitung falſcher Nachrichten über eines Andern perſönliche Verhältniſſe nach dem ſächſiſchen Strafgeſetzbuche dahin gerechnet. Der Staat ſchützt den Werth, welchen der ſittliche und rechtliche Menſch und der Staatsbürger hat (Ehre), indem er die Angriffe auf die Ehre, mögen ſie nun in dem Vorwurfe ſtrafbarer oder unſittlicher Handlungen oder in dem Ausdrucke der Verachtung beſtehen, beſtraft (ſ. Abbitte). Eine B. ſetzt voraus: 1) eine allgemein erkennbare, rechtsverletzende, die Ehre der Andern kränkende Handlung. Es kommt daher nicht auf die Vorſtellung des Einzelnen bei gekränktem oder falſchem Ehrgefühl über das Betragen und Verhalten Anderer, ſondern auf die allgemeine Vorſtellungsart an. Wer ferner durch ſeine Stellung als Vorgeſetzter gegen den Untergebenen, als öffentlicher Beamter in ſeinem Wirkungskreiſe (Ankläger oder Vertheidiger), ſtrafbare Handlungen vorhält, iſt nicht ſtrafbar. 2) Muß die B. gegen eine beſtimmte Perſon, mag dies nun eine einzelne Perſon oder eine Körperſchaft, eine Privat- oder öffentliche, eine lebende oder verſtorbene ſein, ſich richten. Daher ſind allgemeine Darſtellungen von unſittlichen oder rechtswidrigen Zuſtänden, ſelbſt mit Bezugnahme auf beſtimmte Fälle, oder die Charakteriſtik von verächtlichen Leidenſchaften in Aufſtellung von ungenannten Perſönlichkeiten (Geizhals, Trunkenbold), wenn ſich auch Hunderte davon ganz getroffen fühlen, ſtraflos. 3) Die Abſicht zu beleidigen (animus injuriandi), d. h. das Bewußtſein, daß durch die Handlung oder Aeußerung die Ehre des Andern gekränkt werden kann. Es kann jedoch die Form der Aeußerung oder Handlung ſo beſchaffen ſein, daß auf die Abſicht gar nicht Rückſicht genommen wird, um die Strafe auszuſprechen. Von der B. unterſcheidet ſich die Verläumdung, welche ebenfalls zu den ehrverletzenden Handlungen gehört, dadurch, daß die üble Nachrede oder Verbreitung falſcher, ehrenrühriger Thatſachen heimlich oder gegen dritte Perſonen, nicht, wie bei der B., dem Beleidigten gegenüber, geſchieht. Man theilt die B. en ein in: **Real-Injurien**, welche zunächſt die Ehrenrechte der Gekränkten nur mittelbar verletzen, z. B. wenn Jemand eine Ohrfeige erhält, ſo wird zunächſt ſein Körper, mittelbar aber ſeine Ehre verletzt, und die Verletzung der Ehre iſt dann die ſtrafbarere Handlung, wenn die Ohrfeige ohne Gefahr oder nachtheilige Folgen für die Geſundheit war, — und in **reine** (ideale) **Injurien**, welche bloß die Ehre verletzen; die letztern ſind entweder wörtliche, durch Druck, Schrift oder Wort; oder bildliche, durch andere Zeichen der Gedanken geäußert. Die Geſetzgebungen der verſchiedenen Staaten weichen in den Begriffsaufſtellungen der B. hinſichtlich der Ausdehnung, welche der allgemeinen oder beſondern Standesehre gegeben wird, ſehr von einander ab. Im Allgemeinen iſt der Grundſatz feſtzuhalten: daß der Wahrheits- und freien Meinungsäußerung das möglichſt größte Gebiet einzuräumen iſt, und die Oeffentlichkeit der Regierungshandlungen und des Volkslebens alle kleinlichen und oft ſo ſehr beſchränkten Vorurtheile des beſondern Kaſten- und Ständegeiſtes, man könnte häufig beſſer ſagen, „der Geiſtloſigkeit,“ verdrängen muß. In den Staaten, wo ein öffentliches Leben nicht vorhanden iſt, wo die Sittlichkeit nicht als oberſtes Grundgeſetz der öffentlichen Achtung gilt, muß man freilich darauf bedacht ſein, den äußern Schein, die äußere Würde, ſtatt des innern ſittlichen Werths und der Würdigkeit, als die Beſtandtheile der Ehre auszugeben und die ungeſchmückte Wahrheitsäußerung über und gegen unwürdige Perſonen ebenfalls zu beſtrafen. *Adolph Henſel.*

Belle-Alliaz, ſ. Bund, der ſchöne.

Belleſtritik, ſ. Schöne Wiſſenſchaften.

Bell-Lancaſterſche Unterrichtsmethode heißt diejenige, welche auf gegenſeitigem Unterrichte beruht und alſo das jüngere Kind vom ältern unterrichten läßt. Sie beruht auf der Wahrnehmung, daß Kinder — daß überhaupt jede gleiche Altersklaſſe

— sich weit leichter verständigen, als wenn der Altersabstand zu groß ist und daß die Beobachtung des Spiels uns zeige, welchen Ideenreichthum die Kinder entwickeln und wie schnell sie ihre gegenseitigen Absichten auffassen. Wenn es sich nun vom ersten Unterricht handelt, der stets mehr oder weniger abweichend ist, mag die B. gewiß vortrefflich sein; beim höhern Unterricht jedoch, wo nur der Verstand die Belehrung geben und auffassen kann, ist sie kaum anwendbar, da das Verständniß der Kinder meist auf der gleich lebhaften und reizbaren Phantasie beruht, auch bei dichten Bevölkerungen die Räume unmöglich zu finden sind, welche die B. bei einer großen Anzahl Kinder in Anspruch nimmt, daß ihre große Wirkung aber im Verständniß einzelner Kinder, nicht aller Kinder unter einander beruht.   v. L.

Belobung (Belobungsschreiben) heißt eine übliche Anerkennung, durch welche das Thun eines Staatsbeamten von der Regierung geehrt wird. Gegen die Ermunterung läßt sich nichts einwenden, wenn sie für Arbeit innerhalb der Grenze der Amtsbefugnisse (s. d.) ertheilt wird. Für andere Wirksamkeit ist sie freilich vom Uebel.

Beneficium, s. Lehn und Pfründe.

Berathungsrecht. Das B. im Allgemeinen als ein Ausfluß der natürlichen Freiheit muß auch im Staate geschützt werden, und indem es von Mehrern geübt wird, schlagen hier die Grundsätze des Associationsrechts (s. d.) ein. Insbesondere steht aber das B. den (verfassungsmäßigen) Ständen rücksichtlich aller zu ihrem Wirkungskreise gehörigen Angelegenheiten zu, da sich ohne vorgängige Berathung keine gehörige und überdachte Beschlußfassung denken läßt.

Beredtsamkeit, s. Redekunst.

Berg. Während der franz. Staatsumwälzung hießen so die höchsten Bänke der linken Seite des aufsteigend gebauten Sitzungssaales der Volksvertreter, die von den Entschiedensten, Muthigsten und Ueberspanntesten, die der rechten Seite von den gemäßigteren Constitutionellen, der Raum zwischen den beiden und die untern Bänke von den Schwankenden und Unschlüssigen eingenommen wurden. Die rechte Seite der Gemäßigten erhielt den Namen der Ebene oder der Gironde, und die Mitte und Tiefe den des Sumpfes. Der B. verlangte die entschiedensten revolutionären Maßregeln, das Aufgebot in Masse, den Wohlfahrtsausschuß, die Aufhebung der Verfassung, das Maximum, das Revolutionsgericht u. s. w., er war nicht schuldlos an den Septembermorden und ähnlichen Gräueln. Die Gironde kämpfte gegen ihn und sah mit der Abschaffung des Königthums Alles erreicht; der B. aber siegte durch die Entschiedenheit seiner Führer und die Feigheit des Sumpfes, vernichtete die Gemäßigten (Girondisten) und wüthete dann in seinen eignen Reihen, bis am 9. Thermidor mit Robespierre seine Allmacht fiel. Die Anhänger der Alleinherrschaft haben den B. und seine Schreckensherrschaft lange als Vogelscheuche vor die Weizenfelder der Freiheit gestellt. Es ist wahr, der B. ist eine entsetzliche geschichtliche Erscheinung; allein zur Nothwendigkeit wurde er nur durch das Bündniß aller Gewaltigen gegen die Staatsumwälzung, durch die gewaltsame Einmischung ganz Europas in die innern Angelegenheiten Frankreichs. Der Ausspruch Börnes: „Der B. ist nicht in Paris, er ist in Pillnitz geboren worden und die edeln aber unklugen Girondisten wurden in Coblenz verurtheilt," enthält eine tiefe Wahrheit.   Bertholdi.

Bergamt, s. Bergbau.

Bergbau, ein Zweig der Volkswirthschaft und des Gewerbfleißes, der als solcher gleichsam mitten innesteht zwischen der Bodenwirthschaft oder dem eigentlichen Landbau und der Industrie oder dem Gewerbsbetrieb im engern Sinne. Wie der Landbau hat er es mit Ausbeutung des Grundes und Bodens zu thun, nur daß er nicht wie die Ackerwirthschaft in dem Anbau der Oberfläche der Erde ihren Segen abzugewinnen sucht, sondern indem er mehr oder minder tief in ihre Eingeweide eindringt, um die daselbst verborgenen Schätze zu heben. Dieses Umstandes halber

muß der B. also gewissermaßen der Bodenwirthschaft in der weitesten Bedeutung beigezählt werden; ja in seinen rohen Anfängen trägt er vorzugsweise diesen Charakter
und einige mit dem Abbau der unterirdischen Schätze des Bodens beschäftigten Zweige
desselben, wie Torfstich, Ausbeutung der Letten-, Thon- und Mergellager, Bearbeitung
der Sand-, Kalk- und Steinbrüche u. s. w. werden in den meisten Fällen wohl
füglicher den ländlichen Gewerben zugerechnet. Der eigentliche B. hingegen hat, wo sein
Betrieb sich ausgedehnt und vervollkommnet, schon von Alters her das Gepräge eines
mit den mannigfaltigsten mechanischen Hülfsmitteln betriebenen Industriezweiges angenommen und kann bei der Ausbildung, welche er in den letzten Jahrh.n empfangen, weit
mehr der großen Maschinenindustrie beigezählt werden, als der Bodenwirthschaft.
Auch ist seine unendlich hohe Bedeutung für die Nationalwirthschaft und die Mehrung des Volksreichthums erst in ihrem ganzen Umfang durch die großartige industrielle Bewegung seit dem Schlusse vorigen Jahrh.s ans Licht getreten. Denn der
B. liefert außer vielen andern unserm gegenwärtigen Kulturzustande unentbehrlichen
Bedürfnissen die beiden Stoffe, welche als die Hebel unserer ganzen neuzeitlichen Gesittung, als Hülfs- und Förderungsmittel zu allen Erleichterungen, zu jeder
Vermehrung und Verwohlfeilung in der Gütererzeugung, zu schnellerer und wenig
kostspieligerer Ueberwindung von Zeit und Raum gelten können: Kohlen und Eisen.
Von der Wichtigkeit des B.s in dieser Beziehung hat die frühere Zeit keine Ahnung
gehabt; und doch wurde derselbe schon damals hoch in Ehren gehalten. In jenen
Zeiten aber war es die Ausbeutung der edlen Metalle, des Goldes und Silbers, welche den B. der besondern Berücksichtigung und der fördernden Gunst der
Herrscher empfahl und es veranlaßte, daß die Gesetzgebung mit einer außerordentlichen
Fürsorge diesem Elemente der Staats- und Volkswirthschaft ihr Interesse schenkte. —
Bei der Ueberschätzung, womit man in jenen Tagen die edlen Metalle betrachtete, bei
der Aussicht, welche die Ausbeutung derselben dem Fiscus auf eine reiche Einnahmequelle eröffnete, bei dem noch wenig geweckten Thätigkeitssinn und Unternehmungs-
geiste des Volkes, der entweder durch Hoffnung großen Gewinns oder Zwang ange-
trieben sein wollte, lag es im Wesen der Dinge, daß der Betrieb des B.s in den
frühern Zeiten die eigenthümliche Gestaltung annehmen mußte, die in vieler Hinsicht
unserer Zeit nicht mehr angemessen ist; daß die für jenes Element der Volkswirthschaft
regelnde Gesetzgebung eine Mischung von fiscalischen Beschränkungen und Belastungen,
von aneifernden Vor- und Ausnahmerechten u. dgl. m. aufweist, welche in vielen
Dingen nicht zu den Grundsätzen stimmen, die heute bei Förderung der materiellen
Interessen des Volkes in Anwendung gebracht werden. Damals galt es vor Allem
zu verhüten, daß durch die Trägheit und Gleichgültigkeit der Bodenbesitzer die werth-
vollsten Dinge unter der Erde nicht unbenutzt liegen blieben, oder daß der Abbau in
einer Weise erfolgte, wobei der größere Theil dieser Schätze zu Grunde ginge und der
Ausbeute des Augenblicks die viel bedeutendere der Zukunft geopfert werde (Raub-
bau). — Dieser Vorsorge, wie der Annahme, daß die unterirdischen Güter des Bodens eigentlich Staatseigenthum seien, ist jene Gesetzgebung des Bergregals, der Berg-
werksverfassungen, der Besteuerung des B.s u. s. w. entflossen, welche sich theilweis
bis auf unsre Zeit vererbt. Die Umgestaltung aber, die in dem B. durch die ganze
Richtung stattgefunden, welche die Volksbetriebsamkeit in der neuern Zeit eingeschlagen,
das Zurücktreten der Bedeutung der Zutageförderung edler Metalle vor der unendlich
höhern Wichtigkeit des Abbaus der Kohlen und des Eisens, so wie vieler andern
Metalle und -Fossilien, des Kupfers, Bleis, Zinks, Schwefels, Salzes ꝛc., endlich
die großartige Entwickelung des Associationswesens zur Betreibung industrieller Unternehmungen, welches heutzutage an die Stelle des alten Systems bevorzugter Gewerk-
schaften und -Zünfte getreten, — Alles dies zusammengenommen, hat einen großen
Theil jener den frühern Verhältnissen angemessenen gesetzlichen Bestimmungen nicht
nur überflüssig, sondern oft selbst hinderlich erscheinen lassen. In den Ländern, wo

man diese in dem staats- und volkswirthschaftlichen, wie in den gewerblichen Bedingungen vor sich gehende Umwandlung ihrem Wesen und ihrer Nothwendigkeit nach begriffen, hat man sich beeilt, die Schranken zu entfernen, die in alten Satzungen der Vervollkommnung des B.s entgegenstanden; man hat von Seiten des Staats nicht mehr den Abbau der edlen Metalle vorzugsweise berücksichtigt und begünstigt, man hat, so wie es sich immer thun ließ, das unmittelbare fiscalische Interesse mehr und mehr in den Hintergrund treten lassen, man hat sich von dieser Seite von dem Selbstbetrieb des B.s möglichst zurückgezogen und dagegen Sorge getragen, daß der Unternehmungsgeist der Privaten, wie in den andern großen Gewerbszweigen, Kapital, Arbeitskraft und Fähigkeit aufbiete, um alle verborgenen Hülfsquellen des Bodens zu eröffnen. Wo man in dieser Weise verfahren hat, hat denn auch der B. und namentlich diejenigen Zweige desselben, die für den Nationalreichthum und den Aufschwung des Gewerbfleißes die wichtigsten sind, eine unerhörte Blüthe gewonnen, während dort, wo man anders zu Werke gegangen ist, und wie namentlich in manchen deutschen Staaten man an den alten nicht mehr zeitgemäßen Satzungen festgehalten hat, der B. den Umfang und den Ertrag nicht erreichen konnte, welchen die natürlichen Bedingungen in Aussicht stellen. Denn während man in England, Frankreich, Belgien u. s. w. den B. hier später, dort früher von unnöthigen Fesseln befreite, hat man vieler Orten bei uns fortgefahren, wie in der alten Zeit, hier den Bergzehnten vom Rohertrage des B.s zu erheben, dort sich das Verkaufsrecht für gewisse Fossilien vorzubehalten, oder die Verkaufspreise letzterer zu bestimmen, oder anderweitige Belastungen für Bergwerksunternehmungen, sei es in veralteten Gesetzen, sei es in fiscalischen Maßregeln fortdauern zu lassen. Sicherlich muß sich der Staat über einen so höchst wichtigen Theil der Volkswirthschaft das Oberaufsichtsrecht wahren, aber es darf nicht weiter gehen, als daß ihm in rechtlicher und polizeilicher Rücksicht Gesetze zur Hand sind, die, indem sie dem Unternehmungsgeist und der Betriebsamkeit des Volkes vollen Raum gönnen, auch diesen Kreis des Privaterwerbs nach allen Seiten hin möglichst zu erweitern und damit zum Besten der Allgemeinheit nutzbar zu machen, und ihn in den Stand setzen, die dabei vorkommenden Civilstreitigkeiten in einer zweckentsprechenden und dabei zugleich mit den Grundsätzen des gemeinen Rechts vereinbarlichen Weise zu entscheiden, andererseits aber die Interessen der allgemeinen Wohlfahrt und Sicherheit, der moralischen sowohl, wie der materiellen, gegen aus dem Betrieb des B.s möglicherweise entspringende Beeinträchtigungen kräftigst wahrzunehmen. Bei dieser Oberaufsicht hat sich der Staat aber wohl zu hüten, ein wirkliches Bevormundungsrecht ausüben zu wollen und sich wohl gar direct in den Geschäftsbetrieb einzumischen, so wie er in einzelnen Fällen als Besitzer von Bergwerken, die aus Staatskosten verwaltet und betrieben werden, nicht dazu befugt ist. — Welche Bedeutung der B. auf Eisen und Kohlen im Vergleich mit der Förderung der edlen Metalle für den Volksreichthum selbst an und für sich betrachtet, gewonnen hat, mag daraus hervorgehen, daß z. B. in Preußen die Roheisen- und Gußwaarenerzeugung in den letzten Jahren durchschnittlich jährlich etwa für 7 Mill. Thaler an Werth lieferte und über 17,000 Arbeiter direkt beschäftigte und mit deren Familien über 44,000 Seelen ernährte; daß ferner die Steinkohlenproduction während dieser Zeit bei einer jährlichen Ausbeute von 52 Mill. Centner im Werthe von 5 Mill. Thaler über 21,000 Arbeitern Beschäftigung, über 50,000 Menschen Unterhalt gewährte, während der Silberbergbau in demselben Lande eine jährliche Ausbeute von wenig mehr als 400,000 Thlr. im Werthe lieferte und noch nicht 300 Arbeiter beschäftigte. — Weit riesenhafter tritt dies Verhältniß in England hervor, wo der B. nichts von den Hemmnissen kennt, die zum Theil in Preußen denselben noch belasten. Vor einem Jahrh. erzeugte England mit Wales jährlich kaum 20,000 Tons (400,000 Centner) Eisen, während seine Erzeugung heute auf fast 1½ Mill. Tons (30 Mill. Centner) gestiegen ist, zu deren Erzeugung es allein an 100 Mill. Centner Steinkohlen, also

zu dieſem einen Zwecke allein das Doppelte der ganzen Steinkohlenerzeugung Preußens verbraucht; dagegen fördert es an edlen Metallen jährlich etwa 16,000 Mark
Silber, alſo im Werthe noch nicht 400,000 Thaler zu Tage! Mit Recht ruft deshalb ein neuer engl. Schriftſteller aus, daß in der Förderung jener Eiſen- und Koh-
lenwaffen England über Quellen weit größerer Reichthümer zu Gebote ſtänden, als je
aus den Bergwerken Peru's und aus den Demantgruben am Fuße der Nila-Mullah-
berge zu Tage gebracht worden ſeien. — Auch in Deutſchland liegen unerbrochen und
unaufgeſchloſſen noch in der Tiefe unendliche Kohlen- und Eiſenſteinlager, die, zu Tage
gefördert, der Arbeit des Volkes in jeder Rückſicht die unerſchöpflichſten Hülfsquellen eröffnen, dem Volkswohlſtand in ungeahnter Weiſe förderlich ſein würden; ſelbſtredend geht daraus hervor, daß, um dahin zu gelangen, keine Opfer und
keine Anſtrengung geſcheut werden dürfe, und daß man den Unternehmungsgeiſt aus
allen Kräften aneifern müſſe, ſich ans Werk zu machen, um ſo ſchleunig als möglich
dieſe Schätze zu heben, die unbenutzt ſo lange ſchon in der Erde geſchlafen haben.

J. G. G.

Bergfeſtung, eine Feſtung, die auf einem Berge erbaut iſt, wie Königſtein,
Ehrenbreitenſtein, u. ſ. w. Es ſind die ſicherſten und am ſchwierigſten einzunehmen-
den Feſtungen.

Bericht, Berichterſtattung (lat. relatio, franz. rapport), heißt im allgemeinen Sinne jede ſchriftliche oder mündliche Anzeige, die mit einer gewiſſen Vollſtändigkeit und Ausführlichkeit erfolgt. Im beſondern Sinne iſt das Wort der
Kunſtausdruck für gewiſſe Anzeigen in einzelnen Fächern der Wiſſenſchaft. In der
Rechtswiſſenſchaft und der Verwaltung insbeſondere hat das Wort zwei verſchiedene Bedeutungen, denn es bezeichnet entweder den Vortrag des Mitgliedes eines
Collegiums, welcher von dieſem Mitgliede, dem B.erſtatter (Referenten) an
das Collegium aus vorliegenden Acten zur Vorbereitung eines Beſchluſſes erſtattet und mit einem Vorſchlage, einem Botum, des B.erſtatters verbunden wird;
oder es bezeichnet den amtlichen Vortrag einer untergeordneten öffentlichen
Behörde an eine ihr vorgeſetzte öffentliche Behörde. In erſterer Beziehung
nennt man den Inbegriff der Regeln, nach welchen der B. zu erſtatten iſt, die Refe-
rirkunſt und begreift darunter einen Theil der Prozeßwiſſenſchaft, deſſen Ausbildung
die deutſchen Rechtslehrer nach Einführung des ſchriftlichen Verfahrens (ſ. Actenmäßigkeit und Anklage) ſich ganz vorzüglich angelegen ſein ließen. In letzterer Beziehung ſind die B.e entweder unerforderte oder erforderte, je nachdem ſie von
der Unterbehörde aus eigner Bewegung oder auf Verlangen erſtattet werden; ihrem
Zwecke nach ſind ſie anfragende, anzeigende, begleitende, rechtfertigende (Verantwortungs-B.), oder gutachtliche. Am meiſten ſind die
anfragenden B., deren Zweck dahin geht, von der obern Behörde über einen vorliegenden Fall Belehrung zu erhalten, dem Mißbrauche unterworfen; denn ſie berauben die Partheien, wenn die Oberbehörde die begehrte Belehrung ertheilt und dieſe
von der Unterbehörde ihrem Beſchluſſe zu Grunde gelegt wird, des geſetzlich geordneten Inſtanzenzugs (ſ. d.), und daher zieht ſich die Unterbehörde, welche einen
ſolchen Anfrage-B. erſtattet, nicht ſelten die Beſchämung zu, daß ſie, anſtatt der
erwarteten Belehrung, vielmehr eine Anweiſung zu eigener Entſchließung erhält. —
Im ſtaatswiſſenſchaftlichen Sinne iſt B. die meiſtens ſchriftliche Darſtellung,
welche von einem Ausſchuß (Commiſſion, Deputation, Abtheilung, Comité) der politiſchen Körperſchaft (Ständekammer, Bundestag, Gemeindevertreterverſammlung), aus
welcher jener Ausſchuß hervorgegangen iſt, behufs der Beſchlußfaſſung über eine vorliegende Frage vorgetragen wird. Ein ſolcher B. beginnt in der Regel mit der Entwickelung des geſchichtlichen Sachverhältniſſes, legt dann die bei der Beurtheilung zum
Maßſtab zu nehmenden rechtlichen oder politiſchen Grundſätze dar und ſchließt mit
einem Gutachten, in welchem der Ausſchuß der Geſammtheit den zu faſſenden Beſchluß

9*

vorschlägt. Er muß bei aller Vollständigkeit und Treue dennoch kurz, bündig und klar sein. Strenge Unpartheilichkeit ist insofern seine Aufgabe, als die Darlegung der vom Ausschuß für richtig erkannten Grundsätze die reisliche Würdigung der gegentheiligen Ansichten in sich begreift. Ein solcher B. ist in der Regel von entscheidendem Einflusse auf die Beschlußfassung, denn es wohnen dem Ausschuß meistens die vorzüglichsten Kenntnisse der Sache bei, auch ist er gewöhnlich am vollständigsten mit den Materialien versehen, welche die thatsächlichen Unterlagen des B.s bilden. Daher ist auch der Uebelstand bemerklich, daß das große Vertrauen, welches solche B.e genießen, bisweilen zur nicht genügenden Würdigung der ihnen entgegengestellten Ansichten verleitet. — Den B.n im staatswissenschaftlichen Sinne sind ihrem Zwecke und ihren Eigenschaften nach ähnlich diejenigen B.e, welche den verschiedenen Vereinen, z. B. Actienvereinen, gelehrten, gewerblichen, landwirthschaftlichen Vereinen, erstattet werden. Häufig haben B.e dieser Art nur die Rechnungsablegung über die geführte Verwaltung zum Inhalt und die Erlangung des Gutheißens (Justification) Seitens des Vereins zum Zweck. — In der Militairsprache heißen B.e, vorzugsweise hier Rapporte genannt, die Anzeigen der Untergebenen an Vorgesetzte. Sie sind eigentlich nur im Interesse des Dienstes eingeführt, erhalten aber eine ihrem Zwecke widersprechende Bedeutung, wenn ihnen bei Beurtheilung außermilitairischer, namentlich juristischer Fragen ein entscheidender Einfluß beigelegt wird. — Die Diplomaten nennen ihre schriftlichen B.e an das Ministerium der auswärtigen Angelegenheiten, an welches sie abgesendet sind, zugleich aber auch die von jenem Ministerium an sie gerichteten schriftlichen Verhaltungsbefehle (Instructionen) Depeschen, wegen der Schnelligkeit, mit welcher dergleichen Mittheilungen meist durch besondere Couriere befördert zu werden pflegen. — In der Handlungswissenschaft ist B. meistens Avis oder Avisbrief genannt, die schriftliche Anzeige des Ausstellers eines Wechsels (Ziehers, Trassanten) an den Bezogenen (Trassaten) über die erfolgte Wechselausstellung (Ziehung), oder die schriftliche Anzeige des Absenders von Geld oder Waaren an den künstigen Empfänger.   **W. Bertling.**

Berufung (Appellation), s. Instanz, Instanzenzug.

Beschädigung aller Art, zieht die Verpflichtung nach sich, den Schaden zu ersetzen; geschieht dieselbe aus Bosheit und Absicht, so wird außer dem Schadenersatz auch noch Strafe erkannt. Diese Strafe ist härter bei B. öffentlichen Eigenthums, als bei B. von Privateigenthum, weil das erstere weniger gehütet und unter besonderer Aufsicht gehalten werden kann. Eben so wird auch B. an befriedeten Sachen, d. h. an solchen, die nicht immer beaufsichtigt werden können, wie Feld, Wald, Früchte, Obstbäume u. s. w. härter bestraft, da die Sicherheit derselben nur in dem Allen gleich heiligen öffentlichen Vertrauen beruhen kann.

Bescheinigung, s. Bagatellsachen.

Beschimpfung, ein hoher Grad von Beleidigung, s. d.

Beschlag als Sicherungsmittel, s. Haft. Beschlagnahme in Preßsachen, s. Preßgesetz. Beschlagnahme als Folge richterlichen Urtheils, s. Vollziehung. Beschlagnahme von Briefen und Papieren, s. Briefgeheimniß.

Beschneidung, eine Handlung bei den Juden, durch welche der neugeborene Knabe in ihre kirchliche Gemeinschaft aufgenommen, zugleich von allen Völkern lebenslang unterschieden wird. Die B. besteht in der Lösung und Durchschneidung des Bändchens an der sogenannten Vorhaut des Zeugungsgliedes und soll angeblich von Abraham schon eingeführt sein, um das „auserwählte Volk Gottes“ von andern Menschen zu unterscheiden und ein äußerliches Zeichen des „Bundes mit Gott“ herzustellen. Die B. hatte demnach anfänglich einen religiös-nationalen Sinn, zu dem sich später noch eine Berücksichtigung der Gesundheit gesellte. Die Juden litten an Aussatz und dieser hatte namentlich an den Geschlechtstheilen seinen Sitz. Bei den Morgenländern aber ist die Vorhaut weit länger als bei den Abendländern und daher war sie theils ein Hinderniß der Heilung, theils war ihre Trennung vom empfindlichsten Theile des Zeugungsgliedes weniger schädlich, da sie denselben eben wegen ihrer Länge dennoch immer bedeckte. Die nationale Bedeutung der B. ist mit der Zersprengung der Juden als Volk verschwunden, die religiöse ist eine Sache, um welche sich der Staat nicht zu bekümmern hat, denn seinen Gott muß der Mensch verehren können, wie er will, wenn er nur Andern nicht schadet; die gesundheitspolizeiliche Rücksicht aber erheischt seine Aufmerksamkeit und da er die Verstümmelung eines Menschen nicht dulden darf, so würde er die B. untersagen und bestrafen müssen, wenn sie der Gesundheit nach= theilig ist. Darüber nun sind die gelehrtesten Aerzte verschiedener Ansicht und es sollte daher eine entscheidende Untersuchung wohl Statt finden, jedenfalls aber die B. nur den dazu Befähigten und Geprüften gestattet sein.   v. L.

Beschwerde. Die Verantwortlichkeit der Staatsdiener bringt es mit sich, daß demjenigen, der sich durch eine Handlung eines solchen in seinem Rechte gekränkt glaubt, die B. bei der betreffenden vorgesetzten Behörde freistehen müsse. Dieses Recht der B. ist eines der wichtigsten, welche den Staatsbürgern zustehen. Am bedeutendsten wird es, wo es sich auf Handlungen der an der Spitze der Staatsverwaltung stehen= den Beamten und Minister, bezieht. Die B. geht in Verfassungsstaaten, wenn sie bei der obern Verwaltungsbehörde nicht erledigt worden ist, an die Stände, welche sie erörtern und dafern sie dieselbe gegründet befunden haben, der Regierung Rücksicht auf dieselbe anempfehlen. Dieses Recht wird von den Ständeversammlungen leider oft beiläufiger gehandhabt, als im Interesse vieler einzelner Staatsangehörigen wünschens= werth wäre, und manche schöne Rede über Principfragen, die man hört und liest, hat nicht den segensreichen Erfolg, als eine in derselben Zeit geschehene Erörterung einer eingereichten B. haben könnte. Aber auch über die Handlungen der Minister selbst steht den Ständen das Recht der B. beim Könige zu: die gelindeste derjenigen Maß= regeln, welche die Stände gegenüber von Ministern vornehmen können, welche ihre Pflichten nicht erfüllen; aber auch das wird noch immer in Deutschland ziemlich selten in Ausführung gebracht. (S. Ministerverantwortlichkeit.)

Besetzungsrecht heißt das Recht, Soldaten in die Festungen, oder an jeden beliebigen Ort des Landes zu legen. Es wird ausschließlich vom Landesherrn ausge= übt, welchem in Europa die Militairmacht allein zusteht. Es giebt jedoch auch ein B. in fremden Staaten, welches entweder durch Verträge festgesetzt wird, wie z. B. das B. Preußens und Oesterreichs in den Bundesfestungen Luxemburg, Mainz, Rastatt und Ulm und ein anderes, welches durch Krieg erworben wird und so weit reicht, als die Kriegsgewalt und das Ermessen derselben. Zwar sind selbst für den letztern Fall oft Verträge geschlossen, allein sie gelten eben so viel, als Verträge der Gewalt und der wirklichen oder angeblichen Nothwendigkeit gegenüber gelten können; sie dauern so lange als die Gewalt sich daran bindet. Die Ausübung des B.s setzt voraus, daß der Staat diejenigen entschädigt, welche dadurch leiden.

Besitz (Besitzergreifung). Es ist vom Eigenthum wohl zu unterscheiden, indem jener an sich ein thatsächliches Verhältniß bezeichnet, während das Eigenthum ein Recht an der Sache enthält, das in B. nicht nothwendig vorhanden zu sein braucht. Staats= und privatrechtlich ist es aber von Wichtigkeit, im B. einer Sache (eines Landes, Rechts zc.) zu sein, da sich verschiedene Rechte daraus abzuleiten pflegen, die in manchen Fällen den Besitzer besser stellen, als den nicht besitzenden Eigenthümer. So wurden früher häufig Friedensschlüsse auf das uti possidetis (wörtlich: wie ihr besitzt) gerichtet, d. h. auf den Zustand des zufälligen Innehabens eines Landes, wie er beim Abschlusse des Friedens vorhanden war. Die B.nahme oder B.=ergreifung erfolgte von jeher bei Grundstücken mit einer gewissen Feierlichkeit; dasselbe pflegt in erhöhtem Maße bei der B.=ergreifung eines eroberten oder sonst staatsrechtlich erwor= benen Landes der Fall zu sein.

Besoldung heißt das Einkommen, welches dem Beamten des Staates oder der

Gemeinde für seine Dienstleistungen zugewiesen ist. Man unterscheidet im Leben gewöhnlich zwischen B., also für Staats- und Gemeindedienste, Gehalt für dieselben Verrichtungen im Privatdienste und Lohn für Handarbeiten. Die untern Beamten, Gerichts- und Polizeidiener u. dgl. empfangen bald Gehalt, bald Lohn, je nach dem Sprachgebrauch; im Ganzen ist alles einerlei und beruht auf einer Sprachvornehmthuerei, da es wahrlich nicht einzusehen ist, warum der Wirkliche Geheime Ober-Ministerialrath für seine Arbeit nicht Lohn, oder der Wirkliche Oeffentliche Unternachtwächter für seine Verrichtungen nicht B. erhalten soll. Dem Beamten gebührt B. für seinen Dienst und zwar eine solche B., daß sie ihn ordentlich nährt, ihn der Sorgen ums tägliche Brod überhebt und ihm die volle Freudigkeit läßt und erhält, sich ganz seinem Amte zu widmen. Allerdings sind die B.en eine große Last auf dem Staatshaushalt, unter der Schreibstubenherrschaft mit ihrer maßlosen Viel- oder Allesreglererei schwillt das Heer der Beamten und mit ihm die Höhe der B.en mit jedem Jahre, so daß sie einen sehr großen Theil der öffentlichen Ausgaben betragen. Wenn aber die Stände hier zu sparen trachten, was ihre Pflicht ist, so sollen sie die Schreibstubenherrschaft überhaupt angreifen und bekämpfen, die allein an dieser überschwellenden Ausgabe Schuld ist; nicht aber dem einzelnen Beamten mehr und mehr abzudrücken, ihn immer karger zu stellen trachten, was eines Volkes — dessen Vertreter die Stände sind — unwürdig ist und nachtheilig auf den öffentlichen Dienst zurückwirkt. Daß diese immer steigende B.last nicht gerade nothwendig ist, zeigt uns England, wo die B.en verhältnißmäßig kaum ein Viertel dessen betragen, was in Deutschland dafür ausgegeben werden muß. Weshalb? Weil man es dort nicht für nothwendig hält, jedem Einwohner drei bevormundende Beamte zur Seite zu stellen, die ihn wie das Kind am Gängelbande auf der Bahn der Ruhe und Ordnung zur Staatsglückseligkeit leiten. Dort betrachtet man das Volk als eine Gesellschaft mündiger und vernünftiger Menschen, die ihren Weg allein finden kann. Und wahrlich, das Volk strauchelt dort weniger als am Gängelbande. Indessen der einzelne Beamte kann nicht dafür, er muß seine ganze Jugend der Vorbereitung zu seinem Amte widmen, oft einen ansehnlichen Theil seines Mannesalters auf das Amt warten oder gar umsonst arbeiten und hat nachher gerechten Anspruch auf anständige, nährende B. Unsere B.en in Deutschland sind — mit Ausnahme der für die „höhern und höchsten" Staatsstellen — alle zu niedrig, wie sehr sie auch auf das Volk drücken mögen. Ein großes Uebel für die Beamten wie für das Volk sind übrigens die Sinecuren, d. h. B.en für Nichtsthun und Nichtsthuer, die häufig einen nicht unbeträchtlichen Theil der B.en ausmachen und in England z. B. drei Mal so viel betragen, als die B.en für wirklich arbeitende Beamte. So arg ist es bei uns in Deutschland nicht, wenn es auch nicht gerade dran fehlt. Dagegen ist die Schreibstubenherrschaft an Leuten, die nur arbeiten, weil sie angestellt sind, beständig den Stein des Sisyphus wälzen, der Nachts wieder eben so weit zurückrollt, als er bei Tage gewälzt wurde; mit einem Worte: deren Arbeit unnütz und überflüssig ist. — Sonst war es vielfach üblich, die B. zum Theil in Lebensbedürfnissen, freier Wohnung, Holz, Getreide u. s. w. zu liefern, ein System, welches jetzt meist verschwunden ist und verschwinden mußte. Geld ist das einfachste Tauschmittel für alle diese Bedürfnisse, die der Staat stets theurer bezahlt, als der Beamte selbst. Mit Geld kann der Beamte kaufen, was er will, und sparen, soviel er will; Lebensbedürfnisse muß er entweder überflüssig verbrauchen, oder mit Nachtheil verkaufen, denn der Käufer glaubt immer, er erweist dem Beamten eine Gefälligkeit durch die Abnahme und macht sich diese bezahlt. — Neben der B. bezieht der Beamte oft noch Nebeneinnahmen (Accidentien, Sporteln), indem er sich für einzelne Dienste von dem bezahlen läßt, welcher sie in Anspruch nimmt. Diese Art, eine schlechte B. gut zu machen, öffnet dem Amtsmißbrauche Thür und Thor, ist die Veranlassung zu Bestechung und Amtsvergehen aller Art, indem es den Beamten darauf hinweist, sich für die Vernachlässigung oder Kargheit des Staates zu entschädigen. Wohin dieses System führt, das kann Jeder beurtheilen, der jemals Gelegenheit hatte, die Bedeutung und Allgewalt der Zwanziger in Oesterreich an Polizei- und Zollämtern kennen zu lernen; noch deutlicher aber zeigt dies Rußland, wo der Beamte, welcher 300 Rubel B. hat, mindestens 3000 Rubel verbraucht, die er also doch verdienen muß; es führt dahin, daß jeder öffentliche Dienst verkauft wird an den, der am meisten zahlt; daß ohne Zahlung aber auch nichts zu erlangen ist. Ein Theil der B. bildet endlich auch der Ruhegehalt (die Pension), welche gewissermaßen als eine nachträgliche B. für lange geleistete Dienste bezahlt wird. Auch dieser ist unbedingt nothwendig, wenn der Beamte sein ganzes Leben und seine ganze Kraft seinem Berufe widmen soll. Denn die B. so hoch zu steigern, daß sie durch Ersparung für das Alter ausreicht, ist nicht rathsam, weil zu viel Einnahme zur Verschwendung, mindestens zu überflüssigen Ausgaben reizt; theils wäre diese Einrichtung ungerecht gegen den, welcher früh ohne seine Schuld dienstunfähig wird. Auch trägt die im Voraus festgesetzte Pension, eben so wie die nicht zu karge B. dazu bei, den Beamten selbstständig und unabhängig zu machen und zu erhalten; er braucht dann Gehaltserhöhung und Pension sich nicht zu erheucheln und zu erschmeicheln, oder durch Verrichtungen zu erwerben, die nicht zu seinem Amte gehören, ja die er mit Abscheu zurückweisen sollte, wenn sie ihm angesonnen werden. R. B.

Besoldungssteuer heißt der Beitrag, welchen der Beamte von seiner Besoldung zu den öffentlichen Ausgaben bezahlt. Da jeder nach dem Maaße des Genusses der Wohlthaten des Staates zu seinen Bedürfnissen beitragen soll, dieser Genuß aber mit der Höhe des Einkommens wesentlich zusammenhängt, so folgt daraus, daß auch der Beamte im Verhältniß seiner Einnahme B. geben soll. Dieser Forderung des Rechts hat man entgegengestellt, durch eine B. nehme der Staat mit der einen Hand dem Beamten, was er ihm mit der andern gegeben habe, er vermindere die Besoldung. Diese Behauptung ist aber gerade so richtig, als wenn man ausführen wollte, der Staat vermindere die Besoldung dadurch, daß er sich vom Beamten das Holz bezahlen läßt, welches derselbe allenfalls aus den Staatswaldungen nimmt, er müsse ihm also dieses Holz umsonst geben. Denn alle Staatswohlthaten haben für den Staat und für den Empfänger eben so gut Werth, kosten zu ihrer Herstellung und Erhaltung eben so gut Geld, als das Holz. Eben so unhaltbar ist die Ausführung, daß der Beamte durch die indirecte Steuer seine B. entrichte und nicht ferner belastet werden könne; indirecte Steuer entrichtet jeder Staatsangehörige, demungeachtet aber ist die Quelle seiner Einnahme, Gewerbe u. s. w. noch besteuert und der Beamte darf kein Vorrecht haben. Endlich wird noch der Einwand gemacht, daß der Staat durch die B. nichts gewinne, indem er die Besoldungen um den Betrag derselben erhöhen müsse; ein Einwand, der thatsächlich unwahr ist, da die B. einen so geringen Theil der Besoldung in Anspruch nimmt, daß deßhalb wahrlich keine Erhöhung oder Verminderung Statt findet; der in runden Summen ausgeworfene Gehalt, wird durch die B. niemals unter der runden Summe bleiben, oder darüber hinausgehen. Ist demnach die Steuerfreiheit (Immunität) der Beamten rechtlich nicht gerechtfertigt, und finanziell nicht zulässig, so ist sie politisch noch weniger rathsam. Denn sie macht die Beamten zu einer privilegirten Kaste, was sie nicht sein und in ihrem eigenen Interesse selbst nicht zu sein scheinen dürfen, wenn sie beim Volke die Geltung und das Vertrauen haben wollen, welches sie bedürfen und welches ihnen gebührt. Vgl. auch Abgaben.

Besserungsanstalten. Der höchste Zweck aller Strafe für Vergehen und Verbrechen gegen die Gesetze, denen die Gesellschaft gehorcht, darf kein anderer als der der wahren und dauernden Besserung des Gesetzübertreters sein. Nach diesem höchsten Zwecke müßte sich das Maß und die Art der Strafe, wie die Vollstreckung derselben richten. Leider steht die gesittete Welt in beider Rücksicht erst auf der Schwelle zweckentsprechender Verbesserung. Was insbesondere das Gefängnißwefen betrifft, fo lag baffelbe bis in bie zweite Hälfte bes vor. Jahrh.s faft überall im Argen und bie Einrichtungen deffelben fchienen nur darauf berechnet, burch bie Strenge und Härte, ja durch ausgefuchte Graufamkeit und Unmenfchlichkeit, welche in biefen Höhlen bes Jammers und der Verworfenheit geübt wurden, bie Staats= bürger vom Verbrechen abzufchrecken und rückfichtlich der nicht mit dem Tode beftraften Vergehen, das zu vervollftändigen, was in Bezug auf lebtere Galgen und Rad, Pfahl und Beil zu bewirken beftimmt waren. In Nordamerika fing man zuerft an auf Abhülfe zu denken und menfchlichern Grundfäten zu huldigen. Es war in derfelben Zeit, wo man in Europa bie Rechtmäßigkeit der Todesftrafe zu unterfuchen, fie in Zweifel zu ziehen begann; wo bie von allen Lichtfeinden verketerte und gehaßte Philofophie bie unveräußerlichen Menfchenrechte und bie Würde der Menfchennatur den alten unmenfchlichen Satungen gegenüber aufzupflanzen wagte. Die Härte der Gefete wird in vielen Staaten unter dem Einfluffe diefer neuen Lehren gemildert. Aber felbft wo bies gefchah, blieben an den meiften Orten alle Uebelftände, welche den Gefängniß= einrichtungen anhafteten, beftehen. Der frommen Sekte der Quäfer gebührt der Ruhm, den erften Schritt zum Beffern in diefer Hinficht gethan und bie Umgeftaltung, bie wir gegenwärtig im Werke fehen, angebahnt zu haben. Durch ihre Bemühungen entftanden in den letten Jahrzehnten bes vor. Jahrh.s in den Vereinigten Staaten von Nordamerika eine Anzahl B, worin an bie Stelle der rohen Gefäng= nißdisciplin, welche den Verbrecher als ein im Käfig gehaltenes wildes Thier anfah und behandelte, eine auf Befferung der Gefangenen abzielende Behandlungsweife trat. Der befchränkte religiöfe Standpunkt, von welchem bie Reformirenden ausgin= gen, ließ fie jedoch in den Fehler fallen, daß fie den Grundfat der Abbüßung der Verbrechen in der Art der Haft nur in anderer Geftalt, als bie frühere, fefthielten und durch völlige Einfamkeit ohne alle Arbeit, noch irgend welchen Umgang den Straffälligen zur Bußfertigkeit und Sinnesänderung führen wollten. Nach diefem Grundfate wurden nach und nach in den vereinigten Staaten eine Menge Gefängniß= anftalten ins Leben gerufen. Diefem Syfteme der unbedingten Einzelhaft und Ver= einfamung bes Gefangenen gegenüber erhob fich eine andere Anficht, welche in den zwanziger Jahren unferes Jahrh.s zuerft in dem Gefängniß in Auburn, ins Leben geführt wurde (f. Auburnfches Gefängnißfyftem) und wonach bie Ein= zelhaft in Zellen während der Nacht beibehalten, bagegen aber bie Tages gemeinfchaftliches Arbeiten der Sträflinge feftgefetzt wird. — Ziemlich gleich= zeitig mit den Bemühungen der Menfchenfreunde in Nordamerika hatte in England der edle Howard, der zu diefem Zwecke auf langen Reifen und in Befichtigung der Gefängniffe beinahe aller civilifirten Länder feine traurigen Erfahrungen gefammelt, mit unermüdlicher Thätigkeit auf folche Verbefferungen hingearbeitet und, wenigftens fo viel erwirkt, daß bie Parlamente fich mit diefer Angelegenheit zu befchäftigen be= gannen und Anftalten zur Errichtung von B. trafen. Unterftütt wurden Ho= wards unfterbliche Bemühungen durch bie Rathfchläge, welche der große Denker Bentham in Bezug auf den Bau und bie Einrichtung angemeffener B. ertheilte; Rathfchläge, deren Ausführung in einer Zeit, wo man Hunderte von Millionen in menfchenmordenden und geftitungzerftörenden Kriegen vergeudete, an dem Koftenpunkt fcheiterten! Auch auf dem europäifchen Feftlande, befonders in der Schweiz, in Genf und Laufanne lenkte man zu jener Zeit fein Augenmerk auf das Gefängniß= wefen und traf Einrichtungen, bie im Wefentlichen gleichfalls auf bie Trennung der Sträflinge und eine menfchlichere Behandlung Bedacht nahmen. — Nach dem allge= meinen Frieden nahm diefe Richtung der Zeit mit den Verbefferungen, bie überall in den Strafgefeten vorbereitet wurden, einen allgemeinen Charakter an, und bie Umge= ftaltung in diefer Hinficht würde noch weit fchleunigern Schrittes vor fich gegangen fein, wenn der allgemeine Geift des Zurückdrängens der Zeitbedürfniffe, welcher bie Politik der Cabinete nach dem Frieden befeelte, bie politifche Verfolgungsfucht gegen

die neuzeitlichen Ideen, die jene kennzeichnete, sich mit den humanen Bestrebungen
zur Erlangung milderer Strafgesetze, eines gerechtern Strafgerichtsverfahrens und
menschlicherer Gefängnißeinrichtungen hätte vereinbaren lassen. Den politischen Untersuchungen, der Hetze auf Demagogen, der Rache an besiegten politischen Gegnern
konnten solche Verbesserungen nie taugen, welche ihrer Natur nach den eignen verderblichen Geist zu nichte machen mußten. Aber das Gute und Nothwendige kämpft sich
durch den rauhesten Tag; und konnte selbst jenes mit allen Mitteln physischer Gewalt
und thatsächlicher Macht ausgerüstete Rückwärtsdrängen die Entwicklung des öffentlichen Geistes auch in dieser Hinsicht nicht auf die Dauer aufhalten. Die Staaten
mit freiern politischen Verfassungen, vor Allem Nordamerika, England und Belgien
gingen auch in dieser Beziehung voran. Kaum hatte Belgien sich als selbständiger
Staat unter freier Staatsform wieder verjüngt, als es auch in einem besondern Gesetze anerkannte, daß der Hauptgrund aller Strafe die Besserung des Gestraften sein
müsse, und daß deshalb alle Strafeinrichtungen und Strafmaßregeln diesem Zwecke
anzupassen seien. Der gegebene Anstoß zur Verbesserung des Gefängnißwesens und
dessen Umgestaltung zu einem System wahrer B. ward von dieser Zeit an unwiderstehlich. Selbst die Staaten, wo noch das ganze Rüstzeug der Abschreckung
durch unmenschliche Leibes- und Freiheitsstrafen in Anwendung gebracht und festgehalten
wurde, konnten sich dem Einfluß dieser Bewegung nicht ganz entziehen. Spanien,
die italienischen Staaten, Oesterreich, sogar Rußland schienen Anstalten zu treffen, in
die Bahn dieser Verbesserungen einlaufen zu wollen; freilich ist, wie bei allen andern
gesellschaftlichen Reformen, Oeffentlichkeit allein die Sonne, an deren Strahlen dergleichen zu gesunder Entwicklung, zu gedeihlicher Reife gelangen kann. — Bald bemächtigten sich auch die beiden großen Hebel alles Fortschritts dieser Frage, die Presse
und die Association. In der erstern wurde mit immer größerer Allseitigkeit der Streit
über die Angemessenheit und Zweckmäßigkeit der beiden Systeme, des Pennsylvanischen
und des Auburn'schen fortgeführt, und eine Masse von Aufklärung darüber in den
weitesten Kreisen verbreitet, zum Nachdenken über diese wichtige gesellschaftliche Frage
angeregt. Waren schon vor länger als einem halben Jahrh. die ersten praktischen
Versuche darin in Amerika von genossenschaftlichen Vereinen, den Quäkern und andern Gesellschaften ausgegangen, so konnte das tagende Bewußtsein über den Einfluß
gemeinschaftlichen Wirkens auch in dieser Beziehung in Europa nicht verfehlen, daß
man zu gleichem Zwecke einen solchen Weg betrat. Als eins der erfreulichsten Zeichen unsrer Zeit ist es anzusehn, daß dergleichen Vereinigungen immer größere Ausdehnung gewinnen, und daß man von dieser Seite der Wirksamkeit eine immer größere
Oeffentlichkeit giebt. Vor Allem war es das Loos der jungen Verbrecher, der durch
leibliche und sittliche Verwahrlosung dem Laster und der Gesetzübertretung in die Arme
getriebenen jungen Personen, auf welche sich der Blick der Menschenfreunde richten
mußte; ein Loos, das, weil zum großen Theil durch fremde Schuld, ja durch die
Schuld der Gesellschaft selbst herbeigeführt, um so schrecklicher erschien, als die alten
Straf- und Hafteinrichtungen gewöhnlich dazu beitrugen, aus jungen leichtsinnigen
Gesetzübertretern abgefeimte Verbrecher, vollendete Bösewichte zu bilden. Maßgaben
dieser Art zuerst von Einzelnen aus, unter denen vor Allen der menschenfreundliche F a l k zu Weimar genannt werden muß, der eine B. dieser Art ins
Leben rief; später bildeten sich an mehrern Orten Gesellschaften, welche denselben
Zweck verfolgten, und durch die augenscheinlich ersprießlichen Erfolge ihrer Bemühun-
gen ist es erreicht worden, daß beinahe allerwärts bereits bei der Einrichtung von
Gefängnissen allein der Grundsatz einer völligen Absonderung jugendlicher Verbrecher von den
übrigen Sträflingen festgehalten wird. Gesellschaften ähnlicher Art stellten es sich zur
Aufgabe, einem der hauptsächlichsten Gründe des Lasters und des Verbrechens, der
Arbeitslosigkeit und dem Müßiggange, dadurch vorzubeugen, daß sie entweder in besondern Anstalten oder anderweitig, Personen, die aus Hang oder durch Noth ver-

anlaßt, sich müßig herumtreiben und dem Betteln fröhnen, eine angemessene Beschäftigung oder Unterricht in nützlicher Arbeit ertheilen lassen; ferner sind hier und da
Vereine zusammengetreten, um Sträflingen, welche ihre Strafe überstanden haben, eine
gesicherte Unterkunft zu verschaffen und sie durch regelmäßige Beschäftigung und an-
gemeßnes Auskommen der Gesellschaft zu deren eignem Vortheil wiederzuschenken.
Wie unvollkommen auch alle diese Bemühungen bisher gewesen sein mögen, wie sehr
sich die Wirksamkeit solcher Vereine auch an bestehenden Vorurtheilen, an den gesellschaftlichen Sitten und Einrichtungen abgeschwächt haben mag, das Löbliche des Zwecks
sowohl, wie in vielen Fällen der Nutzen desselben wird sich nicht bestreiten lassen,
obwohl auf der andern Seite nicht zu verkennen ist, daß nur, wenn die Theilnahme
und die Sorgfalt für jene Unglücklichen eine allgemeine wird, wenn die Ansicht im
Volke schwindet, daß die gesellschaftliche Berührung mit einem Abgestraften einen gewissen Flecken auf die eigne Unbescholtenheit werfe, — daß nur dann eine gründliche
Besserung der Zustände möglich werden wird. In der jüngsten Zeit, nachdem die
freiwilligen Sendboten dieses erhabnen Berufes, wie unter andern die bekannte Mrs.
Frey zu gleichem Zwecke anregend die Welt durchzogen, haben sich die Bestrebungen zur Verbesserung des Gefängnißwesens und zu dessen Umgestaltung zu B.
in einer Vereinigung von Männern, die diesen Bestrebungen huldigen, zusammenzufassen gesucht. So ist der sogenannte **Pönitentiarcongreß** entstanden,
welcher im Jahre 1846 seine erste Versammlung in Frankfurt a. M., im Jahre 1847
die zweite in Brüssel gehalten. Aus allen Theilen Europas nicht nur, sondern selbst
aus Amerika haben sich dabei Männer des Fachs sowohl wie andre Menschenfreunde,
die dieser wichtigen Frage ihre Theilnahme geschenkt, eingefunden und ihre Erfahrungen
und Ansichten ausgetauscht. Auch dabei hat sich noch hauptsächlich der Streit um die
Vorzüglichkeit des einen oder des andern der beiden entgegengesetzten Systeme gedreht.
Schon aber ist die Ueberzeugung durchgedrungen, daß das gänzliche und fortdauernde
Vereinsamen des Gefangnen und das damit verbundene immerwährende unverbrüchliche
Schweigen in seiner Wirkung etwas von der rohen Grausamkeit der frühern Gefangnen-
behandlung an sich trage, daß es der menschlichen Natur, der menschlichen Würde
widerstrebe, daß es zur geistigen Abtödtung, zum Stumpf- und Wahnsinn führe.
Hoffentlich ist der Zeitpunkt nicht fern, wo diese Ueberzeugung zum gänzlichen Aufgeben eines so widernatürlichen Verfahrens führt. Aber das entgegengesetzte System
selbst wird nur den Uebergang zu noch weitern Reformen bezeichnen, die zu den geläuterten Ansichten der Menschennatur, der Grund ihrer verkehrten Richtungen, die
sich in den Verbrechen offenbaren, der richtigen Mittel zur Heilung dieser Richtungen
sich schicken. Als der edle **Mittermaier** sich auf dem Congreß von Frankfurt so
energisch über infamirende Strafen (s. d.) vernehmen ließ, deutete er auf die
Richtung hin, welche die neuere Gesetzgebung, welche die Volksmeinung einschlagen
müße, um an das erhabene Ziel zu gelangen, was kein andres sein kann, als das,
den Verbrecher der Gesellschaft, die er in Uebertretung ihrer Gebote verletzt, ganz und
vollkommen als nützliches und vorwurffreies Mitglied des Gemeinwesens wiederzuschenken. Schon der fremde Name, Pönitentiarsystem, Pönitentiargefängnisse schmeckt nach
jener Abbüßungstheorie, die, wie man die Sache auch zu bemänteln sucht, der Strafe
das Gepräge einer gewissen Rache giebt, welche die verletzte Gesellschaft an dem Gesetzübertreter nehmen will, eine Ansicht, die bei dem Congreß zu Brüssel recht deutlich
hervortrat, als von einer Seite der Vorschlag gethan wurde, daß man die jungen
Verbrecher gar nicht einsperren, sondern sie wie die zu Mettray in Frankreich in
besondern Colonien (Ackerbaucolonie) beschäftigen und durch Gewöhnung zur Arbeit
zu nützlichen Menschen bilden solle, welcher Vorschlag aus dem Grunde verworfen
wurde, „weil dann der Charakter der Strafe zu sehr schwinde.“ Läßt sich erweisen, daß durch andre, weniger harte Mittel, als Haft und Einsperrung es sind,
sich eine Besserung des Verbrechers erzielen läßt, lassen sich Maßregeln treffen, wo-

durch jede Gefahr, die aus Entweichung des der Besserung unterliegenden Sträflings
für diesen Zweck selbst wie für das Gemeinwesen hervorgehen, ohne fortdauernde Einsperrung und Absonderung von der übrigen Gesellschaft, abgewendet werden könnte, so
wird man auch diese Strafweise modifiziren, beschränken, aufheben müssen. „Alle
Laster sind Krankheiten des Sterblichen, welche die Macht des Geistes lähmen," läßt
der menschenfreundliche Zschokke, seine Verklärte sagen. Diesen Krankheiten entspringt
ein großer Theil der Angriffe auf die Satzungen, welche die Gesellschaft zu ihrer eignen Richt sch nur aufgestellt hat, wie auf der andern Seite die Unzweckmäßigkeit dieser
Satzungen selbst in vielen Fällen jene Angriffe hervorruft. Nach zwei Seiten hin
liegt der Gesammtheit also die Aufgabe ob, zur Verminderung der Verbrechen beizutragen; in letzterer Hinsicht muß sie unermüdlich an durchgreifenden Reformen der gesellschaftlichen Einrichtungen arbeiten, muß durch allgemeinen Unterricht und Erziehung
die Einsicht des emporwachsenden Geschlechts wecken, seine Fähigkeiten ausbilden, seinen
Willen, ihn kräftigend ein nützliches, ein erhabenes Ziel vorstecken. In erster Beziehung hingegen muß man den alten Straftheorien für immer und vollkommen den
Rücken kehren; die rohe Empirie, wie die spitzfindigern Lehren von Abschreckungen
und Abbüßungen der Verbrecher fahren lassen und das System der Strafvollstreckung
in dem Lichte eines Zweigs der Seelenheilkunde betrachten und darnach
umgestalten. Von diesem Gesichtspunkte aus angesehen, wird sich aber eben soviel gegen unsre jetzigen Strafgesetze selbst, wie gegen die Art der Vollstreckung der Strafen
einwenden lassen, und man wird Bedenken tragen müssen, dasjenige, was die menschen-
freundlichen Bemühungen jener Gesellschaften und Vereine, wie die stattlichen Maßregeln, die deren Ansichten Gehör geschenkt, bisher geleistet, allenthalben als zweckmäßig zu erkennen. Die Erfolge, welche theilweis durch die eingeführten Verbesserungen
erzielt worden, sind nicht in Abrede zu stellen, und dankbar muß anerkannt werden,
daß den milden Sitten des Jahrh.s bezüglich des Gefängnißwesens wenigstens in etwas Rechnung getragen worden ist. Aber der Menschen- und Seelenkenner, der in
sich selbst und andern den geheimsten Gefühlen und Neigungen, den verborgensten
Springfedern der Menschennatur unverdrossen und ohne Scheu nachforscht, wird dabei
zu der Ueberzeugung kommen, daß außer der Einsamkeit und der darin gewonnenen
Sammlung und dem Nachdenken über sich selbst noch etwas andres erforderlich ist zur
Kräftigung des Willens und zur Erhebung der Sinnesart, wodurch geistige Umwandlung möglich wird, und daß dies andre Erforderniß nichts andres ist, als der stete
Umgang mit den Guten und Willensstarken, das immer vor Augen stehende lebendige
Beispiel der Bessern und Besten, ein Erforderniß, das die gegenwärtigen Einrichtun-
gen unsres Gefängnißwesens und die Grundsätze, welche selbst von den Reformatoren
derselben behauptet werden, ausschließen, und wofür die Gefängnißpredigten und die
Zusprüche der Gefängnißgeistlichen nur einen sehr kärglichen Ersatz bieten. J. G. G.

Besserungsantrag, s. Amendement.

Bestallung nennt man 1) die Einsetzung in ein Amt, gleichviel ob dieselbe
mündlich oder schriftlich erfolgt, und 2) die Schrift, durch welche die Ertheilung des
Amtes ausgesprochen wird und die dann die Stelle des Vertrages vertritt. Sie enthält gewöhnlich die nähere Bestimmung des Dienstes, den Rang und Titel desselben,
sowie die Besoldung. Deshalb heißt auch 3) in einigen Theilen Deutschlands die
Besoldung selbst B.

Bestandscontract, s. Pacht.

Bestattung, s. Begräbniß.

Bestätigung (Confirmation, Ratification, Genehmigung) ist die
Erklärung der dazu berechtigten Behörde, daß ein Geschäft, eine Handlung statthaft
(gültig) sei. Sie kommt im bürgerlichen und im öffentlichen Rechte vor. Im
bürgerlichen Rechte ist die B. theils nothwendig, wenn nach den Landesgesetzen
das Geschäft dadurch erst völlige Kraft erlangt, wie z. B. bei Käufen über Grund-

stücke, Bestellung, Löschung und Uebertragung von Grundschulden (Hypotheken), bei Verträgen und Verfügungen über Mündelvermögen; theils ist sie nachgelassen und nützlich, wenn einem Geschäft eine ausgedehntere Wirksamkeit oder öffentliche Glaubwürdigkeit verschafft, oder der Beweis desselben erleichtert werden soll. Im öffentlichen Rechte ist die B. dem Regenten oder höhern Behörden hauptsächlich vorbehalten bei Ernennung von Personen zu öffentlichen Aemtern, aber auch erforderlich bei gewissen, das öffentliche Interesse berührenden Verhandlungen, Statuten, Vereinbarungen von Körperschaften, Gemeinden und kirchlichen Gesellschaften. Sie findet statt, damit die Staatsbehörden prüfen können, ob bei der Vornahme der Handlung, Ernennung, Wahl, alle Erfordernisse der Gesetze vorhanden sind und ob nicht bei Vereinbarungen und Verhandlungen über Rechte und Pflichten dem Staatswohle entgegenlaufende Bestimmungen eingeführt sind, z. B. bei Lokalstatuten, Innungsartikeln, Actienunternehmungen u. s. w. Die B. von Ernennungen und Wahlen ist eingeführt, wenn nach der Verfassung und den Gesetzen die Wahl öffentlicher Beamten den Vertretern der Stadt- und Landgemeinden zusteht. Hierher gehört vorzüglich die Wahl der Stadtgerichts- und Stadtrathsmitglieder, des Gemeindevorstandes und der Gemeindeältesten auf dem Lande. Es widerstreitet dem verfassungs- und gesetzmäßigen Wahlrechte, ja vernichtet dasselbe geradezu und läßt nur noch einen lügenhaften Schein davon übrig, wenn die B. aus andern Gründen, als wegen Mängel an den gesetzlichen Erfordernissen in der Person des Gewählten oder in der Wahlhandlung selbst, versagt wird. Mißliebigkeit oder politische Meinungen des Gewählten, von den der Gewalthaber abweichende Ansichten können in einen Rechtsstaate kein Grund zur Versagung der B. sein. Es ist eine alte Rechtsregel, daß die B. an dem Wesen des Geschäfts und also auch an den innern Bedingungen seiner Gültigkeit nichts ändern darf, und ist die Ernennung und Wahl vorschriftsmäßig erfolgt und hat der Gewählte die etwa besonders vorgeschriebene Befähigung zu dem Amte durch Ablegung der erforderlichen Prüfungen nachgewiesen, so darf die B. nicht versagt werden. Je weniger die bürgerliche Freiheit beschränkt ist, destoweniger bedarf es Seiten der Behörden der B. von Geschäften, Handlungen und Wahlen, und wenn die B. Schwierigkeiten macht und andere als formelle Bedenken hervorruft, wenn sie sogar den Mißliebigen versagt wird und also in ein Meinungsketzergericht ausartet, so mag man über den Rechtszustand wohl bedenklich das Haupt schütteln und an der Dauer der Dinge zweifeln.   *Adolph Hensel.*

Bestechung. Die Ertheilung oder das Versprechen von Geld oder andern Werthgegenständen an einen Beamten, um Amtshandlungen entweder zu bewirken, oder zu verhindern. Die B. gehört zu den schwersten Amtsverbrechen (s. d.), welches nur dadurch geschärft wird, wenn der Beamte die B. verlangt, oder gar im Falle der Verweigerung droht, wo dann die B. in Erpressung (s. d.) übergeht. Nach den meisten der gültigen Rechte, wird die B. am Beamten unbedingt mit Entlassung, auch mit doppelter und dreifacher Erstattung des bereits Empfangenen geahndet, wenn sie nicht zu anderweiter Bestrafung noch Veranlassung giebt. Im Alterthum stand sogar vollständige Vermögensentziehung und nach Befinden Todesstrafe auf der B., besonders wenn ein Richter sich dieselbe hatte zu Schulden kommen lassen, um das Recht zu beugen. Auch der Bestechende wird bestraft, kann sich auf das durch B. erlangte Urtheil nicht berufen, oder verliert seinen Anspruch gänzlich. Nicht unter B. gehören Geschenke, die dem Beamten ohne alle Beziehung auf seine Amtshandlungen gegeben werden, besonders wenn sie erst nach denselben erfolgen und also auf seine Handlung keinen Einfluß haben konnten. Dagegen ist es unbedingt B. — wenn auch häufig unbestrafte — wenn Wahlbezirken für eine gefällige Wahl Straßen, Brücken, Kanäle, eine Garnison u. dergl. versprochen wird. Leider haben die Kammerverhandlungen oft gezeigt, daß auch diese B. uns in Deutschland nicht fremd ist.

Besteuerung, s. Abgaben.

Besthaupt, s. Ablösung.

Bestimmter summarischer Prozeß, s. Bagatellsachen.

Bestrafung, s. Strafe.

Betbrüder u. Betschwestern, s. Frömmler. Auch nannte sich ein liederliches Gesindel im 4. und 5. Jahrh. B., das den bösen Geist durch beständiges Beten aus sich heraustreiben wollte, aber den Geist der Unzucht, der Faulheit, des Müßigganges nährte, indem das Gesindel bettelnd an den Straßen lag.

Beten (Beeten, Beden, Jahrbeden, Nothbeden, Orbeden). So hießen die Beiträge unserer Vorältern zu den öffentlichen Ausgaben; das Wort bezeichnet: Bitten, da sie zu solchen Beiträgen keine Pflicht zu haben meinten und nur gaben, weil man darum bat; so waren ihre Steuern (Stiuora oder Stuora: stark, Verstärkung) nur eine freiwillige Beihülfe für die Bedürfnisse der Fürsten und ihres Hofhalts, oder des Krieges. Auch als später die Steuern regelmäßig und als eine Pflicht angesehen wurden, mußten sie von den Ständen erbeten werden und wurden lange Zeit nur für bestimmte Zwecke und auf eine bestimmte Zeit bewilligt und fast jedesmal bemerkt, daß sie nicht Pflicht, sondern ein „freies Wohlwollen" der Geber seien, was auch aus der spätern Benennung Ungeld, Unpflicht hervorgeht. Je nach dem Zwecke der B. hießen sie Heer-B., Heerschilling, Heerschild, (also Kriegssteuern) Arimannie u. s. w. Als die B. regelmäßig wurden, hießen sie Ur-B., weil sie auf dem Urbaren, dem Boden, lagen; Noth-B., zur Bezeichnung des Bedürfnisses; Mai-B. und Herbst-B., weil sie für die Kosten der in dieser Jahreszeit stattfindenden öffentlichen Gerichtsverhandlungen bestimmt waren u. s. w. Wie sich aus den B. allmählich die Steuern entwickelten s. unter Steuern; über die Pflicht, Steuern zu geben s. Abgaben.

Bethlehemiten hießen die Hussiten (s. d.), weil Huß anfangs in einer alten Kapelle zu Prag lehrte, die Bethlehem hieß.

Betrug. Die Täuschung eines Andern, oder die Benutzung eines Irrthums, in welchem derselbe befangen ist, zur Erlangung unrechtlichen Vortheils, oder in der bösen Absicht, dem Andern zu schaden, heißt B.; liegt das Erstreben eigenen Vortheils, oder die Absicht, Andern zu schaden, nicht vor, wird der Irthum oder die Täuschung des Andern nur zu gleichgültigen Dingen benutzt, so ist es kein B., sondern blos List, oder wie die Rechtswissenschaft sagt, ein Dolus bonus (gute Arglist) während sie den erstern Dolus molus (böse Arglist) nennt. Auch unterscheidet dieselbe zwischen geheimem und öffentlichem B. Unter den B. im Allgemeinen fallen auch die Verbrechen des Meineids, des böswilligen Bankerotts, der Fälschung aller Art u. s. w., was nur verschiedene Arten des B.s sind. — Der B. spielt auch auf dem Gebiete der Politik eine große Rolle, ja wenn die Behauptung wahr wäre, daß die Politik nur die Kunst sei, sich gegenseitig zu täuschen, so könnte man sie im Ganzen einen B. nennen; allein B. ist es jedenfalls, wenn man sich den Anschein giebt, als denke und thue man Alles nur zum Wohle des Ganzen, während man mit Hintansetzung dieses Ganzen nur persönlichen Vortheil, persönliche Macht, oder die Erhaltung eines den Einsturz drohenden Systems erstrebt. B. ist es, wenn man sich anstellt, als ob man gerne allen Wünschen entgegenkäme, aber durch eine „äußere" Macht daran verhindert werde, während man diese Macht selbst ist, wenigstens Theil derselben, und nur ehrlich zu wollen braucht, um jedes Hinderniß zu entfernen. B. ist es, wenn man beständig Liebe und Treue zur Verfassung heuchelt, sich aber in geheime Verabredungen und Verträge einläßt, um diese Verfassung hinterrücks aufzuheben, oder unwirksam zu machen. B. ist es, wenn man die Presse als Ausdruck der öffentlichen Meinung darstellt, während man doch nur eine Richtung derselben sich frei ergehen läßt und die andere verstümmelt oder stumm macht. B. ist es, wenn man dem Volke die entschiedenste Vertretung seiner Interessen verheißt, um dessen Vertreter zu werden, nachher aber nur sein eigenes Interesse sucht und sich und das Volkswohl verkauft.

B. ist es, wenn man dem Volke schöne Reden, von deren Nutzlosigkeit man sich seit langen Jahren überzeugt hat, als Förderung seines Wohles darstellt, während man nur sein eignes Ohr kitzelt. B. ist es, wenn man dem Volke göttliche Gebote vorpredigt, um von demselben Gehorsam und Fügsamkeit zu erlangen, während man nur selbstgemachte Befehle eigennützig zur Herrschaft bringen will. B. ist es, wenn man Theilnahme und Liebe für die Armen immer im Munde hat, ihnen aber weder ein Recht noch eine Erleichterung gewähren will. Man sieht, der B. kann eine sehr große Rolle im öffentlichen Leben spielen, so daß man fast dafür erschrecken müßte; aber man vergesse nicht, daß der B. auf Täuschung und Irrthum beruht! Man braucht nur das gesunde Auge des Geistes zu öffnen, und der B. ist unmöglich, sobald man nur dem Betrüger zeigt, daß seine schlechte Absicht erkannt ist. R. B.

Betteln, s. Almosen.

Bettmund, s. Bedemund.

Beugung des Rechtes heißt die Bestimmungen und Forderungen des Rechtes drehen und wenden zu eigenem Vortheile, statt sie in starrer Gleichheit für Alle anzuwenden. Die B. ist eins der schwersten Amtsvergehen (s. d.), auf welchem ehedem Todesstrafe stand, das aber auch jetzt noch streng geahndet wird.

Beute heißt das mit Gewalt erworbene Gut. Ehedem war die B. das mächtigste Lockmittel für den rohen Menschen, Soldat zu werden; denn was der Soldat in einem eroberten Orte nahm, war seine B., und er nahm Alles, was er wegbringen konnte. Die mildere Sitte hat auch diesen Raub, wo nicht abgeschafft, doch wesentlich gemildert. B. heißt übrigens auch Alles, was in der Schlacht dem Feinde abgenommen wird.

Bevollmächtigung (Mandat) ist die im beiderseitigen Einverständniß erfolgende Uebertragung der Geschäfte auf einen Andern. Wer den Auftrag (die Vollmacht) ertheilt, seine Geschäfte zu besorgen, heißt Gewaltgeber (s. Mandant); derjenige, wer ihn übernimmt, Bevollmächtigter (Mandatar). Der Bevollmächtigte ist verbunden, den Auftrag zu vollführen, darf dafür einen Marktlohn nicht fordern, erhält jedoch jetzt ebenfalls Bezahlung für seine Bemühungen, welche Honorar und bei den Mäklern Prorenetikum heißt. Der Bevollmächtigte macht durch seine Handlungen den Gewaltgeber verbindlich, und letzterer hat ihn schadlos zu halten. Die Bevollmächtigung findet im Privat- wie im Staatsrechte Statt, und es giebt besondere Berufsstände, welche die Führung fremder Geschäfte betreiben, dahin gehört besonders der Advokatenstand. Die Bevollmächtigten der Staaten bei auswärtigen Regierungen heißen Gesandte (s. d.), die des Volkes zur Vertretung ihrer Verfassungsrechte Abgeordnete (s. d.). Adolph Hensel.

Bevormundung, eigentlich die Bestellung eines Vormundes für eine Person, welche ihren eignen Angelegenheiten nicht vorstehen kann. Zu den Bevormundeten gehören Unmündige, Geisteskranke, Blödsinnige, Verschwender, nach vorgängiger Erklärung als solcher von den Gerichten, Abwesende, welche keine Bevollmächtigten zurückgelassen haben, die Leibesfrucht schwangerer Wittwen zur Sicherung des Erbtheiles bis zur Geburt. Die B. erfolgt zum Zweck der Aufsichtführung über die Bevormundeten und um deren Vermögen zu verwalten. Man wendet den Ausdruck B. sodann auf alle diejenigen an, welche von fremder Leitung, von fremdem Urtheile in ihrem Thun und Lassen abhängig sind. Man sagt von ganzen Völkern, sie seien bevormundet, wenn sie sich die ihnen natürlich zustehenden Rechte haben entziehen lassen und sie sowohl in der persönlichen Freiheit, als in Gebahrung mit ihrem Eigenthume durch Polizei- und Beamtenaufsicht und Erlaubniß allenthalben beschränkt sind. Adolph Hensel.

Bevölkerung. Bei jeder Beurtheilung staatlicher und gesellschaftlicher Zustände kommen gewisse Verhältnisse der B., d. i. des Inbegriffs des ganzen Volks in seinen vielartigen Beziehungen, Eigenthümlichkeiten nach Abstammung, Sprache und Sitten,

Berufsarten und Lebensäußerungen in Betracht. Die Ermittelung des Thatsächlichen dieser Verhältnisse, ist Aufgabe der **Statistik** (s. d.); die als zuverlässig oder annähernd richtig ermittelten Thatsachen hingegen dienen der Staatskunst im Allgemeinen, wie den einzelnen Zweigen der Staatsregierung, dem Staatshaushalt, der eigentlichen Verwaltung, der Rechtspflege, dem Unterrichtswesen, der Handels- und Gewerbspolitik, so wie nicht weniger der dem Volke selbst bei Erledigung seiner Angelegenheiten eingeräumten und von demselben unmittelbar geübten Theilnahme und seinen verschiedenen Berufskreisen, dem Ackerbau, der Schifffahrt, dem Handel, der Industrie, den Künsten und Wissenschaften u. s. w. als Anhalt und Leitfaden, um zu erkennen, in wie weit die bestehenden Zustände in allen diesen Fächern, in wie weit die Wirksamkeit der darauf bezüglichen Einrichtungen gedeihlich genannt werden könne oder nicht und ob dieselben mit den Bedürfnissen der Zeit selbst in stäter und angemessener Fortentwickelung begriffen seien; endlich, welche Mittel geeignet erscheinen, den zeitgemäßen Fortschritt zu Stande zu bringen. — Daraus geht aber von selbst hervor, von welcher unendlicher Wichtigkeit die möglichst genaue Erforschung der B.sverhältnisse nicht nur für die Statistik an sich, sondern in weit höherm Maße durch ihre Anwendung auf die gegebenen Zustände wird, da sich auf die ermittelten Thatsachen die Einsicht in vorhandene Gebrechen gründen läßt und barin die Fingerzeige zur Auffindung der Mittel liegen, wodurch sich die Abstellung derartiger Mängel erreichen läßt. Auch sieht man in jenen Staaten, wo man aufrichtig Hand an dergleichen Uebelstände zu legen beabsichtigt, wo man dem Geiste wahrhafter Fortschritte huldigt, der gründlichsten Ermittelung aller und jeder Verhältnisse der B. die größte Genauigkeit und Sorgfalt widmen und ohne Scheu vor dem Bekanntwerden auf solche Weise tiefe Schäden und eiternde Wunden des gesellschaftlichen Körpers bloßlegen; während man in Staaten, wo man dem Grundsatze der Heimlichkeit und des Vertuschens mehr oder weniger in allen Verhältnissen des Staatslebens huldigt, auch in dieser Hinsicht nur dasjenige veröffentlicht, was sich einmal nicht verbergen läßt, oder was zu dem Lichte paßt, in dem man vor der Oeffentlichkeit erscheinen will. — Zuerst ist in Bezug auf B.sverhältnisse die Größe der B. selbst zu betrachten, und zwar in ihrem absoluten, wie in ihrem relativen Verhältnisse. Sie wird in unserer Zeit in den meisten Ländern durch von Zeit zu Zeit angestellte B.saufnahme, Volkszählungen, Census u. s. w. und die zu gleichem Zwecke zu Hülfe genommenen Geburt- und Sterbellsten, der Steuerrollen, Consumtionstabellen u. s. w. ermittelt. Was in früherer Zeit höchst unvollständig und unzuverlässig geschah, wird in unsern Tagen und besonders im freien Staatswesen mit einer ans Erstaunen grenzenden Umständlichkeit und auch das Kleinste berücksichtigenden Genauigkeit vorgenommen, und aus der Thatsache, daß es sich diese Staaten — wie es in England bei der letzten B.saufnahme geschah, deren Resultate in 3 starken Bänden veröffentlicht wurden — ungeheure Summen kosten lassen, begreift sich, welchen Werth man, und mit Recht, diesen Ermittelungen dort beilegt. Aus den oben angegebenen Gründen will man durch dergleichen Nachforschungen hauptsächlich die sogenannte Bewegung der B. ermessen, d. h. man will die Wandlung in Erfahrung bringen, die in der Zahl der B. nicht nur, sondern auch in den verschiedenen Bestandtheilen derselben, nach Alter, Stand, Klassen, Beschäftigung u. s. w. in einem bestimmten Zeitraume vorgegangen ist. — Was die absolute B. eines Staates betrifft, so wird darunter die Anzahl der Köpfe, oder, wie man es auch auszudrücken pflegt, die Seelenzahl darin ohne Bezugnahme auf den Flächenraum des Staates selbst verstanden; tritt die Bezugnahme auf das Verhältniß des Flächenraums ein, so spricht man von einer relativen B. — Wie wenig die absolute Größe der B. den Staaten allein den Maßstab der Würdigung für deren eigentliche Kraft darreichen kann, geht daraus hervor, daß die B. des einen Staates möglicherweise über eine weite Fläche dünn zerstreut, ohne Verbindung und Austausch unter sich, vielleicht in mehrere sprach- und stammverschiedene Völkerschaften zerspalten u. s. w. nur durch das Band einer despotischen Herrschaft zusammen gehalten wird, während die B. eines andern Staates, dessen absolute B. nur einen sehr geringen Theil derjenigen des erstern ausmacht, auf einen engen Raum zusammengedrängt, durch alle möglichen Verbindungsmittel in beständigem Verkehr unter einander gehalten, durch gleiches Volksthum mit einander verbunden, alle Vortheile innerer Einheit und Zusammenhalts besitzt, und trotz dieser geringern Zahl eine weit größere politische Geltung sowohl, wie einen weit bestimmendern Einfluß auf den Fortschritt der allgemeinen Gesittung verleihen wird. — Auch in jeder andern Rücksicht wird es schwierig sein, die absolute B. eines Staates zum Maßstab der Beurtheilung der Stellung, die er in dem Wechselverkehr der Nationen einnimmt, oder einzunehmen bestimmt scheint, oder der Wirksamkeit, welche er auf sein Volk ausübt, zu machen; während sich auf der andern Seite nicht verkennen läßt, daß eine allzugroße B., selbst wenn sie in gleichem Volksthum, Sitten, Bildung und Interessen die Bedingung innerlicher Einigung und Zusammenhalts besitzt, auf die Dauer nur durch die vollkommenste Entwickelung des Grundsatzes der Selbstregung und der darin gegebenen Schärfung des Gemeingeistes wird zusammenhalten lassen; bei Staaten mit sehr geringer B. hingegen sich bald das Bedürfniß kund geben wird, sich im Wege des Völkerbündnisses an andere ähnliche anzuschließen und mit ihnen Föderativ- oder Bundesstaaten zu bilden, wenn sie allgemein politische Geltung und Einfluß wahren wollen. — Was die relative Größe der B. oder die relative Dichtigkeit der B. anbelangt, so hält es gleichfalls schwer, eine Norm aufzustellen, welches Verhältniß derselben in einem Staate das Dienlichste für dessen Gedeihen ist. In Bezug darauf ist es in der neuern Zeit Mode geworden, überall das allgemeine Schreckbild der Uebervölkerung (s. d.) aufzustellen, ohne häufig zu untersuchen, welche Ursachen dem Elende zu Grunde liegen, das man jener Uebervölkerung beimißt. Man hat von Uebervölkerung in Gegenden sprechen hören, wo kaum ein paar Tausend Einwohner auf die Quadratmeile kommen, während man dort, wo Hunderttausende und Millionen auf dem Umkreis weniger Geviertstunden zusammengedrängt wohnen, die durch jene Uebervölkerung veranlaßten Uebelstände weit weniger empfunden hat. In dieser Beziehung ist vor Allem zu untersuchen, wie weit die B. eines Staates sich im Besitz der Mittel und Wege befindet, ihre Bedürfnisse zu bestreiten, ihren Unterhalt zu sichern und dies ist derjenige Theil der B.statistik, welcher die unterrichtendsten Anhaltspunkte zur Beurtheilung der Kulturverhältnisse eines Staates gewährt. Es handelt sich dabei von den Beschäftigungen der B.; je vielgestaltiger dieselben erscheinen, in je mehr Zweigen der gewinn- und verdienstabwerfenden Volksarbeit und des Erwerbs sich die verschiedenartige Thätigkeit und Betriebsamkeit vertheilt, ein je lebhafterer Austausch in Folge dessen zwischen denselben stattfindet, je größer die Gütererzeugung sich gestaltet, je umfangreicher damit der Verbrauch wird, desto reichere Mittel stehen einer solchen B. zu Gebote, allen ihren geistigen und leiblichen Bedürfnissen abzuhelfen und die Verbesserungen durchzuführen, die in beider Beziehung nothwendig sind. Bei dem unter einer solchen Lebhaftigkeit und Verschiedenartigkeit der Arbeit und des Erwerbs steigenden Bedarf an Kräften aller Art, bloßen Arbeitskräften, Talenten und Capitalkräften, werden nicht nur alle im Lande selbst vorhandenen natürlichen Hülfsquellen der Erzeugung aufgeschlossen, nicht nur den verschiedenen Kräften ihre resp. höchste Verwerthung zugänglich gemacht, sondern der Austausch mit fremden Ländern nimmt einen weit größern Aufschwung, die Fruchtbarkeit des Bodens, die verborgenen Schätze der fernsten Welttheile werden der B. eines solchen Staates dienstbar gemacht; ja, was besonders bei der Frage der Uebervölkerung in Betracht kommt, nöthigenfalls stehen in dieser Entwickelung auch die Mittel zur Hand, einen wirklichen Ueberfluß der B. durch Auswanderung nach Landstrichen zu versetzen, wo ihre Arbeit nicht nur ihren eigenen Unterhalt sichert, sondern sie auch außerdem zu einem guten Kunden des Mutterlandes mittelst des Absatzes der Arbeitserzeugnisse des Letztern wird. — Bei Ermittelung aller dieser Verhältnisse ist es von besonderer Wichtigkeit, zu erfahren, welcher Theil der B. zu unproductiven oder überflüssigen Arbeiten und Beschäftigungen verwandt wird, welcher Theil gar nicht producirt und also mittel- oder unmittelbar durch die Arbeit der übrigen unterhalten werden muß. Was das erstere betrifft, so kommt vor Allem das stehende Heer und die durch das unnöthige Schreib- und Kanzleiwesen, überflüssige Anzahl der besoldeten Beamten in Betracht, die theils durch Vereinfachung der Geschäftsweise in den verschiedenen Verwaltungszweigen, theils durch die Selbstbetheiligung des Volkes bei Erledigung seiner Angelegenheiten, durch Selbstregierung, zum großen Theil entbehrlich gemacht werden können. Hinsichtlich des zweiten Punktes ist einestheils das Armuthswesen, der sogenannte Pauperismus, zu erwägen, die Anzahl der beständig oder zu gewissen Zeiten ganz oder zum Theil aus öffentlichen, Staats-, Gemeinde- und Privat-Mitteln unterhaltenen Personen, und der Aufwand, welchen deren Unterhaltung nothwendig macht, ausfindig zu machen, auf der andern Seite aber die Anzahl derjenigen Arbeitsfähigen zu ermitteln, welche, ohne irgend etwas Nützliches zu arbeiten, woraus sie einen Verdienst ziehen, von ihren Renten leben, die Faulenzer und Nichtsthuer, welche ihr Capital für sich arbeiten lassen, ohne selbst durch eigne Production der Gesellschaft irgend einen Dienst zu leisten. Einen je größern Bestandtheil der ganzen B. eines Staates diese hier aufgeführten Klassen bilden, je größer zudem die Anzahl derjenigen ist, deren Arbeit, Fähigkeit, Capital, obwohl in im Allgemeinen nutzenbringenden Geschäften verwendet, doch durch Umstände verschiedener Art keinen Gewinn, oder keinen zum Unterhalt ausreichenden Verdienst abwirft, in einem desto traurigern Zustande werden sich die Wohlstandsverhältnisse der ganzen B. befinden, weil die letztere in ihrer Allgemeinheit gezwungen ist, für jenen ganzen Ausfall mit ihrer eignen Production und deren Ertrage schließlich aufzukommen. — In innigem Zusammenhange mit diesen Verhältnissen steht die Frage des Verbrauchs der B., weil sich aus den Bestandtheilen, wie aus der Menge derselben, der Grad des allgemeinen Wohlstandes und zum Theil der allgemeinen Bildung ermessen läßt, die in ihr herrscht, wie sich ferner aus der allgemeinen Bewegung der B., aus der Zu- oder Abnahme der B.zahl im Allgemeinen, der Zu- oder Abnahme der Ehen, der Geburten und Sterbefälle, der Ehescheidungen, der Bankerotte, der Selbstmorde, der Verbrechen aller Art, der durchschnittlichen Lebensdauer u. s. w. die wichtigsten Folgerungen für beziehentliche Verbesserung oder Verschlimmerung der allgemeinen Zustände der B. ableiten lassen. — Außer den staats- und volkswirthschaftlichen Erwägungen und Betrachtungen, denen die B.verhältnisse unterliegen, ist noch das Stamm- und Volksthum (s. Volksthum) der B. ein Gegenstand von politischer Bedeutung, besonders in unserer Zeit, wo in Nordamerika der Kampf auf Leben und Tod zwischen der anglo-amerikanischen und den spanisch-indianischen B. begonnen zu haben scheint, während in Europa das Ringen der romanischen Völker nach freier und selbstständig nationaler Entwickelung einerseits, das drohende Gegeneinanderüberstehen der slawischen Ansprüche und Anmaßungen und des in seinen edelsten Kräften noch gelähmten Deutschthums andererseits wichtige Ereignisse und Entwickelungen voraussagen lassen. J. G. G.

Bewaffnete Macht, s. Heer und Militair.

Bewaffnungsrecht, s. Waffenrecht.

Bewässerung heißt ein äußerst wirksames Mittel zur Befruchtung der Felder und besonders der Wiesen. Das Wasser wird zu diesem Zwecke entweder festgehalten, was Ueberstauung heißt, oder, wenn dazu zu viel vorhanden ist, läßt man es über die Wiese hinfließen (Berieselung). Wie einfach diese Sache auch scheint, da die Natur selbst zur B. angewiesen zu haben scheint, so ist der Staat doch genöthigt, die Benutzung derselben gesetzlich zu regeln. Denn der vielfache Gewerbsbetrieb, welcher Wasserkraft braucht, besonders aber die Mühlen, sind vielfach genöthigt das Waffer von den Feldern abzuleiten, um feine Kraft zu verstärken. Bis jetzt ist es der Gesetzgebungskunst noch nicht gelungen, die wichtigen und von der Wissenschaft allgemein anerkannten Grundsätze aufzustellen, nach welchen die B. geschehen soll.   v. L.

    Bewegungsparthei. In der Körperwelt, wie in der moralischen, also auch in der Politik, ist Bewegung Leben, ihr Gegensatz Tod. Demnach würde die B. auch Parthei des Lebens, ihre gegnerische aber Parthei des Todes zu nennen sein. Die Bewegung der Natur geht langsam, oft unsichtbar, aber stätig und unaufhaltsam von statten; selbst der scheinbare Tod ist nur eine Umgestaltung des Lebens, eine Bewegung. Wir sehen die Pflanze nicht wachsen und sie steht doch keine Secunde still; wir sehen im Winter Alles ersterben und doch arbeitet die Saat einer neuen Schöpfung schon an ihrer Entwickelung; wir sehen die Menschen und Sitten sich nicht ändern und dennoch ist in der Spanne von 25 Jahren Alles umgestaltet. Das Ziel aller Bewegung aber ist Fortschritt zum Bessern, zur Veredlung, zur Vervollkommnung, zu einem bessern, schönern, reichern Leben. So lange wir die Geschichte kennen, ist das ihr unaufhaltsamer Gang und jeder Stillstand, jede Hemmung oder andere Richtung dieses Ganges war nur Schein. Der Strom war unsern Blicken verborgen, brach aber bald desto kräftiger wieder hervor und verfolgte seinen ewigen Lauf. Demnach ist die B. die einzige der Natur entsprechende, die einzig vernünftige im Staate. Indessen behaupten auch alle Partheien der Natur, d. h. der Bewegung zu huldigen und die Unterscheidung liegt nur in der Art, wie sie dieselbe betrachten und besonders, wie sie daran Theil nehmen, und da stellt sich bald der große Unterschied heraus, daß die B. für das Leben und sein Element: die Freiheit und das Licht, wirklich arbeitet, während ihre Gegner nichts thun oder gegen die Bewegung arbeiten. Die B. will Aufklärung und Belehrung auf jedem Gebiet, Freiheit für gesunde Kraft zur ungehinderten Entfaltung, und Staatseinrichtungen, die Bürgschaft dafür geben, daß keine menschliche Macht mehr die Bewegung hemmen kann. Die Gegner wollen nur die Aufklärung und Belehrung, die ihren Standpunkt als den richtigen erkennt, fürchten jede freie Kraft und trachten nach Mitteln, welche den gegenwärtigen Zustand zu verewigen versprechen. Sehen wir uns die B., wie ihre Gegner, in ihrem Thun und ihren Benennungen näher an: Der allgemeine Name B. (parti du mouvement) stammt aus der Julistaatsumwälzung in Frankreich, obgleich die Sache so alt ist, wie die Welt. Sie bestand aus Leuten, die glaubten, daß mit dem übereilt geschaffenen Bürgerkönigthum und mit den kaum nennenswerthen Aenderungen der Verfassung die Sache nicht abgemacht sei; sondern nun auf dem gewöhnlichen Wege fortgeschritten werden soll. Dieser gegenüber stand die Widerstandsparthei (parti de la resistance), welche eben Alles erreicht glaubte, was man erreichen könne. Diese Gegensätze finden sich in der ganzen Welt und zu allen Zeiten, der Grad der Thätigkeit für eine dieser Richtungen bestimmt nur die Abstufungen und Namen. So finden wir in der B. zunächst die Scheinanhänger, wie wir sie nennen möchten, die in Deutschland gemäßigt Liberale, Gemäßigte, in Frankreich Julimänner, in England conservative Whigs, in Spanien Moderados u. s. w. heißen. Es sind Leute, die nichts thun wollen und nichts thun können, aber erstaunlich viel schwatzen; wahre Maulhelden, die jede Forderung der Zeit anerkennen, aber für keine Hand anlegen; die zugeben, daß Alles errungen werden muß, aber nur „jetzt" nicht, und dieses jetzt dauert so lange sie leben, wenn sie auch so alt würden, wie Methusalem. Sie haben für jedes Schlechte ein hübsches Mäntelchen, welches sie ihm umhängen, damit sie es nicht anzugreifen brauchen, und ändern, wenn es nöthig ist, ihre Meinung 15 Mal in einem Athem, aber stets mit großer Salbung. Es sind die schlimmsten Hemmschuhe jedes wahren Fortschritts, weil sie durch ihr Geschrei die Welt täuschen und glauben machen, sie wirkten mit aller Kraft, während sie in der Wirklichkeit nichts thun. Ihnen zunächst gegenüber steht die Erhaltenden (Conservativen, conservativen Reformfreunde u. s. w.) die gan dieselbe Natur haben, dasselbe thun und dasselbe wollen, oder vielmehr nichts wollen, aber sich nicht zur B. sondern zur Widerstandspartei zählen. Das Stichwort beider ist: **Entwicklung auf geschichtlichem** — sie sagen aber stets **historischem,** denn deutsch können sie nicht reden — **Boden,** wagen aber weder das verdorrteste Aestlein vom Baume der Geschichte abzubrechen, noch begreifen sie, daß sie eben **Geschichte machen müssen;** sie glauben, die Geschichte wächst wie ein Baum und haben weder Lust noch Kraft, Gärtner zu sein. Sie sind beide, abgesehen von ihrer Redseligkeit, ein Messer ohne Heft, an dem die Klinge fehlt. — Neben diesen Halben, Lauwarmen und Aschgrauen stehen auf Seiten der B. die **Entschiedenen,** **Radicalen** und **Ehrlichen,** die arbeiten und arbeiten wollen für den Fortschritt, rüstig Hand anlegen und nicht glauben, daß die Geschichte aus Redensarten zusammengesetzt wird, sondern aus Thaten. Ihre erste Aufgabe ist, den Nebel zu durchbrechen, welchen die Gemäßigten seit 25 Jahren gemacht haben und der so dick ist, daß man die Dinge gar nicht mehr erkennen kann, wie sie sind. Ihnen gegenüber steht die Parthei des **Stillstandes** (der Stabilität, des status quo), die ächt Conservativen, wie sie sich nennen, in dem ehrlichen Glauben, die Welt habe sich zu sehr angestrengt und müsse sich nun **ausruhen.** Sie heuchelt wenigstens nicht und täuscht nicht durch Redensarten, sondern erklärt offen, daß sie mit dem Vorhandenen zufrieden ist, dasselbe erhalten und sich den Genuß durch Fortschrittsarbeit nicht stören lassen will. Die Langsamkeit der wahrhaftigen geschichtlichen Entwicklung für unser körperliches Auge und die scheinbare Nutzlosigkeit des Partheikampfes hat nun an den **Flügel der B.** die Leute des Umsturzes (Exaltirten, Ultras, Revolutionaire) und welche Namen man ihnen sonst beilegt, gestellt; sie wollen, verzweifelnd an der Entwicklung, durch einen scheinbar immer auf demselben Punkte stehenden Kampf, lieber den Knoten zerhauen, die gegenwärtige Welt zertrümmern und auf ihren Bruchstücken eine neue bauen; oder deutlicher, sie wollen nur mit Gewalt die Schranken zersprengen, die man der naturwüchsigen und wahrhaft geschichtlichen Entwicklung mit Gewalt entgegen gestellt hat. Auf dem andern Flügel aber stehen die Lehrer der großen Weisheit, daß „ein Schritt zurück noch kein Rückschritt ist", die Rückwärtsmänner und Reactionaire, die wirklich mit Hamlet glauben, die Welt sei aus den Fugen und das Schicksal habe sie berufen, sie wieder einzurichten. Sie wollen das Rad des Weltverhängnisses aufhalten und stellen den Baum der Geschichte unter eine Glasglocke, damit er nicht weiter kann, schneiden sie jedes Zweiglein ab, welches den gezogenen Raum zu durchbrechen droht. Daß Stamm und Aeste immer dicker werden und troß der abgebrochenen Blättchen und Zweiglein ihre Glocke bald sprengen und ihnen die Scherben an den Kopf werfen werden, das sehen sie nicht; ihre einzige Hoffnung ist, es werde wohl so lange halten, als sie noch leben; was dann geschieht, kümmert sie nicht. Versinnlichen wir uns die politische Bewegung der Partheien durch ein Beispiel: Auf einem Strome, welcher dem Laufe der Natur nach ruhig und gleichmäßig abfließt, liegen 6 Kähne an einer Kette, in der wir uns den augenblicklichen Zustand der Dinge denken wollen, befestigt, aber von der Natur und dem Laufe des Stromes bestimmt, sich fortzubewegen. In den beiden mittlern Kähnen sitzen diejenigen, die weder schwimmen noch rudern wollen und können — die reformirenden Conservativen und gemäßigt Liberalen — und die Bewegung fürchten. Sie täuschen die Seite, die fort will, durch ein Plätschern mit den Rudern im Wasser; sie täuschen die Seite, die zurück will, durch ein festes Anklammern an die Kette. So stehen sie mit einem heuchlerischen Scheine des Lebens still in der Mitte. Diesen Kähnen zur Rechten halten diejenigen, welche die Bewegung fürchten und deshalb stehen bleiben wollen, aber auch so ehrlich sind, dies zu erklären — die Stillstands-, Stabilitätsparthei —, zur Linken halten die, welche die Bewegung lieben und so ehrlich sind, zu sagen, daß sie fort wollen — die Entschiedenen und Radicalen —; die erstern klammern sich offen und fest an die Kette an, die letztern rudern eben so offen und mit aller Kraft, um den ganzen Zug in Bewegung zu fetzen. An der äußerften Grenze rechts befin= den fich endlich diejenigen, welche die Bewegung noch mehr fürchten und daher mit aller Anftrengung zurück drängen — die Rückfchritts= oder Reactionsparthei — um die Wirkung des kräftigen Ruderns aufzuheben; an der Seite links aber find diejeni= gen, welche des heillofen Spiels müde, anfangen die Kette zu zerhacken und zu fprengen — die Umfturzparthei, die Revolutionairs — um endlich von der Stelle zu kommen. Diefes Zerhacken kann gefährlich werden und einen Theil der Inhaber aller Kähne durch die plötzliche und ftarke Bewegung hinaus und ins Waffer fchleudern, aber die Schuld diefes verzweifelten Mittels tragen nur die Rückwärtswollenden und befonders die Heuchler mit ihren Scheinbewegungen. Auch mag man die Ertrinken= den beklagen und beweinen, aber nicht vergeffen, daß der Strom fich über ihren Kör= pern nach augenblicklicher Störung bald wieder zu der gewöhnlichen Spiegelfläche klärt und das Ganze nun, dem Gefetze der Natur und der Bewegung gehorchend, ruhig forttreibt. R. B.

Beweis im Prozeffe. Der B. und die Art der Führung deffelben im bürgerlichen Proceffe unterfcheidet fich wefentlich von dem im Strafprozeffe. Im bürgerlichen Prozeffe kommt es auf die Darlegung der Wahrheit derjenigen Thatfachen an, welche die Gegen= partei geleugnet hat. Hierfür find beftimmte Formen und Friften vorgefchrieben, deren Beobachtung Aufgabe befonderer Rechtskenntniß ift, wie denn überhaupt die richtige Anlegung eines B.es eine der fchwierigften Arbeiten im advocatorifchen Berufe ift. Anders im Strafprozeffe. Hier fallen die Friften und viele der Formen weg. Ins= befondere aber kommt es hier auf den Unterfchied des natürlichen vom künftlichen oder fogenannten Anzeichen= (oder Anzeige= Indicien=) B.es an. Bei dem erftern werden die zu beweifenden Thatfachen unmittelbar dargethan, bei dem letztern aber nur andere That= fachen, aus welchen erft auf das Dafein jener, der eigentlich verbrecherifchen Handlun= gen gefchloffen wird. Nach der frühern Reichsgefetzgebung, der fogenannten Carolina oder Halsgerichtsordnung Karls V., durfte, wenn blos ein künftlicher B. vorlag, niemals auf Strafe, fondern nur auf Tortur erkannt werden, deren letzter Zweck auf Erlangung des Geftändniffes, mithin auf Herftellung des natürlichen B.es ging. Mit der Abfchaffung der Tortur aber ftellte fich die Nothwendigkeit heraus, irgend welche Maßregeln gegen den Verbrecher zu ergreifen, gegen welchen zwar kein natür= licher, aber doch ein hinreichend ftarker Anzeichen=B. vorlag. Man kam daher auf die fogenannten außerordentlichen Strafen, Strafen, welche nicht die Höhe der ordent= lichen, d. h. der auf das durch natürlichen B. vollftändig dargethane Verbrechen recht= lich feftgefetzte Strafen erreichten. Es konnte indeß nicht verkannt werden, daß, wäh= rend einerfeits das bloße Leugnen des Angefchuldigten in den meiften Fällen hinreichte, um die Erkennung der ordentlichen Strafe abzuwenden, der auf der andern Seite es völlig in die Willkür der Gerichte gegeben war, welchen Strafgrad und welches Strafmaß fie als das der außerordentlichen Strafe erkennen und in welchen Fällen fie überhaupt den Eintritt der letztern gerechtfertigt finden wollten. Diefem Zwiefpalt fuchten die neuern Strafgefetzgebungen meift durch Aufftellung verfchiedener Regeln, nach welchen die vollftändige Führung des Anzeichen=B.es bemeffen werden follte, und dadurch zu begegnen, daß fie den Richtern im letztern Falle für die Regel wenigftens geftattete, bei voller hierdurch erlangter Ueberzeugung die ordentliche Strafe des Verbrechens auszufprechen. Man hat fich indeß bald von dem Ungenügenden folcher B.regeln überzeugt und es ift theils gefetzlich, theils factifch meiftentheils dahin gekommen, daß es von der lediglich nach den Gefetzen der Logik zu bemeffenden rechtlichen Ueberzeu= gung der Richter abhängt, ob der Angefchuldigte des bezüchtigten Verbrechens für fchuldig zu achten fei oder nicht. Diefe fubjective Ueberzeugung ift diefelbe, welche auch bekannt= lich den Ausfprüchen (Verdicten) der Gefchworenen zu Grunde liegt und in diefem Sinne ift es ganz richtig, wenn man fagt: unfere Richter feien fo gut wie Gefchworene. Der Anzeichen=B. ift nicht felten gemißbraucht und jene Regeln, die die Gefetzgebung darüber aufstellte, sind schwankend gedeutet worden, so daß man nicht mit Unrecht den Anzeichen-B. als etwas in den Händen unserer Richter und ohne die Garantie der Schwurgerichte Bedenkliches bekämpft hat. Allerdings wird man, wenn nicht alle Ausübung der Strafgewalt ein Spiel des Angeklagten sein soll, nicht über-denselben hinwegkommen, aber es muß damit jene weitere Garantie verbunden sein, auf welche Wissenschaft und Volksgeist immer bestimmter hinweisen.

Bezirk, eine Abtheilung des Staates nach verschiedenen Richtungen, wie Regierungs-B., Gerichts-B., Landwehrregiments-B. u. s. w.

Bibel, s. heilige Schrift.

Bierzwang hieß ein Vorrecht gewisser Personen, allein Bier zu brauen, so daß die Bewohner gezwungen waren, es dort zu kaufen. Anfangs von den Grundherren ausgeübt, erhielt es sich später noch lange in den Städten, wo entweder wenige Brauer bevorrechtet waren, oder das Braurecht an gewissen Häusern haftete und der B. von ihnen ausgeübt wurde. Diese wechselten dann in der Ausübung. Diese letztere Art B. hat sich bis heute vielfach erhalten.

Bibelverbot. Die römische Kirche, welche von Christus unmittelbar abzustammen behauptet, verbietet ihren Angehörigen, das Wort Christi und seiner Zeitgenossen zu lesen. Dieses Verbot beweist am besten, wie unbiblisch die römische Kirche ist. Einzelne Erscheinungen abgerechnet, trat das allgemeine B. zuerst gegen die Waldenser ein, welche aus der Bibel Rom seine Ketzerei und Unchristlichkeit bewiesen. Dann wurde dasselbe aufrecht erhalten und jede Bibel in der Landessprache verboten, oder an Prüfung und Genehmigung geknüpft, die sehr schwer ertheilt wurde. Daher kam der vielverbreitete Aberglaube, daß die Bibel zum Teufelsbannen dienen könne, d. h. daß der Teufel beim Lesen gewisser Stellen erscheine und Gefahr drohe. Diesen und ähnlichen Aberglauben findet man in katholischen Länder noch vielfach, und ganze Dorfschaften giebt es, die nie die Bibel gesehen haben, es müßte denn die lateinische des Pfarrers sein, die eigentlich die einzige erlaubte ist. Die Reformation hat das B. thatsächlich zu nichte gemacht; aufgehoben ist es indessen nicht und wenigstens werden die Bibelübersetzungen einer besondern Prüfung unterworfen. Wie treu diese Uebersetzungen sind, geht daraus hervor, daß es als schwere Sünde verpönt wird, die Luther'sche Uebersetzung nur zu lesen.

Bigamie (Doppelehe), s. Ehebruch.

Bilanz, (wörtlich: Die Schwebe, das Gleichgewicht.) Ein Rechnungsabschluß, welcher zeigt wie das Verhältniß der Ausgaben und Einnahmen, das Soll und Haben zueinander steht, und ob das Geschäft Gewinn oder Verlust gewährt. Wie in jedem ordentlichen Rechnungswesen, so muß auch im Staatshaushalt die B. oft und sorgsam gezogen werden, um eine ungünstige Stellung der Geldmittel und Geldmacht frühzeitig zu erkennen. In staats- und volkswirthschaftlicher Beziehung legt man besonders großen Werth auf die Handels-B., welche das Verhältniß der Einfuhr zur Ausfuhr darstellt. Vergl. Handel.

Bilderanbetung, B.-Dienst, B.-Verehrung, politische und religiöse, s. Abgötterei.

Bilderstreit hieß ein Zwiespalt, der im 8. und 9. Jahrh. die christliche Kirche spaltete. Die griech.-Kaiser verboten (726) den Bilderdienst und entfernten die Bilder aus den Kirchen, um den Vorwurf der Abgötterei von den Christen abzuwenden; die Päpste dagegen pflegten die Abgötterei, thaten die Kaiser in Bann und führten die Bilder wieder ein. 824 wurde der Bilderdienst auf der Synode zu Constantinopel allgemein wieder eingeführt und das Fest der Rechtgläubigkeit (Invocavit) zur Erinnerung hieran eingesetzt. Damals also hatte das Papstthum die Kirche bereits so weit gebracht, daß die unzweifelhafteste Abgötterei Rechtgläubigkeit hieß.

Bilderstürmer hießen die Fanatiker, welche beim Bilderstreit mit Gewalt in die Kirchen drangen und die Bilder zerstörten; nachdem sie einmal in Wuth gerathen waren, zerstörten sie die Kirchen auch mit. Auch zur Zeit der Reformation tauchten einzelne B. auf.

Bildliche Injurien, s. Beleidigung.

Bildung. Wenn die Aufklärung (s. d.) die Nebel entfernt hat, die den Verstand des Menschen umdunkeln; wenn die Belehrung (s. d.) diesen Verstand geschärft und zur Fähigkeit eigner Prüfung erhoben hat, dann erst ist der B. der Boden gewonnen, auf welchem sie wachsen und ihre segensreichen Früchte zur Reife bringen kann. Wie das Wort selbst schon zeigt, ist B. nichts andres, als die Gestaltung oder Umgestaltung eines Stoffes, folglich die Gestaltung des rohen sinnlichen Menschen, der uns wenig vom Thiere verschieden erscheint, zu dem veredelten sittlichen der uns die vollkommenste Gestalt der Schöpfung darbietet. Ist auch die B. unendlich verschieden nach der Menschenrace sowohl als besonders nach den Einflüssen des Bodens und des Himmels, zeigt uns die Geschichte, daß die B. stets mehr gedeiht, wo der Boden nur nach mühsamer Bearbeitung den Menschen ernährt, als da wo derselbe ihm ohne Mühe Nahrung und sogar Ueberfluß bietet; wenn auch die B. mächtiger fortschreitet, wo ein Volk nach seiner Lage in beständigem Verkehr mit andern Völkern steht, als da wo es abgeschlossen im Innern des Landes lebt, so ist doch die B.s fähigkeit beim Menschen überhaupt nicht zweifelhaft und sie zu fördern, ihr zu genügen überall Zweck und Pflicht der Gesammtheit und der dieselbe vertretenden Organe des Staates; wenigstens hat er die Vorbedingungen, ohne welche wahre B. nicht denkbar ist, zu schaffen und zu erhalten. Diese Vorbedingungen aber sind vor Allem Schulen und Unterrichtsanstalten für alle seine Angehörigen in möglichst gleicher Güte und gleichem Umfange; denn wie die B. ein allgemeines Gut ist, zu dessen Genuß der Mensch den Anspruch durch seine Geburt empfangen, so muß die Möglichkeit, dieses Gut zu erlangen, ebenso allgemein sein. Mit der Herstellung der Lehranstalten für alle Fächer und Zweige menschlicher Thätigkeit und menschlicher Bedürfnisse, mit der Sorge also für B.smittel tritt in Verein, die Sorge dafür, daß diese Mittel nicht das Privilegium weniger Bevorzugter und ganze Klassen der Bevölkerung davon ausgeschlossen bleiben. Grundfalsch ist in dieser Beziehung noch die allgemein herrschende Art des Schulwesens, wo das Geld die Thüren aufschließt und besonders die sogenannten höhern Lehranstalten nur den Vermögendern zugänglich sind, während man den Unterricht, welchen man den Armen gewissermaßen als Almosen hinwirft, dergestalt beschränkt, daß er nur für die kargste Nothdurft ausreicht und die hauptsächlichsten Quellen der B. ewig verschlossen bleiben. Wie die Sonne des Himmels für Jeden da ist, der hinaustreten und sich ihrer erfreuen will, so muß das Licht des Geistes, welches die B. fördert und ausbreitet, Jedem zugänglich sein. Mit der Herstellung und Erhaltung dieser Anstalten und ihrer Eröffnung für das ganze Volk aber ist auch die Aufgabe des Staates zu Ende; aus dem Saamen, welchen sie ausstreuen, entwickelt sich die B. von selbst und wird in dem Grade vollkommner werden, als sie freier ist. Jede ihr gezogne Schranke, jede versuchte besondre Richtung im eigennützigen Interesse, z. B. im Interesse einer bestimmten Regierungsform rächt sich selbst dadurch, daß sie den Seegen der freien B. aufhält, in der das wirklich Gute am Sichersten gedeiht, während das Schlechte auch in der einseitigen und zurückgehaltenen B. nur einen sehr vorübergehenden Schutz findet. Weltweise der alten und neuen Zeit haben den schönen Traum gehegt, daß auf dem Höhepunkt menschlicher B. Laster und Verbrechen aufhören, Gesetz und Strafe überflüssig sind, indem das höchste und deutlichste Gesetz eben in der Menschenbrust wohnt. Vergleichen wir die ungeheuren Fortschritte gebildeter Völker gegen ungebildete auf jedem Gebiete des Lebens, sehen wir, daß ein weit edleres, sittlicheres, vollkommneres Geschlecht dort lebt, wo unsre immer noch einseitige und ungenügende B. die Herrschaft errungen hat, gegen die Gegenden, wo im Schooße wissenschaftlicher [und sittlicher] Finsterniß die rohe Gewalt herrscht und die Menschheit als ihre Beute betrachtet, so können wir nicht verzweifeln, daß dieser schöne Traum dereinst wahr werde, und im Vorgenusse des unermeßlichen Menschenglückes, welches mit ihm verwirklicht wird, ist es Wonne für den Denkenden ein Scherflein beizutragen zur weitern Ausbreitung allgemeiner B. R. B.

Bill. Ein Gesetzvorschlag im englischen Parlament. Beim Einbringen derselben muß das Mitglied sie vorher mündlich ankündigen und die Erlaubniß erhalten, die B. einzubringen, die ertheilt wird, wenn nur ein Mitglied den Antrag unterstützt. Ueber die Behandlung der B. s. Geschäftsordnung. Vergl. auch Antrag.

Bill of Indemnity, s. Ausnahmsgesetze.

Billigkeit. Die B. steht dem Rechte ergänzend und ausgleichend zur Seite, wo das letztere, auf die Gesetze sich stützend, in einzelnen Fällen zu einer, der wahren, höhern Gerechtigkeit nicht entsprechenden Härte führen würde. Da nämlich die Gesetze, selbst des weisesten Gesetzgebers, nicht alle möglichen Fälle gleichmäßig berücksichtigen können, andererseits aber die Handhabung des Rechts unter allen Umständen streng den Gesetzen folgen muß, wenn sie nicht eine Willkühr werden soll, so tritt bisweilen eine Kluft zwischen der Erfüllung der Gesetze und den Forderungen des innern Rechtsgefühls ein, welche durch die Grundsätze der B. ausgeglichen wird. An sich ist die B. etwas nur der Moral, nicht dem Rechte Angehöriges, es giebt kein formelles Recht auf B.; allein in der geschichtlichen Rechtsentwickelung mancher Völker finden wir Einrichtungen, welche auch auf die Beachtung der Grundsätze der B. im Gegensatze zu allzustrengen Forderungen des Rechts berechnet waren. So bei den Römern in dem Edicte der Prätoren, und bei den Engländern in den courts of equity. In solchen Einrichtungen liegt zugleich die Möglichkeit, die Gesetzgebung im Einklange mit den Fortschritten der Rechtsbildung zu halten. Vergl. Begnadigung. A.

Billonmünzen heißen diejenigen, welche mehr Kupfer als Silber oder Gold enthalten. Daher Billonage der Handel mit schlechten (und falschen) Münzen, und Billoneur, derjenige, welcher diesen Handel treibt.

Bills oder Bills of Exchequer heißen englische Staatspapiere, zu deren Ausgabe das Parlament den Schatzkammerlord (Exchequer) ermächtigt, um augenblickliche Verlegenheiten zu beseitigen. Sie laufen meist auf kurze Zeit und zahlen 6 vom Hundert Zinsen.

Binnenzölle, s. Zoll.

Bischof. So hieß der Vorsteher der Aeltesten in den ersten Christengemeinden, der Anfangs von den Aposteln eingesetzt, später von der Gemeinde gewählt wurde. Wie die Gemeinden größer wurden, stieg ihr Ansehn; sie maßten sich anfangs ein Vorsteheramt über die Christen einer ganzen Stadt an, dehnten diese Anmaßung dann auf das umliegende platte Land aus und stiegen so von Stufe zu Stufe bis die B.e von Rom, Alexandrien, Antiochien und Constantinopel die ganze christliche Kirche beherrschten. Der B. von Rom besiegte auch seine drei Genossen und indem er sie und alle andern Kirchenvorstände mit Hülfe der weltlichen Macht unterjochte und sich zum Oberherrscher aufwarf, entstand das Papstthum. Das Amt des B.s wurde demungeachtet beibehalten und bezeichnete nun den Oberaufseher in kirchlichen Dingen über gewisse größre Kreise, die Diöcese oder Bisthum heißen. Der B. wurde anfangs von der Gemeinde erwählt, dann vom Papste ernannt, später wieder von der höhern Geistlichkeit des betreffenden Kreises erwählt; er hat einen Theil der päpstlichen Oberherrschaft über die Kirche auszuüben, ist aber dem Papste unbedingt unterworfen. Als Gehülfen des B. ist der Coadjutor — sogar oft mit dem Rechte der Nachfolge ohne Wahl — und der Weih-B. eingesetzt. Auch für die Länder, in welchen das Christenthum wieder verdrängt wurde, ernennt der Papst noch B.e mit dem besondern Zusatze in partibus infidelium (in abgefallenen ungetreuen Landestheilen). Auch die protestantische Kirche hat den Titel B. entweder beibehalten oder wieder eingeführt. Aber die Stellung ist zu einem bloßen Titel und einem sehr beschränkten Aufsichtsrecht über Kirche und Geistlichkeit gesunken, der B. wird von der weltlichen Macht eingesetzt und ist ihr unbedingt unterthan. Nach der Reformation, wo die kirchliche Macht thatsächlich an die weltlichen Landesherren überging, nannten diese sich Landes-B., eine Benennung, welche zum Theil selbst in den neuesten Verfassungen beibehalten worden ist.

Bischöfliche Kirche, s. Anglikanische Kirche.

Bisthum, s. Bischof.

Bittschriften (Petitionen) heißen die Eingaben der Staatsangehörigen an die Regierungen oder Landesvertretungen, in welchen sie um Abhülfe von Uebelständen, oder Erlassung neuer nothwendiger Gesetze, oder Abänderung der bestehenden u. s. w. bitten; also sind die B. verschieden sowohl von der Adresse (s. d.) als von den Beschwerden (s. d.). Sie werden vielfach von Einzelnen, von Körperschaften oder auch von einer unbestimmten Menge eingereicht, und im letztern Falle dienen die B. zugleich als Demonstrationen (s. d.), oder als Gradmesser der politischen Steigerung. Wenn eine B. oft und mit einer steigenden Zahl von Unterschriften wiederkehrt, so ist dies ein Zeichen, daß das Volk mehr und mehr von der Nothwendigkeit der Gewährung seiner Bitte durchdrungen ist. In Staaten, wo die Verfassung eine Wahrheit ist, pflegt den B., wenn sie eine beachtenswerthe Ausdehnung gefunden haben, die Gewährung bald zu folgen, wie in England bei der Emancipation der Katholiken, der Parlamentsreform, der Abschaffung der Getreidegesetze u. s. w. Auch die Volkscharte, die vor einigen Jahren schon mit einer Million Unterschriften vom Parlamente verlangt wurde, jetzt aber für den Augenblick wieder in den Hintergrund gedrängt ist, wird in dieser Weise errungen werden. In Staaten, wo die Verfassung mehr Schein als Wahrheit ist, wenigstens nur einseitig im Interesse der Machthaber ausgebeutet wird, sucht man B. nach Kräften zu verhindern und zu erschweren, und erscheinen sie dennoch, so stellt man sich an, als lege man gar keinen Werth auf dieselben. Haben sie aus Ursache der gesetzlichen und polizeilichen Hindernisse wenig Unterschriften, so sagt man: „Diese wenigen Stimmen vertreten die Wünsche des Vols nicht," haben sie viele Unterschriften, so heißt es: „Diese Unterschriften seien fabrikmäßig zusammengebracht, sie seien gepreßt worden." Reichen die Bürger in bunter Menge B. ein, so behauptet man: „Die Massen entscheiden nichts; wenn die Vertreter, die Stadtverordneten, die Gebildetern nicht kommen, haben die B. kein moralisches Gewicht." Kommen aber endlich auch diese, so heißt es: „Sie vertreten in dieser Beziehung das Volk nicht!" Kurz, man strebt stets die Bedeutung der B. herabzudrücken, beweist aber durch die Stätigkeit, Emsigkeit und traurige Consequenzlosigkeit dieses Bestrebens, wie gewaltig die B. wirken, wie sehr sie den Herren, gegen welche sie sich richten, unangenehm sind. Möge das Volk die Gewalt der B. aus der scheinbar verächtlichen Behandlung die ihnen zu Theil wird, erkennen und unermüdlich B. in immer größerer Anzahl und immer entschiednerem Tone einreichen, bis seine gerechten Bitten befriedigt sind. Die Frage nun, ob das Volk das Recht habe, B. einzureichen (Petitionsrecht) ist auf dem Standpunkte des Naturrechts sehr bald entschieden. Es giebt kein einfacheres, natürlicheres und nothwendigeres Recht als dieses; es giebt nichts Widersinnigeres, als daß ein Volk an die Regierung oder Landesvertretung, die seinetwegen da sind, die es bezahlen und erhalten muß, nicht die Bitten und dasjenige soll richten dürfen, was ihm Bedürfniß ist, oder scheint. Aber

> Vom Rechte, das mit uns geboren ist,
> Davon ist leider nirgendwo die Rede,

sagt Göthe. Zwar enthalten alle wirklich freien Verfassungen dieses Recht der B. ausdrücklich, und freie Völker sehen in demselben die Schutzwehr und Sicherung ihrer Verfassungsfreiheit. Allein es giebt auch Verfassungen, in welchen dieses Recht nicht anerkannt ist, es giebt noch mehr Staaten, in denen es zwar wörtlich anerkannt ist, in der Wirklichkeit aber überall geschmälert und dessen Ausübung verhindert wird.

Betrachten wir zunächst Deutschland, so sehen wir vor allem das Recht der Stände, B. an den Landesherrn zu bringen, wesentlich beeinträchtigt dadurch, daß die Verwilligung der Steuern ihnen nur zur Hälfte gelassen ist, indem sie keine allgemeine Steuerverweigerung vornehmen, auch keine Bedingungen an die Bewilligung knüpfen dürfen. Die alten Stände knüpften ihre Bewilligungen ausdrücklich an die Erledigung ihrer desideria und Gravamina (Wünsche und Beschwerden) und beides stand und fiel miteinander. Eine sehr bedeutende Schmälerung liegt auch darin, daß man die Vertretung künstlich getrennt und zwei Theile geschaffen hat, die nach ihrer Wahl, ihrer Zusammensetzung, ihren Persönlichkeiten und Interessen durchaus verschieden sind, demungeachtet aber in vielen Verfassungen B. an den Landesherrn nur dann gelangen läßt, wenn sie in beiden Theilen (Kammern) eine Mehrheit erlangt haben. Ja, die neuste sogenannte Verfassung, das preuß. Patent vom 3. Febr. 1847 verlangt sogar zwei Dritttheile in beiden Kammern, worüber unter Abstimmung das Nähere. Die Staatsangehörigen haben nach den meisten Verfassungen ebenfalls das Recht, B. und Beschwerden an den Landesherrn oder die Vertretung zu bringen; allein hier hat man den Ausweg getroffen, daß nur Einzelne, nicht Gesammtheiten, B. einreichen dürfen, wodurch der Werth des Rechtes rein verloren geht, da es der überwiegenden Mehrzahl an Fähigkeit, Lust, Zeit und Geld fehlt, B. auf eigne Faust einzusenden; dort hat man durch das engherzigste Wahlgesetz die große Mehrzahl von der städtischen (wie von der Landes-) Vertretung ausgeschlossen und dann der bevorzugten Vertretung, die vielfach das entgegengesetzte Interesse der Mehrzahl hat, das Recht, B. einzureichen allein zugeschoben; noch wo anders hat man diese Beschränkungen nicht, verbietet aber mittelst der Bundesbeschlüsse (s. Ausnahmegesetze) alle Versammlungen und alle öffentlichen politischen Reden, und macht es so unmöglich, der minder gebildeten Menge zu sagen, worum es sich eigentlich handelt. Also überall

Ein Recht, geschrieben auf Papier,
Doch nirgend ausübbar im Leben.

Endlich haben die Deutschen auch noch das Recht, sich beim Bundestage über Verweigerung oder Nichterfüllung der bundesmäßigen Rechte zu beschweren, oder B. bei ihm einzureichen. Aber von den westphälischen Domänenkäufern an, bis zu den Hannoveranern und Schleswig-Holsteinern hat noch Niemand Ursache gehabt, sich eines Erfolges dieses Rechts zu erfreuen, und das Vertrauen auf den Bund ist so gering, daß aus den Ländern, in welchen das wichtigste Bundesrecht, eine ständische Verfassung noch gar nicht eingeführt ist, nicht einmal B. an denselben gelangt sind. Eine Incompetenzerklärung des Bundestags konnte jeder Denkende sich selbst geben, ehe der Bund sie aussprach. Ist nun dieses thatsächliche Verhältniß auf jedem Gebiete des Rechts der B. sehr traurig und entmuthigend, so liegt in dem Streben, B. fern zu halten, zugleich doch auch eine Anerkennung ihrer Bedeutung und Macht, und diese Anerkennung muß jeden Mann des Fortschritts anspornen, selbst unter den schwierigsten Verhältnissen und größten Hemmungen fort und fort B. einzureichen, bis durch die unermüdliche Ausübung des beschränkten Rechts, das ganze ungeschmälerte Recht errungen ist.   R. B.

Bivouacq, das fast ausschließlich übliche Fremdwort für unser gutes deutsches Beiwacht, d. h. ein Lager auf freiem Felde. Das B. wird nur unmittelbar vor oder nach einem Gefechte bezogen, wo das Heer jeden Augenblick bei der Hand sein muß. Dem Gesundheitszustande des Heeres ist es sehr verderblich, selbst wenn es an trocknen Orten gewählt werden kann.

Blanco (in blanco) ist ein üblicher kaufmännischer Ausdruck, welcher bezeichnet, daß in einem Wechsel, Anweisung u. s. w. der Raum leer — weiß — gelassen ist, wo die Summe stehen soll, so daß ein Dritter sie auszufüllen den Auftrag hat. In B. stehen, heißt Wechsel eines Andern annehmen, ohne den Werthbetrag von diesem zu haben. In B. endossiren heißt einen Wechsel auf der Rückseite unterschreiben und den Raum frei lassen, auf welchem derselbe einem andern überwiesen werden soll.

Blanquet, s. Vollmacht.

Blasphemie, s. Gotteslästerung.

Blattern, s. ansteckende Krankheiten und Gesundheitspolizei.

Blaustrumpf ist ein altes deutsches Schimpfwort und bezeichnet Ohrenbläser, Zuträger und Angeber. Es rührt daher, daß sonst die Gerichtsdiener vielfach blaue Strümpfe trugen, auch große Herren, die sich solche Leute hielten, sie also kleideten. Wenn doch heute dieses unheilvolle Geschlecht noch blaue Strümpfe tragen müßte! es würde manches Unangenehme und Belästigende, manche Zurücksetzung eines braven Mannes, manche Verstimmung erweckende Handlung der Vielregiererei vermieden werden. In England heißen gelehrte und schriftstellernde Frauen B.

Blenden oder Blindmachen war eine Strafe des Alterthums, die entweder durch das grausame Ausreißen oder Ausstechen der Augen, oder durch Vorhalten einer glühenden Metallplatte, die das Auge verzehrte, bewirkt wurde. Unsere Vorfahren übten die Strafe nur bei Meineid und Verrätherei aus; doch wurden nach der peinl. Halsgerichtsordnung auch Falschmünzer geblendet. Jetzt üben nur noch gewisse amtliche und halbamtliche Blätter dieses Geschäft, indem sie das Volk so b., daß es sehen soll, was kein gesundes Auge sehen kann. Zur Strafe für diese Grausamkeit sind aber auch diese Blätter geblendet, und sehen, was sonst kein Mensch im Lande gewahr wird, z. B. allgemeine Zufriedenheit, Blüthe, Wohlstand, Liebe, Verehrung, zuweilen allgemeinen Jubel, Glück u. s. w.

Blindenanstalten sind ein unentbehrlicher Zweig der öffentlichen Wohlthätigkeitsanstalten (s. d.). Wenn auch größern Gemeinden die Sorge für die Blinden, wie für andre Unglückliche und Hülflose zu überlassen ist, so wird doch der Staat ebensowohl über die Erfüllung dieser Pflicht wachen, als kleinere Gemeinden zur gemeinschaftlichen Gründung von B., die die Kräfte der Einzelnen übersteigen, anhalten, oder wenn dies unmöglich ist, selbst B. gründen müssen. Außer der Heilung und, wenn diese nicht möglich ist, Verpflegung der Blinden, ist eine Hauptaufgabe der B. die Belehrung der Blindgeborenen, um sie, wenn auch nicht zu selbstständigen Gliedern der Gesellschaft, doch fähig zu machen, sich und Andern nützlich zu werden und durch Arbeit ihr hartes Loos zu mildern. Die Wissenschaft hat die Möglichkeit entdeckt, den Blinden eine Art Lesen, Schreiben und Rechnen zu lehren, auch ihnen die Fähigkeit zu einigen Handarbeiten zu verleihen. Jedenfalls würde also der Staat für tüchtige Lehrer in diesem Fache Sorge tragen müssen, da die Ausbildung und Herbeischaffung derselben wohl nicht Aufgabe der einzelnen Gemeinden sein kann.   v. L.

Blitzableiter, s. Feuerpolizei.

Blokade heißt die besondere Art der Belagerung (s. d.), durch welche man einer Festung durch enges Einschließen jede Zufuhr abschneidet, um sie durch Mangel zur Uebergabe zu zwingen. Besonders im Seekriege kommt die B. feindlicher Häfen vor, welche durch einige davor gelegte Kriegsschiffe bewirkt wird, die nicht allein allen Verkehr abschneiden, sondern auch alle Schiffe, welche aus einem solchen Hafen kommen oder dahin wollen, vernichten oder wegnehmen, wenn sie auch einem nicht kriegführenden Volke angehören.

Blutbann. Das Recht, Gericht zu halten, über Leben und Tod zu sprechen, Blut zu verletzen, s. Bann.

Blutfahne. Eine rothe Fahne, welche sonst vom Kaiser demjenigen als äußeres Zeichen gegeben wurde, welcher das Recht des Blutbanns erhielt.

Blutgeld nannte man im Mittelalter das Geld, durch welches ein Mörder sich bei den Verwandten des Erschlagenen von der Blutrache (s. d.) loskaufte. In England hieß B. die Bezahlung, welche diejenigen erhielten, die einen Verbrecher anzeigten, oder gegen ihn zeugten; dieses B. hat zu den schändlichsten Verbrechen, falschen

Angebereien u. s. w. geführt. 1813 zahlte England noch 18000 Pf. St. (125000 Thlr.) B. 1818 ward das B. abgeschafft, nur für die Anzeige von Falschmünzern blieb es zur Schande unsrer Zeit bestehen. B. nennt man endlich jedes der Armuth und Noth erpreßte Geld und die mannigfachen Steuern, besonders die indirecten, mit welchen selbst die bitterste Armuth belastet ist, darf man wohl B. nennen.

Blutgericht soviel wie Blutbann, s. d.

Blutige Hand soviel wie Blutbann, s. d.

Blutrache. Eine barbarische Sitte der Vorzeit, nach welcher ein Mörder den Verwandten des Gemordeten verfallen war, die eine Pflicht zu erfüllen und ihrem Todten Ruhe zu verschaffen meinten, wenn sie den Mörder mordeten, dessen Verwandte dann wieder die B. übten. Jetzt kommt die B. fast nur noch bei wilden Völkern vor, doch wird sie selbst in Sardinien und in Corsika zuweilen und heimlich noch geübt, wo sie früher Tausende von Opfern dahingerafft hat, jetzt aber als ein Verbrechen verfolgt und bestraft wird.

Blutrichter. Ein Richter, welcher den Blutbann ausübte. In den wälschen Kantonen der Schweiz heißen die Criminalrichter noch B.

Blutschande heißt die Ehe oder fleischliche Vermischung zwischen Blutsverwandten, d. h. zwischen Vater und Tochter, Bruder und Schwester u. s. w. Sonst galt die Ehe und Vermischung zwischen Geschwisterkindern, Oheim und Nichte u. s. w. sogar für B. und wurde mit dem Tode bestraft; jetzt wird nur die erstere Gattung noch als Verbrechen betrachtet. Das Naturrecht kennt von diesem Verbrechen nichts, weil die Verbindung keineswegs gegen die Natur ist; auch war in Griechenland in mehrern Staaten die Verbindung von Bruder und Schwester erlaubt. Erst die Religion hat den fleischlichen Umgang unter Blutsverwandten zum Verbrechen gemacht; auch arbeitete das Papstthum sehr an der Ausdehnung des Begriffs B., um seine Erlaubniß zur Ehe unter Verwandten theuer verkaufen zu können. Ein Schicklichkeitsgefühl, welches fast allen Völkern alter und neuer Zeit innen wohnt, verbietet den fleischlichen Umgang unter nahen Verwandten und dieses, verbunden mit politischen Gründen, besonders der Sorge, die Gesellschaft durch eine fortwährende Vermischung des Blutes frisch zu erhalten und nicht in Familienabgrenzungen zerfallen zu lassen, gebieten dem Staate die B. zu verhindern, zu bestrafen; doch hat die Neuzeit sie auf die nächsten Verwandten beschränkt.   v. L.

Blutschöffen. Beisitzer des Blutrichters (s. d.).

Blutsfreundschaft (Blutsverwandtschaft) heißt die aus demselben Blute, derselben Zeugung entsprossene Verwandtschaft, also Aeltern und Kinder, Brüder und Schwestern u. s. w.

Blutzehnt. Der zehnte Theil von allem jungen Vieh, von Milch und Wolle u. s. w., welches die Bauern ehedem oft an den Grundherrn zu liefern hatten.

Bodenkunde (Agronomie) heißt die Wissenschaft, welche die Zusammensetzung der Erde und aus der Prüfung ihrer Bestandtheile die beste Art dieselbe zu bearbeiten und zu benutzen nachweist. Die B. ist für die Landwirthschaft von großer Wichtigkeit und sollte mehr gepflegt und gelehrt werden, als es bis jetzt geschieht.

Bodenzins, s. Bäuerliche Lasten, Grundsteuern.

Bodmerei, ein auf die Ladung eines Schiffes oder auf dieses selbst gegebenes Darlehen, dessen Darleiher bei glücklicher Seefahrt die Prämie oder einen Theil des Gewinnes erhält, dagegen auch die Gefahren der Fahrt mit zu tragen hat.   A.

Bogenschützen waren eine wichtige Abtheilung der Heere des Alterthums, ehe das Pulver erfunden war. Sie waren mit Pfeilen und Bogen bewaffnet und finden sich fast bei allen Völkern. Schon als die Armbrust (eine Schußwaffe, in welcher sich Bogen und Gewehr seltsam vereinigen und die Bolzen an die Stelle der Pfeile treten) erfunden wurde, verminderten sie sich. Das Feuergewehr verdrängte sie gänzlich.

Bogomilen. Eine christliche Secte der griechischen Kirche im 11. und 12.

Jahrh., sogenannt wegen ihrem beständigem Gebete Bog milui! (Gott erbarme dich). Sie verwarfen alle Kirchengebräuche, haßten die Geistlichen und wollten Gott ohne alle Formen verehren. Der griech. Ableger Roms lebte aber blos von den Gebräuchen und Aeußerlichkeiten. Deßhalb wurden die B. 1118 als Ketzer verbrannt.

Bojar. Ein Krieger und freier Grundbesitzer im Slavischen, in Rußland aber der höchste Adel, der fast fürstliche Rechte ausübte. Verschiedene Verschwörungen und Auflehnungen der B.en gegen die Kaiser führten zu einem Kampfe, in welchem die Kaiser siegten und seit 1750 giebt es keine B.en mehr in Rußland. Nur in der Moldau und Wallachei giebt es deren noch, doch haben sie nicht die Macht, wie ehedem in Rußland, wenn sie auch Sitz und Stimme im Rath haben und die höchsten Staatsstellen einnehmen.

Bollandisten, s. Acten.

Bollwerk oder Bastion heißt ein vorspringender Festungswall, der in verschiedenen Formen erbaut, bestimmt ist, Kanonen zu bergen und die dieselben bedienende Mannschaft durch Brustwehren und dergl. zu schützen.

Bombardement heißt das Beschießen einer Festung, Stadt u. s. w. mit Mörsern, Haubitzen, Kanonen, glühenden Kugeln u. s. w. ohne vorherige Belagerung.

Bombardiere heißt die Mannschaft, welche die Mörser und Haubitzen bedient und handhabt.

Bombe. Eine hohle eiserne Kugel, die mit Pulver und Blei gefüllt ist, aus dem Mörser geschossen wird, beim Niederfallen sich entzündet und zerspringt, so daß sie weithin tödtend wirkt.

Bona fide (zu deutsch: in gutem Glauben). Es kommt in verschiedenen Rechtsverhältnissen, namentlich bei den Handlungen, die der Besitzer einer Sache, welcher nicht der Eigenthümer ist, vornimmt, viel darauf an, ob der Handelnde sich in der, für ihn subjectiv begründeten, aber an sich irrigen Meinung befunden habe, daß er ein Recht zu diesen Handlungen habe, oder ob er diese Handlungen mit dem Bewußtsein des Unrechts vorgenommen hat. Im erstern Falle sagt man: er sei in gutem Glauben (in bona fide), im letztern, er sei in bösem Glauben (in mala fide) gewesen, und der fremde Ausdruck ist der fast ausschließlich herrschende für die Bezeichnung solcher Fälle. *X.*

Bordell, s. Sittenpolizei.

Boten, s. Post.

Botschafter, s. Gesandter.

Bourgeois, Bourgeoisie, ist französisch, heißt wörtlich Bürger, Bürgerschaft, im Gegensatze zum Adel. Allein seit die Wissenschaft der Gesellschaft begonnen hat, die Denker zu fesseln, hat das Wort einen andern Sinn bekommen und man bezeichnet mit B. nur noch den berechtigten und vermögenden Bürger, denjenigen, dem der Staat allein die Vertretung zugewendet hat, der mit Leichtigkeit Geld gewinnen kann und dessen einziges Sinnen und Trachten dahin geht, Geld zu gewinnen; auf dem allein der dermalige Staat ruht, den er ausbeutet und der mit seiner ganzen Wucht wieder auf den untern Klassen liegt, um auf ihre Kosten und zu ihrem Nachtheile sich zu bereichern. Also der eigentliche franz. Geldadel unter Ranges, der Spießbürger, Krämer heißt B. und das Wort hat die Nebenbedeutung erhalten, daß es einen habsüchtigen, herzlosen, geistig vertrockneten, Alles seinem Vortheile opfernden Menschen bezeichnet. In diesem Sinne ist das Wort besonders durch die communistischen und socialistischen Schriften auch in Deutschland eingebürgert worden, obgleich der B. im Mittelstande bei uns noch zur Ausnahme, in Frankreich zur Regel gehört.

Boxen. Der Faustkampf der Engländer, ihr Volkszweikampf, der völlig die Stelle unsres unsinnigen Duells einnimmt, nach allen Regeln der Kunst, d. h. der Boxkunst gehandhabt wird und wenigstens das vor einem Waffenkampfe voraus hat, daß die frische Leidenschaft das B. gebiert und gewissermaßen entschuldigt, während unser Zweikampf mit ruhigem, kaltem Blute ausgeführt, entweder ein Kinderspiel mit scharfen Waffen, oder eine widerwärtig kalte Mordlust darstellt. Das B. wird auch als Kunst zur Volksbelustigung getrieben.

Böhmische Brüder. Eine Abart der Hussiten, die sich nach dem Kriege in Schlesien und Mähren sehr ausbreiteten. Sie waren äußerst friedlich, von musterhaftem Wandel, nahmen das Abendmahl in beiden Gestalten und hatten eine der ersten Christenzeit entsprechende Verfassung. Sie wurden vielfach verfolgt, nachmals in Masse vertrieben, so aus Mähren nach Polen, aus Polen nach Preußen, aus Preußen wieder nach Mähren und zerstreuten sich zuletzt oder wurden Protestanten. Nur in den Brudergemeinden (s. d.) hat sich eine Art B. erhalten.

Börse. Im Jahre 1530 öffnete der flandrische Kaufmann van der Burse zu Brügge sein Haus für tägliche Zusammenkünfte der Kaufleute und gab dadurch der B. den Namen, die bald in allen größern Handelsstädten zur Erleichterung des Geschäftsverkehrs eingerichtet, und zu bestimmten Stunden eröffnet wurde. An mancher B. ist es Gebrauch, den Anfang der Geschäftsstunde durch Läuten zu verkündigen, vor welchem Zeichen kein Geschäft abgeschlossen werden darf. Auf der B., deren Räume oft luxuriös eingerichtet und wohl auch mit Lese- und Bibliothekzimmer versehen sind, findet der Kaufmann außer den Handelsberichten eine Ausstellung der Waarenproben, die am Platze verkauft werden sollen. Außerdem sind zur Erleichterung des Geschäftsverkehrs vereidete Mäkler angestellt, welche zur Vermittlung der Handelsgeschäfte gebraucht werden und bei ihrem amtlichen Charakter gleichsam als kaufmännische Notare gelten. Der Staat hat mit der B. in der Regel nichts zu thun. Sie wird, sobald es die Nothwendigkeit erfordert, von der Kaufmannschaft eingerichtet und verwaltet, und empfängt höchstens die auf diplomatischem Wege eingehenden Handelsnachrichten durch amtliche Mittheilung. — Erst in der neuesten Zeit hat die B. eine allgemeine Theilnahme in Anspruch genommen, indem sie nicht nur maßgebend für die Geld- und Waarenzinse wurde, sondern auch die schwindelnde Speculation sich dort einnistete, welche die B. zum Hazardsaal gemacht und dem Glücke die Pistole auf die Brust setzte. Seitdem an der B. ein großer Theil des beweglichen Capitals zusammenströmt und von dort aus bewegt wird, seitdem selbst der Privatmann auf schlüpfrigen Boden zu betreten wagte, ist sie zur Macht geworden, und ihre Versammlungen sind oft nicht weniger folgenreich, als die der Minister und Kammern. Wenn die Macht des Capitals, die geldgewordene Intelligenz eines Volkes sich der Macht des Staates gegenüber stellt und eine Mündigkeitserklärung verlangt, so ist das ein natürlicher und ruhiger Entwickelungsgang des Fahrnißstaates, der Geltung des beweglichen Gutes. Daß oft um die allmächtige B. ein verarmter Mittelstand und ein wachsendes Proletariat jammert, welches eine Genossenschaft aus den unglücklichen Schülern der B. vermehrt, ist wahr; allein diese Ausartung verschuldet die B. nicht, sie würde auch außer ihr gedeihen. Der eigentliche Beginn des B.nspiels in der Ausdehnung der Gegenwart, schreibt sich von der Zeit her, wo der Privatmann, verlockt durch die Aussicht eines schnell erwerblichen Reichthums, seine Capitalien der Industrie und dem Ackerbau entzog, um im Actienhandel sein Glück zu versuchen (s. Actienhandel). Diese Theilnahme wurde allerdings in doppelter Hinsicht verderblich. Sie schmälerte durch Capitalentziehung den Flor des Ackerbaues und der Industrie, schuf Arbeitslosigkeit, während die Creditpreise stiegen, und vermehrte den ungeheuren Wachsthum der großen Capitalien, welche durch ihren natürlichen Einfluß die Gesellschaft immer schärfer in arm und reich spalten und sie der Herrschaft einer Geldaristokratie entgegen führen. Der Staat, zur Beschränkung des B.spiels vielfach angegangen, hielt sich nicht berechtigt, der freien Verwendung des Eigenthums im Handel und der Speculation, so lange dieselbe in den gesetzlichen Grenzen, entgegen zu treten. In der That können auch Beschränkungen hier nicht wohlthätig wirken. Wenn wir auf dem Wege der Beschränkungen und Beengungen bis zum Abgrunde der Gegenwart gelangt sind — kann nur die Freiheit den Geldstrom in sein natürliches Bett zurückführen. Nur die durch vollständige Handelsfreiheit ermöglichte fessellose Bewegung des Capitals, die Unmöglichkeit künstlicher Anstauungen kann das goldene Herzblut der Gesellschaft wieder gesund und gleichmäßig fließend machen. — Ueber die Formen des B.handels ist unter Aktienhandel ausführlich gesprochen. Zur Theilnahme am B.spiel gehört übrigens durchaus nicht blos gutes Glück, sondern große Geschäftskenntniß, Umsicht und Verbindungsgabe. *Bertholdi.*

Börsenspiel, f. Actienhandel.

Böttingsgericht ist ein Beiname für das höchste Seegericht.

Brabançonne. Ein Volksgesang der Belgier, der 1830 von dem Schauspieler Jeuneval gedichtet wurde und in der belgischen Staatsumwälzung die Stelle der Marseillaise vertrat. Die B. ist wirklich ein begeisterndes Lied.

Bramanen oder **Braminen** heißt die vornehmste Kaste der Indier, die vom Gott Brama abzustammen vorgiebt, allein Priester — d. h. einflußreich im Staate werden kann und ihre Zeit mit Nichtsthun und Geldverschwenden zubringt, welches sie vom armen Volke in der Vorzeit erpreßt, und aus dem Alleinbesitz aller Güter und Vorzüge erbeutet hat. Der Adel ist bald überall derselbe!

Brandbrief, schriftliche Drohungen mit Brandstiftung, welche von Bösewichtern nicht selten ausgestreut werden, um dadurch eine, in dem B. in der Regel ausdrücklich bezeichnete Gewährung einer Summe Geldes oder einer Bewilligung anderer Art zu erlangen. Das Auswerfen von B. fällt unter die Strafbestimmungen wegen gefährlicher Drohungen.

Brander heißt ein mit den brennbarsten Gegenständen angefülltes Schiff, welches im Seekriege unter die feindlichen Schiffe getrieben, oder wenn es geschehen kann daran befestigt und dann angezündet wird. Waren auch die B. schon im 12. Jahrh. bekannt, so sind sie eigentlich im griechischen Befreiungskampfe erst berühmt geworden, wo B. mit wunderbarer Kühnheit und Schlauheit unter die türkischen Schiffe gebracht wurden und unermeßlichen Schaden anrichteten.

Brandmarkung, eine früher häufige, jetzt fast überall abgeschaffte Strafe, wobei dem Verbrecher ein Zeichen, oder Buchstabe auf dem Gesicht, dem Arm, die Schulter u. s. w. eingebrannt ward. Man hat diese, auch den Rest von Ehrgefühl im Verbrecher tödtende Strafe mit Recht längst verworfen.

Brandschatzung nennt man die Kriegssteuer, welche feindliche Heere oft einer eroberten Stadt oder Provinz auferlegen und ihr dagegen Ruhe und friedlichen Genuß ihres Eigenthums verheißen. Die B. rührt aus den barbarischen Zeiten her, wo es noch üblich war, ein erobertes Land zu verwüsten, eroberte Städte zu verbrennen. Jetzt ist sie nicht mehr üblich, man richtet die Länder im Kriege jetzt nicht mehr augenblicklich und vorübergehend durch eine hohe Steuer, sondern dauernd, nachhaltig und gründlich zu Grunde, indem man sie auspreßt wie eine Citrone.

Brandstiftung, die vorsätzliche Anzündung einer fremden (in der Regel einer unbeweglichen) Sache mit Gefahr für das Eigenthum und Leben Anderer. Die B. ist eines der schwersten, aber auch gefährlichsten Verbrechen, welches früher mit den grausamsten Todesstrafen, jetzt aber auch theilweise noch mit Todesstrafe, theils mit schweren, den Strafen des Raubes und Mordes ähnlichen Strafen belegt wird.

Brandversicherung, f. Versicherung.

Branntweinbrennereiverbote. Die Brantweinbrennerein haben, seitdem sie nach Einführung der Kartoffelverwendung landwirthschaftliche Gewerbszweige geworden, auf die Hebung des Ackerbaus einen wesentlich wohlthätigen Einfluß geübt, und durch Abschaffung der bezopften Dreifelderwirthschaft und die dadurch ermöglichte Stallfütterung ein bisher neues, großartigeres und ergiebigeres Wirthschaftssystem erschaffen. Abgesehen von dem Zuwachs des Nationalreichthums durch dauernde Mehrerzeugung, wirkt der Brennereibetrieb noch wohlthätig, indem durch Ausdehnung des Kartoffel-

haus und den überhaupt lebhaftern Wirthschaftsbetrieb eine bedeutend größere Arbeiterzahl beschäftigt wird. Trotz dieses wohlthätigen Einflusses wurde gerade dieses Gewerbe vom Staat einer hohen und unbilligen Steuer unterworfen. Man schob dabei
sittliche Bedenken vor und berief sich auf die zerstörenden Folgen des wohlfeilen Brantweins für die Gesittung der Nation. Eine Fluth von Stoßseufzern verbreitete er in
Flugschriften und Zeitungen gegen die umsichgreifende Brantweinpest, aber die weisen
Mäßigkeitsprediger dachten nicht daran, daß dem übermäßigen Brantweingenuß tiefere
Ursachen zum Grunde liegen. Die Engländer haben den Brantwein mit einem sehr
bezeichnenden Ausdruck „Hungerpuder" genannt; sie bezeichnen ihn dadurch als das
letzte Mittel, Hunger und Sorge, die Begleiter eines arbeitslosen Proletariats, im
Rausch zu vergessen, und die Erfahrung hat bewiesen, daß bei armen kaum für die
Nothdurft erzeugenden Völkern, wie z. B. in Irland, der Verbrauch des Brantweins
am stärksten ist. Der übermäßige Branntweingenuß erscheint also nicht als Folge des
wachsenden Brennereibetriebes, sondern als Folge des wachsenden Elends durch einen
verfehlten Entwickelungsgang der Gesellschaft, und diejenigen, welche der angeblichen
Brantweinpest durch Beschränkung und Ueberlastung der Brennerei abhelfen wollen,
sind nicht klüger als der Quacksalber, welcher einen Beinbruch durch ein äußerliches
Pflaster heilen will. Wenn in der neusten Zeit das Brennereiwesen eine Ausdehnung
erhielt, die durch den übertriebenen Kartoffelbau den erfahrnen Landwirth mit Besorgniß erfüllte, so findet man bei näherer Beleuchtung, daß diese Erscheinung die Folge
derselben Ursache ist, welche den häufigern Genuß des Branntweins im Proletariat
veranlaßte; dieselben Ursachen, welche dem Proletarier die Arbeit entzogen und den
Mittelstand ruinirten, nöthigen den Landwirth zu verdoppelten Anstrengungen zur Behauptung seiner Existenz. Eine erkünstelte Industrie entzog dem Ackerbau das nöthige
Capital wie die Arbeiter und zwang den wirthschaftenden Grundbesitzer zur Erschwingung eines ungewöhnlichen Zinsfußes die möglichst höchste Ausbeutung des Bodens
mit den geringsten Mitteln zu suchen. Das eben Gesagte möge zur Grundlage für
die Beantwortung der Frage dienen, ob der Staat berechtigt sei, in gewissen Fällen B. zu erlassen? Es giebt nur zwei Fälle, unter welchen die Möglichkeit eines solchen Verbotes denkbar erscheint: 1) sittliche Nothwendigkeit,
d. h. zunehmende Entsittlichung durch den Branntweingenuß; 2) materielle Nothwendigkeit, welche zur Zeit eines allgemeinen Nothstandes die Verwendung der
Kartoffeln zum Branntwein untersagt, um dadurch eine größere Masse wohlfeiler
Nahrungsmittel zu gewinnen. Die Berechtigung des Staates für den ersten Fall so
wie die Nützlichkeit des völlig unbefugten Zwanges ist schon durch das oben Gesagte
verneint. Ein Volk, das durch hinreichenden Erwerb seine Bedürfnisse in einem Grade von Wohlhäbigkeit zu befriedigen im Stande ist, wird nie zur Schnapsflasche
greifen. Nur der Hunger sucht die Betäubung, und nicht Spiritusfässer, sondern die
Hungerquellen müssen verstopft werden. Der 2. Fall hat für den ersten Blick einen
bestechenden Anschein von Räthlichkeit. Die bleichen Gesichter sehen uns flehend
an und wenden sich an unsre Menschlichkeit. Wenn mehrere Staaten bei dem Nothstand des vergangnen Jahres sich durch ähnliche Rücksichten zu einem solchen Verbot
verleiten ließen, so können wir doch dies ebenso wenig vom menschlichen als vom
rechtlichen Standpunkt aus billigen. Denn 1) ist das Verbot eine Beeinträchtigung
der Rechte eines Gewerbes, für dessen Ausübung die Verpflichtung gegen den Staat
durch einen furchtbar hohen Steuersatz bisher erfüllt wurde; 2) beeinträchtigt es das
Dasein aller Derjenigen, die bei der Ausübung des verbotenen Gewerbes bisher ihren
Unterhalt fanden; es beeinträchtigt also nicht allein die Rechte einer großen Anzahl
von Staatsbürgern, deren Wirthschaftssystem nur auf der Grundlage des Brennereibetriebs besteht, sondern richtet sie geradezu zu Grunde. Wenn dem Staat die Berechtigung zusteht, für ungewöhnliche, die allgemeine Wohlfahrt bedrohende Ereignisse,
ungewöhnliche Maßregeln zu ergreifen, so muß die möglichste Hilfsfähigkeit und die

geringste Beeinträchtigung der Rechte Dritter dabei vor allen berücksichtigt werden.
Angenommen, daß durch die Maßregel eines B. Abhilfe eines außergewöhnlichen Nothstandes wirklich erzielt würde, was übrigens nicht erreicht worden ist, so fragt es sich
immer noch, ob die Nachtheile der Maßregel nicht die Vortheile überwiegen. Abgesehn
von dem sittlichen Nachtheil jeder Rechtsverletzung, veranlaßt ein B. nicht allein eine
Störung des Wirthschaftsbetriebes, sondern einen oft Jahre lang nachwirkenden Uebelstand, der vom rechtlichen wie vom staatswirthlichen Gesichtspunkte aus nicht gebilligt
werden kann. Wenn durch den ermäßigten Kartoffelpreis die Noth für den Augenblick gemildert wird, so wird sie durch den herabgesetzten Wirthschaftsbetrieb dauernd
erzeugt. Die gewaltsame Preisermäßigung der Kartoffeln, erhöht den Preis andrer
nicht weniger unentbehrlicher Nahrungsmittel; dem B. folgen nothwendig enorme
Fleischpreise; dem Boden wird der Dünger und damit die Fruchtbarkeit entzogen, endlich wird die Zufuhr, die sich genau nach dem Verbrauch richtet und in Nothzeiten
der sicherste Rettungsanker ist, geradezu abgeschnitten. Kurz die großen dauernden
Nachtheile überwiegen allseitig die kleinen augenblicklichen Vortheile. Der Staat
hat die Verpflichtung einer weisen Vorsorge gegen die allgemeine Wohlfahrt bedrohende Ereignisse, aber nicht die Berechtigung die Folgen seiner Unvorsichtigkeit, Nachlässigkeit oder Ungeschicklichkeit durch gewaltsame Eingriffe in die Rechte Dritter zu
beseitigen, selbst nicht unter dem Vorwande zugleich sittliche Zwecke zu verfolgen.

Bertholdi.

Branntweinpolizei ist eines Theils ein Zweig der Sittenpolizei, und hat als
solcher den Mißbrauch des Verkaufs spirituoser Getränke zu überwachen, andern Theils
ein Zweig der Gesundheitspolizei, um die Versetzung des Branntweins und andrer
spirituoser Getränke mit schädlichen Stoffen zu verhindern. Leider wird sie besonders
in letzterer Beziehung sehr nachlässig gehandhabt. **B.**

Brautlauf, s. Bedemund.

Brautschatz. Das Gut, welches eine Braut dem Bräutigam zubringt; es
heißt auch Ausfertigung, Ausstattung, Aussteuer, Brautwagen, Heirathsguth, Mitgift
u. s. w. Der B. bleibt trotz der Gütergemeinschaft der Eheleute Eigenthum der Frau
und kommt bei einem Concurse, beim Tode des Mannes u. s. w. der Frau ungeschmälert zu gute, während später eingebrachtes Vermögen als unbedingt gemeinschaftliches betrachtet wird.

Brautwagen, s. Brautschatz.

Breve. Eine päpstliche Anordnung in Kirchensachen, welche ohne Zustimmung
der Cardinäle und ohne Titel und Gepränge erlassen wird.

Brevier. Ein lateinisches Gebetbuch, in welchem die Messe und andere Gebete
der römischen Kirche vorgeschrieben sind. Die Geistlichen müssen alle Tage eine Anzahl Gebete aus dem B. ablesen; da das Buch die unsinnigsten Heiligen- und Wun-
dergeschichten enthält, kann man sich denken, wie groß die Andacht ist.

Briefadel, s. Adel.

Brieferbrechung, s. Briefgeheimniß.

Briefgeheimniß. Es giebt Dinge, die sich so ganz von selbst verstehen, daß
jedes Wort zu ihrer Vertheidigung überflüssig ist. So ist es mit dem B. Treu
und Glauben, auf denen aller bürgerlichen Verhältnisse, aller Verkehr unter den Menschen beruht, erheischen, daß ich geheime vertrauliche Mittheilungen, Gedanken Anderer
nicht in die Oeffentlichkeit bringen, geschweige denn in fremde Geheimnisse eindringen,
unbefugter Weise sie mir aneignen und Gebrauch davon machen darf. Um wie viel
mehr muß eine öffentliche Anstalt wie die Post verpflichtet sein, die ihr im Vertrauen
auf ihre Rechtlichkeit und Zuverlässigkeit und auf die Gesetze und öffentlichen Erklä-

rungen des Staates übergebenen unter Siegel gelegten Geheimnisse — Brieffchaften und Effekten — vor jeder Verletzung, Erbrechung Unterschlagung u. f. w. zu wahren? In der That, die Heiligkeit des B.s, die Unverletzbarkeit der der Post anvertrauten Briefe ist von der öffentlichen Moral so allgemein anerkannt, jede Verletzung dieses Geheimnisses, jede Erbrechung der Briefe auf der Post als ein Bruch öffentlicher Treue und öffentlichen Glaubens, als eine Missethat gegen das öffentliche Vertrauen so allgemein geächtet, daß man selbst da, wo man das Brieferbrechen treibt, sich mindestens schämt, es öffentlich einzugestehen und eine besondere Kunst erfunden hat, die Erbrechung, die im Geheimen stattgefunden, zu verbergen. In früherer Zeit wurde das B. oft verletzt — theils gegen die eigenen „Unterthanen", indem man die Spionerie und geheime Polizei so weit trieb, daß man die von mißliebigen und anrüchigen Personen geschriebenen, oder an sie gerichteten Briefe öffnete (und entweder ganz unterschlug, oder auch wieder schloß und dann so abgab), um ihre Stimmung, ihre Gedanken, auszuspähen und wo möglich einen Anhaltepunkt zum Verdacht des Verdachts des Versuchs eines Verbrechensversuchs herauszufinden — theils auch gegen fremde Regierungen und ihre Gesandten, indem man — mitten im Frieden — deren Depeschen und Berichte erbrach, um jeden Athemzug der Politik verfolgen und für alle Wechselfälle sich rüsten zu können. Eine ehrliebende Regierung wird solche unwürdige, unmoralische Mittel jederzeit von der Hand weisen, der Despotismus sich freilich nie ein Gewissen daraus machen, sie anzuwenden, wenn sie ihm zu seinen Zwecken verhelfen können. Die Furcht, daß solche schwarze Cabinets, in denen das ehrbare Handwerk der Brieferbrechung getrieben ward, aller Sittlichkeit zum Hohne, allen Gesetzen zum Trotz immer noch fortbestehen, ist auch jetzt noch nicht in allen Ländern verschwunden. — Schließlich muß noch über die Verletzung des B.s in Criminalprozessen ein Wort gesagt werden. In Criminalprozessen, namentlich in politischen Prozessen, kommt es häufig vor, daß man die Wohnung des Angeschuldigten durchsuchen und seine Papiere und Briefschaften in Beschlag nehmen und durchstöbern läßt. Was man dann findet — Briefe von Kindern und Eltern, von Ehegatten und Verwandten, angefangene und vollendete Niederschriften, hingeworfene Gedanken, Skiz-
und benutzt es dann, um die
— Wahrheit zu entdecken. Auf diese Weise werden die heiligsten Familiengeheimnisse, Privatverhältnisse aller Art, die den Staat ganz und gar nichts angehen, auch ganz unverdächtiger dritter Personen, nur zu leicht entweiht, zumal, wenn diese Beschlagnahmen so ins Große getrieben werden, daß des Inquisiten Freund und Freundesfreund nicht davor sicher ist. Die weitere Folge davon ist die, daß nun Prozesse vorkommen, in denen der Natur des Inquisitionsverfahrens nach der Untersuchungsrichter
Wort eine Waffe gegen
20
die
gen des Menschen erspäht und
Prozesse in Deutschland ist reich
Beschlagnahme der Briefe und
nz aus der Reihe der criminal-
wenigstens nur von den Gerich-
nur in Fällen des bringendsten
Verdachts eines schweren Verbrechens verhängt, jedenfalls auch nicht weiter als auf die Papiere ausgedehnt werden, die durch sich selbst gleichfalls einen dringenden Verdacht begründen. **C. E. Cramer.**

Brigade. Eine Heerabtheilung von 2 Regimentern; oft werden auch kleinere Abtheilungen B. genannt.

Brochüre, f. Flugschrift.

Brodtaxe. Freiheit und Sicherheit des Eigenthums sind die ewigen

Grundlagen jeber Verfassung; sie können von ber Regierung beshalb nur in ge= setzlich bestimmten Fällen beschränkt unb ebenso nur unter gesetzlichen Formen gegen Entschäbigung aufgehoben werben. Als ein Eingriff in bie Eigenthumsrechte einer Klasse von Gewerbtreibenben würbe es aber angesehen werben müssen, wenn bie Regierung ober bie Gemeinbe burch ein Gesetz ben Preis bes Brobes, unter welchen Umständen bies auch geschehe, festitellen wollte, selbst für ben Fall, baß sie im Stanbe wäre, auch ben Getreibepreis burch eine Taxe zu bestimmen. Je= bes Erzeugniß ber Gewerbsthätigkeit gestattet bem Eigenthümer bie freie Verfügung über basselbe, eine Freiheit, welche bie Grunblage jebes geschäftlichen Verkehrs bilbet. Wenn man bei ber Forberung von B. ben Grundsatz geltenb gemacht hat, baß bas Brob als erstes unb nothwendigstes Nahrungsmittel nicht Gegenstanb ber Speculation sein bürfe, warum forbert man keine Getreibetaxe, ba boch gerabe in Zeiten ber Noth bie Speculation mit biesem Urbebürfnisse ins Maßlose geht, unb bie Tarforberung für bie Bäcker um so unbilliger erscheinen läßt, als biese beständig von ben täglichen Schwankungen bes Getreibehanbels abhängig bleiben? Will ber Staat ober bie Ge= meinbe bie Bäcker rechtlich für ihre Verluste entschäbigen, so wirb Niemanb etwas bagegen einzuwenben haben; will unb kann er bies nicht, so bleibt ihm zur Gewäh= rung wohlfeilen Brobes kein Ausweg als bie Aufhebung an unb für sich unzulässiger Verbrauchssteuern unb bie Anlegung von Staats= ober Gemeinbebäckereien, beren Ver= luste er selbst trägt, so wie ber Gesellschaft zur Anlage ähnlicher Anstalten bie Ver= pflichtung erwächst. Für bie Abwehr unstatthaften Hanbels mit Brob, sogenann= ten Wuchers, liegt bas sicherste Mittel ber Abhülfe in ber freien Concurrenz.

Bertholbt.

Broburtheil. Bei unsern Ureltern ein Reinigungsmittel: Hatte Jemanb ein Verbrechen begangen unb konnte nicht überführt, aber auch seine Unschulb nicht bewie= sen werben, so aß er ein Stück Brob, währenb er unb bie Umstehenben baten, Gott möge es ihm zum Verberben gereichen lassen, wenn er schulbig sei. Das B. war bie leichteste Art bes Gottesurtheils (s. b.).

Brobzeichen. Um Betrug mit Brob, burch Mangel an Gewicht, ober schlechte Mischung zu vermeiben, ober leicht zu entbecken, ist es an einigen Orten Sitte, baß bie Bäcker bem Brobe ein vorgeschriebenes Zeichen aufbrücken müssen, an welchem man sofort erkennt, wo bas Brob gebacken ist.

Brückenbauten, s. Bauwesen.

Brückenkopf. Eine zum Schutz einer wichtigen Brücke aufgeworfene Schanze, ober sonstige Befestigung, um bem Feinbe bie Wegnahme ber Brücke zu erschweren.

Brübergemeinben nennen sich bie Nachkommen ber böhmischen Brüber (s. b.), bie auch wegen ihres Stammortes, wo sie in Deutschlanb wieber auflebten, Herrn= huter hießen. Die Anhänger ber B. sinb Protestanten, nur mischen sie eine weich= lich mystische Schwärmerei bamit unb wollen ben Glauben fühlen unb genießen. Auch zeichnen sie sich burch einige sonberbare Gemeinbeeinrichtungen, wie Trennung ber Geschlechter vor ber Ehe in klosterartigen Wohnungen, Schließung ber Ehen burchs Loos unb besonbers burch äußere Sanftmuth, Dulbung unb unermeßliche Lang= weiligkeit aus.

Brüberschaft. 1) ein hoher Grab ber Freunbschaft, so baß bie Freunbe sich wie Brüber betrachten. 2) im Mittelalter ein ritterliches Bünbniß zu Schutz unb Trutz, welches baburch geschlossen wurbe, baß bie Ritter gegenseitig einige Tropfen ihres Blutes tranken. 3) fromme Vereine zu gemeinschaftlichen Anbachtsübungen unb gelegentlichen gemeinschaftlichen Gelagen. Diese Art B. bilbete Roms weltliche Armee, währenb bie Orben unb Klöster bie geistliche bilbeten, benn jebe B. stanb unb steht unter unmittelbarer Leitung ber Pfaffen. Die Zahl bieser B.en ist so unermeßlich, als ihre Verschiebenheit an Kleibern, Kennzeichen, Anbachtsübungen unb Gebräuchen, die mitunter entsetzlich lächerlich waren. Die B.en bestehen zwar noch, aber ein gebildeter Mann schämt sich, ihnen anzugehören, und so sind sie innerlich zerfallen.

Brustwehr. Eine Erhöhung von Erde oder Steinen, hinter welcher Soldaten und Geschütze vor dem feindlichen Feuer gedeckt sind.

Brutto: rein, ohne Abzug. Also B.-Einnahme, eine Einnahme ohne Abzug der Ausgabe; B.-Gewicht, ein Gewicht ohne Abzug der Einfassung und Verpackung u. s. w. Der Gegensatz ist Netto-Einnahme, Netto-Gewicht, wobei Ausgabe und Verpackung abgerechnet ist.

Buchdruckerkunst. Eine Erfindung, welche die Gestalt der Welt verändert hat; die das Bächlein des Wissens, welches trüb und vergessen durch die unheimlichen Hallen der Klöster floß, zu einem klaren breiten Strome umgeschaffen, in welchem sich alles Volk baden kann; welche die Massen, die durch die Erfindung des Pulvers der Willkühr der Mächtigen rettungslos Preis gegeben schienen, bewehrt hat, mit der Waffe des Geistes, mit welcher sie jedem Vernichtungskriege gegen ihr Recht und ihre Freiheit trotzen können — diese Erfindung ist auch für den Staat von unermeßlichster Wichtigkeit. Wie und wo diese Erfindung geschehen ist, welche Drangsale und Mühseligkeiten sie ihrem Erfinder, Johannes Guttenberg, bereitet, das gehört nicht hierher und mag in Geschichtsbüchern gelesen werden; wir haben nur zu betrachten, was sie ist. Aufklärung und Belehrung, die Mittel zur Bildung konnten ehedem durch das Wort und die Schrift verbreitet werden. Das Wort aber vermochte nur in einem sehr kleinen Kreise zu wirken und war auch in diesem fast eben so bald verschollen, als es verhallt war; die Schrift aber war zwar wirkungsreicher und dauernder, allein ihre äußerst langsame und künstliche Herstellung machte sie dem Volke unzugänglich. So war dieses, in seinen einzelnen Gliedern zum Thiere erniedrigt, unter die geistige Knechtschaft der Pfaffen und die weltliche des Adels rettungslos versunken. Die B. gab ihm Menschenwürde und Freiheit wieder, indem sie diese Begriffe zum Allgemeingut machte und die edlern menschlichen Kräfte wieder erweckte und zur Herrschaft brachte, die unter der übertriebenen und ausschließlichen Anstrengung der körperlichen schlummerten und stumpf geworden waren. Hat demnach die B. den Zustand der Gesellschaft völlig umgestaltet, so hat sie damit auch der gegenwärtigen Gestalt des Staats ihr Dasein gegeben, die Grundlagen geschaffen. Denn der Staat der Neuzeit ruht wesentlich auf der bewußten Theilnahme der Gesammtheit an seinem Wesen und Thun, während der Staat des Mittelalters — wenn man diesen Begriff überhaupt anwenden kann — auf der bewußten Theilnahme nur Weniger beruhte. Alle die ungeheure Masse von Fähigkeiten und Mitteln, die der Staat heute verbraucht, hat die B. ihm erst aufgeschlossen, hat ihn aus den Händen weniger unwilligen, eigennütziger und habsüchtiger Feudalherren befreit, in den weichen und willigen Schoß des Volkes gebettet. Die Einherrschaft (Monarchie) und Alleinherrschaft (s. d.) hat demnach der B. eben so viel zu danken als das Volk, denn sie war in der Zeit des Feudalübermuthes unmöglich und zu einem bloßen Schattenbilde herabgesunken. Allerdings mag nicht geleugnet werden, daß die B. auch ihren Untergang, d. h. ihre Umgestaltung zu den heutigen und vollkommnern Formen vorbereitete und nothwendig machte. Leider ist gerade sie gegen ihre Mutter und Schöpferin mit schnödem Undanke verfahren, hat im Vereine mit ihrem Todfeinde: dem Pfaffen und Adelsübermuthe die Entwicklung der B. gehemmt, und ist heute noch nicht freundlich gegen dieselbe gesinnt, indem sie die segensreichste Schöpfung des menschlichen Geistes mit Fesseln belegt, die ihre volle Entfaltung hemmen und zurückhalten, wie dies unter Censur näher zu sehen ist. Der vernünftigen, d. h. dem Bedürfnisse der auf der Zeit und des Volkes beruhenden Herrschaft ist die B. mit ihren Folgen nicht gefährlich, sondern sie ist ihr wesentlichstes Förderungsmittel. Sie hat das Menschengeschlecht veredelt, die Sitten gemildert, Gewaltthätigkeit und rohen Widerstand verbannt, Sitte und Recht zur Herrschaft gebracht, die Vernunft, den Menschengeist erhoben über jede Gewalt und unermeßliche Kräfte geweckt, die dem Staate alle willig zu Gebote stehen, wenn er sie anerkennt und zu benutzen weiß. R. B.

Buchhandel. Der besondere Zweig des Handels, welcher sich mit dem Vertrieb der Erzeugnisse der Buchdruckerkunst beschäftigt. Zwar ist der B. älter als die letztere; schon die Griechen und Römer kannten denselben, indem es Leute gab, die sich ein Geschäft daraus machten, sich Abschriften der Geisteswerke zu verschaffen und dieselben zu verkaufen; im 13. und 14. Jahrh. kommt der B. als nicht unbedeutendes Geschäft vor. Allein seinen Aufschwung dankt er doch der Buchdruckerkunst allein. Der B. ist ein eigenthümliches Geschäft, welches den Verbrauch seiner Waare in keiner Weise berechnen, noch weniger durch irgend welche Vorausbestellung regeln kann; er beruht zudem auf ausgebreitetern Creditverhältnissen als irgend ein anderes Geschäft der Welt. Zu unterscheiden sind besonders 3 Zweige desselben: 1) der Verlagsb. Dieser ist der Vermittler zwischen dem Schriftsteller und dem Volke; er kauft dem Schriftsteller sein Werk ab, befördert dasselbe zum Drucke und sendet es nun in die Welt auf seine eigne Gefahr, ob das Buch Käufer findet oder nicht. Der Verlagsb. ist demnach, die Würdigung seiner hohen Stellung vorausgesetzt, sowohl der Förderer des Talentes, des Genies und der Wissenschaft, an deren Erzeugnisse er seine Geldmittel wagt und sie der traurigen Nothwendigkeit überhebt, ihren Lohn erst aus dem Erfolge eines Buches ziehen und vielleicht so lange mit weitern Schöpfungen feiern zu müssen; als der Förderer der Bildung, indem er dem Volke immer neue Schätze bietet, ohne irgend eine Bürgschaft dafür zu haben, ob das Dargebotene Beifall und Abnehmer findet, wodurch seine großen Ausgaben gesichert werden. Zur Verbreitung dessen, was der Verlagsb. schafft, dient namentlich der 2. Zweig des B.s, der Sortimentsb. Dieser beschäftigt sich mit dem Einzelverkaufe der Bücher, ist über das ganze Land verbreitet und hat seinen Sitz überall, wo die Bildung das Bedürfniß nach Büchern hingetragen hat. Der Sortimentsb. empfängt vom Verlagsb. die meisten Bücher à condition, d. h. unter der Bedingung, daß die nicht verkauften Bücher dem Verleger zurückgegeben werden können und alljährlich erfolgt diese Rücksendung (der Remittenden) und Abrechnung, wobei es oft vorkommt, daß der Verlagsb. ein Werk in 1000 und mehr Abdrücken hergestellt und verschickt hat, von dem er 900 und drüber zurückerhält. Der Sortimentsb. erhält für diese wichtige Vermittlung zwischen dem Verleger und Käufer keinen Lohn, sondern ist auf den Erfolg des Buches angewiesen. Er empfängt vom Ertrage der verkauften Bücher einen Antheil, allerdings einen viel höhern als er im Handel sonst den Zwischenhändlern gewährt wird; allein er hat auch große Wagnisse zu bestehen. Nicht nur muß er die Versendungskosten hin und her tragen, sondern die Wehen des Handels: langsame und schlechte Bezahlung und Verluste aller Art, haften auf ihm allein und er muß dem Verleger bezahlen, was er ihm nicht zurückgiebt. Ein Mittler zwischen dem Verlags- und Sortimentsb. ist der 3. Zweig des B.s, der Commissionshandel. Die unendliche Verzweigung des B.s nämlich, die Kleinheit der einzelnen Sendungen und die Schwierigkeit, ein Buch, welches z. B. in Constanz erschienen ist für den einzelnen Fall bis Königsberg zu versenden, haben den B. dahin geführt, einen Mittelpunkt für seinen Verkehr zu schaffen, welches bis jetzt Leipzig ist. Dort hat jeder Verleger und jeder bedeutende Sortimentshändler einen Commissionair, durch welchen die Packetchen nach allen Richtungen hin befördert werden und der einen Vorrath der Bücher seines Vollmachtgebers stets auf dem Lager hat. Der größte Theil des Geschäftes wird demnach in Leipzig gemacht, denn der Sortimentsbuchhändler in Königsberg, welcher ein in Constanz erschienenes Buch haben will, wendet sich an seinen Commissionair in Leipzig; dieser verlangt das Buch vom Commissionair des Verlegers zu Constanz, der es ihm sofort giebt und also die Hälfte des Weges der Zeit zwiefach erspart. Auch Frankfurt a. M., Stuttgart, Wien u. s. w. sind Commissionshandlungsplätze, nur für beschränktere Kreise als Leipzig. Am Schlusse der Leipziger Ostermesse beginnt die Buchhändlermesse, auf welcher die Abrechnung über alle in diesem Jahre verkauften Bücher erfolgt, indem sich ein großer Theil der deutschen Buchhändler dort einfindet und die Rechnung persönlich abmacht. In neuester Zeit hat sich ein ähnlicher Mittelpunkt für den B. besonders Süddeutschlands in Stuttgart gebildet. Die sächsischen Preßverhältnisse, die vielfachen Bücherverbote, die Wegnahme fremden Eigenthums und besonders die Unsicherheit des Commissions- und Speditionshandels durch polizeiliche Eingriffe in die geschlossenen Packete, die im B. mit der Heiligkeit des Briefgeheimnisses behandelt werden, sind nicht ohne Einfluß auf diese Neuerung; Abkürzung und Vereinfachung des Geschäftes wird wenigstens dadurch nicht erzielt, da der B. Süddeutschlands die Leipziger Messe wegen seines Verkehrs mit dem Norden doch besuchen muß und also Kosten der Reise und des Aufenthalts doppelt hat. Eine Art Buchhändlermesse in Stuttgart schließt sich in kurzen Zwischenräumen an die Leipziger an. Der deutsche B. ist hinsichtlich seines Umfangs, seiner zweckmäßigen Einrichtung und seiner trefflich ineinander greifenden Gliederung der bedeutendste und vollständigste der Welt. Es ist bewundernswerth, mit welcher Leichtigkeit, Einfachheit, Schnelligkeit und Sicherheit auch die kleinste Mittheilung und Sendung von dem einen äußern Ende des Vaterlandes zum andern geht, mit welcher Genauigkeit und Sorgfalt bei möglichster Vereinfachung die etwa 800—1000 Rechnungen gehandhabt werden, die jeder Buchhändler zu führen hat. Allerdings hat auch der deutsche B. tiefe Wehen und Wunden, die indessen für einen Leserkreis, wie der unsre, kein Interesse haben; auch würde die Darstellung einen Raum einnehmen, welchen wir nicht gewähren können. Ist Freiheit die Seele des Handels überhaupt, so ist sie die des B.s insbesondere, was schon aus den dargestellten Verhältnissen hervorgeht. Dennoch giebt es keinen Handelszweig, auf welchem der Druck der Verhältnisse schwerer lastet, als auf dem B. Daß man denselben bestraft, wenn er Verbrechen begeht, oder zu Verbrechen bewußt die Hand bietet, das ist gerecht und nothwendig; allein es sind Dinge vorgekommen, an welche die Forschung über Recht und Gesetz niemals gedacht hat. Dahin gehört die Wegnahme des wohlerworbenen Eigenthums ohne Gesetz und Rechtsspruch nach augenblicklichem persönlichen Belieben; die Entziehung des Gewerbrechtes wegen einzelner Ueberschreitungen, während nirgend ein klares gesetzliches Maß aufgestellt ist; die Entziehung von Zeitungsconcessionen, ebenfalls ohne Rechtsspruch und Verurtheilung, und die Vernichtung von Tausenden, die auf eine solche Zeitung verwendet sind; die willführliche Entziehung des Postverkehrs, während die Post eine bloße Geschäftsanstalt für den Zeitungsvertrieb ist, die noch dazu Millionen an den Zeitungen verdient; Millionen, die, da sie der Staat bezieht, als eine unbewilligte und ungerechtfertigte Abgabe auf dem Volke lasten; das Verbot von Bücherankündigungen, die noch gar nicht fertig sind, deren mögliche Schädlichkeit und Strafbarkeit also gar nicht vermuthet werden kann; endlich das Verbot ganzer Verläge, nicht nur der erschienenen, sondern auch der künftigen, noch nicht gedachten Bücher; eine Maßregel, der die Geschichte, selbst in ihren rohesten und finstersten Partleen, kaum eine ähnliche an die Seite stellen kann. Sollte es dem Communismus (s. d.) jemals gelingen, seine Faust an das Eigenthum zu legen und mit demselben unsre ganze Bildung und die geistige Errungenschaft vieler Jahrh.e zu zerstören, dann hat ihm die hier in Rede stehende Schaltung mit dem Eigenthume mehr in die Hände gearbeitet, als es alle „mordbrennerischen" Schriften der Erde jemals vermögen.   R. B.

Budget, s. Staatshaushalt.

Büchercensur, s. Censur.

Büchernachdruck, s. Nachdruck.

Bücherpolizei, s. Censur und Nachdruck.

Bücherverbot, s. Censur.

Bündniß (Allianz) heißt ein Vertrag zwischen mehrern Staaten, der entweder zur Theilnahme an der Bekriegung eines gemeinschaftlichen Feindes, oder zur Mithülfe bei der Abwehr der Angriffe eines solchen, abgeschlossen wird (Offensiv- und Defensiv-B.). — Das B. bedingt entweder eine vollständige Gemeinschaftlichkeit der verbündeten kriegführenden Mächte, welche nach gleichen Pflichten und Lasten auch gleiche Vortheile in Anspruch nehmen, oder auch eine bestimmte gegenseitige Unterstützung für festgesetzte Fälle, oder auch nur die Stellung von Hülfstruppen gegen Entschädigung. Die Geschichte der B.e ist eine Geschichte von Willkürlichkeiten; Zwang und Furcht nöthigten zu ewigen Verträgen, welche im Augenblick der Möglichkeit ohne Bedenklichkeit gelöst wurden. Die Geschichte der B.e giebt staunenerregende Beweise von der Macht der Alleinherrschaft und der Willfährigkeit der Völker, von der Rechtlosigkeit der letztern dem Willen und dem Privatinteresse der erstern gegenüber. Die Berechtigung der Staaten, sich zur Abwehr thatsächlicher Beeinträchtigungen der Volkswohlfahrt der Waffen zu bedienen, mag nicht zweifelhaft sein, die Kriege der Herrscher aber aus Privatursachen sind unmöglich geworden, und ist auch leider noch wahr, daß die großen Staatenduelle, obgleich man die Personenduelle unter Strafen verbot und lächerlich machte, als letzte Instanz zur Erlangung der Gerechtigkeit und als letztes Schutzmittel gegen verderbliche Einflüsse fremder Völker oft nothwendig sind, so wird doch die Berechtigung zum Abschluß von B.en künftig in andere Frage gezogen werden. Bisher schlossen die Herrscher B.e, durch welche die Völker als Schachfiguren verwendet wurden; sie hatten ebenso wenig ein Recht zu fragen: warum bekämpfen wir einen Staat, der uns weder beleidigte noch beschädigte, als der feindliche Staat das Recht hatte, sich über die Einmischung eines fremden und unbetheiligten zu beschweren. Von dieser willkührlichen Völkerverwendung giebt namentlich die Kriegsgeschichte Friedrichs II. erschreckende Beweise. Kaum war Katharina I. gestorben und Peter III. hatte den russischen Thron bestiegen, als dieselben Regimenter, welche noch eben das österreichische Interesse gegen Friedrich II. verfochten, die Macht des letztern gegen ihre bisherigen Verbündeten verstärkten. Bei dem erwachenden Rechtsbewußtsein werden die B.e der Staaten anderer Grundlagen, als des bloßen Willens der Regenten, bedürfen. Es wird die moralische Ueberzeugung von der Berechtigung zur Kriegstheilnahme nothwendig und entscheidend sein. Diese moralische Ueberzeugung kann in der befürchteten oder wirklichen Gefährdung, oder auch darin ihre Begründung finden, daß die Ursachen des Krieges zweier Staaten Sympathie im Volksbewußtsein erwecken, oder endlich darin, daß die Ehrenhaftigkeit der Völker das B. als Schutzmittel eines widerrechtlich bedrückten Staates gebietet. Diesen B.en eines freien Volksbewußtseins wird die Tugend ausharrender Beständigkeit nicht fehlen, deren Mangel die Geschichte ihrer unfreiwilligen Vorgängerinnen so berüchtigt gemacht hat.   Bertholdi.

Bündniß, das heilige. Als 1815 die vereinigten Großmächte zum 2. Mal in Paris einzogen, wandten sie in frommer Begeisterung die Augen zum Himmel, der sie durch die ungeahnte Kraft ihrer Völker auf wunderbare Art von tiefen Demüthigungen erlöst und ihnen das freie Schalten mit Scepter und Krone wieder gestattet. Sie sahen sich als Sieger über den Gewaltigen, der über die Throne der geborenen Regenten verfügt hatte, als über angeraubte menschliche Habe, und meinten nur die Vorsehung wolle auf den Thronen eben nur geborne Regenten, Herrscher „von Gottes Gnaden." Besonders fest wurzelte diese Ueberzeugung im Herzen des Königs von Preußen, dessen Hinneigung zur Frömmigkeit ihn im Schicksal Napoleons eine unmittelbare Fügung der Vorsehung erkennen ließ. So geschah es denn hauptsächlich auf seine Veranlassung, daß am 16. Septr. die Kaiser von Rußland und Oesterreich sich mit ihm zum sog. h. B. vereinigten, das ganz auf religiösen Grundlagen beruhte. Sie verpflichteten sich zu einem christlichen und gerechten Regiment in ihren Staaten und zu „brüderlicher Hülfe für jeden Fall," indem sie sich als Glieder einer von Gott eingesetzten Regentenfamilie und ihren Völ-

tern gegenüber als Väter und Patriarchen betrachteten. Das h. B. wurde von den
Fürsten persönlich, ohne Hinzuziehung der Minister geschlossen und auch den übrigen christlichen Monarchen Europas zum Beitritt vorgelegt. Mit Ausnahme des
Prinzregenten von England, der sich mit der Abhängigkeit vom Parlamente entschuldigte, übrigens seine vollständige Billigung erklärte, wurde der Beitritt zum h. B.
von Allen bereitwillig erklärt, und er wurde in Deutschland, ja in ganz Europa mit
schwärmerischer Begeisterung begrüßt, wenn es auch schon damals nicht an Leuten
fehlte, die mißtrauische Blicke auf die Zwecke des h. B.es warfen. Man fragte nach
der Berechtigung der Regenten zum persönlichen Abschluß eines so bedeutenden
Vertrages, nach den Feinden, die beim Beitritt Aller möglicher Weise zu bekämpfen sein könnten, endlich nach dem wahrscheinlich geheimen Zweck dieses B.es;
und da ein außereuropäischer Feind nicht denkbar war, so kam man zu der Ansicht, das h. B.
sei mehr gegen die eigenen Völker und ihre etwaige Entwickelung, als gegen einen
äußern Feind gerichtet. — In der That kann die Verpflichtung zu einem „christlichen
und gerechten Regiment" nicht wohl als der Zweck eines B. gelten. Gerechtigkeit ist keine Gnadenbezeigung, sondern eine natürliche Verpflichtung der
Herrscher. Dennoch ist gerade dieser Satz bedeutend und maßgebend, denn indem die
Herrscher eine besondere Verpflichtung, ein B. zur Ausübung der Gerechtigkeit
für nothwendig erachteten, erklärten sie gewissermaßen, daß die Möglichkeit des Gegentheils in ihren Willen und ihre Gewalt gelegt sei, daß die Völker sich möglicherweise
auch ein unchristliches und ungerechtes Regiment von den durch Gott eingesetzten Herrschern in ihrer ebenfalls von Gott eingeführten Unterthänigkeit gefallen lassen müßten. Dem h. B. gegenüber sind die Völker nichts als ausgedehnte Patriar-
chenfamilien, die selbst bei vollständiger Mündigkeit in frommer althergebrachter
Ehrfurcht die väterliche Hand küssen müssen, auch wenn sie unverdient züchtigt. Aber —
wenn das h. B. im Vertrauen auf diese Familiengesinnung abgeschlossen wurde, wozu
denn eine Verbrüderung zur Hülfe in jedem Fall? Die Geschichte hat bewiesen,
daß Besorgniß vor der Wahrheit des Ausspruches Mirabeaus: „die Revolution
wird die Runde um die ganze Erde machen", ein mächtiger Hebel des h. B.es gewesen
sein muß. Die Verfolgungen gegen das Auftauchen jeder freiheitlichen Richtung in
den verbundenen Staaten, die gleichförmigen Ergebnisse einer Reihe von Besprechungen und Congresse zur Entwickelung des h. B.es, die Bestrebungen, das h. B.
obgleich es thatsächlich aufgelöst ist, zu erhalten und seine Grundsätze weiter zu führen, lassen es nur als einen Bund der Fürsten zur Bewahrung ihrer Rechte erscheinen. Bertholdi.

Bündniß, das schöne (Bell-Alliance), heißt die Vereinigung der Preußen
und Engländer beim Vorwerke Tri-Motton am 18. Juni 1815, durch welche Napoleon, welcher die Hannoveraner, Braunschweiger u. s. w. bei Quatrebras, und
die Preußen bei Ligny geschlagen hatte, und die Engländer zu überwinden im
Begriffe stand, besiegt wurde. Dieser „schöne Bund" befreite allerdings Deutschland
von Kriegswehen, die ihm drohten; sonst aber ist dem blutgetränkten Boden außer
dem Lorbeer für beide Feldherrn keine Freiheitsfrucht entkeimt. W. Pretzsch.

Bürger. „Der neunte Mann soll in die Städte ziehen!" lautete
Heinrich des Finklers Machtgebot, welches die Städte schuf, bevölkerte und den
Grund zum Aufblühen des Bürgerthums legte, welches mit Recht als Trägerin
der Volksfreiheit gilt. Heinrich wollte eine Menge fester Plätze anlegen, die stark
genug wären, daß an ihnen der Feind sich die Köpfe zerstoßen müßte. So entstanden die Städte Quedlinburg, Nordhausen, Duderstadt, Goslar. In der Stadt sollte
nun alles Gericht gehegt, alle öffentlichen Versammlungen dort abgehalten werden,
so daß das Volk sich an die Städte gewöhne und sein Liebstes, das Recht freier

Berathung, freier Beschließung in ihnen stets gesichert wisse. Dabei ließ er die Einwohner, welche sich nach ihren, gleich den Burgen, mit Mauern, Wall und Graben befestigten Wohnsitzen B., d. i. Burgbewohner, nannten, unausgesetzt in dem Gebrauche der Waffen üben, und so konnte schon 933 in der Nähe von Merseburg, beim Dorfe Keuschberg den Hunnen eine solche Niederlage bereitet werden, daß sie das Wiederkommen für immer vergaßen. Reich ausgestattet mit Vergünstigungen aller Art, entfalteten sich die Städte rasch und gewaltig, mußten der Macht des Adels, der Pfaffen und Fürsten gegenüber eine kriegerische Verfassung sich geben, welche die Schützengilden und andre B.wehren gebar, und damit die Macht des B.thums gründete und befestigte. Denn dasselbe war im Stande, den Anforderungen des Adels und der Geistlichkeit Trotz zu bieten, sogar deren Macht zu brechen, während der Bauer in die tiefste Knechtschaft sank. Als die adelige Wegelagerei den höchsten Gipfel erreicht hatte und außerhalb der Städtemauern Nichts mehr vor der Raublust gesichert war, zogen die Städte aus, um die adeligen Räuber durch Zerstörung ihrer Burgen zu bestrafen. Auch der Handel, diese Quelle des Reichthums, suchte der Städte Sicherheit, und in dem rheinischen, schwäbischen, lausitzer (Sechsstädtebund) Städtebund, vornehmlich aber in der allgewaltigen Hanse (vom altdeutschen Worte hansa — Handelsabgaben) erwuchs die Allmacht des B.s. Bald zogen auch Künste und Wissenschaften aus den Klöstern in die Städte, und an die körperliche Macht des B.thums schloß sich die Stärke der geistigen Bildung an. Die Früchte zeigten sich bald im wachsenden Verkehr und Handel, in der Blüthe der Kunst, der Thätigkeit und Vervollkommnung der Gewerbe, im Wohlstande der Familien, im Muthe und Selbstvertrauen der B. und zuletzt im raschen Auffassen und Aneignen des Großen und Schönen besonders der Grundsätze der Kirchenreformation. So konnte Macchiavelli mit Recht vom deutschen B.thume behaupten: „daß auf ihm nur die Macht Deutschlands beruhe." Gab es doch einzelne deutsche B., wie die Fugger in Augsburg, die, aus armen Leinwebern Millionäre geworden, ganze Handelsflotten auf dem Meere hatten und mehr als einmal den deutschen Kaisern die Mittel zu kostspieligen Kriegen gewährten. Doch als mit der Entdeckung von Amerika der deutsche Handel zersplittert wurde, als an die Stelle der Einfachheit und Enthaltsamkeit Ueppigkeit und Verweichlichung, diese natürlichen Folgen nicht weise gebrauchten Reichthums, traten und in den deutschen Fürsten selbst ein Krämergeist sich zu regen begann, der verschiedene Handelszweige für Regale (königliche Vorrechte) erklärte, und diese mit Waffenmacht schirmte: da stieg auch das deutsche B.thum von seiner alten Größe in dem Grabe wieder herab, wie sich Staatsgewalt und Adel wieder zu erheben begannen, und was zuletzt noch vom B.glück übrig geblieben war, das zerstörte vollends der 30jährige Glaubenskrieg. Es begann nun eine Zeit der Zurücksetzung und Unterdrückung des Freiheitsgefühls; der bürgerlichen Kraft und Selbstständigkeit trat Beamtenherrschaft und Vormundschaft entgegen. Als das stolze B.thum so gedemüthigt schien, erschienen die Monopole, welche die Gewerbe verschlangen; die Concessionen (Vergünstigungsscheine), welche einzelne Personen über das Ganze stellten; die Patente (Frei- oder Gnadenbriefe), mit denen die Kriecherei belohnt und der allgemeine Wohlstand vernichtet wurden. So ging es fort bis das B.thum völlig machtlos war. So tief kann ein so geachteter Stand, wie der deutsche B.stand, — so tief kann selbst ein großes und edles Volk von seiner frühern Größe herabsinken, wenn allzugroße Sicherheit und Gleichgültigkeit die Hochwacht des staatsbürgerlichen Lebens beziehen! Und doch liegt gerade in diesem Umstande die Hoffnung des Sichwiedererhebens. Denn auch den B.stand hat der Ruf der Zeit geweckt und ihn verjüngt hinausgerufen zu erhöhtem Gesammtleben, je länger er geschlafen, desto mehr ist er nun bemüht, das Versäumte nachzuholen. Der B.stand ist es, in dessen Schooße sich eine Zukunft entwickelt, die zu den schönsten Hoffnungen berechtigt. Die alte Zeit ist abgelaufen, dem B. ist das ihm angeborne Recht wieder zum Bedürfniß geworden, und er fühlt aufs Neue, daß er vorzugsweise der Träger der Kraft, der Sicherheit und der Zukunft des Staates ist. Dem Bauer reicht er als gleichberechtigtem Bruder die Hand und stößt der letztere sie nicht verblendet zurück, so gestalten beide vereint die Geschichte. — Gehen wir schließlich auf die Begriffserklärung des Namens B. zurück, so gebührt derselbe keineswegs jener Art von B.n, die als Vertreter des sogenannten Michelthums eine klägliche Rolle im deutschen Vaterlande spielt; nicht den Bedientenseelen, welche auch B. genannt werden, aber auch sehr treffend-Philister, Spießbürger und Pöbel heißen. Nur Dem gebührt der Name B., der ein gebildetes, thätiges Mitglied des Standes zu sein strebt, in dem freie Sittlichkeit die Grundlage bildet; nur Der werde B. genannt, der Mensch zu sein versteht und — frei! W. Pretzsch.

Bürgerausschuß, s. Stadtverordnete.

Bürgerbrief. Eine Urkunde über die Aufnahme zum Bürger, die vom Stadtmagistrate ausgestellt wird und bezeugt, daß der Aufgenommene alle erforderten Eigenschaften besitze und allen Anforderungen genügt habe.

Bürgerdeputirte. An einigen Orten Benennung der Stadtvertreter, s. Stadtverordnete.

Bürgerdienst nennt man oft die Gesammtheit der Leistungen, zu denen ein Bürger verpflichtet ist.

Bürgerdinge (Bürgergerichte) bestanden ehemals in Preußen zur Beilegung bürgerlicher Streitigkeiten. Sie hießen feierliche B. und bestanden aus allen berechtigten Bürgern, welche jährlich 2—4mal mit großer Feierlichkeit sich versammelten; außerdem gab es ordentliche B., die aus einem Ausschusse bestanden, der sich so oft versammelte, als es nöthig war.

Bürgereid heißt die Verpflichtung auf die Landes- und Stadtverfassung, die der neuaufgenommene Bürger zu leisten hat. Außerdem gelobt er der Obrigkeit Treue und Gehorsam und Förderung des Stadtwohles nach besten Kräften.

Bürgergarden, s. Landwehr.

Bürgergebing. Ehemals wurden die Bürger zu Versammlungen, in welchen das Wohl der Stadt berathen, oder eine Anordnung der Obrigkeit bekannt gemacht werden sollte, durch die Glocke berufen; dieses Zusammenläuten hieß B.

Bürgergehorsam nennt man in mehrern Städten das Gefängniß, in welchem Bürger leichte Vergehen büßen müssen.

Bürgergeld, s. Anzugsgeld.

Bürgerglocke. 1) Die Glocke, durch welche die Bürger zur Versammlung berufen wurden (s. Bürgergebing); 2) die Zeit von 9—11 Uhr Abends, binnen welcher je nach der Ortssitte der Bürger, d. h. der solide einfache Mann, das Wirthshaus zu verlassen und nach Hause zu gehen pflegt.

Bürgerkrieg. Der schrecklichste und verderblichste aller Kriege, in welchem die Bürger eines und desselben Landes gegeneinander kämpfen. Der B. ist stets eine Folge mächtiger Parteiung im Lande, diese aber kann nur dann wachsen und gefährlich werden, wenn der Staat einseitig geleitet und regiert wird, wenn die Wünsche und Bestrebungen des einen Volkstheiles keine Förderung und Gerechtigkeit finden. Nur bei einem versunkenen und unmündigen Volke kann der B. durch einzelne Parteiführer entflammt und im Interesse derselben geführt werden, wie es z. B. in Rom war, wo nach unterdrückter Freiheit und mit der Unterdrückung eingerissener Sittenverderbniß die Bürger sich um einen Tyrannen zerfleischten und Roms Kraft so vollends vernichteten. Sonst ist der B. stets der Beweis einer falschen Richtung des Staats, ein Beweis, daß er mit Gesetz und Verfassung nicht im Volke, sondern in einem bevorzugten Theile desselben ruht, der seine Stellung so mißbrauchte, daß er den andern Theil zur Verzweiflung trieb. Vergl. Amnestie, Aufstand u. s. w.

Bürgerkrone. Ein Kranz von Eichenblättern, wie sie die Natur giebt, oder von Silber, Gold, u. s. w. nachgebildet; die Belohnung des Bürgers in Rom, der einem andern in der Schlacht das Leben rettete, oder sich sonst um das Vaterland verdient machte. In der Neuzeit wird eine B. selten ertheilt, doch wurden z. B. dem verstorbenen Rotteck deren mehrere überreicht, auch beabsichtigte man in Königsberg Johann Jacoby eine B. zu geben, wenn ihm ein Urtheil die bürgerliche Ehre abgesprochen hätte. Die B.n unserer Zeit sind meist mit Dornen durchflochten, theils weil sie im geheimen Staat, in welchem das Volksleben und seine Beförderer nicht zur Erscheinung kommen, theils weil die Anwartschaft auf eine B. oft mit einer langen Reihe von Mißliebigkeiten, Erörterungen, Verfolgungen, Nichtbestätigungen, Vermahnungen, u. s. w. erkauft werden muß, die auch dem Besten das Leben verbittern können; theils endlich, weil eben im geheimen Staate die Volksgunst ein schwankendes Rohr ist und die Ertheiler einer B. oft sich nach dieser oder jener Seite neigen, jenachdem der allmächtige Herr Gensdarm ein freundliches oder saures Gesicht macht, oder der gnädige Herr Amtmann zu ihrem Thun lächelt oder das Haupt schüttelt. Die schönste B. ist die dauernde Theilnahme und Liebe eines freien Volkes.

Bürgerlich heißt, was den Lebensverhältnissen eines Bürgers angemessen ist und sich auf dieselben bezieht.

Bürgerliche Ehe, s. Ehe.

Bürgerliche Freiheiten nennt man häufig den Inbegriff der den Staatsangehörigen zustehenden Rechte.

Bürgerliche Gerichtsbarkeit (Civilgerichtsbarkeit) heißt die Befugniß in bürgerlichen Streitigkeiten, also im Umfange des bürgerlichen- (Civil-) Rechts zu entscheiden. Vergl. Gerichtsbarkeit.

Bürgerliche Gerichtordnung heißt das Gesetz, worin über die Gerichte, welche die bürgerlichen Rechtsstreitigkeiten entscheiden, über die Rechte und Obliegenheiten derselben hierbei, über den Gerichtsstand, über die Reihenfolge, Beschaffenheit und Form der prozessualischen Handlungen in diesen Rechtsstreitigkeiten Vorschriften ertheilt werden.

Bürgerliche Gesellschaft ist ein Ausdruck, mit welchem man häufig die Gesammtheit der Einwohner eines Landes oder einer Stadt bezeichnet.

Bürgerlicher Prozeß. Die Freiheit zu handeln, ist für einen Jeden nur insoweit beschränkt, als allen übrigen ebenfalls dieselbe äußere Möglichkeit für ihre Handlungen übrig bleibt. Sobald Jemand seine Freiheit in diesem Maße nicht beschränkt, so tritt die Nothwendigkeit ein, ihn in die Schranken seines Freiheitskreises zurückzuweisen, weil sonst das Zusammenleben zu gleichen Zwecken unmöglich würde. Der Gesammtheit, dem Staate steht ein Zwang gegen jeden Rechtsverletzer zu. Der Staat übt das Zwangsrecht gegen die Rechtsverletzer durch die Gerichte aus. Die Art und Weise, wie dies geschieht, heißt Prozeß. Ehe der Zwang eintreten kann, ist Gewißheit des verletzten Rechtes erforderlich. Diese Gewißheit wird durch die gerichtliche Entscheidung ausgesprochen. Um aber zur Entscheidung zu gelangen, müssen Verhandlungen vorangehen, in welchen die Rechtsverletzung erörtert wird. Häufig und gewöhnlich werden diese Verhandlungen und die Entscheidung darüber Prozeß genannt, obwohl der nach der Entscheidung eintretende und durch die Gerichte ausgeübte Zwang (Vollstreckung) der wesentliche Entzweck des Prozesses ist. B. P. ist demnach die gerichtliche Verfolgung verletzter Privatrechte von Seiten der Verletzten gegen den oder die Rechtsverletzer zum Zweck der Hülfeleistung. Im B. P. werden alle Ansprüche auf Geld oder Geldeswerth verfolgt. Der Staat gewährt hierbei nur auf Anrufen der Parteien seine Hülfe durch die Gerichte, welche entweder selbstthätig und unmittelbar das zwischen den Parteien stattfindende Rechtsverhältniß ermitteln (Instructionsmethode), oder nur die an gesetzliche Formen und Fristen gebundenen Verhandlungen und Ausführungen der Parteien leiten und darüber entscheiden (Verhandlungsmethode). Letztere verdient den Vorzug vor ersterer, weil sie den Parteien selbst überläßt, die einzelnen Schritte im Prozeßverfahren zu thun, die Angriffs- oder Vertheidigungsmittel selbstständig anzuwenden oder darauf zu verzichten, dem Richter aber eine, vom Inquisitionsgeiste freibleibende Stellung über den Parteien anweist. Die Beschaffenheit des B. P.es ist von wesentlichem Einflusse auf die Wohlfahrt der Staatsbürger; unser jetzt in den meisten deutschen Ländern gültiger B. P. hat seine Mängel hauptsächlich darin, daß er nur schriftlich geführt wird, daß das Verfahren schleppend und weitläufig ist, daß durch den Beweis die Erlangung der Wahrheit über das Sachverhältniß meist nicht erzielt wird und erzielt werden kann, daß die geistige Entwickelung und Vorführung des Prozeßgegenstandes unter dem Drucke althergebrachter Formen leidet u. s. w. Die schon durch die gesetzlichen Formen verursachte lange Dauer der Prozesse wird noch häufig durch Verschleife der Sachwalter und Spruchbehörden vermehrt und Recht Suchenden, wenn sie auch endlich den Prozeß gewinnen, bleiben auch alsdann Recht Leidende.   Adolph Henfel.

Bürgerlicher Tod. Wenn sich ein Bürger der Ausübung seiner Rechte und Pflichten unwürdig und unfähig gemacht hat, und die Gerichte oder sonstigen Organe des Staates diese Unwürdigkeit aussprechen, nennt man dies b. T. Bei den Römern und unsern Vorfahren folgte der B. T. dem Verluste der Freiheit, die für die höchste Ehre, wie ihr Verlust für die größte Schande galt. Wer demnach in die Sclaverei gerieth, ein todeswürdiges Verbrechen beging, des Landes verwiesen wurde, zum Feinde überging, oder wegen seiner sonstigen Handlungen für einen Feind des Staates erklärt wurde, über den war auch der b. T. ausgesprochen. Auch in der Neuzeit noch knüpfen die Gesetze an ein entehrendes Verbrechen und dessen Bestrafung den b. T., d. h. der Bestrafte kann selbst nach seiner Rückkehr in die Gesellschaft die Ehrenrechte des Bürgers nicht ausüben, also nicht Gemeinde- und Landesvertreter werden, kein gültiges Zeugniß ablegen, u. s. w. Hat die Strafe nur den Zweck der Besserung und ist diese Besserung durch eine gewisse erduldete Strafe wirklich oder vermeintlich erzielt, so ist die Erklärung des b. T.es eine Grausamkeit, welche die Strafe verewigt und den Gebesserten dennoch von der Gesellschaft ausschließt, der man ihn zurück geben will. Wer gegen die Gesellschaft sündigt, soll gebessert werden; ist er aber gebessert, so muß die Versöhnung mit der Gesellschaft auch eine ganze und wahre sein. Vergl. Besserungsanstalten. Wie ein Verschollener hinsichtlich gewisser Ansprüche als dem b. T. verfallen erklärt werden kann, s. unter Verschollener.

Bürgerliches Gericht (Civilgericht). Unter diesem Namen begreift man die zur Ausübung der Rechtspflege in bürgerlichen Streitigkeiten berechtigten Personen. Zu einem b. G. sind nach Vorschrift und Gebrauch mindestens 2 Personen, der Richter und der Actuar, nöthig, doch bestehen nur die Untergerichte aus diesen beiden, die Obergerichte haben meistens Collegien. Vergl. Gericht.

Bürgerliches Recht (Civilrecht). Im Alterthum begriff man unter diesem Ausdruck das gesammte innere geschriebene oder festgestellte Recht eines Staates im Gegensatze zum Natur- und Völkerrechte. In neuester Zeit versteht man darunter nur dasjenige Recht, welches in bürgerlichen Streitigkeiten, also bei den Fragen über Mein und Dein, über Schuld-, Handel-, Wechsel-, Lehns-, Concurs-, Erb-, Hypotheken-, Gewerbs-, Ehe- und alle derartigen Verhältnissen in Anwendung kommt. Da wir über alle diese Verhältnisse besondre Abhandlungen geben, so verweisen wir hier auf diese und auf Recht.

Bürgerliche Sachen und bürgerliche Streitigkeiten (Civils. und Civilstr.) heißen alle Verschiedenheiten der Ansicht und streitenden Interessen, welche dem weiten, unter Bürgerliches Recht bezeichneten Gebiete angehören und zur gerichtlichen Entscheidung kommen.

Bürgerliches Verbrechen (Civilverbr.) hieß dasjenige, welches von denjenigen Behörden, welche nur die niedere Gerichtsbarkeit haben, abgeurtheilt und bestraft werden kann.

Bürgermeister. Der Vorstand der städtischen Behörden. Als die Städte sich Freibriefe und Unabhängigkeit errungen hatten, wählten sie sich ihren Vorstand selbst und ein B. war nach Größe und Bedeutung der Stadt ein mächtiger Fürst, der nach Belieben über alle Kräfte der Stadt und ihres Gebietes schaltete. Oft haben B. also mit Fürsten Krieg geführt und sie überwunden, oft aber haben sie auch im Vereine mit wenigen Helfern die Bürger geknechtet, wie der Grundherr seine Bauern. Gegenwärtig steht der B. an der Spitze der städtischen Verwaltung und übt auch einen Theil der Staatsgewalt aus, so weit dieselbe in dieser Beziehung einschlägt, z. B. in Wahrung der bürgerlichen Gerechtsame, Ausübung der Polizei u. dergl. Wegen der ersten Aufgabe des B.s muß er von den Bürgern gewählt, wegen der letztern vom Staate anerkannt oder bestätigt werden. Und so ist es wirklich in allen Staaten, wo das Gemeindeleben frei und selbstständig ist. Zur Anerkennung des Staates eignet sich alsdann nicht ein Mäkeln an der Persönlichkeit, sondern derselbe hat nur gewisse Kenntnisse und Eigenschaften aufzustellen, denen genügt sein muß. Vergl. Bestätigung.

Bürgermilitair, s. Landwehr.

Bürgerrecht. Dies begreift in sich, die Anzehörigkeit an einen Staat oder eine Stadt und die Befugniß, aller mit dieser Angehörigkeit verknüpften Rechte auszuüben. Das erstere, das Staatsb. wird durch Aufnahme in den Staat erworben und behnt sich auf den ganzen Umfang desselben; durch das letztere, das Gemeindeb. wird meist das Staatsb. von selbst erworben, aber nicht umgekehrt. Mit Recht; denn der Staat hat von jedem neu Hinzutretenden unbedingt Gewinn, indem er seine Pflichtigen zur Steuer, zur Vertheidigung u. s. w. vermehrt, während die Gemeinde möglicherweise Verlust erleiden kann, indem sie für den Verarmten und seine Kinder u. s. w. sorgen muß. Dennoch hat die Regierungsunersättlichkeit der Schreibstubenherrschaft sich angemaßt, auch bei Ertheilung des B.s gefragt zu werden und die Gemeinden darüber zu bevormunden, wem sie dasselbe ertheilen sollen oder nicht. Zur Erwerbung des B.s ist gewöhnlich ein gewisses Vermögen, jedenfalls Nachweis der Fähigkeit, sich selbstständig zu ernähren erforderlich; nur Kinder der Bürger haben hin und wieder ein angebornes B. Auch erlangt die Gemeinde meist einen Beitrag zu den Kassen ihrer Sicherheits- und Wohlthätigkeitsanstalten, s. Anzugsgeld. Häufig hat das B. verschiedene Abstufungen, sofern der Besitzer alle Rechte ausüben kann, und an allen Wohlthaten der Gemeinde, ihrem Vermögen u. s. w. Theil hat, also wirklich Bürger ist, oder nur einen Theil der Rechte und Genüsse beanspruchen kann; in letzterm Falle heißt der Besitzer Schutzbürger, Schutzverwandter. Mit dem Bürgerthum hing auch die Rathsfähigkeit in den Städten zusammen. Das sehr natürliche Bestreben aber, der nicht zu den Bürgern gezählten Handwerker, sich die Rathsfähigkeit zu verschaffen, führte zum Theil nach vielen Kämpfen und Streitigkeiten dazu, daß endlich mit dem Namen Bürger alle berechtigten Mitglieder der Stadtgemeinde belegt wurden. Als es aber das Interesse Einzelner erheischte, sich die Vortheile, welche mit dem Besitze des B.s in den Städten verbunden waren, zu verschaffen, obwohl sie im Uebrigen nicht in den Städten wohnen wollten, wie z. B. mancher Adelige, erhielt diesen sog. Ausbürgern gegenüber das Wort Bürger wieder eine bestimmte Bedeutung. Dieß geschah noch mehr, als umgekehrt Andre sich in den Städten niederließen, welche nicht die Eigenschaften besaßen, um das B. zu erlangen. Diese hießen wie erwähnt Schutzverwandte oder Beisassen. Seit dem 16. Jahrh. aber, wo die Landeshoheit ausgebildet ward, trug man den Be=

griff der städtischen Gemeinde allmählig auch auf die Gesammtheit der in einem Lande, unter einem Landesherrn vereinigt lebenden, gleichsam der Landesgemeinde über, und erst seitdem unterscheidet man zwischen Staatsbürgern (s. d.) und Orts- oder Gemeindebürgern. Das Recht des letztern begreift seinem Umfange nach theils privatrechtliche, theils politische Rechte. Zu den erstern gehören: das Recht in seiner Gemeinde Heimath und Unterhaltung zu suchen und alle Gewerbe, zu deren Ausübung er im Uebrigen die gesetzlich nöthigen Erfordernisse hat, zu betreiben; das Recht, durch Heirath eine Familie zu gründen, das Recht der Theilnahme an den Bürgernutzungen und an den städtischen Stiftungen so wie an allen sonstigen der Stadt, welcher er angehört, zustehenden Privilegien; endlich das Recht, im Falle der Armuth aus Gemeindemitteln Unterstützung zu erhalten. Die politischen Rechte sind namentlich das Recht der Stimmgebung und der Wählbarkeit bei der Wahl zu Gemeindeämtern, und das Recht der Mitwirkung bei den Wahlen der landständischen Vertretung. Die neuern Gemeindeordnungen der meisten deutschen Staaten unterscheiden von diesem B. noch das Rechtsverhältniß der Schutzbürger oder Schutzverwandten, welchen zumeist die jetzt genannten politischen Rechte nicht zustehn. Man nennt diese letztern auch die bürgerlichen Ehrenrechte; weil sie durch entehrende Strafen verloren gehen, ihre Ausübung wird auch aus andern Gründen, welche die völlige Ehrenhaftigkeit des Einzelnen in Zweifel stellen, wenigstens auf Zeit beschränkt. In letzter Hinsicht sind noch nicht allenthalben geeignete Schranken gegen Willkühr der aufsehenden Regierungsbehörde gezogen, und es reicht oft die von oben angeordnete Einleitung einer Untersuchung gegen Jemanden hin, um denselben an der Ausübung eines für den Augenblick vielleicht sehr wichtigen Wahlrechtes oder zu hindern, daß nicht die Wahl zu einem Amte auf ihn falle. *N..B. u. X.*

Bürgerrolle heißt das von der städtischen Behörde geführte Verzeichniß aller berechtigten Bürger.

Bürgerschulen, s. Schulen.

Bürgersinn, Bürgertugend ist das Streben der (Staats-, Stadt-, Landgemeinde-) Bürger, das Beste der Gesammtheit und der besondern Gemeinschaft in den Gemeinden, welchen sie angehören, mit Hintenansetzung eigener Vortheile nach die ihnen zustehenden Kräften zu befördern. Der B. hat einen Haltpunkt in dem sittlichen Selbstbewußtsein, in der Richtung auf Erhebung der sittlichen Triebe über die sinnlichen Reize. Der B. erfordert ein inniges Durchdrungensein von dem Gedanken, daß jeder Staatsbürger ein Glied der den Staat bildenden Gesammtheit sei und als solcher alle Pflichten, welche die Forterhaltung, Belebung und Entwickelung des großen Ganzen auflegen, erfüllen müsse, und setzt die freie Entschließung zur Leistung dieser Pflicht voraus. Im allgemeinen äußert sich demnach der B. in der unabläßigen Beförderung des Bürgerwohls, in der warmen Theilnahme an allen wichtigen Ereignissen, welche den Staat, die Gemeinde und einzelne Bürger betrifft. Der ächte, mit B. ausgestattete, Bürger wird nie verabsäumen, an den Gemeinde- und Landtagsabgeordneten-Wahlen, soweit er hierzu berechtigt ist, Theil zu nehmen, die ihm durch das Vertrauen seiner Mitbürger übertragenen Gemeindeämter anzunehmen, und mit Aufopferung von Kraft und Zeit darin zu wirken, wahrgenommene Mißbräuche und Uebelstände zur Sprache und, soweit es an ihm liegt, zur Abhülfe zu bringen, zur Beförderung gemeinnütziger Anstalten, zur Unterstützung Nothleidender, insbesondere der wegen ihrer Freiheitsbestrebungen und ihres Kampfes für ein freies Bürgerthum unterdrückte oder verfolgte Männer und deren Familien sein Scherflein beizutragen. Ueberall, wo es dem allgemeinen Besten, dem Fortschritt im Staats-, Gemeinde- und Gesellschaftsleben gilt, wird der ächte B. sich betheiligen, für Aufrechthaltung der ihm zustehenden Rechte mit Wort und That einstehen, und wenn das Vaterland oder der Rechtszustand gefährlich bedroht wird, Gut und Blut zu opfern bereit sein. Dem B. entgegen steht das eigennützige und eigensinnige Abschließen von den allgemeinen Angelegenheiten, das unausgesetzt auf Erreichung von Privatvortheilen gerichtete Streben, das unmännliche und oft feige Zurücktreten von allgemein bürgerlichen, die Verbesserung der bestehenden Uebelstände bezweckenden Bestrebungen. — Oft hört man diejenigen, welche sich von den Staats- und Gemeindeangelegenheiten abschließen, als Vorwand die Nothwendigkeit, ihr Familienglück zu begründen, vorschützen. Nun ist es gewiß, daß jeder Bürger die Verpflichtung hat, für das Wohl seiner Familie zunächst zu sorgen, da aber die Erlangung seines Familienglücks von dem allgemeinen Bildungs- und Rechtszustande mit abhängig ist, so darf mit Recht auch von dem Familienvater verlangt werden, daß er einen Theil seiner Zeit, Kraft und Mittel dem allgemeinen Wohle zuwende. Ueber das „Wie viel‟ muß die Einsicht und das Gewissen jedes Einzelnen entscheiden. Die Mittel, den B. zu wecken und zu kräftigen, bestehen hauptsächlich in der Oeffentlichkeit aller den Staat, die Gemeinde und die Beförderung des menschlichen und bürgerlichen Wohles betreffenden Angelegenheiten, in einer kräftigen, auf Ausbildung des Verstandes gerichteten, vaterländischen Erziehung, in Gewährung von Preßfreiheit, in freien Vereinigungen der Bürger zu gemeinnützigen Zwecken, in gemeinschaftlichen, bürgerlichen Waffenübungen und in belebenden, Geist und Herz erfrischenden, Volksfesten. *Adolph Hensel.*

Bürgerstand, Bürgerthum, s. Bürger.

Bürgertugend, s. Bürgersinn.

Bürgschaft, s. Verbürgung.

Buhlebrief. Ein Liebesbrief an den Gatten oder die Gattin eines Andern hieß sonst B. und begründete den Verdacht des Ehebruchs. Fand man einen B., so war das Gericht berechtigt, den Angeklagten durch Folter zum Geständniß zu treiben.

Buhlerei heißt das Bestreben, die sinnliche Lust Anderer durch Geberden, Worte, Kleidung, Stellung u. s. w. zu reizen. Auch nennt man einen geschlechtlich ausschweifenden Lebenswandel oft B. — Unsittlich ist die B. stets, wenn auch oft die Grenzen schwer zu finden sind, wo das Strafgericht einschreiten kann.

Bulle. Wörtlich: **Siegelstempel, Metallsiegel.** So heißen die päpstlichen Erlasse von größerer Wichtigkeit in Kirchen- und weltlichen Sachen; ihren Namen haben sie von dem in Bleifassung daran hängenden päpstlichen Siegel. Der Unterschied zwischen B. und Breve bestand eigentlich darin, daß erstere nicht ohne Vortrag des Gegenstandes im Cardinalscollegium erlassen werden sollte; doch wird diese Bestimmung nicht festgehalten und die B. unterscheidet sich meist nur durch größere Umständlichkeit, Feierlichkeit und Kostbarkeit von dem Breve. Die ersten Worte der B. geben ihr den Namen, woher es kommt, daß diese Namen mitunter sehr sonderbar klingen, denn an frommen und zuckersüßen Einleitungen hat es Rom nie gefehlt. Ehedem war eine B. das heiligste Gesetz und keine Macht der Erde durfte seiner Ausführung hemmend entgegen treten. Seit aber die Macht Roms gebrochen ist, läßt der Staat seinen Angehörigen keine Befehle mehr ertheilen, die er nicht vorher geprüft hat und es ist daher in den meisten Staaten Vorschrift, daß eine B. nicht ohne Genehmigung (Placet, Pareatis, Exequatur) der Landesregierung bekannt gemacht werden darf.

Bumede, s. Bedemund.

Bund (Deutscher Bund, Bundesacte, Bundesversammlung, Bundestag, Bundesbeschlüsse). Durch den Reichsdeputationshauptschluß vom 25. Febr. 1803, durch welchen unter dem maßgebenden Einfluß Frankreichs und Rußlands als vermitelnde Mächte die deutschen Länder auf der linken Seite des Rheins an die franz. Republik abgetreten, mit den säcularisirten Gebieten der geistlichen Fürsten aber die weltlichen Stände entschädigt wurden, war das heilige römische Reich längst in Verfall gerathen, in seiner Grundfeste erschüttert worden. Eine bloße Erklärung des Kaisers Napoleon an den Reichstag, daß er das deutsche Reich nicht länger

anerkenne, reichte hin, das 1000jährige Gebäude umzustürzen. Es geschah dies durch
Errichtung des Rheinbundes (1806), dessen Stifter, Schutz- und Schirmherr
(Protector) Napoleon war. Denn, indem nun Oesterreich die deutsche Wahlkai-
ser-Krone niederlegte (11. Aug. 1806), von den bisherigen Territorialregenten aber
einige aus der Landeshoheit, einer Kaiser und Reich untergeordneten Staatsgewalt,
zur vollen Unabhängigkeit, Souveränität, emporstiegen, andere mediatisirt,
d. h. der Oberhoheit einzelner Bundesfürsten unterworfen wurden, war der alte Reichs-
verband und die Reichsverfassung aufgelöst. 7 Jahre und etliche Monate dauerte der
Rheinische Bund, dem nach und nach, mit Ausnahme Oesterreichs, Brandenburgs, der
Braunschweigschen Häuser und Kurhessens, sämmtliche deutsche Fürsten beigetreten waren. Man nennt diese Zeit die Zeit der Fremdherrschaft in Deutschland. Denn die
Rheinbundstaaten waren in der Wahrheit nur Schutzstaaten Frankreichs: sie benutzte
Napoleon für sein Continentalsystem, ihre Streitkräfte für seine Eroberungskriege, in
allen galt sein Machtgebot. Als ihn endlich das Kriegsglück verließ, seine Macht bei
Leipzig gebrochen war (Schlacht v. 16—19. Oktob. 1813), zerfiel auch der Rheinbund: die Rheinbundfürsten traten einer nach dem andern dem Bündniß der 4 Großmächte gegen Frankreich bei, Napoleon ward gestürzt, auf dem Wiener Congresse sollten die Verhältnisse Europas wie Deutschlands geordnet und festgestellt werden. Schon
fast ein Jahrzehnt hatte Deutschland aufgehört, Ein Staat zu sein, seine Wiederherstellung war das Dringendste. Sie erwarteten die deutschen Völker vom Wiener
Congreß; die Opfer, die sie gebracht, berechtigten sie dazu. Und wie sie durch die
Proclamation von Kalisch (25. März 1813) aufgerufen worden waren: „sich anzuschließen und zu kämpfen mit Herz und Sinn, mit Gut und Blut, mit Leib und Leben für die Rückkehr der Freiheit und Unabhängigkeit Deutschlands und für die Wiederkehr eines ehrwürdigen Reiches in zeitgemäßer Gestaltung, welches allein
den Fürsten und Völkern Deutschlands anheimgestellt bleibe und in seinen Grundzügen und Umrissen möglichst aus dem ureigenen Geiste des deutschen Volkes hervorgehen solle, damit Deutschland verjüngt und lebenskräftig und in Einheit
gehalten unter Europas Völkern bastehe" — so hatte noch während des Wiener Congresses Oesterreich erklärt: „Der Zweck des großen Bündnisses sei in Ansehung
Deutschlands durch die verbündeten Mächte feierlich und öffentlich ausgesprochen worden: Aufhebung des Rheinbundes und Wiederherstellung der deutschen
Freiheit und Verfassung unter gewissen Modificationen." Aber das deutsche
Reich, die Reichsverfassung, einen Kaiser an der Spitze, ward nicht wieder hergestellt,
auch nicht mit Modificationen. Das hätte nur erreicht werden können, wenn die Fürsten einen Theil ihrer durch die Rheinbundacte erlangten Souveränitätsrechte aufgegeben hätten, um eine oberste Bundesgewalt für alle Bundesstaaten zu errichten.
Zwar bevorwortete dies namentlich Preußen, das gleichzeitig im Vereine mit Oe-
sterreich und Hannover auf der Nothwendigkeit landständischer Verfassungen (ein Mini-
mum von landständischen Rechten wenigstens müsse anerkannt werden, das jeder Fürst
zu Gunsten seines Landes erweitern dürfe), überhaupt der Festsetzung der Rechte der
Unterthanen deutscher Nation bestand, eben so wie die vereinigten Fürsten und freien
Städte, die in dem neuen Bundesvertrag nicht blos das rechtliche Verhältniß der
Bundesgenossen unter sich im Allgemeinen bestimmt und ihre Selbstständigkeit und
Integrität verbürgt, sondern auch zu gleicher Zeit den deutschen Staatsbürgern eine
freie geordnete Verfassung durch Ertheilung gehöriger staatsbürgerlicher
Rechte gesichert wissen wollten. Baiern aber und Würtemberg weigerten sich dessen
entschieden unter Berufung auf ihre Souveränität, vermöge deren sie keines ihrer Regierungsrechte einer staatsrechtlichen Bundesgewalt unterordnen, oder dieser das Recht
der Einmischung in die innern Verhältnisse ihrer Länder gestatten, überhaupt nicht
zugeben könnten, daß in der Bundesacte Rechte der Unterthanen festgesetzt würden,
sondern nur so viel, daß die Bundessouveräne in Berathung treten würden, um den

Unterthanen die möglichsten Erleichterungen zu schaffen. Wie nun bei so widerstreitenden Ansichten — dort, daß der Bund einen großen deutschen Staatskörper mit einer Obergewalt und freien staatsbürgerlichen Verfassungen und bestimmten anerkannten Rechten des Volkes bilden, hier, daß er nur ein völkerrechtlicher Verein gleichberechtigter völlig souveräner Regierungen mit Ausschluß jeder Einmischung in die innern Landesangelegenheiten sein solle — zu einer Einigung nicht zu gelangen war, von zehn verschiedenen Entwürfen keiner zur Annahme kam, — da gab endlich die Rückkehr Napoleons von der Insel Elba, der in Aussicht stehende Krieg, also die Noth den Ausschlag. Man meinte die deutsche Nation wenigstens durch die wesentlichste Erfüllung der ihr in dem Aufruf zu dem ersten Krieg gemachten Zusagen beruhigen und sie für die neuen Opfer und Anstrengungen begeistern zu müssen. Also neigte man sich in den letzten Wochen des Wiener Congresses (23. Mai — 8. Juni 1815) noch im Drange der Umstände dahin, daß an die Spitze des Bundes die volle Unabhängigkeit (Souveränität) der Bundesstaaten gestellt und auf die Wiederherstellung des Reichs und der Kaiserwürde, eine gesetzgebende und richtende Obergewalt, Verzicht geleistet, dagegen doch ausnahmsweise in einem Anhange einige bestimmte Rechte allen deutschen Bürgern als ein Wenigstes verbürgt und so mindestens einige Anerkennung und Verbürgung eines deutschen Nationalbundes und nationalen Rechtszustandes des Volkes ausgesprochen wurde. So entstand also die deutsche Bundesacte vom 8. Juni 1815. Die souveränen Fürsten Deutschlands und die freien Städte bildeten sich dadurch zu einem beständigen Staatenbund, der Deutsche Bund genannt, mit einer Bundesversammlung zu Frankfurt a. M. Geschlossen wurde dieser B. von den Regierungen der 38 deutschen Staaten, die im J. 1815 von der früher so großen Anzahl noch übrig geblieben waren. 1) Oesterreich; 2) Preußen (beide für die Länder, die vormals zum deutschen Reich gehörten); 3) Baiern; 4) Sachsen; 5) Hannover; 6) Würtemberg; 7) Baden; 8) Kurhessen; 9) Großherzogth. Hessen; 10) Dänemark, wegen Holstein; 11) Niederlande, wegen Luxemburg; 12) Braunschweig; 13) Mecklenburg-Schwerin; 14) Nassau; 15) S.-Weimar; 16) S.-Gotha; 17) S.-Coburg; 18) S.-Meiningen; 19) S.-Hildburghausen; 20) Mecklenburg-Strelitz; 21) Holstein-Oldenburg; 22) Anhalt-Dessau; 23) Anh.-Bernburg; 24) Anh.-Cöthen; 25) Schwarzburg-Sondershausen; 26) Schwarzb.-Rudolstadt; 27) Hohenzollern-Hechingen; 28) Lichtenstein; 29) Hohenzollern-Sigmaringen; 30) Waldeck; 31) Reuß, ältere; 32) Reuß, jüngere Linie; 33) Schaumburg-Lippe; 34) Lippe; die freien Städte 35) Lübeck; 36) Frankfurt; 37) Bremen; 38) Hamburg. Später, 1817, wurde noch Hessen-Homburg als 39. Bundesglied aufgenommen, durch das Aussterben des Gothaischen Mannsstammes aber, in Folge dessen (1825) das Land an Coburg, Meiningen und Hildburghausen fiel, welche seitdem die Namen S.-Coburg-Gotha, S.-Meiningen-Hildburghausen und S.-Altenburg führen, die ursprüngliche Zahl von 38 wiederhergestellt. — Die Bestimmungen der B.acte, dieses ersten und Hauptgrundvertrages des deutschen B.es sind: I. Allgemeine. 1) Sämmtliche Theilnehmer (B.esgenossen), überzeugt von den Vortheilen ihrer Verbindung für die Sicherheit und Unabhängigkeit Deutschlands und die Ruhe und das Gleichgewicht Europas, vereinigen sich zu einem B., der der deutsche B. heißt. 2) Sein Zweck ist Erhaltung der äußern und innern Sicherheit Deutschlands und der Unabhängigkeit und Unverletzbarkeit der einzelnen deutschen Staaten. 3) Alle B.esglieder haben als solche gleiche Rechte; alle verpflichten sich gleichmäßig die B.esacte unverbrüchlich zu halten. 4) Die Angelegenheiten des B.es werden durch eine B.esversammlung besorgt, die, als Gesammtstimmen, 17 Stimmen hat. 5) Oesterreich hat bei der B.esversammlung den Vorsitz. Jedes Glied ist berechtigt, Vorschläge zu machen, die der Vorsitzende zur Berathung übergeben muß. 6) Bei Abfassung und Abänderung von Grundgesetzen des B.es und bei organischen B.eseinrichtungen bildet sich die Versammlung zu einem Plenum mit 69 Stimmen, nach weiterer Vertheilung. 7) In dem

Plenum wie in der engern Versammlung gilt Mehrheit der Stimmen, in dieser die absolute, in jener sind zwei Drittel erforderlich. Wo es aber auf Annahme oder Abänderung der Grundgesetze, auf organische Bundeseinrichtungen, auf jura singulorum oder Religionsangelegenheiten ankommt, kann kein Beschluß durch Stimmenmehrheit gefaßt werden, sondern nur durch **Stimmeneinhelligkeit**. 8) Bestimmungen über die Abstimmungsordnung. 9) Die B.esversammlung hat ihren Sitz in Frankfurt a. M. 10) Entwerfung der Grundgesetze. 11) Alle Mitglieder versprechen sowohl ganz Deutschland als jeden einzelnen B.esstaat gegen jeden Angriff in Schutz zu nehmen und garantiren sich gegenseitig ihre sämmtlichen unter dem B.e begriffenen Besitzungen. Im B.eskrieg keine einseitige Unterhandlung oder Waffenstillstand oder Friede. Die B.esglieder behalten zwar das Recht der Bündnisse aller Art, verpflichten sich jedoch in keine Verbindungen einzugehen, welche gegen die Sicherheit des B.es oder einzelner B.esstaaten gerichtet wären. Sie machen sich verbindlich unter keinerlei Vorwand sich zu bekriegen noch ihre Streitigkeiten mit Gewalt zu verfolgen, sondern sie bei der B.esversammlung vorzubringen und dem Ausspruch eines Ausschusses oder einer Austrägal-Instanz sich zu unterwerfen. Nachdem das Wesen des B.es auf diese Weise festgestellt ist, offenbar als eines Schutz- und Trutzbündnisses der Fürsten und freien Städte, die durch das Wiedererscheinen **Napoleons** drohend gemahnt waren, der Wiederkehr der Rheinbundszeit vorzubeugen — folgen nun abgesondert und als Anhang die Rechte des deutschen Volkes nennt, d. h. so viel oder so wenig von den ursprünglichen Entwürfen übrig geblieben war und mit der vollen Souveränetät der Einzelstaaten vereinbar schien. II. Besondere Bestimmungen. 12) Errichtung oberster Gerichtshöfe. Actenversendung. 13) In allen B.esstaaten wird eine landesständische Verfassung stattfinden. 14) Ueber die Verhältnisse der Mediatisirten. 15) Ueber die Pensionen der vormaligen Mitglieder der Stifter und des deutschen Ordens. 16) Die Verschiedenheit der christlichen Religionsparteien kann keinen Unterschied in dem Genuß der bürgerl. und politischen Rechte begründen. Die bürgerliche Verbesserung der Juden soll in Berathung gezogen werden, insonderheit wie ihnen der Genuß der bürgerlichen Rechte gegen Uebernahme der Bürgerpflichten verschafft und gesichert werden könne. 17) Bestimmungen über das Postwesen zu Gunsten des Hauses Thurn und Taxis. 18) Den Unterthanen der deutschen B.esstaaten werden folgende Rechte zugesichert: a) Grundeigenthum in andern Staaten zu besitzen ohne erhöhte Abgaben; b) Befugniß des freien Wegziehens aus einem B.esstaat in den andern und des Dienstenehmens; c) Freiheit von aller Nachsteuer; d) alsbaldige Abfassung gleichförmiger Verfügungen über die Preßfreiheit und gegen den Nachdruck. 19) Wegen Handel und Verkehr zwischen den verschiedenen B.esstaaten, sowie wegen der Schifffahrt soll ebenfalls sogleich bei der ersten Zusammenkunft der B.esversammlung in Berathung getreten werden. Dies der ganze Inhalt der deutschen B.esacte. Freilich war sie anders ausgefallen, als die Nation es erwartete, das Band, das die deutschen Staaten umschlingen sollte, war viel loser geknüpft, als selbst einige der mächtigsten Theilnehmer es gewollt hatten. Und so vollkommen war man von der Unvollkommenheit der B.esacte überzeugt, daß mehrere Gesandte bei Unterzeichnung derselben ihr Bedauern ausdrückten (Preußen, Hannover, Luxemburg, Nassau, die beiden Mecklenburg), daß nun der B. den gerechten Erwartungen der Nation nicht völlig entspreche, indem er noch nicht genügende Rechte ertheile und jetzt nur ein politisches Band unter den verschiedenen Staaten, nicht aber im Begriff der alten Verfassung eine Vereinigung des gesammten deutschen Volkes in sich fasse. Ob die Eile, mit der das Werk zum Abschluß gebracht werden mußte, dies entschuldigen kann? Wie dem auch sei, über die Natur und Wesenheit des B.es konnte wenigstens Niemand in Zweifel sein. Er wollte und sollte kein B.esstaat, kein mit Staatsgewalt versehenes Subject, wie früher das deutsche Reich, sondern ein völkerrechtlicher Verein der deutschen souveränen Fürsten und freien Städte sein. Ungeachtet der Einheit dieses Staaten-B.es und des gemeinschaftlichen Bandes, welches die einzelnen verbündeten Staaten vereinigt, sind diese doch unter sich getrennt, selbstständig und unabhängig. Jeder von ihnen ist in dem Besitz der Souveränetät oder unabhängigen Staatsgewalt, frei von fremder oberherrlicher Gewalt, in Gesetzgebung, Verfassung, Rechtspflege und Verwaltung, in allen innern Angelegenheiten. Wer also vom B. eine gesetzgeberische Thätigkeit hätte erwarten wollen, würde außer Acht gelassen haben, daß der B. dazu nicht berechtigt ist. So sehr man das auch im Interesse der Entwickelung der Gesammtzustände Deutschlands beklagen mag, seine eigne Grundverfassung gestattet ihm ein derartiges Eingreifen nicht, die Souveränetät der Einzelstaaten schließt eine solche Einwirkung und Einmischung aus, nur in Ansehung der den Unterthanen verheißenen und b.esmäßig verbürgten Rechte erstreckt sich die Macht des B.es auf Schutz dieser Rechte, in allem Andern sind die Völker mit ihren Wünschen für die Verbesserung der öffentlichen Verhältnisse an die Landesgesetzgebung verwiesen. Das steht so unzweifelhaft fest, daß auch in der Wiener Schlußacte, dem 2. Haupt-Grundvertrag des B.es, dieser rein völkerrechtliche Charakter desselben von Neuem anerkannt und befestigt worden ist. Mit dieser Wiener Schlußacte verhält es sich so: Da die B.esacte in größter Hast abgefaßt war, Lücken und Mängel deshalb gar bald fühlbar wurden, ward für nöthig und nützlich erachtet, zu Wien eine Zusammenkunft von Special-Abgeordneten sämmtlicher Regierungen der deutschen B.esstaaten zu veranstalten, aus deren Berathungen (vom 25. November 1819 bis 24. Mai 1820) eben die Schlußacte (Wiener Schlußacte, Schlußacte der über Ausbildung und Befestigung des deutschen B.es zu Wien gehaltenen Ministerialconferenzen) hervorging, welche durch einen Beschluß der B.esversammlung in dem Plenum vom 8. Juni 1820 ratificirt und zu einem der B.esacte an Kraft und Gültigkeit gleichen Grundgesetze des B.es erhoben worden ist, also den 2. Haupt-Grundvertrag des B.es bildet. Die Schlußacte enthält allgemeine Bestimmungen über Wesen und Wirkungskreis des B.es und die Befugnisse und Obliegenheiten der B.esversammlung (Art. 1—34), über die auswärtigen und militärischen Verhältnisse des B.es (35—52), endlich besondere Bestimmungen über gewisse im Innern der B.esstaaten bestehende Verhältnisse und Rechte (53—65). Von besonderm Interesse für die Völker ist, daß im Fall einer Rechtsverweigerung die B.esversammlung erwiesene Beschwerden über verweigerte oder gehemmte Rechtspflege annehmen und darauf die gerichtliche Hülfe der B.esregierung, die zu der Beschwerde Anlaß gegeben, bewirken soll (29); daß sie hinsichtlich der in der B.esacte den Unterthanen zugesicherten und gewährleisteten Rechte (s. oben) die Erfüllung der durch diese Bestimmungen übernommenen Verbindlichkeiten, wenn sich aus hinreichend begründeten Anzeigen der Betheiligten ergiebt, daß solche nicht stattgefunden, zu bewirken (53), in Sonderheit darüber zu wachen hat, daß die Zusicherung landständischer Verfassung in keinem B.esstaat unerfüllt bleibe (54); daß in anerkannter Wirksamkeit bestehende landständische Verfassungen nur auf verfassungsmäßigem Wege wieder abgeändert werden dürfen (56). Im Uebrigen wird auch hier anerkannt, daß der B. ein völkerrechtlicher Verein der deutschen souveränen Fürsten und freien Städte zur Bewahrung der Unabhängigkeit und Unverletzbarkeit ihrer im B.e begriffenen Staaten und zur Erhaltung der innern und äußern Sicherheit Deutschlands, oder eine Gemeinschaft selbstständiger, unter sich unabhängiger Staaten sei, die nur innerhalb der durch die B.esacte bestimmten Zwecke und vorgezeichneten Schranken ihre Wirksamkeit zu äußern, d. h. Beschlüsse zu fassen habe; daß die durch die B.esacte den einzelnen Staaten garantirte Unabhängigkeit jede unmittelbare Einwirkung der B.esversammlung auf die innere Verwaltung der B.esstaaten, auf die innere Staatseinrichtung und Staatsverwaltung, besonders auch auf die Ordnung der landständischen Verfassung als einer innern Landesangelegenheit ausschließt; daß die Aufrechthaltung der innern Ruhe und Ordnung in den B.esstaaten den Regierungen

allein zusteht, und nur ausnahmsweise in Rücksicht auf die innere Sicherheit des gesammten B.es und in Folge der Verpflichtung der B.esglieder zu gegenseitiger Hülfeleistung, im Fall einer Widersetzlichkeit der Unterthanen gegen die Regierung, eines
offenen Aufruhrs, die Mitwirkung der Gesammtheit zur Erhaltung und Wiederherstellung der Ruhe stattfinden kann. Gleichwohl hat die B.esversammlung schon wenige
Jahre nach Errichtung des B.es angefangen ihre Wirksamkeit auf einem Gebiete zu
äußern, das nach der B.esacte der Gesetzgebung und Verwaltung der Einzelstaaten
allein vorbehalten zu sein schien. Und zwar in einer Richtung, die mit den noch
am Wiener Congreß über die Rechte der Völker und der Landstände gegebenen Erklärungen nicht nur nicht übereinstimmend, sondern ihnen gerade entgegengesetzt war.
Gar bald nämlich war die Vorhersagung in Erfüllung gegangen, daß die B.esacte den
gerechten Erwartungen der Nation nicht entsprechen werde, die ihr gewährten Rechte
ihr nicht genügend erscheinen könnten. Die Mißstimmung der Völker steigerte sich,
da auch die Erfüllung der b.esmäßigen Zusagen zu zögernd ins Werk gerichtet zu
werden schien und der Spielraum der Presse eher verengt als erweitert wurde. Obgleich nun die Ruhe und Sicherheit nirgend gestört ward, die That Sand's aber
unmöglich auf Rechnung der ganzen Nation gesetzt werden konnte, so war doch eine
freiheitsfeindliche Partei unermüdlich thätig, die von den Freiheitskriegen her immer
noch hochgehende Stimmung des Volks anzufeinden, das Streben nach gesetzlicher
Freiheit zu verdächtigen, und so lange wiederholte sie den erdichteten Lärm von um-
herschleichenden Verschwörungen, daß auch Furchtlose am hellen Tage Gespenster
sahen und die Regierungen endlich ihren Vorspiegelungen Gehör liehen. Jetzt handelte es sich nicht mehr darum, die frühern Verheißungen zu erfüllen, zu vervollständigen, was die B.esacte unvollständig gelassen hatte, sondern nur darum, die gemachten Zusagen auf das geringste Maß zurückzuführen. Der öffentliche Geist, den
man in der Zeit der Noth aufgerufen hatte, jetzt galt es nicht mehr, ihn zur Richtschnur zu nehmen, sondern zu zügeln, einzuschränken und am weitern Anwachsen zu
verhindern. Die Maßregeln, die wir meinen, sind die Karlsbader Beschlüsse.
Neun deutsche Regierungen (Oesterreich, Preußen, Baiern, Sachsen, Hannover, Würtemberg, Mecklenburg, Baden, Nassau) hatten vom 6—31. August 1819 über
Ausbildung und Befestigung des B.es und provisorische Maßregeln zur nöthigen Aufrechthaltung der innern Sicherheit und öffentlichen Ordnung im B.e in Karlsbad Berathungen gepflogen. Die Beschlüsse, über welche sie sich geeinigt (Karlsbader Conferenzbeschlüsse) wurden am 20. Septbr. 1819 der B.esversammlung zur Annahme
vorgelegt und auf der Stelle, ohne alle Berathung, unter dankender Beistimmung
sämmtlicher Gesandtschaften zu B.esbeschlüssen erhoben, — von Oesterreich waren die
Vorschläge dazu ausgegangen. Man vereinigte sich dahin, darüber zu wachen, daß
durch die landständischen Verfassungen das monarchische Princip nicht beeinträchtigt werde; bei jeder Universität einen außerordentlichen landesherrlichen Bevollmächtigten anzustellen, der den Geist, in welchem die akademischen Lehrer bei ihren Vorträgen verfahren, sorgfältig beobachten und demselben eine heilsame, auf die künftige
Bestimmung der studirenden Jugend berechnete Richtung geben solle; diejenigen Uni-
versitäts- und andern öffentlichen Lehrer, die durch erweisliche Abweichung von ihrer
Pflicht oder Ueberschreitung der Grenzen ihres Berufs, durch Mißbrauch ihres rechtmäßigen Einflusses auf die Gemüther der Jugend, durch Verbreitung verderblicher,
öffentlicher Ordnung und Ruhe feindseliger oder die Grundlagen der bestehenden Staatsverfassung untergrabender Lehren ihre Unfähigkeit zu Verwaltung ihres Amtes an den
Tag gelegt haben, von den Universitäten und sonstigen Lehranstalten zu entfernen,
und die solcher Gestalt Entfernten in keinem der B.esstaaten bei irgend einer öffentlichen Lehranstalt wieder anzustellen, die Gesetze gegen die geheimen und nicht autori-
sirten Studentenverbindungen in ihrer ganzen Kraft und Strenge aufrecht zu erhalten,
insbesondere auf die allgemeine Burschenschaft auszudehnen; über die Presse Oberauf-

ficht zu führen, Zeitungen, Zeit= und Flugschriften einer vorgängigen Genehmhaltung (Censur) zu unterwerfen, und alle Schriften, die der Würde des B.es, der Sicherheit einzelner B.esstaaten oder der Erhaltung des Friedens und der Ruhe in Deutschland zuwiderlaufen, von B.eswegen zu unterdrücken; endlich aber in Mainz eine außerordentliche vom B.e ernannte Central=Untersuchungs=Commission niederzusetzen, beauftragt und ermächtigt, den Thatbestand, Ursprung und die mannigfachen Verzweigungen der gegen die bestehende Verfassung und innere Ruhe sowohl des ganzen B.es als einzelner B.esstaaten gerichteten revolutionären Umtriebe und demagogischen Verbindungen gründlich und umfassend zu untersuchen und festzustellen, zu dem Ende die Oberleitung aller politischen Untersuchungen zu übernehmen, Requisitionen an die Landesbehörden zur Einleitung von Untersuchungen und Verhaftung von Angeschuldigten zu erlassen, und nöthigenfalls die Abführung der Verhafteten nach Mainz zu verlangen. Der Geist, der in den Karlsbader Beschlüssen weht, ist nicht zu verkennen. Der Aufschwung des öffentlichen Lebens sollte gelähmt und zurückgewälzt, die Stimmführer der öffentlichen Meinung eingeschüchtert werden. Das war nichts Neues unter der Sonne; merkwürdig aber war das, bezeichnend zugleich für die Größe der Gefahr, welche von dem aufrührerischen Geist der Ruhe und Ordnung drohte, daß trotz der außerordentlichsten jahrelangen Untersuchungen gegen die in mehrern Bundesländern „entdeckten" revolutionären Umtriebe auch nicht eine einzige gerichtliche Verurtheilung der Landesbehörden bekannt wurde, und daß die mit so großer Oeffentlichkeit, man kann sagen Feierlichkeit niedergesetzte außerordentliche Centraluntersuchungscommission, nachdem sie, wie man sagt, 100,000 Gulden aus der Bundescasse und fast eine halbe Million Gulden von den 7 mit Ernennung der Commissionsmitglieder beauftragten Regierungen (Oesterreich, Preußen, Baiern, Hannover, Baden, Großherz. Hessen, Nassau) verbraucht hatte, in der Stille, nach und nach, im J. 1828 ihre Auflösung erhielt, ohne daß ein Ergebniß ihrer Wirksamkeit bekannt gemacht worden wäre. Wohl ließe sich fragen, ob es gerecht, ob es nur staatsklug war, den Ideen und Bestrebungen der Neuzeit, denen man auf dem Wiener Congreß so entschieden das Wort geredet hatte, plötzlich mit aller Strenge entgegenzutreten; ob man wirklich im Ernste hoffen durfte, durch solche Maßregeln, wie die Censur und die Mainzer Centraluntersuchungscommission waren, die Ruhe zu befestigen, die Gemüther zu versöhnen oder das Verlangen nach politischer Freiheit, nach Erfüllung der frühern Verheißungen zum Schweigen zu bringen. Wir brauchen diese Frage nicht zu beantworten, — die Geschichte hat sie beantwortet: — und der B., statt im Volke immer festere Wurzeln zu schlagen, ist ihm mehr und mehr entfremdet worden. Das Wichtigste bleibt immerhin, daß mit den Karlsbader Beschlüssen ein Princip auftritt, von dem in der B.esacte keine Spur vorhanden war. Dort war die volle Unabhängigkeit und Selbstständigkeit der Einzelstaaten an die Spitze gestellt (Baiern und Würtemberg waren nur daraufhin dem B. beigetreten): jetzt hat sich die B.esversammlung gleichsam in eine staatsrechtliche Oberpolizeibehörde für die innern Angelegenheiten der B.esstaaten umgewandelt. Dort der vollkommenste Verzicht auf jede unmittelbare Einwirkung in das Verfassungswesen der souveränen Einzelstaaten: jetzt „aus höhern Rücksichten" das monarchische Princip der Maßstab für Gewährung landständischer Rechte. Dort kein Schatten von richterlicher Befugniß des B.es über die Unterthanen: jetzt die außerordentliche Mainzer Centraluntersuchungscommission. Es ist deshalb auch die Rechtmäßigkeit dieser B.esbeschlüsse gleich damals und auch späterhin zu jeder Zeit immer wieder vom Neuen bestritten worden: vergeblich zwar dem Erfolg nach, doch mit großer Wahrscheinlichkeit, daß der B. zu diesen Beschlüssen, welche so wesentliche Eingriffe in die Souveränetätsrechte der Einzelstaaten enthalten, nicht berechtigt gewesen, weil er an die seiner Wirksamkeit in der B.esacte gesetzten Schranken gebunden und deshalb gerade zur Aufrechthaltung der Selbstständigkeit der B.esstaaten als seines obersten und ursprünglichſten Zweckes verpflichtet, nicht aber zu deren Vernichtung befugt ſei. Freilich kann dieſer Proceß zwiſchen dem B. und den Völkern von keinem andern Gerichtshof als von der öffentlichen Meinung und der Geſchichte entſchieden werden. Die öffent=liche Meinung ihrerſeits hat ſich entſchieden: ſie hat ſich nicht geſcheut, dieſe Be=ſchlüſſe gewiſſermaßen einen „Belagerungszuſtand,“ eine „geiſtige Gefangenſchaft“ Deutſchlands zu nennen. Die Geſchichte wird, wie ſie die Täuſchungen bereits ent=hüllt hat, die bei dem Zuſtandekommen derſelben mitgewirkt hatten, dereinſt auch, wenn ſie es kann, ihnen ſelbſt die gebührende Würdigung angedeihen laſſen. — Die Karlsbader Beſchlüſſe waren der erſte, aber ein gewaltiger, verhängnißvoller Schritt auf der Bahn, die wir die B.esverſammlung von nun an einhalten ſehen. Stehen bleiben konnte man der Natur der Sache nach bei ihnen nicht. Unter den gleichför=migen Verfügungen über die Preßfreiheit, welche in der B.esacte unter die Rechte des deutſchen Volkes mit eingereiht war, hatte man einmal nur ſolche verſtehen zu können geglaubt, durch welche jedem B.esſtaat möglichſt gleicher Schutz gegen die aus dem Mißbrauch der Preſſe in andern B.esſtaaten ihn bedrohenden Ver=letzungen ſeiner Rechte ſeiner Würde oder ſeines innern Friedens geſichert werde; mit landesſtändiſchen Verfaſſungen, deren Grundlagen, Umfang oder Grenzen zu beſtimmen die B.esacte unterlaſſen hatte, das Repräſentativ= oder volksvertretende Princip einmal für unverträglich erklärt, wenn nicht Deutſchland „allen Schreckniſſen innerer Spaltung, geſetzloſer Willkür und unheilbarer Zerrüttung ſeines Rechts= und Wohlſtandes Preis gegeben“ werden ſolle; die innere Sicherheit Deutſchlands, die nach der B.esacte nur als Sicherung von ganz Deutſchland, vom ganzen B.esgebiet, als ſolchem, gegen die Gewalt ſeiner Glieder, gegen jeden einzelnen deutſchen Staat, oder als völkerrechtliche Sicherung des Vereins gegen innere Gewalt, des völkerrecht=lichen Friedenszuſtandes in ſeinem Innern aufgefaßt werden konnte, auf eine polizei=liche Sicherung der innern Verhältniſſe der Einzelſtaaten ausgedehnt: kein Wunder alſo, daß man in dem Geiſte fortfuhr, der auf dem Karlsbader Congreß gewaltet hatte, die B.esgewalt zu einer Obergewalt über die innern Angelegenheiten der B.esländer ausbildete, ja ſeine Aufgabe, man kann ſagen ſeinen Ruhm darein ſetzte, als Oberpolizeibehörde durch Sicherheitsmaßregeln gegen den Mißbrauch der Preſſe und des landſtändiſchen Weſens dem weitern Fortſchreiten des „zerſtöreriſchen Geiſtes“ Schran=ken zu ſetzen. So finden wir denn ſchon in der Wiener Schlußacte — freilich in geradem Widerſpruch mit der auch dort vorangeſtellten (§. 2) Selbſtſtändigkeit und Unabhängigkeit der Einzelſtaaten, Manches, was in die innern Angelegenheiten der B.esſtaaten ordnend und hemmend eingreift. Die geſammte Staatsgewalt ſoll in dem Oberhaupt des Staats vereinigt bleiben und der Souverän durch eine landſtändiſche Verfaſſung nur in der Ausübung beſtimmter Rechte an die Mitwirkung der Stände gebunden werden. Die Fürſten ſollen durch eine landſtändiſche Verfaſſung in der Erfüllung ihrer b.esmäßigen Verpflichtungen gehindert oder beſchränkt, oder ihnen die zur Führung einer zweckmäßig geordneten Regierung erforderlichen Mittel durch die Landſtände verweigert werden. Wo die Oeffentlichkeit landſtändiſcher Verhandlungen geſtattet iſt, ſoll dafür geſorgt werden, daß die geſetzlichen Schranken der freien Aeuße=rung weder bei den Verhandlungen ſelbſt, noch bei deren Bekanntmachung durch den Druck auf eine die Ruhe des einzelnen B.esſtaates oder des geſammten Deutſchlands gefährdende Weiſe überſchritten werden und dergl. Obgleich die Karlsbader Beſchlüſſe als außerordentliche Maßregeln wegen „außerordentlicher Staatsgefahr“ ausdrücklich nur proviſoriſche, d. h. auf Zeit gültige ſein ſollten (der über die Preſſe auf 5 Jahre), ſo wurden ſie doch im J. 1824 (16. Auguſt) im tiefſten innern und äußern Frieden durch die „vollkommenſte und glückliche Uebereinſtimmung aller Regierungen“ erneuert und auf unbeſtimmte Zeit verlängert. „Das Geſetz über die Univerſitäten,“ hieß es, „dauert ſelbſtverſtanden fort. Das proviſoriſche Preßgeſetz (mit Cenſur) bleibt ſo lange in Kraft, bis man ſich über ein definitives vereinbart haben wird.“ Nur die Gesandten Rußlands und des restaurirten Frankreichs gratulirten dem B. zu diesen Beschlüssen, in denen ihre Höfe eine Bürgschaft der „Ruhe und Ordnung, der Würde und Wohlfahrt Deutschlands" zu erblicken meinten. Nicht so das deutsche Volk, das nach dem Ablauf jener 5 verhängnißvollen Jahre das Erlöschen dieser Ausnahmsgesetze erwartet hatte, nun aber sie auf unbestimmte Zeit verlängert sah. Sie sind in der That auch späterhin nicht aufgehoben, im Gegentheil noch weiter ausgedehnt und verschärft worden. Denn als im J. 1830 in den meisten deutschen Ländern das öffentliche Leben einen höhern Aufschwung nahm, die auf dem Wiener Congreß verheißenen Volks- und Freiheitsrechte lauter und lauter gefordert wurden, beharrte der B. in derselben Stellung, die er mit seinen frühern Beschlüssen dem vorwärtsstrebenden Geiste des Volkes gegenüber eingenommen hatte. Statt darauf aufmerksam zu werden, ob nicht der Mangel an Rechtsbefriedigung und freiheitlichen Zuständen die deutschen Völker in Gährung versetzt, ob nicht er selbst durch seine Beschlüsse für Aufrechthaltung der „Ruhe und Ordnung" zur Erzeugung der gegenwärtigen Mißstimmung beigetragen habe; statt also für diesen Fall sich der Gewährung der Volkswünsche geneigt zu zeigen: blieb er dabei, daß diesen Stimmungen gesteuert, das Bestehende erhalten und zu Erhaltung desselben zu Mitteln verschritten werden müsse, die sich zwar eben als unzureichend erwiesen hatten, aber doch noch eine weitere Ausdehnung zuließen — zu neuen Beschlüssen gegen die Presse und die landständischen Kammern. Es sind dies die Beschlüsse vom 28. Juni 1832. Ausgehend von dem Standpunkte, der in Karlsbad aufgestellt worden war, bestimmten sie weiter, daß die Fürsten zu Verwerfung von ständischen Petitionen, die Eingriffe in das monarchische Princip enthielten, nicht nur berechtigt, sondern auch verpflichtet wären; daß es als Widersetzlichkeit der Unterthanen gegen die Regierungen anzusehen sei und die B.esversammlung zum Einschreiten und zur Hülfeleistung verpflichte, wenn ständische Versammlungen die Bewilligung der zur Führung der Regierung erforderlichen Steuern mittelbar oder unmittelbar durch die Durchsetzung anderweiter Wünsche und Anträge bedingen wollen; daß die innere Gesetzgebung der B.sstaaten der Erfüllung der Verbindlichkeiten gegen den B. und namentlich der Leistung von Geldbeiträgen nicht hinderlich sein dürfe; daß in den landständischen Verhandlungen keine Angriffe auf den B. gestattet werden sollen; daß zu einer Auslegung der B.esacte und der Schlußacte mit rechtlicher Wirkung ausschließend die B.esversammlung berechtigt sei. Wenige Tage darnach (5. Juli 1832) folgten weitere Beschlüsse, in denen das Einschreiten des B.s als oberste Polizeibehörde sich in schärfster Weise kundthat. Alle Vereine, welche politische Zwecke haben oder unter andern Namen zu politischen Zwecken benutzt werden, sind verboten. Außerordentliche Volksversammlungen und Volksfeste, ohne Genehmigung der competenten Behörde, verboten. Auch bei erlaubten Volksversammlungen und Volksfesten öffentliche Reden politischen Inhalts verboten; eben so verboten, bei solchen Gelegenheiten Adressen oder Beschlüsse vorzuschlagen, unterschreiben oder genehmigen zu lassen. Das öffentliche Tragen von Abzeichen in Bändern, Cocarden u. dergl. in andern als den Landesfarben, das nicht autorisirte Aufstecken von Fahnen und Flaggen, das Errichten von Freiheitsbäumen u. s. w. verboten. Die Beschlüsse in Ansehung der Universitäten werden von Neuem eingeschärft, die genaueste polizeiliche Wachsamkeit auf Einheimische und Fremde, die im Verdacht staatsgefährlicher Meinungen stehen oder politische Vergehen begangen haben, zur Pflicht gemacht u. s. w. u. s. w. Die Presse anlangend, so waren schon in Oct. 1830 die Karlsbader Beschlüsse wiederholt eingeschärft worden, besonders auch gegen die Tagesblätter, welche blos innere Verhältnisse behandeln und bei „ungehinderter Zügellosigkeit das Vertrauen in die Landesbehörden und Regierungen schwächen und dadurch indirect zum Aufstand reizen." Jetzt wurde das badische Preßgesetz, das Preßfreiheit eingeführt hatte, durch B.esbeschluß unterdrückt; ebenso wurden kurz nach einander 9 Zeitschriften (darunter die Tribüne von Wirth, der Westbote von Siebenpfeiffer, die politischen Annalen von Rotteck) von B.eswegen

unterbrückt oder verboten; nochmals strengere Ueberwachung der aufregenden „Volks-
blätter" vorgeschrieben und der Vertrieb aller außerhalb Deutschland in deutscher
Sprache erscheinenden Druckschriften politischen Inhalts von einer besondern vorgängigen Erlaubniß der Regierungen abhängig gemacht u. s. w. Alles Dinge, die in die
innern Angelegenheiten der B.esländer, in ihre Gesetzgebung und Verwaltung, auf die
unmittelbarste Weise eingriffen, und deshalb an demselben Maßstabe wie die Karlsbader Beschlüsse, mit denen sie aus einer und derselben Quelle fließen, gemessen werden
müssen. Endlich sind hier noch die **Geheimen Wiener Ministerial-Confe-
renzbeschlüsse von 1834** zu erwähnen, die zwar nur theilweise, z. B. die über
das Universitäts- und Unterrichtswesen, das B.esschiedsgericht, die Actenversendung,
zu B.esbeschlüssen erhoben und als solche erlassen worden sind, in vielen Punkten aber
in die Praxis der Einzelstaaten übergegangen (Verbot der Censurlücken, Verminderung
der politischen Tagesblätter, Urlaubsverweigerungen an Staatsdiener zum Eintritt in
die Ständeversammlungen) und obgleich lange geheim gehalten und auf eine bis jetzt
noch unerklärte Weise zur Oeffentlichkeit gelangt, doch noch von keiner Seite als un-
ächt bezeichnet, dagegen von dem würtembergischen Ministerium ausdrücklich anerkannt worden sind. Auch hier dieselbe Sorge für Ordnung und Ruhe, für
Aufrechthaltung des monarchischen Princips, und wieder dieselben Mittel. Die Regierungen sollen eine mit den Souveränetätsrechten unvereinbare Erweiterung ständischer
Befugnisse, eine Betheidigung des Militärs auf die Verfassung, Berathungen der Landstände über die Gültigkeit der B.esbeschlüsse nicht zugestehen. Sie sollen die
Ständeversammlungen auflösen oder vertagen, welche in ihrer Mehrheit b.esfeindliche
oder ruhestörende Reden billigen oder nicht verhindern. Sie sollen das Censoramt
nur Männern von erprobter Gesinnung und Fähigkeit übertragen, Censurlücken nirgends dulden, auf Verminderung politischer Tagesblätter Bedacht nehmen, Concession
zu neuen politischen Blättern nur nach gewonnener Ueberzeugung von der „Befähigung"
des Redacteurs und nur mit der Clausel völlig uneingeschränkter Widerruflichkeit ertheilen, den Abdruck ständischer Verhandlungen strenge beaufsichtigen, und wo Gerichtsöffent-
lichkeit besteht, den Druck der Gerichtsverhandlungen mit solchen Vorsichtsmaßregeln umgeben,
daß jede nachtheilige Einwirkung auf öffentliche Ruhe und Ordnung verhütet werden kann.
Wenn Ständeversammlungen die zur Handhabung der B.esschlüsse vom 28. Juli 1832
erforderlichen Leistungen oder Steuern überhaupt verweigern, sollen sie aufgelöst werden und die Regierungen B.eshülfe erhalten. Die unzulässigen Bedingungen bei der
Steuerbewilligung dürfen auch unter dem Namen Voraussetzungen oder unter sonst
einer Form nicht gestellt werden. Das Recht der Steuerbewilligung sei nicht gleichbedeutend mit dem Recht, das Staatsausgabenbudget zu regeln. Den Ständen stehe daher
das Recht nicht zu: einzelne innerhalb des Betrags der im Allgemeinen bestimmten
Etatssummen vorkommende Ausgabeposten festzusetzen oder zu streichen, insofern die
Verfassung es nicht anders bestimmt. Werden bereits erfolgte Ausgaben gestrichen, so können die Stände für die Zukunft Verwahrung einlegen, aber dergleichen als wirklich
verausgabt nachgewiesene Summen nicht als effective Kassenvorräthe in Anschlag bringen. Staatsbeamte sollen zu ihrem Eintritt in die Kammern der Genehmigung des
Landesherrn bedürfen. Den Privatdocenten soll die Venia legendi nur mit Genehmigung
der der Universität vorgesetzten Behörde und stets widerruflich ertheilt werden, in Allem
aber, wo die bestehende Verfassung oder andere Gesetze dem alsbaldigen Vollzug dieser Beschlüsse im Wege ständen, zur Erfüllung der letztern auf Beseitigung jener Hindernisse von den Regierungen hingewirkt werden. — Wir können zum Schluß eilen.
Die eingreifendsten Beschlüsse der B.esversammlung, die die Entwickelung der öffentlichen Zustände Deutschlands im Sinne des repräsentativen Systems zu verhindern
oder zu erschweren bestimmt waren und diesen Erfolg vorerst auch wirklich
hatten, haben wir mitgetheilt. Sie zeigen zugleich, wie die B.esversammlung,
der B.esacte wie es scheint entgegen, mehr und mehr die Rechte einer staatsrechtlichen

Obergewalt sich beilegte. Vieles Andere, was derselben Richtung angehört, — das Verbot der Actenversendung in Criminal- und Polizeisachen durch Beschluß v. 13. Nov. 1834, die Wiedererrichtung einer B.es-Centralbehörde zur Leitung und Beförderung der Untersuchungen wegen des Frankfurter Attentats (1833), die Beschlüsse über das Universitäts- und Unterrichtswesen v. 13. Nov. 1834, das Verbot des Wanderns deutscher Handwerksgesellen in der Schweiz und nach Frankreich (1835), der Beschluß wegen Bestrafung von Vergehen gegen die Existenz, Integrität, Sicherheit oder Verfassung des deutschen B.es als Hochverrath oder Landesverrath (18. Aug. 1836), die verschiedenen Bücherverbote (darunter „das junge Deutschland") u. s. w. — müssen wir hier übergehen. Das Gesagte wird ohnehin genügen, ein Urtheil über die Wirksamkeit des B.es festzustellen. Und dieses kann freilich nicht anders ausfallen, als dahin, daß der B. sein Möglichstes gethan, um die Entwickelung des aufkeimenden constitutionellen Lebens in Deutschland zu hindern und Ruhe und Ordnung in seinem Sinne zu handhaben und aufrecht zu erhalten. Vielleicht wären all diese Beschränkungsmaßregeln ruhiger ertragen, all diese unmittelbaren Einwirkungen in die innern Angelegenheiten der B.esländer schneller verschmerzt worden, wenn der B. auf dem Gebiete, das nach der B.esacte unzweifelhaft in den Bereich seiner Machtvollkommenheit gehört, denselben Eifer, dieselbe „glückliche Uebereinstimmung" gezeigt hätte. Aber das einmüthige Zusammenwirken, das dort mit so großer Kraftentwickelung hervortrat, wenn es galt, den andrängenden Geist der Zeit in die „gebührenden Schranken" zurückzuweisen, — dieses einmüthige Zusammenwirken finden wir, wenn es sich um Verwirklichung von Volksrechten, um Befriedigung auch nur materieller Interessen handelt, nicht wieder. Je unbedingter das Eingreifen in die Gesetzgebung und Verwaltung der B.esländer dort, um so zarter die Schonung ihrer Selbstständigkeit und Unabhängigkeit hier. So ist denn in gar vielen deutschen Ländern heute noch nicht zur Wahrheit geworden, was die B.esacte in ihrem 16. Art. verheißt, daß in den Ländern und Gebieten des deutschen B.es die Verschiedenheit der christlichen Religionsparteien keinen Unterschied in dem Genuß der bürgerlichen und politischen Rechte begründen darf. So sind Handel und Verkehr zwischen den verschiedenen B.esstaaten trotz Art. 19 der B.esacte dem Sonderbelieben der einzelnen B.esstaaten so lange anheimgestellt und von Mauthen allerseits bedrückt geblieben, bis endlich, ohne Zuthun des B.es, durch Gründung des deutschen Zollvereins, in einem Theile von Deutschland wenigstens für wechselseitigen freien Verkehr geschah, was durch Zuthun desselben nicht möglich gewesen war. So ist die bürgerliche Verbesserung der Juden, deren Berathung der B.esversammlung vorbehalten worden war, von B.eswegen mit nichten in Erfüllung gegangen. So ist für die gleichförmigen Verfügungen über die Preßfreiheit nichts weiter geschehen, als daß die Censur geheiligt und von Zeit zu Zeit verlängert worden ist. So ist nach Aufhebung der in anerkannter Wirksamkeit stehenden landständischen Verfassung Hannovers ein Incompetenzbeschluß erfolgt. Ob es dagegen in die Wagschale fällt, daß der B. Maßregeln zur Sicherstellung der Rechte der Schriftsteller und Verleger gegen den Nachdruck vereinbart (1837, 1845) und den Negerhandel verboten hat (1845)? Daß sonst freiheitliche Schöpfungen durch den B. ins Leben gerufen worden wären, davon schweigt die Geschichte. Nimmt man dazu, daß auch die völkerrechtliche Stellung des B.es nicht der Art ist, wie sie einer Nation von 40 Millionen gebührt oder zu Zeiten des Reiches war, daß Deutschland nicht im Rathe der europäischen Großmächte sitzt, sondern als bloßer Anhang von Oesterreich und Preußen erscheint, so wird es kaum Wunder nehmen, wenn das deutsche Volk mit den B.esverhältnissen sich wenig befriedigt zeigt und, weit entfernt, ein begeisterter Lobredner des B.es zu sein, ihm mehr oder weniger abgeneigt ist. Vorschläge zu Aenderungen in diesen Verhältnissen sind auch schon in einigen ständischen Kammern gemacht worden. Die sächsische Censoreninstruction (vom 5. Febr. 1844) schreibt indeß vor, daß allen Schriften, Artikeln und Aufsätzen, welche einen andern Vereinigungspunkt für die gesammte deutsche Nation bezwecken, als den in der Gründung des deutschen B.es gegebenen, oder die auf eine demokratische Umgestaltung der B.esverhältnisse hinwirken, die Druckerlaubniß verweigert werden müsse. Dieß möge also genügen. — Früher wurden die B.estagsverhandlungen in der Regel durch den Druck bekannt gemacht. Was nicht veröffentlicht werden sollte, mußte jedesmal besonders ausgenommen werden. Seit 1824 ist indeß die Regel zur Ausnahme und die Ausnahme zur Regel geworden. Selten, daß jetzt noch ein Protocoll der B.esversammlung in die Oeffentlichkeit bringt. C.C.Cramer.

Bundesfestungen. Durch die Pariser Verträge v. 1815 waren die Plätze Mainz mit Einschluß von Castel und Kostheim, unter großherzogl. hessischer, Luxemburg, unter niederländischer, und Landau, unter bairischer Staatshoheit, zu B. erklärt worden. Außerdem sollte noch eine 4. B. am Oberrhein errichtet werden, für die 20 Mill. von den franz. Entschädigungsgeldern ausgeworfen waren. Die Uebergabe und Uebernahme von Mainz an den deutschen Bund erfolgte am 15. Dec. 1825, von Luxemburg im März 1826, von Landau im Januar 1831. In Friedenszeiten besteht die Besatzung von Mainz aus österreich., preuß. und darmstädtischen; die Luxemburger aus preuß. und niederländischen; die Landauer ausschließlich aus bairischen Truppen. Im Kriege werden diese Besatzungen durch die Truppen der kleinern deutschen Bundesstaaten verstärkt. Zur Sicherstellung der oberrheinischen Grenze ist endlich am 26. Aug. 1841 die Befestigung von Rastatt und Ulm als B. vom Bund beschlossen, und sind in Folge dessen auch die einzelnen Bundesländer zu Leistung von Geldbeiträgen herangezogen worden. Gegen Westen wäre also Deutschland durch B. geschützt, wenn's mit Festungen und Soldaten gethan ist. Aber gegen die von Osten drohende Gefahr? Wird Gott und seine Heiligen helfen!! C.C.Cramer.

Bundesstaat. Wenn eine Anzahl selbstständiger Gebietstheile oder Staaten sich einigen zu einem gemeinsamen Ganzen hinsichtlich der Gesetzgebung, der Vertheidigung, des Handelssystems, der Volksvertretung u. s. w., so daß also jeder einzelne Theil sich dem Ganzen unterordnet, so nennt man dies einen B. Solch ein B. ist die Schweiz und Nordamerika, die in der Tagsatzung und dem Congresse ihren gemeinschaftlichen Mittelpunkt finden, dem sich alle unterordnen. Verbinden sich dagegen eine Anzahl einzelner Staaten etwa zur gegenseitigen Bürgschaft für ihren Besitz, für die Erhaltung der bestehenden Regierungsform und Verfassungszustände, so wie zu gemeinschaftlicher Abwehr etwaiger Angriffe, ohne daß sie ein gemeinschaftliches Haupt anerkennen oder irgend eine Einmischung des einen Staates in die innern Angelegenheiten des andern gestatten, so ist dies ein Staatenbund. Solch ein Staatenbund ist Deutschland, oder sollte es wenigstens nach dem Grundvertrage seines Daseins sein (s. Bund). Fragt man sich, welche Form politischer Vereinigung die bessere sei, so wird die Antwort lediglich von der Zusammensetzung bedingt sein. Die sämmtlichen Staaten Europas bilden gewissermaßen einen Staatenbund, indem sie sich gegenseitig ihren Bestand gesichert haben und für Manches sich verbündeten; ein B. aber würden sie bei der Verschiedenheit ihrer Bestandtheile und Interessen nimmermehr sein können. Wo also diese Verschiedenheit vorhanden ist, wird die Form des Staatenbundes immer die gedeihlichere sein, und umgekehrt; die Natur, die große Meisterin auf jedem Gebiete des Lebens, muß es auch hier sein und sie eint eben das Gleichartige und Verwandte. Wer eine Reihe ungleichartiger Staaten zum B. vereinen will, der sündigt aber eben so sehr gegen sie, als derjenige, welcher das Band des Volksthums, der Geschichte und der Sprache künstlich trennt. Dort ist die Folge, daß die Schöpfung zerfällt, durch welche Kraft sie auch gehalten werden mag, wie dies besonders der von Napoleon geschaffene Verein von Staaten gezeigt hat; hier ist die Folge, daß ein zerrissenes Volk innerlich nicht gedeiht, nicht stark und mächtig wird und in der Entwicklung überall zurückbleibt, endlich aber im Drange des nothwendigen und natürlichen Bestreben nach inniger Vereinigung über seine politischen Formen hinwegschreitet, nachdem unter ihnen lange Unfriede und scheinbare Auflösung gewohnt haben. Dieses letztere zeigt deutlich die Schweiz, deren ganzes Unheil einzig und allein in der ihr aufgedrungenen Selbstständigkeit und Unabhängigkeit der einzelnen Cantone seinen Grund hat. Auch Deutschland ist ein Beweis dafür, wenn auch daselbst das Streben nach Einheit und innerm Zusammenhange noch mächtiger ist, als die Folgen der Trennung und Zersplitterung. Was bei jedem einzelnen Staate ein Erforderniß des Gedeihens ist, ein starker Mittelpunkt (Regierung, Vertretung), der eben nur auf wahrer Volksthümlichkeit und Vertretung aller Theile beruhen kann, das ist besonders für einen B. Bedürfniß, dessen einzelne Theile trotz aller Verwandtschaft in ihren Bestrebungen doch wesentlich auseinander laufen können. Auch in dieser Beziehung bietet Nordamerika ein Muster, indem in dem Congresse durch die Repräsentantenkammer das Volk in seiner Unmittelbarkeit und Gesammtheit, im Senate dagegen jeder einzelne Staat in seiner Besonderheit und Selbstständigkeit vertreten ist. Endlich ist noch eine unabweisbare Nothwendigkeit, daß die Verfassung des B.s mit der Verfassung der einzelnen Theile übereinstimmt und daß z. B. ein B., dessen Glieder verfassungsmäßig regiert werden und demnach staatsbürgerlich mündig sind, nimmermehr unter einem Mittelpunkte gedeihen kann, der von der völligen Unmündigkeit des Volks ausgeht. Derartige Unnatürlichkeiten rächen sich immer am B. selbst, indem die Größe und Herrlichkeit des Volkes in demselben Verhältnisse zurückbleibt, als die nothwendigen Bedingungen des Gedeihens fehlen.

Bunzenzins, s. Bedemund.

Bureaukratie, s. Schreibstubenherrschaft.

Burg. Im Mittelalter die befestigte Wohnung der Großen und Gewaltigen, auch der adlichen Wegelagerer, welche die vorüberziehenden Kaufleute plünderten und sich dann in ihre B. zurückzogen. Diese adliche Beschäftigung ist Ursache, daß die B.en vielfach an großen Flüssen, den bedeutendsten Handelsstraßen, errichtet wurden und zwar auf Bergen — wovon sie auch den Namen haben — von welchen aus man den Fluß übersehen, mittelst Wurfgeschossen u. s. w. beherrschen und schwer angegriffen werden konnte. Mit der Erfindung des Pulvers verloren die B.en ihre Sicherheit und geriethen von nun an in unaufhaltsamen Verfall. Die Ideen aber, die in der B. gepflegt und genährt wurden, spuken noch immer in den Köpfen von ehemals b.bewohnenden Geschlechtern und erscheinen oft als komische Gespenster inmitten der von der Neuzeit geschaffenen Volksvertretungen.

Burgbann, gleich Burggerichtsbezirk, s. Bann.

Burgdienst hieß die Arbeit der Leibeigenen, welche sie in der Wohnung ihres Herrn verrichten mußten; auch die Pflicht zur Vertheidigung der Burg nannte man so.

Burgfesten war der Name der Dienste, welche die Leibeigenen beim Bau der Burg leisten mußten.

Burgfriede. Das befreite Gebiet um eine Burg, auch der Umkreis, über welchen sich die Macht des Burgherrn erstreckte. B. (Burgfreiheit, Burgfreyt, Burgbann, Burgwart) hießen auch die Rechte, welche die Burgbesitzer den in ihrem Gebiete liegenden Dörfern, Kirchen, Klöstern u. s. w. gewährten.

Burggenossen nannten sich die gemeinschaftlichen Besitzer einer Burg.

Burggraf hieß Anfangs der Befehlshaber der Macht einer Burg, später der Richter, welcher die Gerichtsbarkeit im Gebiete der Burg ausübte, die sich oft über weite Gebietstheile, ja ganze Städte erstreckte, die sich unter den Schutz einer Burg begeben hatten. Jetzt ist B. nur noch ein leerer Titel.

Burgverließ: das Gefängniß der Burg.

Burgvoigt: der Aufseher über die Hörigen auf der Burg, eine Art Polizeibiener des Mittelalters.

Burschenschaften. Der Trieb zur Vergesellschaftung hat die Staaten geschaffen, er ist die Ursache zu Gesellschaften im Staat, die Mutter des unvertilgbaren Corporationsgeistes, der seit ihrem Entstehen die Bevölkerung aller Universitäten belebt hat. Alle diese Verbindungen tragen den Charakter ihrer Zeit, deren geistige Bewegung sich in ihnen abspiegelt. Als gegen das Ende des 17. Jahrh. das Ordenswesen das allgemeine Interesse in Anspruch nahm, entstanden auch unter den Studenten Orden und Verbindungen mit geheimen Erkennungszeichen und aller der mysteriösen Umhüllung, in welcher damals das kleine Saamenkorn einer größern Zukunft verborgen schlummerte. Es konnte natürlich nicht fehlen, daß der wilde junge Geist, dessen Selbstgefühl an dem Anhaltepunkt der Verbindungen sich nährte, nicht auch wilde und unnütze Schößlinge trieb. Raufereien, Trinkgelage, Auflehnungen gegen die Universitätsgesetze gaben den Behörden zu vielfältigem Einschreiten, zu strengen Untersuchungen und Verfolgungen gegen die Verbindungen Veranlassung, ohne sie jedoch jemals ausrotten zu können. Mit dem Aufhören des Ordenswesens überhaupt, pflanzten sich die Verbindungen als Kränzchen und Landsmannschaften fort, deren wesentliche Richtung, das burschikose Vergnügen, in ihnen ausgebildet und unter bestimmte Formen gebracht wurde. Man gab Gesetze für die Trinkgelage und Duelle, für das Verhalten gegen Professoren und Philister und begründete dadurch in dem Comment (dem Inbegriff dieser Gesetze) das Wesen der Renomisterei, deren lächerliche Roheit sich lange genug forterhalten hat. Mit der Zeit der franz. Herrschaft kam ein neuer Geist über die studentischen Verbindungen. Die tiefe Erniedrigung des Vaterlandes, die glühende Begeisterung für die Befreiung desselben vereinigte viele Hunderte zur Theilnahme an einem Bunde, der unter dem Namen des Tugendbundes auftretend, viel für die Begeisterung und Erhebung der ganzen Nation gewirkt hat. Viele Studirende zogen mit in den Kampf und kehrten stolzer und ernster zur Beendigung ihrer Studien auf die Universitäten zurück. Es war natürlich, daß bei diesen Zurückgekehrten eine lebendige Theilnahme an den weitern Schicksalen des Vaterlandes zurückblieb. Diese Theilnahme, auch in spätern Geschlechtern fortwirkend, erzeugte die politische Richtung, welche in den Jahren 1817 und 1818 die B. entstehen ließ. Das allgemeine Mißvergnügen über unerfüllte Versprechungen fand in den Gemüthern der akademischen Bürgerschaft einen lebhaften Widerhall und rief geheime Bestrebungen zur zukünftigen Abwendung der Ursachen hervor, deren Lautwerden die Behörden mit Besorgniß erfüllte und Untersuchungen und Verfolgungen nach sich zog, um die B. und ihren gefürchteten Geist für immer von den Universitäten zu verbannen. Im Allgemeinen machte sich in der B. ein ehrenhafter Geist geltend; Sittlichkeit, Wissenschaftlichkeit und Ehrenhaftigkeit stellte die B. als Grundlage des studentischen wie des künftigen bürgerlichen Lebens auf und handhabte sie in der Verbindung mit oft übertriebenem Eifer. Die Raufereien, die Renomisterei, die burschikose Roheit machten einer würdigern Haltung Platz, die, wenn auch eigenthümlich und auffallend durch ihre romantische deutschthümelnde Färbung, doch jedenfalls den Vorzug vor der jetzigen, durch keinen „Geist der Verbindung" mehr beaufsichtigten ausschweifenden und entnervenden Sittenlosigkeit behält. Was die politischen Zwecke der B. anbelangt, so ist darüber viel gefabelt und viel übertrieben worden. Man hat ihnen sogar hochverrätherische Absichten Schuld gegeben, die, wie die vorgeworfenen revolutionären Absichten, höchstens momentan in den Köpfen Einiger gespukt haben mögen. Wenn das handelnde Auftreten für politische Zwecke bei jungen Leuten, deren Erziehung eben erst noch beendet werden soll, nicht gebilligt werden kann, so ist dies ein Anderes, als die Theilnahme an den politischen Interessen der Zeit überhaupt. Die vorsichtige und ängstliche Alleinherrschaft hat lange Zeit das deutsche Philisterium mit der Vogelscheuche studentischer, d. h. durch Studenten erzeugter Revolutionen so wirksam erschreckt, daß Väter und Mütter sich entsetzten, ihren Sohn im Burschenrock nach Hause zurückkehren zu sehen, daß man sogar die unerhörten Verfolgungen der Behörden als nothwendig für gerechtfertigt erkannte. In dem Satze, daß in den studentischen Verbindungen der Charakter der Zeit mit Licht und Schatten sich abspiegelt, liegt der Grund für die Erscheinung der B., wie für ihren Untergang und der Standpunkt für ihre Beurtheilung. Während die politische Richtung der B. bis zur Mitte der dreißiger Jahre nichts anderes war, als der heimliche Reflex des unterdrückten Volksgeistes, verschwand diese Richtung mit der Oeffentlichkeit und Anerkennung des politischen Lebens im Volke. Die Beschäftigung mit Politik, täglich mehr in alle Classen der Gesellschaft sich verbreitend, hörte auf etwas durch Besonderheit Reizendes für die Studenten zu sein, man beschäftigte sich fort und fort mit Politik, aber wie andere Leute, ohne den Schleier des Geheimnisses; man las Zeitungen und besprach sich in Kaffeehäusern; so gelang es dem Zeitgeist die B. zu zerstören, ein Unternehmen, welches dem Verfolgungseifer wohl sonst schwerlich gelungen sein möchte. Eine Seite der Furcht der Regierungen vor dem Geiste der B. war nicht ungegründet, die Seite nämlich, welche die Fortwirkung des freien Geistes in den spätern Beamten und Staatsbürgern im Auge hatte. Die Verhandlungen mancher Kammern haben bewiesen, daß die Ideen, welche die Jugend begeisterten und aufregten, nicht untergegangen sind, und daß Männer, welche als unbesonnene Jünglinge ihre ersten Rednerlorbeeren bei dem verketzerten Wartburgsfeste verdienten, es verstanden, als besonnene Männer dieselben Ideen, gereift und gezeitigt an der höhern Lebenssonne des Alters und der Erfahrung, in einer Ständeversammlung auszusprechen und zu vertreten. Die B. sind begraben, aber ihr Geist lebt fort im Geist des gebildeten Volkes. *Bertholdi.*

Busenhuhn, s. Bedemund.

Buße (Compositionen-System). Der Inbegriff der bei den alten Völkern gültig gewesenen Strafe und Sühne und der damit in Zusammenhang stehenden Einrichtungen. Der kriegerische Charakter und der freie Sinn des deutschen Volkes ließen erst nach mehr als 1000jährigem Kampfe die Entwickelung eines Staatslebens zu, in welchem die höchste Staatsgewalt zugleich das Strafrecht enthält. Die freien Genossenschaften schützten sich selbst; die körperliche Stärke und Gewandtheit, die Macht der Waffe verschaffte dem verletzten Rechte Geltung und Sühne. Als die schützende Staatsgewalt ermangelte, schreckte die Selbsthülfe und Rache des Verletzten oder Bedrohten von neuen Rechtsstörungen ab und machte auf die Gesammtheit einen von der Nachahmung des verderblichen Beispiels abmahnenden Eindruck. Durch die Fehde, d. i. die Bekämpfung des Verbrechers und seiner Beistände durch den Verletzten und seine Genossen, wurde ein allgemeines Kriegsrecht zur Geltung gebracht. Die Angehörigen eines Getödteten waren besonders verbunden, die That zu rächen (s. Blutrache) und es floß auf beiden Seiten Blut, ehe die Versöhnung zu Stande kam. Wurde durch ein Verbrechen ein Familienglied verletzt, so war das ein Schimpf für die ganze Familie, welche die erlittene Schmach durch Herstellung der Ehre und Reinigung des Unrechts tilgen mußte. Diese Ansichten finden wir nicht allein bei den alten Deutschen, sondern bei allen kräftigen Volksstämmen, ehe sie in den durch die Rechtsidee geordneten Staat eintraten, so namentlich auch bei den Römern, Griechen, Celten und Slaven. Sie kannten also kein für Alle verbindliches Strafrecht der Staatsgewalt, sondern faßten das Verbrechen als persönliche Verletzung auf, welche durch Wiedervergeltung getilgt wurde. Die Maßlosigkeit der Selbsthülfe und Rache wurde allmählig durch religiöse Vorstellungen, durch das Vorbild göttlicher Gerechtigkeit, welche nur nach dem Grade der Verschuldung straft, gemildert, und so lag in der Wiedervergeltung (Talio) zugleich der Begriff der dem erlittenen Uebel entsprechenden Angemessenheit und Gleichmäßigkeit der Selbsthülfe, worauf der Ausdruck: „Auge um Auge, Zahn um Zahn" hinweist. Wie nach der Vorstellung der Alten die erzürnte Gottheit sich durch dargebrachte Opfer versöhnen läßt, so ist es auch des Menschen nicht unwürdig, das erlittene Unrecht durch eine dargebotene B. ausgleichen zu lassen. Durch diese B. (Sühne, Lösegeld, Compositio, daher Compositionen-System) wurde die Störung des Friedensverhältnisses wieder aufgehoben und selbst der Todtschlag konnte durch Bezahlung eines **Wehrgeldes** gesühnt werden. Die richterliche Gewalt war beim Volke, in den Volksgerichten wurde über Verbrechen entschieden, es wurde gerichtlich der Kampf oder Vergleich geordnet. — Der Verletzte war verpflichtet, über die Verletzung vor der Gemeinde Klage zu führen; weigerte sich der Schuldige, die von seinem Gegner geforderte, von der Gemeinde festgesetzte B. zu zahlen, so ward er aus der Gemeinde gestoßen und friedlos. Die B.n wurden durch Gewohnheit festbestimmt und das Wehrgeld diente zu ihrer Berechnung. Später mußte der Beleidiger auch der Gemeinde wegen des gebrochenen Friedens eine B. zahlen, indem man sich der jetzt dem Strafrecht zu Grunde liegenden Ansicht, daß durch das Verbrechen die Gesammtheit verletzt werde, näherte. Die Gemeinde haftete aber auch als Gesammtbürgschaft für die im Gemeindegebiet begangenen Verbrechen, und hatte selbst, wenn der Thäter nicht entdeckt wurde, das Lösegeld zu zahlen. Die Sitte, Leibesstrafen durch Geld abzukaufen, hat sich in Deutschland bis in das 16. Jahrh. erhalten. Insbesondere enthielt das alte Sachsenrecht (Sachsenspiegel) ausführliche Bestimmungen über die B., und weil die **Carolina** (s. d.) dieselben nicht aufnahm, fand sie auch in Sachsen niemals vollständige Geltung. Noch jetzt ist in Sachsen die **Sachsenb.** (s. d.) gültig und dem Einflusse des alten sächsischen Strafrechts ist es gewiß zum Theil zuzuschreiben, daß auch nach dem neuen Criminalgesetzbuche (1838) bei einigen Körperverletzungen, Beleidigungen und andern leichten Vergehen, mit Ausnahme der Eigenthumsverletzungen, **Geldstrafen** zulässig sind. *Adolph Hensel.*

Bußtag. Eine Einführung der römischen Kirche, die früher B.e zu Zeit allgemeiner Noth ausschrieb, später aber jedem Kirchenfeste einen B. voransetzte. Die protestantische Kirche hat merkwürdigerweise Rom nachgeahmt in dieser Einrichtung und fast allenthalben B.e angeordnet. Buße für begangene Sünden ist für den, der sie für nöthig hält, ein inneres Bedürfniß, welches er befriedigen muß, wenn es eintritt. Angeordnete B. haben demnach keinen Sinn, arten auch meist in Feier-, wo nicht Sauftage aus. Der Staat am wenigsten hat sich um die kirchliche Buße seiner Angehörigen zu bekümmern. Er soll und darf keine andern Sünden kennen als die Versäumniß der Staats- und Gesellschaftspflichten und die Uebertretung des Gesetzes. Diese werden aber nicht mit Zerknirschung und Gebet gebüßt.

Butenschoß, eine Abgabe, s. **Abschoß.**

C.

Cabale. Eine Verbindung mehrerer Personen zu unerlaubten Handlungen, in der Politik besonders zum Mißbrauch der Staatsgewalt zu eigennützigen Zwecken. Das Wort rührt von einem englischen Ministerium, welches im angedeuteten Sinne wirkte, von 1760 her, welches nach den Anfangsbuchstaben seiner Mitglieder (Clifford, Ashley, Buckingham, Arlington und Lauderdale) Ministerium Cabal hieß. Der Wirkungskreis der C. ist besonders unter der Alleinherrschaft, wo der gute Wille des Fürsten durch die C. umgekehrt und in seinen Wirkungen verändert wird; wo die Minister nicht ihrer Tüchtigkeit, sondern etwa der Gunst einer fürstlichen Maitresse ihre Erhebung verdanken; wo man den Fürsten in fortwährende Zerstreuungen, Schwelgereien und

Sinnenkitzel zu versenken strebt, um ihm den Zustand des Volkes, die Beugung des Rechts und das Streben der Machthaber neben ihm zu verbergen. Schiller und Lessing haben in „Cabale und Liebe" und „Emilia Galotti" Gemälde der C. gegeben, die wirksamer sind, als alle Beschreibungen, die zeigen, wie die C. nicht nur das allgemeine Wohl untergräbt, sondern auch in das Familienglück eingreift mit frecher Hand und Alles opfert, was ihren nichtswürdigen Zwecken hinderlich ist. Den Aposteln der Alleinherrschaft mag man diese Gemälde vorhalten und wenn sie deren Wahrheit und Wirklichkeit nicht in Abrede stellen können, durch diese allein sie widerlegen.

Cabinet, ein kleines verborgenes Zimmer, in politischer Beziehung: 1) das Arbeitszimmer des Fürsten, in welchem er die ihm verfassungsmäßig zustehenden Regierungsgeschäfte besorgt. In der Diplomatensprache 2) die gesammte Regierung, die man mit C. von Berlin, C. von Wien, oder gar mit C. von St. James, oder C. der Tuilerien nach der unmittelbaren Wohnung des Fürsten bezeichnet. C. heißt 3) oft die Gesammtregierung, d. h. der Fürst mit seinen Ministern und Räthen, indem man sich an den diplomatischen Ausdruck anschließt. Daher heißt also

Cabinetsbefehl derjenige Befehl, diejenige Anordnung, welche unmittelbar vom Fürsten, oder der höchsten Staatsbehörde, dem Ministerium unter Genehmigung des Fürsten ausgeht. Vergl. Befehl.

Cabinet, geheimes. Nach der alten Auffassung der Regierungskunst, wurde dieselbe als eine Art Zauberei betrachtet, die nur von den Berufenen, d. h. von den zufällig durch Geburt und Gunst dazu Gekommenen gekannt und ausgeübt werden konnte. Daher war Alles, was damit zusammenhing, geheim; das Geheimste des Geheimen aber war natürlich das geh. C., in welchem die Fäden zusammenliefen, an welchen die ganze Staatsmaschine bewegt wurde. Dort war Alles geheim, die Minister und die Räthe, die Schreiber und die Ofenheizer, die Absichten und die Zwecke, die Handlungen und ihre Ursachen. Die Neuzeit hat diese geheime Heimlichkeit theilweise verscheucht und auch in die dunkelsten Winkel das Licht der Oeffentlichkeit gebracht, wenigstens es dahin zu bringen gestrebt. Deshalb klingt auch in unserer Zeit nichts komischer, als wenn im Titelwesen der alte überwundene heimliche Staat noch immer spukt und sich z. B. nicht begnügt, sich einen Rath der Regierung, einen Regierungsrath zu ernennen, sondern einen Wirklichen Geheimen Ober-Reg.-Rath braucht, was unmittelbar an die alte ägyptische Staats- und Priesterzauberei und an ihre abgelebte Tochter, die Freimaurerei, erinnert. Aus der Zeit, als das geh. C. noch der Inbegriff aller Macht und Weisheit war, als es politischer Papst war im vollsten Sinne, rührt auch Justus Mösers Behauptung vom

Cabinetsgeist, er sei herrisch, despotisch, eigensinnig, trotzig, gewaltthätig, absprechend; und so sei auch seine Sprache und sein Styl: kurz, barsch, nicht raisonnirend, ganz im militairischen Tone und von beleidigender Grobheit. Das kann man dem C. der neuern Zeit nicht nachsagen; in den Formen wenigstens ist er ein ganz anderer geworden, wenn sich auch seine alten Launen und Wünsche hin und wieder noch erhalten haben.

Cabinet, schwarzes, s. Briefgeheimniß.

Cabinetsinstanz heißt die Berufung an das Ministerium, oder an den Fürsten selbst, in den Angelegenheiten, welche auf dem Verwaltungswege entschieden werden. Oft nennt man auch das Gesuch um Begnadigung: Berufung an die C. Vergl. also Begnadigung.

Cabinetsjustiz. Wenn die Regierung oder der Fürst selbst durch Befehle in den Gang der Rechtspflege eingreift, befiehlt, daß dieser oder jener Fall so oder so beurtheilt werden solle, Urtheile ändert oder mildert, d. h. anders als es unter Begnadigung als zweckmäßig und zulässig geschildert ist, oder gar schärft, so nennt man dies C., obgleich von Justiz, d. h. von Rechtspflege dabei nicht mehr die

Rede ist, sondern nur von persönlichem Ermessen und Belieben. Der erste Grundsatz wahrer Rechtspflege ist, daß derjenige, welcher Recht spricht, nicht betheiligt, nicht Partei ist; nun ist aber der Staat, oder, was besonders unter der Alleinherrschaft dasselbe ist, der Herrscher, betheiligt bei jeder Uebertretung seiner Gesetze; besonders aber ist die Regierung, unter der Alleinherrschaft der Herrscher, betheiligt und Partei, wenn sich verbrecherische Bestrebungen gegen die Regierung selbst und ihr System gerichtet haben, endlich noch in allen den Fällen, wo der Fiscus, d. h. die Regierung selbst als Kläger oder Beklagter auftritt. Ueber diese Grundsätze und die daraus hervorgehende Nothwendigkeit einer unabhängigen Rechtspflege war man zu allen Zeiten und unter allen politischen Systemen einig; selbst die Apostel der unumschränkten Gewalt wollten keine C., sondern eine unabhängige Rechtspflege, obgleich sie damit etwas in ihrem Systeme Unsinniges wollten. Denn wo alle Macht vereinigt sein soll in einem Menschen, da muß auch die Macht des Rechtsspruches ihm gehören; zudem hat derjenige, welcher das Recht, Gesetze zu geben, zu ändern und aufzuheben, unbedingt ausübt, außerdem alle Beamte ernennt, versetzt, absetzt, oder befördert, von selbst die C. in der Hand, nur ist ein kleiner Umweg zu derselben zu machen. v. Haller ist daher der einzig ehrliche und consequente dieser Schule, wenn er alle richterliche Gewalt für den Allein-

binden, oder auch täuschend trennen wollen, was der innern Natur nach unzertrennlich ist. Ueber die Verwerflichkeit der C. ist in unsern Zeiten Niemand mehr zweifelhaft, in der Wissenschaft wie im Leben ist die Ansicht darüber so einstimmig und allgemein, daß man C. und Justizmord nicht selten als eins und dasselbe zu betrachten pflegt. Die neuern Verfassungen, welche die Gewalt des Staates ohnehin mannigfach getheilt und namentlich die gesetzgebende und vollziehende streng auseinander gehalten haben,

diese Unabhängigkeit besonders in der Unabsetzbarkeit des Richters. Damit ist allerdings ein heiliger Grundsatz anerkannt, allein seine Einführung ins Leben ist noch

noch viel zu weiten Wirkungskreis auf dem Gebiete der Rechtspflege und öffnet damit der C. Thür und Thor, theils ist die Unabhängigkeit der Richter eine Täuschung, so lange dieselben zwar nicht abgesetzt, aber sonst vom Minister beliebig mißhandelt werden können. Wenn die Richter durch Rundschreiben angewiesen werden können, im Sinne des Cabinets zu entscheiden; wenn ihnen befohlen werden kann, eine Untersuchung zu führen; wenn man die Gerichtshöfe „reinigen", d. h. Personen, die nicht unbedingt Knechte sind, entfernen und durch Hundeseelen ersetzen kann; wenn einem Richter, welcher einen mißliebigen Menschen nicht verurtheilen konnte, Versetzung und Zurücksetzung droht, einem andern, der minder gewissenhaft ist, dagegen Beförderung und Auszeichnung lacht; wenn sogar bei der Anstellung des Richters auf eine bestimmte politische Parteifarbe gesehen und damit im Voraus die Gewißheit gesucht wird, daß er die andere Partei und ihre politischen Handlungen verdammen werde, so hat man noch C., so weit man sehen kann, und nicht eher ist die Gesellschaft vor derselben gesichert, bis sie alle diese Möglichkeiten beseitigt und die richterliche Gewalt jedem Belieben und Ermessen entzogen hat. Daß die öffentlich-mündliche Rechtspflege mit Geschworenen ebenfalls eine Todtfeindin der C. ist, versteht sich von selbst und das Widerstreben gegen diese immer gebieterischer verlangte Verbesserung ist theils in der Vorliebe für die C. zu suchen.   R. B.

Cabinetsminister heißt derjenige Minister, welcher dem Fürsten Vortrag in seinem Cabinet hält und an den Entscheidungen desselben Theil nimmt, mindestens zu Rathe gezogen wird. Wo diese Einrichtung besteht, heißen die Minister, welche dieses Amt nicht haben, Conferenz-Minister, oder schlechtweg Minister. In Frankreich ist die Unterscheidung ziemlich scharf und die Minister mit Portefeuilles (s. d.) sind C., die übrigen nur Conferenzminister.

Cabinetsordre, s. Befehl.

Cabinetsrath. Ein Rath des Fürsten, welcher an den Arbeiten seines Cabinets Theil nimmt, oft mit, oft ohne das Recht, seine Meinung auszusprechen.

Cabinetsregierung heißt diejenige, welche die Interessen des Fürsten, oder des Fürsten und seiner Minister u. s. w. mehr ins Auge faßt, als das Wohl des Volkes und des Landes.

Cabinetsschreiben nennt man in der Diplomatensprache ein Regierungsschreiben, wie sie unter den Höfen bei Regierungs- und Gesandtenwechsel, oder sonstigen wichtigen Ereignissen ausgetauscht werden.

Cachet heißt im Franz. das Siegel, Petschaft. Daher die bekannten Lettres de c., d. h. mit dem kleinen königl. Siegel versiegelte geheime Verhaftsbefehle, wodurch Jeder nach Belieben, und ohne die Ursache anzugeben, eingekerkert oder des Landes verwiesen werden konnte. Ihre Erfindung wird Pater Joseph, einem Jesuiten unter Ludwig XIII., und Richelieu zugeschrieben. Solche Lettres de c. hatte nicht nur der Polizei-Director von Paris immer eine Menge vorräthig, um sie nach Bedürfniß ausfüllen zu können, sondern auch Maitressen und Günstlinge hatten deren, um sie bei vorkommender Gelegenheit zur Rettung oder Rache anwenden zu können. So waren sie ein höchst verderbliches Werkzeug in den Händen der Staatsgewalt wie des Privathasses, welches den Bürger seiner Freiheit berauben, oder ihn ins Elend verbannen konnte; erst mit der Bastille (s. d.) verschwanden auch jene geheimen Verhaftsbefehle. Aber wie das Böse angeblich nach dem Tode noch gespenstisch umgeht, so spuken auch die Lettres de c. noch immer im Leben, bald in Ordonnanzen, bald in polizeilichen Maßregeln, oder in den zur Mode gewordenen Ausschließungssystemen; sie haben zwar eine andere Form angenommen; aber Gewalt geht noch allerwärts vor Recht! W. Pretzsch.

Cadet heißt wörtlich der Jüngste, bezeichnet aber einen jungen Menschen, welcher sich von Jugend auf dem Militairdienst widmet und dafür erzogen wird. Der Name stammt daher, weil in Frankreich sonst der C., d. h. der Jüngste, welcher nichts erbte, entweder Soldat oder Pfaffe wurde.

Cadetencorps heißt demnach die Gesammtheit dieser jungen Leute und

Cadetenhaus die Erziehungsanstalt und Wohnung derselben.

Ça ira (das wird gehen, wird sich machen) heißt der Anfang eines zur Zeit der franz. Staatsumwälzung sehr beliebten mit Tanz verbundenen Liedes, welches gewöhnlich bei Hinrichtungen gesungen wurde, weshalb es auch Guillotinen-Marsch oder Bluthymne genannt wird. Das C. war ein politisches Lied niederer Gattung, welches bald wieder vergessen wurde, ohne sich, wie z. B. die Marseillaise (s. d.), zur Unsterblichkeit zu erheben. — Wir sind mit Recht bei dem Gedanken an jenes Lied und die damit verbundenen Schreckensscenen von sittlichem Schauder erfüllt; aber vergessen wir dabei nicht, daß früher bei dem Tode unzähliger schuldloser Opfer des Glaubenshasses oder despotischer Willkür sogar das „Herr Gott dich loben wir" und andre fromme Gesänge angestimmt wurden und man wenigstens ein Volk, welches absichtlich in Unwissenheit und Rohheit gehalten wurde, weniger verdammungswürdig finden muß, als diejenigen, welche stets auf der Höhe der Gesellschaft standen und doch sich solcher Frevel schuldig machten. W. Pretzsch.

Calderari, wörtlich: Kesselschmiede, hieß eine politische Verbindung in Italien, die 1809 entstand, als die Engländer die Zünfte aufhoben, zunächst diese wieder herstellen wollte, und deshalb der Königin und Murat ihre Dienste gegen England anbot. Als diese abgelehnt wurden, gestalteten sich die C. zu einer Verschwörung, aus den untern Volksclassen bestehend, welche die Vereinigung Italiens unter einem Fürsten und durch denselben wollte. Die C. waren die Gegner der Carbonari (s. d.).

und sollen von der Regierung selbst gegen diese gebraucht worden sein, was sie später beiderseits leugneten.

Calender, s. Zeitkunde.

Calixtiner (von Calix: der Kelch, auch Utraquisten, weil sie das Abendmahl in beiden Gestalten nahmen) hießen die gemäßigten Hussiten (s. d.), welche mit den Taboriten brachen und sie in offenem Kampfe besiegten. Obgleich dadurch lange bevorzugt, wurden sie doch noch 1620 mit den übrigen Protestanten verfolgt und vertrieben und flohen nach Sachsen, Polen und Preußen, wo sie allmählig sich unter den Protestanten verloren.

Calumnie. Das vielfach gebrauchte Fremdwort für Verläumbung, s. Beleidigung.

Calvinismus, s. Reformirte Kirche.

Camarilla. Ein spanisches Wort, das zu deutsch Kämmerchen heißt. Man bezeichnete damit die Höflings- und Günstlingspartei, welche die Person Ferdinand's VII. von Spanien umgab und in einem kleinen Gemach oder Cabinet neben den königlichen Sälen die Regierungssachen geheim mit ihm zu verhandeln pflegte. Sie war es, die ihn zur Verfolgung aller rechtschaffenen Freiheitsfreunde, zu Treubruch, zu Grausamkeiten und Verbrechen trieb. Seit dieser Zeit nennt man jeden engern, volksfeindlich gesinnten Höflingskreis, der sich einen bedeutenden Einfluß auf die Staatsverwaltung zu verschaffen gewußt hat und hinter der eigentlichen Regierung (den Ministern) wieder eine geheime Regierung bildet, eine C. Als Ludwig XVIII. in Frankreich regierte, trieb eine solche C., die von dem Orte, wo sie sich gewöhnlich versammelte, der Pavillon Marsan genannt wurde, ihr Unwesen. An ihrer Spitze stand des Königs eigner Bruder, der Graf von Artois. Aber eben die Geschichte dieses Mannes beweist auch, wohin die Rathschläge einer solchen Clique führen. Nachdem der Graf von Artois unter dem Namen Karl X. den Thron bestiegen hatte, seine Freunde Minister geworden waren und nun die Grundsätze des Pavillon Marsan in Ausführung gebracht werden sollten, brach die Julistaatsumwälzung aus, welche den König und seine gewissenlosen Helfershelfer aus dem Lande jagte. — Ein Staat ist allemal zu bedauern, dessen Fürst in die Hände einer C. fällt, die meist aus Mätressen, Beichtvätern, hochadligen Intriguanten und ihren Creaturen besteht. Diese Menschen, die, unbekümmert um das Wohl oder Wehe des Landes, nur ihren eignen Vortheil anstreben, suchen die Schwächen des Fürsten zu erlauschen und seine Leidenschaften anzufachen, um ihn mit Hülfe derselben und durch Cabale (s. d.) desto sicherer am Gängelbande führen zu können. Sie wissen ihm ihre Gedanken und Wünsche geschickt unterzuschieben, und während der Fürst nach seinem eignen Kopfe zu handeln glaubt, vollführt er nur den Willen der C. Vergebens sind dann die Mahnungen aller wahren Freunde des Throns, vergebens die Vorstellungen der Volksvertreter, vergebens der Ruf der Presse. Der Fürst sieht die Dinge nur durch die Brille seiner C., verstockt sich gegen die Stimme der Ehre, wie gegen den Nothschrei seines Landes, thut Schritte, die ihn bei seinem Volke verhaßt und lächerlich machen müssen, und büßt nicht selten, wie die Geschichte in vielfachen Beispielen lehrt, mit seinem Sturze die unselige Verblendung weniger Jahre. **Jäkel.**

Camisarden. Als Ludwig XIV. 1685 das Edict von Nantes aufhob und damit das Signal zur Verfolgung und gewaltsamen Bekehrung der Reformirten gab, wanderten mehr als 50,000 reformirte Familien aus Frankreich aus. In den Gebirgen der Sevennen lebte aber noch eine beträchtliche Anzahl von Nachkömmlingen der Waldenser, welche sich den franz. Hugenotten angeschlossen hatten. Als sich die Verfolgung auch bis in ihre stillen Thäler ausdehnte, griffen sie 1702 zu den Waffen. Nach dem über die Kleider getragenen Leinwandhemd, gab man ihnen den Spottnamen C., der indessen bald zum Ehrennamen wurde, als diese Bauern Thaten heldenmüthiger Tapferkeit verrichteten. An ihrer Spitze stand Jean Cavalier, in deſſen Seele die Noth des Augenblicks ungeahnte Talente geweckt hatte. Obgleich noch nicht 20 Jahre alt, entwickelte er alle Fähigkeiten eines erfahrnen Heerführers. Durch Ueberraschung, Ueberfall und kluge Benutzung des Terrains vereitelte er alle Anstrengungen der Truppen und erzwang 1704 einen Vergleich, durch welchen den C. Gewiſſensfreiheit bewilligt wurde. Als der bigotte König dieſen Vergleich nicht anerkennen wollte, entbrannte der Aufruhr von Neuem, bis es 1705 durch Milde und umfaſſende Zugeſtändniſſe gelang, den erbitterten Kämpfen ein Ende zu machen. Ueber 100,000 Menſchen ſollen in dieſem Kriege auf dem Schlachtfelde, und mehr als 10,000 durch Henkershand ihren Tod gefunden haben. Blutſtröme und Leichenfelder waren die Ergebniſſe der Rückſchritts-Politik jenes herzloſen Despoten, den die feilen Schmeichler ſeiner Zeit vergötterten. Aber das Beiſpiel der C. beweiſt auch, wie wenig die Gewaltmittel der Tyrannei gegen kühnen Unabhängigkeitsſinn und todesfreudige Begeiſterung vermögen. Es iſt eins der erhebendſten Schauſpiele, die uns die Geſchichte bietet, eine kleine Anzahl unerſchrockner Gebirgsbewohner im Vollgefühle ihres Rechts gegen die Heere, die Schätze, die Staatskunſt eines mächtigen, weitgebietenden Monarchen in die Schranken treten und ihn endlich zur Anerkennung und Achtung ihrer Rechte zwingen zu ſehen. Jetzt zieht man gegen die Gewiſſensfreiheit zwar nicht mit Roß und Mann, mit Schwertern und Kanonen, wohl aber mit Befehlen, Suspenſionen, Amtsentſetzungen und dergl. zu Felde. Allein alle diesfallſigen Anſtrengungen werden vergeblich ſein, wenn ihnen ein entſchloſſener Widerſtand entgegengeſetzt wird. Steht feſt, ſeid unbeugſam, ihr Bannerträger auf der Bahn des kirchlichen Fortſchritts, und eure Gegner werden, wie mächtig ſie auch ſein mögen, kommen und euch um den Frieden bitten müſſen! Jäkel.

Canäle werden die künſtlichen Rinnſale und offenen Waſſerleitungen genannt, die zur Fortſchaffung von Gütern und Waaren mittels Schiffen, Booten, Kähnen u. ſ. w. angelegt werden, indem man aus Flüſſen, Seen, Bergwerken und Gruben Waſſer hineinleitet und durch Schleußen und Fluththore dafür ſorgt, daß dem Waſſer jederzeit der zur Schifffahrt erforderliche Stand gegeben werde. C. ſind die wichtigſten Förderungsmittel des Verkehrs, ihr Nutzen für den Volkswohlſtand iſt ſchon frühe begriffen worden und bereits im alten Aegypten ſehen wir großartige Unternehmungen dieſer Art, wie die Verbindung zwiſchen dem mittelländiſchen und rothen Meere über die Landenge von Suez im Werke. — Alle Völker und Staaten, welche ſich dieſe Hülfsmittel des Handels frühe und in ausgedehntem Umfange anzueignen verſtanden, haben darin eine unerſchöpfliche Quelle der Entwicklung ihrer Reichthümer und ihrer Macht gefunden. Denn wie vervollkommnet auch das Hoch und Landſtraßenſyſtem eines großen Binnenlandes ſein, wie zahlreich auch Ströme ſeinem Verkehr zu Gebote ſtehen mögen, ſo reichen ſelbſt dieſe Verkehrsmittel nicht aus, aller Orten den wohlfeilſten Transport der Erzeugniſſe zu gewähren. Ein ſehr großer Theil der Bodenſchätze iſt oft gerade da im Ueberfluß vorhanden, wo keine beträchtlichen Flüſſe ſich finden, oder deren Beſchaffenheit die Schifffahrt unmöglich macht; die Schwierigkeit des Straßenbaus, wie die Entfernung von den Orten, wo die Erzeugniſſe auf Abſatz rechnen könnten, machen oft die Landfracht ſo hoch, daß man auf Abſatz und damit auf die Erzeugung ſelbſt verzichten muß. Obwohl nun in der neuern Zeit durch die Erfindung und Einführung der Eiſenbahnen viel geſchehen iſt, um dieſe Hinderniſſe hinwegzuräumen, ſo ſtellt ſich doch die Waſſerfracht ſo bedeutend billiger, daß für eine Menge ſchwer ins Gewicht fallender Güter, wie Roherze, Kohlen, Steine u. ſ. w., eine weite Verführung nur auf dem Waſſerwege möglich wird, und daß ohne ein ausgedehntes C.netz die Erzeugung dieſer Güter oft an deren ergiebigſten Fundorten ruhen muß. Die in Deutſchland ſo oft gehörte Behauptung, daß die Anlegung von C. durch die Eiſenbahnen überflüſſig geworden ſei, iſt völlig ohne Grund, wie ſchon aus der Thatſache hervorgeht, daß die Länder, welche ihren Verkehrsmitteln die größte Ausdehnung zu geben verſtanden, wie die vereinigten

Staaten von Amerika und England, neben den bestehenden Eisenbahnen, großartige
C. anlegen. Dort werden C. nicht nur als Hebel des Binnenverkehrs, sondern als
die wahre Wünschelruthe der Erzeugung, welche alle verborgenen Schätze des
Bodens und der Arbeit heben läßt, betrachtet. — Sie sind es, die in entfernten
Landestheilen bereits bestehenden Gewerbsanlagen die Bedingung weiterer Ausdehnung
und zeitgemäßer Umgestaltung liefern, die an Orten, wo nichts dergleichen vorhanden
ist, wie mit Zauberschlag blühende gewerbliche Thätigkeit hervorrufen, indem sie nicht
nur die Zufuhr der Stoffe und Lebensbedürfnisse erleichtern und verwohlfeilern, sondern auch jedem Erzeugnisse die Möglichkeit gewinnreichen Absatzes auf die weiteste
Entfernung verschaffen. Noch mehr als die Eisenbahnen erhöhen die C. den Bodenwerth,
indem den oft anscheinend nutzlosen und unverwendbaren Gegenständen die Möglichkeit der Verwerthung mitgetheilt wird. Für die Landwirthschaft sind insbesondre C.
vom höchsten Nutzen, indem Stoffe, welche zur Verbesserung des Bodens dienen, Dünger aller Art, Kalk, Mergel, Salz u. s. w. und die hohe Landfrachten nicht tragen
können, zu wohlfeilen Preisen zugeführt werden. — Leider hat der Mangel an C.
Deutschland unsägliche Nachtheile gebracht; indem es dadurch in seiner Entwickelung
hinter andern Ländern zurückgeblieben, die sich dieses Elements frühzeitig bemächtigten.
Aber wie hätten sich auch in Deutschland C. entfalten können unter der Zersplitterung
des alten Reichs, die die Entwickelung des Verkehrs hemmte; wo die Regierungen
selbst die großen Wasserstraßen der Flüsse raubritterkleich mit hohen Lasten und Zöllen
beschwerten und die Einkünfte daraus nur höchst selten zur Verbesserung der Schiff-

sche Hoflager zu unterhalten oder üppigen Fürsten die Mittel zu gewähren, unter
Maitressen oder an ausländischen Höfen zu schwelgen. Wie hätte man bei derartigen
Zuständen die Vortheile eines großartigen Canalsystems würdigen können! Hat
man doch, und nicht etwa blos bis zum Zusammenbrechen des alten morschen deutschen Reichs, bis zur Befreiung vom franz. Joch, ja nicht etwa nur bis zur Grün-
s, nein, bis zum heutigen Tage die Flußschifffahrt auf Rhein,
w. nicht nur mit unerträglichen Zöllen belastet, sondern auch
deren Ertrag nicht zur Verbesserung des Fahrwassers, zur Instandsetzung der Leinpfade,
zur Regulirung der Flußbette verwendet; hat man doch z. B. die Elbe an vielen
Stellen versanden lassen! — Die unverantwortliche Vernachlässigung des Flußschiff-
fahrts- und noch mehr des Canalwesens trägt mit Schuld, daß wir an National-
wohlstand und Macht gegen andre Völker soweit zurückgeblieben sind, daß wir so
lange die Schätze unsres Bodens, unsre Erz- und Kohlenlager u. s. w. unbenutzt
liegen gelassen haben und uns die unendlichen Vortheile entgangen sind, welche die
Benutzung dieser Hülfsquellen gewährt. Die Staatsbevormundung, welche in dem
letzten Jahrh. in Deutschland gegolten, hat verhütet, daß das gegängelte Volk die
Ausführung solcher Werke, wie es in Holland und England geschehen, nicht selbst
in die Hände genommen; denn nur in der freien und selbstständigen Bewegung der
Geister entwickelt sich jener Geist der Unternehmung, der so Großes zu schaffen im
Stande ist. Um so mehr hätte es in der Pflicht der Vormünder gelegen, wie es in
Frankreich unter Napoleon, ja selbst in dem barbarischen Rußland geschehen, für
Herstellung der wichtigsten und wohlfeilsten aller Verkehrsmittel zu sorgen. Was in
dieser Hinsicht in Deutschland geschehen, steht, so rühmenswerth Schöpfungen wie der
Bau des Ludwig-Main-C., der Wasserverbindung des Rheins mit der Donau,
d. i. der Nordsee mit dem schwarzen Meer, auch erscheinen, zu den Bedürfnissen in
gar keinem Verhältniß. Hätte man, statt seit dem letzten Frieden an tausend Mill.
Thaler zur Unterhaltung des Heerwesens zu verwenden, die Hälfte dieser Summe darauf verwandt, Deutschland mit C.n zu überziehen und die Stromgebiete des Landes
zu verbinden, hätte man die Quellen, Bäche und kleinen Flüsse, die von allen
Gebirgen hinabrinnen, nicht nutzlos verlaufen und die Flüsse in den Niederungen nicht

sich jedes Jahr ein neues Bett auswaschen lassen; hätte man die Fluthen einzufassen, haushältlich mit den Wasservorräthen zu wirthschaften und dieselben zu C. zu benutzen verstanden, so würden die Erfolge, die heute durch die Eisenbahnen erzielt werden, in 10 und 100fachem Umfange 20 Jahre früher zu Stande gekommen sein und das Vaterland würde sich im Besitz all der Mittel zu weitern Verbesserungen des Zustandes seiner Bevölkerung sehen, die ihm jetzt auf Schritt und Tritt mangeln; die Landwirthschaft würde sich allenthalben gehoben haben, der patriarchalische und kindliche Zustand des Ackerbaus, der Gewerbe und der Bildung, welcher noch in sehr vielen Theilen Deutschlands zu finden ist, wäre den Vervollkommnungen gewichen, die man anderswo längst darin vorgenommen hat; das Nationalvermögen wäre durch das Steigen des Bodenwerthes, durch Einführung neuer Erwerbszweige, durch lohnendste Verwerthung unbeschäftigter Arbeitskräfte um Unberechenbares gestiegen; was immer die Herstellung der C. gekostet hätte, es wäre durch diese Entwicklung des Nationalreichthums längst getilgt und die Steuerfähigkeit der Nation in einer Weise vermehrt worden, daß, wenn uns irgend eine Gefahr von Auswärts drohte, wir ganz andre Mittel zu deren Abwendung aufzuwenden hätten, als dermalen. — Ueber geschehene Dinge ist nicht zu rechten, es ist wahr; aber zur Lehre und Warnung muß die Einsicht in die Nachtheile dienen, welche das frühere Versäumniß verschuldet hat. Man darf ja nicht glauben, daß man in Deutschland durch die Eisenbahnen über die Nothwendigkeit, C. anzulegen, schon hinaus sei; die Eisenbahnen lassen noch viel zu thun übrig; und weil in England die Eigenthümer einiger C., die in Luxusbauten ihr Geld verschwendet, schlechte Geschäfte machen, ist noch nicht erwiesen, daß für Deutschland C. entbehrlich sind. Die Vervollkommnungen und Verwohlfeilung des Erddurchstichs und der Erdausgrabungen, des Wasserbaus, der Dampfschifffahrt und die großen Erleichterungen im Bohren artesischer Brunnen, welche den unterirdischen Wasserreichthum dem Unternehmungsgeist zu eröffnen versprechen: Alles dies läßt eine neue Phase im C.wesen voraussagen und macht es wünschenswerth, daß man auch in Deutschland anfangen möge, der Sache die Rücksicht zu schenken, die sie verdient. — Außer England und Nordamerika, die ein sehr vollkommnes C.system besitzen, welches beide bis in die neuesten Zeiten vervollständigen, sind auf dem Festland vor Allem Holland, Frankreich, Rußland und zum Theil Schweden mit ausgedehnten C.n versehen. Deutschland besitzt außer dem Ludwigs-C. nur in seinen nördlichen Niederungen, in Preußen und Holstein, etwas der Art; und das meiste davon dankt es dem Genie Friedrichs des Großen; Napoleon, als er im Besitz des nördlichen Deutschland war, dachte ernstlich an eine C.verbindung zwischen Maas und Rhein. Deutschland steht in dieser Hinsicht mit dem pfaffenzerrütteten Spanien ziemlich auf einer Stufe und wird weit von China übertroffen, welches den Standpunkt, den es unter den asiatischen Völkern erstiegen hat, zum großen Theil der Wasserverbindung verdankt, die seine Herrscher in der Vorzeit durch C. herzustellen wußten. — Wenn man erwägt, daß England sich die Herstellung seines über 500 deutsche Meilen langen C.netzes an 21 Mill. Pf. St. oder gegen 150 Mill. Thaler hat kosten lassen, daß es außerdem 35 Mill. Thaler für Verbesserung des Fahrwassers seiner Flüsse aufgewandt hat; daß Frankreich seit Anfang dieses Jahrh.s mit einem Aufwand von 300 Mill. Francs 11 große C.linien in einer Länge von 250 deutschen Meilen hergestellt; daß die vereinigten Staaten sich künstliche Wasserverbindungen von mehr als 1000 deutschen Meilen geschaffen, so muß den Vaterlandsfreund, wenn er diese Verhältnisse in Deutschland betrachtet, ein bemühigendes Gefühl überschleichen und ihm jene Ruhmredigkeit, womit man die Fortschritte des materiellen Gedeihens so oft den Klagen über politische Rückschritte entgegenhält, in seltsamem Lichte erscheinen. — Bekanntlich ist der großartige Gedanke, die Verbindung des atlantischen und des stillen Oceans über das amerikanische Festland mittels eines für Schiffe aller Art einzurichtenden C.s herzustellen, in der neusten Zeit seiner Ver-

wirklichung um ein gutes Theil näher gerückt. Bei der Ausführung dieſes Unternehmens, welches beſtimmt ſcheint, dem Welthandel eine neue Richtung zu geben, erhebt
ſich die völkerrechtliche Frage, ob eine ſolche wichtige Waſſerſtraße nicht dem freien
Verkehr aller ſchifffahrt- und handeltreibenden Völker eröffnet werden ſoll? eine
Frage, die bei den Aufſätzen Schifffahrt, Schifffahrtszölle, Sundzoll u. a. berührt
werden wird. J. G. G.

Canton heißt 1) eine Landesabtheilung im Allgemeinen; 2) in Frankreich eine
Unterabtheilung der Unterpräfectur, die etwa dem deutſchen Kreiſe entſpricht; 3) ehedem in Preußen und heute noch in Rußland, eine Landesabtheilung, aus welcher ſich
ein beſtimmtes Regiment zu vervollſtändigen (recrutiren) hat; endlich 4) in der Schweiz
die Abtheilung des Landes in einzelne Staaten. Jeder C. hat ſtaatliche Selbſtſtändigkeit und Souveränetät.

Cantonnement (**Cantonnirung**) heißt der vorübergehende Aufenthalt der
Truppen an einem andern Ort, als ihrer Garniſon. Im Kriege iſt demnach C.,
wenn die Truppen in Städte und Dörfer einquartirt werden, jedoch ſo, daß ſie be-
ſtändig Wachen dem Feinde gegenüber halten und auf ein beſtimmtes Zeichen ſchnell
an einem Orte verſammelt werden können. Im Frieden iſt C. das meiſt alljährliche
Ausrücken derſelben auf das Land zum Zwecke kriegeriſcher Uebungen.

Canzlei heißt etwas vornehm die Schreibſtube der hohen Behörden, in welcher die Räthe, Schreiber u. ſ. w. ſitzen und die nöthigen Ausfertigungen machen.

Canzleidirector iſt der Vorſtand und Leiter einer ſolchen Schreibſtube, welcher
den Einzelnen ihre Arbeit anzuweiſen und deren richtige Ausführung zu überwachen
hat. Die weitern Zuſammenſetzungen wie Canzleibeamte, Canzleidiener,
Canzleiſchreiber u. ſ. w. verſtehen ſich von ſelbſt.

Canzleiregiment, ſ. Schreibſtubenherrſchaft.

Canzleiſäſſig, ſ. Schriftſäſſig.

Canzler. Im alten deutſchen Reiche der Beamte, welcher die fürſtlichen Urkunden ausfertigte und mit unterſchrieb. Der C. gehörte unter die Erzämter (ſ. d.).
Daher auch in manchen Staaten der erſte Beamte und ſo viel wie Miniſter. Eben
ſo an großen Körperſchaften, z. B. Univerſitäten, Klöſtern, Stiftern u. ſ. w. der
höchſte Beamte, welcher die Würden ertheilt, alle Urkunden ausfertigt und die Verwaltung überwacht.

Canzliſt. Der Beamte in einer Canzlei, welcher die Urkunden ins Reine
ſchreibt, oft auch entwirft.

Capacität heißt wörtlich Tüchtigkeit, Fähigkeit. In der Politik bezeichnet
man dadurch beſonders in Frankreich die durch Wahl erlangte ausgezeichnete Stellung
im Staats- und Gemeindeleben, welche beweiſt, daß der Gewählte durch das Vertrauen
ſeiner Mitbürger als tüchtig und fähig zu öffentlichen Aemtern, als C. bezeichnet iſt.
Einige Verfaſſungen, z. B. die ſächſiſche, legen dieſer C. die Wählbarkeit bei, ohne
die Erfüllung eines Cenſus u. ſ. w. zu verlangen. In Frankreich ſtrebt man ſeit 15
Jahren nach derſelben Ausdehnung des Wahlrechts, ohne ſie erreichen zu können.

Capellan (oder **Caplan**) heißt der Geiſtliche, welcher einer **Capelle**, d. h.
einer kleinen Kirche vorſteht und ihren Gottesdienſt leitet, an der keine Pfarrrechte
und Pflichten haften. Auch heißt der Geiſtliche C., welcher den Hausgottesdienſt
an der Hauscapelle fürſtlicher und ſonſt reicher Anhänger der römiſchen Kirche abhält.
Endlich heißt in der römiſchen und theilweiſe ſelbſt in der proteſtantiſchen Kirche auch
der Gehülfe des Pfarrers C., der die meiſte Arbeit machen muß, während der Pfarrer
das Geld einzieht und den C. als Sklaven behandelt. Wo ſich in der proteſtantiſchen
Kirche der Name C. erhalten hat, iſt er gleichbedeutend mit Diakonus (ſ. d.).

Capitain, ſ. Hauptmann.

Capital, ſ. Stammgut.

Capitalſteuer, ſ. Vermögensſteuer.

Capitalverbrechen nennt man ein Verbrechen, auf welchem die Todesstrafe steht.

Capitel. Im 8. Jahrh. und namentlich unter Karl dem Großen zu Anfang des 9. Jahrh.s entstanden Vereinigungen der an Einer Kirche angestellten Geistlichen zu einer nähern Lebensgemeinschaft. Hieraus gingen allmälig die Dome. hervor, bei denen sich aber später die eigentlichen Geistlichen, der Clerus, von dem C. wieder absonderte, und dem letztern der Separatgottesdienst in dem Chor und die Weihülfe bei der Kirchenregierung nebst der Verwaltung des Vermögens des Stiftes blieb. Man unterschied hier zwischen den Hochstiftern oder Kathedralen (z. B. Meißen, Merseburg) und den Neben- oder Collegiatstiftern (z. B. Wurzen, Zeiz). Nur die Mitglieder der erstern heißen Capitulare oder Domherrn, die der andern sind bloße Canonici. Diese Benennung ist auch nach der Säcularisation dieser Stifter für die Inhaber der damit verbundenen Pfründen geblieben.   A.

Capitulation. Ein Vertrag zwischen zwei kriegführenden Heeren, wodurch das eine dem andern etwas einräumt, wie eine Festung, eine Stellung u. dergl., unter der Bedingung, daß das capitulirende Heer freien Abzug, oder sonst welche Vortheile sich ausmacht. Auch nennt man es C., wenn eine Heerabtheilung sich der andern gefangen giebt. Die Forderungen kriegerischer Ehre und Tapferkeit verwerfen die C. oder gestatten sie doch nur im äußersten Nothfalle, wenn jede Hoffnung entweder zu siegen, oder mindestens mit den Waffen sich einen Weg zu bahnen verschwunden ist. C. heißt ferner der Vertrag, welchen der Soldat über Verlängerung seiner Dienstzeit abschließt. — Endlich hieß C. der Vertrag der deutschen Kaiser mit den Fürsten, durch welche der gewählte Kaiser die Grundsätze seiner Regierung, mehr aber noch die Erhaltung der Vorrechte der Kurfürsten eidlich gelobte. Als die Macht der Kurfürsten sank, bezog sich die Wahlc. mehr auf die Regierungsgrundsätze; auch wurden durch dieselbe oft staatsrechtliche Bestimmungen eingeführt, wie durch die letzte Wahlc. von 1792 das Landesstaatsrecht. — Nach diesem Vorbilde legten auch häufig die Stifter ihren Vorgesetzten, Aebten, Bischöfen u. s. w. eine Wahlc. vor, die jedoch der Papst meist nicht anerkannte.

Capitularien heißen die Gesetze der fränkischen Könige seit Karl Martell im 5.—8. Jahrh.

Carabiner. Ein kurzes leichtes Feuergewehr, mit welchem einzelne Reiterregimenter bewaffnet sind. Daher

Carabiniers eine Art schwerer franz. Reiterei, die mit solchen Schießgewehren bewaffnet war, und wie die Küraffiere Harnische und Helme trug. Die C. sind jetzt fast gänzlich eingegangen.

Carbonari, wörtlich Kohlenbrenner. Eine geheime politische Verbindung in Italien, vorzüglich in Neapel, deren Zweck war, Italien in einen Staat unter einer freien republikanischen Verfassung zu vereinigen. Den Ursprung setzen die C. theils nach Schottland, theils nach Deutschland und zwar in das Mittelalter, allein es ist wahrscheinlich, daß sie erst am Ende des vor. Jahrh. entstanden sind und Italien, wie Frankreich, revolutioniren wollten; wenigstens gehörte der 1801 in Paris hingerichtete Cerracci einer solchen Verbindung an. Durch franz. Einfluß gegründet, wandten sie sich 1810—15 gegen die Franzosen, d. h. gegen die Fremdherrschaft; als aber die ital. Regierungen keine freien Verfassungen gaben, vielmehr die alte Alleinherrschaft und Oesterreichs Einfluß das Land knechtete, wandten sich die C. gegen die Regierungen wie gegen Oesterreich. Ihre Blüthe erreichten die C. um 1820, wo sie einen Aufstand in Neapel machten und die Regierung zwangen, die spanische Verfassung anzunehmen. Es fehlte ihnen indessen an Einheit und Zusammenhalt, deshalb wurden sie leicht besiegt, für Hochverräther erklärt und fast ausgerottet. Wenigstens erhielt sich nur eine kleine Verschwörung, die unter wechselnden Namen fortbestand, und für Italiens Freiheit strebte und blutete. Die Sprache und Zeichen der

C. bezogen sich alle auf das Kohlenbrennen, ihre Versammlungsorte waren Hütten (ba-rasca), in diesen versammelten sie sich in Abtheilungen von Sieben, die Vendita, Vanten, hießen; diese Abtheilungen hingen unter sich durch den Sprecher zusammen; außerhalb der Hütte war der Wald, in welchem ihre Gegner als Wölfe hausten; ihr Streben war also den Wald von Wölfen zu reinigen u. s. w. Es gab verschiedene, angeblich 4 Grade, von denen der unterste aus „guten Vettern," der 2. und höhere aus Pythagoräern bestand; die beiden höchsten Grade sind nicht bekannt geworden.

Carbonarismus nannte man im Anfange der 20er Jahre jedes freisinnige, auf die Größe, Einheit und Kraft des Vaterlandes gerichtete Bestreben auch in Deutsch-land, mochte dasselbe noch so offen und ehrlich auftreten. Dadurch suchte man bei der urtheilsunfähigen Masse diese Bestrebungen zu verdächtigen und Verschwörungen als ihr Mittel und blutige Aufstände als ihr Ziel hinzustellen. Es war allezeit das Streben der Gewaltherrschaft, die ihr feindseligen Bestrebungen in dieser Weise zu ver-dächtigen und ihre Vertreter herabzusetzen, obgleich die Geschichte tausendfach gelehrt hat, daß sie dadurch scheinbar gewonnene Zeit ihnen nicht zu Gute kommt. Denn entweder artet die freie Richtung wirklich in Verschwörungen u. dergl. aus, die den Staat gefährden; oder die unterdrückte Meinung wuchert wenigstens im Stillen fort und bricht grade in dem Augenblicke mit Allgewalt aus, wo sie am gefährlichsten ist; nämlich dann, wenn der Staat äußerlich bedroht wird und deshalb seine innern Kräfte aufraffen muß.

Cardinal (Cardinalcollegium). Das Cardinalat ist eine katholische Kir-chenwürde, und zwar die höchste nach der päpstlichen. Nachdem die Päpste ihr heiß-ersehntes Ziel, die unbedingte Alleinherrschaft, erreicht hatten, wollten sie einen Hof haben, und da sie dazu Großwürdenträger brauchten, so erfanden sie die Cardinäle. Sie sollten gleichsam als die Thürangeln (cardines) der Kirche betrachtet werden. Daher der Name. Unter den C. giebt es wieder verschiedene Abstufungen; sie theilen sich in C. bischöfe, C. presbyter und C. diakon. Diese Abstufung kommt daher, weil die ersten C., die von Papst Nicolaus II. im 11. Jahrh. ernannt wurden, aus den Reihen der an den Hauptkirchen von Rom angestellten Bischöfe, Presbyter und Diakonen hervorgingen und diese ihren alten Titel mit dem neuen vereinigten. Die Stellung der C. wurde besonders dadurch wichtig, daß ihnen (im 12. Jahrh. von Innocenz III. und Alexander III.) das alleinige Recht der Papstwahl über-tragen wurde, was bisher von der römischen Geistlichkeit und dem römischen Volke ausgeübt worden war. Das C. collegium war anfangs nur klein. Es bestand aus 7 Personen, nach dem Muster des von 7 Herrschern gebildeten deutschen Kurfürsten-vereins. Später vermehrte sich jedoch die Zahl der C. ins Unbestimmte, bis Sixtus V. 1586 eine bestimmte Norm hierfür gab. Er setzte die Zahl der C. auf 70 fest; darunter sollten 6 C. bischöfe, 50 C. presbyter und 14 C. diakonen sein. Aus den C. wurden die Nuntien und Legaten genommen. Sie waren es auch, mit denen der Papst, als mit seinen Ministern, die Lateranensischen Synoden (so genannt von des heiligen Vaters Pfarrkirche, dem Lateran) hielt, während er sich der Beru-fung allgemeiner Kirchenversammlungen (der kirchlichen Landtage) aus Lei-beskräften widersetzte. Je mehr sich indeß das Papstthum verweltlichte, um so mehr verschwanden auch diese Synoden; dagegen kam für die Zusammenkünfte der Cardi-näle unter Vorsitz des Papstes das Wort Consistorium in Gebrauch. Hierbei haben jedoch die C. nur eine berathende, keine entscheidende Stimme. Die Ernennung der C. geht lediglich von dem Papste aus. Er macht die Namen der von ihm Gewähl-ten im Consistorium bekannt und kündet den Betreffenden ihre Erhöhung durch Ueber-sendung des C. hutes an, eines Hutes von rother oder violetter Farbe, mit seidnen Schnüren, an deren Enden sich Quasten befinden. Die C. sind meistens Italiener, aus den übrigen katholischen Ländern wird kaum ⅛ genommen. Nach dem Tode eines

Papstes vereinigen sich alle C. zu einem Conclave (s. d.) und wählen einen neuen. Der neue Papst empfängt dann aus den Händen des ältesten C.s (des Dechanten des C.collegii) die Tiara. Seit Urban VIII. (1630) führen die C. den Titel Eminenz. Das C.ollegium hat durch viele Jahrh.e hindurch den zweideutigen Ruhm bewahrt, daß die feinste und schlaueste Cabinetspolitik in seinem Schooße ausgebildet worden ist.　　　　　　　　　　　　　　　　　　　　　　　　　Jäkel.

Cardinaltugenden nannten schon die alten Griechen die Haupttugenden des Menschen. Socrates erkannte als solche Gottesfurcht, Enthaltsamkeit, Tapferkeit und Gerechtigkeit; Platon dagegen: Weisheit, Mäßigung, Tapferkeit und Gerechtigkeit. Neuere Philosophen hielten an dieser vierfachen Theilung fest, theilten aber die C. in bürgerliche oder politische, philosophische oder reinigende, religiöse und göttliche ab. Die politischen und bürgerlichen C. sehen wir in Griechenland und Rom in der höchsten Blüthe und deshalb gedieh daselbst auch die bürgerliche Freiheit und die politische Geltung des Bürgers. In dem Grabe, wie diese C. verloren gingen, verlor sich auch die Freiheit und Selbstständigkeit des Bürgers. Möchten sie daher bald sich wiederfinden und jeden Bürger beseelen!

Carikatur, s. Spottbild.

Carlisten hießen nach der franz. Julistaatsumwälzung die Anhänger des vertriebenen Königs; anfangs nicht schwach, schrumpften sie jetzt zusammen, als man sie in Henryeinquisten umgestaltete, d. h. als Carl X. die Wiedereroberung des Thrones seinem minderjährigen Nachfolger überließ, während die C. gleich einen Versuch machen wollten. Die lächerlich gewordene Unternehmung der Herzogin v. Berry in der Vendee löste die C. auf und die Anhänger der vertriebenen Bourbons hießen jetzt nur Royalisten.

Carmagnola heißt eine Stadt im Piemontesischen, nach der die in Paris als Stiefelwichser oder mit Murmelthieren herumziehenden Savoyarden früher C.n genannt wurden. Davon scheint auch der Name eines Liedes der Pariser zu Anfange der Staatsumwälzung herzurühren, das die heftigste Erbitterung und den Spott des Volkes über das vom König gegen die Beschlüsse der Nationalversammlung sich vorbehaltene Veto (Verwerfungsrecht) athmete. Vom Tode des Königs an kam es wieder aus der Mode. Von der Kleidung, welche die Jacobiner (s. d.) den Savoyarden entlehnt hatten, nannte man auch diese oft C. Endlich hießen die unglaublichen und oft unverkennbaren Lügen-Berichte der republikanischen Beamten über Siege und Erfolge, Hindernisse und Gefahren noch C.　　　　　　　　　　　　　W. Pretzsch.

Carneval, s. Fastnacht.

Carolina (Constitutio criminalis Carolina, C. C. C., auch Halsgerichtsordnung) wird im juristischen Sprachgebrauche „Kaiser Karls V. und des heiligen römischen Reichs peinliche Gerichtsordnung," welche 1532 als Reichsgesetz für ganz Deutschland veröffentlicht wurde, genannt. Als im Mittelalter die altdeutschen Volksgerichte und die an ihre Stelle nach und nach sie getretenen Schöffengerichte, bei dem Mangel einer geordneten Aufsichtsführung und bündiger, klarer Strafrechts- und Strafproceßbestimmungen, gegenüber dem überhandgenommenen Faustrechte, den täglich auf offener Straße vorkommenden Räubereien der Raubritter und sonstigen Gesindels, ihren Zweck, die Verbrechen zu erforschen, nicht mehr erfüllten, als andrerseits die heimlichen Wehmgerichte durch ihre im Verborgenen ausgeübte Strafrechtspflege auch den rechtlichen Bürger erschreckten, sprach sich das allgemeine Verlangen nach einem Gesetzbuch aus, welches nächst den Strafbestimmungen für die Verbrechen, für das gerichtliche Verfahren angemessene Regeln und Anweisungen enthalten sollte. Auf dem Reichstage zu Freiburg von 1498 wurde von den deutschen Reichsständen ein darauf gerichteter Beschluß gefaßt und auf dem Reichstage zu Regensburg von 1532 die von dem Freiherrn Johann von Schwarzenberg entworfene peinliche Gerichtsordnung mit einigen Abänderungen als Reichsgesetz angenommen. Dieses Gesetz ist deshalb von so hoher Wichtigkeit, weil es die Grundlage des in den meisten deutschen Ländern noch jetzt geltenden schriftlichen Untersuchungsverfahrens ist. Erscheinen auch viele der darin festgesetzten Strafarten (wie unter den Todesstrafen: das Verbrennen, das Viertheilen, das Rad durch Zerstoßung der Glieder, das Ertränken, das lebendig Vergraben, das vor der Hinrichtung erfolgende Reißen mit glühenden Zangen; unter den Leibesstrafen: das Abschneiden der Zunge und der Ohren, das Abhauen der Finger, das Aushauen mit Ruthen) in unserm jetzigen Zeitalter als unmenschlich, mag man mit Recht jetzt die darin anbefohlne Anwendung der Folter als ein trauriges und unwürdiges Mittel, die Wahrheit zu erforschen, ansehen, so darf man doch nicht vergessen, daß die Halsgerichtsordnung unter dem Einflusse ihres, vom Christenthum und der Menschenliebe nicht durchdrungenen, an Grausamkeit und Rohheit gewöhnten Zeitalters, welches den Zweck der Strafe einzig in die Abschreckung von Uebelthaten setzte, abgefaßt wurde. Wenn sich demnach die C. über den Bildungszustand ihrer Zeit auch nicht erhebt, so hat sie doch das große Verdienst, daß sie leicht faßliche, unzweideutige und für den Angeklagten, bei damaliger Rechtsunsicherheit der Personen, meist günstige Vorschriften und Regeln im Strafprocesse ertheilte. Unter andern enthält sie in dieser Beziehung Bestimmungen über die Verhaftung der Beschuldigten, über die allgemeinen und besonderen Anzeigen (Indicien) der Verbrechen, über die Erfordernisse der Zeugen, des Zeugenverhörs und Zeugenbeweises, indem sie das Zeugniß von wenigstens zwei oder drei glaubhaften guten Zeugen zur Verurtheilung verlangt. Die C. hält die frühere Anklageform, nämlich die des Privatanklägers (f. Anklageproceß) im Strafprocesse aufrecht, ordnet jedoch gleichzeitig an, daß Niemand zu klagen genöthigt sei und die Untersuchungen, im Mangel eines Klägers, von Amtswegen geführt werden sollen. Hieraus entwickelte sich sehr bald bei dem Einflusse, welchen die C. den rechtsgelehrten, das römische und kanonische Recht befolgenden, Richtern einräumte, der nunmehr hoffentlich bald aus ganz Deutschland verschwindende Inquisitionsproceß, welcher sodann in den Gesetzgebungen der einzelnen deutschen Länder als ausschließliche Strafproceßform angenommen wurde. Die C. machte ferner die Schriftlichkeit des Verfahrens zur unerläßlichen Regel des Processes, indem sie alle wichtigen Handlungen desselben aufzuzeichnen anordnete und den Obrigkeiten nachließ, Rechtsgutachten einzuholen. Es läßt sich nicht verkennen, daß in jener Zeit, wo der Verdächtige, der hülflose Arme und ausweislose Fremde bei erhobener Beschuldigung häufig schon als Verbrecher angesehen wurde, die Schriftlichkeit als Schutzmittel den Angeklagten diente. Der am Schluß des Strafverfahrens angeordnete Rechtstag vor dem Richter und 7—8 Schöffen, in welchem der Ankläger die Schuld und der Fürsprecher des Beschuldigten die Unschuld oder die Milderungsgründe für denselben ausführten, war ebenso, wie die Abfassung des Urthels von Richter und Schöffen und dessen öffentliche Verkündigung im Vergleich zu unserm jetzigen, in vielen Fällen dem Einzelrichter, und wenn dies unzulässig, dem Referenten in den Spruchcollegien wesentlich überlassenen Urtheilsprechen und zu unserm durchgängig gehe'mem Verfahren ein Vorzug und eine dem volksthümlichen altdeutschen Gerichtsverfahren nachgebildete Einrichtung. Adolph Bensel.

Carronaden nennt man eine leichte Art kurzer eiserner Schiffskanonen.

Cartell. Eigentlich eine kurze Schrift, oder ein Stück Pergament, auf welchem man die Schrift wieder verlöschen kann. Das Wort bezeichnet aber besonders einen Vertrag zur Auswechselung der Kriegsgefangenen und zur Auslieferung der Deserteure (f. d.). Wir haben unter Auslieferung ausgeführt, daß dieselbe rechtlich nur bei gemeinen Verbrechen Statt finden kann und darf; dahin gehört aber die Desertion nicht, die weder nach allgemeinen Rechtsbegriffen noch auch vom oft maßgebenden politischen Standpunkte aus ein Verbrechen ist; denn sofern die Staaten nicht verbunden sind, sei es als Staatenbund oder Bundesstaat, kann es dem andern

meiſt gleichgültig, oft ſogar lieb ſein, wenn dem andern Staate ſeine Soldaten deſer-
tiren. Deshalb hat ſich gegen ein derartiges C. auch ſtets die öffentliche Meinung
mißbilligend gewendet. Nie aber hat ſich eine entſchiedenere Abneigung ausgeſprochen,
als gegen das C. Preußens mit Rußland, da die Forderungen der Moral wie der
Politik gleichmäßig gegen den Abſchluß ſprachen. Die an Rußland ausgelieferten
Deſerteure wurden auf die grauſamſte Weiſe todt geſchlagen, oder lebenslang mit harten Strafen belegt, Preußen aber für ſich ſelbſt wie als Theil Deutſchlands hat alle
Urſache, ſich über die Schwächung Rußlands zu freuen und hat andrerſeits niemals
zu fürchten, daß ſeine Soldaten nach Rußland übergehen. Das C. iſt demnach ein
Stückchen Cabinetspolitik der ſchlimmſten Sorte, welches nachträglich als Beiſpiel hier
angeführt ſein mag. Häufig nennt man auch die Herausforderung zum Zweikampfe
C. und denjenigen, welcher die Herausforderung zu bringen und die Bedingungen des
Zweikampfes feſtzuſtellen hat, C.träger. — Im Seekriege heißt das Schiff, welches
Unterhandlungen zwiſchen den kriegführenden Flotten anknüpfen oder fortſpinnen ſoll,
C.ſchiff; es führt nur e i n e Kanone, eine weiße Flagge und iſt unverletzlich.

Cartouche, ſ. Patrontaſche.

Caſſation, d. i. Vernichtung, Aufhebung, Entſetzung und wird im juriſtiſchen
Sprachgebrauche hauptſächlich angewendet: 1) bei U r k u n d e n, welche keine Gültigkeit mehr haben und vernichtet; 2) bei G r u n d ſ c h u l d e n (Hypotheken), welche ge-
löſcht und durchſtrichen; 3) bei U r t h e i l e n, welche aufgehoben; 4) bei S t a a t s d i e -
n e r n, welche ihres Amtes entſetzt werden.

Caſſationshof. In den Ländern, wo die Geſchwornengerichte eingeführt ſind,
giebt es in Straffachen nur ein Urtheil (eine Inſtanz), bei welchem es bewendet, insbeſondere gilt der Wahlſpruch (Verdict) des Geſchwornengerichts über die Thatfrage, über das Schuldig oder Nichtſchuldig, für unabänderlich. Deshalb wird es für
dringend nothwendig erachtet, daß bei dem ganzen Verfahren alle geſetzlich vorgeſchriebenen Formen auf das Strengſte beobachtet werden, indem ſonſt leicht Willkür einſchleichen und die Ausübung der Gerechtigkeit beeinträchtigen könnte. Zur Aufſicht
über die Beobachtung der geſetzlichen Förmlichkeiten Seiten der Gerichte in allen
Straffachen beſteht in F r a n k r e i c h und in den Ländern des franz. Verfahrens (für
Rheinpreußen zu Berlin, für Rheinheſſen zu Darmſtadt, für Rheinbaiern zu München) ein C., welcher über den N i c h t i g k e i t s einwand erkennt, die Urtheile, in welchen Geſetzwidrigkeiten enthalten oder die vorgeſchriebenen Formen verletzt ſind, v e r -
n i c h t e t, niemals aber über den Gegenſtand der Proceſſe ſelbſt entſcheidet. Der Angeklagte kann Caſſation gegen das ergangene Urtheil ergreifen: 1) wenn irgend weſentliche Förmlichkeiten in dem die Sache vor das Geſchwornengericht verweiſenden Erkenntniß, oder in dem Verfahren vor dem Geſchwornengericht, oder im verurtheilenden
Urtheile ſelbſt verſäumt worden ſind; 2) wegen Unzuſtändigkeit (Incompetenz) des Gerichts; 3) wenn der Angeklagte keinen Vertheidiger erhalten; 4) wenn der Gerichtshof
ein Geſetz falſch angewendet hat. Der Staatsanwalt kann Caſſation einwenden, wenn
eine Handlung, welche vom Geſetze als ein Verbrechen bezeichnet wird, für nicht
ſtrafbar erachtet und der Beſchuldigte deshalb freigeſprochen worden iſt, wenn der Gerichtshof ein freiſprechendes Erkenntniß auf das Nichtvorhandenſein eines wirklichen beſtehenden Geſetzes begründet hat, wenn die Freiſprechung des Angeklagten durch den
Gerichtshof wegen Unvollſtändigkeit des Ausſpruchs der Geſchwornen erfolgt iſt. Wenn
der C. ein Verfahren oder ein Erkenntniß für nichtig erklärt, ſo muß er zugleich den
Gerichtshof angeben, vor welchem die Sache von Neuem verhandelt oder entſchieden
werden ſoll. Wird das Caſſationsgeſuch zurückgewieſen, ſo kann die Partei, welche
es geſtellt, daſſelbe Erkenntniß nicht mehr angreifen. Das Verfahren vor dem C. iſt
ein öffentliches und mündliches. Im Weſentlichen gelten dieſe Grundſätze nur in den
obengenannten deutſchen Ländern, in welchen Geſchwornengerichte beſtehen. Das neue
preußiſche Strafproceßgeſetz vom 17. Juli 1846 hat ein der Caſſation verwandtes

Rechtsmittel, „die Restitution," in 2 Fällen gegen rechtskräftige Urtheile für zulässig erklärt, wenn nämlich das Urtheil auf eine falsche Urkunde oder auf die Aussage eines meineidigen Zeugen gegründet ist (in letzterm Falle tritt nach franz. Gesetze das Rechtsmittel der Revision ein, s. d.). Nach der badischen Strafproceßordnung vom 6. März 1845 werden Nichtigkeitsbeschwerden wegen Unzuständigkeit des Gerichts oder wegen Verletzung wesentlicher Vorschriften des Verfahrens im Wege des Recurses geltend gemacht. *Adolph Henfel.*

Castell. Vom Lateinischen castollum, verschanztes Lager oder fester Platz, noch oft gebraucht für Festung, besonders für einen einzelnen festen Punkt, Berg, Thurm, oder kleinen Ort.

Castellan hieß besonders in Polen der Wächter eines Castells, d. h. einer festen Burg, auf welcher er das Kriegs- und Gerichtswesen unter sich hatte. Später nannte man den Anführer der Mannschaft eines ganzen Kreises C. und es wurde also ein Staatsamt, welches im Range den Woiwoden gleich war und mit diesen die gesetzgebende Macht theilte. Der C. von Krakau ging sogar allen Woiwoden voran. Auch bei der Gründung des Herzogthums Warschau befanden sich im Senat noch 9 C.e, mit Aufhebung dieser politischen Gründung verschwanden auch die C.e.

Castrametation hieß ein Theil der Kriegswissenschaft, welche sich mit Abmessung, Absteckung und Befestigung der Lager beschäftigte. Die neuere Kriegskunst hat die Lager abgeschafft und damit ist auch die C. gefallen.

Casuisten. Menschen, die nachzuweisen suchen, wie Vorschriften der Moral und des Rechts auf einzelne Fälle anzuwenden sind. In der Politik, Menschen, die das Gesetz nach ihrer Bequemlichkeit drehen, auslegen und anwenden. Die Casuistik ist die Zwillingsschwester des Jesuitismus und führt dahin, daß jedes Gesetz, wie jede Sittenlehre zum Nichts wird in der Hand der Gewalt; daß jede Gesetz- und Pflichtverletzung aber ein scheinbares Kleid der Ehrbarkeit und des Rechtes trägt. Die ganze Casuistik ist eine Geburt Roms, was man ihr übrigens beim ersten Blicke ansieht.

Cataster, s. Flurbuch.

Cautelen. Das in der Rechtswissenschaft übliche Fremdwort für Klugheits- und Vorsichtsmaßregeln bei Rechtsgeschäften, damit man nicht verkürzt, betrogen, nicht über den Löffel barbiert wird.

Caution, s. Sicherheitsbestellung.

C. C. C. Uebliche Abkürzung für Constitutio criminalis Carolina, s. Carolina.

Cedent (Abtretender), s. Cession.

Censor, s. Censur.

Censorinische Note, s. Censur.

Censur. 1) Ein Sittengericht der alten Völker, welches schon in Athen bekannt war, in Rom aber zum höchsten Grade der Ausbildung gelangte. Mit der Einführung des Census (s. d.) wurde nämlich auch die C. eingeführt, die alle 5 Jahre von 2 gewählten Censoren ausgeübt wurde. Anfangs mischte sich Religion und Politik bei Ausübung der C., indem grobe Vergehungen gegen die römische Staatsreligion durch Herabsetzung im Stande und öffentlichen Tadel, oder öffentliche Strafe geahndet wurden; auch war mit der C. ein Reinigungsfest verbunden, an welchem das ganze Volk sich betheiligte. Allmählig wurde die C. jedoch rein politisch, bestand zunächst darin, daß jeder Bürger Roms der ihm nach seinem Vermögen und Stande gebührenden Classe der Bevölkerung zugetheilt wurde, übte jedoch auch Gericht gegen politische Tugenden und Verbrechen, indem die erstern eine Erhebung in eine höhere Classe, die letztern aber eine Herabsetzung, Ausstoßung aus den berechtigten Classen überhaupt und bürgerliche Entehrung zur Folge hatten. Die Censoren waren die edelsten und tüchtigsten Männer des Staates, die die höchsten Aemter bekleidet haben mußten, ehe sie zu dieser Würde gelangen konnten; sie wurden vom Volke gewählt und behielten dieses einflußreiche Amt nur 5 Jahre. Gegen ihren

Ausſpruch gab es keine weitere Berufung, als an das Volk ſelbſt, was die Volkstribunen veranſtalten konnten. Deshalb kam aber auch eine Ungerechtigkeit nicht
leicht vor, und wie das Amt die höchſte Ehre war, hielten die Cenſoren das
Amt in Ehren. Eine cenſoriniſche Note war die härteſte Strafe, die den römiſchen
Bürger treffen konnte, denn wenn ſie ihm auch keine privatrechtlichen Nachtheile
brachte, ſo ächtete ſie ihn wenigſtens für die Zeit, wo dieſer Makel auf ihm haftete,
politiſch vollſtändig. Unter dem Schutze der unbedingteſten Oeffentlichkeit und eines
wirklich freien Volkslebens hat ſich dieſes Sittengericht Jahr lang bewährt und man
darf wohl ſagen, daß mit ſeinem Verfalle Roms Herrlichkeit, Freiheit und Macht
unterging. Seit dieſem Untergange iſt eine ähnliche C. nicht wieder aufgekommen,
denn was bei den übrigen alten Völkern Derartiges vorhanden war oder entſtand, das
war rein religiöſer Natur und artete in Pfaffentyrannei und Gewiſſensketzerei aus. —
Wie wohlthätig nun aber die C. in dem ausgeſprochenen Sinne gewirkt hat, ſo iſt
ſie, was wohl kaum der Ausführung bedarf, für unſre Zeit weder wünſchenswerth
noch zweckmäßig. Abgeſehen davon, daß die römiſche C. die römiſche Claſſen- und
Kaſtenabtheilung des Volkes erhieß, welche die Neuzeit glücklich überwunden hat, ſo
iſt uns eine C. gegeben, welche jede andre übertrifft. Dies iſt die Preſſe, wenn ſie
völlig frei die öffentlichen Verhältniſſe beſprechen kann. In welcher Weiſe dieſelbe die
C. ausübt und auf die Veredlung und würdige Haltung eines Volks ihren Einfluß
ausübt, das iſt unter Preſſe, Preßfreiheit zu leſen.

Cenſur. 2) Der Einfluß der Buchdruckerkunſt zeigte ſich bald nach ihrer Erfindung als ein ſo gewaltiger und unwiderſtehlicher, daß man bald ahnen mußte, ſie
werde alle Verhältniſſe umgeſtalten. — Nichts war daher natürlicher, als daß die
geſammte Macht, Tyrannei, Ungerechtigkeit, Habſucht und Finſterniß, daß alles
Schlechte und Unheimliche, welches ſich durch die Erfindung in ſeinem Beſtehen bedroht ſah, ſich feindlich gegen die neue Erſcheinung wandte und ſie mit allen Kräften und Mitteln zu vernichten ſtrebte. Allen voran aber ging die Hierarchie, die bald
empfand, wie man ihre Unfehlbarkeit antaſtete, den Schleier der Heiligkeit lüftete,
hinter welchem ſich Tyrannei und unmäßige Herrſchſucht verbargen, und die geiſtes-
beſchränkten und auf geiſtige Verdumpfung nur abzweckenden Satzungen ſelbſt einer
ernſten Prüfung unterwarf. So wurde denn zunächſt das finſtere, in den damaligen
Zeiten aber ſehr wirkſame Mittel angewendet, die Buchdruckerkunſt für ein Werk des
Teufels auszuſchreien und den Erfinder **Gutenberg** als Hexenmeiſter und Schwarz-
künſtler — das letztere war er im edelſten Sinne — zu verdächtigen und zu verfolgen. Als es nicht gelang die Buchdruckerkunſt zu unterdrücken, dachte man darauf,
ſie möglichſt zu beſchränken und zu beaufſichtigen. Die bedrohte Kirchengewalt nahm
zunächſt ihre Zuflucht zu dem Mittel, welches ſie früher gegen ketzeriſche Schriften an-
wandte: ſie prüfte die erſchienenen Bücher und verbot, verbrannte und verdammte die
ihr gefährlich erſcheinenden. Aber theils waren nicht blos einige Handſchriften zu
verfolgen, deren man leicht habhaft werden konnte, oder die wenigſtens nach erfolgtem Bannfluche in einem verſteckten Winkel verſchwanden und keinerlei Wirkung mehr
auf das Volk äußerten; theils waren die Gemüther bald nicht mehr ſo ſtumpfgläu-
big, jeden Ausſpruch der Kirche ohne Prüfung hinzunehmen. Das Verbotene
hatte von jeher doppelten Reiz und auch damals ſchon „flogen verbotene Bücher durch
die Luft.“ So fand die Kirche denn ein anderes Verfolgungsmittel: die C. Sie
ſchrieb vor, daß alle Schriften vor dem Drucke von den Biſchöfen und ſonſt dazu
beſtellten Geiſtlichen geprüft werden ſollten und verhängte ſchwere Strafen über
Jeden, der ſich dieſer Prüfung entzog. Papſt **Alexander VI.** — fluchwürdigen Andenkens — war es, der dieſe Erfindung ins Leben rief, und was er begonnen, ſetzten ſeine Nachfolger fort, lange den Wahn hegend, ſie könnten die Entwickelung des
ſegenvollſten Werkes aufhalten, welches Gott der Menſchheit zu Hülfe und Rettung
geſandt. 1496 und am vollſtändigſten 1515 erſchienen päpſtliche Bullen, welche das

Lesen ketzerischer Bücher — und „ketzerisch" hieß alles, was Geist hatte — verboten und die Bischöfe und Inquisitoren anwiesen, über die Druckereien strenge Aufsicht zu üben, alle Schriften vor dem Drucke zu prüfen und ketzerische Meinungen darin zu unterdrücken. Da aber die weltliche Macht zur Ausführung dieser päpstlichen Anordnungen noch nicht ihren Arm bot, die Bischöfe oft nachlässig und nachsichtig, oft sogar — wenn auch selten — mit den „Ketzereien" einverstanden waren, so vermehrten sich die ketzerischen Bücher immer mehr. So wandte man denn auch wieder das alte — früher das einzige — Mittel an, die Bücher zu verbieten und zu verfluchen. 1546 wurde der tridentinischen Kirchenversammlung ein langes Verzeichniß verbotener Bücher vorgelegt, welches dieselbe genehmigte; auch sollte sie die C.verordnungen Leo's X. erneuern und bestätigen, wozu sie jedoch nicht kam, und Alles dem Papste überließ. Die mächtig wachsende Reformation, die Heftigkeit der Streitschriften, die sie hervorrief, und die große allgemeine Aufregung der Gemüther, die nur zu leicht in blutige Händel ausartete, waren die Ursache, daß die weltliche Macht der C. sich bemächtigte. Der Reichsabschied von 1524 verbietet zuerst die religiösen Schmähschriften und verordnet eine strenge Beaufsichtigung der Druckereien durch die weltliche Macht. Diese Anordnungen wurden in den Reichsgesetzen von 1530, 1541, 1548, 1567 und 1577 wiederholt, erneuert oder verschärft, auch enthält der westphälische Friedensvertrag ausdrücklich die Bestimmung, daß die Regierungen keine Schmähungen der Religionsparteien gegen einander dulden sollten. — Bis dahin war die C. also blos gegen „Ketzereien," und als die Ketzerei, d. h. die Reformation anerkannt werden mußte und sich als eine Religionspartei Geltung im Staate errungen hatte, gegen die religiösen Schmähschriften gerichtet gewesen. Von jetzt an wurde sie auch zu weltlichen (staatlichen) Zwecken benutzt und gegen die „politische Ketzerei" gerichtet, gegen welche sie heute noch besonders und fast ausschließlich wirksam ist. Denn von nun an erklärten die Kaiser in der Wahlcapitulation: „darüber wachen zu wollen, daß keine Schrift gedruckt werde, welche mit den symbolischen Büchern beider Religionen und mit den guten Sitten nicht vereinbar sei, oder wodurch der Umsturz der gegenwärtigen Verfassung oder die Störung der öffentlichen Ruhe befördert werde." Damit war denn auch der weiteste Spielraum eröffnet, denn was möglicherweise die „Störung der öffentlichen Ruhe fördern" könne, darüber ließ sich kein Gesetz und keine Regel geben und der einzelne Beamte handelte nach Belieben. — Daß man indessen an die Ausübung der C. der neuesten Zeit niemals dachte, sie nie beabsichtigte, ja sie wahrscheinlich nie für möglich hielt, das zeigen die Streitschriften und zahlreichen politischen Abhandlungen und Gedichte damaliger Zeit unwidersprechlich deutlich. — Obgleich nun die C. in allen deutschen Ländern bis 1806 reichsgrundgesetzlich war, so wurde sie doch in mehrern Staaten, wie in Mecklenburg und Darmstadt, niemals eingeführt, in andern wie in Holstein ausdrücklich aufgehoben, so daß 1818 ein volles Drittel der deutschen Staaten keine C. hatte. In manchen Staaten aber, wo sie eingeführt war, wurde sie fast gar nicht, oder nach den wirklich freisinnigsten Grundsätzen ausgeübt und besonders in den protestantischen Ländern fanden zahlreiche Befreiungen von derselben Statt. Die Professoren hoher Schulen und Universitäten, die Mitglieder der gelehrten Akademien, bedeutende Zeitungen und viele einzelne Schriftsteller von Ruf genossen vollkommene C.freiheit, allerdings nur als Privilegium vom Staate. Dahin gehören: die allgemeine deutsche Bibliothek, die erst in Berlin, dann, als sie dort vertrieben wurde, in Altona erschien; die Schriften des Prof. Pütter in Göttingen, der fast 50 Jahre lang freisinnige Schriften schrieb, ohne jemals belästigt worden zu sein wegen seiner Meinung; Justus Mösers „Patriotische Phantasien," die durchaus keinen Anstoß erregten und doch manches enthalten, was heute nicht gedruckt werden könnte; Posselts Annalen, die Berliner Monatsschrift von Gentz und so manches Andere. Und endlich brachten Prof. Schlözer in Göttingen seine „Staatsanzeigen" nur

Ehre und Ruhm, niemals Drohungen, Ermahnungen, Polizeiplackereien und Strafen ein. Ja, die hannoversche Regierung trat für Pütter und Schlözer mit aller Entschiedenheit in die Schranken, schützte sie in ihren Rechten und wies auswärtige Anforderungen zu Beschränkungen und Verfolgungen mit Nachdruck und Entrüstung zurück. — Das geschah im vorigen Jahrh. vor dem Ausbruche der franz. Revolution — heute kündigt man „auf auswärtige Reclamationen" einem halben Dutzend Blätter, die man keines einzigen Vergehens beschuldigen kann, und deren Inhalt ganz von der C. genehmigt ist, die Concessions-Entziehung, d. h. den Tod an, wenn sie nicht von ihrer — von der Regierung selbst durch ihren beamteten Censor genehmigten — Tendenz abstehen. — Auch in andern Ländern wurde die C. eingeführt, und während der Religionskämpfe finden wir sie bald in allen Ländern Europas. In England wurde sie bis 1661 von der Sternkammer (ein Gerichtshof für politische Verbrechen) ausgeübt, dann dem Parlamente übertragen, welches von 1662 ab seine Zustimmung zu einem C.gesetze auf 17 Jahre gab; 1679 wurde dasselbe auf 13, 1692 noch auf 2 Jahre erneuert, um 1694 aber die C. gänzlich aufgehoben. — In Frankreich bestand die C. bis 1791, wo sie gesetzlich aufgehoben wurde. Alle Verfassungsurkunden, die seitdem in Frankreich geschaffen wurden, enthalten die Freiheit der Presse als Grundsatz, allerdings aber wurde die C. thatsächlich mehrmals ausgeübt, so unter Napoleon und unter der Restauration. Unter letzterer jedoch bestand sie nur wenige Wochen (vom 15. Aug. bis 29. Sept. 1824) und als die Regierung 1830 das kostbare Gut der Preßfreiheit abermals antastete, stand das Volk auf und stürzte sie. Wie viel gesetzliche Ränke und Verfolgungsmittel die Minister Thiers und Guizot auch seitdem gegen die Presse geschaffen, eine C. haben sie nicht wieder einzuführen gewagt. — In den Niederlanden (Belgien und Holland) bestand zwar ebenfalls C., wurde aber niemals strenge gehandhabt und Alles, was in Frankreich nicht ans Licht gelangen konnte, erschien in dem vergangenen Jahrh. in den Niederlanden. Seit 1815 ist sie auch dort grundgesetzlich abgeschafft. — Die nordischen Staaten Europas warfen die Plage der C. ziemlich früh ab: in Schweden wurde sie bereits 1766 aufgehoben, 1771 zwar wieder eingeführt und mit wechselnder Strenge gehandhabt bis 1809, dann aber durch das Grundgesetz für immer beseitigt. Auch in Dänemark wurde sie 1770 für immer abgeschafft. In Norwegen, wo bei dem Mangel an literarischem Leben die C. nie drückend war, wurde sie durch das Staatsgrundgesetz von 1814 (die freisinnigste Verfassung Europas) aufgehoben. Selbst in Polen ward sie 1815 abgeschafft, so daß wir nach dem Befreiungskriege nur C. in Deutschland, Italien und Rußland finden, wo sie auch seitdem ununterbrochen fortbestand. — War in Deutschland die C. 1806 grundgesetzlich, so war nach Auflösung des deutschen Reiches kein Hinderniß ihrer Beseitigung mehr vorhanden. So wurde sie denn auch nach dem Befreiungskriege in mehrern deutschen Staaten aufgehoben und zwar 1814 in Nassau, 1816 in Weimar, 1817 in Würtemberg, 1818 in Baiern, 1820 in Rheinhessen u. s. w., nachdem die Bundesacte bereits in ihrem §. XVIII. d festgesetzt hatte, daß sich die Bundesversammlung bei ihrer ersten Zusammenkunft mit gleichmäßigen Bestimmungen über die Preßfreiheit beschäftigen solle. Auch erkannten alle Verfassungen, die im Laufe der Zeit zu Stande kamen, die Preßfreiheit als gesetzlich an und stellten ihr nur die vom Bundestage ausgehenden Beschränkungen entgegen. Die Bundesversammlung beschäftigte sich erst 1819 mit der Presse, und was sie damals (in den Beschlüssen vom 20. Sept. 1819) zu Stande brachte, waren Bestimmungen über die C., nicht über die Preßfreiheit. Seitdem zielten alle gesetzlichen Bestimmungen nur auf Verschärfung, nie auf Milderung der C. Die Bundesbeschlüsse von 1819 lassen Schriften über 20 Druckbogen, so wie die Besprechung innerer Angelegenheiten der einzelnen Bundesstaaten von der C. frei, die Regierungen der einzelnen Staaten aber unterwerfen zum Theil auch Bücher, die über 20 Bogen stark sind, der C. und üben dieselbe bei Besprechung der innern Angelegenheiten oft am

ſtrengſten aus. Die Bundesbeſchlüſſe von 1819 galten nur auf 5 Jahre, bei ihrer
Erneuerung 1824 wurden ſie auf unbeſtimmte Zeit — d. h. wo möglich für die Ewigkeit
ausgedehnt — und alles, was zur Ergänzung derſelben geſchah, waren nur neue Ver-
ſchärfungen. So wurde 1830 den Cenſoren größere Strenge bei der Mittheilung un-
ruhiger Bewegungen empfohlen, 1832 wurde die Verantwortlichkeit der Verfaſſer. auf
Verleger, Drucker und Verbreiter der Schriften ausgedehnt, 1833 jede Mittheilung
über die ſchwebenden politiſchen Unterſuchungen unterſagt, 1836 die Berichterſtattung
über die landſtändiſchen Verhandlungen eingeſchränkt u. ſ. w. Und in dieſe immer
rückſchreitende Bewegung fallen als Lichtblick nur das badiſche Preßgeſetz von 1831,
welches die C. aufhob und die Preßfreiheit geſetzlich machte, aber bald vom Bundestage außer Wirkſamkeit geſetzt wurde; theilweiſe allerdings auch die preuß. C.maßre-
geln, durch welche die C. für Schriften über 20 Bogen wieder aufgehoben (Cab.-Ordre
vom 4. Oct. 1842), den Cenſoren eine mildere Handhabung ihres Amtes empfohlen
(Cab.-Ordre vom 24. Dec. 1841) und endlich die Schlußentſcheidung in allen
C.angelegenheiten einem C.gerichte übertragen ward (Cab.-Ordre vom 30. Juni 1843).
Allein alle dieſe Maßregeln haben die Preſſe nicht freier gemacht. Die Befreiung der Schriften über 20 Bogen iſt eine täuſchende und gefährliche, weil durch
die Beſtimmung, daß derartige Bücher 24 Stunden vor der Ausgabe der Polizei
übergeben werden müſſen, den Beſchlagnahmen und Confiscationen durch überängſtliche

zahlt. Die Vorſchrift über mildere Handhabung der C. ſcheitert an der Engherzigkeit
der Cenſoren. Das errichtete C.gericht endlich iſt gänzlich von der Regierung abhängig, dabei iſt es von den äußerſten Provinzen des Staates viel zu weit entfernt, um

handelt, frommen zu können und

Sachſen hat 1844 die C.vorſchriften neu geſammelt und ſo ein Geſetz zu Stande
gebracht, welches der Preſſe aber keine größere Freiheit giebt; nur die Bücher über
20 Bogen ſind wieder von der C. befreit worden, der ſie — die Bundesbeſchlüſſe
überbietend — bis dahin unterworfen waren. — Im grellſten Widerſpruch mit dieſen ſogenannten Erleichterungen aber ſtehen die C.maßregeln andrer Staaten; dahin

und Kurheſſen ausgeübt wird. Dann die in allen deutſchen Staaten (mit Ausnahme
Preußens, wo nach den neueſten Verordnungen erſt ein Ausſpruch des C.gerichts noth-
Ertheilung der Conceſſionen für Zeitungen „auf Widerruf,“
eine Einrichtung, die es den Miniſterien möglich macht jede Zeitung jeden Augenblick
uch der Verleger Tauſende darauf verwendet, oder der Schrift-
ſegensreiche Be-

Sache, alle Urtheilsfähigen aller Zeiten haben
iſt es natürlich, daß jede Hemmung ihrer Wirk-

Eine ſolche Hemmung aber iſt die C., die nicht allein die geſammte Bewegung der
Preſſe in gewiſſe Grenzen einzuzwängen ſtrebt, ſondern ſogar gewiſſe Richtungen derſelben gänzlich zu unterdrücken ſuchen muß, oder doch kann. Iſt es nun aber nicht
geſtattet, alle Staatsangelegenheiten nach allen Seiten hin und von jedem Standpunkte
aus vollkommen frei und unbeſchränkt zu erörtern, ſo muß die politiſche Bildung
eines Volkes nothwendig um ſo viel zurück bleiben, als jeder Standpunkt die Sache
von einer andern Seite betrachten läßt und durch jede neue Anſchauung die Kenntniß

derselben vermehrt wird. — Die einseitige Betrachtung führt das Volk irre, die Unterdrückung, Verstümmelung und Verfälschung der den Regierungsansichten entgegenstehenden Meinungen, Thatsachen und Wahrheiten erschwert oder verhindert die Verständigung der Staatsbewohner; die Klarheit, die sie bei der richtigen Wahl ihrer Vertreter, bei der Ergreifung der zweckmäßigsten Mittel allein leiten sollte und müßte,
fehlt, und das Volk wird daher leichter der Täuschung und Verführung Ohr und
Herzen öffnen. — Denn mehr noch als die directe Verkümmerung der politischen Bildung durch Unterdrückung von Ansichten und Meinungen durch die Staatsgewalt,
wirkt die C. indirect auf das Zurückbleiben des Volkes. — Das Volk glaubt der
censirten Presse nicht, es hat kein Vertrauen zu ihr. Wie mild auch
eine Regierung die C. handhabt, wie ungehindert sie die Erörterung zuläßt, die
Masse weiß, daß die Regierung alles Geschriebene einer Prüfung und Genehmigung
unterwirft und glaubt nimmermehr, daß man ihr die ganze ungeschminkte Wahrheit
gönnt. — Dadurch aber verliert das Volk auch das Vertrauen auf den Sieg dessen,
was recht, vernünftig und nothwendig ist; es ist geneigter, verführerischen Parteien
und Factionen sich anzuschließen, ist geneigter, ungerechten und verläumberischen Beschuldigungen der Regierung Gehör und Glauben zu schenken. Die vorhandene Unzufriedenheit ist nur durch öffentliche Erörterung, durch freie Aussprache zu mildern
und zu beseitigen; fehlt dieses einzige Ableitungsmittel, so wuchert sie um desto gefährlicher in geheimen Canälen fort, aus denen sie mit gewaltsamer Erschütterung hervorbrechen muß, sobald sie sich übermäßig angesammelt hat. — So ist der Friede,
die Ruhe, die gedeihliche Entwickelung des Staates durch die C. — wenn nicht fortwährend bedroht, doch bei jeder einigermaßen schwierigen Zeit aufs Spiel gesetzt, und
die Geschichte zeigt deutlich in allen Ländern, daß gewaltsame Staatsumwälzungen,
oder Versuche zu solchen immer nur da Statt fanden, wo die freie Meinungsäußerung, die offene Verständigung der Staatsbewohner über ihre Angelegenheiten unterdrückt oder gehemmt war. — Die C. aber verhindert auch die Regierungen, staats-
gefährliche Unternehmungen bei Zeiten zu erkennen, wirksame Mittel dagegen anzuwenden, und sie so im Keime zu vernichten. Denn sobald es als Grundsatz irgend einer
Regierung ausgesprochen ist, gewisse Ansichten nicht zuzulassen, gewisse Meinungen
nicht zum Ausspruche kommen zu lassen, so muß die C. auch folgerechter Weise jede
Nachricht über Mißstimmung und Unzufriedenheit, die ein solcher Geistesdruck erzeugt,
unterdrücken und dem besten redlichsten Fürsten bleibt dadurch die wahre Volksstimmung so lange verborgen, bis sie vielleicht zu seinem unverschuldeten Verderben sich
in Gewaltausbrüchen äußert, die zu besänftigen es zu spät ist. — Noch manche andre
Verlegenheit bereitet dieselbe im Staate: sobald derselbe durch seine Beamte (die Censoren) alle Druckschriften prüfen und genehmigen läßt, so muß er auch natürlich die
Verantwortlichkeit für dieselben theilen und die Nachbarstaaten haben vollkommen Recht,
wenn sie bei jeder Gelegenheit, wo sie etwa unsanft von der Presse berührt werden,
mit ihren Beschwerden sich an die Regierung wenden. In Ländern mit freier Presse
hat die Regierung derartige Beschwerden niemals zu besorgen, denn sie weist die Be-
schwerdeführer sofort an die Gerichte des Landes. In Frankreich, Belgien, Holland,
England u. s. w. hört man niemals von Reclamationen andrer Regierungen gegen den
Inhalt von Büchern und Zeitungen — in Deutschland in allen Staaten und alle
Augenblicke, weil die deutschen Regierungen C. ausüben. Wie aber die eine Ungerechtigkeit immer die andre nach sich zieht, so auch hier: statt daß die Regierungen
nun die Beschwerden der Nachbarn ruhig hinnehmen, oder wenn sie ungerecht sind,
entschieden ablehnen, halten sie sich abermals an die arme Presse, an den Schriftsteller, Verleger, Drucker u. s. w., wenden die Beschwerde auf ihn an oder strafen ihn
gar, obgleich sie ihm durch die Druckgenehmigung des Censors ausdrücklich bestätigten, daß hier nichts zu Mißbilligendes vorliege. Außer diesen Nachtheilen, welche
die C. im Innern des Staates schafft und hervorruft, hebt sie auch alle Vortheile

auf, die eine freie Presse einem Staate dem andern gegenüber gewährt. — Wie kann der Nachbarstaat ein Volk achten, welches von seinen Regierungen hartnäckig für unmündig erklärt wird, dessen Gedanken und Aeußerungen man in spanische Stiefeln einschnürt, das auf jedem Schritte und Tritte bevormundet wird, und dem man das edelste Organ der menschlichen Gesellschaft nicht anzuvertrauen wagen darf? — Mit einem Volke aber, welches man nicht achtet, sucht man auch keinen geistigen und materiellen Tausch, keine Handelsverbindungen, keine Bündnisse. Mit einem Volke, welches sich nicht frei bewegen darf auf der Bahn des Fortschritts, kann und mag der freie Nachbar nicht Hand in Hand gehen. Einem Volke endlich, welches ununterbrochen an einem Gängelbande geführt wird, traut man weder den Muth, noch den Willen, noch die Kraft zu, einen äußern Feind abzuwehren, man sieht es stumpfsinnig der Gewalt sich beugen und muß annehmen, es werde ihm gleichgültig sein, von welcher Seite der Druck komme. Und ein Volk, welches unter diesem geistigen Drucke seufzt, hat auch wirklich die Kraft und den Opfermuth und die Hingebung nicht, die zur entschiedenen Vertheidigung des Vaterlandes gehören. In demselben Grade, wie die politische Bildung zurück bleibt, die Theilnahme Aller an den Staatsangelegenheiten durch die C. hintertrieben wird, muß die Liebe und die Begeisterung für das Vaterland nothwendig abnehmen. — In den Staaten des Alterthums herrschte Sklaverei und der bei weitem größte Theil der Bewohner war von aller Theilnahme an den Staatsangelegenheiten ausgeschlossen. Aber in den alten Staaten waren es wenigstens alle Bürger, die die Staatsangelegenheiten entschieden; von dem Ersatzmittel der alten Volksversammlungen: der Presse aber sind bei uns Alle ausgeschlossen, mit einziger Ausnahme der Regierungen; Alle leben in geistiger Hörigkeit. — Bedürfen die vorstehenden Behauptungen irgend eines Beweises, so bietet die Geschichte denselben auf jeder Seite dar. Groß und mächtig wurden die Staaten des Alterthums wie der Neuzeit nur unter dem Segen der Freiheit; elend, kraftlos, entvölkert, unterjocht wurden sie nur, wenn sie jenes Hebels aller Größe entbehrten. Spanien, in dessen Gebiet die Sonne nicht unterging, verlor unter dem Joche des Despotismus und der Unfreiheit nicht nur seine unermeßlichen überseeischen Besitzungen, sondern sank auch im Innern so fürchterlich herab, daß seine Einwohner von 40 Millionen bis auf 10 Millionen zurück gingen und diese so dumpf und verächtlich wurden, daß sie im thierischen Wahnsinne der Knechtschaft schrieen: "Es lebe die Inquisition, nieder mit der Nation! Es lebe der Absolutismus, nieder mit dem Gesetz!" Die freiheitdürstenden und dafür begeisterten Franzosen besiegten trotz dem Mangel an Geld, Waffen, Kleidung und Lebensmitteln eine ganze Welt. Das übermächtige, wohldisciplinirte, aber unfreie Oesterreich verlor, trotz der bewunderungswerthesten Opfer und Anstrengungen, Schlacht auf Schlacht. Erst als es 1809 für die deutsche Freiheit zu den Waffen rief, gewann es die Schlachten bei Lobau und Aspern und der Krieg nahm eine andre Wendung. — Unser ganzes Vaterland war geknechtet, und geistig und materiell zu Grunde gerichtet, als der Ruf der Fürsten erscholl: "zum Kampfe für ein freies Vaterland, freie Verfassung und freie Sprache." Da erhob es sich, wie der Phönix aus der Asche, besiegte den mächtigen Unterdrücker und zerstörte seine Gewaltherrschaft. Und dieser Sturz Napoleons ist selbst das warnendste Beispiel: er war der Erbe all' der ungeheuren Mittel der Revolution, er vermehrte dieselben bis ins Unendliche durch die Macht seines Genies; und doch fiel sein Reich beim ersten ernsten Stoße in Trümmer, weil es auf Unfreiheit gegründet war. — Welchen Glauben die censirte Presse hat, welchen Eindruck sie macht, das haben wir leider an einer Thatsache der neuesten Zeit erfahren müssen: Als sich 1840 alle Vaterlandsfreunde Deutschlands erhoben wie ein Mann gegen die Anmaßungen der franz. Eroberungspartei, als alle deutschen Blätter die Entrüstung des Volks mit Entschiedenheit und Kraft aussprachen, da mußten wir die Schmach erleben, daß die franz. und der nicht französenfeindliche Theil der englischen Presse uns hohnlächelnd die C. vorwarf, unsere Empfindungen für „befohlene" ausrief und behauptete, die entgegengesetzten Gesinnungen dürften sich nicht aussprechen. So tief also steht ein Volk in der Meinung seiner Nachbarn, daß man selbst den Ausbruch der Gefühle der Vaterlandsliebe und der Entrüstung gegen fremde Anmaßung für unwahr, für befohlene Begeisterung hält. Kann bei solchen — der C. nothwendig entspringenden — Ansichten des Auslandes die Volksstimmung einen Krieg verhindern? Nimmermehr! — Daß die C. auch auf das wissenschaftliche Leben eines Volkes nachtheilig wirkt, ist bei uns durch die oft verlautende, gerechte Klage erkennlich, daß das Ausland von deutschen Geisteswerken fast nichts übersetze und sich aneigne, während Deutschland mit den Erzeugnissen des Auslandes überschwemmt wird. Unsere Wissenschaft ist groß und schön, aber unpraktisch und unnütz für das Leben, unsere Unterhaltungsliteratur mag zum Theil sehr poetisch und gedankenreich sein, aber auch sie bleibt dem Leben fern. Was soll das Ausland mit solchen unpraktischen Erzeugnissen? Wir aber erfreuen uns an der unmittelbaren praktischen Beziehung ausländischer Werke zum wirklichen Leben, die unter dem Hauche der Freiheit von selbst entsteht; wir erfreuen uns daran, selbst wenn sie auf unsere Zustände direct nicht anwendbar ist. — Wie weit muß durch dieses Verhältniß die Wissenschaft zum Leben, die Volksbildung im Allgemeinen, und die politische Bildung ins Besondere zurück bleiben! Die Würde, der Anstand, die Sittlichkeit der Literatur und durch sie des Volkes kann durch die C. unmöglich gefördert werden, obgleich sie eigentlich zum Schutze derselben eingesetzt ist. Wird dem Volke das ganz oder theilweise entzogen, was der Natur der Dinge nach ihm am nächsten liegt und am meisten Anziehungskraft für dasselbe hat: die Verhandlung der Tagesfragen, der laufenden Staatsangelegenheiten; ja wird ihm der Glaube, das Vertrauen und die Lust an der verkümmerten Verhandlung, wie sie die C. gestattet, von Vorne herein genommen, wie das früher ausgeführt wurde, so ist es natürlich, daß das unbefriedigte Gemüth nach andern Reizen sucht und daß die künstliche Erregung bald durch immer raffinirtere, prickelndere Genüsse erzielt werden muß, da sie gegen innere Abneigung und Unfrieden zu kämpfen hat. — Die C. aber, besonders auf die Ausrottung, Eindämmung und Säuberung gewisser politischer Meinungen gerichtet, ist hinsichtlich der Sittlichkeit weniger streng und hat weder Zeit noch Aufmerksamkeit genug, jede moralische Ausartung zu verfolgen. Ja, es dürfte sogar mitunter absichtlich geschehen, daß man in dieser Beziehung nachsichtig ist, um zu beweisen, daß die Strenge der C. lange nicht so groß sei, als man behauptet. — So hat eine — Schriftsteller und Leser gleich wenig ehrende — verderbliche Richtung der Literatur freiern Raum, während die Behandlung der Tagesereignisse, die naturgemäß das Volk am meisten und lebhaftesten interessiren, sehr beengt und zum Theil unmöglich ist. Der Schriftsteller, der sich im Schlamm der Gemeinheit wälzt und das dürftige Talent durch raffinirende Unsittlichkeit verbirgt oder ersetzt, findet leicht seinen Wirkungskreis, während eine Menge der talentvollsten, redlichsten und ehrenhaftesten Männer es verschmäht, unter C. zu schreiben. Dem Stande der Schriftsteller, welcher der geehrteste und würdigste in der Nation sein sollte, werden durch diese traurigen Zustände die tüchtigsten Glieder, die edelsten und besten Kräfte entzogen, während der literarische „Pöbel" sich vermehrt und den Stand der Literatur schändet. Der Schriftsteller, der sich mit der Zeitgeschichte beschäftigt, oder mit denjenigen Wissenschaften, die Erörterungen über Staat und Regierung, Kirche und Schule, Leben und Gesellschaft nothwendig machen, hat in unserer Zeit wirklich ein entsetzliches Loos: In der edelsten und erhabensten Verrichtung des Menschen, im Erzeugen des Geisteswerkes lastet die C. wie ein drückender Alp auf ihm und hemmt den Flug seiner Gedanken; denn nicht den Eingebungen des Gottes in seiner Brust darf er sich hingeben in seligem Vergessen, sondern das Zollmaß des Erlaubten und Zulässigen muß er anlegen an jeden Gedanken, weil die C. den ausgesprochenen Gedanken unabänderlich damit mißt. Also muß er seinen Gedanken einzwängen, verhüllen, umschreiben, nur andeuten und so einen Theil seiner Eigenthümlichkeit aufopfern. Da aber auf dieser geistigen Eigenthümlichkeit ein großer Theil des Werthes und der Geltung des Schriftstellers beruht, so wird ihm der edelste Lohn: die Anerkennung seiner Nation verkümmert. Nun übergiebt er sein Werk der C., die darin ändert, streicht, mildert, die Eigenthümlichkeit noch mehr verwischt und der Ueberzeugung des Schriftstellers Gewalt anthut. Endlich erscheint es und bringt nun dem Schriftsteller kargen Lohn, dagegen aber Verkennung, Verfolgung, Strafen und Anfeindung; denn die C. hebt keine Art der Verantwortlichkeit auf. — Ist es ein Wunder, wenn bei diesen endlosen Plackereien eine Menge unabhängiger Männer sich von der Presse ganz zurückziehn? Daß andere sich kaufen und bestechen lassen? Wenn die Feder der vollen Ueberzeugung nicht dienen darf, wenn sie dem Staatssystem, durch die C. vertreten, dienstbar sein muß, wer wundert sich, wenn der Schwache und Mißmuthige sich endlich bezahlen läßt und auf jede Ueberzeugung verzichtet? Zu spät erst werden die Zahlenden erkennen, daß sie nur eine Schlange am Busen nähren; sie erziehen sich ein feiges, heuchlerisches, tückisches Geschlecht, welches auch sie verrathen und verkaufen, mindestens sie verlassen und ihre Schwäche und Schande zu Tage legen wird, wenn andere Verhältnisse ihm größere Vortheile bieten, oder die unterdrückte Menschenwürde aufwecken. Daneben erwächst den Regierungen noch der unberechenbare Nachtheil, daß fast alle tüchtigen und unabhängigen Federn, die aus Ueberzeugung ihre Handlungsweise vertheidigen möchten, ihnen verloren gehen; theils weil dieselben sich ebenfalls der C. nicht unterwerfen; theils und besonders weil sie nicht mit dem vorher geschilderten Gesindel in eine Reihe gestellt sein mögen. Das leider nicht zu leugnende Vorhandensein feiler und bezahlter Schriftsteller für die Regierungen, macht es zu einer Art von Schande, für dieselben zu schreiben und schreckt die Besten und Fähigsten zurück. Denn im Glauben des Volks sind sie nun Alle bezahlt. — Daß endlich die C. die unmittelbare vortheilhafte Wirkung der Presse für das Volk verkümmert und theilweise aufhebt, bedarf kaum eines Beweises. Ist es doch nachtheilig genug für die ganze Nation, wenn die Wahrheit bemäntelt und verhüllt werden muß, wenn die offene deutsche männlich redliche Sprache mit heuchlerischen, künstlichen und täuschenden Wendungen vertauscht werden muß, wenn „die Sprache nur das Mittel wird, den Gedanken zu verbergen." Denn die Heuchelei, Unwahrheit und Unfreiheit greift um sich, wie ein verderbliches Geschwür, und das ganze Volk wird in demselben Grade unwahr, als es seine Presse sein muß. — Bei wichtigen und allgemeinen Angelegenheiten, die das Volk unmittelbar berühren, ist die censirte Presse auch wirklich ohnmächtig und fruchtlos, denn wenn z. B. ein Ministerium hinsichtlich des Glaubens, oder des Handels, sich aus Verblendung oder Ueberzeugung auf einer falschen und verderblichen Bahn befindet, so ist nichts natürlicher, als daß es die mächtige Waffe der Presse für sich nach Kräften benutzt, gegen sich aber so unwirksam wie möglich machen wird. Und zu dem letztern wenigstens bietet ihm die C. das vollkommen ausreichende Mittel dar. Welche Nachtheile die C. dem Volke direct und unmittelbar bringen kann, das mag durch ein Beispiel erläutert werden, welches in den badischen Landtagsverhandlungen von 1835 enthalten ist: Bald nach Beendigung der polnischen Revolution lud der russische Gesandte öffentlich in den süddeutschen Zeitungen zur Auswanderung nach dem entvölkerten Polen ein, und die Beamten einiger kleinen Staaten erhielten sogar die ausdrückliche Weisung, in ihrem Geschäftskreise diese Einladung mit ihren scheinbar sehr lockenden Bedingungen bekannt zu machen. Die Regierungen hatten sich niemals um Auswanderungen bekümmert, hatten dieselben eher gehemmt als befördert und sehr oft Warnungen gegen unbedachtes Auswandern erlassen. Da nun hier die Beamten die öffentliche Einladung unterstützten, den Leuten die Auswanderung anriethen (denn dagegen sprechen konnten sie ja nicht), so glaubten namentlich die Landleute, es eröffne sich ihnen dort ein neues Paradies und entschlossen sich sehr zahlreich, nach Polen zu

14*

wandern. Welcker, der die Verhältniſſe genau kannte, hatte die Ueberzeugung, daß die Auswanderer dem Unglück und Verderben entgegen gingen; er wollte alſo in dieſelben Blätter, welche die Aufforderung enthalten hatten, eine Warnung ſetzen laſſen, die den Leuten das Elend ſchilderte, das ihrer wartete. Die C. ſtrich dieſe Warnung und alle Schritte, ſie durchzubringen, waren vergebens. Die Leute wanderten nach Polen und — kehrten nach kurzer Zeit wieder zurück in einem Elende, das alle Beſchreibung überſteigt. In Lumpen gehüllt, hungernd, bettelnd, auf Gottes freier Erde oder in einer Scheune ſchlafend, die ihnen die Bärmherzigkeit öffnete, ſchleppten ſie ſich zu Fuße den ungeheuern Weg zurück; ihre ganze Habe hatten die troſtloſen Verhältniſſe, die gleißneriſchen Verſprechungen ihnen geraubt; einen großen Theil der Familiengenoſſen hatten Elend, Krankheit und Seuchen ins frühe Grab geriſſen, die Uebriggebliebenen trugen den Keim des Todes in dem ſiechen, abgezehrten, geſpenſterhaften Körper. So kamen die maßlos Unglücklichen, Verführten in die Heimath zurück! — „Die C. — ſagt Welcker (Protokolle der bad. II. Kammer „von 1835. Heft VI. Seite 77) — hinderte mich, meinen am Rande des „Abgrundes ſtehenden Mitbürgern jene Mittheilungen zu machen, „welche gewiß eine große Zahl von jenem Unternehmen abgehalten „haben würden. Die C. hat dieſe Leute in Tod und Elend geſtürzt „und — ich begehre nicht ſchuld daran zu ſein.“ — Wir haben nun die C. werden ſehen in ihrer Entwickelung und Fortbildung und in ihren Wirkungen und Folgen gewiß wenig Gründe für ihre Rechtmäßigkeit und Zweckmäßigkeit gefunden; auch iſt dieſelbe mit dem einfachen, vernünftigen Staatszwecke nicht vereinbar. Der Staat iſt zum Schutze und zur Erhaltung der Freiheit der Perſon und des Eigenthums geſchaffen, nicht aber zur Kränkung und Aufhebung dieſer Freiheit. Nun iſt aber die freie Gedankenmittheilung der edelſte und koſtbarſte Theil der perſönlichen Freiheit, der wegen ſeiner Erhabenheit über alle andern am wenigſten angetaſtet werden darf. Dies haben nicht allein alle freien Völker praktiſch anerkannt, ſondern auch alle Staatsrechtslehrer aller Nationen — von den deutſchen keiner ausgenommen — haben es ausgeſprochen, daß die freie Gedankenmittheilung das koſtbarſte Gut, das heiligſte und unveräußerlichſte Recht eines Volkes ſei. — Behauptet der Staat, er müſſe das Mittel der Gedankenmittheilung: die Preſſe bewachen und beſchränken, weil ſie leicht das Recht Anderer verletzen und Schaden anrichten könne, ſo muß er folgerichtig auch jede andere Maſchine, mit welcher irgend Schaden angerichtet werden kann, beaufſichtigen und den Gebrauch derſelben beſchränken. Er darf den Gebrauch der Meſſer und anderer ſcharfen Werkzeuge nicht geſtatten, weil dieſelben in der Hand des Zornigen dem Leben und der Geſundheit des Menſchen höchſt gefährlich werden können; er darf die Anwendung des Feuers durchaus nicht frei geben, weil Städte und Dörfer damit eingeäſchert werden können. Ja, wenn er die Sprache des Volkes, welches die Preſſe iſt, nicht frei läßt, ſo darf er auch die Sprache des Menſchen nicht frei laſſen, denn der Menſch kann vermittelſt derſelben der Sittlichkeit Hohn ſprechen, Majeſtätsbeleidigungen begehen, Aufruhr ſtiften, verderbliche Grundſätze predigen, ſchänden, verläumden und zahlloſes Unheil ſtiften. In fortlaufender, unabweisbarer Folgerichtigkeit muß der Staat zuletzt ſogar jedem Menſchen Hand und Fuß binden und jede freiwillige Bewegung unterdrücken, denn durch jede derſelben kann Nachtheil für den Nebenmenſchen geſtiftet werden. Und alle dieſe Beſchränkungen muß er ſogar viel ſchärfer aufrecht erhalten, als die Beſchränkung der Preſſe, denn der Schaden, welchen der Mißbrauch des Feuers, ſchärfer Werkzeuge, oder der körperlichen Kraft verurſacht, kann oft gar nicht wieder gut gemacht werden, während die Preſſe faſt immer das Mittel darbietet, wieder auszugleichen, was durch ſie verdorben wurde. — Alle dieſe Beſchränkungen will der Staat nicht, er kann ſie auch nicht ausüben, ſie ſind unmöglich. Und wären ſie denkbar, ſie würden die Auflöſung des Staates zur unvermeidlichen Folge haben, denn in einer ſolchen Zwangsanſtalt könnte Niemand leben. Woher kommt es denn nun, daß man das Eine — den Preßzwang — festhält, das Andere aber — alle genannten Beschränkungen, die in nothwendigem logischen Zusammenhange stehen — von sich weist? Eine genügende Antwort auf diese Frage ist man noch schuldig geblieben und wird sie wohl auch schuldig bleiben. Daß die C. ein Institut der Willkür ist, das liegt in ihrer Natur und ist noch von Niemand bestritten worden. Willkür und Recht sind aber unvereinbare Begriffe und unvereinbare Dinge. Wohl mag jede Gewalt zuweilen in Willkür ausarten, wenigstens kann der Träger der Gewalt sie mißbrauchen und die ihm vom Gesetze oder der Natur gezogenen Grenzen frevelnd überschreiten. Dann aber giebt es wenigstens ein Gesetz, welches ihn bestraft, giebt es Gerichtshöfe, die dieses Gesetz anwenden, giebt es schließlich die öffentliche Meinung, welche den Schuldigen verdammt, wenn Gesetz und Rechtsspruch ihn nicht erreichen können. Bei der C. giebt es kein Gesetz, keinen Rechtsspruch und keine öffentliche Meinung. Die C. streicht und vernichtet nach dem Belieben Derer, die sie eingesetzt, einen Theil der gesammten Geisteswerke der Nation, ohne irgend Jemand dafür verantwortlich zu sein; sie richtet in eigener Sache auf erhobene Beschwerde selbst und entscheidet selbst, ob sie recht gehandelt; sie hebt endlich die Möglichkeit einer Berufung an die öffentliche Meinung auf, denn was sie gestrichen, das ist vergraben in ewige Nacht und jede allgemeine Mittheilung desselben ist unmöglich. — Kann ein solcher Zustand rechtmäßig sein? — Die C. ist ferner eine Verletzung der staatsbürgerlichen und politischen Rechte eines Volkes, denn 1) beschränkt sie die Kenntniß der vaterländischen Angelegenheiten, indem sie die allseitige Beleuchtung derselben hindert; 2) entzieht sie der Regierung und dem Volke eine Masse Ansichten, Meinungen und Wünsche, Erfahrungen und Rathschläge, welche die Entwickelung des Volkes fördern können; 3) fälscht sie die öffentliche Meinung, indem sie einen Theil derselben nicht zum Ausspruche kommen läßt; 4) hemmt sie die Entwickelung der Verfassung und gefährdet selbst deren Verwirklichung und Erhaltung, da alles dies nur bei der ungetrübten Freiheit und Wahrheit der öffentlichen Meinung möglich ist; 5) nimmt oder schmälert sie dem Volke das wichtigste und wirksamste Mittel, die Beamten zu controlliren, Uebergriffe derselben zu verhindern und für geschehene Uebergriffe Genugthuung zu erlangen; 6) bürdet sie dem Volke möglicherweise größere Staatslasten auf, als es zu tragen brauchte, wenn die Erörterung der Bedürfnisse und der Mängel der Verwaltung unbedingt frei wäre; endlich 7) setzt sie das Volk herab in der Meinung seiner Nachbarn, indem sie es für unmündig erklärt, als unfähig darstellt, seine geistigen Kräfte ohne Gängelband zu gebrauchen. — Kann eine so mannigfach verletzende Anstalt rechtmäßig sein? Die C. verletzt endlich aber auch die Privatrechte und Privatinteressen der einzelnen Staatsbürger, weil sie 1) die Bildungsmittel schmälert, welche in der gesammten geistigen Kraft des Volkes enthalten sind und auf welche Jeder gleichmäßigen Anspruch hat; 2) das Recht kränkt, die volle Wahrheit zu vernehmen, die geistigen und moralischen Verbindungsmittel der Menschen untereinander, wie den Nutzen, der daraus hervorgehen kann, beengt; 3) dem Menschen das wichtigste Mittel zur Vertheidigung seiner Ehre und seines Rechtes verkümmert oder ihn oft verhindert, die schmählichsten Verläumdungen, die auch in der censirten Presse vorkommen, gebührend zurück zu weisen; 4) den Wohlstand des Ganzen und des Einzelnen gefährdet, wenn sie verhindert verderbliche Handels- und Industrie-Systeme aufzudecken und nur die Lobredner der falschen Richtung sprechen läßt; 5) endlich das wohlerworbene Eigenthum des Schriftstellers, Buchdruckers, Buchhändlers u. s. w. schonungslos angreift und mißachtet. Ein Auszug aus einer Rede Welcker's auf dem badischen Landtage von 1835 mag das Letztere näher beleuchten: „Wenn der Herausgeber eines „Blattes, sagt Welcker (Landtagsprotokoll. von 1835. Heft VI. S. 76) sich genöthigt „sieht, ganze Blätter oft drei oder vier Mal umbrechen zu lassen, weil auch der „unschuldigste Artikel vom Censor unbarmherzig gestrichen oder verstümmelt wird, wenn

„er überhaupt vielleicht 40 Fl. für einen ſolchen Artikel bezahlt und wegen des Un-
„brechens noch dreifache Koſten zu tragen hat, ſo verliert er zuletzt ſelbſt die Mög-
„lichkeit, das ganze ehrliche Gewerbe fortzuſetzen. Mitarbeiter, Drucker und Verleger
„müſſen auf den erlaubten Vortheil ihres Gewerbes verzichten und ſo kam es dahin,
„daß wir nicht ein einziges freies Blatt mehr haben, welches die Klagen über Miß-
„griffe in der Verwaltung, die Beſchwerden der Unterthanen, die freimüthigen Wün-
„ſche und Bedürfniſſe der Bürger ihren Mitbürgern ans Herz legen kann. — Wenn
„man bei irgend einem andern Erwerbszweige, z. B. bei einem Krämer heute —
„nicht für 40 Fl. — ſondern für 40 Kr. Stockfiſche, morgen für 40 Kr. Häringe
„und übermorgen für 40 Kr. Spielſachen confisciren wollte, und man durch ſolche
„und ähnliche Handlungen zuletzt den Mann zwingen würde, ſein ganzes Gewerbe
„aufzugeben, ſo weiß ich nicht, ob man dieſes nicht für eine Beraubung und Ty-
„rannei halten würde. Ich weiß aber auch nicht, ob irgendwo, etwa bei den Iro-
„keſen, Stockfiſche, Häringe und Spielſachen höher ſtehen als Wahrheit und ihre Mit-
„theilung, ob ſie und ihre Verbreiter ein heiligeres Recht haben als Schriftſteller,
„Drucker und Verleger, die die Wahrheit ihren Mitbürgern mittheilen, ſich der Ver-
„theidigung des Rechts und der Vervollkommnung ihrer Anſtalten widmen.“ Kann
eine Anſtalt, die ſo ſchneidend in das Eigenthum eingreift, rechtmäßig ſein? Daß
die C. formell rechtmäßig und geſetzlich bei uns iſt, darüber herrſcht leider kein
Zweifel. Aber auch darüber herrſcht kein Zweifel, daß große Uebelſtände aus dieſer
formellen Rechtmäßigkeit erwachſen. Zunächſt ſteht der Bundesbeſchluß vom 20. Sept.
1819, welcher die C. einführt, im Widerſpruche mit dem Grundgeſetze unſeres ganzen
Staatsverbandes, mit der Bundesacte, die in ihrem §. 18 d Preßfreiheit
verheißt, und dieſelbe für ſo heilig und wichtig hält, daß ſie der Bundesverſammlung
aufgiebt, bei ihrer erſten Zuſammenkunft „gleichförmige Verfügungen über die Preßfreiheit zu treffen.“ — Dann ſteht er im Widerſpruch mit den Verfaſſungen der einzelnen Staaten, die alle die Preßfreiheit anerkennen und gewähren. Endlich ſteht er
in grellem Widerſpruch mit der Zeit und mit dem Charakter, der Bildung und der
Würde unſeres Volkes. Der Bundesbeſchluß vom 20. Sept. 1819 erfolgte wegen
einer „in einem großen Theile von Deutſchland herrſchenden unruhigen Bewegung und
Gährung der Gemüther, welche ſich ſeit einigen Jahren von Tag zu Tage vernehm-
licher angekündigt, zuletzt aber in unverkennbaren Symptomen, in Aufruhr predigenden
Schriften, in weitverbreiteten ſträflichen Verbindungen, ſelbſt in einzelnen Greuelthaten offenbart hatte;“ als der Bundesbeſchluß 1824 auf unbeſtimmte Zeit ausgedehnt
wurde, geſchah es, weil „ein großer Theil der 1819 beſtandenen feindſeligen Elemente auch heute noch in Deutſchland vorhanden ſei.“ Kann nun ein ſo hartes Geſetz fortbeſtehen, wenn die Urſachen, die es hervorriefen, nicht mehr vorhanden ſind?
Oder wagt man es zu behaupten, daß in den 20 Jahren, die ſeit der Ausdehnung des Bundesbeſchluſſes vom 20. Sept. 1819 verfloſſen ſind, die „Gährung der
Gemüther, Aufruhr predigende Schriften, ſträfliche Verbindungen und einzelne Greuelthaten“ fortgedauert haben? Will man behaupten, daß ſie heute noch vorhanden
ſind? Will man endlich behaupten, die Preſſe müſſe beſchränkt, gefeſſelt und bevormundet werden, damit die „Irrlehren“ der „Verblendeten und Böswilligen“ nicht ver-
derbend um ſich greifen und das Volk verführen, ſo heißt das nichts anderes, als
die ganze Menſchheit unter polizeiliche Aufſicht ſtellen, weil es hin und wieder einige
Diebe und Mörder giebt; man kann unmöglich etwas Falſcheres behaupten, als daß
ein Volk mit all' den moraliſchen und vortrefflichen Eigenſchaften, die man an den
Deutſchen rühmt, Gefahr lief, ſofort die Beute von „Irrlehren“ zu werden; daß es
nicht vermöchte, das Wahre und Rechte vom Falſchen zu unterſcheiden. Und fragen
wir endlich nach dem Zweck und dem Nutzen dieſer Anſtalt für diejenigen, die ſie
aufrecht erhalten, ſo kann man bei der unbefangenſten und vorurtheilsfreieſten Prüfung wahrlich keinen entdecken. Die C. ſoll — ſo behaupten ihre Vertheidiger —

zum Schutze des Staates, der Religion, der öffentlichen Moral und Sittlichkeit und der einzelnen Perſönlichkeiten gegen gehäſſige Angriffe dienen. Daß die C. nicht geeignet iſt, ſogenannte politiſche „Irrlehren" auszurotten und unwirkſam zu machen, haben wir bereits geſehen; ſie macht vielmehr dieſe „Irrlehren" gefährlicher, weil ſie im Geheimen fortwuchern. · Die Staaten mit freier Preſſe haben keine Revolutionen gehabt, bis zu dem Augenblicke, wo man — wie 1830 in Frankreich — dieſes geheiligte Volksrecht antaſtete. Alle Strenge der C. aber hat in frühern Zeiten die Revolutionen und Fürſtenmorde in Rußland, Schweden, Portugal, Spanien, Italien und Frankreich, — in neuerer Zeit die polniſche Revolution, und die Unruhen in den meiſten Staaten Deutſchlands nicht verhüten können, vielmehr hat ſie dieſelben genährt und geſtärkt, weil ſie den einzig wirkſamen Abzugscanal für die angehäufte Unzufriedenheit: die freie Preſſe verſtopfte. — „In ruhigen Zeiten bedürfen wir der C. nicht," ſagen ihre Vertheidiger; aber dieſe Menſchen ſind blind gegen alle Erfahrung, denn in bewegten Zeiten iſt die C. ohnmächtig gegen die öffentliche Meinung, wie dies die geſammte deutſche Preſſe im Anfange der dreißiger Jahre beweiſt. — Selbſt einer lebhaften geiſtigen Bewegung und wenn dieſelbe auch eine dem Staate durchaus mißfällige-Richtung hätte, vermag die C. nicht zu widerſtehen, wie dies die preuß. Regierung bei Unterdrückung der Rhein. Zeitung ſelbſt anerkannt hat. Wo iſt denn nun die Zweckmäßigkeit der C. für den Staat? Sie iſt nicht vorhanden; wohl aber bereitet ſie dem Staate fortwährend Verlegenheiten und Unannehmlichkeiten, wie dies im Vorigen nachgewieſen iſt, und beraubt ihn des einzig wirkſamen Mittels gegen alle ſtaatsgefährlichen Lehren und Unternehmungen: der offenen Darlegung der Wahrheit durch die Preſſe; denn der Regierungswahrheit, auf die ſie ſich ſelbſt ein Monopol genommen hat, die ſie nicht prüfen und nicht bezweifeln läßt, glaubt man nicht und wäre ſie klar wie Kryſtall. Daß die C. nothwendig ſei zum Schutz und Schirm der Religion — das klingt faſt wie Gottesläſterung. Wenn die Religion wirklich das Göttliche, Erhabene, Ewige iſt, wofür ſie beſonders der jetzt Mode gewordene „chriſtliche Staat" ausruft, was können ihr dann die möglichen Angriffe einiger „Verirrten und Böswilligen" ſchaden? Die ewige Wahrheit iſt ſo innig verſchwiſtert mit dem einfach geſunden Menſchenverſtande, daß ihr durch „Irrlehren" durchaus keine Gefahr droht. Man erniedrigt alſo die Religion, wenn man behauptet, ſie könne durch etwanige falſche Lehren gefährdet und erſchüttert werden; wenn man behauptet, ſie bedürfe zu ihrem Schutze eines Werkzeugs wie die C. Unter der C. war die Reformation eine Unmöglichkeit und die ganze Welt ſchmachtete heute noch in den Feſſeln des unfehlbaren Papſtthums; wenn nämlich die C. vermöchte, was ſie eigentlich will und ſoll. — Und vermag es die C., einen möglichen Zwieſpalt zwiſchen der Religion und der Kirche mit dem Staate zu verhindern? Die „kirchlichen Wirren" der letzten Zeit im ganzen Vaterlande haben uns das Gegentheil bewieſen. Eben ſo unwirkſam wie für die Religion iſt die C. für die Sittlichkeit und Sitte, wie dies bereits vollſtändig beſprochen wurde. Gehäſſigen Angriffen auf einzelne Perſonen, Schmähungen, Verläumdungen und Verdächtigungen kann die C. am wenigſten vorbeugen; ſie ſchleichen in einem verhüllendern Gewande einher und werden deshalb um ſo gefährlicher; ſie treffen den Angegriffenen um ſo härter, als die C. ſelbſt oft die Vertheidigung hemmt und hemmen muß. Hat die C. die Verläumdungen gehemmt und unterdrückt, mit denen in einigen deutſchen Staaten die Anhänger des Fortſchritts ſo ſchamlos überſchüttet wurden und werden? Nein, aber daß ſie die Vertheidigung und Abwehr gehemmt, iſt eine leider nicht zu beſtreitende Thatſache. Auch in Baiern iſt die Preſſe gedrückt und der politiſche Theil derſelben iſt bis zur gänzlichen Nichtigkeit heruntergebracht. Demungeachtet erſcheinen in der Hauptſtadt München Blätter, die an gemeinem Klatſch, gehäſſigen Perſönlichkeiten, ſchamloſen Verläumdungen und ſchmutziger Gemeinheit alles übertreffen, was man je in der Art geſehen hat. So wenig alſo wirkt auch die ſtrengſte C. in dieſer Beziehung. Die freie Presse trägt dagegen das Heilmittel gegen mögliche Verläumbungen in sich selbst: die offene Darlegung der Wahrheit. Alle diese Betrachtungen aber beweisen, daß die C. eben so wenig rechtmäßig, als zweckmäßig ist. **R. B.**

Census. In Rom war es seit dem Könige **Servius Tullius**, welcher die Bürger nach ihrem Vermögen und ihren Rechten in 6 Classen getheilt hatte, üblich, daß alle 5 Jahre die gesammten Bürger von der Censur (s. b.), geschätzt und der betreffenden Classe zugetheilt wurden. Diese Schätzung hieß C. Die Einführung beruhte auf der Ansicht, daß der Aermere weniger beim Staatsleben betheiligt sei, als der Reichere; daß es aber auch gefährlich sei, dem Armen gleiche Rechte, wie dem Reichen einzuräumen, weil er, der Zahl nach weit überwiegend, den Staat in seinem ausschließlichen Interesse umgestalten und leiten, also die Reichern nicht allein benachtheiligen, sondern das Vermögen sogar aufheben werde. Eine gleiche Einrichtung hatte früher schon **Solon** für Athen aufgestellt. Ließ man dem Aermern weniger Recht, so bürdete man ihm dagegen auch weniger Lasten auf; er war frei von jeder Steuer und frei von der Pflicht, Kriegsdienste zu leisten. Der Gang der Staatsgestaltung ist im Allgemeinen der, daß die Gesammtheit zuerst alle Rechte und Pflichten selbst und direct ausübt; dann die Rechte die Beute einzelner Gewaltigen werden, die Pflichten aber auf den dienstbaren und rechtlosen Massen ruhen bleiben; endlich die letztern sich wieder erheben, ihre Rechte zurückerobern und zurückverlangen. Diesen Gang haben wir schon in den Aufsätzen über Adel und Aristokratie gesehen und werden noch oft Gelegenheit haben darauf zurück zu kommen. Das Streben der Gegenwart geht nun entschieden auf größere Betheiligung der Massen hin, nachdem der im Mittelalter allein berechtigte Adel seine Gewalt bereits mit immer größern Kreisen der Bevölkerung hat theilen müssen. Denn wie die allgemeinen Rechte nur langsam verloren wurden und sich auf immer engere Kreise zurückzogen, so werden sie auch nur langsam wiedergewonnen, und ein Sprung ist theils undenkbar, theils würde er bei dem Zustande der Gesellschaft unheilvoll wirken. Dieser Gang der staatlichen Entwickelung, aber auch die Bestrebung, ihn in möglichst engen Kreisen aufzuhalten, zeigt sich in der Theilung der unumschränkten Herrschergewalt unter den hohen Adel, in der spätern Betheiligung des niedern Adels an den Rechten, die der hohe Adel allein besaß; in der Anerkennung des Bürgerthums in den Städten im Allgemeinen und den freien Reichsstädten insbesondere; in der fernern Anerkennung des Geldadels als gleichberechtigt mit dem Geburtsadel; in der Betheiligung der Vermögenderen des bürgerlichen Mittelstandes am Leben des Staats; in der Beseitigung der bäuerlichen Lasten u. s. w. Der C., d. h. die Anknüpfung der lebendigen Theilnahme am Staat an ein gewisses Vermögen ist demnach eine natürliche Erscheinung dieses Entwickelungsganges und ist als solche vollkommen gerechtfertigt, d. h. politisch gerechtfertigt, weil politisch nothwendig und unvermeidlich. Eine andre Rechtfertigung aber soll man auch nicht suchen, wenn man nicht in die Gefahr gerathen will, das Unsinnigste aufzustellen und zu vertheidigen. Denn um den C. als rechtlich gerechtfertigt darzustellen, hat man den Unsinn begangen, den Staat und die ihn bildende Bevölkerung als eine Actiengesellschaft zu betrachten, bei welcher der Vermögenere mehr betheiligt sei, als der Arme. Aber der Staat ist keine Actiengesellschaft und es giebt tausend Fälle, wo eben im Staate der Mensch und nur der Mensch gilt, also der kraft- und arbeitgeübte Arme mindestens so viel, sehr oft mehr werth ist und gilt, als der Reiche. Man hat darauf hingewiesen, daß der Reiche weit mehr zu den Lasten des Staates beitrüge, als der Arme und hat damit eine — Lüge ausgesprochen. Denn nicht allein hat man die von den Griechen und Römern ausgeübte Gerechtigkeit, den politisch rechtlosen Armen auch von den Staatslasten frei zu lassen, nicht ausgeübt, sondern man hat den Armen mehr belastet, als den Reichen. Was der Reiche mehr bezahlt, das bezahlt er nicht blos für das allgemeine Beste, sondern für seine eigenen Vortheile und Genüsse mehr: für den eben so angenehmen als einträglichen Grundbesitz, für große gewinnbringende Gewerbe und Unternehmungen; für schwelgerischen Luxus u. s. w. Zu einer der wesentlichsten Einnahmen des Staats, zu der indirecten, der Verbrauchssteuer zahlt der Arme nicht nur eben so viel, wie der Reiche, sondern mehr, indem er den Verbrauch versteuerter Nahrungsmittel nicht durch unversteuerte Leckerbissen mindern kann, wie es der Reiche thut. Eben so steuert der Arme sein Leben und Blut zur wichtigsten Bürgerpflicht, zur Landesvertheidigung weit ausgedehnter als der Reiche, theils weil er einen weit größern Theil der Bevölkerung ausmacht, theils weil er seinen einzigen Schatz, der ihm wirbt und gewinnt, seine Zeit und seine Kraft dem Vaterlande darbringen muß, während dem Reichen sein Besitzthum in solchem Falle ruhig fortwuchert. Hat doch sogar ein Staatssystem, welches jeden Sinn für Menschen- und Bürgerwerth verloren hat, dem Reichen Gelegenheit geboten, sich von der heiligsten und unerläßlichsten Pflicht: der Vertheidigung des Vaterlandes loszukaufen für schnödes Geld. Man hat ferner gesagt: der Arme ist minder gebildet, wie der Reiche, er erkennt die Staatsbedürfnisse weniger und hat kein Urtheil über die richtigen Mittel zur Befriedigung derselben. Damit ist man allerdings dem Gebiete der blos politischen Nothwendigkeit und damit der Wahrheit näher gerückt, hat aber auch den schwersten Vorwurf ausgesprochen, den der Staat sich selbst machen kann; den Vorwurf: daß man einerseits dem Armen nicht nur die bürgerlichen Rechte, sondern daß man ihm auch die Fähigkeit zu denselben, daß man ihm die Bildung, die Belehrung in einem Grade vorenthalten hat, daß ihm über seine eigenen Angelegenheiten das Urtheil fehlt, und daß andrerseits der Staat, seine Wege und seine Mittel etwas so Geschraubtes und Unnatürliches sind, daß es der einfach schlichte Menschenverstand nicht mehr begreifen und fassen kann. Mit dieser Behauptung spricht man dem Staate das Urtheil der Unhaltbarkeit und innern Faulheit aus, denn in jeder großen Gefahr kann er seine Rettung nicht bei den stimmfähigen Reichen, sondern muß sie bei den stimm- und urtheilsunfähigen Armen, bei der Masse suchen und Wehe ihm, wenn diese so ist, wie man sie schildert! Sie ist indessen trotz aller Vernachlässigung nicht so, wie dies die Geschichte besonders 1813—15 und bei verschiedenen schweren Nothzuständen bewiesen hat. Endlich sagt man noch: der C. und die durch denselben bewirkte Bevorrechtung der Reichen sei nothwendig, weil der an Zahl überwiegende Arme den Staat umgestalten und alle Verhältnisse umkehren werde. Auch dieser Grund — rein politischer Natur — ist richtig und anerkennenswerth. Allein auch er enthält mehrere schwere Vorwürfe für den Staat selbst: denn er giebt zu, daß der Arme dergestalt vernachlässigt ist, daß eine gesunde Ansicht über die Gütertheilung der Erde ihm gar nicht vermuthet werden kann; oder daß sein Loos so hart und ungerecht ist, daß er dasselbe trotz den Lehren der Vernunft und Erfahrung mit einer Art Gewalt verändern und bessern werde; endlich, daß bei einer großen Gefahr, bei welcher der Staat sich auf die Masse, also vorzugsweise auf den Armen stützen muß, gar keine Sicherheit vor gewaltsamen innern Erschütterungen mehr vorhanden ist und dem Staate, wie es scheint, nur die Wahl bleibt, durch äußere oder innere Gewalt zu Grunde zu gehen, oder durch ein undenkbares Wunder gerettet zu werden; eine Wahl, die wahrhaftig nicht für die Gesundheit unsrer Zustände spricht. Wie dem nun auch sei, die Zustände sind, wie sie eben sind und müssen im Interesse ihrer ruhigen und sichern Entwicklung selbst berücksichtigt werden. Aber man suche nur nicht politische Nothwendigkeiten — wie es selbst in Rottecks Staatslexicon geschieht — als Forderungen des Rechts durch sophistische Ausführungen darzustellen. Der C. ist vom Standpunkte unsrer Zustände eine Nothwendigkeit, allgemeines Stimmrecht würde für den Augenblick gefährlich, vielleicht unausführbar sein; Recht aber ist es nicht, und es hat noch Niemand vermocht einen haltbaren Rechtsgrund dafür anzuführen. Es ist schon bei andrer Gelegenheit gesagt worden, daß wir den Besitz, das Vermögen von der Vertretung im Staate nicht etwa ausgeschlossen sehen wollen.

Wer das wollte in unsrer Zeit, würde etwas Unvernünftiges und Unmögliches wollen. Aber wer die Vertretung des Besitzes durch einen C. sichern zu müssen glaubt, ist wahrlich nicht vernünftiger. Das materielle Gut ist so wichtig, aber auch so gewaltig im Staate, daß dessen Geltung nirgendwo abgeschnitten werden kann; wohl aber hat sich die Nothwendigkeit, sein Uebergewicht zu brechen, schon oft herausgestellt. Es muß dasselbe und wird stets auch bei der Gesetzgebung und Staatsverwaltung seine Stimme haben; aber der Staat besteht neben dem Gute auch aus Menschen und diese dürfen mindestens nicht geringer geachtet werden. Jetzt vertritt vielfach, ja fast überall, das materielle Gut den Staat allein und das wollen wir nicht. Erkennt man aber die Nothwendigkeit an, gegenwärtig den C. zu haben, so liegt in den Gründen dieser Anerkennung selbst auch die andre Nothwendigkeit, mit allen Mitteln dahin zu arbeiten, den C. im Interesse des Staats und aller seiner Angehörigen möglichst bald abschaffen zu können. Dieses wird geschehen, durch die ungehemmteste Ausbreitung politischer Bildung unter den jetzt unberechtigten Classen der Gesellschaft und durch Hebung und Beförderung alles dessen, was diese Bildung verbreitet. Also zunächst völlige Freiheit der Presse und Umgestaltung der Kanzel und der Schule aus den jetzigen Unterthanendressuranstalten für Himmel und Staat zu wirklichen Volkslehranstalten. Bei einem gebildeten Geschlechte mit gesunden, durch den freiesten Austausch geläuterten Ansichten über Staat und Gesellschaft ist weder zu fürchten, daß der Arme bei Erlangung des Stimm- und Wahlrechts die Vergeltung ausüben und den Staat ausschließlich zu seinem Interesse ausbeuten wird, wie es Adel und Reichthum seit Jahrh.en gethan haben; noch daß der Besitz mit seiner gewaltigen Wucht nicht genügend vertreten sei; noch endlich, daß er die Stimme der Armen kaufen werde und könne, um unter andern Formen den Staat dennoch zu beherrschen. Bei einem unmündigen, geknechteten, ununterrichteten Volke ist das Alles zu besorgen; bei einem mündigen, freien und gebildeten nimmermehr. Lassen wir demnach den C. als eine politische Nothwendigkeit für den Augenblick gelten, so folgt aus dem Vorhergesagten von selbst, daß wir es für eine heilige Pflicht nicht nur, sondern auch für das wohlverstandene Interesse des Staates, wie aller jetzt Berechtigten und Bevorzugten halten, alle Mittel und alle Kräfte anzuspannen, daß der C. baldigst wegfalle und mit ihm die Gefahren entfernt werden, welchen ein Staat mit einer unmündigen und rechtlosen Mehrzahl von Bewohnern immer ausgesetzt ist. Auch versteht es sich eben so von selbst, daß nur von einem solchen C. als gerechtfertigt die Rede ist, der keinen Gebildeten und Urtheilsfähigen ausschließt, d. h. einem solchen, der die Mehrzahl aller selbstständigen Bürger zu Stimm- und Wahlrechte beruft. Ein C. wie der franz., welcher von über 30,000,000 Menschen nur 200,000 stimmberechtigt und kaum 20,000 wählbar macht; oder der, wie in einigen deutschen Staaten, kaum Wahlfähige in gewissen Bezirken finden, also eine eigentliche Wahl gar nicht mehr zuläßt; ja, ein C., welcher — wie das vorgekommen ist — gar nicht vorhanden war und in ganzen Wahlbezirken gar nicht aufrecht erhalten werden konnte, ein solcher C. gehört zu dem großen Lugs und Trugsystem, welches hin und wieder das ganze Verfassungsleben vergiftet, indem es den nichtigen trügerischen Schein statt der Wahrheit und dem Wesen giebt.   R. B.

Census emigrationis, hereditarius etc., eine Abgabe, s. Abschoß.

Centgerichte. Im Mittelalter die Criminalgerichte, weil bei den alten Deutschen die Streitsachen vor den Gerichten der Hundertschaft (Centena) entschieden wurden. Daher Centgraf der Vorsteher der C. u. s. w.

Centralisation. Das Bestreben, die ganze Macht, Kraft, Intelligenz und Leitung eines Staats auf einem Punkte zu vereinigen, wie z. B. in Paris Alles vereinigt ist. Die C. ist hinsichtlich der Einheit und Schnelligkeit des Ganges der Staatsbewegungen empfehlenswerth und in schwierigen Verhältnissen fast stets unvermeidlich. Die C. aber, wie sie unter Napoleon in Frankreich herrschte, wo Alles von Paris, oder vielmehr Alles vom Kaiſer ausging, iſt der Tod aller einzelnen Glieder und Theile des Staates, führt zur Ueberhebung des Mittelpunktes, zur Unterdrückung aller niedern Theile und auf dieſem Wege zum Untergange der Freiheit des Einzelnen und zum Verderben des Ganzen. Der Staat iſt keine Maſchine, deren Bewegung ausſchließlich von einem Punkte aus, von einem Triebrade gelenkt werden ſoll; vielmehr beſteht in der freien und ſelbſtſtändigen Entwickelung der Einzelnheiten auch ſeine Freiheit und ſeine Kraft. Einheit in den gemeinſamen Volksangelegenheiten und allgemeinen Bewegungen des Ganzen, ſelbſt C. für den Augenblick, wenn es gilt, die ganze Kraft nach einem Punkte zu lenken, iſt damit nicht ausgeſchloſſen; ſie wird vielmehr in demſelben Grade gewaltiger ſein, als die einzelnen Glieder ſtark und ſelbſtſtändig ſind, aus denen ſie gebildet wird.   v. L.

Centralſchule nennt man häufig eine höhere Schule, welche in der Mitte eines Bezirks errichtet und beſtimmt iſt, die auf der niedern Schule gebildeten Knaben zu vereinigen.

Centralunterſuchungs-Commiſſion, ſ. Bund.

Centralverwaltung heißt häufig der Mittelpunkt der Staatsverwaltung und iſt dann gleichbedeutend mit der Regierung. C. hieß auch die 1813 unter dem Vorſitze des Miniſters von Stein eingeſetzte Commiſſion, welche die Länder des Rheinbundes bis zur Herſtellung der neuen Staatsverhältniſſe verwaltete.

Centrum. In der franz. Abgeordnetenkammer, wo die Fortſchrittspartei ſich auf die linke, die der entgegengeſetzten Anſicht, beſonders die Anhänger der geſtürzten Königsfamilie ſich auf die rechte Seite zu ſetzen pflegen, nehmen die Mitte die Anhänger der dermaligen Regierung und dermaligen Miniſter ein. Dieſe Partei zuſammen wird daher unter C. verſtanden. Das Wort hat ſich auch in einige deutſche Kammern verpflanzt, die ſich im Nachahmen franz. Formen gefallen.

Ceremoniell, ſ. Etikette.

Ceremonienmeiſter. Der Hofbeamte, welcher die Ausübung der Vorſchriften der Etikette beauffichtigt und anordnet.

Ceſſion (Abtretung) iſt die durch Uebereinkommen (Contract) erfolgende Uebertragung eines zuſtändigen Rechts auf einen Andern. Der Gläubiger, welcher das Recht abtritt, heißt Cedent, der Schuldner, gegen welchen das Recht zuſteht, debitor cessus, der Dritte, welchem es abgetreten wird, Ceſſionar. In der Regel können alle dinglichen und perſönlichen Rechte und Klagen abgetreten werden, mit Ausnahme der Privilegien und der mit Verbindlichkeiten vermiſchten Rechte. Der abtretende Gläubiger hat für das wirkliche Vorhandenſein des Rechtes oder der Forderung, nicht aber für die Güte und Erlangbarkeit derſelben Gewähr zu leiſten. Der Schuldner darf durch die Abtretung keine ſchlimmere Lage gegen den neuen Gläubiger (Ceſſionar) verſetzt werden, als in welcher er ſich befand; die Einwilligung des Schuldners in die Abtretung iſt nicht erforderlich, wohl aber die Inkenntnißſetzung deſſelben. Der Ceſſionar tritt in alle Rechte des Cedenten. Die C. unterſcheidet ſich von 1) der Anweiſung (Aſſignation) dadurch, daß bei letzterer der Anweiſende (Aſſignant) auch für Leiſtung der Bezahlung haften muß; 2) von der Delegation, vermöge welcher ein andrer Schuldner ſtatt des frühern dem Gläubiger mit ſeiner Einwilligung geſtellt wird; 3) von der bei gewiſſen Vertragsverhältniſſen, z. B. Pacht, Miethe, Auftrag, vorkommenden Subſtitution, vermöge welcher die durch den Vertrag erworbenen Rechte auf einen Andern übertragen werden, ohne daß jedoch der Uebertragende hierdurch von ſeiner Verbindlichkeit gegen diejenige Perſon, mit welcher er den Vertrag abgeſchloſſen (Verpachter, Vermiether, Auftraggeber), befreit wird. Im öffentlichen Rechte kommen ebenfalls Abtretungen von Rechten, Sachen, Ländern, Unterthanen vor. Die Grundſätze der C. können aber hierauf nur ſelten angewendet werden, weil, wenn es ſich um Abtretung von Souveränetäts- oder Regierungsrechten oder von Staatsgebieten handelt, die Einwilligung der Staatsbürger, welche betheiligt sind, erforderlich sein würde, um eine Abtretung im rechtlichen Sinne zu vollziehen und die bloße Thatsache, die Gewalt des Stärkeren oder das bloße Uebereinkommen der Gewaltinhaber hierbei allein nicht entscheiden können, da die Völker nicht gleich den Sachen, Eigenthum der Fürsten sind. Vergl. Arrondiren.   **Adolph Hensel.**

Cessionar, s. Cession.

Chatilloner Congreß, s. Congreß.

Charakter nennt man die Gesammtheit der geistigen Eigenthümlichkeiten eines Menschen, wie eines Volkes. Veredlung des Ch.s ist die Aufgabe aller Bildung und Erziehung, Erhaltung und Behauptung desselben in seiner Selbstständigkeit und Ganzheit die Aufgabe des Mannes wie des Volkes. Wo der Ch. jedem fremden Eindrucke zugänglich ist und nach demselben sich schmiegt und biegt, da ist eben nur ein Schein desselben vorhanden. Aber der Ch. besteht keineswegs aus einer Reihe von Launen und Marotten, sondern aus der Errungenschaft der Bildung und gewonnenen Ueberzeugung; er ist die schönste Zierde des wahren Mannes.

Charbonnerie reformée hieß eine der zahlreichsten politischen Verbindungen, die nach der Julistaatsumwälzung in Frankreich sich bildeten, um einen andern Zustand der Dinge herbeizuführen; die sich aber bald von selbst auflösten, durch die verschiedenen Emeuten zersprengt wurden, oder im jungen Europa aufgingen.

Chargé d'affaires, s. Gesandter.

Charta magna. Die politische Macht eines Volkes beruht theils in der Größe seiner sittlichen und geistigen Bildung, theils in der Vortrefflichkeit seiner Gesetzgebung und Verfassung, hauptsächlich aber darin, daß Volk und Land ein ungetrenntes harmonisches Ganzes bilden. Dieses ist nun besonders der Fall bei dem freiesten Volke Europas, den Britten. Und die englische Staatsverfassung hat einen sehr großen Antheil daran: Die Grundlagen derselben aber begreift man unter der Ch. m. (engl. great charter), dem großen Freibrief des engl. Bürgerthums, der dem König Johann 1215 abgenöthigt wurde und unter Heinrich III. (1224) wesentliche Erweiterungen erhielt. Unter den Bestimmungen dieser Urkunde, welche bis auf die heutige Zeit fortgewirkt haben, gebührt dem Art. 29 unstreitig der erste Platz. „Kein Freier — so lautet er — soll verhaftet, eingekerkert, seines Lehnguts, seiner Freiheiten oder hergebrachten Rechte entsetzt, in die Acht erklärt, aus dem Lande gewiesen oder auf irgend eine Weise ins Verderben gebracht werden; wir wollen auch unsere Macht nicht gegen ihn brauchen noch brauchen lassen, als nach gesetzmäßigem Urtheil seiner Standesgenossen oder nach dem Rechte des Landes. Wir wollen Recht und Gerechtigkeit Keinem verkaufen, Keinem versagen oder verzögern u. s. w." — Ihre letzte Bestätigung erhielt die Ch. m. 1800 durch König Eduard I. Seitdem steht sie noch fest und unerschüttert — ein mächtiger Baum, der, aller innern und äußern Stürme spottend, im Leben der Nation wurzelt. Alle andern Grundlagen der engl. Staatsverfassung, wie die Bill of rights, die Habeas-Corpus-Acte, die Test-Acte und die Abschaffung der Censur sind nur Erweiterungen und spätere Zusätze der Ch. m.   **W. Pretzsch.**

Charte. In der allgemeinen Bedeutung des Wortes eine Urkunde, wodurch die Befugnisse und Schranken bezeichnet werden, in denen sich die Staatsgewalt zu bewegen hat, wie nicht minder der Rechte, die dem Volke in seiner Stellung zur vollziehenden Gewalt eingeräumt sind. Demnach ist Ch. jede Verfassungsurkunde, jeder Volksfreibrief. In engerer Bedeutung bezeichnet Ch. die Verfassungsurkunden, die diesen Namen an der Spitze tragen, wie die Magna Charta (s. d.) der Engländer, die franz. Charte constitutionelle, die portugiesische Carta u. a. m. Im engsten Sinne wird unter Ch. die franz. gemeint, die als Muster für eine Anzahl Verfassungen gedient hat, in denen der Name durch das Wort Constitution ersetzt worden ist, welches so allgemeine Geltung erlangt hat, daß man vom constitutionellen Staatsrecht, Constitutionalismus, constitutioneller Partei, constitutionellen Bestrebungen u. dergl. m. spricht. Da in der franz. Ch. sowohl, wie in den ihr nachgebildeten Verfassungen der Grundsatz der Vertretung des ganzen Volks, nicht die Vertretung gewisser Körperschaften, Stände und Kasten festgehalten wird, so denkt man sich unter Ch. auch eine Repräsentativverfassung. Hier soll blos von der franz. Ch. gehandelt werden, die das Vorbild fast aller neuern Verfassungen und deshalb der Gegenstand des Hasses und der Angriffe der Anhänger mittelalterlicher Staatseinrichtungen und unbeschränkter Herrschergewalt geworden ist. — Ludwig XVIII. gab die Ch. bei der Rückkehr der Bourbonen 1814, nachdem er die vom napoleonischen Senat entworfene Verfassungsurkunde zurückgewiesen hatte, als ein seinem freien Willen entflossenes Gnadengeschenk, womit er seinen „Unterthanen," ohne daß dieselben ein anerkanntes Recht darauf hätten, etwas bewilligte. Der Charakter der Selbstherrlichkeit ward dem Königthum und der Königsgewalt gleich am Eingang der Ch. gewahrt, in dem dort ausgesprochenen Rechte „von Gottes Gnaden" — eine unnahbare Eigenthümlichkeit der Krone gesichert und ihr Befugnisse vorbehalten, denen man durch Deutelung einen so unbegrenzten Spielraum beilegen konnte, daß man ermächtigt zu sein glaubte, mit einem Federstriche die wesentlichsten Bestimmungen dieser Ch. außer Kraft setzen zu können. Im Uebrigen drückte die Ch. jene wahrhaft freisinnigen Staatsgrundsätze aus, welche ihr den Groll aller Rückschrittsmänner in Frankreich wie im Auslande zugezogen haben. Sie erkannte die Gleichheit Aller ohne Unterschied der Geburt, des Standes und Ranges vor dem Gesetz an; setzte die allgemeine Pflichtigkeit des Steuerns zu den Staatslasten nach Verhältniß des Vermögens fest; eröffnete allen Classen der Staatsbürger den Zugang zu den bürgerlichen und Militairstellen; verbürgte die persönliche Freiheit und beschränkte die gerichtliche Ver-

festgesetzten Formen; verkündigte allgemeine Religions- und Cultusfreiheit; sicherte Preßfreiheit und setzte fest, daß gegen Mißbrauch derselben nur im Wege von Repressivgesetzen eingeschritten werden solle; sprach Unverletzlichkeit des Eigenthums und im Falle der zum Zwecke des Gemeinwohls vorkommenden Ausnahmen Abeignung desselben mittelst völliger Entschädigung aus; ordnete Abschaffung der Confiscation, Unabhängigkeit und Unabsetzbarkeit des Richterstandes, eine Verweisung jedes Angeklagten vor seinen natürlichen Richter nebst Abschaffung aller Ausnahmsgerichtshöfe an; hielt

den König zur Beschwörung der Verfassung beim Regierungsantritt. — Neben der Heiligkeit und Unverletzlichkeit der Person des Königs ward die Verantwortlichkeit der Minister in der Ch. ausgesprochen, und der durch Wahl aus dem Volke hervorgehenden Deputirtenkammer betreffenden Falls das Recht der Anklage gegen die Minister, den erblichen

Befehl über Landheer und Seemacht, das Befugniß, Krieg zu erklären, Frieden oder anderweitige Verträge mit dem Auslande zu schließen und die Ernennungen zu den

vollziehende Gewalt der in seinem Namen geübten Regierung zugesprochen. In letzter Beziehung enthielt die Ch. eine gleichsam verloren hingeworfene Stelle, womit man später der vollziehenden Gewalt freie Hand lassen wollte, die rechtlichen Wirkungen der Verfassungsbestimmungen aufzuheben und für immer außer Kraft zu setzen. Dem Könige war nämlich in Art. 14 die Befugniß vorbehalten worden, „die zur Sicherheit des Staates nöthigen Verfügungen und Verordnungen zu erlassen." Nachdem nun von den Anhängern der Grundsätze unumschränkter Herrschermacht, von der Adels-

und dieselbe in den wichtigsten Punkten entstellt und verstümmelt worden war, führte die Ausübung jener Befugniß zu den bekannten Juliordonnanzen des Ministe-

riums Polignac, die von dem in den Waffen sich dagegen erhebenden Volke mit
der Verjagung des ältern Bourbonenzweigs und der Verurtheilung der Minister
geahndet wurden. Statt aber den Sieg zu benutzen, um die Fehler der Staatsverfassung zu heben, beschränkte sich die orleanische Faction, welche Kühnheit und Schlauheit genug besaß, dem Volke den Sieg aus den Händen zu spielen, darauf, in Ludwig Philipp den Mann ihrer Wahl und ihrer Gesinnung auf den Thron zu heben, die Forderungen von Verbesserungen der Staatseinrichtungen dadurch für den
Augenblick zu beschwichtigen, daß man das Recht der Könige von Gottes Gnaden aus
der Ch. ausstrich und die Anerkennung des Volkswillens als alleinige Quelle aller
Regierungsgewalt, die Selbstherrlichkeit des Volks dafür hineinsetzte, ein wahrer Spott
in sofern, als man in demselben Augenblick jener Volkssouveränetät dadurch Hohn
sprach, daß eine Versammlung von ein paar hundert Männern, ohne allen Auftrag
dazu, sich anmaßte, über die höchste Gewalt, die ein Volk zu vergeben hat, auf ewige
Zeiten zu bestimmen. Eine fernere Aenderung der Ch. war die, daß man im Art. 14
die Stelle, wodurch die Juliordonnanzen in den Augen ihrer Urheber gerechtfertigt
wurden, entfernte; auch die Preßfreiheit in deutlicherer Weise sicherte, indem man
erklärte, „daß die Censur nie wieder hergestellt werden könne." — Ferner wurde
die Bezeichnung der katholischen Religion als „Staatsreligion" gestrichen und dafür
lächerlicher Weise die Erklärung aufgenommen, daß die Mehrzahl der Franzosen sich
zur katholischen Religion bekenne. Hinsichtlich der Vertretung des Volks wurden
zwar einige Erweiterungen des Wahlrechts durch Herabsetzung des Census und des
zur Wahlfähigkeit vorgeschriebenen Alters von 30 auf 25 Jahre, des zur Wählbarkeit erforderlichen von 40 auf 30 Jahre; aber an eine Berücksichtigung der geistigen
Vorzüge im Lande durch Zulassung derselben zu den Wahlen ward nicht gedacht;
auch unterließ man es, Bestimmungen zu treffen, um das ganze Volk zur Selbstregierung zu erziehen und der vollkommensten Freiheit dadurch würdig zu machen, indem kein Schritt geschah, den vererbten Geist mechanischer Centralisation und bureau-
kratischer Bevormundung durch volkskräftige Gestaltung des Gemeinwesens, Aechtung polizeilicher Willkür und Anerkennung des Associationsrechtes zu brechen. Statt
an diese wichtigen Dinge zu denken, beschäftigte man sich mit der Umwandlung der
Pairskammer, die man aus einer erblichen Körperschaft zu einer Versammlung von
Notabilitäten, die vom Könige auf Lebenszeit gewählt wurden, also zu einem
noch weit abhängigern und willfährigern Werkzeuge der Herrschergelüste machte,
als es eine erbliche Kammer je sein konnte, was besonders deßhalb von Wichtigkeit
erschien, weil diesem Senat in der Folge die Befugnisse eines Ausnahmsgerichtshofs
ertheilt wurden, um über gewisse gegen die Sicherheit des Staates und die Person
des Königs gerichtete Angriffe Recht zu sprechen. Dafür erhielt die Nation die dreifarbige Fahne und Cocarde zurück. Selbst die geringfügigen Zugeständnisse, welche
die gesetzgebenden Usurpatoren an weitern Freiheiten und Rechten dem Volke gemacht
hatten, wurden von der neuen Gewalt und der mit dieser verbundenen privilegirten
Wahlkörperschaft, die unter 35 Mill. Franzosen kaum 200,000 Köpfe zählte, mit
ungünstigem Auge betrachtet und Alles angewandt, um sie zu verkümmern, zu ver-
unstalten, zu verderben. Dies ist in den 17 Jahren der Regierung des sogenannten
Bürgerkönigs so weit gelungen, daß die „beste der Republiken," die politische Harm-
losigkeit in seiner Erhebung zum Thron gegründet zu haben wähnte, ein ebenso schneidender Hohn auf sich selbst geworden ist, als die berühmte Redensart: „die Ch. wird
eine Wahrheit sein." Diese Ch. unter den vielfachen Verletzungen und Verstümmelungen, die sie durch die von der Wahlclique gegebenen Gesetze erlitten, ist in diesem
Augenblicke zu einem ähnlichen Trugwesen geworden, wie dies anderswo dem mit
Zusicherung von Volksrechten beschriebenen, Constitution genannten Papier ergangen
ist. — Auch erheben sich in Frankreich immer lauter und kräftiger die Stimmen,
welche auf eine durchgreifende Reform der Staatseinrichtungen dringen und nament-

lich ein andres Wahlgesetz fordern, damit der tiefen Verrottung und Unsittlichkeit der höhern Gesellschaft gesteuert werde, die im Besitz der ausschließlichen Macht sich befindet und Frankreich in den Augen der gebildeten Welt tiefer herabwürdigt, als es je zu den Zeiten der Regentschaft der Fall gewesen ist. Eine neue Reform der Ch. kann, wenn unter den Inhabern des gegenwärtigen Wahlprivilegiums noch so viel Einsicht in die Nothwendigkeit und so viel Gemeingeist vorhanden ist, um selbst Hand ans Werk zu legen, den neuen Erschütterungen und Umwälzungen vorbeugen, denen Frankreich unter dem gegenwärtigen Regime, wie von einem düstern Verhängniß oder einem bösen Geist getrieben, mit Riesenschritten entgegeneilt. — J. G. O.

Chartisten. Seit 1817 bestanden die englischen Arbeitervereine, die allgemeines Wahlrecht, Ausschließung der Staatsbeamten aus dem Unterhause, und jährliche Wahlen erstrebten. Die Regierung schritt gegen sie ein und die offenen Vereine gestalteten sich in Folge dessen in geheime Verbindungen um, die in großen Volksversammlungen ihre Ansichten verfolgten und wechselnd in Manchester und Birmingham ihren Mittelpunkt hatten. Als nach 1830 die Mittelclassen die Arbeiter zur Erlangung der Reformbill aufriefen, traten die Verbindungen ebenfalls wieder offen heraus, organisirten die Massen und stellten ihre Forderungen in 5 Punkten auf: 1) Allgemeines Wahlrecht; 2) geheime Abstimmung; 3) einjährige Parlamente; 4) Abschaffung des Census und Tagegelder für die Abgeordneten; 5) Vertretung nach der Einwohnerzahl. Diese 5 Punkte nannte man die Volkscharte, und die Anhänger derselben Ch. Dieser Anhänger waren so viele, daß die Ch. 1838 eine Bittschrift um die Volkscharte mit 1,238,000 Unterschriften dem Parlament überreichten und ein Ch.-Parlament nach London sandten, welches Beschlüsse faßte, die direct zum Aufstande aufforderten und führten. Denn als die Ch.-Abgeordneten London verlassen und einen heiligen Monat ausgeschrieben hatten, in welchem alle Arbeit ruhen sollte, brach Aufruhr in London, Manchester, Sheffield, Nottingham und Birmingham aus, der indessen allenthalben unterdrückt wurde. In Newport dagegen siegten anfangs die Ch. und waren im Besitze der Stadt, die erst nach blutigem Kampfe wieder genommen wurde. Die entschiedensten Führer wurden hier verhaftet und dann verurtheilt; die gemäßigtern traten an ihre Stelle, die zwar keinen Aufstand, dagegen aber neben den politischen Rechten auch Umgestaltung der socialen Verhältnisse erstrebten und z. B. den Grundbesitz als Monopol betrachteten. Unter dieser Führung brachten die Ch. die Bittschrift um die Volkscharte 1842 mit 3,317,800 Unterschriften in großer Feierlichkeit ins Unterhaus, aber sie war so ausschweifenden Inhalts, daß nur 49 Mitglieder sich ihrer annahmen und sie übrigens auf sich beruhen blieb. Mit diesem Schritte schienen die Ch. erschöpft und theilten sich. Die eine Hälfte schloß sich den socialistischen Bestrebungen der Arbeiter an, die andere gründete einen Verein für Ausdehnung des Wahlrechts, der sich auf etwa 50 Städte ausdehnte und von der Volkscharte absah. Die letztere kam erst wieder zum Vorschein bei der Bewegung für und gegen die Korngesetze; da sammelten sich die Ch. aufs Neue, erklärten die Korngesetze für gleichgültig und verlangten die Volkscharte. So stehen sie noch heute da, scheinbar ruhig und jedes öffentliche Auftreten meidend; aber als eine mächtige Partei, die über Millionen Arme gebietet und durch die Volkscharte, welche eine Art Heiligthum, ein Banner, ein Mittelpunkt für die Massen geworden ist, stets im Stande, jede Bewegung auf das politische Gebiet zu lenken und dort die Anerkennung derselben zu erzwingen.   v. L.

Chatullgüter, s. Krongüter.

Chaumonter Congreß, s. Congreß.

Chaussee, s. Bauwesen und Straßen.

Chefs heißen die kleinen Gutscheine der englischen Bänken und Bankiers, welche dieselben gegenseitig annehmen und auszahlen und worüber tägliche Abrechnung (s. d.) erfolgt.

Chirurgen, s. Bader und Medicinalpolizei.

Choc heißt ein Angriff im Sturmschritt, gleichviel ob er von der Reiterei, oder vom Fußvolk unternommen wird.

Cholera, s. Ansteckende Krankheiten.

Chorbischof. Im Anfange der christlichen Kirche — 3.—9. Jahrh. — nannte man so die Leiter des Gottesdienstes und der kirchlichen Angelegenheiten in gewissen Bezirken; als die Bischöfe große Herren wurden, nahmen sie ihren ehemaligen Genossen mit den Rechten auch die Namen ab.

Chouants. In der franz. Staatsumwälzung Namen der Insurgenten, die für Herstellung des Königthums fochten. Anfangs hießen nur die in der Bretagne Ch.; später wurde der Name allgemein. Ob er von den ersten Ch., den Brüdern Chouan, die sehr thätig für den Aufstand wirkten, oder von dem verstümmelten Chat-huant (Nachteule, auch Spitzname für Schmuggler) herrührt, ist ungewiß.

Christenthum. Die politischen, rechtlichen und gesellschaftlichen Einrichtungen der Menschen haben ganz nothwendig einen Zusammenhang mit der Religion. Denn wenn auch die Noth und der Naturtrieb Manches veranlaßt haben, so ist doch der größte Theil dieser Einrichtungen eine Schöpfung des menschlichen Willens und Bewußtseins, auf beides aber hat die Religion durch ihre Gefühle und Vorstellungen einen wesentlichen Einfluß. Vollends wenn eine Religion, wie eben das Ch., ganz bestimmt von einem höchsten Zweck des Lebens redet und sich in ein ganz bestimmtes Verhältniß zur Welt setzt: so werden die Einrichtungen der Geschlechter, welche diese Religion für die ihrige, die einzig wahre erkennen, gewiß irgendwie den Charakter derselben ihren politischen und gesellschaftlichen Zuständen aufdrücken. Denn der Mensch kann nichts andres schaffen und hervorbringen, als was in ihm ist, was aus seinem Willen und Bewußtsein, aus seinen Gefühlen und Vorstellungen hervorgeht. Wenn nun die Gesetze, das Recht, die Verfassungen u. s. w. — von den Menschen geschaffen, und nach ihren wechselnden Ansichten verändert, abgeschafft und neugeschaffen sind: so scheinen wir vor einem unlösbaren Räthsel zu stehn, wenn wir auf die Zustände und Einrichtungen der christlichen Welt in Vergangenheit und Gegenwart blicken. Es scheint nämlich ganz unbegreiflich, wie das Alles von Menschen geschaffen ist, die sich zur christlichen Religion bekannten, in ihr erzogen wurden, ihre Vorstellungen und Gefühle in sich hatten. Nehmen wir z. B. das Recht: da sehen wir, daß (um nur von Deutschland zu reden) das römische Recht, in welchem doch gewiß Niemand den Geist der christlichen Liebe ausgedrückt, sondern vielmehr unterdrückt finden wird, mit der Ausbreitung und Gründung des Ch. sich zugleich immer fester bei uns gesetzt hat und noch gegenwärtig in den meisten Gesetzen der Staaten, die sich christliche nennen, enthalten ist, auf allen christlichen Universitäten eifrig gelehrt und von allen christlichen Regierungen aufrecht erhalten wird. Hören wir uns im Leben um, so scheint dies Räthsel noch unlöslicher zu werden. Wie vordem in der Geschichte, so berufen sich jetzt in der Gegenwart fast alle Parteien auf das Ch., um ihre entgegengesetztesten Zwecke darauf zu gründen und damit zu vertheidigen. Ein Theil der Communisten gründet alle seine Lehren und Forderungen auf Aussprüche Christi und auf das Leben der ersten Christen; er beweist daraus Gütergemeinschaft und Aufhebung des Staats und Eigenthums. Andre Leute dagegen haben sich nicht gescheut zu sagen, daß nach dem Willen Gottes die Verschiedenheit der Stände bestehe und, wie geschrieben sei, Arme allezeit unter uns sein müßten. Die Partei, welche das Volk als bloße Unterthanen betrachtet und den Herrscher zum Volksvertreter Gottes auf Erden macht, findet ihre festeste Stütze im Ch. und zwar im 13. Capitel des Römerbriefs, mit dem sie alles politische Leben, alles Recht und alle Freiheit, außer so weit der Stellvertreter Gottes es aus Gnade gewährt, niederdrücken möchte. Dagegen heben die Männer der gegenwärtigen religiösen Bewegung es mit Nachdruck hervor, daß das Evangelium ein Evangelium der Freiheit sei, daß vernünftige sociale Einrichtungen, öffentliches Leben und politische Freiheit des Volks gerade mit dem

Geist Christi übereinstimmen, und die Verweigerung dieser Güter unchristlich sei.
So sehr bietet das Ch. allen verschiedensten Parteien die Waffen zur Verfechtung ih-
rer Zwecke und Ansichten, daß man denken könnte, es habe keinen allgemein
verständlichen Sinn, sondern sei ein buntes Gemisch der widersprechendsten Meinungen.
Die Lösung dieses Räthsels ist indessen mit zwei Worten zu geben. Das Ch. pre-
digt als Religion allgemein menschliche Grundsätze, stellt ein allgemeines
Bild der Vollkommenheit (Ideal) auf; aber die bestimmte Anwendung der
Grundsätze, die besondere Verwirklichung des Ideals hat es der Zukunft, dem
Leben, dem Geist überlassen. Christliche Grundsätze sind z. B.: Wahrheit, Freiheit,
Gleichheit, thätige Liebe, Herrschaft des Geistes über das Aeußerliche, — das nimmt
Jeder an und bekennt es als Religion; aber es wird verschieden aufgefaßt, verstanden und ausgeführt. Einige Hauptursachen dieser Verschiedenheit sind, daß
das Ch. blos als Religion verstanden wird, die nur im Herzen und in der Herzens-
gemeinschaft lebe, deren Verwirklichung aber gar nicht in diesem irdischen Jammer-
thal, sondern nur im Himmelreich möglich sei. Also vor Gott sind Alle frei und
gleich, auf Erden mag immerhin ein Ansehen der Person gelten. Man giebt dann
vielleicht noch zu, daß sich hier und da im Einzelnen etwas auch auf Erden thun
lasse, aber die volle Wirklichkeit des Guten, der Freiheit, der vernünftigen Verhältnisse, sei nie auf Erden, sondern nur im Himmel zu erreichen. Andre Erben zu,
daß das Ch. wesentlich Religion sei, sagen aber, das Himmlische sei mehr als das
Irdische, und folglich müsse, was vor Gott gilt, auch auf Erden gelten, das Himmelreich auf Erden verwirklicht werden; also, wenn wir vor Gott frei und gleich sind,
müssen wir dies Verhältniß, eben weil es göttlich ist, auch schon hier auf Erden verwirklichen; wenn wir das Bild der Vollkommenheit anerkennen und lieben, so muß
unsre Religion eben darin bestehen, diese Liebe zu bethätigen, und diese Vollkommenheit nicht nur Jeder in seinem Kreise, sondern auch wir Alle, in den weitesten
und größten Kreisen, in der Einrichtung des Staats und der ganzen Gesellschaft herzustellen suchen; wer dies Bestreben nicht hat, hat gar keine Religion. Der Einzelne kann freilich nicht die politische Freiheit und die gesellschaftliche Gleichheit einführen, wenn aber der Staat nicht den Zweck hat, diese christlichen Grundsätze als
Staat, in seinen Einrichtungen, seinen Gesetzen, seiner Verfassung zu verwirklichen, so
ist er kein christlicher Staat. Ein christlicher Staat müßte so eingerichtet sein, daß
nicht, wie jetzt, der Einzelne trotz der bestehenden Verhältnisse und im Gegensatz zum
weltlichen Recht dennoch im Geist der Liebe und Gleichheit handelte, sondern daß Jeder
durch die Einrichtung der Welt schon darauf hingeführt würde, die christlichen Grundsätze anzuwenden und auszuführen. Die Verschiedenheit der Ansicht darüber: wie das
Ch. sich überhaupt zum irdischen politischen Leben verhalte, mag ein Beitrag zur
Erklärung der Gegensätze unsrer Zeit sein. Vollständig läßt sich das Verhältniß
und der Einfluß des Ch.s auf die allgemeinen Einrichtungen nur aus der Geschichte
erkennen. Wie man einen Menschen nicht bessert, wenn man ihm sagt: du bist dumm,
selbstsüchtig, faul, sondern ihm zeigen muß, worin diese Fehler bestehen, eben so
müssen wir erklären, wie die Dummheiten und Greuel in der Geschichte entstanden
sind und wodurch sie geherrscht haben. Erst dann können wir sie vermeiden, wenn wir
nicht blos die Thatsachen — die Grausamkeiten und Verkehrtheiten, die Liebe und
das Gute — sondern auch die Ursachen davon einsehen: dann wissen wir auch wahrlich nicht, ob wir das Ch. verfluchen oder segnen sollen. Dasjenige, was in die Artikel Religion, Kirche, Dogma, Katholicismus, Protestantismus gehört, übergehen wir natürlich und nehmen hauptsächlich nur auf jene allgemeinen
Grundsätze Rücksicht, welche für das politische und sociale Leben von Bedeutung
sein können und gewesen sind. Das Ch. ist nichts Uebermenschliches, sondern etwas
Menschliches; seine Erscheinung ist nicht unerklärlich, sondern erklärlich. Wer diese
vernünftige Ansicht nicht theilt, mag sich von der Geschichte belehren lassen; sie zeigt

ihm, wie die Grundſätze des Ch.s vorbereitet waren, ſie erklärt ſeine Entſtehung, ganz
ebenſo wie ſie die menſchliche Entſtehung der Reformation erklärt, obwohl, als deren
„Zeit erfüllt war," Luther ſie auch wie mit einem Mal ins Leben führte; und dennoch glauben wir nicht, daß Luther vom Himmel gekommen und mehr als ein
Menſch geweſen iſt. Wie aber Luther nichts von ſeiner Bedeutung verliert, wenn
wir die nothwendigen Vorarbeiten zu der Reformation erkennen, ebenſo bleibt Chriſtus in ſeiner Größe, wenn wir auch einſehn, durch welche Vorbereitungen ſeine
Wirkſamkeit und ſeine Erfolge erſt möglich gemacht wurden. Man pflegt den Kindern — und auch den Erwachſenen — zu ſagen: die Griechen und Römer verachteten alle andern Völker als Barbaren und erkannten nicht, daß die Menſchheit eine
einige iſt; ſie hatten Sklaven und erkannten nicht, daß alle Menſchen gleich ſind;
beides erkannte Chriſtus. Ganz wohl. Man vergißt aber hinzuzufügen, daß jene
heidniſche Anſchauung ſchon damals innerlich im Brechen war, und daß die Keime
zur chriſtlichen Wahrheit ſchon ſehr ſtark aufgewachſen waren. Die Juden, das
Apoſtelvolk des Ch., waren von der Ausſchließlichkeit und dem ſtarren Feſthalten an
ihren göttlichen Privilegien, ſowie von der unbedingten Verachtung der Heiden, ſchon
erlöſt durch ihre Propheten, welche in die ganze Nation das Bewußtſein und die
Hoffnung gepflanzt hatten, daß bald die Schranken zwiſchen den Völkern, ja die
Schranken zwiſchen Laien und Prieſtern, fallen und die ganze Menſchheit eins werden würde, in Liebe und Verträglichkeit. Chriſtus zerbrach nur die letzte Beſchränkung: nämlich daß die Juden doch einen Vorrang in dieſer Einheit haben würden.
Das Streben nach Einheit war aber nicht nur innerlich durch die prophetiſche
Wirkſamkeit ſchon vorhanden, ſondern auch äußerlich vorbereitet und nothwendig durch
die begonnene Auflöſung des Volks, durch die Zerſtreuung der Juden unter alle Heiden, durch
ihren Verkehr mit denen, die ihnen früher unbedingt ein Greuel geweſen waren. Die
Gleichheit aller Menſchen war theils beſtimmt ausgeſprochen in den Propheten, theils
in der Vorſtellung: daß jeder des Heils theilhaftig ſein, jeder Zugang zum Himmelreich haben ſollte. Chriſtus vollendete dies, indem er ausſprach: daß die Menſchen
dazu nicht erſt Juden zu werden brauchten. — Die Griechen verachteten die andern
Völker als Barbaren. Aber ſie hatten das von jeher nur darum gethan, weil ſie
ſelbſt wirklich gebildet und im Gegenſatz zu ihnen die andern Völker wirklich
barbariſch und roh geweſen waren. Schon vor Chriſti Geburt war jedoch nach dem
politiſchen Untergang des griechiſchen Volks die Bildung, die es früher faſt allein be-
ſaß, durch ſeine Zerſtreuung nach Weſt und Oſt und Süd ein Gemeingut der damaligen Welt geworden, jeder gebildete Menſch, welcher Nation er auch angehörte, verſtand
die griechiſche Sprache, und Römer, Juden, Aſiaten und Aegypter trieben die griechiſche Wiſſenſchaft; der Unterſchied zwiſchen Griechen und Barbaren war weſentlich ſchon
zu dem bloßen Unterſchied zwiſchen gebildeten und ungebildeten Menſchen geworden. Chriſtus konnte nun auch das letzte hinzufügen: daß auch die Ungebildeten, die
Armen am Geiſt, Menſchen und Brüder ſeien, zum Heil berufen. Dieſer Brüderlichkeit ſtand im römiſchen Reich die Sklaverei entgegen. Aber es iſt bekannt, daß die
Bildung auch dieſer ſchon ſtark entgegengearbeitet hatte; die gebildeten, gelehrten
Sklaven wurden nicht wie Sklaven behandelt, wurden meiſt freigelaſſen und überhaupt gab es damals in Rom ſchon mehr Freigelaſſene als Sklaven; ebenſo war
das frühere Privilegium des römiſchen Bürgerrechts als nationales Privilegium
ſchon gebrochen, Paulus, ein Jude, war römiſcher Bürger. Und endlich die
Vorſtellung von der Einheit der Menſchheit war geläufiger geworden durch die
Einheit, durch die Weltherrſchaft des römiſchen Reichs. So war die Zeit erfüllt,
und auch in religiöſer Hinſicht läßt ſich nachweiſen, daß durch den Verfall der
nationalen Eigenthümlichkeiten, durch die Vermiſchung aller Religionen und durch
den Einfluß der griechiſchen Philoſophie alle religiöſen Elemente des Ch.s angeſtrebt
und vorbereitet waren; mit einem Wort: die ganze alte Welt hatte überall ſchon die
Richtungen eingeſchlagen, welche das Ch. nachher vereinigte. — Das älteſte und ganz

unbezweifelt geſchichtlich ächte Zeugniß über den Inhalt des chriſtlichen Evangeliums haben wir in den größern Briefen des Apoſtels Paulus, welcher der neuen Wahrheit die griechiſche und römiſche Welt eröffnete. In dieſen Briefen tritt die Lehre von der Einheit und Gleichheit der Menſchen mit dem größten Nachdruck und in vollſtändiger Klarheit auf; es kann kein Zweifel darüber ſein, in welchem Sinne dieſe Wahrheiten gepredigt und verſtanden wurden. Alle Menſchen, ohne Unterſchied der Nationalität, der Bildung und der geſellſchaftlichen Stellung ſollten vereinigt werden — zum Glauben an das Evangelium von Chriſtus, zu einer Liebe, die dieſem Glauben entſpräche und aus ihm käme, und endlich zur Hoffnung auf das Himmelreich, welches noch zu Lebzeiten jenes Geſchlechts auf eine unbegreifliche, übermenſchliche Art, verbunden mit der Wiederkunft Chriſti und dem jüngſten Gericht, eintreten würde. Dies übrige Leben war alſo eine bloße Vorbereitung auf das Himmelreich, welches nicht von dieſer Welt war: Der Chriſt gehört dieſer Welt nicht an, ſein Beſtreben iſt, der Welt und allem Weltlichen abzuſterben. Unter dieſem Weltlichen iſt das politiſche Intereſſe mitbegriffen; es exiſtirt für den Chriſten nicht, da es nichts mit dem Himmelreich zu ſchaffen hat; der Chriſt hat alſo in politiſcher Hinſicht nur ſo zu leben, daß er keinen Anſtoß giebt; er hat ſtill zu gehorchen, da alle Obrigkeit von Gott verordnet iſt, und nur, wo ſein Gewiſſen beſchwert würde und wo es das Evangelium gilt, wird eine Ausnahme gemacht. Das Evangelium iſt ſein Eins und Alles; ſeinen Glauben ſoll er predigen und Andre für ihn werben, trotz allem Verbot der Obrigkeit. Mit einem Wort: die Menſchen ſind nur zu Gott frei, nur vor Gott gleich, gegen politiſche Freiheit ſind ſie eben ſo indifferent, wie gegen die ſociale Gleichheit, denn beide gehören dem weltlichen Intereſſe an. Aus der Liebe und Freiheit wird keinesswegs das Aufhören der Sklaverei abgeleitet, ſondern den Sklaven wird Gehorſam, den Herren milde Behandlung der Sklaven anempfohlen; ſonſt bethätigt ſich die Liebe in äußerlichen Dingen nur noch in der Privatwohlthätigkeit, welche von Juden und Heiden ganz ebenſo geübt wurde. Das Ch., die Chriſten, leben und wirken überhaupt nicht für die Erde, nicht für die vernünftige ſociale und politiſche Einrichtung der Welt, für die Bildung, den Wohlſtand und das Glück der Menſchheit auf Erden, ſondern ihre eigentliche Hauptthätigkeit iſt die Vorbereitung zum Himmel, ſie läßt ihnen, wenn ſie rechte Chriſten ſind, gar keine Zeit für die irdiſchen Angelegenheiten übrig, und nur die Wohlthätigkeit, namentlich gegen die Glaubensgenoſſen, hat noch Raum. — Wer in dem Neuen Teſtament nicht dieſe Gleichgültigkeit gegen die wirkliche Welt und ihre Intereſſen als durchgängige Anſicht findet, dem müſſen wir den Sinn für die Wahrheit abſprechen. Streiten läßt ſich darüber nicht weiter; wenn Jemand nicht ſehen kann oder nicht ſehen will, kann man mit ihm nicht weiter ſprechen über das, was man ihm zeigt. — Wenn man freilich von der andern Seite klagt und zürnt, daß das Ch. überhaupt je exiſtirt, daß es den ganzen politiſchen Sinn der alten Welt zu Grunde gerichtet habe, ſo müſſen wir dagegen daran erinnern: daß um die Zeit, wo das Ch. im römiſchen Reich Einfluß gewann, ſchon lange vorher der letzte Reſt des freien Sinnes von ſelbſt erſtorben, oder von der Tyrannei erdrückt war. Schon lange vorher war die Welt in Aeußerlichkeit, Genuß und Knechtſchaft verſunken, — und eben daraus iſt zu erklären, wie das Ch. mit ſolcher Begeiſterung von der Nichtigkeit und Gleichgültigkeit dieſer Welt ſprach. Die Forderung: daß allein das geiſtige Leben und nicht das weltliche, Etwas und Alles ſei, daß die Menſchen nur nach dem Himmel zu ſtreben hätten, — dieſe Forderung, welche uns jetzt übertrieben und einſeitig erſcheint, verjüngte damals die Welt, und während die weltliche Macht des gewaltigen Römerreichs Stück für Stück zerfiel vor dem Andringen der Barbaren, bildete ſich in der Kirche eine geiſtige Macht, die Welt zu beherrſchen und in einer ſchweren Schule zu erziehen. Aus jener chriſtlichen Verachtung der Welt und Politik iſt es herzuleiten, daß auch, als von Conſtantin an die politiſche Gewalt in chriſtliche Hände kam, dieſer Umſtand auf die Geſetze und das Leben des Staats wenig Einfluß hatte. Im Weſentlichen blieben die alten Zuſtände. Die erſten Keime zur Freiheit kamen vielmehr ins Leben, als mit dem beginnenden Mittelalter die barbariſchen Völker die alte Welt eroberten und ihre freien und volksthümlichen Monarchien gründeten. Die Kirche bekehrte dieſe Völker und gewöhnte ſie in der äußerlichen Weiſe des ſklaviſchen Gehorſams gegen die Kirche allmälig zur Ordnung und zur Anerkennung der Macht des Geiſtes. Durch die Verbindung der römiſchen Kirche mit dem Staat — hauptſächlich mit dem großen deutſchen Reiche, welche von Karl dem Großen an feſt geſchloſſen wurde, kam römiſches Recht und der Begriff von römiſcher Monarchie zuerſt unter dieſe Völker. Wir können hier nicht weiter ausführen, wie in den nun folgenden Kämpfen zwiſchen Kaiſern und Päpſten der Staat ſeine Unabhängigkeit von der Kirche äußerlich eroberte; denn im Großen und Ganzen wurde das Verhältniß der politiſchen und ſocialen Zuſtände zu den chriſtlichen Grundſätzen der Liebe, Freiheit und Gleichheit dadurch nicht weſentlich anders. Das war ſchon deshalb nicht wohl möglich, weil überhaupt dieſe Grundſätze weniger mehr hervortraten; in einem mit jüdiſchen und heidniſchen Beſtandtheilen vermiſchten ganz äußerlichen Gottesdienſt, bei Faſten und kirchlichen guten Werken aller Art, fand die Predigt wenig Raum mehr und ihre erſte Urkunde, das N. T., war ſelbſt den zum allergrößten Theil ungebildeten Prieſtern nicht zugänglich; es war überhaupt nicht mehr von Ch., ſondern von der römiſchen Kirche die Rede. Aber von den Zeiten des römiſch-deutſchen Reiches an, während die Kirche, die urſprünglich das Reich des Geiſtes ſein ſollte, mit ſteigender Tyrannei den freien Geiſt unterdrückte, begann ein innerer Umſchwung und Aufſchwung. Die Ketzer proteſtirten gegen Rom, und wie die Ketzer und Schwärmer aus der Schrift hier und da den Geiſt des erſten Evangeliums kennen lernten, wurden in ihnen auch jene großen Gedanken der Freiheit und Gleichheit wieder lebendig. Das weltliche Leben war indeß ſchon ſo ſtark geworden, daß ſie dieſe Gedanken nicht mehr blos himmliſch, ſondern auch irdiſch verſtanden; eine ſolche Richtung auf die weltliche Wirklichkeit zeigte ſich auch ſchon bei einzelnen Scenen in dem großen huſſitiſchen Trauerſpiel, welches ein Vorſpiel der Reformationszeit war. — In dieſer äußerſt merkwürdigen Zeit ſind nun im Hinblick auf unſren Zweck die drei Hauptrichtungen zu unterſcheiden, welche, obwohl eine Zeit lang befreundet und vermiſcht, doch zuletzt beim Handeln als drei verſchiedene Parteien ſich von einander ſondern. Zuerſt die ſiegreiche Partei, an deren Spitze Luther ſtand. Luther war es nicht nur voller Ernſt mit der alleinigen Gültigkeit der Schrift, ſondern er verſtand ſie auch am treueſten, ſo, wie die Gemeinden des 1. Jahrh.s, wie namentlich Paulus das Ch. verſtanden hatte. Wenn es Luther auch nicht gelang, ſeinen Willen überall durchzuſetzen, ſo wollte er doch wirklich jenes Ch., er wollte die Gleichheit der Menſchen vor Gott und in der Kirche (als allgemeines Prieſterthum), er wollte keine politiſche Freiheit, keine ſociale Gleichheit, ſondern Gleichgültigkeit in dergleichen Dingen und alleiniges Intereſſe für die himmliſchen Angelegenheiten und für die Verbreitung des Evangeliums auf Erden. Zwar hatte er urſprünglich ein Herz für das Volk und mahnte die Fürſten zur Nachgiebigkeit gegen die Bauern; als dieſe aber, gereizt und hingeriſſen, durch ihre Empörung die Sache der kirchlichen Reformation in Gefahr zu bringen ſchienen, predigte er den unbedingten Gehorſam und rief die Fürſten zum ſchonungsloſen Morden „um Gottes Willen" auf. Zwar wünſchte er zuweilen, daß auch über „die Juriſten" und das weltliche Regiment einmal ein Luther komme, aber er fürchtete nur, daß das ein Thomas Münzer werden möchte, und als die politiſche Partei zugleich die Freiheit und das Evangelium mit Waffengewalt zum Siege führen wollte, ſagte er ſich entſchieden von ihr los; ja ſelbſt als ſeine eigne Partei ein Bündniß zu Schutz und Trutz ſchließen wollte, konnte ihn der Landgraf von Heſſen und Andre nur mit der äußerſten Mühe davon überzeugen, daß der Kaiſer nicht das Recht habe, Tyrann zu ſein, ſondern nach beſchwornen Geſetzen regiere. Es war ein großartiges Vertrauen, mit dem er Alles dem Geiſt und dem Wort anheimgeſtellt wiſſen wollte; aber der

Sinn für politiſche Mittel, überhaupt für das politiſche Leben und die Geſetze, fehlte ihm gänzlich. Wer alſo das lutheriſche Ch. will, und Luther noch immer zum Feldgeſchrei der Zeit macht, der findet in den bibliſchen Worten, welche nach der Liturgie Friedrich Wilhelm's III. noch heute allſonntäglich in allen preußiſchen Kirchen gebetet werden, ſeine und Luthers politiſche Anſicht (oder vielmehr Gleichgültigkeit gegen alles politiſche Leben, gegen alle Beſtrebungen zur Verwirklichung der Freiheit) vollſtändig ausgedrückt: „Segne unſern König, daß wir unter ſeinem Schutze ein ſtilles und geruhiges Leben führen in aller Gottſeligkeit und Ehrbarkeit." Ja, ſo durchaus treu lebte Luther ſeinem Vorbilde, daß er ſogar (wie aus mehreren Stellen ſeiner Schriften hervorgeht) einen baldigen Untergang der Welt und eine nahe Wiederkunft des Herrn oft erwartete. Die 2. Richtung war von vornherein anders. Sie ging nicht, wie Luther, vom gelehrten Studium der Schrift aus, ſondern vom Studium der griechiſchen und römiſchen Schriftſteller. Durch dieſe hatten Viele aus der talentvollen Jugend den Sinn für die Wiſſenſchaft und für ein freies gebildetes politiſches Leben gewonnen. Der Größte in dieſer Richtung war Ulrich von Hutten, zur politiſchen Partei wurde ſie hauptſächlich durch Franz von Sickingen; Luther hatte ſeine Hauptſtütze in den Städten, ſie im Ritterſtand. Dieſe Partei war keineswegs gleichgültig gegen die Religion, vielmehr ſuchte ſie Luther (freilich vergeblich) auf ihre Seite zu ziehen. Sie faßten in klarer und volksthümlicher Art jene Grundſätze des Ch.s in einem gemäßigten politiſchen Sinne auf, ſie verſtanden das Evangelium als eine Predigt der Freiheit. Sie wollten eine vernünftige evangeliſche Religion, eine vollſtändige kirchliche Freiheit; politiſch wollten ſie namentlich die immer zunehmende Macht der Fürſten brechen, und ein unabhängiges einiges Deutſchland, in dem der Kaiſer ungefähr das ſein ſollte, was wir jetzt einen conſtitutionellen Monarchen nennen würden. Wie ſie ſich zu der ſocialen Frage der Gleichheit geſtellt haben würde, iſt nicht zu ſagen, da ſie kurz vor dem Ausbruch des Bauernkrieges, mit dem Tode und der Beſiegung Sickingen's, zerſprengt wurde. — Die 3. Richtung endlich ging zwar auch vom Studium der Schrift aus, aber nicht von einem gelehrten, ſondern von dem bloßen einfältigen Leſen nach Art des Volks. Das waren haupt-

ſich friedlich zuſammen und ſtellten ihre Forderungen in ihren 12 Artikeln auf (ſ. Bauernkrieg). Aus der Schrift hatten ſie die Ueberzeugung gewonnen: es ſei unchriſtlich, daß freie Chriſten von ihren chriſtlichen Brüdern geknechtet, geplagt, vom politiſchen Recht ausgeſchloſſen und in ihrer Armuth gelaſſen würden. Als man nicht mit ihnen unterhandeln wollte, kam es zu Aufruhr und Krieg. Hierdurch ſteigerten ſich alle Forderungen, und das, was die Kirche: Ketzerei, die Conſervativen von damals: Schwärmerei nannten, miſchte ſich dazu. Thomas Münzer in Mühlhauſen und nachher die Wiedertäufer in Münſter gründeten eine Gemeinde, die das Reich Gottes auf Erden verwirklichen ſollte; etwa eine communiſtiſche Republik. Die Schwärmerei war ganz vorherrſchend, ihr religiöſer Glaube war gemiſcht aus den Bildern der in Gütergemeinſchaft lebenden erſten chriſtlichen Gemeinde, und aus den

rod, Midian, Edom u. ſ. w.; dieſe ſollten ausgerottet werden von der Erde, auf daß nur die Gemeinde der Heiligen und Auserwählten beſtehe und ewig herrſche. Es kam anders. Die, welche auf ſolche Art mit der chriſtlichen Freiheit und Gleich-

Jetzt begann, Jahrh.e lang, die ehrbare und gottſelige bürgerliche, d. h. unpolitiſche Zeit; wenngleich Kriege genug die Ruhe und Stille ſtörten, war es doch innerlich ruhig, und ſelbſt der 30jährige Religionskrieg war keine religiöſe Bewegung, denn in der Religion blieben die Gemüther unbewegt; nur erſtarrte die proteſtantiſche Kirche und entfernte ſich immer weiter von den lutheriſchen Gedanken der Freiheit der

Gemeinden und des allgemeinen Prieſterthums. Sie ward zur Landes- und Staats-
kirche, und wie wenig Einfluß das Ch. auf die Politik hatte, zeigt ſich ſchon darin,
daß die Kirche nun eben ſo tyranniſirt wurde, wie ſie früher von Rom aus die
Staaten tyranniſirt hatte. — Aber durch den Proteſtantismus war doch eine im
Verhältniß zu der frühern Zeit große Geiſtesfreiheit gewonnen; der Sinn für das
Studiren und für die Wiſſenſchaft, für das Erkennen der Natur, der Geſchichte, des
Menſchengeiſtes, nahm immer mehr zu; Handel und Gewerbe nahmen eine bedeutendere Stellung im Leben ein, und auch die Entdeckung und Eroberung der neuen Welt
trug in Verbindung damit viel dazu bei, das Intereſſe auf die wirkliche Welt zu
lenken und von den himmliſchen Angelegenheiten abzuführen. Während der Bau des
Himmelreichs durch die Kirche immer mehr in's Stocken gerieth, baute die Wiſſenſchaft um ſo emſiger am Reich des Geiſtes, wo nicht Glauben und Hoffen, ſondern
Erkennen, Wiſſen des Wirklichen, Begreifen deſſen, was iſt, gilt. Dies Erkennen
wandte ſich nun im 18. Jahrh., namentlich zuerſt in Frankreich und England, als
Kritik gegen die ganze chriſtliche Weltanſchauung, gegen die Lehr- und Glaubensſäze,
welche mit der menſchlichen Vernunft geprüft und verworfen wurden. Dieſer Sinn
erwachte auch in Deutſchland (ſ. Deismus, Rationalismus) und ſtatt des Glaubens
wurde die Moral von den Kanzeln gepredigt; doch hielt Deutſchland im Ganzen daran feſt, daß die weſentliche Bedeutung des Ch.s nicht in der Lehre, ſondern im Leben zu ſuchen ſei, und daß ſein weſentlicher Inhalt mit der Vernunft übereinſtimme.
Durch die Fremdherrſchaft und dann durch die Freiheitskriege erhob ſich in der Noth
und den großen Schickſalen der Zeit wieder eine Begeiſterung für die Religion, welche
zuerſt ſich mit dem Streben nach Freiheit und nationaler Einheit verband. Die Burſchenſchaft (ſ. d.), in welcher dieſe Beſtrebungen lebten, nannte ſich eine chriſtlich-
deutſche, und ihre Mitglieder feierten auf dem patriotiſch religiöſen Wartburgfeſt
das Abendmahl zuſammen. Aber man faßte das Ch. nur ſo im Allgemeinen, mit
Erinnerung an die Zeit der Reformation, wo es deutſch national geworden war;
man erkannte es weder anders als ſonſt, noch leitete man politiſche Folgerungen daraus ab. Dies letzte thaten erſt die Regierungen. Nachdem jene Beſtrebungen unterdrückt waren, nahmen ſie — beſonders Preußen ſeit 1840 — die Strenggläubigkeit (Orthodoxie) in Schutz und bemühten ſich, den Staat zu einem chriſtlichen zu
machen. Man verſtand darunter ſtrenge Feier des Sonntags, Bedrückung der Ratio-
naliſten und Bevorzugung der Altgläubigen, ferner die Alleinherrſchaft (ſ. d.) mit dem
König von Gottes Gnaden, und endlich neue Anſtalten zur Wohlthätigkeit; auch bemühte man ſich, durch Verfaſſungsveränderungen in der Kirche, und durch eine be-
ſondre chriſtliche Philoſophie das erſtarrte altreligiöſe Leben wieder zu verjüngen; auf
dem 1. preuß. Landtag 1847 ſuchten die Miniſter es aus der chriſtlichen Liebe zu
beweiſen, daß die Juden nicht emancipirt, und die aus der Staatskirche ausgetretenen
Diſſidenten (ſ. d.) keine Schulämter bekleiden und überhaupt ſo wenig als möglich
im Staat angeſtellt werden dürften. — Dies iſt in Deutſchland die eine Richtung der
Gegenwart im Verhältniß zum Ch. Ihr entgegen ſteht zuerſt die Kritik. Sie verneint die ganze chriſtliche Weltanſchauung, ſie zeigt, daß durch das Streben nach dem
Himmel die Erde unglücklich und vernachläſſigt worden iſt, ſie fordert, daß der Inhalt unſres neuzeitlichen Lebens nichts mehr mit der Religion zu ſchaffen hat, an
deren Stelle Wiſſenſchaft, Kunſt, Politik, überhaupt das wahre gebildete und geſell-
ſchaftliche Menſchenleben tritt. — Die 3. Richtung ſteht in der Mitte zwiſchen dem
Rationalismus und der von der Religion freien ganz neuzeitlichen Anſchauung; hier
der einen und dort der andern Seite näher. Doch im Großen und Ganzen kann
man ſie wohl bezeichnen, denn durch die mit dem Deutſchkatholicismus begonnene religiöſe Bewegung iſt dieſe Richtung zu einer praktiſchen Partei
geworden, die im Leben ſchon etwas durchgeſetzt und Einfluß gewonnen hat. Dieſe
Partei iſt frei von der Strenggläubigkeit und hält auch nicht weſentlich an der

feft. Sie fühlt sich aber verwandt mit dem Ch., weil daffelbe
. der Herrschaft. des Geistes, der Freiheit, der Gleichheit, der
t und die Begeisterung dafür entzündet und bewahrt hat.
welche jetzt zum .1. Mal seit 3 Jahrh.n die Religion und das Ch. wie
die Bewegung und den Strom des wirklichen Menschenlebens gebracht

e Religion. Die Verfolgungen und Bedrückungen, denen sie, wie einst
Retzer, der Protestantismus, ausgesetzt ist, sind für Jeden, der es sonst

Schritt zur Freiheit handelt, daß es eine weltgeschichtliche Bewegung ist. — Und
wunderbarer Weise beginnt im Katholicismus dieselbe Bewegung. Der franz. Prie-

mengeschmolzen; der große irische Volksführer O'Connell hat im Bunde mit den

der Befonnenheit und Langsamkeit, die einem so schweren Werke wohl geziemt, die
politische Reform des Kirchenstaats begonnen hat. Der Volksprediger Pater Ven-
tura in Rom hat es offen von der Kanzel ausgesprochen: daß die Kirche über-
ern müsse. Ganz Ita-
dieser Bewegung auf die

und der religiösen Begeisterung das
d zu erlangen beginnt: während zu

die Glaubenssätze des Ch.s unangetastet herrschten, ihm hätten fluchen mögen wegen
all der Greuel und Knechtschaft, die es in die Welt gebracht, ausgeübt und befördert

Althaus.

wollte und ein Bekenntniß aufstellte, in welchem
riesterthum abschaffte, und die thätige Bewährung
laub

nd bildet jetzt nur noch eine

man ein Geschichtsbuch, welches die Geschichten nach der Zeitfolge,
darstellt; sie ist also gleichbedeutend mit Annalen (s. d.). Da
die einzige Regelung der Geschichtschreiber war, so hießen sehr

f. Acten.
f. Actenauszug.
in der Nähe einer Stadt oder Festung, in
enn auch Stadt oder Festung schon genommen
ein Zwinguri, gegen eine eroberte und un-
welche die Holländer behalten

welche der Miniſter **Thiers** nach ſelbſtgemachtem hohlen Kriegslärm dem Bürger-König gegen ſeine Bürger baute; die C. von Warſchau, von den Ruſſen errichtet, um die polniſche Hauptſtadt im Zaume zu halten und, wie Kaiſer **Nicolaus** ſagte, be-ſtimmt, beim erſten Aufſtandsverſuche die Stadt in einen Schutthaufen zu. verwan-deln u. ſ. w.

Citation, ſ. **Ladung.**

Civilbehörde, Civildienſt, Civilehe, Civiletat, Civilgericht, **Civilgerichtsbarkeit, Civilgerichtsordnung,** Civilproceß, **Civil-recht,** Civilſachen, **Civilſtreitigkeiten,** ſ. alles unter **Bürgerlich.**

Civiliſation. Diejenige geiſtige Entwicklung und Bildung des Menſchen, welche ſich beſonders auf die ſtaatlichen und geſellſchaftlichen Verhältniſſe bezieht, heißt C. Demnach iſt ſie ein untergeordneter Grad der Bildung (ſ. d.) und ſteht **Barbarei** entgegen, dem Zuſtande roher Völker, die gewiſſermaßen in den Tag hineinleben, ohne ſich um die Ordnung ihrer Zuſtände zu bekümmern. Die C. iſt wie die Bil-dung eine Tochter der Freiheit und gedeiht nur da, wo die letztere wohnt; deshalb ſehen wir viele Völker Aſiens, bei denen die Wiege der Menſchheit ſtand, die einſt die Blüthe der Bildung und C. in ihrem Schooße trugen, wieder in die Barbarei zurückſinken, nachdem ſie ihre Freiheit verloren hatten und die Beute morgenländiſcher Gewaltherrſchaft geworden waren. Selbſt Griechenland, einſt der glänzendſte Licht-punkt der alten Welt, ſank unter türkiſcher Botmäßigkeit bis zur vollſtändigſten Bar-barei, die es heute noch nicht wieder überwunden hat. Zwar prangen auch tyran-niſch regierte Völker zuweilen im Kleide der C., z. B. die Ruſſen; allein dieſe C. iſt bei näherer Betrachtung nur Dreſſur, äußerer Firniß und Schein, der in nichts ver-ſchwindet bei jedem erſten Angriffe und dem Volke keineswegs die innere Kraft und Feſtigkeit gewährt, die wahre C. verleiht.

Civilliſte bedeutet die jährliche Einnahme, welche in monarchiſchen Staaten das Staatsoberhaupt, der Fürſt, für ſeinen und ſeiner Familie Unterhalt, ſo wie für Beſtreitung der Hofhaltung, aus Staatskaſſen bezieht. Ueber den Urſprung der Fürſtengewalt, ob ſie die Fürſten von Gottes Gnaden erhalten oder durch das Recht des Stärkern errungen oder nach Art eines Vertrags vom Volke überkommen haben, mögen die Meinungen getheilt ſein; eben ſo über den Umfang derſelben: ob ſie eine unbeſchränkte oder beſchränkte und wie weit dann zu beſchränkende ſein ſolle. Dage-gen leidet es keinen Zweifel, daß in Ländern, wo ein Fürſt an der Spitze ſteht und als Inhaber oder Träger der Staatsgewalt und als Vertreter des Staats erſcheint, auch die Nothwendigkeit eintritt, für des Fürſten und ſeiner Familie ſtandesgemäßen Unterhalt von Staatswegen zu ſorgen, d. h. die Koſten dafür aus der Staatskaſſe aufzubringen und zu beſtreiten. Damit dieſe Koſten der Hofhaltung nicht alles Maaß und Ziel überſchritten, iſt namentlich in Verfaſſungsſtaaten eben durch Schaffung einer C. eine beſtimmte Summe dafür ausgeworfen worden, über die natürlich keine Rechnungsablage ſtattfindet, an welche der Fürſt aber in ſoweit gebunden iſt, als da-rüber hinaus das Land für nichts aufzukommen oder zu haften braucht. Der Be-trag der C. iſt zum großen Theile durch den Umfang des betreffenden Landes und die Staatseinnahmen überhaupt bedingt; in kleineren Ländern aber doch bisweilen unver-hältnißmäßig hoch, weil die kleineren Höfe in vielen Dingen den größeren nicht nach-ſtehen können, in manchen nicht nachſtehen wollen. Die grenzenloſe Verſchwendung, die in früheren Jahrh.en an manchen Höfen herrſchte, hat zwar im Allgemeinen einer ein-facheren und würdigeren Lebensweiſe Platz gemacht: indeß iſt es doch wohl nicht zu viel behauptet, wenn man aufſtellt, daß in den Bedürfniſſen, die man an den Höfen hat und auf Koſten des Staats befriedigt, ohne Nachtheil noch manche Beſchränkung eintreten könnte. Eines großen Theiles des koſtſpieligen äußeren Prunkes und Cere-moniels, mit dem man die Krone umgeben zu müſſen glaubt, könnte man ſich entäußern, ohne daß ſie dadurch herabgeſetzt würde. Die Maſſen mag dieſer Prunk vielleicht noch blenden, die Gebildeten im Volke aber haben keinen Sinn mehr dafür, und ſo giebt er der Krone bei aller Koſtſpieligkeit keine wahre Stärke, ein ſteifes Ceremoniel aber den Fürſten ſelbſt meiſt keine innere Befriedigung. Nur die Hofbienerſchaft, die von der C. erhalten wird, hat ein Intereſſe dabei, daß dieſe ſo glänzend als möglich ausgeſtattet ſei, weil dann um ſo mehr in ihren eigenen Säckel fällt; aber gerade dieſem Geſchlechte iſt das Land meiſt zu ſehr wenig Danke verpflichtet. Andererſeits liegen ſogar Erfahrungen vor, daß mit den überſchüſſigen Geldern der C. gegen die Intereſſen des Volkes gewirthſchaftet, höfiſche Journale erkauft und unterſtützt, Stimmen in der Volksvertretung gewonnen worden ſind u. dergl. — In vielen Ländern werden die Koſten der C. vorzugsweiſe aus dem Ertrage der Domänen beſtritten.   C. C. Cramer.

Claſſenſteuer, vergl. Abgaben.

Claſſificationsurtheil, ſ. Concurs.

Client. Bei der Art von Unmündigkeit, in welcher die untern Volksclaſſen Roms ſowohl, als die eroberten Völker gehalten wurden, ſuchten dieſe ſich als Perſonen wie in der Geſammtheit eine Art Vormund in den berechtigten Ständen; dieſe Vormundſchaft hieß Clientel, der Bevormundete C. So wurde ein Stand C. des andern, ſelbſt ein ganzes Volk C. eines Einzelnen, wie z. B. die Kappadocier und Kyprier C.en des Cato wurden. Da der C. in allen Rechtsangelegenheiten Rath und Hülfe beim Vormund ſuchen mußte, ſo nennt man noch heute die Menſchen, die Rechtsbeiſtand ſuchen, C.; ſo daß die Kunden eines Advocaten ſeine C.en ſind. Unſer fremdes, verworrenes, unverſtändliches Recht hat die geſammte Bevölkerung zu C.en, d. h. zu Unmündigen gemacht.

Coadjutor. Der Gehülfe und Amtsverweſer eines Biſchofs, falls derſelbe durch Krankheit oder aus andern Gründen ſein Amt nicht verwalten kann. Der C. hat meiſtens das Recht der Nachfolge und wird dann wie der Biſchof gewählt, ſonſt vom Fürſten oder der Kirche eingeſetzt.

Coalition. Eine Vereinigung Mehrerer zur Abwehr oder zum Angriff gegen einen Dritten, eine Kriegsgemeinſchaft. Dieſe Bezeichnung ward früher vorzugsweiſe von den Kriegsbündniſſen mehrerer Staaten unter einander gegen die ehrgeizigen Entwürfe und Eroberungsgelüſte eines andern Staates oder wider die von einem Volke geltend gemachten und verbreiteten Ideen gebraucht. So ſpricht man in der neuern Geſchichte von den C.en und den C.kriegen, wodurch die europäiſchen Staaten dem Umſichgreifen des revolutionären Frankreichs und Napoleons Ehrgeiz Schranken ſetzen wollten, und wodurch es auch endlich gelang, des Letztern Meiſter zu werden (ſ. Bündniß). — In neuer Zeit, wo die Arbeiterzuſtände eine ſo wichtige Rolle zu ſpielen angefangen haben, bezeichnet man mit C. auch die Vereine und Verbindungen unter den Arbeitern, die gewöhnlich den Zweck haben, von den Arbeitgebern etwas zu erzwingen oder ihnen feindſelig gegenüber zu treten. Irrthümlich nimmt man an, daß dergleichen C.en erſt dem in der neuſten Zeit ſich entwickelnden Maſchinenweſen ihr Entſtehen verdanken. Die großen Maſſen der Arbeiter, welche durch das Maſchinenweſen hervorgerufen worden ſind, haben die öffentliche Aufmerkſamkeit nur ſtärker auf die uralte Gewohnheit der Arbeiter, zu ſolchem Zwecke ſich zu verbinden, hingelenkt. Unter den alten Zunft- und Innungsverbänden hat es verhältnißmäßig nicht weniger Auflehnungen der Arbeiter gegen die Arbeitgeber gegeben als heute. Die Arbeiter-C.en bezwecken meiſt, entweder eine Erhöhung oder Feſtſtellung des Arbeitslohnes zu erzwingen; oder ſie erklären gewiſſen neuen, oder überhaupt allen Maſchinen den Krieg; oder ſie beabſichtigen Rache zu üben am Arbeitgeber für wirkliche oder eingebildete Unbilden oder an andern Arbeitern, die ſich ihren Schritten nicht angeſchloſſen haben. Das Weſen der Arbeiter-C. hat ſich in England am weiteſten entwickelt und dabei zu ſehr merkwürdigen Ergebniſſen geführt, die unſer

Urtheil über das Associationswesen (s. Association) nur bestätigen. Auch in England waren die C.en früher verboten, hatten sich aber insgeheim weit verbreitet und machten sich oft in furchtbaren Ausbrüchen kund. Die Mitglieder der C.en besteuerten sich selbst, waren organisirt und geboten über nicht unbeträchtliche Fonds. 1824 ward das Verbot aufgehoben und die C.en verbreiteten sich nun unter dem Namen von Trade's unions, Gewerksverbindungen, mit reißender Schnelligkeit über ganz England. Ihre Hauptaufgabe bestand darin, Festsetzung und Erhöhung des Arbeitslohns, Beschränkung der Lehrlinge und oft Ausschließung gewisser Classen, z. B. der Frauen oder Mädchen, aus den Gewerbsanlagen zu erzwingen. Diese Entwickelung des C.swesens hat sich als das wirksamste Mittel erwiesen, die Arbeiter über ihre wahren Vortheile aufzuklären und ihnen überzeugend darzuthun, daß jede Gewaltthätigkeit gegen die Person oder das Eigenthum der Arbeitgeber ein Wüthen im eignen Fleisch ist; während ihr Zusammenhalten und ihre Einigung, sobald sie von Mäßigung und Ueberlegung geleitet sind, zu einer Verständigung zwischen Arbeitgeber und Arbeitern beiträgt, die den Nutzen beider Theile wahrt. Die Erfahrungen, welche die Arbeiter, ehe sie zu dieser Einsicht gelangt sind, durchgemacht haben, sind höchst bitter und traurig gewesen. Zu wiederholten Malen hat die Zertrümmerung der Maschinen, als vermutheter Ursache ihres Elends, ihnen den Beweis geliefert, daß sie dadurch sich des wichtigsten Hülfsmittels ihres Verdienstes berauben, und der Arbeiterstand ist gegenwärtig fast gänzlich über dieses Vorurtheil hinaus; selbst in den großen Arbeiterbewegungen, die bis 1844 vorgekommen (s. Chartismus), hat man sich von solchen Verkehrtheiten freigehalten. Dagegen haben bis auf die neueste Zeit die unter den Namen Turnouts und strikes bekannten von den Arbeiter-C.en beschlossenen Arbeitseinstellungen, die unter den deutschen Arbeitern hier und da mit dem Ausdruck des „Niederschmelzens" bezeichnet wurden, in einem größeren Umfange wie früher stattgefunden. Jedoch sind in England die Lehren, welche die Arbeiter aus frühern Schritten dieser Art, namentlich der großen Arbeitseinstellung von 1836 und 1837, ziehen konnten, nicht ohne Eindruck geblieben. Man hat einsehen gelernt, daß eine Verständigung, ein Verträgniß mittels beiderseitiger Zugeständnisse weit geeigneter scheint, der Verbesserung der Lage des Arbeiters näher zu kommen, als durch Arbeitsweigerungen. Denn diese haben keinen andern Erfolg gehabt, als daß sie entweder den Arbeitgeber völlig zu Grunde richten, oder ihn doch auf eine Weise benachtheiligen, daß er, wenn die Arbeit wieder aufgenommen wird, nicht mehr die frühere Anzahl Arbeiter beschäftigen kann; oder sich bewogen findet, aus Gegenden, wo der Arbeitslohn niedriger ist, sich Arbeiter zu verschaffen, oder die Handarbeit durch Maschinen zu ersetzen: in allen diesen Fällen aber werden die Arbeiter die Kosten tragen; sie werden das Gegentheil dessen, was sie beabsichtigten, erwirken, sie werden sich selbst ihre Arbeit und ihren Verdienst entziehen. Damit aber die Arbeiter diese Einsicht gewinnen, ist nothwendig, daß die Gesetze der C. nicht entgegentreten. Nur die selbstgemachte Erfahrung ist lehrreich und witzigt den Menschen. So lange in England die Arbeiter-C. verboten war, fielen die Gewaltthätigkeiten vor; als den Arbeitern gestattet wurde sich zu vereinigen, ohne daß sich eine Behörde darein zu mischen hatte, und mit den Arbeitgebern als Gesammtheit zu unterhandeln, hörten sie auf. Man nahm zwar, fielen die Unterhandlungen nicht nach Willen aus, seine Zuflucht zu Arbeitseinstellungen und hatte zu diesem Zwecke Hunderttausende angesammelt; aber diese Schritte hatten keine andern Folgen, als die Noth der Arbeiter zu vermehren, und man erkannte, daß in diesen Dingen Verhältnisse so zwingender Natur in Frage stehen, daß weder der hartnäckigste Widerstand noch der gute Wille das Uebel zu entfernen im Stande sei. Diese Einsicht, deren wohlthätige Wirkungen sich selbst in der beispiellosen Krisis, die England in diesem Augenblick zu bestehen hat, im besonnenen Handeln der Arbeiter beurkunden, wird endlich dahin führen, daß man nie mehr zu dergleichen Schritten seine Zuflucht wird nehmen müsfen, und daß, wenn Arbeitseinstellungen erfolgen, diese aus einer gegenseitigen Verständigung hervorgehen werden, um die Erzeugung in das gehörige Gleis zu bringen, wo sie dasselbe verlaffen hat oder zu verlaffen droht. Eine solche Bildung des Arbeiterstandes und die klare Einsicht in seine wahren Intereffen kann nur bei einem völlig freien Associationswesen sich entwickeln, welches der Lanze des Achills gleicht, die die Wunde, die sie schlägt, auch heilt. In den Streitigkeiten zwischen Arbeitgeber und Arbeiter ist das Recht nicht stets auf einer Seite und die Gerechtigkeit verlangt, daß die Befugniß, welche dem einen Theil gewährt ist, auch dem andern zugestanden werde. Verbindungen der Arbeiter zum Zwecke, gemeinschaftliche Maßregeln zur Verbefferung ihres Looses zu berathen und zu beschließen, sollten in jedem Staate, der Anspruch auf Gesittung machen will, ebenso gesetzlich erlaubt sein, als die Verständigung der Arbeitgeber über das, was sie zur Wahrung ihrer Intereffen für nöthig halten. Es wird aber vor Allem nöthig, möglichst dazu beizutragen, durch Belehrung und Aufklärung unter dem Arbeiterstand selbst die Ueberzeugung hervorzurufen, daß nur ein einträchtigliches Zusammengehen der Arbeitgeber und der arbeitenden Claffen mittels des Verbindungsgliedes, der Einsicht, der Erfahrung und der geistigen Begabung, der Production eine Gestalt geben kann, die die allgemeinen Bedürfniffe, Bequemlichkeiten und Genüffe für die Menschheit erhöht, und allen dazu beitragenden Kräften und Thätigkeiten nach Maßgabe ihres Werthes die größtmöglichen Vortheile gewährt. So, und nur so wird es dahin kommen, daß die drohenden Arbeiter-C.en, denen durch kein Verbot gesteuert werden kann, sich in friedsame und wohlthätige Vereine umgestalten, welche die Mittel, über die sie gebieten, zu wahren Segnungen für die arbeitende Claffe verwenden. J. G. G.

Code civil, das im März 1804 eingeführte bürgerliche Gesetzbuch der Franzosen, welches sich durch Klarheit, Bündigkeit und Einfachheit auszeichnet und während der franz. Herrschaft in mehrere Länder übergetragen ward. In Deutschland haben es seit jener Zeit nur die deutschen Rheinprovinzen und Baden beibehalten, in welchem letztern es mit wenigen Abänderungen als „badisches Landrecht" gilt. A.

Code criminel heißt gewöhnlich das Buch, welches den Code d'instruction criminel und den Code pénal zusammen enthält.

Code de commerce. Das Handelsgesetzbuch der Franzosen, von Napoleon 1808 eingeführt. Es ist die schwächste der vortrefflichen Arbeiten, welche Napoleon in der Gesetzgebung fertigen ließ, weil der finstere Geist der Handelsbeschränkungen und Handelsabsperrungen, welcher im Kaiser lebte, oft auch in das Gesetzbuch überging. X.

Code de procedure civil heißt das von Napoleon 1807 eingeführte Gesetzbuch, welches das Verfahren in bürgerlichen Rechtsstreitigkeiten vorschreibt und durch Zweckmäßigkeit und Schnelligkeit dieses Verfahrens ausgezeichnet ist.

Code d'instruction criminel. Ein Gesetzbuch Napoleons von 1808, welches das Verfahren in Straffachen, also die Anwendung des später erschienenen Code pénal vorschreibt.

Codes, les cinq. Die fünf Gesetzbücher, welche Napoleon in Frankreich einführte und die hier genannt sind, führen diesen Namen. Diefelben sind nicht frei von den Spuren eines unersättlichen Herrschergelüstes und der Härte der Alleinherrschaft. Allein sie bilden trotzdem das vollendetste Werk der Gesetzgebung, welches in einem Jahrh. erschienen ist, wurzelnd auf dem wahren Bedürfniffe des Volks und der Zeit. Alles, was in Frankreich Kenntniffe und Erfahrungen in diesen Dingen hatte, zog Napoleon zu Rathe, sammelte alles vorhandene Gute und ließ es zu einem Werke „aus einem Guffe" umarbeiten. Hätte er sonst nichts geleistet, die C. sicherten ihm allein eine verdiente Unsterblichkeit. 32 Friedensjahre haben in Deutschland nicht eine Seite der Gesetzgebung in einem einzigen Staate zu der Ausbildung gebracht, welcher alle Theile dieses umfaffenden Werkes sich erfreuen, welches mitten unter den Stürmen des Krieges binnen **4** Jahren entstand. Aber Napoleon hätte damals allerdings auch den wahrhaftigen Willen, die Gesetzgebung zu verbessern und brauchte nicht alle seine Kraft und alle seine Zeit, um den durch Selbstverschuldung wankenden unvolksthümlichen Thron vor dem Umfallen zu bewahren.

Code Napoleon. Name des franz. bürgerlichen Gesetzbuches (des Code civil) von 1807 bis 1816.

Code pénal. Das franz. seit 1811 in Kraft bestehende Strafgesetzbuch, welches sich durch Kürze und Genauigkeit in formeller Hinsicht auszeichnet, rücksichtlich der Strafbestimmungen aber an vielen Härten leidet. Es gilt seit den Zeiten der franz. Herrschaft ebenfalls im Wesentlichen noch in den deutschen Rheinprovinzen.　　**A.**

Codex, eigentlich der lateinische Name für das früher gebräuchliche Schreibmaterial — hölzerne mit Wachs überzogene Tafeln —, dann für Buch und besonders für Gesetzbuch gebraucht, ist die Benennung verschiedener Gesetzgebungsarbeiten bei den Römern, z. B. Codex Justinianeus, s. Corpus juris Roman. Dasselbe Wort kommt als Code (s. d.) bei den Franzosen vor, s. die vorstehenden Artikel. — In Sachsen heißt Codex Augusteus die Sammlung der frühern Gesetze, welche zuerst 1722 erschien und bis zum 9. März 1818 — wo die Gesetzsammlung an ihre Stelle trat — fortgesetzt ward.　　　　　　　　　　　　**A.**

Codicill, s. Testament.

Cölibat (Ehelosigkeit). Man gebraucht dies Wort fast ausschließlich von dem ehelosen Leben, zu welchem die katholischen Priester verpflichtet sind. Insofern es nun doch in eines Jeden Belieben steht, ob er katholischer Priester werden will oder nicht, kann man eigentlich nicht, so wie es oft geschieht, gegen den Zwang und das Drückende dieser Einrichtung eifern; wem das C. drückend und unerträglich erscheint, der werde kein katholischer Priester; wenn er sich aber einmal in diesen Stand begeben hat, hat er damit zugleich jene Pflicht übernommen. — Es ist wahr, daß aus dieser Einrichtung der Kirche in vielen Fällen ein unsittliches Leben der Priester gefolgt ist und folgt, unsittlich hauptsächlich darum, weil sie ein Leben heucheln, welches sie doch nicht führen können, da der natürliche Trieb sich nicht ohne Weiteres gewaltsam unterdrücken läßt. Indeß, wenn man nur von dem Gesichtspunkte der Folgen aus gegen den C. polemisirt, so werden die Katholiken mit Recht von demselben Gesichtspunkte aus die guten und heilsamen Folgen rühmen, welche ebensowenig wie jene schlechten zu läugnen sind. Sie sagen, daß der kath. Priester nicht, wie der protestantische, durch die Sorge für Weib und Kind mannigfach von seinem Beruf abgezogen werde; sie führen uns die nicht seltenen Beispiele edler und großer Priester an, die sich allein dem Heil der ihnen anvertrauten Seelen widmeten. Wenn man also nur über den praktischen Werth oder Unwerth streitet, so kommt man nicht weiter. Man muß vielmehr von der Freiheit und der menschlichen Natur ausgehen und behaupten: jeder gesunde Mensch ist von der Natur bestimmt zum gesellschaftlichen Verkehr, er hat die Freiheit, diesem natürlichen Triebe zu folgen. Nun kann es sittlich sein, wenn er aus irgend einem Grunde in bestimmten Fällen seinem Triebe nicht folgt; es ist aber unsittlich, dieser Freiheit auf immer durch ein feierliches Versprechen zu entsagen; denn dann ist seine Enthaltsamkeit nicht mehr freier Entschluß, sondern Zwang. Und außerdem ist offenbar, daß eine unnatürliche Enthaltsamkeit im Allgemeinen weder den Geist noch den Körper zu seiner rechten menschlichen Kraft und Gesundheit kommen läßt.　　　　　　　　　　　　　Althaus.

Cognaten, s. Agnaten.

Collaborator. Vielfach gebrauchter Ausdruck für Mitarbeiter, Amtsgehülfe; besonders im Kirchen- und Schulwesen ist die Benennung für einen niedern Beamten, der einem höhern auszuhelfen bestimmt ist, üblich.

Collatur. Das Besetzungs- und Vergebungsrecht bei geistlichen und Schulämtern. Dasselbe, wie jedes andere Recht, hatte der Adel an sich gerissen und an seinen Besitz geknüpft, höchstens später es mit der wachsenden Staatsgewalt getheilt, indem diese die Bestätigung des vom Collator Gewählten sich vorbehielt. In den Städten dagegen ging die C. auf die Stadtbehörden über, wie jedes andere Recht des Adels. So ist es zum Theil noch, aber mächtig richtet sich der Geist der Zeit gegen jede C.bevorzugung der Personen und verlangt das Besetzungsrecht, wenigstens die Wahl der Person, für die Gemeinde, für welche der Geistliche oder Lehrer berufen wird.

Collecten sind Geldsammlungen zu wohlthätigen Zwecken, früher hießen wohl auch die Steuern C., jedoch selten. Unter der Schreibstubenherrschaft, die Alles, Alles regieren, ordnen und bevormunden muß, sind auch diese Sammlungen ohne besondere Erlaubniß verboten. Warum? Weil Mißbrauch getrieben werden könnte. Damit werden alle Maßregeln entschuldigt, die eigentlich der Ansicht entspringen, alle Menschen seien unmündig und geriethen auf entsetzliche Abwege, sobald das Gängelband abgenommen wird. Weil möglicherweise einmal ein Spitzbube durchkommen könnte, muß die ganze Menschheit gleich Spitzbuben beaufsichtigt und mit Pässen, Aufenthaltskarten, Visas (polizeilichen Paßunterschriften) mißhandelt werden; und weil möglicherweise einmal ein Betrüger unter falschem Vorwande Geld sammelt, darf Niemand der Noth oder dem Unglück beispringen, ohne seinem guten Willen und mitleidigem Herzen erst einen Polizeistempel aufdrücken zu lassen. Die fabelhafte Umständlichkeit der Schreibstubenherrschaft verleidet dabei oft die Lust, eine C. zu machen.

Collegialsystem heißt die Ansicht und das Bestreben, daß Kirche und Staat gleichberechtigt und selbstständig neben einander stehen sollen. Entgegengesetzt sind dem C. das hierarchische System, welches den Staat unter die Kirche unterordnen, und das Territorialsystem, welches die Kirche dem Staate unterwerfen will. Nach unserer Ansicht sind alle drei Systeme gleich falsch, denn die Kirche ist nichts als eine religiöse Gemeinschaft, oder sollte wenigstens nichts andres sein, die zwar Anspruch auf den Rechtsschutz des Staates hat, wie Alles, was in seinem Gebiete lebt; aber mit dem Staate gleich zu stehen und gewissermaßen die Macht mit ihm zu theilen, darauf hat eine Gesellschaft für Religionsinteressen ebenso wenig Anspruch, als eine Actiengesellschaft für Handels- oder andere Interessen.

Collegiatrecht nennt die protestantische Kirche die Befugniß, sich selbst zu begründen und zu erhalten, ohne daß irgend eine äußere Macht, am wenigsten eine Hierarchie (s. d.), darauf einwirkt. Dasselbe ist ihr jedoch in der unterwürfigen und völlig abhängigen Stellung zum Staate, in die sie sich selbst gegeben hat, verloren gegangen.

Collegiatstift, s. Stift.

Collegium. So hießen im alten Rom gewisse religiöse Körperschaften, und der Ausdruck ging auch in die christliche Welt in gleichem Sinne über, indem gewisse Körperschaften zum geistlichen und Lehramte C., z. B. Jesuiten-C. heißen. In der Neuzeit versteht man unter C. mehr eine Verwaltungs- oder Gerichtsstelle, die von mehrern Personen gemeinschaftlich verwaltet wird. Diese Art der Verwaltung, die vor Willkür, Uebereilung, bösem Willen und Nachlässigkeit vielfachen Schutz gewährt, wird ziemlich allgemein angestrebt; zu läugnen ist allerdings nicht, daß in manchen Fällen die C. auch umständlicher, schwerfälliger und langsamer ist, als ein Einzelner, der schneller und entschiedener handelt. Deshalb hält man für gewisse Zweige des Staatslebens auch ein C. nicht für anwendbar, wie z. B. für das Kriegsheer, wo allenthalben ein Einzelwille das Nöthige anordnet. In solchen einzelnen Fällen mag man die größere Zweckmäßigkeit dieses Verfahrens anerkennen, im Allgemeinen aber ist jedenfalls die Einrichtung des C.s vorzuziehen, um so mehr, als das Licht der Oeffentlichkeit in derselben wirksamer ist und selbst in dem jetzigen geheimen Staat leichter in das C. eindringt.

Collifion der Gefetze. Wenn in einem Falle 2 gleich anwendbare Gefetze fich widerftreiten, das eine verbietet, was das andere zuläßt, das eine eine ftrafbare, das andre eine gleichgültige Handlung fieht, nennt man dies C. Wo es, wie in Deutfchland, römifche und deutfche, alte und neue, kanonifche und longobardifche, Bundes- und Landesgefetze u. f. w. giebt, muß eine C. natürlich häufig eintreten. Deshalb hat man ein ganzes wiffenfchaftliches Syftem aufgebaut, wie bei der C. zu verfahren fei und beftimmt, daß allgemeine Gefetze den befondern, einheimifche den frem- den, Bundesgefetze den Landesgefetzen, diefe den Provinzialgefetzen, diefe wieder den Ortsgefetzen u. f. w. vorgehen. Hätte man den Fleiß, welchen man in diefen und taufend andern Fällen angewendet hat, das Fremde einheimifch und das Unpaffende paffend zu machen, darauf verwendet, klare und einfache Gefetze zu fchaffen, fo würde man eine C. weit weniger zu beforgen haben, wie bei unferm jetzigen unverdaulichen Gefetzes- und Rechts-Mifchmafch.

Colloquium heißt Gefpräch, Unterredung. Das Wort bezeichnet die Prüfung, welche höhere Geiftliche und andere Beamte zu beftehen haben, wenn fie in ihre Stellen eintreten und die eben in Unterredungsform Statt findet.

Collufion. Die in der Rechtswiffenfchaft allein übliche Bezeichnung für: Ver- abredung zu einem ftrafbaren Zwecke, zur Verheimlichung der Wahrheit vor Gericht u. f. w. Da die C. allerdings der Ermittelung der Wahrheit und Pflege des Rechts fehr nachtheilig fein kann, fo hat man Schutzmittel dagegen fuchen müf- fen und diefe in Trennung der Mitfchuldigen, der Angeklagten und Zeugen u. f. w. gefunden. Bei fchweren Verbrechen und dem begründeten Verdachte der C. find diefe Maßregeln gerechtfertigt; allein der uns in Deutfchland aufgezwungene Inquifitions- proceß hat die C.sfurcht bis zur fchrankenlofeften Ausartung getrieben. Seine innere Unfähigkeit und Untüchtigkeit zur Ermittelung der Wahrheit, verbunden mit einer fteigenden Abneigung und Mißtrauen des Volkes, haben von Jahr zu Jahr fein Ge- fchäft erfchwert und feine Aufgabe fchwieriger gemacht. Die Urfache aber hat er nicht in fich, fondern äußerlich gefucht und daher befonders gegen C. förmlich gewüthet. Die Zahl unnöthiger, quälerifcher und ungerechtfertigter Verhaftungen wegen C. über- fteigt allen Glauben. Ift man doch in allem Ernfte zu der tollen Forderung gekom- men: auch die Zeugen müßten verhaftet werden, um C. zu vermeiden. Wiederkehrendes Vertrauen und Ehrfurcht vor der Rechtspflege durch Oeffentlichkeit mit Gefchwornen find auch ein Heilmittel gegen die C.

Colonialhandel (Colonialfyftem, Colonialverfaffung), f. Colonien.

Colonien. Die Gefchichte der C. ift fo alt, als die Gefchichte der Staaten, deren größte Anzahl ihre Entftehung der Colonifation erft verdankt. Faft von allen bedeutenden Staaten des Alterthums gingen C. aus, die anfangs aus einzelnen Pflanzftädten an fremden Küften beftehend, fpäter felbft zu bedeutenden, oft die Mutter- lande überflügelnden Staaten wurden und mit wachfender Selbftftändigkeit die mit- gebrachte Sprache und Sitte umformten und mit denen ihrer Umgebung vermifchten. So erfcheint die Verbreitung der Völker über die Erde als ein großartiger und fort- dauernder Colonifationsproceß, beftimmt, die Civilifation dahin zu tragen, wo man ihrer bedarf. Faft bis auf unfere Zeiten find die Urfachen der Colonifation diefelben geblieben: fie find die Folge der Mängel und Mißverhältniffe, welche bis jetzt von hohen Culturftufen untrennlich waren. Uebervölkerung mit ihrem Gefolge von Elend und Verbrechen, religiöfe und politifche Unduldfamkeit, die Begierde nach Reichthum oder die Furcht vor der Strafe entführten Taufende ihrem geliebten Vaterlande, um in der Wildniß oder unter rohen und ungebildeten Nationen eine neue Heimath mit der Bildung, aber nicht mit den Mängeln der alten zu begründen. Je nach der Ver- anlaffung der Auswanderung (f. d.) war die Begründung der C. entweder die Sache einzelner Gefellfchaften und blieb in ihrer Ausführung und Entwickelung ihnen felbft überlaffen, oder fie gefchah auf Anordnung oder unter Aufficht und Leitung der Re-

gierungen, welche dann die C. als eine abhängige Provinz betrachtend, dieselbe nach
Verfassungsgrundsätzen des Mutterlandes oder nach einer besondern Colonialverfassung
verwalten ließen. Die Geschichte fast aller C. ist das treue Bild der Zeit und der
Bildung ihres Mutterlandes. Sie übten den Fanatismus oder die Tyrannei, der
sie entflohen, gegen die neue Umgebung, bis sie endlich nach blutigen Kämpfen mit
den Eingebornen feste Wurzel fassend, mit der Losreißung vom Mutterlande und der
Selbstständigkeit endeten. Es ist eine blutige mit Grausamkeiten durchflochtene Geschichte.
Die Civilisation, welche die Colonisten in fremde Welttheile trugen, wurde in blut-
gedüngte Felder gesäet und kam den armen Wilden theuer zu stehen. Die Religion
der Liebe, das Christenthum wurde unter Schrecken verkündet und durch die Einführung des Menschenhandels schändlich gebrandmarkt. Dennoch — haben die rohen
Völker der Indier die Segnungen der Civilisation, deren sie jetzt genießen oder anfangen zu genießen, theurer erkauft als die Völker, von denen sie zu ihnen gebracht
wurden? Nein, der 1000jährige religiöse und politische Despotismus der alten Welt mit
Kerkern, Ketten, Scheiterhaufen, Schergen und einer Lebenszähigkeit der Lernäischen Hy-
der mit 10000 Köpfen hat mehr Opfer gekostet als die junge Freiheit der neuen Welt.
Es scheint die Bestimmung der Vorsehung, Gesittung und Freiheit nur durch Blut
erkaufen zu lassen. Als mit dem steigenden Bedürfniß indischer Producte die Wichtigkeit des Handels nach beiden Indien wuchs, beeiferten sich fast alle Küstenländer
Europas die Vortheile dieses Handels durch Begründung abhängiger C. zu vergrößern. Diese Vortheile, weniger in der Gebietsvermehrung als in dem Zuwachs eines
Productenreichthums bestehend, der als dem Heimathlande gehörig betrachtet und durch
directen Austausch der heimathlichen gegen Colonialerzeugnisse noch wünschenswerther
wurde, waren dennoch nicht im Stande, Deutschland zur Begründung von C. und
eines selbstständigen Colonialhandels zu bewegen. Bei dem bedeutenden Küstenstriche
an den nordischen Meeren und bei der lebendigen Handelslust der Deutschen, ist die
Erscheinung um so eigenthümlicher, als jährlich tausende von Deutschen ihr Vaterland
verlassen, um in kleinen, einflußlosen Gesellschaften sich mit fremden Nationen zu ver-
mischen oder vereinzelt unter diesen unterzugehen. Wenn in frühern Zeiten die Zerstückelung des deutschen Reichs, fortwährende Parteikämpfe und die Concentration des
Seewesens in den einander feindlichen Hansestädten Gründe gewesen sein mögen, die
Begründung von C. zu verhindern, so erscheint die Unterlassung der Colonisation
in neuerer Zeit um so unbegreiflicher, wo die wachsenden Auswanderungsfluthen die
C. als eine Nothwendigkeit anzudeuten scheinen, während die Mittel zur Ausführung
nicht fehlen. Warum lassen die deutschen Regierungen die Kräfte der Tausende, die
jährlich die Heimath verlassen, vereinzelt untergehen, während sie durch eine
organisirte Colonisation dem Vaterlande zum Nutzen erhalten würden? Man hat
angeführt, daß die Auswanderung für Deutschland keine Nothwendigkeit sei und daß
der theilweisen Ueberölkerung durch Uebersiedlung der Unzufriedenen und Verarmten in
die unangebauten Gegenden des Vaterlandes viel zweckmäßiger abzuhelfen sei. Es giebt
im Völkerleben Erscheinungen, die wir als geschichtliche Nothwendigkeit, d. h. als Mittel
betrachten, welche sich die Zeit selbst zur Abhülfe unwillkürlicher Zustände schafft.
Die Auswanderung ist eine solche Erscheinung. Bei der Liebe des Deutschen zum
Vaterlande würde es lächerlich sein, die Auswanderung als Modesache und Zeitkrank-
heit zu bezeichnen; sie ist Folge der Sehnsucht nach Verbesserung und ebenso natürlich als tadellos. Warum wendet sich nicht von selbst der Strom der Auswanderer
der Colonisation der unangebauten Gegenden Deutschlands zu? Die Freiheitsfurcht,
die sogar eine Colonisation unter dem Scepter des russischen Zaren der im Lande
der Freiheit vorzieht, beantwortet die Frage durch Hindeutung auf Verlockungen und
trügerische Hoffnungen goldener Berge. Es ist wahr, daß diese Hoffnungen eine traurige Rolle spielen, aber nicht ohne Schuld der Regierungen, welche die Auswanderer
ihrem Schicksal überlassen, statt die Colonisation zu organisiren. Auch ist es gewiß,

daß die Begründung von C. in den uncultivirten Gegenden Deutſchlands dieſe Hoffnungen noch ſchwerer täuſchen würde. Faſt jede culturfähige Gegend Deutſchlands iſt
dicht bewohnt und hinlänglich angebaut. Oſt- und Weſtpreußen, Litthauen und die
Striche längs der ruſſiſchen und polniſchen Grenzen ſind allerdings nur wenig bevöl-
kert, aber auch kaum im Stande, dieſe geringe Bevölkerung vor Noth und
Elend zu bewahren. Gutsbeſitzer und Arbeiter ſeufzen unter dem Drucke der Armuth,
und der traurige Zuſtand der Dörfer und der Inventarien beweiſt hinreichend, daß
die Erzeugniſſe des Bodens nur kümmerlich die Zinſen des Capitals und die Koſten
der Wirthſchaft decken. Der Boden iſt durch Zuſammenſetzung und Klima nur einer
ſehr koſtſpieligen und langſamen Cultur fähig, Handel und Induſtrie ſind durch Mangel
der Verkehrsmittel, die Nähe der ruſſiſchen Grenze und die Abgeſchnittenheit vom Herzen der Civiliſation noch auf Jahre zurück, während jenſeits des Oceans ein herr-
liches Klima, eine üppige Fruchtbarkeit und die Vortheile eines unermeßlichen Handels ſich von ſelbſt darbieten und den Auswanderern alle Genüſſe verheißen. Die
Coloniſation deutſcher Gegenden würde Elend mit Elend vertauſchen heißen, und wenn
dem Staate keine Koſten daraus erwachſen, ſo erwächſt ihm auch kein Vortheil daraus, wohl aber der Nachtheil eines ſteigenden Proletariats. Etwas (wenn auch
nicht viel) Anderes iſt es mit der Anlage von Armen-C. auf Koſten des Staates
in dieſen Gegenden. Der Zweck derſelben iſt die Verwandlung der in großen Städten
unverhältnißmäßig wachſenden Arbeiterclaſſen in Landbewohner. Es werden dazu dem
Staate gehörige Ländereien in kleinen Parzellen an Familien der Arbeiterclaſſen vertheilt, ihnen die Mittel zur Begründung eines kleinen Wirthſchaftsbetriebes und bei
gänzlicher Abgabenfreiheit der erſten Jahre nach einer vielleicht 10jährigen Pachtzeit
die Eigenthumsrechte verliehen. Wenn auf dieſe für den Staat keineswegs wohlfeile
Art eine günſtige Umwandlung einer barbenden und demoraliſirten Bevölkerung hervorgebracht werden kann, ſo können die Vortheile dieſer Verpflanzung doch immer
nur mit einer geringen Anzahl ermöglicht werden. Die bisherigen Coloniſations-
verſuche bei Potsdam u. ſ. w. haben keineswegs zu glänzenden Ergebniſſen geführt.
Die Begründung von C. in der neuen Welt erſcheint auch noch aus andern Geſichts-
punkten nothwendig und wünſchenswerth. Ganz abgeſehen von einer Uebervölkerung
würde ſie die Vertheilung der ins Ungeheure anwachſenden Capitale in einer Hand
begünſtigen, den Erzeugniſſen unſeres Gewerbfleißes natürliche Märkte öffnen und uns
in den Stand ſetzen, unſere Colonialwaaren ohne die koſtſpielige Vermittlung fremder
Staaten zu beziehen; ſie würde endlich die Thätigkeit und das Vermögen der Auswanderer dem Vaterlande nutzbar erhalten und unſerm Seehandel einen neuen und kräftigen
Anſtoß geben. Schließlich iſt alſo eine wohlthätige Maßregel noch die Anlage von
Verbrecher-C. zu erwähnen; die Erfolge Englands deuten auch darauf, als auf
eine Nothwendigkeit hin. Das Wachsthum der Verbrechen als die Folge jeder hohen
Culturſtufe durch die ganze Geſchichte, hat die Gefängniſſe gefüllt und den Staat in
die koſtſpielige Nothwendigkeit bedeutender Erhaltungskoſten geſetzt, für welche die Ge-
fängnißarbeit nur einen ſchwachen Erſatz gewährt, während ſie die Thätigkeit des
freien Bürgers durch wohlfeile Erzeugung beeinträchtigt. Die Begründung von Verbrecher-C. überhebt nicht allein den Staat der koſtſpieligen Verpflegung des Verbrechers, ſie ſetzt den Letztern auch in den Stand, unter andern Verhältniſſen, nicht mehr
herabgezogen durch die Wucht der Schande, welche hier faſt jede Beſſerung unmöglich macht, ein nützliches Mitglied der Geſellſchaft zu werden. Wenn die Beſtrafung
ein Mittel zur Beſſerung werden ſoll, ſo iſt die Anlage von C. ein Act der Gerechtigkeit, welchen die Menſchlichkeit auch für den Verbrecher von der Geſittung zu fordern berechtigt iſt.　　　　　　　　　　　　　　　　　　　　　　　H. Bertholdi.

Coloniſten, ſ. Colonien.

Comitat (Geſpannſchaft), eine Landesabtheilung in Ungarn, die ſo viel als
Kreis oder Bezirk bedeutet.

Comité, f. Ausschuß.

Comitien hießen die Volksversammlungen im alten Rom; das Wort ist auch jetzt noch, mehr scherzweise, für Versammlungen üblich.

Comment, f. Burschenschaft.

Commission, f. Ausschuß.

Commissionär, f. Buchhandel und Commissionshandel.

Commissionsbericht, f. Bericht.

Commissionsbuchhandel, f. Buchhandel.

Commissionshandel. Derjenige wichtige Zweig des Handels, wobei Einkauf und Verkauf nicht direct vom Einkäufer oder Verkäufer, sondern für diesen durch eine Mittelsperson, den Beauftragten, Commissionär, bewerkstelligt wird, der für die Ausführung dieses Geschäfts nur eine Entschädigung, Provision genannt, und, sobald er zugleich die Zahlungsleistung für die von ihm an Dritte verkauften Waaren gewährleistet, eine weitere unter dem Namen del credere oder du croire bezieht. In der Regel befinden sich Auftraggeber und Beauftragter (Committent und Commissionär) nicht in einem und demselben Orte, häufig Letzter im Auslande. — Insofern der C. sich vorzugsweise mit dem Vertrieb einheimischer Erzeugnisse und Waaren ins Ausland befaßt, betrachtet man ihn als den Gegensatz zum Eigen- oder Proprehandel, welcher den Absatz einheimischer Waaren ins Ausland vermittelt und dem einheimischen Erzeuger schon deshalb größere Vortheile bietet, weil der Verschleiß der Erzeugnisse ins Ausland weniger mit seinem eignen Capital besorgt wird, als beim C. Im C. erhält der Auftraggeber, auch Consignatär genannt, zwar auf die zum Verkauf consignirten Waaren gewöhnlich einen Theil ihres Verkaufswerthes als Vorschuß mittels oft sehr lange laufender Tratten, muß aber meistentheils alle Gefahr des Verkaufs tragen. Wo der auswärtige Absatz namentlich von Industrieerzeugnissen eines Landes, wie dies in Deutschland der Fall, größtentheils durch das Consignationsgeschäft vermittelt wird, sind, wie die Erfahrung gezeigt, häufig schwere Verluste die Folge, abgesehen davon, daß selbst, wo dies nicht der Fall, der größte Theil des Gewinns in den Händen des Commissionärs bleibt. Ein solcher Zustand der Ausfuhren einheimischer Gewerbserzeugnisse ist immer ein Beweis, daß der Handelssinn und Unternehmungsgeist des im Welthandel beschäftigten Kaufmannstandes noch nicht hinlänglich entwickelt ist und die einheimische Erzeugung solcher Art andrerseits nicht auf jener Stufe der Vollkommenheit steht, daß dadurch der Handelstand zu Unternehmungen auf eigne Rechnung sich angefeuert sieht. J. G. G.

Committent, f. Commissionshandel.

Common pleas (oder Court of common pleas) heißt der Gerichtshof in England, welcher in bürgerlichen Streitigkeiten entscheidet.

Commun, f. Gemeinde.

Communalbeamte, f. Gemeindebeamte.

Communalgarde, f. Landwehr.

Communalverfassung, f. Gemeindeverfassung.

Communeros. Eine geheime politische Verbindung in Spanien um 1820. Sie war aus den Freimaurern hervorgegangen, haßte dieselben aber später wie Gift, weil sie (wie überall) nur schwatzten, aber nichts thun wollten. Die C. erstrebten die Freiheit und Selbstherrschaft des Volkes und weihten denselben durch einen Eid ihr Leben. Sie bildeten einen Ritterorden, der 1822 über 40,000 Ritter zählte; Balesteros stand an der Spitze. Die Symbole der C. bezogen sich sämmtlich auf die Belagerung, ihre Versammlungsorte waren Festungen, Forts und Schanzen, ihre Verhandlungen Belagerung u. s. w. Als die Freiheit in Spanien besiegt und das Volk aufs Neue geknechtet war, verfolgte man die C. wie die Carbonari's in Italien.

Communication, s. Straßen und Verkehr.

Communio, Communion, s. Abendmahl und Abendmahlstreit.

Communismus nennt man eine Abtheilung der Wissenschaft der Gesellschaft, die mehr als jede andre ein Kind der neuen Zeit ist; ihre Förderer und Anhänger heißen Communisten. Der C. ist eine Entwickelung des Socialismus,
welcher sich zuerst mit der Gesellschaft, ihrem Wesen und ihrer Umgestaltung beschäftigte. Wir werden der größern Uebersichtlichkeit wegen beide Zweige dieser Wissenschaft unter Gesellschaft behandeln.

Communrepräsentanten, s. Stadtverordnete.

Compagnie, s. Gesellschaft und Heer.

Compensation (Ausgleichung, Aufhebung), ein im Handel und der Rechtswissenschaft vorkommender Ausdruck; hier bezeichnet er die Aufhebung einer Forderung
wegen einer Gegenforderung und bildet also einen Theil der Abrechnung (s. d.); dort
kommt er in gleichem Sinne bei bürgerlichen Streitfragen vor, aber auch bei leichten
Vergehen, wie z. B. bei Beleidigungen, wenn beide streitende Theile gleiche Verschuldung haben und die Sache nicht der Art ist, daß eine andre Strafe folgt. Sie heben mit einander auf und die Streitfrage ist beseitigt.

Competenz, s. Gerichtsbarkeit und Zuständigkeit.

Complott, s. Verschwörung.

Composition, s. Buße.

Compositionensystem, s. Buße.

Compromiß. So nennt man die Uebereinkunft mehrerer Personen, etwaige
Streitigkeiten, die sich zwischen ihnen erheben, von einem Schiedsgerichte entscheiden zu
lassen und sich seinem Ausspruche zu unterwerfen.

Conat (Conatus delinquendi), s. Versuch zu einem Verbrechen.

Concert européen. C. heißt Tonspiel, aber auch Uebereinkommen,
Uebereinkunft; die Diplomatie der letzten 10—15 Jahre hat diesen Ausdruck erfunden, um den Mangel aller Uebereinstimmung, der in Europa zwischen den Mächten thatsächlich herrscht, zu bezeichnen und man weiß wirklich nicht, ob der Ausdruck
nur eine Maske, oder ein Spott der Wirklichkeit ist. Die Mächte bilden angeblich
ein C. e., d. h. stimmen überein in ihrem Wollen und Thun, sind verbunden durch
Vertrauen und gleiche Absichten, während in der Wirklichkeit jede etwas Andres will.
Rußland will die Türkei, England will sie auch, oder wenigstens nicht in andrer
Hand, als der des Sultans sehen; beide sind im zärtlichen C. e., drohen aber bei
jeder Bewegung sich zu zerfleischen. Rußland will ferner ein Stück Ostgrenze Deutschlands, Preußen und Deutschland wollen diese nicht nur nicht geben, sondern lieber
Rußland um 100 Meilen zurückdrängen und strafen für so manche „nachbarliche
Freundschaft"; sie sind zusammen im C. e. und bewachen einander wie Hund und
Katze. Dänemark will Schleswig und Holstein, Rußland auch und Deutschland will
und muß diese Länder behalten; sie gehören alle zum C. e. und das Schwert hängt
an einem Haar. Oesterreich möchte ganz Italien, Frankreich auch und England ein
gutes Stück und es hält nur die gegenseitige Furcht die blutige Entscheidung zurück.
Frankreich möchte Spanien nach Taschenspieler Art nehmen und einem seiner Prinzen
in die Tasche stecken; England möchte diesen Prinzen lieber selbst wegnehmen und
beide sich gegenseitig verschlingen. England und Frankreich aber gehören nicht nur
zum C. e., sondern sie hassen unter sich auch noch eine entente cordiale, d. h. eine
herzliche Anhänglichkeit, die so wahr und aufrichtig ist, daß Minister und Presse und
Volk keine Gelegenheit ungenützt vorbeigehen lassen, wo sie sich etwas „anhängen"
können. So ist das C. e. beschaffen; nicht Einklang und Uebereinstimmung halten
dasselbe, sondern so viel Waffenmacht, als die einzelnen Staaten nur aufbieten und
die ausgesogenen Länder ernähren können; ehe es zu einem wahrhaftigen Zusammen-

spiele kommt, welches dem Ohre und Herzen wohlthut, wird es wohl zu einer ernsten Correctur kommen müssen, bei welcher manche falsche Quinte entfernt wird. R. B.

Concession heißt wörtlich Ge st att ung, Gewährung und kommt hier in zweifacher Beziehung in Betracht. Wo das Zunftwesen abgeschafft ist, wie in Frankreich, Preußen u. s. w., ertheilt der Staat C. zur Ausübung der Gewerbe und diese C. sind eine sehr wesentliche Einnahmequelle für ihn; da der Staat die persönliche Befähigung des C.suchenden nicht prüfen kann und nicht prüfen will, vielmehr die unzulässigen Beschränkungen und Willkürlichkeiten, welche sich an diese Prüfung knüpften, zu entfernen trachtet; so haben die C.en kaum einen andern Zweck als Gelderwerb, und von diesem Standpunkte aus müssen wir sie, wie jede indirecte, unberechenbare und von den Ständen nicht genau bewilligte Steuer, verwerfen. Dann ertheilt der Staat noch C. für gewisse Gewerbe, die das allgemeine Wohl sehr berühren, daß eine beständige Beaufsichtigung derselben nöthig ist, z. B. für Apotheken. In wie fern diese ihrem Zweck entsprechen, ist unter Arzneihandel angegeben. Zu diesen zu beaufsichtigenden Gegenständen zählt man in Deutschland theils C. zum Buchhandel, oder wenn auch das nicht, doch zur Herausgabe von Blättern. Diese C. können wir mit den Rechtsbegriffen und mit der Stellung des Staates nicht vereinbaren. Das Recht, ein Gewerbe zu treiben, wird erworben durch Kenntnisse und Mittel; wer beides besitzt, muß in Freiheit damit schalten können; wenn aber der zum Buchhandel Berechtigte für Zeitungen eine C. haben muß, so hat dies grade so viel Sinn, als ob der Schuhmacher C. suchen müßte, wenn er ein Paar Stiefel machen will. Vergl. Buchhandel, Censur und Presse. Endlich ertheilt der Staat noch C. zum Glücksspiel an öffentlichen Orten, in Bädern u. s. w., also C. zur gehässigsten Ausbeutung der Besuchenden, zum Verderben an Leib und Seele, zur Urheberschaft des Diebstahls, Betrugs, moralischen Untergangs und Selbstmordes. Und merkwürdig: diese C. wird nicht auf Widerruf, sondern auf eine klar vorausbestimmte Zeit ertheilt! Auch steht in den angeblichen Wiener Conferenzbeschlüssen nichts davon, daß die Regierungen trachten sollen, die Spielhöllen zu vermindern!. Aber die Bildungsmittel, die Zeitungen! In der C. der Spielhöllen liegt recht eigentlich das Urtheil über das C.wesen. R. B.

Concil, s. Kirchenversammlung.

Concilia oecumenica, s. Kirchenversammlung.

Concilien, s. Kirchenversammlung.

Concilium abeundi (wörtlich „Beschluß der Entfernung"). Eine Maßregel der Universitäten, durch welche zur Strafe für jugendliche Unbesonnenheiten u. s. w. dem Studirenden der Fortbesuch einer Universität untersagt wird, ohne ihn dadurch am Besuch einer andern zu hindern, während die Relegation die Fortsetzung der Studien überhaupt untersagt und dem Relegirten den Besuch jeder Universität innerhalb der deutschen Bundesstaaten verbietet. Politische Verirrungen haben meist den Grund zu Relegationen gegeben, können vom rechtlichen Standpunkte aus deshalb nicht gebilligt werden, weil sie einen Eingriff in die Wahl des Lebensberufes enthalten; auch verdrängen in der Regel die reifern Ansichten des Mannes die irrthümlichen des Jünglings und trotz jugendlicher Verirrungen wird derselbe meist ein tüchtiger Staatsbürger. Die Willfährigkeit der Universitäten dem Willen der Regierung gegenüber, hat hier zu einer langen Reihe von Mißgriffen und Ungerechtigkeiten Veranlassung gegeben, die um so weniger nützen, als man dem Relegirten den Staat und die Heimath nicht verschließen kann und also seine angeblich verderbliche Gesinnung doch ausbreitet und zwar mit mehr Erbitterung, wenn der Staat willkürlich in sein Schicksal eingegriffen hat. Bertholdi.

Conclave (deutsch: Gemach) heißt der Ort, wo nach dem Tode eines Papstes sich das Cardinalcollegium (s. d.) zur neuen Papstwahl versammelt; auch die Wahlversammlung selbst heißt C. Das C. wurde erst im 13. Jahrh. eingeführt. Früher erfolgte die Wahl der Päpste durch die römischen Geistlichen und das römische Volk; später wurde ein Recht der Cardinäle daraus, und da diese sich oft nicht zu einigen wußten und die Wahl auf eine unverantwortliche Weise verzögerten, so bestimmte Gregor X., daß am 10. Tage nach dem Tode eines Papstes die anwesenden Cardinäle sich in einem Zimmer des Gebäudes, worin derselbe gestorben, versammeln und daselbst so lange bleiben sollten, bis sie den neuen Papst gewählt hätten. Er hoffte, daß dieser Zwang die Beschleunigung der Wahlen fördern werde. Nichts destoweniger zogen sich manche Wahlen noch sehr in die Länge. Es gab C.s, die mehrere Monate dauerten, und einmal mußte man sogar das Dach des Wahlgebäudes abdecken, um die Cardinäle dadurch, daß sie man sie den Einflüssen der Witterung aussetzte, zur Einigung über irgend einen Candidaten zu zwingen. Das letzte C., aus welchem Pius IX. hervorging, war das kürzeste, das man kennt; es dauerte nur wenige Tage. Das C. wird gewöhnlich im vaticanischen Palaste zu Rom abgehalten. Je zwei und zwei Cardinäle bewohnen hier eine Zelle. Die Speisen bekommen sie von außen herein; je länger aber die Wahl dauert, um so spärlicher und einfacher werden die Gerichte; ist man in 17 Tagen noch nicht fertig, so wird nur noch Brod, Wein und Wasser gegeben. In neuerer Zeit soll indeß diese Strenge einige Milderungen erlitten haben. Den Cardinälen ist es verstattet, einen Leibdiener, einen Arzt oder sonst einen Vertrauten mit sich ins C. zu nehmen. Diese Personen heißen dann Conclavisten und dürfen während der Dauer der Wahl eben so wenig wieder heraus, als die Cardinäle selbst. Die Abstimmungen finden täglich zweimal in einer Capelle des vaticanischen Palastes statt. Wer ⅔ der Stimmen erhält, ist als rechtmäßig gewählter Papst zu betrachten. Kann diese Mehrheit nicht erreicht werden, so werden die Stimmzettel in einem Ofen verbrannt, dessen Röhre ins Freie führt. Der Rauch, der aus dieser Röhre steigt, ist für das außen harrende Volk ein Zeichen, daß man im C. noch zu keinem Ergebnisse gekommen. Eine Detailschilderung aller Förmlichkeiten und Gebräuche, die bei einem C. beobachtet werden, findet sich in Köberle's Schrift: „Rom unter den letzten drei Päpsten" (Leipzig 1846), und über das innerste Wesen, die eigenste Natur der C.s, über die Intriguen, die von jeher darin gespielt worden sind, so wie über den Antheil, den die Gesandten der kathol. Hauptmächte stets daran genommen haben, giebt Ranke's „Geschichte der römischen Päpste" den besten Aufschluß. *Jäkel.*

Concordate. Die Verträge, welche zwischen dem Papste als dem Oberhaupte der römischen Kirche und den Regierungen einzelner Staaten zur Feststellung kirchlicher Verhältnisse abgeschlossen sind. In Deutschland kommen solche C. schon in früherer Zeit vor und eines der berühmtesten ist das Wormser oder Calixtinische C. vom J. 1122, das jedoch jetzt ohne praktische Bedeutung ist. Dasselbe gilt von dem C. deutscher Nation v. J. 1418 und dem Wiener C. aus demselben Jahr., da die Verpflichtungen, welche damals vom deutschen Reiche übernommen wurden, nach Auflösung des letztern auf keinen deutschen Staat übergegangen sind. Die jetzt praktisch gültigen C.e sind nur die neuern, welche in diesem Jahrh. von mehreren deutschen Staaten mit dem Papste abgeschlossen wurden. Das erste derselben ist das mit Baiern vom 5. Jan. 1817; die andern sind nicht als C. öffentlich bekannt gemacht, sondern es sind nur die durch dieselben getroffenen Vereinbarungen über die Errichtung von Erzbisthümern und Bisthümern, über die Organisation und Besetzung der Domcapitel durch päpstliche Bullen ausgesprochen und diese mit landesherrlicher Bestätigung bekannt gemacht worden. Dies ist der Fall mit Preußen (16. Juli 1821), Hannover (26. März 1824) und Würtemberg, Baden, Hessen, Nassau, Mecklenburg, den sächs. Herzogthümern, Oldenburg, Waldeck und den freien Städten Frankfurt, Lübeck und Bremen (16. Aug. 1821 und 11. April 1827). Nur in dem C. mit Baiern ist außerdem auch Einiges über das Verhältniß des Papstes hinsichtlich gewisser Rechte der Kirche im Staate festgesetzt. Die erwähnten andern C.e aber enthalten, außer der vom Staate übernommenen Verpflichtung zur Ausstattung der Bisthümer u. s. w., nur Bestimmungen über Einrichtungen im kirchlichen Organismus, die nach den Grundsätzen des römischen Kirchenrechts nur vom Papste ausgehen konnten, zu ihrer Gültigkeit aber der landesherrlichen Genehmigung bedurften. Durch die Anerkennung dieser Einrichtungen ist daher die Staatsgewalt in keiner Weise beschränkt. *A.*

Concordienformel, s. **Symbole.**

Concubinat, s. **Ehe.**

Concurrenz. Der **Wettstreit,** Wetteifer auf jedem Gebiete menschlicher Thätigkeit, besonders aber im Handel und dem Gewerbsbetriebe. Die C. ist ein mächtiger, fast der mächtigste Hebel des Fleißes und der Anstrengung, des Erfindungsgeistes und der sorgfältigen Herstellung der Arbeitserzeugnisse; sie hat einen unberechenbaren Einfluß auf die Vermehrung, Vervollkommnung und Verwohlfeilerung aller Gegenstände des Handels und der Industrie gehabt. Aber die C. hat, wie alles Menschliche, auch ihre Schattenseite; sie hat die menschliche Thätigkeit dem Gelde unterthan gemacht, bedroht den Mittelstand mit Vernichtung, indem er mit seinen kleinen Mitteln der durch C. in einer Hand gesammelten und vermehrten Spitze nicht die Spitze bieten kann und vermehrt und erhält das Proletariat, indem sie größere Arbeitermassen sammelt oder erzeugt, als die Gewerbthätigkeit beschäftigen kann, dadurch einen Theil derselben ihrem Schicksal, d. h. dem Elende überläßt und die C. unter den Arbeitern selbst hervorruft, wodurch der Lohn herabgedrückt und die Massenarbeit mehr und mehr befördert wird. Diese verschiedenen Wirkungen der C. haben eben so verschiedene Beurtheilung derselben herbeigeführt: während die einen — mit Recht — in der vollkommensten Freiheit menschlicher Kräfte allein Heil sehen und die Vortheile der C. höher achten, als ihre nicht in Abrede zu stellenden Nachtheile, auch nachzuweisen streben, daß die Frucht erhöhter C. immer vortheilhaft für das Ganze ist; wollen Andre zwischen der zulässigen und unzulässigen C. genau unterscheiden und ihr die Grenze stecken, bis wohin allein sie gehen darf und soll. Ja, ein Zweig der Wissenschaft der Gesellschaft will auf dem Gebiete der Gewerbthätigkeit sogar jede C. verbannen, indem er einem idealen Staate oder Gesellschaftsorganismus die Gesammterzeugung anheim giebt und ihm dafür die Pflicht auferlegt, die Gesammtmasse der Kräfte und Hände zu beschäftigen und zu lohnen. Auswärtige C. wäre bei dieser Einrichtung natürlich ausgeschlossen, oder nur insoweit zulässig, als sie Erzeugnisse brächte, die im Innern nicht beschafft werden können. Diese Ansicht verdient kaum eine Berücksichtigung, da sie auf dem materiellen Gebiete die kindlichen Zustände

haben, diesen Gegenstand näher zu erörtern, sprechen also hier nur aus, daß wir die überwiegend halten und zwar um so mehr, als man bei

im Gegentheile, das wichtigste und wesentlichste Mittel zu dieser Abhülfe, die Vergesellschaftung (s. Association und Coalition), mit allen Mitteln niederzuhalten strebt. Daß die Wirkungen der C. außerordentlich verschiedener Art sind, liegt in ihrer Natur selbst. Sind z. B. im Handel zu viel Waaren an einem Platze, so entsteht eine C. der Verkäufer, diese Waaren los zu werden, welche die Preise herabdrückt; sind dagegen Waaren zu wenig da, so führt dies eine C. der Käufer herbei, welche die Preise hebt. Wird auf dem Gebiete der Gewerbthätigkeit viel verlangt, so entsteht eine C. der Arbeitgeber, welche die Löhne steigert; wird wenig verlangt und sind die Lager überfüllt, so ist die Folge eine C. der theilweise unthätig werdenden Arbeiter, welche die Löhne herabdrückt. Diese Schwankungen aber sind unvermeidlich und gegen ihre Wirkungen ist das einzige Heilmittel abermals Association, durch welche die Gesammtheit die Stöße trägt und von dem Einzelnen abwendet. Jedenfalls ist eine künstliche Beschränkung der C. das gefährlichste und trügerischste Heilmittel, da sie das System der Bevormundung auf ein Gebiet menschlicher Thätigkeit pflanzt, wo es am unerträglichsten ist und Abstumpfung und Erlahmung der Kräfte unvermeidlich in seinem Gefolge hat. Ueber die rechtswissenschaftliche Bedeutung der C., z. B. die C. der Gläubiger bei einem Concurse (s. b.), die C. der Gerichte (s. Gerichtsstand). Man spricht ferner von einer C. der Klagen, wenn in ein und derselben Sache mehrere Klagegegenstände vorliegen; von einer C. der Rechtsmittel, wenn es verschiedene Wege giebt, das Recht geltend zu machen; von einer C. der Verbrechen, wenn deren mehrere zusammentreffen. Die Wissenschaft hat, wie dies z. B. im Concurse dargestellt ist, für solche Fälle das Verfahren und die Reihenfolge genau vorgeschrieben, doch gehört dies nicht zu unsrer Aufgabe. *v. T.*

Concurs der Gläubiger. Man versteht unter C. denjenigen Vermögenszustand Jemandes, wo derselbe seine Gläubiger nicht voll befriedigen kann und diese zusammentreten, um aus dem vorhandenen Vermögen nach Verhältniß ihrer Ansprüche und der Verschiedenheit ihrer Rechte sich bezahlt zu machen. Diese Vermögensvertheilung regelt sich in der Hauptsache nach der Zeit der Entstehung der Forderung und nach der dafür bestellten Sicherheit, so daß also die Gläubiger, die ein Unterpfandsrecht an dem Vermögen des Schuldners haben — sei dies ein gesetzliches (stillschweigendes), wie Staatskassen, Kirchen, milde Stiftungen an Gütern ihrer Verwalter, Mündel am Vermögen ihrer Vormünder u. s. w., oder ein vertragsmäßiges, wenn wegen eines Darlehns oder sonst eine Hypothek bestellt ist, — denen vorausgehen, welche blos ein persönliches Forderungsrecht an den Schuldner haben, und unter sich wieder nach der Zeit der Entstehung ihrer Rechte rangiren. Dabei giebt es aber noch besonders bevorzugte Forderungen, welche vor allen andern befriedigt werden müssen, namentlich öffentliche Abgaben, Reallasten, Forderungen der Aerzte und Apotheker aus der letzten Krankheit des Gemeinschuldners u. s. w. Nach gemeinem Rechte gelangen also die Gläubiger im C. nach folgenden 5 Classen zur Vertheilung: 1) die zuletzt erwähnten besonders bevorzugten, 2) die privilegirten, 3) die einfachen Pfandgläubiger, 4) die bevorrechteten und 5) die übrigen persönlichen Gläubiger. Es versteht sich, daß im Einzelnen in den verschiedenen Ländern hierin große Verschiedenheit herrscht. Im Allgemeinen ist nun das Bild eines C.-Verfahrens folgendes: zuerst erfolgt die Eröffnung des C.es durch die Erklärung, daß der Schuldner seine Gläubiger nicht befriedigen könne und daß daher sein Vermögen unter gerichtlicher Autorität unter sie vertheilt werden müsse. Diesem folgt die Beschlagnahme des Vermögens und die Aufforderung (Edictalladung) der bekannten und unbekannten Gläubiger, daß sie sich bei Strafe des Ausschlusses ihrer Ansprüche an die C.masse melden sollen. Zur Regulirung der letztern (Verkauf von Waarenlagern, Einziehung von Außenständen u. s. w.) wird in der Regel ein besonderer Verwalter (curator bonorum), dem bei weitläufigen Geschäften noch als Sachverständiger ein curator massae zur Seite steht, eingesetzt. Die Hauptverhandlung erfolgt nun unter den Gläubigern selbst über die Liquidität (Richtigkeit und Erweislichkeit) ihrer Ansprüche, und über deren Priorität (die Reihenfolge, in welcher sie nach einander zur Befriedigung kommen). Dies wird durch ein richterliches Erkenntniß, das Locations- oder Classificationsurtheil, entschieden, welchem, nachdem es in Rechtskraft übergegangen ist, der Distributionsbescheid, der die Vertheilung der Masse festsetzt, und diese selbst folgt. Die C.-Verhandlungen ziehen sich oft durch die Streitigkeiten über die Rangordnung der Gläubiger, nicht minder, wenn z. B. Lehn- oder Fideicommißrechte dabei in Frage kommen, oder wenn gewisse Güter ganz von der Masse als fremdes Eigenthum ausgeschieden werden sollen (Separationsrecht), sehr in die Länge und geben zu vielen Verwicklungen Anlaß. Daher man bestrebt gewesen ist, die C.-Processe dadurch, daß man mehr den Gläubigern selbst die Regulirung überläßt, abzukürzen, wie dies z. B. auch in Frankreich geschieht. Die erwähnte Umständlichkeit und Kostspieligkeit der C.-Processe hat in Deutschland zu den sogenannten außergerichtlichen Arrangements oder Accorden Veranlassung gegeben. **A.**

Concussion, s. Amtsverbrechen und Erpressung.

Conduitenlisten, s. Führungszeugnisse.

Conferenzminister, s. Cabinetsminister.

Confession heißt Bekenntniß und ist besonders bei Bekenntnissen der Kirchen, durch welche dieselben ihren Glauben darlegen, der allein übliche Ausdruck. Was hier darüber zu sagen ist, s. unter Augsburgische C., Deutschkatholicismus', Katholicismus, Reformirte Kirche, Symbole u. s. w.

Confirmation, s. Bestätigung.

Confirmationsgeld, s. bäuerliche Lasten.

Confiscation, s. Gütereinziehung.

Conföderation. Im Allgemeinen ein Bündniß (s. d.) zwischen Staaten, dann oft Benennung der Gesammtheit verbundener Staaten (s. Bundesstaat), endlich eine Verbindung des polnischen Adels unter der alten polnischen Verfassung, um etwas zu ertrotzen, oder zu erkämpfen. Eine solche C. ward angeblich immer zum „Schutz der Verfassung" geschlossen, es verbarg sich aber oft der schnödeste Verfassungs- und Landesverrath hinter die allerdings gesetzlich statthafte Form der C.

Conformisten, s. Anglikanische Kirche.

Confrontation, s. Gegenüberstellung.

Congregation heißen die vom Papste ernannten Ausschüsse von Cardinälen zur Besorgung besonderer Geschäfte. Auch hat sich die Benennung für verschiedene kirchliche und religiöse Körperschaften erhalten, und ist vielfach gleichbedeutend mit Brüderschaft.

Congreß. Das Zusammentreffen der Staatsoberhäupter oder ihrer Bevollmächtigten an einem bestimmten Orte, um staatliche Streitfragen zu lösen und auszugleichen. Der C. ist demnach wesentlich ein Werk des Friedens, wo man sich zu einigen, zu verständigen strebt, und durch einen Vertrag (die C.-Acte) die gegenseitig getroffenen Bestimmungen feststellt. Ehemals war ein C. nur aus Rechtsgelehrten zusammengesetzt und erst auf dem C., der dem westphälischen Frieden voranging, mischten sich Hofleute oder Diplomaten ein. Allerdings hatten auch ehemals die Hofleute wirklich meist „nichts gelernt und nichts vergessen," was zur Entscheidung einer staatlichen Streitfrage befähigte. Dagegen hielten sie um so fester auf die gehörige Etikette, kamen mit Friedensabsichten zusammen und entzweiten sich unheilbar darüber, wer zuerst eintreten und obenan sitzen sollte. Diese Tollheit ging so weit, daß z. B. bei einem C. zu Carlowitz 1698 ein Saal mit 6 Thüren gebaut werden mußte, damit 6 Gesandte zugleich eintreten und obenan, d. h. der Thüre gegenüber, sitzen konnten. Fand man solche Ausgleichung nicht, so verspritzten die Völker ihr Blut für solchen Wahnsinn. Die wichtigsten C.e der letzten Zeit sind: Der C. zu Pillnitz (1791), wo der Grund zu dem 20jährigen Kriege mit Frankreich gelegt wurde, indem man sich daselbst zur bewaffneten Einmischung in die franz. Angelegenheiten verbündete. Der C. zu Rastadt, wo die siegreiche franz. Republik ihren vollen Uebermuth, das deutsche Reich seine schmachvollste Ohnmacht entwickelte und der mit dem Meuchelmorde der franz. Gesandten endigte. Der C. zu Erfurt (1808), auf welchem Frankreich und Rußland die Welt zu theilen drohten. Der C. zu Prag (1813), wo Oesterreich den Frieden zwischen Napoleon, Rußland und Preußen vermitteln zu wollen sich anstellte, in der Wirklichkeit aber den Krieg schürte. Der C. zu Chaumont (1814), der Friedensunterhandlungen mit Napoleon versuchte und zu Chatillon (1814), wo die Verbündeten ihren Vertrag erneuerten. Der C. zu Paris (1814 und 1815), wo der Friede geschlossen und die „Legitimität" (s. d.) erfunden wurde. Der C. zu Wien (1. Nov. 1814 bis 9. Juni 1815), auf welchem die Bundesacte (s. Bund) verhandelt wurde. Der C. zu Aachen (30. Sept.

bis 21. Nov. 1818), wo man mit Frankreich über die Zurückziehung der Besatzungen einig wurde und eben so wie auf dem C. zu Karlsbad (August 1819) und zu Wien (25. Nov. 1819 bis 24. Mai 1820) die Maßregeln allmählig vereinbarte, welche das Aufstreben der Völker hindern und die unumschränkte Fürstengewalt wieder herstellen sollten (s. Bund). Was in Karlsbad und Wien als vorübergehende Maßregeln beschlossen worden war, das wurde bald nachher auf dem C. zu Troppau (1820) als leitendes Princip aufgestellt und beschlossen, überall mit bewaffneter Hand einzuschreiten, wo dieses Princip nicht anerkannt oder dagegen gehandelt werde, wogegen England am 19. Jan. 1821 feierlichst protestirte. Die Unruhen in Neapel, Piemont und Spanien riefen 1821 den C. zu Laibach, 1822 den C. zu Verona zusammen, wo die Freiheitsbestrebungen der Italiener, Spanier und sogar der Griechen gegen die Türken verdammt, das bewaffnete Einschreiten Oesterreichs und Frankreichs genehmigt, die von Rußland, England und Frankreich ausdrücklich, von den übrigen Mächten aber stillschweigend anerkannte freisinnige Verfassung Spaniens von 1812 für nichtig erklärt, und gegen die „Umtriebe eines heillosen Revolutionsbundes" ein Schutz- und Trutz-Bündniß geschlossen, dieses auch seitdem auf jedem C. fester geschlungen wurde. Seit 1830 sind die wichtigsten C.e der zu London, welcher besonders die belgischen Angelegenheiten ordnete, dann die C.e zu Schwedt, München-grätz und Wien (Ministerialconferenzen 1834, s. Bund, welche im Sinne der C.e zu Laibach und Verona fortstrebten. Gegenwärtig (Nov. 1847) ist ein C. zu Baden-Baden zur Ordnung der italienischen und schweizer Angelegenheiten vorgeschlagen; hoffentlich ordnen diese Völker ihre Angelegenheiten selbst, bevor es gelingt, dieselben zu becongreßen, wobei noch nirgend etwas gewonnen worden ist. — C. heißt auch die Volksvertretung der vereinigten Staaten von Nordamerika. Er besteht aus 2 Kammern, dem Repräsentanten-Hause und dem Senate, deren erstere vom Volke unmittelbar und direct, die zweite aber von den Regierungen und den Vertretungen der einzelnen Staaten gewählt wird. Der C. ist die gesetzgebende Behörde für sämmtliche verbundene Staaten, hat jedoch nur allgemeine Gesetze zu berathen und zu beschließen und die volle Selbstständigkeit der einzelnen Staaten besteht neben dem C. auch ungeschmälert fort.

M. B.

Congreßacte, Congreß und s. Bund.

Congrev'sche Raketen. Eine in Indien gemachte Erfindung, die der Engländer Congreve vervollkommnete. Die C. R. sind große Blechhülsen mit Brennstoffen gefüllt, die dem Feinde entgegen geschleudert werden und wegen ihres vielen Feuers mehr Schrecken als Schaden anrichten; wenigstens ist die Bombe (s. d.) weit wirksamer. Zur Kenntnißnahme der feindlichen Stellung dagegen sind die C. R. sehr gut, indem sie mit Leuchtkugeln versehen, über die Stellung eines Heeres hingetrieben, diese bei der Dunkelheit genau erkennen lassen.

Congruum. Das Einkommen bei geistlichen Stellen.

Connetable hieß ehemals einer der höchsten Hofbeamten in Frankreich, der selbst die Prinzen an Rang übertraf, über allen Marschällen stand und im Kriege den Befehl über den Vortrab führte. 1627 wurde dieses Amt abgeschafft, 1804 aber führte es Napoleon wieder ein und verlieh es seinem Bruder Ludwig. In England bestand dasselbe Amt, doch wurde der C. mehr Constabel (s. b.) genannt.

Conscription, s. Aushebung und Heer.

Conservative, s. Bewegungspartei.

Conservative Reformfreunde, s. Bewegungspartei.

Conservative Whigs, s. Bewegungspartei.

Consignation, Consignationsgeschäft, s. Commissionshandel.

Consistorium. Im römisch-kath. Kirchenrecht der Name für die Versammlung der Cardinäle, ist seit der Reformation die gangbare Benennung für verschiedene kirch-

liche Behörden. Ihre Einſetzung iſt nach dem Rechte der evangel. Kirche ein Ausfluß der dem Landesherrn übertragenen oberſten Gewalt in Kirchenſachen. Sie hatten
früher außer den eigentlichen Kirchenſachen, der Prüfung der Geiſtlichen, der Aufſicht
über dieſe und die geiſtlichen Handlungen, den Gottesdienſt, die Liturgie und das
Kirchenvermögen, auch noch die Gerichtsbarkeit über Geiſtliche und Schullehrer und
die Eheſachen. Das letztere iſt ihnen jedoch zumeiſt neuerlich genommen und den
weltlichen Behörden überwieſen worden, und in manchen Staaten, wie z. B. in
Sachſen, iſt ihr Wirkungskreis (es beſteht in Sachſen nur ein Landes-C., und für die
Schönburgiſchen Herrſchaften mit geringeren Befugniſſen ein C. zu Glauchau) auf
rein geiſtliche Angelegenheiten beſchränkt worden. **A.**

Conſtabel (Conſtabler, Zeltbruder, Kaſernengenoſſe). Ehemals
gleichbedeutend mit Soldat, ſpäter aber nur Benennung der Artilleriſten, weil dieſe
der ſchwierigern Ausbildung wegen auch im Frieden beibehalten und beſoldet wurden.
Auf den Kriegsſchiffen heißen diejenigen C., welche die Aufſicht über die Geſchütze,
Pulver u. ſ. w. führen. Die frühere Bedeutung dieſes Wortes in England ſ. unter
Connetable; jetzt heißt C. daſelbſt ein Unterbeamter des Friedensrichters, eine
Art Polizeidiener, welcher die öffentliche Ruhe erhält und Ruheſtörer aller Art, Taſchen-
diebe u. ſ. w. verhaftet. Und ſo groß iſt der Geſetzlichkeitsſinn, der eine natürliche
Folge der Freiheit iſt, daß der C. im dichteſten Gedränge eine Anzahl Perſonen nur
mit ſeinem Stabe zu berühren braucht, um ſich ſofort Gehorſam zu verſchaffen. Das
C.amt war ſonſt ein Ehrenamt, zu dem die Gemeinde wählte; Reiche konnten ſich
zwar loskaufen und einen Stellvertreter (Deputy constable) ſtellen, blieben aber für
denſelben verantwortlich. In kleinen Städten iſt es theilweis noch ſo, in großen
aber wird der C. beſoldet, erhält auch bei der Entdeckung großer Verbrechen anſehn-
liche Belohnungen.

Constitutio criminalis Carolina, ſ. Carolina.

Conſtitution, Conſtitutionelle, conſtitutionelle Ideen, Einrichtungen, Monarchie, Urkunde u. ſ. w., ſ. Verfaſſung.

Conſul, Conſulat hieß im röm. Alterthum die nach Abſchaffung der Königsgewalt eingeſetzte höchſte vollſtreckende Behörde, welche durch Wahl des Volks ernannt
wurde. Es wurden, jedesmal für die Dauer eines Jahres, 2 C.n erwählt, die
zuerſt nur aus den Patriciern genommen wurden, ſpäter aber, als es den Pleb-
jern gelungen war, ihren Antheil an der Staatsgewalt zu erhalten, aus einem
den Plebejern und einem den Patriciern angehörenden C. beſtehen mußten; zuletzt
konnten auch beide C.n Plebejer ſein. Auch ſpäter unter dem Kaiſerreich ließ man
den Namen C. fortdauern, aber die Befugniß des C.s beſchränkte ſich auf den Vorſitz im Senat, dem feilen Diener der Kaiſergewalt, und einige andere unbedeutende
Verrichtungen. Als Bonaparte mit dem blendenden Prunk der höchſten Gewalt
eines Kriegerſtaates ſich umgab, wurde nebſt andern Rückerinnerungen aus der Römerzeit auch der C.titel hervorgeſucht; bis der neue Cäſar in der Würde der alten Imperatoren zu erſcheinen beliebte, um die Welt zu unterjochen. — Dieſes Conſulat in
Frankreich wurde im November 1799 gegründet und beſtand zuerſt aus 3 C.n, unter denen Bonaparte die erſte Stelle einnahm. 1802 ließ er ſich in der oberſten
Conſularwürde auf 10 Jahre beſtätigen und einige Monate ſpäter ſich zum erſten C.
auf Lebenszeit ausrufen, eine Häutung, die er 1804 gleichfalls abwarf, um als Napoleon im Kaiſermantel einen wieder aufgerichteten Thron zu beſteigen. — In einem
weit beſcheidneren Kreiſe bewegen ſich die gleichfalls mit dem Namen C. bezeichneten
Beſtellten, welche die handeltreibenden Staaten in den Ländern halten, wo dieſer
Handel von Bedeutung iſt oder wird, um die Rechte und Vortheile ihrer Kaufleute
in der Fremde wahrzunehmen, ihnen auf alle mögliche Weiſe Vorſchub zu leiſten und
Förderung angedeihen zu laſſen. Bei der Bedeutung des auswärtigen Verkehrs und
der immer ſchneller werdenden Verbindung, in welche jedes große Volk mit allen Thei-

len der Welt tritt, ist die Anstellung einer hinlänglichen Anzahl solcher Handels-
C.n von höchster Wichtigkeit und besonders für das Interesse Deutschlands weit zu-
träglicher als der kostspielige Brauch der Vertretung der Höfe bei andern Hoflagern
durch Gesandte (s. d.). In der letzten Zeit scheint man denn auch diesem Gegenstand größere Aufmerksamkeit zu schenken; wenigstens ist die Anstellung gemeinschaftlicher C. oder Handelsagenten des deutschen Zollvereins im Ausland lebhaft zur Sprache
gekommen. So lange jedoch noch der deutsche Sondersinn, wie er sich in dieser
und so vieler andern Beziehung noch erst vor kurzem in einer Urkunde des Hamburger Senats ausgesprochen, einzelnen Regierungen Deutschlands Ziel und Richtung giebt,
wird auch eine solche Forderung zu den vielen andern frommen Wünschen zählen,
die man in Deutschland äußert.

Consumtion, Consumenten, s. Verzehrung.

Consumtionssteuer, s. Accise.

Contagiöse Krankheiten, s. Ansteckende Krankheiten.

Contagium, s. Ansteckende Krankheiten.

Continentalsperre, Continentalsystem. Als Napoleon den Plan, eine
Weltherrschaft zu gründen, ins Werk zu setzen begann, fand er bald, daß der nach-
drücklichste Widerstand weniger von den Königen und Völkern des europäischen Festlandes entwickelt wurde, als von England, welches durch freie Staatseinrichtungen und
Gesetze, unbezwingliche Spannkraft erhalten und sich in Besitz unerschöpflicher Hilfsquellen der Kriegführung gesetzt hatte. Ueberall fand Napoleon dieses England seinen
Riesenentwürfen im Wege; es erweckte oder kaufte ihm durch seine Gesandten und geheimen Agenten an allen Höfen Europas die bittersten Feinde, schürte und blies den
Haß in den Nationen gegen ihn an und lieferte den Königen und Völkern die Mittel, nach jedem gescheiterten Versuch der Befreiung sich wiederholt in den Waffen zu
erheben. Die Quelle der Macht Englands, seinen unermeßlichen Handel, zu vernichten, darauf richtete sich sehr bald das Hauptaugenmerk Napoleons; er ahmte das
von England gegebene Beispiel, die Ausschließlichkeit des Handels und der Schifffahrt,
in noch strengerm und feindlicherm Sinne nach. Durch Decret vom 21. Nov. 1806
wurden die britischen Inseln in Blokadezustand erklärt, aller Handel und Briefwechsel
mit denselben untersagt, jeder englische Unterthan in den von franz. oder Truppen
der Bundesgenossen Frankreichs besetzten Ländern sollte zu Kriegsgefangenen gemacht, alles
Eigenthum englischer Unterthanen für gute Prise erklärt, der Handel mit englischen
Waaren verboten, die Hälfte des Ertrags der also eingezogenen Güter und des Eigenthums aber zu Entschädigungen für die Verluste der Kaufleute verwendet werden,
die sie durch die Wegnahme der von englischen Kreuzern aufgebrachten Kauffahrtschiffe
erlitten hatten. Es sollte kein aus England oder dessen Colonien kommendes
Fahrzeug in den Häfen des Festlandes mehr zugelassen; jedes Schiff aber, das durch
Täuschung dieser Verordnung zuwiderhandelte, sammt seiner Ladung in Beschlag genommen werden. Dieses Decret ward den Höfen von Spanien, Neapel, Hetrurien,
Holland und andern Bundesgenossen zur Nachachtung mitgetheilt, da deren Unterthanen nach dem Ausdrucke dieses Decrets „wie die franz. Schlachtopfer der Ungerechtigkeit und Barbarei der englischen Seegesetzgebung seien." Die Rechtfertigung dieser
außerordentlichen Maßregel versuchte der Kaiser in der Botschaft, womit er das Decret an den franz. Senat begleitete. Er hob darin hervor, daß England kein Völkerrecht zulasse, indem es Jedermann, der zum feindlichen Staate gehöre, für einen
Feind halte und nicht nur die Mannschaften der Kriegsschiffe, sondern auch der Kauf-
fahrteischiffe und die Kaufleute selbst zu Kriegsgefangenen mache, auf das Eigenthum
von Privatpersonen das Eroberungsrecht ausdehne, dem Blokaderecht eine höchst mißbräuchliche Ausdehnung gebe, die den Verkehr zwischen den Völkern hindere und Englands Handel und Industrie auf den Ruin der Industrie und des Handels des Festlandes erhebe. Dieses durchaus einem barbarischen Zeitalter ähnliche Betragen

Englands fordere „nach dem Naturrecht" dazu auf, es mit gleichen Waffen zu bekämpfen und deshalb sollten die Bestimmungen des Decrets so lange als Grundgesetze des Kaiserreichs angesehen werden, bis England eingesehen habe, daß das Kriegsrecht zu Lande sowohl als zur See ein und dasselbe sei. England erwiederte das
Decret durch Geheimrathsbefehl vom 7. Jan. 1807, wonach fernerhin keinem Schiffe
gestattet sein sollte, aus einem Frankreich oder dessen Bundesgenossen gehörigen, oder
von denselben besetzten und unter deren Einfluß stehenden Hafen in den andern Handel zu treiben. Napoleon antwortete darauf mit seinem Erlaß aus Warschau vom
25. Jan. 1807, wodurch alle bereits in den Händen der Kaufleute der unter franz.
Einfluß stehenden Hafen des Festlandes befindlichen englischen Waaren in Beschlag genommen und theils zur Verwendung für die Armen, theils zum Verkauf zu Gunsten
der Staatskassen bestimmt werden sollten, ein Befehl, der zwar nicht in seiner ganzen
Strenge in Ausführung kam, indem man den Kaufleuten in den Hauptstapelplätzen
des englischen Waarenhandels gestattete, durch eine Abfindungssumme im Besitz der
in Beschlag genommenen Waaren zu bleiben, der aber den davon betroffenen
Handelsstädten, namentlich Hamburg, Leipzig u. s. w., selbst unter dieser Beschränkung
viele Millionen kostete. England sprach hierauf den strengsten Blokadezustand für die
von den Franzosen in Besitz genommenen Weser-, Ems- und Elbhäfen, später am 11.
Nov. überhaupt für alle Häfen aus, wo die englische Flagge sich ausgeschlossen sah,
und machte es selbst den Schiffen der neutralen Flagge zur Pflicht, bevor sie ihre
Ladungen von Colonialwaaren nach jenen blokirten Häfen bringen wollten, zuerst in einem englischen Hafen einzulaufen und dort eine ungeheure Abgabe, gewöhnlich ein
Viertheil vom Werthe der Ladung, zu erlegen. Gegen diese Verfügung ward das
Decret Napoleons aus Mailand vom 17. December 1807 erlassen — der noth-
wendige Gegenschlag, sollte der Streich gegen England nicht alle seine Kraft verlieren.
Es ward darin ausgesprochen, daß jedes Fahrzeug, welches sich der Durchsuchung seiten
eines englischen Schiffes unterworfen, oder den Engländern irgend welche Abgabe ge-
zahlt, für englisches Eigenthum erklärt und als solches den frühern Verfügungen zu
Folge behandelt werden sollte. So dauerte der Krieg auf Tod und Leben zwischen
Frankreich und England mit den traurigsten Folgen für die Gesittung fort: — das
war die C. Die gewaltsamste Störung, die je der Welthandel erfahren, war
die Folge davon; die Schifffahrt sah sich genöthigt, sich größtentheils auf den
Küstenhandel zu beschränken, oder Gefahr zu laufen, durch die beiden kriegführenden
Mächte zu Grunde gerichtet zu werden. England befand sich jedoch dabei in uner-
meßlichem Vortheil, da es unbeschränkt auf den Meeren gebot, und der Absatz seiner
Erzeugnisse nach allen andern Welttheilen fast ausschließlich in seiner Hand lag. Die
unerhörten Anstrengungen, die es aufbot, um durch die unter seinem Einfluß sich bildenden
Coalitionen der Festlandsmächte die Gewalt Napoleons zu brechen, bewiesen deutlich,
daß es den ganzen Umfang der Gefahr erkannte, die im Gelingen der Maßregel des
Feindes für sein Bestehen lag. Aber das System war in seiner Gewaltthätigkeit und
Rücksichtslosigkeit so unnatürlich, daß es selbst in der höchsten Blüthe der napoleonischen Gewalt nicht durchgeführt werden konnte. Die Zustände der Schifffahrt und des
Welthandels geriethen in die traurigen Verhältnisse der rohen Vorzeit zurück, das
Seeräuberhandwerk waltete auf den Meeren, das Schmuggler- und Defraudationswe-
sen an den Küsten und Grenzen ob. Die Sache war unhaltbar, sie trat mit allen
Bedürfnissen der selbst in 20jährigen Kriegswirren noch nicht soweit erloschnen Gesittung in Widerspruch; die unsinnige, vandalische Verfügung vom 19. Oct. 1810,
kraft welcher alle englischen Waaren verbrannt werden sollten, war der Schlußstein
dieses bereits zerfallenden Werkes, welches sein Urheber selbst durch ertheilte Licenzen,
um seine Kassen zu füllen, durchlöcherte; es mußte mit ihm, und hoffentlich für immer,
zusammenbrechen. — Ueber das C. als Kriegsmittel hat die Geschichte den Stab gebrochen; aus dem Machtgebot unumschränkter Herrschergewalt hervorgegangen, hat ihm

jede Lebensbedingung gefehlt. Die Vortheile, welche es der Arbeitsentwickelung des Festlandes bringen konnte und theilweise gebracht hat, mußten vor jenen unermeßlichen Nachtheilen in den Hintergrund treten. Eine Maßregel, die sich auf gewaltsame Beraubung und Beeinträchtigung des Privateigenthums gründet, die nur mit den willkürlichsten Verletzungen Alles dessen, worauf die Sicherheit des Verkehrs sich gründet, durchgesetzt werden kann, ist auch in nationalökonomischer Hinsicht gerichtet, wie groß die Vortheile auch sein mögen, die sich für gewisse Entwicklung der volkswirthschaftlichen Zustände daraus herleiten lassen. Daraus geht aber selbstredend hervor, daß das Wesen des napoleonischen C. keine Vergleichung mit einer der volkswirthschaftlichen Lehren zuläßt, die jetzt im Kampfe mit einander liegen, und daß die von dieser oder jener Seite aus seinen bekannten Wirkungen gezogenen Beweisgründe nichts sind, da diese Festlandssperre ein wohl nie wiederkehrender Ausnahmszustand und noch weit unnatürlicher war, als die russische Grenzsperre (f. d.) es ist, die noch am ehesten damit Vergleichungspunkte zuläßt.   J. G. G.

Contingent. Die Anzahl der Truppen, welche in einem Bundesstaate oder Staatenbunde jeder einzelne Theil in einem gemeinschaftlichen Kriege zu stellen hat.

Conto. Der allgemein übliche fremde Ausdruck für Rechnung im Handel. Daher C. à meta ein gemeinschaftliches Geschäft, von dessen Gewinn jeder die Hälfte erhält. C.-Buch = Rechnungsbuch. C. courant oder C. current laufende Rechnung, die gewöhnlich alljährlich abgeschlossen und ausgeglichen wird u. s. w.

Contract, f. Vertrag.

Contrasignatur, f. Gegenzeichnung und Ministerverantwortlichkeit.

Contrebande, f. Schleichhandel.

Contribution, f. Brandschatzung u. Kriegssteuer.

Controle (Gegenliste, Controleur, Gegenschreiber). So heißt besonders bei der Verwaltung von Geld und andern Werthen die Anstalt, welche Unrichtigkeit, Nachlässigkeit, Unterschleif und Betrug verhüten soll und die darin besteht, daß der eine Beamte den andern beaufsichtigt und ihm nachrechnet. Diese C. ist eine gewiß nothwendige und in jedem geordneten Staate, ja jeder großen Privatverwaltung eingeführt. Eine andre Art von C. ist mehr moralischer Natur und erstreckt sich auf das ganze Wesen des Staates und der Gemeinde. Den Gang der Regierung und des Staatslebens überhaupt controliren die Stände, den Gang des Gemeindewesens und der Gemeindeverwaltung die Stadtverordneten und Gemeindevertreter, diese wieder die öffentliche Meinung durch die wirksamste C., die Presse. Schon 1804 erklärte der preuß. Minister von Angern, daß es ohne Publicität gar keine wahre C., kein Mittel gäbe, die Pflichtwidrigkeiten der Beamten zu kennen und zu hindern. Die C. der gesammten Zustände und ihre heilbringende und das Böse abwehrende Wirkung ist demnach in demselben Grade vollständiger, als die Presse freier ist. Vergl. hierüber Censur und Presse.

Controverse nennt man wissenschaftliche, besonders theologische Streitigkeiten.

Contumaz, gerichtliche, f. Gerichtsverfahren.

Contumaz, gesundheitspolizeiliche, f. ansteckende Krankheiten.

Convent heißt eigentlich jede Zusammenkunft oder Versammlung. Daher werden die Klosterbrüder und Schwestern sehr oft auch C. (Conventualen, Conventualinnen) genannt; auch gebraucht man das davon abstammende Wort Conventikel zur Bezeichnung der meist heimlichen Zusammenkünfte der Frommen und „Stillen im Lande." — Meist aber versteht man unter C. die 3. Versammlung der franz. Volksvertretung während der Staatsumwälzung, den National c., welche 1792 ihre Sitzung mit dem Beschlusse eröffnete: „das Königthum ist abgeschafft und Frankreich eine einzige und untheilbare Republik." — Unter dem C. erhob sich die Republik immer mehr zur Höhe der Macht, Siegesnachrichten von allen Seiten feierten seine Geburt. Aller äußern Mittel zu einer umfassenden Kriegsführung jedoch entbehrend, schuf der C. jene unerschöpflichen Hülfsquellen, die ihn im ersten Jahre seines Bestehens schon in den Stand setzten, sich bereit zu erklären: allen Völkern beizustehen, die sich die Freiheit verschaffen wollten. Der C. strebte die ungeheure Umgestaltung aller Verhältnisse nach Innen und Außen zu sichern und mit dem Schwerte der Verzweiflung und des Schreckens zerschmetterte er Alles, was sich in den Weg zu stellen versuchte. Wohl wendet der Menschenfreund voll Entsetzen seinen Blick von jenem großen Trauerspiel ab, dessen ergreifendster Act die Hinrichtung Ludwigs XVI. war. Breche man indeß nicht blindlings den Stab über Männer des C.s wie Robespierre, Danton, St. Just u. A., die zum Theil nur einer entsetzlichen Nothwendigkeit gehorchten und muthvoll selbst den Fluch der Menschheit nicht scheuten, um das Vaterland zu retten. In der übermenschlichen Aufgabe, die Republik von ihren äußern und innern Feinden zu befreien, artete der C. aus, wüthete in seinem eignen Schoße und schwächte sich selbst. Nach dem Tode Robespierre's (27. Juli 1794), hielt sich der C. noch bis zum 4. Sept. 1797, wo die Directorialregierung an seine Stelle trat. Vergl. Berg, Gironde und Schreckensherrschaft. **W. Pretzsch.**

Convention = Uebereinkunft, Vertrag.

Conventionalstrafe. Eine durch Uebereinkommen bestimmte Strafe, welche derjenige zu leisten oder zu dulden hat, welcher eine vereinbarte Verbindlichkeit nicht erfüllt. Eine C. hat nur dann rechtliche Gültigkeit, wenn sie für erlaubte Zwecke festgestellt und nicht der Art ist, daß sie dem davon Betroffenen Güter raubt, über welche er nicht verfügen darf, z. B. die Freiheit.

Conventionell ist alles das, welches durch Uebereinkunft oder Sitte festgestellt ist, wie z. B. das Hutabnehmen beim Grüßen, oder das Erscheinen im Frack bei festlichen Gelegenheiten.

Conventionelle wurden vielfach die Mitglieder des Convents (f. d.) genannt.

Conventionsgeld. 1748 vereinigten sich Oesterreich und Baiern, Münzen zu schlagen von dem Gehalte, daß 20 Gulden oder 13⅓ Thaler eine Mark feines Silber ausmachen; später traten auch die sächsischen Fürsten dieser Uebereinkunft bei. Die also nach dem Conventionsfuß geschlagenen Münzen heißen C. und sind an Gehalt etwas besser, als die im 14 Thalerfuß geschlagenen. Außer Oesterreich ist das C. jetzt in den meisten Staaten abgeschafft, der 14 Thalerfuß allgemein.

Conversion heißt so viel wie Abfall, oder Bekehrung. Vergl. also diesen Artikel.

Convertiten nennt man daher die Abgefallenen oder Bekehrten.

Copie und alle im Rechtswesen vorkommenden Ausdrücke wie copia authentica, c. simplex, c. vidimata, c. duplicata u. s. w., f. unter Urkunden.

Copulation, f. Ehe.

Cordeliers, f. Dantonisten.

Cordon. Eine Truppenlinie, die zwischen gegebenen Punkten, entweder zur Verhütung des Schmuggelhandels, oder zur Verhinderung der Verbreitung ansteckender Krankheiten gezogen wird. In erstrer Beziehung vergleiche man Schmuggelhandel, in lezterer ansteckende Krankheiten. Vergl. auch Grenzbewachung.

Corporation, f. Körperschaft.

Corpus delicti, f. Thatbestand.

Corpus Evangelicorum, Corpus Catholicorum. Die Spaltung, welche die Kirchenverbesserung des 16. Jahrh.s für die christliche Kirche herbeigeführt hat, ist auch auf die deutsche Reichsverfassung nicht ohne Einfluß geblieben. Die Evangelischen hatten von Anfang an ihre Sache als eine gemeinschaftliche betrachtet: nur dadurch, daß sie sich enger aneinander anschlossen, konnten die evangelischen Reichsstände eine glückliche Erledigung ihrer Streitigkeiten mit den Katholischen hoffen; — die Katholischen andrerseits hatten die Evangelischen ebenfalls als eine ihnen gemeinschaftlich gegenüberstehende Partei betrachtet. So kam es, daß nicht nur die beiden Hauptparteien der Evangelischen und Katholischen entstanden, sondern daß auch die evangelischen Reichsstände Bündnisse unter sich schlossen (Torgauer Bund, Schmalkaldischer Bund), gemeinschaftliche Kriege führten und sich zu einer besondern selbstständigen Körperschaft gestalteten, welche die evangel. Kirche und ihre Rechtsverhältnisse Kaiser und Reich gegenüber vertrat. Diese Körperschaft, welcher alle evangel. Reichsländer mit Inbegriff der Könige von England, Schweden und Dänemark angehörten und in welcher, mit kurzen Unterbrechungen, Kursachsen den Vorsitz (Directorium) führte, hieß das C. Evang. Um dies Verhältniß und den Gegensatz noch schärfer hervorzuheben, nannten sie die Katholischen das C. Cathol. — ein Name, den die Katholischen aber jeder Zeit abgelehnt, wie sie sich denn auch in Wirklichkeit nicht zu einer besondern Körperschaft abgeschlossen haben, da sie ohnehin im deutschen Reiche die Mehrheit bildeten und die Einheit ihrer Kirche im Papstthum zusammengehalten sahen. Es ist bekannt, daß die Religionsstreitigkeiten in Deutschland endlich die Anerkennung der Protestanten als einer selbstständigen Glaubenspartei zur Folge hatten. Verwirklicht wurde sie dadurch, daß in allen Religions- und Gewissensachen auf dem Reichstag durchaus nicht Stimmenmehrheit entscheiden, sondern daß hier eine itio in partes (Sonderung in Theile) stattfinden sollte, d. h. daß die Katholischen ihren besondern Rath und die Evangelischen ihren besondern Rath halten und beide in ihren Sachen für sich beschließen sollten und wo etwas Gemeinschaftliches festzustellen wäre, dies nur durch freie Vereinbarung der beiden völlig von einander unabhängigen und gleichberechtigten Theile geschehen könne. Dieser besondre Rath der Evangelischen war eben das C. Ev., welcher seine regelmäßigen Sitzungen für sich hielt und Schlüsse faßte, die in den evangelischen Reichsländern an Gültigkeit den Reichsgesetzen gleich geachtet wurden und eine Quelle des gemeinschaftlichen evangelischen Kirchenrechts bildeten. Mit der Auflösung des Reichs (1806) erlosch auch das Corp. Ev. In der Bundesacte wurde es nicht wieder hergestellt. Heut zu Tage möchte es auch weniger dringend sein, eine gemeinsame Vertretung der evangelischen Kirche nach Außen hin, dem Katholicismus gegenüber ins Leben zurückzurufen, als vielmehr ihr im Innern die Selbstständigkeit wieder zu geben, die sie durch ihr unbedingtes Anschließen an die Fürstenmacht in fast allen deutschen Ländern fast völlig verloren hat.   **C. G. Cramer.**

Corpus juris heißt überhaupt eine Rechtssammlung. Insbesondere nennt man aber C. j. civilis die Sammlung der von Justinian im 6. Jahrh. veröffentlichten Gesetze und Rechtsbücher, welche im 12. Jahrh. zu einem Ganzen vereinigt und mit einigen Lehnrechtssammlungen vermehrt wurde. Sie bildet den Inbegriff der Quellen des römischen Rechts (s. d.) und besteht aus: den Institutionen (einem kurzen Lehrbuche), den Pandekten (einer umfangreichen in 50 Bücher vertheilten Sammlung von Rechtssätzen aus den Schriften der berühmtesten römischen Juristen), dem Codex (einer Sammlung kaiserlicher Verordnungen), den Novellen (einem Anhang hierzu) und den libri feudorum (den sogenannten Lehnrechtssammlungen). — Diesem nachgebildet ist das C. j. canonici, die Hauptquelle des kathol. Kirchenrechts, so wie mehrfacher auf Theile des gemeinen deutschen Rechts bezüglicher, privatrechtlicher, processualischer u. s. w. Bestimmungen. Es besteht aus: dem Decretum Gratiani (einer im 12. Jahrh. von dem Mönch Gratian veranstalteten Sammlung von allerhand Concilienbeschlüssen, päpstlichen Decreten u. s. w.), den Decretalen Gregor's IX. (einer Sammlung päpstlicher Decretalen, veranstaltet 1234), dem liber Sextus (einer gleichen von Bonifaz VIII. 1298 veranstalteten), den Clementinae (den von Clemens V. 1313 hinzugefügten Beschlüssen der Kirchenversammlung zu Vienne), wozu später noch 2 andere ähnliche Sammlungen unter dem Namen der Extravaganten kamen.   **A.**

Correctionshäuser, s. Besserungsanstalten.

Von dieser Anwendung des Wortes heißen auch manche Zeitungen selbst: C., z. B. der Hamburger unparteiische C., der schon seit 1721 besteht, der Nürnberger C., der C. von und für Deutschland u. s. w.

Cortes. Name der Volksvertretung in Spanien, früher mit Inbegriff des

, die Europa
ter denen das

wieder die C., beschwor feierlich ihre Verfassung und setzte sich zugleich mit den auswärtigen Mächten zu ihrer Wiederaufhebung in Verbindung. Nachdem man den Bürgerkrieg im Lande angeschürt und genährt, schritten die Franzosen als die Büttel des Congresses zu Verona ein und stellten die Alleinherrschaft wieder her. Jetzt begann die Verfolgung der Freiheitsfreunde wieder und

schaffen, die fast dieselben wechselnden Schicksale erlebte.

Coupons heißen die Zinsscheine von den Staatsschuldscheinen; sie werden ge-

Menschen ein gar zu süßes Gefühl geworden ist, diese Papieren und gegen klingende Münze umzutauschen. Diese Papierschnei-jeder Neuerung, indem sie besorgen, die Staatsschuldscheine und v. L.

haben, den Fürsten bei sich vorbeigehen alt der C. Oft auch bleibt der Fürst ihm vorbei und werden ihm von einem die Vorgestellten der Fürstin die Hand meist fremden Personen gegenüber steht,

man sie gezwungen, und Menschen werden, ver-

Courant (laufend) nennt man das im Umlauf befindliche Silbergeld; je nach der Größe der Münzen heißt das C. grob oder klein.

Cours. Wie alle Waaren und Güter, haben auch Geld und Geldwerthschaften in verschiedenartigen Erscheinungen, als Metallgeld, uneinlösbares Papiergeld, als Banknoten, Staatspapiere, Actien, Wechselbriefe u. s. w. einen veränderlichen Preis, der sich zwar nach bestimmten, dem Austausche und Umlauf im Allgemeinen zu Grunde liegenden Gesetzen, namentlich dem der Nachfrage und des Angebotes regelt, auf welchen aber mittelbar eine solche Menge von Umständen einwirken, daß es oft schwer hält, für die Schwankungen des Preises, des C.es, Erklärungsgründe aufzufinden. Der C. wird auf den Börsen der Handelsplätze festgesetzt und durch beeidigte Sensale in den C.zetteln bekannt gemacht. Man unterscheidet den Geld-C., d. i. den Preis des Metallgeldes, von dem C. des Papiergeldes, der sich nach dem Vertrauen, welches der Staat genießt, regelt. Die von Privatgesellschaften verausgabten Creditpapiere unterliegen ähnlichen Bedingungen. Unter Wechsel-C. versteht man den Preis, welchen die Wechselbriefe anderer Plätze oder Länder auf einem bestimmten Geldmarkte gegen baares Geld, oder dieses gegen jene haben. Dieser C., welcher durch den Disconto bezeichnet wird, setzt fest, wie viel zu bezahlen ist, um an einem andern Orte mittels Wechsels einen gewissen Geldbetrag zu zahlen oder zu erheben. Außer den allgemeinen Handelsbeziehungen, worin zwei Länder, zwischen denen Zahlungsausgleichungen auf diesem Wege erfolgen, zu einander stehen, wirken noch die Münzverhältnisse, die Handels- und Wechselgesetzgebung, das Rechtsverfahren u. dgl. m. auf den Wechsel-C. ein. Auf den C.zetteln finden sich gewöhnlich die beiden Bezeichnungen „Geld" und „Briefe" oder „Gesucht" und „Angeboten." Der erstere Ausdruck bedeutet, daß Wechsel zu dem darin angegebenen Preise zu kaufen gesucht werden, während unter Briefen oder Angeboten verstanden wird, daß Wechsel zu dem darunter bemerkten Preise angeboten worden sind. Vergl. Geld und Handelsbilanz.   J. G. O.

Courtage heißt der Antheil oder Lohn, welchen der Mäkler vom Verkaufe der Waaren hat, deren Absatz er vermittelt. Vergl. Commissionshandel.

Court of common pleas, s. Common pleas.

Courtoisie. Ein Fremdwort, gleichen Ursprungs wie Cour, bezeichnet das feine, höfliche Benehmen, die Hofsitte, besonders aber das ritterliche Benehmen gegen Damen. Als die C. in ihrer Blüthe stand, d. h. als sie in ihrer Uebertreibung fast in Tollheit ausartete, am franz. Hofe im 17. und 18. Jahrh., war sie nichts als eine äußere, gleißende, täuschende Hülle, unter der sich das Laster und die raffinirteste Sittenlosigkeit verbarg.

Credit wird in der Handelswelt das Vertrauen genannt, dessen sich der eine Handeltreibende von Seite des andern erfreut, indem ihm ohne augenblickliche Zahlung Waaren oder Geld zur Verfügung stehen, gegen das Versprechen, die Zahlung zu einer festgesetzten Zeit leisten zu wollen. Der C. ist die unentbehrlichste Springfeder aller Handelsthätigkeit und der Hebel aller Production. Der Privat-C. findet aber seine mächtigste Grundlage in der Ausbildung des öffentlichen C.s (s. Staatsschulden), in dem öffentlichen Vertrauen, welches man in die Zustände, namentlich die Finanzverhältnisse eines Gemeinwesens und die dadurch herbeigeführte Sicherung gedeihlicher Entwicklung aller Hilfsquellen eines solchen Staates setzt.   J. G. O.

Creditanstalten und Creditvereine. Außer den Banken (s. d.) giebt es noch mehrere andre Einrichtungen, die sich die Förderung und Sicherung der Creditgeschäfte als Zweck stellen. Als solche sind zu nennen: die Leihkassen in einigen großen Städten, welche Personen unterstützen, die entweder in ihrer Existenz bedroht sind, oder ohne die zur Verwerthung ihrer Kenntnisse und Fähigkeiten erforderlichen Mittel sich befinden. Ferner Leih- und Hypothekenanstalten (s. d.), insbesondere die unter dem Namen ländlicher C. bekannten Einrichtungen, wobei die gegenseitige Gewährleistung, das Wesen des Versicherungsgrundsatzes, mit dem des Bankwesens zu dem Zwecke vereinigt ist, daß eine Anzahl Landbesitzer die Geldmittel zur Verbesserung ihrer Grundstücke oder zur Ablösung drückender Pflichtigkeiten, hoch verzinslicher Schulden u. s. w. erhalten. In der weitern Bedeutung des Wortes sind endlich auch alle Versicherungsanstalten (s. d.) den C. beizuzählen, da sie eins der wichtigsten Elemente zur Hebung des gegenseitigen Credits bilden. J. G. G.

Creditbillets nennt man die Schuldscheine, welche die Kaufleute über empfangene, unbezahlte Waaren ausstellen.

Creditbriefe sind offene Wechsel, durch welche ein Kaufmann von einem Andern Geld bis zu einem gewissen Betrage erheben läßt. Die auf C. geleisteten Zahlungen gelten als Wechselzahlungen, wenn auch die C. meist kein Wechselrecht haben.

Creditiv oder **Accreditiv** heißt ein Beglaubigungsschreiben, sowohl im Geschäftsverkehr als bei Gesandten (s. d.).

Creditvotum, s. Staatsschulden und Vertrauensvotum.

Criminalgerichtsbarkeit, s. Gerichtsbarkeit.

Criminalgesetz, s. Strafgesetz.

Criminalproceß, s. Acten, Actenmäßigkeit, Anklageproceß, Anklagestand, Geschwornen.

Criminalrecht, s. Strafrecht.

Culpa, s. Absicht.

Culposes Verbrechen, s. Absicht.

Cultur, s. Bildung.

Cultus (Cultusministerium). C. ist das latein. Wort für Gottesdienst oder Gottesverehrung; man gebraucht es theils in einem engeren Sinn, wenn man bei einer Religionsgesellschaft Verfassung, Bekenntniß und C. unterscheidet; dann versteht man darunter die äußere Einrichtung des Gottesdienstes, die Ordnung der Predigt, des Betens, Singens, der Sacramente, der Trauungen, Begräbnisse u. s. w. Im weiteren Sinne nimmt man C. für Religion, so weit sie äußerlich oder kirchlich erscheint und geordnet ist, also umfaßt der Ausdruck dann nicht nur den Gottesdienst, sondern auch die Verfassung und das Bekenntniß. Ein C.ministerium, oder: ein Ministerium der geistlichen Angelegenheiten ist in diesem Sinne eine Behörde, durch welche der Staat seinen Einfluß auf dem kirchlich-religiösen Gebiete ausübt. Es kommt sehr darauf an, worin dieser Einfluß besteht und wie weit er sich erstreckt; und ob überhaupt ein C.-Ministerium nöthig ist. In Amerika hat man den Grundsatz: daß die Menschen in Bezug auf die Religion thun und lassen können, was sie wollen, wenn sie nur die bürgerlichen Gesetze nicht übertreten. Man kann dort nach Belieben einer religiösen Gesellschaft angehören oder auch nicht, und diese Gesellschaften, mögen sie sich Kirchen oder Gemeinden nennen, ordnen ihre Angelegenheiten vollkommen frei nach ihrem Willen. Ein Amerikaner findet es lächerlich, wenn man ihm sagt, daß in Deutschland den Gemeinden vom Staat die Ordnung des Gottesdienstes vorgeschrieben wird und daß sie von der Regierung ihre Prediger erhalten; daß die Regierung ihnen einen Prediger, den sie wollen, verweigern kann und einen geben, den sie nicht wollen. Bei uns ist es ganz anders: der Staat steht hier in geschichtlichem Verhältniß zu den 3 anerkannten Confessionen. Er hat zu verschiedenen Zeiten Kirchengüter eingezogen und dafür die Verpflichtung übernommen, jede Confession bei Erhaltung ihres Kirchenwesens zu unterstützen. Dafür nimmt er aber wieder Rechte in Anspruch. Ueber die römische Kirche hat er eigentlich nur das Oberaufsichtsrecht, welches durch besondere Verträge mit dem Papst geregelt ist, und gegen das sich nicht viel erinnern läßt, so lange der Staat sich überhaupt noch in die religiösen Angelegenheiten mischt. Den Katholiken hat er über ihren C. nichts vorzuschreiben, sie haben nur ihren geistlichen Behörden zu gehorchen und sind vom Staate wesentlich frei. Dagegen behauptet der Staat: daß ihm in der evangelischen

Kirche nicht nur das Oberaufsichtsrecht, welches die religiöse Freiheit nicht beeinträchtigt, zustehe, sondern daß das wirkliche **Kirchenregiment**, welches früher der Papst übte, ihm von den Reformatoren übertragen sei; jeder deutsche evangelische Fürst ist der oberste Bischof seines Landes, und das C.ministerium ist die höchste Behörde, durch welche er (oder wenn der Fürst, wie in Sachsen, der römischen Kirche angehört, der **Staat**) die evang. Kirche regiert. In manchen deutschen Staaten, z. B. in Baden, Baiern, auch in den westlichen Provinzen von Preußen ist dies Regiment ein gleichsam constitutionelles, die Kirche hat eine Verfassung, wird auf den Synoden vertreten und berathschlagt über ihre eignen Angelegenheiten; bestimmen kann sie aber nichts ohne die Bestätigung des fürstlichen Bischofs. Als Grundgesetz dieser Verfassung erkennt der Staat nun die verschiedenen Symbole oder Bekenntnißschriften an, welche zur Zeit der Reformation aufgesetzt und damals vom Staate bestätigt sind. Diese Symbole erklärt der Staat für kirchliche Gesetze, wobei er sich jedoch die Freiheit nimmt, sie bald enger bald weiter auszulegen und die Art ihrer Gültigkeit zu bestimmen, wie es ihm paßt. So verfolgte man zur Zeit der Union in Preußen Diejenigen, welche treu an den altlutherischen Bekenntnissen hielten und weder sie mit den reformirten vereinigen, noch sich auch die vom König verfaßte Agende (s. d.) aufdringen lassen wollten; später schritt man hingegen mit Strafen und Maßregeln ein, wenn Jemand die Symbole freier auslegen wollte. Immer aber behauptet der Staat: seine Pflicht sei, die Symbole aufrecht zu erhalten, und sein Recht sei, in der Verfassung und dem C. der Kirche beliebige Aenderungen vorzunehmen. Je nach den persönlichen Ansichten des Fürsten und seines C.ministers wird dabei entweder Alles gelassen wie es ist, oder Versuche zur Herstellung des alten Glaubens gemacht; in einem Lande verweigert man den Rationalisten die Bestätigung zum Predigtamte und begünstigt die Orthodoxen, in einem andern befördert man die Rationalisten und sucht die Orthodoxen zu verdrängen. Wo die Gemeinden von Alters her ein Wahlrecht haben, kann der Staat doch den Gewählten nicht bestätigen; wo sie, wie meistens in Deutschland, kein Wahlrecht haben, werden ihnen einfach vom Ministerium die Prediger gegeben, ohne Rücksicht darauf, ob sie mit den religiösen Ansichten der Gemeinde übereinstimmen oder nicht. — Der Staat fängt jetzt an (namentlich Preußen) die Verfassung der evang. Kirche in einem etwas freieren Sinne umzugestalten, und die Theologen geben sich alle Mühe, einen Mittelweg aufzufinden, so daß die Kirche Staatskirche bleiben und doch frei sein könnte, daß die Prediger Staatsdiener wären und doch frei von ihren Gemeinden gewählt und frei in ihrem Glauben. Wenn man unbefangen die Sache betrachtet, so sieht man ein, was der Grund dieser Versuche ist. Der Staat will den gewaltigen Einfluß nicht verlieren, den er durch sein Kirchenregiment ausübt, darum sucht er die gehässige Form abzuändern, weil schon die Austritte aus der Landeskirche sich in bedenklicher Weise mehren. Die Theologen möchten nicht gern die Vorrechte und den Schutz, welchen ein Staatsdiener genießt, entbehren; sie möchten, daß sie selbst nicht belästigt und doch die Entwicklung der Gemeinden immer noch vom Staate etwas gezügelt, von der Freiheit abgehalten würde. Unseres Erachtens giebt es hier keinen Mittelweg; ob eine äußere Macht mehr oder weniger sich in die innern Angelegenheiten des Menschen zu mischen hat, ist ganz gleich, — sie müssen vollkommen frei sein, oder sie sind gar nicht frei. Daß die Einrichtungen, die Statuten einer religiösen Gesellschaft der Bestätigung der Polizei unterliegen, läßt sich einstweilen nicht ändern, die Polizei hat dann aber blos darauf zu sehn, ob etwas Staatsgefährliches in ihnen enthalten ist. Wenn aber eine geistliche Behörde, welche ein bestimmtes religiöses Bekenntniß aufrecht erhalten will, auch nur den geringsten Einfluß auf das Leben, die Verfassung, das Bekenntniß oder den C. einer Gemeinde hat, so ist diese nicht frei. Der einzige Weg für Diejenigen, welche ihre religiösen Bedürfnisse befriedigen wollen, und doch nicht mit den Symbolen übereinstimmen, ist also:

aus der Landeskirche auszuscheiden und sich der Macht des C.-Ministeriums gänzlich zu entziehen. In Preußen ist das C.-Ministerium nicht, wie in manchen andern Ländern, eine Abtheilung des Ministeriums des Innern, sondern selbstständig; es heißt: Ministerium der geistlichen, Unterrichts- und Medicinal-Angelegenheiten. Hieraus zeigt sich — und die Erfahrung hat es keinen Augenblick vergessen lassen — daß das gesammte Unterrichtswesen des Staats in eine enge Verbindung mit dem Kirchenwesen und also mit den persönlichen religiösen Ansichten des Königs und des Ministers gesetzt ist. Bei der Anstellung der Lehrer an Schulen, Gymnasien und Universitäten wird Rücksicht auf ihre religiösen Ansichten genommen. Der Staat soll aber nicht eine Vereinigung von Katholiken oder Evangelischen sein — denn auch seine Gesetze sind weder katholisch noch evangelisch — sondern eine Gesellschaft von Menschen. Der Staat hat sich also nicht um die confessionelle Bildung seiner Angehörigen zu kümmern, in welcher sie verschiedene Zwecke und Richtungen haben, sondern um die allgemeine-menschliche Bildung, deren Alle bedürfen, an der Alle, ohne Unterschied ihrer religiösen oder nichtreligiösen Ansichten, theilnehmen können und sollen; mit einem Wort: nicht ein Ministerium des C., sondern ein Ministerium der Cultur, der allgemeinen menschlichen Bildung, ist nothwendig und vernünftig. Die Aufgabe eines solchen Ministeriums wäre, die Künste und Wissenschaften zu befördern, die Bildungsanstalten allen Bewohnern des Landes zugänglich zu machen, nicht als Begünstigungsanstalten für die Reichen zu pflegen, die Theater zu heben und zu unterstützen, Volksbibliotheken anzulegen in jeder Stadt und auf jedem Dorf, Entdeckungen und Erfindungen zu belohnen und zu befördern, und endlich allen freien Vereinen, die sich irgendwie die Bildung und Veredlung des Geistes und Lebens zum Zweck gesetzt haben — Kunst-, Rede-, Gesang-, überhaupt Bildungsvereinen aller Art und unter allen Ständen den möglichsten Vorschub zu leisten mit Geld, Rath und That zu unterstützen, anstatt, wie es jetzt nur zu oft geschieht, ihnen alle erdenklichen Schwierigkeiten in den Weg zu legen. *Althaus.*

Curatel, s. Vormundschaft.

Curaten in der engl. Kirche, s. Anglikanische Kirche.

Curator bonorum und **curator massae,** s. Concurs.

Curialen. Die Angehörigen einer Curie, also Beamten wie Unterthanen, sonst Benennung für die Angehörigen des Hofes.

Curialien. Latein. Ausdruck für die Förmlichkeiten und Umständlichkeiten im Gerichtswesen.

Curialstimme. Gesammtstimme eines ganzen Standes (einer Curie), im Gegensatze zur Einzel- oder Virilstimme. Auf den deutschen Reichstagen z. B. konnten sich die Reichsgrafen, ingleichen die Reichsprälaten (Bischöfe, Aebte u. s. w.) in beliebiger Anzahl einfinden; bei den Abstimmungen hatte aber der ganze Stand nur 1 Stimme, während von den Fürsten jeder für seine Person 1 Stimme hatte. — Bei dem deutschen Bundestage giebt es 11 Virilstimmen und 6 C.n. In die letztern theilen sich 27 kleinere Staaten. Diese Art der Abstimmung kommt indeß nur vor, wenn die Bundesversammlung im engern Rathe beisammen ist. Gestaltet sie sich zu einem Plenum, so kommen keine C.n vor. Vielmehr haben dann die größeren Bundesstaaten mehrere Stimmen und die kleinern Virilstimmen, so daß es im Plenum überhaupt 69 Stimmen giebt. *Jäkel.*

Curie. Eine ursprünglich römische Bezeichnung; Romulus theilte die römischen Vollbürger (Patricier) in 3 Stämme oder Tribus, von denen jeder wieder in 10 C.n zerfiel. Die frühern Volksversammlungen wurden nach C.n (comitia curiata) in dazu bestimmten Versammlungshäusern, welche ebenfalls C.n hießen, abgehalten. In den nachrömischen Zeiten kam das Wort C. für gewisse Gesammtheiten, z. B. Lehnshof, Gerichtshof u. s. w., in Gebrauch. Auch die Versammlungen des Fürstenrathes, welche die deutschen Kaiser in dringenden Fällen einberiefen (nicht zu

verwechseln mit ben Reichstagen), hießen so. Später kam ber Ausbruck C. als Bezeichnung für politische Körperschaften mehr und mehr in Wegfall. England gebrauchte bafür bas Wort „Haus" (Ober- und Unterhaus), Frankreich bas Wort
„Kammer" (Pairs- und Deputirtenkammer), welcher letztere Ausbruck benn auch in
ben beutschen Verfassungsstaaten Eingang gefunden hat. Nur Preußen suchte neuer-
bings bas alte Wort C. wieder hervor, indem es seinen vereinigten Lanbtag in eine
Herren-C. und eine Dreistände-C. theilte. — Römische C. heißt bie Gesammtheit
ber geistlichen sowohl als weltlichen Beamten, welche bem Papste bei ber Verwaltung bes Kirchenstaates, so wie beim Orbnen ber Angelegenheiten ber Kirche zur Seite
stehen. Die C. faßt eine Menge Collegien und Congregationen in sich; sie ist bas
Ministerium, bie Regierungsmaschine bes Papstes und wird baher oft gleichbebeutend
mit „päpstlicher Stuhl", „päpstliches Regiment" gebraucht. Die C. vertritt so recht
eigentlich bie speciell-römische, eigensüchtig-hierarchische Politik. Der Geist ber Päpste
braucht baher nicht allemal ber Geist ber römischen C. zu sein. Im Gegentheil kann
ein Papst, ber, wie Abrian VI. und Clemens XIV., ben gewöhnlichen Weg verläßt und an Reformen benkt, sicher sein, in ber C. selbst alle Elemente bes Wiber-
standes beisammen zu finden. Es beginnt bann ein Kampf zwischen bem Wesen bes
Papstes und bem Wesen ber C., ein Kampf, ber in allen bekannt geworbenen Fällen
mit bem raschen Tobe bes Papstes endigte. Ob Pius IX. benselben wird bestehen
müssen, muß bie Zeit lehren.   Jäkel.

   Czaar, Großfürst; Czaarewna, Großfürstin; Czaarewitsch, Großfürsten-
sohn ober Thronfolger. — Die Geschichte Rußlands beginnt ba, wo bie seiner Beherrscher ihren Anfang nimmt; benn despotisch regierte Völker, bie keinen Willen
haben, machen auch keine Geschichte. Das C.thum beginnt mit Großfürst Wla-
bimir (um's Jahr 1000) und schließt mit Peter I. (1689—1725), ber zum
Zeichen, baß er ein europäischer Fürst geworben, ben Titel C. mit bem eines Kaisers vertauschte, ohne barum auch bie Regierungsformen europäischer Gesittung mehr
anzupassen. Daher blieb auch Rußland unter ben Kaisern mit wenigen Abänberun-
gen nur, was es unter ben C.en war; nur ber Titel ber „Selbstbeherrscher" hat sich
verändert.   W. Pretzsch.

D.

   Damnificant. Der häufig gebrauchte unbeutsche Ausbruck im unbeutschen
beutschen Rechtsverfahren für Beschäbiger, Frevler, Verbrecher; Damni-
ficat also ber Beschäbigte, Verlusterleibenbe.
   Dantonisten. In ber franz. Staatsumwälzung Name ber Anhänger Dan-
tons, ber Kühnsten, Entschlossensten, Verwegensten, ber eigentlichen Schöpfer und
Erhalter ber Schreckensherrschaft.
   Daumenschrauben, s. Folter.
   Dauphin. Ehemaliger Titel bes Kronerben in Frankreich, seit 1830 nicht
mehr üblich. Worte und Titel hat man 1830 einige abgeschafft, bie Sachen
aber sinb geblieben, ober wieber hervorgesucht worben.

Dazwischenkunft eines Staates bei Ordnung der Angelegenheiten eines andern, s. Einmischung.

Debatte, s. Verhandlung.

Debit, so viel wie Absatz von Waaren, s. Handel.

Debitor. Fremdwort für Schuldner.

Debitor cessus (ein Schuldner, der an einen Dritten bezahlen soll), s. Cession.

Decan. In der Römerzeit ein Aufseher über 10 Mann, später Benennung verschiedener niederer Anstellungen. In der römischen Kirche der Geistliche, welcher an der Spitze eines Capitels steht, auch derjenige besonders auf dem Lande, welcher die Aufsicht über die Geistlichen eines bestimmten Kreises führt. In der protestant. Kirche ist der Name D. oft gleichbedeutend mit Inspector oder Superintendent. End-lich heißen an den Universitäten die Directoren der Facultäten ebenfalls D. und wech-selt diese Würde unter den Professoren ab.

Decanien (Zehntner, Zehntmänner), altdeutsche Rechtspflege, s. Acten-versendung.

Decem, häufig gebrauchte Bezeichnung für Zehnten (s. d.).

Dechant des Cardinalcollegiums, s. Cardinal.

Decimalsystem. Dasjenige Münz- und Rechnungswesen, in welchem sich Alles in die Zahl 10 auflöst, wie z. B. in Frankreich, wo die Goldmünzen aus 2 Mal 10 und 4 Mal 10 Franken, der Frank aus 2 Mal 10 Sous und aus 10 Mal 10 oder 100 Centimes besteht. Man hat in Deutschland das D. nachgeahmt, aber wie immer nur halb, indem man den Thaler in 3 Mal 10 Groschen getheilt, aber weder die Einheit, die Mark von 10 Groschen eingeführt, noch den Groschen in 10 Pfennige getheilt hat; vielmehr zählt derselbe vielfach — 12 Pfennige und das D. ist mit dem Duo-D. — d. h. der Theilung durch 12, unglücklich vermengt. v. L.

Decimation (decimiren). So heißt 1) die Erhebung des Zehnten, dann aber 2) und besonders die Bestrafung des 10. Mannes, wenn sehr Viele gemeinschaft-lich ein Verbrechen begangen und der wahre Schuldige nicht zu finden war. Sie war besonders bei Meuterei, feiger Flucht, Verrath u. s. w. ganzer Heeresabtheilun-gen üblich, und wurde entweder durch das Loos, oder durch Auszählung u. s. w. entschieden. In den letztern Fällen hat sich die D. bis in die Neuzeit erhalten, jedoch fast nur als eine solche Strafe, die zwar angedroht, aber nicht vollzogen wird. In dem vielfach verbreiteten Hasse gegen die Fortschrittspartei wendet man die D. wieder in so fern an, als man jeden ihrer Anhänger, der zufällig bei den Gegnern etwas sucht, z. B. ein Amt, eine Bestätigung, Beförderung oder dergl., die ganze Ungnade fühlen läßt, indem man ihm das Gesuchte verweigert, wenn er auch das vollste Recht darauf hat.

Deckmantel. Bei den alten Juden ein großes Tuch, welches Kopf und Rücken bedeckte und beim Gottesdienst getragen wurde. Man hegte die Meinung, Gott selbst trage einen solchen D. Im bildlichen Sinne heißt D. Im Vorwand, unter welchem etwas geschieht oder unterlassen wird, während man die wahre Ursache nicht angeben will. So z. B. ist es ein D., wenn man behauptet, Kirche und Altar beschützen zu wollen vor Umsturz und Vernichtung, während man nur die stockgläubige Ver-dummungspartei schützt und befördert, welche die Menschheit zur Knechtschaft erzieht; es ist ein D., wenn man seinen glühenden Haß gegen jeden Fortschritt hinter einen übertriebenen Eifer für Fürst und Thron verbirgt u. s. w.

Deckung. Im Handel die Sicherung für eine ausstehende Schuld, z. B. durch Gegenrechnung, vorhandene Waaren, Bürgschaft oder dergl.

Decret, s. Befehl.

Decreta. Die Aussprüche und Entscheidungen der Päpste und der Kirchen-versammlungen.

Decretalbriefe heißen die Briefe der Päpste, welche auf Anfragen über irgend einen Zweifel in Kirchensachen Auskunft geben.

Decretale heißt der Wahlact bei einer Bischofswahl, welcher von allen Betheiligten unterschrieben werden muß.

Decretalen. Päpstliche Befehle und Verordnungen, auch Kirchengesetze. Auf falschen D. beruhte die ehemalige Uebermacht des Papstes; Isidor, Bischof von Sevilla, stellte im 8. Jahrh. eine Reihe von Aussprüchen der frühern Päpste, Kaiser u. s. w. zusammen, durch welche der Papst über jede Macht der Erde erhoben und zum eigentlichen Herrn der Menschheit erhoben wurde. Obgleich schon die damalige Zeit dieses Erzeugniß sofort für eine Geburt des Wahnsinns erkannte, erklärten doch mehrere Päpste die D. für ächt, gründeten ihre maßlosen Ansprüche auf dieselben und es steht heute noch Manches davon in den römischen Kirchengesetzen.

Dedication, s. Zueignung.

Deduction, s. Staatsschrift.

De facto: thatsächlich, wird oft gebraucht im Gegensatze von de jure: rechtlich. Z. B. die Censur besteht in Deutschland de f., aber nach den Bundesgesetzen und den einzelnen Landesverfassungen nicht de jure.

Defension, Defensionsschrift, Defensor, s. Vertheidigung.

Defensivallianz, s. Bündniß.

Deficit. Die fast ausschließlich übliche fremde Bezeichnung für den Ausfall im Staatshaushalt, welcher sich in den Einnahmen im Verhältniß zu den Ausgaben bei Abschluß der Rechnung herausstellt. Zur Deckung eines D. giebt es verschiedene Mittel, worunter als die hauptsächlichsten Staatsanlehen (s. Staatsschulden), Erhöhung von Steuern und Zöllen, Verkauf von Staatsländereien, Verpachtung von Einkünften, endlich Einschränkungen in den Ausgaben aufzuzählen sind. Der letztgenannte Weg ist jedenfalls das Zweckgemäßeste, läßt sich jedoch nicht immer in Anwendung bringen und man ist oft genöthigt, zu Maßregeln obengedachter Art zu greifen, über deren Zweckdienlichkeit die Umstände entscheiden müssen. Es ist ein schlimmes Zeichen für die Finanzlage eines Landes, wenn die D., wie dies z. B. jetzt in Frankreich und zwar in Folge unnützer und die Volksfreiheit gefährdender Unternehmen, kostspieligen Militäraufwandes, ungeheurer Zwingburgbauten, verschwenderischer Heerzüge u. dergl. m. geschehen, statt die Ausnahmen zu bilden, zur Regel geworden sind; wenn unter solchen Umständen das fortlaufende D. von Jahr zu Jahr steigt, so daß es, wie solches in Frankreich jüngst eingetreten, durch Anlehen von mehreren 100 Millionen Frks., abgeschlossen zu den ungünstigsten Bedingungen, nicht mehr völlig gedeckt werden kann. Weit angemessener verfuhr in Bezug auf das von Jahr zu Jahr steigende D. in England das Ministerium Peel 1841, indem es die Deckung des bereits auf 5 Mill. Pfo. Strl. angewachsenen Ausfalls im jährlichen Budget durch Einführung einer Einkommensteuer zu bewerkstelligen suchte, welche nur die Vermögenderen traf, die nachweisbar jährlich wenigstens 150 Pfo. Sterl., etwa 1000 Thlr. Einkünfte beziehen. — Nur in Staaten, deren Staatshaushalt, Einnahmen wie Ausgaben nebst dem Schuldenstatus, nicht nur den Volksvertretern mit allen einzelnen Belegen vorgelegt werden muß, sondern auch außerdem vollständig veröffentlicht wird, läßt sich von denen, die dafür mit Steuern und Abgaben aufkommen müssen, das Vorhandensein eines D. ermitteln und seine Größe erkennen; nur dort lassen sich Mittel dagegen in Vorschlag und Ausführung bringen. In Staaten, wo dies nicht der Fall, weiß die Plusmacherei der Finanzmänner die Zahlen des Staatshaushalts auf dem Papier so zusammenzustellen, die Rechnungen dergestalt in einander zu verflechten, daß Alles stets das gedeihlichste Aussehen hat und daß, wenn auch ein wirkliches und fortdauernd steigendes D. vorhanden ist, die Sache so lange vertuscht wird, bis oft nichts Andres übrig bleibt, als den Staatsbankerott zu erklären, so daß schließlich die Staatsgläubiger für das gewissenlose Verfahren der Leute am Ruder mit dem Verluste ihres Vermögens zahlen müffen. Die Vorgänge in Frankreich 1789 und in Oefterreich 1811 und 1816 (f.

allen Erfahrungen bedarf es wieder-
u lehren, auf dem man folchen Ka-
Anzeichen trügen, werden diefe bit-
J. G. G.

er fchmale Weg, Brücke, Straße,
gehen können.

theilen.

lich übliche Fremdwort für Herabfetzung,

dern indeffen auch mehr und mehr.

Deichband. Eine Genoffenfchaft in Holland und Schleswig-Holftein. An den
neues Ackerland gewonnen, indem man lange

e, die am meiften der Fluth bloßgeftellt find, die gewöhnliche
, wozu fie vom Demath Landes (118 □ R. Ackerboden)
entrichten. Treten außerordentliche Bauten ein, fo werden die
Mitleidenfchaft gezogen. Diefe Gemeinfchaft zur Erhaltung
das Meer heißt D., und die Beiträge jedes Mitgliedes find

L. W.

Dei gratia, f. Von Gottes Gnaden.

Deismus. Der Glaube an Gott, abgefehen von jeder Angehörigkeit an eine
beftimmte Kirche, oder ein beftimmtes Bekenntniß.

De jure, t De facto.

Delatoren, f Anzeige.

Del credere, f. Commiffionshandel.

Delegation f. Abgeordnete und Ceffion.

Delegirte Gerichtsbarkeit. Eine durch Bevollmächtigte (Delegirte) ausgeübte
Gerichtsbarkeit; oder auch in einzelnen Fällen die Uebertragung der Entfcheidung einer Rechtsfrage an ein fonft nicht zuftändiges Gericht.

Delictum: Verbrechen.

Delictum perfectum, f. Verfuch.

Demagog (Demagogie, demagogifche Umtriebe). Wörtlich: Volksführer, Volksleiter, in einer nicht fernen Zeit in Deutfchland gleichbedeutend mit
Staatsgefährlich, Verfchwörung, Hochverräther — in dem Munde der

Polizei und der zur Verfolgung und Ausspürung dieser „Umtriebe" niedergesetzten Bundescommission (f. Bund); während bei den Freisinnigen ein D. so viel als ein ächter Freiheitsmann hieß, und das Volk ungefähr dieselbe Theilnahme für die D. hatte, wie für Schmuggler und ähnliche Leute, die sich den Gesetzen gegenüber kühn und kräftig zeigen, man kann sie nicht rechtfertigen, aber man entschuldigt sie gern. Seit in den 30er Jahren die letzten deutschen D.en in den Festungen und Gefängnissen verstummt, oder ruhige Bürger im In- oder Auslande geworden sind, wird das Wort D. zwar noch in den Schimpfreden der Rückschrittler angewandt, aber auch von freigesinnten Männern hört man es mit einer gewissen Geringschätzung aussprechen; die Sache hat also offenbar ihren frühern Credit verloren und dies weist uns darauf hin, ihre Bedeutung aus der Geschichte kennen zu lernen. In der griechischen Geschichte kommt das Wort nur in der Bedeutung von Volksführer vor. Die D.en waren eine gesetzliche Einrichtung und es waren deren in Athen 10 amtliche vorhanden; auch die römischen Tribunen hießen oft D.en. Abgesehen von den Ausartungen, die nicht zu leugnen sind und z. B. besonders bei der franz. Staatsumwälzung vorkommen, ist demnach ein D. derjenige, welcher persönlichen Einfluß auf die Masse ausübt und sie, besonders zu politischen Zwecken, zu lenken weiß. Ein D. kann nur da auftreten, wo die Partei des Volkes gegen eine andre Partei zu führen ist. Man gebraucht das Wort aber auch im allgemeinern Sinn und bezeichnet denjenigen als D., der sich beim Volke nur beliebt zu machen weiß. So sprechen die, welche sich über die Beliebtheit der Volksmänner ärgern, von „demagogischen Kniffen," die dieselben anwenden sollen; während des Volkes Gunst nur auf erprobter Theilnahme und Liebe beruht und eine Anerkennung wirklicher Tugenden und Verdienste ist. Kniffe, Künste und Verführungen mögen vorkommen und sind nicht zu billigen; aber durch sie läßt sich bei dem gesunden Sinne des Volkes auch dessen Gunst auf die Dauer nicht erwerben. Das Volk kennt seine wahren Freunde bald. Dann spricht man noch von religiösen oder kirchlichen D.en und bezeichnet damit Solche, die das Volk für freie Bestrebungen in der Religion zu gewinnen wissen. Bei allen Arten der D.en-Thätigkeit kommt es darauf an: daß man ehrliche Mittel anwendet, um das Volk für einen guten Zweck zu gewinnen; wer sich dessen bewußt ist, wird dann auch nicht den Namen D. scheuen, vielmehr ihn zu Ehren zu bringen suchen. Man kann auch von gekrönten D.en sprechen, z. B. bei einem Fürsten, der sich durch Freundlichkeit und mildthätige Handlungen beim Volke beliebt zu machen suchte, um dann in seinen Reden die Freisinnigen verdächtigen zu können, was wohl oft versucht wird, aber selten glückt. Man hat auch Beispiele von aristokratischen D.en, d. h. Herren vom Adel, die sich namentlich um die Verbesserung des materiellen Volkswohlstands bemühen, schöne Reden dafür halten und Geld dafür geben, aber oft mit der Absicht, das Volk von den politischen Interessen abzulenken und es vergessen zu machen, daß der Mensch nicht allein vom Brod lebt. Führen wir noch einige Beispiele aus der Geschichte zur Erkenntniß der D.en im engern und weitern Sinne an. Die beiden größten D. des alten Roms waren die Brüder Tiberius und Cajus Gracchus, welche (von 133—121 v. Chr.) ihr Amt als Volkstribunen dazu benutzten, ein Gesetz durchzuführen: daß Keiner von den Vornehmen mehr als 500 Morgen von den Ländereien der Republik erhalten, und alles Uebrige, was schon erobert war und noch erobert würde, an das Volk vertheilt werden sollte. Sie wurden von den Vornehmen erschlagen. Von Cäsar kann man wohl sagen, daß er die Kunst der D.ie ausgezeichnet verstand, doch war seine Volksthümlichkeit, wie bei Friedrich II. und Napoleon, nur eine militärische. — Wenn man das Wort D. allgemein nimmt, so ist die Wirksamkeit Christi und seiner Apostel durchaus eine religiös-demagogische zu nennen, wie sehr auch diejenigen, welche in oder außer dem Amt alle Demagogen verfolgen, dagegen sich auflehnen. Gegen die jüdische Regierung, die römische Unterdrückung, die Aristokratie der Pharisäer und

Hohenpriester, welche die religiöse Knechtschaft aufrecht erhielten und politisch das Volk mißhandelten, vertrit Christus die Interessen des Volks; er predigt den Armen und Unterdrückten das Evangelium, er führt die schonungsloseste Sprache der Wahrheit, er sucht das Volk durch Reden und persönliches Beispiel, in großen Versammlungen zu belehren und sittlich zu heben. Die Aristokratie und der von ihr verblendete Pöbel brachten ihn an's Kreuz. Gegen das Ende des Mittelalters traten mehrere religiös-politische D.en auf; in Italien Arnold von Brescia, welcher im 12. Jahrh. Oberitalien und die Römer von der geistlichen Tyrannei der Päpste und von der weltlichen Herrschaft der deutschen Kaiser frei machen wollte: auch er starb am Kreuz. Am Ende des 15. Jahrh.s der Mönch Savonarola in Florenz, welcher auf einige Zeit den republikanischen und religiösen Sinn in Florenz erweckte, — er wurde als Ketzer und Revolutionair verbrannt. In Deutschland sind eigentlich nur im 16. und 19. Jahrh. D.en aufgetreten. Luther war kein D.; er redete und schrieb allgemeinverständlich und herzbewegend, aber er wirkte auf das Volk nicht. Hingegen traten im Ritterstande D.en auf, welche das Evangelium als ein Evangelium der Freiheit gepredigt wissen wollten, so Ulrich von Hutten, Carlstadt, Thomas Münzer, Sickingen, die Helden des Bauernkriegs u. A., die sämmtlich untergingen. Die Zeit der sogenannten demagog. Umtriebe begann in Deutschland nach den Freiheitskriegen. Der nationale und politische Geist war erwacht, und wurde er auch theils mit Gewalt, theils durch die eingeführten Verfassungen beschwichtigt, so erstand er doch nach der Julirevolution aufs Neue in ganz Deutschland und weckte D.en wie Wirth, Siebenpfeifer, Weidig u. A., deren trauriges Schicksal bekannt ist. Als Muster eines D.en ist O'Connell zu nennen. Er hat in einer langen Reihe von Jahren für das Recht und die Freiheit seines Vaterlandes unermüdlich gekämpft, stets fest gewurzelt auf dem gesetzlichen Boden; er hat durch seinen Verstand, seine Besonnenheit und seine eben so gewaltige als gemüthliche Beredsamkeit ein ganzes Volk, kann man wohl sagen, geführt und gelenkt und ihm bedeutende Rechte erworben, bedeutend wenigstens im Verhältniß zu der frühern Knechtschaft. Ihm gebührt der Ruhm, der Welt gezeigt zu haben: daß ein D. die Leidenschaft eines ganzen unterdrückten Volkes in die Bahn der Ordnung, Besonnenheit und Gesetzlichkeit lenken kann und es sittlich kräftigen und heben, während die Gewalt nur ein knechtisches Schweigen, oder eine zügellose Empörung herbeiführt. Auch in neuester Zeit hat die religiöse Bewegung in Deutschland etwas Demagogisches im guten Sinne in sich. Es ist gut und nothwendig, daß das Volk die Männer, welche es zur Freiheit führen wollen, kennen lernt, reden hört, und seine Angelegenheiten so viel als möglich öffentlich und durch Rede und Gegenrede verhandelt, — wär es auch unter freiem Himmel, — anstatt daß blos in Flugschriften und Zeitungen darüber hin und her geschrieben wird. Die Gegner der Freiheit pflegen gewöhnlich das Schreckbild der D.ie zu gebrauchen, wenn sie keine Gründe mehr haben. Sie halten eine Verfassung, in der das Volk wirkliche Macht hat, für zu gefährlich, weil dann die Schreier, die Raisonneurs, u. dergl. D.en-Gesindel sich beim Volk beliebt machen und es zu allem möglichen Mißbrauch seiner Macht veranlassen würden. Allerdings ein Volk, das politisch ohnmächtig ist, kann seine Macht nicht mißbrauchen. Aber die Gefahr von den Günstlingen und Schmeichlern in der unumschränkten Alleinherrschaft ist wenigstens eben so groß, als die von den D.en unter einer Verfassung, in der das Volk wirkliche Macht hat. Auch giebt es ein Mittel, wirkliche Gefahr abzuwenden. Wenn nämlich der größte Theil des Volks nicht wie jetzt in politischer Unwissenheit, in Armuth und ohne Bildung aufwächst, sondern wenn der Staat dafür sorgt, daß alle Bürger politisch gebildet sind und durch ihre Arbeit ihr gutes Auskommen haben, — mit einem Worte, wenn der Staat sich selbstständige und gebildete Bürger erzieht: dann werden diese einen unvernünftigen

Schreier oder einen gemeinen Schmeichler sehr bald von einem vernünftigen Parteiführer, von einem ehrenwerthen D.en unterscheiden lernen. *Althaus.*

Demath, s. Deichband.

Demarcationslinie. Im Kriegswesen eine Linie, die während eines Waffen-
stillstandes oder Friedens zwischen zwei Heeren gezogen wird und die keins von beiden zu überschreiten sich durch Vertrag verpflichtet.

Demokratie (demokratisches Element, demokratische Gesinnung, Grundsäze
u. s. w.), s. Volksherrschaft.

Demonstration. In der Weltweisheitslehre ein Beweis, welcher keine Widerlegung zuläßt, im Kriegswesen dagegen eine Scheindrohung, welche den Feind
irre führen und zu einem Angriffe auf anderer Seite Gelegenheit geben soll. Im
Staatsleben heißt D. etwas Aehnliches und bezeichnet das Verfahren, wenn man
dem A etwas sagt, was eigentlich auf den B gemünzt ist, wenn man das Sprichwort verwirklicht: den Sack schlägt man, den Esel meint man! Ein Volk ist
z. B. mit dem Gange der Regierung nicht zufrieden und kann dies in der bevormundeten Presse nicht frei aussprechen, so feiert es die Opposition durch Feste und Adressen. Dabei will man allerdings den Mann anerkennen und feiern, aber man will
auch zeigen, daß man es mit dem Gegner der Regierung hält. Oder ein Mann
wird wegen eines leichten Vergehens bestraft, welches er im Interesse der Volksfreiheit
begangen hat, und man macht ihm ein Geschenk oder dergl., so will man zwar den
Mann trösten oder entschädigen, aber man will auch zeigen, daß man vielleicht sein
Vergehen für eine politische Tugend hält. So betrachtet, ist die D. eine völlig erlaubte Kriegslist, die doppelt gerechtfertigt wird in einem Staatszustande, wo die freie
Aeußerung der öffentlichen Meinung gehemmt ist. Wo dies nicht der Fall, wie z. B.
in England und Nordamerika, macht man keine D., sondern sagt geradezu, was man
will und meint. Weil aber bei bevormundeten Völkern die D. schwerer ins Gewicht
fällt, wie bei freien, sucht man dieselbe mit allen Mitteln zu verbindern, oder mindestens zu verdächtigen. So hat sich der dunkle Begriff ausgebildet, als sei die D.
etwas Gehässiges, eines offenen Mannes Unwürdiges, und nachdem es gelungen, diesen Begriff den Gedankenlosen einzuimpfen, nennt man jede politische Lebensregung
D. und sucht so die Aengstlichen davon zurück zu scheuchen. Wer selbst denkt und prüft
aber, wird einsehen, daß es die Pflicht des wahren Fortschrittsmannes ist, so lange
D.en zu machen, bis dieselben überflüssig sind, d. h. bis die Meinungsäußerung frei
ist und man offen sagen kann, was man will. *R. B.*

Denkfreiheit, s. Gewissensfreiheit und Preßfreiheit.

Denkgläubige, s. Gewissensfreiheit und Lichtfreunde.

Denkmale. Die Zeichen, welche die Größe der Vergangenheit vor dem Untergange bewahren. Sie bilden ein sichtbares Band, an dem die Geschichte sich fort-
rankt; sie sind die Marksteine der verschiedenen Bildungsperioden, Warnungstafeln
oder Wegweiser für Gegenwart und Zukunft. Sie sind entweder unwillkürliche
Erzeugnisse einer Zeit, deren Geist sich in Schriften, Einrichtungen und Bauwerken
ausspricht; oder sie wurden mit Absicht zur Erinnerung an Begebenheiten und Persönlichkeiten gegründet. In lezterer Beziehung sind sie nicht allein Ausrufungs-
zeichen der Geschichte für die Nachwelt, sondern auch als Erzeugnisse der Kunst wichtig für die Beurtheilung der Bildungsperiode, welche sie schuf. Wir haben es hier
nur mit öffentlichen D.n zu thun, in denen das Bewußtsein der Völker sich
ausspricht. Von den Griechen und Römern haben 1000 Ehren-D. die Zeit überdauert und erinnern uns jetzt noch an die Verdienste derer, denen sie geweiht waren,
an die Kunst, welche sie schuf und an die neidlose Anerkennung der Bürgertugend von einer Bürgerschaft, deren Bewußtsein im Staate aufging. Hier waren
die D. nicht allein Ausdruck der Dankbarkeit der Mitwelt, sondern sie wurden auch

zu Anregungsmitteln, diese Dankbarkeit zu verdienen. Das Streben der Männer stärkte sich am Anblick des geehrten Verdienstes, und in die Brust der Jugend zog Ruhmliebe und Thatendurst, wenn Väter und Lehrer auf den öffentlichen Plätzen die Geschichten der D. erzählten. Je freier ein Volk, je edler und höher das sittliche Bewußtsein dieser Freiheit, desto größer die Theilnahme an seiner Geschichte, desto bedeutender und bedeutungsvoller die Zahl seiner D. Für diese Annahmen hat die neuste Zeit einen schlagenden Beweis geliefert. Das Erwachen der Völker aus dem langen Schlummer der politischen Kinderstube machte sich durch einen regen Eifer für die Begründung von D.n bemerkbar. Diese Bedeutung zu schmälern, hat man versucht, diesen Eifer zur Wuth zu steigern und durch den Gegenstand lächerlich zu machen; aber man hat dabei, wie z. B. beim Kölner Dome und dem Herrmannsdenkmal, die Erfahrung machen müssen, daß D., welche man dem Volk als Spielwerk aufdringen will, nicht zu Stande kommen und in ihrer Nichtvollendung dann ein trauriges D. der Ohnmacht ihrer Veranstalter sind. Allerdings hat auch die Alleinherrschaft D. geschaffen, den treuen Sklaven der Willkür wurden sie auf Cabinetsbefehle gegründet. Aber auch an diesen richtet sich das Bewußtsein der Völker nicht auf; sie tragen die Art ihres Ursprungs durch die Geschichte fort. Mehrere D. der neusten Zeit, das Schiller-D., das Guttenbergs-D. u. s. w., gingen aus dem Bedürfniß des Volkes, aus der Sehnsucht nach der Sichbarkeit der Geschichte hervor. Allerdings hat die Buchdruckerkunst uns der Nothwendigkeit einer steinernen Geschichtsschreibung überhoben, um so mehr aber bedürfen wir der Anregungen zur Entwickelung des politischen Bewußtseins, der Anregung zur Bürgertugend. Deshalb ist die Theilnahme an der Begründung sinnvoller D. von wohlthätiger Wirkung, abgesehen davon, daß der Kunst volksthümliche Stoffe zur Bearbeitung geliefert werden. Nur das ist wünschenswerth, daß die Erinnerungszeichen den Ereignissen und Persönlichkeiten entsprechen wie bei den Alten, und nicht große Begebenheiten durch winzige D. in der Erinnerung der Nachwelt herabgesetzt werden möchten, oder die kraftlose Eitelkeit sich in D.-Spielereien selbst feiert, wie bei dem 19.-October-Vereine zu Leipzig.

Bertholdi.

Denkschrift nennt man eine gediegene und erschöpfende Abhandlung über irgend einen Gegenstand, welche niedergelegt wird, damit man bei der Behandlung desselben ihrer gedenke. Aber man thuts nur oft nicht; seit 1819 sind, um nur ein Beispiel zu erwähnen, mindestens 100 D.en über die Nutzlosigkeit, Gefährlichkeit und Unrechtmäßigkeit der Censur erschienen. Aber man scheint ihrer wenig gedacht zu haben.

Denunciant, s. Angeberei.

Denunciation, s. Anklage und Anzeige.

Denunciationsproceß, s. Anklageproceß.

Departement: Vertheilung, Abtheilung. Daher die Vertheilung der Steuern, die Absonderung verschiedener Zimmer in D.s u. s. w.; dann nennt man auch so die Austheilung der Geschäfte unter die Mitglieder eines Collegiums, namentlich in der Verwaltung des Staatsvermögens. Doch heißen die verschiedenen Ministerien auch oft D. der auswärtigen Angelegenheiten, der Justiz, des Innern u. s. w. Endlich versteht man darunter auch einen Bezirk in Frankreich, das seit 1791, statt in Provinzen, in D.s eingetheilt wird, deren es anfangs 83, unter Napoleons Herrschaft dagegen 130 zählte, die jedoch jetzt wieder bis auf 86 herabgekommen sind und in Arrondissements, Cantone und Gemeinden zerfallen.

W. Pretzsch.

Departementalrath. Eine Vertretung der Departements in Frankreich, etwa unsern Kreisständen ähnlich, jedoch nur mit dem beschränktesten Wirkungskreise, da die seelenlose, knechtische Centralisation jede provinziale und Gemeinde-Selbstständigkeit mordet.

Deportation, s. Verbannung.

Depeschen. Amtliche Schreiben, die schleunigst besorgt werden müssen. Besonders die Schriften zwischen den Regierungen und ihren Gesandten heißen D. Vergl. Bericht.

Depositenbank, s. Banken.

Deputat. Die gewöhnliche Benennung des Antheils an Lebensmitteln, Holz u. s. w., welchen ein Beamter, eine Anstalt, oder sonst Jemand vom Staat oder der Gemeinde erhält.

Deputirte, s. Abgeordnete.

Deputirtenkammer. Name der franz. Volksvertretung.

Derogation. Die Aufhebung eines Gesetzes (s. d.).

Descamisados. Wörtlich: Ohnehemden. Name der entschiedensten Fortschrittspartei um 1820 in Spanien; sie waren den franz. Ohnehosen (Sansculottes) verwandt an Sinn und Bestrebungen, wobei man den Schmuz, welchen die Gegner hier wie dort auf sie gehäuft, abrechnen muß.

Descendenten. Nachkommen in absteigender Linie.

Deserteur. Das ausschließlich gebrauchte Fremdwort für: Ausreißer; es wird jedoch nur vom Soldaten angewendet, der seine Heeresabtheilung verläßt, um nicht wiederzukehren. Die Strafe des D.s war im Alterthume und ist in der Neuzeit im Kriege der Tod, besonders wenn er Ueberläufer wird: zum Feinde übergeht; im Frieden mehr oder weniger lange Freiheitsstrafe. Je unmenschlicher die Behandlung des Soldaten, je roher und barbarischer die Sitte eines Landes, je unmündiger und ungebildeter ein Volk ist, um so härter verfährt man gegen den D., weil man das Ausreißen fürchten muß; in gebildeten Staaten ist es umgekehrt. Man braucht nur die Strafe der D.e verschiedener Länder zu vergleichen, um einen Maßstab für ihren Bildungszustand zu haben: in Rußland wird der D. tobt geknutet, oder wenn er die unmenschliche Mißhandlung erträgt, lebenslang in die Armee gesteckt; in Oesterreich muß der D. Spießruthen laufen und dann lebenslang dienen; in Preußen erhält er wenige Jahre Festungsstrafe und wird zeitweise in die 2. Klasse des Soldatenstandes versetzt. Und doch hat Preußen fast keine, Rußland und Oesterreich unendlich viele D.e. Vergl. Auslieferung. Man spricht auch von politischen D.en, die von einer Partei zur andern laufen, je nachdem sie hier oder dort besser bezahlt werden. Vergl. darüber Abfall. Endlich heißt in der Rechtswissenschaft das bösliche Verlassen eines Ehegatten und die dadurch herbeigeführte thatsächliche Auflösung der Ehe: Desertion; sie giebt Grund zur gesetzlichen Scheidung.

Deserviten. Die latein. Bezeichnung der Advocatengebühren.

Despotie (Despotismus), s. Alleinherrschaft.

Detachement. Eine Abtheilung Soldaten von 50 — 1000 Mann, die zu irgend einem Zwecke abgeschickt werden.

Detract, eine Abgabe, s. Abschoß.

Deutsche Canäle, s. Canäle.

Deutsche Feudalstände, s. Landstände.

Deutsche Landstände, s. Landstände.

Deutsche Reichsstände. Die Regierungsform des ehemaligen deutschen Reiches war eine monarchisch-beschränkte, ähnlich der constitutionellen Regierungsform und nur insofern von dieser unterschieden, als jene den Reichsständen eine viel umfassendere Wirksamkeit gestattete. Sie hatten nicht blos das Recht, alle Steuern zu genehmigen und zu verweigern, Gesetze zu geben, aufzuheben und auszulegen, sondern auch Gesandte anzunehmen und zu schicken, Krieg und Frieden zu erklären und zu schließen, Bündnisse und Verträge abzuschließen u. s. w., während

dem Kaiser, als Staatsoberhaupte, zwar gestattet war, diesen reichsständischen Be=
schlüssen die Genehmigung zu versagen, ohne jedoch dabei an dem Inhalte etwas
ändern oder die fehlende Zustimmung eines der drei Collegien willkürlich ergänzen zu
dürfen. — Die d. R. selbst zerfielen in geistliche und weltliche. Zu den Erstern ge=
hörte außer den 3 geistlichen Kurfürsten von Cöln, Mainz und Trier auch noch die
sämmtliche höhere katholische Geistlichkeit; zu den Letztern aber die weltlichen Kur=
fürsten, der regierende höhere Adel und die freien Reichsstädte. Nach dem westphäli=
schen Frieden wurden die d. R. auch noch in protestantische und katholische eingetheilt.
Seit 1663 wurde der vom Kaiser einberufene Reichstag fortwährend zu Regensburg
abgehalten, wobei der Kurfürst von Mainz, als Reichs=Erzkanzler, jedesmal den Vor=
sitz hatte. Die Verhandlungen, an denen der Kaiser früher persönlich, in der Folge=
zeit aber nur durch einen Bevollmächtigten Theil nahm, wurden in 3 verschiedenen
Collegien, dem kurfürstlichen, fürstlichen und reichsstädtischen, abgehalten. Jedes die=
ser Collegien hatte seinen besondern Vorsitzenden, wie es auch seine Beschlüsse beson=
ders faßte, die sodann mit den der andern Collegien dem Kaiser oder dessen Bevoll=
mächtigten als Reichsgutachten zur Genehmigung vorgelegt wurden, worauf es
Reichsschluß hieß. Die Beschlüsse eines Reichstags nannte man Reichsabschied
oder Reichsreceß. Außerordentliche Reichstage hießen Reichsdeputationen.
Bei Berathungen über einen zu führenden Reichskrieg entschied die Stimmenmehrzahl
und es mußten auch die Stände, welche nicht eingewilligt hatten, ihre Truppenzahl
stellen oder die Kosten dafür bezahlen, welche für den Reiter 12, für den Fußgänger
aber 4 Gulden betrugen. Diese Gelder hießen Römermonate und verdankten ih=
ren Ursprung den Römerzügen, welche früherhin die deutschen Kaiser unternahmen,
um sich vom Papste krönen zu lassen. Die Dauer eines solchen Römermonats
oder der gleichnamigen Steuern war auf 6 Wochen bestimmt. — So hinkend und
unvollkommen das alte reichsständische Verfassungswesen auch sein mochte, so hatte es
dennoch vor dem jetzigen wenigstens Das voraus, daß es in der That war, was es
sein sollte: die Befugniß zur Ausübung der ständischen Rechte gegen=
über der höchsten Staatsgewalt; während die Wirksamkeit der heutigen Land=
stände oft in nichts weiter besteht, als dem Belieben der Minister einen Anstrich von
Gesetzlichkeit zu geben und zu Nutz und Frommen des gläubigen Volkes eine Art
Staatskomödie spielen zu helfen, bis — wie z. B. in Hannover 1837 —
der Director „von Gottes Gnaden" das Spiel überdrüssig bekommt und den Vorhang
niederrauschen läßt. **W. Pretzsch.**

Deutsche Volksfeste.

> „Volksfeste sollen uns das Einerlei
> Der Alltagsstunden freundlich unterbrechen
> Und mächtig zu den Sinnen sprechen,
> Damit das Vaterlandsgefühl gedeih',
> Damit Erkenntniß wachse voll und frei,
> Damit die Seele frischen Muthes
> Empfänglicher für Hohes und für Gutes
> Und für das schöne Licht des Himmels sei."

Mit diesen Worten des Dichters Dennhardt zu Erfurt sei der Standpunkt
bezeichnet, von dem aus wir hauptsächlich den Zweck und die Bedeutung der d. V.
auffassen. Sie haben ihre Entstehung nicht erst der neuern Zeit zu verdanken. Vor
Jahrtausenden schon wurden im alten Griechenland die großartigsten Volks= und Sän=
gerfeste gefeiert, die nach der Absicht der weisesten Gesetzgeber nicht blos zur Erho=
lung, sondern auch dazu dienen sollten, im Volke einen höhern Gemeinsinn zu erwe=
cken und es für wichtigere vaterländische Endzwecke empfänglicher zu machen. Von
Griechenland aus gingen die Volksfeste nach und nach über auf das Abendland, wo
sie, Staatenwohl und Wissensschätze mehrend, unter Druck und Verkümmerung zum
Theil sich erhalten haben, damit, wie Anastasius Grün sagt, die Völker sehen sollten,
„wie man ihrer Freiheit auf der Welt viel Raum noch gönne." Die d. V. bestan=

den anfangs in großen Volksversammlungen, wobei innere Angelegenheiten berathen und Entscheidungen über Krieg und Frieden gefaßt wurden. Sie fanden meist in der Zeit der Frühlings-Nachtgleiche oder nach einem errungenen Siege statt. Die Walpurgis- und Johannisfeuer lassen sich schon deshalb nicht zu jener Art von d. V. zählen, weil es ungewiß ist, ob diese jetzt noch übliche Sitte, die Wiederkehr des Frühlings und Sommers zu feiern, die Deutschen von andern Völkern, namentlich den sorbischen, — oder Diese sie von Jenen entlehnt haben. — Ueberreste eigentlicher d. V. dagegen sind die städtischen Scheibenschießen und die ländlichen Erntefeste, obschon Letztere mehr unter die kirchlichen Feste gehören. Allgemein aber waren die Feste bei Fürstenwahlen, als diese noch ausschließliches Eigenthum des Volkes waren. Leider ließ man später diese sowohl als die städtischen Schützenfeste wieder fallen, um geistliche und weltliche Knechte zu werden; oder sie schrumpften doch wenigstens unter dem Mehlthau der Staatsgewalt, die in allen größern d. V. etwas Staatsgefährliches erblicken zu müssen glaubte, zu Spielzeugen zusammen, von denen selbst die erneuerten königlich preuß. Schützengilden keine Ausnahme machen. — Anders ist es dagegen — rechnen wir die Constitutionsfeste ab, welche die Kirche in Uebereinstimmung mit der Staatsgewalt ebenfalls für ihr Eigenthum erklärt hat — mit den jetzigen Sänger- und Turnfesten, die einen mehr volksthümlichen Charakter angenommen haben; auch sie werden von „Bundestagswegen" eben nicht mit günstigen Blicken betrachtet. Doch sind dies noch die einzigen d. V., auf welche der Ausspruch Baco's von Verulam: „Wenn Menschen in zahlreicher Menge beisammen sind, so werden sie weit leichter und eher gerührt, erweckt und ermuntert," angewendet werden kann: — oder von denen man mit einigem Rechte sagen darf:

> „Wo Tausende sich froh zusammenfinden,
> Da muß der Funke, der zuvor nur glomm —
> Der Lust- und Kraftbeseelte Funke zünden,
> In Einem Gluthgefühle sich verkünden
> Und frei sich äußern, fröhlich, frisch und fromm."

Gönnen wir den Spaniern und Britten ihre barbarischen Stiergefechte, Hahnenkämpfe und Wettrennen. Der deutsche Volkscharakter verlangt V. höherer Bedeutung. Darunter gehören freilich auch nicht die Münchner und Kannstädter Octoberfeste, die weiter nichts als großartige Thierschauen sind, das Volksgefühl aber unberührt lassen und zu seiner Veredlung gar nichts beitragen, vielmehr zu Ausschweifungen und Verschwendungen Veranlassung geben. Passende Tage zu neuern d. V.n würden sein: Der Tag der Leipziger Völkerschlacht (18. October); der Tag der Einnahme von Paris (31. März); der Tag, wo die deutschen Ständeversammlungen neue und wichtige Siege im Sinne des Fortschritts erringen; der Tag, wo Staat und Kirche zum allgemeinen Besten des Volkes in gegenseitige Wechselwirkung sich setzen, und endlich der Tag, wo das deutsche Volk, alles spießbürgerlichen Zopfwesens baar, wieder eintritt in die Reihen der großen Völker als ein Volk groß an Gesinnung und That. Doch damit wird es wohl noch gute Weile haben! *W. Pretzsch.*

Deutscher Adel, s. Adel.

Deutscher Bund, s. Bund.

Deutsches Recht. Je nachdem man unter d. R. das in Deutschland entstandene und gebildete, oder das in Deutschland zur Anwendung kommende Recht versteht, ist der Begriff des d. R.s allerdings sehr verschieden. Denn bei der Vielheit der gesetzgebenden Gewalten in Deutschland ist das letztere so mannichfaltig und umfangreich, daß von einem Gesammtüberblicke desselben eigentlich kaum die Rede sein kann. Man versteht daher auch, wenn man den Begriff des d. R. in diesem weiteren Sinne nimmt, darunter in der Regel nicht das sogenannte Particularrecht, d. h.

lich aufzuzeichnen, und wenn das gleich nur von Privatperfonen ohne obrigkeitliche
oder fonftige höhere Autorität gefchah, fo fanden doch diefe Rechtsbücher bald allent-

dann der diefem vielfach ähnliche Schwabenfpiegel, ferner das Magdeburger Weich-

Aufzeichnung zu firiren, ging Hand in Hand mit dem Beftreben, für
Verhältniffe im Staats- und Privatleben alsbald befonderes Recht feft-

werbe und namentlich durch das Aufblühen der Städte, in deffen Folge jene Umgeftaltung der Lebensverhältniffe eintrat, theils dadurch gefördert, daß man damals
in ziemlich ausgedehntem Maße die Autonomie, d. h. das Recht von Corporationen
oder andern Rechtsvereinen, ihre Angelegenheiten durch felbftgegebene Gefetze zu regu-
liren, anerkannte. Hiermit trat weiterhin als ferner einflußreich der fich entfaltende
Affociationsgeift in Verbindung, welcher die Corporationsrechte immer beftimmter und

Fällen, die freilich ohne befondere Auswahl aufgefchrieben und gefammelt wurden.
Von diefen fowohl wie von jenen Land- und Stadtrechten haben wir eine große An-

n Redactionen exiftiren. Mit Recht kann man diefen
Entwickelung des eigentlich d. R.s betrachten. Gegen
ng fchon allmählig das römifche Recht (f. d.) nach

Einflüsse die Lebenskraft und Fortbildungsfähigkeit des d. R.s gelähmt hatten, daß das fein durchgebildete römische Recht für viele privatrechtliche Verhältnisse als eine willkommene Norm erschien, so ist doch seit jener Zeit und namentlich auch durch den Einfluß des römischen Rechts das d. R. in seiner Gesammtheit mehr und mehr in den Hintergrund der Rechtsentwickelung in Deutschland getreten. Nur in zweierlei Beziehungen kann seitdem von einer Weiterbildung des d. R.s gesprochen werden. Formell erfolgte eine solche in der Reichsgesetzgebung, die sich jedoch hauptsächlich dem Staatsrechte zuwandte, und nur polizeiliche und proceffualische Satzungen neben den staatsrechtlichen enthielt. Thatsächlich aber wurden manche deutschrechtliche Grundsätze und Einrichtungen in der Gesetzgebung der einzelnen deutschen Länder erhalten und weiter geführt, welche seit dem 16. Jahrh. sich sehr wirksam und thätig zeigt. Gleichwohl hielt das römische Recht Hand in Hand mit einer sehr unwissenschaftlichen Praxis jene Fortbildung vielfach und lange darnieder und erst in neuester Zeit ist es den Bestrebungen der Wissenschaft gelungen, aus oft verkannten Gewohnheiten, entstellenden Gesetzen und überwuchernder Praxis die wahren deutschrechtlichen Grundsätze für viele Rechtsverhältnisse wieder ans Licht zu ziehen und so wenigstens auf wissenschaftlichem, wenn auch noch nicht auf volksthümlichem Boden das d. R. wieder zu Ehren zu bringen. Dabei ist nicht ganz unerwähnt zu lassen, daß von Seiten der gesetzgebenden Gewalt in neuester Zeit wieder einige Acte zur Weiterbildung des d. R.s in mehreren Bundesbeschlüssen, die auch von privatrechtlicher Bedeutung sind, ausgingen.   A.

Deutsches Reich. Aus dem von Karl dem Großen gegründeten und durch die Erbtheilung zu Verdün 843, mehr noch aber durch die Absetzung Karls des Dicken 887 zersplitterten großen Frankenreiche erhob sich ein neuer Staat, dessen Grenzen die Nordsee und die Alpen, die Maas und der Böhmerwald wurden und der sehr bald nationale Selbstständigkeit und politische Bedeutung gewann. Es war das d. R. Herrliche Kaiser, wie Heinrich der Finkler, Otto der Große, Konrad der Salier und dessen Sohn Heinrich III., dehnten die Macht des d. R.s gegen Osten wie gegen Westen und Süden hin aus. Im Innern drängen sich Veränderungen und Entwickelungen, das Streben nach Rechten und Freiheiten kämpft mit dem üppig aufschließenden Ritterthume und dem Ringen nach äußerer Macht, bis endlich die weltliche Macht dem steigenden Ansehn der Geistlichkeit völlig unterliegt. Reich an diesem Streben sind besonders das 11. und 12. Jahrh., bis der leichtsinnige Kaiser Heinrich IV. mit seinen Fürsten zerfällt und die deutsche Kaiserkrone in die Knechtschaft der Päpste (Gregor VII.) bringt, bis 1273 der Kaiser Rudolph v. Habsburg sie wieder befreit. Jene Zeit vor Rudolph v. Habsburg, das Zeitalter der Kaiser aus dem Stamme der Hohenstaufen, der Kreuzzüge, der Minnepoesie, der Kirchenbaukunst, des Wachsthums der städtischen Freiheit, würde man als Deutschlands glücklichste und größte preisen können, wäre sie nicht zugleich auch das Zeitalter der höchsten Blüthe des Ritterthums und der Geburt der Priesterherrschaft geworden. Denn ob auch ausgezeichnete Männer, wie der treffliche Friedrich Rothbart und Friedrich II. später noch das Scepter mit starker Hand führten, — das d. R. verlor immer mehr an Macht und Ansehn im Kampfe mit der Priesterherrschaft und den weltlichen Großen, die aus Oberbeamten sich zu Fürsten emporschwangen. Viele Städte strebten nach Reichsfreiheit, und so sah bereits Friedrich II. 1232 sich gezwungen, ihnen die Landeshoheit zuzusichern, nachdem Lübeck 1226 und Frankfurt 1229 freie Reichsstädte geworden waren. — Der Kaiser sorgt fortan mehr für sein eigenes Haus als für das Reich; selbst Rudolph v. Habsburg und Maximilian I. sind zu schwach, den Wirrwarr von geistlichen und weltlichen Reichsständen zur Einigkeit zu bringen. Indeß die Bürgerkraft ringt siegend mit der ritterlichen Macht. Die Hanse (s. d.) im Norden und die schweizerische Eidgenossenschaft im Süden tragen als Preis ihres Muthes die bürgerliche Freiheit

davon. Der Wohlstand der Städte hebt Künste und Wissenschaften; der Geist des
Forschens beginnt in der hussitischen Lehre sich zu regen und Erfindungen von
hoher Wichtigkeit, wie z. B. die Buchdruckerkunst (1436), geben ihm sichere
Stützpunkte, wie sie selbst den Deutschen zur hohen Ehre gereichen. Das Feudal-
oder Lehnswesen wird zuletzt, wie durch den Bürgerstand, so durch die Erfindung
des Schießpulvers, — das Uebergewicht des Klerus aber durch größere
Verbreitung tieferer Studien erschüttert. Doch droht Allen der sichere Untergang durch
die wachsende Macht der kleineren Fürsten. Stehende Heere kommen auf und der
Geist des Mittelalters nimmt allmählig andere Formen und andere Richtungen an.
Um so überraschender erscheint im 16. Jahrh. die durchgreifende Wirkung der Kirchenreformation, die nicht abgewiesen und niedergedrückt werden konnte, wie sehr auch
Karl V. und die römische Geistlichkeit die neuen Ideen von Freiheit in Glaubens-
sachen mit spanischen Truppen zu bekämpfen und das deutsche Volk zu ihrem eigenen
Glaubensbekenntnisse zu zwingen trachteten. Unter ihm wurde Deutschland ein Tummelplatz blutiger Glaubenskämpfe; bis endlich durch des jesuitisch erzogenen Kaisers Ferdinand II. Glaubenshaß und Herrschsucht entzündet, der fürchterliche 30jährige
Krieg ausbrach, der Deutschland in eine große Einöde verwandelte. Besonders nach
dem westphälischen Frieden (1648) versank das d. R. immer mehr in Ohnmacht und
Schwäche, und eine Reihe von Demüthigungen, die es von dem übermüthigen Frankreich erfuhr, waren die Folgen dieses traurigen Zustandes. Die kaiserliche Macht
war gebrochen; Eifersucht beherrschte die Fürsten und ließ sie nur für sich selbst besorgt
sein. So wurde die innere Zersplitterung vollständig; Lothringen und Elsaß
gingen an Frankreich verloren und franz. Mordbrennerbanden durften ungestraft die
ganze Pfalz verwüsten. Ueberhaupt war aus dem westphälischen Friedensschlusse kein
anderer Nutzen für Deutschland hervorgegangen, als daß die Feststellung ihrer Rechte
die Parteien in ihm selbst beruhigte. An die Stelle deutschen Nationalgefühls trat
Selbstsucht und Ausländerei, in den Freistädten sank der Bürgersinn zur Spießbürgerei
herab. Die Schwerfälligkeit und Langsamkeit der Reichstagsverhandlungen verbreitete
sich auf alle Verhältnisse des öffentlichen Lebens; und wie man, besonders seit dem
verschwenderischen Ludwig XIV. in der Tracht das ekelhaft steifen und unzüchtigen
Pariser Moden vorzog, so mischten sich auch zahllose franz. Worte und Redensarten
in die Sprache der Gelehrten; das deutsche Schriftenthum wurde ein widerliches Wort-
gemengsel, worauf man sich obendrein noch viel zu Gute that und es „Gründlichkeit"
nannte. So tief und niedrig stand Deutschland am Ende des 17. Jahrh., und erst
durch Fürsten wie Joseph II. und Friedrich II. von Preußen und durch Männer,
welche die Wissenschaften wieder zu Ehren brachten, durch ihre Schriften Licht und
Aufklärung verbreiteten und die Würde des deutschen Namens retteten, wie Leibnitz, Wolf, Mosheim, Justus Möser, Maskow, Kleist, Gleim, Gel-
lert, Klopstock, Lessing und Andere, hob es sich langsam wieder empor. Der
Friede von 1763—1792 war das begünstigende milde Wetter, worin der Baum des
deutschen Lebens aufschoß. Als 1773 der Jesuitenorden aufgehoben wurde, als Kaiser
Joseph II. sein Toleranz-Edict gab, als selbst geistliche Fürsten (wie der Freiherr
v. Erthal, Erzbischof von Mainz) die Universitäten verbesserten, — da mußten
auch Verbesserungen im Staatswesen und Staatshaushalte Wurzel fassen. So erwuchs für Deutschland eine neue, bessere Zeit, nur der morsche, abgelebte Körper des d. R.s erstand nicht verjüngt, und führte Deutschland in seine alte Würde
als eine der Hauptnationen Europas wieder ein. Indessen was die gewaltigen Kriege
zu Ende des vorigen und im Anfange des jetzigen Jahrh.s, was endlich der Untergang des deutschen Kaiserthums (1806) und die ganze Umgestaltung des deutschen
Staatswesens vorbereitet haben, muß erst die Zukunft enthüllen. — Vor 1806 bestand
das d. R. aus 10 Kreisen: Oesterreich, Baiern, Schwaben, Franken,
Ober- und Nieder- oder Kurrhein, Ober- und Niedersachsen, West-

phalen und Belgien oder den österr. Niederlanden, wozu noch die 4 Nebenländer Böhmen, Mähren, Schlesien und die Lausitz kamen. Kaiser waren
seit 1437 stets Fürsten aus dem Hause Oesterreich, die zu Frankfurt gekrönt wurden
und hierauf ihren übrigen Titeln noch die: „Von Gottes Gnaden erwählter
Kaiser, zu allen Zeiten Mehrer des Reichs, in Germanien König"
beifügten. Das deutsche Kaiserwappen bestand in einem schwarzen Doppelabler mit
ausgebreiteten Flügeln auf rothem Grunde im goldenen Felde. Hatten die Wahl-
oder Kurfürsten (küren d. h. wählen) den Sohn des Kaisers als Nachfolger anerkannt,
so hieß derselbe römischer König. Es gab 2 höchste Reichsgerichte, den Reichshofrath zu Wien und das Reichskammergericht, erst zu Speier und dann zu
Wetzlar. Die Reichsstände, wozu alle unter dem Kaiser stehenden fürstlichen und
städtischen freien Regierungen gehörten, hatten außer einer Reichssteuer, die der
Kammerzieler hieß und zur Erhaltung des Kammergerichts bestimmt war, auch
noch sogenannte Römermonate für etwaige Reichskriege und außerordentliche Fälle
zu entrichten. Das Verzeichniß dieser Abgaben wurde Matrikel genannt. Die
Zahl der Kurfürsten war anfangs 7 und dann 8, worunter 3 geistliche, zu Trier,
Mainz und Cöln. Die übrigen deutschen Fürsten, 40 an der Zahl, sowie 51 kaiserliche freie Reichsstädte und über 70 regierende Reichsgrafen und Herren, beschickten
ebenfalls den Reichstag, der zu Regensburg gehalten wurde und wobei die Berathungen in getrennten kurfürstlichen, fürstlichen und städtischen Collegien stattfanden. —
Die in Folge der franz. Staatsumwälzung gegen Frankreich geführten Kriege, sowie
die verschiedenen Friedensschlüsse änderten jedoch diese Verhältnisse alle, und als am
6. Aug. 1806 Franz II. die Würde eines „deutschen" Kaisers mit der eines „österreichischen" vertauschte, schlug auch dem altersschwachen d. R. die Stunde völliger
Auflösung. Zwar erstand es in dem von Napoleon gestifteten Rheinbunde
noch einmal wieder, aber in veränderten Formen und nur, um nach dessen Sturze
1815 eine nochmalige Veränderung zu erleiden, nach der es (als „deutscher
Bund" (s. Bund) wunderbarer Weise bis jetzt, obschon kümmerlich genug, erhalten
hat. Wohl war das frühere d. R. in der letzten Zeit seines Bestehens zu einem
seltsamen Gemische von Gutem und Schlechtem, von Ernsthaftem und Lächerlichem
herabgesunken, auf dessen Grunde neben dem entschiedensten Fortschritte der offenbarste
Stillstand in brüderlicher Eintracht zusammen wohnte; es war zu einem Boden geworden, auf dem schließlich fast nur noch Zöpfe und Schnürleiber, Korporal-
stöcke und Büttelpeitschen gediehen. Der Grund dieses Verfalls lag in der
Schwäche seiner Kaiser und in dem Umstande, daß aus dem frühern Wahlreiche ein
Erbreich geworden war, das seine Oberhäupter nicht mehr aus der Mitte des Volkes nach Tüchtigkeit und Würdigkeit suchte. Die Auflösung des d. R.s, das charak-
teristisch genug als „heiliges römisches Reich" bezeichnet wurde, ist nicht zu beklagen.
Aber das ist zu beklagen, daß Deutschland bei der Umgestaltung
so wenig gewonnen hat; daß an die Stelle des frühern deutschen Staatenbundes ein Polizeistaat getreten ist. Wohl hat der Deutsche 38 Vaterländer,
deren Regierungen alle im Auslande vertreten sind; aber nirgends findet sich ein
Vertreter des großen deutschen Gesammtvaterlandes,
dessen Würde in seinen einzelnen Theilen vielfach und oft vom Auslande verletzt wird,
ohne daß der Beleidiger zur Rechenschaft gezogen wird. Es giebt kein Deutschland, kein d. R. und wenn man auch 1843 dessen 1000. Geburtstag mit Predigt
und Singsang gefeiert, so fühlt man sich doch stark versucht, jener unsichern Beweisführung die viel glaubwürdigere Behauptung des deutschen Dichters Wilhelm Jordan entgegen zu stellen:

> „Ihr mögt mit Glocken und mit Feuerschlünden
> Und Jubelliedern aller Welt verkünden,
> Daß nun das liebe deutsche Vaterland

> Ein ganz Jahrtausend ehrenvoll bestand.
> Ich kann die Lyra nicht zur Freude stimmen,
> Ich seh' ein Lebensstämmchen nur verglimmen,
> Zum Grabe wanken einen müden Greis.
> Ein Jeremias auf gebrochnen Mauern
> Sitzt ahnend meine Seele voller Trauern
> Und sieht den Würger nah'n von seinem Eis."

W. Pretzsch.

Deutsches Staatsrecht. Von einem deutschen Staatsrechte kann zwar im eigentlichen Wortsinne darum nicht die Rede sein, weil es keinen deutschen Staat, kein deutsches Reich mehr giebt. Allein der Ausdruck d. St. ist gleichwohl und mit Recht üblich für den Inbegriff derjenigen Rechtsgrundsätze, welche theils auf den Verband der deutschen Staaten zum Staatenbund sich beziehen, theils als den verschiedenen deutschen Bundesstaaten gemeinsam sich nachweisen lassen. Das d. St. zerfällt daher in zwei Theile, in das deutsche Bundesrecht, welches die durch den deutschen Bund (s. d.) begründeten Rechtsverhältnisse zwischen den Mitgliedern desselben zum Gegenstande hat, und in das allgemeine Staatsrecht der deutschen Bundesstaaten. Das letztere besteht wiederum theils aus den alle deutschen Staaten gemeinschaftlich bindenden Bestimmungen, welche in den Bundesbeschlüssen enthalten sind, theils aus denjenigen staatsrechtlichen Grundsätzen, welche in allen Staaten gelten, ohne auf Quellen zu beruhen, welche alle Staaten gemeinschaftlich binden. In der letztern Beziehung kann allerdings nur von einem geschichtlich allgemeinen d. St.e die Rede sein und es wird hier, bei der großen Verschiedenheit der Rechte, häufig nur auf eine Vergleichung mehrerer oder auf den Nachweis der Uebereinstimmung einiger deutschen Landesstaatsrechte hinaus kommen. Namentlich tritt hier aber die gemeinsame Grundlage, welche sich in den Rechten der constitutionellen deutschen Staaten wissenschaftlich nachweisen läßt, in den Vordergrund der Betrachtung, und nächstdem haben viele zur Anwendung in verschiedenen deutschen Staaten kommende und unter sich auch abweichende Rechtssätze einen gemeinschaftlichen geschichtlichen Grund, der in dem frühern Reichsverbande liegt. Diese Gemeinsamkeit ist aber theils wegen der eben gedachten geschichtlichen Begründung, theils deswegen festzuhalten, weil die Einheit Deutschlands allerdings tiefer liegt, als sie im Rechte gegenwärtig durch den Staatenbund bezeichnet ist.　　　A.

Deutsches Volksthum. „Zum Volke — sagt Vater Jahn — gehört mehr als müßige Zehrer, Hungerer und Lungerer und gewerblose Brückner und Eckensteher. Die von Seelenmeistern berechnete Menschenzahl eines Staates ist nur Unterthanenschaft, aber eben so himmelweit vom Volke verschieden, wie eine geworbene und bezahlte Söldnerschaar, die auf dem Prahl-(Exercier-)Platze gedrillt wird." „Ein Volk ist nach Fichte's Ausspruch das Ganze der in der Gesellschaft mit einander fortlebenden und sich aus sich selbst immerfort natürlich und geistig erzeugenden Menschen, die durch einerlei Abstammung, Wohnland, Verfassung, Sitte, Sprache, Religion, Erziehungsweise, öffentliches und häusliches Leben, Handel und Wandel unter sich selbst und mit andern Völkern, mehr noch aber durch einerlei Geschichte zusammengehalten werden und gleichsam eine einzige große Familie bilden." „So wird also, spricht Schlözer, jedes Volk Das, was es in jedem Lande und in jedem Zeitraume wirklich ist. Die Lebensart bestimmt; Klima und Nahrungsart erschafft; der Herrscher zwingt; der Priester lehrt und das Beispiel reißt fort." — Dasselbe unsichtbare Band, welches ein Volk zu einem großen Ganzen zusammen hält und aus seinem gemeinsamen innersten Wesen, seinem Regen und Leben, eigenthümlichen Denken und Fühlen, Lieben und Hassen, Freuden und Leiden, Hoffen und Sehnen, Ahnen und Glauben, Entbehren und Genießen, Neigungen und Bedürfnissen besteht; mit Einem Wort: die besondern Eigenthümlichkeiten eines Volkes, wodurch es sich von andern Völkern unter-

18*

ſcheidet, — wird auch ſein Volksthum genannt, welches, kürzer ausgedrückt, nichts Andres iſt, als die Ureigenthümlichkeit, wodurch ſich das eine Volk von dem andern unterſcheidet. Wo aber ein Volk dieſe ſeine Ureigenthümlichkeit verliert, ſei es nun durch Annahme fremder Sitten und Gebräuche oder auf andre Art, dann hört es auf ein Volk zu ſein, dann wird es die Dienſtmagd andrer Völker, die keinen eignen Willen mehr hat. Bei wenig andern Völkern war Volksthum und Name ſo Eins, wie bei den alten Deutſchen. Spricht es doch jetzt noch, wo das rein-deut-ſche Volkselement ſo ziemlich untergegangen iſt in der Ausländerei, aus dem Na-men und mahnt zur Rückkehr. Deutſch heißt ja nichts Andres, als urvolks-thümlich. Darum haben ſich Volk und Name erhalten bis dieſe Stunde, wie auch das Ausland gegen ſie anſtürmen und der Wurm der Zerſtörung an ihrem innern Leben nagen mochte. Freilich verſchwindet durch eigne Sündenſchuld, wie Vater Jahn meint, unſre Volksthümlichkeit oder die Deutſchheit immer mehr; und wenn der gäng und gäbe gewordenen Nachäfferei des Fremden und Ausländiſchen nicht bald und mit Entſchiedenheit Einhalt geſchieht, wird und muß das volksthümliche Band, welches die deutſchen Stammvölker zeither nothdürftig zuſammengehalten, noch lockerer werden, ſo daß wir am Ende von unſerm frühern Volksthum nichts weiter übrig behalten, als die Erinnerung daran. — Anders war es bei unſern Vorfahren. Außer den höchſten Menſchentugenden, der Biederkeit, Redlichkeit und Grabheit des eignen Weſens bewahrten ſie gleichzeitig noch einen Widerwillen gegen alles Fremde, was die Sitten verderben und die Volksthümlichkeit untergraben konnte. Sie waren gegen das Ausland gerecht, ohne deſſen Sprache und Sitten anzunehmen und nachzu-beten. An uns Nachkommen iſt es nun, unſer Erbtheil aufs Neue geltend zu ma-chen und unſer gefährdetes Volksthum zu retten, das noch umlagert wird von Fein-Millionen Bewoh-nern oft zum Spott des Auslandes geworden, das bald in dem Dänen, bald im Ruſſen und Britten uns höhnt, die freien deutſchen Ströme, und mit dieſen die natürlichen Handelsſtraßen zugleich, gefangen hält und Deutſchlands Wohlſtand vernich-tet. — Allerdings iſt es nicht zu wünſchen, daß dieſe volksthümliche Selbſtſtändigkeit ſo weit getrieben werde, aus Deutſchland ein durchaus abgeſondertes Reich, ein zwei-tes China, zu machen, was bei dem lebhaften Verkehr, in welchen die Völker der Erde, beſonders ſeit der Einführung von Eiſenbahnen, mit einander getreten ſind, überhaupt unmöglich wäre; nur Das ſei und bleibe eines jeden Deutſchen ſchönes Strebziel: dahin zu wirken, daß er nicht mehr zu fragen braucht: „Was und Wo iſt des Deutſchen Vaterland?" Dazu führt aber nur Einheit im Streben, Einheit in Sprache, Geſinnung, Neigung, Leben und — wenn's Noth thut — in dem Blitzen der deutſchen Schwerter! Und in dieſem Stre-ben nach innerer und äußerer Einheit verbunden auf Leben und Tod, laßt uns mit dem ächten deutſchen Biedermanne, dem Turnvater Jahn, glaubensvoll ſprechen und ſagen: „Unſre Hoffnung für Deutſchland lebe — unſer Glaube an ſeine Zukunft wanke nicht!"

W. Pretzſch.

Deutſchkatholiken, oder nach dem Beſchluſſe der Berliner Kirchenverſammlung Chriſtkatholiken, nennt ſich eine Glaubensgenoſſenſchaft der Neuzeit, die aus dem Schooße der römiſchen Kirche erſtand, bald Mitglieder aller andern Kirchen in ſich aufnahm. Die geſchichtliche Veranlaſſung des Entſtehens der D. gab der Unfug, welcher am Ende des J. 1844 zu Trier mit dem heil. Rocke getrieben wurde, zu welchem faſt eine Million verdummten und fanatiſirten Volkes wallfahrtete und ſich vom neuzeitlichen Tetzel: Biſchof Arnoldi ausbeuten ließ. Gegen dieſen Unfug trat ein vergeſſner ſchleſiſcher Kaplan, Johannes Ronge, mit einem Briefe in den „Sächſiſchen Vaterlandsblättern" auf, welcher das Unchriſtliche, Sündhafte und Volks-verderbliche des Trier'ſchen Gnadenhandels geißelte und ſich bald in Hunderttauſenden

von Abdrücken über Deutschland verbreitete. Um Ronge schaarten sich bald Gleich-
gesinnte, um sich vom Papstthum, welches zu allen Zeiten und unter allen Formen
Gewissenstyrannei ausüben muß, loszusagen. Der Abfall begann in ganz Deutschland und man mußte den Beginn einer neuen Reformation ahnen, die, getragen von der begeisterten Theilnahme eines gebildeten Volkes, das ganze Vaterland mit
sich fortriß. Die D. traten schnell in Leipzig zu einem Concil zusammen, um sich
über ihre gemeinschaftlichen Bedürfnisse zu einigen, sie gaben dem allgemeinen Streben
nach kirchlicher Freiheit Ausdruck und Form, legten die sogenannte Kirchengewalt in
die Hände der Gemeinden zurück, denen sie allein gehört und setzten das **Menschliche:**
die Bethätigung der christlichen Liebe (welche eine vollständige Umgestaltung der Gesellschaft in sich schließt) über die Lehre. — Aber sie versahen es darin, daß auch sie
ein Bekenntniß aufstellten, zwar ein sehr weites und bequemes Bekenntniß, welches
nicht leicht einem Gewissen Zwang anthun wird, aber doch **ein Bekenntniß,** wel-
ches für den, der es nicht mag, zwingend werden kann, wie ein Machtspruch des

... auf Aufhebung **jeder Kirche** und Ersatz derselben durch freie menschliche Vereinigung gerichtet sein muß. Kurz, man trug den augenblicklichen Staatszuständen aus
mancherlei Rücksichten mehr Rechnung, als den Forderungen des Innern und der Nothwen-

... ist noch an den Namen geknüpft, sondern lediglich
allgemeiner Grundsätze der Freiheit; aber eine Kirche haben
die D. zu **bleiben,** oder vielmehr zu **werden** auch hier gestrebt und die preuß. Abgeordneten hatten — abermals aus Staatsrücksichten — sogar die Marotte, mit der
römischen Kirche um die Aechtheit der eigentlichen katholischen Kirche zu ringen. Die
kirchliche Bewegung ist seitdem wesentlich über die D. hinaus geschritten, indem die
„freien Gemeinden" (s. d.) auf Bekenntniß und Kirchlichkeit völlig verzichten und nur
menschliche Vereine zu gründen streben. Bekennt man aber offen, daß die D. nicht
der ganzen Nothwendigkeit, die sich ihnen aufdrang, gerecht geworden sind; so wird
man ihnen mindestens das Verdienst nicht bestreiten können, daß sie einen wichtigen
Uebergangspunkt in dem Leben der Neuzeit bilden; daß sie ihrerseits weit über den
protestantischen Vernunftglauben mit seiner verschwimmenden Unklarheit und über das
wortreiche aber grundsatzlose Bestreben der Lichtfreunde hinaus gingen, zuerst sich auf
den Standpunkt stellten, von welchem aus allein mit Erfolg für die Freiheit gewirkt
werden kann, nämlich: außerhalb des Gebietes und der Zulänglichkeit des Polizei-
staats und daß sie die Bahn gebrochen haben, auf welcher die religiösen Freiheitsbestrebungen zum Ziele gelangen können. Bereits ist an einzelnen Orten die Vereinigung und Verschmelzung der D. mit den freien Protestanten versucht worden, in
Offenbach, Halle und Neumarkt auch gelungen und wahrscheinlich werden bald die
noch getrennten Brüder sich zusammenfinden in dem Elemente, in welchem sie allein
leben und gedeihen können: in der Freiheit von **jeder** zwingenden Satzung, gleichviel ob sie ihnen von auswärts aufgedrungen, oder von ihnen selbst geschaffen wurde. R. B.

Devotion. Deutsch: unbedingte Ergebung. Die Alten, besonders die Römer, weihten in drangvollen Zeiten sich freiwillig dem Opfertode fürs Vaterland und suchten
denselben entweder in der Schlacht, oder erduldeten ihn öffentlich vor allem Volk.

Diese großen Beispiele zur Erhebung des Volkes hießen D. Der große Sinn für solche Opfer scheint in unsrer Zeit erloschen, D. nennt man vielmehr, wenn Jemand Leib und Seele einem Andern zur freien Schaltung hingiebt, wenn er sein Sklave wird; das geschieht nicht für das Vaterland, sondern für Gehalte, Stellen, Würden, Titel, Orden u. s. w. Die römischen Götter hätten solche Opfer zurückgestoßen, der Sklave war ehrlos und galt nichts; die neuzeitlichen nehmen vorlieb und bilden sich sogar etwas ein auf die D. von sogenannten Seelen, die sich ihnen hingeben, weil sie sich selbstständig und alleinstehend keine Geltung zu verschaffen wissen.

Diäten der Abgeordneten, s. Abgeordneten.

Diakon (griech., oder Diaconus lat.) heißt eigentlich D i e n e r , bezeichnet aber besonders einen zur Armenpflege und bei geistlichen Verrichtungen gebrauchten kirchlichen Diener. Daher die Bezeichnung D. für den Messendiener, besonders in der griech. Kirche und der Name eines untern Geistlichen, welcher Gehülfe des Pfarrers ist. In diesem Sinne besteht der D. noch in England, wo er zwar geweiht, aber nichts als geistlicher Bedienter ist. In der protest. Kirche nennt man die Gehülfen der Prediger und Pfarrer ebenfalls D.; wo deren mehrere vorhanden sind, heißt der erste Archid., die übrigen blos D.en.

Diakonissinnen. So hießen in der ersten christlichen Zeit die Kirchendienerinnen, welche die weiblichen Täuflinge ankleiden, Hebammendienste leisten, den Frauen, die geboren hatten, das kirchliche Reinigungsbad bereiten mußten u. s. w. Sie mußten erst 60, dann 40 Jahre alt sein, wurden zu strenger Sittlichkeit ermahnt, aber nicht geweiht. Die Geistlichkeit nahms mit den 40 Jahren bald nicht streng, s u c h t e nur jüngere D. und mit der Sittlichkeit wars eben nicht sonderlich beschaffen, so daß im 6. Jahrh. sich mehrere Synoden gegen sie aussprachen und sie verschwanden. Mit den Nonnenklöstern kamen auch die D. wieder auf, denn theils nannte man die Nonnen überhaupt so, theils nannten sich besondere Nonnen D., die sich anfänglich die Bekleidung und den Schmuck der Altäre, später die Krankenpflege zur Aufgabe stellten. Sie hießen nun bald D., bald b a r m h e r z i g e S c h w e s t e r n , H o s p i t a l i t e r i n n e n oder S e e l w e i b e r ; letztern Namen hatten besonders die weltlichen Frauen, welche im Mittelalter und nach der Reformation sich der Krankenpflege unterzogen. In der reformirten Kirche wurden die D. in Holland wieder eingeführt und in der protest. versucht man in neuester Zeit das Gleiche. Ein Geistlicher, F l i e d n e r , stellt es sich seit 1836 zur Aufgabe, D. zu bilden und sie dann in die Welt zu senden. So sind sie in Berlin, Carlsruhe, Dresden und a. O. wieder erschienen und als Krankenpflegerinnen verwendet. Das Volk hat sie fast überall mit Mistrauen, theils mit entschiedener Abneigung und Spott empfangen. Blickt man auf das hin und wieder so scharf hervortretende Bestreben unsrer Zeit, mittelalterliche Anstalten und Ansichten wieder zu beleben, so ist diese Abneigung gerechtfertigt. Klöster und Nonnen sind etwas Untergegangenes, Begrabenes; die D. sind nichts als der Versuch, sie wieder zu erwecken und in den Protestantismus einzuschmuggeln. Die Krankenpflege ist etwas Gutes und Edles, aber sie bedarf des klösterlichen Beiwerks nicht, welches schon die Seelweiber als unnütz abweisen. Alles, was sich von den D. Gutes sagen läßt, das kann man von den Klöstern überhaupt sagen; es giebt keins, giebt keinen geistlichen Orden, selbst die Jesuiten nicht ausgenommen, der ursprünglich nicht gut und edel war; es giebt aber auch keinen, welcher nicht dem Verderben anheimfiel. Die Krankenpflege, für welche Staat und Gemeinde jetzt mehr als jemals sorgen, bedarf der D. nicht; der Zeit sind sie als mittelalterliche Klosteranstalten widerwärtig und sie werden hoffentlich bald nicht mehr da sein.   R. B.

Dichtkunst. Das Leben des Einzelmenschen, wie ganzer Völker gewährt ein Bild fortwährenden Strebens, Ringens, Kämpfens mit den dem Genusse entgegenstehenden Hindernissen. Das Elend wird nie ganz aufhören; besser und glücklicher sollen alle Menschen werden; ja, es könnte schon weit besser sein, stände nicht die

Herrschsucht und Eigenliebe, der Eigennutz und die Lieblosigkeit der durch Zufall Bevorzugten den Bemühungen der Denker und Weisen entgegen. Es liegt aber in der Beschaffenheit der Menschheit, daß die Ausführung des Beffern nur allmälig geschieht. Unter den Förderungsmitteln der Bildung und Wissenschaften ist es auch die Dichtkunst, welche uns in hellem Spiegel die veredelte und verbrüderte Menschheit vorzeigt. Es gab Zeiten, wo kein namhafter Dichter im Volke lebte, ein schlimmes Zeichen, welches darthut, daß ein leitender edler Gedanke des nationalen Handelns fehlt. Unsre Zeit ist reich an Dichtern; empfänden wir es nicht, so könnten wir aus dem Inhalte der Zeitgedichte erfahren, daß unsre Zeit eine bewegte, eines bestimmten Zieles sich bewußte, ist. Vor 70 Jahren begann Klopstock den Reigen berühmter neuerer Dichter, seine tiefreligiöse Weltanschauung verwies seine Zeitgenossen auf das Jenseits; Goethe ladet uns ein, das Erdenglück zu genießen; Schiller führte mit seinen Idealen zu ernsten, sittlichen Handlungen und erweckte den schlummernden Freiheitstrieb zu einem, wenn auch des Ziels sich nicht klar bewußten, Streben. Der Gedanke deutscher Nationalität gegenüber ausländischer Unterjochung, mächtige Erinnerung an die Heldenthaten der alten Deutschen riefen Arndt, Jahn, Schenkendorf, Körner u. A. wach. Ernste Mahnungen an die vorenthaltene Frucht der Siege, an die nicht erfüllten heiligen Versprechen sangen die Dichter Follen, Maltiz, Platen, Uhland u. A. Der mächtigern Erhebung des Volkes zum Vollgenuß seiner Rechte hat die D. in neuester Zeit mit Begeisterung und Schwung gehuldigt. Herwegh, Pruß, Freiligrath, Gottschall haben die politische Bewegung Deutschlands gefeiert und als Bedürfniß des Volkes dargestellt. Die wahren Dichter waren von jeher Verkünder des Werdenden, der bevorstehenden Ereignisse; was die Zeitgenossen dunkel ahnen oder lebhaft empfinden, weiß der Dichter in Gedanken zu fassen und in vollendeter Form auszusprechen. Es ist ein erfolgloses Bemühen, durch das Verbot ihrer Werke das Eindringen von Neuerungsideen zu verhindern; der Dichter könnte sie nicht in dem hohen Schwunge der Begeisterung aussprechen, wären sie nicht schon durch die Richtung der Geister gegebene und in der Zeit vorhandene. Die Werke der D., des herrlichsten, dem Menschengeist verliehenen,

lung der Sitten,
Bedeutung, sondern wirken auch mächtig für die Erhebung des Volkes zur Freiheit und für Verbesserung der gesellschaftlichen Uebelstände. Deßhalb sollte aber auch das deutsche Volk seinen Dichtern dankbar sein; sie empfinden alle Leiden der Menschheit, sie dienen, oft unter dem drückendsten Mangel, dem Volke mit der edelsten Hingebung

> Dir ist ja meine Luft, mein Hoffen, Leiden,
> Mein Lieben, meine Treu, mein Ruhm, mein Neiden,
> Dir ist mein Leben, dir mein Tod geweihet. (Uhland.)
>
> Adolph Henfel.

Dictator. Die höchste obrigkeitliche Person bei den Römern, die sie jedoch nur in bringender Gefahr ernannten. Der D. wurde mit unumschränkter Gewalt bekleidet; er erhielt das Recht über Leben und Tod der Bürger; von seinem Ausspruche fand keine Berufung an das Volk statt. Während vor dem Consul nur 12 Lictoren hergingen, gingen vor dem D. 24 her. Gleichwohl durfte er keineswegs thun, was er wollte. Sein Amt wurde ihm unter gewissen Beschränkungen übertragen, die einen möglichen Mißbrauch so großer Machtfülle verhindern sollten. Zuvörderst durfte er seine Würde nicht länger behalten, als die Gefahr, die er beschwören sollte, dauerte; 6 Monate war die längste Zeit; dann hörte seine Gewalt auf, mochte das ihm aufgetragene Geschäft beendigt sein oder nicht. Die meisten D.en legten aber ihr Amt schon nach wenigen Tagen nieder, was vom Volke immer sehr günstig vermerkt

warb. Dann durfte der D. die öffentlichen Gelder nicht willkürlich verwenden, ſon-
ferner hatte er
ſich an die Vorſchriften zu halten, welche ihm der Senat bei ſeiner Ernennung ertheilte; auch durfte er Italien nicht verlaſſen, und endlich konnte er nach Niederlegung ſeines Amtes wegen Führung deſſelben zur Rechenſchaft gezogen werden. Die
Wahl des D.s geſchah durch den Senat in mitternächtlicher Sitzung. Man berück-
ſichtigte gewöhnlich ſolche Männer, die ſich durch Energie, kriegeriſche oder ſtaatsmän-
niſche Eigenſchaften und Volksbeliebtheit auszeichneten. Die eigentliche Ernennung
erfolgte durch einen der Conſuln. Die römiſche Geſchichte kennt viele D.en. Der
erſte war Titus Lartius (501 v. Chr. Geb.); zu den berühmteſten gehören Ca-
millus, Fabius Maximus, Papirius Curſor und Quinctius Cincin-
natus. Als Sulla D. wurde, hatte der Staat 120 Jahre keinen gehabt. Er
blieb es 3 Jahre; denn mit der Republik war es damals ſchon ziemlich vorbei. Julius Cäſar ließ ſich gar zum D. perpetuus (immerwährenden D.) ernennen, was
bei ihm nur ein republikaniſcher Titel für die monarchiſche Gewalt war. Nach Cäſar's Tode hob Antonius dieſe Würde für immer auf. — Auch die neuere Zeit
hat Beiſpiele, wo Völker ſich in kritiſchen Zeitläuften mit unbedingtem Vertrauen und
rückſichtsloſer Hingebung der Führung eines Einzelnen überließen. Der That nach
war Waſhington D. von Nordamerika, Robespierre D. von Frankreich, mehr
noch ſpäter Bonaparte, welchen letztern Bolivar in Südamerika nachahmte.
Auch dem Namen nach war es der polniſche General Chlopicki nach der Revolution von 1830, ſo wie Tyſſowſki beim Krakauer Aufſtande 1846. Doch
dauerte die Gewalt dieſer beiden polniſchen D.en nur ſehr kurze Zeit. Und lange
würde eine ſolche Herrſchaft auch bei einem künftigen D. — wenn die Ereigniſſe
wieder ſolche allmächtige Menſchen emporbringen ſollten — nicht dauern, weil ſich
die Geſammtheit ihre Freiheit nicht länger, als durchaus nöthig wäre, auf dieſe Weiſe
beeinträchtigen laſſen würde. Die Dictatur iſt eine Ausnahmeſtellung in einem Aus-
nahmszuſtande. Dauert dieſe Gewalt länger, als die Staatskriſis, welche ſie hervorgerufen, ſo iſt nicht mehr von Dictatur, ſondern von Uſurpation und Tyrannei
die Rede.   Jäkel.

der Bundeskanzlei zu Frankfurt wird ſo genannt.

Diebeshehler iſt derjenige, welcher geſtohlne Gegenſtände wiſſentlich bei ſich
aufnimmt, verbirgt, verſchweigt, an ſich bringt; Partierer, welcher zu deren Abſatz
mitwirkt. Die Hehlerei und Partiererei gilt nicht blos von geſtohlnen, ſondern von allen widerrechtlich erworbenen Gegenſtänden und fällt unter den allgemeinen Begriff
der Begünſtigung eines Verbrechens, welche nach den meiſten Strafgeſetzbüchern
als eine dem Verbrecher nach vollbrachter That geleiſtete wiſſentliche Beihülfe betrachtet wird. Die Begünſtiger, alſo auch D. und Partierer, werden mit einem Theile
der den Verbrecher treffenden Strafe (in Sachſen mit dem Drittheile) belegt.

Diebſtahl. Das Anſichnehmen einer fremden beweglichen Sache wider Willen
des Eigenthümers, jedoch ohne Gewaltverübung an der Perſon, mit der Abſicht, ſich
dieſelbe zuzueignen, und dadurch ſich oder Andern unrechtmäßigen Gewinn zu verſchaffen. Der D. iſt ein einfacher (gemeiner) oder ausgezeichneter (qualiſtir-
ter), je nachdem er unter erſchwerenden Umſtänden verübt wurde oder nicht; die in
den Geſetzen namentlich bezeichnet ſind. Theils entſcheidet die Wichtigkeit der Gegenſtände, an welchen der D. begangen wird, theils die Zeit, theils die Gefährlichkeit
oder die Gewerbmäßigkeit der Verübung darüber: welcher D. ein ausgezeichneter
iſt. Dahin gehört z. B. der D. in Kirchen, an Gräbern, an Leichnamen, der D.
zur Zeit bringender Gefahr, der mit Waffen, durch gewaltſames Erbrechen, Eröffnung verſchloſſener Gebäude oder Behältniſſe mit Diebesinſtrumenten, durch nächtliches
Einſteigen oder vorgängiges Einſchleichen verübte, ſo wie der Markt- und Taſchen-D. —

Der D. wird meist (auch in Sachsen) für vollbracht angesehen, so bald der Dieb die fremde Sache an sich genommen, es ist also nicht erforderlich, daß er sie in seinen Gewahrsam gebracht hat. — Die auf den einfachen D. gesetzten Strafen sind nach den Beträgen des Gestohlenen abgestuft; so wird in Sachsen der D. bestraft a) bei einem Betrage bis 5 Thl. mit Gefängniß bis zu 6 Wochen, b) bei einem Betrage bis 10 Thl. mit Gefängniß von 4—8 Wochen oder Arbeitshaus bis zu 3 Monaten, c) bei einem Betrage bis 50 Thl. mit Arbeitshaus bis zu 2 Jahren, d) bei einem Betrage über 50 Thl. mit Arbeitshaus zu 1—6 Jahren. Der D. gehört unbedingt zu den entehrenden Verbrechen und entzieht demnach die bürgerlichen Ehrenrechte. **Adolph Hensel.**

Dienst. Eine Handlung der Ergebenheit und des Gehorsams. D. heißt zunächst jede Verrichtung des Soldaten, allein man braucht das Wort auch vielfach für Amt. Es ist also das hierher Gehörige unter Amt zu suchen. D.-adel ist demnach ein durch geleistete D.e erworbener Adel. D.-auszeichnung eine amtliche Anerkennung für geleistete D.e. D.-bestallung, D.-eid die Berufung zu einem Amte und der in Folge dessen zu leistende Eid. D.-lasten sind die Verpflichtungen, welche der hat, der im D. steht. D.-mannen hießen im Mittelalter diejenigen, welche verpflichtet waren, dem D.-herrn ins Feld zu folgen, oder sonst seinen Befehlen zu folgen; die ihm also D.-pflichtig waren u. s. w.

Dienstbarkeiten oder Servituten heißen diejenigen dinglichen Rechte, welche dem Eigenthümer einer Sache die Pflicht auferlegen, zum Vortheil eines Andern etwas zu unterlassen oder demselben irgend eine Benutzung dieser Sache zu gestatten. Stehen diese D. Jemandem für seine Person zu, so heißen sie persönliche, stehen sie Jemandem als Besitzer einer Sache zu, so heißen sie bingliche. Unter den erstern ist der Nießbrauch (f. b.) der wichtigste und häufigste. Die binglichen D. sind sehr verschieden, je nach dem Umfange und der Art der Benutzung, welche Jemandem an dem Grundstücke eines Andern zusteht. Dahin gehört das Weg-, Trift-, Hutnugs-recht u. a. In neuerer Zeit sind die meisten solcher, namentlich die wirthschaftliche Benutzung ländlicher Güter hindernden D. für ablösbar erklärt worden und in Folge dessen in sehr großer Anzahl thatsächlich verschwunden. **A.**

Dienstbarkeit, persönliche, f. Gesinde.

Diffensionseid, f. Eid.

Differentialzölle, f. Zölle.

Differenzgeschäfte nennt man im Gegensatz zu dem wirklichen Geschäfte, die Speculationen im Einkauf und Verkauf öffentlicher Fonds, Staatspapiere, Actien u. a. geldlicher Werthschaften, wobei die Lieferung oder Zahlung nicht wirklich erfolgt, sondern wobei es sich nur um Auszahlung des Unterschieds handelt, welchen der Cours (f. b.) dieser Werthschaften bis zu einer beim Abschluß des Geschäftes festgestellten Zeit aufweist. Diese Art von Zeitgeschäften sind es hauptsächlich, welche den Kampfplatz und sehr oft die Wahlstatt der Börsenspeculation beleben und die als Agiotage des Börsenspiels und Aufgeldwucher bezeichnet werden. So unsittlich dieses Glücksspiel in seinem Wesen und in seinen Folgen ist, so sollte der Staat sich doch hüten, andere Vorkehrungen dagegen zu treffen, als festzusetzen, daß die auf solche Art geschlossenen Geschäfte keine rechtliche Gültigkeit haben und bei den möglicherweise sich daraus herleitenden Streitigkeiten kein Klagerecht anerkannt werden soll. Vergl. Actienhandel.

Digesten, f. Pandekten.

Dignität: der Würdige, d. h. derjenige, welcher ein Ehrenamt bekleidet; als Titel besonders im Kirchenwesen üblich, wo entweder ganze Klassen D. heißen, wie in England die mittlere Geistlichkeit, oder die Domherrn D. genannt werden, die nebenbei noch ein andres Amt bekleiden.

Dikasterien ist die griech. Bezeichnung für urtheilsprechende Gerichte; doch nennt man häufig alle Behörden D., besonders wenn sie die Form von Collegien haben.

Dilation. Der latein. Ausdruck für Frist (s. d.).

Diligence. Der in Deutschland eingeschmuggelte Name für eine Post; in Frankreich nämlich heißen die Posten D., welche schneller als Fahrposten, aber minder schnell als Eilwagen gehen.

Dimission, vielfach übliches Fremdwort für: Abschied, Entlassung.

Dimissorialien: Entlassungsschreiben, nur bei den Geistlichen und im Gerichts= wesen üblich.

Dimissorialschreiben. In der protestant. Kirche der Erlaubnißschein für ein Brautpaar, daß es sich in einer andern als seiner Pfarrkirche trauen lassen kann.

Dingliche Frohnen, s. bäuerliche Lasten.

Diöcesanen. Die Angehörigen einer Diöcese, die unter bischöflichem Gericht Stehenden.

Diöcesansynoden, s. Kirchenversammlungen.

Diöcese, s. Bischof.

Diplomatie. Nach dem beißenden Spötter Börne „die Kunst sich gegenseitig über den Löffel zu barbieren"; wirklich bezeichnet man damit den gesammten friedli= chen Verkehr der gebildeten Staaten unter sich. Demnach begreift man unter D. oft die gesammten Regierungen mit all ihren „hohen" Staatsbeamten und ihrem ganzen gemeinsamen Leben, oft nur die besonders dazu ernannten Beamten und ihr Thun. Demnach heißt Diplomat, wer sie ausübt, Diplomatiker derjenige, welcher sie lehrt und lernt, diplomatisch, was sich darauf bezieht und ihr angehört, diplo= matisches Corps, das zur Ausübung der D. an irgend einem Hofe befindliche Gesandtschaftspersonal und Diplomatisiren, in der Weise der Diploma= ten, d. h. klug, gewandt, mild und mäßig über irgend etwas unterhandeln. Die Aufgabe der D. ist demnach, freundschaftliche Beziehungen unter den „Mächten" anzuknüpfen und zu unterhalten; Verträge aller Art zu verhandeln und abzuschließen; bei eintretenden Spannungen und Zwistigkeiten diese auszugleichen; ist das nicht mög= lich, den Krieg zu erklären; binnen demselben die Handhabung des Völkerrechts zu über= wachen, wo nöthig, Waffenstillstand und endlich Frieden zu schließen; überall aber die Macht, den Einfluß und die Würde des Staates zu vertreten, zu wahren, zu erweitern und geltend zu machen. Diese weit umfassende Aufgabe erheischt einen klu= gen, gewandten, schlauen, umsichtigen, liebenswürdigen, biegsamen und doch im Noth= falle entschiedenen Mann; erheischt genaue Beobachtung des Hofes, an welchem der Diplomat geschickt ist, und seiner politischen Richtung, Ab= und Zuneigungen so= wohl, als selbst der Launen und Leidenschaften der Gewalthaber, weil diese nur zu oft diese Richtung bestimmen, oder darauf einwirken; eine eben so scharfe Beobachtung der übrigen Diplomaten und ihrer Bestrebungen u. s. w. Diese schwierige und schlüpfrige Aufgabe hat der D. den Namen des politischen Jesuitismus ein= getragen und allerlei Glossen hervorgerufen, die für das Wesen der D. wirklich be= zeichnend sind. „Wer nicht vorn eine Ohrfeige und hinten einen Tritt erhalten kann und dabei ruhig fortlächeln, ist kein Diplomat" sagt Seume; „die Diplomaten ha= ben mehr Unglück über die Welt gebracht, als alle Diebe, Gauner, Betrüger und Mörder, die jemals gehenkt worden sind!" eifert der alte Blücher und behauptet: „diese verdammten Federfuchser verderben Alles, was ein ehrlicher Kerl gut gemacht hat" u. s. w. Treffen diese harten Aussprüche auch nicht die D. in ihrer Idee, so sind sie wenigstens bezeichnend für ihre Thaten; denn die D. war es besonders, welche die verderbliche Cabinetspolitik (s. d.) hegte und pflegte und den dynastischen In= teressen (s. d.) das Wohl und die Zukunft der Völker opferte. Besonders seit 1815 hat die D. die schwierige und undankbare Aufgabe, die Sachen zu erhalten, wie man sie damals gestaltete; aber weil man damals dem Leben zu wenig Rechnung trug und die diplomatischen Schöpfungen auf den Stillstand der Welt berechnete, vermag die D. ihre Aufgaben nicht zu lösen und hat die Arbeit des Sisyphus, der den gan-

vernichtet, die Türkei zur völligsten Ohnmacht gebracht, Griechenland unabhängig ge-worden, Portugal und Spanien durch Staatsumwälzungen umgestaltet, in Frankreich die Bourbons abgesetzt und vertrieben, die unnatürliche Verbindung Belgiens und Hollands zerrissen; die Schweiz hat eben mit dem Sonderbunde die D. besiegt und Italien ringt gewaltig nach neuer Gestaltung. Nur in Deutschland ist die Schöpfung der D. äußerlich erhalten worden; das innere Leben aber hat sich dergestalt über die Grenzen der D. hinaus ausgedehnt, daß die Umgestaltung mit derselben über-raschenden Schnelle erfolgen wird, wie in Italien, wenn der Augenblick gekommen ist. — Ehedem war die D. ausschließlich in den Händen der Rechtsgelehrten, später bemächtigte sich der Adel derselben und machte jenes Spottbild daraus, welches nichts als leere Ceremonien zum Inhalte hatte und wovon die 6 Thüren, die wir unter Congreß erwähnen, ein Pröbchen geben. Ab und zu bemächtigten sich die Soldaten einmal der D. und hieben die Staatsverhältnisse mit dem Säbel zurecht. — In der heutigen D. liegt der Grund des großen Zwiespalts, welcher durch alle Staatsver-hältnisse geht, indem die D. ein Ausfluß der Höfe allein ist, während in dem gan-zen Staatsleben das Volk Mitbetheiligung erstrebt und errungen hat; das Verfassungs-wesen wird keine durchgreifende Wahrheit, die D. nicht eher als ein volksfeindlicher

leben überhaupt hat.

Diplomatik heißt die Kunst, alte Urkunden zu verstehen, auszulegen und ihre Aechtheit und Bedeutung nachzuweisen. Da die Diplomatie großentheils auf dem

dieselbe ist stets ein Amtsvergehen, sie ist um so strenger, je mehr das Beamten-wesen in eine große Maschine ausartet, in der Alles höchst genau, aber seelenlos ineinander greift, die sich einbildet, sie sei sich selbst genug und der Staat sei nur ihretwegen da, und die demnach keine größere Sorge kennt, als sich selbst in vollster

Herre; s. Mannszucht.

chung, s. Amtsvergehen.

s. Banken.

ielfach D. genannt.

Dismembration, s. Theilbarkeit des Bodens.

stimmten Falle wird nur mit diesem lateln. Worte bezeichnet. Sie ist ein Theil des
Hoheitsrechtes und in dem Grade überflüssiger, als die Gesetzgebung klarer ist und
sich enger dem Leben und der Natur anschließt; dagegen kommt sie um so öfter vor,
je vollständiger das Bevormundungssystem ausgebreitet ist, welches jede Regung des
Lebens beaufsichtigen, regeln und unter seine Obhut nehmen will, daher jeden Augenblick neue berngende Gesetze macht, in die das Leben sich nicht zwängen läßt, und
von denen daher D. ertheilt werden muß. Am Größten war stets Rom in dieser
Beziehung; es schuf eine Reihe unmöglicher Gesetze und gab seinen geistlichen Satrapen mit dem Gesetze selbst stets die Erlaubniß der D. So mußte denn die ganze
christliche Welt fortwährend um D. bitten, jede D. aber auch bezahlen, was unermeßliche Schätze einbrachte. Die Neuzeit hat die Menschen gelehrt, sich selbst D.
zu geben.

Dissenter, s. Anglikanische Kirche.

Dissidenten (Andersgläubige, Abweichende) hießen in Polen die Protestanten, Armenier u. s. w., d. h. alle Christen, welche der römischen Staatskirche
nicht angehörten. In neuester Zeit hat man die Bezeichnung in Deutschland wieder
hervorgesucht, um die Abweichenden, besonders die Deutschkatholiken damit zu bezeichnen. Der Name ist etwas sehr Gleichgültiges, aber diejenigen, welche ihn hervorgesucht haben, beweisen, daß sie mit ihren Ansichten auf dem Standpunkte eines
bevorzugten Bekenntnisses, also jenseits des westphälischen Friedens, stehen geblieben und als geistige Mumien in unserer Zeit zu betrachten sind und daß sie, die
treuen Anhänger der geschichtlichen Schule, die geschichtliche Bedeutung des Namens
gar nicht kennen. Möchten diese Alterthumsliebhaber nur wenigstens daran denken,
daß die polnischen D. bereits 1775 alle Rechte erlangten, während die deutschen
1847 an mehrern Orten noch als eine Art Parias behandelt werden.

Distributionsbescheid, s. Concurs.

Diversion. Eine Kraftäußerung zu Gunsten irgend eines bedrohten Punktes;
im Gebiete der Politik also fast gleichbedeutend mit Demonstration (s. d.); in der
Kriegskunst ein Angriff, welcher den Feind nöthigt, seine Macht zu theilen.

Divan. Bezeichnung der gesammten Staatsregierung der Türkei.

Dividende, s. Actien.

Doctrinairs. Doctrin heißt wörtlich Lehre der Principien, also in der
Politik Lehre gewisser Grundsätze, auf denen das Glück der Völker beruhen soll; D.
würden daher diejenigen genannt werden, welche dieser Principienlehre anhängen und
sie zu verwirklichen trachten. D. nennt man jedoch besonders eine Klasse franz. Politiker, die sich angeblich vorgesetzt hatte, ein starkes Königthum mit wahrer Volksfreiheit zu vereinigen. Als den Erfinder der D. nennt man Royer-Collard, der
sein Lebenlang in der Mitte stand und bald den Hof oder das Königthum, bald die
Charte vertheidigte und vertrat, insofern also auch Erfinder des später so kläglichen
Juste miliou geworden ist. Sein Erbe und Nachfolger ist der dermalige franz. Minister Guizot, der Royer-Collards Gerippe festhielt und den Staat hineinzwängen
wollte, als dieser aber für sein Leben mehr Recht in Anspruch nahm, als
für das Gedankengerippe der D., griff Guizot dieses Leben selbst an und arbeitete
mit eben so viel Mühseligkeit als Vergeblichkeit an seiner Vernichtung. Lassen wir
das Wort gelten „An ihren Früchten sollt ihr sie erkennen", so sind die Früchte der
Regierung der D. ein entsetzliches Zeugniß für ihre Ehrlichkeit wie für ihre Fähigkeit:
Die kümmerlichen Volksrechte, welche die mit frecher Gewaltanmaßung grade von den
D. umgestaltete Charte noch erhielt, sind durch Ausnahmegesetze vernichtet, die Volksvertretung ist zum Spottbilde des Landes, zu einer bezahlten und verkauften Sippschaft von Eigennützigen und Stellenjägern herabgebracht, Bestechung ist der fast einzige Hebel politischer Handlungen, öffentliche Moral und Sittlichkeit sind untergraben,
die Schützlinge und Günstlinge der D. in die höchsten Würden und Staatsstellen

hnort. Im Handel kommt das Wort domicilirte

Lübecker Wechsel in Hamburg domicilirt.

Dominium. Uebliche latein. Bezeichnung der Herrschaft und Gewalt über et-

Donatiften. Eine chriftliche Secte im 4. Jahrh., die sich deshalb von den übrigen Chriften sonderte, weil diese nicht strenge genug im Glauben waren. Sie waren demnach so gläubig, daß die Agoniftifer (s. d.) aus ihnen hervorgingen.

die Steuer des Adels in
in, die ursprüng-
theils darauf, daß der Adel sich überall das
erhielt, wie hier die freiwillige Gabe, während für die
rigen Staatsangehörigen die Steuern längst Pflicht waren.

Donnerbüchse, s. Bombarde.

Dorfgerichtsbezirk; s. Bann.

Ansiedelung von mehrern Familien, welche die Land-

wirthschaft betreiben und die zwar die Rechte einer Gemeinde (s. d.) hat, ohne jedoch die Befugnisse einer Marktflecken- oder Stadtgemeinde zu besitzen." Bereits im
10. Jahrh. finden sich D. mit den Ortsnamen, welche sie heute noch führen; sie gingen meist aus freien Ansiedelungen hervor, doch entstanden deren auch durch Bewilligung und Betrieb der Grundherren, welche die Niederlassungen begünstigten und
den Bauern, die von ihnen gegen Grundzins oder andere Abgaben Ländereien zum
Anbau erhielten, Dorfschultheißen (nach dem „Sachsenspiegel" auch Bauermeister
genannt) oder Dorfrichter setzten und die Ansiedelungen als abhängig betrachteten.
Völlig irrig ist es aber, wenn viele Grundherren behaupten, daß ihnen auf allen
Dorffluren das Hutungsrecht zustehe und dieses Befugniß darauf gründen, daß
die D. durch ihre Gnade entstanden seien. Und auch aus deren Ursprung, und grundherrlichen Vergünstigungen folgt immer noch nicht, daß der Grundherr sich gewisse Rechte vorbehalten habe. Weit eher läßt sich annehmen, daß solche Bedrückungen, wie das Weide- oder Hutungsbefugniß, den Anbauern erst später aufgedrungen worden sind und diese angeblichen Rechte daher nur erzwungene genannt werden können. Hiernach aber dürfte auch die Frage: ob die innerhalb der D. liegenden
Lehden und Auen dem Gutsherrn oder der Gemeinde gehören? zu Gunsten der Letztern entschieden werden. Eben so verschieden, wie der Ursprung der D. selbst, ist auch
der ihrer Gemeinde-Verfassungen. Während die freien D. ihre Verhältnisse
selbst regelten, bestimmte in andern der Wille des Grundherrn das Gesetz; er ernannte die Gemeindebeamten und mischte sich in jede ihrer Berathungen. Andre suchten selbst den Schutz der Mächtigen, d. h. Adeligen, und so entstand eine Gemein-
deherrschaft, welche man oft mit der Gerichtsbarkeit verwechselte, während sie nur
ein Schutzverhältniß war. Diese Herrschaft wurde nach und nach auf alle D. ausgedehnt, die Dörfer wurden als Niederlassungen unfreier oder höriger Bauern
betrachtet, und selbst die Staatsregierungen gingen noch lange von der irrigen Ansicht
der Minderjährigkeit der D. aus und unterwarfen sie der Obervormundschaft des
Staates. — Unsre Zeit erst hat die Verhältnisse der D. bedeutend verbessert. Durch
Gemeinde-Ordnungen, wie in Sachsen, Preußen, Oldenburg u. s. w., ist ihnen
eine größere und freiere Bewegung verschafft worden. Sie können ihren Gemeinderath und Gemeindevorstand selbst wählen; und viele gutsherrliche Rechte und Befugnisse sind durch Ablösung beseitigt. — Die allgemeinen Grundzüge dieser Landge-
meindeordnungen sind etwa folgende: der D. stehen alle Befugnisse einer moralischen Person zu; sie ist also eigenthumsfähig, und die Beschlüsse ihrer Vertreter
sind bindend für die ganze D. Sie hat ihren Vertreter in dem gewählten Vorsteher,
der nur dann von der Rittergutsherrschaft oder der Landesregierung zu bestätigen ist,
wenn Gesetz oder Gewohnheit solches mit sich bringt. Der Gemeinderath überwacht
die Handlungen des Vorstandes; seine Mitglieder werden auch Schöffen genannt.
Ihre Wirksamkeit ist sehr verschieden; wie man den D. von jeher möglichst wenige
Rechte einräumte, so müssen auch jetzt oft noch die Beschlüsse der Gemeinderäthe den
vorgesetzten Gerichts- und andern Behörden zur Genehmigung vorgelegt werden, —
eine Bevormundung, die ihren Grund nur in der irrigen Ansicht haben kann, daß die
Bildung auf dem Lande der in den Städten weit nachstehe. Die Ausübung der niedern Polizei steht in dem Gebiete des Dorfes dem Ortsvorsteher oder Dorfrichter zu.
Eine Gerichtsbarkeit, wie sie im Mittelalter die Dorfgerichte, in beschränktem Umfange, ausübten, steht dem Ortsvorstande nicht mehr zu; höchstens darf er noch ver-
mittelnd einschreiten. Zu den wichtigern Geschäften des Vorstandes ist außer der Genehmigung des Gemeinderaths oft auch noch die Zustimmung der ganzen D. erforderlich. Der Gemeindevorsteher ist zugleich Verwalter des Gemeindevermögens. Wie
in den Städten, so hat auch in den D. die neuere Zeit ein Streben nach Vorwärts
erzeug es hat der Dorfbewohner den Vornehmen, Adlichen auf Landtagen und sonst
vielfach schon gelehrt, daß es mit dem „dummen Bauer" von Chemnis nichts mehr

ist und daß er wenigstens eben so bildungsfähig, wie seine Hoch- und Hochwohl-
gebornen Grundherren sei. **W. Pretzsch.**

Dotalen (Dotalbauern, Pfarrbauern, Wiedemuthsleute) hießen
sonst die Dörfer und Bauern, welche geistlichen Anstalten unterworfen waren, oder
denselben zu ihrer Erhaltung zugewiesen und ihnen pflichtig wurden. Dotalge-
richt daher die Gerichtsbarkeit über diese Bezirke und Leute, die der Anstalt zustand.

Dotation so viel wie Ausstattung, Geschenk, welches zur Selbsterhaltung
eines bis jetzt Unselbstständigen hinreicht.

Douane heißt die zum Zwecke der Zollerhebung vorhandene Grenzbewachung
in Frankreich. Diese, militärisch eingerichtet, zählt ein Heer von 25,000 Mann
(Douaniers) und außerdem über 5000 Beamte.

Dragonaden nannte man die Mißhandlungen, durch welche die Protestanten
in Frankreich zum Katholicismus zurück geführt wurden. Man legte nämlich Dragoner in die protest. Orte oder Familien und ließ diesen freie Hand, bis sich die
Leute bekehrten. Das war sehr hart und roh, aber es war mindestens ein Zeichen des Muthes und der Offenheit. Die Entziehung des Kirchenvermögens, der
bürgerlichen Ehrenrechte und der Anstellungen, die Erschwerung der Ehen, Ungültig-
keitserklärung der Taufen, Vertreibung der Geistlichen, Verbote der Versammlungen
u. s. w. sind die D. unsrer Zeit, die in ihrem heuchlerisch milden Gewande doch die
Kraftlosigkeit und Feigheit zur Schau tragen, als sie sie geboren hat.

Dragoner. Eine Art Reiterei, welche aus den alten Arkebusirern (s. d.) entstand und oft reitendes Fußvolk genannt wurde, weil sie mit langen Gewehren
und Bajonetten bewaffnet war, Trommeln und Pfeifen, Grenadiercompagnien u. s. w.
hatte, auch oft zu Fuß ins Gefecht geführt wurde. Jetzt sind die D. ein Mittelding
zwischen schwerer und leichter Reiterei; der Name rührt von der Fahne der alten
franz. Reiterei her, in welcher Drachen (Dragons) sich befanden.

Dramatische Dichtung, s. Theater.

Draufgeld. Eine Anzahlung auf irgend ein abgeschlossenes Geschäft, Kauf,
Miethe u. s. w. Das D. ist ein Zeichen der wirklichen Einigung und ist bindend
für beide, die den Vertrag schlossen.

Dreieinigkeits- oder Dreifaltigkeitslehre. Ein Lehrsatz der christl. Kirche,
der vom Anbeginn an unzählige Ketzer, die denselben nicht, oder nicht ganz anerkannten, hervorgerufen und die Religion der Liebe mit Strömen von Menschenblut befleckt
hat. Er besteht in der dem schlichten Verstande gar nicht faßlichen Lehre, Gott bestehe aus 3 dem Wesen nach völlig gleichen Personen: dem Vater, Sohne und
heil. Geiste, die dennoch nur Eins: Gott seien. Der Begriff in Zahlen ausgedrückt, lautet so: Drei ist Eins und Eins ist Drei! was bis jetzt wohl die
Sophistik zu erklären versucht, die Mathematik aber nicht vermocht hat. Die 2. Person, der Sohn, soll Christus sein und mit einem gleichen Aufwande von Spitzfindigkeiten, wie bei der D., hat man erklärt: wie derselbe Gott und Mensch, wahrer
Gott und wahrer Mensch, beides getrennt und allein und beides vereint und ganz
sei. Christus selbst hat von der D. nichts gewußt, einige bildlich-morgenländische
Redensarten vom Geiste abgerechnet; sie wurde erst zu Ende des 4. Jahrh.s auf der
Synode zu Constantinopel erfunden und im 5. Jahrh. als unantastbarer Lehrsatz
festgestellt. Seitdem haben ihn alle christlichen Kirchen beibehalten und in allen christlichen Kirchen war er der Grund zu Verfolgungen und blutiger Zwietracht; selbst
die Deutschkatholiken haben eine scheinbare D. in ihrem Bekenntniß angenommen,
an die sie doch nicht glauben. Eine große Anzahl Secten, deren wichtigste wir besonders nennen, waren grade gegen die D. gerichtet. Uebrigens gehört die D. der
christlichen Kirche gar nicht eigenthümlich. Schon die alten Aegypter hatten sie, indem
sie Keph, Phtha und Reith (Weltgeist, Urlicht und Weisheit) völlig eben so trennen
und verbinden; die Juden trennten und verbanden im Jehova ebenso Das, was ist

was war und was sein wird; die Bramanen ihre Götter Brama, Vischnu und Schiwen-Trimurti ebenfalls; Platon endlich Güte, Weisheit und Allmacht, die er personificirte, und bei den Chinesen, Hindus u. a. findet man den Begriff lange vor dem Christenthum. Die „freien Gemeinden" haben endlich den Muth gehabt, den Lehrsatz entschieden zu verneinen und abzuweisen.   —R. B.

Dreifarbige Kokarden und **Fahnen** und zwar blau, roth, weiß, waren in der ersten franz. Staatsumwälzung die Zeichen und das Sinnbild der errungenen Freiheit; in der 2. — 1830 — waren sie das Spielzeug, durch welches sich das siegestrunkene Volk kirren und im Taumel von seiner dazu unberufenen Vertretung an ein neues Herrschergeschlecht verschachern ließ, ohne seiner Verfassung nur eine Bürgschaft für die Nichtwiederkehr der Willkürherrschaft, gegen die man eben die Waffen geschwungen, einzuverleiben. Auch in andern Ländern waren d. K. vielfach Sinnbild der Wünsche und Bestrebungen nach Einheit und Aufschwung des Landes; so spielte in Deutschland das Schwarz-Roth-Gold — die ehemaligen Nationalfarben — eine große Rolle und gegenwärtig spricht in dem aufwachenden Italien die d. K. oft mehr und verständlicher, als es der Mund der Tausende, deren Herzen diesem Zeichen entgegen schlagen, kann und darf.

Dreifelderwirthschaft, s. Landwirthschaft.

Dressur, s. Belehrung.

Drohbriefe. Eine mildere Gattung Brandbriefe (s. d.), welche je nach ihren mehr oder minder strafbaren Absichten, wie die Letztern beurtheilt und bestraft werden.

Droits reunis hieß eine sehr verhaßte Verbrauchs- und Verzehrungssteuer (s. d.) in Frankreich, mit welcher der neugebackene Kaiser Napoleon 1804 seinem Volke eines der ersten Geschenke machte.

Drost oder **Landdrost.** In Norddeutschland ein Regierungsbeamter, welcher einem gewissen Bezirke vorgesetzt ist und eine Art höhere Polizei ausübt und nur dem Ministerium untergeben ist; also eine ähnliche Mittelbehörde wie die Amtshauptleute, Kreisdirectionen, Landräthe und Voigte. Der Bezirk eines D. sowohl als sein Amtshaus heißen Drostei.

Druckschriften, s. Buchhandel, Buchdruckerei, Censur und Presse.

Du croire, s. Commissionshandel.

Duell, s. Zweikampf.

Duldung. Dem menschlichen Wissen und Thun hängt eine bis jetzt unbesiegbare Unvollkommenheit an. Aus dieser Selbsterkenntniß geht die D. hervor, welche, besonders in Glaubenssachen, das nachsichtige Ertragen und Bestehenlassen abweichender Meinungen Andrer neben sich ist. Sie sollte eine der großen Grundlagen des Christenthums bilden, welches sich auf das Gebot Jesu stützt: Liebet Euch unter einander! Und doch suchten Beschränktheit oder Leidenschaft, die sich des Christenthums bemächtigten, stets einen Ruhm darin, die ihrer Meinung nach Abtrünnigen zu verketzern und zu verfolgen. Rom besonders gab sich selbst ein Monopol auf den ausschließlichen Besitz des wahren freien Glaubens. Die Folge davon war, daß es eine unbeschränkte Gewissensherrschaft erlangte und durch Ertödtung alles geistigen Lebens die Unduldsamkeit auch der Masse mittheilte. Aehnliche Grundsätze befolgte die Staatsgewalt; nur daß hier das weltliche Interesse der Herrscher das überwiegende war. Auf diese Weise entstanden anerkannte Kirchen- und Staatsreligionen, deren Grundsatz es war, jede Abweichung von ihren Lehrsätzen zu verdammen; so mußte der Grundsatz christlicher Liebe dem Machtgebot der Herrschsucht weichen, und die D. in ihren Gegensatz sich verwandeln. Der Geistesdruck erzeugte allerdings den heftigsten Widerstand in Religionskriegen, besonders als die Kirchenreformation ihr Licht über Deutschland verbreitet hatte. Allein die Früchte solchen Widerstandes genossen nur die Mächtigen, während es im Volke beim Alten blieb. Wenn es in jener Zeit auch Männer gab, die, wie der „gute" Heinrich IV. durch das Edict

von Nantes (1598) und der deutsche Kaiser Rudolph II. durch den Majestäts-
brief (1609) die religiöse D. zu einem Gemeingute machen wollten, so folgte
ihnen doch immer wieder ein Ferdinand II. oder ein Ludwig XIV., welche die
D.sbriefe ihrer Vorfahren zerschnitten und mit Königsworten den schnödesten Treubruch trieben. Selbst später (1781) hatte das Toleranzedict Josephs II. kein
besseres Geschick, als daß es mit seinem Tode wieder erlosch. Wenn auch in der
deutschen Bundes-Acte die Rede von „christlichen Staaten" und christlicher D. ist,
so hat man doch vielfach Ursache gehabt, über Unduldsamkeit und Zwang sich zu beschweren, wie dies die Behandlung der Altlutheraner, die Einführung der Agenden,
das Verfahren gegen die Deutschkatholiken und Lichtfreunde, die Erhaltung von Glaubenslehren und veralteten Bekenntnissen durch Zwangsgebote u. s. w. darthun. Selbst
das preuß. Patent v. 30. März 1847, obgleich es die im „Allgem. Landrecht
ausgesprochene Glaubens- und Gewissensfreiheit unverkümmert
aufrecht erhalten und die Freiheit der Vereinigung zu einem gemeinsamen Bekenntnisse und Gottesdienste gestatten" will, erhielt nicht nur
in seiner Anwendung auf Deutschkatholiken und freie Gemeinden eine ganz
andere Auslegung, sondern gewährt seine sogenannte D. nur gegen Aufgabe der
Angehörigkeit an eine Kirche, der politischen Rechte, greift in die Familienrechte
schneidend ein, verweigert Anstellung und Besoldung und verkauft also seine D. für
schwere Opfer. Steht aber dem Staate ein Recht zu, die freie Ausübung irgend
eines Religionsbekenntnisses zu hindern, so lange es nichts Nachtheiliges für die Erhaltung seiner Ruhe enthält? Vernunft und Sitte entscheiden diese Frage mit Nein!
Denn wie das Fühlen, Denken und Glauben des Menschen an sich unbegrenzbar
ist, — so muß es auch das laute Aussprechen seiner innersten Ueberzeugung
sein. Wo diesem aber gewehrt wird, da herrscht keine D. mehr, sondern nur Zwang.
Diesem entgegen aber begnügt sich die Forderung der Neuzeit nicht mehr mit D.,
sondern sie verlangt als Recht, was dem Menschen angeboren ist, daß sein Gewissen
frei sei; nicht mehr gegen die Unduldsamkeit der Kirche, sondern gegen die Kirche
selbst, die Unduldsamkeit hegt und pflegt in jeder Form und Gestalt, ist der Kampf
gerichtet und wer es erkennt in der Geschichte, wie Licht und Vernunft noch jede
finstre Macht überwunden haben, der ist nicht zweifelhaft über den Sieg. W. Pretzsch.

Dunkelmänner, s. Mucker.

Duodecimalsystem, s. Decimalsystem.

Duplik. Im dermaligen bürgerlichen Rechtsstreite bringt der Kläger seine
Klage schriftlich an; diese wird dem Beklagten mitgetheilt, der darauf seine Antwort
eingiebt, welche vor 2000 Jahren Replik hieß und folglich bei uns eben so heißen
muß. Damit nun der Kläger allenfallsige Unrichtigkeiten dieser Antwort berichtigen
kann, schreibt er nach genommener Einsicht eine Ergänzung und Erweiterung seiner
Klage, die D. heißt. So sind glücklich Hin- und Hersendungen, 3 Schriften, 3 Zeit-
versäumnisse, 3 Termine, 3 Annahmen und Einzeichnungen dieser Schriften u. s. w.
nöthig, um zu bewirken, was 2 Menschen, die sich gegenüber stehen, binnen einer
Viertelstunde zu bewirken vermögen. Dieses nennt man Gründlichkeit.

Durchbrechen heißt in der Kriegskunst, wenn ein Heer seine ganze Kraft gegen
den Mittelpunkt des feindlichen Heeres richtet, denselben durchbricht und seine
Schlachtordnung zerstört. Besonders unter den Heeren der franz. Republik und Napoleons wurde dieses Mittel üblich und der Sieg durch dasselbe entschieden; so
z. B. bei Austerlitz. Auch im Seekriege ist das D. der feindlichen Schlacht- (d. h.
Schiffs-) Linie üblich und gewaltig.

Durchgangszölle, s. Zölle.

Durchlaucht. Ein vom Kaiser Karl IV. den Kurfürsten verliehener Titel,
welchen die Fürsten bis zum Großherzog aufwärts beibehielten bis 1843, wo er für

die regierenden Fürſten mit Hoheit vertauſcht wurde. D. ſoll das ehemals übliche latein. serenus (mild, hell, durchleuchtend) ausdrücken, thut dies aber ſehr ungeſchickt. Von dieſem Urſprunge rührt auch der ſonſt ſehr übliche Titel Sereniſſimus (Mildeſter, Durchlauchtigſter) her. Als Beiwort iſt D. noch allgemeiner üblich, indem die Anſprache an Fürſten lautet: Durchlauchtigſter oder Allerdurchlauchtigſter Fürſt (Kaiſer, König, Herzog u. ſ. w.) und Herr.

Durchmarſch heißt das Ziehen von Truppen durch fremdes Staatsgebiet. Der D. darf nur mittelſt Uebereinkunft Statt finden, indem er ſonſt als Gebietsverletzung und Kriegsgrund betrachtet wird. Der Staat, welchem die Truppen gehören, haftet für alle Koſten und Schäden. Staaten, die ein getrenntes Gebiet haben, wie z. B. Preußen und Baiern, ſchließen gewöhnlich im Voraus Verträge über einen nöthig werdenden D. ab. Als ein weſentliches Erleichterungsmittel des D.es werden alsdann durch das fremde Gebiet Etappen angelegt, d. h. auf eine Entfernung von 3—4 Meilen Ortſchaften ausgewählt, in welchen im Voraus für die Verpflegung der Truppen geſorgt iſt und zu deren Sicherung oft ſogar Beſatzung in dieſen Orten ausbedungen iſt, um ſie vor jedem Wechſelfalle zu ſichern. Eine alſo vorbereitete Marſchſtraße heißt Etappenſtraße.

Durchſchlagen nennt man es, wenn ein eingeſchloſſenes Heer, zu ſchwach ſich ferner zu vertheidigen, ſich mit Gewalt eine Bahn durch den Feind öffnet, um Verbündete oder eine beſſere Stellung zu ſuchen. Iſt das Heer zum D. auch zu ſchwach, ſo verſucht es oft das

Durchſchleichen, indem es im Rücken der feindlichen Stellungen bei Nacht und auf Nebenwegen ſich eine andere Stellung ſucht. Beim D. wird jedes Geräuſch vermieden und im Fall eines Angriffs der Kampf ohne Schießen mit blanker Waffe geführt.

Durchſuchungsrecht, ſ. Sklavenhandel.

Dynaſt. Nach urſprünglicher Bedeutung des Wortes ein **Fürſt**, in der alten Zeit ein **Despot**. Im Mittelalter wurden die größtentheils mit fürſtlichen Häuſern verwandten Reichsfreiherrn und Reichsbarone D.en genannt. In der neueſten Zeit bezeichnet man als D.en die Anverwandten einer Herrſcherfamilie, die entweder ein Anrecht auf die Thronfolge ſelbſt, oder doch wenigſtens auf Unterſtützungsgelder vom Staat oder der Herrſcherfamilie haben. Diejenigen D.en, die als Abkömmlinge einer geſtürzten Herrſcherfamilie ihr Thronfolgerecht geltend zu machen ſuchen, werden Prätendenten genannt.

Dynaſtie. In alter Zeit die Herrſchaft ſelbſt, gegenwärtig eine Herrſcherfamilie, deren Mitglieder nach einem beſtimmten Erbfolgegeſetz zur Regierung eines Landes berechtigt ſind. Sie gelangten entweder, wie die gegenwärtige preuß. D., mit der Geſchichte der Staatenbildung von kleinen Machthabern bis zum Königsthron fortgehend, zur Herrſchaft, oder ſie wurden durch einen geſchichtlichen Zufall wie Napoleon oder die jetzige franz. D. mit der Herrſchaft bekleidet. Die D.en, ganz abgeſehen von den Urſachen ihrer Erhebung, nennen ſich „von Gottes Gnaden", eine Benennung, die aus der Zeit herrührt, wo die Herrſcher ſich mit den Prieſtern in die Herrſchaft der Welt theilten und entweder einen gemeinſchaftlichen göttlichen Urſprung behaupteten, oder wenigſtens ihren Beruf zum Herrſcher von Gott ableiten wollten. Dieſe Bedeutung hat die Bezeichnung jetzt verloren, und iſt wie das alte: „Mehrer des Reichs" mehr als eine bloße Form oder Ueblichkeit zu betrachten. Ueber die Beſtrebungen der beſtehenden D.en für die Erhaltung derſelben, die Beſtrebungen der Dynaſten für die Wiederherſtellung der geſtürzten D.en ſ. d. Art. dynaſtiſche Intereſſen. *Bertholdy.*

Dynaſtiſche Intereſſen heißen diejenigen, welche den Dynaſten betreffen und ſein Wohl, gewöhnlich im Gegenſatze zum Wohle des Landes, fördern. Das Verfolgen d. J. würde demnach ein Zweig der Cabinetspolitik (f. d.) fein und ift ihr Charakter — fo weit nämlich ihre Verfolgung dem Wohle des Landes entgegenfteht, oder daffelbe nur ungebührlich zurückfetzt — dort gefchildert.

E.

Ebenbürtige Ehe, f. Ehe.

Ebenbürtigkeit: Die gleiche Abftammung mit einem Andern; eine Spielerei, mit welcher fich der Adel befchäftigte, als er fonft nichts zu thun hatte. Als der Traum eines beffern Blutes den Adel beherrfchte, da bildete er auch Adel im Adel. Der Fürft erkannte nur dem Fürften, der Graf dem Grafen u. f. w. die E. zu und dabei wurde auf die Zahl der Ahnen noch ein fehr großes Gewicht gelegt, fo daß der Baron mit 16 Ahnen einen etwa neugebackenen Grafen fehr über die Achfel anfah. Als diefe Standesabgränzung in ihrer Blüthe ftand, durften nur Ebenbürtige zu Gericht fitzen, Zeugniß ablegen und das Urtheil fprechen; nur fie hatten das Recht, den Zweikampf zu fordern, eine gültige Ehe (f. d.) erforderte die E. und felbft beim Erbrechte fpielte diefelbe ihre Rolle. Jetzt gilt die Ebenbürtigkeit nur noch beim hohen Adel etwas, der niedere — und auch oft der hohe — ift nicht mehr fo peinlich, läßt fich gnädig zu den Bürgerlichen, d. h. zu den Reichen, herab und fucht fogar oft durch eine Bühnenkünftlerin, die er mit feiner Hand beglückt, Geift, Anmuth und Leben in feine öden verwitterten Burgen zu bringen.

Edelknaben. Früher ftrebte der Adel danach, feine Söhne in zartefter Jugend an die Höfe der Fürften und Gewaltigen zu bringen, wo fie als Hofjunker oder Kammerjunker oder Pagen angeftellt wurden und Pagendienfte leifteten, d. h. den Mächtigen bedienten und nebenbei in ritterlichen Uebungen unterrichtet wurden.

Edelknechte. Sie waren entweder deffelben Urfprungs wie die Edelknaben, d. h. adliche Knechte, die aber nur zu Kriegsdienften verpflichtet waren; oder es waren Knechte der Edeln, d. h. der Adlichen, die aus Hörigkeit oder für Lohn für alle Dienfte verpflichtet waren.

Edelleute. Bezeichnung des Adels im Allgemeinen, befonders aber des niedern Adels.

Edict, f. Gefetz.

Edictalladung. Die im Rechtswefen faft ausfchließlich gebräuchliche Bezeichnung für öffentliche Ladung. Sie erfolgt in allen Rechtsftreitigkeiten, wo man die Betheiligten nicht kennt, oder nicht alle zu kennen fürchten muß, wie beim Concurs, beim Auffinden herrenlofen Gutes, bei großen Erbfchaftstheilungen u. f. w. Das Verfahren, welches in folchen Fällen eintritt, heißt

Edictalproceß und befteht zunächft darin, daß alle Betheiligten laut öffentlicher Ladung an einem beftimmten Tage erfcheinen, und ihre Rechte geltend machen. Wer bis zu der feftgefetzten Zeit nicht erfcheint, wird durch den Präclufiv= (Schließungs=) befcheid vorerft ausgefchloffen, d. h. muß mindeftens den Angemeldeten nachftehen.

Edict von Nantes, f. Hugenotten.

Edition. Aus der Zeit, wo die Deutfchen die Wuth hatten, ihre Sprache zu verderben und dem Fremden dienftbar zu fein, hat fich auch das Wort E. erhalten;

es heißt Ausgabe, wie 1., 2., 3. Ausgabe eines Buches (vergl. Buchhandel) oder Herausgabe von Urkunden, Acten u. f. w. (f. Acten).

Edler. Bezeichnung eines Adlichen im Allgemeinen, besonders aber eine Klasse von Adlichen in Oesterreich; E. von N. ist etwa gleichbedeutend mit Baron oder Freiherr.

Egoismus, f. Selbstsucht.

Ehe, Ehebruch, Eheconsens, Ehescheidung, gemischte, morga- natische, unstandesmäßige, verbotene Ehen. So alt wie das Eigenthum, so alt ist auch die E. Eheliche Verhältnisse, Verbindungen zwischen Mann und Weib, findet man, wenn auch nicht in so geläuterter Form wie heut, in der ältesten Zeit. Das deutet auf eine tiefe innere Nothwendigkeit, die dem Menschengeschlechte von der Natur eingepflanzt ist. Die Natur hat die Unterschiede der Geschlechter be- gründet; sie hat diese mit sinnlichen Trieben ausgestattet; diese natürliche Seite seines Wesens hat der Mensch mit allen lebenden Geschöpfen, mit den Thieren gemein; auf dieser Grundlage beruht die Fortpflanzung seines Geschlechtes. Aber wenn das Thier allein seinem blinden Triebe (Instinct) folgt, einer Naturnothwendigkeit, der es nicht zu gebieten, nicht zu wehren vermag: so geht die Natur des Menschen in diesen sinn- lichen Trieben nicht auf; neben der sinnlichen Seite ist in ihm noch eine andere, die geistige, und wie auf seine Handlungen die Vernunft und das sittliche Gefühl mehr oder weniger einwirkt, jedenfalls die Vorherrschaft vor den niederen Trieben und Begierden behaupten soll: so geht auch dem geschlechtlichen Triebe das Bewußtsein zur Seite, höhere sittliche Gefühle mischen sich ein, er wird dadurch veredelt und gereinigt, wendet sich mit aller Macht auf einen einzelnen besonderen Gegenstand hin, zu dem er durch persönliche Anhänglichkeit, Achtung u. f. w. hingezogen wird, und gegen- seitige Verpflichtungen begründen sich unter Wesen, die für Gefühl und Vernunft em- pfänglich sind, von selbst. Mögen auch in der frühesten rohesten Zeit die Verbin- dungen der beiden Geschlechter nur aus dem natürlichen Triebe hervorgegangen sein: mit dem erwachenden menschlichen Bewußtsein und der fortschreitenden Bildung und Gesittung mußten sie eine sittlichere Gestalt annehmen: an die Stelle der Vielweiberei (Polygamie), die nur so lange möglich ist, als das Weib in einem sklavischen Zustand gehalten wird, tritt die Verbindung mit einem Weibe (Monogamie), die sich in demselben Maße, wie sich die Bildung auf höhere Stufen erhob, zu dem rechtlichen und sittlichen Verhältniß ausbildete, welches wir heute mit dem Begriff E. bezeichnen. Nach den heutigen Begriffen aller gebildeten Völker besteht das Wesen der E. nicht in der bloßen Verbindung der Geschlechter, sie würde dann nur die thie- rische Seite des Menschen umfassen, sie schließt vielmehr gleichzeitig auch die sittliche Natur desselben ein, ist mit einem Worte die zur Geschlechtsverbindung und Erzeu- gung und Erziehung von Kindern, zur ehelichen Treue, zu gegenseitigem Beistand und zur gemeinsamen Tragung der Lebensschicksale verpflichtende, an gewisse durch Sitte oder Gesetz geheiligte Formen gebundene Vereinigung zwischen Mann und Weib. Unberechenbar ist der heilsame Einfluß, den die E. auf das menschliche Geschlecht ge- habt hat. Denn der Unordnungen und Verwüstungen würde kein Ende sein, wenn der geschlechtliche Trieb, welcher der stärkste unter allen sinnlichen Trieben ist, in völliger Ungebundenheit sich äußern könnte, so weit sein Gelüste reicht. Indem ihm die E. ein gewisses Maß und Ziel setzt, ihn unter ein bestimmtes Gesetz beugt, hin- dert sie das Zurücksinken in barbarische Zustände und begründet durch das feste Ver- hältniß, welches sie zwischen den Geschlechtern knüpft, die Familien, die Grundlage aller geordneten Staatszustände. Man kann es getrost darauf ankommen lassen, was die Schule, die in der neuesten Zeit die Auflösung der E. und einen freien ungere- gelten, ungebundenen Verkehr zwischen den Geschlechtern predigt, ausrichten wird. Auf der Bildungsstufe, die alle gesitteten Völker im Durchschnitt erschritten haben, erkennen sie mehr noch als die Völker des Alterthums, daß die Leidenschaften durch das sittliche oder bürgerliche Gesetz gebändigt werden müssen, wenn sie nicht Alles zerstören sollen, daß die Freiheit nur innerhalb gewisser Schranken wohlthätig wirkt, und blühende Reiche zum großen Theil deshalb mit untergegangen sind, weil unter der ungezügelten Herrschaft der sinnlichen Triebe das Sittenverderbniß aufkeimt und mit ihm die Schlaffheit und Knechtsgesinnung eben so rasch zu- als die Freiheitsliebe und der sittliche Männermuth abnimmt. Wie diejenigen die menschliche Natur verkennen, die ein eheloses Leben fordern, z. B. von der katholischen Geistlichkeit (Cölibat), so nicht minder die, welche von keinem Gesetz, keiner Schranke und keiner Pflicht etwas wissen wollen. — Die Geschichte aller Zeiten hat es bestätigt: je strenger die Normen aufrecht erhalten werden, unter die Sitte oder Gesetzgebung die ehelichen und Familienverhältnisse gestellt hat, um so tiefer ist der sittliche Gehalt eines solchen Volkes, und umgekehrt. Man kann die E. nicht auflösen, ohne zugleich die gesammte bürgerliche Ordnung aufzulösen. Der „Naturzustand", der darauf folgen würde, möchte nur eine allgemeine Verwilderung sein. — Um auf Einzelnes einzugehen, so ist die E. ein Vertrag zwischen Mann und Weib, geschlossen auf Lebenszeit, gegenseitig Rechte und Pflichten bedingend. Es liegt im Wesen des Vertrags, daß er beiderseits aus freier Uebereinstimmung und Vereinbarung hervorgehe. So soll es also auch die E. Wo etwa der eine Theil gezwungen, z. B. durch Verkauf, in die E. gegeben würde, da wäre sie kein freies Vertrags-, sondern ein Zwangsverhältniß. In dieser Beziehung entsprechen die E.n der Alten unsern Begriffen nur wenig, indem die Rechte der väterlichen Gewalt über die Familientöchter theilweise so weit gingen, daß der Vater unbedingt über die Tochter verfügen und sie in die E. verkaufen konnte. Ein sittliches Verhältniß entsteht dadurch freilich eben so wenig wie durch die Sklaverei, und es mußte sich mildern, je mehr die Rechte des Weibes zur Anerkennung kamen. Heut zu Tage ist zwar im Ganzen die Einwilligung der Eltern in die E. ihrer Kinder (E.consens) noch erforderlich, doch mehr zum Schutz derselben gegen übereilte und leichtsinnige Schritte, als um ihre persönliche Freiheit zu unterdrücken (wo jene nur aus Halsstarrigkeit oder persönlicher Abneigung, überhaupt aus nicht gesetzlichen Gründen verweigert wird, kann sie durch die Obrigkeit ergänzt werden), jeder Zwang aber ausgeschlossen. Nur in den fürstlichen Familien herrscht noch eine Art Zwang. Wie überhaupt in der vornehmen Welt bei Eingehung eines Verhältnisses, das, weil es auf die Dauer des Lebens geschlossen wird, auf der innersten Zusammenstimmung der Seelen beruhen sollte, häufig blos irdische Rücksichten den Ausschlag geben, so ist dies ganz besonders bei fürstlichen Personen der Fall. Nicht die freie Zuneigung, sondern die Diplomatie schließt hier die E.bündnisse. Ohne die Betheiligten zu fragen, vielleicht nur zu kennen, verschenkt, verkauft sie sie: ob einer ein Krüppel oder ein Wüstling, wenn's nur in ihr Handwerk paßt, selbst einen Religionswechsel auszubedingen, macht man sich kein Gewissen. — Bei der unverkennbaren Wichtigkeit der E. für die bürgerliche Gesellschaft konnte es nicht fehlen, daß sie zu jeder Zeit die Aufmerksamkeit der Gesetzgeber in Anspruch nehmen mußte. Die Rechte und Pflichten, die daraus herfließen, sind daher unter den Schutz der Gesetze gestellt worden, so besonders die Pflicht der Ernährung und Erziehung der Kinder und die eheliche Treue. In letzterer Beziehung ist wenigstens der E.bruch (die Geschlechtsverbindung einer verheiratheten Person mit einer ihr nicht angetrauten, gleichviel ob verheiratheten oder unverheiratheten Person) bei allen Völkern als ein Verbrechen, als entehrend und als vollwichtiger Grund zur Auflösung der E. (Scheidung) betrachtet worden. Barbarische Strafen trafen die ehebrecherische Frau bei den alten Deutschen. Mit abgeschnittenem Haupthaar, entkleidet, in Gegenwart der Verwandten, stieß der Mann die E.brecherin aus dem Hause und peitschte sie durchs ganze Dorf. Die im E.bruch betretene Frau und ebenso der E.brecher war dem Gatte berechtigt zu tödten. Die heutigen Strafgesetzgebungen lassen den E.bruch fast durchweg nur auf den Antrag des unschuldigen Gatten von Amtswegen verfolgen. Auch die Bigamie, d. h.

die anderweite Verheirathung einer in gesetzlicher E. lebenden Person, verfällt dem
Strafgesetz. Andererseits haben auch religiöse Beziehungen ihren Einfluß auf die
E.gesetzgebung geäußert. Ist es auch klar, daß die E. nichts Anderes ist als ein
bürgerlicher Vertrag, der nur den Staat und die bürgerliche Gesellschaft angeht, so
muß man doch zugestehen, daß es wenigstens nahe lag, bei einem für das Loos des
Menschen so entscheidenden Vertrag den Segen des Himmels anzuflehen und ihm
durch einen religiösen Act eine höhere Würde und Weihe zu geben. Auch mag man
das nicht tadeln. Aber es hat sich freilich im Lauf der Zeit und namentlich unter
dem Einfluß der römischen Kirche die Sache so völlig umgekehrt, daß die ursprüngliche Bedeutung der E., als eines bürgerlichen Verhältnisses, fast ganz verwischt und
ihr nur der religiöse Charakter geblieben oder wenigstens zur Hauptsache geworden
ist. Die Kirche wollte eben den ganzen Menschen besitzen, und so hat sie sich seiner
auch in dieser rein bürgerlichen Angelegenheit bemächtigt. Der Staat selbst war ihr
ja unterthan. Nicht vor der Obrigkeit, sondern durch die Kirche mußte die E. geschlossen werden: eine andere galt nicht, gab es nicht. Die Kirche war an die Stelle
des Staats getreten. Ebensoviel als der fromme Sinn hat dazu gewiß die Habsucht
der Kirche beigetragen. Aus den freiwilligen Geschenken für die Einsegnung (Trauung,
Copulation) wurden endlich erzwungene und die Kirche hat solche Gaben nie verschmäht. Schärfer sogar noch als in der katholischen Kirche tritt der kirchliche Charakter der E. in der protestantischen hervor. Das Widerstreben gegen diese Vermischung der geistlichen mit den weltlichen Dingen wächst indeß von Tag zu Tag, und
wie man in manchen Ländern bereits wieder zu der ursprünglichen Gestalt der E.,
zur bürgerlichen oder Civil-E. zurückgekehrt ist, so wird man überall, wo der Staat
die Kirche aus sich heraussetzt, die Herrschaft der Kirche über dies bürgerliche Verhältniß zu brechen und darauf zurückzuführen suchen, daß sie denen, die es verlangen und
bedürfen, nach ihrer Vereheligung vor der bürgerlichen Obrigkeit ihren Segen ertheilt,
ohne irgend welche Rechte oder bürgerliche Folgen daran knüpfen zu können: und
dies um so mehr, als im christlichen Lehrbegriff zu einem Herüberziehen des Weltlichen in das Geistliche auch nicht die entfernteste Veranlassung liegt, und die Auf-
lösbarkeit der E., die die Kirche ebenfalls verboten hatte, als sie noch allmächtig
war, in den protestantischen Ländern wenigstens allgemein anerkannt ist. — Was die
E.verbote anlangt, so gab es schon bei den Alten Bestimmungen, daß E.n unter
den nächsten Verwandten, Eltern und Kindern oder Geschwistern unerlaubt seien.
Die Kirche hat diese Fälle um viele vermehrt, häufig nur — um gegen Geld von
diesen Hindernissen loszusprechen (Dispensation, Dispens). Selbst bei gemischten E.n, d. h. bei E.n zwischen Angehörigen verschiedenen Glaubensbekenntnisses,
zwischen Katholiken und Protestanten — selbst bei solchen E.n, die ihr ein Greuel
waren, gab sie doch ihren Dispens, wenn sie es in ihrem Interesse fand. Aehnlich
übrigens, wie bei den Römern die Verbindungen zwischen Freien und Sklaven unwürdig waren und nur einen Concubinat, keine gesetzliche vollbürtige E. begründeten, bildete sich in Deutschland unter dem Einfluß der Standesverhältnisse der Begriff standesmäßiger E.n aus, wodurch E.n zwischen Freien und Leibeigenen,
zwischen Adel und Bürgerstand, zwischen hohem und niederem Adel als gegen die
Würde des Standes betrachtet wurden. Die Zeit hat Vieles von diesen Ansichten gemildert. Gilt es auch noch in manchen Kreisen für Schande, wenn adeliches und
bürgerliches Blut in gesetzlicher E. sich vermischt, während man es außer der E. ertragen will, so hat doch selbst die schlesische Adelsreunion (s. b.) es nicht unter ihrer Würde gehalten, zu „reichen" Bürgerfamilien herabzusteigen. Nur der
hohe Adel muß, um in voller gesetzlicher E. zu leben, sich ebenbürtig vermählen,
d. h. mit einer Person wieder vom hohen Adel. Gehen die Neigungen trotzdem, wie
es doch nicht gar selten geschieht, anderswohin, zum niederen Adel oder Bürgerstand
hinunter, so ergreift man das Auskunftsmittel, daß man eine morganatische oder

eine E. zur linken Hand schließt, in welcher die Kinder nicht dem Stande des Vaters, sondern der Mutter folgen, jedenfalls nicht regierungsfähig sind. Eine solche hochadelige E. nennt man auch messalliance, Mißheirath: sie schlagen aber deßhalb nicht immer unglücklich aus: jedenfalls sind sie dem Concubinat, dem ehelichen Zusammenleben außer der E., das man den höhern Ständen oft nachsieht, in den untern mit Strenge verfolgt, bei Weitem vorzuziehen. So viel ist gewiß: wäre den unteren Ständen das Ansäßigmachen und die E. nicht vielfach erschwert, der Concubinat würde vielleicht ein ausschließliches Vorrecht der vornehmen Stände sein, die dadurch oftmals ihren gesetzlichen Erben das Erbtheil ungeschmälert erhalten wollen. Da es aber den Armen oftmals ganz unmöglich gemacht wird, in die E. zu treten, die Natur aber doch ihre Rechte verlangt, so wird man sich nicht wundern können, daß auch sie auf diesen Ausweg verfallen, wie man denn sei

schweren, aus Furcht vor Uebervölkerung. Die Kinder werden so und so geboren — nur daß sie dann uneheliche sind; Baiern mit seinen strengen Gesetzen und seinem unverhältnißmäßig starken unehelichen Nachwuchs liefert den besten Beleg. Die E., die Kinder, — sie sind oft der einzige sittliche Anker, der den Armen vom Falle aufrecht erhält und ans Leben fesselt, ihn jedenfalls zu Fleiß und Sparsamkeit befeuert und die

zwischen den Grundsätzen des einen und des andern. Im römischen Rechte ist das Vermögen der Frau von dem des Mannes sehr bestimmt getrennt, und es ist genau

mischen

A.

alische E., offenbart sich in unsern Handen Beweisen von Hochachtung, durch welche zu erkennen giebt. — Obgleich es bestimmte lgung uns zum Bewußtsein der innern E.,

zur Ehrenhaftigkeit der Gesinnung verhelfen muß, so sind doch die Begriffe
von E. nach den Schwankungen der Begriffe: sittlich und unsittlich stets verän-
derlich. Es ist Manches nach dem Sitten- und dem bürgerlichen Gesetz anderer Völker
und anderer Zeiten durchaus nicht gegen die Grundsätze der Ehrenhaftigkeit, was
bei uns den Verlust der äußern E. nach sich zieht, ebenso wird Manches vom Staat
als gesetzwidrig und unehrenhaft bestraft, was uns ebenso wenig der innern als der
äußern E., d. h. der Achtung unserer Mitbürger beraubt. Die innere E. gelangt
weder im guten noch im schlechten Sinne selten gänzlich zur Anerkennung Anderer.
Es ist ein kostbares Gut, das nur im Gewissen den schönsten Lohn empfängt und
uns weder durch Willkür noch durch Uebelwollen geraubt werden kann. Dagegen
unterliegt die äußere E. nur zu häufig Zufälligkeiten, welche entweder zu große oder
zu geringe Zeichen der Anerkennung eintragen. — Die äußere E. hat man eingetheilt in die bürgerliche E. im Allgemeinen, und in die Amts- und
Standes-E., welche letztere, als das Ziel der Ehrbegierde, durch falsche
und leidenschaftliche Bestrebungen ebensoviel Unglück über die Gesellschaft gebracht hat,
als eifrige Bestrebungen für die erstere die Gesellschaft beglückt haben würden.
Bürgerliche E. im Allgemeinen bedingt die Achtung, welche wir von der Gesellschaft
zu fordern berechtigt sind, so lange wir uns derselben nicht durch gesetzwidrige
und niedrige Handlungen verlustig gemacht haben. Das erste Erforderniß der
bürgerlichen E. ist Ehrlichkeit und die Achtung fremden Eigenthums und fremder
Rechte. Die unverletzte bürgerliche E. ist die Quelle des Vertrauens, ohne
welches der Einzelne im Staat nicht zu leben vermag; deshalb ist es die Pflicht des
Staats, den Bürger gegen die Angriffe und Beleidigungen seiner bürgerlichen E.
(Injurien) zu schützen, weil der Verlust der bürgerlichen E. den Verlust des
Vertrauens und so gleichsam den „gesellschaftlichen Tod" nach sich zieht; deshalb sollte bei der richterlichen Beurtheilung von Handlungen, die den Verlust der
bürgerlichen E. verursachen können, mit großer Vorsicht und Würdigung der Verhältnisse
verfahren, und überhaupt Strafen aus dem Gesetzbuch verbannt werden, durch welche
die Menschen-E. so tief erniedrigt wird, daß sie sich nie wieder zur Höhe des
Selbstbewußtseins zu erheben vermag. „Durch entehrende Strafen", sagt Franklin,
„zu deren Anwendung ich der Gesellschaft überhaupt die Berechtigung abspreche, gewinnen die Regierungen Nichts als die Vermehrung einer Menschenklasse, die, durch
den Verlust der E. jeder Besserungsmöglichkeit beraubt, sich dann für berechtigt hält,
feindlich gegen die feindliche Gesellschaft zu verfahren"! — Nicht zu verwechseln mit
der bürgerlichen E. im Allgemeinen ist die Bürger-E., die E. des Staatsbürgers als solchen, wie sie sich uns großartig bei den freien Bürgern
freier Staaten zeigt. Diese E., die wir vielleicht auch politische E. nennen
könnten, ist nicht allein die ehrenhafte Gesinnung des Bürgers in Betreff politischer
Angelegenheiten, sondern auch und vorzüglich das Bewußtsein der Würde,
welche die Mitbetheiligung des Bürgers an der Staatsverwaltung durch die Mitbetheiligung seiner E. an der E. des Staats verleiht. Leider ist in Deutschland von
der freien Bürger-E. wenig die Rede; im Gegentheil werden Bestrebungen für diese
„schönste der E.n" oft als Auflehnungen gegen die von Gott eingesetzte Regierung gerade mit dem Verlust der bürgerlichen E. bestraft. Unter der Alleinherrschaft ist der Herrscher die einzige Urquell der E., die er auf jeden ihm würdig
Erscheinenden nach Belieben ausstreuen läßt. Unter ihr entstand die Amts- und
Standes-E. mit dem ganzen Gefolge eines kleinlichen und drückenden Ceremoniels,
das trotz seiner Kleinlichkeit so einflußreich auf die Geschichte der Staaten wurde.
Die Standes- und Amts-E., die eigentlich nur aus der vorzüglichen Vollziehung der
Amts- und Standes-Obliegenheiten hervorgehen sollte, die beim Soldaten an Tapferkeit, beim Geistlichen an einen frommen Lebenswandel, beim Kaufmann an die Recht-
fertigung des Vertrauens, an den kaufmännischen Credit u. s. w. geknüpft sein sollte,

beansprucht, ganz abgesehen von der Würdigkeit der Person, gewisse Ehrenbezeigungen als dem Stande oder dem Amte zukommend. So lächerlich es bei vernünftiger Betrachtung erscheint, für die oft gar nicht unzweifelhafte Erzeugung in einem adlichen Ehebett oder für den friedlichen und bequemen Officierdienst im Frieden besonders auszeichnende Ehrenbezeigungen zu verlangen, ein so mächtiger Hebel sind diese Auszeichnungen zur Erwerbung geeigneter Subjecte durch den Sporn einer falsch verstandenen Ehrbegierde oft gewesen. Obgleich in der neuesten Zeit die Geburts-E. am Sonnenstrahl der Aufklärung verblichen und die Titel- und Ordensucht dem Spott anheimgefallen ist, so hat sich doch die schwache Menschennatur noch nicht hinreichend geändert, um den Verlockungen einer nach Auszeichnung von „Oben" strebenden Ehrbegierde zu widerstehen. — Der Stolz und die Eifersucht der Amts- und Standes-E., leider oft genug ohne den Hintergrund wirklich ehrenwerther Bestrebungen, begnügt sich bei Beleidigungen nicht mit der Genugthuung, welche das Gesetz verschafft, sondern verschafft sich diese Genugthuung durch die Selbsthülfe des Zweikampfs, diesen als ein Vorrecht des Standes betrachtend. Erst seit kurzer Zeit trachtet man, an die Stelle desselben E.ngerichte zu setzen, deren Mitglieder, aus E.nmännern erwählt, den Grad der E.nkränkung bestimmen und Ausgleichung oder Abbitte herbeizuführen suchen. Der Zweikampf, dessen oft lächerliche Veranlassungen bekannt genug sind, wird mit ihrer Ausbreitung gänzlich schwinden und bald sich Niemand mehr finden, welcher so thöricht ist, in diese unsichere und zufällige E.nrettung eine E. zu setzen. Ueber das unbegreifliche Verhalten der Regierungen bei den Bestrebungen der Studenten, die E.ngerichte einzuführen, s. das Nähere unter Zweikampf. Abgesehen von den falschen Begriffen, die der Entwickelungsgang zur Civilisation mit sich brachte, ist E. die gewaltige Triebfeder bürgerlicher und wissenschaftlicher Bestrebungen, die reiche Quelle verdienstvoller Handlungen und aufopfernder Thätigkeit. Je feiner in einem Lande das Gefühl für E., je richtiger die Begriffe von E., je werthvoller die Bürger-E., desto freier sind die Völker!   *H. Bertholdi.*

Ehrenamt. Ein Amt, welches Ansehn und Würde, aber keine oder nur sehr geringe Besoldung, nur Entschädigung für wirkliche Verluste an Zeit u. s. w. gewährt.

Ehrenbürger. Ein Bürger, welchem das Bürgerrecht wegen seines ehrenhaften Thuns gewährt wird, ohne daß ihm Verpflichtungen, d. h. Abgaben und dergl. mit auferlegt werden.

Ehrendame, s. Hofdame.

Ehrenerklärung, s. Abbitte.

Ehrengericht, s. Ehre und Zweikampf.

Ehrengeschenk. Eine Gabe, welche nicht als Belohnung für irgend eine Leistung, sondern nur als Zeichen der Verehrung und Anerkennung des Gebers zu betrachten ist.

Ehrenhaftigkeit, s. Ehre.

Ehrenlegion. Die Alleinherrschaft bedarf immer neuer Mittel, ihre Macht zu festigen und zu erweitern, oder ihr Glanz und Schimmer zu verleihen. Durch die Schöpfung des Ordens der E. erreichte, wenn auch unter heftigem Widerspruche, der erste Consul Bonaparte beide Zwecke; er untergrub die durch die Staatsumwälzung erstrebte Gleichheit Aller, schuf sich eine ergebene Schaar von Anhängern und bethörte die Kurzsichtigen durch den Schein des Verdienstes, das den Mitgliedern des Ordens zugeschrieben wurde. Am 19. Mai 1802 ward die E. ins Leben gerufen, zwar auch zur Belohnung bürgerlichen Verdienstes, vorzüglich aber für kriegerischen Muth, für Aufopferung auf dem Schlachtfelde. Großmeister des Ordens und somit Urquell der Gnade war Bonaparte selbst und unter ihm ein Ordensrath von 7 Personen; 16 Cohorten, jede zu 7 Großofficieren, 20 Commandeuren, 30 Officieren und 350 Legionären, mit einer Residenz und 200,000 Frcs. jährlicher Einkünfte zählte derselbe, der neue kaiſerliche Adel war geſchaffen. Mit dem Orden waren perſönliche Einkünfte für den gebornen Franzoſen, von 5000 Frks. für den Großofficier, bis auf 250 Frks. herab für den Ritter verbunden; das Zeichen war ein weißemaillirter fünfſtrahliger Stern an hochrothem Bande, mit dem Bruſtbilde des Kaiſers auf der Vorder-, mit dem franz. Adler und der Inſchrift: Ehre und Vaterland, auf der Rückſeite. Nach, dem Sturze Napoleons ward ſein Bild mit dem Heinrichs IV. vertauſcht. Troß, ſeiner fortwährenden Kriege war Napoleon in der Vertheilung des Ordens noch immer ſparſam, die Art der Vertheilung, entweder vor der Schlacht, um dann auf todverachtende Hingebung der Beſchenkten rechnen zu können, oder durch ſeine eigne Hand erhöhte den Werth des Kreuzes, Blut und Leben war der Einſaß dafür, und ſo verband ſich mit der E. der Begriff der Achtung. Ießt unter Ludwig Philipp iſt in den meiſten Fällen der Kaufpreis der E. die Ehre. Der Orden iſt der Regie- rung ein Mittel zur Beſtechung, zur Corruption; alle Klagen, alle Beſchwerden über ſeine Verſchleuderung bleiben unbeachtet, der Antrag des Deputirten Monnier 1839, die Zahl der Ritter auf 150,000 zu beſchränken, erhielt nicht die königl. Genehmi- gung. Wie man heut mit der Vertheilung verfährt, erhellt am beſten aus Zahlen: 1814 betrug die Geſammtzahl aller Ordensglieder 21,629, 1838 nicht weniger als 100 Großkreuze, 207 Großofficiere, 838 Commandeure, 4500 Officiere und 44,728 Ritter. Ende 1846 zählte der Orden über 65,000 Mitglieder, ſo rieſenhaft iſt das Verdienſt in Frankreich unter dem Bürgerkönige gewachſen! Aber der Gärtner, welcher die erſten Erdbeeren auf die königliche Tafel liefert, erhält auch als Belohnung die E., und es fängt das Volk bereits an, als Ehre zu betrachten, den Orden nicht zu haben.   L. W.

Ehrenlehn, ein Lehn, welches verliehen wurde, ohne dem Belehenen Pflichten und beſonders Lehndienſte aufzulegen.

Ehrenrechte, bürgerliche. Die höhere Bedeutung, welche man in neuerer Zeit dem Rechte der Mitgliedſchaft in einer Stadt- oder Landgemeinde dadurch bei- gelegt hat, daß von dieſen Gliedern zugleich eine Anzahl Repräſentanten der Gemeinde zur Betheiligung an der Verwaltung der Gemeindeangelegenheiten berufen zu werden pflegt, hat auch eine Unterſcheidung zwiſchen dem bloßen Rechte einer ſolchen Mit- gliedſchaft (in Städten dem Bürgerrecht) und den beſondern bürgerlichen E. hervor- gerufen. Man hat bei dieſer Unterſcheidung den moraliſchen Werth eines Bürgers inſoweit berückſichtigt, als dieſer ſich nach der öffentlichen Handlungsweiſe des Einzel- nen bemeſſen läßt und hat in deſſen Folge gewiſſe Handlungen, die des öffentlichen Vertrauens unwürdig machen, als ſolche bezeichnet, die den Verluſt der bürgerlichen E. nach ſich ziehen, und damit die Grenzlinie bilden, dieſſeit welcher allein die Be- fähigung liegt, die Gemeinde in der obgedachten Beziehung zu vertreten. Als ſolche Handlungen gelten zumeiſt und mit Recht entehrende Vergehen und verſchuldeter Con- curs. Wenn man jedoch auch die der bürgerlichen E. verluſtig erklärt, welche mit ihren Abgaben eine Zeit lang im Reſt ſind, oder welche in ſolcher Armuth leben, daß ſie der öffentlichen Unterſtüßung anheim fallen, ſo iſt dies eine Conceſſion an gewiſſe Vorurtheile, die in unſerm geſelligen und ſtaatlichen Leben noch leider immer nicht beſeitigt ſind und wie in dieſer, ſo auch in anderer Hinſicht die Armuth zum Vor- wurf ſtempeln. Noch bedenklicher iſt es, ſchon denjenigen der bürgerl. E. verluſtig zu erklären, der in eine Unterſuchung wegen entehrender, oder gar überhaupt ſchon mit ſchweren Strafen bedrohter Vergehen verwickelt geweſen und nicht völlig frei- geſprochen worden iſt: ein Uebelſtand, der nicht der geringſte in dem unheilvollen Ge- folge der Losſprechung von der Inſtanz (ſ. d.) iſt.   A.

Ehrenſache. Im Allgemeinen etwas, was der Ehre wegen unternommen wird; beſonders aber die vielfach gemißbrauchte Bezeichnung für Zweikampf und die Ver- handlungen über denſelben.

Ehrenschänder nennt man denjenigen, welcher die Ehre Anderer boshafter Weise zu schmälern sucht, und

Ehrenschleicher den, welcher durch niederträchtige und heuchlerische Handlungen nach den Zeichen äußerer Ehre strebt.

Ehrenstrafen. Der Begriff der E. ist sehr verschiedener Auffassung fähig. Versteht man darunter Strafen, welche die Ehre einer Person blos berühren sollen, so können sie zum Theil und zweckmäßig angewandt sehr gut sein, wenn man von der Voraussetzung ausgehen darf, daß das Ehrgefühl allenthalben gehörig geweckt und ausgebildet ist. Schon ein Verweis, die gelindeste aller Strafen, trifft das Ehrgefühl. Aber man läuft, wenn man weiter geht, leicht Gefahr, zumal bei Oeffentlichkeit der Bestrafung, hier vom Beschämen zum Beschimpfen zu kommen, und das Ehrgefühl, statt es zu reinigen, zu tödten. Dahin gehört das Ausstellen an den Pranger, die Brandmarkung und dergl. mehr, Strafen, die in roheren Zeiten häufig vorkamen, auch in unserer Zeit noch nicht so durchweg abgeschafft sind, als es die Ueberzeugung von dem wahren Zwecke der Strafe überhaupt schon längst fordert. Noch schlimmer ist es mit denjenigen Strafen, welche die Ehre völlig entziehen sollen. In der völligen Aufhebung der Ehre und der Erklärung für ehrlos liegt die Entziehung eines Rechtes, welches dem Menschen nie entzogen werden darf und nie wirklich entzogen werden kann, eben so wenig als das Recht auf allen und jeden Besitz (s. Confiscation). Die Ehrlosigkeitserklärung ist des Staats eben so unwürdig als sie überhaupt blos in der Einbildung bestehen kann; sie ist aber außerdem unmoralisch, da sie dem für ehrlos Erklärten die Besserung nur erschwert. Richtiger ist daher in vielen neuen Strafgesetzgebungen an ihre Stelle die Entziehung der bürgerlichen Ehrenrechte (s. d.) getreten. 2l.

Ehrenwort. Ein Versprechen, welches mit Verpfändung der Ehre für dessen Erfüllung gegeben wird und welches im bürgerlichen Leben dem Eide gleichgeachtet, vor den Gerichten aber wie jedes andere Versprechen betrachtet wird. So lange sich einzelne Stände eine besondere Ehre anmaßten, verlangten sie auch besondere Geltung für ihr E., z. B. der Adel und die Officiere. Die Neuzeit hat auch das geändert und das E. eines Handwerkers gilt gerade so viel, als das eines Grafen oder Generals, ja es gilt mitunter noch etwas mehr, weil häufig bei ihm die Ehre weniger auf der Zunge, aber tiefer im Herzen sitzt. Wer z. B. bei 16 Thlr. Gehalt monatlich stets „Auf Ehre!" bekräftigt, daß er ein Pferd für 100 Louisd'or gekauft, oder 12 Flaschen Schaumwein (Champagner) bei einem Mittagessen verschwenket, oder 1000 Thlr. in einer Nacht verspielt habe, der verlange nicht, daß man auf sein E. Werth lege. Und es giebt solche Geschöpfe in Deutschland, die, wie es scheint, von Aufgeblasenheit, Eis und Lügen leben!

Ehrlosigkeit. Wenn wir die Ehre in ihrer innern und äußern Beschaffenheit und Bedeutung geschildert haben, so bedarf es hier nur der Erklärung: E. ist der Mangel an Ehre, der Verlust der Ehre, sowohl der innern als äußern; die Verbindung der innern und äußern Ehre ist bei Betrachtung der E. unerläßlich, indem nur der Verlust beider die E. nach sich zieht. Eben so unerläßlich ist hier die Verbindung des rechtlichen Gesichtspunktes mit dem sittlichen, der bestimmten Vorschrift des Gesetzes mit der öffentlichen Meinung. Wer z. B. sich die unter Abfall bezeichneten Handlungen zu Schulden kommen läßt, wer seine politische oder religiöse Ueberzeugung für schnöden Sold verkauft, ist in der öffentlichen Meinung mit dem Brandmahl der E. bezeichnet (und mit Recht, denn er hat seine innere Ehre, sein sittliches Selbstbewußtsein von sich gethan und zwar in schlechter Absicht), während die Gesetze ihm keine E. zur Last legen. Wer dagegen in aufgeregter Zeit aus einer anerkannten Begeisterung für die Freiheit an einem Aufruhr Theil nimmt und nach Besiegung desselben zum Zuchthause verurtheilt wird, dem erkennen die Gesetze die E. zu, während die öffentliche Meinung ihn nicht für ehrlos hält, wohl gar den Märtyrerglanz um seinen Namen flicht. So lassen sich auf jedem Gebiete des Lebens Fälle finden, wo das Gesetz und die Moral, der formelle und der sittliche und der öffentliche Ausspruch über die E. in entschiedenem Widerspruch stehen. Von der Trennung dieser beiden Gesichtspunkte und von der Auffassung bald von diesem und bald von jenem rührt die unendlich abweichende Beurtheilung her, nach welcher man in der Ehre bald ein Nichts, eine Einbildung, einen wahnlosen Schein, ein hohles werthloses Ding sieht, oft aber die moralische Luft, ohne welche der innere Mensch nicht leben kann, ohne die er erstickt. — Die äußern Merkmale der Ehre oder E. sind allerdings oft gleichgültig, die abfällige Meinung einer rohen, leicht irre geleiteten Masse bedeutet eben so wenig als die Auszeichnungen, welche vielleicht ein Despot oder verdorbener Hof für Knechtsgesinnung oder wirkliche Schlechtigkeiten ertheilt; aber diese äußern Merkmale sind auch sehr vorübergehend und können das wahre sittliche Urtheil wohl trüben, aber nicht dauernd bestimmen. Mit einem Worte: wirkliche und wahre E., der verächtliche Zustand, den man mit Infamie bezeichnet, weil E. ein zu milder Ausdruck scheint, tritt nur da ein, wo mit der Ehre das Recht aus den Augen gesetzt, gemindert und verletzt wird, nicht blos das geschriebene und für den Augenblick gültige Recht, sondern das natürliche, ewige und allen sittlich gebildeten Völkern gemeinsame Recht. Eine Gattung der E., gewissermaßen der Anfang und die Vorbereitung derselben ist die Anrüchigkeit, der getrübte gute Ruf, ohne daß man ihm noch bestimmte und begrenzte Flecken nachweist, ein Zweifel der öffentlichen Meinung, ohne ein Urtheil. In den Zeiten des lebhaften Parteikampfes, wo die Gemüther der Streitenden lebhaft ergriffen sind und der Drang nach Entscheidung und Sieg oft die Mittel nicht so genau prüfen und wählen läßt, ist die Anrüchigkeit nur zu oft die Begleiterin einer vorgedrängten Parteistellung, indem man den Gegner nicht nur politisch, sondern auch moralisch zu vernichten droht; das letztere oft gerade, weil man das erstere nicht vermag. In solchen Zeiten ist es daher doppelte Pflicht des ehrlichen Kämpfers, den Menschen vom Parteimanne zu scheiden und jede auf E. hindeutende Beschuldigung genau zu prüfen. Ist sie erwiesen, dann ist es lächerlich, zu verlangen, sie und ihre Ausbreitung müsse dem Kampfe fremd bleiben, der ehrlose Mensch könne auch noch ein ehrlicher Parteigänger sein. Die Partei, welcher der Ehrlose angehört, muß ihn ausstoßen; thut sie das nicht, ist sie mit der E. im Bunde, so hat sie sich selbst gerichtet und es ist sogar Pflicht des Gegners, das Urtheil, d. h. die Thatsache auszusprechen. *R. W.*

Ehrwürdig hießen und heißen die Geistlichen da, wo sich der alte deutsche Titelzopf noch erhalten hat. Damit aber ja die Umständlichkeit nicht vermieden und die Geistlichkeit wieder gehörig unter sich eingeschachtelt werde, hieß der Dorfpfarrer **hochwohle.** oder **wohle.**, der Stadtgeistliche **hoche.** und der Superintendent, Professor u. s. w. **hochwürdig.** Es kam und kommt vor, daß, je mehr die Titel im Schwunge sind, desto mehr die Würdigkeit fehlt; möge diese sich finden in demselben Maßstabe, als die Widerwärtigkeit des Titelwesens allgemeiner gefühlt wird.

Eid (Eidschwur). Die feierliche Versicherung und Anrufung des höchsten Wesens, daß man etwas thun oder reden wolle, was man seiner innigsten Ueberzeugung nach für **recht** und **wahr** halte. Der Gebrauch des E.s ist sehr alt; schon die Römer bedienten sich seiner. Am meisten kommt er jetzt noch in Processen vor, wobei er in mehrere Klassen zerfällt. Es giebt **Haupt-E.e** über die Richtigkeit einer streitbaren Sache; **Erfüllungs-E.e**, zur Ergänzung des Beweises; **Gefährde-E.e**, daß man glaube, gerechte Sache zu haben; **Diffessions-E.e**, zur Ableugnung von Urkunden; **Zeugen-E.e**, zur Bewahrheitung dessen, was man aussagt; **Schätzungs-E.e**, über die richtige Angabe des Werths einer Sache und dann noch im Strafverfahren **Reinigungs-E.**, zur Entkräftung des vorhandenen Verdachts. Alle diese E.e werden ihrer proceßual. Bestimmung wegen auch **assertorische** oder **Haupt-E.** genannt. — Dann hat man aber auch noch andere E.e zur Verstärkung eines gegebenen Versprechens. Dahin gehört der Amts-E. (f. b.); der Krönungs-E., ein gerechtes Staatsoberhaupt zu sein und treu an der Verfassung des Landes zu halten, weshalb er auch oft Verfassungs-E. genannt wird; der Fahnen-E., für das Militär, durch welchen es Treue dem Herrscher und der Fahne, leider in Deutschland nicht der Verfassung schwört, und der Bürger-E. (f. b.); die letztgenannten E.e kann man auch zusammen als politische bezeichnen. Die im Naturzustande lebenden Völker kennen den E. nicht; bei ihnen genügt das Wort. Eben so halten es mehrere christliche Religionsparteien, wie die Quäker u. f. w. Jedenfalls ist der allzuhäufige Gebrauch des E.es weder in religiöser noch in sittlicher Beziehung zu billigen, da er in ersterer Hinsicht zu einem förmlichen Mißbrauch des Namens Gottes wird und dadurch seinen Werth verliert, — dann aber oft genug die willkommene Rettungsbrücke abgeben mag, welche Leichtsinn oder Nichtswürdigkeit zu erreichen streben, um sich aus der Schlinge zu ziehen und der Gerechtigkeit eine Nase zu drehen. Besonders aber sind die politischen E.e entschieden zu verwerfen, wenn man den E. überhaupt für nöthig und heilig hält, denn sie schützen vor keinem Wechselfalle, binden nur, so lange es keines besondern Bandes bedarf; brechen, sobald sie ernstlich nöthig werden und dienen also nur dazu, den E. als etwas Gleichgültiges und Unbedeutendes erscheinen zu lassen. „Der rechtschaffene Mann — sagt Seume — braucht keinen E., und den Schurken bindet er nicht!"

W. Pretzsch.

Eidbruch, f. Meineid.

Eideshelfer (Consacramentalen) nennt man im altdeutschen Gerichtsverfahren die Personen, welche ihre Ueberzeugung von der Wahrheit des Anführens der einen Partei beschwören, um sie von der Forderung oder Anschuldigung der Gegenpartei zu befreien. Die E. kommen sowohl im bürgerlichen als auch im Strafverfahren vor. Diese Beweisform trat ein, wenn unmittelbare Zeugen nicht vorhanden waren. Besonders wichtig ist sie aber im alten Strafprocesse. Wenn der Kläger für die Anklage keine Zeugen hatte und der Beschuldigte durch Zeugen sich von der Anklage nicht reinigen konnte, leistete er einen Leugnungs- (Reinigungs-) Eid, welcher jedoch durch die E. verstärkt werden mußte. Von schweren Verbrechen mußte sich der Angeklagte durch einen Zwölfmanneneid reinigen, d. h. er mußte seine Unschuld beschwören und 11 E. ihre Ueberzeugung hiervon ebenfalls, in anderen Fällen genügte ein Sechsmanneneid. Die E. wurden in der Regel aus den Nachbarn und nächsten Rechtsgenossen gewählt, mußten 18 Jahre alt sein und nach einigen alten Rechtsbüchern ein bestimmtes Vermögen haben. Man findet außer in Deutschland die E. im schwedischen, dänischen, norwegischen und englischen alten Gerichtsverfahren. Die freie Genossenschaft, die freien, selbstständigen Männer, welche mit dem Angeklagten lebten, schienen nach altem Recht am besten geeignet, durch den Ausspruch ihrer Ueberzeugung darüber: ob der Angeklagte das ihm beigemessene Verbrechen begangen habe? in allen Fällen, wo es an Zeugen oder Beweisen ermangelte, Aufschluß zu geben. Eng damit hängt das Geschworenengericht (f. b.) zusammen, wenn gleich neben den E.n stehend. Das Fürwahrhalten, das moralische Zeugniß der Genossen, der Gemeinde, unter welchen und in welcher der Angeschuldigte lebte, wurde als ein treffliches Mittel erkannt, die menschliche Kurzsichtigkeit in das Verborgene der straffälligen Handlungen zu ergänzen. Konnte der Angeklagte weder Zeugen noch E. finden, so mußte er zum Gottesurtheile (f. b.) schreiten. Bei zunehmendem Einfluß der dem fremden Recht zugethanen Geistlichkeit und einer ausgearteten Rechtswissenschaft verschwand der durch E. verstärkte Reinigungseid, die gänzliche Abschaffung der E. erfolgte jedoch erst im 15. und 16. Jahrh. A. Hensel.

Eidsgenossen nennen sich seit Jahrh.en die Schweizer. Der Bund, den im J. 1291 die 3 Länder Uri, Schwyz und Unterwalden (Urschweiz) zur Vertheidigung ihrer Rechte und Freiheiten und zu freundlicher Schlichtung etwaiger Händel unter sich schlossen, besiegelten sie durch einen Eid und nannten sich deshalb Eids- und Bundesgenossen. Nach und nach traten noch andre schweizerische Städte und Landschaften diesem Bunde bei, so daß er nach einander 8, dann 13, gegenwärtig 22 Cantone begreift (Zürich, Bern, Luzern, Uri, Schwyz, Unterwalden, Glarus, Zug, Freiburg, Solothurn, Basel, Schaffhausen, Appenzell, St. Gallen, Graubünden, Aargau, Thurgau, Tessin, Waadt, Wallis, Neuenburg, Genf), von denen sich Basel, Unterwalden und Appenzell wieder in selbstständige Doppelrepubliken gespalten haben; der Name E. oder E.schaft aber blieb ihrem Bund und hat alle inneren Veränderungen und äußeren Stürme überdauert, weil er zugleich das Verhältniß der Verbündeten eben als einer Bundesgenossenschaft unabhängiger Orte oder Cantone bezeichnet.

Eigener Verlag, s. Selbstverlag.

Eigenhandel, s. Commissionshandel.

Eigenthum ist Dasjenige, was einer Person gehört, über das sie beliebig verfügen kann und in dessen freiem Gebrauche sie durch Niemand gestört werden darf; es sei denn, daß dieser Gebrauch ein gemeinschädlicher oder, wie bei Verschwendern, dem Besitzer selbst nachtheiliger werde. Das E. berührt das öffentliche Leben so vielfach und ist so verschiedenartigen Auslegungen unterworfen, daß seine Begriffsbestimmung besonders in neuester Zeit zu einer Haupt-Völkerfrage geworden ist. Der so lange herrschende Feudalstaat hat die auf die Spitze getriebensten Ansichten von E. überboten, indem er nicht den Personen nur, sondern sogar den Sachen Rechte und mit diesen natürlich auch E. und besonders dem großen Grundbesitz als Eigenthümer große Vorrechte u. s. w. zuerkannte. Wie vielfach nun auch diese Verhältnisse in die geschriebenen Gesetze heute noch geltende Bestimmungen gebracht haben, die das E. dem Dinge zuschreiben, das Vernunftrecht und das vernünftige Recht kennt davon nichts; es kann nur den Personen an Dingen, also das E. zuerkennen und verlangt die Erwerbung als Merkmal des E.s. Eben so wenig, als man dem Menschen, der sich durch Arbeit, Mühe, Kraft, Zeit u. s. w. etwas erworben hat, ohne seine Mitmenschen zu verletzen, ihre Rechte zu kränken, das Recht daran, das E. nach natürlichen Begriffen versagen kann, eben so wenig kann man begreifen, warum der Mensch besitzen soll, was er nicht erwarb, was nicht durch Mühe, Arbeit, oder geistige Regsamkeit sein wurde. Diese Rechtsansicht schließt die Erwerbung des E.s durch Erbrecht, Verjährung u. s. w. allerdings aus, allein wie vielfach auch die letzte Art der Erwerbung in allen Lebensverhältnissen sich geltend macht, wie sorgsam ihre Art, Ausdehnung, Uebertragung u. s. w. geordnet und durch Gesetze vorgeschrieben ist, vernunftrechtlich zu rechtfertigen hat die Forschung das E. über den Erwerb hinaus bis jetzt nicht vermocht. Die neuzeitlichen Lehren, welche sich gegen das E. kehren, haben in der mangelnden vernunftrechtlichen Begründung desselben einen gewaltigen Anhalt und die mit dieser mangelnden Begründung eng zusammenhängende maßlose Ausdehnung des E.s, seine Anhäufung in Einer Hand, während Tausende besitzlos sind, ist eine schwer zu entkräftende Beweisführung für sie. Man wird zwar einwenden, daß Recht und Besitz des Erworbenen nicht wahr, nicht vollständig seien, wenn der Besitzende sein E. nicht verschenken, nicht übertragen könne und daß in diesem zum vollen E. nothwendig gehörenden Befugniß das Erbrecht eingeschlossen liege. Allein, abgesehen davon, daß ein Verschenken und Uebertragen auf Andre immer etwas himmelweit vom Erbrechte Verschiedenes ist, daß das Verschenkende wenigstens nur vergeben kann, was er besitzt, während das Erbrecht etwas völlig Unnatürliches festsetzt: daß ein Mensch rechtliche Handlungen vollbringen kann, (die Uebertragung seines E.s an Andre), der gar nicht mehr ist; so ist auch die Ausführung falsch. Sobald das E. vom Einzelnen nur erworben, verdient werden kann, gehört das nicht persönlich Erworbene der Gesammtheit; so wenig also ein unrechtlicher Erwerb die Rechte der Gesammtheit schmälern darf, so wenig darfs ein ungerechtfertigtes Verschenken. Darf der Einzelne zu

Gunsten von Privatpersonen für einen Verschwender erklärt, d. h. ihm die Schaltung mit seinem E. entzogen, in sein E.srecht eingegriffen werden, wie viel mehr zu Gunsten der Gesammtheit? Der freie Wille ist s. E., doch darf derselbe nicht zum Nachtheile Andrer, nicht zum Nachtheile der Gesammtheit ausgeübt werden; weshalb also die Verfügung über das E.? Diese naturrechtlichen Grundsätze sind freilich heute noch Vielen ein Greuel, eine Beschränkung der bis zur Unvernunft, bis zum Wahnsinne gesteigerten E.srechte ist ihnen gleichbedeutend mit dem Umsturz alles Bestehenden und die unermeßliche Gefahr des täglich wachsenden Elends von Millionen wollen sie nicht sehen; dennoch drängt die Zeit immer gebieterischer zu einer Umgestaltung, Recht und Klugheit gebieten dieselbe gleich dringend und hoffentlich wird binnen wenigen Jahren im Interesse der Erhaltung des bestehenden Guten, der Bildung und Errungenschaft vieler Jahrh.e verwirklicht, was heute noch als „communistischer Wahnsinn" verdammt wird. Hat aber das Naturrecht eine Grenze des E.s vorgezeichnet, so entspricht das E. innerhalb dieser Grenze auch durchaus der Menschennatur. Der Besitz und Genuß dessen, was der Mensch erworben hat, ist eine Forderung des Rechts und der Nothwendigkeit; eine Gesellschaft ohne persönliches E., wie sie ein Zweig der „Wissenschaft der Gesellschaft" träumt, ist etwas so Naturwidriges, wie eine Gesellschaft ohne Liebe, ohne Haß, ohne Ehrgeiz und ohne jede andre Regung, die den Menschen eben zum Menschen machen; der Satz: „E. ist Diebstahl", welcher die Spitze dieser wissenschaftlichen Richtung bildet, tödtet — die Möglichkeit der Aufhebung des E.s einmal vorausgesetzt — mit einem Schlage jede edlere Regung der Menschheit, jedes höhere Streben, jede Thätigkeit, die über die roheste Ernährung hinausgeht. Was der Mensch erwirbt, das gehört mit Recht sein und wer es antastet, vergreift sich an der Grundlage des menschlichen Daseins, an dem wesentlichsten Hebel der Veredlung des Geschlechts, an dem Mittel zur materiellen Verbesserung selbst, denn ohne den Sporn der Erwerbung würde bald die Erzeugung aufhören, die ganze Menschheit verarmen, d. h. sich auf das Nothwendigste beschränken. Deshalb hat auch der Staat die heilige Pflicht, das E. zu schützen; die Erwerbung desselben ist ein dem Menschen angebornes Recht, welches er in keinem Staatsverbande aufgeben kann und aufgeben darf; ebenso sich aller Eingriffe in das E. zu enthalten, worüber unter E.sabtretung das Nähere zu ersehen ist. Die Herbeiführung andrer, dem Rechte mehr entsprechender E.sverhältnisse ist durch diesen Schutz nicht ausgeschlossen; denn der Staat ist eben eine Anstalt zur Wahrung wie Herstellung des Rechtes im engsten wie im weitesten Sinne und hat demnach die Aufgabe, vor allem seine Grundlage dem Rechte entsprechend zu gestalten, abgesehen davon, daß die eigene Erhaltungspflicht dasselbe gebietet. Schon die zunehmenden, und mit der wachsenden Verarmung nothwendig immer mehr steigenden Angriffe und „Verbrechen" gegen das E. weisen auf die Pflicht und Nothwendigkeit der Umgestaltung hin, sollen nicht die immer schneidender hervortretenden Gegensätze zwischen reich und arm in einen „Krieg der Besitzlosen gegen den Besitz" ausarten, in welchem leicht Alles zu Grunde gehen könnte, was die Gesellschaft Werthvolles sich errungen hat. Noch roher und unreifer als die Lehre von der Aufhebung des E.s ist die Theorie der Vertheilung der vorhandenen Güter. Die Möglichkeit angenommen, daß sie einmal ausgeführt würde, so wäre nach dem Zustande der Menschennatur eine tägliche Ausgleichung der nothwendig binnen 24 Stunden eingetretenen Ungleichheit nöthig und da diese in der Ausführung selbst unthunlich wäre, so müßte man nothwendig zur Ächtung und Vernichtung jeder Erwerbsfähigkeit gelangen, da diese der Gleichheit gefährlich ist, d. h. man müßte den Menschen zum Thiere machen. Eine der Natur und Vernunft eben so wie dem Rechte entsprechende Ansicht vom E. wird die oft unglaublich ausgedehnten Begriffe entfernen, die im Laufe der Zeit über das E. entstanden und noch nicht ganz ausgerottet sind. Es handelt sich übrigens beim E. nicht um das bloße Mein und Dein oder darüber, warum dies so ungleich vertheilt und auf welche Weise es erworben ist, — sondern auch darum: ob der Mensch selbst als E. eines Andern betrachtet werden darf oder nicht? — Dem eigentlichen Sklavenunwesen haben Natur und Gerechtigkeit längst schon den Stab gebrochen; eben so wenig glaubt man an das alte Mährchen, daß der Mensch E. der großen und kleinen Erdengötter sei; jeder Vernünftige sieht vielmehr ein, daß die Regierten nicht der Regenten, sondern diese Jener wegen da sind. Dasselbe gilt von der Leibeigenschaft, die ebenfalls den Menschen als E. der Grundherren betrachtete, was durch Ablösungsgesetze (s. d.) anders geworden ist. Aber es giebt noch eine andre Art von Sklaverei, ein Menschene., welches kein Gesetz anerkennt, welches aber nichts destoweniger thatsächlich vorhanden ist; das Abhängigkeitsverhältniß des Arbeiters, besonders in Fabriken, von seinem Brodherrn, der Jenen oft als E. betrachtet und behandelt, mit dem er um so beliebiger schalten und walten zu können glaubt, als die Noth den Arbeiter an ihn und sein Geld oft unauflösbar gekettet hat. Hoffentlich wird eine spätere Zeit auch dieses Mißverhältniß zu Beider Zufriedenheit ausgleichen, was gewiß geschieht, sobald die E.sverhältnisse andre werden und der Staat dem Armen seine Menschenrecht gewährt und ihn in den Stand setzt, mit seinen Kräften frei schalten zu können. Sehr unbestimmt ist auch der Begriff, inwieweit dem Staate ein Recht zustehe, sich Eingriffe in fremdes E. zu erlauben? — Wenn aber Dinge, an denen ein wahres E. gar nicht möglich ist, wie z. B. das Wasser, von Privatpersonen als ihr E. in Anspruch genommen werden, so gehört das unter die mittelalterlichen Lächerlichkeiten, welche endlich einmal abgethan werden sollten. Bäche, Flüsse und Ströme, ja sogar das Meer, sind E. der Gesammtheit; selbst der Einzelstaat hat kein ausschließliches Recht auf sie! W. Pretzsch.

Eigenthumsabtretung (**Eigenthumsabzwingung**). Neben der freiwilligen E. giebt es staatsrechtlich auch eine gezwungene: die sogen. **Expropriation**. Hierbei kann die gezwungene E. in denjenigen Ländern, wo ein unbeschränkter Herrscher nach Laune sich Alles und Jedes erlauben darf, nicht in Betracht kommen. Einen rechtlichen und vernünftigen Sinn hat sie nur da, wo die Freiheit der Gebahrung mit dem Eigenthume und dessen Unantastbarkeit verfassungsmäßig verbürgt ist. Insofern nämlich das öffentliche Wohl die Abtretung von Privateigenthum erheischt, würde es hierfür keinen andern Weg geben, als den der gütlichen Verhandlung mit dem Eigenthümer. Da jedoch bei dem Eigensinne und der Selbstsucht der Einzelnen eine freiwillige E. zu öffentlichen Zwecken nur in seltenen Fällen erzielt werden würde, so muß dem Staate das Recht zugestanden werden, ausnahmsweise die E. erzwingen zu können. Wir sagen mit Bedacht: „ausnahmsweise". Denn die Freiheit der Gebahrung mit dem Eigenthume und dessen Unantastbarkeit bildet eine der wichtigsten Grundlagen eines wohlgeordneten und vernünftigen Staatslebens, sie ist daher und zugleich eines der heiligsten Privatrechte, dessen wenn ja unvermeidliche Beschränkung als eine auf die engsten Grenzen zurückzuweisende Ausnahme von der Regel behandelt werden muß. Hieraus folgt, daß durch gesetzliche Bestimmungen dem Mißbrauche dieses dem Staate einzuräumenden Ausnahmerechts nach Kräften vorgebeugt werden muß, namentlich durch eine genaue Feststellung des Umfangs, auf welchen die gezwungene E. zu beschränken ist. Denn nicht Alles und Jedes, was in den Zwecken des Staates liegt, ist geeignet, eine Abzwingung des Eigenthums zu begründen. Als ungeeignet hierzu sind vor allen Dingen, wie sich von selbst versteht, alle gemeindlichen Zwecke, sofern sie nicht mit Staatszwecken zusammenfallen. Während z. B. beim Wiederaufbau abgebrannter Häuser die E. in feuerpolizeilicher Hinsicht als statthaft erscheint, muß sie zum Zwecke der Anlegung einer Gemeinde-Wasserleitung als nicht gerechtfertigt bezeichnet werden. Als ungeeignet für die E. sind ferner zurückzuweisen alle Zwecke, welche der Staat als Privatperson im Interesse seines fiscalischen Eigenthums, insoweit dieses nicht öffentlichen Einrichtungen dient, z. B. der Domainen u. s. w. verfolgt.

Denn eine vortheilhaftere Bewirthschaftung der Staatsforsten z. B. kann nicht rechtfertigen, daß ein Privateigenthümer gezwungen werde, seine angrenzenden Grundstücke an den Staat abzutreten. Nur wo das allgemeine öffentliche Wohl nicht anders verwirklicht werden kann, als durch E., erscheint ein staatsrechtlicher Zwang zulässig. Dahin gehören die Herstellung und Verbesserung öffentlicher Straßen und Wege, Festungsbauten, Erbauung von öffentlichen Canälen, Schleußen und Brücken, Einrichtung von Eisenbahnen, Aufstellung von Telegraphen zum Dienste des Staates, Erbauung und Vergrößerung von Häfen u. s. w. Freilich ist der Begriff des allgemeinen öffentlichen Wohles so ausdehnbar, daß es schwer sein wird, darüber eine feste allgemeine Bestimmung aufzustellen. Am sichersten wird man gehen, wenn in der Landesverfassung als oberster Grundsatz die Unverletzlichkeit des Eigenthums aufgestellt und die gezwungene Abtretung desselben zu Staatszwecken nicht anders als in den gesetzlich bestimmten oder durch dringende Nothwendigkeit gebotenen, von der obersten Staatsbehörde unter vorheriger oder, dafern Gefahr im Verzuge, nachträglicher Genehmigung der Ständeversammlung zu bestimmenden Fällen und, wie sich in allen Fällen von selbst versteht, gegen volle auch den Affectionswerth umfassende Entschädigung gestattet wird. Wenn Regierung und Stände vereint die E. zu einem gewissen Staatszwecke für nothwendig erkennen, so liegt hierin wenigstens eine Bürgschaft dafür, daß der nicht ganz vermeidbare Grundsatz der E. nicht mißbräuchlich in Anwendung komme. Dabei wird es aber namentlich für Staatsregierung wie für Stände zur Gewissenspflicht, eingedenk der Heiligkeit des Privateigenthums, nur in seltenen und von der unvermeidlichen Nothwendigkeit gebotenen Fällen ihre Zustimmung zu Anwendung des Zwanges zu geben. Besondre Vorsicht ist besonders da zu empfehlen, wo das Gemeinwohl nur mittelbar in Frage kommt, wie bei gesetzlichen Bestimmungen über die Benutzung der fließenden Gewässer. Es mag sein, daß durch eine bessere Benutzung der fließenden Gewässer eine Hebung der Volkswohlfahrt erzielt wird, allein die davon zu erwartenden Vortheile sind theils zu unsicher, theils dem ganzen Gemeinwesen unmittelbar zu wenig dienend, um darauf eine Entziehung oder Beschränkung wohlerworbenen Privateigenthums zu begründen. — Eine der bedenklichsten Seiten der E. bietet die Ermittlung der zu gewährenden Entschädigung dar. Wie die Erfahrung mehrfach gelehrt hat, wird hierbei der Grundsatz voller genügender Entschädigung nicht immer oder so, wie es sein sollte, gehandhabt. Man begnügt sich nicht selten damit, den allgemeinen durchschnittlichen Werth des abzutretenden Eigenthums, nicht aber denjenigen Werth zu ermitteln, den es für seinen Inhaber oder unter den besonderen vorliegenden Umständen hat. Ein Grundstück, das z. B. in einer sich immer mehr bevölkernden Stadt zu passenden Bauplätzen sich eignet, darf nicht als bloßes landwirthschaftliches Grundstück, es muß in solchem Falle nach dem Werthe, den es mit Rücksicht auf seine Benutzung zu Bauplätzen hat, abgeschätzt werden. Ja, die Gerechtigkeit fordert, daß man dem Eigenthümer sogar dasjenige vergüte, was ihm durch Zerschneidung des Grundstücks an Nutzen rücksichtlich des Verbleibenden entzogen wird. Verlangt einmal das Staatswohl, daß ein Privatmann ihm sein Eigenthum zum Opfer bringe, so ist es mindestens billig und des Staates würdig, daß daraus dem Privatmann kein Vermögensverlust entsteht. Wenn in irgend einem Falle, so ist es gerade hier eine Gewissenssache für die Gesetzgebung wie für die Verwaltung, ihren Anordnungen vom Grundsatze herab bis zu dem kleinsten Punkte seiner Anwendung den Stempel der unverbrüchlichsten Achtung und Heilighaltung des Privateigenthums aufzudrücken. Ein Lockern und Bröckeln an diesem Grundpfeiler des Staats von oben her ist um so gefährlicher, als es seine Wirkung auf die unteren Schichten der Gesellschaft nicht verfehlt und dem vorzugsweise hier wuchernden Bestrebungen des Communismus Thor und Riegel öffnet.   Wehner.

Eigenthum, schriftstellerisches. Der Gedanke kann allerdings nicht in demselben Sinne Eigenthum Jemandes sein, wie es eine körperliche Sache ist. Daher ist auch das fog. schriftst. E. nicht ein Eigenthum in der rechtlichen Bedeutung, in welcher jenes Wort sonst verstanden wird. Dasjenige Recht, welches damit bezeichnet werden soll, erklärt sich vielmehr folgendergestalt: die Summe von Ideen und deren verschiedenen Gestaltungen, deren der menschliche Geist fähig ist, liegt in ihrer Gesammtheit außer allen Beziehungen des Rechts. Die Eigenthümlichkeit des menschlichen Geistes bringt es aber mit sich, daß einzelne dieser Ideen in einer dem Geiste des Einzelnen wiederum besonders eigenthümlichen, subjectiven Gestaltung Gegenstand des Ausdrucks und der Mittheilung in Sprache und Schrift werden können. Diese Subjectivität ist das Besondre, welches in seiner äußern Erscheinung als gesprochenes, geschriebenes, gedrucktes Wort zugleich Rechte dessen, der es spricht, schreibt, oder drucken läßt, begründet. Diese Rechte beruhen also in der Darstellungsfähigkeit des menschlichen Geistes; sie können nicht an sich auf Andre übertragen werden, da der Ausdruck des Geistes sich nie von der Persönlichkeit trennen läßt; wohl aber können sie nutzbar gemacht und es kann, wie im Verlagsvertrage (f. d.) geschieht, dieses Nutzen auf Andre übertragen werden. Eine Beeinträchtigung dieser nutzbringenden, aus jenem ursprünglichen abgeleiteten Rechte liegt im Nachdruck (f. d.) vor. Aus dem oben Gesagten geht aber zugleich hervor, daß das sogen. schr. E. seine Beschränkung in sich selbst trage. Denn dieselbe Eigenthümlichkeit des menschlichen Geistes, welche eine subjective Gestaltung der Idee zuläßt, führt zugleich dahin, daß diese Subjectivität mit der Zeit wieder verschwindet und die ausgesprochene Idee ein Bestandtheil jener Summe von Ideen wird, welche überhaupt in der Menschheit lebt und zu verschiedenen Zeiten in verschiedener Gestalt und Verbindung ausgedrückt erscheint. Der Geist des Einzelnen nimmt den Gedanken, den ein anderer Einzelner ausgesprochen hat, in sich auf, und wie hier im Einzelnen, so geht auch im Ganzen und Großen die ausgesprochene Idee in das Gesammtbewußtsein der Nation und weiter der Menschheit über. Damit hört sie auf, dem Einzelnen anzugehören und wird zum Gemeingut.   A.

Einbruch. Die gewaltsame Oeffnung verschlossener Wohnungen oder sonstiger Behältnisse zum Zwecke des Diebstahls (f. d.).

Einfacher Diebstahl, f. Diebstahl.

Einfall nennt man im Kriege die gewaltsame Besitznahme eines Landestheiles, die plötzlich und unvermuthet, ohne Kriegserklärung erfolgt. Nach dem Völkerrecht ist ein E. ohne Erklärung nicht gestattet, hat aber dennoch schon oft das Schicksal eines Feldzugs entschieden.

Einfuhr des Getreides, f. Getreidehandel u. Wohlfahrtspolizei.

Einfuhrhandel, f. Handel.

Einfuhrzölle, Eingangszölle, f. Schutzzölle und Zölle.

Eingangsbemerkung, f. Acten.

Eingeführte Krankheiten, f. ansteckende Krankheiten.

Einheit. Durch die Geschichte der Menschheit bis zu diesem Punkte laufen zwei feindliche Bestrebungen, von denen bald die eine bald die andere vorübergehend gewaltiger schien, im Großen und Ganzen aber nur eine gewonnen hat; es ist das Streben nach Trennung der Völker von einander und der Theile eines Volkes unter sich, vom Eigennutz und der Herrschsucht ausgeübt, so lange sie die Welt plagen. Der Grundsatz divide et impera (Trenne und Herrsche!) hatte seine gewaltige Geltung, ehe die Römer ihn zur Richtschnur ihrer Handlungsweise machten und hat dieselbe lange überlebt. Das andere Streben, von den Volks- und Freiheitsfreunden ausgehend, zielt nach E. der Völker unter sich, wie aller Völker miteinander, mindestens in vielfacher Beziehung. Dieses Streben ist mit der fortschreitenden Bildung unaufhaltsam gewachsen und verspricht dereinst die Völker zu einer großen Familie zu verbinden, in welcher gegenseitige Feindseligkeiten und Kriege undenkbar sind. Allerdings hat es auch unter den Gewaltherrschern von Alexander an bis auf Napoleon viele gegeben, welche eine gewiſſe E. erſtrebten; aber eine E., bei welcher die

hält die Völker auseinander; ſie ſind zerklüftet in Stände, Bekenntniſſe, klaſſen, Zünfte und tauſend·andere Splitter. Daburch allein erhält ſich

aber bennoch die einzelnen Theile bald hier bald bort an ſich zu feſſeln, oder minde=
ſtens uneins und baburch ohnmächtig zu machen weiß. Sind dieſe theils aus mo=
berner Zeit erhaltenen, theils künſtlich erweckten und neugeſchaffenen Zerklüftungen
überwunden und einer wahren E. gewichen, bann iſt auch der Sieg des Fortſchritts
allſeitig entſchieben und die freiheitsfeindlichen Elemente haben die Bedingung ihres
Daſeins verloren; bann hören auch die Kriege und Völkerzwieſpalte auf, benn gebil=
dete Völker können und werden ſich nimmer die Bedingungen gegenſeitigen Gebeihens
und Wachsthums zerſtören. Zur Ueberwindung dieſer Trennungen aber gehört das
wachſende Bewußtſein jedes Einzelnen, daß nur in ber E. ſein Wohl und ſeine Kraft
ruht, wie ſehr es auch ſcheinen mag, daß die Trennung ſeinem Eigennutz zu
Gute kommt. Daß hier nur von einer höhern, auf geiſtiger Selbſtſtänbigkeit und
Freiheit beruhenden E. die Rede iſt, verſteht ſich von ſelbſt; gegen die knechtiſche,

u. ſ. w. entſchieden ausgeſprochen.   R. B.

Einherrſchaft, ſ. Alleinherrſchaft.

Einkommen nennt man den Geſammtbetrag, welcher Jemandem aus dem Er=

Eigenſchaften, Arbeitsgeſchicklichkeit, Erfindungsgabe
geiſtigen Beſähigungen, ober in Capital, beweglichen
ehen.   Die Höhe und die Natur des E.s muß ſonach
die Menge und die Eigenthümlichkeit der Quellen, aus

des Ertrags aus liegender ober fahrender Habe, Bo=
In beider Hinſicht walten hinſichtlich der Verminderung
e Menge höchſt verſchiedener Bedingungen und Urſachen
Bewirthſchaftung des Vermögens und ber Verwendung
nicht das ganze
ein Theil davon
ſelbſt und damit
wie fern das E. der
ber Staatsausgaben
ab, unter denen die
ates ſtattfindet.   J. G. G.
ten, ſei es im Staat, ſei es
gaben gezeigt worden — die
billigſte und vernünftigſte ben

Vorzug. Sie beruht auf dem Grundsatze, daß Jeder nach Verhältniß seines Vermögens und Einkommens zu den öffentlichen Lasten beitrage, sie trifft daher die Wohlhabenden und Reicheren am Stärksten und zwar mit vollem Rechte, da diese die
öffentlichen Einrichtungen, namentlich den öffentlichen Schutz für sich und ihr Eigenthum in weit stärkerem Maße in Anspruch nehmen, als die Unbemittelteren. Hierzu
kommt, daß derjenige, welcher z. B. ein Reineinkommen von 3000 Thlr. hat, davon 200 Thlr. Steuer leichter abgeben kann, als ein armer Schuhmacher — 20 Ngr.
— von 100 Thlr. Einkommen. Denn letzterer muß sich die Steuer am täglichen
Brode abdarben, während Jener dadurch nur etwas von seinem Ueberflusse abgiebt.
Fragt man, warum man sich gegen Einführung einer E. sträubt, so hört man gewöhnlich die Antwort, daß sich der Ausführung einer solchen Maßregel außerordentliche, ja fast unüberwindliche Schwierigkeiten entgegenstellten. Namentlich fürchtet man
davon ein peinliches Eindringen in die Finanz- und Geschäftsverhältnisse der Steuerpflichtigen. Es ist aber wohl nur ein selbstgeschaffenes Gespenst, mit welchem man
die Einführung einer Maßregel zurückzuschrecken gedenkt, welche nur zu bald die wun-
desten Stellen unseres Staatslebens zu Tage legen würde. So Mancher, der jetzt 10
Thlr. direct und 80 bis 100 Thlr. unbewußt durch die seinem Unterhalts- und Ver-
gnügungsverbrauche einhängenden indirecten Abgaben zu den öffentlichen Lasten beiträgt, würde mit nicht geringem Erstaunen zur Erkenntniß gelangen, daß unsere
Staatseinrichtungen, wie sie eben sind, denn doch etwas allzustark den Beutel der
Steuerpflichtigen in Anspruch nehmen, er würde zugleich sich angeregt finden, etwas
gründlicher darüber nachzudenken, ob und was wohl vielleicht an diesen Staatseinrichtungen unbeschadet des Gemeinwohls geändert und erspart werden könne. Daß die
Einführung der E. nicht so außerordentlich schwierig ist, auch bei deren Ausführung
recht wohl die gefürchteten Peinigungen vermieden werden können, hat das Beispiel
Englands bewiesen, wo sie für einen vorübergehenden Nothstand eingeführt, und
nicht wieder abgeschafft wurde. Wenn irgend Jemand auf die Heiligkeit und Unverletzlichkeit des Hauses hält, so ist es der Engländer. Trotz dem ist die Abschätzung
leicht und gerecht von Statten gegangen und in den meisten Fällen hat jeder Bürger sein
Vermögen und Einkommen wahr und treu angegeben, und es bedurfte keiner Abschätzung. Das ist eben der Segen des öffentlichen Lebens, daß die öffentliche Treue
mit ihm wächst, und die tausend Heimlichkeiten verschwinden, die in unserem geheimen Staate so widerwärtig sind. Die Schwierigkeiten sind nur bei uns vorhanden,
wo man kein öffentliches Leben kennt, und bei Einführung einer E. sofort an eine
Durchschnüffelung der Vermögensverhältnisse durch die Polizei denkt, die einmal mit
Mißtrauen und Widerwillen betrachtet wird. Ein kleiner Beleg für die Möglichkeit
der E. hat unter andern sich auch in dem Wohnorte des Unterzeichneten, in Leisnig,
einer Stadt von nahe 6000 Einwohnern, herausgestellt. Seit mehr als 10 Jahren werden hier die Gemeindebedürfnisse aushülflich durch eine E. aufgebracht und
dabei folgende Grundsätze angewendet. Der Besteuerung unterliegt: a) das unbewegliche Eigenthum einschließlich der damit verbundenen Gerechtigkeiten und zwar ohne
Rücksicht darauf, ob der Inhaber Gemeindemitglied ist oder nicht; b) das Dienst-
einkommen und die Ruhe- und Wartegehalte; c) das reine Gewerbseinkommen und
d) die Nutzungen des Capitalvermögens, Renten, Auszüge u. s. w. Bei dem unbeweglichen Eigenthume, ausschließlich der Scheunen, werden die Grundsteuereinheiten
(1 St.-E. = 10 Ngr. Reinertrag) zu Grunde gelegt; es bleibt jedoch nachgelassen,
den angegebenen Werth der Steuereinheiten durch Procentzuschläge bei den einzelnen
Arten von Grundstücken zu erhöhen, wenn eine oder die andere Art derselben durch
die Zeitverhältnisse in ihren Erträgnissen sich namhaft erhebt. Bei Scheunen wird,
weil solche mit allzuwenig Steuereinheiten belegt sind, der Zeitwerth zu Grunde gelegt. Bei festen Bezügen, z. B. Besoldungen, Leibrenten u. s. w., wird, weil solche
ganz genau zu ermitteln sind, mit Rücksicht auf die unvollständig und deshalb billig

zu ermittelnde Abschätzung des Gewerbseinkommens, 20 vom Hundert vom wirklichen Betrage in Abrechnung gebracht. Die Capitalsnutzungen kommen nach dem zeitweiligen Zinsfuße in Ansatz. Steuerbefreit ist Jeder, dessen Reineinkommen die Summe
von 40 Thlr. nicht erreicht. Die Abschätzung erfolgt durch einen aus 4 Mitgliedern
des Stadtraths und 8 Stadtverordneten zusammengesetzten Ausschuß, denen der Stadtrath noch andere Mitglieder aus der Bürgerschaft zugesellen kann, nach bestem Wissen
und Gewissen alljährlich. Die Ergebnisse der Abschätzung werden in das Steuergrund-
buch (Cataster) einverzeichnet. Jeder Thaler des ermittelten jährlichen Einkommens
bildet eine Einheit. Die erforderlichen Steuern werden dann mit Rücksicht auf die
Summe des gemeindlichen Gesammteinkommens auf die einzelnen Einheiten ausgeworfen. Die Abschätzungslisten liegen 4 Wochen in der Rathsexpedition aus, damit jeder Steuerpflichtige davon Einsicht nehmen kann. Ueber Einwendungen dagegen
entscheiden Stadtrath und Stadtverordnete gemeinschaftlich in voller Sitzung. Jeder
Steuerpflichtige ist übrigens verbunden, auf Verlangen gewissenhafte und bei hervor-
tretendem Verdachte der Unrichtigkeit eidlich zu bestärkende Auskunft und Nachweisung
über sein Einkommen zu ertheilen. Die Anwendung dieser Grundsätze besteht in Leisnig über 10 Jahre und hat sich mit jedem Jahre mehr und mehr ausgebildet. Erfahrung und Uebung haben sich auch hier als die besten Lehrmeister bewährt. Man
hat sich allgemein mit der E. vertraut gemacht und betrachtet dieselbe als ein eben so
zweckentsprechendes wie anwendbares Mittel zu Aufbringung des Gemeindebedarfs. Allerdings würde die Einführung der E. im Staate auf einige andere Schwierigkeiten noch stoßen, allein den hauptsächlichsten würde dadurch abgeholfen werden können, wenn, wie
es schon jetzt bei der Gewerbsteuer-Abschätzung der Fall ist, die Abschätzung durch
einen Steuerbeamten überwacht würde. Welche große Vortheile die E. darbietet, davon nur ein Beispiel. Während im Königreich Sachsen der Staat das Grundeigenthum nach 10 Ngr. = 1 Steuereinheit schlechthin besteuert, wird dieselbe 1 Steuereinheit bei landwirthschaftlichen Grundstücken in der Gemeinde Leisnig mit Rücksicht auf
die zeitweilig hohen Erträgnisse dermalen auf — 20 Ngr. — berechnet und zur
Versteurung in Ansatz gebracht. Die Gewerbsteuer wird sofort erhöht, wenn ein Gewerbe seit dem letzten Jahre sich gehoben hat. Die Grundsteuer aber, ohnehin auf
den niedrigsten Reinertragssatz gestellt, bleibt unveränderlich, mag auch der Ertrag
der Grundstücke zeitweilig um das Doppelte sich erhöhen. Alle derartige Mißverhältnisse und Ungleichheiten werden am sichersten durch Einführung der E. vermieden.

Wehner.

Einmischung eines oder mehrerer Staaten in die innern Angelegenheiten eines
anderen (in der Kunstsprache der Diplomaten **Intervention** genannt). So wie
sich im gewöhnlichen Leben Menschen gern in die Familienverhältnisse ihrer Mitmenschen einmischen, so hat es auch von jeher ganzen Staaten nicht an Lust gefehlt,
die inneren Angelegenheiten anderer Staaten aus irgend welchen Gründen auf eine
mehr oder minder gewaltsame Weise in ihre Hand zu nehmen. In früherer Zeit lief
der Zweck derartiger E.en meistens auf Gebietserweiterungen oder andere politische
Vortheile hinaus, wie es die Geschichte Polens zur Genüge beweist. Ordnung im
allerdings zerrütteten polnischen Reiche herzustellen, war offenbar nur ein Vorwand.
Selbst die E. des schwedischen Königs Gustav Adolph zur Zeit des 30jährigen
Kriegs zu Gunsten der Protestanten in die inneren Angelegenheiten des deutschen
Reichs ist nicht freizusprechen von anderen ihr tiefer zu Grunde liegenden politischen
Absichten und Gelüsten. Während man in jenen früheren Zeiten sich begnügte, Uebergriffe in die Unabhängigkeit anderer Staaten und E.en in ihre inneren Angelegenheiten oberflächlich zu beschönigen und mit einem Scheine des Rechts zu umgeben, hat
man neuerdings namentlich nach dem Ausbruche der ersten franz. Staatsumwälzung
versucht, die E. in die inneren Angelegenheiten anderer Staaten als einen völkerrechtlichen Grundsatz auf- und festzustellen. So hielten sich Preußen und Oesterreich 1792

zur E. gegen Frankreich, England, Rußland und Frankreich zur E. in den Unab-
hängigkeitskampf der Griechen, Oesterreich zur E. in die inneren Angelegenheiten Nea-
pels und Piemonts, Frankreich unter Ludwig XVIII. zur Unterdrückung der freien
Verfassungszustände in Spanien berechtigt. Abgesehen von dem verschiedenen Erfolge dieser und anderer E.en wurde schon damals, besonders in der Zeit vor 1830,
die Berechtigung zu derartigen Eingriffen in die Unabhängigkeit anderer Staaten und
Völker lebhaft bestritten und durch die gewichtigsten Gründe zurückgewiesen. Nach der
Julius-Staatsumwälzung von 1830 stellte auch Frankreich im Verein mit England offen
den völkerrechtlichen Grundsatz auf, daß kein Staat das Recht habe, sich in die inneren Angelegenheiten eines anderen einzumischen. Gleichwohl haben seitdem und bald
darauf Frankreich in Belgien und im Kirchenstaate, England in der Türkei und
neuerdings in Portugal die innern Angelegenheiten dieser Staaten durch Anwendung
militärischen Zwangs ordnen zu helfen sich nicht entblödet. Schon ein flüchtiger
Rückblick auf alle diese und ähnliche E.en zeigt, daß man sich dabei weniger vom
Rechte als von der Politik hat leiten lassen. Es ist überhaupt eben so müßig wie
lächerlich, da von einem Rechte und dessen Anwendung zu reden, wo es an einem
unparteiischen und zugleich mit der erforderlichen Macht versehenen Richter fehlt, wo
in letzter Instanz eben nichts weiter entscheidet, als die Politik, die größere Macht
und der stärkere Wille. Wenn Frankreich heute durch eine Staatsumwälzung das
Königthum beseitigte und als Republik aufträte, Oesterreich wie Preußen und Rußland würden im Rückblick auf frühere bittere Erfahrungen die neue Republik vielleicht
nicht anerkennen, ganz gewiß aber gerechten Anstand nehmen, in deren Angelegenheiten sich einzumischen, aus dem ganz einfachen Grunde, weil Frankreich ein so mächtiger Staat ist, daß er, wie schon die Erfahrung gelehrt hat, es mit den genannten
drei Mächten wohl aufnehmen kann. Ein Recht, dessen Anwendung nur dem Starken gegen den Schwachen zusteht, ist eben kein Recht. Es gilt dies mehr oder weniger von dem ganzen Völkerrechte. Nur insofern als gewisse Grundsätze desselben
durch lange gleichmäßige von allen gebildeten Völkern geübte Gewohnheit gleichsam
zur öffentlichen Sitte geworden sind, mag darin ein Anhalt für das öffentliche Handeln gefunden und dadurch zugleich dem Weltgericht der öffentlichen Meinung und Geschichte ein einfacher und faßlicher Maßstab für die Schöpfung ihres Urtheils dar-
geboten werden. Was darüber hinausliegt, ist Sache der Ansicht, welche sich je nach
den verschiedenen Auffassungen vom Staate und seinem Verhältnisse zu andern Staaten verschieden gestalten wird, eben deshalb aber niemals die Eigenschaft einer rechtlichen Richtschnur in Anspruch nehmen kann. In diesem Sinne ist gewiß die Ansicht
begründet, daß es ein selbstständiges Recht der E. in die inneren Angelegenheiten anderer Staaten nicht giebt, selbst nicht in den Fällen, in welchen K. v. Rotteck
(s. dessen und Welckers Staatslexicon) anerkennt. Es mag menschlich, gut, zweckmäßig und lobenswerth sein, einem durch tyrannische Gewaltherrschaft niedergetretenen
und gemißhandelten Volke, oder unsern inmitten eines andern Volkes lebenden und
dort verfolgten Glaubensgenossen Hülfe zu leisten, es mag das menschliche Gefühl
sich in solchen Fällen Raum schaffen, wie und wo es will; allein dennoch kann einem
Volke in seiner Darstellung nach außen als Staat nie und nimmer es als ein Recht
zuerkannt werden, sich in das innere Staatsleben eines anderen einzumengen, wäre
es auch nur deshalb, weil die Erkenntniß des Eintritts einer solchen Nothwendigkeit
auf keinen sichern und festen Merkmalen beruht. Es wird Manchen diese Auffassung
des Rechts eine sonderbare erscheinen, es thut aber in der That noth, den
Spielereien mit Rechtsbegriffen in Dingen, welche ganz anderen Gebieten, wie dem
der Moral und der Politik, angehören, entschieden entgegen zu treten, um so entschiedener, als es in unserer Zeit zur wahren Unsitte geworden, Alles und Jedes, auch
das Verwerflichste, mit den breitgezogenen Falten des Rechtsmantels zu bedecken. —
Indessen ist doch ein Recht, sich in die innern Angelegenheiten eines anderen Staates

Verträge und mit jedem Tage fester begründet sich die Hoffnung, daß die Geltung derselben, als ein Erzeugniß politischer Abirrung, im Interesse der

lediglich das Bestreben, Erleichterungen eintreten zu
eben großentheils beseitigt, oder ob nicht das Bestreben, den
zu trennen und zu vereinzelnen, mitgewirkt hat, mag unent-
Bestreben, den Soldaten zu trennen von manchem gemeinsamen
n der Verpflichtung auf den Allen gleich heiligen Grundver-
Verfassung, auszuschließen, rechtfertigt wohl die Annahme,
der bürgerlichen Kost und Pflege, als den bürgerlichen Ansich-
n der Dinge entziehen will. So ist denn die Last der E. wirk-

lich sehr gering. Wenn trotz dem noch Mancher seufzend über die Unbequemlichkeit
der E. mißbilligende Betrachtungen über die Nothwendigkeit so ausgedehnter Heer-
massen und kostspieliger Uebungen anstellt, so verweisen wir ihn einstweilen an das
Einsehen der Regentenweisheit in Dinge, für welche das Begriffsvermögen des „beschränkten Unterthanenverstandes" nicht ausreichend ist. 　　　　　Bertholdi..

Einsendung der Acten, s. Acten.

Einsetzung der Bischöfe (Investitur) ist ein Recht, welches der Papst
stets für sich in Anspruch genommen und behauptet hat; denn wenn auch die Bischöfe
gewählt wurden, so behielt sich doch Rom die Bestätigung und besonders die Anweisung des Einkommens vor und hatte dadurch das Mittel in der Hand, jede mißliebige
Wahl zu Nichts zu machen. In neuerer Zeit haben zwar die Staaten getrachtet,
das Bestätigungsrecht herabzudrücken, namentlich durch Ueberweisung eines festen
Einkommens an die Bischöfe dem Rechte der E. die Spitze zu nehmen; allein noch
immer hält Rom das Recht fest und hat Mittel genug, es geltend zu machen, wie
die neueste Bischofswahl in Würtemberg beweist, wo einem gewählten Bischof die
Bestätigung versagt wurde, weil man sich nicht des eisernen Festhaltens an Roms
Interessen und Geboten von ihm versah. Diese Nichtbestätigung liefert auch den
Beweis, daß selbst der edle Pius IX. trotz seines eifrigen politischen Fortschrittsstrebens
in der kirchlichen Richtung Roms nichts ändern mag und nichts ändern kann.

Einsicht der Acten, s. Acten.

Einsiedler. Eine Gattung frömmelnder Menschen der Vorzeit, die Gott durch
Nichtsthun zu dienen glaubten, in die Waldeseinsamkeit zogen und sich vom Betteln
ernährten, statt ihre Hände zu rühren und ihren Mitmenschen zu nützen. Auch diese
unnütze und oft schädliche Pflanze wuchs auf dem Boden Roms.

Einspruch. Das Recht eines Betheiligten, gegen eine beabsichtigte Ehe Widerspruch zu erheben. Eine Verlobung, ein Eheversprechen, Schwängerung u. s. w.
begründet den E. Um die Rechte dessen, welcher E. zu thun befugt ist, zu wahren,
ist das Aufgebot (s. d.) angeordnet. Die neuere Gesetzgebung hat den E. meist beseitigt, weil er zum Mißbrauch und Gewissenszwang führte, und einem etwaigen Betheiligten höchstens Privatrechte, aber keine Ehehinderung zugestanden werden können.

Einstellung der Arbeit, s. Coalition.

Einwendung eines Rechtsmittels heißt die Erklärung einer Partei, gegen
irgend eine richterliche Entscheidung, durch welche sie sich verletzt glaubt, ein gesetzliches Mittel einwenden zu wollen. Die Fristen, binnen welchen die E. zulässig ist,
sind im Prozeßgange überall festgestellt.

Einwilligung, s. Bestätigung und Consens.

Einzahlungen bei Actienunternehmungen, s. Actien.

Einzelrichter, s. Anklageproceß.

Einzugsgeld, s. Anzugsgeld.

Eisenbahnen. Nach den Erfindungen des Schießpulvers, der Buchdruckerkunst
und der Anwendung des Dampfes als Triebkraft hat kein Erfolg des menschlichen
Scharfsinns eine so große Umgestaltung in den gegenseitigen Verhältnissen der Menschen und Völker und damit aller gesellschaftlichen Zustände angebahnt und vorbereitet, als die Einführung der E. und der vermittelst derselben bewerkstelligten massen-
weisen und pfeilschnellen Fortbewegung von Personen und Gütern. Zwar steht unser Zeitalter erst an der Wiege dieser großen Errungenschaft des Menschengeistes.
Noch sind kaum 20 Jahre vergangen, seit auf einer europäischen E., der von Manchester nach Liverpool, der erste Dämpfer einherbrauste; — und welche Ausdehnung
hat das E.wesen schon erhalten, welche Vervollkommnungen hat es erfahren, zu welchen neuen mächtigen Fortschritten in andrer Hinsicht, z. B. zu dem elektrischen Telegraphen (s. Telegraphen), hat es Anlaß gegeben! Trotzdem müssen wir gestehen,
daß sich die Folgen für das Vordringen der Gesittung über den ganzen bewohnten

Erdball, ja mehr als dies, für die Ansiedelung der zur Stunde unbewohnten Erde noch gar nicht übersehen lassen. Vor anderthalb Jahrzehnten glaubte man mit einer Schnelligkeit von 3 deutschen Meilen in der Stunde das Erstaunlichste zu leisten, heute legt man in derselben Zeit bereits 5, 6, ja 10 und 15 deutsche Meilen zurück; damals schätzte man sich glücklich, wenn man schiefe Flächen von 1 zu 150 mit dem Dämpfer (Locomotive) erstieg, heute überwindet man mit diesen Maschinen Steigungen von 1 : 45, ja man hat bereits die Gewißheit, noch viel steilere Anhöhen auf diese Art ersteigen zu lernen; damals wagte man mit dem sprühenden Dampfrenner kaum Krümmungen von 3000' Radius zu befahren, heute fliegt man über weit stärkere Krümmungen ohne Gefahr dahin; der unzähligen andern Vervollkommnungen nicht zu gedenken, welche in Bezug auf den Bau der Dämme, das Legen der Schienen, die Mittel zur Abwendung aller Gefahr in diesem kurzen Zeitraume getroffen worden sind. Jede neue Verbesserung solcher Art ist jedoch die Mutter und Geburtshelferin weiterer Fortschritte, so zwar, daß keine Einbildungskraft kühn genug sein kann, uns das Bild des Zustandes zu malen, zu welchem in der nächsten Zeit mittelst der E. der Menschen-, Völker- und Güterverkehr, und mit ihm der Austausch des Menschengeschlechts an Allem, was es sein nennt, all dem Erbe seiner ganzen Geschichte, gediehen sein wird. Um sich zu vergegenwärtigen, welch eine unwiderstehliche Anziehungskraft die E. auf jenen Verkehr ausüben, darf man sich nur z. B. vorhalten, daß, seitdem die E.linie von Paris durch Belgien an den Rhein, von dort über Berlin nach Schlesien und weiter nach Mähren bis Wien vollendet ist, ein großer Theil der Reisenden diese in einem Umweg von mehr als 100 Meilen abschweifende Richtung einschlagen, um Zeit und Kosten zu ersparen. Man denke sich, daß das europäische Mutterland der E., England, zu seinem bereits anscheinend so vollkommen E.netz im Begriff steht, dasselbe durch neue Maschen von etwa 2000 deutschen Meilen Länge auszufüllen; man stelle sich vor, daß in den nächsten Jahrzehnten, und je weiter sich die E.linien auf dem Festlande vervollständigen werden, desto schneller sich daselbst ein ähnliches Bedürfniß kundgeben wird; man erwäge, daß in dieser Zeit, mittelst solcher Vervollkommnung und Beschleunigung der Verkehrsmittel, überall, wohin dieselben sich erstrecken, wie hervorgezaubert eine Reihe neuer Gewerbszweige entstehen müssen — und dann frage man sich, ob ein Geschlecht, welches mit so wundervollen Hülfsmitteln des Austausches und den darin gegebenen Waffen der Civilisation ausgerüstet erscheint, noch lange den unnützen und unbequemen Plunder vieler aus der Vorzeit ererbten, allenthalben der freien Entwickelung hinderlichen Einrichtungen als Ballast mit fortschleppen oder ob man nicht durch die Entwickelung dieser Dinge und durch die ihnen innewohnende Eigenthümlichkeit unausweichlich gezwungen sein wird, sobald als möglich des ganzen Vermächtnisses aus der Rumpelkammer der Vergangenheit sich zu entledigen! Was insbesondre die volkswirthschaftlichen Vortheile der E. betrifft, so gilt das, was von den Canälen (f. d.) gesagt wurde, davon in noch weit höherem Maße. Die Erfahrung hat überdies eine Menge Vorurtheile widerlegt, die man früher gehegt und womit man die Nothwendigkeit und Räthlichkeit der allgemeinen Einführung der E. bestritten hat. Namentlich ist dasjenige in seiner Grundlosigkeit dargelegt worden, welches nicht allein behauptete, daß nur zwischen sehr volkreichen Städten, sondern auch, daß blos durch volkreiche, dicht bevölkerte Städte die Anlage von E. an ihrem Orte sein werde und daß hauptsächlich die Beförderung von Personen und leichten Gütern bei Erwägung der Zweckmäßigkeit der Ausführung solcher Unternehmungen berücksichtigt werden dürfe. — Solche Vorurtheile hauptsächlich tragen die Schuld, daß die staatswirthschaftliche Seite des E.wesens vom Anfange an zum großen Theil und fast überall durchaus verkannt, und daß in Folge dessen große und nicht gut zu machende Fehler begangen worden sind, die sich noch schwer rächen werden. Diese Fehler bestehen vor Allem darin, daß in den meisten Ländern der Staat den Bau und den Betrieb der

E. aus den Händen gegeben und an Privaten, größtentheils Actiengesellschaften, überlassen hat, welche dabei nicht von dem Gesichtspunkt ausgehen konnten, dem Verkehr die
größtmögliche Erleichterung zu gewähren, die ausgedehnteste Entwickelung zu geben,
sondern nur den höchstmöglichen Ertrag aus der Anlegung ihrer Capitale zu erzielen. So ist es geschehen, daß den volks- und staatswirthschaftlichen Belangen zuwider häufig nur jene Linien zur Ausführung gelangten, welche augenscheinlich unmittelbar nach Vollendung der Bahnen eine reichliche Verzinsung des Anlagecapitals
liefern mußten, während diejenigen Landestheile der Vortheile solcher Verkehrsmittel
oft beraubt blieben, die in Betracht der daselbst unbenutzt liegenden Schätze und der
beschäftigungslosen Arbeitskräfte vor Allem eine solche Berücksichtigung verdient
hätten; obschon die daran gewandten Summen eine nur spärliche unmittelbare Rente,
und diese vielleicht erst nach langer Zeit abgeworfen haben würden. Auf diese Weise
ist es ferner geschehen, daß das wirkliche oder vermeintliche Interesse jener Privatgesellschaften, nicht die Bedürfnisse des Verkehrs selbst und der Nutzen des verkehrtrei-
benden Volks die Fahr- und Frachtpreise bestimmt, die mannigfaltigen andern
Einrichtungen, die Art der Verladungs- und Beförderungsmittel, die Zeit der Abfahrt, die Verbindung mit andern Bahnen u. s. w. festgesetzt hat, wobei zu den selbst-
süchtigsten Zwecken oft mit solcher Rücksichtslosigkeit und mit augenscheinlichster Benachtheiligung des Gemeinbesten verfahren worden ist, daß die Nachwelt die Verblendung der heutigen Staatsweisheit kaum wird begreifen können, welche, über alle diese
Punkte von so vielen Seiten im Voraus gewarnt, sorglos zugesehen und gestattet hat,
daß gleichsam unter ihren Augen, die Ausbeutung und die Benachtheiligung des
Publicums durch jene Gesellschaften häufig in der widerlichsten Weise stattgefunden,
abgesehen davon, daß diese zugelassene Ausführung der E. die ergiebigste Quelle zur
Sättigung des geldburstigen Actienschwindels geliefert und in vielen Fällen die Ausführung der in volks- und staatswirthschaftlicher Beziehung wichtigsten E.linien von
dem Gutdünken einzelner Geldleute und der Zu- oder Abneigung des Börsen-
klüngels abhängig gemacht hat. — Diese traurigen Erscheinungen, wie die politische
Wichtigkeit, welche die E. in internationaler Beziehung und hinsichtlich des
Vertheidigungszustandes eines Landes haben, werden mit der größern Ausdehnung des E.wesens selbst die Nothwendigkeit immer bringender herausstellen, daß
der Staat in vollkommnen Besitz desselben tritt, daß ferner, wie in England bereits
dazu der Anfang gemacht worden ist, die Verwaltung aller darauf bezüglichen Angelegenheiten einen besondern großen Zweig der Staatsverwaltung ausmacht und die
Vertretung der Interessen des Volks dadurch in den Stand gesetzt wird, die sorgfäl-
tigste Einsicht in alle Verhältnisse dieses ungeheuren Hebels der Volkswohlfahrt und
der Fortschritte der Gesittung und Völkerverbrüderung zu nehmen. — Von denjenigen Ländern, welche sich dieses Hebels bis jetzt in der ausgedehntesten Weise zu bemächtigen wußten, sind vor Allem die nordamerikanischen Freistaaten hervorzuheben, welche zu ihren anderweitigen großartigen Verkehrsmitteln der Fluß- und
Canalschifffahrt, ihr Land, so weit die Ansiedelungen nach Westen vorgedrungen sind,
mit einem unermeßlichen E.netz überzogen haben. Von England ist oben schon gesprochen. Unter den Ländern des europäischen Continents hat außer Belgien Deutschland und namentlich das nördliche und westliche sich beeilt, sich in Besitz dieser Neu-
gestaltungen zu setzen. In Frankreich hat das von dem Julikönigthum zum Staatsgrundsatz beförderte System der Corruption durch Förderung und Unterstützung mächtigen Privateigennutzes mittelst Gewährung von Begünstigungen und Bevorzugungen
gegen das Entgelt des der neuen Dynastie und ihren Absichten ertheilten Beistandes verhindert, daß das E.wesen die in den natürlichen Bedingungen des Landes und
der Bevölkerung in Aussicht gestellte Vollendung erhalten hat. In Oesterreich ist
man, von der Ansicht geleitet, daß man durch materielle Verbesserungen für immer die
Sehnsucht der Völker nach geistiger freier Entwickelung zum Schweigen bringen

vieler andrer Beziehung, gleichfalls in Aneignung eines ausgedehnten fortgeschritten und scheint nicht geahnt zu haben, daß mit dieser Errungenschaft die gefürchtete Bewegung der Geister unausweichlich um so schneller hereinbrechen und das System des Stillstandes in seinen Grundvesten erschüttern werde. Selbst Rußland hat über sein unermeßliches Ländergebiet die Eisenschanzen hinzuspannen angefangen, welche früher oder später den Blitz fortschreitender Gesittung auf das Land der Knechtschaft und der Trauer herableiten werden. Auch der europäische Süden, Italien, Spanien, ja selbst Asien hat begonnen, diesen Unternehmungen seine Aufmerksamkeit zuzuwenden, und der Menschenfreund kann mit Gewißheit in nicht allzu weiter Entfernung dem Tage entgegensehen, wo von einem Punkt des Erdkreises bis zum andern die metallenen Gleise und die damit in unzertrennlicher Verglie- regelmäßige Verbindung

J. G. G.

b Abgaben keiner der unwichtigsten. Bereits nach dies Verlangen entschieden aus, aber es verhallte

tschland geschah, hatte man in England, Holland, Frankreich, ja selbst in Rußland angefangen, den Binnenver-

und dadurch sich bezüglich der Handelsthätigkeit einen wichtigen Vor- Deutschland verschafft. Endlich sprach man im 19. Art. der Bundes-

Zusammenkunft der Bundesversammlung sollten auch über diese Angelegenheit Be- schlüsse gefaßt werden. Diese eingegangene Verpflichtung ward von der Bundesver-

man gar nichts bemächtigen, so

die E.Sacte zu Stande, welche in es wurden zwar sämmtliche Zölle

, theils von dem Schiffskörper als Recog-

der Eisenbahnen zu bestehen hatte. Dazu

Erschwerungen gegenüber konnten die Erleichterungen, welche die E.Sacte dadurch gewährte, daß die Privilegien von Gilden und Körperschaften zur Schiffahrt auf diesem Strome aufhörten — mit Ausnahme der einzelnen Uferstaaten vorbehaltenen Schiffahrt von einem Ufer zum andern, oder längs der Uferstrecken in dem betreffenden Landesgebiet, Cabotage oder Küstenhandel (s. d.) — daß ferner alle früher vorhandenen Stapel- und Umschlagsrechte aufgehoben wurden

u. A. m., nur höchst unzulänglich ihre günstigen Wirkungen entwickeln; und so kam es, daß auf der Elbe, der größten Wasserstraße inmitten des nördlichen Deutschlands, mit der dritten Handelsstadt der Welt an ihrem Ausfluß, im Vergleich mit andern weit weniger wichtigen Flüssen, die Belebung der Schiffahrt nicht mit der allgemeinen Ausdehnung des Verkehrs fortschritt. — Der Umstand, daß die ungeheuern aus den Elbzöllen aufgebrachten Mittel in den meisten Uferstaaten nicht einmal zu den bei diesem Strome mehr als bei jedem andern nothwendigen Verbesserungen und zur Regelung des Flußbettes, Eindämmungen, Buhnen und Ausbaggern verwendet wurden; daß man im Gegentheil an vielen Stellen das Fahrwasser ganz und gar versanden ließ, vermehrte noch die Ungunst der Verhältnisse und es wirft ein grelles Streiflicht auf die deutschen Zustände, daß Dänemark, als Besitzer von Lauenburg, aus seiner dortigen Zollstätte einen jährlichen Reinertrag von etwa 80—85,000 Thalern zieht, wovon seit einem Vierteljahr kein Heller zur Verbesserung des Fahrwassers verwendet worden ist! — 1821—22 war beschlossen worden, daß die Commission von Zeit zu Zeit wieder zusammenkommen sollte, um weitere Verbesserungen an der E.sacte zu berathen. Obwohl nun die Mängel derselben sich sogleich zeigten, obwohl die Klagen des Handelsstandes und des Schiffergewerbes immer lauter und lauter wurden, so verliefen doch nicht weniger als 20 Jahre (!), bis man dem allgemeinen Drängen nachgab und die E.scommission 1842 wieder zusammentreten ließ. 2 Jahre dauerten ihre Sitzungen, die mit der Annahme und Veröffentlichung der E.s-Additionalacte schlossen, welche den frühern Mängeln abzuhelfen bestimmt war. Aber statt eine Ermäßigung der Elbzollsätze zu bewerkstelligen, sind dadurch, daß man sich hauptsächlich darauf beschränkt hat, die Recognitionsgebühren in einen Güterzoll umzuwandeln, nur weit härtere Belästigungen für den Handel, besonders aber bei den Artikeln eingetreten, welche für den Verkehr die wichtigste Stelle einnehmen, und es ist dadurch der Zweck der langen Berathungen völlig zu nichte gemacht worden. Denn man hat zwar den Elbzoll auf 118 Art., worunter sehr bezeichnend die Leckerbissen für die Tafeln der Reichen, Champignons, Porter, Truthühner, Trüffeln u. s. w., ermäßigt; diese Gegenstände sind aber für die Schiffahrt so unbedeutend, daß sie zusammengenommen jährlich kaum einige Schiffsladungen ausmachen, während für die bedeutendsten Handelsartikel und Lebensbedürfnisse des Volkes oder der Gewerbe, Heringe, Farbhölzer, Zucker, Zink u. s. w., die alten hohen Zollsätze belassen worden sind. Nie ist der Uebelstand, daß dergleichen wichtige Angelegenheiten allein von Finanzbeamten ohne Hinzuziehung von Sachverständigen aus den dabei betheiligten Berufszweigen berathen und entschieden werden, offenkundiger hervorgetreten, als bei dieser Gelegenheit; denn die E. ist in Folge dieser Mißgriffe dahin gekommen, daß, wenn die Schiffseigner in den Elbhandelsstädten überhaupt noch mit der Güterbeförderung auf diesem Strome fortfahren, dies nicht geschieht, weil sie einen Gewinn daraus ziehen können, sondern weil die Anlage so großer Capitale darin sie dazu zwingt und sie nicht glauben mögen, daß man nach so lautem Einspruch und den überzeugenden Thatsachen und Beweisen gegenüber in einem Wege beharren werde, der unausweichlich den völligen Verlust jener Capitale zur Folge haben muß. Die Handelsvorstände der größern im Elbschiffhandel betheiligten Städte haben deshalb bereits einzeln und gemeinsam Schritte gethan, auch hat die gemeinsame Gefahr sie die frühere Sonderstellung, welche einige derselben gegen einander einnahmen, aufgeben heißen. Die an die Regierungen gestellten Forderungen dringen darauf, daß baldigst und jedenfalls noch vor dem dazu anberaumten Jahre 1850 die E.scommission wieder zusammentrete und in gänzlicher Beseitigung der lästigen Schiffahrtsabgaben die so nothwendige Erleichterung des Stromverkehrs veranlasse.   J. G. G.

Elementarschulen, s. Schulen.

Elterliche Gewalt, s. väterliche Gewalt.

Die rohe Kraft des Mannes hat von den
gesucht, die Stellung des Weibes als eine der
Schranken anzuweisen, welche diese
n dienten. So geschah es, daß im Naturzustande der
und unter Stämmen halber Gesittung, das Weib von
gehalten wurde, ihm nur werth zur Befriedigung seiner
Fortpflanzung seines Geschlechts. Wo sich jedoch in be-
Streben entwickelte, welches der Schönheit, der Sanft-
ze seelenbelebten Umgangs Einfluß auf die Sitten zu üben
milderte sich allmählig jenes strenge und unwürdige Verfeinerten Gefühle des Mannes lernten die fesselnden Eigenschaften der _

räumen, welche er selbst darin behauptet. Das Streben, das Weib dem Manne in
dieser Rücksicht vollkommen gleichzustellen, wird, wie die dadurch herbeizuführende

ung eine allmählige und an eine Menge Vorbedingungen
in der Beseitigung einer Reihe von Vorurtheilen, einer
in der Erziehungsweise, ja selbst der Lebensweise u. A. m.

gehoben, die Kindererziehung völlig und unbedingt in die Hände des Staats gelegt
gesellschaftlichen Befugnisse

für E. d. Fr. entgegen zu stellen, und, wie es so häufig geschieht, in unverständiger
Weise auf die angeborenen Vorzüge und die größere Befähigung des Mannes pochend,
alle von der Bildung der Zeit gestellten Forderungen als Wahnbilder zurückzuweisen.

die Lüge, das Unnatürliche, das Grobstoffliche wird daraus
eit, Wahrheit, Natur und geistige Anziehungskraft an ihre
J. G. G.

Emancipation des Geistes. Entfesselung des Geistes. Es giebt
noch heutzutage Völker, welche es als einen Frevel betrachten, am Leichname des
menschlichen Körpers Forschungen anzustellen, um den Bestimmungen seiner einzelnen

der Zergliederungskunst des menschlichen Scharfsinns, geübt an den Ueberresten des gewesenen Menschengeistes, an allem Bestehenden, einen unverantwortlichen Frevel an dem Göttlichen jenes Geistes selbst zu erblicken wähnt und mit heiligem Abscheu weniger vor den Forschungen selbst, als vor den Ergebnissen zurückbebt, wozu man auf diesem Wege gelangt. Wie die Völker der Südseeinseln in der rohesten Gestalt die Heiligung gewisser Dinge, Personen und Zustände durch das sogenannte Tabu aussprechen, indem dieselben jeder Berührung und Nahbarkeit entrückt und jede Annäherung an solche für freche Entheiligung gehalten und mit den schrecklichsten Strafen geahndet wird, so hält selbst unsere sich so aufgeklärt dünkende Zeit in Bezug auf viele ihrer Einrichtungen, Gebräuche und Gesetze, obwohl in den verfeinertsten Formen, in geistiger Beziehung immer noch ein ähnliches Verfahren ein und ächtet den Gedanken, wenn er kühn genug ist, vor den Schranken nicht zurückzubeben, welche das Bewußtsein einer zu Grabe gegangenen Zeit als die natürliche Grenze des Gesichtskreises jener Vergangenheit aufgerichtet hat. Unter dem Ausdruck E. d. G. versteht man die Einsetzung des menschlichen Gedankens in den Vollgenuß seines ursprünglichen und unvordenklichen Rechtes, rücksichtslos in alle Verhältnisse der Welt und der Schöpfung, in das Ergebniß seines eigenen Schaffens, die gesellschaftlichen und staatlichen Einrichtungen und Gesetze, den Glauben und das Wissen, die Religionen und die Kenntnisse der Gegenwart und Vergangenheit eindringen, die Natur seines eigenen Wesens im Vergleich mit dem Gewordenen und den Ursachen seines Werdens enträthseln und an diesem Richtmaß die ewige Verjüngung und den Fortschritt des Geschlechtes den Bedürfnissen der Zeit und ihres Wissens entsprechend betreiben zu dürfen. Die aus einer solchen Entfesselung des Gedankens sich herleitende Folge ist die **Vernunftgesetzgebung** oder die **Autonomie des Geistes.** — Die abgestorbene Idee des „christlichen Staates" wird von den Anhängern der alten Zeit zum Bollwerk umgeschaffen, um das unaufhaltsame Vordringen des entfesselten Gedankens zu hemmen und so lange als möglich den Schutt eines in dem Bewußtsein des Jahrh.s längst den Gräbern verfallenen Gesittungszustandes vor der ihm drohenden Hinwegräumung zu retten. Die Kämpfer für die E. d. G. führen dagegen wider die Schanzen des christlichen Staats die Idee der **Emancipation der Schule von der Kirche (f. d.)** auf. J. G. G.

Emancipation der Juden. So nennt man die gesetzliche Stellung, nach welcher den Juden in allen staatlichen und bürgerlichen Beziehungen volle gleiche Rechte mit den übrigen Staatsbürgern zustehen. — Eine solche Gleichberechtigung ist a) eine Forderung der Vernunft, welche nicht zuläßt, daß irgend Jemand wegen seines von der Mehrheit der Landesbewohner abweichenden religiösen Glaubens zurückgesetzt werde, oder deshalb minder berechtigt sei. Wird die Beschränkung eines Staatsbürgers in der Ausübung seines Gottesdienstes „Gewissenszwang" genannt, so verdient die Entziehung gewisser Rechte, oder die Nichtzulassung zu manchen Gewerben und Aemtern um des religiösen Bekenntnisses willen jenen Namen in weit höherm Grade; denn die nichtgestattete Ausübung des Gottesdienstes kann doch wenigstens durch stille Herzensandacht ergänzt werden, die man Niemanden zu rauben vermag, aber zur Erlangung der verweigerten Rechte, oder der nichtgewährten Stellung im Staate bleibt dem Betreffenden, der durch innern Beruf hierzu sich ausgebildet hat, kein anderes Mittel übrig, als seinem angeborenen Glauben zu entsagen und, ohne Ueberzeugung, zu einem andern überzutreten. Ein härterer Gewissenszwang läßt sich nicht denken. — Die E. d. J. ist aber auch b) eine Forderung des positiven Rechts; denn da, wo den Juden die nämlichen Pflichten und Lasten zum Besten des Staats, ja oft weit größere, wie den christlichen Staatsbürgern, auferlegt sind, und sie solche auch vollkommen erfüllen, erheischt die Gerechtigkeit, daß sie auch in den Besitz gleicher Rechte und Befugnisse gelangen müssen, wenn der Staat nicht aufhören will, ein Rechtsstaat zu sein, denn **gleiche Pflichten** bedingen nothwendig **gleiche**

Rechte. — Die E. d. J. liegt aber auch c) im Interesse der christlichen Religion. Denn ist Letztere wirklich die Religion der Liebe, so muß man dieses durch die That beweisen und den schönen Grundsatz „liebe deinen Nächsten wie dich selbst" besonders gegen die Juden in Ausübung bringen, damit sie nicht versucht werden, in der christl. Religion ferner eine Religion des Hasses und der Verfolgung zu erblicken, wie sie aus dem bisherigen lieblosen Verhalten der Christen gegen sie wohl vermuthen konnten. Was man in neuerer Zeit von einem sogenannten „christlichen Staate" gesprochen und als Einwand gegen die E. d. J. angegeben hat, ist völliger Unsinn. Der Staat an sich bestehet nicht in der Kirche, sondern neben der Kirche, und kann sich nicht dazu hergeben, den Zwecken einer kirchlichen Partei und wäre solche auch die Mehrheit, zum Nachtheile einer andern zu dienen, will er anders nicht mit Inquisition und Scheiterhaufen enden. Es kann vielmehr blos davon die Rede sein, daß der Staat verpflichtet sei, neben Beförderung des Rechtsschutzes sämmtlicher Landeseinwohner auch die religiösen und moralischen Gesinnungen derselben zu heben und zu kräftigen; in diesem Sinne dürfte man etwa den Staat „christlich" nennen. Um nun einem solchen Zwecke zu entsprechen, ist aber gerade die E. d. J. nothwendig, weil, wenn solche nicht erfolgt, ein Hauptgebot der christl. Religion nicht beachtet wird, welches dann auch nachtheilig auf die Religiosität und Moral des Volkes wirkt. — Nicht minder ist d) die E. d. J. aus politischen Gründen zu empfehlen. Die Klage, daß die Juden eine besondere Kaste bilden, einen Staat im Staate ausmachen, wird nur dadurch gänzlich beseitigt, wenn man sie völlig ins Staatsleben aufgehen läßt, d. h. sie emancipirt. Die mindeste Beschränkung, der sie noch unterworfen bleiben, rückt sie näher aneinander und bewirkt oder befestigt nur das, was man hinsichtlich ihrer fürchtet. Die Voraussetzungen, daß die Juden die christl. Staatsgenossen überflügeln oder sonst beeinträchtigen würden, sind daher gänzlich unbegründet, denn dergleichen Befürchtungen können nur so lange einen Sinn haben, als man die Juden eben als eine besondere minderberechtigte Einwohnerklasse bestehen läßt, wodurch sie natürlich ein specielles Interesse für sich haben. Dieser Particularismus erlöscht durch die Gleichberechtigung; sie verschmelzen dann von selbst mit den übrigen Einwohnern. Die Einwände von der besondern Nationalität der Juden, ihrem Messiasglauben oder ihrem Ceremonialgesetze bedürfen wohl keiner Widerlegung. Erstere (die Nationalität) ist nur eine Chimäre, charakterisirt sich nur als Religionsgemeinschaft, wie zwischen Katholiken und Protestanten verschiedener Länder und würde vollends auch kaum als Stammgenossenschaft zu betrachten sein, wenn der Staat gemischte Ehen zwischen Juden und Christen gestatten wollte, d. h. allerdings nicht unter der einseitigen Bedingung, die aus solchen Ehen entsprießenden Kinder ausschließlich in der christlichen Religion erziehen zu dürfen. Der an sich unschädliche Messiasglaube, welcher, wo er ja noch spukt, blos in der Hoffnung auf ein ideales 1000jähriges Reich besteht (wie solcher auch vielen gläubigen Christen eigen ist), wird sich durch die E. vollends allgemein in die den denkenden und gebildeten Juden längst innewohnende Zuversicht läutern, daß das Reich der Wahrheit, der Liebe und Sittlichkeit nach und nach über alle Theile der Erde sich erstrecken und das ganze Menschengeschlecht umfassen werde. Das Ceremonialgesetz kann ebenfalls kein Hinderniß der E. sein, da man ja sonst auch die Katholiken, Griechen und andere Glaubensgenossen, welche allerlei eigenthümliche Gebräuche, Fasten u. s. w. beobachten, nicht hätte emancipiren dürfen. Die Aenderung des Ceremonialgesetzes kann man übrigens getrost der unter den Juden selbst sich bildenden Entwickelung ihrer theologischen Grundsätze und Ansichten überlassen. — Eben so wenig ist aber auch die E. d. J. e) selbst vom geschichtlichen Standpunkte abzuweisen. Im alten römischen Reiche waren die Juden im Besitze aller Rechte römischer Bürger und hatten selbst Staatsämter inne. Erst als das Christenthum zur Gewalt gelangte, wurden sie der politischen Rechte verlustig. Kaum gewann jedoch im 16. und 17. Jahrh. ein ver-

nünftigeres Staatsrecht die Oberhand, als die holländischen Generalstaaten den aus
Spanien und Portugal vertriebenen Juden bedeutende Rechte und Freiheiten gewährten. 1650 that Cromwell ein Gleiches in England, wo die Juden seitdem in
beinahe völliger Gleichstellung leben. Im Jahre 1847 wurde sogar ein
Jude zum Parlamentsmitgliede gewählt. Sheriffstellen und andere obrigkeitliche
Aemter haben deren schon Mehrere bekleidet. In Nordamerika sind die Juden seit
1776 gleichberechtigt und es wurden auch Mehrere zu Mitgliedern des Congresses
erwählt. Ja ein Jude (David Franks) war sogar Adjunct des berühmten Washington. In Deutschland bemühten sich Schriftsteller, wie Böhmer, Lessing,
Dohm, Herder u. A., die Gleichstellung der Juden vorzubereiten; Joseph II.
verwirklichte diese Ansichten theilweise in den österreich. Erbstaaten, wo seit 1782 eine
bessere Stellung der Juden angebahnt wurde. Die franz. Nationalversammlung sprach
1791 auf den Antrag Mirabeau's, Grégoire's u. s. w. die völlige Gleichstellung der Juden aus. In Frankreich sind jetzt 3 Juden Mitglieder der Deputirtenkammer. Preußen folgte 1811 und ertheilte den Juden nicht nur alle bürgerlichen Rechte, sondern auch die Befugniß zu Gemeinde- und Universitätsämtern, blos
hinsichtlich der Staatsämter behielt sich der König weitere Erwägung vor. Die
deutsche Bundesacte verbürgte im 16. Art. den Juden die bestehenden Rechte, so
lange nicht ein allgemeines Bundesgesetz zu Stande käme. Außerdem sollte die Bundesversammlung in Erwägung ziehen, wie den Juden, unter Uebernahme aller Bürgerpflichten, der Genuß bürgerlicher Rechte gesichert werden könne. Ein solcher Beschluß der Bundesversammlung ist inzwischen noch nicht zur Ausführung gelangt,
wogegen einzelne Bundesstaaten Specialgesetze in dieser Beziehung erlassen haben.
Am weitesten hierin ist Kurhessen vorgeschritten, wo die Juden gänzlich den Christen gleichgestellt sind; ingleichen Luxemburg und das überrheinische Fürstenthum
Birkenfeld, wo noch das franz. Recht hinsichtlich der Juden in Geltung ist.
Am nächsten kommt Preußen, wo, in Folge der freisinnigen Abstimmungen am
jüngsten ersten vereinigten Landtage, ein neues Gesetz (23. Juli 1847) die Verhältnisse der Juden regelt. Sie sind nach selbigem blos von den ständischen Rechten
und von solchen Staats- und Gemeindeämtern ausgeschlossen, womit eine executorische,
polizeiliche oder richterliche Gewalt verbunden ist, außerdem auch zu ordentlichen Professuren der Medicin, Naturwissenschaften, Mathematik und Philologie zulässig, übrigens aber ziemlich gleichgestellt. In Würtemberg und Baden sind die Juden
zwar nicht gleichgestellt, doch im Besitz mancher bedeutenden staatsbürgerlichen Rechte,
z. B. des activen Wahlrechts zu ständischen Abgeordneten. In den übrigen Bundesstaaten richtet sich die Gesetzgebung in Bezug auf die Juden nach der Eigennützig-
keit und Parteilichkeit derjenigen, welche an der Feststellung dieser Gesetze Antheil
nahmen. So darf z. B. in Hamburg ein Jude Handelsherr werden, alle fremde
Juden haben daselbst Zutritt und Handelsfreiheit, dagegen darf ein einheimischer
Jude nicht einmal ein Handwerk erlernen. In Sachsen haben Juden in Dresden und Leipzig Meisterrechte, sie dürfen aber nicht über das Weichbild dieser Städte
hinaus sich übersiedeln. In Weimar und Hannover dürfen Juden Advocaten
werden, in Baiern hingegen nicht. — Außerhalb Deutschland sind die Juden auch
in Holland und Belgien, in den Kantonen Bern und Genf förmlich emancipirt,
in Dänemark mit wenigen Ausschließungen, in den italienischen Staaten wird die E.
jetzt vorbereitet, in Ungarn wurde solche bereits vom Reichstage beantragt, in Schweden sind ihnen viele Rechtserweiterungen zu Theil geworden, merkwürdiger Weise ist
in Norwegen, welches sich der freiesten Verfassung in Europa erfreut, der Jude völlig
rechtlos und darf nicht eine Nacht im Lande verweilen; in Rußland kann bei dem
dermaligen Systeme nicht viel erwartet werden, doch sind Juden befähigt, zu Ehren-
bürgern ernannt zu werden und erhalten als solche bedeutende Vorzüge. In der
Türkei hat der Hattischeriff von Gülhane ebenfalls die Gleichberechtigung der Juden

ausgesprochen und in Algier sind sie der franz. Gesetzgebung theilhaftig. — Es ist kaum zu bezweifeln, daß in kurzer Zeit die E. d. J. allgemein durchgeführt sein wird, und wie man sich heutzutage wundert, daß man vor 40 Jahren noch von Menschen Leibzoll gleich dem Vieh verlangen konnte, so werden unsere Nachkommen staunen, daß man in unserm aufgeklärten Zeitalter noch einer Bürger- und Einwohnerklasse blos darum gewisse Rechte entzieht, weil sie sich zu einer andern Religion bekennt.

Emancipation der Katholiken in Großbritannien. Wo eine herrschende oder Staatsreligion und in ihr eine Priesterschaft, führe sie welchen Namen sie wolle, durch den Staat anerkannt wird, übt sie Druck und Gewalt auf alle Andersgläubige aus. Die Wahrheit dieses Satzes ist in auffälligster Weise in dem Verfahren hervorgetreten, welches die englische Hochkirche gegen die Katholiken und namentlich gegen das **katholische Irland** mehrere Jahrh. hindurch geübt, bis es 1829 gelang, durch die E.bill den Anfang mit Maßregeln zu machen, welche der Unbill abhelfen sollten. Bis dahin waren die Katholiken von Ausübung der wichtigsten bürgerlichen und politischen Rechte, insbesondere von der Vertretung im Parlamente, ausgeschlossen (s. Abjuration). Als Irland völlig mit Großbritannien vereinigt wurde, drängte sich die Nothwendigkeit einer Beseitigung dieses Unrechts auf; aber der Widerstand, welchen der blinde Glaubenseifer des Volks, von der bigotten Priesterschaft der Hochkirche fortwährend geschürt, mit seinem No popery!- (kein Papstthum) Geschrei einer solchen Maßregel entgegensetzte, die Unterstützung, welche dieser Widerstand in dem in Irland reichbegüterten protestantischen Hochadel und in den Bischöfen und Prälaten im Parlamente erhielt, verzögerte diesen Act der Gerechtigkeit ein ganzes Vierteljahr. **Canning**, der sich früher gleichfalls diesem Schritte widersetzt hatte, unterlag, als er 1826 die Maßregel durchzuführen versuchte, den wüthenden Angriffen der Gegner und zahlte mit seinem Leben für den Versuch. Und doch mußten dieselben Leute, als sie zur Gewalt gelangten, dieselbe Maßregel ins Werk setzen, um den in Irland drohenden Aufstand nicht zum Ausbruch zu treiben. Durch die E.acte gelangte das katholische Irland zur Vertretung im Parlament und durch die ausgezeichneten Männer, welche als Sachwalter der irischen und katholischen Sache zugleich darin auftraten, **O'Connell**, **Shiel** u. A., wurde auch auf diesem Felde, nebst der in Irland fortschreitenden Agitation, fortan der Kampf für die in dem genannten Gesetz nur höchst unvollkommen gewährte Abhülfe der Leiden und der gesellschaftlichen und politischen Gebrechen Irlands fortgeführt, der, wie die neuesten Vorgänge zeigen, noch lange nicht zu Ende ist. **J. E. G.**

Emancipation der Schule von der Kirche. So lange die Kirche sich rühmen durfte, die Trägerin des Wissens der Menschheit zu sein und ihren Beruf darin zu finden, nicht nur dasselbe zu pflegen, zu mehren und zu läutern, sondern auch den erworbenen Schatz nach allen Seiten hin auszutheilen, so lange ging folgerecht die Schule in der Kirche auf. Naturnothwendig kam jedoch bei fortgesetzter Weiterverbreitung der Kenntnisse der Augenblick, wo der Drang nach Wissen auch außerhalb der Kirche sich regte und Befriedigung zu finden wußte; ja, wo die dort auftauchenden Forschungen in ihrer Ausbeute die kirchlichen Satzungen überholten, mit den Lehren und den Interessen der Kirche in offenem Widerspruch standen. Von da an schied sich die Aufgabe der Schule, dem Fortschritt durch Unterricht und Weisung an die Hand zu geben, von der der Kirche immer deutlicher; beide gingen immer weiter auseinander, bis sie in nothwendiger Entwickelung in zuwiderlaufenden Richtungen aufeinander treffen mußten, um sich den Sieg streitig zu machen. Es ist bezeichnend für diesen unentrinnbaren Lauf der Dinge, daß zuerst auf den Höhepunkten der wissenschaftlichen Bildung solcher Zwiespalt sich kundgab; daß auf den Universitäten das weltliche Wissen, die eigentliche nichts auf Treu und Glauben hinnehmende, sondern die Wahrheit durch Forschen suchende Wissenschaft, dem von der Kirche gelehrten

gegenüber, die Fahne des fortschreitenden Denkens aufpflanzte und den starrgeworde-
nen Lehrsatz der Erstern bedrohte: während in unsern Tagen die Kirche, unterstützt
von der durch das Wissen der Zeit gleichfalls in ihrem eigensten Wesen gefährdeten
Staatskunst, dahin trachtet, sich auf jenen frühern Hochburgen der Wissenschaft, den
Hochschulen, wieder einzurichten, deren Lehrstühle ausschließlich durch ihre Anhänger
in Besitz nehmen zu lassen und die Bekenner der freien Wissenschaft daraus zu verdrängen. Im Gegensatze dazu wird in allen übrigen Kreisen gegenwärtig das Bewußtsein lebendig, daß das Heil der Welt und ihre Zukunft darin bestehen, den aufgehäuften Wissensschatz der Bevorzugten nicht unter Schloß und Riegel zu halten,
sondern ihn zinstragend zu verausgaben, ihn zum werdenden Gemeingut zu machen
und in seinen Ergebnissen die Einsicht, das Urtheil, den Willen der Menschen heran-
zubilden, mit der dadurch gereisten menschheitlichen Bildung und Gesittung letztere zu
durchdringen. In diesem Geiste ringt heutzutage die Volksschule, sich von den kirchlichen Banden frei zu machen, die sie umfangen halten, während die Kirche, verbunden mit der Staatskunst, die Umwandlung des Denkens der Völker in dem ihr eignen Sinne durchsetzen zu können glaubt. In diesem Lichte sind die Bestrebungen zu
betrachten, die in den jüngsten Tagen, fast überall begünstigt und befördert vom
Staat, darauf ausgehen, den Lehrern freier Wissenschaft den Zutritt zu den Hochschulen zu wehren, den kirchlichen Ansichten unter den Mitgliedern derselben Eingang zu
verschaffen, mit einem Wort, die Universitäten zu von der Kirche beeinflußten, der
Kirchlichkeit huldigenden Anstalten umzuwandeln. Aber wie alle andern nach rückwärts sich wendenden Bestrebungen, müssen auch diese endlich an der Gewalt der Idee
scheitern, die auf eine völlige und unbedingte Trennung der Schule von
der Kirche hinzielt. Wie der Jesuitismus, in dessen Wirksamkeit sich der Grundsatz der von der Kirche geleiteten, beaufsichtigten und durchdrungenen Schule am deutlichsten ausgedrückt findet, seine Zeit ablaufen sehen muß, so wird es der damit
innerlich verwandten Richtung ergehen, die sich in der neuesten Zeit hauptsächlich im
protestantischen Deutschland kundgegeben hat. Die freiere Richtung in der protestantischen Kirche selbst, welche die Idee der Aufhebung eines besondern Priesterthums in
sich schließt, wird mächtig darauf hinwirken, trotz der feindlichen Gewalt, der Sache
der E. d. Sch. den Sieg zu sichern; denn die freien Gemeinden müssen, wenn sie
ihrem eignen Grundsatz nicht untreu werden wollen, um sich die eigne Fortbildung
zum höchsten Zwecke der Menschheit zu sichern, das Volksschulwesen in einer Weise
gestalten, daß es für immer kirchlichen Einflüssen entrückt bleibt: zuletzt muß, dies ist der
nothwendige letzte Umlauf dieser neuen Entwickelung, das ganze Streben dieser freien Gemeinden sich in der Einsetzung eines umfassenden Volksschulwesens, das den Anforderungen
des Jahrh. entspricht, zusammenfassen und mittelst der unwiderstehlichen Kraft, welche
diese Körperschaften daraus schöpfen werden und wodurch sie die in den alten Satzungen Verharrenden in jeder Rücksicht weit hinter sich lassen müssen, werden die
Maßregeln, welche von letzterer Seite gegen die E. d. Sch. in ihrem Kreise ausgehen,
wie z. B. die Schritte gegen Diesterweg, Wander u. A., völlig ihres Zweckes
verfehlen. — Nicht auf Deutschland allein beschränkt sich überdies die Bewegung zu
Gunsten der E. d. Sch. Die Aufklärung des vergangenen Jahrh. mit den humani-
stischen Bestrebungen hatte ihr bereits Bahn gebrochen. Die franz. Staatsumwälzung, welche so vieles Alte und Morsche zu Trümmern schlug, hatte ihr den Weg
geebnet und hätte Napoleon, statt in verkehrtem Streben seines Ruhmdurstes den
Unterricht in Frankreich zu einem Werkzeug für seine verderblichen Zwecke zu machen,
dem großartigen Plane Condorcets Beifall geschenkt und ihn ausgeführt, der
Geist der Weltgeschichte würde ihn heute in der dadurch vollbrachten allgemeinen
Volksbildung eben so segnen, als er jetzt das Verdammungsurtheil über ihn ausspricht; die ruhige Entwickelung dieser Bildung ist durch seine Schuld um ein halbes
Jahrh. hinausgeschoben worden. In unsern Tagen hat selbst das bigotte England,

hat selbst das pfaffenbevormundete Belgien sich gegen den allmächtigen Einfluß der Kirche auf die Schule aufzulehnen angefangen. Die Gründung der freien Universität in London war dort das Vorspiel jener Bewegung, die in diesem Lande freier staatlicher Institutionen bald allmächtig werden wird, während in Belgien die öffentliche Stimme gleichfalls immer entschiedener auf eine der Geistlichkeit entzogene Einrichtung der Volkserziehung dringt. In der liberalen Schweiz hat man durch die vor Augen liegende Thatsache des niedern Standes der Bildung in der von Priestern erzogenen Bevölkerung einzelner Kantone längst einsehen gelernt, wo und wie geholfen werden müsse, und der letzte Sieg der freien Eidgenossenschaft über die Zöglinge der Klöster und Jesuitenschulen wird mächtig dazu beitragen, das Volksschulwesen auf immer diesen Händen zu entziehen und es den großen Zwecken der Menschheit dienstbar zu machen. Selbst das gegenwärtige Haupt der kathol. Welt, obwohl dadurch dem Grundsatze selbst nahe tretend, worauf der Glaube an seine unfehlbare Autorität beruht, hat Schritte gethan, welche die E. d. Sch. fördern können. — So bringt dieser Gedanke unaufhaltsam weiter und weiter nach Oben und Unten; er beseelt tausend Denker, er erfüllt tausend edle Herzen; die Millionen warten auf seine Verwirklichung; sie werden sie schauen. J. G. G.

Embargo, s. Schifffahrt.

Emeritus. Das vielfach gebräuchliche Fremdwort für den in Ruhestand versetzten, vom Dienste entlassenen Staats=, Gemeinde= oder Kirchenbeamten.

Emeute, s. Aufstand.

Emigration, Emigranten, s. Auswanderung.

Emigrationsgebühr, s. Abschoß.

Eminenz, deutsch: Hervorragender, war ehemals der Titel der Bischöfe, jetzt der der Cardinäle.

Emphyteusis, s. Abmeiern.

Empörung, s. Aufstand.

Emser Congreß oder **Emser Punctation.** Die Bestrebungen freigesinnter Männer gegen die Anmaßungen Roms führten nicht blos im 16. Jahrh. und in neuester Zeit zur Lossage von der päpstlichen Gewalt; sondern zu allen Zeiten fühlten bevorzugte Männer dieses Bedürfniß. 1787 traten zu Ems die Erzbischöfe von Mainz, Trier, Cöln und Salzburg zusammen, in der Absicht, eine deutsche Kirche zu gründen, über welche der Papst nur ein Oberaufsichtsrecht ausüben sollte, welches jede directe Einwirkung ausschloß. Man stellte mehrere urkirchliche Einrichtungen, besonders aber die Regelmäßigkeit der Kirchenversammlungen und ihre unbedingt gesetzgebende Gewalt, wieder her. Allerdings sorgten die Bischöfe mehr für sich als für das Volk, weshalb auch ihre Bestrebungen keinen Anklang selbst bei der Geistlichkeit fanden. Was die Bischöfe auf dem E. C. ausgemacht, nennt man die E. P. Schon 1787 sagten sich die Bischöfe von Mainz und Trier von der E. P. los, die beiden andern schüchterte man ein und es war dem Papste leicht, Aufstellungen zu widerlegen, die Niemand aufrecht zu erhalten den Muth hatte. Das erfolglose Beginnen machte die deutsche Kirche noch abhängiger von Rom, als es bisher gewesen war.

Enclaven nennt man Gebietstheile, welche in andern Staaten ganz eingeschlossen liegen, so daß der Staat, welcher sie besitzt, nur dazu kommen kann, wenn er ein andres Staatsgebiet durchschreitet. Ueber diese Verbindung der E. mit dem angehörigen Staate werden besondere Verträge abgeschlossen, deren Bestimmungen man E.=Recht nennt.

Encyklopädisten. In der allgemeinern Wortbedeutung alle wissenschaftlich gebildeten Männer, welche, für die Bildung des Volkes besorgt, diesem die Schätze der Wissenschaft und Kunst dadurch öffnen, daß sie solche in alphabetischer Reihenfolge in Wörterbücher bringen, die man Encyklopädien nennt; auch dieses Hand=

21 *

buch ist demnach ein Werk dieser Art. Das berühmteste Werk dieser Art ist die große franz. E. von Diderot und d'Alembert aus der 2. Hälfte des vor. Jahrh.s, worin sie von den ausgezeichnetsten Männern Frankreichs unterstützt wurden; die Mitarbeiter an diesem Buche wurden demnach vorzugsweise E. genannt. Das Streben der E. ist vielfach angefeindet worden; man sagte, sie hätten den Samen des Unglaubens ausgestreut, die Religion herabgewürdigt, allem Bestehenden den Krieg erklärt, und wären Ursache der spätern franz. Staatsumwälzung geworden; wollte es aber nicht gelten lassen, daß die E. durch Verbreitung nützlicher Kenntnisse Aufklärung verbreitet hätten, der Willkür und dem Aberglauben mit Kraft entgegengetreten wären. Die E. waren es und sind es zum Theil noch, die das seit Luthers Tod zum Stillstehen gekommene Reformationswerk wieder in Gang gebracht und das Volk erhoben haben zur höheren Macht der fortschreitenden Bildung und Aufklärung. Und darum sind sie allerdings auch Urheber der Staatsumwälzung, die sich gegen einen Zustand richtete, welcher vor der Bildung wie vor dem Rechte nicht bestehen konnte; darum werden sie Miturheber aller künftigen Staatsumwälzungen sein, die aus demselben Grunde entstehen. Denn bei dem allgemein gefühlten Streben nach Bildung sind die Encyklopädien ein wahrhaftes Zeitbedürfniß geworden, das auf jede Weise die Wahrheit der Worte: „Kenntniß ist Macht!" bestätigt.

W. Preßsch.

Endemische Krankheiten, s. Ansteckende Krankheiten.

Englische Kirche, s. Anglicanische Kirche.

Enkratiten eine Abart der Gnostiker (s. d.).

Enqueten. Die Schreibstubenherrschaft schöpft ihre Einsicht und Kenntniß über die Lage der Dinge, die Zustände und die Bedürfnisse des Landes, das sie beherrscht, zumeist aus den Berichten ihrer Untergebenen, ihrer Beamten. Berge von Papier werden zu diesem Zwecke beschrieben; Tabellen über Tabellen angefertigt und eingeschickt; Protokolle auf Protokolle abgefaßt, um in die Archive der Ministerien zu wandern und dort oft ungelesen und unbeachtet zu verstauben und Würmerfraß zu werden. In einem solchen Staat, wo vorschriftsmäßig der Beamte durch die Brille sieht, aus der der Vorgesetzte die Lage der „Unterthanen" und jene Zustände betrachtet, wird auf dem geschilderten Wege nur ausnahmsweise das wahre Gemälde der Verhältnisse vor das Auge derer kommen, in deren Händen das Geschick jener liegt; selbst wenn die Presse in einem solchen Lande größerer Freiheit genießt, und ein wahreres Bild über besagte Zustände entwerfen kann, wird sie wenig zu nützen vermögen, da man im bureaukratischen Staat gewohnt ist, eine souveraine Verachtung vor der sogenannten „schlechten Presse" zu hegen, die sich damit befaßt, in den geheimen Winkeln den Dust und Moder ausfindig zu machen und darauf zu bringen, daß man allen Unrath entferne. Als Muster eines Staats in Europa, wo auch die Ansicht des Volkes Geltung hat, ist England zu betrachten und dort ist außer andern die Selbstregierung des Volks fördernden Einrichtungen seit langer Zeit die Gewohnheit in Uebung, über wichtige politische, volks= und staatswirthschaftliche, finanzielle und gesellschaftliche Verhältnisse Gutachten von den vom Parlamente niedergesetzten Ausschüssen einzuholen. Auch in andern Ländern sieht man diese Einrichtung ins Leben treten, ja selbst in Deutschland ist es in Gebrauch gekommen, wenn von derselben die Rede ist, des Wortes E., Untersuchung, Nachforschung, sich zu bedienen. Da jedoch nicht nur in Großbritannien die Sache aufgekommen, sondern sie daselbst auch am zweckmäßigsten und vollkommensten sich vorfindet, so möge hier in Kurzem das dort geltende Verfahren beschrieben werden. Nachdem ein Parlamentsausschuß zur Ermittelung einer der bezeichneten Fragen eingesetzt ist, so ist derselbe nicht nur ermächtigt, Jedermann, von welchem er irgend eine Auskunft zu erlangen sich verspricht, vorzuladen und ihm über die Sache Fragen vorzulegen, sondern er ist auch verpflichtet, von allen Denjenigen, welche sich zutrauen, Aufschlüsse geben zu können, und sich bei ihm deshalb melden, Aussagen entgegenzunehmen; zugleich wird das Volk durch fortdauernde vollständige Veröffentlichung dieser Erörterungen durch den Druck in den Stand gesetzt, sein Wissen, wo sich dasselbe vorfindet, entweder durch die Presse oder vor dem Ausschuß selbst zu bethätigen — eine Art der Ermittelung solcher Fragen, welche der Gesetzgebung das vollständigste Bild derselben vor Augen hält, und sie wie jeden Einzelnen der Volksvertretung in den Stand setzt, ein gründliches Urtheil darüber sich bilden zu können. So hat erst neuerdings in England die so wichtige Frage des Gesundheitszustandes in den großen Städten den Gegenstand der Untersuchung eines solchen Ausschusses gebildet. — In Deutschland, wo man es liebt, wenn man eine zweckgemäße Einrichtung des Auslandes nachzuahmen sich entschließt, den eignen alten Sauerteig der Bureaukratie hinzuzuthun und das Gebäck damit ungenießbar zu machen, hat man in den letzten Jahren auch dann und wann sogenannte Sachverständige einberufen und dieselben „abgehört". In wiefern dadurch dem Zweck entsprochen werden konnte, mag unter Andern daraus erhellen, daß das sächsische Ministerium des Innern 1845 in Nachahmung einer ähnlichen Maßregel in Preußen, Sachverständige nach Dresden rief, um deren Urtheil über Tariffragen anzuhören, daß es die Sachverständigen nach eignem Gutdünken sich aussetzt und nachdem es durch zwei aufeinanderfolgende Tage einige Vormittagsstunden mit denselben verkehrt hatte, sie wieder nach Hause entließ, ohne daß über die gepflogenen Erörterungen etwas Amtliches bekannt gemacht worden wäre. Bei dem deutschen Wechselgesetzcongreß in Leipzig und beim Postcongreß in Dresden, wo dergleichen vorausgegangene Ermittelungen sehr an der Stelle gewesen wären, ist gleichfalls im Wesentlichen nicht von der gewohnten Uebung des bureaukratischen Systems abgegangen worden, man müßte denn in der Zusammensetzung dieser Congresse selbst die Anbahnung zu einem System der E. erblicken.   J. G. G.

Entbindungsanstalten. s. Wohlthätigkeitsanstalten.

Entbindung von der Instanz. s. Freisprechung.

Entbindung von gesetzlichen Vorschriften, s. Dispensation.

Enterbung, s. Erbrecht.

Entfremdung heißt ein Diebstahl, welcher am Gute von Verwandten ausgeübt wird. Er wird nicht wie der gemeine Diebstahl von Amtswegen; sondern nur auf Antrag der Verletzten, verfolgt und bestraft.

Entführung. Die gewaltsame Entfernung einer Person und ihre Befreiung aus der elterlichen oder vormundschaftlichen Gewalt. Die E. kann mit und gegen den Willen der Entführten stattfinden. Sonst war die E. ein schweres Verbrechen, wurde sogar mit dem Tode und Wegnahme des Vermögens bestraft, besonders wenn der oder die Entführte verheirathet war oder die E. aus einem Kloster statt fand. Die neuere Gesetzgebung sieht die E. viel milder an, und wenn dieselbe auch nicht straflos bleibt, so wird sie doch viel gelinder bestraft, und nur die dabei gebrauchten ungesetzlichen Mittel steigern die Strafbarkeit.

Enthusiasmus. Ein hoher Grad von aufgeregtem Gefühle, von Begeisterung, welche sich bei besondern Gelegenheiten kund giebt. Die Staatszeitungen verbrauchen bei allen hohen Reisen, Entbindungen, Genesungen und sonstigen Dingen eine so ungeheure Menge von E., daß im Leben nichts mehr davon zu finden ist, er müßte denn baar bezahlt und nach Dauer und Umfang genau vorgeschrieben werden. In Rußland, Polen und andern glücklichen Ländern ist der E. noch zu Hause. Dort wird bei jedem Erscheinen einer hohen oder höchsten Person 3 bis 8 Tage illuminirt, gejubelt und festgefressen, alles pünktlich nach polizeilicher Vorschrift.

Entsagen einem Amte, einer Würde, einem Throne, s. Abdanken.

Entsatz. In der Kriegswissenschaft die Befreiung eines belagerten Heerestheiles von der Belagerung, entweder durch Vertreibung der Belagerer oder durch Zufuhr fehlender Lebensmittel oder Verstärkung der geschwächten Streitkräfte.

Entschädigung, f. Eigenthumsabtretung.

Entschädigung für Lasten u. s. w., f. Abgaben, Ablösung.

Entschiedenen, f. Bewegungspartei.

Entschluß, ein Verbrechen zu begehen, f. Versuch.

Entschuldigungsbeweis, f. Gegenüberstellung.

Entthronung. Das verfassungsmäßige Staatsrecht hält selbst in den Staaten, wo die Selbstherrlichkeit des Volks (Volkssouverainetät) anerkannt wird, den Grundsatz fest, daß der Monarch unverantwortlich und unverletzlich sei; daß, wie die Engländer diesen Grundsatz ausdrücken, „der König kein Unrecht thun kann" (the king can do no wrong). Alles, was von seiner Seite in den öffentlichen Angelegenheiten den Gesetzen zuwider gethan wird, fällt den Rathgebern der Krone, den Ministern, zur Last, die dafür verantwortlich sind. Dieses Princip schließt folgerichtig die Bedingung in sich, daß nie die E. verfügt, ja auch nur eine Thronentsagung wegen Verfassungsverletzungen erzwungen werden könne. — Dieser Grundsatz der Unverantwortlichkeit und Unverletzlichkeit ist im Verfassungsstaate die nothwendige Annahme zur Aufrechthaltung der erblichen Monarchie selbst, und beruht auf der Voraussetzung, daß bei verkehrtem Willen und schlimmer Eigenart eines Monarchen sich nie auf die Dauer Rathgeber finden werden, die denselben bei offener Verletzung der Gesetze unterstützen und die Verantwortlichkeit dafür auf ihre Schultern nehmen werden. Diese Annahme rechtfertigt sich aber so wenig aus der menschlichen Natur, als aus den Erfahrungen der Geschichte, und man hat sie nur als einen Grundsatz der Nützlichkeit und Zweckdienlichkeit zu betrachten, welcher von unbedingter innerer Wahrheit und Nothwendigkeit bei Feststellung staatlicher Satzungen absehen und nur die jezeitigen Verhältnisse und gegebenen Bedingungen berücksichtigen läßt. Für den gewöhnlichen Lauf der Dinge in ruhigen Zeitläufen wird in der wahrhaft verfassungsmäßigen Erbmonarchie dieser Grundsatz ausreichen. In außerordentlichen Fällen wird er jedoch, wie die Erfahrung gelehrt, vor der Macht der Dinge seine Gültigkeit verlieren; die durch verkehrten Willen und verderbliche Gelüste des Erbherrschers mit Hülfe abgefeimter und tollkühner Minister verletzte Verfassung wird zum todten Buchstaben werden und die Unverantwortlichkeit und Unverletzlichkeit des Herrschers wird von derselben Art wie bei unumschränkter Herrschergewalt sein; auch sie wird so lange dauern, bis das Volk gereizt wird, sie zu stürzen und einen andern Throninhaber dafür einzusetzen. Denn je größere Willkür einem Monarchen zusteht, desto weniger ist seine Unverletzlichkeit gewährleistet. Die orientalischen Despotien, die Geschichte Rußlands in den letzten Jahrh.en, wo fast jeder Thronwechsel in Folge einer E., hin und wieder von Ermordung des Entthrönten begleitet, eintrat, sind Belege für diesen Erfahrungssatz. Ueberall, wo in verfassungsmäßig eingerichteten Staaten die herrschende Gewalt dahin getrachtet, sich dem Zustande absolut regierter Reiche zu nähern, hat sich gezeigt, wie schwach und unhaltbar der fragliche Grundsatz in sich wird. Die Schicksale der Stuarts und der Bourbonen, andrer Beispiele nicht zu gedenken, stehen warnend für alle Monarchen da, welche einen ähnlichen Weg einzuschlagen versucht sein könnten. Der Buchstabe der Verfassungen, welcher ihnen Unverantwortlichkeit und Unverletzlichkeit zusichert, bleibt nur so lange lebendig, als der Geist der Institutionen selbst auf den Thronen waltet; wo er erlischt und der Feindseligkeit gegen dieselben Platz macht, wird auch jener zum bloßen Schall, und E.en und gezwungene Thronentsagungen stellen der Welt die Wahrheit vor Augen, daß jener Grundsatz nie und nimmer ein bedingungsloser sein kann. *J. G. G.*

Entsetzung, f. Abmeierung.

Entziehung des Kelches beim Abendmahl, f. Abendmahl.

Ephorat, Ephoren, eine altgriech. Staatseinrichtung, vorzugsweise in Sparta. Ursprünglich wurden 5 E. mit der Wahrung der Volksrechte und der Verfassung betraut, später war das E. Mittelglied zwischen dem aristokratischen Rathe der Alten

und den Volksversammlungen, stützte
in Stellvertretung. Bald ruhte in den
und staatspolizeiliches Oberaufsichtsre
des alten E.s ist in Deutschland in sei
wir haben weder Verantwortlichkeit der
Meinung, in denen Welcker das
evangel. Kirchenverfassung geblieben, einen
bezeichnet, in welchem der höchste Geistliche, Ephorus, die Oberaufsicht führt. L. W.

Epidemie, epidemische Krankheiten, s. Ansteckende Krankheiten.

Episkopalen, Episkopalkirche, Episkopalsystem, Episkopal-verfassung, s. Anglikanische Kirche.

Epoche. Ein Zeitabschnitt zwischen zwei wichtigen Ereignissen, so daß die Zeitrechnung der E. mit dem einen Ereignisse beginnt und mit dem andern endet.

Equipage. Das fast ausschließlich gebräuchliche Fremdwort für die Ausstattung eines Soldaten oder einer Heeresabtheilung. So heißt z. B. die Kleidung, die Bewaffnung und der Schießbedarf eines Einzelnen E. Das Geschütz, der Mundvorrath und die sonstigen Bedürfnisse einer Heeresabtheilung ebenfalls E. Einen einzelnen Mann oder eine Heeresabtheilung mit diesen Bedürfnissen versehen, heißt sie equipiren.

Erbadel oder Geburtsadel, s. Adel.

Erbamt, s. Amt.

Erbe. Derjenige, welcher nach dem Erbrechte die Nachlassenschaft eines Verstorbenen empfängt.

Erbfolge. Die Reihenfolge in welcher die Erben eine Erbschaft antreten (s. Erbrecht). In staatsrechtlicher Beziehung ist das hierher Gehörige unter Thronfolge nachzusehen.

Erbherrschaft und **Erbreich,** s. Monarchie.

Erbhuldigung, s. Huldigung.

Erblehn, s. Lehn.

Erblichkeit. Das Verhältniß, durch welches sächliche Güter von dem einen sterbenden Besitzer auf einen andern überlebenden übergehen. Das Erbrecht hat die Reihenfolge bestimmt, in welcher dieser Uebergang nach den Verwandtschaftsverhältnissen oder dem Belieben des Besitzers erfolgt. Wenn irgend der Ausspruch:

> Es erben sich Gesetz und Rechte
> Wie eine ew'ge Krankheit fort

an seinem Platze ist, so ist dies hinsichtlich der E. der Fall. Jahrtausende galt sie als eine unantastbare Nothwendigkeit und man darf fast sagen, es ist nicht darüber gelacht worden. Erst der neueren Wissenschaft der Gesellschaft war es vorbehalten, auch die E. einer genauern Untersuchung zu unterwerfen, und da sie in derselben eine der Hauptursachen der bis zur Unerträglichkeit gestiegenen Ungleichheit in der Güterverteilung entdeckte, die rechtliche Grundlage derselben zu prüfen. Montesquieus Behauptung, daß das Naturrecht die Völker zwar verpflichte, die Kinder zu ernähren, aber keinesweges sie zu Erben einzusetzen, rief eine förmliche Umwälzung in den Ansichten über die E. hervor. Denn einer Seits vertheidigte die Rechtswissenschaft die E. als ein unantastbares Recht, anderer Seits kam die Wissenschaft der Gesellschaft zu dem Ergebniß, daß der Vater nicht allein nicht die Pflicht habe, sein Besitzthum den Kindern zu übergeben, sondern auch gar nicht das Recht. Man stellte ganz einfach auf, der Besitz ist ursprünglich mindestens die Frucht des Erwerb's, des Fleißes, der geistigen Befähigung, also der Arbeit im weitesten Sinne. Woher soll dem faulen, unfähigen, arbeitscheuen Sohne das Recht kommen, den Besitz zu erlangen, welchen der Vater durch die entgegengesetzten Eigenschaften von der Gesammtheit erworben hat? Wie kann, selbst vom Zweckmäßigkeitsstandpunkte aus betrachtet, der Sohn berechtigt sein, ein Vermögen zu seinem, seiner Mitmenschen und der Gesammtheit Nachtheil zu vergeuden, welches der Vater zu ganz gegentheiligen Zwecken zusammengebracht und verwendet hat? Man erklärte demnach, daß ohne Nachweis einer persönlichen E., durch welche die Eigenschaften des Vaters auch auf den Sohn übergehen, die sächliche E. nicht nur kein Recht, sondern ein schreiendes Unrecht sei. Die Rechtswissenschaft hat, das kann man wohl behaupten, den hierüber entbrennenden Rechtsstreit verloren, denn sie hat es nicht vermocht, die E. irgendwie naturrechtlich zu begründen. Was sie als Naturgründe anführte, waren nur künstlich geschaffene Verhältnisse. Dahin gehört z. B. die Anrufung der Pflicht des Vaters, die Kinder zu ernähren; man sagte: was soll werden, wenn der Vater stirbt, bevor die Kinder sich selbst ernähren können? Aber man war nicht so folgerichtig, zu antworten: entweder sorgt der Vater durch Vorausbezahlung oder dergleichen bei Zeiten für die Erziehung und Ernährung seiner Kinder, oder die Gesammtheit, welche wieder in ihren Besitz eintritt, übernimmt damit nothwendig auch die Pflicht, für die Kinder zu sorgen. Man berief sich ferner darauf, daß die E. wohl naturrechtlich sein müsse, weil sie allenthalben gefunden werde, übersah aber, daß der natürliche Trieb des Besitzes und Besitzenden überall derselbe war, das gesammelte Gut zu vermehren und zu erhalten, und zudem die E. mit der Entwickelung des Staatslebens, der Erbherrschaft u. s. w. auf das innigste zusammenhing. Ja, man leitete sogar die E. von dem Rechte der Gesammtheit an das Gesammtvermögen her, behauptete, daß dieser Besitz nur von einzelnen Stämmen und Familien ausgeübt werden könne und folglich auch in dieser Vereinzelung weiter gehen müsse, übersah aber, daß die Gesammtheit ihren Theilen den Besitz nur zum Zwecke des Lebens überlassen haben konnte, und daß, wenn man, wie es bei der E. der Fall ist, den Todten über diesen Besitz schalten lassen wollte, mindestens die Möglichkeit vorhanden ist, daß die Todten so damit schalten, daß die Lebenden verhungern müssen. Auch hat man, von allen Gründen absehend, darauf·hingewiesen, daß ohne E. der Trieb zur Thätigkeit und zur Ersparniß den Menschen gänzlich fehlen werde; eine Behauptung, die keinen Grund hat, da die Natur des Menschen so wie so nach immer höheren Genüssen und folglich höherem Besitzthum streben wird; der Umstand aber, daß der Vater für die Zukunft seiner Kinder ohne E. bei Zeiten sorge, muß seine Thätigkeit in der Zeit der Kraft eher vermehren als vermindern. Dagegen dürfte eine der widerlichsten Erscheinungen unseres Lebens: das habgierige, herzlose Zusammenscharren und Hüten des todten Mammons, ohne E., wohl wesentlich vermindert werden. Es ist nicht Aufgabe dieses Werkes, diesen Streit weiter zu verfolgen, auch hat sich die Rechtswissenschaft bereits vielfach dazu bequemt, die Intestat-E. — d. h. diejenige E., welche mit der Verwandtschaft zusammenhängt — auf die direkte Abstammung, d. h. auf Aeltern und Kinder beschränken, die testamentarische, d. h. die·auf der reinen Willkür des Besitzenden beruhende E. aufgeben zu wollen. Die Nothwendigkeit wird in der muthmaßlich nächsten Zeit die sogenannten Rechtsverhältnisse der E. wesentlich umgestalten. In dieser Umgestaltung allein liegt die Möglichkeit, das schreiende Mißverhältniß zwischen Arm und Reich allmälig auszugleichen und die Gesellschaft vor gewaltsamen Erschütterungen zu bewahren, welche die verführerischen Lehrsätze von Gütergleichheit, Gütergemeinschaft, Aufhebung oder Vertheilung des Eigenthums ihr bereiten könnten.

Erbpacht, Erbpachtgut, s. Ablösung und bäuerliche Lasten.

Erbrecht. Die naturrechtliche Betrachtung dieses Gegenstandes ist unter Erblichkeit abgemacht und wir haben demnach hier nur die Bestimmungen des positiven E.s zu betrachten. Die Gesammtheit aller Bestimmungen, nach welchen das Eigenthum und die Rechtsverhältnisse eines Menschen nach seinem Tode auf Andere übergehen und von diesen fortgesetzt werden können, werden E. genannt. Das E. ist entweder ein testamentarisches, wo der Nachlasser selbst die Erben wählt, oder ein gesetzliches, wo das Gesetz dieselben bestimmt. Es bildet einen der wichtigsten und reichhaltigsten Abschnitte in der Gesetzgebung, ist ein Erzeugniß der geselligen Ordnung und dazu bestimmt, bei Verlassenschaften jede willkürliche Besitzergreifung und die daraus entstehende Unordnung zu verhüten. Die Grundzüge des E.s sind in den meisten Ländern dieselben, nach welchen der Nachlaß eines Verstorbenen zunächst an dessen Kinder und Blutsverwandte, und dann erst, wenn solche nicht vorhanden sind, an entferntere Verwandtschaftsgrade übergeht. Reichen diese Grundzüge des E.s nicht mehr aus und macht sich eine künstliche Erweiterung derselben nöthig, wie dies allenthalben der Fall ist, so geben in der Regel die staatlichen und provinziellen Verhältnisse eines Landes, die geistige Bildung eines Volkes und seine Begriffe vom Familienleben, selbst die Stellung der Frauen in rechtlicher und staatsbürgerlicher Beziehung, den Maßstab der Erweiterung ab. Daher kann in solchen Ländern, wie z. B. im Orient, wo der Mensch, besonders aber das Weib, völlig rechtlos ist, von einem E. nicht die Rede sein. Der Beherrscher ist ein= für= allemal Universalerbe des Volkes durch das Unrecht der Gewalt. — Die Grundlage aller E.e bildet das römische E. Es ist ein erweiterter Begriff von Familie (s.:d.), welche auch durch die Frauen fortgesetzt werden kann, und stellt überhaupt nur 4 Erbordnungen auf, welche 1) die ehelichen Kinder und deren Nachkommen nach Stämmen, — 2) Aeltern und Großältern mit wirklichen Geschwistern und Geschwisterkindern, — 3) Halbgeschwister und deren Kinder und 4) die entfernteren Verwandten umfassen. Ein wesentlicher Mangel des röm. E.s ist, daß Ehegatten kein eigentliches E. gegen einander haben; doch ist diese Lücke in den meisten Ländern durch entsprechende gesetzliche Bestimmungen möglichst ausgefüllt worden. — Das franz. E. theilt in Fällen, wo der Verstorbene nicht selbst durch testamentarische Bestimmungen über seinen Nachlaß verfügt hat, Letztern in zwei gleiche Hälften, wovon die eine auf die väterliche, die andere aber auf die mütterliche Seite fällt. Als einfach und folgerecht in jeder Beziehung gilt das österreich. E., welches zuerst die Kinder und weitern Nachkommen, dann die 2 Stämme der Aeltern zu gleichen Theilen, die 4 Stämme der Großältern, die 8 Stämme der Urgroßältern u. s. w. zur Erbfolge beruft. — Der Einfluß des E.s auf die politischen und sittlichen Zustände eines Volkes bleibt ein sehr großer, selbst wenn die Erblichkeit zur Aufhebung des Unterschiedes zwischen Arm und Reich wesentlich vermindert wird. Damit wird auch die Härte der Enterbung, d. h. der Entziehung der Erbschaft demjenigen, der zu dem Antritte berechtigt sein sollte, großentheils wegfallen, sowie die Vertilgung der Erbschleicherei, die Verbannung verwickelter Testamentsformen, die Ausschließung ungerechter Bevorzugungen, die Anerkennung der ehelichen Gütergemeinschaft und Gleichstellung der von Justinian vergessenen Ehegatten im Nachfolgerecht u. s. w., dann nothwendig auch in den erbrechtlichen Verhältnissen einen Zustand herbeiführen müssen, der, geordnet nach klaren und feststehenden Regeln, einem Bauwerke gleicht, dessen Unterlagen nicht auf dem Triebsande der Zufälligkeiten ruhen. *W. Pretzich.*

Erbsteuer, eine Abgabe, s. Abschoß.

Erbsünde. Eine Lehre der römischen Kirche, nach welcher die vom ersten Menschenpaar begangene Uebertretung des Gebotes Gottes, nicht vom Baume der Erkenntniß zu essen, auf das ganze Menschengeschlecht zurückwirkt und zwar in dem Grade, daß der Mensch der Verdammniß anheim fällt, wenn nicht durch ein Mittel der Kirche, die Taufe, die Wirkungen der E. aufgehoben würden. Der Lehrsatz war also ein bequemes Mittel, den Menschen von Geburt an an die Kirche,.b. h. an Rom zu ketten. Die Lehre von der E. hat von Anbeginn an eine große Reihe von Ketzern hervorgerufen. Auch die Reformation kehrte sich theilweis gegen dieselbe, war aber in dieser wie in mancher andern Beziehung eine Halbheit, indem sie weder eine Lossage noch eine förmliche Beibehaltung des Lehrsatzes aussprach, sich vielmehr mit Erklärungen, Erläuterungen und persönlichen Auffassungen begnügte, so daß die heutigen Strenggläubigen eben so fest an der E. hängen als die römische Kirche. Die Wissenschaft hat diese Lehre längst und vollständig überwunden.

Erbunterthänigkeit. Ein Dienstbarkeitsverhältniß, welches den Pflichtigen an ein gewisses Gut anknüpft, mit welchem er auf den jedesmaligen Besitzer (Erben) übergeht.

Erbverbrüderung. Ein Vertrag, wie er früher häufig zwischen verwandten fürstlichen Häusern geschlossen wurde, durch welchen sie sich gegenseitig die Erbfolge im Falle des Aussterbens des einen oder andern Mannesstammes sicherten und dadurch verhinderten, daß ihre Besitzungen ganz oder theilweise an Kaiser und Reich zurück fielen.

Erbzins, Erbzinsgrundstück, s. bäuerliche Lasten.

Erdschanzen, s. Festung.

Erdwälle, s. Festung.

Eremit, gleichbedeutend mit Einsiedler (s. d.).

Erfahrung. Wie 2 Schwestern, die bestimmt sind, gemeinschaftlich durch das Leben zu wallen, und sich gegenseitig zu unterstützen und zu ergänzen, so stehen Wissenschaft und E. neben einander. Und wie Schwestern oft am wenigsten verträglich mit einander sind, so scheinen wieder Wissenschaft und E. in immerwährendem Zwiste miteinander zu leben. Die E. weist mit einer Art von Spott darauf hin, daß die Ergebnisse der Wissenschaft so oft für das Leben nicht passen, spricht von hohlen Theorien und Träumen, und behauptet den Alleinbesitz des Praktischen. Die Wissenschaft dagegen weist mit Ueberhebung darauf hin, daß die E. kein Ergebniß des Denkens, sondern nur der äußern, sinnlichen Wahrnehmung sei, und hält dieselbe für nicht ebenbürtig. Wie aber die E. jedenfalls die Mutter aller Wissenschaft ist, so ist sie besonders auf dem Gebiete des Staatslebens beachtungswerth und gewaltig, denn dort mehr als auf irgend einem andern Gebiete, hat die E. ihre Geltung. Die Wissenschaft lehrt uns, daß alle Menschen mit gleichen Rechten und gleichen Ansprüchen an die Güter der Erde geboren sind; die E. aber stellt uns die unumstößliche Thatsache hin, daß die Einführung der Gleichheit auf Erden bis jetzt eine Unmöglichkeit gewesen ist. Dieses eine Beispiel würde leicht durch hunderte vermehrt werden können, allein das eine genügt, die Stellung der Wissenschaft zur E. zu bezeichnen. Leider wird man der E., besonders Seitens der Gewaltigen, nicht gerecht: diese lehrt, daß ein gedeihlicher Fortschritt langsam aber unaufhaltsam gehen muß, demohngeachtet stemmt man sich beständig dem Rade der Zeit entgegen und setzt sich der Gefahr aus, von ihm zermalmt zu werden. Sie lehrt, daß die Zeiten des Friedens und der Ruhe am geeignetsten sind, dem Forderungen des Volkes Zugeständnisse zu machen. Demohngeachtet glaubt man sich derselben völlig überhoben, sobald nicht unruhige Bewegungen oder eine drohende Stimmung sie verlangen. Sie lehrt endlich, daß nur ein geknechtetes Volk gewaltsam die Bande sprengt, unter denen es seufzt, ein freies dagegen ruhig dem Gange der Dinge vertraut. Demohngeachtet strebt die Gewalt vielfach dahin, das einzige Mittel der Erhaltung der Dinge: die freie Bewegung, zu unterdrücken, und hundert Thatsachen haben sie bis jetzt nicht eines Bessern belehren können.

Erforderte Berichte, s. Bericht.

Erfüllungseid, s. Eid.

Erfurter Congreß, s. Congreß.

Erhaltende Partei, s. Bewegungspartei.

Erkennender Richter, erkennendes Gericht, s. Anklageproceß.

Erkenntniß, häufig gebräuchte Bezeichnung für Urtheil (s. d.).

Erlaucht. Ein Titel fürstlicher Personen, der eigentlich mit Durchlaucht (s. d.) gleichbedeutend ist, aber auch als besondere Bezeichnung der regierenden Reichsgrafen gebraucht wurde.

Erniedrigung in Amt und Würden, s. Degradation.

Eroberung. Die Besitznahme eines Landes durch Kriegsgewalt, sie ist das Ziel des Krieges und das Mittel, die Regierung des eroberten Staates zur Annahme der Bedingungen des Eroberers zu zwingen.

Eroberungsrecht nennt man die Befugniß des Eroberers, in dem weggenommenen Lande nach Belieben zu schalten. Daß vom Rechte die Rede ist, wo nur Gewalt ausgeübt wird, ist nur eine beliebte Redensart unserer Zeit. Allerdings hat die fortschreitende Bildung der Willkür des Eroberers, der Rohheit der Soldateska und der schnöden Verletzung aller Rechte und alles Eigenthums ein Ziel gesetzt: Aber Recht und Gewalt sind trotzdem unvereinbare Dinge geblieben.

Erörterung. Eigentlich die genaue Ergründung eines Verhältnisses zum Zwecke der richtigen Erkenntniß desselben. Im Polizei-Staat hat die E. in der letzten Zeit auch noch eine andere Bedeutung erhalten: sie ist ein Mittel, die mißliebige Theilnahme an öffentlichen Angelegenheiten zu vermindern. Wo man gar keine Veranlassung hat, eine Untersuchung und Bestrafung eintreten zu lassen, da beginnt man eine E., d. h. man nöthigt die Theilnehmer an irgend welcher Erscheinung des öffentlichen Lebens, vor den Behörden darüber die genaueste Auskunft zu geben, dadurch jagt man den Aengstlichen Furcht ein, schüchtert die Zaghaften ein, macht die Spießbürgerlichen bedenklich und entfremdet so den öffentlichen Angelegenheiten eine große Anzahl Menschen, die sonst daran Theil nehmen würden; die E. aber, d. h. die Behörde im Allgemeinen und den Verkehr mit ihr fürchten. Diese in jedem bevormundeten Volke verbreitete Furcht ist ein schöner Beleg zu dem von den Aposteln der Bevormundung so vielfach ausposaunten Vertrauen. Gegen die Unverbesserlichen, d. h. Entschiedenen und Charakterfesten giebt die E. noch das Mittel an die Hand, daß man möglicher Weise durch dieselbe Stoff zu einer Untersuchung findet; außerdem ist die Kürzung ihrer Zeit, die Störung ihres Geschäfts und die Verdrießlichkeit der E. selbst immer eine kleine Strafe. Schließlich läßt man sie, wenn irgend möglich, auch die Kosten der E. tragen, die sie in keiner Weise veranlaßt haben, und hat auf diese Weise eine treffliche Gelegenheit, ihnen das öffentliche Leben mindestens schwerer zu machen.

Erörterung des objectiven und subjectiven (sachlichen und persönlichen) **Thatbestandes im Strafverfahren,** s. Anklageproceß.

Erpressung, auch häufig mit dem Fremdworte Concussion, benennt man die Handlung, durch welche einem Andern durch moralische oder äußerliche Zwangsmittel etwas abgenommen wird, welches er zu gewähren nicht verpflichtet war. Die E. ist demnach ein Betrug mit erschwerenden Umständen, und wird dem Betruge ähnlich bestraft. Die Höhe des Vortheils, welcher durch die E. erzielt worden ist, wird dabei ebenso berücksichtigt als die Schwere des angewandten Zwanges. Zu den strafwürdigsten E. gehört die der Beamten, welche ihr Amt dazu mißbrauchen, durch E. Vortheile zu erlangen. Sie wird stets mit der Strafe des Ersatzes und je nach ihrer Eigenthümlichkeit mit Entlassung vom Amte, Gefängniß u. s. w. bestraft. Leider trifft auch bei der E. häufig das Sprichwort ein: die kleinen Diebe hängt man, die großen nicht! Denn die politische E., welche sich schlechte Minister erlauben, indem sie sich Drohungen: die Besatzung wegzunehmen, ein Gericht oder eine Hochschule zu verlegen, eine Straße nicht zu bauen u. s. w., zu schulden kommen lassen, ist eben so verwerflich und strafwürdig als jede andere, wird aber in den Staaten, wo politisches Recht und Freiheit nur ein leeres Wort ist, fast niemals bestraft.

Erstgeburt. Bei allen Völkern und zu allen Zeiten hat die E. Vorzüge gewährt, wie uns die Bibel schon in der Geschichte von Esau erzählt. Unter dem Feudalwesen knüpfte sich an die E. das Recht der Nachfolge in den Gütern und Würden der Familie, und das E.recht (die Primogenitur) hat die Rechtswissenschaft vielfach beschäftigt. Die staatsrechtlichen und politischen Beziehungen der E. s. unter

Thronfolge. Eine der wichtigsten Einsetzungen des E.rechts war das Majorat, d. h. die Nachfolge=Ordnung im Lehn. Es galt in dieser Beziehung, 1) daß der Erst=geborne und seine Nachfolger den später Gebornen und ihren Nachfolgern stets voran=gingen; 2) daß die Nähe des Verwandtschaftgrades und der Vorzug des Alters bei indirecter Nachfolge entschieden und 3) daß das Alter allein einen patriarchalischen Vorzug (das Seniorat) in der Familie gewährte. Das Streben nach Erhaltung der Güter sowohl als der Macht schuf das E.recht und das Majorat, und schloß die jüngeren Kinder mit schreiendem Unrecht und einem Mangel an Folgerichtigkeit, den die Vertreter des Erbrechtes vergebens mit diesem in Einklang zu bringen suchen, von dem Besitze des väterlichen Vermögens ganz oder doch großentheils aus. War der Vater reich und mächtig, so sorgte man dafür, daß dieselben den Staat oder die Kirche plünderten, indem man ihnen die besten Stellen zuzuweisen trachtete; war das nicht der Fall, so blieb nur das Kloster oder der Söldnerdienst im Heer ihr Loos. Das romantische Bestreben einzelner verschrobener Köpfe der Neuzeit, das trauliche Dun=kel des Mittelalters wieder herzustellen, hat sich auch mit Vorliebe den Majoraten zu=gewendet. Aber diese wie so viele andere von dem verschönernden Roste der Jahrh. angehauchten Einrichtungen gedeihen einmal in unserer nüchternen Zeit nicht mehr.

Ertrag, s. Einkommen, Abgaben und Steuer.

Erwerb, Erwerbsfreiheit. Die rechtliche Bedeutung des Ausdrucks „Er=werben" ist eine andre als die sprachliche und volks= und privatwirthschaftliche. In erster Beziehung wird darunter das Ansichbringen von Eigenthum verstanden, mag dasselbe nun durch Bethätigung der eignen Kräfte, Bewirthschaftung des eignen Ver=mögens, oder durch Erbschaft, Schenkung, Lotterie und andere Zufälligkeiten geschehen; die andre hält den Begriff des Wortes werben, — verwandt mit wirken, thätig sein, sich rühren, schaffen — fest und bezeichnet vorzugsweise die durch eigne An=strengungen, Fleiß, Geschicklichkeit, Fähigkeit, Einsicht, Kenntnisse und Unternehmungs=sinn bewerkstelligte Aneignung der Mittel zur Bestreitung des Lebensunterhalts oder zur Mehrung des Vermögens. In diesem Sinne aufgefaßt, wird, sobald dabei den Geboten der allgemeinen Sitte Rechnung getragen wird, jeder E. ein ehrenvoller sein und, in einem Zeitalter, wie das unsere, welches sich rühmt, dem Adel der Arbeit Anerkennung zu zollen, darf der saure E. des Tagelöhners gerechter Weise auf die=selbe Achtung Anspruch machen, als die erwerbende Thätigkeit des Höchstgestellten. Leider verhält sich in der Wirklichkeit die Sache in unserer heutigen Gesellschaft noch ganz anders. Denn während man den handwerksmäßigen Spieler, den reichen Tauge=nichts und Faullenzer gerade in den Kreisen, die sich der feinsten Bildung rühmen, duldet und rücksichtsvoll behandelt, richtet man das gesellschaftliche Benehmen und die Haltung im Umgang gegen die fleißigen und erwerbslustigen niedern und Mittelklassen weniger nach dem Grade der Bildung und den Charaktereigenschaften der Individuen, ja nicht einmal nach der beziehungsweisen Unabhängigkeit, die denselben ihr E. lie=fert, als nach gewissen Ansichten und Vorurtheilen ein, welche die verschiedenen E.szweige in eine gewisse gesellschaftliche Rangleiter einzureihen wissen. Aus dieser Verkehrtheit geht aber ein doppelter Nachtheil für das Gemeinbeste selbst hervor. Zuerst werden durch die mit solchem Vorurtheile verbundene Art gesellschaftlicher Ach=tung gewisser im Uebrigen ganz ehrenwerther E.szweige eine Menge Kräfte, und oft gerade die geeignetsten und tüchtigsten zurückgehalten, sich denselben zu widmen, andrer=seits, wird dadurch aus gleichem Grunde das Uebergehen von dem einen zu dem an=dern E. und somit die Möglichkeit genüglichen Auskommens für eine große Anzahl Personen, gerade unter den gebildeten Klassen, auffallend erschwert. Auf diese Weise sieht sich die Gesellschaft nicht nur fortdauernd der zweckdienlichsten Bethätigung und Verwerthung der in ihr vorhandenen Arbeits= und Erzeugungskräfte einem trau=rigen Vorurtheil zu Liebe beraubt, sondern sie muß auch die Kosten des Unterhalts einer Unzahl von unter diesem moralischen Zwange Verarmten tragen, und verhindert mittelbar dadurch, daß sich die Bildung der bevorzugteren Klassen der Gesellschaft in die weniger günstig gestellten überträgt und dort fortpflanzt. Mag die E.freiheit, wie sie in einigen Staaten als durch Gesetze eingeführte Gewerbefreiheit (s. d.) gewährt ist, dem Namen nach auch vorhanden sein, so ist jenes tief eingenistete Vorurtheil noch so allmächtig, daß darin in vielen Fällen ein weit drückenderer Zwang liegt, als ihn je unvernünftige Gesetze ausüben können. Und forscht man den Gründen nach, welche nebst dem Druck der unerschwinglichen Steuern — eine Folge des unermeßlichen Aufwands für Unterhaltung des stehenden Heeres, — die Bevölkerung Deutschlands jährlich hunderttausendweis übers Meer nach den vereinigten Staaten treiben, so wird man stets den durch Zunft- und Innungswesen veranlaßten formellen Gewerbszwang und die durch das geschilderte Vorurtheil bewirkte, nicht weniger lästige E.sunfreiheit im Hintergrunde erblicken. In den freien Staaten Nordamerikas besteht weder das Eine noch das Andre. Dort wird der Mann nicht nach dem gewürdigt, was er treibt, wenn sein E. nur redlich, sondern wie ers treibt; dort wird nicht darnach gefragt, wie er seinen E.szweig gelernt, sondern ob er etwas darin leistet; dort ist in dem Urtheil der Menge für das Individuum kein gesellschaftlicher Flecken damit verbunden, ein- oder zehnmal den E. zu wechseln und eine andere Bethätigung der ihm gegebenen Kräfte und Fähigkeiten zu versuchen, wenn die frühere sich nicht ausreichend für das Fortkommen oder auch nur weniger ersprießlich, als vermuthet wurde, bewährt hat. — Die alte Gesellschaft des monarchischen Europas mit ihrer Ueberbürdung von alten Satzungen und Gewohnheiten scheint freilich unter den obwaltenden Verhältnissen darauf verzichten zu müssen, auf einmal die es einzelnen Gebrechens los und ledig zu werden; diese Aussicht ist nur von großen allgemeinen Reformen, namentlich aber von einer durchgreifenden Umgestaltung des Erziehungswesens zu gewärtigen, wodurch alle in dem Menschen liegenden Fähigkeiten ihre höchste Entwicklung und den Weg finden, sich zum Frommen des Gemeinbesten ebensowohl wie zu dem der einzelnen Träger nach allen Richtungen hin frei und ehrenvoll zu bethätigen. J. G. G.

Erwerbsfreiheit, s. Gewerbefreiheit.

Erzämter hießen die Aemter, liehen. Es waren Ehrenämter, die nur einige kleine Geschäfte bei der Krönung mit sich brachten. Sie hießen Erzkanzler, Erztruchseß, Erzkämmerer, Erzmundschenk u. s. w.

Erzbischof. Eine hohe Würde in der römischen Kirche, die im 5. Jahrh. entstand und das Oberaufsichtsrecht über einen größeren kirchlichen Kreis gewährt. Der E. wird vom Papste ernannt, steht über dem Bischof und übt einen größeren Theil der päpstlichen Macht als dieser aus; er hat die Gerichtsbarkeit über die Bischöfe und ihre Untergebenen, auch das Recht, Provinzialsynoden zu berufen, ein Recht, von dem jedoch kein Gebrauch gemacht wird, seitdem Rom mißliebig auf alle berathenden Versammlungen blickt.

Erzeugende Arbeit, s. Arbeit.

Erzfürsten, Benennung der Kurfürsten im Mittelalter.

Erzherzog, Titel der österreichischen Prinzen, durch welchen sie gleichen Rang mit den Erzfürsten andeuten.

Erziehung ist die Entwickelung der körperlichen und geistigen Anlagen des Menschen zur möglichsten Brauchbarkeit für einander und dadurch zur einflußreichsten Wirksamkeit für die Gesellschaft. Die E. als das einzige Mittel, dem Staate zu einer brauchbaren und kräftigen Bürgerschaft zu verhelfen, hat von jeher die Köpfe der Weisen und den Scharfsinn der Gesetzgeber beschäftigt. Die verschiedensten Systeme sind je nach den Ansichten und Zwecken der Gesetzgeber und E.künstler (Pädagogen) in Anwendung gebracht, haben eine längere oder kürzere Zeit hindurch als Mode geherrscht und im Verhältniß Gutes und Böses gestiftet; abhängig vom großen

E.sgang der Menschheit durch den Zeitgeist und die Geschichte wird die E.sweise der
Einzelnen fort und fort dem Wechsel und dem Einfluß einer gereifteren Erfahrung
unterworfen bleiben. — Es bedarf kaum der Erwähnung, daß man bei der doppelten
Natur des Menschen, die E. beider Theile dieser doppelten Natur: Körper und
Geist auf gleiche Weise berücksichtigen müsse, da nur durch die zweckmäßige und
harmonische Ausbildung beider ein vollkommenes Resultat erzielt werden kann.
Ebenso natürlich ist es, daß der Frage des „Wie?" die Frage des „Wozu?"
vorausgeschickt und nach der Bestimmung des Zöglings die Art und Weise der E.
eingerichtet werde. Dennoch sind bisher diese natürlichen und einfachen Grundsätze
sehr selten zur Richtschnur genommen. Man hat den Körper über der Ausbildung
des Geistes ruinirt und umgekehrt den Geist über dem Körper vernachlässigt; man
hat die Köpfe der Jugend mit unnützem und für ihre Bestimmung unzweckmäßigem
Wissen angefüllt, und während man den einen Theil des Volkes mit dem Stolz auf
eine falsche und unnütze Gelehrsamkeit erfüllte, unterließ man es, den andern über
die gewöhnlichsten und nothwendigsten Begriffe des bürgerlichen Lebens aufzuklären
und machte dadurch die Unwissenheit abhängig von einer aufgeblasenen und befehls-
haberischen Gelehrsamkeit. Dieser Richtung des E.swesens liegt eine Absichtlichkeit
des leitenden Willens zum Grunde. Von jeher haben die „Herrschenden" danach
gestrebt, sich der E. als des leichtesten Mittels zu bemächtigen, die heranwachsenden
Geschlechter für ihre Zwecke willfährig und ihrer Herrschaft unschädlich zu machen.
Trotz der Fortschritte des E.swesens überhaupt, scheint dennoch fast überall diese Absichtlichkeit durch, und namentlich zeigt, schiebt man die geschickt verhüllende Gardine
bei Seite, die gerühmte E.skunst Preußens diese Absichtlichkeit, fein berechnet und
mit folgerichtiger Beharrlichkeit durchgeführt, auf eine erschreckende und beunruhigende
Weise, die bei allem Anscheine der uneigennützigsten Bestrebungen für Aufklärung
und zweckmäßige Bildung, durch die Wahl der öffentlichen Lehrer, durch die Controle der Schulbücher, durch die Art der Prüfungen, doch nur eine nach ihrem Willen begrenzte oder als begrenzt erheuchelte Bildung gestattet. Dennoch werden alle
diese künstlichen Maßregeln nicht im Stande sein, für die Dauer den Entwicklungs-
gang der Völker zu hemmen. Jede Fessel zerbricht und die erzwungene Unnatürlich-
keit rächt sich an dem Unterdrücker. — Jede E. soll den Zweck haben, den Menschen
zu einem brauchbaren und nützlichen Mitgliede der Gesellschaft zu machen. Dieser
Zweck wird durch das Zusammenwirken einer häuslichen und öffentlichen,
und nach der Bestimmung der zukünftigen Wirksamkeit des Zöglings durch eine bürgerliche oder wissenschaftliche, sogenannte gelehrte E. erreicht. Der Begriff
eines nützlichen Mitgliedes der Gesellschaft wird aber nicht allein durch
die Ausbildung für eine nützliche Erwerbsthätigkeit, sondern auch, da die Gesellschaft
im Staate verwirklicht ist, durch die Ausbildung der einzelnen Gesellschaftsmitglieder
zu tüchtigen Staatsbürgern, d. h. zu solchen Bürgern erfüllt, die bekannt und vertraut mit Rechten und Pflichten, mit dem Gesetz, der Entstehung und Nothwendigkeit desselben, mit der Verwaltung der öffentlichen Angelegenheiten, nicht allein die
Verbesserung ihrer eigenen Zustände, sondern auch die Verbesserung des Gemeinwohls
im Auge haben. Was zuerst die häusliche E. anbetrifft, so hat diese bei der
jetzigen Einrichtung des öffentlichen Unterrichts fast nur noch mit der körperlichen und
der ersten sittlichen E. zu thun. Bei der mächtigen Einwirkung des Beispiels in den
Jahren der ersten Empfänglichkeit ist die häusliche E. von äußerster Wichtigkeit und
begründet in der Regel trotz späterer Einflüsse die Entfaltung des Charakters. Da
der Staat kein Recht hat, sich in die häusliche E. zu mischen, so ist die frühzeitig
beginnende Oeffentlichkeit des Unterrichts ein wohlthätiges Gegenmittel gegen die Empfängniß nachtheiliger Eindrücke und der sittlichen Vernachlässigung des Elternhauses.
Die häusliche E. bis zu einem gereifteren Alter durch Hauslehrer, wie dies bei vornehmen Familien bis jetzt noch vielfach üblich, kann trotz mancher Gründe, die Väter-

Regierung. Die Geschichte hat das
aufgehört, Kinderschuhe zu tragen.

wirkendes Mitglied der Gesellschaft zu
H. Bertholdi.
iner, Pfarre, einer
, über, die, übrigen
. . †)

Jetzt ein bloßer Titel.

Escadron, eine Abtheilung bei der Reiterei, gleichbedeutend mit dem Bataillon Fußvolk. 3—5 E.s machen ein Reiterregiment aus.

Escalade, in der Kriegswissenschaft der Sturm auf eine Stadt oder einen andern festen Punkt, dessen Wälle mit Leitern erstiegen werden.

Escorte. Kriegswissenschaftlicher Ausdruck für die militairische Begleitung einer Person oder eines Transportes, die sowohl als Ehrenbezeugung, wie zur Sicherheit stattfinden kann.

Etappenstraßen, s. Durchmarsch.

Etat, häufig gebrauchtes Fremdwort für Zustand. Z. B. E. des Staatshaushaltes. E. des Heeres, E. der Kirche u. s. w.

Etikette ist ein Anhängezettel an Waarenballen und Geldsäcken, mit Angabe des Preises, Gewichts und der Sorten. Dann nennt man auch so gewisse Hofgebräuche, welche nach Wohlstand und Herkommen zu beobachten sind; überhaupt aber versteht man das höfische Formenwesen darunter. — Von jeher haben Häßlichkeit und gesunkener Glanz es verstanden, durch Schminke und Flitterstaat das Fehlende zu ersetzen und blöde Augen zu täuschen. So hat die E. mit ihrem Schein überall aufhelfen müssen, wo es an der Sache selbst mangelte. Daher war sie an dem frühern deutschen Kaiserhofe nie strenger, als da, wo die Provinzen nicht mehr gehorchten und die Feinde die Thorwachen der Hauptstädte bezogen; und nie wurde sie in Frankreich ängstlicher beobachtet, als in der Zeit, wo die meisten Großen an wahrer Menschenwürde völlig bankrott geworden waren. Den gedeihlichsten Boden für die E. gab lange Zeit Spanien ab, wo sie den traurigen Ruhm eines zweideutigen Sprüchworts sich erwarb. — Jetzt ist es allerdings auch hierin um Vieles anders geworden. Die allgemeine Entwickelung freisinniger Ideen hat der lächerlichen Steifheit der alten E. längst schon den Proceß gemacht; und wo sie sich etwa noch zeigt, da wird sie als trostloses Kleben an Vorurtheil und kindischem Tande von Jedem mitleidig belächelt. Sinkt einst vielleicht noch der letzte Ueberrest von E. ins Grab, dann gäbe es keine passendere Grabschrift für sie, als: „Hier ruht die Säugamme der Laster der Emporkömmlinge, Kriecherei gegen Höhere und brutaler Stolz gegen Niedere; sie ward Etikette genannt."

W. Pretzsch.

Eucharistie, wörtlich Dankgebet: alte Bezeichnung des Abendmahls, die auch heute noch hin und wieder üblich ist.

Europa, junges, s. junges Europa u. s. w.

Eutychianer, s. Agnoeten.

Evalvation, wörtlich Abschätzung, Werthschätzung; ein besonders im Münzwesen gebräuchlicher Ausdruck.

Evangelien, Theile der heiligen Schrift (s. d.).

Evangelische Kirche, s. Protestantismus.

Eventualbelehnung, s. Anwartschaft.

Evolution, vielfach gebrauchte fremde Benennung für die Bewegungen des Militairs, ob bei den Uebungen oder auf dem Schlachtfelde.

Ewiger Friede, s. Friede.

Exaltados, Bezeichnung für die entschiedene Fortschrittspartei in Spanien.

Exaltirte, s. Bewegungspartei.

Excellenz. Titel für hohe Beamte im bürgerlichen und militairischen Fache. Die Minister, Gesandten, Oberhofmeister, Regierungspräsidenten u. s. w., so wie die Militairs vom General aufwärts heißen E.

Exchequer. Die königl. Schatzkammer in England.

Exchequerbills, Schatzkammerscheine, s. Bills.

Excommunication, s. Bann.

Execution, s. Vollziehung.

Executionsgewalt, s. Vollziehungsgewalt.

Exequatur, das, nennt man die Bestätigung der Bestallung (lettre de provision) eines Handelsconsuls (s. Consul) von Seite der Regierung desjenigen Staats, wo ein solcher Beauftragter die Interessen der Unterthanen jenes Staats, der ihn zu seinem Consul ernannt und der ihm die Bestallung ausgefertigt, wahrnehmen soll. Die Vorenthaltung dieser Bestätigung giebt zuweilen Anlaß zu diplomatischen Weiterungen, wie dies erst vor Kurzem in Bezug auf die Anstellung eines Consuls der vereinigten Staaten in den preußischen Rheinlanden der Fall war, bei welcher Gelegenheit die preußische Regierung die Ertheilung des E. an die Bedingung knüpfte, daß der amerikanische Consul seinen Wohnsitz nicht am rechten Rheinufer nehmen dürfe.

J. G. G.

Exil. Die vielfach gebrauchte fremde Bezeichnung für Landesverweisung.

Ex officio, s. von Amtswegen.

Exorcismus. Die Austreibung des Teufels bei der Taufe kleiner Kinder.

Ein aus dem Judenthum in die Lehre der römischen Kirche übergegangener Gebrauch, der sich bei den Strenggläubigen bis auf den heutigen Tag erhalten hat und von ihnen auch in der protestantischen Kirche ausgeübt wird.

Expectanz, Expecta'tive, s. Anwartschaft.

Expedition. Häufig gebrauchtes Fremdwort für die Besorgung von Amtsgeschäften. Daher bezeichnet E. auch den Raum, in welchem sie besorgt werden und **Expedient** den Beamten, welcher sie besorgt.

Expropriation, s. Eigenthumsabtretung.

Expulsion, s. Abmeierung.

Exsequatur, s. Bulle.

Exterritorialität. Der fremde Kunstausdruck für den künstlichen Rechtsbegriff, daß Herrscher und deren Gesandte auf fremdem Gebiete nicht als auf fremdem Gebiete weilend betrachtet werden, sondern als auf eignem Gebiete stehend. Vergl. Gesandte.

F.

Fabrik, s. Fabrikwesen.

Fabrikgerichte. So lange das Zunftwesen (s. d.) in sich selbst Lebensfähigkeit hatte, fand ein großer Theil der Streitigkeiten, welche sich unter den Arbeitern und Arbeitgebern, Meistern, Gesellen und Lehrlingen erhoben, im Schooße dieser Einrichtungen selbst ein dem Bedürfniß entsprechendes Verfahren der Entscheidung und Schlichtung. Als es aber den innern Bildungstrieb zu verlieren anfing, als es versäumte, sich der Fortschritte des Erfindungsgeistes und der Wissenschaft zu bemächtigen und sich in Folge dessen außerhalb des zünftigen Betriebs der Gewerbe das Fabrikwesen Bahn brach, machte sich bald in Bezug auf diese Streitigkeiten der Mangel an Einrichtungen fühlbar, welche in zweckentsprechender Weise zur schnellen und gerechten Schlichtung derselben beitragen und die Interessen aller Betheiligten wahren konnten. Diesem Mangel abzuhelfen, fing man in Frankreich an, F. niederzusetzen, welche nur eine Anwendung des trefflichen Grundsatzes sind, daß man die Handhabung der Zucht und des Rechts, wie in andern Kreisen, so auch im Gewerbstande, in die eignen Hände desselben legen müsse. In diesem Sinne aufgefaßt sind die F. nur ein Ausfluß des allgemeinen Grundsatzes der Selbstregierung des Volks und eine jedem gewerbtreibenden Staate höchst nothwendige Einrichtung. Mit der franz. Gesetzgebung kamen die F. auch auf deutschen Grund und Boden, und wenn in den Rheinlanden, wo dieselben Fuß faßten, sich die Gewerbthätigkeit besonders entwickelt hat, so muß man ein gutes Theil dieser Fortschritte, wie auf die franz. bürgerliche Gesetzgebung überhaupt, noch insbesondere auf die F., wie sie in Elberfeld, Barmen, Solingen, Lennep und Remscheid bestehen, setzen. In andern Staaten dagegen suchte man sich theils mit den gewöhnlichen Gerichten zu behelfen, oder man entlehnte den alten Zunfteinrichtungen die darin zur Schlichtung von Streitigkeiten vorgesehenen Formen, wodurch man jedoch wenig Ersprießliches ausrichtete. Die vielen und großen Uebelstände, welche in Preußen nach Einführung völliger Gewerbfreiheit, dieser großartigen und vernünftigen Maßregel, im Gewerbwesen eintraten, ſind zum größten Theil dem Umſtande zuzuſchreiben, daß man verabſäumt hat, die Handelsgerichte (ſ. d.) und F. einzuführen. — Was den Zweck, die innere Einrichtung und die Befugniſſe dieſer F. ſelbſt betrifft, ſo iſt es ihre Aufgabe, die vor daſſelbe gebrachten Klagen und Streitigkeiten zwiſchen Arbeitgeber und Arbeiter zunächſt in gütlicher Weiſe zu ſchlichten und den Grund derſelben zu beſeitigen; ſobald eine ſolche Erledigung des Streitfalls aber nicht zu erzielen iſt, nach genauer Erörterung und Anhörung der Parteien, eine Entſcheidung abzugeben, die entweder ſogleich in Rechtskraft tritt, oder gegen welche Berufung an eine weitere richterliche Behörde eingelegt werden kann. Eine unentbehrliche Bedingung des dabei eintretenden Verfahrens und der Zuſammenſetzung dieſer Gerichte iſt, daß die Vernehmung der Parteien, wie die Verhandlungen mündlich und öffentlich gepflogen werden und die Entſcheidung ſelbſt durch Richter erfolgt, die aus den verſchiedenen Schichten des Gewerbſtandes durch freie Wahl deſſelben hervorgegangen ſind, ſo daß das Urtheil ſtets durch die Gleichgenoſſen erfolgt. — Die Zuſammenſetzung der F. muß, wenn ſie nicht Anlaß zu Mißtrauen und den Zweck vereitelndem Argwohn geben ſoll, der Art ſein, daß die Intereſſen der Arbeiter und Arbeitgeber darin eine an Zahl gleiche Vertretung finden; auch ſollte man ſich aus dem gleichen Grunde wohl hüten, wie es bei den rheiniſchen F.n der Fall zu ſein ſcheint, die Vertretung des Arbeiterſtandes nur auf die ſogenannten Werkführer oder Contremaitres zu beſchränken, da ſehr häufig unter den arbeitenden Klaſſen die Meinung verbreitet iſt, daß von dieſer Seite in Streitigkeiten zwiſchen Fabrikant und Fabrikarbeiter mehr der Vortheil des Erſtern, als das Recht des Letztern ins Auge gefaßt werde. Wenn auch im Anfang und bis dahin, wo die Arbeiter ſich eines ſo wichtigen Rechts in ihrem wohlverſtandenen Intereſſe mit Umſicht zu bedienen lernen, Mißgriffe aus einer ſolchen Zuſammenſetzung hervorgehen mögen, ſo iſt die Aufrechthaltung des Grundſatzes ſelbſt zu innig mit dem höchſtmöglichen Gedeihen der ganzen Einrichtung verknüpft, als daß man vorübergehender Uebelſtände wegen denſelben opfern dürfte. Die Wahlen zu den F.n erfolgen unter Leitung eines Regierungsbevollmächtigten, der jedoch nur darauf zu ſehen hat, daß die geſetzlichen Formen beobachtet werden, ohne daß er irgend welchen Einfluß auf die Wahlen ſelbſt geltend zu machen ſuchen dürfte. Das F. ſelbſt wählt ſeine Beamten. Die Beweglichkeit der Gewerbsbetriebſamkeit und das damit unzertrennlich verbundene plötzliche Auftauchen neuer Verhältniſſe und Lagen macht eine raſche Ernennung dieſer F. nothwendig. Bei den rheiniſchen F. tritt jährlich ein Drittheil der Mitglieder aus, ſo daß in 3 Jahren eine völlige Umwandlung ſtattfinden kann. Es können und ſollten in allen Bezirken, wo die Gewerbsverhältniſſe ſolches erfordern, F. errichtet werden, deren Koſten von den Gewerbtreibenden dieſer Bezirke aufzubringen ſind. Die Befugniſſe dieſer F. erſtrecken ſich auch auf die Sicherſtellung des Eigenthums an Fabrikmuſtern und Fabrikzeichen, die Entwendung von Fabrikmaterialien, die Aufrechthaltung der Sitte und Ordnung in den Gewerbsanlagen, die Bedrückungen und Lohnverkürzungen der Arbeiter durch die Arbeitgeber u. dergl. m. Sofern dabei Schuldklagen vorkommen, ſo können die F. bis zur Höhe eines gewiſſen Betrages derſelben ein Urtheil fällen, welches ohne Geſtattung weiterer Berufung in Rechtskraft tritt. — In feſtgeſetzten Fällen dürfen die F. auch Freiheitsſtrafen bis zu dreitägigem Gefängniß verfügen. (Vergl. die verwandten Abhandlungen: Handelsgerichte, Muſterſchutz, Schiedsgerichte, Zunftamt.) J. G. G.

Fabrikſchulen ſind die Unterrichtsanſtalten, welche in den Fabriken für die darin beſchäftigten Kinder ſehr häufig von den Beſitzern ſolcher Gewerbsanlagen ſelbſt errichtet und unterhalten werden, um dieſe Kinder nicht ohne Kenntniſſe und Bildung aufwachſen zu laſſen. Nur in Fabriken auf dem Lande, wo die Anſtalten für den Elementarunterricht mangelhaft ſind und für eine ſolche große Anzahl Kinder, wie ſie oft in großen Spinnereien, Webereien u. ſ. w. beſchäftigt werden, nicht ausreichen, ſind dergleichen beſondere Anſtalten am Platze. In größern Städten mit

Fabriken, sollten stets Einrichtungen getroffen werden, in den gewöhnlichen Volksschulen gewisse Stunden oder Klassen für die dort beschäftigten Kinder abzuhalten. Der Unterricht für solche Kinder muß übrigens mehr die Eigenthümlichkeit einer Erholung, als die eines angestrengten und trocknen Lehrens und Lernens tragen, wenn er seinen Zweck erreichen und den Kindern der arbeitenden Klassen einen Ersatz für die Nothwendigkeit bieten soll, in dem frühen Lebensalter schon ihren Eltern bei deren Erwerb fortdauernd an die Hand gehen zu müssen. Besonders muß man sich bei solchem Unterricht hüten, die ohnedies von der Tagesarbeit erschöpften Kinder mit dem Vortrag oder Auswendiglernen religiöser und kirchlicher Lehrsätze, Gebete oder unerquicklicher Sittenpredigten zu ermüden und zu langweilen. Anziehende Erzählungen aus der Geschichte, Naturgeschichte, der Erd- und Völkerkunde, Erklärungen der Grundsätze der Physik, der Chemie, der Geologie, veranschaulicht durch Experimente und Vorzeigung von darauf bezüglichen Gegenständen; Schärfung des Verstandes und Witzes, in Denkspielen geübt nach dem Grundsatze wechselseitigen Unterrichts, darin müßte, um jenen Zweck zu erreichen, die Unterweisung in F. vorzugsweise bestehen, so lange diese überhaupt nöthig sind, d. h. bis dahin, wo ein umfassendes Nationalerziehungssystem die geistige und leibliche Ausbildung aller Klassen auf Kosten des Staates umfassen und dergleichen Einzelanstalten überflüssig machen wird, die jetzt in vielen Fällen, wenn in obigem Sinne geleitet, von Nutzen sein können. J. G. G.

Fabrikwesen nennt man die Gestaltung, welche die Gewerbthätigkeit unter dem Einflusse der großen Erfindungen in der Mechanik, der Technik, der Chemie, der exacten Wissenschaften überhaupt von dem Ende vor. Jahrh. an und im Laufe des jetzigen zu entwickeln begonnen hat und die als nur erst zum geringsten Theile vollendet betrachtet werden muß. Die kennzeichnenden Merkmale dieser Gestaltung bestehen aber darin, daß die Gewerbsanlagen, welche die Elemente des F.s, oder wie die Engländer es nennen, des Factorysystems, bilden, als große in sich abgeschlossene Einrichtungen dastehen, zu deren Herstellung, wenn sie gewinnreich sein sollen, große Geldkräfte, kostspielige Maschinen, besteingeübte Arbeitskräfte, zu deren Betrieb und Leitung stets mehr oder minder umfangreiche geschäftliche und technische Einsichten und Fähigkeiten gehören. Ein anderes mit einer solchen Einrichtung unmittelbar in Verbindung stehendes Kennzeichen ist, daß die Theilung der Arbeit (s. d.) darin auf die höchste Stufe entwickelt, daß bei jeder rein mechanischen Arbeit, welche bedeutender Kraftentwickelung oder Genauigkeit bedarf, die Naturkraft vermittelst mechanischer Vorrichtungen an die Stelle der menschlichen Hände gesetzt und der Arbeiter mehr oder weniger nur zur Aufsicht und Versorgung der Maschine (s. d.) verwendet wird; endlich ist ein allgemeines Merkmal des F.s, daß der Arbeiter sein Arbeitswerkzeug sich nicht selbst anschafft, sondern daß er solches in der Gewerbsanlage des Besitzers vorfindet und daß er Letztern nur seine Dienstleistungen für eine bestimmte Arbeitszeit gegen einen bestimmten Lohn (s. Arbeitslohn) vermiethet. Alle die hier aufgeführten Bedingungen zielen aber darauf ab und erreichen, daß überall die größten Ersparungen an Zeit und Kräften aller Art bei Waaren- und Gütererzeugung bewerkstelligt und damit die Erzeugungskosten der Nothwendigkeiten, der Bedürfnisse, der Bequemlichkeiten und Genüsse des Menschen vermindert, mithin der allgemeine Verbrauch all' dieser Dinge durch Verwohlfeilerung immer weiter ausgedehnt, der Verbrauch derselben auch den unbemitteltsten Kreisen immer zugänglicher gemacht wird. Diese Thatsache allein schon reicht hin, die Nothwendigkeit und den unermeßlichen Vortheil dieser neuen Entwickelung für den Fortschritt der allgemeinen Gesittung begreiflich zu machen, mögen die Schattenseiten und Uebelstände, die dabei zum Vorschein kommen, auch anfangs noch so groß erscheinen und die Gefühle des Menschenfreundes hie und da noch so tief verletzen. Wo, wie in dieser Gestaltung, ein neues Princip mit veralteten Einrichtungen und Gewohnheiten in unerbittlichen Kampf tritt, da bleiben dergleichen betrübende Erscheinungen, die Opfer, welche der

Sieg des Neuen erheischt, nie aus; die Uebergangszeiten von dem Vergehenden zu dem Werdenden sind stets zugleich die anscheinend unerquicklichen Ringens, fruchtlosen Abmühens und traurigen Entbehrens für den größten Theil derer, die an der Durchsetzung so großer Fortschritte Theil nehmen oder dabei verwendet werden. Ihrem innersten Wesen nach liegt aber dieser Neugestaltung der gewerblichen Thätigkeit nur die allgemeine Richtung des Menschengeistes zur Association (s. d.) zu Grunde und wenn auch die Form, in der sie unter den gegenwärtigen Umständen sich bewegt, noch so unvollkommen ist, so sind doch in ihrer Eigenthümlichkeit selbst die Bedingungen und Möglichkeiten ihrer Vervollkommnung vorhanden. Es ist ein Irrthum, anzunehmen, daß das F. nur der Industrie im engern Sinne angehöre, nur in den sogenannten Manufacturen und Fabriken sich darstelle; es giebt keine menschliche Thätigkeit, die es nicht bereits in sein Bereich zu ziehen angefangen hätte, keine, deren es sich nicht noch völlig bemeistern würde. Der Bodenanbau, je weiter er sich entwickelt, nimmt immer entschiedener in der großen und rationellen Bewirthschaftung der Güter die Gestalt einer großen mit Maschinen betriebenen und den Grundsätzen des F.s folgenden Industrie an; der Bergbau ist überall, wo er mit der Zeit fortgeschritten ist, längst schon völlig zu dieser Gestaltung übergegangen; der Handel und Verkehr, die Schifffahrt und die Güterbeförderung zu Lande sehen alle ihre großen Hebel und Hülfsmittel in den Händen des F.s. Gegen eine so unwiderstehliche Gewalt einer neuen Zeitentwickelung ankämpfen, das Alte festhalten oder gar wieder zurückführen wollen, hieße mit ohnmächtiger Hand in die zermalmende Wucht des Rades der Zeit selbst greifen, abgesehen davon, daß man, wenn es gelänge, dasselbe auch nur einen Augenblick zum Stehen zu bringen, damit die unbestreitbaren Wohlthaten, die der Menschheit schon jetzt aus der Thätigkeit selbst einer so unvollkommenen und unvollendeten Organisation geflossen sind, auf das Spiel setzen würde. Denn, wonach wir uns hinsichtlich der Bedürfnisse unseres Haushalts, unseres Berufs, unserer Gewohnheiten, unserer Gesundheit und Bildung auch umsehen mögen: überall treffen wir auf die Ergebnisse, auf die Erzeugnisse jenes F.s, ohne welches wir, und mit uns Millionen, einen großen Theil derselben uns versagen müßten. Die Aufgabe der Zeit besteht also nur darin, in der Organisation des F.s selbst und in den allgemeinen Bedingungen der gewerblichen Zustände die Verbesserungen nach und nach einzuführen, welche zur Ausrottung der Uebelstände und Gebrechen dienen können, die demselben jetzt noch anhaften. Eine Schattenseite, die besonders hervorgehoben wird, die nämlich, daß die großen Capitalisten allein sich im Stande befinden, sich des F.s zu bemächtigen und den größten Gewinn desselben auszubeuten, ist durchaus kein wesentliches und nothwendiges Bedingniß dieser Organisation, sobald nur einmal die Besitzer der kleinen und der kleinsten Capitalien ihre Macht durch Association ihrer Geldmittel in gewerblichen Unternehmungen begreifen lernen und auf der andern Seite ihre Bestrebungen darauf zu richten anfangen, daß zur Belebung des Credits durch Errichtung von wirksamen Creditanstalten und Volksbanken die geeigneten Schritte getroffen werden. — Unter den übrigen tiefen Mängeln und Nachtheilen, die man dem F. in seiner jetzigen Gestalt vorwirft, ist zuerst der niedrige und gedrückte Stand der Arbeitslöhne zu erwähnen, eine betrübende Erscheinung, die aber dem eigentlichen F., den gewerblichen Beschäftigungen in geschlossenen Gewerbsanlagen, so wenig ausschließend zukommt, daß vielmehr der Natur der Sache nach in den Gewerbszweigen, welche diese Gestalt noch nicht angenommen haben, in der sogenannten Hausindustrie (s. d.), diese Uebelstände weit häufiger und drückender auftreten, wie denn das Trucksystem (s. d.) zum großen Theil nur in diesen Zweigen seine verderblichen Folgen äußert. Gegen wahrhafte und dauernde Bedrückungen der Gewerbsunternehmer der erstern Art ist überdies in Staaten, wo man das Associationsrecht nicht beschränkt, in dem genossenschaftlichen Zusammenleben und Verständigen der Arbeiter unter sich über ihre

Interessen ein nicht unwirksames und jedenfalls weit geeigneteres moralisches Hülfs=
mittel zur Hand, als es den vereinzelten Arbeitern der Hausindustrie in ungehörten
Klagen, oder, wie bei unserm gewöhnlichen Rechtsverfahren, im Betreten eines mehr
oder minder bedeutende Kosten verursachenden Rechtsweges zu Gebote steht. Auch
steht man dort, wo das F. seine größte Ausdehnung erlangt hat und das Associa=
tionsrecht in seinem vollsten Umfange auch in Bezug auf die Arbeiterklassen aner=
kannt, benutzt und aufrecht erhalten wird, das Verhältniß zwischen den Gewerbsun=
ternehmern und den von ihnen beschäftigten Händen sich weit zufriedenstellender gestal=
ten, als wo diese Bedingungen fehlen. Die weitere Entwickelung dieser Organisation
wird aber immer mehr dahin führen, daß durch gegenseitige Uebereinkunft und Ver=
trägniß künftig über **alle von einer oder der andern Seite geltend gemachten Forde=
rungen, über Erhöhung oder Verminderung der Löhne, über Beschränk=
kung der Arbeitszeit, über Einstellung der Arbeit zur Beschränkung
der Production, bezüglich Verhinderung der sogenannten Ueberpro=
duction u. A. m.** entschieden werden wird, ein Verhältniß, dessen Anfänge sich
während der jüngsten großen Geschäftsstockung und Handelsbedrängniß in England
bereits zu zeigen angefangen. Auch macht die Einrichtung des F.s in der geschilderten
Weise es der **Staatsaufsicht** weit leichter möglich, schreienden Uebelständen und
Mißbräuchen in solchen Gewerbsanlagen, z. B. ungesunden, gesundheitsschädlichen
Einrichtungen, Mißhandlungen u. s. w., auf die Spur zu kommen und zu deren
Abstellung gesetzliche Vorsorge zu treffen, als dies irgend welche Regierung beim besten
Willen in Bezug auf die in tausend und aber tausend Einzelhaushaltungen vertheilte
Hausindustrie zu thun im Stande ist. Zu diesem Zweck muß freilich von Seite des
Staats der Weg betreten werden, wie in England und theilweise auch in Belgien schon der
Anfang gemacht worden ist, mit Bestellung besonderer **Fabrikinspectoren**, welche,
in Zusammenhang mit der Einrichtung der Enqueten (s. d.), in den meisten
Fällen den Weg zeigen können, den man zur Erzielung nothwendiger und erfolgrei=
cher Verbesserungen einschlagen muß. — Ferner liegt in der Niedersetzung von zweck=
mäßigen **Fabrikgerichten** (s. d.), aus Sachverständigen und gleicher Vertretung
der Arbeiter und Unternehmer bestehend, vor welchen beide Theile gegen Beeinträch=
tigungen und Uebervortheilungen schnell und kostenfrei Recht finden können, eine wei=
tere Förderung des F.s im Sinne des Fortschritts. — Aber auch von Seite der
arbeitenden Klassen selbst kann Manches gethan werden, die schlimmen Wirkungen,
welche das F. in der gegenwärtigen Uebergangsperiode seiner Entwickelung auf deren
Interessen äußert, wenn nicht ganz zu heben, doch zu mildern. Daß das **gemein=
schaftliche Selbstproduciren** auf eigne Kosten und Gefahr von Seite der
arbeitenden Klassen, wie es von den socialistischen Schulen vorgeschlagen und auch
wohl hie und da in Ausführung zu bringen versucht worden ist, noch im weiten
Felde steht, darüber wird sich wohl kein Unbefangener täuschen. Wenn durch ein
allgemeines Erziehungssystem, das dem ganzen Volke die Quellen nützlichen Unter=
richts, aufgeklärter Einsicht und menschlicher Bildung eröffnet, allen Klassen die mög=
lichste Entwickelung und Verwendung jeder Gabe und Kraft erreichbar gemacht sein
wird; wenn alle Hülfsquellen und alle todten Vermögensvorräthe des Landes zur
Belebung und Erhöhung der Production in allen Zweigen flüssig gemacht und der
öffentliche, wie der Privatcredit durch geeignete Maßregeln seine höchste Entfaltung
gewonnen haben wird; wenn in dem Staatshaushalt und der Verwaltung alle über=
flüssigen und kostspieligen Stellungen und Einrichtungen, besonders der unermeßliche
Aufwand des stehenden Heeres und des Schreibstubenwesens entfernt sein wird; wenn
der Geist genossenschaftlicher Einigung zu Zwecken großartiger und nützlicher Schöpfun=
gen alle Klassen durchdrungen haben wird: — dann werden sicherlich auch große
und umfassende Veränderungen in dem Betriebe der Gewerbe eintreten und Manches
ins Leben geführt werden können, woran sich jetzt nur noch das fromme Sehnen des

Träumers hängt. Aber es giebt wichtige Verbesserungen mit breiter Grundlage, die schon heute in den Kreisen der arbeitenden, vom F. in Anspruch genommenen Kräfte angebahnt werden können, und die in der Durchführung des Grundsatzes gemein= schaftlicher Anschaffung der wichtigsten Verbrauchsgegenstände, der nothwendigsten Lebensbedürfnisse liegen. Dieser Grundsatz (f. Sparsystem), welcher in dem Haushalt der Arbeiter höchst beträchtliche Ersparungen mit sich füh= ren und damit diesen Klassen die Mittel liefern wird, aus eignen Kräften ihre Lage zu verbessern, muß nicht nur mächtig dazu beitragen, in ihnen selbst das Bewußtsein ihrer Kraft zu erhöhen, sondern das dadurch erlangte Gefühl und die Kundgebung solchen Zusammenhalts wird sie auch in den Augen derer höher stellen, die ihrer Arbeit bedürfen. Mit einer solchen Einrichtung, welche den Gewinn, den das verab= scheuungswürdige Trucksystem, zum Schaden der Arbeiter, dem Arbeitsgeber, der sich dessel= ben bediente, abwarf, zu Gunsten der erstern schreibt, werden auch die damit verwandten der Sparkassen, der Kranken= und Leichenkassen unter den Arbeitern erst zur rechten Ausdehnung und Gedeihlichkeit kommen können; beide im Verein aber werden dazu beitragen, daß der Arbeiter ferner nicht gezwungen sein wird, die schwa= chen Kräfte seiner Kinder allzu frühzeitig anzustrengen und dadurch vor der Zeit aufzubrauchen, um ihn bei seinem schmalen Erwerbe zu unterstützen; nicht mehr wer= den die Bemühungen der Gesetzgebung, die frühzeitige Verwendung der Kinder in den Fabriken (f. Kinder) zu beschränken, an den Eltern derselben den größten Widerstand finden und die Gesetzgeber werden nicht mehr nöthig haben, in die elter= lichen Rechte einzugreifen und dieselben auf eine ihrer unwürdige Weise zu bevor= munden. — Dies sind in wenigen Grundzügen die Bedingungen, unter denen sich bei den obwaltenden Umständen die Abstellung der Uebelstände und Mißbräuche erzielen lassen wird, die das F. auf der heutigen Stufe seiner Vervollkommnung darbietet. Um dahin zu gelangen, ist es aber nöthig, daß man nicht in thörichter Furcht vor einer Entwickelung zurückbebt, der man doch, man mag wollen oder nicht, niemals wird entrinnen können, da mit dem patriarchalischen Zeitalter auch alle Sitten, Ge= wohnheiten, Bräuche und Einrichtungen unwiderruflich zu Grabe gegangen sind und nur derjenige Recht behält, der sich an die Spitze der unwiderstehlichen Richtung zu schwingen weiß, welche die Gestaltung der Zukunft in ihrem Schoße trägt. Der industriellen Richtung unsers Zeitalters aber, welche unausweichlich mit einer vollstän= digen Anerkennung des Adels der durch Einsicht geleiteten Arbeit enden muß, mit der höchstmöglichen Ausbildung und Ausdehnung des F.= und Maschinenwesens, ist jener Beruf deutlich vorgezeichnet. J. G. O.

Fabrikzeichen nennt man die Bezeichnungen, Firma, Schild, Etikette u. s. w., welche die Fabrik auf ihre Erzeugnisse setzt, um dem Käufer die Gewähr zu geben, daß dieselben aus ihr hervorgegangen sind. Da es im Interesse des Waarenerzeugers liegt, in den Ruf zu kommen, nur gute, preiswürdige und solide Waare zu fertigen, so ist der Schutz, welcher jeder Fabrik im ausschließlichen Gebrauch ihres F.s ertheilt wird, ein Förderungsmittel der Vervollkommnung der Fabrication selbst und es ist deshalb nicht mehr als billig, der Benutzung dieser Bezeichnungen von Seiten anderer Gewerbsanlagen zu steuern, bezüglich dieselbe streng zu ahnden. Wo Handels= und Fabrikgerichte bestehen, reicht man, um sich den Schutz des eignen F.s zu sichern, bei beiden Behörden dasselbe in mehreren Abdrücken ein und wird solches dadurch zur öffentlichen Kenntniß gebracht. In dem größern Theil von Deutschland liegt diese Sache noch sehr im Argen. J. G. O.

Face, wörtlich Ansicht; in der Kriegswissenschaft diejenige Seite der Festungs= werke, welche dem Feinde zugekehrt ist.

Faction. Jede Partei, die sich gegen andere Parteien bildet, um sie zu beste= gen. Reicher an F.en, wie jede andere Bewegung, war die franz. Staatsumwälzung, und lange galt diese als der F.en vorzüglichste Schule. — Jedenfalls haben die F.en wenigstens das Gute, daß sie das Volk vor jeglicher Verdumpfung und Versumpfung bewahren; denn Bewegung nur ist Leben und Stillstand heißt der Tod. — Das Traurigste ist, daß häufig die Regierungen, anstatt über den F.en zu stehen und aus der Reibung der Kräfte dem Gesammtwohl günstige Schlüsse zu ziehen, sehr oft selbst mit Partei nehmen, oder doch wenigstens mit Hintenansetzung der dringendsten Volkswünsche ihre Abneigung gegen den entschiedenen Fortschritt ziemlich unverhohlen äußern. —

„Mit dem Schwert beweist der Scythe —
Und der Perser wird zum Knecht!"

ruft der Dichter; möge wenigstens das Letztere nicht von den Deutschen gesagt werden können!   W. Pretzsch.

Factorei. Eigentlich eine Waarenniederlage; jedoch häufiger Bezeichnung der Handelsniederlassungen europäischer Völker in einem fremden Welttheile. F.en nemlich haben die Völker dort, wo sie keine Colonien haben. Die Holländer nennen ihre asiatische F. Logen.

Factorysystem, s. Fabrikwesen.

Facultäten. Die Facheintheilung der Lehrgegenstände und Lehrer an den Hochschulen (s. d.). Es giebt deren gewöhnlich 4: eine F. der Theologie (Gottesgelahrtheit), der Medicin (Arzneiwissenschaft), der Jurisprudenz (Rechtswissenschaft) und der Philosophie (Weltweisheit), welche letztere alle Lehrfächer in sich faßt. Die F. entstanden im 13. Jahrh. mit den heutigen Hochschulen zugleich und entwickelten sich aus den frühern F. der 7 freien Künste. Doch sind die F. heute ebenfalls eine veraltete zopfige Form, durch welche die Wissenschaft zunft- und kastenmäßig eingeschachtelt wird. Je mehr sich die Wissenschaft mit dem Leben versöhnt, dem sie in Deutschland völlig fremd ist, um so mehr werden die Abgrenzungen der F. verschwinden.

Fahne ist das Versammlungszeichen des Kriegers und die stete Mahnerin zur Ausdauer und Treue für ihn. Ehrlos ist daher, wer die F. verläßt, um einer andern zu folgen, weil sie mehr Sold zu gewähren oder größere Aussichten auf Titel und Würden zu bieten vermag. — Der Ursprung der F. verliert sich in das Mittelalter. Seit dem deutschen Kaiser Maximilian I. führte jede Compagnie Lanzenknechte eine F., daher sie auch „Fähnlein" hießen. Gegenwärtig hat nur noch jedes Regiment eine, die stets in seiner Mitte steht und nur im Kampfe voran getragen wird. — Die Farben des F.ntuches sind gewöhnlich die Farben des Landes, dem die F. angehört. Gäbe es daher ein deutsches Reich noch, so würden die Farben seiner F. schwarz, roth und golden sein; doch sind diese Farben in Deutschland zu tragen verboten. — Die neueste Zeit hat auch für die politischen und kirchlichen Parteien den Ausdruck F. in den Sprachgebrauch aufgenommen. Diese ideellen F.n haben bis jetzt die meisten Ueberläufer gehabt, obschon es gerade hier mehr als sonst wo für Schande gilt, die F. der einen Partei mit der der andern zu vertauschen, wenn nicht die Macht der Ueberzeugung zur Veranlassung wird.   W. Pretzsch.

Fahneneid, s. Eid.

Fahnenlehn. Eine Art Reichsbelehnung, die den höhern Vasallen, wie Fürsten und Grafen, durch Ueberreichung einer Fahne gegeben wurde.

Fahrende Artillerie. Die Artillerie ist je nach der Art, wie ihre Mannschaft fortgeschafft wird, in 2 Classen getheilt, in f. und reitende A. Bei der erstern wird die Mannschaft auf einem besondern Wagen oder auf der dazu gepolsterten Laffete gefahren; bei der letztern reitet sie. Die f. A. findet man nur noch sehr einzeln in Oesterreich, da sie viel kostspieliger und doch schwerfälliger ist, als die reitende.

Fahrende Habe (Fahrniß) nennt man die beweglichen Güter, welche von einem Orte zum andern geschafft werden können. Sie bilden den Gegensatz zu den liegenden Gründen, d. h. zu dem Vermögen, welches nicht fortbewegt werden kann, und ſind einer der bedeutendſten Theile des Vermögens. Im Gegenſatze zur frühern Zeit, wo nur liegende Gründe als Vermögen anerkannt wurden und zur lebendigen Theilnahme am Staate berechtigten, während jetzt auch die f. H. dieſe Berechtigung erlangt hat, nennt man den dermaligen Staat auch oft Fahrnißſtaat.

Fahrnißſtaat, ſ. fahrende Habe.

Fallbäume heißen in der Kriegswiſſenſchaft ſtarke Hölzer, die mit Eiſen beſchlagen und an den Feſtungsthoren aufgehangen ſind, um ſie im Nothfall ſchnell herunter fallen laſſen und den Eingang damit verſperren zu können.

Fallgänge. Kleine Feſtungsgraben, die zwar unter Waſſer geſetzt, aber trotzdem durchwadet werden können.

Falliment, Falliſſement, ſ. Bankerott.

Familie. Was der Staat im Großen, das iſt die F. im Kleinen: die Vereinigung Mehrerer zu einem gemeinſchaftlichen Leben und zu einer wahren Geſammtperſönlichkeit. Die F. iſt nicht blos die älteſte, natürlichſte und heiligſte Verbindung der Menſchen, ſondern auch die Grundlage aller ſpätern geſellſchaftlichen Verbindungen. So wurde der erweiterte F.nkreis allmählig zum Stamme, die Stämme zum Volke, zum Staate. Die einfachſte Staatsform, die patriarchaliſche, iſt unmittelbar dem F.nleben entflieſſen; daher waren die Staaten des Alterthums meiſt auf die F.nverhältniſſe gegründet. Als dieſe aber in der Folge zu beengend wurden, ſtreifte der menſchliche Geiſt dieſe Feſſeln ab, wie hartnäckig auch die angeſehenſten und vornehmſten F.n dagegen ſich ſträuben mochten. — So iſt's fortgegangen bis dieſe Stunde; und wenn auch die F. fortwährend noch ein hochwichtiger Gegenſtand im Staatenleben bleibt und jeder Verſtoß dagegen ſich ſchwer an ſeinen Urhebern zu rächen pflegt: ſo ſchwindet doch die F.herrſchaft, der verderbliche Kaſtengeiſt, immer mehr in dem Grade, als die Staatsformen reiner und die Menſchen über ihre Beſtimmung und ihre Geſammtrechte aufgeklärter werden. Wie lächerlich iſt es auch, auf die F. oder deren Alter ſich etwas einzubilden! Eine F. iſt ſo alt als die andere und keine vordem um ein Haar breit angeſehener geweſen, wie alle zuſammen genommen; was die Eine an Macht gewonnen, das iſt der Andern vielleicht auf die unrechtmäßigſte Weiſe entzogen worden. Wo daher die F.nherrſchaft mit ihrem falſchen Ehrgeiz und ihrem Stolze noch nicht geſprengt iſt, hat der Staat für Ausgleichung zu ſorgen; nur darf auch wieder dieſe Sorge nicht ſo weit gehen, durch Anwendung eines Spionirſyſtems in die F.ngeheimniſſe zu bringen und die zarteſten F.nbande zu löſen; denn — heilig iſt das Band, welches die Glieder einer F. unter ſich umſchlingt, und Frevelthat wäre es, daran Hand anzulegen!

W. Pretzſch.

Familienrath nennt man die Vereinigung der Mitglieder einer Familie zu gemeinſchaftlichen Berathungen, beſonders dann, wenn es der Bevormundung oder Vermögensverwaltung eines Familiengliedes gilt. Dieſe Einrichtung iſt nicht nur jetzt noch in Frankreich vorhanden, ſondern beſtand auch früher in Deutſchland, wo der Vormund aus der Familie ſelbſt genommen und von deren übrigen Mitgliedern überwacht wurde. Mit dem röm. Rechte ging die Vorſorge für die Unmündigen, Blödſinnigen und Abweſenden an den Staat über. — Die neueſten Geſetzgebungen in Hamburg und Kurheſſen haben die Nützlichkeit des F.s in Bezug auf das Vormundſchaftsweſen anerkannt; daher iſt zu wünſchen, daß dieſes ächt deutſche Inſtitut recht bald in ganz Teutſchland wieder zu Ehren gebracht werden möge. W. Pretzſch.

Familienrecht. Zu den Geſellſchaftsverträgen, welche unter dem Schutze der Staatsgeſetze geſchloſſen werden, gehört auch die Ehe (ſ. d.). Wird der anfangs nur auf Zwei beſchränkte Kreis ein erweiterter, ſo nimmt er den Namen Familie an, zu der im engern Sinne Eltern und Kinder, im weitern aber nicht blos alle von einem gemeinſamen Stammvater Abſtammenden, ſowie die durch Heirath oder Annahme an Kindesſtatt Hinzugekommenen, ſondern auch die

Dienstboten gehören. Ist nun das ursprünglich einfache Verhältniß der Eheleute zu einander schon ein zu Recht bestehendes, d. h. ein gegenseitige Pflichten und Rechte in sich schließendes, so wird es dies um so mehr, je umfangreicher die Familie wird. Die Bestimmungen, welche solchenfalls maßgebend sind, bilden das F., welches entweder ein natürliches, d. h. von der Vernunft gebotenes, oder, wo dieses allein nicht ausreicht, ein positives, d. h. ein durch die Gesetze bestimmtes ist. Das Erstere ist mehr geistiger Art; es stützt sich auf Liebe, Treue und Gehorsam, und bezieht sich mehr auf das innigere Verhältniß der Eheleute zu einander, der Kinder zu den Eltern und Dieser wieder zu Jenen. Der Zweck der Ehe ist zunächst kein anderer, als der, in gegenseitiger Uebereinstimmung durch Befriedigung des Ge-

ander seine Entstehung der Innigkeit, der wird seine wechselseitige Beziehung um so r n gesegnet ist. Daher verlangt das F.

Natur, die ihm als schönsten Schmuck und efühl und Schamhaftigkeit verlieh. und an einen Mann ist also für beide ung. In dieser ausschließlichen Hingebung nglichkeit der Verbindung, welche eigent= Unauflösbarkeit der unterworfen, wenn später= g entsteht, daß die Fort=

atürliche Recht der Eltern, Gehorsam von ihren zu erhalten. Die Kinder werden hingezogen zu Ernährern durch das erhöhte Gefühl eigener Hülfs=

ehorsams, entspringt. Aber eine höhere Pflicht

tern nicht schon mit der leiblichen Sorge für die Kinder abgeschlossen sei. Die Kinder sollen nicht blos zu Menschen, sondern auch zu Staatsbürgern herange= bildet werden. Ueber das Aufhören der väterlichen Gewalt (s. d.), über die Betheili=

Eltern, auf die sittliche und zu verwenden und ihnen in Vernachlässigung darin, jede in Gegenwart der Kinder rächt in der Folgezeit sich würde im gewöhnlichen Leben weit weniger Klagen schlechte Staatsbürger geben, wenn nicht von zur Verdorbenheit gelegt worden wäre. Daher muß die Wirk= n F. dann beginnen, wenn die des natürlichen F. seine droht. — In dem F. mit eingeschlossen sind ferner die Dienst=

boten. Der Dienstherr kann von ihnen, mit eben dem Rechte strenge Pflichterfüllung verlangen, wie er dies als Hausherr und Familienoberhaupt in Bezug auf die eigentlichen Familienglieder zu thun befugt ist. Dagegen ist aber auch wieder das Dienstgesinde nicht blos zu Arbeiten und Verrichtungen im Interesse des Dienstherrn da, sondern sein Lohn muß auch ein, seinen Leistungen entsprechender, sein Verhältniß darf kein sklavisches sein, da dem Brodherrn kein dingliches, d. h. ein Besitzrecht an ihnen zusteht, sondern das gegenseitige Verhältniß nur auf einem Vertrage beruht. Ueberhaupt ist es Aufgabe einer weisen Gesetzgebung, auch in dieser Hinsicht die natürliche Ordnung so viel wie möglich zu erhalten und zu handhaben, d. h. einen Theil ihres eigenen Ansehns auf den Hausvater und Dienstherrn zu übertragen, ohne jedoch dabei durch Verkürzung des Gesinderechts die gute Hausordnung zu stören. — Denkt man sich die Familie als einen Staat im Staate, so tritt das Verhältniß der Mittelbarkeit ein, d. h. der kleinere Staat empfängt die zu seinem Bestehen nöthigen Kräfte theils aus sich selbst, theils von seinem natürlichen Schutzherrn, dem größern Staate. Wie diesem, so steht auch jenem ein Oberhaupt vor, das aber in beiden Fällen kein Despot, sondern ein Hausvater sein soll, der als natürliches oder erwähltes Organ des Gesammtwillens mit dem Scepter der Vernunft und der Sitte, des Rechts und der Liebe herrscht und Wohlthun und Segen verbreitet. Glücklich daher die Familie und der Staat, wo das natürliche F. nicht gezwungen wird, dem juristischen Platz machen zu müssen! W. Pretzsch.

Fanatismus (Fanatiker). Der Eifer für oder wider eine Sache, sei es nur eine Idee, oder eine Persönlichkeit, kann bis zur Wuth sich steigern, wo er dann F. genannt wird. Das Wort stammt vom lat. fanum, ein Tempel, und bedeutete ursprünglich das von einer höhern Eingebung der Gottheit Ergriffensein derer, die in ihrer Nähe sich aufhielten. So weit hat das Wort den milden Charakter der höchsten Begeisterung für etwas Großes und Göttliches im Leben. Gewöhnlich aber versteht man darunter jene Wildheit und Raserei, die als eine auf Sklaven und Leichen einherschreitende Figur, mit Dolch und Brandfackel in den Händen, abgebildet wird. So weit die Geschichte zurückreicht, sind ihre Blätter erfüllt mit Beispielen von dem namenlosesten Greuelthaten, die ihre Entstehung dem F. verdanken. In seiner gräßlichsten Gestalt jedoch zeigte er sich stets dann, wenn er, von Pfaffentücke und Dummheit genährt, auf religiösem oder kirchlichem Gebiete erschien, um irgend eine Glaubensmeinung bei Ansehn zu erhalten oder sie allgemeiner zu machen. Mord und Brand folgten dann seinen Spuren und die blühendsten Länder wurden in Einöden verwandelt. Also wütheten die Hebräer in Canaan, die Jünger Mohammeds in den von ihnen eroberten Ländern und später selbst die Christen gegen „Ungläubige" und Ketzer. Die Kreuzzüge gegen die Mohammedaner, die christlichen Religionskriege u. s. w. sind Zeugen hiervon. So auch der politische F., der aus jenem großen und edlen Streben für staatsbürgerliche Freiheit, ewige Volksrechte und Nationalität auf der einen, auf der andern Seite aber aus schwärmerischer Anhänglichkeit an das Bestehende und Hergebrachte, gleichviel, ob dieses etwas taugte oder nicht, hervorging und sich in furchtbare Ausschweifungen verlor.— Und dennoch, so verbrecherisch auch die Laufbahn des F. ist, wird das Urtheil über ihn im Ganzen genommen milder, wenn man weiß, daß er in den meisten Fällen nur ein Werkzeug in den Händen der Selbstsucht war, die, ihn zu Erreichung ihrer ehr- und herrschsüchtigen Zwecke gebrauchte und dann die blutigen Früchte für sich behielt, während Jener der betrogene Theil war. So war es mit dem F. unter allen Völkern und zu allen Zeiten; und selbst der heutige gelinde F., der sich einbildet, für „Thron und Kirche" streiten zu müssen, ist im Grunde genommen nichts weiter, als eine grobe Täuschung, welche der Eigennutz sich gegen die Dummheit erlaubt. Aufklärung und Volksbildung sind die wirksamsten Mittel dagegen. W. Pretzsch.

Farbe. Das bunte Lichtspiel, welches die F. hervorbringt, ist nicht Gegenstand unserer Erörterung. Doch hat das Wort F. auch auf dem Gebiete der Politik eine

rieben. So bei den

Pfandgläubigers befinden,
ezten Willen, oder noth-

Das Pfandrecht überhaupt, wel-
inen doppelten Zweck, zunächst die
igung desselben aus der verpfän-
des F.gläubigers: 1) das Pfand

bis zur erfolgten Befriedigung zurück zu behalten und ſich im Beſitze durch gewiſſe
Rechtsmittel zu ſchützen. Entſteht aber zu dem Vermögen des Schuldners Concurs,
ſo muß er das Pfand an die Concursmaſſe abliefern, erhält jedoch aus ihrem Erlöſe
Befriedigung; 2) das Recht, das F. zu veräußern, wenn der Schuldner zur feſtgeſetzten Zeit nicht Zahlung leiſtet. Der Gläubiger darf aber, wenn ihm mehrere Sachen
verpfändet ſind, nur ſo viel, als zu ſeiner Befriedigung hinreicht, veräußern, den
Ueberſchuß hat er dem Schuldner auszuantworten. Eine Vereinigung, wonach der
Gläubiger, wenn die Bezahlung der Schuld nicht zur geſetzten Zeit erfolgen würde,
das F. für ſeine Forderung als Eigenthum behalten ſolle (pactum commiſſorium),
iſt unzuläſſig, dagegen können dem Gläubiger die Nutzungen der verpfändeten Sache
überwieſen werden (pactum antichreticum). — Es giebt beſondere öffentliche Anſtalten, welche Darlehne auf F. geben, wohin beſonders die Leihhäuſer und gewiſſe Banken gehören.   *Adolph Henſel.*

Fauſtrecht oder **Kolbenrecht** nennt man den zerrütteten Zuſtand Deutſchlands vom 9. bis zum 15. Jahrh., wo jeder Edelmann, ohne ſich an Geſetze und Verfaſſung zu kehren, von ſeiner Burg aus ſich Ueberfälle und Beſehdungen erlaubte und
ſo ſich durch eigne Gewalt und mit eigner Fauſt Recht verſchaffte. In jener „ſchönen, guten alten“ Zeit ſah es namentlich im deutſchen Gerichtsweſen gar nicht
erbaulich aus. Zwar gab es ſchon damals Bücher und Urkunden, in denen geſchrieben ſtand, was die Leute thun und was ſie nicht thun ſollten; allein die Kaiſer,
als oberſte Hüter des Rechts, waren gewöhnlich viel zu ſehr mit Kriegen und ſonſt
beſchäftigt, um ſich auch noch mit Handhabung der Geſetze abgeben zu können; die
Großen und Mächtigen im Volke aber ſtanden in der Meinung, daß die Geſetze überhaupt nur des „gemeinen“ Volkes wegen da ſeien, indeß ſie ſelbſt ſich über dem
Geſetze befänden. Die Städte litten weit weniger unter dem Drucke des F.rechts, denn
ſie vermochten den Angriffen des raubluſtigen Adels Widerſtand zu leiſten, auch konnten
Wohlhabendere ſich die Sicherheit im Handel und Wandel (Geleite; eine davon herrüh-
rende Abgabe beſtand 1833 in Sachſen noch) erkaufen; viel ſchlimmer aber kam der
Landbauer dabei weg. Häufig wurde der Kampf auf ſeinem Grund und Boden geführt,
ſeine Saaten zertreten, und er ſelbſt war wehrlos und nicht einmal der Waffen würdig
geachtet, wenn er nicht ein freier Mann, d. h. kein Leibeigener ſeines Grundherrn
war. Dieſer gräuliche Zuſtand dauerte ziemlich volle 4 Jahrh. hindurch, bis mit
Ende des 15. die Kraft des Ritterthums gebrochen wurde und das allgemeine
Landfriedens-Geſetz Kaiſer Maximilians I. die wiederkehrende Herrſchaft des
Rechts errichtete. Läugnen läßt ſich indeß nicht, daß der ſtete Kampf des Stegreifritterthums
mit den Städten die Quelle eines Bürgerthums (ſ. d.) wurde, das in der Entwickelung ſeiner Kraft die ſchönſten Blüthen der Mannestugend und der Bürgerehre
trieb und von deſſen Muthe jetzt noch unzählige Trümmer adliger Burgen ſprechendes
Zeugniß geben. Iſt denn das F. ſo völlig verſchwunden, daß ſich gar nicht mehr
und nirgends Spuren von ihm finden laſſen? oder haben nur veränderte Formen
und lange Gewohnheit uns ſo ſtumpfſinnig gemacht, in keinem Verhältniſſe des
öffentlichen Lebens ſein Daſein mehr wahrnehmen zu können? — Blick um Dich,
freundlicher Leſer, und dann beantworte dieſe Fragen dir ſelbſt!   *W. Pietzſch.*

Fälſchung. Der Charakter der ſtrafbaren F. beſteht in der täuſchenden Nachahmung oder Veränderung von Gegenſtänden, welche als Grundlagen der öffentlichen
Treue gelten (z. B. öffentliche Urkunden und Siegel) und als Beweismittel der
Rechte und Verbindlichkeiten im bürgerlichen Verkehr erſcheinen (Privaturkunden), oder
wo die betrügliche Veranſtaltung Formen wählt, an die nach Geſetz oder Gewohnheit
der Glaube an die Wahrheit geknüpft iſt (F. von Maaß und Gewicht u. ſ. w.).
Einige unterſcheiden hierbei noch die F. von der Verfälſchung, inſofern als bei jener
etwas von Grund aus Falſches geſchaffen, bei dieſer etwas an ſich Richtiges durch Aenderung zu etwas Falſchem umgeſtaltet wird. Die Strafe iſt Freiheitsſtrafe in verſchie-

denen Abstufungen, wie denn überhaupt die Grenzen dieses Verbrechens in den verschiedenen Strafgesetzgebungen verschieden gezogen werden. **A.**

Fechtkunst heißt die Kunst, sich mit den Waffen gegen die Waffen eines Andern so zu vertheidigen, daß der Gegner keine Verletzung hervorzubringen vermag. Obgleich die F. eine von der Natur gelehrte und so alt ist, als man Waffen trägt, so gebührt doch den Franzosen der Ruhm, sie zuerst in bestimmte Regeln gebracht und zur wirklichen Kunst erhoben zu haben. Die Wichtigkeit der F. für die Kriegskunst hat man erst in neuerer Zeit erkannt und auch die Soldaten in derselben zu üben begonnen.

Fegefeuer. Ein Lehrsatz der römischen Kirche, nach welchem die Seelen der nicht im Zustande vollkommener Sündenlosigkeit Gestorbenen an einem Reinigungsort, der eine Art Hölle, jedoch mit minderen Qualen ist, so lange aufbewahrt werden, bis sie ihre Sünden abgebüßt haben, um dann in den Himmel einzugehen. Sowohl die griechische Kirche als die Reformation hat das F. verworfen.

Fehde. Die durch das Faustrecht (s. d.) herbeigeführten Gewaltthätigkeiten und Zerwürfnisse nannte man F., welches im Altdeutschen so viel als Feindseligkeiten bedeutete. Zwar arbeiteten die Kaiser von Conrad II. bis auf Heinrich III. (1024—1056) dem F unwesen kräftig entgegen, aber vergebens. — Erst durch den Landfrieden Kaiser Maximilians wurde das F.recht im ganzen deutschen Reiche abgeschafft. Bei den Verhältnissen der damaligen Zeit ging dies allerdings nur langsam von statten; daher gab es nach der Zeit noch manche F., und der Landfriede mußte mehrmals neu bekräftigt werden, bis die steigende Aufklärung und Gesittung dem Unwesen für immer ein Ende machten. Von da an aber schwinden die Namen „Friedensbruch" und „Friedensbrecher"; doch erst dann werden sie ganz außer Sprachgebrauch kommen, wenn Staatsgrundgesetze oder Verfassungen (s. d.) allgemeiner geworden sein werden, und dadurch den Gewaltigen jede Möglichkeit entzogen sein wird, ohne die Zustimmung der Völker andere, als durch die nationale Ehre gebotene und der nothwendigen Vertheidigung des Landes geltende Kriege zu führen. Die Zeiten der mittelalterlichen F.n und des Faustrechts liegen zwar hinter uns; muß aber nicht der Glaube sich aufdrängen: daß die innere Natur jener Verhältnisse auch auf unsere Zeit übergegangen sei, wenn man noch täglich hört und sieht, wie im staatsbürgerlichen und Völkerleben durch Kanonen und Ordonnanzen (s. d.) das Dasein von Rechten bestritten wird, die „droben hangen unveräußerlich, und unzerbrechlich wie die Sterne selbst?" In Wahrheit wird noch immer der Friede gebrochen, selbst von denen, die ihn aufrecht erhalten sollten! (Vergl. Buße.) **W. Pretzsch.**

Fehme (Fehmgerichte). Das Wort F., dessen Ursprung dunkel ist, bedeutet eigentlich einen rings eingeschlossenen Platz, eine Richtstätte, und dann auch das Gericht selbst; man versteht demnach unter F. oder Wehme die heimlichen Gerichte, welche besonders in Westphalen zu Hause gewesen sind, von wo aus sie nach und nach über ganz Deutschland sich verbreiteten; sie stammten von den Freigerichten, welche Carl der Große in Westphalen errichtet hatte, und die ihre Wirksamkeit bald über die Grenzen Westphalens hinaus ausdehnten, auch überall anerkannt wurden, da kein anderes Gericht vom Kaiser eingesetzt war, oder in solchem Rufe stand. Daher genossen die westphälischen Freistühle, als Mutterstühle, das meiste Ansehn und bildeten die höchste Instanz. Es mußten alle Klagen, selbst aus den entferntesten Gegenden, vor einem westphäl. Freistuhle angebracht und auf rothem, d. i. westphäl. Boden entschieden werden. Außer Westphalen durfte kein Freistuhl bestehen; und als Kaiser Wenzel es versuchte, in Böhmen welche einzuführen, erklärten die Freischöffen jede Theilnahme daran für ein todeswürdiges Vergehen. Ebenso sollten auch nur geborne Westphalen Freischöffen sein; doch wurde es im 13. Jahrh. schon Gebrauch, die Freistühle auch mit auswärtigen unbescholtenen Männern zu besetzen, zu welcher Ehre selbst Fürsten, Grafen und Herren sich drängten.

Die Vorsicht bei der Wahl der Freischöffen ging so weit, daß er nicht blos frei und ehrlich geboren und sonst ein durchaus rechtlicher Mann sein mußte, sondern es mußte dies Alles auch noch von zwei andern Freischöffen verbürgt werden. Unter sich hatten sie eine uralte heimliche Losung und Schöffengruß, woran sie sich gegenseitig erkannten. Daher wurden sie auch Wissende genannt, und Jemand wissend machen, hieß so viel, als ihn zum Freischöffen machen. Ueberhaupt trug das Geheimnißvolle dieser Gerichte sehr viel zur Begründung ihres Ansehns im Volke bei; doch gehört es unter die Märchen, daß sie ihre Sitzungen bei Nacht und in Wäldern und Höhlen gehalten hätten. Allerdings war der Malplatz im Freien, auf Bergen und Anhöhen, wo man unter dem Schatten der Eichen und Linden das Land übersehen konnte; denn die Freigerichte brauchten ja das Licht nicht zu scheuen. Hier bestieg der Freigraf den Stuhl; vor ihm lag das Schwert, als Zeichen der höchsten Gerichtsbarkeit, zugleich in der Form seines Griffes das Zeichen des Kreuzes vorstellend, nebenan die Wyd (daher Wyden oder Strickgeflecht) oder der Strick, als Symbol des Rechts über Leben und Tod. Dann wurde das Gericht gehegt, während dem die Freischöffen mit entblößtem Haupte und ohne Harnisch und Waffen stehen mußten. Der erste Act des Gerichts war das Gebot des Richters zum Frieden, zum ersten, zweiten und dritten Male. Feierliche Stille herrschte dann ringsum; alles Gespräch schwieg, um den Gerichtsfrieden nicht zu stören. Dann trat der Geladene vor, begleitet von seinen Eidhelfern, wenn er deren hatte. Hierauf erfolgte das Vorlesen der gegen ihn erhobenen Klage durch den Richter. Konnte der Angeklagte den Reinigungseid schwören, so war er frei; er durfte den „Kreuzpfennig" nehmen, ihn vor den Freigrafen werfen, sich umkehren und ruhig wieder fortgehen. „Wer ihn dann antastet — sagt ein alter Freigerichtsspruch — das wissen alle Freien wohl, der hat des Königs Frieden gebrochen." Gestand jedoch der Angeklagte die angeschuldigte That ein oder wurde er deren überführt, so sprachen die Schöffen das Urtheil, welches auf der Stelle vollzogen wurde. War es Todesstrafe, so diente der erste beste Baum dazu, den Verbrecher aufzuknüpfen. Erschien der Angeklagte auf dreimalige Ladung nicht vor Gericht, so wurde er als der That geständig und überführt erachtet, und jedem Freischöffen stand es zu, das Urtheil an ihm zu vollstrecken, wo er ihn fand. Zum Zeichen, daß die F. ihn gerichtet, ließ man ihm Alles, was er bei sich trug, und steckte neben ihm einen Dolch mit den geheimen Bundeszeichen der F.: S. S. G. G. (Stock, Stein, Gras, Grein), deren Bedeutung jedoch unbekannt geblieben ist. Das Verfahren bei den Gerichtsladungen nicht erschienener adeliger Verbrecher war folgendes: Die Boten des Gerichts steckten die Ladung nebst einem Königspfennig (gewöhnlich bei Nacht) in den Riegel des Burgthors, schnitten drei Spähne aus diesem, um sie dem Freigrafen als Wahrzeichen zu bringen, und riefen dem Burgwächter zu, daß sie seinem Herrn einen Brief mit einer Königsurkunde in den „Grandel" gesteckt hätten. War der Aufenthalt des Versehmten gänzlich unbekannt, so „verbotete" man ihn auf vier Kreuzwegen, d. h. man legte die Ladungen nach allen vier Himmelsgegenden aus und zu jeder eine Königsmünze. Der Gebrauch, diese Ladungen an errichteten Stöcken aufzuhängen, hat in der Folge zu dem Namen „Steckbrief" Veranlassung gegeben. Die Wirksamkeit der F. dauerte zwar nur bis in das 16. Jahrh. hinein; dem Namen nach aber haben sie sich in Westphalen bis auf die neuere Zeit erhalten. Erst 1811 wurde das letzte Freigericht zu Gehmen durch die damalige franz. Gesetzgebung für aufgehoben erklärt. — Von allen den mittelalterlichen Einrichtungen war die F. die schlechteste nicht. Lag doch schon eine Bürgschaft für diese Gerichte darin, daß ihre Mitglieder (deren Zahl sich bis auf 100,000 belaufen haben soll) nur „aus tugendhaften, durch Reinheit des Wandels und der Sitten ausgezeichneten Männern" bestehen durften. So nur war es möglich, daß die F. Jahrh. lang das Band bildete, welches das ganze deutsche Volk umschlang und als Pfeiler der uralten, auf völlige Rechtsgleichheit beruhenden Volksfreiheit heute noch mit Ehrfurcht genannt zu werden verdient.

W. Pretzsch.

Feld. Im Allgemeinen derjenige Theil des Bodens, welcher zum Ackerbau benutzt wird, in der Kriegskunst jedoch Bezeichnung des Schlachtfelds und alles dessen, was sich auf die Schlacht bezieht. So spricht man von

Feldartillerie, das heißt, von den Geschützen und allem Zubehör, welche ein Heer bedarf und mit sich führt, wenn dasselbe ins Feld, d. h. dem Feinde entgegen rückt.

Feldarzt heißt der angestellte Arzt, der die Gesundheit des Heeres zu überwachen, besonders aber für die Verwundeten zu sorgen hat.

Felddienst heißt Alles, was die Soldaten im Feld zu thun und zu verrichten haben.

Feldequipage dasjenige, was das Heer im Felde besonders mitführen muß, wie z. B. Koch- und Trinkgeschirre, Krankenwagen, Arbeitswerkzeuge u. s. w.

Feldgeschrei bezeichnet eine alte Einrichtung, die nothwendig war, ehe die Soldaten sich wesentlich durch ihre Kleidung unterschieden, damit Freund und Feind sich erkennen konnte. Das F. bestand in einem vertraulich mitgetheilten Ausspruche, welchen die Soldaten sich gegenseitig zuriefen und woran sie sich als Waffenbrüder erkannten. Das F. ist auch jetzt noch üblich und wird namentlich bei vorgeschobenen Posten u. s. w. gebraucht. Eine Art F. ist auch die Parole, die jedoch nur den Befehlshabern ertheilt wird, während das F. allen Soldaten bekannt gemacht wird. Endlich ist noch eine Art F. die Losung, die oft in einem kurzen Worte, oft nur in einem Zeichen besteht, und nur für Patrouillen, d. h. kleine Abtheilungen, welche zum Zweck des Beobachtens umher geschickt werden, dient, wenn sie sich begegnen.

Feldherr, oder ehemals Feldhauptmann, heißt der Oberbefehlshaber eines Heeres, welches dem Feinde entgegen rückt.

Feldjäger nennt man die Schützen, welche mit Büchsen bewaffnet, zum sogen. kleinen Kriege verwendet werden, reitende F. sind diejenigen, welche den Postdienst im Felde besorgen.

Feldlazareth heißt die Anstalt, durch welche die Verwundeten die erste Pflege erhalten, und wo sie so lange weilen müssen, bis sie in einer benachbarten Stadt untergebracht werden können.

Feld- und Flurschutz. Je mehr ein Gegenstand der Verletzung ausgesetzt ist, je leichter es ist, sich denselben widerrechtlich anzueignen, um so mehr muß das Gesetz, und derjenige, welcher dasselbe handhabt, zum Schutze und zur Strafe bereit sein. Nun ist aber nichts der Verletzung so sehr ausgesetzt, als die Früchte des Feldes, und nichts so schwer zu hüten und zu bewachen als eben sie; daher hat von jeher und bei allen Völkern der Felddiebstahl, die Beschädigung der Felder, der Baumpflanzungen, die Entwendung von Ackerbaugeräthen u. s. w. eine härtere Strafe nach sich gezogen, als ein anderer Diebstahl von gleichem Betrage. Wirksamer indessen als jeder andere F. ist die fortschreitende Bildung des Volkes, und die mit derselben wachsende Achtung vor dem Gesetze und vor den Rechten Anderer. Auch wird eine gerechtere Vertheilung der Güter, welche die Gesetze allmälig vorbereiten müssen, harte Strafen überflüssig machen; wo hingegen unter unseren dermaligen Zuständen selbst die härtesten Strafen einen wahrhaften F. nicht mehr zu gewähren vermögen, wie denn das letzte Nothjahr an vielen Orten gezeigt hat, daß das Gesetz völlig ohnmächtig war, und die Beschützung des Feldes vor denen, die der Hunger zum Diebstahl trieb, der Privatwehr überlassen werden mußte. Der F. wurde auf Kosten des Besitzers von dessen bewaffneten Leuten gehandhabt, eine Erscheinung, die deutlicher als Alles dafür spricht, daß es keine übertriebene Redensart ist, wenn behauptet wird, der Krieg Aller gegen Alle habe thatsächlich begonnen.

Feldwirthschaft, s. Landwirthschaft.

Feldzeichen. Merkmale, an denen zu einander gehörige Truppen sich erkennen, wenn die Uniformen dazu nicht geeignet sind. Zu den F. gehören Cocarden, Feder-büsche, Schärpen u. s. w., welche aus den Nationalfarben zusammengestellt sind.

Felonie. Eigentlich eine Verletzung der Lehnverpflichtungen, welche je nach ihrer Höhe mit der Aufhebung des Lehns bestraft wurde. Mit dem Erlöschen des Lehnswesens ist diese Bedeutung des Wortes F. im Volkssinne verschwunden, und man bezeichnet damit Treulosigkeit und Verrath im Allgemeinen. In England heißt jedes Verbrechen F., auf welchem die Todesstrafe steht.

Ferman. Im türkischen Reiche ein Befehl des Sultans oder des Großvezirs, der im Namen des Sultans gegeben ist. Wer einen F. in die Hand bekommt, muß ihn erst ehrfurchtsvoll an die Stirne drücken, ehe er ihn liest.

Fessel. Jedes Werkzeug, durch welches der Mensch gebunden wird; also im engeren Sinne Stricke, Schlösser, Schrauben, Ketten u. s. w., durch welche seine Glieder gefesselt werden können, im weitern Sinne aber auch die Einrichtungen, welche einen moralischen Zwang ausüben, und des Menschen edleren Theil, die Seele, fesseln. Eine Seelen-F. ist es, wenn jeder Gedanke des Menschen der willkürlichen Schaltung eines Andern übergeben werden muß, bevor er an das Licht der Oeffentlichkeit treten darf. Eine Seelen-F. ist es, einen gewissen Gedankenkreis auf dem politischen oder religiösen Gebiete als zulässig zu bezeichnen, den Denker aber, der ihn überschreitet, zu mißhandeln, zu verfolgen und zu ächten. Die rohstofflichen F. für die Glieder des Menschen verschwinden mehr und mehr; die moralischen scheinen sich leider zu vermehren. Beide aber widerstreben gleichermaßen dem Geiste der Zeit, und er wird sie sprengen, wenn man nicht so klug ist, sie zu entfernen, bevor er diese Gewalt anwendet.

Feste. Die dem Menschen nöthigen Ruhepunkte, die ihm Erholung von Arbeiten und Mühseligkeiten gewähren, nennt er F. Nach dem Altdeutschen heißen sie Hochzeiten, d. i. Blüthenzeiten, Erfrischungs- und Vereinigungszeiten des mensch-lichen Lebens; denn

> „— Es soll der Feste Glanz und Schmuck
> Durchzieh'n das Leben, Frohsinn uns bewahren,
> Von Sorgen lösen, von der Mühe Druck,
> Und fest vereinen die getrennten Schaaren."

so will es die Natur der F., das Bedürfniß der Ruhe und der menschliche Hang zum geselligen Leben. „Gott selbst ruhete am 7. Tage vom Schaffen, und feierte den 7. Tag und heiligte ihn." Mit diesen Worten weihete schon die älteste Ur-kunde des Menschengeschlechts unsere F. und verbot deren Entweihung durch unnöthi-ges Tagewerk. „Festlichkeiten, Feierlichkeiten und Gebräuche — sagt Vater Jahn — sind als unzertrennliche Gefährten des gesellschaftlichen Seins auf der Erde verbreitet, so weit Menschen verkehren. Sie schließen sich den wichtigsten Handlungen an, ge-sellen sich zur Freude und Trauer, ja durchschlingen das ganze menschliche Leben und sind ein Erheben über das gemeine Leben, ein Herauskommen aus der Alltäglichkeit, eine Entfesselung des Geistes vom leiblichen Zwange, eine Abspannung des Körpers von der Frohnarbeit, eine Befreiung des Herzens von den Sorgen des Daseins — überhaupt ein Erholungsleben, wo der Mensch doch ein Mal der Gegenwart froh wird, ohne ängstliches Horchen und Zählen der Uhr, die ohne Rast zum Nothwerk abruft. Frei steht der Mensch dann als ein Wesen, das auf Freude ein ewiges und unveräußerliches Recht hat, nicht blos verstohlen sie nippen darf und sich knechtisch-lüstern im Winkel berauscht. Wer aber den Zweck und die Bedeutung der F. an-ders auffaßt, der gleicht einem „großstädtischen Morgenschläfer, der die Sonne in ihrer Schönheit und Pracht niemals aufgehen sah." — Ihrer Natur nach zerfallen die F. in kirchliche und politische oder Volksfeste. Beider Ursprung reicht

find, so ver-
er Geistes- und
. Die wichtig-

nur wenig anders und
steigende Geldherrschaft
Freiheiten und Rechte,
Seiten der Gewaltigen
erzeugt, die sich nur
der frische,
gen beginnt.
England.

die ein Freiheitsodem durchweht, von dem wir Deutschen leider
uns zu machen vermögen. **Frankreich** war nur zur Zeit
reich an schönen Volks-F.n, die meist an die Stelle der Kirch-
So feierte man damals dort F. der **Natur**; des Menschen-
der **Wohlthäter der Menschheit**; der
der **Freiheit**; der **Freiheit** der
eit; der **Gerechtigkeit**; der Tu-

deten Volkseigenthums sich wieder erheben möge!
Festung. Die Art und Weise, Krieg zu führen, ist zweierlei: Angriff und
Vertheidigung: Zur Letzteren gehören die F.en, welche nach den Begriffen der
theils als feste Stellungen be-
zungen genannt; einem weit
Dann dienen sie auch noch
die Verbindung zwischen
längs der Grenze eines
können, an deren Felsen-
r sollte besonders Deutsch-
zt sein; um dem russischen
jenseits der **Memel** und
ndeßhand erfolgt entweder

nach meist langwieriger Belagerung durch Capitulation, d. h. durch gegenseitig abgeschlossenen Vertrag, oder durch Sturmangriff. Die Haupttheile einer F., welche gewöhnlich franz. Namen führen, sind die Außenwerke, bestehend in Bastionen oder Erdwällen mit Graben und Fleschen oder Erdschanzen, und dann der bedeckte Weg mit seinen Waffenplätzen, bombenfesten Kasematten oder Mordkellern (vom span. Casa, Haus und matar, tödten) und Reduits oder Blockhäusern, Thürmen u. s. w. Kleinere F.en werden Citadellen oder Forts genannt. Ueber den Nutzen der F.en sind die Meinungen der Kriegskundigen sehr getheilt. Napoleon sprach sich darüber zwar sehr zu Gunsten derselben aus; doch war gerade er selbst es, der in seiner Art Krieg zu führen die besondere Wichtigkeit der F.en durch Nichtbefolgung des alten Grundsatzes, mit ihrer Eroberung Zeit und Mühe zu verschwenden, in Zweifel setzte. Auch liegt es in der Natur der Sache, daß die F.en im Innern eines Landes namentlich dann von selbst fallen müssen, wenn das ganze Land ringsum ein bereits erobertes ist. Daher werden sie in neuester Zeit höchstens nur durch kleine Beobachtungsheere abgesperrt, um ihnen so jeden Zufluß zu ihrer Erhaltung zu erschweren und es der Besatzung unmöglich zu machen, durch Ausfälle im Rücken der Heere gefährlich werden zu können. Die meisten F.en zählt Frankreich, das an seiner Nordgrenze mit einem förmlichen F.sgürtel umgeben ist. Keine Gegend in Europa ist aber auch in dieser Beziehung so gut geeignet, der Kunst die Hand zu bieten, als Frankreichs nördliche Grenze, der frühere deutsche Wasgau, von dem schon Friedrich der Große einst sagte: „Wasgau's Höh — Deutschlands Thermopylae!" — Daran scheinen jedoch die Deutschen von Anno 14 und 15 nicht gedacht zu haben; sonst hätten sie wohl noch die Grenzen zu berichtigen vermocht! Eine bloße Spielerei aber sind solche F.en wie der Königstein in Sachsen, und noch dazu eine sehr theure, die dem Ländchen viel Geld umsonst und um nichts kostet. — Die besten F.en eines Landes sind jedenfalls die Einheit und der Muth seiner Bürger. Wo aber diese sichersten Bollwerke fehlen, da helfen auch künstliche Befestigungen nicht nach! — W. Pretzsch.

Festungsstrafe. In einigen Staaten, und namentlich in Preußen, wird, wenn ein Verbrecher den gebildeten Ständen angehört, die sonst übliche Zuchthausstrafe in F. verwandelt; auch andere gewisse Verbrechen, wie die Mehrzahl der politischen, nur mit F. belegt. Diese besteht in Einsperrung in eine Festung, wobei dem Gefangenen gewöhnlich die Erleichterung gewährt ist, daß er sich nach Belieben beschäftigen, auch in einem gewissen Raume spazieren gehen kann. In neuester Zeit hat man gerade bei politischen Vergehen die letztere Erleichterung gar nicht gewährt, auch z. B. im Polenproceß weit mehr auf Zuchthaus- als auf F. erkannt.

Feudal, Feudalsystem, Feudalwesen, s. Lehn.

Feudum, s. Lehn.

Feueranlegen, s. Brandstiftung.

Feuerassecuranz, s. Feuerversicherung.

Feuerpolizei. Keines der Elemente ist dem Menschen so gefährlich als das Feuer, weil es die Gebäude, nach dem Boden das Kostbarste der Besitzthümer, bedroht. Es muß daher die vereinte Kraft zur Abwehr des Feuers angewendet werden, und wenn diese Abwehr auch Sache der Gemeinden ist, so hat doch der Staat eben so viel Pflicht als Interesse, darüber zu wachen, daß überall die gehörigen Vorkehrungen zur Abwehr der Feuersgefahr vorhanden sind. Diese Vorkehrungen in ihrer Gesammtheit sind die Aufgabe der F., und sie zerfallen 1) in Maßregeln zur Verhütung des Feuers; 2) in Anstalten zur Löschung desselben; 3) in Einrichtungen zur Wiederherstellung etwaigen Schadens. Den 1. Punkt betreffend, so ist vor Allem für eine zweckmäßige Bauordnung zu sorgen, durch welche feuergefährliche Bedachungen, unzweckmäßige und unsichere Anlegung der Feuerstätten und Essen, unzweckmäßige Reinigung der Letztern, zu geringe Breite der Straßen, Aufbewahrung

fer Zweig zerfällt wieder in die F.wiffenschaft, d. i. die Lehre von den Grund-
fätzen, die zu folchen Zwecken in Anwendung gebracht, und von der Ermittelung der
Wege, welche dazu eingeschlagen werden müffen; und in die Regeln und Vorschrif-

ten, welche bei der Ausführung der letztern zu befolgen sind, in die F.verwal-
tung. — Da der Staat mit der Verpflichtung zugleich das Recht besitzt, die zur
Erreichung und Förderung der Staatszwecke nöthigen Mittel von den Staatsangehörigen zu erheben, in deren eignem Vortheil die möglich vollständigste Erfüllung jener
Zwecke liegen muß, so wird diese wichtige Befugniß die F.hoheit genannt. Diese
jeder Staatsgewalt allemal innewohnende Befugniß ist jedoch im Verfassungsstaat an
die Zustimmung der Landes- und Volksvertretung gebunden und dadurch beschränkt,
insofern dieser das allgemeine F.gesetz, das Budget, sammt allen dazu gehörigen
Nachweisungen vorgelegt werden muß, bevor es in Vollzug gesetzt werden kann. Je freier
die Staatseinrichtungen sind, desto genauer wird der Kreis dieser Befugniß bezeichnet,
desto weniger ein Uebergriff von Seiten der Staatsgewalt zu besorgen sein, die dadurch
zugleich der großen Verantwortlichkeit überhoben ist, welche sich an die Ausübung eines
Rechtes knüpft, das alle Eigenthums- und Vermögens-Verhältnisse so nahe berührt, so
tief darein einzugreifen sich gezwungen sieht. Insofern ist es augenscheinlich, daß das
Staatsrecht und die Entwickelung desselben nach den Anforderungen der allgemeinen
Volksbildung auf diesen Theil der Staatswissenschaft von großem, zum Theil maß-
gebendem Einfluß sein werden. Dieser Einfluß wird aber durch Rücksichten bedingt,
welche die volkswirthschaftlichen Verhältnisse und deren möglichste Wahrung und Förderung erheischen. Hat das Staatsrecht, bezüglich der F.en, die allgemeinen rechtlichen Grundsätze festzustellen, die bei Aufbringung der Staatsbedürfnisse angewandt
werden müssen, so verlangen die volkswirthschaftlichen Interessen, daß die
F. den unablässigen Wandlungen Rechnung trage, die in den Vermögens- und Reich-
thumsverhältnissen, der Arbeit und ihren Bedingungen eines Volkes bald rascher,
bald langsamer vorgehen. Es ist um so nothwendiger, daß diese Rücksicht die Richtschnur für alle F.maßregeln, namentlich für die Besteurung (s. Steuersystem),
bildet, als die dauernden Fortschritte des Volkswohlstandes vorzugsweise es sind, woraus der Staat das Anwachsen seines Credits, und mit ihm die Fähigkeit, allen Bedürfnissen unter allen Umständen auf die leichteste Weise genugzuthun, schöpfen
kann. — Unter F.politik wird insbesondre derjenige Theil der F.wissenschaft genannt, welcher es mit der Erwägung und Untersuchung der den Verhältnissen entsprechenden Maßregeln zur Aufbringung der zum Staatshaushalt erforderlichen Bedürfnisse zu thun hat. — Die von einer solchen Erwägung an die Hand gereichten
Maßregeln in ihrem innern Zusammenhang und in ihrer ineinandergreifenden Ausführung nennt man F.system. Weise Sparsamkeit in allen Zweigen der Verwaltung, so weit dieselbe ohne Beeinträchtigung der vollständigsten Erreichung der Staatszwecke und namentlich mit Berücksichtigung der Bedürfnisse der Zukunft möglich, muß
auch hier die Richtschnur für die F.wissenschaft und F.kunst abgeben, und die
möglichste Steigung der Einkünfte darf von ihr nur so weit als Ziel hingestellt werden, als dieselbe aus Verbesserungen in den allgemeinen Vermögens- und Einkommens-
verhältnissen des Volkes hervorgeht, und der Mehrbetrag dieser Einkünfte aufs Neue
dazu verwandt wird, den Volkswohlstand noch höher zu entwickeln. Wie leicht dies
in vielen Fällen möglich, erhellt u. A. daraus, daß, wo man eine Herabsetzung der
Verbrauchszölle auf Lebensmittel, namentlich auf Reis, Zucker, Kaffee u. s. w. hat
eintreten lassen, die daraus fließenden Zolleinkünfte, statt sich zu vermindern, sich gesteigert haben, so daß die Volkswirthschaft daraus eine höhere Verbrauchsfähigkeit,
die F. eine Vermehrung ihrer Einnahmen gezogen hat. — Der F.verwaltung
liegt die Vollstreckung der F.gesetze ob; dieser Zweig zerfällt wieder in die Beitreibung, Aufbewahrung und Verwendung der Staatseinnahmen, die F.wirthschaft im
engeren Sinne, und in die Rechnungslegung, das Rechnungswesen, die Staatsbuch-
haltung, das Cassenwesen. Damit in allen diesen Zweigen die strengste Ordnung
herrsche, weder Vergeudung noch Unterschleif stattfinden können, ist eine sorgfältige und
fortdauernde Aufsicht im Ganzen und Einzelnen erforderlich.   J. G. G. *

unter bem allgemeinen Namen Budget ein=
n bie bem Bolfe zur Beftreitung ber Staats=
wahrfcheinlicher Ertrag

ebracht find. Ferner wird barunter bas Gefammt=, fowohl
und einzelne Boranfchlagung ber
ch wird mit F. bie Rechenfchafts=
bafür feftgefehten Frift, ber F.=
ter noch jeben Gefehentwurf, ber
f. w. zum Gegenftand hat. In

cht ein leerer Name bleiben foll, bie mög=
fo·häufig gefchieht, nur als ein höchft be=
ben, beffen Geltenbmachung, fobald fie, um
zu thun, nothwendig wird, man von Sel=
beftreiten und hintertreiben barf. J. S. S.
bringender
fich nun
cher Werfe, um bie Ausrüftung und Ber=
ein Deficit (f. b.) in ben Staatseinnahmen

tung·vorzubeugen ober abzuwenden, bem Staatsbanferott (f. b.) zuvorzufommen,
zu steuern, ober fich aus feinen Nachwirfungen herauszureißen und ben Crebit wieber

zu erreichen und zu verhüten, baß nicht vielleicht bie Uebel, gegen bie man fich fichern
will, noch größer, bie Berlegenheiten noch bringenber werben. Reblichfeit und
Worthalten, nebft Fähigfeit und tiefer Einficht in bie Lage ber Dinge, bei ben
Staatsmännern, bie fich einer folchen Aufgabe unterziehen, find bie nothwendigen
Bedingungen, um ben Schwierigfeiten ber Lage gewachfen zu fein, und ben Erfolg
ber Maßregeln zu fichern. Leiber find bie Beifpiele nur zu zahlreich, wo man, ftatt
bie Opfer zu rechtfertigen, zu welchen fich bas Bolf verftehen mußte, um aus fol=
chen Berlegenheiten fich zu retten, auf bie unverftänbigfte und gewiffenlofefte Weife
zu Werfe gegangen, ja, wo bie Berworfenheit öffentlicher Charaftere, felbft höchft=
geftellter Perfonen, fo tief fanf, bes maßlofen Unglücks, was über folche Staaten
hereingebrochen ift, fich zu eigner Bereicherung zu bebienen und bas Publicum burch
F. in einer Weife auszubeuten, baß bie zu Nichts entwertheten Staatsfchulbverfchrei=
bungen in biejenigen Säcfel ihren Weg fanben, welche bie Macht befaßen, bei wieber=
hergeftellten günftigen Finanzzuftänben eine mehr ober minber vollftänbige Tilgung
ber frühern Zahlungsverpflichtungen eintreten zu laffen, wobei bie wahren Gläubiger
ihr Vermögen verloren hatten. Unter ben F. biefer Art, an welche fich ewige Schmach
ihrer Urheber fnüpft, find bie unter ber Regentfchaft bes Herzogs von Orleans wäh=
renb ber Minberjährigfeit Ludwigs XV. in Franfreich vorgefommenen zu nennen,

deren verderblichen Ausgang weniger der Urheber des Plans, der Schotte Law, als der verderbte Hof und die sittenlose Gesellschaft des alten Frankreich verschuldet, deren geschichtliches Abbild in unserer Zeit um den Thron eines andern Orleans neu zum Vorschein gekommen ist. — Ferner ist zu erwähnen das österreichische Finanzpatent, die spanischen und portugiesischen Finanzwirren, und der Finanzschwindel in diesen Staaten während der neuesten Zeit (s. Staatsbankerott und Staatsschulden).   J. G. G.

Finanzpatent, österreichisches, s. Staatsbankerott.

Findelhäuser. Unter Aussetzen der Kinder haben wir bereits auf die Nothwendigkeit der F. hingewiesen. Es bleibt daher hier nur nachzutragen, daß dieselben bereits seit dem 6. und 7. Jahrh. üblich sind und zwar damit begannen, daß man die Kinder in ein Marmorbecken an den Hauptkirchen legte. Im 17. Jahrh. waren dieselben bereits sehr ausgebreitet. Um beim Aussetzen kein Hinderniß in den Weg zu legen, ist an den F.n meistens eine mechanische Vorrichtung angebracht, auf welche das Kind gelegt werden kann, und die alsdann durch die Schwere des Kindes, dasselbe in das Innere des Hauses führt. Jemehr man die Nothwendigkeit der F. bei unsern Gesellschaftszuständen anerkennt, mit um so größerem Entsetzen muß man auf die bisherigen Ergebnisse derselben hinblicken. Denn es ist leider Thatsache, daß von allen F.kindern ⅓ in der kürzesten Zeit sterben, die Uebrigen aber leider moralisch verwahrlost die F. verlassen, und nur zur Vermehrung der Sittenverderbniß beitragen. Die Sterblichkeit zu vermindern, hat man die neugebornen Kinder, die in den F. nur fabrikmäßig verpflegt werden könnten, an einzelne Ziehmütter und Säugammen, aus den ärmeren Klassen der Gesellschaft, gegeben. Die Sterblichkeit war dabei eine geringere, wenn auch nicht geläugnet werden kann, daß die Kinder doch oft vernachlässigt wurden. Wie groß diese Uebelstände auch sind, sie beweisen nur, daß die F. noch nicht zweckentsprechend eingerichtet sind, und daß die Ziehmütter nicht sorgsam genug gewählt und beaufsichtigt wurden. Gegen die Nothwendigkeit und Nützlichkeit der F. beweisen sie nichts. Mit den Krankenhäusern ist anfangs dieselbe Erfahrung gemacht worden, aber man hat sie deshalb nicht eingehen lassen. Wenn man die F. nur auf den Zustand der Vollkommenheit bringt, wie die Krankenhäuser, so werden sie eben so segensreich wirken. Und wenn die Thatsache nicht zu leugnen ist, daß eine große Anzahl F.kinder durch den Mangel an mütterlicher Pflege zu Grunde geht, so kann die Gesellschaft ruhiger auf dieses Ergebniß blicken, als wenn sie besorgen muß, daß eine jedenfalls größere Anzahl durch Mord, Hunger und Elend verkümmert. Als eine Sonderbarkeit mag hier noch erwähnt werden, daß in Spanien bis vor wenigen Jahren jedes F.kind als adlich betrachtet wurde, weil nach den herrschenden Ansichten es weit weniger schrecklich sei, daß 100 bürgerlich geborne zum Adel gezählt würden, als daß ein Adliger sein unschätzbares Geburtsrecht einbüßte. Wahrscheinlich haben die Spanier die Neigung und das Verfahren des Adels gekannt.

Fiscal, so viel wie Staatsanwalt, s. Anklageproceß.

Fischerring heißt ein Zeichen der päpstlichen Würde und Gewalt, nemlich das im 13. Jahrh. eingeführte goldene Siegel des Papstes, welches den Apostel Petrus als Fischer darstellt.

Fiscus heißt eigentlich ein geflochtener Korb zum Gelde; dann die ehemalige Privatkasse der röm. Kaiser; später die landesherrlichen Gefälle oder auch die Rechte des Landesherrn selbst, vermöge deren gewisse Abgaben an ihn entrichtet werden mußten. Endlich noch jede Kasse einer öffentlichen Anstalt, Gemeinheit u. s. w., wie z. B. die landständ. Kassen, Stiftungen u. s. w. Der F. und seine zum Theil verworrenen und dem vernünftigen Rechte widersprechenden Bestimmungen verdanken ihre Entstehung der Alleinherrschaft (s. d.) der alten röm. Kaiser, die neben dem Staatsschatze noch eine besondere Privatkasse hatten, welche der F. genannt wurde. In diesen F. flossen außer mehreren bestimmten Volksabgaben auch noch diejenigen

Gelder, welche dem Volke willkürlich abgepreßt worden waren durch Beschlagnahmen, Strafen und dergl. Mit gleicher Willkür gaben sie dem F., der zu einer moralischen Person erhoben und durch besonders angestellte Beamte verwaltet wurde, die ausgedehntesten und ungerechtesten Privilegien, bis zuletzt das ganze röm. Staatsvermögen dem F. anheimfiel, und somit völliges Eigenthum der Gewaltherrschaft wurde. Nicht anders verfuhr der mittelalterliche deutsche Lehnsdespotismus. Auf jenen altröm. Herrschergrundsätzen fußend, nahmen die deutschen Kaiser und Fürsten den F. für sich und ihre Zwecke in Anspruch, so weit dies durchgesetzt werden konnte; und wenn auch hier eine gänzliche Vermischung des Staatsvermögens mit dem F. nicht möglich war, so wußte man Letztern doch stets durch eine Menge ungerechter Erpressungen und abgeschmackter Dichtungen von landesherrlichen Obereigenthumsrechten u. s. w. zu füllen. Auf unsere jetzigen staatlichen Verhältnisse leiden jedoch die frühern verworrenen und willkürlichen Begriffe und Rechtsbestimmungen hinsichtlich des F. keinerlei Anwendung mehr; und selbst wo sie noch bestehen, müssen sie als traurige Ueberreste des alten **Feudalismus** betrachtet werden. Ueberhaupt kann nach staatsrechtlichen Grundsätzen nur die wirkliche Staatsregierungsgewalt einen F. haben, niemals aber Unterthanen, wie etwa Standesherren oder Körperschaften. Dann stehen dem F. nur diejenigen besondern Vermögens- und sonstigen Rechte zu, welche nach den Landesgesetzen zwar dafür erklärt worden sind, nie aber ausgedehnt oder auf andere Kassen und Verhältnisse übertragen werden dürfen. Zum eigentlichen F. gehören daher weder die Staatskasse mit ihren verschiedenen Unterabtheilungen, wie **Steuer**- und **Landschaftskassen**, **Kriegskassen**, **Domänenkassen** u. s. w., noch auch das landesherrliche Privat- oder Schatullvermögen, Stiftungs- und Gemeindevermögen u. s. w., sondern lediglich Strafgelder, Untersuchungskosten und gewisse andere Einkünfte, die ihrer Natur nach mit jenen verwandt sind. Wo aber die **Landesgesetze** Ausnahmen hiervon gestatten, müssen solche allerdings noch gelten; allein, weder die Gesetze altröm. Herrscherwillkür noch die von liebedienernden Juristen ersonnenen F.-privilegien vermögen Dinge zu rechtfertigen, welche, wie z. B. **Gütereinziehungen**, Vermögensbeschlagnahmen u. s. w., unbedingt als unrechtmäßige Erwerbungen angesehen werden müssen. Der F. soll und muß unter dem gemeinen Recht stehen und Recht nehmen vor dem ordentlichen Landesgerichte. Dieser Grundsatz ist selbst von gerechtigkeitsliebenden Fürsten, wie Friedrich dem Großen, anerkannt und ausdrücklich ausgesprochen worden. Derselbe Grundsatz sollte aber auch dann — ja dann erst recht volle Geltung erlangen, wenn der schwache Bürger als angeblicher Beleidiger der übermächtigen Regierungsgewalt gegenüber steht, wo es dann leicht kommen kann, daß schwache Richter bestimmt werden, das Recht des Angeklagten den Ansprüchen des Klägers zu opfern. **W. Pretzsch.**

Flagge. Eine Fahne von wollenem Zeug, aus den Nationalfarben zusammengesetzt, welche auf dem Hintertheile des Schiffes aufgesteckt wird, um zu zeigen, welchem Volke es angehört.

Flanke. Bei der Aufstellung eines Heeres diejenige Truppenlinie, welche mit der Vorderseite des Heeres einen rechten Winkel bildet. Eine Truppenbewegung, durch welche ein Theil des Heeres in diese Stellung kommt, heißt daher F.nbewegung. Auch die Linie einer Festung, welche die andere bestreicht, d. h. mit ihren gerad gerichteten Geschützen berührt, heißt F.

Flecken. Ein Mittelding zwischen Stadt und Dorf, wo sich die Landwirthschaft mit den gewöhnlichen bürgerlichen Geschäften zu vereinigen pflegt.

Fleischanbeter, f. Apollinaristen.

Fleischesverbrechen, f. Unzucht.

Fleschen, f. Festung.

Fliegend. In der Kriegskunst nennt man alles das f., was sich leicht und

schnell herstellen und bewegen läßt. Daher f.e Batterie, eine kleine Zahl leichter
Geschütze; f.es Corps, eine kleine Abtheilung leichter Truppen u. s. w.

Flinte, s. Gewehr.

Flotte nennt man eine Anzahl Schiffe, die unter dem Befehle eines Admirals
stehen. Zu einer F. gehören mindestens 15—20 Schiffe, und zwar der größeren
Art. Sind es weniger, und meist kleinere Schiffe, so nennt man die Sammlung
Geschwader.

Flucht. In der Kriegskunst das Davonlaufen eines Heeres vor dem Feinde,
und zwar in solcher Regellosigkeit, daß alle Ordnung aufgelöst ist und Jeder nur an
seine eigne Sicherheit denkt.

Flugschrift, eine Schrift von geringem Umfange, die über Tagesbegebenheiten
handelt, dazu bestimmt ist, schnell verbreitet zu werden, aber auch eben so schnell
wieder vergessen wird. In der Zeit regen politischen Lebens sind die F.en von großer
Wirksamkeit und erscheinen dann auch am zahlreichsten. Uebersichtlichkeit und Klarheit, verbunden mit Kürze und lebhafter Darstellung, sind die wünschenswerthen Eigenthümlichkeiten einer F., durch welche sie ihren Zweck, die Masse über einen Gegenstand zu belehren und dafür zu gewinnen, am besten erfüllen.

Flurbuch (Stockbuch, Kataster) heißt das Verzeichniß der in einem gewissen Raume liegenden Grundstücke, mit genauer Vermessung und Schätzung derselben. Jede Gemeinde hat ein eignes F., dessen Instandhaltung und Ergänzung ihr
obliegt. Durch das F. wird eine gleichmäßige und gerechte Besteuerung bezweckt,
eben so eine Sicherstellung derer, welche Darlehne auf Grundstücke leisten. Die Anfertigung des F.s, oder vielmehr die Beaufsichtigung dieser Anfertigung ist demnach
Sache des Staats, welcher zunächst zur gerechten Vertheilung der Steuer desselben
bedarf. In der neuesten Zeit sind in vielen deutschen Ländern neue Flurbücher hergestellt worden, was zur zweckmäßigern Vertheilung der Steuern nicht wenig beigetragen hat.

Flußrecht. Wie sich die großen und kleinen Feudalherren allmählig Alles an-
eigneten, was irgendwie verwerthet werden konnte, so betrachteten sie vom 12. Jahrh.
an auch die Flüsse als ihr Eigenthum und maßten sich ein F. an, vermöge dessen
jede Benutzung der Flüsse, sei es zur Fischerei, zum Waarentransport, oder zur Anlegung von Mühlen und andern Triebwerken, einer besondern Erlaubniß bedurfte, die
natürlich nur gegen Bezahlung ertheilt wurde. Als die kleinen Feudalherren verschwanden, blieb das F. ein Theil der Landeshoheit, und die Befugniß zur Nutzung
der Flüsse wurde nun von ihr verliehen. Die kleinern Flüsse, auf welche das F.
lange nicht ausgedehnt worden war, wurden nun ebenfalls mit demselben belastet, so
daß die Flüsse ein sehr einträglicher Gegenstand für den Fiscus wurden. Allerdings
hat der Staat, vermöge seiner Aufgabe, das Recht auf jedem Gebiet zu wahren, die
Pflicht, ein F. zu schaffen, d. h. darüber zu wachen, daß die Flüsse ihrer natürlichen
Bestimmung hingegeben bleiben und nicht etwa durch Selbstsucht und Eigennutz derselben entzogen werden. Allein nimmermehr kann es gebilligt werden, daß Alles und
Jedes nur zur Vermehrung der Staatseinkünfte benutzt wird, und diese Vermehrung
überall Hauptsache, das Leben und seine Bewegung Nebensache ist. Was hinsichtlich
der großen Flüsse in Deutschland nothwendig und wünschenswerth ist, wurde unter
Elbschiffahrt mitgetheilt; für die kleinern Flüsse s. den Art. Wassergesetz.

Flußschiffahrt. Flüsse sind die natürlichen und wohlfeilsten Straßen des Verkehrs und eine weise Staats- und Volkswirthschaft wird aus diesem Grunde alles
Mögliche anwenden, dieselben in einer Weise herzustellen, daß sie ihren höchsten Nutzen
für den Handel und Wandel entwickeln können. Dazu gehört aber vor Allem, daß
alle Binnenzölle und Belastungen der Schiffahrt auf den Strömen, soweit dergleichen
Abgaben nicht zur Instandhaltung des Fahrwassers, zur Vertiefung desselben, Aus-
baggerungen, Strombauten, Eindämmungen, Anlegung von Buhnen, Verbesserung der

Lebendhabe nothwendig und zu diesem Zwecke ausschließlich erhoben und verwendet werden, aufzuheben sind. Diese Nothwendigkeit hat man überall verstanden, nur in Deutschland nicht, wo Rhein, Weser, Elbe, Neckar, Main, Lahn u. s. w. nicht nur mit lästigen und zum Theil unerschwinglichen Zöllen überbürdet erscheinen, sondern auch nur sehr wenig zur Stromregulirung und für Verbesserungen geschehen ist, wie dies in Bezug auf die Elbschifffahrt (s. d.) bereits nachgewiesen wurde. Das Interesse der F. verlangt nicht allein die Freiheit der Ströme längs ihres Laufs im Innern des Landes, dem sie angehören, sondern auch namentlich die völlige Freiheit der Strommündungen. Wenn irgend wie die drohende Stellung des einen Volks gegen ein anderes gerechtfertigt erscheint, so in dem Falle, wo die Freiheit der Strommündungen vorenthalten wird, wie solches durch Holland bezüglich des Rheins, durch Rußland bezüglich der Donaumündungen geschehen.   J. G. G.

Fluththore, s. Canäle.

Flügel. In der Kriegswissenschaft die Endpunkte eines aufgestellten Heeres oder Heerabtheilung.

Folter (Tortur, peinliche Frage) ist das im frühern Strafprocesse von den Gerichten gegen eines Verbrechens beschuldigte, aber nicht überführte, Personen angewendete äußere Schmerzen erregende Mittel, um die Wahrheit zu erforschen und insbesondere das Bekenntniß etwaiger Schuld herbeizuführen. Die F. ist dem alten deutschen Gerichtsverfahren fremd, sie wurde den fremden Rechten, besonders dem römischen, unter dem Einflusse der Geistlichkeit und der Juristen entlehnt; es wurden aber deutsche Rechtsansichten in ihre Anwendung gelegt. Um den wesentlichen Zweck der F. in rechtswissenschaftlicher Bedeutung sich vorzustellen, vergegenwärtige man sich den geschichtlichen Gang der Beweisführung oder Wahrheitsermittelung im deutschen Strafprocesse. Gestand der eines Verbrechens Beschuldigte die That und stimmte dieses Geständniß mit den über die Verübung des Verbrechens erhobenen Erkundigungen überein, oder wurde der Verbrecher bei der Verübung (auf handhafter That) ergriffen und durch Zeugen überführt, so erfolgte seine Verurtheilung in die gesetzliche Strafe. Leugnete er aber die ihm beigemessene verbrecherische Handlung und es waren nur ihn mehr oder minder stark verdächtigende Anzeichen (Indicien) vorhanden, so lag es dem Beschuldigten ob, sich von diesem Verdachte zu reinigen. Dazu dienten in früherer Zeit der Leugnungs- oder Reinigungseid, durch Eideshelfer (s. d.) verstärkt, und durch Gottesurtheile (s. d.). Bei dem gestiegenen Einfluß der durch die Geistlichkeit verbreiteten religiösen Anschauungen wurden die Reinigungseide seltener, und nur bei Personen, bei welchen man nach ihrem früheren Lebenswandel Gewissenhaftigkeit und Wahrhaftigkeit voraussetzte, angewendet (geistige Folter, tortura spiritualis). Bei unglaubwürdigen Personen oder auch bei starkem Verdachte (redlichen Anzeichen oder halbem Beweise) wegen schwererer Vergehen, wollte eine peinliche Strafe nach sich zögen, sollte ein äußeres, auf den Körper zunächst gerichtetes Nöthigungsmittel den Reinigungseid und die Gottesurtheile ersetzen. Hierbei lag die Annahme zum Grunde, daß Gott dem Unschuldigen zur Ertragung der Schmerzen und zur Behauptung der Schuldlosigkeit Muth und Ausdauer verleihen werde, während der Schuldige bei den äußern Qualen das peinigende Bewußtsein der Schuld nicht zu verbergen vermöchte. Ueberstand der Gepeinigte die F., ohne ein Geständniß abzulegen, so mußte er freigesprochen werden, doch konnte bei neuen Anzeichen eine 2. und 3. F. angeordnet und auch bei dem Ergebnisse neuerer Anzeichen eine außerordentliche Strafe gegen ihn angewendet werden. Der frühere Strafproceß unterschied sich von dem jetzigen besonders dadurch, daß nach jenem dem Richter durchaus nicht, wie jetzt, gestattet war, die Verdachtsgründe sich selbst zusammen zu stellen und die Beweisführung durch geistige Operationen vorzunehmen, um zu dem verurtheilenden oder freisprechenden Erkenntnisse zu gelangen; man trachtete vielmehr für unerläßlich, daß der Richter durch äußere Beweismittel zur Erkenntniß der Wahrheit gelange, um nicht als ein Zeuge der Schuld, welcher sich selbst Zeugniß ablege, zu erscheinen. In dieser rechtsgeschichtlichen Auffassung findet die F. eine rechtfertigende Erklärung für das mittlere Zeitalter, welchem die Rücksichten der Humanität gänzlich fremd waren. Der jetzigen Bildung muß sie natürlich als ein barbarisches Zwangs- und Erpressungsmittel gelten, welches eben so unverträglich mit der Vernunftmäßigkeit staatlicher Einrichtungen, als mit der Würde der Menschheit ist. Leider aber ist es zu beklagen, daß in neuerer Zeit häufig an die Stelle jener, wenigstens durch Gesetz geregelten und nach Graden abgemessenen F. andere körperliche und geistige, aus dem Strafrechte gar nicht zu rechtfertigende Quälereien der Angeklagten getreten sind, wohin die Verschleifung der Untersuchungen, (in vielen Fällen) unnöthiges Gefangenhalten, Entziehung gewohnter Beschäftigung u. s. w. gehören. Es gab 3 Grade der wirklichen F., welche in den Urtheilen mit den Ausdrücken: gelinder Weise, — ziemlicher Maßen, — mit der Schärfe bezeichnet wurden. Der Gerichtsbrauch hat noch 2 der wirklichen F. vorhergehende Abstufungen hinzugesetzt; hiernach a) wurde die F. angedroht, wo der Angeklagte in die Marterkammer geführt, ihm die Instrumente gezeigt und deren Anwendung erläutert wurde (Androhung, territio verbalis); b) der Scharfrichter ergriff den Angeklagten, entkleidete ihn, legte ihm die Daumschrauben an, schraubte sie etwas fest, konnte auch die auf den Rücken zurückgebogenen Arme ein oder mehrere Male, doch nicht über den 3. Theil des Armes, mit Schnüren zusammenziehen, so daß die Schnüre den Knochen berührten (mit den Schnüren den Anfang machen); c) der 1. Grad der eigentlichen F. Es wurde die beschriebene Pein fortgesetzt und die Arme in ihren obern Theilen zusammengeschnürt (verstatten, ihn mit den Banden zu schnüren); d) 2. Grad. Es wird die so geschnürte Person auf die Marterleiter ausgestreckt und auf derselben 2—3 Mal auf und nieder gezogen (ziemlicher Maßen); e) 3. Grad. Sie wird auf der Leiter ausgedehnt erhalten und mit angezündetem Schwefel oder Kienholz gepeinigt, oder auf eine metallene Thiergestalt gesetzt und dieselbe bis zur Gluthhitze erwärmt (mit der Schärfe). Es werden jedoch außerdem ganz eigne Werkzeuge der F. genannt, als: der spanische Stiefel, der Bock, der Halskragen, die pommersche Mütze, der lüneburger Stuhl, welche in den einzelnen Ländern zur Anwendung kamen. Die peinliche Halsgerichtsordnung (s. Carolina) enthält genaue Bestimmungen über die Bedingungen der Zulässigkeit, über Anwendung und Grade der F. *Adolph Hensel.*

Fond. Wörtlich: Grund, Boden; vielfach übliche fremde Bezeichnung für das zu einem bestimmten Bedürfnisse erforderliche Geld. Daher spricht man auch von öffentlichen F.s und bezeichnet damit die Mittel des Staates.

Forderungsrecht, s. Concurs.

Formen heißen die Umstände und Aeußerlichkeiten, die mit jedem Geschäfte verknüpft sind, ohne welche dasselbe nicht zur Erscheinung kommen kann. Die F. sind gewissermaßen der Körper, in welchem die Seele: die Handlung, lebt. Daraus folgt, daß die F. auf das Nothwendige und Unerläßliche beschränkt, niemals Hauptsache sein und die Handlung gewissermaßen überwuchern sollen. Leider findet unter der Schreibstubenherrschaft häufig das Gegentheil statt; damit das unübersehbare Beamtenheer Beschäftigung hat, sind die F. bis ins Endlose vermehrt und ausgedehnt; es scheint fast, als ob die Handlung der F. wegen, nicht diese der Handlung wegen da sind. Ueber die Wichtigkeit der constitutionellen, d. h. Verfassungs-F. s. Verfassung.

Forst, üblicher Ausdruck für Waldung. Was in staatsrechtlicher Beziehung darüber zu bemerken ist, s. Forstgesetz.

Forstakademie. Eine Lehranstalt für künftige Forst- und Jagdbeamte. Die bedeutendsten in Deutschland sind die in Tharandt und in Dreyßig-Acker. Forstbeamte heißen alle beim Forstwesen angestellten Personen.

Forſtfrevel nennt man die Verletzung und Entwendung des Holzes. Das Nähere darüber ſ. Forſtgeſetz.

Forſtgeſetz. Seitdem der erhöhte Bedarf an Heizungsſtoff die öffentliche Aufmerkſamkeit und Sorge mehr als ſonſt den Waldungen zuwendet und die Forſtkunde überhaupt durch Männer, wie Cotta, v. Wedekind, Bechſtein u. A., zum Range einer ordentlichen Wiſſenſchaft erhoben worden, — hat auch das F., als ein wichtiger Theil derſelben, eine höhere Geltung erlangt. Das F. umfaßt alle die Rechtsſätze, welche ſich auf Wald und Jagd beziehen und greift theils in das Polizeirecht, theils in das Privat- oder bürgerliche Recht ein, in ſo fern nämlich die Waldungen Eigenthum des Staates, oder der Gemeinden, oder aber einzelner Perſonen ſind. Sein Zweck geht in jeder Beziehung dahin, das geſammte Forſtweſen ſo zu ordnen, daß nichts ohne Nutzen verbraucht oder verdorben, das Verbrauchte aber wieder erſetzt wird. Daher erſtreckt es ſich eben ſo gut auf das Forſtweſen überhaupt, wie auf die Forſtpolizei, Forſtverwaltung und das Forſtſtrafweſen beſonders. Welch eine Wohlthat gute F.e für die Geſammtheit ſind und wie ſehr deren ſtrenge Handhabung im allgemeinen Intereſſe gewünſcht werden muß, ſtellt ſich immer mehr in dem täglich fühlbarer werdenden Holzmangel heraus, deſſen Urſache einzig nur in früherhin fehlenden oder doch nur leichthin angewendeten F.en und der daraus hervorgegangenen gänzlichen Vernachläſſigung der Waldcultur geſucht werden muß; und wenn auch in neueſter Zeit die hin und wieder entdeckten Kohlenlager eine willkommene Aushilfe gewähren, ſo iſt doch deshalb die Pflege des Waldes nicht minder wichtig. Deshalb iſt es Pflicht für den Staat ſowohl, wie für die Gemeinden und Privaten, die F.e kräftig zu unterſtützen. — Das Intereſſe der F.e kann überhaupt nicht nach dem kurzen Maßſtabe eines Menſchenlebens bemeſſen werden, denn es iſt ein ewig fortdauerndes. Doch darf dieſe Geltendmachung des F.s nie ſo weit gehen, die Tödtung oder Verſtümmelung eines Waldfrevlers gut zu heiſſen oder auch nur ſtillſchweigend zu billigen, wie es leider nur zu häufig vorkömmt. Eine ſolche Handlung gehört unter die Verbrechen und muß als ſolches beſtraft werden, wenn es Recht und Ordnung im Lande noch giebt; denn höher noch, als das F., ſteht das Sittengeſetz und die daraus entſpringende Verantwortlichkeit der Geſellſchaft für das Leben und die Geſundheit des Einzelnen. Zudem iſt jeder Wald urſprünglich ein Gemeinbegut geweſen. Selbſt das geſchichtliche oder ſogenannte Spitzbubenrecht, das ſich doch ſonſt in jeder Hinſicht zu helfen weiß, vermag kein Beiſpiel aufzuſtellen, daß irgend einmal ein adeliges Junkerchen mit einer Schenkungs-Urkunde über ein Stück Wald zur Welt gekommen ſei. Mithin kann und darf eine Verkürzung oder Verſchleuderung deſſelben nach demſelben Rechtsgrundſatze beurtheilt werden, den man im gewöhnlichen bürgerlichen Leben etwa bei boshafter oder muthwilliger Verſchwendung anwenden würde. Völlig verſchieden aber wird der Geſichtspunkt dieſer Frage, wenn der begangene Holzfrevel nur als nothwendige Folge der Noth und des Triebes der Selbſterhaltung ſich herausſtellt. In ſolchen Fällen muß das ſtrengere F. der Milde weichen und die Menſchlichkeit das Richteramt übernehmen. Jeder Pfennig Strafe dabei aber iſt Sündengeld! Keineswegs ſei damit dem Waldfrevel das Wort geredet, der nichts Anderes als ein an der Sittlichkeit und dem Wohlſtande der ärmeren Volksklaſſen nagender Krebsſchaden iſt, welcher aus der frühern Nichtbeachtung des Waldeigenthums ſeinen Urſprung herleitet; aber die Barbarei früherer Jahrh. in ſeiner Beſtrafung hat nichts mehr mit der heutigen Humanität gemein; dem Staat und der Gemeinde kommt es zu, durch beſtändige Arbeit und entſprechenden Lohn dafür auch in dieſer Beziehung für die Armen zu ſorgen, oder die gerühmte Aufklärung unſerer Tage wird zu einem Märchen, an das ſelbſt das Kind nicht mehr glaubt! *W. Pretzſch.*

Forſtwirthſchaft heißt die pflegliche Behandlung und Erhaltung des Forſtes.

Fort, ſ. Feſtung.

Forum, s. Gerichtsstand.

Fourier heißt ein Unterofficier bei jeder Compagnie, welcher auf dem Marsche die Pflicht hat, für die Verpflegung der Seinen zu sorgen.

Föderalismus. Als mit dem Ausbruche der franz. Staatsumwälzung Paris eine noch drückendere Gewalt über die einzelnen Theile Frankreichs ausübte, als früher das Königthum, erstand im Schoße der Volksvertretung eine Partei, welche den einzelnen Provinzen Selbstständigkeit und Unabhängigkeit gewähren wollte. Nach ihrer Ansicht wäre die Republik in einen Föderativstaat (Bundesstaat) verwandelt worden. Die herrschende Partei erklärte den F. für ein Verbrechen und vernichtete seine Anhänger, worunter auch die Girondisten gehörten.

Föderativstaat, s. Bundesstaat.

Fracht (Frachter, Frachthandel, Frachtcontract). Die Theilung der Arbeit, welche mit Vervollkommnung der Erzeugung einerseits, der Beförderungs- und Verkehrsmittel andererseits gleichen Schritt hält, hat schon früh eine Sonderung der Geschäfte der Waaren- und Gütererzeugung (Production), des Waaren- und Gütervertriebs (Handel) und der Waaren- und Güterbeförderung (Versendung, Verladung, Verfrachtung) zu Wege gebracht. Der letztere Verkehrszweig theilt sich wieder in den Speditionshandel, das Abfertigungs- oder Versendungsgeschäft, der eigentliche F.handel — in vielen Fällen mit dem Commissionshandel (s. b.), dem Besorgungsgeschäft, verbunden — und in das F.- oder Verladungsgeschäft, welches, je nachdem der Gütertransport zu Wasser oder zu Lande stattfindet, Wasser- (Schiffs- oder See-) F. oder Land-F. sein kann. Das F.geschäft wird zu Lande durch Fuhrleute, Postanstalten, Eisenbahnen besorgt, oder durch mannigfaltige und vielnamige Speditionsgeschäfte, in Oesterreich durch sogenannte Briefträger, in Frankreich durch die Commissionaires du roulage und zum Theil durch die Messagerien u. s. w. vermittelt; über See wird es durch die Rhederei (s. b.) und die Frachtschiffer betrieben. — F. in specieller Bedeutung wird auch die Summe genannt, welche von dem Befrachter dem Frachter, d. i. demjenigen bezahlt wird, welcher die Beförderung der Waaren nach einem bestimmten Ort und gewöhnlich auch in einer festbestimmten Zeit zu übernehmen sich verpflichtet. — Diese Vereinbarung über die F. mit allen erforderlichen Bedingungen wird in einer schriftlichen Urkunde, bei dem Wassertransport F.contract (Certapartie, Chartepartie, Charterparty, auch Connossement oder Ladungsbrief), bei der Beförderung zu Lande F.brief genannt, verzeichnet und beglaublicht. Bei allen sich erhebenden Zweifeln, Streitigkeiten und Bedenken, zwischen Befrachter und Frachter nicht nur, sondern auch bei den Zoll- und andern Behörden, bietet der F.brief das hauptsächlichste Beweismittel und besitzt vor den Gerichten, wenn in der gehörigen Form und mit Beobachtung aller vorgeschriebenen Bedingungen ausgefertigt, den Charakter eines unwiderredlichen Actenstücks. Da die gesetzlichen Bestimmungen über die allgemeinen Verpflichtungen, namentlich bei der See- oder Schiffs-F., hinsichtlich der Haftung des Frachters bei Verlust oder Beschädigung, bei verzögerter oder gehemmter Ablieferung u. s. w. äußerst umfangreich, häufig auch nach dem Seerecht der verschiedenen seefahrenden Völker verschieden sind, so geht daraus von selbst die Nothwendigkeit für den Befrachter hervor, sich durch genaue Abfassung und Ausfertigung des F.contracts möglichst sicher zu stellen und es liegt im Interesse des Handeltreibenden, sich mit jenen Gesetzen und den vorgeschriebenen Förmlichkeiten aufs genaueste bekannt zu machen; auch liegt es namentlich den Handelsconsuln (s. Consul) ob, eine möglichst vollständige Kenntniß aller darauf bezüglichen gesetzlich geltenden Bestimmungen, Uebungen u. s. w. sich zu erwerben.   J. G. G.

Fraiß, so viel wie Blutbann (s. b.).

Französische Kirche, s. Gallicanische Kirche.

Frauen, deren Stellung in Staat und Gesellschaft, s. Emancipation der Frauen.

Frauenvereine. Das Ringen der Frauen nach einem thätigern Eingreifen in das Staats- und politische Leben und ihre Würdigkeit dazu offenbart sich wohl am besten in der vielfachen Theilnahme am öffentlichen Leben. Eines der schönsten Zeichen derselben aber sind die F., meist zu wohlthätigen Zwecken gegründet, in welchen auch die Frauen den Segen vereinter Kraft zu prüfen und zu bethätigen Gelegenheit fanden. Die ersten F. erschienen in den Kriegszeiten und sie richteten ihre Thätigkeit zunächst auf die Pflege, Unterstützung und Versorgung der Verwundeten und Verstümmelten. Seitdem haben sie fortgewirkt in diesem Sinne und in fast allen

selbe mit eben so viel Zartsinnigkeit, als Umsicht und Milde verwalteten. Möchten die Frauen unermüdet fortfahren in diesem Wirken; in den Umgestaltungen, welchen die Gesellschaft entgegen geht, wird ihre weiche Seele den mildernden Einfluß äußern, welchen sie in allen Lebensverhältnissen auszuüben bestimmt sind.

Frauenzins, s. Bedemund.

Fräulein. Das Verkleinerungswort von Frau und gewöhnliche Benennung für junge unverehlichte Frauen. Wie wir zu dieser Worterklärung kommen? Wenn sich der Staat um die F. bekümmert, so müssen wir's wohl auch. In neuester Zeit aber sind in 2 deutschen Staaten, in Preußen und Weimar, gesetzliche Vorschriften erschienen, daß ein F. bürgerlichen Standes eben nicht zu benennen sei, sondern Jungfer, oder, wenn sie den gebildeten Klassen angehört, Demoiselle. Wenn sich der Staat im 19. Jahrh. um solche Dinge bekümmert, ist es dann ein Wunder, daß er alljährlich mehr Beamte und mehr Geld braucht? ist es ferner ein Wunder, wenn das Volk von der hohen und heiligen Ehrfurcht, die es vor der Regierung haben sollte, mehr und mehr verliert und zuletzt nichts mehr darin sieht, als eine kleinliche Polizeianstalt, die nur zu seiner Belästigung da ist? Unsere Leser aber mögen sich hüten, wenn sie Verbindungen in Preußen und Weimar haben, daß sie die Benennungen F., Demoiselle und Jungfer ja nicht verwechseln. Manches adelige F. könnte es sehr ungeeignet finden, wenn man sie Jungfer nennt.

Freibauern nannte man ehedem die Bauern, welche von den gewöhnlichen Lasten und Frohnen befreit waren und als freie Menschen auf ihrem Besitzthume lebten. Wie überall die Freiheit aus der Nacht der Sklaverei zuerst als Ausnahme und Privilegium emporstieg, so machten auch die F. den Anfang der Erscheinung freier Bauern.

Freie Gemeinden. Unter diesem Namen haben sich in der jüngsten Zeit Genossenschaften in Deutschland gebildet, die den Glaubenszwang, welchen die Kirche ausübt, völlig von sich abwerfen und sich ganz außerhalb des Bereiches der Kirche stellten. Sie wollen kein Symbol, kein Bekenntniß, keine Agende, keine vorgeschriebenen Gebete, keine befohlenen Gottesdienstformen, keine knechtenden Sacramente und keine von all den Fesseln, mit welchen die Kirche den Menschen an sich kettet und ihn zu einer Maschine der Dienstwilligkeit und Unterthänigkeit für göttliche und menschliche Willkür macht. Die f. G. verfolgen rein menschliche Zwecke und über-

bürfnissen. Ob die Formen, unter denen die f. G. jetzt zusammen leben, bestehen werden oder nicht, das mag unentschieden bleiben; die Thatsache aber dürfte kaum zu bezweifeln sein, daß sie den Gedanken ausgesprochen haben, dessen Verwirklichung allein im Stande ist, den Menschen das ersehnte Glück der Freiheit wirklich und wahrhaftig zu geben. Es bestehen bis jetzt f. G. in Halberstadt, Halle, Hamburg, Königsberg, Magdeburg, Marburg, Neumarkt, Nordhausen und Offenbach. Das Verfahren in kirchlichen Dingen aber, wie es in den meisten deutschen Staaten jetzt stattfindet, wird ihre Zahl wahrscheinlich bald vermehren.

Freie Städte. Dem deutschen Bunde gehören außer den souveränen Fürsten (ein Kaiser, Könige, Großherzoge, ein Kurfürst, Herzoge, Fürsten, ein Landgraf) auch die freien Städte Deutschlands, Lübeck, Frankfurt, Bremen und Hamburg an. Die Schlußacte des Wiener Congresses, die deutsche Bundesacte, die Wiener Schlußacte u. s. w. führen die genannten Städte ausdrücklich als freie Städte auf. Das will nicht so viel sagen, als sei die bürgerliche Freiheit dort ganz vorzugsweise zu Hause. Es wird vielmehr damit nur die souveräne Stellung dieser Städte als selbstständiger Staaten bezeichnet, die sie sich im Gegensatze zu so vielen andern Städten, welche früherhin Reichsstädte waren, aber andern Ländern einverleibt und einer Fürstenmacht unterworfen wurden, zu erhalten wußten und so glücklich waren. Diese Souveränetät, vermöge welcher sie mit souveränen monarchischen Staaten auf gleicher Linie stehen, nämlich einer auswärtigen Macht weder unterworfen, noch von ihr abhängig sind, sondern selbstständige Gemeinwesen bilden, schließt jedoch nicht aus, daß im Innern sehr unfreie Verhältnisse herrschen. Denn obgleich kein erbliches Oberhaupt, sondern ein Rath oder Senat (Bürgermeister und Rath) als die höchste obrigkeitliche, die Stadt und deren Gebiet vertretende Staatsbehörde an der Spitze steht, so hat die Stadtgemeinde, die Bürgerschaft, doch in so geringem Maße an den Rechten der Staatsgewalt Theil, oder ihre Mitwirkung bewegt sich, wo sie ja zugelassen wird, in so schwerfälligen alterthümlichen Formen, daß die Bürger dieser Freistaaten (Republiken) nicht freier, als die Bürger erbmonarchischer Staaten, die Inhaber der Staatsgewalt nicht beschränkter, oder kaum so beschränkt als constitutionelle deutsche Fürsten sind, der Mangel freiheitlicher Institutionen endlich hier wie dort gleich groß, die Entwickelung demokratischen Staatslebens gleich beengt ist: mit einem Worte, als Staat und nach Außen hin sind die F. St. zwar freie souveräne Staaten, namentlich ihren Bundesgenossen im deutschen Bunde, den souveränen Fürsten, gleichberechtigt und gleichgestellt (Gesetzgebung, Besteuerung, äußere Repräsentation, Krieg und Frieden u. s. w.), so weit sie vermöge des geringen Umfangs ihres Gebiets auswärtigen Einfluß abzuhalten vermögen, die Staatsregierung aber liegt in den Händen einer Aristokratie, nicht in denen des Volks (Demokratie), von Selbstregierung (Autonomie) des Volks ist also keine Rede, und daher mag es denn auch kommen, daß sie nicht blos im Bunde zu den Schritten der Bundesversammlung gegen die Entwickelung des repräsentativen Geistes und Staatslebens mitgewirkt, sondern auch daheim meist Alles beim Alten gelassen haben. — Im Plenum der Bundesversammlung hat jede einzelne der F.n St. eine Stimme, in der engern Versammlung führen sie zusammen eine Gesammtstimme. Ein gemeinsames Oberappellationsgericht haben sie zu Lübeck. — Obgleich Art. 13 der Bundesacte bezüglich der Einführung landständischer Verfassungen in allen Bundesstaaten auch für die F.n St. gilt und in der Wiener Schlußacte nochmals ausdrücklich auf sie für anwendbar (62. Art.) erklärt wurde, in so weit als die besondern Verfassungen (Stadtverfassungen, die alten Stadtverfassungen wurden freilich wieder hergestellt) und Verhältnisse derselben es gestatten, — so scheinen diese besondern Verhältnisse doch dies eben nicht gestattet zu haben. — Außer diesen F.n St.n Deutschlands gab es, in Folge der Wiener Verträge, in Europa noch eine freie Stadt, die ihren Namen aber mit noch viel geringerm Rechte trug, die freie Stadt Krakau. Weil nämlich die Mächte, welche früherhin Polen getheilt hatten, keine der andern den Besitz dieser mächtigen Stadt gönnten, wurde sie unter den gemeinsamen Schutz von Rußland, Preußen und Oesterreich gestellt, — und unter dieser Schutzherrschaft nannte man sie eine freie, unabhängige Stadt! Das hinderte indeß die Schutzmächte nicht, Besatzung nach Krakau zu legen — nur zum Schutze der Stadt — und sie endlich nach dem letzten Aufstand im Jahre 1846 dem österreichischen Kaiserstaate ganz einzuverleiben. Die Freiheit war freilich unter der Schutzherrschaft so gewaltiger Nachbarn längst daraus verschwunden. Wie zum Spott auf die Freiheit hieß sie frei. *Cramer.*

Freigeist. Das Wort bedarf kaum einer Erklärung; ein F. ist ein Geist, der frei nach allen Richtungen denkt und forscht, ein emancipirter Geist (s. Emancipation des Geistes). Daß das Wort F. eine Art Schimpfname in unsern Staatszuständen ist, spricht sehr deutlich dafür, daß sich der Geist in einem sehr wenig freien Zustande befindet.

Freigericht, s. Fehme.

Freihafen. Ein Hafen, wo alle Handel treibenden Völker entweder ohne, oder gegen eine sehr geringe Abgabe Handel treiben können. Die Erklärung irgend eines Hafens zum F. hat sich von jeher als ein sehr wichtiges Förderungsmittel des Handels erwiesen, und alle Völker haben zu allen Zeiten zu diesem Mittel gegriffen, um den Handel im Allgemeinen und einzelne Handelsstädte besonders zu hoher Blüthe zu treiben. Merkwürdig genug hat man den Erfolg von jeher anerkannt, aber die Ursache oft hartnäckig geleugnet, daß nämlich die Freiheit das dem Gedeihen des Handels unerläßliche Element ist. Oft genug hat man durch die Errichtung von F. die großen Nachtheile wieder auszugleichen gesucht, die das verkehrte System der Ausschließlichkeit und hohe Zölle dem Handel geschlagen hatten; aber trotz dieser Erfahrung beharrte man auf dem falschen System. Man kann die vortrefflichen Wirkungen der Errichtung von F. anerkennen, ja diese Errichtung unter Umständen für eine Nothwendigkeit halten, dem Grundsatze aber, der sich in derselben ausspricht, kann man nicht huldigen, denn ein F. ist nichts anderes, als ein Privilegium, und Privilegien sind auf keinem Gebiete zu billigen, weil sie den Einzelnen begünstigen, das Ganze benachtheiligen.

Freihandel, s. Handelsfreiheit.

Freiheit ist der Zustand des durch vernunftmäßige Selbstbestimmung geregelten Lebens der einzelnen Personen, kleiner oder größerer Gemeinschaften und der Gemeinschaften zu einander. Die Vernunft ist die Gesetzgeberin der Menschheit, sie spricht ihre Gebote klar und bestimmt aus. Wir haben sie in uns selbst, neben ihr aber zugleich eine Fülle von Sinnlichkeit, mit dem Triebe, ihren Reizen nachzugehen. Der Wille, ein fester, stählerner, macht es uns möglich, die Sinnlichkeit zu unterdrücken und die Gesetze der Vernunft zur Alleinherrschaft zu bringen. Handeln wir nach der durch eigene Entschließung zum Gesetz erhobenen Vorschrift der Vernunft, so sind wir auch frei. Diese Begriffsbestimmung ist auf das Leben der einzelnen Menschen und der Gemeinschaften anwendbar. Die gesetzgebende Macht ist eine der Vernunft inwohnende Eigenschaft (Autonomie), welche unverjährbar nach der Herrschaft ringen muß, bis sie vollständig in den Besitz der Letztern gelangt. Bei Gemeinschaften, den Vereinigungen der Menschen zu gewissen Zwecken, hat man nach dem Zwecke, nicht nach den oft wechselnden Ansichten der Mitglieder, zu fragen, um zu entscheiden: ob die Gemeinschaft eine freie sei. Der Zweck der Vereinigung muß voraussetzlich ein von der Vernunft gebilligter sein, außerdem wäre die Gemeinschaft an sich (in thesi), ganz abgesehen von ihrer sich äußerlich kundgebenden Erscheinung und Handlung, eine unfreie, weil aus dem Sinnlichkeitstriebe hervorgegangene. Die Gemeinschaft an sich kann also eine vernunftgemäße sein, gleichwohl in ihrer äußern Gestaltung und Entwickelung unfrei erscheinen. Dies ist dann der Fall, wenn der Zweck der Vereinigung nicht oder nicht mehr verfolgt, oder die zur Erreichung des Zwecks allein führenden Mittel nicht angewendet oder zugelassen werden. Wendet man diese allgemeinen Sätze auf die für die Menschheit wichtigste Gemeinschaft, den Staat, an, so müssen wir gestehen, daß die meisten der bestehenden Staaten noch nicht zur völligen F. gelangt sind. Der Staat, als die oberste und weiteste, alle übrigen Gemeinschaften in sich schließende Vereinigung der in bestimmten Ländern lebenden Menschen, hat die äußere Ordnung und die Formen, in und unter welchem Jeder, ohne in des Andern F.sgebiet einzugreifen, die Glückseligkeit, als den menschlichen Lebenszweck, zu erstreben hat, festzusetzen. Es können daher nur die Beschränkungen der persönlichen F. von der Vernunft als gerechtfertigt anerkannt werben, welche zum friedlichen Miteinanderleben der Staatsgenossen nöthwendig sind. Denn Glückseligkeit ist nur bei selbsteigner Bestimmung und durch Handlungen, welche dem zur Richtschnur angenommenen Vernunftgesetze entsprechen, erreichbar. Die äußere Entfaltung der Thätigkeit nach allen möglichen Richtungen, soweit erstere ein gleiches Maß des möglichen Handelns für die Mitgenossen zuläßt, hat der Staat für die Staatsgenossen zu gestatten (F. und Gleichheit oder erstes Rechtsgesetz). Unsere Staaten, wie sie sich aus der Vergangenheit und den frühern rohen Zuständen gebildet haben, befolgen in der Mehrzahl diesem vernunftmäßigen Rechtssystem entgegen ein ausgebreitetes Vormundschafts=System, indem sie zum leitenden Gedanken des Regierens den Satz erhoben haben: die einmal bestehende Staatsform hat die Macht, das Maß der F. für die Staatsbürger zu bestimmen. Diejenigen, welche im Besitze der Macht sind, weichen meistens nur der Nothwendigkeit, ihre Macht zu beschränken und die F. der Gesammtheit zu erweitern. Unter Nothwendigkeit ist aber nicht blos äußerer Zwang, sondern auch die allgemeine und laute Forderung des Volkes zu verstehen. Wir befinden uns auf diesem Wege der friedlichen Lösung der Aufgabe, die Vorrechte einzelner Personen oder Klassen in ein allgemein gültiges Recht umzuwandeln und an die Stelle der Beschränkung das Allen zugängliche und doch Niemand in seinem von der Vernunft vorgezeichneten Rechtsgebiete beeinträchtigende Maß der F. zu setzen. Dieser Gang der Reform hat aber seine Richtung besonders auf Herstellung folgender naturgemäßer einzelner Zweige der F., bei deren Nichtvorhandensein die allseitige Entwickelung der menschlichen Kräfte und Thätigkeit unmöglich ist, zu nehmen. Zu erstreben sind nämlich: das Recht freier Vereinigung (Association), Gewissens= und Bekenntniß=F., Rede= und Preß=F. und Handels=F. Das Bevormundungssystem wird zwar thatsächlich in den deutschen Staaten unter einer strengern oder mildern Form noch ausgeübt, grundsätzlich findet aber das reine Rechtssystem, wonach der Staat die seinen Angehörigen zustehende natürliche F., welche nur so weit, als der Mitgenossen gleiche F. daneben bestehen kann, beschränkt ist, zu beschützen, nicht zu unterdrücken hat, immer weitere und tiefere Anerkennung. Die erste Hälfte des 19. Jahrh.s scheint den Beruf zu haben, ein lehrendes, die geläuterten Grundsätze der Vernunft verbreitendes zu sein; möge die andere Hälfte desselben die allgemeine Anwendung und Ausführung vermitteln. Obwohl es nur eine F., das aus vernunftmäßiger Selbstbestimmung entsprungene Handeln, giebt, so läßt sich doch eine innere oder moralische F., als der auf die Befolgung der Vernunftgebote und Nichtachtung der Sinnlichkeitstriebe gerichtete Wille, von der äußern F., welche den Zustand und Grad der durch das positive Rechtsgesetz gestatteten Unabhängigkeit bedeutet, unterscheiden. — So wie die Staatsbürger vom Staate bei Ausübung möglichst größer, jedoch gleicher F. geschützt werden sollen, eben so haben ein Volk oder mehrere unter einer Staatsform verbundene Völker die F. anderer Staaten oder Völker zu achten. Das Rechtsgesetz, welches den Widerstreit in der äußern F. aufhebt, soll ebenfalls in dem Verkehr der Völker untereinander die zu beobachtenden Regeln ertheilen. Hier aber entscheidet noch viel zu häufig das Schwert des Stärkern oder der gleiche Vortheil mächtiger Verbündeter.   *Adolph Hensel.*

Freiheitsbaum. Zur Zeit der franz. Staatsumwälzung pflanzte man eine Pappel oder eine Eiche auf einen freien Platz, als das Zeichen der errungenen Freiheit und nannte sie F. Mit der Republik verfiel diese Sitte wieder, deren Sinn war, anzudeuten, daß nicht von Oben nach Unten, sondern, gleich der Pflanze, von Unten nach Oben die Freiheit wachse. Besonders war es üblich bei den republikanischen Heeren, daß sie überall einen F. errichteten, wohin sie nur siegend gelangten.   *W. Pretzsch.*

Freiheitskriege. So nennt man eine ganze Reihe von Kriegen, welche von den Völkern gegen innere und äußere Tyrannei geführt wurden und den Zweck hatten, sich von derselben zu befreien. Vorzugsweise heißen so die Kriege Nordamerika's gegen England, Südamerika's gegen Spanien, der Deutschen gegen Napoleon, der Polen gegen Rußland u. s. w. In den meisten derselben ist zwar die Befreiung vom äußeren Joche, aber nicht die Freiheit errungen worden; namentlich gilt dies von den in Europa geführten F. Deutschland harrt besonders seit 34 Jahren auf die Frucht seines F.s; der Saame, der mit rüstiger Hand ausgestreut, mit dem Blute der edelsten Söhne des Landes gedüngt wurde, schläft noch immer unter dem Eise widriger Verhältnisse, und das Geschlecht, welches den F. gekämpft hat, scheint nicht dazu bestimmt, mit freudigem Blicke zu sehen, wie er die Erde mit reichem Grün bedeckt.

Freiheitsmütze. In der politischen Entwickelungsgeschichte hat stets die Kopf- bedeckung eine wichtige Rolle gespielt. So galt in den ältesten Zeiten der Hut als Zeichen der Freiheit. Kein Unfreier durfte bei den Griechen und Römern mit einer Kopfbedeckung sich sehen lassen. In Schweden schieden sich zu Ende des vor. Jahrh. noch die Reichsstände in „Hüte" und „Mützen", jene die franz. gesinnte, diese die russische Partei bezeichnend. Größere geschichtliche Bedeutung jedoch hat die rothe franz. F. zur Zeit der Staatsumwälzung erlangt. Der Einzug der Marseiller in ihren rothen Mützen zu Paris brachte sie zuerst in Aufnahme, und lange Zeit hindurch galten sie als allgemeines Zeichen republikanischer Gesinnungsweise. Auch wurden sie nach einer streng demokratischen Partei jener Zeit Jacobinermützen genannt, wes- halb die rothe Farbe der Mützen auch außerhalb Frankreich seitdem eine in den höhern Staatsregionen höchst „mißliebige" geworden ist. Mag auch das Wesen und der Werth der Freiheit nicht in bloßen Aeußerlichkeiten gesucht werden: bei Bürgerkriegen und Parteikämpfen sind auch äußere Erkennungszeichen nöthig — gleichviel, ob diese in Hüten, Mützen oder Bändern bestehen. *W. Pretzsch.*

Freiheitsstrafe, s. Haft.

Freiherr. Ein freier Herr, d. h. ein Adliger, denn zu den Zeiten, wo die Be- nennung entstanden ist, hatte der Adel sich die Freiheit und die Herrschaft allein an- gemaßt.

Freimaurer oder auch blos Maurer. Eine geheime Gesellschaft, die ihren Ursprung in ein sabelhaftes Dunkel hüllt, und bald von den Verbindungen der Bau- leute am Tempel Salomon's, bald von einer griechischen Philosophen-Schule ab- stammen will. Thatsächlich bestehen die F. über ein Jahrh. in England, und haben sich von dort aus ziemlich über die ganze gebildete Welt ausgedehnt. Die F. beste- hen aus Männern aller Stände, denn der Unterschied des Standes, des Bekenntnisses, des Berufes u. s. w. soll im F.bunde aufhören, und nur der Mensch neben dem Menschen stehen, weshalb sich die F. auch Brüder nennen. Frauen sind von der Theilnahme streng ausgeschlossen, und werden nur bei gewissen Festlichkeiten (Schwester- festen) zugelassen. Die Verhandlungen der F. finden in besonders dazu eingerichteten Gebäuden (Logen) statt und werden selbst Loge genannt. Sofern eine solche Loge nach den im Allgemeinen, oder in einem besondern Lande üblichen Formen und Ge- bräuchen arbeitet, d. h. ihre Versammlungen abhält, heißt sie gerechte und vollkommene Loge, oder auch Johannisloge. Die Gesammtheit dieser Formen und Gebräuche heißt Ritual. Eine mannichfaltige Symbolik umgiebt das Wesen der F., welche sich allenthalben auf das Bauen eines Tempels bezieht. Auch die sogen. maurerische Bekleidung bezieht sich auf das Baugewerk, und zwar besonders auf das Mauern. Die F. haben 3 Grade: Lehrlinge, Gesellen und Meister, wodurch also die angebliche Aufhebung jedes Unterschiedes in den Logen selbst unwahr ist, in- dem diese 3 Grade kastenmäßig abgeschlossen sind, und jede ihre besondern Geheimnisse hat. Das nur haben sie gemein, daß sie im Grunde alle zusammen kein Geheim- niß haben, und sich gemeinschaftlich in einem leeren und weitläufigen Formenwesen bewegen. In der sogenannten schottischen Maurerei, auch in Frankreich giebt es ſogar $\frac{7}{15}$ Grade, und die Formen und Gebräuche ſind noch viel verwickelter und umſtändlicher als in der ſogenannten reformirten F.ei, die in Deutſchland üblich iſt. In den Zeiten, wo die Unterſchiede des Standes, Ranges, Bekenntniſſes u. ſ. w. wirklich noch in ihrer Schroffheit beſtanden, wo eine geläuterte Anſicht in Sachen des Glaubens und der Religion noch eben ſo ſelten als gefährlich war, wo auch gewiſſe politiſche und humaniſtiſche Beſtrebungen das Dunkel ſuchen mußten, mögen die F. einen Sinn gehabt haben. In unſerer Zeit haben ſie keinen Sinn und keine Bedeutung mehr. Die Aufhebung jedes Unterſchiedes in den Logen iſt nicht wahr; man nennt ſich zwar Bruder, aber Stand, Rang und Geld haben in den Logen dieſelbe Bedeutung wie außerhalb derſelben. Man braucht nur auf die Thatſache hinzuweiſen, daß überall höchſte und hohe Perſonen zu Großmeiſtern, Protectoren u. ſ. w. ernannt werden. Auch die Bekenntnißverſchiedenheit macht ſich in den Logen geltend, und ſteigt bei vielen bis zur völligen Unduldſamkeit; ſo ſind z. B. in vielen Logen die Juden ausgeſchloſſen. Die F.vereine ſind jetzt nichts weiter als Wohlthätigkeitsanſtalten; dieſe Beſtrebungen der F. ſind zwar anerkennenswerth, allein es bedarf dazu der Formen und der Geheimnißkrämerei nicht. Die ſonſtigen humaniſtiſchen Zwecke ſind nicht mehr vorhanden, und die ganze Freimaurerei iſt eine leere Spielerei mit Formen, Gebräuchen und Symbolen, die eines denkenden Menſchen geradezu für unwürdig erklärt werden muß.

Freiſaſſen. Die Beſitzer von Bauergütern, welche von den gewöhnlichen Abgaben, von Frohnen, Dienſten und Laſten frei ſind.

Freiſchaaren. Im Allgemeinen freie Vereinigungen kampffähiger Männer zur Theilnahme an irgend einem Kriege. Man nennt ſie auch Freiwillige, beſonders wenn ſie einzeln aus freiem Antriebe ſich in die verſchiedenen Heerestheile einreihen laſſen. Beſonders in den Schweizer Wirren ſpielen die F. eine große Rolle. Seit die Berufung der Jeſuiten Zwietracht in die Schweiz geſät hat, haben 2mal F. mit bewaffneter Hand ihre Austreibung verſucht, welche durch die allein dazu berechtigte Tagſatzung nicht zu ermöglichen ſchien. Die F. ſind beide Mal geſchlagen worden, und es hat, wie bei jeder beſiegten Partei, nicht daran gefehlt, daß man alle denkbaren politiſchen Verbrechen auf ihr Haupt gehäuft hat. Dem einzelnen Bürger, oder einer Vereinigung von ſolchen, kann es allerdings nimmermehr eingeräumt werden, auf eigne Fauſt einen Krieg zu beginnen. Allein zur Beurtheilung der Schweizer F. iſt wenigſtens eine Thatſache zu erwähnen, die faſt allgemein unbeachtet blieb: im Canton Luzern und im Canton Wallis, gegen welche ſich die F. richteten, war der Krieg vor dem Erſcheinen der F. ausgebrochen, der Rechtszuſtand aufgehoben. Der Minderheit war das Recht, ihre Anſicht geltend zu machen, welches ihr nach der Natur wie nach dem Geſetze zuſtand, durch Willkür und Gewalt abgeſchnitten. Sofern daher die Minderheit nur den Rechtszuſtand wieder herſtellen, die unrechtmäßige Gewalt durch Gewalt vertreiben wollte, dürften die F. wohl ſogar nach Form und Geſetz gerechtfertigt ſein. Wenigſtens wird man ihr Erſcheinen von dieſem Standpunkte aus weit milder beurtheilen müſſen, als es bisher geſchehen iſt.

Freiſchöffen, ſ. Fehme.

Freiſprechung von der Sache und von der Inſtanz. Die F. oder die Erklärung des erkennenden Gerichts, daß der Angeklagte von der Beſchuldigung eines beſtimmten Verbrechens frei ſei. In dem Strafverfahren (ſ. Anklageproceß) verfolgt der Staat durch die Gerichte diejenigen, welche der Verübung beſtimmter Verbrechen beſchuldigt ſind. Der Staat hat durch die damit beauftragten Perſonen den Beweis zu führen, daß der Beſchuldigte das Verbrechen begangen habe. Kann der Beweis nicht geführt werden, ſo iſt der Angeklagte freizuſprechen. Es kann nur 2 Zuſtände geben, entweder den der Schuld oder der Unſchuld; läßt ſich die Schuld nicht erweiſen, ſo iſt der Angeklagte unſchuldig. Im früheren deutſchen Strafverfahren und noch zur Zeit der vollen Gültigkeit der peinlichen Halsgerichtsordnung (ſ. Carolina) gab es nur eine F., nämlich die von der Sache, d. i. die völlige F. von dem Verbrechen. Auf bloße Anzeichen (Indicien) allein durfte nach der Carolina Niemand verurtheilt werden. Nach Abschaffung der Folter (s. d.), durch welche bei genugsam vorhandenen Anzeichen die Schuld oder Unschuld erforscht wurde, schien es den Gerichten bedenklich, den nicht geständigen und nicht überführten Beschuldigten völlig freizusprechen, damit man ihn von Neuem vor Gericht wegen desselben Verbrechens ziehen könne. Man erfand daher eine Form des Lossprechens, die F. von der Instanz (rebus sic stantibus), welche auch unter dem Ausdrucke „im Mangel mehreren Verdachts" am häufigsten vorkommt, wodurch man den Sinn ausdrückt: der Beschuldigte ist zwar jetzt in Mangel ausreichenden Beweises als unschuldig anzusehen, kann aber jeder Zeit wieder wegen desselben Verbrechens zur gerichtlichen Verantwortung gezogen werden. Aus dem Gerichtsgebrauche ist diese Lossprechungsform in die deutschen Gesetzgebungen übergegangen. Diejenigen, welche wegen Verbrechen, in Sachsen wegen nach allgemeinen Begriffen entehrender, nur von der Instanz losgesprochen worden sind, können die bürgerlichen Ehrenrechte nicht ausüben, also weder Gemeinde- noch Abgeordnetenwahlen annehmen und auch nicht wählen. Diese F. von der Instanz ist eine der vielen Schattenseiten unsers jetzigen deutschen Strafverfahrens (s. Anklageproceß). Der so Losgesprochene ist nicht nur behindert, seine ihm als Bürger zustehenden Rechte auszuüben, sondern muß Jahre lang in der peinlichen Ungewißheit leben, daß er von Neuem in Untersuchung und Haft genommen werde. Sie ist ein Ausfluß jener falschen und der persönlichen Freiheit so nachtheiligen Lehre von der Unbeschränktheit der Staatsgewalt. Außer den angeführten persönlichen Nachtheilen, welche daraus entstehen, erwächst ein anderer, sehr erheblicher, für den Staat daraus. Bei genauerer Betrachtung dieser Lossprechungsform und ihrer Wirkungen wird man nämlich unwillkürlich zu der Betrachtung geführt, daß die zur Ausübung des Strafrechts vom Staate getroffenen Anstalten sehr mangelhaft seien, und daß mit der Wiederaufnahme schon einmal geführter Strafprocesse von den Beamten gegen mißliebige Personen leicht großer Mißbrauch getrieben werden kann. Der praktische Nutzen, welchen man durch diese Lossprechungsform aber erreichen will, die Möglichkeit nämlich, einen wegen eines bestimmten Verbrechens und gegen einen gewissen deshalb Beschuldigten schon einmal geführten Proceß wieder zu beginnen, erweist sich als sehr unerheblich. Denn es gehört zu den seltenen Fällen, daß sich nach einmal gründlich angestellten gerichtlichen Nachforschungen in späterer Zeit neue Beweise der Schuld auffinden lassen. Und wenn dies auch innerhalb der Verjährungszeit der Verbrechen geschieht, kann ohnehin der Proceß nicht von Neuem beginnen. Die Beibehaltung dieser F. von der Instanz dient aber in den Ländern, wo der Grund zu ihrer Einführung weggefallen ist, zur ungebührlichen Ausdehnung der Staatsgewalt gegenüber den Staatsbürgern. Früher durfte der erkennende Richter nicht auf bloße Anzeichen verurtheilen, das Geständniß des Angeklagten oder der Beweis durch 3 oder 2 vollgültige Zeugen war hierzu nothwendig. Jetzt ist nach den meisten deutschen Gesetzgebungen, so auch in Sachsen, der Richter ermächtigt, auch ohne Geständniß oder ohne förmlichen Beweis nach seiner innern und vollen Ueberzeugung den Beschuldigten in die gesetzliche Strafe zu verurtheilen. Er darf allen früheren Criminalproceßregeln entgegen ohne das Zeugniß Anderer, unmittelbarer Zeugen oder Geschwornen, das Schuldig aussprechen. In England, Frankreich und Nordamerika und in allen den Staaten, wo die persönliche Freiheit der Bürger in hoher Achtung steht, kommt die F. von der Instanz nicht vor. Es gilt dort die Regel: daß der durch die Gerichte von einem Verbrechen Freigesprochene wegen desselben Verbrechens den Gerichten nicht wieder Rede zu stehen braucht. Dieser Grundsatz ist für die öffentliche Sicherheit auch ganz unnachtheilig, sobald der Anklageproceß (s. d.) eingeführt ist. Denn in der demselben vorausgehenden Voruntersuchung, welche, wenn die förmliche Anklage nicht auf sie gefolgt ist, jeder Zeit wieder aufgenommen werden kann, ist für die vom

Staate zur Verfolgung der Verbrechen angestellten Beamten ausreichende Gelegenheit vorhanden, die gegen ein Individuum vorliegenden Verdachtsgründe und die zum Beweise der Schuld dienenden Beweismittel kennen zu lernen, um zu beurtheilen, ob bei anzustellender Anklage eine Verurtheilung möglich oder wahrscheinlich sei." Es dürfen demnach nur die Voruntersuchungen gründlich und gewissenhaft geführt werden, und die Befürchtung, als ob bei Aufhebung der F. von der Instanz dem Staate ein Mittel, die Verbrechen zu erforschen, entzogen werde, wird gänzlich verschwinden. Wenn zumal das für den deutschen Volkscharakter so geeignete und für die Befestigung des Rechtsbewußtseins im Volke so überaus wichtige Geschwornengericht überall sollte, so muß die Aufhebung einer Lossprechungs-

oh sich mit den geläuterten Regeln des Strafprocesses erfolgen. Adolph Hensel.

Freistaaten, s. Republik.

Freistuhl, s. Fehme.

Freiwillig, s. Freischaaren.

Freiwillige Gerichtsbarkeit, s. Gerichtsbarkeit.

Freizügigkeit. Das Recht des Staatsbürgers, aus einem Staate in den andern auszuwandern, ohne deshalb einem Nachtheile, einer Abgabe, oder einer Verkürzung seines Vermögens ausgesetzt zu sein. Die Bundesacte sichert im Artikel 18 den Deutschen dieses Recht zu, und man glaubte, mit diesem Ausspruche sei nicht nur das Recht gewährt, aus dem einen Staate fort-, sondern auch in den andern einzuziehen, wenn sonst keine gesetzlichen Hindernisse entgegen stehen. Aber das war ein arger Irrthum, wie die Deutschen in so vielen ähnlichen befangen sind. Sie glaubten, die gesetzlich gewährten Rechte seien da, damit man sie benutze, sie sind aber häufig nur vorhanden als Zierden der Urkunden, in welchen sie enthalten sind. Wenn man die Hand darnach ausstreckt, verschwinden sie, und will man sie dann haschen, so kommt die hohe Staatspolizei und droht sehr bedenklich mit dem Finger. Die deutsche F. ist nichts Anderes, als die Freiheit eines Vogels, davon zu fliegen, dessen Käfig man verschlossen hält.

Freudengeld, s. Bedemund.

Freudenhaus, s. Sittenpolizei.

Fremdenbill. Durch die franz. Staatsumwälzung zu Aufmerksamkeit auf Ausländer veranlaßt, wurde 1793 in England ein Fremdengesetz gegeben, nach welchem jeder Ausländer sich einer strengen Untersuchung unterwerfen und dann mit einem Sicherheitspaß vom Staatssecretär sich versehen mußte, welcher den Fremden bei dem geringsten Argwohn wieder fortweisen zu lassen befugt war. Daß ein Fremder dem Staate, welchen er betritt, gewisse Bürgschaft leisten muß und von ihm für seine Handlungen verantwortlich gemacht werden kann, ist ein Recht, welches als Sicherheitsmittel keinem Staate abgesprochen werden kann; allein der Staat ist kein zufälliger Menschenverband, sondern eine die Gesammtheit umfassende Anstalt für sittlich-rechtliche Ordnung, die man nicht verschließen kann, weil der Fremde vielleicht ein der im Lande geltenden Form gemäß zugeschnittenes Meinungsgewand nicht trägt. Daher war die F. nur erklärlich durch die Abneigung Englands gegen Frankreich und die Furcht der Regierung vor Einschmuggelung jacobinischer Grundsätze.

weniger drückendes Fremdengesetz abgelöst. W. Pretzsch.

Fremdenrecht, s. Gastrecht.

Frevel. Eine Handlung, durch welche Recht und Gesetz verletzt, und zwar mit Absicht und Bewußtsein, und sogar mit Frechheit und Hohn verletzt wird. Der F. trägt also alle Merkmale der Absicht (s. d.) an sich, und es mischt sich außerdem noch sittliche Rohheit mit der Bosheit. F. nennt man auch die Beschädigungen an

Bäumen, Feldern u. f. w., die dem Besitzer Nachtheil, dem Beschädiger aber nicht

Andern zu vergrößern. Die Unsicherheit, welche in solchen 3
immerwährenden Angriffen ausgesetzt war, bei denen die

diesem Krieg Aller gegen Alle ein Ende zu machen und sich gegen die Gewaltthätigkeit der Andern mit dauerndem Erfolg zu schützen und zu sichern. Die einzige Möglichkeit einer solchen Sicherung bestand darin, daß man sich vereinigte, einmal: die gegenseitigen Rechtskreise anerkennen, dem Rechte des Stärkern entsagen und etwaige Streitigkeiten einer richterlichen Gewalt unterwerfen, das andere Mal: sich gegenseitig Hülfe und Schutz gegen Angriffe leisten zu wollen. So entstanden die Genossenschaften, aus ihnen die Staaten. Ihre Grundlage ist der F. Indem man dem allgemeinen Kriege der gewaltthätigen Selbsthilfe entsagt, das einem jeden Genossen zustehende Rechtsgebiet anerkennt und zu Entscheidung etwaiger Streitigkeiten den Weg des Gerichts betritt, begründet man eben den F.n, und der Staat beruht vorzugsweise nach Innen auf einem allgemeinen F.nsvertrage. Die Nothwendigkeit, diesen F.nstand aufrecht zu halten, leuchtet ein. Als man die Waffen niederlegte, gewann man an Stärke. So sicher, wie durch die Gesammtbürgschaft aller Genossen, wie durch den Schutz der Gesammtheit des Staats, würde sich der Einzelne auf eigene Faust nun

treiben die Herrscher, einen Richterstuhl giebt
feindlicher Zusammenstoß ein, wenn nicht jed

lichen Macht den Bestand des F.ns zu sichern sucht. Dennoch ist die Welt noch weit entfernt von dem Ziele, das in der Vernunft begründet ist, von einem ewigen F.n und dem Aufhören alles gewaltthätigen Streites, des Kriegs. Zwar wird nach einem Kriege der F. gewöhnlich auf ewige Zeiten geschlossen und zur Betheurung dessen gewöhnlich auch das höchste Wesen oder die heilige Dreieinigkeit angerufen, und wenn dies vollkommen Ernst wäre, müßten längst die Schwerter in der Scheide verrostet sein, und das Reich des ewigen F.ns begonnen haben. Aber die Diplomatie binden wenig „Erde, Pergament, Papier", sie hat sich noch nie ein Gewissen daraus gemacht, einen F.n zu brechen, der ihr vielleicht lästig und drückend war, und einen Krieg zu beginnen, den sie ihrem Vortheil gemäß fand, zumal die F. oft nur von dem Uebermuth dictirt und von der Ohnmacht angenommen war. Nichts desto weniger ist es eine Forderung der praktischen Vernunft, daß die Völker ihren Streit dem Rechte gemäß, auf friedlichem Wege und nicht mit der Macht des Stärkern, durch Blutvergießen und Zerstörung schlichten, und unter sich einen immerwährenden F.n begründen. Ein europäisches Bundesgericht könnte das Schiedsrichteramt verwalten. Bis es aber dahin kömmt, bis sich Alle demselben unterwerfen, müssen noch große Veränderungen im Innern der Staaten, in der Stellung der Cabinette zu den Völkern, in dem Wesen der Politik selbst vorgehen, die stehenden Heere müssen aufhören, das Recht des F.ns und des Krieges muß in die Hände des Volkes gelegt, es selbst in den Zustand der Wehrhaftigkeit versetzt, der Grundsatz der Nichteinmischung in fremde Angelegenheiten allgemein durchgeführt, und das Erb-, Tausch-, Kauf- und Schenkungsrecht der Länder beseitigt sein. Das wird ohne große Kriege kaum möglich sein. Ein großer Schritt zum Ziele wäre es schon, wenn es durchweg anerkannt würde, daß der Krieg allein rechtlich sei, der zur Wiederherstellung des Friedens, zur Wiederherstellung des gestörten alten Rechts geführt wird.   C. C. Cramer.

Friedensbrief. So hießen Empfehlungsbriefe, die sonst von den Geistlichen den Armen gegeben wurden und mit welchen sie betteln gingen.

Friedensbruch, s. Landfriedensbruch.

Friedensinstrument. Die Urkunde, welche die Bedingungen enthält, unter denen der Friede abgeschlossen ist.

Friedenskuß. Ein Gebrauch der alten christlichen Kirche, welcher darin bestand, daß nach dem gemeinschaftlichen Gebete die Personen eines Geschlechtes sich gegenseitig küßten, und zur Ausdauer und Treue ermahnten. Der F. artete später aus in Unsittlichkeit, und wurde daher abgeschafft. Nur in der griech. Kirche ist er noch zu Ostern, und bei den Brüdergemeinden nach dem Abendmahle üblich.

Friedensrichter. Zu den Schattenseiten des Rechtsverfahrens gehört besonders die lange Dauer des Processes, und die damit zusammenhängende Kostspieligkeit, die oft den Gewinnenden eben so große Nachtheile bringt, als den Verlierenden. Beide Uebel zu entfernen ist vielfach gestrebt worden, besonders durch die „Gütepflegungs-Termine", welche schon im §. 110 des Reichsabschiedes von 1654 und in der erläuterten sächs. Proceßordnung von 1724 den Gerichten wiederholt streng eingeschärft wurden; wie es jedoch bemungeachtet mitunter mangelhaft gehalten worden sein mag, beweist der Umstand, daß erst 1841 in Sachsen eine Verordnung erschien, welche den Unterrichtern und Sachwaltern bessere und gewissenhaftere Pflichterfüllung empfahl. — Ein eben so einfaches als treffliches Mittel, das in der Wirklichkeit zu erreichen, was bei der Gütepflegung im gewöhnlichen Processe nur höchst selten und unvollständig erlangt wird, und nebenbei auch dem Stand der Anwälte im Volke wieder zu Ehren zu bringen, sind die Friedensgerichte, eine ursprünglich engl. Einrichtung, die aber nach und nach auch auf Frankreich und die deutschen Rheinprovinzen übergegangen ist, wo sie gegenwärtig noch besteht und eine höchst wohlthätige Wirksamkeit äußert. Mit Einführung dieser F. ist gleichsam ein Schritt rückwärts zur Natur, d. i. ein Schritt vorwärts zum Bessern gethan, weil dem in der Brust eines jeden Menschen lebenden natürlichen Rechtsgefühl durch die künstlichen Verdrehungen des gemeinen Rechts seit Jahrh. Gewalt angethan worden ist. Das Institut der F. beugt dem vor; es bildet gleichsam die Eisenbahnlinie, welche den unterbrochenen Verkehr zwischen Recht und Billigkeit wieder eröffnet und beide Begriffe in unmittelbare Verbindung mit einander bringt. Daher wird es leicht erklärlich, warum die F. überall da, wo ihre Einführung erfolgte, vom Volke mit freudigem Vertrauen begrüßt wurden; und selbst in solchen Staaten, wie z. B. in Preußen, wo 1827 als bloßes Surrogat der F. sogenannte Schiedsgerichte oder Schiedsmänner entstanden, ist bis jetzt keine Klage darüber geführt worden; im Gegentheil hat selbst diese Abart von F.n einen so segensreichen Erfolg gehabt, daß von 86,000 Streitsachen, die in den Jahren 1829 — 1836 den preuß. Schiedsmännern vorlagen, 63,500 friedlich verglichen worden sind. Wäre nur ein Zehntheil davon zum ordentlichen Processe gekommen: welche Summen von Geld und von innerm Frieden hätte nur dieses eine Zehntheil verschlungen! Freilich hält diese Einrichtung, ja selbst die der franz. und rhein. F. keinen Vergleich aus mit ihren Mutteranstalten, den engl. Friedensgerichten, die schon seit der Mitte des 14. Jahrh.s bestehen, wo sie aus den 1275 eingeführten Criminalcommissionen hervorgingen. Die Wirksamkeit der engl. F. ist eine viel größere, als die aller andern F. zusammen genommen. Die eigentlichen ordentlichen Richter in England sind zuerst die F. (justice of peace) — die in Rechtsfällen unter Zuziehung der Geschwornen die erste Entscheidung geben und zugleich durch ihre Gerichtsdiener (Constables) Polizeigewalt üben. Jede Grafschaft hat ein Friedensgericht, dessen Beisitzer sich aller Vierteljahre einmal versammeln, um in Gemeinschaft mit den Geschwornen (man sieht also, daß gute F. Hand in Hand mit den Schwurgerichten gehen!) Gericht zu halten über bürgerliche und peinliche Sachen, die erst dann an die höhern Gerichtshöfe gelangen können. Ueberhaupt kommt die Macht und das Ansehn der engl. F. dem der sächs. Kreisdirectionen so ziemlich gleich, da sie außerdem noch die örtliche Verwaltung und das Armenwesen der Grafschaften zu besorgen haben. Dabei sind die engl. F. keineswegs vornehme oder studirte Leute, sondern schlichte, einfache Bürger, Männer des Volkes, welche das öffentliche Vertrauen auf ihren Posten erhebt und die in jeder Beziehung unabhängig bastehen. Somit aber ist es gar kein Wunder, daß diese F. tief in das ganze öffentliche Leben eingreifen und ebenso wohlthätig für die öffentliche Ordnung wie die gesetzliche Freiheit des Volkes zu wirken im Stande sind. Das Amt eines engl. F.s ist ein Ehrenposten, den jeder wackere Bürger freiwillig und gern einnimmt, weil er eben darin Gelegenheit findet, der Wohlthäter seiner Mitbürger zu werden; nie aber hört man in England davon, daß Jemand sich einem solchen oder andern bürgerlichen Amte zu entziehen suche, wie in Deutschland, wo es eben noch keine Staatsverfassung giebt, welche derartigen bürgerlichen Aemtern die nöthige Unabhängigkeit sicherte und die Angestellten vor der Willkür anderer Beamten zu schützen vermöchte. — Nun bleibt uns nur noch übrig, einen flüchtigen Blick auf das neue sächsische F.-Institut zu werfen. Zuerst angeregt in der 2. sächs. Ständekammer während des Landtags von 18⁴⁴⁄₄₅, wurde der Antrag von der 1. Kammer aufgenommen und ziemlich stiefmütterlich behandelt. Erst auf dem Landtage von 18⁴⁵⁄₄₆ wurde der Braun'sche Antrag in der 2. Kammer wiederholt und endlich auch im Verein mit der 1. Kammer zum ständischen Beschlusse erhoben. So trat am 22. Juni 1846 endlich ein F.-Institut ins Leben, von dem dasselbe gelten kann, was in anderer Beziehung Ludwig Börne von den sogenannten deutschen Freistaaten einst sprach: „man habe sie nur deshalb bestehen lassen, um durch sie die Freiheit lächerlich zu machen." Da zudem die Einführung dieser F. dem freien Willen der Gemeinden überlassen blieb, so konnte es nicht anders kommen, als daß viele derselben, wie z. B. Leipzig, sie geradezu von der Hand wiesen und lieber gar Nichts, als eine bloße Halbheit, besitzen wollten, während wieder andere Gemeinden dieses politische „Pulsfühlen" sich ruhiger gefallen ließen. Der Erfolg wird es indeß lehren, wer das bessere Theil er-

wählt hat. Man scheint im Eifer des Beschneidungsgeschäfts nicht daran gedacht zu
haben, daß jede Halbheit nur schade und daß namentlich ein Gesetz, als höchste Regel für Alle, so beschaffen sein muß, daß es folgerecht durchgeführt werden kann,
wenn das gebildete Ausland nicht zweifelhaft werden soll, ob es den begangenen Fehler mehr an der Unzulänglichkeit der politischen Volksreife zu bewundern habe, oder
an der Gesetzgebung selbst.　　　　　　　　　　　　　　　　　W. Pretzsch.

Friedensschluß. So nennt man die Uebereinkunft zweier kriegführenden Staaten, durch welche sie die Bedingungen feststellen, unter welchen sie auf die weitere
Kriegführung verzichten. Dem F. gehen meistentheils Besprechungen der beiderseitigen
Gesandten voraus, die alsdann Friedenspräliminarien aufsetzen, die von den gegenseitigen Regierungen genehmigt, sich in das Friedensinstrument oder den Friedensvertrag verwandeln. Mancher F. ist für die politische Gestaltung der Welt von großem
Einfluß gewesen. So der westphälische Friede, welcher die Rechtsverhältnisse der ver-
schiedenen Bekenntnisse in Deutschland feststellte; der Friede zu Hubertusburg, welcher
die Verwüstungen des 7jährigen Krieges änderte; der Friede zu Basel, durch welchen
Preußen sich thatsächlich vom deutschen Reiche lossagte; der Pariser F., durch welchen
theilweise unsere dermaligen Staatsverhältnisse mit begründet wurden u. s. w.
Friedensschlüsse sind es niemals, die den Frieden erhalten, denn es hat noch keinen
F. gegeben, in welchem nicht die Veranlassung zu einem neuen Kriege gefunden wurde.
Der F. ist gewissermaßen nur die Urkunde über den in der Stimmung und dem Be-
dürfniß der Völker bereits geschlossenen Frieden.

Frist. Der Zeitraum, binnen welchem irgend etwas geschehen muß. Besonders
in der Rechtspflege ist jede einzelne Handlung an eine bestimmte F. gebunden, deren
Versäumniß mit gewissen Nachtheilen verbunden ist. Man unterscheidet in dieser Beziehung die dilatorische und die peremtorische F.; die erstere wird, wenn sie
abgelaufen, noch einmal erneuert; die letztere dagegen bringt, wenn sie versäumt wird,
den Nachtheil, daß die Proceßhandlung, welche an sie geknüpft war, nicht mehr vorgenommen werden kann. Die Bestimmung einer F. für jede Proceßhandlung ist
allerdings nothwendig, wenn nicht das Ganze dem Belieben des Richters anheimfallen soll. Allein immer sind der einzelnen Proceßhandlungen noch zu viel und
die F.en sind zu lang, wenn auch nicht verkannt werden soll, daß dieselben gegen früher wesentlich vermindert und verkürzt worden sind. Noch eine wesentliche
Unterscheidung der F. ist die Trennung derselben in richterliche und gesetzliche, d. h.
in solche, die der Richter beliebig stellt, und die ihrer Natur nach dilatorisch sind, und
in solche, die das Gesetz im Voraus bestimmt hat und die als peremtorisch betrachtet
werden müssen. Aus der alten F.bestimmung, die 3 Vorladungen erheischt, zwischen
denen jedes Mal 14 Nächte liegen mußten, hat sich die sächsische F. ausgebildet,
welche 6 Wochen und 3 Tage währt. Die F. beginnt immer erst mit dem Tage der
Bekanntmachung der richterlichen Verfügung.

Frohnen. So heißen die Dienste, welche der Einzelne dem Staate, der Gemeinde, oder einer Herrschaft zu leisten hat. Ob die F. unentgeltlich geleistet werden
müssen, oder ob ein geringer Lohn dafür gezahlt wird, ist gleichgültig; der Zwang der
Leistung ist ihr wesentliches Merkmal. Die F. stammen aus jener Zeit, wo der
Adel alles Recht und alles Besitzthum an sich gerissen hatte, und folgerichtig sich nun
auch ein sächliches Eigenthum über den Menschen anmaßte. Ob nun die F. als ein
Ueberbleibsel der Leibeigenschaft sich erhalten haben, ob sie auf einer Art von Vertrag
beruhen, sie sind in ihrem Ursprunge ein schreiendes Unrecht. Denn es giebt Güter,
deren sich der Mensch naturrechtlich nicht entäußern darf, und ein solches Gut ist die
Freiheit. Zwar kann der Einzelne einen Dienstvertrag abschließen, und z. B. für
die Ueberlassung eines Stück Landes sich gewisse Leistungen auferlegen lassen; allein
dies ist ein rein persönliches Verhältniß, welches nur die den Vertrag Abschließenden
verbinden kann. Ueber die Pflichtigkeit der folgenden Geschlechter, und der Bewohner

Niemand zu verfügen das Recht. Zwar haben Rechtslehrer als einen ⟨...⟩ betrachtet, welche der Staats= einzelne Personen, ⟨...⟩önnen, sind sie für die Betroffenen eine ungerechte eine ungerechte Begünstigung. Der Staat muß aus

Wild zusammentreiben muß, ist ein schmachvolles Ueberbleibsel mittelalterlicher Barbarei, welches einem Rechtsstaate zur Schande gereicht. Man hat die F. in der letzten Zeit vielfach abgelöst und es sind gegen früher nur noch kleine Reste geblieben, die hoffentlich auch bald fallen werden. Ob diese Ablösung rechtlich ist? Naturrecht=

Bundesacte, ist die Ablösung allerdings p o s i t i v rechtlich. Allein selbst von diesem Standpunkte ist es nicht billig, wenn man die Pflichtigen den Ablösungs=

Leider fehlt es aber nicht an Beispielen, wo

so fern sie nämlich auf gewisse Leistungen beschränkt, oder dem völligen Belieben des F.herrn anheim gegeben waren. Ferner in o r d e n t l i c h e und a u ß e r o r d e n t l i c h e, in so fern sie zur bestimmten Zeit wiederkehrten, oder nur bei besondern Gelegenheiten, z. B. bei Bauten u. s. w., geleistet wurden. Vergl. bäuerliche Lasten.

Frohnfeste. In vielen Städten der Name des öffentlichen Gefängnisses.

Frohnherr. Ein Grundstücksbesitzer, welchem Frohndienste zu leisten sind.

Frohnhof. Vielfach gebräuchliche Benennung des Gutes, dessen Besitzer Frohndienste zu fordern hat.

Fromme Stiftungen, s. Wohlthätigkeitsanstalten.

Frömmelei. Eine Ausgeburt des „christlichen Staates", die darin besteht, daß eine Anzahl Menschen, durch Interesse, die Aussicht auf hohes Wohlwollen, Beförderung u. s. w., getrieben, die Heuchlerlarve der Frömmigkeit tragen, und da es an der innern Erhebung und wahren Frömmigkeit fehlt, durch Aeußerlichkeiten, Kopfhängerei, Augenverdrehungen, Werktheiligkeit und Nachplappern von Gebeten u. s. w. fromm zu sein scheinen. Man nennt diese F. auch Pietismus und ihre Anhänger Betbrüder und Betschwestern. Die Folgen der F. sind meistentheils eine knechtische Unterwürfigkeit gegen Höhere, eine anmaßende Ueberhebung gegen Niedere, Heuchelei auch im Leben und im Handel und Wandel, die Beförderung der Habsucht und des Eigennutzes und die Abschließung in kleine kastenmäßige Kreise, von denen jeder sich beſſer, als alle andern zu ſein dünkt. Und das iſt noch die milbeſte Erſcheinung der F.; denn oft ſind in ihrem Gefolge Zuſammenkünfte zum Singen und Beten, in welchen Unzucht und Unſittlichkeit ihre Pflanzſtätte finden; ja die raffinirte Sinnlich= keit kleidet die Ausſchweifungen ſelbſt in das Gewand der Gottesverehrung und der Ausübung Gott wohlgefälliger Werke. Dieſe letztere Gattung der F. iſt in Deutſch= land beſonders unter dem Namen der Muckerei berüchtigt geworden und ſchmachvolle Erſcheinungen ſind in dieſer Beziehung in Königsberg, Berlin u. ſ. w. zu Tage gekommen. Auch Sachſen hat in den Stephaniſten einen bedeutenden Beitrag dazu geliefert. Die wahre Frömmigkeit, die eine Ehrfurcht gebietende Erſcheinung iſt, iſt frohen Herzens und offenen Auges; ſie ſucht keine heimlichen Zuſammenkünfte und keine dunklen Winkel. Wo ſich mit der Frömmigkeit die Scheu vor dem Lichte und eine heuchleriſche Verachtung der Freuden der Welt verbinden, da iſt nur F. vorhan= den. Der gewaltſam zur Erde gekehrte Blick, die zur Schau getragene Zerknirſchung, das gezwungene Verdrehen der Augen, die ſchlecht verhüllte Demuth, die ſcheinbare Ergebung, die gezwungene ſanfte Stimme, die gewaltſame Ruhe des Geſichts, der ſchwarze Anzug und das weiße Halstuch ſind die ſichern Kennzeichen der F., hinter welcher ſich ſtatt der Gottgefälligkeit meiſtentheils nur pfäffiſche Tücke und Bosheit verbirgt.

Front. In der Kriegskunſt diejenige Seite einer Heeraufſtellung, welche dem Feinde zugekehrt iſt.

Fruchtſperre. So bezeichnet man die früher und namentlich während der Theuerung 1847 vorgekommenen Ausnahmsmaßregeln, wodurch ein Staat gegen andere an ihn grenzende die Ausfuhr von Früchten zum Lebensbedarf, wie Korn, Weizen, alle Körnerfrüchte, oder auch noch Kartoffeln u. ſ. w. verbietet, um die Preiſe dieſer Lebensmittel im eignen Lande auf einem mäßigen Stande zu erhal= ten. So iſt 1847 von Oeſterreich, Baiern und andern ſüddeutſchen Staaten wechſel= ſeitig, wie namentlich von Oeſterreich gegen das freundnachbarliche Sachſen und von Süddeutſchland gegen die Schweiz, F. angeordnet worden, und leider mehr um den Vorurtheilen der über die Wirkung der F. ſich täuſchenden Maſſen zu fröhnen, als aus Ueberzeugung von deren Zweckmäßigkeit; ein trauriges Zeichen der Schwäche des Urtheils und unverantwortlicher Nachgiebigkeit gegen Vorurtheile, die ſelbſt in den höchſten Verwaltungskreiſen gewiſſer Staaten noch herrſcht. Noch gehäſſiger wird die F., die der Natur der Sache nach nie dauernd ihren Zweck erreichen kann, oder wenigſtens ſtets mit noch größern Nachtheilen als Vortheilen verbunden iſt, wenn es ſich dabei, wie dies hinſichtlich der Schweiz zum Theil der Fall geweſen zu ſein ſcheint, darum handelt, das Land und Volk, gegen welches eine ſolche Maßregel ver= fügt wird, aus politiſchen Beweggründen zu bedrohen und zur Nachgiebigkeit zu zwingen. Ein Weiteres darüber unter Getreidehandel. Vergl. auch Brannt= weinbrennereiverbote.
J. S. G.

Fruchtwechſel, ſ. Landwirthſchaft.

Fuchtel. Eine veraltete Benennung für Degen. Daher rührt denn auch die Benennung der ehemals für den Soldaten und ſelbſt für den Unteroffitier üblichen Strafe des Fuchtelns, d. h. des Durchprügelns mit der flachen Degenklinge. Zu der Zeit, wo das F.n noch Mode war, beſchränkte es ſich nicht blos auf den Soldaten, ſondern der Bürger, wenn er ſich unterſtand zu „raiſonniren‟, d. h. über Staats= dinge zu ſprechen, wurde von dem nächſten gnädigen Beamten, dem dies zu Ohren kam, ebenfalls gefuchtelt, wenn auch nicht mit der Degenklinge, doch dergeſtalt mit Worten, daß ihm die Luſt verging. Wie glücklich waren damals die Staatsmänner! Iſt es ein Wunder, wenn ſie jene Zeit zurückſehnen, wo es ſo leicht war, zu re= gieren?

Function. Der häufig gebrauchte fremde Ausdruck für amtliche Handlung, Verrichtung.

Abtheilung der Artillerie, bei welcher die Bedie-
Als F. wird meistens das Festungs= und Belage-

enlande gebräuchliches Zeichen der Verehrung und
Kaiser führten es auch im Abendlande ein, und seit

ndische Sitte, die aus Gesundheitsrücksichten dort
bei einem Gaste, welchen er ehren wollte, die

gestellt bleiben.

Führer nennt man in der Politik denjenigen, welcher an der Spitze einer Partei steht und durch Kenntnisse und Talente im Stande ist, ihr Gang und Maßregeln

der

Partei sein, wenn er ihr F. sein will. Es ist ein Amt, welches unbedingt erworben und verdient werden muß, aber keines Falls blos ertheilt und übertragen

setzen.

Führungszeugnisse (Conduitenlisten). So heißen die Berichte, die in
manchen Ländern, gewöhnlich alljährlich, von den Amtsvorständen über die Führung
der ihnen untergebenen Beamten an die höchste Stelle eingesendet werden. Sie sind
natürlich geheim: ihr Inhalt bleibt denen, die sie betreffen, unbekannt. So lange
sich diese Berichte auf das rein Dienstliche beschränken, darauf also, ob der staatsdie-
nerische Mensch die Pflichten seines Amtes mit Eifer und Treue erfülle und seiner
Stelle gewachsen sei: mögen sie noch angehen. Wo einmal Alles durch Staatsbeamte
geschieht, und deren ganze öffentliche Wirksamkeit in die Schreibstuben zusammengedrängt ist, die Staatsverwaltung aber diese Beamten doch nicht blos nach Gunst oder
Laune, sondern nach Verdienst und Würdigkeit behandeln soll, da mögen die F. am
Ende dazu dienen, ihr Kenntniß von der dienstlichen Tüchtigkeit und Fähigkeit der
Unterbeamten und einen Anhalt zu Beförderungen zu geben. Nur vergesse man dabei
nicht, daß solche Berichte doch ein sehr trügerischer Maßstab sind. Mehr oder weniger nämlich wird es dabei immer nach Gunst oder Ungunst gehen, freundschaftliche
und verwandtschaftliche Beziehungen werden immer ihren Einfluß äußern und vielleicht
sind eben so viel tüchtige, zumal nach einer freien Wirksamkeit des Geistes ringende
Köpfe von beschränkten, ängstlich an Formenwesen klebenden Vorgesetzten mißverstanden und hinter ihre unfähigeren, aber wohlklingen und fügsamen Genossen zurückgesetzt, als von unbefangenen, keiner Schmeichelei und keinem Ansehen der Person

zugänglichen Vorgesetzten aus der Verborgenheit hervorgezogen und verdienter Maßen empfohlen worden. Werden die F. vollends über den amtlichen Wirkungskreis der Staatsdiener hinaus ausgedehnt, auf ihre Haltung auch außer dem Amte, so namentlich auf ihre politische und religiöse Gesinnung, ihre Anhänglichkeit an die Person des Fürsten und die am Ruder sitzenden Regierungsmänner, ihren Umgang und ihre Vergnügungen, ihre häuslichen und Vermögensverhältnisse, ihren Eifer für Kirche und Abendmahl u. s. w., wird zu dem Ende jeder Schritt und Tritt überwacht, den der Beamte thut, seine Gesinnung selbst in Freundeskreisen und im eignen Hause zu erlauschen versucht: hängt dann von solchen F.n, von dem „Grade", in welchem er in der geforderten frommen und ministeriellen Haltung sich auszeichnet, die Beförderung ab: alsdann ist das Verhältniß so unsittlich, weil alle Selbstständigkeit der Beamten vernichtend, daß der Staatsdienst aufhört, eine Ehre zu sein; der Angeberei und Verdächtigung ist dann Thür und Thor geöffnet, auf amtliche Tüchtigkeit kommt es nicht an, Heuchelei, Scheinheiligkeit und knechtische Gesinnung kommen oben auf. Der unbedingten Herrschaft über ein ganzes großes Heer von Staatsdienern rühme man sich nicht. Es sind das eben keine Diener des Staats, sondern Knechte des Ministeriums; und über Knechte zu herrschen — die Ehre ist doch so sehr groß nicht!
C. E. Cramer.

Fürst. Nach dem altdeutschen Wortbegriffe, wie auch nach der Natur der Stellung, der Vorderste (First), der Erste. F. war demnach in den Naturzuständen des Staates entweder der Stammesälteste, welcher als solcher eine patriarchalisch-väterliche Herrschaft führte und in allen Kriegs- und Friedens-Unternehmungen voranging, oder derjenige, welcher durch das Recht des Stärkern und der rohen Gewalt die Uebrigen unterjocht hatte; oder endlich derjenige, dessen Tapferkeit und Tüchtigkeit ihm das Zutrauen seines Stammes oder Volkes verschafft hatte, und der durch Wahl an dessen Spitze gestellt worden war. In diesem Sinne ist demnach F. gleichbedeutend mit Führer, so wie Herzog mit Heerführer. Mit der Heerführung verband sich gewöhnlich auch eine anderweite Herrschaft, und als sich die Verhältnisse dahin wendeten, daß die Ausgezeichneten und Stärkern jede Macht und jedes Recht an sich rissen, wurde die Stellung des F.en auch eine andere, von ihrem Ursprunge wesentlich verschiedene. Dennoch wurden die F.en noch lange vom Volke oder von denen, die die Volksrechte vertraten, gewählt, und diese einfache Thatsache beweist, daß die Volksherrschaft und Volksoberherrlichkeit (Volkssouveränität) mindestens älter ist, als die der F.en. Carl der Große begnügte sich indessen nicht mehr mit dieser Art Gewaltverleihung, sondern ließ sich vom Papste, als Stellvertreter Gottes, weihen und seine F.enmacht bestätigen. Bald maßte sich der Papst eine Oberherrschaft über die F.en, wie über die Völker an, nannte sich „F. der F.en" und erkannte die F.enwürde und F.engewalt nur dann an, wenn er dieselbe bestätigt hatte. So ging von dem behaupteten göttlichen Ursprunge des Papstthums auch etwas auf das F.enthum über, obschon auch im frühern Alterthum schon Belege für die Annahme eines göttlichen Ursprungs der F.engewalt vorkommen. Als die F.engewalt bald mit der des Papstes in Streit und Krieg gerieth, und nach der Auffassung der päpstlichen Gewalt damit in Aufruhrzustand gegen Gott und seinen Statthalter trat, mußte die F.engewalt nach Ebenbürtigkeit mit der päpstlichen trachten, und legte sich demnach ebenfalls einen göttlichen Ursprung bei. Diese Annahme wurde besonders von den Bourbons in Frankreich und den Stuarts in England ausgebildet und auf die Spitze getrieben; mit ihr bildete sich die vollständigste Alleinherrschaft und Herrscherwillkür, die maßloseste Mißachtung alles Rechtes aus. Der göttliche Ursprung der F.engewalt, die F.engewalt überhaupt, wenn sie nicht durch Wahl des Volkes übertragen ist, ist demnach naturrechtlich wie geschichtlich durchaus nicht begründet. Was auch die Apostel derselben, die Anbeter der Alleinherrschaft und des Rechts von „Gottes Gnaden", sagen mögen, sie sind den Beweis für die entgegengesetzte Behauptung schuldig

Aus der Zeit, wo einige
wirklicher F.enherrschaft ver=
erhalten, und besonders

F.en, noch so benannt.

Fürstbischof. Die Benennung eines Bischofs, welcher zugleich Fürst eines

Bischöfen, z. B. denen von Breslau und Salzburg, ist sie als bloßer Titel noch beibehalten.

Fürstenbank nannte man unter dem deutschen Reiche die Abtheilung der Her=

Ein Bündniß, welches Kaiser Joseph II. im vorigen Jahrh.
zu schließen trachtete, um die österreichischen Staaten durch die Einverleibung von
Baiern abzurunden. Diesem 1. F.e stellte sich ein 2. entgegen, an dessen Spitze
Sachsen und Preußen stand, der gerade im Gegentheil die Einverleibung Baierns zu
verhindern suchte und auch verhinderte. Ein F. ist auch der deutsche Bund (s. d.)
es nach den ursprünglichen Versicherungen seiner Gründer nicht

hieß bei der alten Reichsvertretung die Gesammtheit der
dem reichsstädtischen Collegium entgegen und zählte bei der
l Stimmen.

ine breite rothe Mütze mit Hermelin-Verbrämung, auf
ürbe

als fürstliches Belieben es bestehen ließ. Das größte Unrecht und größte Verbrechen
dagegen wär' es, dieses schrankenlose F. irgend wie antasten, oder ihm ein anderes
Recht entgegensetzen zu wollen. Dieses F. ist als etwas völlig Unvernünftiges längst
überwunden und spukt nur noch als Gespenst in einigen mittelalterlichen Köpfen.

nig darüber, ob die Kaiser dieses Recht allein, oder mit Zuziehung der Reichsstände ausüben durften. F. hießen endlich noch die Bestimmungen, nach welchen bei bürgerlichen Streitigkeiten gegen die Fürsten zu verfahren war, wo sie Recht zu nehmen und zu geben hatten, und in welchen Angelegenheiten Klage gegen sie geführt werden konnte. Diese letzte Gattung des F.s, Privat=F. genannt, ist mit dem deutschen Reiche untergegangen. Ein gebliebener Theil desselben sind die Hausgesetze (s. d.).

Fürstenschulen. Die 3 von dem Kurfürsten Moritz von Sachsen aus eingezogenen Klostergütern gestifteten Schulen zu Grimma, Meißen und Pforta, an welchen die Schüler nächst dem freien Unterricht auch Kost, Pflege und Wohnung unentgeldlich genießen sollten. Die Schulen zu Grimma und Meißen haben diesen Namen behalten.

Fürstentag. Unter dem alten deutschen Reich, wo man die Vereinigungen und Zusammenkünfte weit weniger fürchtete, als heut, hatten die einzelnen Stände das Recht, sich beliebig zu versammeln. Eine solche Versammlung, vom Stande der Fürsten veranstaltet, hieß F. Eben so gab es Grafentage, Rittertage und Städtetage. Nur Bauerntage gab es leider nicht, denn diese waren rechtlos und hörig.

Füselier. Eigentlich vom franz. Worte Fusil (Flinte), jeder mit einem Gewehr bewaffnete Infanterist (Fußsoldat). Besonders aber das leichte Fußvolk, welches zum Tiraillieren benutzt wird. Bei mehreren Herren zählt ein Regiment Fußvolk 2 Bataillone Musketiere (s. d.) und 1 Bataillon F.

G.

Gabella hereditaria, etc., eine Abgabe, s. Abschoß.

Gaffelherren hießen sonst die Abgeordneten der städtischen Behörden, welche den Versammlungen der Innungen beiwohnen mußten. Wo sich der Zunftzwang erhalten hat, sind die Abgeordneten geblieben, aber sie heißen nicht mehr G.

Galeere. Ein großes und breites Ruderfahrzeug, welches in frühern Zeiten zum Kriege, wie zum Waarentransport benutzt wurde. Zum Rudern wurden meistens Verbrecher gebraucht, welche G.sklaven hießen und zu 5 und 5 Mann an die Ruder angeschmiedet waren. Die G.strafe ist eine der härtesten, die es giebt, indem die Arbeit sehr schwer ist und das Rudern mit beständig entblößtem Oberkörper geschieht. Auch wurden die G.sklaven gebrandmarkt, ehe sie ihre Strafe antraten. Die G. sind jetzt nur noch sehr selten und es hat sich demnach die Strafe nur dem Namen nach erhalten. In Frankreich z. B. giebt es noch G.sklaven, aber sie werden nur zu Hafenarbeiten u. s. w. benutzt.

Galgen. Eine Vorrichtung zur Hinrichtung von Verbrechern; sie besteht aus 2 aufgerichteten Pfählen, die durch einen Querbalken verbunden sind; an dem Letztern wird der Verbrecher aufgehängt. Das Hängen ist als eine widerliche, umständliche und grausame Todesart meistentheils abgeschafft; nur in Oesterreich und Rußland hat sie sich noch erhalten. Die Hinrichtung am G. gilt als weniger ehrenvoll, als jede andere Art, weshalb sie auch gewöhnlich da angewendet wird, wo man den Verbrecher besonders hart bestrafen will. So ließ Rußland 1846 die Polen am G. hinrichten, welche den Gedanken gehegt hatten, ihr Vaterland von Rußlands eiserner Zwangsherrschaft zu befreien.

Gallicanische Kirche. So heißt die franz. Kirche, welche, so weit sie nur einen Theil der römischen Kirche ausmacht, unter Dem begriffen ist, was in dem Aufsatze Katholicismus gesagt wird. So weit sie aber eine Eigenthümlichkeit sich bewahrt hat, hat sie allerdings auf den besondern Namen einen Anspruch. Die g. K. hat sich von jeher freier gehalten von der unbedingten Unterwürfigkeit unter die Anmaßungen Roms, als jeder andere Theil der römischen Kirche. Von ihrer Gründung im 2. Jahrh. bis in das 8. Jahrh. war sie völlig unabhängig und hatte gar keinen Verkehr mit Rom; höchstens wurde der Papst ausnahmsweise einmal als Schiedsrichter in kirchlichen Streitigkeiten angerufen. Als auf Grund der falschen Decretalen (f. d.) und durch Karl des Großen Schwäche in dieser Beziehung sich die Macht Roms unendlich vermehrte, fand sie auch in Frankreich Eingang und trieb bis zum 13. Jahrh. ihr Wesen dort, wie in andern Ländern. Der Unfug und die unersättliche Geldgier der römischen Legaten führte dann die Unabhängigkeit der g. K. wieder herbei und Rom wurde fast jede Einmischung abgeschnitten. Je nachdem die Könige stark oder schwach waren, sank oder stieg Roms Einfluß; aber ganz wurden die Freiheiten der g. K. niemals aufgehoben. Ludwigs XIV. Herrschergelüste stellte dieselben völlig wieder her, wenn auch aus keinem andern Grunde, als um die Herrschaft über die Kirche nicht mit dem Papste theilen zu müssen. 1682 erklärte, dazu berufen, die franz. Geistlichkeit: 1) daß der König in weltlichen Dingen vom Papste ganz unabhängig sei, und dieser die Unterthanen niemals vom Gehorsam gegen den König lossprechen könne; 2) daß der Papst unter den Kirchenversammlungen, nicht über ihnen stehe; 3) daß die päpstliche Macht nur nach den in Frankreich geltenden Regeln und Gebräuchen ausgeübt werden könne; 4) daß der Papst auch in Glaubenssachen nicht unfehlbar und sein Urtheil nicht unabänderlich sei. Auf diesen Bestimmungen beruhte die Stellung der g. K. und der Papst mußte sie anerkennen, weil Frankreich mächtig war. Unter der Maitressenherrschaft sank Frankreichs Macht und Rom nistete sich bald dergestalt ein, daß es 1 Jahrh. nach Aufstellung der genannten Bestimmungen dort mächtiger war, als in irgend einem andern Lande. Die Nationalversammlung stellte auch die Unabhängigkeit der g. K. wieder her, und wenn Rom auch durch das 1801 mit dem ersten Consul abgeschlossene Concordat wieder Fuß in Frankreich faßte, so blieb die g. K. doch ziemlich unabhängig von Rom, allerdings nur, um von Napoleon. desto mehr geknechtet zu werden. Nach der Rückkehr der Bourbons wuchs Roms Macht in demselben Grade, wie die einheimische Freiheitsunterdrückung, und das Bürgerkönigthum bedarf für seine Willkürgelüste der Unterstützung kirchlicher Knechtung zu sehr, als daß es Rom nicht begünstigen sollte. So ist die Freiheit der g. K. völlig untergegangen, und erst in der neuesten Zeit beginnt, durch Roms und seiner Jesuiten Uebermuth geweckt, der Widerstand gegen die päpstliche Anmaßung aufs Neue. G. K. oder franz. Kirche nannte sich auch die Gemeinschaft, welche einige freisinnige Priester seit 1830 zusammenbrachten, und die eine von Rom ganz unabhängige Kirche gründen wollten. Das Bürgerkönigthum hat sie gewaltsam unterdrückt; indessen hatte sie auch keine innere Lebensfähigkeit, eweil sie zwar den äußerlichen römischen Zwang abgeworfen, den innerlichen Glaubenszwang aber in seiner ganzen Ausdehnung beibehalten hatte. Gegenwärtig besteht zu Paris noch eine kleine Gemeinschaft dieser Art unter dem Namen franz. Kirche, an deren Spitze par la grace de Dieu (von Gottes Gnaden), wie er selbst schreibt, der Geistliche Cavertet steht. Das Bekenntniß dieser Gemeinschaft ist etwa so mystisch-strenggläubig, wie das des christkatholischen Geistlichen Czersky und der sogenannten Protestkatholiken zu Berlin, so daß also diese sogenannt freie franz. Kirche den deutschen protestantisch Strenggläubigen und Muckern als ebenbürtig die Hand reichen kann.

Gant, ſ. Concurs.

Garantie, ſ. Gewährleiſtung.

Garde, ſ. Leibwachen.

Garde du Corps, Leibwache zu Pferde.

Garniſon, ſ. Beſatzung.

Gaſtfreiheit, ſ. Gaſtrecht.

Gaſtrecht (Fremdenrecht).

> „Sei wie ein Gott im Wohlthun auf der Erde,
> Und gieb dem Armen froh von deinem Herde,
> Und tröſte warm des Kummers Sohn!"

heißt die Pflicht, welche die Natur ſelbſt dem Menſchen in die Bruſt geſchrieben, weil Keiner weiß, wenn er Gleiches für ſich in Anſpruch nehmen muß. Aus der Erfül-lung dieſer Pflicht entſprang die Gaſtfreiheit, — jene geprieſene Tugend des Alterthums, die jetzt faſt nur da noch ſich findet, wo der Menſch nur dem Zuge ſeines Herzens folgt, wo freie Staatsverfaſſungen den Menſchen wieder zum Menſchen erhoben haben. Weit ſeltener wird ſie bei Völkern gefunden, die unter dem Drucke der Gewalt leben. — Wie jedoch der Menſch dem Menſchen mit Gaſtfreiheit zuge-than ſein ſoll, ſo ſteht ihm hinwieder das Recht zu, auch von Andern die Erfüllung ähnlicher Pflichten fordern zu dürfen. Aus dieſem wechſelſeitigen Freundſchaftsver-hältniß nun geht das G. hervor, welches alle auf Gäſte, d. i. Fremde, bezügli-chen Gewohnheiten und Rechtsbeſtimmungen und die den Fremden eingeräumten Vor-rechte umfaßt. Der Begriff fremd iſt — beſonders in Deutſchland! — ein ſo ausgedehnter, daß man darunter eben ſo gut die Bewohner eines in Sprache und Sitten ganz verſchiedenen Landes, wie die Angehörigen eines deutſchen Ortes verſtehen kann. Die Griechen und Römer nannten jeden Sprachfremden Barbar, in dem-ſelben Sinn etwa, wie jetzt noch von den Ruſſen und andern despotiſch beherrſchten Völkern geſprochen wird; denn es iſt jedem geiſtig hochſtehenden und politiſch freien Volke eigen, das nur als gut und trefflich zu finden, was ihm ſelbſt angehört und von ihm ausgeht. Daher iſt es den zu Einem großen und mächtigen Volke ver-einten und durch die höchſte ſtaatsbürgerliche Freiheit unter ſich feſt verbundenen Briten z. B. gar nicht ſo ſehr zu verdenken, wenn ſie im Gefühl ihrer Ueberle-genheit kalt und ſtolz auf die Fremden herabſehen. — Das Schickſal der Fremden in einem Staate hängt ſtets von der Beſchaffenheit der Staatsverfaſſung, der Regie-rungsweiſe und dem politiſchen Bildungsgrade des Volkes ab. Je ſklaviſcher und unterdrückter daher ein Volk iſt, deſto unſicherer wird das Loos der Fremden in ſeiner Mitte, beſonders dann, wenn es noch eine mächtige Prieſterſchaft im Lande giebt, die durch genaues Abwägen der ewigen Seligkeit der Staatsgewalt vorarbeitet in der Verkürzung des irdiſchen Völkerglückes. Hier räth es ſchon die eigene Sicherheit den Machthabern an, namentlich geiſtig hochſtehenden Fremden den Eintritt ins Land zu erſchweren, oder ſolche nicht zu dulden, um deren Berührung mit dem Volke zu hindern. In einem ſolchen Staate kann alſo von einem G. gar nicht die Rede ſein. Daher darf es nicht befremden, noch vor 1789 in Frankreich ein Heimfallsrecht zu finden, welches dem Fiscus die Befugniß zuſprach, jeden verſtorbenen Fremden zu beerben, gleichviel, ob er Erben hinterließ oder nicht; offenbar eine eben ſo grobe Verletzung des G.s wie das Strandrecht (ſ. d.). Aber es können — ſelbſt in Ver-faſſungsſtaaten — Verſündigungen gegen das G. vorkommen. Dahin gehören u. A. die Ausweiſungen (ſ. d.) und die Auslieferungen (ſ. d.). — Zwar haben derartige Verletzungen des G.s einen Schein für ſich, indem der Fremde den Landes-geſetzen ſich fügen muß. Solche Maßregeln gegen Fremde ſind in der Wirklichkeit nur Kinder der Furcht. „Eine ſolche Furcht aber — ſagt Deutſchlands großer Frei-heitsdulder Jordan — iſt immer ein Zeichen von Schwäche der Regierung, und dieſe wieder eine natürliche Folge von dem Bewußtſein, daß das befolgte politiſche

System der Bildungsstufe, dem Charakter und Geiste des Volkes nicht entspreche, und
                                        schüttert werden kann; denn eine
                                   reien, und darum auch frei-
                                   politisches System wurzelt, darf
                                   esuch

gends; es giebt vielmehr das Recht dem Menschen die Befugniß, zu wandern, wohin
er will, und Verbote nur gegen rechtswidrige Handlungen zu beachten. Ueberhaupt

noch nichts gehört.   W. Pretzsch.

Gau heißt eigentlich Erde, Land, Gegend, ein Bezirk, der mehrere Orte umfaßt,
so daß in alter Zeit Deutschland in 100 G.e getheilt war, deren jeder 1000 Krieger

Gaugraf. Im alten Deutschland ein Richter, welcher von wenigstens 3 Dörfern gewählt war und in diesem Bezirk (Gau) Recht sprach. Seine Macht war begrenzt auf die vorliegenden Fälle; waren die entschieden, so hörte sein Amt auf, und
für die nächste Gelegenheit wurde neu gewählt.

Gauner, Gaunerei. Unter dem letzten Ausdruck begreift man das handwerksmäßig ausgebildete und gleichsam zünftig eingerichtete Hehler-, Diebs- und
Schwindlerwesen, welches hauptsächlich in großen Städten seinen Herd und seine
Pflanzschule hat, wo das Vorhandensein einer Masse von Verwahrlosung, Noth und
Elend auf der einen Seite, von Reichthum, Ueppigkeit und Verschwendung auf der
andern die dazu erforderlichen Bedingungen in reichem Maße darleiht. Es bildet sich
außerhalb der im Kreise des bürgerlichen Gesetzes lebenden Gesellschaft eine gegen
letztre in offnem und geheimem Kriegszustand sich befindliche engvergliederte Genossenschaft, die durch Gewaltthat, Trug und List jene bedroht und verletzt. Diese Diebs-
genossenschaften haben gewöhnlich ihre eigene Sprache, Gesetze, Klassen- und Stände-
eintheilungen und Einrichtungen, ja selbst oft unter sich die Formen einer gewissen
Rechtspflege. Es finden sich darin unzählige Abstufungen, von dem zu Gewaltthat
und Mord entschlossenen Räuber an bis herab zu dem Taschendieb, dem Falschmünzer, dem Urkundenschmied und dem falschen Spieler und Projectenschwindler. Das
Vorkommen dieser G.banden reicht bis hoch in das Alterthum hinauf; es läßt sich
nachweisen, daß die unverantwortliche Weise, mit welcher die herrschenden Völker und
Klassen andere unterdrückt und verstoßen, wie es z. B. in Bezug auf die Zigeuner
(s. d.) und Juden geschehen, mächtig dazu beigetragen hat, daß sich ein so gefährliches Uebel durch Jahrh.e wie ein Krebs im Schooße der Gesellschaft hat fortpflanzen
und ausdehnen können. Denn gerade jene Klassen und Stämme haben erfahrungsgemäß, mit ihrem durch fortdauernde Mißhandlung und Unterdrückung genährten Haß
gegen die gesetzlichen Zustände, die sie ausgestoßen, diesen Vereinigungen die tauglichsten Gestaltungen, Lehrmeister und Gesetzgeber geliefert, da die in jenen Klassen sich vorfindenden hervorragenden Naturanlagen, unter der zwingenden Wucht der äußern Umstände in verkehrte Bahnen getrieben, sich nicht anders als auf so verderbliche Weise
für ihre Unterdrücker selbst bethätigen konnten. In allem andern Auswurf der Gesellschaft, den unzähligen Massen, welche bisher die letztere ohne Unterricht, ohne
Erziehung, ohne Aufsicht aufwachsen und leiblich und geistig verwildern ließ, in den

Haufen der Gesetzübertreter, welche widersinnige Strafgesetze und Strafeinrichtungen nach überstandener Strafzeit als noch verstocktere Bösewichter und mit noch tieferem Haß gegen die bestehenden Einrichtungen erfüllt in die gewöhnlichen Lebenskreise zurück schickten, war und bleibt der üppige Boden vorhanden, welcher das Umsichgreifen dieses Aftergebildes des menschlichen Vereinigungs- und Genossenschaftstriebes begünstigt. So bildet das G.wesen im innigen Zusammenhange mit dem Prostitutionswesen, der gewerbsmäßigen Hurerei, die Geißel, welche die gesetzmäßige Gesellschaft, die zu ihrem Schutz dagegen bisher gar nichts zu thun wußte, als einen kostspieligen Polizei- und Späherdienst einzurichten, unablässig für den Unverstand und die Kurzsichtigkeit straft, die sie bei den zur Abwehr und Ausrottung des Uebels getroffenen Maßregeln kund gegeben hat. Eine gründliche Heilung des Uebels ist aber auf diesem Wege nimmermehr zu erwarten; im Gegentheil muß sich dasselbe, wie die alltägliche Erfahrung lehrt, mit dem durch die großen Erfindungen der Zeit verursachten Zusammendrängen der Menschen an dichten Vereinigungspunkten, immer weiter ausbreiten, immer tiefer den Boden der Gesellschaft unterhöhlen, wenn man nicht in neue Bahnen einlenkt und die Ursachen, die Wurzeln jenes Auswuchses abzugraben anfängt. Die großen Gaben und Fähigkeiten, welche sich sehr häufig in jenem Abgrund der Verworfenheit und des Lasters entwickeln, und welche sich nicht nur in kühnen, wohlüberlegten Thaten, in den scharfsichtigsten Entwürfen, sondern auch in der Kunst sicherer und zweckentsprechender Gestaltung und Einrichtung, in der besonnenen und überschauenden Leitung solcher verbrecherischen Unternehmungen beurkunden, gehen der bürgerlichen Gesellschaft und ihren großen Zwecken, denen sie, wie jede andere Begabung, zu dienen berufen wären, doppelt verloren, und es ist darum dringender als je an der Zeit, daß man den gegenwärtigen Nothbehelfen gegen das Weiterumsichgreifen dieses Gebrechens die untergeordnete Stellung anweise, die wie in der leiblichen, so auch in der staatlichen und gesellschaftlichen Heilkunde die örtlichen und augenblicklichen Beschwichtigungsmittel nur einnehmen dürfen. Von Grund aus wird die in den Eingeweiden der heutigen Gesellschaft still wüthende Seuche des G.wesens nur gehoben werden können, wenn 1) ein allgemeines Volkserziehungs- und Unterrichtswesen dafür sorgt, daß die in allem Volke sich vorfindenden Kräfte, Fähigkeiten und Gaben in gedeihlicher Weise entwickelt und ihnen eine mit dem allgemeinen Besten vereinbare, demselben dienende Richtung gegeben werde; wenn 2) der Bethätigung all dieser zum Guten und Nützlichen angewendeten Kräfte der größtmögliche und freieste Spielraum nach allen Seiten hin eröffnet und die Anerkennung des einzigen vernünftigen Adels, des Adels der Tüchtigkeit und der Arbeit, zum leitenden Grundsatz der Gesellschaft erhoben wird; wenn 3) diejenigen Anstalten, Einrichtungen und Gesetze, welche gegenwärtig bestimmt sind, dem Uebel zu steuern, die Beaufsichtigung der Verbrechen, die Sicherheits- und Sittenpolizei, die Straf- und Besserungsanstalten (s. d.) und die Strafgesetze in einer Weise sich umgestalten, wodurch sie der andern reformirenden Richtung zur Seite gehend, deren Hauptzwecken nirgend entgegen treten, sie vielmehr gleichfalls allenthalben zu fördern suchen. Diese beiden großen Verbesserungen folgerichtig und entschlossen durchgeführt, werden G. und G.wesen in einer nicht fernen Zukunft nur, wie die Wegelagerer- und die Giftmischerbanden des Alterthums und Mittelalters, zu den geschichtlichen Merkwürdigkeiten gehören.

J. E. G.

Gährung. Eigentlich eine Mischung von Pflanzenstoffen, welche denselben eine andere Gestalt giebt. In der Politik die dumpfe und trübe Stimmung eines Volkes, welche Aufruhr und Empörung droht. Wenn der Pflanzenstoff gähren soll, so muß ein herber scharfer Stoff: Sauerteig darunter gemischt werden. Und wenn das fast stets harmlose und reine Gemüth des Volkes in G. gerathen soll, so muß ebenfalls der Sauerteig mancher harten Maßregel und eines die Interessen des Volkes verletzenden, dessen Unzufriedenheit erweckenden Verfahrens eingemischt werden. Ohne

unan-

at sich

wer-

mit

balb

mit

kurz

auert

winden sich ihm und laufen auf ihren eigenen Füßchen fort. Bei den großen Kindern scheint es leider länger zu dauern.

Gebannt, Gebannter, s. Bann.

Gebäranstalt, Gebärhaus, s. Wohlthätigkeitsanstalten.

Gebiet oder Staatsgebiet, häufig auch mit dem fremden Ausdruck Terri-

grund (casus belli), wenn nicht Verträge darüber abgeschlossen sind. Auch ist die Kriegs, weshalb die Grenzen des G.s gewöhnlich im besten Vertheidigungszustande gehalten werden. Ob das

Theilen zwischen andern G.en gelegen ist, dies macht vermöge seiner Behandlung keinen Unterschied. Ein G., welches zwischen 2 kriegführenden Staaten liegt, und nicht durch Bündniß zur Theilnahme am Kriege gezwungen ist, oder nicht daran Theil nehmen will, wird häufig als neutrales G. zwar von der einen oder an-

delt werden. Oft wird auch das G. kleiner Staaten, die mitten zwischen großen liegen, und daher die Beute des Ersten werden müssen, der sie angreift, in den völkerrechtlichen Verträgen ein für alle Mal für neutral erklärt. So in Europa das G. der Schweiz und Belgiens. Derartige Erklärungen sind gewöhnlich gut gemeint, gelten aber nur so lange, als der mächtige Nachbar sich daran binden will.

Gebirgsartillerie. Eine besonders leichte Artillerie, aus kleinen Geschützen bestehend, die auf den schwierigen Gebirgspfaden leicht von Maulthieren gezogen werden können. Die G. wurde 1793 von den Franzosen für den Krieg in Italien und der Schweiz eingeführt.

Gebirgskrieg, s. Krieg.

Gebot, so viel wie Befehl.

Gebotene Dinge, altdeutsche Rechtspflege, s. Actenversendung.

Geburt. Was in politischer Beziehung hierüber zu sagen ist, s. unter Bastard, Ehe, Erstgeburt u. s. w.

Geburtsadel, s. Adel.

Geburtslisten. Die Verzeichnisse der neugebornen Kinder, zum Zwecke des Nachweises ihrer Geburt. Wo die bürgerliche Ehe und mit derselben die Handhabung der Staatsinteressen durch die politischen Behörden eingeführt ist, da werden auch die G. von den letztern geführt. Wo aber die Kirche noch

Interesse daran, daß seine Bevölkerungslisten zuverlässig sind, jeder einzelne seiner Angehörigen hat ein Recht, zu fordern, daß er seine Geburt durch eine amtliche Urkunde nach Ort und Zeit nachweisen kann. Deshalb sind Geburtslisten unerläßlich. Aber

25*

der Staat hat gar kein Interesse daran, und es geht ihn auch gar nichts an, ob seine Angehörigen Christen, Juden, Heiden, oder Fetisch-Anbeter sind, wenn sie nur seine Gesetze und ihre Pflichten erfüllen. Deshalb sollten die G. ausschließlich von den politischen Behörden geführt werden; so lange sie in den Händen der Kirche sind, ist auch ein Gewissenszwang mit ihnen verbunden.

Geburtsmakel nennt man den Flecken, welcher einem Kinde anhängt, das außer der Ehe erzeugt ist. Sonst konnten solche Kinder zum Theil nicht erben, kein öffentliches Amt bekleiden, in keine Innung aufgenommen werden u. s. w. Die Neuzeit hat diese Barbarei abgeschafft und macht das Kind in keiner Weise mehr für die Art seiner Zeugung verantwortlich. Nur beim Adel hat sich mit andern Ueberbleibseln aus der Rumpelkammer des Mittelalters auch der G. erhalten.

Gedankenfreiheit. Ein Begriff, bei dem sich eigentlich gar nichts denken läßt. Seit Schiller den Ausdruck im Don Carlos gebraucht hat, ist er in den Mund der Leute gekommen, die aber nicht immer wissen, daß Schiller Glaubens- und Preßfreiheit gemeint hat. G. hat jeder Mensch unter jeder Staatsform. Auch in Rußland hat man G., auch Huß hatte dieselbe, als er bereits auf dem Scheiterhaufen saß. G. ist ein hohles leeres Wort, es handelt sich darum, wenn von Freiheit die Rede ist, den Gedanken auszusprechen und zur Geltung zu bringen.

Geest. Ein dem Meere abgewonnenes, früher sandiges und unfruchtbares, aber durch Fleiß und Düngung verbessertes Land.

Gefährdeeid, s. Eid.

Gefällsteuer, s. Steuer.

Gefangenhalten, s. Haft.

Gefängnißwesen, s. Auburnsches System und Besserungsanstalten.

Gefecht. Der Kampf einzelner Personen oder kleiner Abtheilungen eines Heeres gegen einander. In ersterer Beziehung ist das Einschlagende unter Zweikampf gesagt. In der Kriegswissenschaft nennt man das G. bis zum Belaufe einiger hundert Mann ein Scharmützel, von da an bis zum Belaufe mehrerer tausend Mann findet das eigentliche G. statt, was darüber hinaus liegt, wird Schlacht genannt. Das G. ist meistens der Art, daß es auf den Verlauf des Krieges von keinem, oder nur geringem Einflusse ist, indem, wenn auch von der einen Abtheilung stets ein Sieg errungen wird, dieser doch nicht auf die Stellung des Ganzen wirkt.

Gefolge nennt man die regierende Fürsten oder sonst hohe Personen stets begleitenden Beamten. Der Name G. stammt aus der Zeit her, wo gewisse Klassen des Volkes zur Kriegs- oder Heerfolge verpflichtet waren, wenn der Befehlshaber dazu aufrief. Dieser G.dienst ist recht eigentlich deutsch. Als die Heere größer wurden und aus Söldlingen bestanden, nannte man G. nur eine Art Leibwache, die sich aus den zur Heerfolge verpflichteten Ständen bildete, und die allmälig zu den höchsten bürgerlichen und militairischen Stellen aufstiegen und den eigentlichen Dienstadel bildeten. Vergl. Bauern.

Gegenbescheinigung, s. Bagatellsachen.

Gegenbeweis nennt man den Nachweis der Unwahrheit einer Behauptung, durch welche ein Beweis geführt werden sollte. Der Beweis wird durch den G. entkräftet. In der Rechtswissenschaft ist dem G., als einem nothwendigen Vertheidigungsmittel, ein größerer Spielraum gewährt, als dem Beweise. Während nämlich der Beweis geführt werden muß, steht es in dem Belieben der Partei, den G. zu führen oder nicht.

Gegenliste, Gegenschreiber, s. Controle, Controleur.

Gegenüberstellung (Confrontation). Vom Gericht wird, wenn Personen in ihren Aussagen gegen einander im Widerspruch stehen, die G. bewirkt, um Gleichförmigkeit herbeizuführen, oder den Grund des Widerspruchs zu erforschen. Sie ist ein Mittel, die Wahrheit zu erforschen und findet statt a) zwischen mehreren Zeugen;

b) zwischen ben Zeugen und dem Beschuldigten; c) zwischen ben Mitschuldigen. Die
G. beruht auf der Voraussetzung, daß nicht leicht Jemand einem Andern eine Unwahr-

Verurthei-
II. Das Strafverfahren soll den Verlauf der Verü-
Widersprüche in den Aussagen begründen aber Zwei-
Diese Zweifel müssen gelöst werden, ehe die ver-
wahren und wirklichen äußern Erscheinung vor das
Der Angeschuldigte beruft sich häufig auf Umstände,
beigemessene Verschuldung gar nicht oder
(Entschuldigungsbeweis), der Grund oder
mit eben der Sorgfalt zu erforschen, wie die Beschul-

Erfolg, weil sie, was die gehoffte Erlangung von Ge-
früherer Aussagen durch sie betrifft, im heimlichen Ver-
moralische Kraft auf die sich Gegenübergestellten äußert,
um den Selbsterhaltungstrieb der Beschuldigten oder den Eigennutz falscher Zeugen zu

Zeugen ein, weil die mündliche Verhandlung eine schnelle Auf-
Aussagen gestattet und hierdurch eine überraschende Ueberführung
weit eher möglich macht. Adolph Henfel.
. Wenn von einem Staate gegen den andern Ungerechtigkeiten, oder
ausgeübt werden, und Vorstellungen dagegen bringen keine
beschädigten Staate oft nichts Anderes übrig als G., d. h.
die dem andern Staate gleichen Nachtheil zufügen. Man
noch mit dem fremden Ausdruck Repressalien. Die G.
barbarischen Grundsatze: Auge um Auge,

sondern die unschuldigen Bewohner des Landes, dessen Regie-
hat. Demohngeachtet ist die G. oft unvermeidlich, wie der Krieg.
sich von einem andern richten läßt, ist eben
Volk, welches sich von einer feindlichen Armee angreifen läßt,
ihigen. Je mehr das Recht waltet im Verkehr der Staaten mit

kann, wird in dem Aufsatz: Continentalsperre gezeigt. Im Staate ist den einzelnen
Bürgern die G. nicht gestattet, selbst dann nicht, wenn ihnen schreiendes Unrecht geschieht. Der Staat als die Anstalt, welche das Recht zu schützen hat, bestraft die
G. als Selbsthülfe. Und mit Recht. Denn die Gestattung derselben würde Ordnung
und Frieden aufheben, und das Faustrecht wieder einführen. Nur die Nothwehr

und Unver-
werben, der

tur. In einigen Verfassungen ist bestimmt, oder der Gebrauch hat
eingeführt, daß ein Befehl des Herrschers, ohne die G. des Ministers,
keit hat.« Und diese ist auch nothwendig, wenn die Ministerverantwortlichkeit nicht

Trug und Schein sein soll. Die Apostel der Alleinherrschaft sehen zwar in der nothwendigen G. eine Beschränkung des Fürsten, die seiner Stellung unwürdig ist. Allein
da der Fürst sich seine Minister wählen kann, wie er will, so kann er sich die seinem
Willen und seiner Richtung ergebenen Leute suchen, und braucht nicht zweifelhaft zu
sein, daß er dieselben findet. Nur für verfassungs- und gesetzwidrige Anordnungen,
so wie für solche, die dem Volkswohle entgegen sind und von der Volksvertretung
entschieden zurückgewiesen werden, wird er keine G. finden. Das aber ist gut und
nothwendig, denn Gesetz und Recht, sowie das Wohl des Ganzen, stehen höher
als die Einsicht und das Belieben eines Einzelnen, und wäre dieser Einzelne auch der Fürst.

Geheim. Ein Zauberwort in unserm Staatsleben, welches dasselbe ganz durch-
dringt und bewegt. Bei den Anhängern der alten Schule sollte die Staats- und Regierungskunst eigentlich ganz g. sein, so daß sie, wie die Weisheit der egyptischen
Priester, nur das Eigenthum weniger Bevorzugten sei. Das Volk dagegen, die
Bildung der Zeit und die neuen Ideen von Staat und Recht verlangen, daß nichts
mehr g. sei, was sich auf den Staat bezieht. Man hat erkannt, daß das Volk nicht
des Staates und der Regierung wegen, sondern beide des Volkes wegen da sind.
Darauf gründet sich der Anspruch, betheiligt zu sein bei Allem, was sich auf das
Staatsleben bezieht, nicht sich führen und leiten zu lassen wie eine willenlose Heerde.
In dem Streite zwischen G. und Oeffentlich liegt demnach der ganze Kampf unserer
Zeit. Aus der guten alten Zopfzeit der Regierungskunst ragen noch einige Trümmer
gespensterhaft in die Gegenwart herein; dieses sind die g.en Gerichte, die g.en Räthe,
die g.en Cabinete, die g.e Polizei, die g.en Spione und andre Heimlichkeiten. Wenn
diese Trümmer der Vergangenheit erst überwunden sind und zeitgemäßen Gebäuden
Platz gemacht haben, so ist auch die alte Zeit überwunden und die neue hat den Sieg
errungen.

Geheimbuch. Im Handel ein Buch, welches der Eigenthümer des Geschäftes
selbst und allein führt, und in welchem eine klare Uebersicht vom Stande und Gewinne des Geschäftes enthalten ist.

Geheime Abstimmung, s. Abstimmung.

Geheime Gesellschaften. Zu allen Zeiten und bei allen Völkern hat es g.
G. gegeben, die theils ihre edlen Bestrebungen in einer barbarischen und finstern Zeit
verbergen mußten, theils ihre eigensüchtigen Zwecke nur unter dem Schutze des Dunkels und des Geheimnisses befördern konnten. Ohne von den g.n G. der Priester bei
den alten Egyptern, den Juden (die Essener, denen Christus angehörte), den Galliern
und Germanen u. s. w. zu reden, finden sich politische g. G. von dem Augenblicke
an, wo das Volk, oder einzelne Theile desselben sich um das Staatsleben bekümmerten. Je offener sich die Berechtigten und Befähigten um das Staatsleben bekümmern durften, je weniger g. G. waren vorhanden; je mehr dagegen das Staatsleben
dem Volke entrückt und als ein Privilegium einzelner Menschen oder Classen betrachtet wurde, um so mehr breiteten sich die g.n G. aus. Unter der Alleinherrschaft,
überhaupt unter der Herrschaft der Gewalt, der Tyrannei und Freiheitsunterdrückung,
sterben die g.n G. niemals aus; im freien England und Nordamerika kennt man sie
nicht. Auch sind die g.n G. in demselben Grade strenger verboten und werden härter
bestraft, als die Herrschaft unfreier und tyrannischer ist. Die g.n G. sind ein Gegenstand immerwährender und gerechter Furcht aller Regierungen, die den Forderungen
der Zeit nicht gerecht werden und nur auf Unterdrückung der Volksfreiheiten trachten. Allein auch gerade diese Regierungen sind ohnmächtig gegen dieselben, indem
man zwar die g.n G. für den Augenblick aufheben, ihre Mitglieder in den Kerker
und auf die Schaffotte schleppen kann, ihr Geist aber desto unzerstörbarer im Volke
fortlebt und mit jedem neuen Opfer sich mehr ausbreitet und befestigt. Ein sprechendes Beispiel dafür bietet Italien. Dort hat man Hunderte freisinniger Männer als
Carbonaris geschlachtet und verdorben, jetzt beseelt der Geist der Carbonaria das ganze

Volk und hat sich der höchsten Spitzen der Gesellschaft bemächtigt. Die ganze Kunst,

Europa, Rosenkreuzer u. s. w.

Geheime Wiener Ministerial-Conferenz-Beschlüsse, s. Bund.

Geheimer Krieg, s. Verschwörung.

Geheimer Rath. Unter dem alten geheimen Staate die Benennung der Minister, oder überhaupt der obersten Staatsbeamten. Man macht gewöhnlich noch den Unterschied zwischen einem wirklichen g. R. und einem bloßen g. R., indem die erstere Benennung demjenigen zustand, der wirklich im Rath des Fürsten saß, die letztere dagegen mehr nur ein Titel war.

Geheimes Cabinet, s. Cabinet.

Geheimes Gerichtsverfahren, s. Actenmäßigkeit, Anklageproceß u. Oeffentlichkeit.

Gehorsam. Die Unterwürfigkeit des menschlichen Willens unter den Willen

neuere Anschauung der Dinge, welche den Menschen höher anschlägt, als eine Ma-

schung, als die Schreibstubenherrschaft in jedem ihrer Beamten ein Theilchen ihres Selbst verletzt sieht und sich schwer entschließen kann, einem Beamten Unrecht z

demselben Grade, wie sie sich verliert und das Recht des Bürgers und des Menschen mehr anerkannt wird, wird der blinde G. sich mehr verlieren.

Friedensverträgen, sich für die Erfüllung dadurch eine Bürg-

legten als Gefangene mit sich führte und so lange behielt, bis alle Bedingungen des Vertrages erfüllt waren. Diese Gefangenen nannte man G.n. Wurden nicht alle Bedingungen erfüllt, so war man so grausam, die G.n dafür zu martern oder hinzurichten. Die Neuzeit hat die G.n größtentheils abgeschafft, weil sie eines gebildeten Volkes unwürdig und grundsätzlich ungerecht und grausam sind; doch ist es auch noch

Sie liefen zur Erinnerung der 33 Jahre, die Christus auf der Erde gelebt hatte, 33 Tage umher und zerfleischten sich gegenseitig wie Wahnsinnige. Wo das Volk ihren Tollheiten nicht beistimmte und keinen heuchlerischen Antheil daran nahm, da trieben die G. Unfug, zerstörten die Häuser, mißhandelten die Menschen, raubten und plünderten u. s. w. Dagegen hatte Rom nichts, betrachtete sie vielmehr als Gott wohlgefällige fromme Menschen, so lange sie blos Unfug trieben; als sie aber anfingen, nicht mehr an das Fegefeuer und an die leibliche Gegenwart Christi im Abendmahl zu glauben, da wurden sie als Ketzer verdammt und verboten.

Geist der Gesetze ist der deutsche Titel des berühmten Werkes „de l'esprit des lois" des Franzosen Montesquieu, welches gerade vor einem Jahrh., 1748, in Genf veröffentlicht wurde und mit einer in damaliger Zeit unerhörten Kühnheit der Forschung die Vertheidigung der Menschenrechte, die Bekämpfung der Vorurtheile und des Aberglaubens unternahm, und der Vernunft und ihren Anforderungen bei Feststellung der bürgerlichen, staatlichen und gesellschaftlichen Einrichtungen ihr unveräußerliches Recht zu wahren suchte. Das Buch war von erstaunlicher Wirkung und mag als einer jener in die Menschheit geworfenen Blitzstrahlen betrachtet werden, welche, wie mit Zauberschlag, die Geister eine lange dunkel geahnte Wahrheit erkennen lassen und dem Willen und der Thatkraft eine unwiderstehliche Richtung aufdrücken. Der G. d. G. Montesquieu's war weit mehr als der Contrat social Rousseau's, dem man diesen Umsturz der Ideen im Geiste des Zeitalters beimißt, der Leitfaden, an welchem sich die umgestalteten Gedanken entwickelten und fortspannen, bis die 40 Jahre später zu jener weltgeschichtlichen Umwälzung führten, die ihren Kreislauf noch heute nicht beendigt hat. — G. d. G. nennt man auch im Allgemeinen das eigenthümliche Wesen der Gesetzgebung und der Gesetze eines Zeitalters oder eines besondern Volkes. Dieser Charakter bildet den Maßstab für die Stufe der Gesittung, auf welcher solche Zeitalter, Völker und deren Gesetzgeber stehen. Nehmen die Letztern ihren Standpunkt unter dem allgemeinen Bewußtsein ihrer Zeit und seiner Bedürfnisse ein, wie wir dies leider in unsern Tagen und namentlich in der jüngsten Zeit in Deutschland erfahren, so tritt der G. d. G. mit der Bildung des Zeitalters, mit dem Geist der Völker selbst in Widerspruch, die Gesetze verlieren ihr Ansehen und ihre Kraft und die Bemühung, sie durch Zwang und Gewalt aufrecht zu erhalten, führt oft zuletzt zu jenen gewaltsamen Auflösungen und Erschütterungen, welche den Weg heilsamer Verbesserungen unterbrechen und den Strudel der Umwälzungen eröffnen. (S. Gesetze und Gesetzgebung.) J. G. G.

Geistige Erziehung, s. Erziehung.

Geistige Folter, s. Folter.

Geistliche Bank. In der alten Reichsvertretung hieß so der Sitz der geistlichen Kurfürsten auf dem Reichstage. Nach der Reformation wurden die protestantischen Geistlichen von den katholischen getrennt und es entstand für sie die sogenannte Querbank. Die Reformation kam freilich Manchem sehr in die Quere.

Geistliche Gebäude. So heißen die Wohnungen der Prediger und Lehrer bei den Kirchen. Meistens sind sie aus dem Kirchenvermögen hergestellt worden und werden daraus erhalten; wo dies nicht der Fall ist, werden gewöhnlich die Gemeinden damit belastet. Wenn das Erziehungswesen, wie das sehr zu wünschen wäre, ganz in die Hände des Staates überginge, aber von ihm nach Grundsätzen eingerichtet würde, die einen genügenden Unterricht nicht mehr zum Privilegium der Wohlhabenden machten, so würde der Staat auch für die Schulgebäude zu sorgen haben. G. G. würden sie dann nicht mehr bleiben; denn der Einfluß der Geistlichen auf die Schule ist die Ursache ihres Nichtgedeihens oder ihres Verderbens. Um eigentliche g. G. hat sich der Staat vernunftgemäß niemals zu bekümmern; das ist Sache der Kirchengemeinden. Wer einen Geistlichen haben und ihm freie Wohnung geben will, der soll's auch bezahlen. Den Staat geht das nichts an.

Geiſtliche Gerichtsbarkeit. Als ein Ausfluß der anmaßenden Herrſchaft Roms war auch die Einrichtung zu betrachten, daß es ſeine Diener, die Geiſtlichen, die es durch gezwungene Eheloſigkeit von der Welt und der Familie losgeriſſen hatte, auch der weltlichen Rechtspflege entzog und bei etwaigen Verbrechen nicht duldete, daß dieſelben von Andern, als von ihren Vorgeſetzten zur Verantwortung gezogen wurden. Dadurch wurden die meiſten Verbrechen vertuſcht und verborgen; der Verbrecher ward höchſtens in ein Kloſter begraben, und die geiſtliche Kaſte blieb vor der Welt ſcheinbar rein. Nur in ſeltenen Fällen und wenn es gar nicht zu vermeiden war, wurde der Verbrecher ſeiner geiſtlichen Würden beraubt und erſt nachher den weltlichen Richtern übergeben. Mit der Reformation, oder wenigſtens in Folge derſelben, iſt auch die g. G. verſchwunden, höchſtens beſteht ſie jetzt noch für ungehorſames Vergehen und Amtsmißbrauch. In dieſem Sinne hat ſie ſich auch in der proteſtantiſchen Kirche erhalten, und ſind häufig auch die Lehrer, Küſter, Kirchendiener u. ſ. w. der g. G. unterworfen. G. G. nannte man ſonſt auch eine Einrichtung, nach welcher die Geiſtlichen bei verweigerter weltlicher Rechtspflege, oder wenn die weltliche Rechtspflege zu hart geweſen war, ſich eine Entſcheidung oder Begnadigung anmaßten. Auf dieſe g. G. wird ſchon ſeit langer Zeit keine Rückſicht mehr genommen.

Geiſtliche Orden. Vielfach übliche Benennung für die verſchiedenen Abtheilungen der Mönche und Nonnen (ſ. d.); beſonders aber hießen die Vereinigungen von Kriegern ſo, die ſich im Mittelalter zuſammenfanden, um das Chriſtenthum auszubreiten und die Ungläubigen auszurotten. Sie ſollten mit ritterlichen Tugenden geſchmückt ſein und gelobten außerdem Keuſchheit und Gehorſam. Häufig erhielten ſie ſogar geiſtliche Weihen. Solche Orden waren der deutſche Orden, die Johanniter, die Malteſer, die Tempelherren u. ſ. w.

Geiſtliche Stände, ſ. Stände.

Geiſtliche Strafen. Mit der geiſtlichen Gerichtsbarkeit hing auch die Nothwendigkeit zuſammen, die Geiſtlichen zu ſtrafen, wenn ſie etwas verbrochen hatten. Dieſe g. n S. beſtanden: in Geldſtrafen, deren Betrag zu wohlthätigen Zwecken verwendet wurde, in Warnungen, Ermahnungen und Verweiſen, in tadelnden Zeugniſſen (Cenſuren), in zeitweiſer oder beſtändiger Amtsentſetzung, Einſperrung in eine Kloſterzelle, Auferlegung einer unvernünftigen Maſſe von Gebeten, endlich Entziehung der prieſterlichen Würden (Degradation) und Ueberlieferung an die weltliche Gerechtigkeit, oder in Acht und Bann.

Geiſtlicher Zehnten, ſ. Ablöſung.

Geld (Geldbedarf, Geldmangel, Geldüberfluß, Geldumlauf, Geldzeichen). G. iſt das Werkzeug des Tauſches und des Ausgleichs im Handel und Wandel, finde derſelbe nun zwiſchen den Erzeugern unter ſich, oder zwiſchen Erzeugern und Verbrauchern ſtatt. Das Weſen des Verkehrs verlangt, daß das G. in hinreichender Menge vorhanden, von einem feſtbeſtimmten Werthe und möglichſt theilbar ſei. In der allgemeinſten Bedeutung iſt G. nicht nur gemünztes Metall, ſondern auch alle Erſatzmittel deſſelben; alſo nicht allein verzinsliches und unverzinsliches Papier-G., Banknoten, Actien, Staatspapiere, ſondern auch alle g. werthlichen Papiere und Urkunden, Wechſel, Tratten, Anweiſungen u. dergl. m. Im engern Sinne zählt man zum G. nur die erſtgenannten Gattungen von Tauſch- und Ausgleichungsmitteln. Hinſichtlich der Verwendung des G.es muß man deſſen 2 ſtreng von einander geſonderte Aufgaben unterſcheiden. In dem eigentlichen Handelsverkehr, d. h. zwiſchen dem Erzeuger und dem Kaufmann, oder zwiſchen den Handeltreibenden untereinander, tritt es in der Eigenſchaft des Stammgutes (Capitals) auf, in ſo fern es entweder beim Austauſch eines baaren Capitals gegen Waaren, oder als Darlehn von Seite des Capitaliſten an den Erzeuger erſcheint. Dadurch beſtimmen ſich die Begriffe über den Bedarf, Ueberfluß oder Mangel an G., nach den Verhältniſſen der Erzeugung, des Credits und der Lebhaftigkeit des Verkehrs. — Zwischen dem Erzeugenden hingegen und dem Verbrauchenden, zwischen dem Lohnzahlenden und Lohnempfangenden stellt sich das G. in der Eigenschaft des Umlaufsmittels dar; es erscheint darin als derjenige Theil des Einkommens der Gesammtheit, welcher in täglichem Gebrauche für den Einkauf der benöthigten Arbeit oder anderer Bedürfnisse u. s. w. verausgabt wird, also in beständigem Umlaufe befindlich ist. Der G. bedarf in letzterer Hinsicht wird sich demnach nach nichts Anderem richten, als nach dem Bedürfnisse jenes Verkehrs, d. h. erhöht sich die Erzeugungsthätigkeit in einer Weise, daß die Lohnauszahlungen sich mehren, steigt die Verbrauchs-, Verzehr- und Genußfähigkeit mittelst dieser Zunahmen, so wird auch der Bedarf an Umlaufsmitteln wachsen und ein gewisser Betrag der im Handel und Wandel vorhandenen Capitalien wird diesem entfremdet werden, um jenem Bedürfnisse zu genügen. Sind nun die Bedingungen nicht vorhanden, daß dieser Abfluß des G.es aus der erzeugenden Thätigkeit sich schnell ersetzt durch die Flüssigmachung bis dahin unbenutzter Vermögensvorräthe, oder durch Anhäufung der Ersparnisse in den erzeugenden Klassen selbst, so muß in einem der beiden Wirkungskreise des G.es und durch ihre Wechselwirkung auf einander, gewöhnlich später auch in dem andern eine Hemmung eintreten, welche man mit dem Ausdruck des G. mangels bezeichnet — entweder Mangel an baarem Capital für den Verkehr und die Erzeugung, oder Mangel an Umlaufsmitteln für Auszahlung der Arbeitslöhne und Einkauf der Bedürfnisse und Genüsse des Lebens. Alle Stockungen im G. verkehr lassen sich auf diese Verhältnisse zurückführen. — Es geht daraus von selbst hervor, daß in dem Maße, in welchem die Staats- und Volkswirthschaft für Einrichtungen und Bedingnisse sorgt, die Verwendung alles vorhandenen Capitals in gewinnreicher Weise zu erleichtern und zu befördern, in eben diesem Maße der G. umlauf die Mittel finden wird, dem sich einstellenden Bedürfnisse zu genügen, d. h. das G. stets in hinreichender Menge herbeizuschaffen. Ein wirklicher G. überfluß, d. h. zu viel G., kann in einem gebildenden Gemeinwesen nie vorhanden sein, weil ein Ueberfluß der Umlaufsmittel sogleich von der Erzeugung als Capital in Beschlag genommen und damit wiederum die Verbrauchsfähigkeit gesteigert, also der Bedarf an Umlaufsmitteln erhöht werden wird. Das Metall-G., die edlen Metalle Gold und Silber, sind aber als Umlaufsmittel selbst ein unproductives Capital, d. h. während sie von einer Hand in die andere übergehen, gehen sie des Zinsertrags ihres innerlichen Werthes verlustig: ja sie nützen sich außerdem durch den täglichen Gebrauch selbst an diesem Werthe ab. Je größer deshalb der Betrag des Metall-G.es ist, welchen ein Staat zu seinem G. umlauf benöthigt, einen desto größern Verlust an Capital wird er aus dieser Nichtverzinslichkeit und der Abnutzung des Metalls zu tragen haben. Nach einer allgemeinen Veranschlagung berechnet sich die Menge der in Europa befindlichen baaren Umlaufsmittel in Gold und Silber auf mehr denn 2000 Mill. Thaler, von denen Frankreich, das an Metall-G. reichste Land, mit seinen 35,000,000 Einwohnern, fast die Hälfte besitzt, während England, das eine weit größere Erzeugungsthätigkeit und einen weit umfangreicheren Verbrauch aufweist, bei 28,000,000 Einwohnern durchschnittlich nur 300 Mill. Thaler, also kaum ein Drittheil der edlen Metalle, die Frankreich benöthigt, für seinen Umlauf aufwendet. Auf diese Weise erleidet Frankreich, andern Ländern gegenüber, die dem Bedürfniß ihres Umlaufs nicht allein mit baaren Zahlungs- und Ausgleichungsmitteln genügen, sondern solches mit Stellvertretern derselben zu bestreiten wissen, jährlich einen Verlust von Millionen, der sich ihm besonders durch die dadurch vertheuerte Erzeugung in dem Mitbewerb seiner Erzeugnisse auf dritten Märkten fühlbar macht. Diese großen Nachtheile, welche die Verwendung der edlen Metalle als Umlaufsmittel unausweichlich mit sich bringt, haben es immer einleuchtender erscheinen lassen, daß man dieselben durch andere G. zeichen ganz und gar und für immer ersetzen könne und müsse, G. zeichen, welche, werthlos in sich, zwar alle zum G. umlauf nöthigen Eigenschaften besitzen, aber keinen derartigen Nachtheilen und

Verlusten ausgesetzt sind, wie der Gebrauch der edlen Metalle. Die geeignete Art und Weise aufzufinden, das Papier-G. (s. d.) an die Stelle des Metall-G.es zu setzen, ist die große Aufgabe, welche zu lösen unserer Zeit oder der nächsten Zukunft aufbehalten bleibt. Zahlreich sind die einzelnen Versuche, welche bereits gemacht sind, noch zahlreicher die Vorschläge und Entwürfe, die darüber aufgestellt worden sind. Wie wenig mit dem so oft angerathenen Ausgeben unverzinslichen Papier-G.es ausgerichtet werden kann, wird unter Papiergeld nachgewiesen werden. Dagegen liegt in allgemeiner Einführung verzinslichen Papier-G.es, unter gehörigen und zweifellosen Sicherstellungen, der Weg angedeutet, auf welchem man zur Erreichung jenes Zieles gelangen und damit noch viele andere Vortheile erzwecken kann.

J. S. S.

Geldaristokratie, s. Aristokratie.

Geldbedarf, s. Geld.

Geldcours, s. Cours.

Geldhandel, s. Banken.

Geldmangel, s. Geld.

Geldsachenausschuß in der Kammer, s. Geschäftsordnung.

Geldstrafen. In den Zeiten, wo alle Gerechtigkeit nach dem Stande und der Stellung ausgeübt wurde, war es Sitte geworden, daß entweder die Gerechtigkeit durch Geld gehemmt und blind gemacht, oder mindestens jedes Verbrechen, welches der Hohe an dem Niedern begangen hatte, durch Geld gebüßt werden konnte. Es war dies eine traurige Erbschaft von den Römern, wo diese Sitte ebenfalls einge-rissen war, und sie ging selbst in die alten deutschen Gesetzbücher über, in welchen Bestimmungen enthalten sind, nach denen sogar der Mord durch eine Summe Geld gesühnt werden konnte. In der neuern Zeit sind diese G. verschwunden und wirk-liche Verbrechen können nicht mehr durch G. abgemacht werden. Um so reicher sind wir an G. für die geringste Uebertretung der Millionen Polizeivorschriften, welche das Bevormundungssystem zur Beförderung der staatlichen Glückseligkeit erlassen hat, und diese G. sind eine der wesentlichsten und sorgfältigst gepflegten Einnahmen des Fiscus.

Geldumlauf, s. Geld.

Geld und Briefe, s. Cours.

Geldüberfluß, s. Geld.

Geldwechsler, s. Banken.

Geldzeichen. Zur Erleichterung des Geldverkehrs sind zu verschiedenen Zeiten, namentlich bei eintretendem Geldmangel, Zeichen erfunden worden, welche das Geld vertraten und an dessen Stelle gesetzt wurden. Das wesentlichste und verbreitetste G. ist das Papiergeld. S. d. und Geld.

Gelehrte Gesellschaften, s. Wissenschaften.

Geleite, s. Fehde.

Gelinder Weise, s. Folter.

Gemäßigte, gemäßigt Liberale, s. Bewegungspartei.

Gemeinde. Wie in der Natur, so ist auch im Völkerleben Maß und Be-gränzung die Mutter der geselligen Ordnung, ohne die Alles in einen grenzlosen Wirrwar sich auflösen würde. Das Gesagte gilt von den Formen des Völkerlebens, besonders vom Staat, der in Provinzen, Kreise und G.n zerfällt, welche meist wie-der ihre besondern Einrichtungen haben, in denen sich die Schönheit und Harmonie des Ganzen abspiegeln soll. Wo also das Ganze nichts taugt — ist auch das Einzelne nicht gut! — Die G. bezeichnet eine Gemeinschaft, eine Gesammtheit, die sich zu gemeinschaftlichen Zwecken, wie z. B. zu Betreibung bürgerlicher oder landwirthschaft-licher Gewerbe vereinigt hat. Ursprung der Stadt- und Land-G. Beide ent-standen — und entstehen zum Theil noch — frei, ohne Zuthun des Staats, aus sich selbst, — entweder durch Ansiedlung Mehrerer in ein und derselben Gegend, oder durch allmählige Erweiterung des Stamm- und Familienverbandes, wo dann auch das ursprüngliche patriarchalische und Familien-Regiment nicht mehr genügte, sondern mit einer andern und erweiterten Gesellschaftsordnung vertauscht werden mußte, welche das Ganze unter sich zusammenhielt und in den Bestimmungen über die Erhaltung der innern Ordnung, sowie über die Wahrung des Rechts und des Eigenthums gegen äußere Angriffe bestand. Daher ist die G. keine Staatsanstalt, sondern so gut, wie der Staat selbst, eine Gesammtpersönlichkeit, ein Theil des Volkes, das den Staat erst bildet, weshalb sie auch als moralische, d. i. als eine nach sittlichen Begriffen wirklich vorhandene Person gedacht wird, der dieselben Rechte und Freiheiten zustehen, wie jedem andern Staatsbürger, nur daß sie nicht selbst für sich handeln kann, sondern durch ihre gesetzlichen Organe (Stadträthe, G.-Vorstände) vertreten werden muß. — Wie jede andere Person, so hat auch die G. ihre natürlichen Feinde. Wir nennen hier blos die Patrimonialgerichts-Gewalt und die Erblichkeit der G.-Aemter in gewissen Familien. Schon die Wahl der städtischen und andern G.beamten auf Lebenszeit, oder jeder gestattete fremde Einfluß dabei, trägt den Keim der Auflösung und Verkümmerung des G.wesens in sich. In frisch aufblühenden freien Staaten, wie z. B. in Nordamerika, findet diese Unsitte nirgends statt. Rein unklug und widersinnig ist es aber, wenn (wie in manchen Land-G.n und der sächs. Oberlausitz) die G. ihrem Vorstande gestattet, zugleich auch Gerichtsperson, d. i. ein abhängiges Mitglied der Patrimonialgerichte, zu sein, da bekanntlich „Niemand zweien Herren zugleich dienen kann." — Solche Mißgriffe erzeugen stets große und kleine Despoten. Ueberhaupt schmieden Unfreiheit und Unselbstständigkeit sich jederzeit die eigenen Fesseln! — Die G.-Ordnung (Stadt- und Land-G.-Ordnung) ist ein Uhrwerk, welches dann erst Werth hat, wenn es stets frisch und regelrecht geht. Auch wird sie zur Grundlage des Lebensglückes aller Staatsbürger, besonders auf dem Lande, wo ein tüchtiger G.-Rath oft einflußreicher auf das Gesammtinteresse wirkt, als die Thätigkeit der höchsten Staatsgewalt. „Der in der Provinz ansässige stille Landbewohner — sagt der franz. Deputirte Dupin — mag unbekannt bleiben selbst mit dem Namen der Minister, welche das Land regieren; aber er kann nicht gleichgiltig bleiben bei der Art und Weise der Verwaltung der G., welcher er angehört." Ein natürliches Gefühl sagt es ihm, daß hier zunächst sein leibliches Wohl oder Weh gestaltet werde; daher wird diese G.-Verwaltung zugleich auch die Quelle der Tugend oder des Lasters für ihn, indem sie einerseits Selbstgefühl, Freiheitsliebe und Anhänglichkeit an Recht und Gesetz, — andererseits aber alle jene Krebsschäden erzeugt, die leider noch häufig genug am deutschen Volkskörper nagen. Ist die G. nun das, wofür sie selbst vom Staate anerkannt wird, eine von diesem unabhängige moralische Person, — so folgt hieraus von selbst: daß sie, wie jeder Staatsbürger, die begründetsten Ansprüche auf gleichen Rechtsschutz hat, der ihr nimmer vorenthalten werden darf; am allerwenigsten aber darf der Staatsregierung oder deren Beamten ein Recht zu, einen andern, als gesetzlichen Einfluß auf die G. zu üben, oder wohl gar Einzelne darin zu Aufpassern und Spionen zu gebrauchen, um ihre Maßregeln danach treffen zu können. — Ein uraltes und natürliches Recht der G. ist: ihre Beamten, Prediger u. s. w. selbst zu wählen, ohne Einmischung der Staatsbehörden, Collatoren u. s. w. Offenbares Unrecht und Willkür ist es daher, wenn der G. dieses Recht entzogen, oder — wo dies erforderlich — durch Nichtbestätigung der Gewählten von Seite der Staatsregierung verkümmert wird, besonders wenn Jene Männer des öffentlichen Vertrauens sind. Diese Uebergriffe der Regierungsgewalt, so wie überhaupt die Feststellung des Rechtsverhältnisses zwischen Staat und G. ist ein hochwichtiger Theil der Gesetzgebung, auf den jede gute Volksvertretung ihr Haupt-

augenmerk richten sollte. Die G.n waren früher, als der Staat, der erst aus jenen
hervorging; darum sollten Staatsregierungen die G.=Rechte um so mehr ehren und
schützen, als die G. die Bildungsschule des Staatslebens sein soll. Wenn aber
selbst in constitutionellen Staaten solche Rechtshinterziehungen vorkommen können, —
so wird es allerdings schwer, zu entscheiden: ob unter „der großen Krankheit
unserer Tage" in der Hofsprache eine deutsche Verfassung gemeint sei, oder
nicht. Ueberhaupt gehört es unter die diametralsten Widersprüche: von freiwillig
den alten fixen Glauben an die
— Die beste und glücklichste G.

Unterrichts= und G.wesen in
heit gedeiht nur die Dressur,

mals Aufklärung und Bildung. W. Pretzsch.

Gemeindefrohnen, s. Frohnen.

Gemeindegüter. So heißen die Besitzthümer und Geldmittel einer Gemeinde,
deren Genuß den sämmtlichen Gemeindemitgliedern zusteht. Diese Güter bestehen meist

f. w., ihnen
hat sich meistentheils als unwirth=
das Aeußerste in Anspruch genom=
fferung wenig oder nichts geschieht.
meistens sind die Vermögenden bei

anders huldigt dem Grundsatz: „Ruhe ist die erste Bürgerpfl
Alles gehen, wie's eben geht. Noch schlimmer ist die, die sich mit

liberal ist, so lange der Liberalismus kein Opfer fordert, aber verzweifelte Anstrengungen macht, wenn sie — nicht Freiheit und Vaterland etwa! — sondern ihren Geldsack in Gefahr glaubt. Solch eine politische Halbheit und Gesinnungs-Niederträchtigkeit bildet das Gegentheil vom wahren G., der nichts Anderes ist, als die rein natürliche Richtung edler Gemüther auf die Verfolgung gemeinsamer Interessen, mögen sie nun den Staat oder die Gemeinde berühren. Daher äußert sich der G. in rascher und lebhafter Auffassung aller Erscheinungen des öffentlichen Lebens und in dem begeisterten Streben, als ein Theil des großen Ganzen selbsthandelnd mit zu wirken für das gemeinsame Beste, sollte dies auch mit der größten Selbstverleugnung, d. i. völliger Hintansetzung des eigenen Vortheils, verbunden sein. Höhere Theilnahme an Allem, was das staatsbürgerliche Leben betrifft, ist sonach ein Grundzug in dem Charakter des ächten G.es; kein persönliches Opfer für das Gemeinwohl dünkt ihm zu groß. — So liegt im G. das eigentliche Lebensprincip und die einzige Bürgschaft des Gedeihens der Völkerwohlfahrt. Daher ist er eine der schönsten Bürgertugenden, deren Mangel durch Nichts ersetzt werden kann, weder durch den immer und ewig empfohlenen Gehorsam, wenn er nicht durch den G. veredelt und eingeschärft ist, noch durch die Schrecken der Gewalt. Selbst die künstlichsten Staatsverfassungen und Einrichtungen sind Nichts, wenn kein G. sie beseelt und ihnen Bedeutung giebt. Allerdings sind G. und staatsbürgerliche Freiheit unzertrennliche Begriffe. In absoluten Staaten oder in solchen, wo eine freie Verfassung nur dem Namen nach vorhanden ist, sucht man G. vergebens. — Was der G. Großes erschafft, das wird jedoch wieder zerstört, wo er zu fehlen beginnt. So war es Mangel an G., der das deutsche Vaterland von seiner einstigen politischen Höhe herabstürzte und es zum Spielball der Launen des Auslandes entwürdigte; — so verwandelt Mangel an G. freie Völker in Sklaven — und löst zerstörend die glücklichsten Verhältnisse auf! Reichthum an G. aber schuf Englands und Nordamerikas politische Größe, — gründete Frankreichs staatliche Macht — und schafft ein Bürgerthum, groß, mächtig und frei! (Vergl. Bürgersinn.)   W. Pretzsch.

Gemeinheit. Zuweilen gebrauchter Ausdruck für Gemeinde (s. d.).

Gemeinheitstheilungen, s. Gemeindegüter und Theilbarkeit des Bodens.

Gemeinnützig nennt man diejenigen Anordnungen und Einrichtungen, welche dem Ganzen zum Wohle gereichen und ihm zu Gute kommen. Da wir alle Einrichtungen im Staate und in der Gemeinde, welche g. sind, besonders besprechen; diejenigen, die g. sind und uns noch fehlen, entschieden verlangen; und diejenigen, welche noch bestehen und nicht g. sind, eben so entschieden verwerfen; so können wir uns hier auf diese Worterklärung beschränken.

Gemeinschaft. Eine Anzahl Menschen, welche zusammen etwas besitzen, sei es ein ideales, oder ein sachliches Gut, was sie nicht theilen können und nicht theilen wollen, und was sie daher zusammen, oder durch Bevollmächtigte aus ihrer Mitte vertreten müssen. Eine solche G. ist z. B. die Gemeinde überhaupt, dann die Kirchengemeinde, ferner eine Actiengesellschaft, eine Innung und jede andere Vereinigung von Menschen zu bestimmten Zwecken. Die G. ist ein Ausfluß des Rechts der Vergesellschaftung (s. Association) und darf daher vom Staate nicht beschränkt werden, wenn sie keine ungesetzlichen und gemeinschädlichen Zwecke verfolgt. Gegenwärtig schreitet der Staat nicht nur nicht selten ein zur Hemmung der G., sondern versagt derselben noch häufiger die Anerkennung als G., und hemmt dadurch ihr eigentliches Leben, d. h. verhindert sie, als Gesammtheit aufzutreten, wo sie dieses bedarf. Ein Beispiel dafür liefern in der neuern Zeit die freien kirchlichen G.en, die durch Versagung dieser Anerkennung daran verhindert sind, sich in mannigfacher Beziehung festzusetzen und auszubreiten.

Gemessene Frohnen, s. bäuerliche Lasten und Frohnen.

Gemischte Deputation, f. Geschäftsordnung.

Gemischte Ehen nennt man diejenigen Ehen, wo die Ehegatten einer verschiedenen Religion oder wenigstens einem verschiedenen Glaubensbekenntniß angehören. Wenn irgendwo, so sind gerade auf diesem Gebiete die Folgen des unheilvollen Bundes des Staates mit der Kirche in schroffster Gestalt hervorgetreten. Frühzeitig nämlich schon stellte die christliche Kirche den Satz auf, daß Ehen zwischen Christen und Ungläubigen (Heiden), worunter man auch die Ketzer verstand, unstatthaft seien, und die griechische, namentlich die russische Staatskirche hat daran bis auf den heutigen Tag festgehalten, indem sie wenigstens die Kindererziehung in ihrem Glauben zur unerläßlichen Bedingung für Gestattung g.r E. macht. Aber auch die römische Kirche hat es an Unduldsamkeit nicht fehlen lassen. Besonders seit dem sich durch die Reformation ein großer Theil des Abendlandes von Rom losgerissen hatte, in den Ländern mit gemischter Bevölkerung aber eheliche Verbindungen zwischen Katholiken und Protestanten unvermeidlich wurden, trat man in Rom mit dem Anspruch auf, diese Verhältnisse nach ächt römischen Begriffen ordnen zu wollen, und stellte als obersten Grundsatz die gänzliche Unzulässigkeit g. E. auf, verlangte daher von dem Theile des Brautpaares, welcher der andern Kirche angehörte, zunächst unbedingten Uebertritt zur alleinseligmachenden Kirche. Mußte man auch unter dem Drang der Umstände sich dazu bequemen, von dieser Strenge etwas nachzulassen, so war man doch weislich darauf bedacht, durch andere Mittel sich für das scheinbare Opfer zu entschädigen, vielleicht auch neue Eroberungen zu machen. Fortan erkannte man die Ehe zwischen Katholiken und Nichtkatholiken zwar als gültig an, wenn sie vor dem Pfarrer und zwei Zeugen geschlossen worden war: aber man knüpfte die Gestattung derselben an zwei kleine Bedingungen, die Roms Herrschaft sichern sollten: daran nämlich, daß der katholische Theil der Ehegatten vor Gefährdung seines Glaubens sicher gestellt und alle aus einer g.n E. erzeugten Kinder im katholischen Glauben erzogen werden sollten. Der Plan war fein. Bei einer unverbrüchlichen Durchführung desselben konnte man hoffen, die Länder mit gemischter Bevölkerung allmälig, aber sicher zu ausschließlichem Besitze wiederzuerobern. Daß eine Verachtung, eine Ungerechtigkeit gegen die Protestanten darin lag, was kümmerte man sich darum? Sie waren ja Ketzer, gegen die alle Waffen erlaubt sind. Und wer den Gehorsam verweigerte, dem legte man kirchliche Bußen auf, verweigerte ihm die Sacramente, das Aufgebot, die kirchliche Weihe der Ehe selbst. — Es konnte nicht fehlen, daß namentlich durch die Forderung der katholischen Kindererziehung dem Gewissen der Eheleute vielfach ein unerträglicher Zwang auferlegt wurde und mit dem Staat, der seine protestantischen Bürger zu schützen verpflichtet war und in Ehegesetzgebung, besonders hinsichtlich der Kindererziehung meist nach Rücksichten einer billigen Gleichheit regelte (entweder sollten alle Kinder der Religion des Vaters, oder die Knaben dem Vater, die Mädchen der Mutter folgen), ein feindlicher Zusammenstoß erfolgen mußte. Zu Zeiten ließ die Kirche wohl etwas von ihrer Strenge nach und ein milderes Verfahren eintreten, wenn es durchaus nicht anders ging; sobald sie sich aber stark genug fühlte, trieb sie die Schroffheit wieder zum Aeußersten. Ein großer Theil der Streitigkeiten, welche in der neuern Zeit zwischen Staat und Kirche geführt wurden, hat sich auf diesem Gebiete bewegt. Sie würden nicht zum Vorschein gekommen sein, wenn man der Ehe ihren ursprünglichen Charakter als eines bürgerlichen Vertragsverhältnisses gelassen hätte (f. Ehe). Ihre Quelle wird nur dann auf immer verstopft werden können, wenn man sie auf diesen Standpunkt zurückführt und das Erforderniß der kirchlichen Weihe lediglich dem Gewissen der Betheiligten anheim giebt, wie dies in den Niederlanden, in Frankreich, in den vereinigten Staaten von Nordamerika der Fall ist. Gestattet man der Kirche aber einmal, sich in diese Dinge einzumischen, so muß man sichs freilich auch gefallen lassen, da sie die Ehe als Sacrament, mithin gänzlich den Bestimmungen der kirchlichen Lehre unterworfen betrachtet, wenn sie darauf besteht, einer irgendwie unkanonischen Form derselben ihre Weihe und Billigung ertheilen zu wollen. Es hängt das mit dem alleinseligmachenden Glauben zusammen, und es ist nur eine eiserne, aber freilich eine entsetzliche, unmenschliche Folgerichtigkeit, daß der Glaubenseifer g. E. Schandthaten und Verbrechen, die Kinder aus denselben zwiebrächtige Bastarde nennt. — Obgleich die protestantische Kirche duldsamer ist, so ist doch auch sie immer noch ausschließlich genug, um Ehen zwischen Christen und Juden für einen Gräuel zu halten. Die Humanität verlangt, daß man auch diese frei gebe. Die Verschmelzung der Juden würde dann um so schneller vor sich gehen. Die Deutschkatholiken huldigen dem Grundsatz allgemeiner Duldung in Bezug auf g. E. ebenfalls. *C. E. Cramer.*

Gemischter Actenauszug, s. Actenauszug.

Gemüthlichkeit. So nennt man die Stimmung, in welcher das Gefühl des Menschen ungestört von äußeren Einwirkungen sich seinen Neigungen ergibt und gewissermaßen in seinen innern Bedürfnissen schwelgt. Die G. ist ein Mittelding zwischen Empfindung und Erkenntniß, doch waltet die erstere vor. Sie ist demnach eine höchst achtenswerthe Eigenschaft des Menschen, die ihm nicht nur alle Genüsse des Lebens verschönert, und ihn für alle Schönheiten empfänglicher macht, sondern auch zur Ausübung aller menschlichen Tugenden fähiger und geneigter macht. So ist die G. die Zierde eines Volkes wie eines Menschen, und die Deutschen können stolz darauf sein, daß man zu ihren Volkseigenthümlichkeiten von jeher die G. zählte. Allein wie keine Seite des menschlichen Lebens zur Erdrückung der andern führen darf, so darf auch die G. nicht jede andere Regung der Seele unterdrücken. Dies war und ist aber bei uns häufig der Fall. Die Theilnahme an den öffentlichen Angelegenheiten, die Erfüllung der Bürgerpflichten, die muthige Vertretung für Recht und Ehre treten vor einer falschen G. in den Hintergrund. Auf den Grund der Volkseigenthümlichkeit wird von den Vertretern des Stillstandes und des Rückschrittes, von den Feinden alles frischen Lebens, die G. als das höchste Gut geschildert, und derjenige als Schänder der Menschenseele verdächtigt, welcher ihre falsche Richtung bekämpft. Das soll uns nicht hindern, zu erklären, daß derjenige, welcher die drohenden Erscheinungen des äußeren Lebens gewaltsam von sich abwehrt, jeder ernsten Menschen- und Bürgerpflicht Herz und Ohr verschließt, um nur im geregelten Schlendergang seine Alltagsgenüsse zu verzehren; wer keinen Theil nimmt an den Erscheinungen der Welt, um nicht die Zeit zu versäumen, die er dem Schafkopfspiele zuwenden zu müssen glaubt, nicht die G., sondern die Stumpfheit, die Feigheit, den Knechtssinn, die Versumpfung und Verdummung pflegt — daß der nicht eine löbliche Eigenschaft unseres Volkes, sondern die verabscheuungswürdigste desselben: die Bedientennatur nährt und stärkt. Diese falsche G. ist der gefährlichste Feind jedes Fortschrittes.

Genealogie, s. Geschlechtskunde.

Genehmigung, s. Bestätigung.

General. Ein militairischer Befehlshaber, welcher eine große Heeresabtheilung von mehreren Regimentern befehligt. Man unterscheidet in mehreren Armeen den Brigade-G., welcher 2 Regimenter, und den Divisions-G., welcher 4 Regimenter befehligt.

Generalissimus. Vielfach gebrauchte Bezeichnung für den Oberbefehlshaber eines ganzen Heeres.

Generalpardon. Mitunter gebrauchter Ausdruck für Amnestie; besonders dann üblich, wenn sie für Soldaten-Aufruhr, schlechtes Verhalten im Kriege u. s. w. ertheilt wird.

Generalprocurator, gleichbedeutend mit Staatsanwalt, s. Anklage.

Generalstaaten, Name der Volksvertretung in Holland.

Generalstab oder Generalquartiermeisterstab nennt man die Gesammtheit der militairischen Beamten, welche um einen General versammelt und ihm zur Erfüllung seiner Pflichten nothwendig sind; als da sind: Adjutanten, Ordonnanzen,

Kriegscommissaire, Auditeure, Canzlisten, Techniker und Sachverständige aller Art u. s. w.

Generaluntersuchung, s. Anklageproceß.

Gensdarmen, wörtlich: bewaffnete Leute. So hießen im Mittelalter die Ritter, welche den Kern der Reiterei ausmachten, und deren jeder einen Pagen oder Knappen und 3 Armbrustschützen bei sich hatte. Schon im 15. Jahrh. hieß eine ganze Abtheilung der Reiterei so, und diese Bezeichnung erhielt sich in Frankreich bis zur Staatsumwälzung, und in Preußen bis 1806, wo man einen Theil der schweren Reiterei G. hieß. Jetzt machen die G. einen Theil der Polizei aus, die sowohl zu Fuß als zu Pferde ihren Dienst verrichten. Besonders die Polizei auf dem Lande wird durch dieselben gehandhabt.

Gerechte und vollkommene Loge, s. Freimaurer.

Gerechtigkeit, s. Recht.

Gericht, Gerichtsverfassung. Die richterliche Gewalt im Staate, oder richtiger das richterliche Amt bildet einen Theil der vollziehenden Gewalt (s. b.), welche überhaupt die Anwendung der Gesetze zur Aufgabe ihrer Thätigkeit hat. Es hat dasselbe einzuschreiten zur Aufrechthaltung des verletzten Rechts — strafrichterliche Gewalt — und zur Entscheidung des bestrittenen Rechts — civilrichterliche Gewalt. Diejenige staatliche Einrichtung, durch welches diese wie jene ins Leben geführt wird, ist nun das G. Der Begriff desselben bringt es mit sich, daß die Stellung der G.e und der richterlichen Beamten im Staatsleben der Art sein muß, daß sie durch keinen äußern Einfluß in der Verfolgung ihrer Aufgabe, das Recht zu verwirklichen, gehemmt werden. Fließt schon hieraus von selbst die Unzulässigkeit aller sogenannten Cabinetsjustiz (s. b.), so ist doch damit noch keineswegs jener Schutz vor äußern nachtheiligen Einflüssen hinreichend gewährt. Zu einer möglichst unabhängigen Handhabung der Rechtspflege gehört vielmehr wesentlich auch eine möglichst unabhängige Stellung der Richter. Wo diese von den Ministern beliebig ihrer Stellen enthoben oder auf andere, vielleicht dem Gehalte nach gleiche, aber in anderer Hinsicht mißbehagliche Stellen versetzt werden können, da ist, so lange Richter auch Menschen sind, nicht von gesicherter Unabhängigkeit ihrer Wirksamkeit zu sprechen. Die meisten neuern deutschen Verfassungsurkunden haben zwar, um Dem zu begegnen, die Unabsetzbarkeit der Richter, außer in Folge gerichtlichen Urtheils, ausgesprochen, wie sie in England schon seit Anfang des vorigen Jahrh.s Grundsatz ist; allein die Versetzbarkeit mit dem ganzen Gefolge ihrer Uebelstände, die sie über die ihr Unterworfenen bringt, ist damit nicht abgestellt, und manche schmerzliche Beispiele, z. B. in Kurhessen, zeigten in neuester Zeit, wie geschickt man von derselben Gebrauch zu machen wußte. — Neben diesen nothwendigen äußern Gewährleistungen der richtigen Uebung des richterlichen Amts ist man nun von jeher bemüht gewesen, auch für innere zu sorgen. Daß die Erforderung tüchtiger wissenschaftlicher und praktischer Vorbildung zum richterlichen Berufe, und die Ueberwachung ihrer Erfüllung hier eine Grundlage zu bilden habe, versteht sich von selbst. Aber auch dem tüchtigen Richter konnte man als Einzelnen nicht die Ausübung der richterlichen Gewalt, bei der das Irren so leicht und doch so gefährlich war, durchgängig anvertrauen, und schritt daher zu einer Besetzung der G.e für alle wichtigern Fälle mit mehreren Richtern, zu der collegialischen Einrichtung derselben. Diese beiden Grundsätze sind in der neuern Zeit fast allenthalben da anerkannt, wo man überhaupt eine den Anforderungen der Gegenwart im Allgemeinen entsprechende Rechtspflege hat; aber der letztere namentlich ist in Deutschland noch nicht so durchgeführt, als man wünschen sollte. Noch liegt in vielen deutschen Staaten zuviel in der Hand einzelner Unterrichter, deren Nebenbeamte eine zu untergeordnete, nicht collegialische Stellung haben, als daß sie gehörigen Einfluß üben könnten. Und gleichwohl ist gerade diese Gewährleistung eine der wichtigsten, ungefährdetsten und durchgreifendsten. Eine fernere hat man gleichfalls seit alten

Zeiten darin zu finden gesucht, daß man mehrere Richter oder Richtercollegien nach einander, in der Regel auf Anrufen der Betheiligten, urtheilen ließ mit der Wirkung, daß das Urtheil des höhern G.s das des niedern aufhob. Es ist dies der sogen. Instanzenzug, über welchen in einem besondern Artikel gehandelt werden soll. — Die Art, wie ein besonderes G. zu verfahren pflegt, heißt der G.sgebrauch, während die allgemeinen Vorschriften über die Art, eine Sache zu behandeln, unter dem Namen G.sverfahren oder G.sordnung (s. d.) zusammengefaßt werden. — Eine andere Frage ist die über das Verhältniß der G.e zur gesetzgebenden Gewalt. Es versteht sich von selbst, daß der Richter nicht Gesetzgeber sein kann und soll, daß er vielmehr nur die gegebenen Gesetze anzuwenden berufen ist. Gleichwohl ist keine Gesetzgebung im Stande, die zur Entscheidung kommenden Fälle allenthalben dergestalt vorzusehen, daß kein Zweifel über die Anwendung oder Auslegung des Gesetzes auf den einzelnen Fall stattfinden könnte. Diese Auslegung wird daher der Richter nach den Grundsätzen der Rechtswissenschaft vorzunehmen haben. Aber bei der Handhabung der Rechtspflege zeigen sich auch zunächst und am deutlichsten die Mängel einer Gesetzgebung, und ganz von selbst kommt der Richter in die Lage, das Recht, das in dem Gesetze nicht deutlich festgestellt ist, in dem Richterspruche bestimmter aufzufassen und auszusprechen. So dient die richterliche Thätigkeit zur allmäligen Fort- und Weiterbildung der Gesetzgebung, und in dem alten Rom wie in dem heutigen England war und ist dies in einem Umfange anerkannt, welcher diese Thätigkeit der richterlichen Behörde sehr weitgreifend erscheinen läßt. In Deutschland ist dies nicht in gleichem Maße der Fall; ob zum Heil oder zum Nachtheil der deutschen Rechtsentwickelung, ist hier nicht auszuführen. — Wegen einiger in die Gerichtsverfassung einschlagender specieller Punkte, insbesondre über Cassationshof, Geschwornengerichte, Friedensgerichte, s. die betr. Aufsätze.   A.

Gerichtliche Medicin, s. Medicin.

Gerichtsacten, s. Acten.

Gerichtsbarkeit. Das Recht zur Ausübung der Rechtspflege. Man unterscheidet in Deutschland zwischen streitiger und freiwilliger G. Die letztere begreift verschiedene Handlungen, welche eigentlich ganz von dem richterlichen Amte zu trennen sind, wie dies auch in andern Ländern der Fall ist, amtliche Handlungen, durch welche gewissen Acten der Privaten eine öffentliche Beglaubigung oder die gesetzlich vorgeschriebene Bestätigung ertheilt wird, z. B. Confirmation von Käufen und Hypothekbestellungen, Errichtung von Testamenten, Aufnahme von Wechselprotesten u. s. w. Alle G. kann nach geläuterten Rechtsbegriffen nur vom Staate ausgehen und von den von ihm Beauftragten gehandhabt werden. Ueber den davon abweichenden Begriff der Patrimonialgerichtsbarkeit s. d.   A.

Gerichtsgebrauch, s. Gericht.

Gerichtsherrliche Lasten, s. bäuerliche Lasten.

Gerichtshof, s. Gerichtsverfassung.

Gerichtskosten, s. Kosten.

Gerichtsordnung. Der Inbegriff von gesetzlichen Vorschriften zur Regelung des Verfahrens vor Gericht. Auf eine gute G. oder Proceßordnung kommt in gewisser Hinsicht oft mehr, als auf gute Gesetze über das Recht selbst an, da ein schnelles und sicheres Erlangen des Rechts nicht selten mehr werth ist, als ein spätes, aber desto unnützeres und kostspieligeres Gelangen zu einem vielleicht etwas bessern Recht. In dieser Hinsicht steht das deutsche Proceßverfahren dem franz. und engl. normannisch nach. A.

Gerichtsordnung, peinliche, des heil. röm. Reichs, s. Carolina.

Gerichtsschreiber, s. Actuar.

Gerichtsstand. Die Bezeichnung des in einem bestimmten Falle zur Entscheidung nach den Gesetzen fähigen Gerichts. Je weniger Verschiedenheit desfalls herrscht, desto besser wird die Organisation der Gerichte, und desto sicherer und weniger aufhältlich die Handhabung der Rechtspflege sein. Die Regel bildet in Deutschland der

G. des Wohnortes (des Beklagten) bei Civilprocessen und geringern Vergehen, und der des begangenen Verbrechens bei schwerern Vergehen. Einzelne Abweichungen, z. B. der G. der gelegenen Sache (des Orts, wo ein Grundstück sich befindet) für alle auf dieses Grundstück bezüglichen Angelegenheiten, ferner für Handelssachen u. s. w. rechtfertigen sich durch sich selbst. Am verwerflichsten aber sind die sogenannten privilegirten G., welche für die durch ihren Stand oder Rang Bevorzugten in Deutschland noch so häufig sind und einen grellen Widerspruch zu der Anforderung der Gleichheit vor dem Gesetze bilden. A

Gerichtsverfahren, s. Gericht.

Gerichtsverfassung, s. Gericht.

Gericht zu Haut und Haar, so viel wie Blutbann (s. d.).

Geringe, geringfügige Rechtssachen, s. Bagatellsachen.

Germanisten. Das Fremde hat in Deutschland so über Hand genommen und die Muttersprache zurückgedrängt, daß selbst bei Dingen, die ganz deutsch sind, Fremdworte gebraucht werden — der deutsche Gelehrtenstolz thut es einmal nicht anders. Seitdem das römische Recht in Deutschland eingedrungen und zum herrschenden geworden ist, hat es bis auf den heutigen Tag für die höchste Ehre unter den Rechtsgelehrten (Juristen) gegolten, ein tüchtiger Romanist, d. h. Kenner des römischen Rechts, zu sein. Diese Vorliebe, man kann sagen Abgötterei für das fremde römische Recht wurde soweit getrieben, daß man es nicht blos ausschließlich bearbeitete und mit Verachtung auf das unwissenschaftliche deutsche Recht herabsah, sondern auch unserer Zeit geradezu die Befähigung und den Beruf absprach, für Deutschland etwas Vollendeteres an die Stelle des römischen Rechts zu setzen. Gegen eine solche Anschauung der Dinge sträubt sich ein jedes vaterländisch gesinnte Herz, das ein aus dem eignen Geiste des Volks hervorgegangenes, in der Muttersprache geschriebenes Recht für eines der ersten Kennzeichen hält, wodurch ein Volk sein Dasein, seine Nationalität beurkundet. Mit diesem immer lebendiger werdenden Nationalgefühl des deutschen Volks ist wenigstens ein Theil seiner Rechtsgelehrten Hand in Hand gegangen, der im Gegensatze zu jenen Romanisten ganz besonders die Pflege des deutschen Rechts betreibt, das römische Recht zwar nicht verachtet, in einzelnen Theilen wohl heute noch für vorzüglich hält, im Ganzen aber für unsere Zeit und für unser Volk nicht mehr passend findet, und daher sowohl die alten Rechte und Rechtseinrichtungen und Rechtsalterthümer zu erforschen und an sie anzuknüpfen sucht, als namentlich auch auf allgemein deutsche Gesetzbücher in deutscher Sprache hinarbeitet. Diejenigen Rechtsgelehrten, welche in dieser Richtung wirken, heißen eben G. Von der Gesetzgebung ist bis jetzt wenigstens in soweit derselben nachgegangen worden, als in einzelnen Ländern deutsche Rechtsbücher (Landrechte, Strafgesetzbücher) entstanden sind. Bis zu einem gemeinsamen deutschen Recht und Rechtsverfahren ist freilich immer noch ein sehr weiter Weg. Wie es scheint, werden die Ansprüche des Handels auf eine deutsche Gesetzgebung wohl zuerst befriedigt werden durch ein deutsches Wechselrecht. Es ist zu wünschen, daß die Schule der G., unterstützt von der öffentlichen Meinung, die immer noch mächtigere Schule der Romanisten endlich vom Throne stürzen wird — erschüttert ist er schon längst. — Seit einigen Jahren halten auch die G. wissenschaftliche Zusammenkünfte. C. E. Cramer.

Gesalbter. Mit der auftauchenden Behauptung, daß die Herrscher von Gottes

schen ausgezeichnet wurden. Dahin gehörte besonders die Salbung, die bei den alten

Ursprünglich waren nur die Priester G., später, als sie mit den Fürsten die Herrschaft theilten, theilten diese mit ihnen die Salbung, und hießen auch G. Die Sal-

Kaiser verbunden; bei Herrschern, die der römischen Kirche angehören, findet sie noch statt. In den protestantischen Ländern ist sie mit der feierlichen Krönung abgekommen und hat überhaupt in demselben Grade an Bedeutung verloren, als der alte Sinn der Bezeichnung von Gottes Gnaden mehr und mehr verschwunden ist.

Gesammtbürgschaft der Gemeinde gegen Verbrechen, s. Buße.

Gesandter. Schon in den ältesten Zeiten war es Sitte, daß, wenn die Völker oder deren Organe, die Regierungen, etwas mit einander zu verhandeln hatten, so schickten sie sich gegenseitig Boten oder G. zu, die nach der Wichtigkeit des Geschäftes aus mehr oder weniger ausgezeichneten Personen bestanden. Diese G. waren indessen nur für das betreffende Geschäft ernannt, und ihre Aufgabe war vollendet, wenn dieses abgethan war. Erst im Anfange des 17. Jahrh.s (1624) kamen die stehenden G. auf. Richelieu schickte deren an alle Höfe Europas, um seine ehrgeizigen Pläne nach Außen, und seine auf vollständige Alleinherrschaft zielenden Absichten im Innern dadurch zu unterstützen. Diese G. hießen Kundschafter, und sie waren nichts Anderes als Kundschafter (Spione), denn ihre Aufgabe war, durch hinterlistige und ränkevolle Umtriebe die Absichten der andern Höfe zu erfahren, sie zu fördern, wenn sie dem Systeme des franz. Hofes günstig waren, oder sie mit allen Mitteln, bei denen Gift und Dolch nicht ausgeschlossen waren, zu durchkreuzen, wenn sie sich den Wünschen Frankreichs nicht geneigt zeigten. Das Beispiel des franz. Ministers fand Nachahmung und bald hatten die Höfe von Bedeutung G. an allen andern Höfen. Je mehr die G. blos niedere Kundschafter-Dienste leisteten, um so größer war der Prunk ihres Auftretens, und die Geschichte des 17. und 18. Jahrh.s bietet eine wahre Musterkarte von tollen Gebräuchen und unverschämten Anmaßungen der G. In dem Verhältnisse wie der Verkehr der Höfe unter einander ernster und würdiger geworden ist, hat sich auch dieser nichtssagende Prunk vermindert, wenn dessen auch leider besonders für die kleinen Staaten noch immer viel zu viel ist. Der äußere Aufwand der G. richtet sich nach ihrer Würde, und diese ist auf den Congressen zu Wien und Aachen nach 3 Klassen abgetheilt worden. Es giebt nach den dort gefaßten Bestimmungen 1) Botschafter oder auch Großbotschafter (Ambassadeur), d. h. G., welche nicht nur den Herrscher eines andern Landes in den Staatsgeschäften, sondern auch in allen Würden seiner Person vertreten, und daher die gleiche Ehre in Anspruch nehmen, als ob der Herrscher selbst vorhanden wäre; 2) außerordentliche G. oder bevollmächtigte Minister (Envoyé extraordinaire oder Ministre Plénipotentiaire), welche blos für die Staatsgeschäfte bevollmächtigt sind, ohne den Herrscher im obigen Sinne zu vertreten; endlich 3) Ministerresidenten oder Geschäftsträger (Ministre résident oder chargé d'affaires), die eigentlich nicht mehr G. sind, aber doch dazu gezählt werden, und nur für einen untergeordneten Geschäftskreis bevollmächtigt sind. Der G. wird durch ein Beglaubigungsschreiben (Accreditiv) bei dem Hofe, an welchen er geschickt wurde, eingeführt, welches es in feierlicher Audienz überreicht; erfolgt später seine Abberufung (s. d.), so nimmt er in gleicher Weise Abschied. Außerdem hat der G. seine besonderen Pässe und zwar sowohl von der Regierung, die er vertritt, als von derjenigen, bei welcher er bevollmächtigt ist. Wenn der G. seine Pässe verlangt, so heißt dies soviel, daß der diplomatische Verkehr der betreffenden Höfe höchst gespannt und ein Krieg zu befürchten ist. Außer den bezeichneten Urkunden hat der G. noch eine Vollmacht, welche ihm die Grenze seiner Befugnisse zieht, und eine Geschäftsanweisung (Instruction), welche ihn anweist, wie er seine Aufgabe lösen soll. Im Gefolge des G. befindet sich das Gesandtschaftspersonal, welches theils zur Hülfe des G. bei seinen Arbeiten, theils auch besonders bei den G. erster Klasse zum blosen Prunk und Aufwand bestimmt ist. Die Aufgabe der G. im Allgemeinen ist: Friede und Freundschaft zwischen den Staaten zu pflegen und zu erhalten, Streitigkeiten vorzubeugen oder sie auszugleichen, den Angehörigen des Staates, welchen sie vertreten, den in der Fremde nöthigen Schutz angedeihen zu lassen, den Handel zwischen beiden Staaten zu fördern und zu erhöhen und überhaupt die Interessen des Staates und Volkes in jeder Weise zu vertreten. Gewiß eine hohe und würdige

Aufgabe, welche die Stelle eines G. zu einer der wichtigsten im Staate macht. Erfordert diese Aufgabe einen kenntnißreichen und umsichtigen Mann, so verlangt der
nothwendige Verkehr mit dem fremden Hofe große Gewandtheit und feine Sitten.
Denn wie sehr sich auch das Wesen der Gesandtschaften seit dem 17. Jahrh. geändert
hat, etwas Kundschafterdienst ist immer noch dabei und es ist jedenfalls Aufgabe der
G., auch zu erspähen, woher der politische Wind weht und welche Absichten und Neigungen der fremde Hof etwa haben kann. Ist nun bei der äußerst wichtigen Stellung der G. der Geldaufwand, welchen dieselben verursachen, kaum in Anschlag zu
bringen, so läßt sich doch nicht läugnen, daß dieser Aufwand besonders für kleine
Staaten eine drückende Last ist. Deßhalb trachten auch Bundesstaaten gewöhnlich darnach, daß sie durch einen G. gemeinschaftlich vertreten sind, und es wäre gewiß
für Deutschland höchst wünschenswerth, wenn ein Gleiches bei uns geschähe. Die G.
all der kleinen Staaten in Paris, London, Petersburg u. s. w. mit den enormen
Geldmitteln, die sie verschlingen, wären sämmtlich unnütz, wenn Deutschland durch
einen G. vertreten wäre. Noch überflüssiger aber sind die G., welche sich die kleinen
deutschen Höfe gegenseitig zusenden, und wenigstens auf den Wegfall dieser sollte
allenthalben gedrungen werden, wobei vorausgesetzt werden muß, daß sich die deutschen
Rechtszustände in volksthümlicher Weise entwickeln, und daß der „deutsche Ausländer"
nicht in Berlin schlimmer daran ist als in Alexandrien oder Marocco. Als eine
nothwendige Folgerung der eigenthümlichen Stellung der G., hat sich das Gesandtschaftsrecht ausgebildet, welches den G. und ihrem Personale volle Unverletzlichkeit
im fremden Lande zusichert, sie von der Polizeigewalt und der Gerichtsbarkeit desselben
entbindet (Exterritorialität) und ihnen die Gerichtsbarkeit über ihr eigenes Personal ertheilt,
sie von allen Abgaben des Staates, in welchem sie als G. sind, befreit, ihnen das Recht
giebt, sich ihren eignen Gottesdienst einzurichten, wenn sie das wollen oder bedürfen,
und ihnen ein ausgedehntes Schutzrecht über diejenigen verleiht, welche dem Staate
angehören, den die G. vertreten, so daß die Behörden des Landes denjenigen nicht antasten dürfen, welcher sich unter den Schutz des G. begeben hat. Bei Verbrechen
erfolgt jedoch die Auslieferung des Verbrechers durch den G.; hat aber der G. selbst
ein Verbrechen begangen, so wird dessen Abberufung und Bestrafung von dem Staate
verlangt, dem er angehört. Eine besondere Gattung von G. zur ausschließlichen
Vertretung der Handelsinteressen sind die Consuln (s. d.).   R. B.

Geschäftsordnung, landständische. Wenn die Verfassungen die Vertretung
durch Kammern festsetzen und die Wahlgesetze bestimmen, wie die einzelnen Bestandtheile der Vertretung gefunden werden sollen, so mangelt auf den ersten Blick noch
das Dritte, was zur Vertretung nöthig ist, nämlich die Bestimmung darüber, wie
diese Vielheit: die Kammer sich bewegen soll. Diese Bestimmung enthält nun die G.
und deßhalb ist sie für den leichten oder schwerfälligen Gang der Geschäfte von großem Einfluß. Die G. bestimmt nun zuerst über die Kammer selbst und ihre Beamten, stellt die Regeln bei der Wahl des Vorsitzenden und der Schriftführer — die
natürlich in Deutschland Präsident und Secretär heißen müssen — fest. Was
den erstern betrifft, so wird derselbe in England, Frankreich u. s. w. frei von der
Kammer gewählt; wo die Schreibstubenherrschaft noch mit dem Verfassungswesen im
Kampfe liegt, da erstreckt sich die Bevormundung auch auf diese Wahl und die Kammer schlägt nur durch Stimmenmehrheit 3 Mitglieder vor, aus welchen die Regierung
wählt. Die Schriftführer werden entweder gewählt, oder die jüngsten Kammermitglieder haben dieses Amt zu übernehmen. Wo das Bevormundungswesen noch recht
ins Kleinliche geht und die Volksvertreter wie Schulknaben behandelt, da schreibt die
G. sogar vor, wie und wo dieselben sitzen sollen, oder läßt das Loos, nicht Neigung und Genossenschaft darüber entscheiden. Dadurch will man die äußerliche Scheidung der Parteien vermeiden und die Volksvertretung als ein einiges Ganzes darstellen. Allein man erzielt nur einen leeren Schein, eine Täuschung, denn die Par-

teien sind doch geschieden; übt aber einen unerträglichen und unwürdigen Zwang aus, hindert das Verständniß der Gleichgesinnten, befördert die Weitschweifigkeit der Verhandlung und bürdet dem Lande nächst Bänden von überflüssigen Reden ungeheure Summen eben so überflüssiger Kosten auf. Ferner enthält die G. Vorschriften über die Vorbereitung der zu verhandelnden Gegenstände. Es finden sich in dieser Beziehung 3 sehr abweichende Arten des Verfahrens. In England bildet sich bei wichtigen Gegenständen das Haus zum Comite, d. h. es kommt wie gewöhnlich zusammen und verhandelt alle Einzelheiten, nur mit weniger Förmlichkeiten und Reden, weniger aus dem Gesichtspunkte der Parteistellung, als aus dem der Sache, wie bei der öffentlichen Verhandlung. Bei minder wichtigen Gegenständen wählt man auch einen Ausschuß zur Vorberathung, der Bericht erstattet. Der Ableger englischer Formen, aber nicht englischen Wesens: Hannover, macht es eben so. In Frankreich theilt sich die Kammer in Abtheilungen (Bureaux), welche die Gegenstände vorberathen, auch nach Befinden Ausschüsse aus ihrer Mitte wählen. Gleiches geschieht in Baden, wo diese Abtheilungen zu deutsch: Sectionen heißen. Endlich wählen die Kammern Ausschüsse — natürlich Commissionen oder Deputationen genannt — für bestimmte Gegenstände, z. B. für Verfassungs- und Gesetzgebungsgegenstände (Gesetzgebungsdeputation), für Geldsachen und Staatshaushalt (Finanzdeputation), für Prüfung der Bittschriften (Petitionsdeputation) und eben so für Beschwerden (Reclamationsdeputation — man kann ersticken an einem solchen Worte!). Jeder Ausschuß ernennt für jeden Gegenstand einen Berichterstatter — deutsch Referent — welcher die Ansichten des Ausschusses in einem Gutachten zusammen zu fassen, bei der Verhandlung dieses vorzutragen und zu vertheidigen hat. Diese letztere Art der Vorberathung ist jedenfalls die bessere, indem die Kammer sich die geeigneten Personen für jeden Hauptzweig aussuchen kann. Außerordentliche Ausschüsse für besondere Gegenstände sind natürlich nicht ausgeschlossen. Besonders gut ist bei dieser Art der Vorberathung die Einrichtung, daß diese Ausschüsse auch in der Zwischenzeit von einem Landtage zum andern zusammen kommen (Zwischendeputationen) und wichtige Sachen, besonders umfängliche Gesetzentwürfe, vorberathen. — Die G. erstreckt sich dann auch auf den Gang der Verhandlungen — in Deutschland Debatte und Discussion genannt — bestimmt die Reihenfolge der Sprecher, die Art der Abstimmung u. s. w. Die Reihenfolge richtet sich nach der Anmeldung und die G. enthält Bestimmungen darüber, daß Niemand vom Gegenstande abweichen darf, und schreibt mitunter vor, wie oft ein Mitglied das Wort nehmen kann. Ueberschreitet auch die Kammergeschwätzigkeit mitunter alles Maß, so ist eine solche Vorschrift doch unzweckmäßig und kleinlich. Gegen die Geschwätzigkeit stehen der Kammer Mittel genug zu Gebote, und die Vollständigkeit der Verhandlung ist durch eine solche Bestimmung gefährdet. In der allseitigen Beleuchtung einer Frage kann einem geistreichen Abgeordneten wohl erst, nachdem er drei Mal gesprochen hat, eine Ansicht der Sache auftauchen, welche die ganze Verhandlung zu wenden vermag. Diese wird der Kammer nun entzogen und abgeschnitten. Wenn eine Partei zusammen sitzt, so schadet dies weniger, denn der Nächste, welcher das Wort hat, kann die neue Ansicht einflechten, wenn auch oft minder gut; allein wenn die Abgeordneten hinsichtlich der Sitze numerirt sind, wie die Gefangenen in Sibirien, so kann der Verlust unersetzlich sein. — Außer dem dreimaligen Sprechen aber muß jedem Abgeordneten das Recht zustehen, zur „Erwiderung" zu sprechen, wenn seine Ausführungen mißverstanden oder entstellt werden. Die neue sächs. Landtagsordnung, an welcher bereits 3 Landtage gearbeitet wird, will unbegreiflicher Weise dieses Recht abschneiden. Gewöhnlich bestimmt die G. auch, daß die Minister oder andere Vertreter der Regierung stets und so oft sie wollen, sprechen dürfen. Diese Bestimmung ist gerecht, weil die Minister oder ein Minister oft der ganzen Kammer gegenüber stehen kann; allein sie muß sich nothwendig auf die Verhandlung beschränken, so daß die Kammermitglieder, oder mindestens der Berichterstatter entgegnen können. Wenn die Minister auch nach dem Berichterstatter noch sprechen können, wenn die ganze Kammer verstummen muß, wenn sie dann die Verhandlung entstellen, die Ihrigen ermahnen, die Furchtsamen einschüchtern oder bedrohen, die Leichtgläubigen mit süßen Redensarten kirren können — wie das Alles schon dagewesen ist — dann ist die Kammer im größten Nachtheil. Der Berichterstatter muß das Schlußwort haben; nach ihm spricht Niemand mehr als der Vorsitzende. Die Abstimmung (s. d.) betreffend, so ist dieselbe besonders besprochen; es genügt hier zu bemerken, daß bei Gleichheit der Stimmen entweder der Vorsitzende mit seiner Stimme den Ausschlag giebt, oder derselbe Gegenstand nachher nochmals in der Kammer zur Abstimmung gebracht werden muß und dann erst der Vorsitzende entscheidet. Zwischen zwei solchen Sitzungen ist dann die Zeit der Bearbeitungen und Werbungen, und man sieht oft Sinnesänderungen binnen 24 Stunden, die allen Glauben an Treue und männliche Festigkeit vernichten. Weichen beide Kammern in ihren Beschlüssen über einen Gegenstand von einander ab, jedoch nicht so sehr, daß nicht eine Einigung zu hoffen wäre, so ernennen sie einen gemeinschaftlichen Ausschuß — gemischte oder Vereinigungs-Deputation — welche die Einigung versucht; hat man sich geeinigt, so wird über den Gegenstand in beiden Kammern nochmals abgestimmt, wenigstens über die Einzelheiten — deutsch: Differenzpunkte — über welche man verschiedener Meinung war. — Weiter enthält die G. Vorschriften über die Abfassung dessen, was verhandelt und beschlossen ist. Im Allgemeinen ist es Sache der Ausschüsse, für die Abfassung dessen zu sorgen, was sie vorberathen haben; da aber die Abfassung oft noch geraume Zeit nach dem Landtagsschlusse in Anspruch nimmt, so ernennt man für dieselbe einen besondern Ausschuß — zu deutsch: Redactionscommission — welche aus Mitgliedern beider Kammern besteht. — Endlich bestimmt die G. noch über die Ordnung in den Kammern und legt die Handhabung derselben in die Hände des Vorsitzenden; damit der Alp, welcher uns im ganzen Leben bedrückt, in den Kammern ja nicht fehle, nennt man diese Handhabung: Kammerpolizei. Daß im Allgemeinen in den Kammern nichts gegen den Anstand, nichts die Würde und Heiligkeit der Volksvertretung Verletzendes gesagt werden soll, versteht sich von selbst, aber es ist sehr kleinlich und die Würde der Vertretung und der Vertreter verletzend, wenn man dies nicht stillschweigend voraussetzt und breite Bestimmungen darüber niederschreibt. Aber manche G. hat bei diesen Bestimmungen auch einen ganz andern Zweck, als Ordnung und Anstand: sie will das in der Verfassung gewährte freie Wort in der Kammer in spanische Stiefeln schnüren und vernichten. Wenn ein Abgeordneter das Schlechte geradezu schlecht nennt, so macht das im Lande einen tiefen Eindruck und wird von Jedem verstanden. Deshalb ist ein solcher Ausdruck gegen den Anstand. Wenn der Abgeordnete aber blos sagen darf: „Es dürfte und möchte dies oder jenes doch vielleicht, trotz des unzweifelhaft besten Willens der hohen und allverehrten Ministerien, nicht auf das Allervortrefflichste sein", so versteht ihn Niemand mehr und es ist nun höchst anständig. In dieser nichtswürdigen Sprache der Hundedemuth, Heuchelei und Bemäntelung des Schlechten ist man oft in Deutschland unübertrefflich groß. In England und Frankreich, überhaupt wo das Verfassungswesen nicht blofes Spielwerk und Volkstäuschung ist, kennt man sie nicht. Die Mittel, durch welche der Vorsitzende die Ordnung handhabt, sind: Erinnerung beim Gegenstande zu bleiben, wenn ein Mitglied abschweift; Entziehung des Wortes, wenn es dieser Ermahnung nicht folgt; der Ruf: „Zur Ordnung!" wenn wirklich Unziemliches vorgebracht wird; Verschärfung dieses Rufes durch eine Abstimmung, d. h. eine Mißbilligung der Kammer; Ertheilung eines Verweises; Ausschluß von den Verhandlungen auf einige Zeit; gänzlicher Ausschluß aus der Kammer. Diese beiden letztern Strafen müssen als völlig unzulässig bezeichnet werden. Die Kammer hat den Abgeordneten nicht gewählt und nicht berufen, sie kann und darf ihn auch nicht ausschließen. Nur den Wählern kann ein solcher Ausspruch anheim gegeben und sie können dazu berufen werden. Wenn eine Kammer dieses Recht hat, so wird und muß in stürmischen Zeiten die Schreckensherrschaft der Parteien darin allein maßgebend sein. Was hier im Allgemeinen über die G. gesagt ist, gilt nicht blos von den Kammern, sondern von allen berathenden Körperschaften, die mehr oder weniger dieselben Bedürfnisse haben. *R. B.*

Geschäftsträger, s. Gesandter.

Geschichte, s. Alterthum.

Geschichtliches Recht, s. Recht.

Geschichtliche (oder **historische**) **Schule** heißt eine Richtung der Rechtswissenschaft, welche vor mehreren Jahrzehnten in Deutschland entstand, sich unter dem Einfluß bedeutender Namen, die ihr angehörten, rasch Geltung verschaffte, aber in neuerer Zeit durch die erweiterten Bahnen und Bestrebungen der Rechtsentwickelung fast ganz in den Hintergrund getreten ist. An ihrer Spitze steht der jetzige preuß. Justizminister v. Savigny; Berlin und einige andere preußische Universitäten waren, dauernd oder vorübergehend, ihre Wiege. Diese Richtung stellte sich zuerst der Verkennung des Werthes jeder geschichtlichen Entwickelung der Rechts- und Staatsverhältnisse entgegen, die durch den Aufschwung und die darauf folgende Ueberschätzung philosophischer Studien am Ende des vorigen und Anfang des jetzigen Jahrh.s auch in die Rechtswissenschaft gekommen war; sie richtete ihr Hauptaugenmerk im Gegensatze hierzu auf die gründliche Erforschung der Quellen hauptsächlich des römischen Rechts und hatte in dieser Beziehung ihre unbestrittenen Verdienste. Allein sie gerieth sehr bald in eben die Einseitigkeit, welche der ihr gegenüberstehenden Richtung zum Vorwurf zu machen war, indem sie die Bedeutung der Anforderungen der Gegenwart an die Rechtsfortbildung und Gesetzgebung verkannte. v. Savigny sprach sogar in einer besondern Schrift unserer Zeit den Beruf zur Gesetzgebung ab, wogegen Thibaut und später Gans — bereits nun verstorbene berühmte Rechtslehrer — in die Schranken traten. Die Wendung der neueren Rechtswissenschaft zu den Bestrebungen für volksthümliches, deutsches Recht hat, wie bemerkt, dieser Schule den größten Theil ihres Einflusses entzogen, und sie zählt nur noch vereinzelte Anhänger. *A.*

Geschlechtsadel, s. Adel.

Geschlechtskunde, häufiger mit dem Fremdworte **Genealogie** benannt, heißt die Wissenschaft, welche sich mit dem Ursprung, der Verwandtschaft und Verzweigung adeliger Familien befaßt, und die Ergebnisse ihrer Forschung in Stammbäumen und Geschlechtstafeln niederlegt. Die G. ist jetzt fast nur noch als Liebhaberei zu betrachten und ist in ihrer Bedeutung mit der Bedeutung des Adels gleich. In staatsrechtlicher Beziehung hat die G. allerdings noch so lange Bedeutung, als sich Vortheile oder Rechte an die Geburt oder Abstammung knüpfen. Die G. hat in der Blüthenzeit des Adels viel Unsinn in die Welt gefördert, indem sie einzelnen Geschlechtern ihre Abstammung von Aeneas, Achill u. s. w. nachwies. Die Träger des damaligen ganzen Staatslebens aber waren so beschränkten Geistes, daß sie diese Fabeln glaubten und Werth darauf legten, obgleich es ziemlich lange bekannt war, daß die Geschlechtsnamen erst im 11. Jahrh. entstanden sind.

Geschlechtsregister. Ein Verzeichniß, welches die Abstammung und Verwandtschaft einer Person darthun soll, also gleichbedeutend mit Ahnentafel (s. d.) und Stammbaum.

Geschlechtsverhältnisse. Die ganze Geschichte bietet uns einen Kampf zwischen Recht und Gewalt, zwischen Gesittung und Rohheit und einen fortlaufenden wachsenden Sieg der erstern dar, wie auch einzelne Zeiterscheinungen oft das Wachsthum der Gewalt und Rohheit zu zeigen scheinen. Dieser Gang zeigt sich in der Familie wie im Staat, und die G. sind ein sprechendes Beispiel dafür. So lange der Mann unter der Gewalt des Krieges und der Alleinherrschaft seufzte, so lange er mit roher Kraft um seinen Wohnsitz kämpfen, oder den eroberten Boden für Herrn dem Joche der Sklaverei sich krümmte, behandelte

Werkzeug zur Befriedigung der
ist gewöhnlich und eheliche Treue nimmt nur der Mann in Anspruch; die Frau wird verkauft oder aus dem Hause gestoßen (Hebräer). Das mannbare Mädchen wird auf

sie mit ihm untergehen, sich bei seinem Tode freiwillig verbrennen muß (Indier), nicht aus Liebe, sondern aus Dienstbarkeit; die Gewaltherrschaft drückt die Frauen wo möglich noch tiefer herab: alljährlich werden die schönsten Frauen für die Lüste der Tyrannen ausgesucht und heerdenweise eingesperrt (Perser); sie müssen sich im Tempel der Mylitta den Fremden Preis geben zum Besten der herrschenden Priester (Babylonier); sie werden nur als Gebärmaschinen betrachtet und unwürdig geachtet, ihr Kind zu erziehen, ihre minder schöne Frucht aber zerschmettert man, als unnütz und überflüssig (Sparta). So die G. in der Kindheit des Menschengeschlechts; sie sind unwürdiger und unsittlicher, als sie irgend in der Thierwelt gefunden werden. Und so tief war diese niedrige Behandlung der Frauen mit allen Ansichten und Einrichtungen der alten Welt verwachsen, daß selbst die Griechen wenig daran änderten; eben so wenig, wie sich dieselben zu dem Gefühle der Freiheit aufschwangen, welches die Sklaverei als etwas Unmögliches und Unwürdiges zurückstößt, erhoben sie sich zur Anerkennung der Gleichberechtigung der Frauen. Die griech. Frau war ausgeschlossen vom Leben des Volkes, sie saß als Gefangene im Weibergemach (Gynäceen), während die Buhlerin auf dem Markte des Lebens sich herumtrieb zum Zeitvertreib des Mannes; eheliche Treue mußte die Frau beobachten, aber sie hatte keinen Anspruch auf Gegenseitigkeit. Ganz ähnlich war das Frauenleben in Rom, nur wandte man sich der Matrone und Mutter mit einiger Ehrfurcht zu, auch durfte die Frau beim Gastmahle und im Schauspiel erscheinen. Bei dem bunten Völkergemisch, welches nun auf der Weltbühne erscheint, sind die G. wenig ausgebildet und wenig gekannt; doch war die Frau jedenfalls Begleiterin des Mannes, theilte seine Schicksale und oft gezwungen seine Kämpfe. Wir finden einzelne Spuren, daß sie besonders bei den Germanen geachtet war: sie hatte Theil am Familienrath, hatte einen Schutz gegen des Mannes Willkür an Vater und Bruder, ein Genug=

tin, konnte nicht erben, stand beständig unter des Mannes unbedingter Vormundschaft u. s. w. Im Mittelalter war's mit der Frau nicht besser, was auch romantische Schwärmer faseln; die Frau aus dem Volke theilte die allgemeine Sklaverei und war

: beim Fest und Turnier machte er Staat mit ihr, sonst
rem Söller, während der Mann sich bei Saufgelagen,

ben, wenn zuweilen ein hungernder Minnesänger ihren Preis sang. Das Christenthum hat die ungerechten G. nicht verändert, denn es ging von der sklavischen Stelluen im Morgenlande aus und in dem Satze: „der Mann soll dein Herr

verewigen getrachtet hat. Wenn das Weib im 16. u. 17. Jahrh. nabesonders in der vornehmen Welt Frankreichs zu einer Art Vergötterung gelangte, so war diese schlimmer noch als seine Rechtslosigkeit, denn gehuldigt wurde eigentlich nur der tiefen Verworfenheit des Weibes, in welche dasselbe durch Unfreiheit versunken war, und Unzucht und Unsittlichkeit waren es, welche ihm huldigten; dehnten sich diese Huldigungen auf das Weib im Allgemeinen aus, so geschah es nur deshalb und in so weit, als man ein Anhängsel der geistreichen und gefeierten Verworfenheit in ihm erblickte. Das Weib aber wurde gerächt durch diese Verkehrtheiten, indem es geschichtlich darthat, daß es auf der tiefsten Stufe seines sittlichen Verfalls noch mächtig genug war, die Männerwelt unter seine Füße zu beugen. Der Umschwung der Neuzeit hat allerdings auch auf die G. gewirkt und die Stellung des Weibes wesentlich geändert; aber zu seinem Rechte, zur Stellung der gleichberechtigten Hälfte des Geschlechts ist es nicht gelangt. Es hat zu allen Zeiten Lobredner der eben bestehenden Zustände gegeben, die in denselben das Vollkommenste und Beste sahen, was geschaffen werden könne; besonders aber waren es die Träger der Gewalt und ihre Söldner, welche die Zustände priesen. Ist es ein Wunder, daß der begünstigte Mann auch jetzt die Stellung der Frau höchst vortrefflich findet? Aber es hat auch zu allen Zeiten solche gegeben, welche sich gegen die Ungerechtigkeit der Zustände entrüstet auflehnten und in ihrer Entrüstung ungerecht wurden. Ist es ein Wunder, daß begabte Frauen und die männlichen Vertreter ihrer Ansichten unsere G. unerträglich finden? Daher die unendlich verschiedene Beurtheilung der G. Man weist einerseits auf den natürlichen Unterschied der Geschlechter hin und rechtfertigt aus demselben die G. Dieser Unterschied ist allerdings sehr groß und bedingt eine andere Stellung des Mannes als der Frau. Das rein thierische Leben schon begründet diese Verschiedenheit. Bei der großen Aufgabe der Fortpflanzung des Geschlechtes ist des Mannes Aufgabe mit der Begattung vollendet, das Weib aber hat die Aufgabe, den empfangenen Keim in seinem Schooße zu tragen, ihn reifen zu lassen, zu gebären und zu nähren. Daraus folgt, daß der Mann sich bis zur Grenze der innern Kraft regen und bewegen, daß er hinaus ins Leben treten und den Herd verlassen und meiden kann, während das Weib dem Keime des künftigen Menschen alle die Rücksicht schenken muß, die sein zarter Zustand verlangt, und an den Herd gebunden ist, wo allein die mütterliche Sorgfalt ihn nähren und stärken kann. Der Trieb zu dem Jungen: dem Kinde, ob man ihn sittlich als Liebe oder thierisch als Instinkt zur Erhaltung desselben bezeichnet, ist bei beiden Geschlechtern gleich groß, sie freuen sich des geschaffenen Werks, der erfüllten Naturaufgabe. Daraus folgt, daß der Mann hinausgehen und die Bedürfnisse des Lebens erwerben, der Frau aber die Sorge für das Kind überlassen, ja sie an dasselbe fesseln wird. Der Naturaufgabe gemäß ist der Körper der Geschlechter verschieden gebaut: des Mannes stark, markig, rauh und ausdauernd; der der Frau schwächer, weicher, zarter und hinfälliger. Daraus folgt, daß der Mann sich die harten, schweren und äußere Kraft erfordernden Aufgaben wählen, dem Weibe die leichtern und minder schwierigen überlassen wird. Wie das Körperliche, so ist das Geistige bei beiden Geschlechtern unendlich verschieden. Beim Manne ist Geist und Verstand, beim Weibe Gemüth und Gefühl überwiegend; den Mann ziert Muth, Entschlossenheit, Festigkeit und Thatkraft, das Weib Schüchternheit, Hingebung, Anmuth und Sanftmuth. — Es wäre leicht, diese Verschiedenheit noch weit, weit auszudehnen; allein die angegebenen Beispiele genügen, um darzuthun, daß hinsichtlich der G. das Verlangen der gleichen Stellung von Mann und Weib unvernünftig und unnatürlich ist. Das Weib ist in gewisser Beziehung vom Manne abhängig oder ihm untergeordnet und wird dies bleiben, so lange die Geschlechter miteinander leben. Was aber folgt aus dieser großen Verschiedenheit? Daß die Geschlechter sich gegenseitig ergänzen und unentbehrlich sind; daß sie in ihrer Vereinigung erst den Begriff: Mensch vollenden; daß diese Vereinigung: die Ehe (s. d.) ein natürliches Band und als solches unzerstörbar ist; daß aber die Allgewalt der Liebe noch als sittliche Heiligung zur Natur tritt und der Ehe eine Innigkeit und Festigkeit verleiht, gegen welche jede andere menschliche Vereinigung schwach erscheinen muß. Die Aufgabe des Staates aber liegt dann auch klar vor: Er hat die natürliche und nothwendige Verbindung der Menschen, die Ehe, nach allen Kräf-

Natur ohnehin ohnmäch-
t, werden die natürlichen
thaften G. hervorgehen. Sehen wir
der Staat gebuldet, daß dem natür-

die Hand geboten. Die Ehe ist der Natur der G. nach ewig, d. h. für das Leben geschlossen; aber sie muß eben auf den oben geschilderten natürlichen G. beruhen, nicht auf falschen und unnatürlichen. Unsere Ehen aber beruhen zu einem großen Theil auf falschen G. und damit hängt die Ungerechtigkeit zusammen, die in der Stellung des Weibes sich überall kund giebt. Eigennutz und Selbstsucht, gezeugt und genährt durch unwahre Eigenthumsbegriffe und unvernünftige Gütervertheilung, schließen die Ehen, nicht die Natur der G.; diese Ehen können aber nur so lange dauern, als ihre Ursache dauert. Der Staat, welcher sie im Verein mit der Kirche durch äußerlichen Zwang zusammen hält, indem er ihre Trennung nicht zuläßt, handelt unsittlich, weil er Lüge und Schein befördert. An das roheste und äußerlichste Merkmal des Ehebruchs: an die fleischliche Vermischung mit einem Andern klammert man sich an und bestraft die Befriedigung des Herzens und des Naturtriebes, welche sich die Eheleute, die sich aus falschen Beweggründen vereinigten, nicht gewähren

folgt um so zuverlässiger, als die Lebensverhältnisse nicht einmal eine Trennung der Geschlechter möglich machen. Muß man nun die Befriedigung nach dem eingeimpften Begriffe auf

da suchen, wo sie auch noch Vortheile bringt; die falsche Grund-
der besonders in den vermögenden und geldgierigen Ständen schafft
viele, welche Vortheile oder Bezahlung gewähren, und so nährt
der Ehe in den untern Klassen die entsetzliche Krankheit des Ver-

hört. Man muß nicht ungerecht sein: der Staat kann das Alles nicht plötzlich ändern, eben so wenig, wie die Besitzverhältnisse. Aber Staat und Gesellschaft müssen sich wenigstens die Hand bieten, die G. der Natur wieder näher zu führen und mit der Wirklichkeit zu versöhnen. Hat aber die Ehe vielfach eine falsche Grundlage erhalten und ihre Dauer eingebüßt, so folgt daraus nothwendig eine andre Stellung der Geschlechter. Das Weib muß selbstständiger und unabhängiger werden; wenn es die in einer unhaltbaren Ehe gezeugten Kinder ganz oder theilweise ernähren soll, so müssen ihm die Erwerbsquellen eröffnet sein, wie dem Manne; es muß ihm jede Ausbildung zugänglich, jede Arbeit gestattet sein. Das ist nicht der Fall; die Erziehung des Weibes ist wo möglich noch verkehrter, als die des Mannes; sie werden im günstigsten Falle zu den abhängigen Wesen erzogen, die sie der Natur nach sind, im ungünstigen und überwiegenden Falle zu verzärtelten Spielpuppen, die selbst in natürlicher Ehe ihren Beruf nicht erfüllen können. Die Gesellschaft arbeitet in dieser Beziehung eifriger am Verderben des Weibes, als der Staat mit seiner verkehrten Erziehung; die Frau, welche sich ausbilden will, weist sie als unbefugt zurück; die Frau, welche ihre allenfalls erlangten Fähigkeiten geltend machen will, macht sie lächerlich; die Frau, die arbeiten will, nimmt sie nicht an, oder bezahlt sie schlechter noch, als den Mann; die Frau, die fällt, zeichnet sie mit dem Brandmale der Schande, während sie über dieselbe Handlung beim Manne lächelt. Wenn die Frau den Wettlauf der Selbstsucht und des Eigennutzes mitlaufen soll, so muß sie über ihr Vermögen zu verfügen berechtigt sein, gleich dem Manne. Das ist sie nicht;. der Mann — an den sie oft nur durch Zwang geschmiedet ist — ist ihr Vormund, und sie ist fast keiner rechtlichen Handlung fähig, ohne seinen Beistand, während sie — die Unmündige — doch ihre ganze Habe ohne weitern Beistand ihm opfern darf. — Es handelt sich hier darum, das Krankhafte unserer G. zu zeigen und dazu genügen die gemachten Anführungen. Wenn man die gerechten Forderungen, welche aus denselben hervorgehen, damit beseitigen will, daß man darauf hinweist, wie einige Närrinnen die Gleichheit der Rechte beider Geschlechter darin gefunden haben, daß sie Hosen tragen oder Cigarren rauchen wollten, so ist dies eben so albern, als wenn man die Nothwendigkeit der Ungleichheit daraus herleitet, daß die Frauen nicht Minister, Abgeordnete, oder gar Soldaten werden können. Was die Frau kann, das wissen wir nicht, denn sie ist, seit wir die Geschichte kennen, das durch unsere Schuld unterdrückte und verkrüppelte Geschöpf; das aber wissen wir, daß es unsere Pflicht ist, die Ungleichheit aufzuheben. Eben so unvernünftig ist es, auf das lebende, schlecht erzogene Geschlecht hinzuweisen und zu fragen: ob dasselbe fähig sei, zu thun, was wir ihm zumuthen? Wir antworten: Nein, es ist dazu nicht fähig; aber wir sehen darin nur eine dringendere Forderung, Hand anzulegen, daß aus den Mädchen selbstständige Menschen, nicht zur Knechtschaft abgerichtete Puppen werden. Daß durch diese Selbstständigkeit die natürliche Stellung der Geschlechter und ihre Ergänzung verschoben, die Ehe aber aufgehoben und gestört werde, ist eine Faselei gedankenloser Geschwätzigkeit. Die Ehe ist eine natürliche, wie sittliche Verbindung; die Natur aber bedarf der Pfuscherei schlechter Gewaltträger nicht und die Sittlichkeit beruht auf der Freiheit; ein sittliches Verhältniß zwischen zwei Personen, von denen die eine geknechtet ist, ist unmöglich, denn Knechtschaft und Zwang ist unsittlich. — Was die Pflicht des Staates zur Erhaltung und Pflege natürlicher G. betrifft, so würde diese ihn vor Allem anweisen, die Verkehrtheiten zu tilgen. Abgesehen von den Verschrobenheiten der G., die in unsern Verhältnissen liegen und dem Staate vorerst unerreichbar sind, wenigstens nur gewissermaßen vorbereitend angegriffen werden können, läßt sich nicht in Abrede stellen, daß viele Ungerechtigkeiten, die sonst auf den Frauen lasteten, durch die neuere Gesetzgebung ausgeglichen sind und die Richtung im Allgemeinen dahin geht, ihnen gerecht zu werden. Zu dieser Pflicht gehört auch die Bestrafung aller frevelhaften Eingriffe in den geschlechtlichen Verkehr, die man gewöhnlich unter dem Namen: Fleischesverbrechen oder Unzucht zusammenfaßt und die wir unter dem letztern Namen besprechen werden. R. B.

Geschloffene Etabliffements, f. Fabriken.

Geschriebenes Recht, f. Recht.

Geschwader, f. Flotte.

Geschworene (Geschworenengericht, Jury, Affisen). Die Frage: was das G.ngericht ursprünglich gewesen und was es wesentlich sei? beschäftigt jetzt nicht blos Geschichtsforscher und Gelehrte, sondern ist eine Frage des Volkes. Man hat sie zwar Seitens der Schreibstubenherrschaft zu einer rein politischen stempeln wollen, sie ist dies aber nur insoweit, als die Rechtspflege zu den Verrichtungen des Staats gehört. Auch der strengste Aristokrat, welcher von deutlichen Grundsätzen geleitet wird, kann eben so entschieden für das G.ngericht sein, wie der entschiedenste Fortschrittsmann. Das G.ngericht stammt aus den ersten Jahrh.en der deutschen Rechtsentwickelung. Es war bei allen Volksstämmen, welche die deutsche Nordsee umwohnten, bei den Skandinaviern, Dithmarschen, Dänen, Isländern und Norwegern, wie bei den Sachsen einheimisch und ging von ihnen zu den Engländern über, welche es als ein kostbares Kleinod volksthümlicher Rechtspflege unversehrt aufbewahrten und nach Nordamerika, Frankreich, Spanien, Portugal, Belgien u. s. w. verpflanzten. Die Nämb bei den Schweden, die Näve oder Näveniger bei den Dänen, die Quidar bei den Isländern, die Nemede bei den Dithmarschen und Niedersachsen ist im Wesentlichen dasselbe, was bei den Engländern die Jury ist. In der ältesten Zeit wurde das Urtheil von der gesammten Volksgemeinde gesprochen. Später ging die Rechtsfrage auf die Richter, die Lagmänner und Hardeshauptleute, über; die Thatfrage lag außer ihrer Befugniß. Die Beantwortung der Frage: was ist in der Sache wahr? nicht was ist in der Sache Rechtens? verblieb Männern aus dem Volke. Das G.ngericht ist die Gerichtseinrichtung, bei welcher zur Verurtheilung der Ausspruch von Mitbürgern oder Genossen erforderlich ist; G. sind die Bürger, welche den Ausspruch über die Schuld oder Nichtschuld thun. Ueber das Wesen der G.ngerichte folgen wir den Ansichten des gründlichen Germanisten Dr. Michelsen (Genesis der Jury). In neuerer Zeit kommt das G.ngericht nur im Strafverfahren vor (s. Anklageproceß), in welchem die Hauptsache ist: auf welche Weise der Beweis der Schuld oder Unschuld des Angeklagten hergestellt wird. Nach dem deutschen Strafverfahren war der Angeklagte, sofern er nicht bei der That (auf handhafter That) ergriffen wurde, berechtigt und verpflichtet, seine Unschuld zu beweisen. Dazu dienten bei der alten Jury die Gottesurtheile (s. d.) und die durch Eideshilfe verstärkten Reinigungseide (s. Ei-

Einwand, welcher hiergegen erhoben wird, besteht in der Behauptung: der Wahrspruch der G.n gebe erst der That ihren rechtlichen Charakter, entscheide erst, ob sie z. B.

chen angegeben sein muß und es nur darauf ankommt, für die Erfordernisse der Anklageschrift strenge Vorschriften zu ertheilen. Das G.ngericht hat zwar ebenfalls zu ermitteln, ob der ihm vorgelegte Fall die Merkmale des fraglichen Verbrechens an sich trage; dies geschieht aber nach schlichtem Menschenverstande und nach den Rechtskenntnissen, welche als Gemeingut vorausgesetzt werden müssen. Denn es wäre in der That ein höchst trauriger Zustand des Rechtsbewußtseins, wenn ein oft den ungebildeten Klassen angehöriger Verbrecher zur Strafe des Diebstahls oder Mordes verurtheilt werden könnte, und der aus den gebildeten Klassen gewählte G. vermöchte nicht zu ermessen, ob die ihm in allen einzelnen Umständen vorgeführte That wirklich verübt und ob sie ein Diebstahl oder ein Mord sei. Es läßt sich gar nicht in Zweifel ziehen, daß in Deutschland, so gut wie in England und Frankreich, der G. zu beurtheilen vermöge: ob in der ihm vorgeführten That die Merkmale enthalten seien, welche zum Begriffe des in der Anklage genannten Verbrechens gehören. Es kommen allerdings auch Fälle vor, in welchen selbst der Rechtskundige zweifelhaft ist, unter welches Verbrechen die That zu rechnen sei. Hat alsdann die Anklageschrift für die G.n nicht die nöthige Abhilfe gewährt, so können, wie dies in England zulässig ist, die G.n die einzelnen Thatumstände, welche sie für wahr halten, mittelst Special-Verdicts hervorheben und den rechtsgelehrten Richtern die Anwendung überlassen. Die G.n erklären, daß der Thatbestand dem im Gesetz bestimmten Begriffe des Verbrechens entspricht oder nicht; der Richter hat das Urtheil zu fassen, er hat das Gesetz auf den gegebenen Fall durch die Abmessung der Strafe anzuwenden. Das Verdict ist kein gerichtliches Erkenntniß über den Beweis, sondern der Beweis selbst für den Richter, eine als Zeugniß einer Genossenschaft aus dem Volke anzusehende Beweisform, auf welche die Verurtheilung in die gesetzliche Strafe oder die Lossprechung begründet wird. — Nachdem so das Wesen des G.ngerichts bezeichnet worden, werden die Gründe, aus welchen dessen Einführung in Deutschland nothwendig ist, darüber noch helleres Licht verbreiten. Allgemein wird jetzt die Unzulänglichkeit des bisherigen Inquisitionsverfahrens (s. Anklageproceß) von Regierungen, Ständern, Rechtskundigen und Volk anerkannt, überall werden Vorbereitungen zur Einführung eines öffentlichen und mündlichen Anklageverfahrens getroffen, wo nicht, wie in Preußen und Baden, dies Verfahren bereits eingeführt worden ist. Man überzeugte sich immer mehr, daß nach erfolgter und von der Wissenschaft dringend geforderter Abschaffung außerordentlicher Strafen, für die Straffälle, wo der Angeschuldigte weder vollständig überführt, noch zu einem Geständnisse gebracht werden kann, gleichwohl dringender Verdacht der Thäterschaft vorliegt, die strenge Beweistheorie, wie sie insbesondere durch die Carolina ins Leben gerufen worden, zu verlassen sei. Nicht häufig sind die Fälle, wo 2 fehlerfreie Zeugen gegen den Angeschuldigten vorgeführt werden können; bei Weitem öfter aber hat der Richter alle seine moralische und geistige Kraft auf Herbeiführung eines Geständnisses zu verwenden. Bei dem an England uns vor Augen stehenden Beispiele und bei unbefangener Einsicht in das Wesen und die Bedeutung des Geständnisses wurde es immer mehr klar, daß dasselbe ein Zeugniß des Angeklagten gegen sich selbst sei, eine Erscheinung, welche der menschlichen Natur zuwiderläuft und den Grundelementen eines vernünftigen Verfahrens widerspricht. Das Geständniß konnte daher nicht mehr als Hauptbeweismittel festgehalten werden und das Inquisitionsverfahren untergrub nunmehr seine Grundlagen, indem es die gesetzliche Beweistheorie in Wirklichkeit verließ, sie höchstens dem Scheine nach beibehielt und die rechtskundigen Richter ermächtigte, nach innerer Ueberzeugung die Angeschuldigten, auch ohne Ueberführung und Geständniß, in volle gesetzliche Strafe zu verurtheilen. Hierdurch wurde die richterliche Gewalt zu einer Unförmlichkeit und Unbeschränktheit gesteigert, welche in der Rechtsgeschichte geordneter Staaten ihres Gleichen vermißt. Um dem Schreckbilde politischer Neuerung zu entgehen, opferte man das kostbarste Kleinod der Völker, den festen Glauben an die Rechtspflege, und setzte sich in einen bedenklichen Zwiespalt mit der Wissenschaft, indem man den Richter nicht blos Ankläger und Verurtheiler, sondern auch Zeuge sein ließ. Als die düstern Schatten dieser entsetzlichen Vollmacht sich mehr und mehr ausbreiteten, entschloß man sich, als Bürgschaft für die Rechtschaffenheit der Richter, die Oeffentlichkeit der Verhandlungen zuzusagen. Gewiß, bei deren voller Gewährung wird der Glaube an die Gerechtigkeit unsers Richterstandes und der Rechtspflege wohlthätig gehoben werden; es ist gewiß, daß im Vergleich zum jetzigen geheimen Verfahren eine Verbesserung eintritt. Aber sie wird nicht die Uebelstände, welche aus der Uebertragung einer Beweisform an den erkennenden Richter erwachsen, beseitigen. Bei dem Indicienbeweise wird der Richter, wie früher, über die

Schuld oder Unschuld des Angeklagten sich selbst Zeugniß abzulegen haben, und wie man es jetzt als unverträglich erachtet, daß in einer Person die Verrichtungen des Anklägers und Richters verbunden werden, so wird sehr bald die Ueberzeugung von der Unverträglichkeit des Auffindens der Schuld durch die subjective Ueberzeugung des Richters mit der Strafabwägung durchdringen. Blicken wir auf die in vielfacher Hinsicht so lehrreichen Einrichtungen unserer alten deutschen Stammgenossen, so finden wir als Schutzwehr der Rechtssicherheit und persönlichen Freiheit die Trennung der jetzt vereinigten Verrichtungen des Richters streng durchgeführt. Der Richter, der die Strafe ausspricht, steht als unparteiischer Verwalter der Gerechtigkeit über Partei und Zeugenschaft da; die G.n, als Genossen des Angeklagten, aus dem Volke als dessen Vertreter gewählt, sind berufen, die Stimme des Volkes zu verkünden und der Angeklagte vernimmt sie als Gottes Stimme (vox populi, vox Dei). Vom rechtswissenschaftlichen Standpunkte aus aber ist das G.ngericht als Beweisform und für den Richter als Beweismittel, mindestens bei dem Indicienbeweise, das vorzüglichste und geeignetste Hilfsmittel, der Strafrechtspflege die so nothwendige Sicherheit, aber auch zugleich eine höhere Weihe und festen Glauben im Volke zu verleihen. — Man glaubt zwar, durch Beibehaltung der Entscheidungsgründe beim öffentlich-mündlichen Verfahren, so wie durch Gewährung einer zweiten Instanz (Berufung auf Prüfung und Entscheidung eines obern Gerichts) allen Bedenken ausreichend zu begegnen. Hiergegen muß aber, was die Entscheidungsgründe anlangt, erinnert werden, daß, sollen sie nicht blos den Eindruck, welchen die Verhandlung auf die Richter gemacht hat, darstellen, sondern alle Beweismomente einzeln nach ihrem rechtlichen Gewichte zergliedern, wie dies im schriftlichen Verfahren der Fall ist, alsdann mit dem mündlichen Verfahren eben so weitläufige und sorgfältige Niederschriften verbunden werden müssen, als bei dem schriftlichen Verfahren. Die rasche Vorführung und Abwickelung des Anschuldigungs- und Entschuldigungsbeweises, welche hauptsächlich als Vorzug des mündlichen Verfahrens anzusehen ist, würde alsdann nicht mehr ausführbar sein. Dies wird auch bei Gewährung von Entscheidungsgründen nicht beabsichtigt. Wenn sie aber nur den Gesammteindruck der Verhandlung darstellen, dann sind sie von keinem besondern Werthe, weil die Zuhörer und Leser aus einer Vergleichung der Verhandlungen mit der Entscheidung leicht entnehmen können, welche Beweismittel des Anschuldigungs- oder Entschuldigungsbeweises besondern Einfluß auf das Urtheil gehabt haben. Die Einführung einer zweiten Instanz bei dem mündlichen Verfahren stößt wegen der nothwendigen Wiedervorführung und Entwickelung der Thatumstände auf besondere Schwierigkeiten, man kann hierbei nur zu den Niederschriften über das mündliche Verfahren seine Zuflucht nehmen, diese aber können kein treues und vollständiges Bild von dem Verhandelten gewähren. Es wird dies bereits in Preußen anerkannt, wo öffentlichen Nachrichten zufolge beabsichtigt wird, die Berufung auf die zweite Instanz nur auf die Rechtsfrage zu beschränken. — Obwohl der rechtswissenschaftliche Gesichtspunkt bei Beurtheilung der G.ngerichte im Vordergrunde steht, so können doch die vortheilhaften Einwirkungen derselben auf das Staats- und Volksleben nicht mit Stillschweigen übergangen werden. Wie die Mitwirkung und Theilnahme der Bürger an der Gemeindeverwaltung ein festeres auf Selbstüberzeugung gegründetes Vertrauen zu den Obrigkeiten herbeigeführt hat, so wird unzweifelhaft die Berufung der Bürger zur Entscheidung der Thatfrage im Strafverfahren das sicherste Mittel sein, im Volke den Glauben an die Gerechtigkeit wieder herzustellen. Man kann nicht bezweifeln, daß die Einführung der Oeffentlichkeit der Verhandlungen das Vertrauen des Volkes zur Rechtspflege wesentlich stärken wird, allein bei der Abhängigkeit der Staatsbeamten, bei der den Regierungen überlassenen Weiterbeförderung und Versetzbarkeit derselben wird stets Nahrung zum Mißtrauen vorhanden bleiben, und die Geschichte der letzten 30 Jahre beweist nur zu sehr, daß dieses Mißtrauen begründet

nen zu G.n nur berufen werden: die Kammerwähler, die öffentlichen Beamten, die pensionirten Land- und Seeofficiere mit wenigstens 1200 Franken Ruhegehalt, die Doctoren der verschiedenen Facultäten, die Licentiaten, wenn sie Advocaten oder an einer Lehranstalt angestellt, oder wenigstens 10 Jahre in einem Departement seßhaft sind, die Mitglieder und Correspondenten des Instituts von Frankreich, die Mitglieder gelehrter Gesellschaften und Notare, welche 3 Jahre im Amte sind. Finden sich unter diesen 9 Klassen nicht wenigstens 800 Befähigte heraus, so wird die Zahl durch Hinzunahme der nächst den Wählern am höchsten Besteuerten vervollständigt. In den deutschen Rheinprovinzen sind außer den erwähnten 9 Klassen die 300 Höchstbesteuerten der Provinz, die Verwaltungsbeamten, die 4000 Franken Gehalt beziehen, Banquiers und Kaufleute, welche die 2 höchsten Klassen der Patentsteuer bilden, zulässig. In Frankreich hat der Präfect des Departements am 1. August die allgemeine G.nliste aufzustellen. Die Liste zerfällt in 2 Abtheilungen, wovon die eine die Landtagswähler, die andere die übrigen 8 Klassen enthält. Die Liste wird gedruckt und in den größern Orten spätestens am 15. August angeschlagen, wo sie bis Ende September bleibt. Ueber Einwendungen gegen die Liste erkennt der Präfect; wird hierbei nicht Beruhigung gefaßt, der Gerichtshof. Aus der Liste ziehen die Präfecten die G.n für das nächste Jahr. Sie darf höchstens 300 Namen enthalten. Von den auf dieser Liste Verzeichneten werden durch den Präsidenten des Gerichtshofs 10 Tage vor der Eröffnung der Assisen aus der Urne 40 Namen gezogen, und zwar 36 als wirkliche G. und 4 als Stellvertreter. 8 Tage vor der Sitzung wird den Gewählten ihre Wahl und der Tag, an welchem sie erscheinen sollen, bekannt gemacht. Dem Angeklagten wird die Liste 1 Tag vor der Verhandlung behändigt. Der Präsident nimmt die Namen der G.n aus einer Wahlurne, der Angeklagte sowohl, als auch die Staatsbehörde sind berechtigt, eine gleiche Anzahl von G.n, ohne Angabe des Grundes, zu verwerfen, bis noch 12 G. übrig bleiben. Sind mehrere Angeklagte, so können sie doch nicht mehr zusammen verwerfen, als in dem Falle, wenn nur ein einziger vorhanden ist. In England spricht der Ausrufer den G.n, welche die rechte Hand auf das Evangelium legen und den Angeklagten ins Auge fassen, folgenden Eid vor: „Ihr werdet einen guten und wahrhaften Ausspruch thun; Ihr werdet der Wahrheit gemäß zwischen dem Könige, unserm Herrn, und dem Angeklagten vor den Schranken entscheiden, der Euch überliefert ist, und Ihr werdet nach den Beweisen, welche Ihr erhalten werdet, ein der Wahrheit gemäßes Verdict abgeben." In Frankreich hält der Präsident den G.n den Eid vor, und dieser lautet: „Sie sollen schwören und geloben vor Gott und den Menschen, mit der genauesten Aufmerksamkeit die Anklage und Beweise, welche gegen den Angeklagten werden vorgebracht werden, zu prüfen, weder zu Gunsten des Angeklagten, noch der bürgerlichen Gesellschaft, die ihn anklagt, zu verfahren, mit Niemandem bis zu Ihrer Erklärung zu verkehren, sich weder durch Haß, noch Bosheit, noch Furcht oder Neigung leiten zu lassen, auf Anklage und Vertheidigung sich auszusprechen nach Gewissen und innerer Ueberzeugung, mit Muth und Unparteilichkeit, wie es einem redlichen und freien Manne geziemt." Jeder der G.n erhebt die rechte Hand und spricht: „Ich schwöre es!" Nach Vereidigung der G.n wird die Anklageschrift (s. d.) verlesen und die Zeugen verhört, und es steht den Richtern, den G.n, dem Ankläger, dem Angeklagten und dessen Vertheidiger frei, Fragen an die Zeugen zu richten. Die Zeugen bleiben nach Beendigung des Verhörs im Sitzungssaale, damit sie bei der ferneren Verhandlung sogleich Aufschluß ertheilen können. Die zur Untersuchung gehörigen Beweisstücke werden dem Angeklagten und den G.n vorgelegt und etwa zugezogene Sachverständige vernommen. Die G.n können sich während der Verhandlungen beliebige schriftliche Bemerkungen machen. Wenn so die Untersuchung beendigt ist und der Angeklagte sich vertheidigt hat, richtet in England der Richter eine kurze Belehrung an die G.n über die gesetzlichen Bestimmungen, welche auf die

Beschaffenheit, der Thatsache von Einfluß sind; in Frankreich giebt der Präsident in einem Schlußvortrage (Resumé) den Inhalt der Verhandlungen kürzlich wieder, auf dessen Unterlassung die Nichtigkeit gedroht ist, und richtet bestimmte, auf das Thatsächliche sich beziehende Fragen an die G.n, auf welche von ihnen mit Ja oder

Gemach geführt und von einem Bailiff befragen erklären sie alsdann durch ihren Vormann ihr Schuldig oder Nichtschuldig. Die Abstimmung in England erfolgt in der Art, daß 3 von den G.n die übrigen befragen und dem Vormann melden. In England wird Einstimmigkeit der G.n erfordert. In Frankreich erfolgt die Abstimmung der G.n im Geheimen mittelst Zettel, und es genügt schon eine Stimmenmehrheit von 7 gegen 5 zur Verurtheilung. Ist der Ausspruch der G.n erfolgt, so wird er dem Angeklagten verkündigt; wird er für nicht schuldig befunden, so erfolgt sofort seine Freisprechung; wird er für schuldig erklärt, so wird von dem Gerichtshofe ein Erkenntniß gefält und die Strafe bestimmt. In Frankreich üben die G.n nach dem Gesetz vom 28. April 1832 insofern einen Einfluß auf die Strafbestimmung aus, als ihnen verstattet worden ist, über das Dasein von Milderungsgründen zu entscheiden, der bejahende Ausspruch hat dann die Wirkung, daß die Richter auf eine geringere, als die im Gesetz auf das Verbrechen gesetzte Strafe erkennen müssen. Dagegen sind eine Eigenthümlichkeit des englischen Rechts die Specialverdicte. Wenn die G.n in Zweifel sind: ob die

Verbrechens falle, so sprechen sie sich nur über den vorsachen aus. Auch ist die englische Jury ermächtigt, durch Ermäßigung der Anklage in manchen Fällen eine Ermäßigung der Strafe zu bewirken, z. B. Jemand ist des Mords angeklagt und die Jury erklärt ihn nur des Todtschlags für schuldig. Ein Vorzug des englischen Rechts besteht auch darin, daß, auf

ist, in Augenschein nehmen. — Ueber die Pflichten der G.n und ihr Verfahren bei

thungszimmer befindliche Inschrift, des Inhalts: „Das Gesetz fordert von den G.n keine Rechenschaft über die Gründe, wodurch sie zu ihrer Ueberzeugung gekommen

gebrachten Beweise und die Gründe seiner Vertheidigung auf ihre Urtheilskraft hervorgebracht haben. Das Gesetz sagt zu ihnen nicht: Sie sollen den Thatumstand für wahr halten, der von dieser oder jener Zeugenanzahl für wahr angegeben ist, es sagt ihnen eben so wenig: Sie sollen jeden Beweis als unzureichend verwerfen, der nicht auf diesem oder jenem Protokolle, auf diesen oder jenen Urkunden, auf so und so viel Zeugen und Anzeichen beruht; es richtet an sie nur die einzige Frage, welche den Inbegriff aller ihrer Pflichten enthält: Sind sie innig überzeugt? Was sie durchaus nicht vergessen dürfen, ist, daß die ganze Berathschlagung der G.n sich auf die Anklage beschränkt. Nur auf die Thatumstände, welche ihr zum Grunde liegen und damit im Zusammenhange stehen, haben sie ausschließlich ihr Augenmerk zu richten, und sie fehlen gegen ihre erste Pflicht, wenn sie in Gedanken an die Verfügungen der Strafgesetze die Folgen in Betracht ziehen, welche die von ihnen abzugebende Erklärung in Beziehung auf den Angeklagten haben mag. Ihre Aufgabe hat weder die gerichtliche Verfolgung, noch die Bestrafung der Verbrechen zum

Gegenstande. Ihr Beruf ist nur, die Frage zu entscheiden, ob der Angeklagte des Verbrechens, das man ihm zur Last legt, schuldig sei oder nicht." In England urtheilen aber, hiervon abweichend, die G.n nicht nach dem Gesammteindrucke, den die Verhandlungen auf sie machen, vielmehr sind sie verbunden, gewissen Beweisregeln (law of evidence), die aus langer Erfahrung und Gerichtsübung entstanden sind, bei Prüfung der Glaubwürdigkeit der Beweise zu folgen. — In England war schon unter König Johann in der magna Charta das G.ngericht feierlich zugesichert; es wird darin bestimmt: „Kein freier Mann kann auf irgend eine andere Weise durch den König verhaftet, eingekerkert, seiner Güter oder Freiheiten beraubt, in die Acht gethan, verbannt oder sonst zu Grunde gerichtet, er kann von ihm nicht verurtheilt oder hingerichtet werden, als durch die rechtmäßige Entscheidung seiner Rechtsgenossen, oder das Gesetz des Vaterlandes." Das G.ngericht möge bald dem öffentlichen und mündlichen Anklageverfahren, dessen Einführung in mehreren deutschen Staaten vorbereitet wird, nachfolgen! In mehreren Ständesälen fand es bereits warme Fürsprecher; auch in Sachsen zeigte die Abstimmung über meinen auf Einführung der G.ngerichte gerichteten Antrag in der II. Kammer am Landtag 18 4/5, daß 26 Mitglieder derselben dafür sich erhoben (Landtags=Mitth. II. Kammer 2. Bd. S. 1329). Darf man sich auch nicht der Hoffnung hingeben, daß die Wiederholung desselben alsogleich von einer beifälligen Erklärung der Regierungen begleitet sein würde, hat es vielmehr den Anschein, als ob es dem preuß. Staate vorbehalten sei, mit Einführung des G.ngerichts voranzugehen, so werden doch die öffentlichen Verhandlungen in den Ständehäusern und die allseitigen Besprechungen in der Presse das Volk über die Vorzüge dieser altdeutschen Gerichtseinsetzung aufklären, und dem Verlangen einer aufgeklärten öffentlichen Meinung wird sicherlich auch entsprochen werden. **Adolph Hensel.**

Geschworene Geistliche. Während der franz. Staatsumwälzung verlangte man von den Geistlichen die Leistung des Bürgereides, d. h. die Versicherung, daß sie den Befehlen und Anordnungen der Volksregierung Folge leisten würden. Da aber die Geistlichen nur dem Papste Folge zu leisten gewohnt waren, außerdem auch ihr Wirken nur auf Ausbreitung und Verstärkung der Knechtschaft, nicht aber der Freiheit richteten, so verweigerten die Meisten den Bürgereid; die Volksregierung machte indessen kurzen Proceß und jagte sie aus dem Amte. Diejenigen Geistlichen nun, welche den Bürgereid leisteten, hießen g. G. Wenn man in allen Ländern die Geistlichen fortjagte, die nicht Bürger, sondern nur Knechte der geistlichen und weltlichen Gewalt sind, so wären die kirchlichen Wirren bald zu Ende.

Gesellen=Vereine. Die mächtige Einwirkung der Vergesellschaftung (Association, s. d.) hat auch auf den Stand der Gewerbsgehülfen oder Gesellen eingewirkt und sie gelehrt, daß nur ihre Vereinigung sie emporheben und ihre gewerbliche Stellung sowohl, als ihre wissenschaftliche Ausbildung verbessern kann. So haben sich G.=V. gebildet, die den bisherigen Zusammenkünften der Gesellen, die meistentheils nur der Sauferei und Rauferei gewidmet waren, gerade entgegengesetzt sind. Die Gesellen suchen sich bei diesen Zusammenkünften wissenschaftlich auszubilden, eine tüchtigere Grundlage für ihr Gewerbe zu legen, und sich gegenseitig zu belehren und zu erheben. Die G.=V. sind die Einrichtung, die sich aus Ländern mit freiern Staatsverfassungen, aus England, Frankreich und der Schweiz langsam und mühsam nach Deutschland herübergepflanzt haben, denn der Polizeistaat hat ihnen stets die größten Hindernisse in den Weg gelegt und betrachtet sie noch heute mit großem Argwohn. Dennoch sind die G.=V. das einzige Mittel, die Rohheit und Unselbständigkeit aus dieser lange verwahrlosten Menschenklasse auszutreiben und eine edle Sitte an deren Stelle zu setzen. Allerdings geht mit der letztern die staatsbürgerliche Selbstständigkeit Hand in Hand, und wer keine Staatsbürger will, sondern nur urtheilsunfähige Unterthanen, der muß folgerichtig die G.=V. unterdrücken. Es ist nur ein Zeichen der allgemein verbreiteten

Lüge und Heuchelei unserer Zeit, daß man bei der Unterdrückung immer nach einem Mäntelchen sucht, welches den wahren Sinn derselben verdecken soll.

Gesellschaft. Was in staatsrechtlicher Beziehung hier zu sagen ist, ist unter den einzelnen Arten der G., also unter Association, Bündniß, Gemeinde, Körperschaft, Staat, Actien- und Versicherungs-G. u. s. w. nachzusehen.

Gesellschaft, Wissenschaft der. Gewaltiger als je erhebt sich in unserer Zeit der Ruf nach Ausgleichung oder doch Milderung der gesellschaftlichen Unterschiede, welche die Entwickelung der Dinge ausgebildet und die mit jedem Tage schroffer sich entgegenstellen. Ein Gefühl der Unheimlichkeit und Unbehaglichkeit hat sich gemischt mit der Erörterung dieser Frage; eine dumpfe Schwüle bemächtigt sich des Gemüthes beim Hinblick auf die Zukunft, zu welcher sie unmittelbar drängt, und man erschrickt vor Gefahren, die man mehr ahnt, als erkennt. Hier glaubt man an eine allgemeine stets zunehmende Verarmung des Volkes und sucht nach Mitteln dagegen, dort will man nur eine augenblickliche Stockung der Gewerbe, der Ernährerin einer verhältnißmäßig großen Menge dicht gedrängter Bevölkerungen, anerkennen und sucht dieselben also frisch zu beleben und zu stärken; an andern Orten endlich — und zwar an den mächtigsten und einflußreichsten — will man nur eine Entstellung der Thatsachen zugeben und glaubt mit Censur und Unterdrückungsmaßregeln die ganze Bewegung bewältigen zu können. Andererseits haben Denker und Menschenfreunde den Gegenstand schärfer ins Auge gefaßt und gefunden, daß man über dem Staate gewöhnlich die G. vergesse; daß der Staat nur die berechtigten Stände anerkenne und umfasse, die übrige Bevölkerung aber als ein lästiges Beiwerk, als ein nothwendiges Uebel betrachte, während die G. die ganze Menschheit im Allgemeinen, die ganze Bevölkerung eines besondern Staates in sich begreift; daß demnach oft und vielfach für den Staat gewirkt, Ausdehnung des Rechtes und der Freiheit errungen worden sei, ohne daß die G. Gewinn davon getragen habe; daß dadurch die nichtberechtigten Theile der G. in eine Lage gekommen seien, die unerträglich ist, und die bei längerer Fortdauer den Bestand unserer staatlichen Zustände nicht nur, sondern aller Schöpfungen der bisherigen Bildung gefährde und daß es eben Aufgabe der G. sei, diese Wehen der G. zu heilen. Diese Lehren und ihre Ausbildung nennt man die W. d. G., oder häufiger noch nach ihren beiden Zweigen Socialismus und Communismus. Obgleich die W. d. G. nicht neu ist, vielmehr einzelne Spuren und Ergebnisse derselben sich finden, so weit die Geschichte reicht, so ist ihre bewußte Ausbildung doch recht eigentlich ein Kind unserer Zeit, indem diese deutlicher, als jede frühere gelehrt hat, daß, trotz aller großen Staatsumwälzungen, die Uebel der G. immer größer werden, daß mit Aenderung der Staatsformen für ihre Heilung nichts gewonnen wird. Die herrschenden Schichten der Bevölkerung haben gewechselt, die Berechtigten sind vermehrt und erweitert worden, die Ansichten haben einen gänzlichen Umschwung erlitten, die politische Freiheit hat wenigstens begonnen zu herrschen — aber der Arme ist Sklave geblieben; er schmachtet in größerm Elend, als ehemals unter der politischen Unfreiheit und der Berechtigung Weniger. Wie das kommt, s. unter **Proletariat**; hier wollen wir nur nachweisen, was die W. d. G. bis jetzt erstrebt und geleistet hat, um daraus zu ersehen, was sie ist, und was sie will. Die Communisten, welche, wie dies sich später zeigt, eine Aufhebung des Privateigenthums erstreben, halten die W. d. G. für sehr alt, und weisen auf Ergebnisse hin, die nach Jahrtausenden zählen. Sie beginnen ihre Beweisführung gewöhnlich mit dem Christenthum und haben gewissermaßen Recht; das Christenthum war in seinen Anfängen communistisch: ein Bruderbund mit vollkommenster Gleichheit, eine vollendete Association ohne jegliches persönliches Eigenthum. Aber man kann das Christenthum wohl eben so berechtigt gegen die Lehre der Communisten kehren und behaupten, daß dasselbe ihre Unhaltbarkeit beweise, indem es die Bildung und Umgestaltung einer ganzen Welt zu tragen vermochte, nicht aber den ersehnten Gesellschaftszustand zu erhalten, der ihm ursprünglich eigenthümlich war. Jahrh.e lang waren nun die Bestrebungen der Völker ausschließlich auf die Erlangung politischer Freiheit gerichtet. Einer rohen Gleichheitsidee begegnen wir erst im Bauernkriege (s. d.) wieder; in einer Menge von Sprüchen, Grüßen und Gebräuchen jener Zeit spricht sich die Richtung auf eine Ausgleichung der Güter dieser Erde klar aus: Man will das Capital der Kaufleute beschränkt wissen auf 10,000 Gulden, was darüber ist, soll den Magistraten ausgeliefert werden, die es gegen billigen Zins an die Armen verleihen sollen; Zölle und Abgaben sollen abgeschafft oder wesentlich vermindert, Wechslergeschäfte bei schweren Strafen verboten, die Concurrenz beschränkt, Associationen gebildet werden u. s. w. Auch Thomas Münzer wollte ein Reich mit vollkommener Gleichheit, wie sich aus manchen Urkunden darthun läßt. — In Frankreich, welches die eigentliche Heimath der W. b. G. bildet, bieten die Encyklopädisten (s. d.) u. A. eine ganze Reihe socialistischer Ideen. Rousseau erklärt es „für das größte Unglück des Staates, wenn es Leute darin giebt, die zu reich, und Andere, die zu arm sind." Der Abbé Mably in seinem Buche „über die Gesetzgebung" ruft aus: „Ich kann nicht begreifen, wie man das Eigenthum einführen konnte! Unsere Väter haben da einen Fehler gemacht, welchen zu machen eine Unmöglichkeit scheint. Die Natur hat die Gleichheit der Güter als eine Bedingung des Gedeihens der Staaten eingesetzt." Helvetius in seinem Buche „vom Menschen" behauptet, daß „die meisten Staaten nur von Unglücklichen bewohnt seien" und schlägt zur Ausgleichung dieses Uebelstandes vor, man solle „den Besitz der Reichen so weit vermindern und unter die Armen vertheilen, daß die Letztern bei 7—8stündiger Arbeit mit ihren Familien bestehen können." Selbst Voltaire ist nicht frei von derartigen Gedanken und Mably sagt es voraus, daß „die Menschheit vor immer neuen Umwälzungen erzittern werde, bis eine gänzliche Gleichheit eingeführt sei." In der franz. Staatsumwälzung war St. Just der Vertreter einer gesellschaftlichen Umgestaltung; nach dem Sturze der Schreckensherrschaft trat diese Richtung entschiedener hervor: eine communistische Verschwörung, an ihrer Spitze Gracchus Baboeuf, an welcher 16—20,000 Menschen Theil hatten, wollte eine vollkommene Gleichheit, gleiche Arbeit, gleiche Genüsse, gleiche Rechte, Gütertheilung, Aufhebung des persönlichen Eigenthums; Künste und Wissenschaften wollte man nicht mehr, in einer gemeinschaftlichen gleichen Erziehung sollten die Kinder nur lesen, schreiben und rechnen lernen; auch Handel und Industrie waren überflüssig, selbst die Städte sollten zerstört werden. Die Verschwörung wurde entdeckt und mit ihr sank diese Gattung socialer Bestrebungen, um einer würdigern W. b. G. Platz zu machen. Unter den Begründern derselben ist vor Allen zu nennen Claude Henry Graf von St. Simon, ein Nachkomme Karls des Großen und Erbe eines unermeßlichen Vermögens, welches er seinen Bestrebungen opferte. Seine 1. Schrift „Briefe eines Einwohners von Genf an seine Zeitgenossen" ist eine Art Offenbarung einer neuen weltbeglückenden Religion; sie theilt die Menschen in 3 Klassen: Weise, Besitzende und die Masse; die 1. Klasse soll die geistige, die 2. die weltliche Gewalt haben; die 3. die Wahl der beiden erstern und überhaupt die Ernennung der Leiter des Ganzen. Dann schrieb er einen „Katechismus der Industriellen" und das „neue Christenthum"; im erstern thut er die Nothwendigkeit eines auf Gleichheit begründeten und durch die Wissenschaft veredelten Industriestaates dar, das letztere will an die Stelle der bisherigen Religionsparteien eine neue auf wirkliche Bruderliebe begründete Religion setzen. Er lehrt: Verbindung aller Menschen zu der großen Weltfamilie und Aufhebung aller zufälligen Ungleichheit. Die Industrie soll das Band sein, welches die Vereinigung möglich macht, in derselben soll das Gesammtvermögen gerecht vertheilt, der einzelne Antheil zwar persönliches Eigenthum werden und bleiben, jedoch ein Erbrecht des Verdienstes an die Stelle des Erbrechts der Verwandtschaft treten. Damit soll denn das goldene Zeitalter der Welt eintreten, in welchem

Jedem nach dem Maße seiner Fähigkeit und Tüchtigkeit gelohnt wird. Zur größern Vervollkommnung der Gemeinschaft tritt in derselben das in jeder Beziehung gleichberechtigte Weib neben den Mann und beide vereint bilden erst den vollendeten Menschen. Die Erziehung ist eine gleiche und gemeinschaftliche und wird von dem Priesterstand der Gesellschaft geleitet. Die Verwaltung des Vermögens fällt den Industriellen zu, welche dasselbe nach Verdienst vertheilen; die Weisen endlich, Gelehrte, Künstler u. s. w., haben die Geheimnisse der Natur und des Lebens zu erforschen. Der St. Simonismus ist ein Gemisch von einem Priesterstaate, einer Monarchie und einer Republik; Adel und Vorrechte giebt es nicht und die Richtung des Ganzen geht auf „Verbesserung des moralischen und physischen Zustandes der ärmsten und zahlreichsten Klasse des Menschengeschlechts", wie auch der Sinnspruch der Schule lautet. Die Lehre wurde durch Augustin Thierry, Comte, Leon-Halevy, Duvergier; Olinde Rodrigues, Michel Chevalier und Bazard in der Presse, durch letztern auch 1829 als öffentlicher Lehrer der neuen Schule vertreten; auch begründete man eine Familie — ein Muster für die ganze Menschheit — nach den Grundsätzen derselben. Aber die Versammlungen arteten in Spielerei und leere Formen aus, das freie Weib, welches man nicht gerade zart suchte, fand sich nicht, und besonders durch die Bestrebungen wurde die Lehre lächerlich. Dennoch ist sie die Grundlage zu einer W. d. G. und hat mit dem Streben nach „moralischer und physischer Verbesserung des Zustandes der ärmsten und zahlreichsten Klasse der Menschen" ein Bedürfniß ausgesprochen, welches mit täglich gebieterischer Nothwendigkeit sich geltend macht. — Uebertroffen werden St. Simons Verdienste jedoch unendlich von Charles Fourier, einem Socialisten von eben so tiefem Gedankenreichthum, als kindlich ansprechendem Gemüthe. Seine Schriften, besonders die „Theorie des quatre mouvemens" und „Traité de l'association domestique agricole" lehren Vollendung des Menschen und reine Harmonie des Genusses der Erdengüter; das Mittel dazu: Veredlung des Menschen durch Befriedigung seiner Triebe. Die Triebe — Leidenschaften, Bedürfnisse — sind einmal vorhanden, nicht damit sie eingeschnürt und unterdrückt, sondern damit sie gefördert und befriedigt werden. Alle Ausartungen und Verirrungen menschlicher Leidenschaften rühren von dem falschen Bestreben her, sie zu hemmen; die unbedingte Entwickelung derselben schafft die Harmonie. Diese Entwickelung ist aber nur möglich in der Vereinigung, wo Jeder sich seine Beschäftigung nach freier Neigung wählen kann. Darum sollen sich immer 12 — 1800 Menschen in eine Phalange vereinigen. Das Phalanstère bietet außer den Wohnungen, die sich Jeder nach seinen Neigungen und seinen Mitteln wählt, gemeinsame Waarenlager, Speisesäle, Concert- und Theaterräume, Spaziergänge, Arbeitslocale aller Art und was sonst das Bedürfniß und das Vergnügen der Gesellschaft erheischt; es ist also ein prachtvoller Palast, der dennoch weit weniger kostet, als etwa 300 — 500 besondere Wohnungen u. s. w. In dieser Phalange theilen sich die Menschen in Serien, je nach ihrer Beschäftigung beim Ackerbau, bei den Fabrikarbeiten u. s. w. Diese Serien zerfallen wieder in Unterabtheilungen, nach den Neigungen der Einzelnen, die z. B. Obst, Blumen oder Gemüse bauen wollen. Mit der Beschäftigung wird gewechselt und um den harmonischen Wechsel zu fördern, ist die Erziehung gemeinschaftlich und der Art, daß sich alle Neigungen des Kindes zu den verschiedenen Beschäftigungen frei entwickeln können. Das Eigenthum hört in dieser Gemeinschaft nicht auf, vielmehr wird aller Gewinn nach dem Eingebrachten, dem Talent und der geleisteten Arbeit vertheilt. Das Familienleben wird insoweit umgestaltet, daß z. B. eine dreifache geschlechtliche Verbindung vorhanden ist: eine Frau kann besitzen 1) einen Liebhaber, welcher die geringsten Rechte hat, 2) einen Erzeuger, mit dem sie ein Kind haben muß und 3) einen Gatten, mit welchem sie 2 Kinder haben muß und der also die erste Stelle einnimmt; umgekehrt genießen auch die Männer diesen harmonischen Wechsel. Künste und Wissenschaften werden im höchsten Grade gepflegt und durch die höchsten Belohnungen gefördert; dies geschieht, indem man ein Werk der Kunst oder Literatur allen Phalanges zur Beurtheilung vorlegt und sie eine kleine Belohnung dafür aussetzen läßt; giebt z. B. eine Phalange für ein Werk 3 Fr., so würde der Urheber bei 600,000 Phalangen 1,800,000 Fr. erhalten. Die Regierung wird durchaus gewählt; der erste Beamte einer Phalange heißt Unarch; 4, 8, 12 bis 48 Phalangen stellen sich nachher unter einen Herrscher, der Duarch, Triarch u.s.w. heißt; hat sich endlich die Gesammtbevölkerung der Erde in einzelnen Phalangen vereinigt, so thront der Omniarch, der oberste Herrscher, zu Constantinopel und streckt seine ordnende Hand über die ganze Erde. — Diese Lehre ist mit einer Liebe und Sorgfalt durchgearbeitet, die eben so sehr in Erstaunen setzt, als sie oft Veranlassung gab und giebt, das Ganze zu verspotten. Fourier ordnet jede Kleinigkeit in seiner Vereinigung und man mag bedauern, daß er seine Zeit nicht dem innern Ausbau seiner Lehre zuwandte; aber lieben muß man dieses Kindergemüth. Man hat Fourier mit Jean Paul verglichen und nicht mit Unrecht; seine Gedanken sind in einer unendlich weiten Umhüllung verborgen und der oberflächliche Beobachter findet sie nicht; aber für den Denker ist es eine reizende und lohnende Aufgabe, sie zu suchen, und die Hülle selbst wird anziehender bei jeder neuen Betrachtung. Die Erde wird niemals mit Phalanstèren bedeckt sein und der Omniarch niemals seinen Sitz zu Constantinopel aufschlagen; aber jedes Bestreben, den Zustand der Gesellschaft zu verbessern, wird sich an Fouriers reichen Gedankeninhalt anlehnen und die tiefe Wahrheit desselben dankbar anerkennen müssen. — Die äußern Erfolge des Fourierismus waren weniger glänzend, als die des St. Simonismus; aber seine innern waren desto reicher und eine Niederlage, wie der St. Simonismus, hat er niemals erlitten. Abbé Lamennais machte die Lehre volksthümlich mit den „Worten eines Gläubigen", in welchen er Gleichheit der Menschen predigt und den Fluch des Himmels beschwört auf die Häupter aller Gegner derselben. Der unheilvolle Unterschied, welchen das Gesetz machte zwischen Bürger und Volk, gewinnt in Lamennais seine eigentliche Bedeutung: Volk ist ihm die Masse der Besitzlosen, und diesen verkündet er die Nothwendigkeit der Wiederherstellung der Gleichheit der Natur, der Freiheit Aller. Gleiche Zwecke mit gleichen Mitteln verfolgen alle andern Schriften Lamennais. — Wie Lamennais den Socialismus in das Christenthum, trug ihn Pierre Leroux in die Philosophie. In den Schriften: De l'humanité und Essai sur l'egalité sucht er das Dogma der Gleichheit mit logischer Gedankenschärfe als Nothwendigkeit, als Grundlage aller wahrhaften Erkenntniß, als den einzigen Pfeiler, welcher eine von Freiheit und Gerechtigkeit durchdrungene Gesellschaft tragen kann, darzustellen. — Ungleich entschiedener noch sind die Arbeiten Proudhons, der gewissermaßen als Vermittler zwischen den Socialisten und Communisten zu betrachten ist. St. Simon rief die allgemeine Menschen- und Bruderliebe auf zur Annahme seiner Lehre, Fourier den Trieb nach größerm Gewinne und größerer Bequemlichkeit, Lamennais erkannte denjenigen, welcher den bisherigen Zustand der Gesellschaft nicht verabscheute, nicht als wahren Christen, Pierre Leroux nicht als einen scharfen und folgerichtigen Denker. — Proudhon spricht seinen Gegnern jeden moralischen Werth, jedes Gefühl für Recht und Gerechtigkeit ab, denn er erklärte das „Eigenthum für Diebstahl" und beweist, daß nichts der Gleichheit und Freiheit hinderlicher sei, als das Eigenthum. — Der Raum gebietet uns hier, über den Socialismus, den einen Zweig der W. d. G., abzubrechen, wie reich das Feld auch noch sein mag. Seine Lehren liegen in den vorstehenden Andeutungen: gerechtere Vertheilung der Güter der Erde, nicht durch Gewalt, sondern durch friedliche Ausgleichung; Beschränkung der unheilvollen Uebermacht des Geldes; genügender und entsprechender Lohn der Arbeit und des Verdienstes; Erhebung der sogenannt untern Klassen zu gleichem Menschenrecht und gleichem staatlichen Rechte. Es ist eine Lehre,

die, nicht nach den vorliegenden Formen, sondern nach dem Inhalte, jeder Menschen-
und Freiheitsfreund bekennen muß, deren Verwirklichung die Gestaltung der G.
fordert, täglich gebieterischer und nothwendig macht, in der das einzige Heil der Zukunft, die einzig wahre Gerechtigkeit liegt. — Ueber den Communismus — jung
und unvollkommen, roh und unerquicklich, wie er noch ist — ist nicht viel zu sagen.
Die grob zugehackte Gütertheilung oder Gütergemeinschaft der Baboeuf'schen Verschwörung ist die Grundlage desselben und die communistischen Regungen lehnten sich
an dieselbe an. Nach der Julistaatsumwälzung stand er unter dem Namen Baboeufismus wieder auf und predigte Sturz der Adels- und Geldaristokratie und
Rache an denen, die das Volk bestohlen hatten; Theilung und Gemeinschaft aller
Güter; Vernichtung des Königthums und der Städte; Gleichheit in der Arbeit, im
Lohne und im Genuß. — Eine mildere und würdigere Seite zeigt der ikarische
Communismus, so genannt von dem Buche: „die Reise in Ikarien" von Cabet.
Auch er will Gleichheit und Einheit im Eigenthum, in der Erziehung, der Arbeit,
dem Lohne, dem Rechte und dem Genusse. Als Grundlage desselben will er nur die
christliche Bruderliebe, die Ausführung nur durch die Allgewalt der öffentlichen Meinung, der Ueberzeugung. Er verwirft jede Gewaltthat und sieht in der stets freiern
Entwickelung der Staatsformen einen Uebergangszustand, der sein System einführt.
Als eine Mischung des Baboeufismus und des mildern Communismus Cabets haben
sich 3 communistische Systeme gebildet, die über ganz Frankreich verbreitet sind.
1) Die Travailleurs egalitaires, die ziemlich den Baboeufismus beibehalten haben
und ihm höchstens einige mildere Formen geben; sie schwärmen für die Aufhebung
der Ehe und der Familie, die Vernichtung der Künste, des Luxus und der Städte
und für vollkommene Gleichheit; sie erkennen die Industrie als Ernährerin der neuen
Gesellschaft an und wollen nationale Werkstätten errichtet wissen. Die 2. Klasse sind
die Reformisten; sie wollen ebenfalls Gleichheit, Theilung und Gemeinschaft des
Gesammtvermögens, erkennen die Industrie als den wichtigsten Hebel des Wohlstandes
an, sofern sie in den Händen der Associationen ruht und eine gleiche Vertheilung des
Gewinnes stattfindet; in dieser Gemeinsamkeit der Arbeit und des Lohnes sehen sie
die eigentliche Verwirklichung der Gleichheitslehre. Ihre Religion ist die Moral
und die Brüderlichkeit; Familie und Ehe erkennen sie an und nur Gemeinschaft
der Erziehung. Dagegen weisen sie jede Empörung und Gewaltthat entschieden zurück.
Die gebildetsten Arbeiter gehören den Reformisten an. Von ihnen wurde auch die
Zeitschrift l'Atelier begründet und geleitet. Die 3. Klasse nennt sich Ikarier oder
schlechtweg Communisten und hängt dem geschilderten System Cabets an. Sie
suchen und finden in der Geschichte überall Spuren des Communismus, wie dies
Cabet in seinem Buche gethan: in Egypten, Kreta, Sparta und Athen, im Christenthum und in den Klöstern, bei den Quäkern und Herrnhutern, in Thomas Morus, Campanella, Fenelon u. s. w. Damit sind die Lehrsätze dieses Zweiges der
W. d. G. nicht erschöpft, sondern nur ihr Inhalt flüchtig angedeutet. Die Communisten sind äußerst fleißig und haben viel zur Erklärung und Rechtfertigung ihrer
Lehre geschrieben. Allein sie bauen mehr Systeme auf, als daß sie sich an die Zustände und ihre Bedürfnisse anschließen. Jedes System weicht vom andern ab und
doch behauptet jedes, das alleinrichtige zu sein, wie die römische Kirche von dem
ihrigen. Wir haben bereits unter Eigenthum ausgesprochen, daß wir den Communismus für naturwidrig und unmöglich halten. — In den genannten franz. Schriftstellern sind die Grundzüge der W. d. G. ausgesprochen und es ist überflüssig, auf
die englischen näher einzugehen, wo auch diese Bestrebungen nur in geringerm Grade
vorhanden sind. Jahre lang hatte das englische Volk eine große Summe politischer
Freiheit gewonnen, als das franz. noch unter der härtesten Willkürherrschaft schmach-
tete. In beiden Ländern wurden zwar die politischen Freiheiten gleichmäßig durch
gewaltsame Umwälzungen errungen, aber in England gingen diese Umwälzungen nicht

unmittelbar vom Volke aus, dieses half nur mit seiner Wucht sie entscheiden; in Frankreich dagegen wuchs die Staatsumwälzung recht eigentlich aus dem Kerne des Volkes empor und wurde von diesem allein ausgeführt. In England erhielt das Volk mit geringen Anstrengungen jene politischen Rechte, in Frankreich wurden sie demselben trotz seiner Kämpfe und Siege alle entzogen. In England befestigte sich sowohl hierdurch, als durch eine große Reihe allmähliger Verbesserungen, die langsam, aber nach dem Gebote staatlicher Nothwendigkeit ins Leben traten, ein tiefwurzelndes Vertrauen zum Staate und zur Gesetzgebung; in Frankreich dagegen wucherte durch die Täuschungen und Beraubungen des Volkes das Mißtrauen immer mehr. In England bildete sich das Proletariat in seiner jetzigen Gestalt erst dann aus, als das Vertrauen auf Staat und Gesetz so stark war, daß es durch Nichts erschüttert werden konnte; in Frankreich war es vorhanden, ehe Vertrauen erwachsen konnte. Deshalb erwartet der Engländer Alles vom Staate und vom Gesetz, der Franzose nichts. Die englischen Massen — die Chartisten (s. d.) — verlangen nur die Volkscharte, überzeugt, daß, wenn sie wahrhaft vertreten sind, die gesellschaftliche Umgestaltung von selbst erfolgt; die franz. Massen erwarten vom Staate nichts mehr, sondern wenden sich mit dem entschiedensten Widerwillen von ihm ab. In dieser Verschiedenheit liegt der Grund, warum die socialen Bestrebungen Englands neben denen Frankreichs kaum zu nennen sind. Wir haben nur 2 Socialisten in England: Bentham und Owen, abgesehen von einer Reihe Staatsökonomen und Philosophen, welche, wie die Encyklopädisten Frankreichs, gleichmäßigere Vertheilung des Reichthums u. s. w. verlangen, obwohl England auch deren weniger hat, als Frankreich. Bentham ist so allgemein und weit in seinen socialistischen Forderungen, daß seine Wirksamkeit als Rechtsgelehrter weit überwiegend ist; Reformen a
Umwandlung des Steuersystems, Handelsfreiheit,
Kirche, andere Grundlagen der Strafen und Belohnungen und eine bessere Ordnung der bürgerlichen Gesellschaft — sind die Forderungen, die er stellt. Klarer und entschiedener ist Robert Owen, dessen Gesellschaftssystem sich auf die Annahme der Unzurechnungsfähigkeit und Unfreiheit des Menschen gründet; das Gute und Böse, welches von ihm ausgeübt wird, ist eine Krankheit, die er nicht ändern kann; deshalb sind alle Strafen ungerecht und an ihre Stelle müssen blos Ermahnungen und Erinnerungen treten. Diese Unfreiheit des Menschen hat auch den Eigennutz geboren und von diesem geht der Irrthum des persönlichen Eigenthums aus. Durch Belehrung und Ermahnung muß dasselbe also aufgehoben werden, die Menschen müssen sich vergesellschaften zur Arbeit und die Frucht derselben theilen. Um diese Grundsätze in der G. zu befestigen, muß die Erziehung eine gemeinsame sein, Lohn oder Strafe dürfen bei derselben niemals angewendet werden, damit der Egoismus in der Brust des Kindes gar nicht aufkomme. Die Menschen sollen in Klassen, nach dem Alter von 5—10 Jahren, abgetheilt und die Arbeiten sollen unter diese Altersklassen vertheilt werden. Die Ehe ist zwar nicht aufgelöst, aber sie ist ein so lockeres Band, daß sie jeden Augenblick ohne irgend eine Hemmung gelöst werden kann, denn es ist nach Owen die höchste Unsittlichkeit, wenn eine Verbindung zwischen Frau und Mann fortbesteht, während die Zuneigung, die sie begründete, nicht mehr vorhanden ist, oder auch nur sich vermindert hat; der Geschlechtstrieb als solcher und seine Befriedigung darf durchaus nicht gehemmt werden. Owen richtete sein Fabrikdorf Naulannark mit Aufopferung fast seines ganzen Vermögens nach seinen Grundsätzen ein; die Arbeiter befanden sich dabei vortrefflich, das Dorf wuchs zum Städtchen, an Reinlichkeit und Ordnung, an Sittlichkeit der Einwohner, an trefflich bearbeitetem Boden und an wahrhaft ungetrübtem Frieden war es ein Muster für das ganze Land, und das gemeinsame Vermögen stieg in außerordentlicher Schnelle. — Auch in Deutschland hat die W. d. G. viele Denker erfaßt und zu ernsten Arbeiten angeregt. Allein die Ausbreitung derselben ist unter dem Drucke der Censur unmöglich, und Deutschland,

des Gedankens und der Wissenschaft, muß fast müßig zuschauen bei einer
, welche die Zukunft der Menschheit entscheidet. — Außer St. Simons,
s und Owens Versuchen sind deren besonders in Nordamerika gemacht

iß derselben, daß sie in
mehr denn 70 Jahren keinen Verbrecher geliefert haben; sie haben keinen Gerichts=
hof, kein Gefängniß, kein Arbeits=, Zucht=, Besserungs= oder Armenhaus gebraucht,
viel weniger einen Henker anstellen müssen und bieten also denjenigen, die behaupten,

Gesellschaft in der Wildniß kann; das kann deshalb keine Bevölkerung eines
Landes; die Klöster boten ähnliche Erfolge, aber man kann die Menschheit nicht in
ein Kloster sperren. Auch sind ähnliche Versuche in Europa, besonders in der Schweiz,
gänzlich mißlungen. — Dagegen müssen Vereinigungen, nach Fouriers Andeutun=
gen, zu glänzenden Ergebnissen führen. Es ist auffallend, daß unter den mächtigen
Fortschritten des menschlichen Wissens in jeder denkbaren Sphäre die G. in ihrem
fast ursprünglichen Zustande geblieben ist; indem sie sich in den engen Kreis der Fa=
milie trennt und dort mit verhältnißmäßig ungeheuern Kosten Alles besorgt und an=
schafft, was in der Vergesellschaftung unendlich billiger und besser zu haben wäre.
Auf diesem Gebiete kann man also dem Socialismus — der ja das Familienleben
keineswegs aufhebt, sondern demselben vielmehr größere Reize, Bequemlichkeiten und
Genüsse verheißt — eine bedeutende Zukunft vorhersagen. — Im Allgemeinen aber
muß die W. d. G. die wichtigsten Veränderungen hervorbringen. Das Proletariat,
der 4. Stand, der Stand der Besitzlosen, ist in der Wirklichkeit vollkommen rechtlos.
Der Staat ruht mit einem großen Theile seiner Bedürfnisse auf demselben, indem bei
der verhältnißmäßig hohen Besteuerung aller Lebensbedürfnisse der Arme weit mehr
Steuern bezahlt, als der Reiche. Die Kinder der Armen müssen dem Staate die
meisten seiner Vertheidiger liefern und er nimmt dieselben mit schonungsloser Härte;
denn für den Armen ist die Dienstzeit, die ihn seinem Gewerbe entreißt, an und für
sich sehr hart; dann ist sie's dadurch, daß sie es ihm für eine Reihe von Jahren unmög=
lich macht, durch Fleiß und Sparsamkeit etwas zurück zu legen, das einzige Mittel,
wodurch er einst Selbstständigkeit erlangen kann; und endlich hat der Staat dem
Besitzenden in dieser Beziehung manche Erleichterung durch Loskauf, Stellung eines
Stellvertreters u. s. w. gewährt, wovon der Arme von selbst ausgeschlossen ist. Und
was hat der Arme für diese doppelte Belastung? Nichts. Der Besitzende hat überall
in Staat und Gemeinde Rechte, Stimme und wirkliche Theilnahme am Staats= und
Gemeindeleben erlangt; der Besitzlose erlangte Nichts. Die Gleichheit vor dem Ge=
setze ist zwar Grundsatz in den meisten Staaten, aber thatsächlich ist sie für den Ar=
Seine kleinen Rechtsstreitigkeiten kann er kaum vor unsern

die Nothwendigkeit eines Rechtsbeistandes und die Masse unvermeidlicher Kosten, Um=
stände und Versäumnisse machen ihm unsere Gerichtshöfe unzugänglich. Handelt es
sich aber um ein Verbrechen, so kehrt sich nicht nur der Verdacht leichter und gewich=
sondern da, wo das Gesetz die
r Arme seine Freiheit — für ihn
erb, mit derselben entzogen wird
bieten hat. In gesellschaftlicher

Beziehung ist es überflüssig, auf die ungeheuere Kluft aufmerksam zu machen, die zwischen dem Besitzenden und dem Armen sich öffnet. Alles, was der letztere braucht, muß er weit theurer bezahlen, weil er es nur in den kleinsten Quantitäten und niemals direct kaufen kann. Unsere höhern Bildungsanstalten sind ihnen verschlossen, schon deshalb, weil, trotz aller Stiftungen und dergleichen, der Arme seinem Kinde weder die nöthige Vorbereitung angedeihen lassen, noch es bis zum Augenblick des redlichen Erwerbes ernähren kann. — Unsere veredelnden Kunstgenüsse sind ihm unzugänglich, weil sie theuer sind; selbst unsere G.en sind ihm verschlossen, weil die Verkehrtheit der Zeit die Besitzenden und Nichtbesitzenden fast schroffer geschieden hat, als die ehemaligen Stände. Und entschädigt ihn etwa der materielle Lohn für alle diese Ungerechtigkeiten und Entbehrungen? Ueber diese Frage wahrlich ist jedes Wort überflüssig. Es ist Niemandem ein Geheimniß, wie das unverhältnißmäßige Uebergewicht des Capitals über die Arbeitskraft, wie die Concurrenz unter den Arbeitern selbst und Umstände mancher Art den Arbeiter — besonders den industriellen — in eine Stellung gebracht haben, gegen welche Sklaverei und Leibeigenschaft in so fern Vorzüge haben, als diese unfreien Zustände wenigstens die Nahrungssorgen ausschließen. Des Arbeiters Loos, wenn er Arbeit hat, ist ein kümmerliches trauriges Dasein, wenn er keine hat: Hunger, Elend und Verzweiflung. Fragen wir uns ernstlich, ob diese Zustände fortbestehen können, so müssen wir uns sagen: Nein. Der Augenblick wird und muß kommen, wo auch der 4. Stand sein Recht erlangt, wo die M. d. G. Geltung im Leben errungen hat. Möge es bald geschehen! R. B.

Gesetz. Die Handlungen des Menschen stehen, wie dies die Doppelnatur desselben an die Hand giebt, unter dem Einflusse theils seiner Sinnlichkeit, theils seiner Vernunft. Indem die letztere jene beherrschen und leiten soll, damit der Mensch den Zweck seines Daseins erreichen könne, gestaltet sich die Summe der Vorschriften für das Wollen und Handeln des Menschen, die hieraus hervorgeht, zum Inbegriff der Sitten-G.es im Gegensatze zu dem bloßen Natur- oder Instinct-G. Durch das Zusammenleben der Menschen entsteht jedoch die Nothwendigkeit weiterer allgemeiner Regeln für die Handlungen des Einzelnen; diese Regeln bilden in ihrer Gesammtheit das Rechts-G. Das letztere bezieht sich auf die äußere, das Sitten-G. hingegen auf die innere Freiheit des Menschen. — In dem Anfange des gesellschaftlichen Zusammenlebens der Menschen finden wir noch nicht wirkliche Rechts-G.e, sondern entweder Willkür der einzelnen Menschen, die sich in Befehlen (Edicten, Ordres, Decreten u. s. w.) aussprach, oder ein stillschweigendes Beobachten gewisser allgemeiner Regeln, welche die Veranlassung zum Entstehen von Rechtsgewohnheiten geben. Erst mit dem Zusammentreten der Menschen in einem engern Rechtsverband kommt es zu wirklichen G.en. Da nun das G. die allgemeine Regel für den Willen des Einzelnen sein soll, so ist es vernunftgemäß, daß auch die einzelnen Glieder dieses Rechtsvereins, also die Bürger eines Staats, bei der Feststellung dieser Regeln, beim Geben der G.e, mitwirken. In dem Verfassungs-Staate ist daher die gesetzgebende Gewalt (s. d. und Gewalt) zwischen den Ständen und der Regierung vertheilt, und so den Bürgern des Staates die Ausübung jenes Befugnisses durch ihre Vertreter ermöglicht. — Das G. muß, um angewandt werden zu können, natürlich allgemein bekannt sein und die Bekanntmachung (Publication) der G.e ist daher zu deren Gültigkeit erforderlich. Dieser in der Natur der Sache liegende Satz ist indessen nicht allenthalben und zu allen Zeiten anerkannt worden und noch gegen Ende des vor. Jahrh.s gab es z. B. in Sachsen gewisse geheime Rechtsvorschriften, welche nur den Richtern bekannt sein sollten. Hat man nun auch neuerlich Manches gethan, um die G.e allgemein bekannt werden zu lassen, so fehlt es doch noch in vieler Beziehung an der rechten G.eskenntniß im Volke, und es muß möglichst danach gestrebt werden, eine solche zu erwirken. — Das G. bedarf ferner der Auslegung (Interpretation), d. h. der Erforschung seines Sinnes. Es ist selbst bei der größten Umsicht des G.-

gebers nicht möglich, bei der Abfassung eines G.es oder einer Reihe gesetzlicher Vorschriften alle möglichen Fälle vor Augen zu haben, und so wird man schon deshalb, noch abgesehn von der Mehrdeutigkeit der Worte und Sätze, genöthigt sein, dasselbe auszulegen. Die Auslegung der G.e ist daher eine der wichtigsten Aufgaben der Rechtswissenschaft, bei welcher alle Vorschriften der Auslegungswissenschaft (Hermeneutik) genau zu beobachten sind, welche vorschreiben, wie bei der Erklärung des dunkeln Sinnes einer geschriebenen Stelle zu verfahren ist. Hinsichtlich der G.e unterscheidet man zwischen authentischer und doctrineller Auslegung, und versteht unter der erstern die, welche durch ein neues G., unter der letztern die, welche durch die Rechtskundigen nach den Regeln der Rechtswissenschaft erfolgt. Allein die erstere ist genau genommen gar keine Auslegung, sondern eine neue Handlung der gesetzgebenden Gewalt. Für die eigentliche Auslegung bieten sich als Mittel, um den Sinn, den der G.geber im G. hat aussprechen wollen, darzustellen, theils der Wortausdruck des G.es (die sogen. grammatische Auslegung), theils gewisse andre Mittel dar, die man unter dem Namen der logischen Auslegung zusammenfaßt. Diese letzteren gehen theils auf Erforschung des innern Zusammenhanges eines G.es, theils des Zusammenhanges mit dem ganzen Rechtssysteme, oder mit gewissen äußern Erscheinungen, die zur Zeit des gegebenen G.es statt fanden und in irgend einem Bezuge zu dem G. stehen. Es ist hiernach also auf Grund, Geist und Absicht des G.es zu achten. Ein wichtiges Hilfsmittel für die Auslegung der G.e bieten die Verhandlungen dar, welche der Erlassung eines G.es vorangingen, also namentlich in Verfassungsstaaten die ständischen Berathungen. Die Auslegung der G.e ist ein Ge-

kürzung, Verkümmerung oder thatsächliche Aufhebung (Derogation) der G.e ist durch dieselbe oft ermöglicht worden; deshalb ist es nöthig, das Verfahren bei Auslegung der G.e auf das Genaueste festzustellen. — Für die G.gebung — eine der wichtigsten Aufgaben der Staatsgewalt — lassen sich als Hauptregeln im Allgemeinen aufstellen: das Erforderniß der Vollständigkeit, der Angemessenheit für den durch das G. zu erreichenden Zweck und der Deutlichkeit seiner Fassung. Insbesondere aber kann man folgende Sätze als solche bezeichnen, welche bei guter G.gebung zu beachten sind: 1) keine Erklärungen (Definitionen) in ein G. zu bringen, da dies vielmehr Aufgabe der Wissenschaft ist; 2) so wenig als möglich Solennitäten, d. h. Formen, von deren Beachtung die Rechtsbeständigkeit eines Geschäftes abhängt, vorzuschreiben; es ist dies höchstens zur Erleichterung des Beweises oder deshalb nöthig, um eine genauere Ueberlegung vor Eingehung eines Rechtsgeschäfts zu veranlassen, außerdem aber in der Regel überflüssig und hindernd; 3) dem Ermessen des Richters nicht allzu enge Schranken zu ziehen, da es ohnehin nicht möglich ist, dasselbe ganz auszuschließen und die Abschätzung gewisser, ihrer Natur nach nicht genau im Voraus zu berechnender Rechtsverhältnisse demselben am angemessensten überlassen bleibt; 4) bei speciellen G.en die übrigen geltenden Rechtsbestimmungen nicht aus dem Auge zu verlieren, um den Widerspruch mit dem Rechte zu vermeiden, und andererseits den Charakter der Ausnahme von der Regel bei solchen G.en, die sich nur auf Ausnahmeverhältnisse beziehen, festzustellen; 5) überhaupt aber wo möglich ein ganzes Rechtsverhältniß auch dann in einem neuen G.e zusammenzufassen, wo man blos einzelne Seiten desselben neu regeln will, damit die Anwendung des G.es erleichtert und einer Ungewißheit und Meinungsverschiedenheit über das Verhältniß des alten zum neuen Rechte vorgebeugt werde. — Ein nothwendiges Erforderniß des G.es ist die allgemeine Gültigkeit desselben für alle Staatseinwohner, die Gleichheit vor dem G., welche sich zwar der Natur der Sache nach von selbst versteht, aber bis vor kurzer Zeit nicht vorhanden war, ja in Staaten, wo sich die Alleinherrschaft erhalten hat, noch nicht vorhanden ist. Die traurige Zeit, wo alles Recht, wie aller Lebensgenuß Eigenthum weniger Bevorzugten war, konnte natürlich allgemein gültige G.e nicht schaffen und wo das eingeführte fremde Recht dieselben anerkannte, wurden sie durch Ausnahmen wieder aufgehoben, deren sich einige als traurige Ueberbleibsel jener Zeit erhalten haben, oder von den Liebhabern der „vom verschönernden Roste der Jahrh.e bedeckten" Einrichtungen erhalten werden.

Gesetzbuch heißt die Sammlung der bestehenden Gesetze und einzelnen Vorschriften in einem besondern Werke, wo sich dieselben als Ganzes aneinanderreihen und systematisch geordnet sind. Ein solches G. bieten die Carolina, die Codes, der Codex u. s. w. (s. d. Aufsätze). Je nachdem sich ein G. mit den Gesetzen über Verbrechen und Bestrafung, oder mit den Verhältnissen des Eigenthums, des Handels u. s. w. befaßt, heißt es Straf-G., bürgerliches G., Handels-G. und dergl. Das G. kann ein wesentlicher Hebel für die Rechtsbildung, also auch für die sittliche Hebung des Volkes sein, wenn dasselbe auf richtigen Grundsätzen beruht und in allgemein verständlicher Sprache abgefaßt ist; so ist das franz. G. wirkliches **Volkseigenthum** geworden. Leider haben wir in Deutschland nicht nur kein allgemeines G., sondern unsere Gesetze fußen auch zum Theil auf Grundsätzen, die unsern Begriffen völlig fremd sind und sind in einer todten Gelehrtensprache geschrieben; selbst wo man versucht hat, ein deutsches G. für einzelne Staaten zu machen, da sind die fremden Begriffe mit so fremden Ausdrücken gegeben, daß es dem Volke unverständlich ist. Das G. ist bei uns nur für den Gelehrten, das Volk kann nicht anders als sein Opfer betrachtet werden. Ein allgemeines deutsches G. ist seit langen Jahren die Sehnsucht und der Ruf aller Vaterlandsfreunde; der Bundestag aber, der Mittelpunkt für das deutsche Staatsleben, hat in einem vollen Menschenalter nicht einmal an diese Aufgabe gedacht, viel weniger sie gelöst. Wie groß nun auch das Bedürfniß ist, so muß man doch wünschen, daß jetzt noch nicht Hand daran gelegt werde, bis unser Volksthum innerlich mehr erwachsen und gestärkt ist; unsere Gelehrten und Rechtskundigen, denen die Sache doch anheimfiele, können weder deutsch denken, noch deutsch schreiben. Wie soll da ein deutsches G. herauskommen?

Gesetzbücher, deutsche und römische, s. Codex.

Gesetzbücher, französische, s. Code civil, criminel u. s. w.

Gesetzentwurf. In Folge der Theilung des Gesetzgebungsrechts (s. d.) unter Regierung und Stände, kann kein Gesetz als vollendete Arbeit von seinem Urheber betrachtet werden, sondern kommt als G. an die Volksvertretung. Die Regierung stellt im G. ihre Ansicht auf, die Stände bringen die ihrige durch Aenderungs- und Besserungsanträge (Amendements, s. d.) hinein, und häufig sucht man sich dann durch beiderseitige Nachgiebigkeit zu einigen. Die Art, wie ein G. behandelt wird, bildet einen wichtigen Theil der Geschäftsordnung der Landstände (s. d.). Meist wird derselbe den Ständen, und zwar nach Belieben der Regierung der ersten oder zweiten Kammer zuerst, vorgelegt; nur ein G., welcher Geldangelegenheiten betrifft, muß meist der 2. Kammer zuerst vorgelegt werden. Die Stände ernennen alsdann einen Ausschuß zu dessen Prüfung, oder verweisen ihn an den ein für alle Mal gewählten Gesetzgebungsausschuß, und dieser giebt sein Gutachten darüber ab. Bevor dies geschieht, muß der Vertreter der Regierung gehört werden, ohne daß er jedoch eine abweichende Ansicht verhindern kann. Das Gutachten wird jedem Mitgliede der Vertretung gedruckt zugestellt und es beginnt dann die Verhandlung. Will nun während derselben ein Mitglied einen Aenderungsantrag stellen, so muß es denselben schriftlich überreichen, und er kommt in der Regel erst zur Abstimmung, ehe über die ursprüngliche Fassung des G.s abgestimmt wird; oft aber auch umgekehrt. Gleiches Verfahren wird in beiden Kammern eingehalten. In allen deutschen Staaten, auch in Frankreich, hat die Regierung die **Initiative,** d. h. sie ist allein befugt, einen G. einzubringen; die Stände haben nur das Recht, um einen solchen zu bitten. In England dagegen kann jedes Mitglied einen G. — eine **Bill** — einbringen, und es wird ebenso damit verfahren, wie mit einem G. der Regierung.

Gesetzgebendes Corps. Als am Ende der franz. Staatsumwälzung die Volksvertretung in ihren eigenen Schatten umgestaltet war, entstand das g. C., eine Versammlung von 300 Männern, welche die vom Senate vorgeschlagenen Gesetze ohne Prüfung annehmen oder verwerfen sollte. Der erste Consul und später der Kaiser berief das g. C., wenn es ihm beliebte, d. h. wenn er für eine seiner Willkürmaßregeln die täuschende Zustimmung einer Art von Volksvertretung haben wollte. Als seine Macht befestigt war, waren ihm auch diese Berathungen zu viel, und das g. C. verlor sich gänzlich.

Gesetzgebungsausschuß (Deputation), f. Geschäftsordnung.

Gesetzgebungsrecht (Gesetzgebende Gewalt, Autonomie). So nennt man das Recht des Staates, sich selbst die nöthigen Gesetze zu geben; ein Recht, welches aus der natürlichen Stellung und Entwickelung des Verbandes zusammenlebender Menschen hervorgeht. Wie alles Recht, so war und ist das G. unter der Alleinherrschaft eine ausschließliche Befugniß des Herrschers, dessen Wille und Willkür eben Gesetz ist; da aber das G. tiefer und dauernder in das Volksschicksal eingreift, als irgend eine andere Aeußerung der Regierungsgewalt, und da kein Zwang der Welt, keine Gewalt ein schlechtes und unpassendes Gesetz aufrecht erhalten kann, so stellte sich beim G. zuerst die Nothwendigkeit heraus, dasselbe zu theilen und die Einsicht des Volkes bei dessen Ausübung zu Rathe zu ziehen. Das G. ist daher fast allenthalben in Verfassungsstaaten dem Volke mit eingeräumt, und wenn dies selbst nicht der Fall ist, wie z. B. in Preußen, wo man den sogenannten Ständen blos einen Beirath, nicht einmal das Recht der Verwerfung einräumt, auch da ist die Meinung des Volkes so mächtig, daß man das G. ohne deren Zustimmung nicht ausüben kann; Preußen hat dies in letzter Zeit beim Ehescheidungsgesetze und beim Strafgesetzentwurf erfahren. — Aus den Zeiten der Feudalherrschaft hat sich auch das G. hin und wieder noch beim Adel erhalten, welcher es früher im ausgedehntesten Maße besaß. Eine Art G. haben auch die Gemeinden, wo man ihnen Selbstständigkeit gewährt, insofern nämlich, als man ihnen die Gesetze in allgemeinen Grundzügen zwar giebt, ihnen aber die Anpassung derselben an ihre besondern Verhältnisse überläßt.

Gesetzliche Frist, f. Frist.

Gesetzlichkeit heißt der Zustand des Staates, wo das Gesetz herrscht, wo Jeder sich seinen Vorschriften beugt und wo dasselbe keinem sittlichen menschlichen Streben sich entgegenstellt. Die G. ist demnach der einzig natürliche, der einzig gedeihliche, der einzig sittliche und vernünftige Zustand des Staates, außer ihm ist kein Heil und kein wahrhaftiger Fortschritt möglich. Die G. erheischt aber auch, daß das Gesetz, welches befolgt werden, welches alle Regungen des Staatslebens beherrschen soll, seiner eigenen Natur entspreche, daß es vernünftig und dem Bildungszustande wie dem Bedürfnisse des Volks entspreche; die Willkür und Laune des Einzelnen ist kein Gesetz; wer ein unterdrücktes, wie eine Heerde behandeltes, aller wahren Menschenrechte beraubtes Volk auf die G. seines Zustandes hinweist, der verhöhnt dasselbe; denn dieser Zustand ist eben so wenig gesetzlich, als der Zustand eines Menschen natürlich ist, welchem Hände und Füße geknebelt sind. Wenn daher ein solches Volk, zur Verzweiflung getrieben, seine schmachvollen Fesseln sprengt, so ist dies nicht ein Verlassen der G., sondern der erste Schritt zur Wiederherstellung derselben. Durch die ganze Geschichte geht die Lehre, daß in einem Staate, wo wirkliche G. herrscht, gewaltsame Störungen des ruhigen Ganges nicht vorkommen, wo hingegen Staatsumwälzungen dort gewöhnlich sind, wo es keine G. giebt, oder wo — was noch verderblicher ist — Willkür und schnöde Gewalt den Schein der G. geborgt haben und ihre verderbliche Absicht unter ihrem Deckmantel verfolgen. England giebt uns das erhabene Beispiel der G.; indem jede Regung des Staatslebens dort Raum findet und sich Bahn brechen kann, ist Gewaltthat dem Volke fremd, ja sie ist unmöglich geworden. Rußland giebt das traurige Beispiel vom Gegentheile, indem dort jede Freiheitsregung außerhalb der sogenannten G. sich geltend machen muß und daher mit Verschwörungen beginnt, mit Gewalt und Mord endet. Auch Italien bot in neuester Zeit glänzende Beispiele für diese Behauptung: wo man nach langem Stillstande endlich strebte, die G. einzuführen, da ging der Staat seinen lebhaften, aber gefahrlosen Gang; wo man den Wünschen und Bedürfnissen des Volkes nach G. nur rohe Gewalt entgegen setzte, da brach Gewalt sich die Bahn zur G. Möchte diese Lehre der Geschichte, die sie so oft wiederholt hat, Fürsten und Völkern unverloren sein!

Gesetzliches Erbrecht, s. Erbrecht.

Gesetzmäßigkeit (Legitimität), s. Rechtmäßigkeit.

Gesinde (Gesindeordnung, Gesindepolizei). Die gesellschaftlichen Verhältnisse haben sich so aus einem Zustande der Unfreiheit entwickelt, daß es gar nicht Wunder nehmen darf, wenn heute noch Erscheinungen darin sich zeigen, die wenig zu den Grundsätzen stimmen wollen, denen in den übrigen Verhältnissen fast allgemein die gesittete Welt huldigt. Ein solcher Ausnahmezustand macht sich besonders in der gegenseitigen Stellung bemerklich, in der die **Dienstherrschaften** zu ihren **Dienstboten,** dem G. oder **Haus-G.,** stehen. Trotz aller der zahllosen zur Feststellung dieses Verhältnisses erlassenen Gesetze und Verordnungen hat dasselbe so viel von seinen alten formellen Bedingungen an sich behalten, daß es unter den heutigen Umständen in vielen Fällen ein beiden Theilen gleich lästiges, gleich unerträgliches geworden ist; daß von beiden Seiten, und sehr häufig mit gleichem Rechte, hier über die übermäßigen Anforderungen an Dienstleistungen, über die Schwere des Dienstes, über die Launen, den Stolz, die rohe Behandlung der Dienstherrn, — dort über die unter dem G. einreißende Unsittlichkeit, die Vergnügungssucht, die Lüderlichkeit, den Mangel an Anhänglichkeit und Diensteifer, die allzu großen Ansprüche, die Faulheit, die Widerspenstigkeit, die Unterschleife, die Lügenhaftigkeit und die Betrügereien desselben geklagt wird. Woher rührt dies? wie ist Solchem gründlich abzuhelfen? — Das noch immer gebräuchliche und man kann sagen nothwendige Zusammenleben des Dienstgebers mit seinem G. unter einem Dache bei völliger Verschiedenheit der Anschauungen, der Lebensweise, der Sitten, der Gebräuche, der Genüsse und Vergnügungen ist ein hauptsächlicher Grund hiervon. So lange die Bildung der beiden Klassen, der Dienstherrschaften und des G.s, noch nicht so sehr verschieden war, wie dies besonders in den großen Städten gegenwärtig der Fall; so lange die übrigen Verhältnisse der ihre Arbeit vermiethenden Personen zu den Arbeit Miethenden ziemlich ähnlicher Art waren; so lange die Stellung der Gesellen und Lehrlinge zum Meister mehr oder weniger der Abhängigkeit des G.s ähnelte, waltete unter allen diesen Klassen ein patriarchalischer, beiden Theilen zusagender Zustand ob, wie er zum Theil sich in ackerbautreibenden Landstrichen noch heute vorfindet. Aber je breiter bei der neuzeitlichen Bildung hauptsächlich der Mittelklassen in den Städten die Kluft zwischen dem Dienstherrn und dem G. erscheint, desto entfremdeter wird und muß das gegenseitige Verhältniß werden, und da es trotzdem nicht den Charakter eines freiern Gegenseitigkeitsvertrags, wie bei den übrigen bezahlten Dienstleistungen des bürgerlichen Geschäftslebens, annehmen kann, so wird erklärlich, daß darin sich jene Unbehaglichkeit ausbilden muß, welche auf beiden Seiten den Gegenstand so lauter Klagen bildet. Wahre menschliche Bildung, nicht der so häufig dafür gehaltene äußere Firniß abgeschliffener Weltsitte, die Ablegung des Vorurtheils, daß persönliche Dienstleistung erniedrige, auf Seite der Dienstherrn; auf Seite der Dienstboten eine bessere Erziehung mittels eines guten und angemessenen Volksschulwesens; solche Fortschritte auf beiden Seiten können viel dazu beitragen, die tiefen Mängel zu beseitigen und die Schroffheit auszugleichen, welche gegenwärtig die Stellung zwischen Dienstherrschaft und G. aufweist. — Die nothwendigen gesetzlichen Bestimmungen, welche dieses Verhältniß zu ordnen und die

Rechte und Pflichten auf beiden Seiten genau zu bezeichnen bestimmt sind, bilden in den meisten Staaten eine besondere Satzung unter dem Namen: G.ordnung. Da die Streitigkeiten zwischen Dienstherrschaft und G. ihre Schlichtung nach den Bestimmungen der G.ordnung nur im kurzen summarischen Verfahren vor der Polizeibehörde finden, welcher überhaupt die Beaufsichtigung des G.wesens obliegt, so spricht man auch von einer besondern G.polizei, ein Zweig der polizeilichen Thätigkeit, welcher besonders in großen Städten von Wichtigkeit ist. — In Nordamerika, wo weniger Schutt der Vergangenheit die menschheitlichen Fortschritte hemmt als im alten Europa, hat das Verhältniß persönlicher Dienstbarkeit einen Charakter angenommen, der mehr mit der Würde der menschlichen Arbeit übereinstimmt, als dies bei uns noch der Fall ist, persönliche Hilfsleistungen tragen dort kein andres Gepräge, als das eines Gegenseitigkeitsvertrags zwischen dem Vermiether und dem Abmiether von Arbeit. Selbst der Name von Dienstboten und G. ist dort aus dem bürgerlichen Leben verschwunden, man kennt blos **Helfer** auf der einen und **Beschäftiger** auf der andern Seite. J. G. G.

Gesindel. Eigentlich Gesinde, welches der Herrschaft entlaufen ist, gewöhnlich aber auch die Bezeichnung für eine Masse herumschweifender müßiger und nichtsnutziger Menschen. Daß das G. bei allen Bewegungen auch im Gebiete des Staatslebens sich betheiligt, ist sehr natürlich, die Rolle aber, die es in der Neuzeit besonders in den amtlichen und halbamtlichen Zeitungen spielt, ist eine zu eigenthümliche, als daß wir sie nicht erwähnen sollten! Bricht sich nämlich der Unmuth über drückende und lang verhaßte Verwaltungsmaßregeln irgend wo Bahn, und wird sofort beim ersten Erscheinen durch rohe Gewalt überwunden, so war es nur G., welches die Unruhe gemacht hat. Wenn auch in einer Stadt von 100,000 Einwohnern 90,000 den Volksunwillen aussprechen, so ist das einerlei, es ist doch nur G. Rennt aber bei irgend einer hohen und höchsten Durchreise müßiges und unnützes Volk zusammen, macht sich einen Witz durch Hurrah- und Vivat-Schreien, oder leistet sogar in dunklerer Erkenntniß seiner eigentlichen Natur Pferdedienste, indem es sich gegen oder ohne Bezahlung an den Wagen spannt, so wird bei solchem entwürdigenden Unfug das G. erhöht und mit Lobsprüchen dergestalt überhäuft, daß man meinen sollte, die verkehrte Welt habe begonnen. Denn wenn in einer Stadt von 100,000 Einwohnern ein Haufe G. sich zu solchen Ungebührnissen hinreißen läßt, so muß man gewöhnlich nach der Darstellung glauben, es sei die Mehrzahl der Bevölkerung dabei betheiligt gewesen, während diese höchstens mit Entrüstung und Abscheu zugesehen hat. Der franz. Physiker Azais würde das Compensation (Ausgleichung) nennen.

Gesta und **regesta,** s. Acten.

Gestalten Sachen nach, s. Freisprechung.

Geständniß. Wenn ein Angeklagter seine Schuld gesteht, und seine That mit allen einzelnen Umständen dem Richter darlegt, so nennt man dies ein G. Im natürlichen Strafverfahren, als welches nur der Anklageproceß (s. d.) mit Geschwornen (s. d.) zu betrachten ist, bedarf man des G.es nicht, weil alle Umstände der That sich vor den Richtern entwickeln und sie zu einem Urtheile befähigen. Im künstlichen und unnatürlichen geheimen Verfahren dagegen, wo man den Richter in eine wahrhaft übermenschliche Lage gebracht hat, indem er Partei, Zeuge, Vertheidiger und Richter in einer Person sein muß, hat man im Gefühle seiner Unzulänglichkeit zu Zwangsmitteln zur Erlangung des G.es greifen müssen, deren erstes eine behauptete Pflicht des Angeklagten ist, die Wahrheit zu sagen, deren letztes Glied nach länger, langer Kette scheußlicher Martern, die völligste Verzweiflung des Angeklagten ist, die ihn zum blutigsten Selbstmord treibt. Die Wahrheit zu sagen, ist ein Gebot der Moral, eine Rechtspflicht nicht, ein Zwang dazu ist eine Unsittlichkeit. Dies wird in Ländern, wo die Rechtspflege nicht ein Ableger der spanischen Inqui-

ſition iſt, ſo anerkannt, daß die Richter den Angeklagten ermahnen, nichts gegen ſich
ſelbſt auszuſagen, ſich nicht zu ſchaden; während im deutſchen Verfahren die Nicht-
ausſage deſſen, was der Richter für Wahrheit hält, mit Ungehorſamsſtrafen, mit
Martern, mit Folterqualen, als da ſind: grobe und unartige Behandlung, übermäßig lange Verhöre, Dunkelhaft, ſchlechte Nahrung, Verweigerung jeder geiſtigen
Thätigkeit, Anlegung von Ketten, Krummſchließen, körperliche Mißhandlungen, geahndet und ſo ein G. erpreßt wird. Wie viele unſchuldige Opfer mögen den Blutgerü-
ſten und Zuchthäuſern auf dieſe Weiſe überliefert worden ſein! Und nicht genug,
daß man ſo das Geſtändniß erpreßte mit äußerlicher roher Gewalt, ſchlimmer noch,
wenn auch minder augenfällig, wirkte das Netz eines raffinirt künſtlichen Verhörs,
in welchem der ſchlichte Menſch gefangen wurde, ehe er es bemerkte, deſſen Gefährlichkeit er gar nicht kannte und ahnte. Da aber alle dieſe unwürdigen Mittel immer
nicht genügend waren, da ſie oft nicht zu dem erwünſchten G. führten, ſo erfand
man eine ſcheußliche Mißgeburt von Rechtsbegriff und für ihn die außerordentliche Strafe, die ausgeſprochen wird, wenn die Schuld nicht bewieſen, aber auch
die Unſchuld nicht dargethan iſt, die Freiſprechung von der Inſtanz (ſ. d.) und
Verurtheilung nach der moraliſchen Ueberzeugung des Richters.
Man ließ alſo das unglückliche Opfer nicht nur die Qualen des ſchlechten Verfahrens, ſondern man ließ es auch die Untüchtigkeit deſſelben und des Richters tragen.
Wahrlich, die Nachwelt wird ſich mit nicht geringerer Abſcheu von unſerer ſog.
Rechtspflege abwenden, als wir von den Inquiſitions- und Hexenproceſſen, ſie wird
erkennen, daß die Folter zwar dem Namen nach aufgehoben, in der That nur
heimtückiſcher und grauſamer angewendet wurde. Das offene G. einer begangenen
That iſt moraliſch gut, aber eine Rechtspflicht iſt es nicht; das Abläugnen einer
begangenen That, oder die Verweigerung der Antwort iſt moraliſch verwerflich, aber
ein Verbrechen iſt es nicht. Strafgeſetzbücher, welche dieſe Handlungen mit Strafe
belegen, beweiſen eben, daß ihre Urheber für Recht und Gerechtigkeit weder Sinn
noch Gefühl hatten. R. B.

Geſtüt heißt eine Anſtalt, in welcher junge Pferde gezogen werden. Das Bedürfniß des Staates, Pferde für die Reiterei zu ſchaffen, und die Schwierigkeit, dieſelben beſonders im Angeſichte einer Kriegsgefahr zu kaufen, hat vielfach dahin geführt, daß der Staat das G. übernommen und gepflegt hat. Allein es iſt dabei
auch vielfach gegangen wie mit andern Staatsanſtalten: das G. wurde ein Mittel,
einem adlichen Herrn eine gute Stelle zu geben, und dieſer glaubte genug gethan zu
haben, wenn er ſeine koſtbare Perſon an die Spitze ſtellte; von Sachkenntniß war
nicht die Rede. Oder die G. wurden in anderer Weiſe zur Spielerei: man trachtete
nach fremden und edeln Pferdegeſchlechtern und ſetzte die Nützlichkeit ganz aus den
Augen. So wurde das G. ein Verſchwendungsmittel, wie das Hoftheater, und
nutzte nichts. Wo man dieſe falſche Richtung mied und der Natur des Bodens
und des Klimas Rechnung trug, iſt das G. dagegen oft nützlich und einträglich geweſen, wie in Mecklenburg, auf der Senne u. ſ. w. Wenn der Staat ein G. hält,
ſo ſollte ſein Augenmerk bei uns weniger darauf gerichtet ſein, ſelbſt Pferde in Maſſen zu ziehen, als die Pferdezucht des Landes zu veredeln durch die Herbeiſchaffung
guter Zuchtpferde.

Geſucht und angeboten, ſ. Cours.

Geſundheitspolizei, ſ. Polizei.

Geſpannſchaft, ſ. Comitat.

Getreide (Getreidehandel, Getreidemagazine, Getreidemärkte,
Getreidezoll). Die Vermittelung zwiſchen Erzeugung und Bedarf in Bezug auf
die Brod- oder Kornfrüchte übernimmt der G.handel. Von den älteſten Zeiten aber
bis auf unſere herab hat ein allgemein verbreitetes hartnäckiges Vorurtheil dieſen
Handelszweig mit ungünſtigem Auge betrachtet un. ihn gewiſſermaßen als ein dem

thuendes Geschäft angesehen, indem man dabei von der An-

dann wird sie sich am allerwenigsten bezügl
die Unermeßlichkeit des Verbrauchs der Kor

man den Auffauf von G. und das
eine unerschwingliche Höhe erreicht,
voraussehen läßt, wenn das Ende
bringen wird, so haben aber auch
, obwohl sie größtentheils, wie die
hat, zum Schaden derer ausfallen,
nn bei noch höherem Steigen der Preise mit
die Zufuhren von Auswärts oder eine ein=

und Zahlungsunfähigkeit trafen.
der Vorkauf der Kleinhändler, welche mit Lebensmitteln handeln. Wie der Handel
im Einzelnen überhaupt den Personen, welche ihre Bedürfnisse ihrer beschränkten
Mittel wegen
arbeitenden Klassen verderblich ist, insofern sie sich durch die hohen Preise benachthei=

28 *

Theurung noch weit mehr der Fall. Aber da bei der noch in der Wiege liegenden Ausbildung des Wesens genossenschaftlicher Vereine, der Einzelverschleiß hauptsächlich der Lebensmittel für die untern Klassen noch eine Nothwendigkeit ist und viele Tausende überdies aus diesem Handel ihren eignen Lebensunterhalt ziehen, so wäre es ein nutzloses, schädliches und gewaltthätiges Beginnen, in Zeiten der G.theurung diesen Handel zu untersagen. Die Mittel, welche man zur Abwendung der aus demselben zu besorgenden Gefahren ergreifen kann, bestehen darin, daß man durch die Einrichtung einer gehörigen Anzahl von G.märkten den Landwirthen Gelegenheit giebt, ihre Vorräthe zum Verkauf zu bringen, und daß man durch eine gute Marktordnung dafür Sorge trägt, daß der Vorkauf nicht eine Gestalt annehme, welche die Absicht des unmittelbaren Verbrauchenden, sich dort zu versorgen, von vornherein unmöglich mache; ferner dadurch, daß man in den unvermögenden Ständen die Vereine beförderte und dazu anrathe, welche sich den Einkauf der benöthigten Lebensmittel und anderer täglichen Bedürfnisse im Großen und Ganzen zum Ziel setzen, wodurch nach und nach das so schädliche Höker- und Krämerwesen von selbst aussterben wird. Auch die Anlegung von G.magazinen von Seiten des Staats und der Gemeinden ist zur Verhütung allzu hoher G.preise in Zeiten von Mißernten vorgeschlagen und dringend angerathen worden. Bei Beförderung des eben erwähnten Vereinswesens, wodurch die Vereine selbst als Großkäufer auf den Märkten auftreten, wird die Nothwendigkeit und Zweckmäßigkeit solcher Vorrathshäuser, die immer ihr Mißliches haben, in den Hintergrund treten, besonders wenn der Staat durch seine anderweitigen staats- und volkswirthschaftlichen Maßnahmen dazu beiträgt, daß der Wohlstand sich durch alle Klassen verbreitet und in Folge dessen die Verzehr- und Genußfähigkeit des ganzen Volks dermaßen wächst, daß die G.erzeugung im Lande nicht nur, um diesem Bedarf zu genügen, aufs Aeußerste vervollkommnet und gesteigert, sondern auch die G.vorräthe anderer Länder dem eignen Markte zugeführt werden. Dieser Wetteifer der innern Erzeugung und der Zufuhr von Außen aber wird von selbst die Privatspeculation zur Aufspeicherung der für jeden eintretenden Fall erforderlichen Vorräthe veranlassen, ohne daß der Verzehrende eine andre als die in den Verhältnissen allgemeinen kärglichen Ernteertrags liegende Benachtheiligung oder Beschränkung seines Verbrauchs zu befahren haben dürfte. Auf solche Weise wird man auch in Zeiten der Theurung über das traurige Auskunftsmittel der Verbote der Ausfuhr von G. ins Ausland — gewöhnlich nebst der Benachtheiligung einer sehr großen Anzahl Staatsbürger, auch ohne dauernden Erfolg — hinwegkommen und nicht mehr genöthigt sein, die Freundnachbarlichkeit gegen die anstoßenden Staaten und Völker gerade in jener Zeit aufs empfindlichste zu verletzen, wo solche am nothwendigsten ist und am freundlichsten gedankt wird. — Was endlich die G.zölle anlangt, so können diese entweder Eingangs- oder Ausfuhrzölle sein. Ihre Natur und Bestimmung ist bereits unter „englische G.gesetze" angedeutet. Die wahre und kräftigste Aufhülfe des heimischen Ackerbaues, welchen man gewöhnlich durch hohe Einfuhrzölle für fremdes Korn zu erzielen hoffte, läßt sich weit leichter durch die Beförderung und Hebung einer vielgestaltigen Gewerbthätigkeit und durch die dazu erforderlichen Mittel erzielen; während Zölle auf die Ausfuhr von G. im Durchschnitt die Interessen der einheimischen Landwirthschaft benachtheiligen, ohne den Verzehrern eine irgend nennenswerthe Erleichterung zu verschaffen. Dagegen ist es von Vortheil, sowohl bei der G.ausfuhr, als der G.einfuhr einen kleinen bloßen Rennzoll zu erheben, um statistisch beide zu ermitteln und das Ergebniß nach Befinden staats- und volkswirthschaftlich benutzen zu können.   J. G. G.

Getreidegesetze, englische, s. Korngesetze.

· **Getreue.** Eine Redensart, mit welcher die Landesherrn ehemals ihre Stände ansprachen.

Geusen (Bettler) nannte man die Edelleute, welche 1565 zu Brüssel einen

Bund schlossen, um der Einführung der Inquisition entgegen zu arbeiten und die harten Verordnungen gegen die Glaubensfreiheit zu beseitigen. Es waren anfangs 300 meist herabgekommene Edle und man nannte sie verächtlich G. (Gueux), als aber die ganze Stadt und das Land ihnen zustimmte, man sich öffentlich als G. oder Bettelmönche kleidete und die Ruhe des Landes in ihrer Hand lag, da nannten sie sich selbst in stolzem Muthe G. Sie gingen indessen schon 1567 zu Grunde und hinterließen nur ihren Namen allen denen, die gegen das Papstthum waren.

Gewalt, absolute, s. Alleinherrschaft.

Gewalt, elterliche, s. väterliche Gewalt.

Gewalt, gesetzgebende, s. Gesetzgebungsrecht.

Gewalt, oberaufsehende, s. Oberaufsicht.

Gewalt, richterliche, s. Richter.

Gewaltanmaßung (Usurpation). Die Bedeutung dieses Wortes liegt in ihm selbst; es bezeichnet Annahme und Ausübung einer Gewalt, die dem Träger nicht gebührt. Zunächst und vorzüglich spricht man von G. bei unrechtmäßiger Besitzergreifung eines Thrones und der Regierungsrechte, gleichviel, ob dieselbe von einem minder berechtigten Gliede der Herrscherfamilie, einem Unterthanen, oder einem fremden Eroberer erfolgt. Es ist mit der G. wie mit jeder andern politischen Lebensregung: Der Erfolg entscheidet, denn wenn derselbe auch das moralische Recht nicht ändern kann, so ändert er doch das formelle. Es giebt keinen Thron der Welt, welcher nicht durch G. auf seine jetzigen oder frühern Besitzer übergegangen wäre, und doch ist der Zweifel am rechtmäßigen Besitz fast allenthalben Hochverrath. Ein schlagendes Beispiel von G. der Neuzeit lieferte Napoleon, der nicht nur die Rechte der vertriebenen Königsfamilie, sondern jedes Recht kränkte und unter die Füße trat, demungeachtet war seine G. von ganz Europa als ein Recht beständig anerkannt und die Fürsten, welche so sehr gegen G. eifern und eifern müßten, betrachteten ihn nicht nur als gleichberechtigt, sondern beugten sich vor ihm. Auch Louis Philipp und der König von Belgien bieten solche Beispiele, denn das Recht wie die Unverletzlichkeit der vertriebenen Herrscher sind gleich unzweifelhaft; man konnte die Minister anklagen und verurtheilen, nimmermehr die Herrscher antasten. Die Herrschaft der jetzt Regierenden ist eine G., die durch eine Anerkennung der ganzen Welt nichts Anderes wird. Die G. macht sich, wo sie wirklich Statt findet, d. h. wo sich mit der Anmaßung die Gewalt paart, so gewichtig geltend, daß man sie sogar im Voraus dadurch anerkannt hat, daß man Gesetze einführte, oder Gebräuche heiligte, welche das Verfahren bei G.en bestimmen und z. B. festsetzte, daß in einem solchen Falle die Verpflichtungen der frühern Regierungen ohne Untersuchung ihrer Rechtmäßigkeit erfüllt werden sollen; Bestimmungen, welche, wie die schmählich betrogenen Domainenkäufer in Westphalen beweisen, eben so wenig unverbrüchlich sind, als jede andere politische Feststellung. — Ist nun G. vorzugsweise im vorbeschriebenen Sinne zu verstehen, so ist es doch nicht weniger G., wenn ein Einzelner einen Theil der Regierungsgewalt an sich reißt, wie dies z. B. bei Aufständen fast immer geschieht. Ob dies ein Verbrechen ist, entscheidet ebenfalls lediglich der Erfolg; siegt die Regierungsgewalt unbedingt, so läßt sie den Gewaltanmaßenden (Usurpator) hinrichten, siegt sie nur durch Nachgiebigkeit, so theilt sie oft ihre Gewalt mit ihm oder belohnt seine Verdienste. Hier kann G. eben so gut Verbrechen als höchste Tugend sein, und mehr als irgend trifft des Dichters Spruch ein:

> Des Mannes Maß und einz'ge Rechtsbegrenzung
> Ist seine Kraft, zu rechter Zeit gebraucht. R. B.

Gewährleistung, oder wie man weit öfter sagt Garantie, nennt man die Sicherheitsmaßregeln, welche für die Aufrechthaltung eines geschlossenen Vertrages, einer vereinbarten Verfassung, eines vertragsmäßigen Rechtszustandes gegeben werden. Man findet diese G. meist darin, daß man andern Mächten, als denen, welche den

Vertrag abschließen, die Ueberwachung desselben und die Befugniß im Voraus zuge-
steht, bei etwaigen Verletzungen die Wiederherstellung des Rechtszustandes zu bewirken.
Die G. kann nun sehr verschiedener Art sein, sie kann sich blos darauf beschränken,
einem Staate den Frieden und Hülfe im Falle eines Angriffs zu verbürgen; sie kann
sich auf G. des Gebietes, der Regierungsform, des Verfassungszustandes u. s. w. erstrecken, kann eine einseitige sein, insofern ein großer Staat einem
kleinen G. bietet, oder eine gegenseitige, indem 2 oder mehr Staaten sich zu diesem
Zwecke vereinigen. Eben so wird eine G. bald im fürstlichen Familieninteresse abgeschlossen, wie z. B. die pragmatische Sanction, bei welcher der weiblichen
Nachfolge in Spanien die Thronfolge gestchert und von allen europäischen Mächten
gewährleistet wurde, oder der bourbonische Familienvertrag, durch welchen
die Bourbons sich gegenseitig G. für ihre Throne in Frankreich, Spanien und Neapel boten; bald wird sie im Interesse des Friedens geschlossen, wie z. B. der Barrierevertrag (s. d.), oder die heilige Allianz (s. d.), welche der Schweiz, oder der
Vertrag zu London vom 15. Nov. 1831, welcher Belgien die G. für strenge Neutralität (s. d.) in jedem Kriege bietet; oder im Interesse des Volksthums und der
Zusammengehörigkeit unter getrennten Staaten, wie z. B. die G., durch welche die
unabhängigen Kantone der Schweiz, die Staaten Deutschlands und Nordamerikas
sich gegenseitig Unverletzlichkeit sichern. Wie fest und heilig aber auch die G.en sind,
sie leiden das Schicksal aller politischen Anstalten: die Zeit ist mächtiger als
sie. Noch hat keine G. sich bewährt, von denjenigen an, welche die griech. Staaten untereinander abschlossen, bis zur letzten. Die pragmatische Sanction galt nicht
eher, bis die Waffen ihr Geltung verschafften; der bourbonische Vertrag hat die Vertreibung bourbonischer Fürsten nicht gehindert; der Barrierevertrag Holland vor den
Einfällen der Franzosen nicht geschützt; die gewährleistenden Staaten standen auf dem
Punkte, die Schweiz selbst mit Krieg zu überziehen; die Schöpfungen der heil. Allianz
sind fast alle zerfallen, trotz der Bundes- und Wiener Schlußacte wurde der Herzog
von Braunschweig vertrieben u. s. w. Die wahre G. liegt in dem Zauberworte:
„Hilf dir selbst!" Der Muth, die Entschlossenheit eines Volkes, selbst eines
kleinen, bietet mehr G. als alle' Verträge der Welt; dieß hat die Schweiz 1847 deutlicher bewiesen, als irgend ein anderes geschichtliches Ereigniß. — Eine andere Art
G. ist die innere und verfassungsmäßige, welche den Bestand der Verfassungen und die Ausführung derselben sichern soll; zu dieser G. zählt man bei einem
Staatenbunde oder Bundesstaat die Anerkennung und Verbürgung derselben durch die
gemeinschaftliche Bundesgewalt, den Schwur der Fürsten und aller Beamten auf die
Verfassung, Verantwortlichkeit der Minister, Einsetzung eines Gerichtshofes für Anklagen gegen die letztern, Stände, Preßfreiheit u. s. w. Wie wichtig auch alle diese
G.en sind, auch sie theilen das Loos politischer Einrichtungen: sie halten nicht, so
lange sie recht, gültig und heilig sein sollten, sondern so lange als
die Verhältnisse ihnen günstig sind. Alle G. der deutschen Bundesgewalt
hat die Ausführung des Art. 13 nicht zu erreichen vermocht, die Bundesgewalt im
Vereine mit allen Elden konnte die hannoversche Verfassung nicht erhalten und wird
die kurhessische nicht retten, wenn man sie ernstlich angreift, die Ministerverantwortlichkeit scheint in Deutschland eine ziemlich bequeme Sache zu sein, und Gerichte, die
sie großentheils selbst einsetzen, fürchten sie nicht, die Stände sind durch die Art der
Wahlgesetze und durch die Beschränkungen der Bundesbeschlüsse von 1832, 33 u. 34
sehr ungefährlich gemacht, und die Preßfreiheit, die einzige wahrhaftige, aber auch
genügende G. fehlt uns. Was über dieselbe auch als G. des innern Rechtszustandes zu sagen ist, s. unter Censur und Preßfreiheit. Eine ausdrückliche wörtliche G. des Verfassungszustandes, d. h. eine ausdrückliche Anerkennung und Verbürgung desselben durch die Bundesgewalt oder durch äußere Mächte wird ebenfalls
oft festgestellt, so auch in der deutschen Bundesacte. Diese letztere ist in Deutschland

oft nicht gesucht, theils nicht gefunden worden;. den meisten deutschen Verfassungen fehlt die G. des Bundes. Eine auswärtige G. aber ist meist gefährlich und ruft gar zu leicht eine Einmischung in innere Angelegenheiten hervor. Die sicherste G. der Verfassung ist nächst der Preßfreiheit der Sinn der Staatsbürger für Gesetz und Recht, die entschlossene Haltung derselben, wenn diese Güter bedroht sind, allgemeine Theilnahme an öffentlichen Angelegenheiten, Kenntniß ihrer Rechte und muthige Benutzung und Behauptung derselben bis zur Grenze, offenes und muthiges Auftreten für jedes gefährdete und angetastete Recht, Wachsamkeit über die Vertreter und Entfernung derselben, wenn sie lau, zweideutig, farblos oder gar schlecht sind u. s. w. Ein Volk, welches also seine Verfassung und sein Recht bewahrt, bedarf keiner andern G.; Niemand wagt es, sein Eigenthum anzutasten. Ein Volk aber, welches sich Alles bieten läßt, welches weder Muth noch Kraft hat und entwickelt, noch seinen Staatszuständen die pflichtmäßige Theilnahme widmet; welches bei widrigen Verhältnissen und bösem Willen die Nachtmütze über die Ohren zieht und höchstens beim Bierkruge „raisonnirt" oder eine Faust in der Tasche und unter dem Deckbette macht, welches sich durch schöne leere Redensarten kirren läßt und glaubt, die Welt wird durch freisinniges Geschwätz fortgerückt — das kann keine Verfassung erhalten und behalten. Man nimmt ihm nach Belieben sein Recht und verhöhnt es noch dazu, indem man ihm den heuchlerischen, trügerischen Schein desselben als Spielwerk hinwirft. Und ein solches Volk verdient dieses Schicksal. R. B.

Gewehr. Im alten Sinne des Wortes verstand man unter G. eine jede Angriffswaffe, im Gegensatz zur Vertheidigungswaffe. Zu den letztern zählte man die Rüstung, Helm, Schild u. s. w., zum G. also Schwert, Speer, Lanze, Streithammer, Keule u. s. w. Seit der Erfindung des Feuer = G.s aber hat dieses den Namen G. ausschließlich erhalten; er bezeichnet also die Gattung, während die einzelnen Arten Flinte, Carabiner, Büchse, Pistolen, Doppelhaken u. s. w. heißen. Nennt man jetzt mitunter auch die Stoß = und Hiebwaffen noch G., so bezeichnet man sie als blanke G.e, unter denen man alsdann Degen, Säbel, Spieß, Hellebarde u. s. w. versteht. Das Feuer=G. ist jetzt die allgemeine Waffe des Fußvolkes, selbst die Reiterei führt es großentheils, wenn auch in kleinerm Maßstabe. Nur in wenigen Heeren ist die Reiterei noch bloß mit blankem G. bewaffnet, obgleich man den Nutzen des Feuer=G.s für sie häufig bezweifelt hat.

Geweihter Bissen, s. Gottesurtheil.

Gewerbe (Gewerbfreiheit, Gewerbeordnung, Gewerbschulen, Gewerbausstellung, Gewerbpolizei). Die Geschichte des G.wesens ist die Geschichte der Gesittung selbst, die Geschichte der menschlichen Arbeit, ihrer Entwickelung und Vervollkommnung. Die Gestalt der G. und des G.wesens hat sich mit ihrer Fortbildung selbst geändert, oder es ist, wo die starre Form nicht nachgeben wollte, jener Widerspruch zwischen dem Bedürfniß und den vorhandenen Mitteln es zu befriedigen eingetreten, welcher gewöhnlich zuletzt eine plötzliche und rücksichtslose Hinwegräumung der alten Gestalt nothwendig macht. So geschah es in Frankreich bei der Staatsumwälzung von 1789, wo mit tausend andern ähnlichen Einrichtungen, die sich überlebt, auch das Zunftwesen mit einem Schlage verschwand und völliger G.freiheit Platz machte; so geschah es in Preußen von 1807 — 13, wo man den Neubau dieses Staates zu begründen anfing, und zu diesem Zwecke gleichfalls sich des alten Zunft= und Innungszwanges entledigte. Wohl hatte der letztere zur Zeit seiner Gründung im frühern Mittelalter mächtig dazu beigetragen, die G. zu heben und zu vervollkommnen;. aber als man versäumte, den Formen selbst jene elastische Natur zu geben, welche die Fortschritte und Ausdehnung des G.wesens erforderten, als die Vernunft der alten Zeit zum Unsinn, ihre Wohlthat zur Plage der Gegenwart geworden war, da mußten jene Einrichtungen sich zu ebensoviel Hindernissen für die weitere Entwickelung um-

fernerer Vervollkommnung werden. Die Eigenthümlichkeit der Uebergangszeit, in welcher wir in Bezug darauf leben, ist bereits unter Fabrikwesen (s. d.) angedeutet worden. Wie gegen das letztere, haben sich gleichfalls gegen die G.freiheit, die jenem zur Grundlage dienen muß, in der neuern Zeit laute und heftige Stimmen erhoben und aus den Wirkungen derselben, wie sie in den Ländern beurkundet, die sie eingeführt haben, den Untergang und die Auflösung des ganzen G.standes, namentlich des kleinern Gewerbes geweissagt. Ja, diese Ansichten sind selbst nicht ohne Einfluß auf die Gesetzgebung gewesen, und namentlich in Preußen hat man, um den Uebelständen, welche die G.freiheit unter jetzigen Verhältnissen mit sich bringt, abzuhelfen, Maßregeln getroffen, die gewissermaßen als Rückschritte gelten können. Der eigentliche Grund jener Mißstände liegt aber darin, daß in Preußen die großen Verbesserungen, welche im Anfang dieses Jahrh.s begonnen wurden und worunter die Einführung der G.freiheit eine hervorragende Stelle einnimmt, ein Bruchstück geblieben sind; daß die so oft angerathene „organische Entwickelung" mittels Durchführung der großen Grundsätze jener Zeit in allen andern staatlichen, gesellschaftlichen und wirthschaftlichen Verhältnissen und Einrichtungen so unverantwortlich verabsäumt worden ist; daß man namentlich die Ausbildung des Vereinswesens vernachlässigt oder verhindert hat, welches berufen ist, in den G.n die Stelle der alten Zunft= und Innungsverbände einzunehmen und den G.fleiß, die Volksarbeit dem Bedürfniß der Zeit gemäß in allen Zweigen, Hülfs= mitteln und Bestandtheilen innig zu vergliedern. — Die Gesetze und G.ordnun= gen, die anderer Orten in Deutschland in diesen Beziehungen gegeben oder beabsichtigt worden sind, wie unter Andern das für Hannover bestimmte G.gesetz, sind gleichfalls über beklagenswerthe Halbheit nicht hinausgekommen, und es läßt sich deshalb voraus= sagen, daß sie wie das preußische Gesetz von 1844 ihres Zweckes verfehlen müssen. — Zur Förderung und größern Ausbildung des G.wesens, so weit der Staat mittel= oder unmittelbar dazu beitragen kann, hat man die Gründung von G.schulen und ähnlichen Anstalten als eins der geeignetsten Mittel anzusehen. Nur muß man, wenn man dadurch den sich im Volke vorfindenden Kräften Gelegenheit bietet, sich zum Dienst der Volksarbeit tüchtig auszubilden, auch nicht verabsäumen, anderweitig An= stalten zu treffen, daß diese Kräfte dann einen ihnen entsprechenden ehrenden und lohnenden Wirkungskreis finden, und daß nicht, wie es in Deutschland jetzt so häufig geschieht, gerade die in solchen Unterrichtsanstalten gebildeten tüchtigsten Fähigkeiten sich gezwungen sehen, dem Auslande ihre Leistungen zuzuwenden, weil dies im Stande ist, sie gebührend zu lohnen. — Ein anderes Mittel zur Vervollkommnung des G.= wesens hat man in der Veranstaltung von G.ausstellungen, d. i. den Schau= stellungen von allen Arten von G.erzeugnissen gefunden, welche eines Theils die öffent= liche Meinung über die Bedeutung und die Fortschritte des G.fleißes im Lande auf= klären, andererseits den G.treibenden selbst Gelegenheit bieten sollen, sich über den Stand der allgemeinen und besondern Leistungen der G. zu unterrichten. Doch darf man diesen Veranstaltungen nur eine sehr untergeordnete Bedeutung beimessen. — Der große Umfang des G.wesens und die Vielartigkeit der Beziehungen, in denen dasselbe und die darin beschäftigte Bevölkerung zu den Interessen der Gesammtheit stehen, erfordert dringend, daß der Staat fortlaufend demselben nicht nur die angelegentlichste Beachtung schenke, sondern auch seine Oberaufsicht über alle diese Verhältnisse so weit geltend mache, daß dadurch jene Gesammtinteressen allenthalben gewahrt, aber das freie Spiel der gewerblichen Thätigkeiten in seinen gesetzlichen Aeußerungen und Lei= stungen nirgendwie gestört oder gehemmt werde. Die einzelnen Zweige dieser staatli= chen Oberaufsicht nennt man G.polizei. In England, wo das G.wesen immer mehr in das Fabrikwesen (s. d.) aufzugehen scheint, hat man in gerechter Würdigung der Bedeutung solcher Aufsicht, eine eigene Behörde in Aufstellung von Fabrikinspec= toren getroffen, eine Einrichtung, die, jedoch beschränktermaßen, auch in Frankreich eingeführt worden ist. In England bringt man darauf, daß diese Beaufsichtigung, namentlich bezüglich der Behandlung der im G.wesen beschäftigten Unerwachsenen, sich auch auf das Kleinste ausdehne; in Frankreich beabsichtigt man in diesem Augenblick einen ähnlichen Schritt. J. G. G.

Gewerbsteuer, s. Abgaben und Steuer.

Gewerbkunde (Technologie) ist die Wissenschaft, welche die verschiedenar-

richtungen und die Anlagen, welche sie erfordern, die St u. s. w. kennen lehrt. Sie muß an den Gewerbschulen einen hauptsächlichen Gegenstand des Unterrichts bilden. Aber auch in allen mittlern und höhern Schulen sollte der G. weit mehr Beachtung geschenkt werden, als dies gegenwärtig noch geschieht; so wie Verwaltungsbeamten gründliche Kenntnisse in der G. sehr nothwendig sind, da bei der Bedeutung, welche die Gewerbe im Staatswesen erlangt haben, kein Tag vergeht, wo nicht der Beamte sich aufgefordert fände, eine Verfügung in Gewerbsdingen zu treffen, die in Ermangelung dieser Kenntnisse in den meisten Fällen Gefahr läuft, zum Nachtheile der davon Betroffenen auszufallen und sehr häufig dazu dient, den Beamten in den Augen der Betheiligten bloß zu stellen. J. G. G.

Gewerbsconcession. Es giebt viele Gewerbzweige, die wegen der Gefahr und des Schadens, welche durch Unvorsichtigkeit, Unbesonnenheit, Leichtsinn oder Ungeschicklichkeit der darin Betheiligten für das Allgemeine herbeigeführt werden können, einer strengen Beaufsichtigung zu unterwerfen sind und deren Betrieb nur sehr zuverlässigen Personen gestattet ist. Selbst in Ländern, wo völlige Gewerbefreiheit herrscht, wird deßhalb der Betrieb solcher Gewerbe von einer besondern G. des Staats oder der Gemeinde und von den persönlichen Bürgschaften abhängig gemacht, welche diejenigen bieten, denen man dieses Vorrecht verleiht. In einigen Staaten wird die formelle Bewilligung zum Betriebe eines Gewerbs zum Zwecke der bürgerlichen Einregistrirung, Besteuerung u. s. w. G. genannt; in andern Staaten, wie z. B. in Oesterreich, sind G.en ein Mittel, den Zunftzwang zu mildern und außerhalb der Innungen eine Klasse der Gewerbtreibenden, die sogenannten Concessionirten, zu schaffen, welche den Uebergang zu der Gewerbfreiheit bilden. Wo das Bevormundungsunwesen unbeschränkt herrscht und man sich beinahe fürchtet, den Bürgern Gabel und Messer im Hause zu lassen, weil sie sich oder Andere schneiden und stechen könnten, dort werden die G.en in ersterwähnter Bedeutung für den Betrieb einer solchen Menge Gewerbzweige ausbedungen, daß, wenn auch im Grundsatz die Gewerbefreiheit als Gesetz gilt, dieselbe wegen der vielen Ausnahmen als ein bloßer Buchstabe zu betrachten ist, und von Erwerbfreiheit (s. d.) nirgends die Rede sein kann. J. G. G.

Gewerbsverbindungen, s. Coalition.

Gewinnantheil bei Actienunternehmungen, s. Actien.

Gewissensehe. Ein Vertrag zwischen 2 Personen, als Eheleute miteinander zu leben, ohne die Rechtsprechung des Staates oder der Kirche nachzusuchen. Die Kirche hat die G. niemals anerkannt, wenn auch bei ihren Priestern geduldet, das t dagegen hat sie, je nach dem Bildungszustande, der wirklichen gleichgestellt.

Gewissensfreiheit, Gewissenszwang, s. Glaubensfreiheit.

Gewohnheit (Rechtsgewohnheit, Observanz), s. Recht.

Gezwungene Eigenthumsabtretung, s. Eigenthumsabtretung.

Gibellinen. Parteiname der Anhänger des deutschen Kaisers in Italien im Mittelalter; ihre Gegner, die Anhänger des Papstes und der Selbstständigkeit Italiens, hießen Guelfen. In der neuesten Zeit scheinen durch die „väterliche" Regierungsweise Oesterreichs die G. ausgerottet, die Guelfen dagegen das ganze Volk angeworben zu haben.

Gifthandel, s. Arzneihandel und Polizei.

Gilde, s. Zünfte.

Giovine Italia, s. junges Italien.

Giriren. In der Handlungswissenschaft die Uebertragung eines Wechsels auf einen andern Inhaber. Es geschieht mittelst des Indossements, d. h. der Ueberweisung durch die Worte: „Für mich an die Ordre des Herrn N. N. Werth erhalten. Leipzig, den ... N. N." Wer diese Ueberweisung giebt, heißt Girant, wer sie nimmt: Girat. Wird der Wechsel zuletzt nicht bezahlt, so läuft er zurück in der Reihenfolge, wie er girirt wurde, und der Urheber bleibt zahlungspflichtig, wenn beim Indossement dies nicht ausdrücklich abgelehnt wurde.

Giro, Girobanken, s. Banken.

Girondisten. Zwei gewaltige Parteien machten sich während der franz. Staatsumwälzung die Gewalt streitig, die G. und die Jakobiner, die Ebene und der Berg (s. d.). Die G. waren die 12 Abgeordneten des Departements der Gironde, an sie schlossen sich Abgeordnete von Marseille, von Calvados u. s. w. an, und die Partei erhielt von der Heimath ihrer Vorkämpfer Vergniaud, Guadet u. s. w. den Namen G. Idealistische Republikaner, waren sie dem Königthum feindlicher als selbst die Jakobiner; die Kriegserklärung gegen die Könige, die sie als ein politisches Bedürfniß für Frankreich betrieben, trennte sie zunächst, am 12. December 1791, von Robespierre, der aus Besorgniß für die Freiheit den Krieg und den daraus erwachsenden Militairdespotismus bekämpfte, und bald auch vom Berge. So begann der Kampf der beiden Parteien, der am 2. Juni 1793 mit dem Sturze der G. endete. Ihr unablässiges Streben nach der Gewalt, die sie heut beim Könige, morgen bei den Volksvertretern suchten, ihre Sucht, als Staatsmänner zu glänzen, während ihnen dazu der freie Blick und die Thatkraft mangelte, beförderten den Bruch mit den Jakobinern und gaben diesen zugleich gefährliche Angriffswaffen in die Hände; halb und zweideutig in all ihren Schritten, wagten sie nie ihre Plane ganz durchzuführen, und so entriß ihnen der kühnere Berg die Gewalt. „Es mußte so kommen," sagt Lamartine in seiner Geschichte der G., „die Regierung zu ändern, war die ganze Politik der G., die Gesellschaft zu ändern, die Politik der Demokraten; die Einen waren Politiker, die Andern handelnde Philosophen, die Einen dachten nur auf den nächstfolgenden Tag, die Andern auf die Zukunft, Jene waren Demokraten durch Umstände, Diese aus Ueberzeugung." Rathlos in den Stürmen der Zeit, vergaßen sie das von Außen bedrohte Frankreich und klammerten sich an die Buchstaben einer bereits zerrissenen Verfassung; die empörten Wogen von Paris verschlangen die unfähigen Staatsmänner. Es fehlte ihnen mit wenig Ausnahmen, wie Lanjuinais, die Charaktergröße, die dem Unglück Trotz bietet; ihr Proceß enthüllt ihre Niedergeschlagenheit, ihre Muthlosigkeit vollends. Das Todesurtheil allein gab ihnen ihre volle Kraft, ihren männlichen Stolz, ihre republikanische Würde zurück; so nichtssagend ihre Haltung während des Processes, so groß, so erhaben ist sie während ihres Abschiedsmahles und auf ihrem letzten Todesgange. Konnten die G. die Republik nach Innen und Außen retten? Die Geschichte sagt unbedenklich Nein. Sie hatten die Republik gemacht, ohne sie zu wollen, sie regierten sie, ohne sie zu begreifen; die Revolution mußte sich gegen sie empören. Die Geschichte der G. ist ein Spiegel für alle Halben! L. W.

Gilten oder Gülten, s. bäuerliche Abgaben, Lasten.

Glaube. Die innere Ueberzeugung von der Wahrheit einer Sache, die man sinnlich nicht wahrnehmen, oder durch Erfahrung und Vernunftschluß nicht wissen kann; also ein Fürwahrhalten, welches auf Gründen beruht, die nicht unmittelbar in der Erkenntniß des Gegenstands, an den man glaubt, gegeben sind. Gebietet nun die Vernunft, auch Manches für wahr zu halten, was nicht immer durch sinnliche Wahrnehmung erkannt werden kann, so heißt dieser G. Vernunft-G.; dahin zählt man den G.n an Gott und Unsterblichkeit, den G.n an die Vortrefflichkeit der christlichen Moral in der Lehre des großen Nazareners u. s. w. Dem Vernunft-G.n gegenüber steht der positive, der vorgeschriebene, gebotene G., der unbe-

bingte Unterwerfung unter den G.n Anderer verlangt und jeden Andersdenkenden als
Verbrecher betrachtet, der mit List oder Gewalt zum G.n geführt werden müsse. Er
heißt auch Hof- und Staats-G., wo weltliche oder geistliche Herrschsucht das
Staatsruder führen und die Menschen zu willenlosen Werkzeugen fremden G.ns mißbrauchen. Denn je weniger der Mensch selbstständig ist im Denken und Handeln, je mehr glaubt er und giebt sich der Leitung Anderer hin. Daher ist der
positive G. von jeher ein mächtiger Hebel gewesen in der Hand des Jesuitismus,
ein Zwang, der durch Jahrh.e zur Quelle namenlosen Unheils geworden. Dieser
G. gebar den Aberg.n und den Fanatismus (s. d.), die mit Verdummung, mit
Brandfackel und Dolch die Völker heimsuchten und „zur Ehre Gottes" der Aufklärung Scheiterhaufen und Blutgerüste errichteten. Einen solchen positiven G.n hat
man auch auf dem politischen Gebiete erfunden, der aus Fürsten Erdengötter schuf,
deren Wille für Millionen als Maßstab des Thun und Lassens galt und keiner Beurtheilung unterlag. — Doch als der positive G. in der Religion zu fallen begann,
als der menschliche Geist der freien Natur sich mehr und mehr zuwandte und in der
Blume oder dem kleinen Käfer bessere Gottesprediger sah, als die auf Lehrstühlen und
Kanzeln, Lehrer, welche überzeugten und Wissen gaben, wo die Priester nur
geboten: da löste sich auch der politische G. an die Erdengötter auf, und es
bildete sich der auf Erkenntniß beruhende politische G. an die Freiheit der menschlichen Natur aus, der in der Ueberzeugung beruht: daß Alle gleiches Recht zu
gleichem Genuß aus der Hand des Schöpfers empfangen haben. Der allein
richtige G. ist demnach derjenige, welcher mit Natur und Vernunft übereinstimmt; es ist eine große Lächerlichkeit, bei der menschlichen Verschiedenheit in geistigen Eigenschaften und Fähigkeiten den G.n zu einem Gemeingut machen zu wollen.
Am allerwenigsten aber hat der Staat in G.ssachen zu sprechen; ihn muß die religiöse und politische Meinung des Staatsbürgers unbekümmert lassen, wenn dieser nur
seine Bürgerpflichten erfüllt. Wo man andere Grundsätze in dieser Hinsicht befolgt,
da ist an die Stelle der Vernunft und des Rechts Unvernunft und Unrecht getreten.
Man kann keinen G.n fordern, der vor der Erkenntniß geprüft und durch
die Vernunft geheiligt ist. Mögen auch Herrschsucht und Priesterstolz,
Aberglaube und Muckerthum noch wuchern in der Neuzeit, sie mühen sich vergebens ab. Die Saat des Guten hat im milden Boden der Aufklärung schon zu
tief Wurzel gefaßt und die gesunde Vernunft ihr ewiges Licht schon zu weit ausgebreitet, als daß es in der Geisterwelt wieder Nacht werden könnte. Wackere Männer,
denen das Wohl der Menschheit am Herzen liegt, werden jenen gespenstigen Trug-
bildern kräftig entgegentreten und sie verhindern, die Säulen des heiligen Tempels der
Wahrheit umzustürzen, wenn — sie dies je vermöchten! W. Pretzsch.

Glaubensartikel. Mit dem Streben der Kirche nach Herrschaft über die
Geister, entstand nothwendig die Sucht, sie an gewisse Dinge zu ketten und festzuhalten. So stellte man denn gewisse Punkte auf, welche als G. sowohl das Merkmal
der Einheit der Kirche mit ihren Angehörigen, als die Grundlehren der Kirche darstellen sollten. Die gesammten G. machten das

Glaubensbekenntniß aus, welches bald nicht mehr den Sinn einer Einigung,
sondern eines Zwanges hatte, indem man jede Abweichung von demselben verdammte
und verfolgte. Denn um sich die Herrschaft zu sichern, mußte jede Kirche nothwendig dazu gelangen, ihr G. als das allein richtige und allein wahre aufzustellen, als
eine Summe von Wahrheiten, die über jeden Zweifel erhaben seien und deren Nicht-
anerkennung eine Sünde gegen Gott und die Kirche sei, welche denselben vertritt.
Ob es eine Sünde gegen die Vernunft sei, darauf kam es weniger an, denn die Vernunft, als Todtfeindin jedes blinden Glaubens, wurde von der Kirche geächtet, sobald
sie sich nicht herbeiließ, das G. als Inbegriff alles Vernünftigen anzuerkennen. Ueber
die G.e selbst s. Symbole.

Glaubensbrüder. So nannten sich die Juden von der gemeinsamen Vereh= rung des Vaters: Jehova; das Christenthum behielt die Benennung bei und hatte im Anfang mindestens ein Recht darauf, weil es ein brüderliches Leben und brüderliche Liebe einzuführen strebte.

Glaubenseid. Ehedem ein Schwur, durch welchen der Mensch sich zum Glau= ben seiner Kirche bekannte, so daß, wenn der Mensch morgen durch wachsende Er= kenntniß über seinen heutigen Glauben hinausgeführt wurde, er von der Kirche nicht nur als abtrünnig, sondern auch als meineidig betrachtet und bezeichnet werden konnte. Als die Kirche den Gipfel ihrer Macht erreicht hatte, verzichtete sie auf den G., weil sie ihr Bekenntniß für unantastbar hielt und die weltliche Macht so verblendet war, die Mißachtung desselben als Verbrechen zu verfolgen. Den G. führte dann die In= quisition wieder ein und wendete ihn namentlich bei Priestern an, über deren Glau= ben sie Zweifel hegte. Dieses Stückchen Inquisition hat sich auch in der Mutter der= selben, der römischen Kirche, erhalten, wo man einen derartigen G. von zweifelhaft gewordenen Priestern noch heute verlangt. Ist die Sittlichkeit des Eides überhaupt zweifelhaft, so muß der G. unbedingt als unsittlich betrachtet werden, da der Natur nach kein Mensch versichern kann, er werde dies oder jenes immer glauben. Das öffentliche und feierliche Bekenntniß zu einem gewissen Glauben, wie es in der Taufe und bei der Confirmation abgelegt wird, ist mit dem G. verwandt und um so weni= ger zu billigen, als es von Unmündigen und für dieselben abgelegt wird. Die Heil= igkeit von Eid und Gelöbniß ist dadurch so herabgebracht worden, daß sich Niemand mehr etwas dabei denkt, wenn er denselben untreu wird. R. B.

Glaubensfreiheit. Ist der Glaube nichts Anderes, als ein Fürwahrhalten von Dingen, die man eben nicht weiß; ist er folglich ein inneres Bedürfniß des Menschen, welches er eben sowohl gar nicht, als im ausgedehntesten Maße haben kann; und kann die spitzfindigste Klügelei kein Moralgesetz aufstellen, nach welchem der Mensch ein gewisses Maß von Wissen haben muß, welches er im Nothfalle durch Glauben zu ersetzen hat; so ist es ein völliger Unsinn, dem Menschen irgend einen Glau= ben vorschreiben zu wollen. Der Glaube ist wie die Freundschaft, wie die Liebe, wie der Haß: ein Gefühl, welches sich weder befehlen, noch vernichten läßt; weder das Kleinste, noch das Erhabenste der Körper= oder Geisterwelt kann dem Menschen als nothwendiger Gegenstand des Glaubens dargestellt werden; wenn seine Er= kenntniß ihn nicht zur Ueberzeugung bringt, oder sein inneres Bedürfniß ihm den Glauben nicht aufzwingt, so glaubt er nicht, und wenn die Welt aus ihren Angeln brechen sollte. Die Forderung irgend eines Glaubens rührt vom Dünkel der Kirche her, Wahrheiten besitzen oder entdeckt haben zu wollen, die unwidersprechlich und un= verkennbar sind, und von dem heillosen Wahne, oder vielmehr der anmaßenden Be= hauptung, daß, wenn der Mensch diese Wahrheiten nicht erkennen könne, er sie dennoch glauben müsse. Diese aller Natur, aller Vernunft und aller Erfahrung gleichmäßig widersprechende Forderung hat mehr Unheil über die Menschheit gebracht, als irgend ein anderer Wahn, der jemals geherrscht hat. Und wie mildernd auch die zunehmende Bildung eingeschritten ist gegen dieselbe, überwunden ist sie noch lange nicht; der heutige Staat wurzelt noch ganz auf dem Grundsatze der Kirche und zwingt seinen Angehörigen einen gewissen Glauben auf; oder da er dies nicht kann, so zwingt er sie, einen Glauben zu heucheln und vergiftet dadurch ihr sittliches Gefühl. Jede religiöse Abgeschlossenheit, jedes Bekenntniß, jede Confession beruht eben auf dem Glauben, oder vielmehr auf dem Glaubenszwange; der Staat aber fördert und nährt diesen Zwang, sobald er den Genuß angeborener Rechte von einem Glauben, oder vielmehr von dem äußerlichen, oft und meist bewußtlosen oder heuchlerischen Bekennen zu einem Glauben abhängig macht. Es widerstreitet der G. ganz entschieden, daß ein Kind in eine Religionsgemeinschaft, d. h. in einen Glauben gezwungen wird; es widerstreitet ihr entschieden, daß den Kindern Glaubenslehren als

Wahrheiten in der Schule aufgezwungen und eingetrichtert werden, die sie weder prüfen, noch begreifen können; es widerstreitet ihr entschieden, daß dem jungen Menschen die Wahl des Lebensberufes verschlossen wird, wenn er sich nicht öffentlich zu einem Glauben bekennt, welchen er in der Wirklichkeit nicht haben kann, da seine Erkenntniß noch nicht ausgebildet, sein inneres Bedürfniß noch nicht vollständig erwacht ist. Und warum dieser Glaubenszwang vom ersten bis zum letzten Schritt dieses Lebens? Weil, wie die Kirche sagt, der Glaube an Gott nothwendig ist zum zeitlichen und ewigen Heile. Aber diesen Gott, der allmächtig ist, der aus jedem Grashalme, aus der kleinsten Lebensregung der Natur zu uns spricht, den der Denkende angeblich nicht verkennen, nicht abläugnen kann; diesen Gott, der das Licht und die Wahrheit selbst ist — ihn glaubt man mit der elenden Menschenkraft, mit dem beschränkten Einzelverstande unterstützen, ihn dem Menschen aufzwingen und einimpfen zu müssen, wie das Gift der Blattern, ihn durch das unsittliche Mittel der Geistesknechtung bei seiner Herrschaft erhalten zu müssen! Wenn dieser große, unendliche, allmächtige Gott vom Menschen, seinem schwachen Geschöpfe, geläftert und beleidigt werden kann, so ist dieses Gebahren jedenfalls die größte Beleidigung und Gotteslästerung. Von den weiter liegenden, oft an das Gebiet des Wahnsinns streifenden Forderungen, daß es zum zeitlichen und ewigen Heile nothwendig sei, zu glauben, daß Eins Drei und Drei Eins sei, daß eine Jungfrau Mutter sein könne, daß ein Gott vom Geistlichen ge macht werden und in einem Stückchen Brod stecken könne, daß ein Mächtigerer, als der Allmächtige, der Teufel nämlich, das schlechte Wetter mache und alle Uebel in die Welt bringe u. s. w., sei hier gar nicht die Rede; aber man vergesse nicht, daß auch diese Dinge dem Menschen aufgezwungen und eingetrichtert wurden und werden, daß auch sie Gegenstand des Glaubens waren und sind. G. und Gewissensfreiheit, d. h. das Bewußtsein, weder etwas thun zu müssen, was das sittliche Gefühl beleidigt, noch etwas bekennen zu müssen, was man weder weiß noch glaubt, will die Welt und bedarf die Menschheit, wenn sie frei und glücklich werden will; aber G. und Gewissensfreiheit wird sie trotz aller Verfassungsbestimmungen, Gesetze, Patente und Versicherungen niemals haben, so lange der Staat sich einbildet, er müsse christlich sein, so lange die Kirche etwas Anderes ist, als eine freie Vereinigung Einzelner, die sie wollen und bedürfen, und so lange die Schulen, statt einfach den wachsenden Menschen zu bilden und zu unterrichten, danach nur trachten, christliche Rekruten abzurichten. *R. B.*

Glaubensgenossen, gleichbedeutend mit Glaubensbrüder.

Glaubensregeln, so viel wie Glaubensartikel und Glaubensbekenntniß.

Glaubensrichter. So lange man den Glauben für etwas Unerläßliches und die Kirche für eine Anstalt hält, welche denselben hegen und pflegen, ausbreiten und erhalten muß, ist es eine nothwendige Folgerung, daß auch Jemand da sein muß, welcher darüber richtet, ob der Glaube ganz und richtig vorhanden ist. Dieses Amt hat sich Rom von jeher beigelegt, für dasselbe hat es seine Inquisition errichtet, seine Scheiterhaufen gebaut, seine Bannflüche ausgesprochen. Dieses Amt ist aber auch für jede Kirche, die eine Summe angeblicher Heilswahrheiten als ihren Mittelpunkt betrachtet, unbedingt nothwendig, und wenn sie dasselbe ablehnt, wie die protestantische Kirche in ihrem Entstehen, so lügt und heuchelt sie, oder täuscht sich selbst. Luther war ein so strenger G., wie der Papst, Calvin ließ den Scheiterhaufen anzünden, wie Torquemada, im freien England und im sklavischen Rußland, im nüchternen kalten Norden und im feurigen Süden waren und sind G. unzertrennlich verbunden mit der Kirche, und die Kirche unserer Zeit muß, wenn sie ihre Pflicht thun will, den heutigen Huß so gut verurtheilen, wie die Kirche des 15. Jahrh.s den ihrigen zu Kostnitz. Daß die Urtheile der G. und die Strafen eine mildere Form angenommen haben, ändert an der Sache nichts. Die Wahrheit dieses Ausspruchs haben in unserer Zeit sowohl die Bannflüche gegen Ronge, Theiner u. s. w., wie die

Verfolgung Uhlichs wegen Ketzereien bewiesen. Nur beschränkte und gedanken=
faule Menschen können diese Erscheinungen den Menschen, den Beamten zuschrei=
ben; sie sind das Eigenthum, das nothwendige Anhängsel der Kirche und die
Menschen verdienen Achtung, die in dieser Zeit allgemeiner Unwahrheit und Ver=
schleierung offen und folgerichtig handeln. Deßhalb muß auch die Kirche, wenn sie
wirklich Kirche sein will, zu einer Einrichtung kommen, die dem Papstthum verwandt
ist, wie dies das Bischofthum in England und der heilige Synod in Rußland schon
längere Zeit, das evangelische Ober=Consistorium in Preußen in neuester Zeit bewie=
sen haben. Diejenigen also, welche keine G. haben wollen, sie für unheilvoll halten,
mögen sich nicht gegen die Menschen, sondern gegen die Sache wenden. **R. B.**

Glaubensritter. Eine adelige Brüderschaft, welche sich der Förderung des
Glaubens und der Ausrottung der Ketzerei widmete. In Italien setzte sie ihren
Stolz darein, der Inquisition als Ankläger und Angeber zu dienen. G. nennt man
auch im Allgemeinen einen Fanatiker.

Glaubenssachen. Alles, was sich auf den Glauben bezieht.

Glaubenszwang, s. Glaubensfreiheit.

Gläubiger heißt derjenige, welcher von einem Andern etwas zu fordern hat,
besonders wenn diese Forderung von einem Darlehn herrührt. Vergl. Concurs, Faust=
pfand u. s. w.

Gleichgewicht. Die Größe und Macht des einen Staates war von jeher Ge=
genstand der Besorgniß für die Nachbarn und sie trachteten durch Eroberung oder
Bündnisse sich zu demselben Umfange, was man für gleichbedeutend mit derselben
Macht hielt, zu erheben. Der Erfahrungssatz, daß häufig die kleinern Staaten von
den größern erdrückt wurden, so daß Einzelne eine Weltherrschaft sich errangen, führte
zu dem Gedanken, ein G. zu schaffen, welches allen Staaten eines Erdtheils Sicher=
heit vor Uebergriffen gewähren sollte. Dieser Traum erfüllte besonders die Köpfe im
17. und 18. Jahrh., und im westphälischen Frieden dachte man ernstlich an seine
Verwirklichung. Obgleich nun die Geschichte auf jedem Blatte gelehrt hat, daß das
G. eben ein Traum und nichts Anderes ist, so zieht sich der Gedanke an dasselbe
doch immer noch wie ein Gespenst durch das Urtheil über Staatsdinge, und selbst
denkende Menschen glauben, das G. sei etwas, woran man sich halten könne. Es
giebt aber kein politisches G., hat niemals eins gegeben, wird und
kann niemals eins geben. Das G. würde völlig gleiche Macht der einzelnen
Staaten voraussetzen, die der Zahl nach nur dann denkbar wäre, wenn man die
Völker willkürlich trennte und durchschnitte, ohne die Volksthümlichkeit irgend zu ach=
ten. Allein eine solche Staatsbildung ist ein Unding, sie kann nicht von Dauer sein
und die Zerreißung eines Volkes rächt sich durch den innern moralischen Verfall der
theilenden Staaten und durch immer wiederkehrende Widersetzlichkeit der abgerissenen
Stücke. Man denke an die Theilung Polens und die stets versuchten Aufstände des
zerstückelten Volks, die sich nothwendig wiederholen werden, bis die Theilenden
daran zu Grunde gegangen sind. Wärt nun aber auch ein G. der äußern Macht
herzustellen, so wäre damit immer nichts gewonnen, denn die Eigenthümlichkeiten der
Völker, ihr Bildungsgrad, ihr Muth, ihr Freiheitszustand zerstören dieses G. mit
jedem Tage. Athen unterwarf sich das gesammte Griechenland, ja besiegte das unge=
heure Perserreich, weil es ihm an Freiheit und Bildung überlegen war; Rom unter=
warf sich die ganze Welt, weil es sie übertraf an Muth, Volkskraft und Freiheit; die
Tscherkessen schlagen sich seit fast 20 Jahren siegreich gegen das ungeheure Rußland,
weil ihre Heere nicht aus hündisch behandelten Söldnerhaufen, nicht aus zusammen
getriebenen und aneinander geschmiedeten Sklaven bestehen, sondern aus Männern, die
wissen, wofür sie schlagen: für Ehre, Freiheit und Vaterland. Das G. ist aber auch,
statt ein Mittel zur Erhaltung des Friedens zu sein, Ursache des Krieges, der Zwie=
tracht und des Mißtrauens. Hat man sich irgend ein G. zusammen gebaut, so wird

mit großer Angst über dessen Erhaltung gewacht; ist dasselbe aber einmal gestört, was unvermeidlich jeden Augenblick geschieht, so stürzen alle Staaten in heillose Verwirrung, indem sie entweder die wachsende Macht des einen Staates wieder vernichten, oder einen gleichen Zuwachs erwerben wollen. Man denke abermals an Polen; als ein Staat seine räuberische Hand danach ausstreckte, fanden sich sofort zwei andere dazu, die lieber Theil am Raube nahmen, als den einen wachsen sahen. Nicht auf dem G. — denn es giebt kein solches — sondern auf dem Volksthum, der Bildung und der Freiheit beruht die Macht und Sicherheit der Staaten; der kleine Staat, welcher diese Machtmittel pflegt und fördert kann ruhig dem äußern Wachsthum eines andern zusehen. Wo aber das Volksthum zerspalten und zerklüftet ist; wo man statt der innigen Vereinigung, eher die Trennung der Theile fördert und sie künstlich auseinander hält; wo die Bildung nichts ist, als eine Abrichtung zu Knechten der Himmels- und Erdengötter und überall verkümmert wird, wo sie Erziehung zu einem Volke beabsichtigt; wo es keine Freiheit, sondern nur Druck und Bevormundung und Niederhaltung aufstrebender Kraft giebt, da kann das G. nicht helfen und in Gefahr nicht retten. — Deutschland hat ernstmahnende Beispiele dafür geliefert und es ist sehr zu fürchten, daß es bei der nächsten Gefahr dieselbe traurige Rolle spielt.

Gleichgewicht der Staatsgewalten, s. Verfassung.

Gleichgültige Handlungen in der Religions- und Sittenlehre, s. Adiaphora.

Gleichheit. Zauberischer noch als selbst das Wort Freiheit hat das Wort G. auf die Menschen gewirkt. Als die franz. Staatsumwälzung dasselbe zum Stichwort des Tages machte, hielt die Menschheit ihre Noth für geendet und jagte im trunkenen Freudentaumel einem Schatten nach, welcher verschwand, ehe irgend Einer ihn erfaßt hatte. Denn dieselbe Versammlung, welche die G. aussprach, hob dieselbe wieder auf, indem sie die politischen Rechte an den Besitz knüpfte, und die Verfassung von 1793, welche die G. auf politischem Gebiete zwar anerkannte, kam nicht zum Leben und war nicht lebensfähig; auf irgend einem andern Gebiete war von G. gar nicht die Rede. Die große Täuschung, welche das Wort G. indessen hervorgerufen hat und noch täglich hervorruft, liegt in der Verkennung der Thatsache, daß die Menschen nicht gleich sind, daher eine volle G. unmöglich ist. Diesen Mangel an G. kann keine staatliche und keine gesellschaftliche Einrichtung entfernen und jede Theorie scheitert, ist unfruchtbar, welche auf G. gebaut ist, weil die Ungleichheit der Menschen eben G. des Besitzes, des Genusses u. s. w. undenkbar macht. Wir haben uns über die politische G. unter Census, über die Standes-G. unter Adel, über die gesellschaftliche G. unter Eigenthum, Erblichkeit, Gesellschaft u. s. w. ausgesprochen und werden über die rechtliche G. zu sprechen Gelegenheit nehmen. Es bleibt daher hier nichts zu sagen, als daß der Staat in seinen Einrichtungen die G. der Berechtigung aller Menschen an seinen Wohlthaten und Zwecken anerkennen muß, wenn er gerecht sein will; daß er seinerseits dafür sorgen muß, daß nicht unnatürliche Ungleichheit geschaffen und erhalten wird und daß nicht ganze Klassen wesentlich anders betrachtet und behandelt werden, als andere. G. der Erziehung, G. des Rechts, G. der Pflichten, G. der Behandlung Aller, ist die große Aufgabe, welche die Zukunft zu lösen hat, denn die Vergangenheit und Gegenwart hat kaum die erste Hand an diese Aufgabe gelegt. Noch sind die Menschen in begünstigte und benachtheiligte Klassen, Kasten und Abschachtelungen getheilt und der Arme ist von allen Wohlthaten und Gütern des staatlichen Verbandes thatsächlich ausgeschlossen, wenn sie ihm auch dem Namen nach zu Gute kommen. Daß bei Herstellung dieser G. die Menschheit nicht bestehen könne, daß z. B. Niemand schwere Arbeit werde machen wollen, wenn er die Wahl und Fähigkeit habe, leichte zu suchen, ist eine thörichte Behauptung, welche bei der Ungleichheit der Menschen in Fähigkeiten und Neigungen jeden Grundes entbehrt. 　　　　　　　　　　　　　　　　　　　　　　　R. B.

Gleichheit der Stimmen in der Kammer, s. Geschäftsordnung.

Gleichheit vor dem Gesetze, s. Gesetz.

Gleichstellung, staatliche, der Christen und Juden, s. Emancipation der Juden.

Glücksspiele, auch Hazardspiele genannt, vom franz. Worte „hazard", der Zufall, weil allein der blinde Zufall, das pure Glück über Gewinn oder Verlust des Spielers entscheidet. Ist das Spiel an sich schon ein armseliger Zeitvertreib, der meist nur von Mangel an geistiger Regsamkeit in der Gesellschaft zeugt, aber doch unschuldig genannt werden mag, wenn er zur Erholung der Spielenden, zur Uebung der geistigen oder körperlichen Kräfte derselben dienen soll: so ist das G., welches eben nur auf Gewinn ausgeht, nur in dieser Absicht getrieben wird, geradezu verwerflich. Den Spieler lockt es, daß er in einem Augenblicke, ohne besondere Anstrengung einen hohen Gewinn erlangen kann — aber er vergißt, daß sein Unternehmen in den meisten Fällen nur zum eigenen Unglück ausschlägt. Statt seine Zeit und sein Vermögen auf eine gemeinnützige Thätigkeit zu verwenden, geht er einem Erwerb nach, der nur den Verlust der Mitspielenden im Auge hat, nur aus ihrem Unglück seine Nahrung saugt: und so verfällt er nur zu bald der Herrschaft jener finstern Mächte, der Mißgunst, der Habsucht und des Neides, die das sittliche Gefühl ertödten, ihn zu Müssiggang verleiten, und so seinen Vermögenszustand mit Zerrüttung bedrohen: — die alten Deutschen sollen sogar die Freiheit auf einen einzigen Würfelwurf gesetzt haben. Die schrecklichen Folgen, welche das G. erfahrungsgemäß für zahlreiche Familien herbeigeführt, haben denn auch die Gesetzgebung veranlaßt, aus Rücksichten auf das allgemeine Wohl demselben entgegen zu treten. Meist ist dies durch Verbote der G. geschehen. Im Zuwiderhandlungsfalle sollen die Spieler um Geld gestraft und die vorfindenden Spielgelder hinweg genommen werden, Spielschulden ungültig sein u. s. w. Indeß, wie man so häufig die kleinen Diebe hängen und die großen laufen läßt, so auch hier. Der Staat hat es nicht unter seiner Würde gehalten, theils selbst als Spielhalter aufzutreten, theils gewissen bevorzugten Leuten in einzelnen Fällen die Erlaubniß zum öffentlichen Spiel für Geld zu ertheilen. Einmal sind es die Lotterien und Lottos, die der Staat hält, durch die er zum Spiel reizt und durch die er alljährlich eine beträchtliche Summe aus den Taschen des Volks zieht, — das andere Mal die öffentlichen Spielbanken, die er an stark bevölkerten Orten, in Bädern u. s. w., gegen einen jährlichen Pacht erlaubt (Pharao, Roulet). Gegen beide Arten des Spiels hat sich die öffentliche Meinung gekehrt, und mit Recht. Erläßt der Staat einmal der öffentlichen Sitten wegen ein Verbot gegen die G., so darf er sich selbst am allerwenigsten ein Vorrecht für Betreibung derselben vorbehalten: er setzt sich sonst dem Verdachte aus, daß es ihm nicht Ernst sei um Verbesserung der öffentlichen Sitten. Freilich bringt es ihm Geld ein, wenn er hier ein Auge zudrückt: aber es ist ein Sündengeld, welches dem Volke durch die auf dessen Leichtsinn und Unwissenheit gerichtete Berechnung abgelockt wird, jedenfalls nützlichern Thätigkeiten auf die unwirthschaftlichste Weise verloren geht und die ärmeren Klassen noch ärmer macht. Es ist erstaunlich, welch ungeheuern Pacht die Spielpächter an den Staat zahlen, welchen Lasten sie sich überdem unterziehen, durch Uebernahme von Verschönerungsbauten z. B. in Bädern, — und wie ungeheuer dennoch ihr Gewinn ist. Binnen wenigen Jahren waren Millionen auf diese Weise von einem Einzigen verdient worden, die natürlich das Volk, welches dabei immer im Nachtheil ist, rein verloren hat. Und Deutschland ist mit etwa 20 Lotterien und eben so viel solchen öffentlichen Spielbanken — Spielhöllen, wie sie der Volksmund nennt — gesegnet (die bedeutendsten in Aachen, Baden, Ems, Wiesbaden, Köthen, Doberan): die, seitdem namentlich in Frankreich die

. Spieler in Deutschland
Aber auch die Lotterien
in Sachsen nach=Abzug

reichischen Monarchie auf 7 Mill. Gulden bei nicht weniger als ebenfalls 7 Mill. Gulden
Verwaltungskosten. Der Verlust für das Nationalvermögen und die wirthschaftlichen
Verhältnisse des Volks ist unersetzbar. Wiederholt ist in Deutschland wegen ihrer

hat sogar 1844 am Bundestag einen
darauf bezüglichen Antrag gestellt. Hätte es sich um ein Erzeugniß der Druckerpresse
gehandelt, man würde ohne Zweifel sehr bald zu einem Entschlusse gelangt sein. So
aufgehoben wissen, aber auf ihre eige=

dingung einwilligen, daß der ganze Unfug aufhöre — und so kam es zu nichts. Der
Ausfall in den Staatseinnahmen ist der einzige Grund, den man für Erhaltung der
G. noch anführt, von deren Verwerflichkeit doch auch die Regierungen überzeugt sind.
Ein trauriger Einwand! Wenn die Regierungsweisheit nicht Mittel zu finden weiß,
auf redliche Weise soviel herbeizuschaffen, oder noch besser durch Einschränkungen (z. B.
durch Einziehung überflüssiger Beamtenstellen, unnützer Schreibereien) so viel zu er=
sparen, als sie jetzt aus dem Betrieb der unsittlichen G. zieht, so spricht sie sich selbst
ihr Urtheil. In Baiern haben die Stände sich sogar bereit erklärt, den durch Auf=
hebung des Lottos entstehenden Ausfall durch jede andere Auflage übertragen zu wol=
len — und doch erfolgte die Aufhebung nicht. — Wenn auch durch die Gesetzgebung
die G. nicht ganz und gar verbannt werden können, so würde doch durch Unterdrückung
jener öffentlichen Spielgelegenheiten ein großer Schritt vorwärts geschehen und die
hauptsächlichste Veranlassung zum Spiel abgestellt sein. Mehr Erfolg wird allerdings
noch die wachsende Volksbildung und ein umfassendes Sparkassensystem haben. Wenn
sich im Volk immer mehr die Ueberzeugung verbreitet und befestigt, daß die G. seinem
Wohlstande unheilbare Wunden schlagen, weil es dabei immer im Nachtheil gegen
den Spielhalter ist; wenn es andererseits auch die kleinsten Ersparnisse und Vermögens=

topf in den Rachen wirft, auf eine sichere Weise zinstragend anlegen und mit die=
sen Zinsen und Zinseszinsen, wenn auch nur nach und nach, eine Verbesserung seiner
Lage sich anbahnen kann: so wird es vielleicht in nicht gar zu langer Zeit dahin
kommen, daß es nicht mehr auf die Lockungen jener G. hört, die ihm ein rasches
und außerordentliches Glück zwar vorspiegeln, aber es meistens nur dem Abgrund
entgegenführen. Auf die Einführung solcher Sparkassen und Sparkassenvereine,

breitet werden. Ueber das Spiel, welches an Börsen mit Actien und Staatspapieren
getrieben wird und zu den G.n ebenfalls gehört, vergl. die Art. Actien, Agiotage,
Staatspapiere.   Cramer.

Gnade, s. Amnestie und Begnädigung.

Gnädig. Eine Benennung, welche Kriecherei und Uebermuth gemeinsam ge=
schaffen haben, und wodurch die Niedrigstehenden den Höhern ihre Ehrerbietung
bezeigen. Man sagt g.er, g.ster und allerg.ster Herr, je nachdem der „Herr" höher
steht und vergißt dabei, daß selbst nach der Lehre der mit der Gewalt stets verbün=
deten Kirche nur Einer „Herr" ist und nur Einer g. sein kann.

Gnostiker. Eine Ketzersecte im Morgenlande, welche jüdische Anschauungen,
griechische Weltweisheit und christliche Lehre auf eine ungentißbare Weise unter

einander mengten. Sie wirkten vom 1. bis zum 5. Jahrh., verloren sich aber dann von selbst.

God save the King (Gott erhalte den König). Ein engl. Volkslied, welches wegen seiner leichtfaßlichen und entsprechenden Weise auf der ganzen Erde Eingang gefunden hat. Die Schmeichelei hat sich beeilt, überall andere Worte voll politischer Abgötterei dazu zu schaffen, und weil Jeder die Weise sang, nannte man das Lied überall Volkslied, Nationalhymne u. s. w. Volksthümlich ist indessen nur die Weise, die eben so auf die Worte „Gummielastikum" als auf alle andern gesungen wird. Kein anderes Volkslied ist so vielfachen „Entweihungen" ausgesetzt, als gerade dieses, was eben unsere Behauptung beweist.

Goldne Bulle heißt eins der für die alte deutsche Reichsverfassung wichtigsten Gesetze. Es wurde von Kaiser Karl IV. auf dem Reichstage zu Nürnberg 1365 mit den Ständen entworfen und dann bekannt gemacht, und enthält hauptsächlich Bestimmungen über die Rechte und Vorrechte der Kurfürsten; wohlthätig äußerte es sich durch die Beschränkung, welche es den Fehden auferlegte, wenn gleich es hiermit nicht durchdrang, nachtheilig aber in Betreff der Städte, deren Vergrößerung gegenüber der Macht der Landesherrn es zu hindern suchte.   A.

Gonfaloniere hieß im Mittelalter der erste Beamte der kleinern italienischen Freistaaten, wie in Lucca, Bologna u. s. w.

Gottesdienst, s. Cultus.

Gottesfriede. Im 11. Jahrh. behauptete ein Bischof in Franken: er habe einen Brief vom Himmel erhalten, nach welchem an Sonn- und Feiertagen, im Advent, in den Fasten u. s. w. aller Streit, Fehde und Kampf eingestellt werden müßten; auch gegen Bauern, die das Feld bearbeiten, gegen Frauen, Geistliche, Reisende dürfe keine Gewalt geübt werden u. s. w. Des Geistlichen Märchen fand Glauben und hatte die nützliche Folge, daß man zuweilen wenigstens von den Raufereien damaliger Zeit abließ. Später wurden noch Klöster, Kirchen, Begräbnißstätten in den G. eingeschlossen, und die Sitte heiligte denselben dergestalt, daß der Uebertreter des G.ns mit Wegnahme seines Vermögens, Fehde, Bann u. s. w. gestraft wurde. Der G. herrschte, bis Kaiser Maximilian im 15. Jahrh. den Landfrieden einführte, dehnte seinen wohlthätigen Einfluß aber auch noch später weithin aus.

Gottesgerichte, gleichbedeutend mit Gottesurtheile.

Gottes Gnaden, von, s. Von Gottes Gnaden.

Gottesherrschaft (Theokratie) nannte man eine Staatsverfassung des Alterthums, welche angeblich von Gott selbst vorgeschrieben und daher unverletzlich und unantastbar war. Solche G. fand sich bei den Juden, bei den Anhängern Dalai-Lamas, bei den Gründern Roms u. s. w. Im Grunde war die G. nichts als Priesterherrschaft, denn Gott war stets so gefällig, die Verfassung nach deren Willen einzurichten, und sie theilten höchstens die Macht mit einem weltlichen Herrscher. Sie konnte daher auch nur so lange bestehen, als die Völker an eine unmittelbare Einwirkung Gottes auf die Menschenschicksale glaubten. Auf den Grundsätzen der G. beruht übrigens ebenso das Papstthum, wie die Einherrschaft, denn der Papst behauptet förmlich Stellvertreter Gottes auf Erden zu sein, die Einherrschaft aber nennt sich Von Gottes Gnaden und deutet damit wenigstens ihren göttlichen Ursprung an. Beiden fehlt nur jetzt die nothwendige Voraussetzung, daß die Völker glauben. Auch der „christliche Staat" ist nur ein Ableger der G.

Gotteslästerung. Wie der Glaube an Gott, d. h. der Hinblick auf ein unbekanntes höheres Wesen, welches die Schicksale der Welten, Völker und Menschen lenkt, allenthalben so verbreitet ist, daß es scheint, als ob derselbe dem Menschen angeboren sei, eben so allgemein ist die Thatsache, daß sich die Menschen ihren Gott gestalten nach dem Grade ihrer Bildung. Abgesehen von allen Göttern der alten Völker, welche die edelsten Opfer mit entsetzlicher Grausamkeit verlangten, wie

nigt.* Die Juden, welche zur Zeit des Verfalls

en. Ist es nun zunächst auch
t und Priesterbosheit, welche die Vorstellung von
mißbraucht, so darf man doch nicht verkennen, daß
für die Priestermacht maßgebend ist. Gott hat sich
Niemand weiß, was ihm gefällt oder mißfällt, der
en Werken, seiner Schöpfung und muß bei sinniger
Betrachtung verselben schließen, daß er ein eben so mächtiges als unerschöpflich lieb-
reiches Wesen ist, vor dessen unerfaßbarer Größe der Mensch — ein Stäubchen in

esen vom
anmaßt,
barbari-
zur ent-
iester den
ob ein neueres
Ursprunge und
g gleich; der Gesetzgeber, der dies verlangt, der Richter,
völlig auf dem Standpunkte des Hohenpriesters zu Jeru-
Rom. Es giebt keine G.; das Gesetz, der Mensch, welche
, würden allein G. üben durch ihre Anmaßung, wenn
In der Wirklichkeit aber verhält sich allerdings anders.
ein Verbrechen, das in Deutschland früher sogar mit
in der neuern Gesetzge-
wird. „Daß die Gott-
an Men-
en müsse,
und den-
ten, weil

R. B. u. A.

29*

sittlichung, wie z. B. in der spätern römischen Kaiserzeit, oder in der Mitte des vor. Jahrh.s in Frankreich war die G. bis zu einem gewissen Grade Mode in den sogen. höhern Ständen geworden. Andererseits hielt aber auch die Kirche in ihrem Wahn nicht selten für G., was blos Widerspruch der gesunden Vernunft gegen einzelne Kirchenlehren war. Die G., wenn sie wirklich eine solche ist, mag etwas höchst Thörichtes sein, aber sie fällt außerhalb des Gebietes jedes zwingenden Einflusses, da Jedermann erlaubt sein muß, zu denken, was er will, und da es keinen Rechtsgrund giebt, die Aeußerung dieses Denkens, und wenn es auch noch so thöricht wäre, bei Strafe zu verbieten. (S. Gotteslästerung.)   A.

Gottesurtheile (Ordalien). Nach altem deutschen Recht ein Beweismittel, wodurch Schuld oder Unschuld ermittelt werden sollte. Ihnen liegt die Vorstellung zum Grunde, daß Gott Alles weiß, die Wahrheit an den Tag bringen, und den Unschuldigen nicht untergehen lassen werde. Konnte ein Angeklagter keine Zeugen oder Eideshelfer (s. d.) finden, so mußte er zum G. schreiten. Dieses war zweifacher Art: 1) der gerichtliche Zweikampf; 2) das Ordal oder eigentliche G. Der Zweikampf konnte nur zwischen Rechts- und Standesgenossen stattfinden, doch durfte der Geringere sich nicht weigern, dem Höheren zum Kampfe zu stehen. Er fand nur bei Anklagen statt, welche an den Hals gingen oder mit Verstümmelung bestraft wurden. Weiber oder Unmündige konnten sich durch ihren Vogt vertreten lassen. Wer wegen Dieberei oder Raub das Recht verloren hatte, mußte entweder das Ordal wählen oder seine Unschuld durch einen gemietheten Kämpfer (campio) darthun. Der gerichtliche Zweikampf, der in Deutschland zur Verdrängung der vielfachen Eide begünstigt war, erhielt sich bis in das 16. Jahrh. — Die eigentlichen G. waren viererlei Art: die Feuerprobe, die Wasserprobe, die Kreuzesprobe und die Probe mit dem geweihten Bissen. Die beiden ersten sind heidnischen, die beiden letzten christlichen Ursprungs. Die Feuerprobe bestand darin, daß der Angeklagte ein glühendes Eisen in die Hand nehmen oder mit bloßen Füßen darüber hinschreiten mußte. Sie kam am häufigsten in Anwendung, und bescholtene Personen mußten ein 3mal schwereres Eisen tragen, als Andere. Bei der Wasserprobe oder dem sogenannten Kesselfange mußte der Angeklagte mit bloßer Hand in einen siedenden Kessel greifen. In Deutschland war bis zu Kaiser Lothar I. das G. mit kaltem Wasser, wobei der Taufe ähnliche Gebräuche stattfanden, ebenfalls üblich. Die Kreuzprobe fand auf zweierlei Art statt. War ein Verbrechen zwischen 2 Personen zweifelhaft, so mußten sie während des Gottesdienstes mit aufgehobenen Armen vor dem Kreuze stehen. Wer zuerst die Arme sinken ließ, wurde als Schuldiger erkannt und bestraft. Handelte es sich aber um den Beweis der Schuld bei einem Angeklagten, so legte man 2 hölzerne Stäbe, von welchen einer mit einem Kreuze bezeichnet war, beide aber mit weißer Wolle umwickelt wurden, auf den Altar. Ein kleines Kind mußte einen dieser Stäbe angreifen, nachdem Gott um Aufdeckung des Verbrechens angefleht worden war. Ergriff das Kind den mit dem Kreuze bezeichneten Stab, so wurde der Angeschuldigte für schuldig erachtet, im Gegentheile für unschuldig. Der geweihte Bissen war die leichteste Probe, denn sie bestand nur darin, daß ein Stück Brod oder dergleichen vom Geistlichen gesegnet und vom Angeklagten mit dem Ausspruch: Wenn ich schuldig bin, so soll mir dies zum Verderben gereichen! verschluckt wurde. Menschliche Grausamkeit hat jedoch auch vergiftete Bissen statt geweihter eingeführt. Auch hatte man in einzelnen Ländern besondere Arten von G.n, wie z. B. das weitverbreitete Bahrrecht. Konnte man nämlich einen des Mordes Verdächtigten nicht überführen, so ließ man ihn die Hand auf die Wunde des Gemordeten legen; blutete diese Wunde dann, so war er schuldig, blutete sie nicht, so war er gereinigt u. s. w. — Das G.; das entweder vom Zufall, oder gar von künstlichen Mitteln abhängig war, erregt jetzt ein geheimes Schaudern; aber sie bieten auch eine schönere Seite, sie überhoben den Richter der oft sehr schweren und zweideutigen Pflicht, selbst den Beweis sich zu führen. Da nun dem Richter die Schuld oder Unschuld stets durch äußerliche Beweismittel dargethan werden mußte, so fand auch nicht die unter Geschwornengericht (s. d.) besprochene Vereinigung nicht zu vereinigender Verrichtungen im Richter statt. Es widerspracht und widerspricht dem Rechtssinne, das Urtheil über die That und die Straffsetzung einer und derselben Person zu überlassen. Daher die 3 Beweismittel: Reinigungseid, Geschwornengericht und G. — Das Christenthum mußte die häufigen Eide, die nicht selten Meineide zur Folge hatten, wie die G. verschwinden machen. An die Stelle der letzteren trat die Folter (s. d.) und der Glaube an die unmittelbare Einwirkung Gottes durch Verleihung von Geistesstärke zur Ertragung körperlicher Leiden, nahm die Stelle der G. ein. *Adolph Hensel.*

Gottesverehrung, s. Cultus.

Gouvernement (Gouverneur). In Deutschland, wo man Sprache und Volksthum in den gebildeten Kreisen namentlich noch so wenig achten gelernt, daß man nicht 10 Worte reden kann, ohne griech. oder römische oder franz. Brocken einzumengen, heißt natürlich die Regierung oft G., der Regierer, besonders eines Theiles des Landes, Gouverneur.

Gönnerschaft, s. Amt und Begünstigung.

Götzendienst, religiöser und politischer, s. Abgötterei.

Graf, s. Adel.

Grafentage, s. Fürstentage.

Granate, eine kleinere Gattung von Bomben (s. d.).

Grand. Bezeichnung des spanischen hohen Adels, der dort, wie überall, eine Masse Begünstigungen und Bevorzugungen sich errungen hat. Die unschuldigste derselben ist die, daß der G. bedeckten Hauptes vor dem Könige stehen darf.

Gratification. Fast allgemein üblicher fremder Ausdruck für ein Geschenk, welches den Beamten besonders guter, oder wegen außerordentlicher Amtsführung gegeben wird. Vergl. Amt und Besoldung.

Gravamina, s. Bittschriften.

Gräben, s. Festung.

Gräberraub oder Leichenraub heißt ein Verbrechen, welches nicht nur die Wegnahme, sondern auch die Beraubung, Mißhandlung u. s. w. einer Leiche, so wie die Entweihung, Zerstörung u. s. w. des Grabes in sich begreift. Die Alten, welche die Ansicht hatten, daß ein Verstorbener die Freuden des Jenseits nicht genieße, wenn seine Grabesruhe gestört werde, bestraften den G. mit dem Tode. Die neuere Gesetzgebung thut dies nicht mehr, aber sie straft den G. immer noch schwer, weil beim G. außer dem Verbrechen ein grobe Verletzung des menschlichen Gefühls vorliegt.

Great charter, s. Charta magna.

Grenadier. Eine besondere Abtheilung des Fußvolks bei einem Heere; ursprünglich waren die G.e zum Werfen kleiner Bomben (Handgranaten) bestimmt und bestanden aus den tüchtigsten, größten und geprüftesten Leuten. Die G. trugen hohe Mützen von Bärenfell und gingen stets voran, wo es Muth und Kraft zu zeigen galt. Als besondere Waffengattung sind die G.e meist verschwunden; doch heißt in einigen Heeren, z. B. im franz., die erste Compagnie jedes Regiments noch G.compagnie und besteht aus den größten und tüchtigsten Männern des Regiments.

Grenzbewachung, s. ansteckende Krankheiten, Cordon und Schmuggelhandel.

Grenze nennt man das Aeußerste, den Rand irgend eines Gegenstandes, also in der Politik die Linie, wo ein Gebiet (s. d.) aufhört und ein anderes beginnt. Die G. hat der Staatskunst viel Kopfzerbrechen verursacht, weil man es verschmähte, die Natur zu beobachten und von ihr zu lernen, vielmehr die Herrschsucht, die Ländergier und das Recht des Stärkern allein entscheiden ließ und eine künstliche G. schuf, die der nächste Stoß zerstörte. Die einzig natürliche G. ist das Volksthum, dessen mächtigstes Kennzeichen die Sprache ist; eines Volkes natürliche G. also ist seine Sprache und daselbst sollte die G. des Staates oder des Staatenbundes sein, der dieses Volk vereinigt. Daß man vielfach Gebirge, Gewässer, große Wälder u. s. w. als Grenzscheide festgestellt und erkannt hat, ist im Laufe der staatlichen Entwickelung ebenfalls gerechtfertigt, nur können diese Merkmale als solche nicht entscheiden; denn die Sprach-G. wird meistens durch diese Scheidungen der Völker bezeichnet. Es ist auch natürlich, daß ein Volk sich bis dahin ausdehnt, wo die Natur ihm Hindernisse entgegen gestellt und den Verkehr erschwert hat; der Drang hierzu ist so mächtig, daß selbst künstliche Scheidungen ihn nicht hemmen können. Das einst deutsche Lothringen z. B. ist wirklich und wahrhaft französisch geworden, weil die natürliche G. Frankreichs es einschloß; eben so ist das ehemals polnische Gebiet nach der Küste der Ostsee hin deutsch geworden, oder ist noch im Begriff es zu werden; aller volksthümlicher Bestrebungen der Polen ungeachtet, geht diese geistige Eroberung ununterbrochen vorwärts und keine Macht der Erde kann sie aufhalten. Werfen wir einen Blick auf Europa, so sehen wir, wie Gebirgszüge und Wässer fast überall auch die Sprach-G. geworden sind. Spanien und Portugal, ein zusammengehöriges, sprachverwandtes und nur künstlich getrenntes Volk, erstrecken sich von den Pyrenäen allseitig bis zum Meere; die künstliche Staaten-G. ist verschwunden und die letzte Scheidung wird ohne Zweifel überwunden werden; Frankreich breitet sich zwischen 2 Meeren, den Pyrenäen, Alpen, den Vogesen und Ardennen aus und was jenseits dieser G. liegt, hat es zwar erobern und besitzen, aber nicht geistig, d. h. sprachlich zu verschmelzen gewußt; Italien dehnt sich von den Alpen bis allseitig zum Meere; Deutschland von den Alpen, Vogesen und Ardennen bis zur Nord- und Ostsee und von ihr bezeichnet eine fast ununterbrochene Wasser- und Bergscheidung seine G. nach Süden hin. Ist demnach die Sprache die natürliche G., so dehnt sich auch diese Sprache fast immer aus bis zu der von der Natur gezogenen äußerlichen G. Diese Thatsachen sind jetzt so ziemlich allgemein anerkannt, sie müssen bei etwaigen G.streitigkeiten die Grundlage der Einigung bilden, wenn diese Einigung eine dauernde sein soll. Die G. wurde vom grauen Alterthum an als etwas Heiliges und Unverletzliches angesehen; sie war durch Marken der verschiedensten Art bezeichnet und die Verrückung derselben wurde mit dem Tode oder mindestens mit harten Leibesstrafen gestraft. Jetzt wird nur noch die Verletzung der G. des Privatgebietes bestraft, diese aber ebenfalls hart. Wer die staatliche G. zu verletzen die Macht hat, hat auch die Macht und Mittel, sich der Strafe zu entziehen. Vergl. Gebiet.   R. B.

Grenzsperre, russische. Die Art, wie Rußland die Verträge deutet und achtet, deren Aufrechthaltung es stets laut im Munde führt, liegt, was Deutschland betrifft, in der freundnachbarlichen Politik vor Augen, die es seit einem Menschenalter gegen Deutschlands einst so umfangreiche Handels- und Verkehrsbeziehungen zum Osten Europas befolgt hat und noch befolgt. Die Verträge von 1815 bezeichnen als Grundsatz der zwischen Rußland und Preußen einzuhaltenden Politik hinsichtlich des Handels- und Gewerbverkehrs — namentlich mit Polen und den ehemaligen polnischen Landestheilen. — die sorgsamste Berücksichtigung und Förderung der Sympathien beider Völker und ihres Nationalgeistes durch Gewährung von solchen Vortheilen, welche die Uebung der Künste des Friedens und der Gesittung im gegenseitigen Austausche der Erzeugnisse des beiderseitigen Gewerbfleißes darbietet. Diese Bestimmungen stehen in der Generalacte des Wiener Congresses, wie in der speciellen derselben einverleibten Vertragsurkunde zwischen Rußland und Preußen ausdrücklich verzeichnet. Nur jener glänzenden Verheißung einer solchen Gestaltung des internationalen Verkehrs und der nachbarlichen Gegenseitigkeit hat es Rußland zu danken, daß man auf jenem Congreß von preußischer Seite die Zugeständnisse bis über die Grenze der Klugheit und Voraussicht hinaus ausdehnte und es gestattete, daß der ländergewaltige östliche Nachbar, dessen Armeen schon einmal als Feinde in das Herz

vorgedrungen und selbst Miene gemacht, Berlin zu ver-
Westen bis gegen das mittlere Deutschland vorschieben und

und eines Einfalls entgegen zu halten. Und wie hat Rußland jenes unermeßliche
Zugeständniß gelohnt? In dem 33jährigen Frieden hat es gegen seinen Nachbar
und Verbündeten eine Grenz- und Verkehrssperre aufgerichtet, die nur eine

war Krieg vorhanden zwischen zwei von Nationalhaß beseelten Völkern, hier hingegen
erblickt man mitten im Frieden ein solches System völliger Absperrung gegen einen

Würde zu wahren. Diese G., welche von der äußersten nordöstlichen Spitze Ostpreu-
ßens bis an die Grenze von Krakau durch eine ununterbrochene dreifache Kette von
bewaffneten Grenzwächtern, Kosaken, Baschkiren und andern asiatischen Barbarenhorden, den Austausch des Westens mit dem slawischen Osten völlig durchschneidet, kann
nur den Zweck haben, hinter dieser neuen chinesischen Mauer ungestört die Mittel
aufzuhäufen, womit man zu gelegener Zeit die von den russischen Lobrednern geprie-
ser Bajonnette und aus der Mündung

Geschütze dem Westen und zuerst dem durch die G. im Osten verarmten und ausgesogenen Deutschland zubringen wird. Die kaufmännische Bedeutung jener G. ist
für die russische Politik nur untergeordneten Belangs; sein dadurch unbestreitbar geför-
die Hülfsmittel, welche er dem russischen Staats- und Volks-
verspricht, könnte, wie es in Frankreich, Belgien, England zu
gleichem Zwecke der Fall ist, durch Maßregeln anderer Art begünstigt werden, ohne

gungssystem Rußlands, wie es in seiner G. mit eiserner Strenge und Folgerichtigkeit durchgeführt, und wie es durch alle die verschiedenen Aenderungen in den Zoll-
ten 30 Jahre nur weiter

60 Millionen Menschen gebietenden Gewalt-
es gesitteten Welttheils auf die Dauer gefähr-

Volkes in einer wah-
ren Nationalvertretung ihren gesetzlichen Ausdruck finden wird, muß vor dem Flügel-
n Gestalt der russischen G. oder der.
in die Steppen zurück-
welchen, die seine Heimath sind.   J. G. G.

Griechische Kirche. Als der Bischof von   nze Christenheit, knechten und unter seine Herrschergelüste beugen wollte, kam es zwischen den Kaisern und

Bischöfen des Morgenlandes zum Bruch und die g. K. entstand im 9., 10. und 11. Jahrh. als eine unabhängige Hälfte des Christenthums. Alle Versuche der Wiedervereinigung scheiterten an der Starrheit der morgenländischen Geistlichen, die — eben so herrschsüch-

Muhamedanismus aus dem Morgenlande verdrängt, eroberte die g. K. die slawischen Länder, Rußland u. s. w., wo noch heute ihr Sitz ist. Die g. K. nennt sich ebenfalls apostolisch-katholisch und hält sich für die alleinrechtgläubige und seligmachende; sie ist eben so anmaßend und herrschsüchtig, wie die römische, deren Lehren sie fast alle anerkennt, deren Prunk, Gebräuche und Formen sie beibehalten, ja theils noch gesteigert hat, wie denn z. B. ihre Fasten 2—4 Wochen dauern; sie verhängt Kirchenstrafen und zwingt die Gewissen durch Ohrenbeichte u. s. w. Nur das Papstthum, die Statthalterschaft Gottes erkennt sie nicht an, glaubt nicht an das Fegefeuer, kennt keinen Ablaß, reicht auch den Laien den Kelch beim Abendmahle, gestattet die Priesterehe, erlaubt die Ehescheidung und erkennt die Fußwaschung als ein Sacrament an, welches jedoch den Laien nicht zu Theil wird. Sie hat ihre Heiligen und verflucht die Ketzer und Andersgläubigen, hat Klöster, aber keine Orden, hat Weihen und Rangordnung der Geistlichen, verrichtet aber den Gottesdienst in der Landessprache. Die g. K. theilt sich in die unirte und nichtunirte; die erstere ist die strenggläubigste und ausschließlichste, steht unter dem Patriarchen von Moskau, oder vielmehr von Petersburg, welcher Mitglied des heiligen Synod ist, der mit völlig päpstlicher Machtvollkommenheit herrscht, aber dem Kaiser unterthan ist; der Kaiser ist demnach der Papst der g. K. Die nichtunirte g. K. erkennt zwar den Patriarchen von Constantinopel als Oberhaupt an, doch hat derselbe keine Macht und seine Anordnungen werden fast nur in der Stadt bekannt. — Die g. Kirche zerfällt, besonders im Morgenlande, in eine Unzahl Sekten, die sich gegenseitig als Ketzer verabscheuen.

Großbotschafter, s. Gesandter.

Großcomthur, Großprior, Großschatzmeister, Großsiegelbewahrer u. s. w. nennt man in der Titelübertreibungswuth den Comthur u. s. w., welchen man über seine Genossen erheben will.

Große Jury, s. Anklageproceß und Geschworene.

Großer Rath heißt die Volksvertretung in den einzelnen Cantonen der Schweiz. Der g. R. wird vom Volke gewählt, hat nur Cantonsangelegenheiten zu berathen, den kleinen Rath: die Regierung, zu beaufsichtigen und die Abgeordneten zur Landesvertretung: zur Tagsatzung, zu wählen. Er versammelt sich alljährlich, wird aber auch bei allen außerordentlichen Gelegenheiten berufen.

Großes Buch. Das Verzeichniß derjenigen Staatsschulden in Frankreich, welche nicht zurückbezahlt, sondern für welche nur 5 vom Hundert Zinsen, oder Renten gewährt werden. Die Staatsumwälzung legte nach dem Bankerott das g. B. an und belastete es mit 2980 Mill. Schulden, Napoleon brachte 320 Mill. dazu, die Bourbons machten 2000 Mill. Schulden, von denen 1000 Mill. dem aus Selbstsucht und Feigheit ausgerissenen Adel gegeben wurden, der während der Staatsumwälzung Verlust erlitten hatte. Durch die Verwandlung der Rente in nur 3 vom Hundert minderten sich die Schulden auf 4600 Mill., die „beste der Republiken", das Bürgerkönigthum, aber vermehrte sie wieder ins Unendliche, und es schien, als ob Frankreich absichtlich und mit allen Mitteln zu einem Staatsbankerott getrieben werden sollte. Siehe, da wurde der Julithron umgestürzt, und eine der wichtigsten, wenn auch schwierigsten Aufgaben der neuen Republik wird es sein, in den Staatshaushalt Ordnung zu bringen.

Großfürst. Ehemals Titel der Beherrscher von Moskau, von Lithauen und von Siebenbürgen; daher noch jetzt Titel der Kaiser von Oesterreich und von Rußland: die Prinzessinnen G.innen genannt, ohne jedoch irgendwie Herrscherrechte über die genannten Länder auszuüben.

Großherzog. Ein im 16. Jahrh. vom Papste dem Herzog von Florenz gewährter Titel, der sich auch nach Deutschland übergepflanzt hat und den daselbst die Herrscher von Baden, Weimar, Rheinhessen und den beiden Mecklenburg führen. Im **17. Jahrh.** wurde dem Titel die Bezeichnung **Königl. Hoheit** hinzugefügt, und damit angedeutet, daß der G. im Range unmittelbar nach dem Könige folgt.

Grundbücher nennt man die Bücher, in welchen der Bodenwerth eines Gutes, so wie dessen Lasten, Ausgaben und Erträge verzeichnet stehen.

Grundeigenthum. Der Besitz eines Stückes Erdboden wird als G. bezeichnet, und dieses G., auch **unbewegliches Eigenthum** (Immobile), wird dem **beweglichen Eigenthum**, der fahrenden Habe (Mobile, Mobilien), entgegengesetzt. Anfangs schrieben sich nur ganze Völker das G. an gewissen Landstrichen zu, und da es sehr schwer war, an etwas so Allgemeinem, wie der Boden, auch nur den Schein des Rechtes eines besondern Besitzes nachzuweisen, so mußte Gott aushelfen. Jehova hatte den alten Juden das Land Kanaan geschenkt, wie der große Geist den Indianern ihre Jagdgebiete. Später wurde das G. wie jedes andere behandelt, nur trachtete man lange dasselbe in großen Theilen vereint zu halten (s. Theilbarkeit des Bodens). Was vom Eigenthum überhaupt gesagt ist, gilt auch hinsichtlich des G., die besondere Gebarung mit dem größten Theile desselben s. unter Landwirthschaft.

Grundgefällsteuer, s. Steuer.

Grundgesetz, s. Verfassung.

Grundherr (Grundherrschaft) nennt man theils vom sogenannten Obereigenthum des Staates den Herrscher und die Regierung; theils und noch mehr aber den Besitzer des Bodens und der mit demselben verbundenen Gerechtsame. Häufig ist der Boden nicht mehr Eigenthum des G.n, wie bei einem großen Theile der Rittergüter, aber die Gerechtsame, wie Jagd, Gerichtsbarkeit, Lehn u. s. w. sind geblieben, eine Ungerechtigkeit, die nur in der Zeit der Halbheit und des Ueberganges, wie die unsere, denkbar ist.

Grundhypothekenbank, s. landwirthschaftliche Creditanstalten.

Grundlasten, s. bäuerliche Lasten, Frohnen und Steuer.

Grundschulden, s. Hypothek.

Grundsteuer, s. Steuer.

Grundrenten, s. bäuerliche Lasten.

Grundvertrag, s. Verfassung.

Grundzinsen, s. Abgaben, Ablösung und bäuerliche Lasten.

Guardian heißt der Vorsteher eines Mönchsklosters, s. Prior.

Guelfen, s. Gibellinen.

Guerillas, s. Krieg.

Guillotine. Eine Maschine zum Köpfen; sie besteht in einer Bank, an deren einem Ende 2 Säulen stehen, die durch ein Querholz verbunden sind. Oben an dem Querholz hängt ein großes, artartiges, sehr mit Blei beschwertes Messer, welches durch die Lösung einer Schnur herabfällt und den Kopf des Verurtheilten, welcher auf der Bank liegt und zwischen den Säulen von einem Brette niedergehalten wird, leicht und sicher vom Rumpfe trennt. Solche Maschinen bestanden schon weit früher unter den Namen: welsche Falle in Italien, als Enthauptungsbeile in Deutschland, als Gibbet in England und als Maid in Schottland; der Arzt Guillotin, dessen Namen sie trägt, hat sie nur vervollkommnet. Der übermäßige Gebrauch der G. während der franz. Staatsumwälzung hat solchen Abscheu vor ihr erregt, daß selbst die Staatsweisheit, welche ohne gesetzlichen Todschlag nicht bestehen zu können meint, sie nicht benutzt und es lieber geschehen läßt, daß die ohnehin abscheuliche Hinrichtung in eine kannibalische Schlächterei ausartet.

Guillotinenmarsch, s. Ça ira.

Gutachten (gutachtliche Berichte), s. Bericht.

Guter Ruf, ſ. Ehrloſigkeit.

Gute Vettern, ſ. Carbonari.

Gutsherrliche Laſten, ſ. bäuerliche Laſten.

Gülten, ſ. Ablöſung und bäuerliche Laſten.

Güterpfleger, ſ. Concurs und Friedensrichter.

Gütereinziehung (Confiscation). Zur Zeit, als die Strafgeſetze und das Strafrecht noch mehr eine Sache des reinen Beliebens und alleinherrſchender Willkür war, erſand man auch die Strafe der G., und übte ſie mit ſchonungsloſer Grauſamkeit aus. Sie offenbarte ſich um ſo mehr als eine Handlung kleinlicher Rachſucht, als der Staat ſie meiſt nur da ausübte, wo er ſelbſt oder vielmehr der Herrſcher beim Verbrechen verletzt war, wie beim Hochverrath, Majeſtätsbeleidigung, Austreten im Kriege, Verbreitung ſchädlicher Schriften u. ſ. w. Mit der G. beſtrafte man häufig, nicht den Verbrecher, ſondern ſeine Angehörigen und Nachgelaſſenen, denen man die Mittel zur Erhaltung raubte und den finſtern Bibelſpruch verwirklichte: Die Sünden der Väter ſollen heimgeſucht werden bis ins 4. Glied. Wo Rechtsgrundſätze den Geſetzen als Grundlage dienen, da iſt die G. abgeſchafft; nur wo der rachedürſtende Alleinherrſcher noch ſeine Gelüſte als Geſetz gelten laſſen kann, beſteht ſie fort. Die letzten 15 Jahre haben uns die Kunde von G. für Milliarden von Beſitzthum gebracht, die in Polen Statt fand, weil die Verbrecher ſich der Gerechtigkeit, d. h. dem Galgen oder der Knute entzogen hatten. Außer Rußland kommt G. nur in wenigen halbbarbariſchen Ländern noch vor. Nur in der Zollgeſetzgebung vergreift man ſich noch an dem Gute, mit welchem ein Verbrechen begangen worden iſt; jedoch meiſtens nur einſtweilen und als Sicherſtellung für die Abtragung der Strafe. Wo die G. zur Ausgleichung eines angerichteten Schadens erfolgt, hat ſie allerdings eine andere, mildere Bedeutung und iſt oft eine wirkliche Handlung der Gerechtigkeit. G. nennt man es, wenn die rachſüchtige Handlung der G. nicht nur von Einzelnen willkürlich geübt, ſondern auch zur Anreizung für die Nachfolger niedergeſchrieben iſt und von dieſen laut dieſer Niederſchrift erfolgt.   R. B.

Gütergemeinſchaft. Ein Gedanke, welcher Jahrtauſende die Weiſen beſchäftigt, oft verſucht wurde, aber nie beſtand, iſt der der G., d. h. der gemeinſamen Verwaltung alles Beſitzthums zum Beſten Aller. Schon in Sparta machte man den Verſuch der G., die Eſſäer oder Eſſener, zu welchen Chriſtus gehörte, verſuchten ſie bei den Juden, die erſten Chriſten ahmten ihnen nach, und bis auf die Brüdergemeinden (ſ. d.) und die Verſuche von Owen und den Communiſtenniederlaſſungen in Nordamerika in neueſter Zeit ſind unzählige Pläne gemacht worden und — geſcheitert. Wir haben unter Eigenthum, Geſellſchaft, Gleichheit u. ſ. w. uns auch über G. ausgeſprochen und können hier auf wiederholt darauf hinweiſen, daß die bisherigen Erfolge ihre Unausführbarkeit darthun. Wir haben demnach hier das Augenmerk nur auf 2 Arten der G. zu richten, die der Gemeinden und die eheliche. — Die G. der Gemeinden ſchreibt ſich von der Zeit her, wo der Grund erobert wurde und ſich nicht, wie die ſonſtige Beute, theilen ließ. Welche Veränderungen auch vorgegangen ſind ſeitdem, ein anderer Urſprung iſt kaum denkbar. Dieſe G. iſt ein Abſchreckungsmittel gegen jede G., denn die Erfahrung lehrt in allen Ländern, daß die G. dahin führt, daß der Boden verſchlechtert und entwerthet wird, während er ringsumher ſteigt und ſich verbeſſert (ſ. Almend). Daher iſt man auch von dieſer G. faſt allenthalben zurückgekommen. — Dagegen iſt die eheliche G. eben ſo noch allenthalben üblich, wie die Ehe, die Vereinigung beider Geſchlechter gewiſſermaßen erſt den Menſchen in ſeiner Ganzheit darſtellt. (ſ. Ehe und Geſchlechtsverhältniſſe) und das innige Band der Erde iſt, ſo ſoll auch die Sorge um getrenntes Gut dieſelbe nicht einmal auf Augenblicke trennen und ſpalten, und man kann wohl behaupten, daß ſie reiner und ungetrübter geworden iſt, ſeit die G. beſteht, die das Alterthum nicht kannte, welches das Weib als Sklavin behandelte und ihm das Recht des Befizes absprach. Das römische Recht selbst geht von dieser Ansicht aus und hat sie ringsum, besonders bei uns herrschend gemacht. Die neuern Gesetze gehen von der G. aus und trennen das Vermögen beider Gatten nur in so fern, als sie Sorge für die Familien bei Auflösung der Ehe tragen. Leider haben sie diese Sorge noch nicht weit genug ausgedehnt, denn was wir unter Geschlechtsverhältnisse über die verkehrte Stellung der Frauen gesagt, findet natürlich auf die G. eine wesentliche Anwendung. R. B.

Gütergleichheit, s. Gleichheit und Gütergemeinschaft.

Güter, Theilbarkeit der, s. Theilbarkeit der Güter.

Güterversicherung, s. Waarenversicherung.

Güterzerschlagung, Theilbarkeit des Bodens.

Gymnasialreform, s. Schulverbesserungen.

Gymnasien, s. Schule.

Gymnastik, s. Turnwesen.

H.

Habe, s. v. w. Besitzthum, Eigenthum.

Habeas corpus-Acte. Diesen Namen führt das Gesetz, welches von jedem Engländer bis zum heutigen Tage als die große Bürgschaft der persönlichen Freiheit betrachtet, als die theuerste Errungenschaft der langen und hartnäckigen Kämpfe gegen die Unterdrückungslust und Gewaltanmaßung treuloser Könige angesehn wird. Als die Stuarts nach ihrer Wiedereinsetzung auf den englischen Thron sich eben so unverbesserlich in ihrem Herrschergelüste zu zeigen begannen, als dies vor der ernsten Lehre gewesen, die ihnen in ihrer Vertreibung und in der Hinrichtung eines der Ihrigen gegeben worden war, entbrannte zwischen ihnen und der Landesvertretung, dem Parlament., jener Kampf, welcher zur zweiten und letzten Vertreibung dieses Dynastengeschlechts führte. Einer der ersten Siege in diesem Streite war die Karl II. im Jahr 1679 abgedrungene H. c.-A., ein Gesetz, kraft dessen Niemand gefangen gesetzt werden darf, ohne daß man ihn von dem Grunde seiner Verhaftung in Kenntniß setze und ohne daß vor einem Gerichtshof die Gesetzlichkeit einer solchen Maßregel ausgesprochen worden wäre, wodurch es für alle Zeiten unmöglich gemacht ist, daß irgend ein König oder eine Ministergewalt, wie es früher nur zu häufig geschehen, Jemanden willkürlich in Haft halten konnte. Sobald irgend ein Verhafteter glaubt, daß man ihn unrechtmäßiger Weise seiner Freiheit beraubt, so wirkt er sich ein writ of H. c.-A. gegen denjenigen aus, welcher ihn in Haft hält, und verlangt, daß man ihn binnen 24 Stunden, vom Augenblick der Vorzeigung dieser Urkunde gerechnet, vor einen Gerichtshof oder vor einen Richter stelle; sollte eine Gerichtsperson sich weigern, eine solche Urkunde auszufertigen, so verfällt sie in eine an den Verhafteten zu zahlende Geldstrafe von 500 Pf. Sterl., etwa 3500 Thaler; widersetzt sich der Gefängnißwärter einem solchen Befehl, so verwirkt er gleichfalls beim ersten Male eine Strafe von 100 und im wiederholten Falle von 200 Pf. Sterl. — Wird der Verhaftete in Folge eines richterlichen Urtheils freigelassen, so kann er wegen desselben

Vergehens, deſſentwegen er vor Gericht geſtanden, nicht aufs Neue verhaftet werden. — Wenn in Folge außerordentlicher Ereigniſſe, die außerordentliche, aus dem Kreiſe der gewöhnlichen Geſetze heraus gehende Maßregeln erheiſcht, die perſönliche Freiheit nicht allenthalben mehr in dem jenem geſetzlichen Schutze innewohnenden ſorgfältigen Geiſte gewahrt werden kann, ſo iſt ein eigner Parlamentsbeſchluß zur zeitweiligen Einſtellung der Wirkſamkeit der H. c.-A. nothwendig; eine Genehmigung der Geſetzgebung, die nur in den äußerſt bringenden Fällen ertheilt wird, wo das Gemeinweſen ſich durch große Erſchütterungen bedroht ſieht und davon die Gefahr durch dergleichen Ausnahmsmaßregeln abzuwenden hoffen darf. J. G. O.

Habeſſyniſche Kirche. Seit 350 etwa iſt in Habeſch das Chriſtenthum eingeführt, hat ſich aber eigenthümlich mit jüdiſchen Gebräuchen vermiſcht; ſo z. B. werden die Kinder beſchnitten und ſpäter auch getauft; die chriſtlichen Faſten werden beobachtet, aber in jüdiſcher Weiſe begangen; mit den Feiertagen iſt es ebenſo; der Altar beſteht aus der jüdiſchen Bundeslade, doch feiert man an demſelben das Abendmahl; die Geiſtlichen dürfen heirathen und laufen auf der Straße mit einem Kreuze umher; in der Kirche ſind Kreuze, wie alle andern Bilder verpönt, doch verehrt man eine Maſſe Heilige, der Gottesdienſt beſteht blos aus dem Vorleſen der Bibel. Sie hat eine Art Papſt im König und eine vielfach abgeſtufte Prieſterſchaft, erkennt aber auch den Papſt als ökumeniſchen Biſchof an, deren es 4 giebt u. ſ. w.

Habilitiren ſtammt von habil: geſchickt, gewandt, und iſt der faſt ausſchließlich gebräuchliche fremde Ausdruck für eine Art Prüfungs- oder öffentliche Proberede, durch welche ein Gelehrter ſich das Recht erwirbt, an einer Hochſchule Vorleſungen zu halten. Daher wird mit H. auch oft die Niederlaſſung eines Gelehrten an irgend einem Platze verſtanden.

Haft bezeichnet bald eine moraliſche Verpflichtung zu irgend etwas, und iſt dann gleichbedeutend mit Bürgſchaft und Gewährleiſtung; bald die Feſthaltung einer Sache als Gewähr für irgend eine Leiſtung; bald endlich die Gefangenhaltung einer Perſon, als Mittel dieſelbe zu einer pflichtmäßigen Leiſtung zu zwingen; demnach alſo ſtets die Hemmung der Verfügung über Sachen oder Perſonen zur Erzwingung einer Verpflichtung. Die perſönliche H. pflegt auch bei Wechſelſchuld noch vorzukommen, wird aber von freiſinnigen Geſetzgebungen auch hier verworfen. Ueberhaupt richtet ſich der Fortſchritt der Geſetzgebung entſchieden darauf hin, die perſönliche Freiheit höher zu achten als jede andere und ſie daher nicht wegen einer ſachlichen Verbindlichkeit Preis zu geben.

Hagelverſicherung, ſ. Verſicherung.

Hageſtolz, zuſammengeſetzt aus Haga (Hof) und Stolze (Wohnſitz), bezeichnete urſprünglich wohl kaum etwas Anderes, als die jüngern Söhne abliger Familien, die nach Einführung des Majorats (ſ. d.) ſich mit dem Wohnungs-Auszuge auf ihren väterlichen Stammgütern begnügen mußten und daher meiſt aus Mangel an Vermögen zum eheloſen Leben gezwungen waren. Heutzutage aber verſteht man darunter einen Mann, der in freiwilliger Eheloſigkeit lebt. Es mag nicht in Abrede geſtellt werden, daß der H. einen der erſten Lebenszwecke und ſelbſt eine ſtaatsbürgerliche Pflicht unerfüllt läßt, ſogar gegen die Anforderungen der Sittlichkeit ſündigt; aber es muß Jedermann ſo weit Herr ſeines Willens ſein, in dieſer Hinſicht zu thun und zu laſſen, was er will; am allerwenigſten aber ſteht dem Staate ein Recht zu, den H. dafür verantwortlich zu machen oder wohl gar zu beſtrafen, wie früher in manchen Gegenden Deutſchlands, wo die Obrigkeit den Eheloſen zum Theil nicht blos beerbte, ſondern ihm ſogar das Recht abſprach, über ſelbſt erworbenes Vermögen teſtamentariſch verfügen zu können, dadurch aber ſcheinbares Unrecht mit wirklichem Unrecht vergalt. Was aber, was ſoll man jenen Unglücklichen für eine Bezeichnung geben, die ihr Leben als „Mönche ohne Klöſter" zubringen, und doch dieſelben Gefühle und Bedürfniſſe haben, wie der Miniſter, der glänzend pensionirte Held in Friedenszeiten, eine geadelte Tänzerin oder ein sündhaft bezahlter

zu knapp und zu sauer ist und die Gemeinden billig Bedenken tragen, durch sie das Armeteufelthum noch mehr überhand nehmen zu lassen? Was soll mit allen diesen

— vom Lohnschreiber bei der Verwaltungsbehörde bis zum Bedienten, der seine besten Lebensjahre im Dienste Anderer vergeudet, um dann dem Gemeindewesen zur Last zu fallen, und zum Arbeiter, den schlechte Gesetze zur Unsittlichkeit treiben, indem sie ihm die Ehe unmöglich machen — sie Alle hat der „christliche" Staat auf seinem Gewissen! W. Pretzsch.

Halsgericht, soviel wie Blutbann (s. d.).

Halsgerichtsordnung, s. Carolina.

Handdienste, s. bäuerliche Lasten und Frohnen.

Handel*) ist Tausch von Waare um Waare; auf solchen Austausch (s. d.) läßt sich jede der tausend Gestaltungen des H.s zurückführen. Dieser Tausch ist so alt wie die menschliche Gesellschaft selbst; die rohesten Anfänge desselben im Kindesalter der Welt wie die vollendetste Gestalt in unserm Zeitalter ruht auf ein und demselben unumstößlichen Grundsätzen, jede spätere Entwickelung und neue Wandlung der

der Menge und der Vielfältigkeit der Erzeugung hängt die Ausdehnung, der Umfang und der Inhalt des H.s ab. Die Erzeugung zu steigern, ist also die nothwendigste

stets die Verwohlfeilung des Erzeugnisses im Gefolge. Die Verwohlfeilung der Waaren hinwiederum mehrt die Menge der allgemeinen Unterhalts- und Genußmittel; das möglichst reichliche Vorhandensein der letztern ist aber eine Bedingung der allgemeinen Cultur und Gesittung; insofern muß also der H. selbst als einer der wichtigsten Ringe in der Kette der menschlichen Thätigkeiten betrachtet werden, die in ihrer unausweichlichen Ausbreitung und Erhöhung der Gesittung hinzielen. — Die Theilung der Arbeit (s. d.) stellt sich im H. in einem der umfangreichsten und wichtigsten Zweige der menschlichen Thätigkeiten dar; der darin entfaltete große Grundsatz der Ersparniß des Kosten- und Kraftaufwandes für Herbeischaffung der nothwendigen Bedürfnisse, Bequemlichkeiten und Genüsse der Menschen, spricht sich darin auf das Deutlichste aus. In den Anfängen des gesellschaftlichen Zustände findet man allenthalben die Verrichtungen der Erzeugung mit denen des Waareneintausches, in vielen Fällen noch in einer Hand vereinigt; je weiter sich gesittete Zustände entwickeln, desto mehr trennen sich beide, und je vollständiger dies geschieht, desto größer sind wie durch ihre nothwendige die Interessen des Gemeinwesens daraus ziehen. Eine irrthümliche Anschauung ist es, daß der H. kein erzeugender Thätigkeitszweig sei; er erzeugt zwar nicht das, was man gewöhnlich unter Waaren und Güter versteht; aber er schafft Werthe, vermehrt mittelbar sowohl die

---

*) Bei der großen Verschiedenheit der Ansichten, welche über den Handel und die zweckmäßigste gesetzliche Ordnung und volkswirthschaftliche Bedeutung desselben herrschen, mag man uns verzeihen, wenn in Nachfolgendem verschiedene Ansichten vertreten sind. Es stehen auf beiden Seiten achtungswerthe, freisinnige Männer, voll redlichen Willens und edeln Strebens, gegen deren politische Grundsätze sich nichts einwenden läßt; deshalb lassen wir sie auch beiderseitig sprechen und erklären nur, daß wir unsererseits für vollständige Handelsfreiheit sind und diese — wie dies aus mehrern Stellen dieses Buches bereits hervorgeht — wie jede andere Freiheit vertreten.

Gütervorräthe, indem er zu erhöhter Erzeugung beiträgt, als er selbst durch den Ertrag der dabei verwendeten Arbeit sich in Stand gesetzt sieht, sowohl den Verbrauch
an allen Erzeugnissen in dem Kreise der im H. Beschäftigten zu steigern, während
auf der andern Seite ihm dadurch Gelegenheit geboten wird, in den erlangten und
hinterlegten Gewinnen neue Vermögensvorräthe aufzusammeln. Ferner folgt der H.
in Bezug auf die fortschreitende Vervollkommnung seiner Bedingungen und Zustände
denselben Grundsätzen, welche sich bei der Erzeugung überhaupt geltend machen, d. h.
je größer die Vereinfachung seiner Functionen, je sorgsamer der Haushalt der Mittel
und Kräfte, die er erfordert, je größer die Ersparnisse sind, die er dabei eintreten
läßt, desto umfangreicher, desto großartiger und allgemeiner wohlthätig werden seine
Leistungen für die Gesammtheit sowohl sich erweisen, als sie auf der andern Seite den
Ertrag der H.treibenden selbst zu steigern dienen müssen. Eine nothwendige Bedingung
des H.s ist die möglichste Freiheit seiner Bewegung; da aber zu der wohlthätigen
Wirkung dieser freien Bewegung vor Allem gehört, daß die vollkommenste Gleichheit und Gegenseitigkeit in den H.sbeziehungen zwischen zwei Völkern herrsche,
wenn die Vortheile derselben nicht alle auf die eine, die Nachtheile auf die andere
Seite fallen sollen; da ferner die erforderliche Gleichheit nicht allein in den gleichen
oder grundsätzlich ähnlichen Tarif- und Zollbestimmungen, sondern noch mehr in den
übrigen volks- und staatswirthschaftlichen Zuständen, Einrichtungen und Bedingungen,
in der Gleichheit des Besteuerungs-, des Creditwesens, der politischen und socialen Gestaltung zweier Völker liegt, so wird man bei Verfolgung des Zieles der H.sfreiheit,
so lange man noch besondere nationale Zwecke und Interessen der Völker überhaupt
anerkennen will und anerkennen muß, allen diesen Dingen Rechnung tragen und sich
hüten müssen, einem allgemeinen Grundsatz zu Liebe, den wichtigsten Hülfsquellen vaterländischer Arbeit und Wohlstandes zu nahe zu treten (s. Handelspolitik). Der Gattungen und Verzweigungen des H.s giebt es unzählige, deren Aufführung hier unmöglich sein würde. Die zwei Hauptzweige, in welche derselbe zerfällt, sind der
Groß- und der Klein-, Einzel- oder Detail-H. — Je mehr sich der Wohlstand in einem Volke entwickelt, je vollkommner die Verkehrsmittel, je schleuniger
und erleichterter dadurch der Austausch sich gestaltet, je mehr die Menschen die Vortheile des Genossenschaftswesens begreifen lernen, desto schneller wird die letztere Art
des H. zusammenschwinden, desto schneller wird der Klein-H. in dem Groß-H. aufgehen, und in dem Maße, in welchem dies geschieht, wird die Bedeutung und der
wohlthätige Einfluß des erstern, namentlich aber das regelmäßige Spiel desselben zunehmen, die großen und verderblichen Schwankungen in den Preisen der Waaren, die
damit in Verbindung stehenden gewagten und leichtfertigen Unternehmungen, die daraus

weit mehr, als dies jetzt geschieht, im Stande sein, die eine Seite seines Berufs zu
erfüllen, für die Erzeugung das annähernde Richtmaß des zu erwartenden Absatzes
darzubringen, zur Regelung der erstern beizutragen. Bei dieser voraussichtlichen Entwickelung des H.s wird man dahin gelangen, eine große Anzahl von Zweigen des
Klein- und Detail-H.s in keinem andern Lichte zu erblicken, als in dem man jetzt
die Unter- und Aftergattung desselben, das Höker- und Verkaufswesen betrachtet. Hinsichtlich der Richtung, welche der H. nimmt, zerfällt er in Einfuhr- und
Ausfuhr-H. Insofern beide durch den Groß-H. mit andern Welttheilen getrieben
werden, bilden sie den Welt-H., der wieder in See- und Karawanen-H. (s. d.)
zerfällt. In Bezug auf den Einfuhr-H. ist es ein Zeichen gesunder volkswirthschaftlicher Entwickelung, wenn er hauptsächlich sich mit der Zufuhr von Rohproduc-
ten fremder Länder oder Welttheile zum einheimischen Verbrauch oder zur Verarbeitung beschäftigt, da dies erstens auf steigende Verzehrsfähigkeit und Zunahme der
Gewerbthätigkeit schließen läßt, andererseits in solchen Zufuhren Gelegenheit gegeben
ist, den Absatz einheimischer Gewerbserzeugnisse im Austausch gegen jene Roherzeug-

niſſe nach den Erzeugungsländern derſelben zu vermehren. — Der Ausfuhr-H. hinwieder wird ſich volkswirthſchaftlich am wohlthätigſten erweiſen, wenn er beſonders
den Vertrieb derjenigen einheimiſchen Erzeugniſſe berückſichtigen und vermitteln kann,
deren Werth zumeiſt durch die zu ihrer Herſtellung mittel- und unmittelbar im Lande
bewerkſtelligte Arbeit erzeugt wird. Jedoch wird ein Ausfuhr-H., auch wenn er
dieſe Eigenſchaft beſitzt, doch ungeſund genannt werden müſſen, und darf deshalb
nicht als ein Element ſteigenden Wohlſtandes angeſehen werden, ſobald die Möglichkeit des Mitbewerbs auf den dritten Märkten von der niedrigſten Löhnung der Arbeit
abhängt, wie dies leider bei dem Abſatz unſerer Gewerbserzeugniſſe nach Außen durch-
ſchnittlich der Fall iſt. — Der H. kann ferner Commiſſions-H. (ſ. d.), er kann
Zwiſchen-H. ſein, worunter man den H.verkehr verſteht, welcher ſeine Gegenſtände
nicht den Orten ihrer Erzeugung entnimmt, ſondern ſie an den Plätzen einkauft, wohin ſie der Eigen-H. aus den Erzeugungsländern geführt hat. Wenn z. B. der
bremer oder hamburger Kaufmann oder Rheder in England dort aufgeſtapelten bra-
ſilianiſchen Kaffee, Javazucker, amerikaniſche Baumwolle, Buenosayreshäute u. ſ. w.
einkauft und dieſe Güter nach Deutſchland, nach Schweden oder Rußland bringt, ſo
treibt er Zwiſchen-H. oder indirecten H., während, wenn er dieſelben in den
Erzeugungsländern ſelbſt, oder in den Häfen, von welchen ſie verſchifft werden können,
holt, er Eigen-H. oder directen H. treibt. — Im Gegenſatz zu dem Ein- und
Ausfuhr-H., dem Welt- und dem Zwiſchen-H. ſpricht man vom Binnen-
H., d. h. von dem H.verkehr im eignen Lande; doch wird auch zuweilen unter dieſem Ausdruck der H. auf dem Feſtlande, eigentlich Continental-H., im Gegenſatz zum See-H. verſtanden. Im erſten Sinne iſt der Binnen-H. diejenige Gattung des H.s, wo der Grundſatz freien H.s ohne alle Nachtheile, vielleicht mit
Ausnahme vorübergehender Ausfälle in den Finanzkaſſen, unbedingt durchgeführt werden kann und durchgeführt werden muß, eine Maßregel, wohin z. B. der Zollverein
trotz der angeblichen Anhänglichkeit an Freihandelsgrundſätze ſeiner Leiter noch nicht
gelangt iſt, da britiſche Verzehrungsſteuern, landſchaftliche und einzelſtaatliche
Ausgleichungs- und Uebergangsabgaben, Regalien und Monopole,
Schifffahrtszölle und andre dem freien Verkehr hinderliche Gebühren noch allent-
halben an der Tagesordnung ſind. — Unter dem Ausdruck Küſten-H. oder Cabotage verſteht man einen beſondern Zweig des H.s zu Waſſer, namentlich zur
See, nämlich den H. von einem Küſtenpunkt eines Landes zum andern; z. B. von
Havre nach Bordeaux in Frankreich, von Liverpool nach Plymouth in England, von
Amſterdam nach Rotterdam in Holland u. ſ. f. Alle ſeefahrenden Nationen haben
dieſen H. ausſchließlich ihren Nationalen vorbehalten, auch Preußen huldigt dieſem
Grundſatz (ſ. Navigationsgeſetze). — Das ſpecielle Geſchäft des H.s, der Verkauf
oder Einkauf der von ihm berückſichtigten Güter und Waaren führt je nach den verſchiedenen Zweigen verſchiedene Namen, ſo ſpricht man von Abſatz, Vertrieb, Ver-
ſchleiß, Debit u. ſ. w., von Bezug, Anſchaffung, Zufuhr u. ſ. w.　J. G. G.

Handelsakademie, ſ. Handelsſchule.

Handelsbilanz. Die Zuſammenſtellung der Ergebniſſe des Handels aus den
Zollverzeichniſſen zur Gewinnung einer Ueberſicht darüber, ob derſelbe dem Lande
Gewinn oder Verluſt bringt. Sonſt hatte man keinen andern Maßſtab für die H.,
als das Geld, man betrachtete daſſelbe als das höchſte Gut und glaubte ſich benachtheiligt, wenn mehr Geld ausgeführt wurde, als einkam. Zeigte demnach die H.,
daß mehr Waaren in ein Land eingeführt, als ausgeführt waren, ſo ſah
man darin ein ungünſtiges Zeichen, weil für den Betrag der Mehreinfuhr nun natürlich Geld ausgegeben war. Man ſtrebte oft mit den verkehrteſten Mitteln, dieſes
Mißverhältniß auszugleichen und die ganze Handelspolitik richtete ſich nach dem Zuſtande der H. In neueſter Zeit hat man mehr und mehr erkannt, daß das Geld
eine Waare iſt, wie jede andere und daß es nicht darauf ankommt, wie viel man

ausgiebt, sondern darauf: wozu man dasselbe ausgiebt und ob dies mit Vortheil und für wirkliche Bedürfnisse geschieht, da jeder vortheilhafte Tausch oder Handel jedenfalls Gewinn bringt. Man betrachtet daher die H. mit andern Blicken, hat auch eingesehen, daß sie gewöhnlich höchst unvollständig bleibt, indem der nicht unbedeutende Schleich- und Schmuggelhandel sich der H. entzieht, auch die Masse der aus- oder eingeführten Waaren über deren Preis und Nützlichkeit gar kein Bild giebt.

Handelsamt, preußisches. Eine Behörde, die 1844 eingesetzt wurde, um die Interessen des Handels und der Gewerbe zu berathen, und die zur Förderung und Hebung dieser großen Quellen des Nationalreichthums geeigneten Maßregeln zu berathen und vorzubereiten. Jedoch gab man ihr keinen selbstständigen Wirkungskreis, sondern machte ihre Thätigkeit von der Genehmigung der Minister des Innern, der Finanzen und der auswärtigen Angelegenheiten abhängig, deren Chefs mit dem Präsidenten des H.es einen sogenannten **Handelsrath** bildeten, welcher über alle vom H. in Vorschlag gebrachten Maßregeln zu entscheiden hatte. Bei dieser Einrichtung war es ganz natürlich, daß diese Behörde dem nicht entsprechen konnte, was man von ihr erwartet hatte, und daß man bald zu der Ansicht kam, es sei damit nichts weiter bezweckt worden, als den Leuten Sand in die Augen zu streuen und sie glauben zu machen, daß man wirklich auf Handel und Verkehr in einer Weise bedacht nehmen wolle, wie solches von der Wichtigkeit dieser Elemente des Nationalwohls erfordert wird. Man darf nur in die vor Kurzem veröffentlichte Uebersicht der Finanzen des preußischen Staates blicken, um davon überzeugt zu werden. Von den 64 Mill. der gesammten Staatsausgaben werden über 25 Mill. zur Aufrechthaltung des Heerwesens verwandt; die Behörde hingegen, welche die Interessen der Industrie und des Handels wahrzunehmen, also für die Bedingungen der Arbeit und ihres Lohns von Millionen Menschen zu sorgen hat, ist mit kaum 25,000 Thaler bedacht worden!

J. G. G.

Handelsfreiheit. Unsere Zeit ist so tief versunken in die Zustände der Unfreiheit, daß wir für die Freiheit den Begriff und den Sinn verloren haben; wäre dies nicht der Fall, so könnten Rechtslehrer und Politiker nicht aus der vermeintlichen Nothwendigkeit des Staats, in einzelnen Fällen, z. B. in einem Kriege, den Handel oft beschränken und selbst untersagen zu müssen, wie mit gewissen Waaren oder gewissen Gegenden, wie dem feindlichen Lande, das Recht ableiten wollen, daß er nun auch im Allgemeinen die Freiheit des Handels aus angeblich volkswirthschaftlichen Gründen beschränken und hemmen dürfe. Diejenigen, welche der letztern Ansicht huldigen, bauen sich selbst eine Reihe von trügerischen Schreckbildern auf, um auf diesen ihre freiheitsfeindlichen Ansichten begründen zu können und täuschen damit die Masse, welche nicht selbst denkt. Man behauptet: ein Gegenstand, z. B. Korn, welcher in diesem Lande erzeugt werde, im Nachbarlande nicht, könne gänzlich ausgeführt, oder doch bis zum Nachtheile vertheuert werden, dadurch steige dieser Gegenstand selbst nicht nur bis zu gefährlicher Höhe des Preises, sondern auch alle andern und selbst die Arbeitslöhne, und es könne Nothstand eintreten. Hier liegt eine völlige Verkennung des Handels zu Grunde, denn ein Land, welches Korn so hoch bezahlt, daß der Preis diese Wirkung auf das Nachbarland hat, wird nicht lange von diesem allein versorgt werden. Es wird bald reichlich versorgt sein von allen Seiten und die Gefahr ist abgewendet, wenn sie überhaupt vorhanden wäre. Sie ist es indessen nicht, und diejenigen, welche sie aufstellen, täuschen sich selbst, indem sie eine Vertheurung verwandter Gegenstände und des Lohnes behaupten. Beides ist kein Unglück, sondern ein Glück. Die Preissteigerung beweist, daß die Tausch- und Bezahlungsmittel sich vermehrt haben, die Steigerung des Arbeitslohnes beweist, daß die Thätigkeit sich vermehrt, die Erwerbsquellen sich erweitert haben; beides entschiedene Vortheile für ein Land. Ein nicht minder täuschender Einwand ist, daß der Einkauf von Gegenständen im Auslande, welche im Innern erzeugt werden, aber theurer sind, die

Erzeuger derselben, also die Fabrikanten sowohl, als ihre Arbeiter benachtheilige, zu Grunde richte und dadurch Verarmung über einen Theil der Bevölkerung bringe. Dieser Einwand gegen die H. ist unter Schutzzoll näher zu beleuchten. Hier ist nur hervorzuheben, daß das Ganze über dem Einzelnen steht, daß die große Mehrheit nicht gezwungen werden darf, zu ihrem Nachtheile im Innern zu kaufen, was sie außerhalb billiger haben kann. Die Erzeugung muß überall eine natürliche sein; ist sie das, so kann sie auch neben der freien Einfuhr derselben Gegenstände bestehen; ist sie das nicht, so wird sie auch trotz Einfuhrerschwerungen oder gar Verboten nicht bestehen, vielmehr eine Zeitlang als Treibhauspflanze kümmerlich leben und dann doch zusammen fallen. Sind aber die Hemmungen der Einfuhr so, daß die einheimische Erzeugung den Markt allein behauptet, so kommt noch Vertheurung und damit verminderter Verbrauch des Gegenstandes dazu, der endlich noch immer schlechter wird, weil der Sporn der Concurrenz fehlt. So wird dann die Erzeugung ein Monopol, welches dem Ganzen durchaus nichts nützt, sondern schadet; dem kleinen Theile aber auch nicht einmal den beabsichtigten Vortheil gewährt. Man hebt ferner hervor, durch freie Einfuhr, d. h. durch Einkauf von Waaren, die nicht im Inlande gefertigt werden, gehe das Geld aus dem Lande und so vermindere sich der Reichthum, wenn nicht eine entsprechende Masse inländischer Waaren ausgeführt würden. Allein man vergißt, daß das Geld eine Waare ist, wie jede andere, daß es bei Weitem der kleinste Theil des Volksreichthums ist und daß es nicht darauf ankommt, welche Gegenstände man im Handel tauscht, sondern nur, ob man mit Vortheil tauscht, ob man das Nothwendige kauft. Auch ist die Befürchtung der Verarmung eines Landes durch Geldabfluß in ein anderes nachgerade lächerlich geworden, denn hätte dieselbe einigen Grund, hätte die Rechnung von den Millionen z. B., die wir jährlich an England verlieren sollen, einigen Werth, so müßten wir längst verarmt sein. Wir sind es nicht und werden nicht, wenn die Gegner der H. nicht das Uebergewicht gewinnen und durch ihre künstlichen Maßregeln die Natur des Verkehrs und ihre segensreichen Wirkungen hemmen. Der Handel, welcher mehr als irgend ein anderer Theil der menschlichen Thätigkeit nicht an ein einzelnes Land oder Volk geknüpft ist, sondern Welten verbindet und Völker im friedlichen Austausche zusammen führt, bedarf auch mehr als alles Andere der Freiheit. Jede Sünde gegen dieselbe rächt sich an Gedeihen desselben. Erschwert man die Einfuhr, so ist die natürliche Folge, daß Andere dasselbe thun und uns die Ausfuhr erschweren; man verrennt sich nun in ein unnatürliches System: man nimmt Zölle für die eingeführten Waaren, man giebt Entschädigung für ausgeführte (s. Ausfuhrprämien). Durch die erstern vertheuert man die eingeführten Waaren, durch die letztern die einheimischen, indem man die Verbraucher zwingt, für ihren Bedarf den Betrag des Zolles mehr zu bezahlen. Man kommt von Monopol zu Monopol, bis zur vollständigsten Ausschließlichkeit, bis zum Anfange eines Continentalsystems (s. d.), dessen Weiterschreiten die Gegenmaßregeln anderer Staaten bedingt; nur ist das Ausschließungssystem noch schlimmer, weil es sich nicht um einen Welttheil, sondern oft nur um einen Staat, oder ein Städtchen handelt. Man hemmt den Weltverkehr für Augenblicke und zum Nachtheile des lebenden Geschlechtes, vermag aber seine Richtung und seinen großen Gang doch nicht zu ändern. Man schafft eine künstliche Gewerb- und Handelsthätigkeit, die auf die Dauer doch nicht besteht und deren Rückschlag dann größere Nachtheile bereitet, als alle diejenigen sind, die man abwenden wollte. Dazu kommt noch, daß man das staatliche Bevormundungssystem nährt und stärkt, ihm einen unheilvollen Einfluß auf Gebieten verschafft, die ihm sonst unzugänglich sind, und das fluchwürdige System indirecter Steuern erhält und ausdehnt. Wenn man die Handelsverträge betrachtet, welche z. B. die deutsche Schreibstubenherrschaft abgeschlossen hat, wenn man sieht, wie sie alles Sinnes, Verstandes und Gewissens völlig baar sind; wenn man sieht, wie unter dem Deckmantel des „Schutzes der hei-

mischen Arbeit und des Handels" Maßregeln ergriffen worden sind, die weder Arbeit
noch Handel schützen, sondern einzig und allein die Staatskassen füllen und die Möglichkeit geben, den morschen Bevormundungs=, Polizei= und Soldatenstaat aufrecht zu
erhalten, so möchte man schon um dieser Ausartungen willen die Gegnerschaft der
H. verdammen. Wie aber im Augenblick, wo die Staaten zum Theil noch in den
Grundsätzen der Unfreiheit des Handels befangen sind? kann ein einzelner Staat beginnen und allein H. herstellen? muß er nicht Gegenmaßregeln gegen andere Staaten in Anwendung bringen? Hoffen wir, daß die Beantwortung dieser Frage, die
den Raum und die Aufgabe dieses Werks überschreitet, welches nur die Grundsätze
der Politik darzulegen hat, bald von der Zeit durch die Thatsache völlig freien Völkerverkehrs beantwortet wird. Hat doch das große Ereigniß, unter dessen Eindruck wir
schreiben, die Säulen des alten Systems eingerissen; es wird und muß auch fallen,
was auf denselben ruhte. Die Art und Weise, wie ein Staat sich hinsichtlich der
Förderung seines Handels geberdet, ob er die H. begünstigt oder nicht, sie für sich
selbst zu erringen, für Andere zu schmälern sucht u. s. w., ist seine Handelspolitik.
R. B.

Handelsgerichte. Die Bedürfnisse und Eigenthümlichkeiten des Handels haben
schon seit langer Zeit Gerichte mit besonderer Verfassung in Haupthandelsstädten hervorgerufen. Hauptsächlich war es die in Handelssachen vorzugsweise nothwendige Schnelligkeit der Entscheidung und Sicherheit der Vollstreckung derselben einerseits, und die aus den
eigenthümlichen Verhältnissen des Handels sich ergebende Nothwendigkeit der Zuziehung von Mitgliedern des Handelsstandes zur Theilnahme an dem Rechtsspruch, welche
diese Gerichte von den gewöhnlichen unterscheiden ließ. Wir finden seit der Entwickelung des Handels im Mittelalter allenthalben, wo derselbe in Blüthe war, solche
Gerichte, obwohl mit verschiedener Organisation. Das älteste ward wahrscheinlich
schon im 11. Jahrh. in Pisa eingeführt; um die Mitte des 15. Jahrh.s hatten die
Hansestädte ein solches und 100 Jahre später kamen dergleichen auch in Frankreich
auf. Obwohl schon in der Mitte des 17. Jahrh.s selbst die deutsche Reichsgesetzgebung zur Errichtung von H.n aufforderte, so finden wir doch noch jetzt dies Institut
nur sehr mangelhaft vorhanden, obwohl es selbst in dieser mangelhaften Einrichtung
noch in vielen Punkten unstreitige Vortheile vor den Prozeßgänge vor den ordentlichen Gerichten gewährt. Die beste Organisation haben zur Zeit die franz. und die
diesen nachgebildeten H. in der preuß. Rheinprovinz. In der Hauptsache besteht die
Einrichtung derselben darin, daß unter dem Vorsitze mehrerer rechtskundiger Richter
eine Anzahl aus der Kaufmannschaft auf Zeit gewählte Richter entscheiden, wobei
auch da, wo außerdem keine Mündlichkeit des Verfahrens stattfindet, wenigstens theilweise eine solche eintritt. Dabei sind die Fristen zum Erscheinen und zur Einlassung
kürzer und bei vielen Gerichten, z. B. auch beim Leipziger (obwohl bei diesem der
Beisitz der Kaufleute mehr eine Nebensache ist), kann die Entscheidung in der Regel
durch Arrest gegen die Person vollstreckt werden. — Es liegen in der Einrichtung
der H. unzweifelhaft Keime zu einer durchgreifenden Verbesserung unserer Gerichtsverfassung, obwohl es auch bei ihnen sehr an Gleichmäßigkeit und theilweise auch an
Schnelligkeit der Rechtspflege fehlt.
A.

Handelsgesellschaften. Wo das Vermögen des Einzelnen für große Handelsunternehmungen nicht ausreicht, bietet die Vereinigung Aushülfe und so wurden die
H. errichtet. Man theilt sie in offene, stille und namenlose (anonyme)
H. Die offenen H. sind solche, wo mehrere Theilnehmer gemeinschaftlich Handel
treiben, die Arbeit wie den Gewinn theilen. H. heißen sie eigentlich nur, wenn sie
sehr große Geschäfte treiben, sonst nennt man sie vielmehr umgekehrt: Gesellschafts-
(Compagnie=) Handlungen. In England nennt man auch solche Vereine
offene und geregelte H., deren Mitglieder nur einen kleinen Beitrag zur Förderung einzelner Unternehmungen geben, ohne an dem Ergebniß derselben irgend einen

Antheil zu haben. **Stille H.** oder **Commanditen** nennt man diejenigen, welche aus einer kleinern Anzahl Betheiligter bestehen, die eine gewisse Summe in irgend eine Handlung einschießen, welche unter dem alleinigen Namen ihres Inhabers geführt wird. **Namenlose H.** bestehen aus einer großen Anzahl Theilnehmer, deren jeder eine bestimmte Summe einzahlt, womit gewisse Unternehmungen ins Leben gerufen werden und die ihre Geschäftsführer wählen. Vergl. hierüber **Actien, Actiengesellschaften.** Wie der Staat den Handel als eine der wichtigsten Quellen der Volkswohlfahrt zu schützen und zu fördern hat mit allen Mitteln, so hat er auch diese H. nicht zu hemmen. Aber auch Vorrechte und Privilegien hat er denselben nicht zu gewähren, wie dies sonst gewöhnlich zu geschehen pflegte, da die Begünstigung Einzelner stets dem Ganzen zum Nachtheil gereicht. Auch ist besonders darauf zu halten, daß die H. ihre Grundgesetze und Bestimmungen zur Genehmigung einreichen, damit der Staat das Recht wahre und darauf sehe, daß nicht H. zum Betruge Leichtgläubiger und Unkundiger mißbraucht werden. Ueberhaupt sind die offenen und namenlosen H. mehr zu billigen, als die stillen; dagegen sind aber auch die letztern mehr ein Erzeugniß des Einzelverkehrs und Einzelvertrags, um welche der Staat sich nicht zu kümmern hat. — In der Geschichte des Handels spielen die H. eine große und anerkennenswerthe Rolle. Die Schwierigkeiten großer Unternehmungen bei den noch unvollkommenen Verkehrsmitteln früherer Zeit, die Unsicherheit in den Ländern, die der Handel erst zu verbinden begann, und die Gefahr großer Verluste, die bei dem Dunkel drohten, welches noch auf den Verhältnissen fremder Völker ruhte, machten größere Vereinigungen nothwendig, die gemeinschaftlich diesen Schwierigkeiten zu trotzen suchten. So entstanden große H., die den Welthandel zum Theil erst begründeten und emporbrachten; sie beruhten auf dem Alleinhandel (s. d.) eben so sehr durch den Schutz des Staates, als durch die Kühnheit der Unternehmungen. Diese H. haben unermeßliche Reiche erobert, theils friedlich, theils selbst mit Waffengewalt, haben die Bildung getragen in alle Gegenden der Erde und unerschöpfliche Quellen des Wohlstandes geöffnet. Wir erinnern hier nur an die ost- und westindische H. in England wie in Holland, an die Guinea-, Senegalund westindischen H. in Frankreich, die amerikanischen H. in Spanien nach Eroberung dieses Welttheils, die russisch-amerikanischen Pelzwerk-H., die Seehandlungsgesellschaft zu Berlin, die rheinisch-westindische H. zu Elberfeld u. s. w. **R. B.**

Handelskammern. Vereinigungen sachkundiger Männer, um dem Staate in betreffenden Fällen ihr Gutachten zu geben. Ueberall, wo man der Schreibstubenherrschaft nicht eine Art päpstlicher Unfehlbarkeit zuschreibt, sondern das Volk achtet und gelten läßt, strebt man H. herzustellen, und räumt ihnen großen Einfluß auf Gesetzgebung u. s. w. ein; unter der Schreibstubenherrschaft findet das Gegentheil statt, dafür aber tragen die Maßregeln derselben auch oft einen Charakter, daß man glauben muß, ihre Urheber lebten gar nicht in dem Lande, für welches ihre Vorschriften bestimmt sind.

Handelsministerium. In allen Staaten, wo man die Bedeutung zu würdigen weiß, welche in unsern Tagen der Handel und Wandel in seinem weitesten Sinne, die Künste des Friedens, das Gewerbe gewonnen hat, ist man in einer dieser Einsicht entsprechenden Weise verfahren und hat Einrichtungen geschaffen, die dazu dienen sollten, jenen großen Interessen allenthalben Vorschub zu leisten. In diesem Sinne hat man in jenen Staaten in die vollziehende Staatsgewalt als einen nicht zu entbehrenden Theil derselben ein besonderes, den andern Verwaltungszweigen gleichberechtigt zur Seite stehendes, keinem von ihnen untergeordnetes Ministerium eingefügt, welches beauftragt ist, die Interessen des Handels und der Gewerbe von ihrem eigenen Standpunkte aus in Bezug zu den übrigen Verwaltungszweigen zu vertreten, namentlich aber ihre Forderungen und Wünsche überall geltend zu machen, wo die Hei-

30*

schungen der Finanzverwaltung, die Anordnungen der innern bürgerlichen Verwaltung, die Anträge des Justizdepartements, die Handlungen des Ministeriums des Auswärtigen oder die Ansprüche der Heerverwaltung diesen Interessen zu nahe zu treten scheinen. Als das Muster einer solchen obersten Handelsbehörde hat mit Recht stets das englische Board of Trade (b. i. Handelsamt) gegolten, das man in Preußen in neuerer Zeit, jedoch wie so manches Andere nur dem Namen nach, nachgebildet hat, ohne daß man demselben dort eines jener wesentlichen Befugnisse beigelegt hätte, ohne welche die Sache ein leerer Schein bleiben muß. In den übrigen deutschen Staaten hat man gleichfalls bisher nichts zu schaffen verstanden, was nur im Entferntesten dem so gebieterischen Bedürfnisse in dieser Hinsicht genügt hätte. Sicherlich wird der große Umschwung der Dinge, welcher in Deutschland jetzt vor sich geht, auch darin gründliche Abhülfe schaffen, und wir baldigst am Sitz der **deutschen Bundesregierung** und der **deutschen Volksvertretung** unter den übrigen großen Verwaltungszweigen auch ein selbstständiges deutsches H. oder Handelsamt erblicken.　　　　　　　　　　　　　　　　　　　　　　　J. G. G.

Handelspolitik nennt man das Verfahren, welches theils in volks- und staatswirthschaftlicher, theils in finanzieller Rücksicht befolgt wird, um die Interessen des allgemeinen Verkehrs und des Gewerbfleißes eines Staates sicher zu stellen und der Volksarbeit die größte Entwickelung zu geben. Wie die Politik überhaupt die Kunst ist, mit den gegebenen Verhältnissen dergestalt zu verfahren, daß man den annähernd und möglich höchsten Erfolg für die Staatszwecke erreicht, so unterliegt auch die H. der Rücksicht auf die gegebenen Bedingungen und sie wird sich sonach nach Zeit und Umständen in dem einen Staat so, in dem andern anders gestalten müssen, auch wenn von der Zeit und ihrer Gesittung gewisse Grundsätze vorgeschrieben werden, die ohne Gefahr für die Interessen, denen durch die H. vorgesehen werden soll, nicht verletzt werden dürfen. Aus diesem Gesichtspunkt betrachtet, wird es stets eine Frage der Zweckgemäßheit bleiben, in wie weit ein Land in seinen Verhältnissen zu andern Völkern den Grundsatz **völlig freien Verkehrs** walten, in wie weit es ihn zur Wahrung seiner eigenen staats- und volkswirthschaftlichen Entwickelung und der davon stets abhängigen Anhäufung der Hülfsmittel für weitere Fortschritte in Wohlstand und Gesittung beschränken will. So lange es noch gesonderte Staaten und Völker geben wird, die sich in dieser Eigenschaft gedrungen fühlen müssen, ihre Bedürfnisse, ihre Vortheile, die Erhaltung und Vermehrung ihres Reichthums und die dazu dienenden Maßregeln aus ihrem eigenen Standpunkte zu betrachten, so lange wird ihnen auch die Pflicht obliegen, ihre H. einzurichten nach den vorhandenen staatlichen, gesellschaftlichen, commerciellen, gewerblichen, intellectuellen Hülfsmitteln einerseits, den Erfordernissen andererseits, welche der regelmäßige und gedeihliche Gang des staatlichen Triebwerks in Anspruch nimmt. Das hier Gesagte bezieht sich hauptsächlich auf die äußere H., auf die Fragen des sogenannten internationalen Verkehrs; die innere H. eines Staates dagegen muß stets auf dem Grundsatz unbedingter Freiheit fußen.
　　　　　　　　　　　　　　　　　　　　　　　J. G. G.

Handelsprämien. Die Wichtigkeit des Handels für das Wohlbefinden der Völker hat von jeher alle Kräfte in Bewegung gesetzt, um ihm die größtmöglichste Ausbreitung zu geben. Unter die mannigfaltigen Mittel, welche die Regierungen zur Hebung des Handels gebrauchen, gehören auch die H., d. h. die Belohnungen, welche der Staat für die Aus- oder Einfuhr gewisser Waaren gewährt. So viel auch für oder wider die Zweckmäßigkeit solcher H. gestritten worden ist, die Erfahrung scheint wenigstens dann ihren Nutzen festgestellt zu haben, wenn in drückenden Zeiten durch sie die Zufuhr beschleunigt werden soll. Manche Staatsregierungen haben dagegen die H. in neuester Zeit gänzlich aufgehoben. Die **Handelsfreiheit** (f. d.) ist allerdings, wenn bei gleichen Geld- und Geisteskräften das Gewerbwesen sich frei entwickeln kann, der naturgemäße Zustand des Handels. Da indeß die gewerbliche

Entwickelung eines Landes oft im Vergleich zu einem andern nicht rasch genug fortschreitet und dadurch der naturgemäße Zustand wieder aufgehoben wird, der zunächst
liegende Gedanke an Schutzzölle (f. d.) aber in ihren Folgen die Einfuhr fremder
Waaren zum Nachtheile der Verbrauchenden zu sehr erschwert, oder gar rein unmöglich macht, der Schmuggelei aufs Neue die Bahn öffnet und die Fortbildung in der
gewerblichen Erzeugung hemmt, indem viele Fabrikanten sich dann einem behaglichen
Schlendrian ergeben und Alles gehen lassen, wie es eben geht, weil sie wissen, daß
ihre Waaren dennoch Absatz finden müssen; so sieht man nur ein Auskunftsmittel,
wenn nämlich die Regierungen H. und für die Ausfuhr eine Rückvergütung der für
eingeführte Waaren gezahlten Zölle eintreten lassen. Durch die Gewährung solcher
H. oder Ausfuhrprämien allein hat die englische Industrie ihre jetzige Höhe erreicht.
S. Ausfuhrprämien. W. Pretzsch.

Handelsrecht heißt die Sammlung der auf den Handel bezüglichen Gesetze,
Verordnungen und Ueblichkeiten, nach welchen bei Rechtshändeln auf diesem Gebiete
entschieden wird, und welche die Verhältnisse der Börse, der Wechsel, des Versiche-
rungs-, Mäkler-, Sensal-, Speditions- und Commissionswesens, der Schifffahrt u.f.w.
regeln. Das H. zeichnet sich in Deutschland besonders durch größere Genauigkeit,
Klarheit und Schnelligkeit des Verfahrens vor der übrigen Rechtspflege aus, wie
dies der Handel gebieterisch erheischt. Dann aber bezeichnet H. auch die Berechtigungen, welche dem Handel und den dabei beschäftigten Personen im Staate zustehen,
setzt die Grenze der Handelsberechtigten fest, theilt sie in Stufen und Abtheilungen,
bestimmt die Einrichtung der Meß- und Marktwesens, der Handelsbücher, des Verfahrens bei Concursen u. f. w. Das franz. H., enthalten im Code de commerce,
ist wohl das vollständigste und abgerundetste der neuern Zeit; nur ist zu beklagen,
daß es von einzelnen engherzigen Ansichten des Continentalsystems (f. d.) nicht frei
geblieben ist.

Handelsschulen sind die Anstalten, welche die zeitgemäße, der Bedeutung und
der Ausdehnung des Handels entsprechende Bildung des Handelstandes durch einen
möglichst vollständigen theoretischen und praktischen Unterricht der jungen Handelsbeflis-
senen in allen Fächern der Handelskunde bezwecken. Die Natur des Handels selbst als
des völker- und staatenverbindenden Bandes, welcher alle Errungenschaften der Gesittung
und des Friedens über die bewohnte Erde verbreitet, macht es nothwendig, daß
solcher Unterricht von dem hohen Standpunkte ausgehe, der durch diese Eigenschaft und
Bestimmung des Handels angedeutet wird und daß dadurch gründlich jener engherzige
Krämersinn ausgerottet werde, welcher, wenn in dem Handelstand vorhanden, ein so
unbesiegbares Hinderniß vernünftigerer Gestaltung aller staatlichen und gesellschaftlichen
Verhältnisse bildet. Mit einer gediegenen wissenschaftlichen Bildung in den speciellen
Fächern der Handelskunde müssen die H. darauf abzielen, in den jungen Leuten, die
sich dem Handel widmen, höhere Anschauungen zu wecken, was besonders durch Vor-
träge über Handelsgeschichte und Volkswirthschaft und Statistik bewirkt werden kann.
Außer dem gewöhnlichen Unterricht in der Buchhaltung, der Waarenkunde, den neuern
Sprachen, der kaufmännischen Correspondenz, dem Handels- und Wechselrecht u. f. w.,
werden also die angeführten Wissenschaften, sollen die H. ihren Zweck erreichen,
Gegenstand besonderer Berücksichtigung bilden müssen. J. G. G.

Handelssperre, f. Continentalsystem.

Handelsstaat nennt man einen solchen, welcher seine Kraft vorzugsweise auf
Beförderung des Handels richtet. Man nennt mit Recht England als einen solchen,
auch Amerika ist überwiegend H.

Handelsverträge. Verträge zwischen handeltreibenden Völkern und Staaten
zum Zweck der Feststellung von Rechtsverhältnissen in Bezug auf Handel, welche
freilich in vielen Fällen sich eigentlich von selbst verstehen sollten, wenn nicht eine

engherzige Politik oder ein mißverstandenes Volksinteresse die Absperrung als Regel und die Handelserleichterungen als vertragsmäßige Ausnahme aufzustellen pflegten. Im Mittelalter dienten die H. häufig zur Gewährung persönlichen Schutzes der Handeltreibenden auf fremdem Gebiete; in neuerer Zeit aber hat sich ihrer die Regierungspolitik häufig bemächtigt, um durch Gewährung von Vorrechten an die eine und andere Nation in Bezug auf Handel politische Sonderinteressen zu verfolgen. Bei alledem sind die H. noch immer diejenigen Verträge der Staaten unter sich, welche noch am meisten das Wohl der Staatsangehörigen im Auge haben. **A.**

Handelswissenschaftliche Berichte, s. Bericht.

Handgeld. Eine Abschlagszahlung, welche man zur Sicherheit auf einen abgeschlossenen Vertrag leistet; das H. macht eine mündliche Uebereinkunft gleich verbindlich, wie einen schriftlichen Vertrag und ist besonders bei Miethen u. s. w. üblich. H. hieß auch zur Zeit, als die Heere noch durch Werbung zusammengebracht wurden, das Geld, welches der Angeworbene erhielt. Es betrug je nach den Umständen 20—50 Thaler für den Soldaten.

Handgelöbniß. Ein gerichtliches Versprechen, welches durch Handschlag bekräftigt wird; das H. findet gewöhnlich bei so geringfügigen Sachen und Verhältnissen statt, wo der Eid nicht zulässig erscheinet.

Handhabung der Ordnung in den Kammern, s. Geschäftsordnung.

Handkuß. Ein Zeichen der Ehrerbietung und Huldigung, welches an den Höfen einen Theil der sogenannten Cour ausmacht; nur die Bevorzugten werden zum H. zugelassen.

Handschilling, s. Vedemund.

Handwerk. So heißt ein Geschäft oder Gewerbe, welches rohe Naturerzeugnisse in Gegenstände des Bedürfnisses und Genusses umgestaltet. Gewöhnlich versteht man unter H. nur solche Gewerbe, die sich mit grober und rauher Arbeit beschäftigen; diejenigen, welche zartere Gegenstände mit leichterer Arbeit verfertigen, rechnet man zu den Künstlern. Was über die staatliche Beziehung des H.s zu sagen ist, s. unter Zunft.

Handwerkerverbindungen, s. Coalition und Gesellenvereine.

Hansa (Hansestädte). Als im Mittelalter die Unsicherheit der Handelsstraßen, sowohl auf dem Meere als zu Lande überhand nahm, schlossen die Kaufleute mehrerer Handelsstädte einen Bund, der H., d. h. Schutzbündniß, genannt wurde. Zuerst traten 1241 Hamburg und Lübeck zusammen, diesen folgten Bremen und andere Handelsstädte, deren Zahl nach und nach bis auf 84 anwuchs, und die nun den Namen H.städte führten. Wunderbar rasch entfaltete sich die Macht und das Ansehn der H., die in ihrer höchsten Blüthe mit ihren Schiffen alle damals bekannten Meere besuchte, überall Handelsverbindungen und Niederlassungen gründete und im 15. Jahrh. sogar mit mächtigen Kriegsflotten die Ostsee bedeckte. Die nothwendige Folge hiervon waren Zunahme der Ordnung und Sicherheit in Deutschland, allmälige Bildung des Nordens, Aufblühen der Niederlande und Englands, und überhaupt ein entschiedener Einfluß der H. auf den Gang der europäischen Angelegenheiten. Die Entdeckung von Amerika jedoch, sowie die dadurch herbeigeführte gänzlich veränderte Gestalt des Handels, mehr noch aber innere Zerrüttung, veranlaßt durch das Ueberhandnehmen der vornehmen und reichgewordenen Geschlechter, führten in Verbindung mit der Eifersucht der Fürsten die völlige Auflösung der H. herbei. Zwar faßte 1585 noch der Lübecker Bürgermeister Jürgen Wullenweber, in Verbindung mit dem Hamburger Markus Meier, den Plan, das sinkende Ansehn der alten H. wieder zu heben, der üppig wuchernden Junker- und Aristokratenwirthschaft ein Ende zu machen und dann ein großes nordisches Reich zu begründen; allein der deutsche Republikaner — im schönsten Sinne des Wortes — fiel als Opfer der Partelwuth, und kümmerlich schleppte nun der einst so mächtige Bund sein Dasein fort, bis sich 1669 alle übrigen Städte von ihm lossagten und nur Hamburg, Lübeck und Bremen ihm treu blieben, bis auch diese endlich in dem Grabe, als Englands Handel sich zum Welthandel erhob, allmälig zu Schattenbildern herabsanken. Als 1815 der deutsche Bund sog. Freistaaten, oder vielmehr Freistädte schaffen wollte, wurde den letzten H.städten das Loos zu Theil, so zu heißen, in der Wirklichkeit aber ein Abschreckungsmittel gegen Freistädte zu sein. *W. Pretzsch.*

Hansa, s. Bürger.

Haupteid, s. Eid.

Hauptmann. Der bedeutendste und vorzüglichste Mann, der Führer, Anführer. Daher der Befehlshaber einer Abtheilung des Heeres, einer Compagnie. Nach dem Range steht der H. zwischen dem Premierlieutenant und dem Major und kann auch als H. im Generalstabe stehen, ohne eine Heeresabtheilung zu befehligen. In vielen Armeen nennt man ihn Capitain, von dem alten Capitani (Anführer einer Kriegermasse). Feld-H. heißt oft eben so viel, als Feldherr (s. d.), ist aber eine veraltete Benennung.

Hauptquartier. Der Ort, wo sich der Feldherr, oder doch der obere Befehlshaber mit einer größern Truppenabtheilung befindet, sei dies nun an einem bestimmten Orte (Stadt, Dorf) oder im Felde. Auch bezeichnet man als H. oft den Befehlshaber mit seinem Stabe und den Truppen, die ihn umgeben.

Hauptstadt. Die größte und wichtigste Stadt des Landes oder eines Bezirks, in welcher sich die Behörden für den Umkreis derselben befinden. Wenn von der Landes-H. die Rede ist, so versteht man darunter gewöhnlich die Residenz des Fürsten, was aber durchaus unrichtig ist. In Baden ist z. B. die thatsächliche H. Mannheim, die Residenz Karlsruhe; in Sachsen die thatsächliche H. Leipzig, die Residenz Dresden. Da die H. als Residenz meistens eine ungerecht bevorzugte Stellung gegen die übrigen Städte des Landes hat, so werden wir das hierher Gehörige unter Residenz geben.

Hauptuntersuchung, s. Anklageproceß.

Hausfrieden, Hausfriedensbruch. Die Sicherung vor dem Eindringen Unberechtigter in meine Behausung ist eines der ersten Rechte, deren Anerkennung und Schutz ich im Staate verlangen kann. Diesem Grundsatze ist am ausgedehntesten in England, dem Lande persönlicher Freiheit, entsprochen, wo nach dem Spruche: my house is my castle (mein Haus ist meine Burg) nie der Sheriff in Criminalsachen in ein verschlossenes Haus mit Gewalt eintreten darf. Nach franz. Gesetzen darf zur Nachtzeit Niemand in ein fremdes Haus wider Willen des Eigenthümers eindringen, außer in Feuers- und Wassersnoth und bei einem Hülferuf aus dem Innern des Hauses. Die Strafgesetzgebungen der deutschen Staaten bieten minder genügende Garantieen, und wenn sie auch das Recht, den unberufen Eindringenden nöthigenfalls mit Gewalt zu entfernen — wobei jedoch die Grenzen der erlaubten Selbsthülfe (s. d.) inne zu halten sind — anerkennen, so schützen sie doch namentlich nicht vor polizeilichen Maßregeln, von deren Exorbitanz auch nach der Seite des H.s die neueste Geschichte mehr als ein Beispiel aufzuführen hat. *A.*

Hausgesetze. So nennt man die Bestimmungen über die Familienverhältnisse, die Erbfolge, die Betheiligung der Nachgeborenen u. s. w. in Häusern des hohen Adels, besonders in denen der Fürsten. Gesetze im gewöhnlichen Sinne sind die H. meist nicht, sondern nur willkürliche Feststellungen der Familienhäupter, oder höchstens Verträge der Familienglieder unter sich. Sie sind ein Ausfluß der bevorzugten Stellung des Adels, welcher sich, als das römische Recht in Deutschland eingeführt wurde, demselben nicht unterwarf, sondern etwas Besonderes für sich haben mußte, und sich das Gesetzgebungsrecht in seinen Familienkreisen vorbehielt, welchem natürlich auch seine Dienstbaren und Hörigen sich beugen mußten. So verwischte sich die eigentliche Bedeutung der H., sie wurden Gesetze in engern und immer weitern Kreisen, bestimmten die Verhältnisse des Familien- und bürgerlichen Lebens allein und erhielten durch Bestimmung der Thronfolge u. s. w. nicht nur den allgemeinsten Einfluß, sondern bauten auch allmählig unser ganzes Ständewesen auf, indem nach Entstehung der Landeshoheit die Familienhäupter des Adels dieselbe selbst ausübten, oder später mindestens unmittelbar derselben gegenüber standen, während ihre Unterthanen und Hörigen dagegen mittelbar ihr unterthan waren; ein Unterschied, welcher sich bis diese Stunde durch unser öffentliches Leben zieht. — Auch insofern sind die H. noch in weitere gesetzliche Gültigkeit gekommen, als die Fürsten nach Erlangung der Alleinherrschaft ihre H. auch dem Lande als verbindlich auferlegten und so ein besonderes Fürstenrecht sich bildete, welches die Fürsten auch als Menschen außerhalb des allgemein gültigen Rechtsgebietes stellte und ihren Willen sowohl, als die Interessen ihrer Häuser über die Bestimmungen stellte, die sonst maßgebend waren. Mit der Aufhebung des Reichs und der Gelangung der ehemaligen Glieder desselben zur vollen Herrschaft, besonders aber mit der Entstehung der Verfassungen sind die H. wieder in ihre natürlichen Grenzen zurückgetreten. Was an denselben öffentliches Recht geworden war, wie die Erb- und Thronfolge, ist in die Verfassung übergegangen, das Uebrige aber ist wieder als Familienvertrag zu betrachten, welcher das Land höchstens mittelbar berührt. R. B.

Hausindustrie wird im Gegensatz zur Fabrikindustrie (s. Fabrikwesen) diejenige Gattung des Gewerbwesens genannt, wo der Arbeiter nicht in einer geschlossenen Gewerbsanstalt mit dem ihm vom Arbeitgeber gelieferten Werkzeuge gegen festen Stück- oder Tagelohn eine gewisse Anzahl Stunden des Tages arbeitet, sondern wo in der Familie und der eignen Wohnung des Arbeiters und mit dem ihm eigenthümlich zugehörigen Werkzeuge der von dem Arbeitgeber ins Haus gelieferte Arbeitsstoff von jenem verarbeitet wird. Die Eigenthümlichkeit dieser Art von Industrie erklärt es, daß bei den Fortschritten des Maschinenwesens und des Fabrikhaushalts das Loos der darin beschäftigten Arbeiter, mit Ausnahme sehr weniger Gewerbzweige, sich immer mehr verschlimmern muß, und daß sich in solchen Gewerben gerade das größte Armuthtum in Folge der niedrigsten Löhne, in Zeiten der Geschäftsstockung aber oft völlige Arbeitslosigkeit und in deren Gefolge als daraus entspringenden schreklichen Uebel, Demoralisirung, Elend der mannigfachsten Art, Entartung der physischen Constitution u. s. w. einstellen. — Das Verhältniß von Arbeitgeber zum Arbeiter ist überdies in diesen Zweigen ein sehr loses und lockeres, welches sich in Zeitläufen schlimmen Geschäftsganges oft ganz und gar auflöst, insofern die Arbeitsbestellungen des Unternehmers, Waarenhändlers, Factors u. s. w. sogleich aufhören, wenn sich die Anzeichen einer solchen ungünstigen Geschäftswendung kund geben. In Zeiten blühenden Geschäfts hingegen wird der Arbeiter der H. mit Arbeit überladen und seine Arbeitszeit in ungemessener Weise ausgedehnt, dadurch aber seine Arbeitskraft frühzeitig aufgerieben. Die Lohnverminderung und Lohnherabdrückung findet ferner in diesen Gewerbzweigen weit häufiger statt und die Schwankungen in der Höhe der Löhne sind weit bedeutender, als dies in den geschlossenen Gewerbsanstalten möglich ist. Durch diese schlimme Lage des Arbeiters in der H. sind denn auch eine Menge Mißbräuche in den davon abhängigen Gewerbwesen eingerissen, welche sich in einer Art Kriegszustand zwischen beiden ausdrücken, indem der Arbeiter nur zu häufig den Arbeitgeber durch das Zurückbehalten des ihm zur Verarbeitung von diesem gelieferten Arbeitsstoffes und daraus entspringende Verschlechterung des Fabrikats übervortheilt, der Unternehmer hinwieder nicht weniger selten sich durch Lohnabzüge, durch Verausgabung uncouranten Geldes zu hohem Course, und die Praktiken des Trucksystems sich dafür zu entschädigen sucht. Die Abhülfe dieser Gebrechen ist höchst schwierig und erfordert eine Reihe von Maßregeln und eine Menge von Mitteln, die der alte Staat mit seiner kostspieligen Verwaltung und seinem noch kostspieligern

fertigen solle, durch welche zugleich so viele unschuldige
und Familienverhältnisse profanirt würden." Wird die

Menschen auf Gedankenfreiheit (s. b.) mit Füßen tritt, aufgedrückt. Bei dem
leicht möglichen Mißbrauche der H. und insbesondere einer Durchsuchung und Beschlagnahme der Papiere sind die obigen Bedingungen und Voraussetzungen nicht ausreichend, vielmehr ist es dringend nothwendig, 3) sie nur durch das Gericht, unter
Zuziehung von Zeugen, vornehmen zu lassen, wie dies die badische Strafproceßordnung bestimmt. Ferner muß 4) der Angeschuldigte selbst, oder wenn er nicht anwe-

send ist, ein Angehöriger seiner Familie und in Ermangelung eines solchen ein Nachbar zugezogen werden. Das franz. Recht ist weniger streng und genau; nach demselben ist der Staatsprocurator im Falle eines mit entehrender oder Leibesstrafe belegten Verbrechens auf frischer That berechtigt, die H. zu veranstalten. Dieselbe Befugniß steht dem Instructionsrichter zu, nur daß dieser in der Regel und mit Ausnahme dringender Fälle an die Anträge des Staatsprocurators gebunden ist. 5) Die Durchsuchung und Beschlagnahme von Papieren darf nur bei schweren Verbrechen

beschränkt, nicht im Allgemeinen auf die H. ausgedehnt, weil nicht selten die Herstellung des Thatbestandes auch bei geringeren Diebstählen von der Auffindung der gestohlenen Sachen abhängt. Nach der badischen Strafproceßordnung ist die Durchsuchung von Papieren bei Vergehen, die nur mit Geldstrafe oder Amtsgefängniß bedroht sind, nicht statthaft. 6) Ueber die H. muß ein genaues, von dem Angeschuldigten oder dessen Stellvertreter mit zu unterschreibendes Protokoll aufgenommen, 7) sie darf nicht weiter, als zum Zweck der Handlung nothwendig ist, ausgedehnt werden.

Gerichtssiegel zu versehendes Behältniß zu bringen; 9) die Eröffnung darf nur in Gegenwart von 2 auf die Geheimhaltung des Inhalts verpflichteten Urkundspersonen geschehen. Die Beschlagnahme und das Durchlesen der Papiere soll sich niemals auf solche erstrecken, welche offenbar auf das Verbrechen keinen Bezug haben. Es ist ein

geheimnisse enthalten, dem Richter zur Befriedigung seiner Neugierde

hierüber: „Durch welche Umkehrung aller Rechtsbegriffe will man einem Richter, gelegentlich einer Beschlagnahme eines Bestandtheils des Verbrechens unter den Papieren des

allgemeine Gesinnungs- und Gedanken- und Lebensinquisition gegen ihn zu führen, ihn vermittelst seiner ihm gewaltsam entrissenen geheimen Papiere

ner Freunde und Angehörigen Geheimnisse und Vertraulichkeiten, ihre Gedanken- und Gefühlswelt mit uneingeweihten Blicken zu durchspähen und ihnen vielleicht namenlose Kränkungen der empfindlichsten Art zuzufügen?" Ueber die Erbrechung von Briefen s. Briefgeheimniß, und ist hinsichtlich ihrer nur noch hinzuzufügen, daß die Verletzung des Briefgeheimnisses, bei der Treue und dem Glauben, welche von dem Aufgeber der öffentlichen Postanstalt geschenkt wird, auch gegen in Criminaluntersuchung und im Criminalgefängniß befindliche Personen nicht gutgeheißen werden kann, vielmehr hier nur ein Zurückhalten und Aufbewahren der an den Angeschuldigten eingehenden Briefe zur Vermeidung von Collusionen (s. d.), deren Eröffnung aber nur unter Einwilligung desselben, sich rechtfertigen läßt. A. Hensel.

Hausverträge, s. Hausgesetze.

Havarei oder Haverei nennt man den Schaden, welchen ein Schiff durch Schiffbruch und Gefahr an sich oder seiner Ladung erlitten hat, gleichviel, ob die Ladung verdorben wurde, oder zur Rettung von Menschen und Schiff ins Meer geworfen wurde. Für derartige H. hatten die Eigenthümer keinen Vergütungsanspruch an den Schiffführer, der über die Gefahr und sein Verfahren ein Protocol aufnehmen muß. Die Versicherungen haben sich auch auf diesen Zweig menschlicher Thätigkeit ausgedehnt und bewahren den Einzelnen vor schweren Verlusten.

Hazardspiele, s. Glücksspiele.

Händerheben, s. Abstimmung.

Häusersteuer, s. Abgaben und Steuern.

Häusliche Erziehung, s. Erziehung.

Heer, Heerwesen. In dem jetzigen Zustande der Staatengesellschaft muß das H.wesen noch als ein nothwendiger Bestandtheil derselben betrachtet werden, obwohl die Zeit vor der Thüre ist, wo demselben eine durchgreifende Umgestaltung bevorsteht, insofern man durch die Erfahrungen eines 30jährigen Friedens allgemein zu der Einsicht gekommen ist, daß die stehenden Heere, welche bis jetzt die wahre Grundlage des H.wesens bildeten, das Krebsübel sind, woraus die trotz aller angestrengten Arbeit der Massen von Tag zu Tag steigende Verarmung der Bevölkerung herrührt. Die Nordamerikaner bei ihrem Kriege gegen Mexiko, die Schweizer, bei ihrem Zuge gegen den Sonderbund haben den Beweis geliefert, daß ein Volk auch ohne irgend belangreiche stehende H.massen, wo nöthig, die achtunggebietendsten Streitkräfte in der kürzesten Zeit ins Feld stellen kann, sobald nur dafür gesorgt ist, das ganze Volk wehrfähig zu machen und den Bürgern das Selbstgefühl und den Vaterlandssinn einzuimpfen, die mehr als alles Drillen und Abrichten im Kriege über den Erfolg entscheiden. — Man hat lange Zeit als unbestreitbar angenommen, daß die von Napoleon ausgebildete Conscription, der Zwang gesetzlicher Wehrpflicht und die jährliche Aushebung, kraft welcher ein Theil der waffenfähigen Jugend eines Landes jährlich für eine bestimmte Reihe von Jahren in das stehende H. versetzt wird, ein vernünftiges und unumgänglich nöthiges Mittel sei, um die Landes- und Volksbewaffnung auf die Stufe zu setzen, welche die Sicherheit eines Landes gegen ehrgeizige Absichten von Außen erfordert. Schon der Umstand, daß Völker, wie Großbritannien und Nordamerika, hinsichtlich ihres H.wesens bei dem alten Systeme des Werbens verblieben sind und doch im Kriege Erfolge davon getragen, die denen in keiner Weise nachstehen, welche Staaten mit Conscription erreicht, — schon dieser Umstand beweist, daß die letztere, wenn sie nicht in anderer Hinsicht überwiegende Vortheile bietet, in keiner Weise den Anforderungen entspricht, welche man an ein volksthümliches H.wesen stellen muß. Die Conscription ist aber in mehr als einer Hinsicht verwerflich, besonders aber, weil sie jährlich eine große Anzahl der arbeitskräftigsten Arme der erwerbenden und producirenden Thätigkeit entzieht, um dieselben auf Kosten des Staats zu ernähren und zu unterhalten, aus keinem andern Grunde, als dem, für den Ausnahmsfall eines Krieges waffengeübte Truppen in Bereitschaft zu halten. Freilich hat man bei dem bisherigen diplomatischen System, welches darauf ausging, die Völker gegen einander in beständigem Argwohn zu halten und einander zu entfremden, noch einen andern Zweck mit Aufrechthaltung der stehenden H.e ins Auge gefaßt, ein Zweck, der darin bestand, daß man jederzeit damit das Mittel in Händen hatte, die nach Freiheit dürstenden Völker selbst im Zaume zu halten und ihnen das kräftige Auftreten für Erlangung dieser Freiheit zu verleiden. Das neue und großartige System der Volksbewaffnung, welches die preußischen Staatsmänner von den Jahren 1808 — 1813 in dem Landwehrsystem einführten, war der Anfang einer neuen Gestaltung des H.wesens, die leider, wie so vieles andere zu jener Zeit Begonnene, ein Bruchstück geblieben ist und die in seinem Wesen angedeutete Entwickelung nicht nehmen konnte; wie hätte sonst Preußen noch im vergangenen Jahre nicht weniger als 25 Mill. Thaler für H.aufwand verausgaben können! — Das H. besteht aus verschiedenen Waffengattungen, die Infanterie oder das Fußvolk, die Cavallerie oder Reiterei, die Artillerie oder Geschützbedienung; jeder dieser Hauptzweige zerfällt wieder in mehrere besondere Gattungen, so giebt es unter der Linie oder Linienmilitair leichte Infanterie, Jäger oder Schützen, in einigen Staaten auch in jedem Regiment eine Art ausgewählter, oft bevorzugter Truppen oder schwerer Infanterie, Grenadiere, Garden u. s. w.; die Reiterei zerfällt gleichfalls wieder in leichte und schwere Reiterei, reitende Jäger, Uhlanen, Husaren, Chevauxlegers, Dragoner, Cürassiere u. s. w. Auch in der Artillerie findet sich der Unterschied der Truppen in leichte oder reitende Artillerie und Fußartillerie wieder; dieser Specialwaffe näher oder entfernter stehen andere Fächer des H.wesens, welche keiner bewaffneten

Macht fehlen dürfen: das Corps der Ingenieure, welche die strategischen Arbeiten, die Fortificationen u. s. w. leiten, die Pontoniers, welche den Uebergang des Heeres über Flüsse, sei es durch Herstellung von Schiffbrücken, Biragosche Brücken oder Pontons, bewerkstelligen, die Pioniere oder Schanzgräber, welche die Arbeiten bei Belagerungen und Verschanzungen ausführen, der Train oder das Bespannungscorps, die Ambulance oder das Corps der Aerzte und Wundärzte sammt allem dazu nöthigen Geräth und Hülfsmitteln, die Feldbäckerei u. s. w. — Bei dem Fußvolk unterscheidet man je nach der Anzahl und der Befehligung der Heerabtheilung den Zug, vom Zugführer oder Lieutenant, unter welchem Rottmeister, Corporale oder Unterofficiere stehen, befehligt; die Compagnie oder Kameradschaft unter dem Befehl des Hauptmanns oder Capitains; das Bataillon oder den Schlachthaufen und das Regiment, aus zwei oder drei Bataillonen bestehend, von einem Obersten befehligt, unter welchem zur Befehligung der einzelnen Bataillons andere höhere Officiere, Majors, Oberstlieutenants u. s. w., stehen. Zwei Regimenter mit dem zugetheilten Geschütz bilden eine Brigade, mehrere Brigaden eine Division, der Befehlshaber der erstern nennt sich Brigadier, der der letztern Divisionair. Ein Armeecorps ist aus mehrern Divisionen zusammengesetzt und umfaßt gewöhnlich von Specialwaffen so viel, als zu dem Zwecke, welchem es dienen soll, nothwendig erscheint. — In H.en der absoluten Staaten sind gewöhnlich die Officiersstellen, besonders aber die höhern, den Söhnen des Adels und des höhern Beamtenstandes vorbehalten; nur in den Specialwaffen, wo gründliche wissenschaftliche Bildung zur Ausfüllung dieser Rangstufen erforderlich ist, macht man üblicherweise eine Ausnahme. In Ländern mit freien Institutionen, namentlich wo das H. zum Schutz derselben auf die Verfassung verpflichtet ist und Theil nimmt an allen Rechten derselben, haben alle Stände gleichen Anspruch an Officierstellen und in manchen Staaten ist sogar ausbedungen, daß aus den Unterofficieren ein Theil der erledigten Officierstellen zu besetzen sei. Die Beförderung zu höherm Rang (Avancement) geschieht in einigen H.en nach dem Dienstalter, der Anciennetät, in andern nach gewissen Prüfungen, in dritten in gemischter Weise nach Dienstzeit, Auszeichnung oder Gunst.   J. G. G.

Heerbann hieß in der Vorzeit das bewaffnete Aufgebot des ganzen wehrfähigen Volkes. Jedes Mitglied des H.s war verpflichtet, sich selbst auszurüsten und mit Lebensmitteln zu versehen. Mit Verlust der Ehre und Habe ward der bestraft, welcher den H. verließ. So wurde es gehalten, bis die deutsche Volksherrschaft in eine Herrschaft der Großen und Mächtigen sich verwandelte, die in Eroberungskriegen eins ihrer Kennzeichen offenbarte: da traten an die Stelle des H.s stehende Heere. Erst der neuern Zeit war es vorbehalten, den H. aufzufrischen. Als im letzten Kriege Preußen, trotz seines zahlreichen stehenden Heeres, an den Rand des Verderbens gebracht worden war, nahm es seine Zuflucht zum Aufruf einer allgemeinen Landwehr. Doch hat die Furcht vor einem „bewaffneten Volke" diese Einrichtung in Deutschland noch nicht allgemein werden lassen. Wiederholte und gemeinschädliche Aeußerungen soldatischen Uebermuthes, so wie die im Volke immer allgemeiner werdende Ueberzeugung, daß nur der gute Staatsbürger auch ein guter Krieger sei, haben es in letzter Zeit doppelt wünschenswerth gemacht, daß die diesfalls in der deutschen Bundesacte noch schlummernden Verheißungen endlich zum Leben erwachen möchten. Dies und vieles Andere noch zu veranlassen, scheint indeß Aufgabe für die künftigen deutschen Ständeversammlungen geblieben zu sein.   W. Pretzsch.

Heerbeten (Kriegssteuern), s. Beten.

Heerschild, Heerschilling (Kriegssteuern), s. Beten.

Hehlerei, s. Diebshehler.

Heiden. Die Anbeter mehrerer Götter, im Gegensatze zu den Anbetern Eines Gottes. Der Name rührt daher, daß man nach dem Siege des Christenthums die

Menschen, welche dasselbe nicht annahmen, aus den Städten verbannte, in die Dörfer (pagi, d. h. pagani — Dorfbewohner: Heiden) trieb und sie zwang, ihren Gottesdienst in Wald und Feld (Haide) zu halten. Wie jeder auf bestimmten Satzungen ruhende Glaube (Religion) zur Verdammung Andersgläubiger führen muß und, seit wir die Menschheit kennen, geführt hat, so ächtete das Christenthum sofort die H. Später nahm man's mit der Bezeichnung H. nicht mehr genau, es hieß Alles H., was nicht glaubte, wie Rom, und die kleinen protestantischen Päpstlein der Neuzeit nennen ebenfalls Alles H., was denkt, und daher ihrem gedankenlosen Verdummungstreiben entgegentritt.

Heilige Allianz, s. Bündniß, das heilige.

Heilige Sachen. Aus dem römischen Heidenthum hat die christliche Kirche die Ansicht aufgenommen, daß die Gott geweihten, d. h. vom Priester gesegneten Sachen nicht mehr in den Verkehr kommen dürfen und also bei schwerer Strafe unantastbar sind. Diese Ansicht, verbunden mit der Nothwendigkeit, das immer steigende Vermögen der Kirche, wie ihre prächtigen Gefäße und Gewänder gegen Diebstahl zu schützen, hat die schweren Strafen gegen Kirchendiebstahl hervorgerufen, die zum Theil noch in unsern Gesetzbüchern stehen. Daß der Kirchendiebstahl schwerer als der andere gestraft werden muß, weil die h.n S. zum Theil blos den Schutz des öffentlichen Vertrauens genießen, ist nicht zu tadeln.

Heilige Schaar, s. Hetära.

Heilige Schrift oder Bibel nennt man die Bücher, welche das Christenthum als die Grundlage seiner Lehre betrachtet, also die Schriften des alten und neuen Bundes. Die erstern umfassen die jüdischen Gesetze, ihre Religionsgeschichte, zum Theil ihre politische Geschichte und die Lehren der Weisen und Propheten; die letztern umfassen die Lehren und das Leben Christi, nach den Auffassungen und Aufzeichnungen seiner Anhänger. Die christliche Kirche hat aus diesen Büchern etwas Göttliches gemacht, und sie demnach besonders hoch und heilig geachtet, jeden Frevel gegen dieselben mit zeitlichen und ewigen Strafen belegt. Dagegen ist nichts zu haben, denn es kann jeder Mensch und jede Versammlung von Menschen für heilig achten, was er will, wenn er nur gegen das allgemein für heilig Gehaltene nicht verstößt. Der Staat aber hat sich um diese Liebhaberei der Kirche nicht zu kümmern, am wenigsten ihr seine Macht zu leihen zur Aufrechthaltung dieser Heiligkeit. Die h. S. ist thatsächlich eine Sammlung, welche erst 3 Jahrh. nach Christus entstanden ist, also, abgesehen von der Auffassung der Person Christi, kein unmittelbarer Ausfluß seiner Lehre ist, sondern alle die Fälschungen erlitten hat, welche eine Schrift erleiden muß, die 3 Jahrh. handschriftlich sich fortpflanzt; auch hat die Kirche 2 Evangelisten, welche gerade so viel Recht haben, als die 4 aufgenommenen, willkürlich entfernt, weil sie recht eigentlich dummes Zeug geschrieben haben. Wie dem aber sei, ob man die h. S. für Gottes Wort oder Menschen Werk, für Offenbarung oder für ein schriftstellerisches Erzeugniß der damaligen Zeit hält; den Staat geht dies nichts an, die Wissenschaft allein hat sich darum zu bekümmern. Wenn der Staat gewisse Theile der h. S. als Wahrheit seinen Angehörigen aufzwingt, wenn er die Göttlichkeit und Unantastbarkeit gewisser Theile durch die Polizei aufrecht erhalten läßt, so untergräbt er damit das Ansehen der h.n S. selbst und stellt sich außerdem auf den Standpunkt der alten Priesterherrschaften, die nur einer Kaste im Staate dienstbar waren. S. auch Kirchenversammlung. *R. B.*

Heiliger Synod, s. griechische Kirche.

Heilsausschuß, s. Wohlfahrtsausschuß.

Heimath (Heimathsrecht). Jeder Mensch muß eine Scholle haben, auf der er sich aufhalten und endlich sein Haupt zur letzten Ruhe niederlegen kann. Dieses „Muß" nennt man die H., welche entweder durch die Geburt, oder durch die

Aufnahme in einem Orte oder Lande begründet wird. Mithin scheint dieses Recht ein ganz einfaches zu sein; und in den freiesten Staaten Europas, in England und Frankreich, ist es auch wirklich so. Nur in Deutschland ist das H.recht zu einer wahren H.snoth geworden; denn hier sind die gesetzlichen Bestimmungen darüber zwar so vielgestaltig, wie das Land selbst; bei alledem aber so unsicher, wie der Glaube an seine innere Einheit. Denn während z. B. England und Frankreich selbst den im Auslande geborenen Kindern ihrer Staatsbürger das H.recht zugestehen, kann man in Deutschland stets Zehn gegen Eins wetten, daß, so oft als das H.recht eines Menschen in Frage kommt, so oft auch ein weitläufiger und kostspieliger Rechtsstreit in Aussicht steht; ja, wie einst im alten Griechenland, 7 Städte sich um die Ehre stritten, die H. Homers zu sein: so zanken sich in Deutschland oft noch weit mehr Ortschaften recht ergötzlich darum, die H. selbst berühmter Männer nicht zu sein. Das macht's aber, weil eben die Gesetze nichts taugen, indem sie, wie die meisten andern deutschen Gesetze, entweder zu unklar und unbestimmt, oder doch so biegsam sind, daß sie Jeder nach Belieben deuten und auslegen kann. Der Reiche und Vornehme findet freilich mit seinem Geldsacke und seinem feinen Rocke überall Aufnahme und H. Die Gesetze werden nur für die Armen, das Volk, gemacht und die H.sgesetze sind oft der Cherub, der ihm mit dem Flammenschwerte irdischer Gerechtigkeit den Eingang in das Paradies der H. verwehrt — besonders wenn der Arme ein Herz gefunden, das sich ihm angeschlossen an Liebe und Treue. Die Liebe und Ehe ist nach der Meinung der deutschen H.sgesetze nur für die Reichen. Diesem Reichthum an trefflichen H.srechten hat Deutschland es theils zu verdanken, daß es beinahe einer großen Bettelvoigtei gleicht, wo man die Armen und Elenden sich ordentlich zuzutreiben pflegt.“ W. Pretzsch.

Heimathlose, s. Heimath.

Heimathsrecht, s. Heimath.

Heimfall (Devolution) bezeichnet zwar im Allgemeinen den Uebergang des Gutes oder Rechtes von einem Verstorbenen auf einen Lebenden, besonders aber das behauptete Recht des Staates, daß er ein H.recht an allem Gut habe, welches keinen bestimmten Erben hat, ja, daß der Nachlaß jedes Fremden ihm gehöre; das letztere H.recht war wenigstens bis gegen Ende des vor. Jahrh.s vorhanden und wurde besonders in Frankreich ausgeübt. Hat das H.recht bisher nur Haß und Abneigung hervorgerufen, weil es theils ungerecht ausgeübt, theils zu Zwecken der Gewalt und des persönlichen Vortheils der Herrscher ausgeübt wurde, so wird es dereinst in erneuter Gestalt als eine Segnung gepriesen werden, wenn die Erblichkeit in die Grenze des natürlichen Rechts zurück gebracht ist und jeder H. für die Erziehung der Jugend und die Verbesserung der Zustände der Armen verwendet wird.

Heimlichkeit, s. Geheim und Oeffentlichkeit.

Heirath, s. Ehe.

Heirathsgut, s. Brautschatz.

Held. Ein durch Muth, Tapferkeit und Seelengröße ausgezeichneter Mensch. Man wirft der Jetztzeit vor, daß sie keine H.en habe, daß diese einen Vorzug vergangener Zeiten bildeten. Abgesehen davon aber, daß auch unsere Zeit stets Männer gezeigt hat, welche die Eigenschaften eines H.en besaßen, so kommt es nur darauf an, was man als H.enthat anerkennt. Zu Kriegsthaten bietet unsere faule Friedenszeit keine Gelegenheit; erkennt man aber den Kampf mit Drachen und Ungethümen für H.enmuth an, so muß man auch den H. nennen, welcher sein Leben lang mit dem Ungethüm der Schreibstubenherrschaft ringt. Er hat es vor den H.en des Alterthums sogar voraus, daß er mit ihren Eigenschaften noch die unermeßlichste Geduld und Ausdauer verbinden muß.

Hellebarde. Ein Stangengewehr, das eine lange zweischneidige Spitze, daranter ein kleines Beil auf der einen, einen scharfen spitzen Haken auf der andern Seite und einen mit Nägeln beschlagenen Schaft hatte, der 7—8 Fuß lang war. Besonders die Schweizer führten die H., doch hat sie sich als Waffe des Fußvolks ziemlich weit verbreitet.

Helm. Eine Kopfbedeckung von Leder oder Metall, die zugleich als Schutzwaffe dient. Vergl. Gewehr.

Hemblaken, s. Bedemund.

Henken oder **Hängen.** Eine vielverbreitete Todesstrafe, s. Galgen.

Henker. Ein Beamter, welcher diese Todesstrafe vollziehen mußte. Er war ehrlos in alter Zeit; daß er aber nur wegen seiner ehr- und rechtlosen Beschäftigung ehrlos sein konnte, daran dachte man nicht. Hoffentlich sieht man bald auf das Vorurtheil der Nothwendigkeit der Todesstrafe eben so mitleidig herab, als auf das Vorurtheil gegen den H.

Henrycinquisten, s. Carlisten.

Herabsetzung in Amt und Würden, s. Degradation.

Heraldik, s. Wappenkunde.

Herbstbeten (Gerichtssteuer), s. Beten.

Herdsteuer. Eine Abgabe, welche von jedem Rauchfange entrichtet werden mußte; nur der Unverheirathete, Bettler, kurz, wer keinen eigenen Herd hatte, war davon frei. In Neapel besteht diese Steuer noch und muß von Allen, mit Ausnahme der Lazzaronis, entrichtet werden.

Hermandad oder heilige H. (spanische Brüderschaft, Verbrüderung) heißt eine Art spanischer Fehme, die im 13. Jahrh. in den Städten aus den edelsten Bürgern entstand und die Räubereien des Adels züchtigte. Im 15. Jahrh. erreichte sie ihre Blüthe und richtete sich gegen den Friedensbruch jeder Art; im 17. Jahrh. aber artete sie in ein gewöhnliches Polizeisoldatencorps aus, welches in den Städten eingerichtet wurde.

Hermeneutik, s. Gesetz.

Herren, Herrenstand, s. Adel und Stände.

Herrenfrohnen, s. Frohnen.

Herrenlose Sachen heißen diejenigen, welche keinen Eigenthümer haben. Ihr Heimfall (s. d.) an den Staat, d. h. die Allgemeinheit, ist nicht zweifelhaft.

Herrnhuter, s. Brüdergemeinden.

Herzog, s. Adel.

Herzogthum. Ein kleineres Ländergebiet, als ein Königthum, dessen Fürst den Titel Herzog führt. Wir haben deren in Deutschland mehrere, das H. Braunschweig, die sächs. Herzogthümer, das H. Nassau, das blühendste und reichste Land mit dem vermögendsten Fürsten und den ausgesogensten ärmsten Einwohnern. Einige Fürsten der Herzogthümer heißen Großherzog (s. d.).

Hessen-Casselsche Religionsversicherung heißt eine Erklärung, welche der Landgraf Friedrich 1749 seinem Lande gab, als er zur römischen Kirche überging, daß die Protestanten nicht in ihren Rechten geschmälert werden, den Katholiken keine Bevorzugungen eingeräumt werden sollen.

Hetäria. Schon zu Ende des vor. Jahrh.s versuchten die Griechen die Freiheit und Unabhängigkeit des Landes zu erringen, aber von Rußland preisgegeben, erstickte dieser Versuch im Blute der Betheiligten; Oesterreich kam durch Auslieferung des heldenmüthigen Riga's und zweier seiner Genossen 1797 einem erneuten Unternehmen dieser Art zuvor, und die „griech. Frage" verschwand in den Napoleonischen Riesenkämpfen. Erst 1815 bildeten einige in Rußland lebende Griechen die H., den

„Bund der Freunde"; Fürst Alexander Ypsilanti ward, da Graf Capo d'Istrias diese Stelle ausschlug, das Haupt der Verbindung, die zum Zweck hatte, Uebereinstimmung in alle Unternehmungen der Griechen zu bringen und das Volks- und Freiheitsgefühl überall zu wecken. Sie war in 5 Klassen getheilt, deren letzte, die Ephoren, die Leitung des Ganzen besorgte, während die übrigen nach ihrem Vermögen Beiträge stellten. Der Tod des Hospodaren der Moldau (1820) reifte das Unternehmen zu früh, Ypsilanti begann den Kampf in nicht eigentlich griech., wenn auch der griech. Kirche zugehörigen Staaten, Verrath umlauerte seine Schritte, und schon am 19. Juni 1821 erlag die heilige Schaar griechischer von Deutsch- lands Hochschulen zum Freiheitskampfe herbeigeeilter Jünglinge im Treffen bei Dra- geschen; die letzten Reste sprengten sich in einem verschanzten Kloster in die Luft, Ypsilanti ward auf österreich. Gebiet gedrängt und hier verhaftet nach der Festung Munkacz geschleppt: die H. erstarb.   L. W.

Hexen, Hexenprocesse. Nicht allein in der heidnischen Welt, auch in der christlichen spielt der Glaube an böse Geister und an Zauberer eine große Rolle. Wie dort die Priester aus dem Vogelflug, den Eingeweiden der Opferthiere u. s. w. die Zukunft verkündeten oder als Magier (Chaldäer) im Bunde mit bösen Geistern über höhere, übernatürliche Kräfte geboten: so räumte man hier der Hölle, dem Höllenfür- sten und den Teufeln eine unheilvolle Macht über die Welt ein. Man glaubte, daß die Menschen sich dem Teufel ergeben, mit ihm ein Bündniß schließen und dadurch Theilhaber seiner verderblichen Macht werden könnten. Diese Verbündeten des Teu- fels, Zauberer und H., sollten durch ihre Beschwörungen (Zauberformeln hersagen, hermurmeln und hersingen) Sprüche und Reime — Beschreien) das Wetter machen, Ungewitter herbeirufen, die Saaten verderben, die Geburten der Weiber zu Grunde richten, die Kindererzeugung hindern, das Vieh krank machen und peinigen u. s. w. können. Gegen diese Künste der Hölle erhob sich denn natürlicher Weise die Kirche, die Stellvertreterin Gottes; aber sie zerstreute den Wahn nicht durch eine vernünftige Lehre, sondern zog mit Feuer und Schwert gegen die vom bösen Geist Besessenen zu Felde: sie rief die richterliche Strafgewalt dagegen auf, führte den H.proceß ein und ertheilte den H.meistern unumschränkte Gewalt, die, welche der Hexerei ver- dächtig seien, vor ihr Gericht zu ziehen und zum Scheiterhaufen zu führen. In Deutschland geschah dies durch Papst Gregor IX. 1454 und Innocenz VI. 1484 — Kaiser Maximilian bot die Hand dazu. In Spanien, Frankreich, Italien, Niederland, England u. s. w. wütheten die H.procesfe: in keinem Lande so fürchter- lich wie in Deutschland. Aerzte und Theologen bewiesen haarscharf, daß es H. gebe und daß sie Gewalt über die Geschöpfe Gottes hätten: die Folter leistete gute Dienste und brachte die unglücklichen Schlachtopfer zum „freiwilligen" Geständniß, die H.mei- ster waren zum Theil sogar auf Sporteln gesetzt — 4 oder 5 Thaler auf den Kopf einer jeden Hexe — man schaudert über die Schandthaten, die von der Kirche zur Ehre Gottes vollführt wurden, und über die Unzahl der Opfer, die einem Wahn zufolge den Feuertod starben: es war die Zeit, wo der Jesuitenorden in seiner höch- sten Blüthe stand. Jahrh.e lang währte dieser Wahn, die Reformation vernichtete ihn nicht, — glaubte doch Luther selbst an den leibhaftigen Teufel — vereinzelte Stimmen zwar erhoben sich gegen den Aberglauben, aber sie wurden übertäubt durch das Geschrei fanatischer Pfaffen und Juristen. Erst zu Anfang des vor. Jahrh. ge- lang es dem aufgeklärten Theologen Thomasius, den H.processen als einer „Aus- geburt des Papstthums" ein Ziel zu setzen. Ich will nicht behaupten, daß der Glaube an H. und Gespenster, besonders auf dem platten Lande, in Deutschland völlig verschwunden sei; der Unterricht der unteren Klassen ist großentheils noch so, daß das Licht der Forschung und Wissenschaft ihnen wenig zu Gute kommt, und eingerostete Wahngebilde, wenn sie auch noch so unsinnig sind, sich vom Vater auf den Sohn forterben. Gewiß aber sind es doch nur sehr vereinzelte Erscheinungen, wenn im Kopf eines Bauern noch die Furcht spukt, daß ihm eine H. etwas „angethan“, daß sein Vieh behext oder enthext werden könne. Cramer.

Hierarchie, s. Priesterherrschaft.

Hinterhalt. Die verdeckte Stellung eines Heerestheiles, von welcher aus es den Feind plötzlich und unvermerkt überfällt. Ueblich ist der H. im Kriege allgemein, männlich edel ist er nicht. Der politische H. ist es noch weniger, und doch ist die Politik deutscher Minister seit 1815 eine ununterbrochene H.spolitik. Jedes Gesetz und jede Verfassung kam mit einem wohlangelegten H. zur Welt, aus welchem heraus das Ministerbelieben hervorbrach, sobald man die Früchte der mühsam zu Stande gekommenen Neuerung genießen wollte. So waren alle sogenannten Fortschritte nur eitler Schein.

Hintersassen. Benennung für lehnspflichtige Bauern, im Gegensatze zu denen, welche diese Pflicht abgelöst haben.

Hirtenbrief. Rundschreiben der römischen Bischöfe an die Geistlichen, in welchen sie kirchliche Anordnungen treffen. In den meisten Staaten darf ein H. nicht ohne Einsicht und Genehmigung der weltlichen Behörden stattfinden. Bei den zahlreichen Umtrieben der römischen Geistlichkeit war dies leider eine Nothwendigkeit; wenn Kirche und Staat aber die richtige Stellung gegen einander eingenommen haben, muß auch diese Censur hinwegfallen.

Historische Schule, s. geschichtliche Schule.

Historisches Recht, s. Recht.

Hochachtbar und **Hochedelgeboren** sind im deutschen Titelunwesen Bezeichnungen für Personen niedern Standes. Etwas höher sind schon die Titel Hochwohledelgeboren, Wohledelgeboren und Wohlgeboren, bis zu dem Grafen, der Hochgeboren ist. So lange man die Dummheit festhält, daß ein Mensch von Geburt besser sei, als ein anderer, ist es auch kein Wunder, daß dieser Titelunsinn, über welchen uns alle Völker der Erde verlachen müssen, sich erhält. In den höhern Regionen wird er besonders gepflegt und das sächsische Ministerium nannte den bürgerlichen Präsidenten der 2. Kammer ohne Gnade Hochedelgeboren, eben so wie die sächsische Camarilla den einzigen bürgerlichen Minister, welchen Sachsen zum Gräuel derselben hatte, nie anders betitelte. Nun, auch dieser Unsinn ist überwunden.

Hochkirche, s. anglikanische Kirche.

Hochstift. Diejenigen Capitel (s. d.), welche sich an einer bischöflichen Kirche befinden, die also unmittelbar einem Bischof (s. d.) untergeben sind.

Hochverrath. Handlungen, durch welche man einen Staat vernichtet, seine Verfassung gewaltsam umgestaltet, oder Theile desselben einem Feinde überliefert werden sollen, nennt man H. Er kann nur verübt werden von Angehörigen des gefährdeten Staates, denn nur diesen liegt die Pflicht ob, zur Erhaltung desselben mitzuwirken und jede Gefahr von ihm abzuwenden. Ferner hat der H. das Eigenthümliche, daß meist nur seine Absicht dem Rechtsspruche anheimfällt; ist die That vollendet, so ist der strafende Staat nicht mehr, oder der Verbrecher hat sich dem Gesetze entzogen. Es ist Nichts natürlicher, als daß der Staat das Verbrechen, welches gegen sein Dasein gerichtet ist, sehr strenge bestraft, und im Alterthum stand nicht blos Todesstrafe, sondern auch Vermögenswegnahme, Verfluchung des öffentlichen Andenkens, Ehrlosigkeit der Nachkommen und Angehörigen, Kirchenbann u. s. w. auf dem H. Die Neuzeit hat dies geändert, allein die Strafe des H.s ist immer noch die strengste, die es giebt, und schon der Versuch wird schwer gebüßt. Nichts ist natürlicher, als daß die Alleinherrschaft (s. d.) den Begriff H. fälschte, indem sie jedes Verbrechen gegen den Herrscher ebenfalls H. nannte; wo Ludwigs XIV. Ausspruch: L'état c'est moi! (Der Staat bin ich!) zur Wahrheit wurde, da allerdings war der H. gegen den Herrscher, oder jedes Verbrechen gegen den Staat auch gegen den Herrscher gerichtet; aber dort hatte auch ein natürlicher und vernünftiger Rechtszustand aufgehört. Eben so natürlich ist es, daß man den H. um so härter bestraft, je mehr der Staat auf bloßer Gewaltherrschaft beruht und also das Gelingen jedes H.s fürchten muß. So grenzen denn auch die strafrechtlichen Bestimmungen mitunter an Tollheit, tragen den Charakter der grausamsten Rache, die ihr Opfer mit Blutgier verfolgt. Zugleich hat man den Begriff H. auf eine den Menschenverstand beleidigende Weise ausgedehnt und Handlungen als solchen bestraft, die oft Ausübung eines Rechts, sogar Tugenden sind. Haben doch deutsche Richter sich nicht geschämt, den „Versuch zum Versuch eines entfernten H.versuchs" zu bestrafen und sich zum Werkzeuge einer rachedürstenden Gewalt gemacht. Die Wissenschaft hat H. und Staatsverrath geschieden und unter ersterm die Verbrechen verstanden, welche von Angehörigen gegen sein Bestehen und seine Verfassung unternommen werden; unter letzterm diejenigen, durch welche der Staat an Fremde verrathen wird, also gewissermaßen einen innern und äußern H. aufgestellt. Auch hat man den Begriff insofern unnatürlich ausgedehnt, indem man z. B. das Verbrechen des H.s gegen den deutschen Bund erfand, welches nach Ansicht der tüchtigsten Rechtskundigen nicht verübt werden kann. Von den Handlungen gegen den Fürsten sind nur solche H., welche demselben die Regierung entreißen oder unmöglich machen wollen (s. Majestätsbeleidigung). Die einzelnen Handlungen, aus welchen der H. besteht, Verschwörung, Aufruhr, Aufstand u. s. w., sind einzeln abgehandelt (s. die betr. Aufsätze) und es bleibt nur zu wiederholen übrig, daß es keine gefährlichere Klippe für den Richter giebt, als eben den H., weil er es fast nie mit einem Verbrechen, sondern stets nur mit einem Versuch (s. d.) zu thun hat und daher sehr leicht zum blinden Werkzeuge kleinlicher und grausamer Staats-, wo nicht Herrscherrache herabsinkt. Und weil beim H. nicht nur der Staat, sondern sogar die augenblicklichen Träger der Staatsgewalt immer Partei sind, so ist bei ihm das Volksgericht (die Geschwornen) dringender nöthig, als bei jedem andern Verbrechen. Ist doch der Verbrecher schon genug benachtheiligt, wenn er in unserm lediglich auf dem Besitz beruhenden Staate sich bei z. B. einem Versuche, das allgemeine Vermögen zu theilen, oder das Privateigenthum aufzuheben, von den Besitzenden richten lassen muß. Ist aber schon der Rechtsbegriff des H.s schwer klar und bestimmt hinzustellen, so schwankt derselbe noch mehr, sobald wir das politische Gebiet betreten. Hier ist es heute H., die Fahne der Republik aufzupflanzen und morgen ist es H., die Waffen für das Königthum zu erheben; was heute mit grausamer Todesstrafe belegt wird, das ist morgen angestaunte Tugend und was der Herrscher von heute rachedürstend ahndet, das lohnt der Herrscher von morgen mit Dank und Ehre. Diese Umstände haben den Begriff des H.s als strafbaren Verbrechens in den Völkern fast völlig ausgerottet, man sieht im Hochverräther vielmehr einen Märtyrer, dem sich eher Liebe als Haß zuneigt. Wer denkt nicht mit Bewunderung und Liebe an Cola Rienzi, Egmont, Patkul, Schill, Palm, Hofer, Riego, Kolnarski und Wysniowski? Und doch übten sie alle H. Diese Gewalt der öffentlichen Meinung ist so stark, daß selbst verbündete und auf einem Regierungssystem beruhende Staaten die Auslieferung (s. d.) wegen H. verweigern, und daß es jeden Fühlenden empört hat, als Auslieferungsverträge wegen H. zwischen einzelnen Staaten geschlossen wurden. Alle diese Gründe machen es nothwendig, den H. klar zu bezeichnen, auf bestimmte unzweifelhafte Handlungen zu begrenzen und wohl zu unterscheiden, ob die Triebfeder des H. Bosheit, Selbstsucht und Herrschergelüste, oder ob sie nur Irrthum und politische Schwärmerei sind. Der Staat, welcher auf Freiheit und Gerechtigkeit beruht, der menschlichen Vernunft die Ausbreitung und Geltendmachung nicht verkümmert, sie vielmehr fördert, den Staatsbürger am Staatsleben betheiligt und die Mittel des Staates wirklich zum Besten des Ganzen, nicht für den Herrscher oder eine bevorzugte Kaste ausbeutet, er hat keinen H. zu fürchten, wenigstens ist er in demselben eine seltene Erscheinung; der Staat aber, welcher auf den entgegengesetzten Grundsätzen beruht und die Gewalt, die Selbstsucht, den ungebändigten Einzelwillen an die Stelle des Rechts setzt, ist vor H. keinen Augenblick sicher und alle Schrecken und Grausamkeit halten denselben nicht zurück. In diesem Augenblick, 15. März 1848, sind neun Zehntheile der Deutschen des H.s am deutschen Bunde schuldig, gegen dessen freiheitsfeindliche Richtung und Absichten sie sich auflehnten, sie sind des H.s gegen ihre Landesregierung schuldig, denn sie haben die verrätherischen Minister gewaltsam entfernt, die durch Lug und Trug ihre selbstsüchtigen Zwecke verfolgten. Aber die Welt jauchzt dem H. zu! Vor 10 Jahren wurden dieselben Handlungen, dieselben Absichten mit Tod und ewigem Kerker gebüßt. So vag, so schwankend ist der Begriff des H.s.   R. B.

Hochwohlehrwürdig, f. ehrwürdig.

Hochwürdig, f. ehrwürdig.

Hochzeiten, f. Feste.

Hof. Gleichnamig mit den zeitweiligen Nebelkreisen um die vornehmsten Gestirne am Lufthimmel sind die Wohnsitze der Erdensterne erster Größe, denn Beide werden Höfe genannt. Der H. umfaßt außer dem Haushalte des Fürsten, wozu die mannigfachen H.ämter, vom Ober-H.-Marschall an bis zum H.-Stubenheizer, gehören, in manchen Ländern auch noch verschiedene hohe Landesbehörden, die — wie in Oesterreich — in H.-Gerichte, H.-Kanzleien, H.-Räthe u. s. w. zerfallen, an deren Spitze wieder ein H.- und Staats-Kanzler steht, der zugleich Alles leitender erster Minister ist. — Daß ein solcher H. manchem Lande mehr kostet, als seine arbeitenden Kräfte zu erschwingen vermögen, läßt sich besser fühlen als ausdrücken. Werden die Kosten des H.halts ohne Weiteres von den Landesabgaben bestritten und bestehen besonders die fürstlichen Freuden in kostspieligen Liebhabereien, so kommt dies freilich den Leuten mitunter spanisch vor; indeß gewöhnt man sich mit der Zeit daran. In Verfassungsstaaten wird das Einkommen der Regenten beschränkt und festgestellt durch die Civilliste (f. d.). In frühern Zeiten war der H. nicht selten der Sitz unsinniger Verschwendung, des üppigsten und schamlosesten Lebens und der verstelltesten Heuchelei, was verderblich auf die Sitten und den Charakter des Volkes zurückwirken mußte. Besonders zeichnete sich der franz. H. durch einen seltenen Grad von Lasterhaftigkeit aus, bis die Staatsumwälzung dem Unwesen ein Ende machte. In neuester Zeit ist dies meist anders und besser geworden, obschon es nicht geradezu in Abrede gestellt werden kann, daß Ränkesucht, Heuchelei und manche andere Sünde gegen das Sittengesetz in den Vorhallen des H.s mitunter noch einheimisch sein mögen, daß durch Begünstigung und Erhebung feiler Buhldirnen noch oft der Sitte und Heiligkeit der Ehe Hohn gesprochen wird und daß der Fürst oft gerade da die wenigsten aufrichtigen Freunde zählen mag, wo man ihm die gehorsamsten Gesichter und die gekrümmtesten Rücken zu zeigen bemüht ist.   W. Pretzsch.

Hofadvocat. In manchen deutschen Ländern Name des Advocaten, der bei dem höchsten Gerichte Rechtshändel zu führen befugt ist; in manchen Ländern dagegen ein bloßer Titel.

Hofämter. Die Stellen, welche sich auf den Fürsten und seinen Hof beziehen. Sie waren trotz aller Verfassungsversicherungen von Gleichheit am Morgen des 9. März 1848 noch fast ausschließlich in den Händen Adliger.

Hofcommissionen. In der alten Reichsverfassung Beauftragte zur Untersuchung bestimmter gerichtlicher Fälle. Sie wurden entweder vom Kaiser oder vom Reichshofrath — d. h. dem kaiserl. Gericht — ernannt. Besonders kamen ständische H. zur Schlichtung politischer Zwiste und Mißhelligkeiten oft vor. Damals erhielten sogar die „Unterthanen" oft gegen ihre Fürsten Recht.

Hofdamen. Gesellschafterinnen der Fürstinnen, die am Hofe wohnen, besoldet werden und gewisse Dienste, wie Vorlesen u. s. w., zu verrichten haben. Nach franz. Beispiel werden sie in Ehrendamen und Palastdamen eingetheilt; die erstern sind höher an Rang, erhalten keine Besoldung und sind nur Gesellschafterinnen. Die letztern aber leisten die bezeichneten Dienste allein. Noch eine besondere Klasse H. sind die

Hoffräulein oder **Ehrenfräulein**, junge Mädchen, die sich gewissermaßen zu Hofdamen praktisch ausbilden. Natürlich können nur adlige Damen diese welt= beglückenden Geschäfte ausüben.

Hofdichter. Ein Versemacher, welcher den Hof und seine Thaten besingt und dafür seinen Sold empfängt. Wer sich sonst nicht zu ernähren weiß und nicht über= trieben empfindlich ist, für den ists eine gute Stelle; für Andere ists ein saures Brod und Männer, wie **Freiligrath**, können in derselben allerdings nicht ausdauern, und die Schwierigkeit, H. zu finden, hat dieselben neuerdings fast in Vergessenheit gebracht.

Hoffähig heißt derjenige, welcher das Glück hat, der Cour beiwohnen und dem Fürsten die Hand küssen zu dürfen. Erforderniß dazu ist Adel oder ein hohes Amt; ersterer aber vorzugsweise, denn hat ein Bürgerlicher einmal ausnahmsweise ein hohes Amt, so betrachtet ihn der Adel doch niemals als ebenbürtig und folglich auch nicht als h.

Hoffolge nennt man sowohl die Pflicht, den Hof auf Reisen zu begleiten, als die Frohn= und andern Leistungen, welche die Unterthanen oft dem Hofe noch zu lei= sten haben.

Hofgericht. In manchen Staaten die Obergerichte; in Baden heißen dieselben heute noch so, in Sachsen wurden sie bis vor Kurzem so genannt. Vergl. Acten= versendung.

Hofherr. Ursprünglich der Besitzer eines Gutes (Hofes), welches hörige und pflichtige Leute hatte; jetzt Benennung eines Beamten des Hofes, oder eines Hoffähi= gen überhaupt.

Hofkammer. Zuweilen Benennung der Verwaltung des Hofhalts, zuweilen, wie z. B. in Oesterreich, die Landessteuereinnahme.

Hofkammerrath heißt ein höherer Angestellter bei dieser Hofkammer.

Hofkriegsrath. Die höchste Militairbehörde in Oesterreich, welche in allen Militairangelegenheiten entscheidet. Sonst ging dies so weit, daß, wenn ein österreich. General angegriffen wurde, er erst beim H. fragen mußte, ob er sich vertheidigen solle? Daduch war denn auch der H. sprichwörtlich, um etwas Unbeholfenes und Unzweckmäßiges zu bezeichnen. Der H. präsident war der Kriegsminister.

Hoflager. Eine veraltete, aber noch nicht ganz verschollene Bezeichnung für den Aufenthaltsort des Hofes und das Gesammtpersonal, welches dazu gehört.

Hofmann. Ein Mann, der an den Hof paßt, und an ihm erscheint. Das Wort enthält einen Widerspruch in sich selbst, denn am Hofe braucht und will man keine Männer, sondern nur Geschöpfe, die sich beugen, wie eine Aehre im Winde.

Hofmarschall. Der Beamte, welcher dem Heer der Hofbeamten vorsteht und sorgt, daß dasselbe seine weltgeschichtliche Aufgabe erfüllt, ohne jemals auch nur eine Handbreit aus dem seit Jahrh.en ausgetretenen Gleise zu gerathen. Eine schwere Aufgabe! Ein H. v. Malortie in Hannover hat ein Buch über dieselbe geschrie= ben und also eine wissenschaftliche Grundlage für sie zu schaffen gesucht.

Hofmeister und **Hofmeisterin** bezeichnet 1) eine Stelle am Hofe, welche zur Beaufsichtigung des Hoflebens und der Angestellten, besonders zur Erziehung der Ju= gend zum Hofdienste bestimmt ist. Meist heißen die Beamten Ober=H.; 2) nennt man so einen Erzieher oder Erzieherin oder Hauslehrer; und 3) bezeichnet man mit diesem Namen einen Aufseher über das Gesinde und Werkführer auf einem großen Bauerngute.

Hofnarr. Im Mittelalter ein Mensch, welcher den Fürsten erheiterte durch rohe Späße; meistens war der H. komischer Gestalt, verwachsen, sehr klein u. s. w. Wie traurig finster müssen die Zeiten gewesen sein, von denen man rühmt, daß ein solcher Narr zuweilen eine schüchterne Wahrheit in seinen Witz mischen durfte? Und doch giebt es verschrobene Köpfe, welche dieselben zurückzuführen trachten. Die Hofdichter versehen jetzt die Stelle der H.en.

Hofrath. Sonst ein Beamter, welcher dem Fürsten seinen Rath lieh; jetzt ein bloßer Titel, durch welchen man einen Menschen los zu werden sucht, dessen Person und Rath man nicht will.

Hofrecht. Eine Art häuslicher Gerichtsbarkeit, welche der Besitzer eines freien Bauergutes vordem über seine Dienstleute ausübte.

Hofstaat. Das gesammte hohe Beamtenpersonal eines Hofes.

Hoftheater, s. Theater.

Hohe Feste heißen diejenigen Feste in der christlichen Kirche, welche mehrere Tage dauern, wie Ostern, Pfingsten, Weihnachten.

Hohe Fraiß, s. Blutbann.

Hohe Geistlichkeit. In der römischen Kirche die Cardinäle, Erzbischöfe, Bischöfe u. s. w., welche Stimmen auf dem Reichstage hatten und in Ständeversammlungen haben.

Hoheit. Titel fürstlicher Personen, die nicht regieren; so heißen die Prinzen und Prinzessinnen Rußlands und Oestreichs kaiserliche H., Söhne und Töchter eines Königs: königl. H. Zum Heile Deutschlands hat es der Bundestag nach etwa 10jährigen Verhandlungen durchgesetzt, daß die kleinen Fürsten alle H. heißen; es war dies eins seiner wesentlichsten Mittel, das Volk auf die „hohe Stufe zu heben, die ihm gebührt."

Hoheitsrechte nennt man die aus der obersten Gewalt im Staate fließenden Rechte des Herrschers sowohl, als die allgemeinen Rechte des Staats über das Eigenthum der Gesammtheit u. s. w. Die H. des Herrschers umfassen je nach der Verfassung das Gesetzgebungs-, Oberaufsichts-, Vollziehungs-, Kriegs-, Rechtspflege-, Kirchen- und Finanz-H. (s. d. Aufsätze); zum H. gehörig, wenn auch geringerer Art und daher auch niedere H. genannt, ist die Wasser-, Forst-, Jagd-, Berg-, Salz- u. s. w. Gerechtigkeit, die zwar noch allenthalben besteht, aber großentheils nur Uebergriffe des Staats enthält, dessen Oberaufsichtsrecht auf diesen Gebieten meist in ein Ausbeutungsrecht ausgeartet ist, indem man Alles und Alles besteuert und belastet, um die Bedürfnisse kostspieliger Höfe und ungeschickter, maschinenmäßiger Staatsverwaltungen zu erschwingen. Die H. stammen aus Rom, oder besser, sie liegen in der Natur des Staates und der Regierung, wurden aber in Rom ausgebildet und unter der bis zur äußerst möglichen Grenze ausgedehnten Herrschermacht späterer Zeit zu der jedes Maß überschreitenden Ausdehnung gesteigert.

Hohe Pforte. Benennung eines Palastes oder fürstl. Schlosses in der Türkei, besonders aber des Thores am Palaste zu Constantinopel. Daher nennt man die türkische Regierung im Allgemeinen ebenfalls häufig h. Pf.

Hoher Adel, s. Adel.

Hohe Zent, so viel wie Blutbann (s. d.).

Holländerei. Vielfach gebräuchliche Bezeichnung einer Landwirthschaft, die in sich geschlossen, von keinem fremden Boden unterbrochen und deren Hauptaufgabe Viehzucht und Wiesenpflege ist. Besonders in Holstein ist die Bezeichnung H. an der Tagesordnung.

Homöopathie. Der einzige Gesichtspunkt, welchen wir diesem neuen Zweige der Arzneiwissenschaft gegenüber festzuhalten haben, ist der der Medicinalpolizei, s. daher d. Abhandlung.

Honneurs. Mit diesem fremden Ausdrucke bezeichnet man fast ausschließlich die Ehrenbezeigungen, welche im Militair üblich sind und den Vorgesetzten vom Untergebenen erwiesen werden müssen. Sie sind bei allen Heeren in ein festes System gebracht und genau vorgeschrieben.

Horchende Schöppen hießen im Mittelalter die Gerichtszeugen, die als kläglicher Rest der Volksgerichte übrig geblieben waren; jetzt könnte man sie schlafende Sch. nennen, denn die alten Spießbürger, welche man „zum Schutze des Angeklagten" mit beim Verhöre sitzen läßt, haben gerade so viel Bedeutung, wie die Geräthschaften, die in der Verhörstube stehen.

Hospital, s. Wohlthätigkeitsanstalten.

Hospitaliterinnen, s. Diakonissinnen.

Hostie, s. Abendmahl.

Hörigkeit, s. Leibeigenschaft.

Hufe. Ein Stück Boden, welches mit einem Pferde bearbeitet werden kann. Die H. ist zwar sehr verschieden an Größe in den verschiedenen Ländern, aber dies liegt in der Natur des Bodens, dessen hier mehr, dort weniger von einem Pferde bewältigt werden kann.

Hufengeld. Eine bäuerliche Abgabe in manchen Ländern, die sich nach der Zahl der Pferde richtet, deren der Landmann bedarf.

Hugenoten. Die kirchliche Reformation gewann auch in der Schweiz und in Frankreich rasch Boden und zahlreiche Anhänger. Die H. (ein von den Genfer Eidgenossen auf die franz. Glaubensgenossen übertragener Name) verbreiteten sich dergestalt, daß 1562 bereits 2510 protestantische Kirchen in Frankreich gezählt wurden. Dieser Erfolg regte aber die pfäffische Partei gewaltig auf, und bald ward der Druck der H. so arg, daß mit dem Kirchenwesen derselben auch eine politische Organisation auf republikanischer Grundlage sich verband. Hinrichtungen und Metzeleien hatten die Stiftung des hugenotischen Bundes, wie die Verschwörung von Amboise zur Folge. Unter der Vormundschaft Katharina's von Medicis für Karl IX. fand eine Art politischer Duldung der H. statt, ja man versuchte selbst eine kirchliche Verständigung durch das Religionsgespräch von Poissy; aber ohne Erfolg. Die halben Zugeständnisse für die Protestanten befriedigten Niemanden, und so kam es 1562 zum ersten Religionskriege, der 1563 schloß, dem aber bald Ermordungen der H. und der 2. und 3. Kampf folgten, in dem die H. die Auslieferung 4 fester Plätze zu ihrer Sicherheit und Eintritt in Staatsämter errangen, aber den Zehnten entrichten und wenigstens äußerlich die katholischen Feiertage beobachten mußten. Aber der Friede mißfiel dem Hofe sehr und ein großer Schlag zur Zerschmetterung der H. ward im Geheimen eingeleitet. Am 24. August 1572, bei Gelegenheit der Vermählung Heinrich's von Navarra mit Margaretha von Valois, ward er in der so getauften „Pariser Bluthochzeit" geführt. Das Haupt der H., der Admiral Coligny, und 50,000 H. wurden ermordet; der Hof jauchzte, der Papst hielt ein Te Deum und schlug zum Gedächtniß der Schandthat eine Denkmünze. Schrecken überfiel anfangs die H., Auswanderungen nach den Niederlanden und Deutschland entvölkerten Frankreich, Andere traten zum Katholicismus zurück, die Entschlossensten aber griffen zu den Waffen und erzwangen sich im 4. Kriege Gewissensfreiheit und öffentliche Ausübung des protest. Gottesdienstes an 3 Plätzen des Königreichs. Treulosigkeit entzündete den 5. Krieg, in welchem die H. freien Gottesdienst durch ganz Frankreich mit Ausnahme von Paris, Besetzung aller Parlamente zur Hälfte, Rückgabe ihrer Güter und Einräumung von 8 festen Plätzen erkämpften. Durch abermaligen Wortbruch entbrannte der 6. Krieg, der den H. minder günstig war; seine Folge war das Edict von Nantes, das die katholische Kirche Staatskirche, die protestantische nur geduldet ist und in und 5 Stunden um Paris nicht öffentlich geübt werden darf. Nach so langem Kampfe zählten die H. nur noch 2 Mill. Anhänger und nur noch 720 Kirchen gehörten ihnen. Seit jener Zeit haben die H. unter der immer ärgeren Jesuitenwirthschaft und den Einflüsterungen beichwesterlicher Maitressen bald Bedrückung, Kinderraub, Einlegen katholischer Soldaten in

die Wohnungen (s. Dragonaden) erbulbet, gegen diese im sogen. Camisarbenkrieg noch=
mals gekämpft und immer eine bedrängte Stellung gehabt, bis die Staatsumwälzung
von 1789 Gewissensfreiheit für alle Bekenntnisse aussprach, die zwar durch die Wie=
beranerkennung der römischen Kirche als Staatsreligion der Form nach aufgehoben,
aber in der Wirklichkeit nicht angetastet wurde.   L. W.

Huissier. Gerichtsbeamte in Frankreich und den Rheinlanden, wo die franz.
Gesetzgebung noch gilt, die ursprünglich nach ihrem Namen Thürhüter waren,
jetzt aber die wichtigsten Vermittler zwischen den Gerichten und Rechtsuchenden sind,
denen sie gegenseitig alle Schriften, Ladungen, Urtheile u. s. w. zustellen, auch die
ersten Beamten sind, welche die Entscheidungen ausführen oder vollstrecken.

Huldigung heißt die Anerkennung fremder Vorzüge durch äußere Zeichen des
Wohlwollens. Daher wird die H. in der Regel nur wahrer Größe zu Theil, sei es
nun, daß diese in Wissenschaft und Kunst, oder in reiner ungekünstelter Menschenliebe
hervortrete. Alle andere Arten von H. sind nur erzwungene, oder doch wenigstens im juri=
stischen Sinne dargebrachte. Unter die letztere Klasse gehört die H. eines neuen Lan=
desherrn zum sichtbaren Zeichen der Oberhoheit auf der einen, und der Unterthänig=
keit auf der andern Seite. Mit solchen H.en ist es jedoch, besonders in unumschränk=
ten monarchischen Staaten, wie mit jedem andern Schaufeste ohne höhern sittlichen
Nachhalt: sie unterhalten und — werden wieder vergessen. Zudem lehrt auch die
Geschichte, daß schon mancher mit allem erdenklichen Pomp gehuldigter Regent darum
nicht fester auf dem Throne gesessen, wenn nicht Eins ihm zur Seite stand — Eins
seinen Thron schirmend umgab: die Liebe des Volkes! Und dies sollten die
Erbengötter nimmer vergessen! — Bei solcher H. wird gewöhnlich auch vom Gehul=
bigten der herkömmliche

Huldigungseid geleistet, oder die ausdrückliche und eideskräftige Erklärung
abgegeben, der bestehenden Landesverfassung gemäß handeln und solche stets unverletzt
aufrecht erhalten zu wollen. Wie gewissenhaft jedoch solche Angelöbnisse mitunter
gehalten werden, haben in letzter Zeit erst die Regenten von Hannover und Kur=
hessen bewiesen. Beide hatten den H. auf die Verfassung geleistet; und während
kurze Zeit nachher der Machtspruch des Einen die ganze Verfassung vernichtete, ver=
letzte der Andere sie durch offenbare Beschränkungen derselben. — In Frankreich dage=
gen ist seit der ersten Staatsumwälzung weder eine allgemeine Huldigung, noch ein
H. mehr üblich. Einzelne Diensteide, wie z. B. der Deputirteneid, vertreten ihre
Stelle; und dies ist am Ende wohl noch das Beste!   W. Pretzsch.

Humanität, s. Menschenfreundlichkeit.

Hunderten, altdeutsche Rechtspflege, s. Actenversendung.

Hundesteuer. Eine in der letzten Zeit erst in manchen Staaten eingeführte
Abgabe, die zur Verminderung und sorgsamern Ueberwachung der Hunde sich noth=
wendig zeigte. Das große Unglück, welches durch die furchtbare Krankheit der Hunde
angerichtet werden kann, und die Erfahrung, daß eine große Masse Hunde unnütz
gehalten und dazu schlecht gepflegt wird, rechtfertigt diese Einführung durchaus.

Hundertschaftsgerichte, s. Centgericht.

Husaren. Eine Abtheilung Reiterei, ungarischen Ursprungs und noch unga=
risch gekleidet in verzierte Jacken, enge verzierte Hosen u. s. w., oft von schreiend
lichter Farbe. Die H. sind eine gewandte und leichtbewegliche Truppengattung, die
besonders zum Plänkeln gebraucht werden; sie entstanden schon im 16. Jahrh. unter
dem Namen Croaten, und besonders Tilly pflegte dieselben. Seit dem 7jährigen
Kriege wurden sie in fast alle Heere Europas eingeführt und werden seit Anfang
dieses Jahrh. auch in der Linie verwendet, was früher nicht geschah.

Hussiten. Die Feuersäule, die am Abend des 6. Juli 1415 bei Kostnitz über
den Gebeinen von Johann Huß zusammensank, loderte jenseits der böhmischen
Grenze wieder empor und verheerte 15 Jahre lang Böhmen und die Nachbarländer.

Anders als Luther hatte Huß eine politisch-religiöse Reformation angebahnt, nicht blos die geistige, auch die leibliche Freiheit dem Volke verkündend. Darum faßte seine Lehre bei den Niedern besonders Wurzel; dies und der Umstand, daß Huß, der Czeche, von Fremden hingeschlachtet wurde, war Schuld, daß das Volk sich erhob als Rächer. Die Böhmen beschlossen auf dem Wischerad, die Freiheit der böhmischen Kirche mit gewaffneter Hand zu behaupten. Aber der Schreck darüber tödtete den trunkfiebernden König Wenzel, und an die Spitze der Böhmen trat als Feldherr Johann Ziska von Trocznow, der Prag eroberte. Das Kriegsglück war den H., oder wie sie von der Burg Tabor sich nannten, den Taboriten, unausgesetzt günstig; sie gestatteten allgemeine Religionsfreiheit, aus der besonders die Calixtiner (Kelchner) hervorgingen, die nach der Herrschaft trachteten, aber eben so rasch ihre Bedeutung wieder verloren. Aber gegen das ketzerische Böhmen predigten die Pfaffen jetzt einen allgemeinen Kreuzzug, und alles sündenbefleckte Gesindel der deutschen Länder eilte nach Böhmen, um hier leichte Vergebung und reiche Beute zu finden. Die Kreuzfahrer fanden aber bei Mieß und Aechau den Tod und die H. brachen nun in die Länder ihrer Feinde ein. Unterhandlungen wurden nun angeknüpft und die sogen. Prager Compactaten kamen 1433 zu Stande, aber nicht zur Zufriedenheit der ächten H., sondern nur der Calixtiner. Böhmen traten jetzt gegen Böhmen in die Waffen und bei Böhmischbrod fiel der Kern der Taboriten; die böhmische Freiheit hatte verblutet, die Krone ward dem Kaiser, dem Mörder Huß's, zu Theil, der den letzten Rest der H. oder Verwaisten, wie sie sich seit Ziska's Tode auch nannten, gegen die Calixtiner schützte. Böhmens nationale Größe sank mit der H. für immer.　　　　　　　　　　　　　　　　　　　　　L. W.

Hutungen, s. Ablösung.

Hülfstruppen (Hülfsgelder, Hülfsvertrag). Als ein Ausfluß des Bündnisses (s. d.) stellt ein Staat dem andern in Kriegsgefahr einen Theil seines Heeres, seiner Geldmittel (Subsidien) u. s. w. zur Verfügung. Ueber solche Hülfsleistung wird ein besonderer Vertrag abgeschlossen, welcher die Verwendung des Heeres, seine Verpflegung, Löhnung, Wiederentlassung u. s. w. bestimmt. England hat in den langen Kriegen gegen Frankreich fast allen europäischen Mächten Hülfe geleistet, namentlich durch Geld; Rußland hat stets alle Anstrengungen gegen die Freiheit unterstützt und in diesem Augenblick sich wieder mit Oesterreich gegen Italien verbündet. Wahrscheinlich aber wird es im eigenen Hause so viel zu thun haben, daß es zur Hülfe nach Außen nicht kommt.

Hütten (Hüttenbau, Hüttenbeamte u. s. w.). Diejenige Abtheilung des Bergbauwesens, welche sich mit der Verarbeitung, Reinigung, Ausschmelzung u. s. w. des gewonnenen Ertrags beschäftigt; also eine Unterabtheilung des Bergbaus (s. d.).

Hütten, s. Carbonari.

Hypothek. Ein Vertrag, durch welchen der Schuldner seinem Gläubiger Pfandrecht auf sein unbewegliches Vermögen einräumt; weshalb denn eben sowohl die erborgte Summe, als die verpfändeten Güter und das Recht des Gläubigers daran H. genannt werden. Die H. ist eine sehr zweckmäßige Erweiterung des persönlichen Credits, sie beruht des Pfandrecht auf Dinge, die nicht in die Hände des Darleihers gegeben werden können, stellt den letztern sicher und macht es dem Geldbesitzenden eben sowohl möglich, Grundbesitz zu erwerben, ohne deshalb einen großen Theil seines Vermögens sonstigen Unternehmungen entziehen zu müssen, als sein Geld ohne Grundbesitz in größern Massen anzulegen ohne Gefährdung. Die H. bietet eine Mischung von altdeutschen und römischen Rechtsgrundsätzen dar, die lange Zeit der segensreichen Wirkung derselben hinderlich war; erst als der große Grundsatz der Oeffentlichkeit hinzutrat, indem man diese Schuldverträge der Beaufsichtigung des Staats unterwarf, jede H. gerichtlich anerkannte und in H.enbücher eintrug, des Gläubigers Ansprüche nach der Reihenfolge der Darlehne festsetzte, bildete sich das

H.enwesen zu einer Vollkommenheit aus, daß es wenige Grundstücke giebt, die nicht mit einer H. belastet sind. Die H. ist das sicherste Mittel der Geldanlage für denjenigen, welcher sich eines ruhigen Besitzes erfreuen, nicht mit seinen Mitteln wagen will.

Hypothekenbanken, s. Banken.

———————·———————

J.

Jacobiner. Seit die Kunde der amerikanischen Staatsumwälzung nach Frankreich kam, vereinigten sich dort freisinnige Männer, um gemeinschaftlich die politischen Ideen auszutauschen. Dieses Bildungs- und Stärkungsmittel benutzten auch die Abgeordneten der Reichsstände und besonders zeichnete sich der Clubb der Bretagner aus. Die Theilnahme an demselben war so groß, daß, als die Versammlung nach Paris verlegt wurde, kein Privatraum die Menge mehr zu fassen vermochte. Man wählte daher das ehemalige J.-Kloster zu den Versammlungen und dieses gab der Gesellschaft den Namen, obgleich sie sich selbst „Freunde der Revolution" und später „Freunde der Verfassung" nannte. Alle Talente der ersten Zeit, wie Mirabeau, Lafayette, die Lameth u. s. w., waren J. Doch zogen sie sich zurück, als der Geist der Gesellschaft zu stürmisch wurde, bildeten einen andern Clubb, der aber auch bald einging. Die J. waren fest, einig und entschlossen, wie keine andere Partei, sie stimmten im Convent (s. d.) wie ein Mann, waren dadurch gefürchtet und außer den Starken flüchteten sich auch alle Schwachen in ihren Schooß, wo sie sich sicher wähnten. Der Gedanke an die Republik tauchte bei den J.n schon früh auf, trat aber erst 1791 ans Licht, als die Orleanisten in Masse zu den J.n traten. Jetzt trennten sich die Entschiedensten von den J.n und bildeten den Clubb der Cordeliers, die auch Dantonisten (s. d.) hießen, weil Danton ihr Führer (s. d.) war. Beide Clubbs feindeten sich an, haßten aber beide das Königthum und vereinten sich bald wieder zu seinem Sturze. Als sie nach der mißlungenen Flucht des Königs ihre Plane mit Gewalt durchsetzen und den Convent sprengen wollten, siegte dieser und die Häupter der J. flohen auf kurze Zeit, während die Gemäßigtern den Clubb der Feuillants (s. d.) stifteten und alle öffentlichen Clubbs verboten wurden. Die J. waren indessen zu stark, sie trotzten dem Verbot, gewannen in den Wahlen von 1791 die Oberhand und herrschten nun im Convent, wie im Gemeinderathe zu Paris. Die Absetzung und Hinrichtung des Königs war ihr Werk, die Septembermorde 1792 wurden durch sie ausgeführt, der Berg erkannte in ihnen seine Armee und gründete seine Schreckensherrschaft auf die J., die nun auch einzeln und schüchtern Schreckensmänner oder Blutsäufer genannt wurden. Aber die Erhebung Frankreichs gegen seine innern und äußern Feinde, sein Sieg über das gesammte Europa, die Herbeischaffung unermeßlicher Mittel, die Vereinigung aller Volkskraft, die Rettung Frankreichs und der Republik war ebenfalls ihr Werk und in furchtbarer Größe stehen die J. in der Geschichte da. Mit dem Sturze Robespierres und des Berges verloren die J. über 100 ihrer entschlossensten und mächtigsten Glieder; zwar öffneten sie ihren Clubb wieder, aber Alles wollte jetzt gemäßigt sein, wie vor

Kurzem Alles J. Carrier, das neue Haupt derselben, wurde verhaftet und als die J. ihn mit Gewalt befreien wollten, stürmten die Bürger ihren Saal und überwanden sie gänzlich. Zwar machten die J. noch 2 Versuche, die Oberhand zu gewinnen, wurden aber beide Mal besiegt und verschwanden nun als Gesellschaft, während ihre Grundsätze sich in einzelnen Vereinen fortpflanzten. Die J. sind die großartigste und furchtbarste Partei, welche die Welt je gesehen hat und der Geschichtschreiber ist zweifelhaft, ob er ihre Größe, ihre Kraft, ihre Entschiedenheit, ihren Muth, ihre Aufopferung mehr bewundern, oder ihre Ausartungen und blutigen Verirrungen mehr verdammen soll. — Feige deutsche Minister und ihre Helfershelfer haben die schüchterne deutsche Freisinnigkeit ebenfalls des Jacobinismus beschuldigt, um der Masse der Spießbürger Angst zu machen, die nun auch wirklich gleichgültig und sogar befriedigt zusah, wie die edelsten Männer verhaftet und mißhandelt wurden. Nun ihr 10. August ist gekommen und sie werden in ihrer Zurückgezogenheit Gott danken, daß die deutschen J. ihnen blos ihre Verachtung, nicht auch Kugeln nachsandten. *R. B.*

Jacobiten, s. Monophysiten. Dann hieß auch J. eine politische Partei in England und Schottland im 17. Jahrh., die Jacob II. und seinem Sohne und Enkel anhing und dem neuen König den Eid verweigerte. Sie artete in eine religiöse Secte aus, die bis zu Ende des vor. Jahrh.s bestand.

Jagd, Jagdrecht. Von den vielen Lasten, die in der Blüthenzeit des Adels auf die Schultern des Bauernstandes gewälzt wurden und erst in unsern Tagen theilweise aufgehoben oder abgelöst wurden, hat sich als eine der drückendsten und gehässigsten immer noch die J. erhalten. Während nach römischem und nach altdeutschem Recht Jeder auf seinem eigenen sowohl als auf fremdem Boden zu jagen berechtigt war, ging dieses Recht den Bauern, je mehr sie von Adel und Landesherren in den Zustand der Unfreiheit herabgedrückt wurden, verloren, die Feudalherren maßten sich ein ausschließliches J.recht an und so kam es dahin, daß sie die Berechtigung erlangten, nicht nur auf fremdem Grund und Boden zu jagen, sondern auch zur Ausübung der J. beliebig darauf zu gehen, ja sogar den Eigenthümer von der J. auf seinem eigenen Grund und Boden auszuschließen. Schon das würde genügt haben, den Unmuth der Bauern hervorzurufen: denn eine gehässigere Last kann es nicht geben, als wenn der Bauer auf seinem Grund Andern erlauben muß, was ihm selbst zu thun verwehrt ist. Noch mehr aber steigerte sich dieser Unmuth dadurch, daß die J.herrn, statt das Wild auszurotten, anfingen, es zu hegen, und dadurch die Aecker den Verwüstungen des Wildes preis zu geben; daß sie das arme Volk, oft in der Zeit der dringendsten Feldgeschäfte, zur Frohne bei der J. aufboten und ihre Hetzjagden mitten durch die Saaten leiteten; daß man den Grundbesitzern verbot, ihr Eigenthum zu umzäunen und so gegen das Eindringen des Wildes zu schützen, oder es davon abzutreiben; daß man mit den unmenschlichsten Strafen jeden Eingriff in das J.recht ahndete (die Wilderer wurden in Wildhäute genäht, einem Hirsch auf den Rücken gebunden und mit Hunden zu Tode gehetzt, ihnen die Augen ausgestochen, die Hände abgehauen u. s. w.), überhaupt mehr für das Wild, als für die Bauern und den Ackerbau sorgte, als ein Stück Wild höher achtete, als ein Menschenleben, ja sogar einen Preis (Schußgeld) setzte auf den Kopf eines Wilddiebes. Sind auch als Rückwirkung der franz. Revolution die gräullichsten Seiten des J.rechts und der J.gesetze in Deutschland beseitigt und die Ansprüche der Bauern auf Entschädigung wegen Wildschadens allmälig anerkannt worden: so ist doch lange nicht Alles geschehen, was zum Schutze und zum Emporbringen der Landwirthschaft geschehen muß. Die Entschädigung beschränkt sich in der Regel nur auf den von Hochwild (Hirschen, wilden Schweinen x.) angerichteten Schaden, ist meist ungenügend, zudem mit Weitläufigkeiten aller Art, Verdrießlichkeiten und Kosten verbunden, die Haasen u. s. w., wenn sie noch so viel beschädigt haben, gehen frei aus. Es ist ein natürliches Recht des Menschen, das

Ungeziefer, das fein Eigenthum beschädigt und verwüstet, zu fangen und zu tödten; es muß doppelt Recht fein, da sich das Wild in Niemandes Eigenthum befindet und man sich gegen den einbrechenden Dieb fogar der Waffen bedienen darf zum Schuße des Eigenthums. Die Zeit kann nicht fern fein, wo das J.recht in feiner jetzigen Gestalt aufhört und das Recht des Grundbesitzers, das zum Begriff des vollen und freien Eigenthums gehört, anerkannt wird, jeden Dritten vom Betreten feines Grundes auszuschließen und die Feinde feines Fleißes davon zu verjagen, einzufangen und zu erlegen. Wende man nicht ein, daß dann, wenn Jeder auf feinen Fluren jagen kann — denn auf fremden Fluren zu jagen, hat Niemand ein Recht — möglicher Weife das Wild ganz ausgerottet werden würde. Erst hat man für die Menschen zu forgen, und nicht blos einfach, fondern doppelt und dreifach, ehe das Wild an die Reihe kommen kann. . So lange es noch Menschen giebt, die hungern, ist es eine Sünde, daß man das Wild mit den Nahrungsmitteln der Menschen füttert; es schmälert, verdirbt, verwüstet die Nahrung der hungrigen Menschen, und adeligen Müffiggängern zu lieb, denen die J. Liebhaberei ist, Vergnügen gewährt, foll es der Landmann nicht mit den Früchten feines Schweißes ernähren.   C. E. Cramer.

Jahrbeden, f. Beten.

Jahreszeiten, Gefellschaft der. Eine politische Verbindung zu Paris im Anfange der 30er Jahre, die nur kurze Zeit bestand und den volksfeindlichen Bestrebungen der herrschenden Doctrinairs erlag.

Jahrgeld, oder vielmehr mit fremdem Ausdruck **Civillifte** (f. d.) und **Apanage**, nennt man die Summe, welche dem Fürsten und feiner Familie zu ihrem und ihres Hofhalts Unterhalt gewährt wird. Was das J. für den Fürsten betrifft, fo verweifen wir eben auf Civillifte, das J. aber für die Familie deffelben haben wir hier zu behandeln. War früher der Fürst unter dem Schutze der Alleinherrschaft Inhaber alles Staatsguts, wie alles Rechts und aller Freiheit, fo mußte nothwendig, je nachdem der Staat, d. h. die Gefammtheit, Recht und Gut zurücknahm, für den Fürsten in entsprechender Weife geforgt werden. Warum aber feiner Familie und zwar nicht nur den Kindern, fondern allen Verwandten, Brüdern und Schwestern, Oheimen und Tanten, Vettern und Bafen und Gott weiß welchen Verzweigungen ein befonderes J. gegeben werden muß, das ist fehr schwer einzufehen. Der Fürst ist der erste Beamte des Landes und kann nach den bisherigen Begriffen einen mit diefer Stellung verknüpften Aufwand nicht vermeiden. Aber die Mittel, welche ihm dafür gewährt werden, find auch meist ungeheuer im Verhältniß zu den Mitteln des Landes, übersteigen in Europa maßlos den Anfatz, welchen man z. B. in Nordamerika für die ersten Beamten hat und find befonders in Deutschland am höchsten in Europa. Der König von Frankreich hatte 14 Mill. Franken oder gegen 4,000,000 Thaler Civillifte bei etwa 35,000,000 Einwohnern, die Königin von England hat nur gegen 400,000 Pfo. Sterling oder 2,400,000 Thaler bei einem weit größern Reiche; der König von Sachsen dagegen bezieht 550,000 Thaler bei noch nicht 2 Mill. Einwohnern und kostet also feinem kleinen Ländchen mehr als das Doppelte des Königs von Frankreich und fast das Vierfache der Königin von England. Und doch ist die Civillifte des Königs von Sachsen in Deutschland noch fehr klein; und doch find die Civilliften in England und Frankreich noch viel zu hoch. Ist nun diefe übergroße Kostenlast, welche die Höfe dem Lande verurfachen, wohl geeignet, darüber nachzudenken, ob man nicht eine billigere Staatsform finden kann, fo wird diefes Nachdenken wefentlich vermehrt, bei Betrachtung der Summen, die am J. aufgewendet werden. Jeder ehrliche Mann muß feine Familie ernähren, bis fie felbstständig ist und fich felbst ernähren kann; warum der Fürst nicht? Kein Beamter, und wäre es der nützlichste und nothwendigste, wie z. B. der Schullehrer, erhält einen Groschen Zulage, wenn ihm ein Kind geboren wird; warum der Fürst? Es ist ein böfes Ueberbleibfel der verkehrten Stellung der Fürsten außer dem Volke, daß sich die Ihrigen nicht wie andere Leute ernähren können; es ist noch ein böseres Ueberbleibsel des alten Systems, daß die Familienglieder nicht nur ein ungeheueres I. beziehen, sondern oft auch noch die besten Staatsämter und Pfründen zu ihrem Besten ausbeuten, indem sie erste Beamte dieses oder jenes Zweiges zu sein scheinen, aber nur die Gehalte beziehen und von Andern die Arbeit machen lassen. Bei dem erschöpften Zustande der Länder durch unerschwingliche Schreiber-, Polizei- und Soldatenkosten seit 36 Jahren, bei der wachsenden Verarmung der Bevölkerung und bei der gebieterischen Nothwendigkeit, mit großen Kosten das verdorbene und vernachlässigte Erziehungswesen zu ordnen, wird die Frage des I.es in nächster Zeit sehr ernstlich verhandelt werden müssen, und es wird sehr auf die bis jetzt Bevorzugten ankommen, ob sie dem weit verbreiteten Gedanken an eine viel billigere Regierungsform neue Nahrung und Ausbreitung geben wollen. Eine Art von I. sind die Annaten (s. d.) und die Leibrenten (s. d.). N. B.

Jahrmarkt, s. Märkte und Messen.

Janitscharen oder **Kapikuli,** d. h. besoldetes Fußvolk, hieß eine 1362 begründete Heerabtheilung der Türken, die anfänglich blos aus Kindern der Gefangenen bestand, sich aber bald zur türkischen Hauptmacht ausdehnte und über 100,000 Mann zählte. Ihre Stärke und Ungebundenheit machte die I. übermüthig, sie verloren alle Kriegszucht, vertraten das starre Türkenthum und widersetzten sich jeder Neuerung. Daher wurden sie 1826 aufgelöst, in einem versuchten Straßenkampfe überwunden und niedergemacht, so daß 15,000 Mann im Kampfe und durch Hinrichtung fielen, von der überall der Gewalt dienstfertigen Kirche verflucht und sind seitdem äußerlich verschwunden. Heimlich hat sich eine jedem Fortschritt feindliche, von den I. abstammende Partei gebildet, welche den Namen fortführt.

Jansenisten. Eine Secte innerhalb der römischen Kirche, Anhänger des Bischofs Cornelius Jansen in Löwen, entstanden am Ende des 17. Jahrh.s, die nichts als die Lehre von der Gnadenwahl angriffen, aber von dem Jesuiten, deren Todfeind sie waren, dergestalt verfolgt wurden, daß sie sich ganz von Rom trennten und einen großen Theil der Niederlande und Frankreichs geistig eroberten. Die I. stehen ganz auf römischem Standpunkte, erkennen auch den Papst völlig an und ihre Verfolgung beruht nur auf einer falschen Rechthaberei Roms.

Jarl. In Schweden und Norwegen der Statthalter über eine Provinz; er heißt auch Herzog und nur der höchste Adel, z. B. die Prinzen, bekleidet diese Stellen.

Ideale Injurien, s. Beleidigung.

Idealismus. Dieser Ausdruck bezeichnet die Weisheit des Scheins, die Weisheit, welche strebt das Ideale (den Inbegriff des Vortrefflichen) zur Herrschaft zu bringen, und der Wirklichkeit den Stempel höchster Vollkommenheit des Gedankens aufzudrücken. Dies läßt sich allerdings nicht durch Lehren und Schulen erreichen; allein Thoren und Menschen ohne alle Ideen sind es, welche an der Menschheit verzweifeln, daß sie nicht jede Stufe der Vollendung erreichen könne. Der politische I. ist demnach nichts als ein Vordenken und bildliches Aufstellen der künftigen Zustände. S. Ideen. Der I. als eine besondere Schule der Weltweisheit kümmert uns hier nicht.

Ideen, politische. Die Mässe der Gedanken, welche die stets wachsende Bildung erzeugt und reift, geben in ihrer Gesammtheit eine Art Bild, welches in immer weitern Kreisen betrachtet, geliebt, ersehnt wird, ehe das Verständniß allgemein ist und diese Allgemeinheit den Eintritt der I. in das Leben nothwendig macht. Man kann falsche, verderbliche, unhaltbare Gedanken in die Zeit schleudern und ihnen einen Anhang werben — sie werden deshalb nicht zu I., sondern verhüllen dieselben nur auf Augenblicke, wie die Schaale ihre Frucht, die zersprengt wird, sobald die Reife sich entwickelt hat; man kann Gedanken ächten, verfolgen, unterdrücken, wie dies die geistesmörderische Censur in Deutschland 30 Jahre gethan — man kann aber deshalb die J. nicht zerstören, die aus ihnen hervorgingen. Werfen wir statt aller Ausführung einen Blick auf unsere Zeit, so wird uns die Entwicklung der Gedanken zu J., der J. zur That bald klar werden. Die Masse der Gedanken, welche Deutschlands große Geister am Ende des vor. Jahrh.s in die versumpften Zustände ihres Volkes schleuderten, schienen gar keinen Erfolg zu haben. Das Volk sank tiefer und tiefer, wurde völlig dienstbar fremdländischer Gewaltherrschaft, und die Leiter des Volkes, seine „Beglücker und Beherrscher", vollendeten seine Schande und sein Unglück, indem sie wie Bedienten krochen vor dem Gewaltigen und ihr Volk der Knechtung überlieferten durch Feigheit und Verrath. Hat dieses Elend die J. aufgehalten? Nein, unter dem eisernsten Drucke sind sie gewachsen, bis sie stark genug waren, alle Gewalt zu zersprengen. Ein anderes Beispiel: An die Erhebung des Befreiungskrieges schlossen sich die J. von der Freiheit und Einheit des Vaterlandes. Sie wurden niedergehalten durch 30jährige Geistesknechtschaft, durch das schmachvolle Mittel der Censur, durch Bundesbeschlüsse, ministerielle Wiener Verschwörungen, Gewalt, Bevormundung und Polizei. Hat es geholfen? Unter dem ersten Eindruck der großartigen franz. Staatsumwälzung brachen die J. gewaltsam hervor und gelangten zur Herrschaft. Welche schmachvolle Rolle spielten dabei die deutschen Regierungen! Wie hatten sie hohngelächelt, wenn man ihnen diesen Durchbruch vorher verkündete! Wie pochten sie auf ihre Bajonette und auf ihre Polizei! Wie spotteten sie der „Ideologen, Utopisten, Schreier, Böswilligen" u. s. w., welche unermüdet forderten, was man jetzt sogleich gewähren mußte! Wie übermüthig wiesen sie auf ihre Unfehlbarkeit und Allmacht hin, der Knechtung noch den Hohn hinzufügend! Und das Alles ist zerstoben und zu Grunde gegangen vor einem Hauche der Freiheit, die Pfuscher und Bönhasen in der Politik, die sich Minister und Staatsmänner nannten, sind beseitigt, nur die Schande ihrer hochverrätherischen Unterdrückungsversuche und die Lächerlichkeit ihres Gebahrens ist übrig geblieben als trauriges Denkmal ihres Daseins. So allmächtig sind die p. J., die kein Druck, keine Gewalt, kein Verrath zerstören kann, die immer weitere Kreise durchdringen, immer mehr Herzen entflammen, immer mehr Anhänger gewinnen, bis sie friedlich oder gewaltsam ins Leben treten und die Welt beherrschen. Es kann sie Niemand machen, es kann sie Niemand ausrotten, sie wachsen, wie die Pflanze bis zur Reife. Auch jetzt verlacht man noch die J. einer gerechtern Vertheilung der Lebensgüter, eines allgemeinen Wohlstandes, einer Aufhebung der Armuth und Verarmung. Allein auch sie werden unaufhaltsam der allgemeinen Anerkennung, dem Durchbruch, der Herrschaft entgegen reifen. Hoffentlich ist die Zeit für immer vorbei, wo man J. mit Polizei verfolgt, ihre Durchsprechung wird ferner nicht gehemmt und damit die Bürgschaft gegeben sein, daß der Staat friedlich

zum Bessern nicht mehr zu fürchten sind.   R. B.
Ideen.

Orden, welcher hier genannt werden muß, weil er

derselbe von Ignatius von Loyola 1534 zu Paris und 1540 vom Papste bestätigt. Der Orden wollte sich dem Heile und der Vervollkommnung seiner Glieder

und gegen die immer mehr um sich greifende Kirchenverbesserung. Daher erhielt er

riam, d. h. zur größern Ehre Gottes die römische Kirche mit allen Mitteln auszubreiten und ihr zu dienen, dehnten sich auch auf die Laien aus, die Mitglieder des Ordens werden konnten und gaben sich selbst eine Verfassung, die jede menschliche Freiheit und Selbstständigkeit vernichtete, jedes Mitglied zur „Leiche" in der Hand des

Obern machte und zu jeder Verrichtung gedankenlos verwenden ließ. Bald bewirkten nun die J. ihre Ausbreitung mittelst der Schrecken der Inquisition, bald mittelst

Unterdrückung ihrer Völker, dort wiegelten sie die letztern gegen die Gewalt auf, heute ließen sie den Mordstahl gegen einen scheinbar unbedeutenden Mann führen, morgen traf derselbe einen den J. widerstrebenden Herrscher, in den Staat wie in die Familien drängten sie sich ein und trachteten nach nicht Geringerem als die ganze Menschheit in den Schooß der römischen Kirche zu führen, die übrigens nur der Mantel für ihre Herrschsucht war, denn ihre Hauptabsicht war, die Menschheit zu knechten und unter ihre Herrschaft zu beugen. Tugend und Laster, Bosheit und Gutmüthigkeit, Edle und Verworfene, Hohe und Niedere, Helden und Meuchelmörder machten sich die J. dienstbar, jedes Verbrechen, Vater- und Brudermord, war nach ihrer Lehre gestattet, wenn es den Absichten des Ordens frommte, und jede Sitte und Moral wurde in ihren Lehren frech verhöhnt. Dazu lag über all ihrem Thun der Schleier des tiefsten Geheimnisses, nur in der Hand des Generals waren alle Fäden ihres entsetzlichen Gespinnstes vereint, die Ordensglieder waren nur willenlose Werkzeuge, beständig überwacht und belauscht von ihren Genossen, Spionerie, heimliche Angeberei und schnöde Verletzung jedes heiligen Geheimnisses des Gedankens und Herzens waren die Mittel, durch welche der Orden seine furchtbare innere Einrichtung aufrecht erhielt. Obgleich vom ersten Augenblick sich in den verschiedensten Ländern Abneigung gegen den Orden kund gab, ja er zum Theil geächtet, verbannt und verfolgt wurde; obgleich zahlreiche und scheußliche Verbrechen ans Tageslicht kamen, die er begangen oder angestiftet hatte, so war er doch das Lieblingskind des Papstthums, welches jeden Angriff von ihm abwehrte. Erst am Ende des vor. Jahrh.s brach ein allgemeiner Sturm gegen denselben los, der die J. nicht nur aus den einzelnen Staaten vertrieb, sondern auch so mächtig wurde, daß der Papst dessen Aufhebung aussprechen mußte. Aber des J. Borgia Ausspruch: „Wie Lämmer haben wir uns eingeschlichen, wie Wölfe regieren wir, wie Hunde wird man uns vertreiben, wie Adler werden wir uns verjüngen“ bewährte sich vollkommen. Sobald das Papstthum sich wieder regen konnte, stellte es 1814 die J. wieder her und bediente sich ihrer wie früher. Fast alle Mächte Europas, deren Absicht und Ziel Unterdrückung und Alleinherrschaft war, verbündeten sich mit den J. und in der letzten Zeit war das griechischkirchliche Rußland, das protestantische Preußen und das römischgläubige Oesterreich bereit, die Waffen für sie zu ergreifen und zu ihren Gunsten ein freies Volk zu vernichten. Aber der schnelle Sieg der Freiheit zerstörte diesen unheilvollen Bund, er machte nur die Ohnmacht und Feigheit seiner Glieder kund, die sich zu ihrem eignen Spott Großmächte nennen und mit allen aufgeblasenen Redensarten doch einem kleinen freien Völkchen weichen mußten. Dieser Bund aber hat endlich auch den Völkern die Augen geöffnet und gezeigt, wie seine Unterdrücker mit den J. zusammenhängen, wie seine Eichhorns, Wietersheims und Genossen nicht der Form, aber dem Wesen nach J. sind und wie J. handeln. Das Buch des J. Gioberti:

den letzten Schleier von den Verbrechen und mörderischen Absichten der J. herabgerissen und hoffentlich wird die erwachte Menschheit nicht ruhen, bis sie ihren gefährlichsten Feind überwunden hat.   R. B.

Ihro und Dero. Eine Sprachverballhornisirung höfischer Kriecherei. Statt den Fürsten sprachrichtig Ihr oder üblich Sie zu nennen, macht man Ausdrücke, an be-

sonderes zu geben, sie aus der gewöhnlichen Menschenwelt hinaus zu rücken. Die bittere Frucht dieser Thorheit haben sie mehrfach geerntet; mögen sie dieselbe nicht wachsen lassen.

Ikarischer Communismus, s. Gesellschaft, Wissenschaft der.

Illegitim, s. Legitim.

Illuminaten (Illuminés, Erleuchtete, Begeisterte). Eine im 16. Jahrh. in Spanien gestiftete geheime Gesellschaft, die dort unter dem Namen Alumbrados auftrat, sich als Guérinets nach Frankreich und den Niederlanden verpflanzte und als J. oder vielmehr Anfangs als Perfectibilisten im 18. Jahrh. in Deutschland auftrat. Die J. bildeten eine Art Freimaurerei (s. d.) mit überschwenglichen Gebräuchen mit 17, nach Andern mit mehr als 30 Graden und Abstufungen. Ihr ausgesprochener Zweck war: Ausbildung der Menschheit zur wahren und reinen Sittlichkeit; aber ein Jesuit (A. Weishaupt) hatte sie gegründet und mit jesuitischen Mitteln suchten sie sich in Staat und Gesellschaft zu mischen und jesuitische Zwecke zu verfolgen. Dadurch zogen sie sich Haß und Verfolgung zu und in Baiern, ihrem Hauptsitz, wurden die J. 1784 verboten, verfolgt und bestraft. Seitdem sind sie in der Freimaurerei aufgegangen, mit welcher sie sich schon früher verbunden hatten.

Immediat (unmittelbar) hieß im ehemaligen deutschen Reiche Alles, was nur dem Kaiser und Reich unterthan war, daher also J.bauern, J.stände u. s. w. Die unmittelbar an den Fürsten gerichteten Bitten und Gesuche heißen ebenfalls J.-eingaben.

Immobilien, s. Grundeigenthum.

Immunität, s. Besoldung.

Impfung, s. Medicinalpolizei.

Imprimatur. Die schriftliche Erklärung der Druckgenehmigung einer Schrift Seitens der Censur. Verweilen wir nicht bei diesem Ungethüm. Es hat verendet!

Incest, s. Blutschande.

Incompetenz, s. Gerichtsbarkeit und Zuständigkeit.

Inculpat, Beschuldigter, s. Actenmäßigkeit, Anklage und Anklageproceß.

Indebitum. Ein in bürgerlichen Rechtshändeln häufig vorkommender fremder Ausdruck, welcher bezeichnet, daß etwas ohne Verpflichtung gezahlt oder geleistet wurde. Wer etwas I. geleistet hat, kann dasselbe zurückfordern.

Indicien, s. Beweis.

Indigenat (die Staatsangehörigkeit), s. Heimath, Heimathsrecht.

Indirecte Steuern, s. Abgaben und Steuern.

Indolenz, s. Gleichgültigkeit.

Indossement, s. Giriren.

Indult (Nachsicht, Gestundung) nennt man die vom Papste ertheilte Befugniß, gegen Anordnungen der Kirche zu fehlen und zu handeln. Solche J.bevorzugungen wurden früher in Unmassen an Einzelne, wie an Körperschaften und Ordenswesen gegeben, natürlich gegen baare Bezahlung; jetzt sind die Leute so klug geworden, sich selbst J. zu bewilligen und diese reiche Einnahmequelle ist versiecht.

Industrie. Die allgemeinste Bedeutung des Worts ist der Inbegriff des ganzen Gewerbfleißes und der Gewerbsamkeit, der Arbeit im eigentlichsten Sinne. In engerer Bedeutung werden darunter die großen erzeugenden Arbeitszweige des Ackerbaus und der Landwirthschaft (s. b.), des Handels mit Einbegriff der Schifffahrt und der J. im engsten Sinne, verstanden, welche das Fabrikwesen (s. b.), die Haus-J. (s. b.), das Handwerk und das Tagwerk umfaßt.

In effigie heißt wörtlich: im Bildniß. Die kleinliche Rachsucht barbarischer Zeiten und Gesetze führte dahin, daß man denjenigen, welcher sich der Gewalt entzog, im Bilde bestrafte. So wurde denn ein Verbrecher z. B. i. e. an den Galgen gehängt u. s. w.

Infamie, s. Ehrlosigkeit.

Infant (wörtlich: Kind). Benennung der Prinzen und Prinzessinnen (J.innen) in Spanien.

Infanterie (Fußvolk), s. Heer.

Ingenieur, s. Heer.

Initiative, s. Gesetzentwurf.

Injurie, s. Abbitte, Beleidigung und Ehrenkränkung.

In Mangel mehreren Verdachts, s. Freisprechung.

Innere Ehre, s. Ehre.

Innere Freiheit, s. Freiheit.

Innungen, s. Zünfte.

Inoculation, s. v. w. Impfung, s. medicinische Polizei.

Inquestae, altdeutsche Rechtspflege, s. Actenversendung.

Inquirent, fremde Benennung für Untersuchungsrichter.

Inquisition. Die scheußlichste Erfindung des Papstthums, die allein genügte, demselben für ewige Zeiten ein Brandmal aufzudrücken. Die J. war ein Glaubensgericht, zur Ausrottung der Ketzer eingesetzt 1198, die Dominikaner erhielten die Ausführung und beschränkten sich anfangs darauf, die weltlichen Behörden zur Strafe der Ungläubigen aufzufordern. Bald aber predigte die J. Kreuzzüge gegen die Ketzer, ertheilte ihren Verfolgern Ablaß und Gnade, führte ihre Untersuchung selbst und ließ die weltliche Macht nur die Urtheile vollziehen. Kaiser Friedrich II. gab 1244 der J. eine Machtvollkommenheit, die unerhört ist. So setzte sie sich in Italien, Frankreich und besonders in Spanien fest; Deutschland und England wies sie entschieden zurück, in den Niederlanden erschien sie nur vorübergehend. In Spanien richtete die J. ihre Verfolgungswuth zunächst gegen Mauren und Juden, deren sie in 14 Jahren 100,000 vor Gericht zog und 6000 lebendig verbrannte. Die J. stand unter einem Großinquisitor, der schrankenlose Gewalt hatte; die Beamten derselben hießen Familiaren und Alles drängte sich zu der Ehre, ihr Beamter zu sein. Daher hatte sie Horcher und Lauscher an allen Enden, die ihr unzählige Opfer zuführten; war ein solches bezeichnet und erschien auf 3malige Ladung nicht, so war dies Beweis der Schuld, es wurde in Bann gethan und sein Vermögen genommen. Erschien der Angeklagte, so wurde er in scheußliche Kerker gesperrt und mußte durch Mittheilung seines ganzen Lebens sich selbst anklagen. Ankläger und Zeugen wurden nie genannt und die niederträchtigsten Mittel angewendet, den Angeklagten in seinen eignen Aussagen zu verstricken. Gelang dies nicht, so wendete man die Folter (s. d.) an. Gestand er nun und bereute seine Schuld, so wurde er zu ewigem Gefängniß oder Galeerenstrafe verdammt, seine Familie und Nachkommen wurden ehrlos, seine Güter weggenommen; selbst Verstorbene, die nach dem Tode entdeckt wurden, zog die J. noch vor ihr Gericht und sie hatten die Ehrlosigkeit der Familie zur Folge. Gestand der Angeklagte trotz der Folter nicht, so ward er doch nicht entlassen, sondern man ließ ihn als unbußfertigen und hartnäckigen Sünder in einem Kerker vermodern. Man rechnet, daß die J. in Spanien von 1481—1808 blos 340,000 Personen vor ihr Gericht gezogen und davon 32,000 verbrannt hat; sie hat bestanden bis 1820 und die unbedingt Königischen in Spanien drangen noch später auf ihre Wiedereinführung. Die J. ist die Mutter und Urheberin des Strafverfahrens, welches in Deutschland von volksfeindlichen Ministern mit allen Mitteln aufrecht erhalten wurde. Die Mittel, ein Geständniß zu erpressen oder zu erschleichen, sind ganz dieselben; wenn sie etwas milder scheinen, so muß man bedenken, daß sie auf die heutigen Menschen doch dieselbe Wirkung hervorbringen. Würdig und verdient heißt daher das heutige geheime Verfahren auch J.   **R. B.**

Inquisitionsproceß, s. Anklageproceß.

Inquisitionsrecht. Das Recht des Richters, die ihm bekannt gewordenen Verbrechen selbst, d. h. nach eigenem Gefallen untersuchen und den Verdächtigen im Geheimen darüber peinlich befragen zu dürfen. Die Mittel, deren sich der untersuchende Richter zur Erforschung der Wahrheit oft bedient, sind oben angedeutet.

Bis auf Kurhessen, wo sie seltsamer Weise auf dem Landtage von 1843 in der Gestalt von Prügelmaschinen wieder ins Dasein gerufen wurde, ist zwar die Folter (s. d.) abgeschafft, allein die Erfahrung hat gelehrt, daß — namentlich bei po = litischen Untersuchungen — mancher Untersuchungsrichter den Angeschuldigten seinem Amtseifer, dem Privathasse oder dem Streben, bei den Regierungen sich beliebt zu machen, geopfert hat. Der Richter, oft ein ergrauter Actenmann, zum Menschen= feinde geworden, sieht vielfach in jedem Angeschuldigten einen Verbrecher. Das Straf= gesetzbuch steht ihm höher, als Menschenrecht; mehr als die Erfahrung gilt ihm die juristische Spitzfindigkeit; der todte Buchstabe des Gesetzes ist der alleinige Maßstab seines Handelns und seine richterliche Lebensregel der Grundsatz: „Fiat justitia, per= eat mundus" (s. d.). So wird das I. zum Inquisitions=Unrecht, das alle Strafzwecke lähmt und nur im Verdammen die höchste Beseligung findet. Unsere Zeit verlangt Sicherstellung des Einzelnen wie der Gesammtheit vor der ausübenden Ge= walt, mache sie nun in der Gerichtsstube oder auf dem Throne sich geltend; die Ge= sellschaft will keine Buchstabenrichter mehr, sondern lebendige Menschenfreunde, welche die Welt und den Menschen aus der Erfahrung kennen gelernt haben und die Wirk= lichkeit von dem Schein, die Wahrheit von der Heuchelei zu unterscheiden vermögen. Dann, nur dann erst kann aufrichtige Liebe zum Gesetz und wahre Achtung vor ihm im Volke begründet werden, wenn das Ganze des Staates wesentlichen Antheil an der Rechtspflege nehmen darf, — nur dann wird die Erreichung des höchsten Zweckes der Gesetzgebung: Veredlung aller geistigen Kräfte, möglich sein, wenn des Volkes Glaube an das Recht kein trüglicher mehr ist. Dahin aber können wir nicht durch Patrimonialgerichte und I.e gelangen, sondern durch offenes Gericht, vom Volk und durch das Volk gehegt: durch Schwurgerichte. Die Untersuchung ge= gen Jordan hat dem I. aufs Neue das verdiente Brandmal des Völkerfluches auf= gedrückt.   W. Pretzsch.

Inquisitor, vielfach übliche Benennung für den Untersuchungsrichter.

Inquisitoriat, Bezeichnung des Gefängnisses.

Inrotulation, Inrotulationstermin, Inrotulation der Acten, s. Acten.

Inscription, wörtlich: Einschreibung, nennt man die Aufnahme eines Studenten auf die Hochschule. Er muß dabei, abgesehen von den Förmlichkeiten, die zu erfüllen sind, das Gelübde ablegen, in keine Verbindung zu treten. Dieser kleine Zug zeigt den moralischen Verfall und die Lügenhaftigkeit des herrschenden Regierungs= systems, denn man weiß, daß der Student dieses Gelübde nicht hält, nicht halten kann. Doch zwingt man ihm dasselbe ab und trägt dazu bei, die Heiligkeit des Wortes und des Versprechens in der jungen Brust zu untergraben.

Insignien (Kennzeichen, Merkmale) heißen die äußern Zeichen der Macht und Würde; z. B. beim Herrscher Krone und Scepter, beim Soldaten kriegerische Musik und Waffen, beim Richter Friedensstäbe und ein Beil u. s. w.

Insinuation. Die deutsche Rechtspflege, todt und fremd in Geist und Form, ist es auch in der Sprache; daher heißt die Zufertigung und Behändigung eines Ur= theils, oder einer andern richterlichen Urkunde auch niemals anders als I.

In solidum, s. Alle für Einen u. s. w.

Insolvenz, s. Bankerott.

Instanz, Instanzenzug. Wenn in einem Processe ein Rechtsmittel (Appel= lation, Läuterung, Nichtigkeitsbeschwerde u. s. w.) gegen ein Erkenntniß eingewendet und dadurch die Sache an ein anderes Gericht oder doch zu einer neuen Erörterung gebracht wird, so nennt man dies, eine neue (höhere) I. beschreiten oder anrufen. I.en sind daher die Abschnitte, welche auf diese Weise in der Untersuchung einer Rechtssache gebildet werden. Man hat in der Einrichtung solcher I.en eine der Haupt= garantien für eine gute Rechtspflege zu finden geglaubt, weil dadurch verschiedenen

Gerichten Gelegenheit gegeben ist, dieselbe Sache zu erörtern. In diesem Sinne hat auch die deutsche Bundesverfassung darüber gewacht, daß in allen Staaten in Civilsachen drei J..en bestehen (die freilich nicht in allen Fällen auch zur Anwendung kom-

deshalb rich=
tigere angesehen werden kann. Man sucht mit Recht die Garantien der Rechtspflege in der bessern Zusammensetzung der Gerichte, wie in den veränderten Formen des Verf   A.

lich übliche Fremdwort für Anstalt; eben so
sagt

g. Diese von unsern verdorbenen Schulen, diesen Abrichtungsanstalten für Knechtschaft und beschränkten Unterthanen-

wir auch leider nicht deutsch denken und deutsch fühlen.

Institutionen, s. Corpus juris.

Instructionen, diplomatische, s. Bericht.

Instruction des Gesandten, s. Gesandter.

Instructionsmethode, s. bürgerlicher Proceß.

Instructionsrichter, s. Anklageproceß.

Insurgent, s. v. w. Aufrührer, s. Aufstand.

Insurrection, s. Aufstand und Verschwörung.

Integrität bezeichnet den natürlichen und rechtlichen Zustand einer Sache, also auch eines Staates; den Zustand, in welchem alle Theile in der gehörigen Stellung zum Ganzen sind.

Intendant. Benennung einer Gattung von Beamten, denen die Verpflegung des Heeres obliegt. Nur in wenigen Ländern bestehen dieselben noch; sie haben meist den Soldaten darben lassen und sich selbst Reichthümer gesammelt.

Intercession, s. Anmischung.

Interdict, s. Bann.

Interessen, s. Zinsen.

Interessen, ideelle und materielle. Der Geist des Menschen hat seine Bedürfnisse, wie der Leib desselben; wird dem erstern nicht in entsprechender Weise genuggethan, so verkümmert und entartet derselbe nicht weniger, als wenn der Körper sich in dem vernachlässigt und verwahrlost steht, was ihm nothwendig ist. Bei ganzen Völkern, bezüglich der Gesellschaft, der Menschheit selbst ist es nicht anders, auch bei ihnen giebt es allgemeine und besondere Bedürfnisse geistiger, wie leiblicher oder stofflicher Natur: Verhältnisse, die man gewöhnlich mit den Worten i. und m. J. ausdrückt. Es ist ein großer Irrthum, diese Interessen als im Gegensatz zu einander stehend, sich einander zuwiderlaufend darzustellen. Im Gegentheil durchdringen sie sich wie bei dem Einzelwesen, so bei ganzen Völkern und der menschlichen Gesammtheit so innig, daß irgend welche Beeinträchtigung oder Nichtberücksichtigung der einen sogleich eine Benachtheiligung der andern nach sich zieht; daß eine verständige und wohlüberlegte Förderung dieser den wohlverstandenen Vortheil jener mit sich bringt. Dies leuchtet von selbst ein, wenn man den allgemeinen Ausdruck auf die einfachen Verhältnisse zurückführt, welche seinen Inhalt ausmachen. Dann findet man auf der einen Seite die Erziehung, die Bildung, den Unterricht des Volks und die dadurch zu erzielende Erkenntniß, die Einsicht, das Selbstbewußtsein, den aufgeklärten Willen und die geregelte Thatkraft der Massen; auf der andern Seite die Arbeit, die Gütererzeugung, die Aufhäufung von Hülfsmitteln und Vorräthen, den Betrieb und Verbräuch, die Wohlhabenheit, den Reichthum, die Sicherheit des Eigenthums und der Person, das auf solcher Grundlage ruhende gegenseitige Zutrauen, den Credit. Es ist nach der Natur dieser Dinge auch eine völlig unnütze Frage, welchen Interessen, den materiellen oder den ideellen, man mehr Berücksichtigung angedeihen, mehr Vorschub leisten, welchen man früher gerecht werden solle. Da sie sich gegenseitig bedingen, durchdringen und ergänzen, so muß eine weise Einrichtung des Staats und der Gesellschaft auf beide in gleicher Weise und zu gleicher Zeit Bedacht nehmen. Aber wie bei dem geistig und körperlich verwahrlosten Einzelwesen, dessen Dasein in Folge dessen gefährdet erscheint, es nothwendig wird, zuerst den dringendsten leiblichen Bedürfnissen abzuhelfen, um wenigstens die Lebenskraft aufrecht zu erhalten und zu stärken, so wird es auch hinsichtlich ganzer Völker oder einzelner gesellschaftlicher Klassen, in denen jene doppelte Verwahrlosung sich zeigt, die Pflicht weiser Staatsverwaltung, zuerst den dringendsten stofflichen Bedürfnissen aus allen Kräften abzuhelfen und dadurch die Möglichkeit herzustellen, auch den geistigen genugthun zu können. Die Sorge um den „Magen und den Kragen", wie der treffende Volksausdruck lautet, die Fürsorge für den Lebensunterhalt, ausreichende Ernährung, Kleidung, Wohnung u. s. w. ist das Allererste, was den Staatsführern, den Massen und ihrer Verwahrlosung gegenüber, obliegt. Solchen Mängeln einmal abgeholfen, können dann die Mittel zur Wahrung der sogenannten ideellen J. erst nach Gebühr und Wunsch anschlagen.

Interessentschaft, s. Deichband.

Interessiren, s. Einmischung.

Interim. In den Kriegen und Wirren, welche der Kirchenverbesserung des 16. Jahrh.s folgten, versuchte man mehrmals die Verhältnisse bis zur Ordnung durch eine allgemeine Kirchenversammlung zu regeln, und kaiserliche Verordnungen stellten einstweiligen Rechtszustand, J., her. So 1541 zu Regensburg, wo den Protestanten Sicherheit gegen Anfechtungen verbürgt, dagegen aber auch Stillschweigen auferlegt wurde, bis zur Endentscheidung durch eine deutsche Kirchenversammlung. 1548 kam zu Augsburg ein neues J. zu Stande, welches den Protestanten etwas mehr als das erstere gewährte, aber keine Partei befriedigte, dem sich keine unterwarf. Den letzten Versuch von Bedeutung machte man 1549 zu Leipzig, wo die Protestanten zwar wieder etwas mehr erlangten, aber doch nicht befriedigt sein konnten. Es waren mißlungene Versuche, Unvereinbares zu vereinen, Feindliches zu verbinden; der 1552 beginnende Krieg endete die Herrschaft des J.s und erst der 1555 geschlossene Religionsfriede brachte wirkliche Ordnung in die Parteistellung.

Interimisten nannte man diejenigen, welche sich dem Interim unterwarfen und es annahmen. Der Ausdruck war eine Art Schimpfwort, der soviel als Feige bedeutete.

Interimisticum heißt heute noch eine Verordnung, welche einstweilen eine Staatsangelegenheit ordnen soll. Ein meisterhaftes J. lieferten die sächs. Minister von Könneritz und von Wietersheim in den Angelegenheiten der Deutschkatholiken. Dasselbe gleicht einer Schnur, welche man dem Opfer um den Hals legte, und deren Ende man festhielt, um das arme Opfer jeden Augenblick nach Belieben erdrosseln zu können.

Internuncius (Unterbotschafter, Gesandter 2. Ranges) ist der Titel des österreich. Bevollmächtigten in Konstantinopel. Sonst hießen auch so die päpstlichen Gesandten an kleineren Höfen und Republiken, während sie an großen Höfen Nuncien oder Botschafter genannt wurden. Diese Nuncien und J. haben es stets trefflich verstanden, die Fürsten am römischen Leitseile herumzuführen, bis am österreich. Hofe ihr Einfluß durch Joseph II. eine solche Niederlage erlitt, daß er sich nicht wieder erhob, obschon die Verhältnisse zu Roms Gunsten sich änderten. Daß indeß Roms Vertreter im Auslande die Kunst des politischen Kartenschlagens noch nicht

unverbefferlich!   **W. Pretzich.**

Interpellation. Mit diefem Fremdworte bezeichnet man eine Anfrage an die

ftets die Tagesordnung überfpringt, fo ift die Bezeichnung (Zwifchenrede) richtig. Je
nach dem Gegenftande antworten die Minifter fofort, oder erklären, was ihnen zufte-
hen muß, fie würden zu einer beftimmten Zeit antworten. Nur in Deutfchland war
es bei dem jetzt geftürzten Syftem der Wiener Verfchwörung anders; deutfche Minifter

genug! — ließen fich belügen und „faßten Beruhigung."

Interpretation, f. Gefetz.

Interregnum. Wörtlich: Zwifchenreich, nannte man in Rom die Zeit,

reichen die Benennung J. für die Zeit, die zwifchen der Erledigung der Stelle und
r Gefchichte heißt befonders die Zeit von
1254 (Kaifer Conrads IV. Tod) bis 1273 (Kaifer Rudolphs I. Wahl) J.,
die durch blutigen Kampf fremder und einheimifcher Fürften um die Krone fich auszeichnete und die ganze Rohheit des Fauftrechts zum eigentlichen Ausbruch gebracht hat.

Intervention, f. Einmifchung.

Inteftaterbfolge. f. Erblichkeit.

Intoleranz, f. Duldung.

Invalide (Invalidenhäufer). Wer im Dienfte des Vaterlandes inva-

ble nicht vernachläffigt werden darf, befonders wenn der J. feine körperliche Hinfäl-
ligkeit dem Kampfe für Ehre und Freiheit verdankt. Der Dank des Staates gegen
feine invaliden Krieger befteht entweder in Penfionen, in der Aufnahme derfelben in
J.häufer, oder oft auch nur — wie in manchen großen deutfchen Ländern — in
der Erlaubniß, mit Stelzfüßen und militärifchen Ehrenzeichen gefchmückt, fich mittelft
des Leierkaftens das Brod erbetteln zu dürfen. Diefe letztere Art ift befonders in

Glück nur den Begünftigten zu Theil. Die berühmteften und größten J.häufer haben
Frankreich zu Paris, England zu Greenwich und Chelsea und Preußen zu Berlin.

Anfprüche auf öffentliche Unterhaltung; und darin hatte die Vergangenheit einen Vorzug vor der Gegenwart, in der die reichlichften Penfionen (f. d.) häufig nur folchen

.fchen Ordnung und find daher

Invalidenkaffen. Um
fern, hat man die Einrichtung

em kleinen Abzuge das Recht auf Verpflegung

Invafion, f. Einfall.

Inveftitur, f. Einfetzung der Bifchöfe.

Inzichten, f. Beweis.

Johannisloge, f. Freimaurer.

Johanniter, f. geistliche Orden.

Journal, Journalwesen, f. Zeitungen.

Journaliere, f. Post.

Irrenanstalten, f. Wohlthätigkeitsanstalten.

Italien, junges, f. junges Italien.

Itio in partes. Ein vielfach gebrauchter fremder Ausdruck, welcher heißt: Sie trennen nach Theilen, Parteien, Ständen. In Rom bezeichnete man damit einfach das Abstimmen durch Hintreten auf die Seite derer, deren Meinung man theilt. Auf dem alten Reichstage konnten die feindlichen Religionsparteien sich zusammen thun und Einspruch erheben, wenn etwas beschlossen werden sollte, wodurch sich die eine Partei verletzt fand. In einigen ständischen Kammern steht ebenfalls den einzelnen Ständen, dem Adel oder den Rittergutsbesitzern, den Städtern, den Bauern, das Recht zu, als Stand gegen einen Antrag zu stimmen, welcher die Interessen desselben zu verletzen droht. Eine solche Erklärung eines Standes hat gewöhnlich Aufschub der Maßregel zur Folge.

Juden, ihre Stellung im Staate, f. Emancipation der Juden.

Judeneid. Da die Eidesformel im christlichen Staate nur auf Christen eingerichtet ist, so versteht es sich, von diesem Standpunkte aus, daß für Juden eine besondere Eidesformel existiren muß. Der christliche Barbarismus nahm aber, namentlich im vor. Jahrh., von der vielleicht durch einzelne Vorkommnisse gerechtfertigten Befürchtung, daß die Juden den Christen einen Eid nicht halten zu müssen glaubten, Gelegenheit, eine monströse Formel, voll Verwünschungen des Meineidigen, Entsagungen unverständlicher Cautelen u. dergl., zu erfinden, nach welcher Juden vor christlichen Obrigkeiten in Beisein des Rabbiners und mehrerer jüdischen Zeugen und unter Auflegung der Hand auf eine gewisse Stelle der Thorah den Eid leisten mußten. Ein guter Theil dieser barbarischen Formen ist neuerdings in mehreren Staaten abgeschafft; Hannover hat jedoch die Auszeichnung, daß es einen J. in den strengsten Formen erst vor wenigen Jahren gesetzlich vorschrieb. A.

Judenschutz. Eine Abgabe, welche die Juden in vielen Ländern für die Erlaubniß, sich an einem Orte aufzuhalten, bezahlen mußten.

Julimänner, f. Bewegungspartei.

Juliordonnanzen, f. Charte.

Junges Deutschland nannte sich zunächst eine Verbindung politischer Flüchtlinge, die um 1820 in Folge der deutschen Demagogenjagden ihr Vaterland verlassen mußten und unter Karl und August Follen in der Schweiz sich sammelten. Was sie an Beziehungen in Deutschland suchten und fanden, ist ungewiß, doch schloß sich nach vielwechselnden Schicksalen der Bund an das junge Europa an. Durch diplomatischen Einfluß 1837 vertrieben, löste sich der Bund auf. Wie weit das j. D. beim Hambacher Volksfest 1832 thätig war, ist eben so wenig klar, wie seine Theilnahme am Frankfurter Aprilattentat von 1833. Außer dem hier geschilderten j. D. kam ein literarisches j. D. zu Tage. Es war dieses von den Schriftstellern Gutzkow, Laube, Mundt und Wienbarg begründet und ihre Bestrebungen bestanden darin, daß sie alle Sitte verbannen und eine laxe und leichtfertige Literatur einführen wollten. Mit Hülfe der Polizei erlangte dieses j. D. einige Aufmerksamkeit, die jene verschrobenen Geisteswerke ihr nimmer zugezogen hätten. Der literarische öffentliche Ankläger (Fouquiere-Linville) am Schreckensgerichte der deutschen Polizei, Wolfgang Menzel zu Stuttgart, beiferte so lange, bis man die Erzeugnisse des j. D.s der Verfolgung für werth hielt. Als auch die flüchtige Theilnahme dieses Hebungsmittels verschwand, wurden sie vergessen. Einige Mitglieder des j. D.s haben sich später einen sehr ehrenvollen Namen erworben: dies ist Gutzkow und Wienbarg; Mundt ist geblieben, was er war, ein Schwätzer, und Heinrich Laube hat im Bunde mit der Leipziger Schneiderinnung noch einmal ein j. D. gestiftet, indem er das Vaterland durch eine neue Tracht beglücken wollte, ist aber dabei durchgefallen, wie früher.

Junges Europa. Als es der franz. Regierung gelungen war, mittelst der Septembergesetze alle Vereine zu verfolgen und zu unterdrücken, die sich öffentlich oder halböffentlich ihrem freiheitsfeindlichen Gange entgegen stemmten, nahmen die politischen Verbindungen eine immer gefährlichere Richtung an. Die Charbonnerie democratique, später Charbonnerie reformée genannt, war eine Verschwörung zur gewaltsamen Herbeiführung der Republik. Aber je schwieriger die Stellungen der geheimen Gesellschaften der Regierung gegenüber wurden, und je weniger sie daher an Zahl und Bedeutung gewinnen konnten, um so unzufriedener waren die Thatendurstigen ihrer Mitglieder. Sie suchten in der Zusammensetzung der Gesellschaften und ihren Grundbestimmungen das Hinderniß, welches die Verhältnisse aufthürmten und versuchten daher in immerwährenden Umgestaltungen ihr Heil. So bildete sich aus der Charbonnerie, in die sich Flüchtlinge aller Völker gedrängt hatten, das j. E. Der Plan desselben war, die Verschwörungen aller Länder in ein Ganzes zu vereinigen, da wo sich keine Verschwörungen fanden, deren zu begründen, das Ganze mit einander in Verbindung zu setzen und es von Paris aus zu leiten. Zu diesem Zweck bildete sich in Paris ein leitender Ausschuß, in welchem Vertreter von Frankreich, England, Deutschland, Italien und der Schweiz waren. An der Spitze desselben stand der alte Buonarotti, welcher von der Zeit des Jacobinerklubbs 1793 bis 1836, wo er starb, aus den Verschwörungen nicht herausgekommen ist. In Folge der Anregung von Paris aus, nahmen die geheimen Verbindungen in den einzelnen Ländern den Namen jung an, und es entstand ein junges Deutschland, ein junges Italien, eine junge Schweiz u. s. w. Aber die Verbindungen mit ihren veralteten Formen und zwecklosen Geheimnißkrämereien verjüngten sich nicht; es war vielmehr nur ein Wechsel des Namens, der keine weitere Bedeutung hatte. Das j. E. zerfiel bald in sich selbst, da ihm in seinem weit umfassenden Gesichtspunkte doch keine Mitglieder blieben.   R. B.

Junges Italien (La giovine Italia). Eine geheime Verbindung, vom Grafen Mazzini 1831 zu Marseille gestiftet, deren Streben dahin ging, die Fremdherrschaft in Italien zu stürzen und ein neues Reich mit nationaler Einheit, Gerechtigkeit und Freiheit zu gründen. Welchen Antheil dieser weitverzweigte und mit Geldmitteln angeblich reich versehene Bund an der jüngsten Schilderhebung Italiens gehabt hat, ist ungewiß; doch läßt es sich vermuthen, daß die neuesten Hoffnungen für Italiens Zukunft zum Theil Früchte seiner patriotischen Thätigkeit sein mögen.   W. Pretzsch.

Junta wird in Portugal und Spanien jede höhere Landesbehörde genannt; dann nannte sich auch die spanische Ständeversammlung oder die Cortes (s. d.) unter der franz. Herrschaft Central-J. Sie erklärte 1808 die franz. Besitznahme von Spanien für erzwungen, schloß mit England ein Schutz- und Trutzbündniß ab und rief dann das Volk zum Kampfe auf. Die heute noch als Muster geltende span. Verfassung von 1812 ist ihr Werk. In den Wirren der Neuzeit haben jene revolutionairen Regierungen der einzelnen Provinzen, die bald für, bald gegen die officielle Herrschaft sich bildeten, ebenfalls J. genannt.   W. Pretzsch.

Jurisdiction. Der häufig gebrauchte fremde Ausdruck für Gerichtsbarkeit.

Jurisprudenz, s. Rechtskunde.

Juristenfacultät, s. Actenversendung.

Jury, s. Geschworenen.

Jus primae noctis, s. Nacht, Recht der ersten.

Juste milieu. Als Louis Philipp 1830 zum König der Franzosen gemacht worden, war es sein erstes Geschäft, neben andern billigen Redensarten auch eine zu erfinden, die sein künftiges politisches System bezeichnen sollte, in der That aber nichts Anderes war, als das den europäischen Höfen ertheilte Versprechen, ihnen nie Veranlassung zur Unzufriedenheit zu geben. Diese Redensart hieß: die rechte Mitte (j. m.). Der Grundsatz wäre sehr löblich gewesen, wenn die spätere Anwendung nicht bewiesen hätte, daß der König die Sache ganz anders gemeint habe. Denn bald genug ward das J. m. nicht blos für die franz. Freiheit versteinernd, sondern es ließ auch das unglückliche und auf Frankreichs Hülfe vertrauende Polen fallen, half seitdem überall die Freiheit unterdrücken und betete jüngst noch fromme Rosenkränze für das Waffenglück des Sonderbundes. — Daher war seit Langem schon das J. m. zum Stichworte der politischen Halbheit geworden, welche mit ihrem schädlichen Mehlthau die Blüthen des Völkerlebens vergiftet und dem Fortschritt nachtheiliger ist, als selbst die rohe Gewalt. Mit dem Sturze Louis Philipps ist das J. m. gefallen und die Weltgeschichte wird ihm das Brandmal der Feigheit und Unfähigkeit aufdrücken.　　　　　　　　　　　　　　　　　　　　**W. Pretzsch.**

Justiz, s. Rechtspflege.

Justizamtmann, s. Amtmann.

Justizgewalt, s. richterliche Gewalt.

Justizministerium heißt das Ministerium, welchem die Rechtspflege (s. b.) anvertraut ist und von welchem daher dort die Rede sein wird.

Justizmord. Wie die Kirche vordem Scheiterhaufen errichtete, um darauf den Andersdenkenden „zur Ehre Gottes" in Asche zu verwandeln, — so wurde das Gebot: „du sollst nicht tödten!" nicht selten am meisten von Denen verletzt, die über dessen Aufrechthaltung wachen sollten. Was half es dem peinlich Angeklagten, seine Schuld vor dem Richterstuhl nicht einzugestehen, weil er nichts zu bekennen vermochte? Was nützte das Schweigen da, wo das Gefühl der Unschuld es müde wurde, den künstlich verdrehten Schlingen der richterlichen Fragen die Wahrheit entgegen zu stellen? Wozu erst Vertheidigung, wo die alte barbarische Rechtsregel: „Qui tacet, cum loqui et debuisset et potuisset, consentire videtur. (Wer da schweigt, wo er hätte reden können und sollen, der wird als einverstanden angenommen)" es nicht der Mühe werth hielt, zwischen Schuldig und Nichtschuldig einen Unterschied zu machen, sondern aus purer Verdammungssucht Alles in einen Topf warf und — wie einst **Carpzow** — am Ende sich noch rühmte, recht viele Todesurtheile gesprochen zu haben? — So wurden unter der Form des Rechts durch finstere Jahrh.e hindurch der Justizgewalt unzählige Menschenleben geopfert, und nicht selten mag böser Wille mehr als bloser Irrthum das Bluturtheil unterzeichnet haben. Sie liegen hinter uns, die Zeiten der offenbaren Mißbräuche der Justizgewalt durch Verurtheilung der Unschuld, J. genannt! — so würden wir freudig ausrufen, läg' der Beweis des traurigen Gegentheils uns nicht näher. Zwar giebt es keine Herenprocesse mehr; die Demagogenjagden sind seltner geworden, — aber an die Stelle jener groben J.e ist eine feinere Art getreten: die politischen Untersuchungshaften, welche die moderne Staatsweisheit erfunden hat, um durch langsames Vermodern in feuchten Kerkergewölben und Entziehen aller physischen und geistigen Lebenselemente den Verdächtigen zur Verzweiflung zu treiben und die Liebe für Freiheit und Vaterland gleich einem todeswürdigen Verbrechen büßen zu lassen. So wurde der Pfarrer Dr. **Weidig** in Rheinhessen 1837 noch durch seinen Unters.-Richter, den Hofgerichtsrath **Georgi,** henkermäßig langsam zu Tode gepeinigt, wenn nicht diejenigen Recht haben, welche behaupten, daß der an Säuferwahnsinn leidende Henker ihn schließlich ermordete, oder ermorden ließ; auf diese Weise ward dem edlen **Jordan** qualvolles Siechthum zu Theil; und wenn auch — wie **Feuerbach** sagt — der Geist unserer Zeit seine Klagen wider die deutsche Rechtspflege in ihrer gegenwärtigen Ausübung, sein Verlangen nach einer gründlichen Umgestaltung noch so laut und kräftig

ausgesprochen, daß diese Beschwerden nur von Denjenigen mit Gleichgültigkeit über-
hört oder gar mit Hochmuth zurückgewiesen werden können, welche jenem Geiste überhaupt, selbst in seinen edelsten Bestrebungen, mit vornehmer Verachtung begegnen
zu können glauben: so werden dennoch jene J.e so lange noch nicht die letzten in
Deutschland sein, als es nicht überall offenes Gericht giebt, vor dessen Schranken
auch der angeklagte Vaterlandsfreund erscheinen darf. „Schlechte Justiz schreit
auf zum Himmel!".　　　　　　　　　　　　　　　　　　　　W. Pretzsch.

Justizstellen, s. richterliche Stellen.
　Justizverwaltung, s. Rechtspflege.
　Justizverweigerung, s. Rechtsverweigerung.
　Justizwissenschaft, s. Rechtswissenschaft.
　Jünglingsbund oder Jugendbund heißt eine geheime politische Verbindung,
welche nach den schmachvollen Unterdrückungsmaßregeln des Carlsbader Congresses
sich auf deutschen Hochschulen bildete, mit dem Zwecke, Deutschland von dem Joche
dieser Beschlüsse wieder zu befreien. Die Stifter und Ausbreiter des J.es deuten auf
einen Männerbund hin, welcher als Leiter an der Spitze einer großen Verschwörung stehe, die denselben Zweck verfolge; doch hat sich nie eine Spur desselben gefunden.

K.

Kaducität, s. Abmeierung.
　Kämmerei. Mit diesem Ausdruck bezeichnet man vielfach die Verwaltung des
städtischen Vermögens und Einkommens, eben so das dabei angestellte Beamtenpersonal und endlich das Vermögen selbst. Daher heißt auch
　Kämmerer der städtische Beamte, welcher der Kämmerei vorsteht, d. h. die
Verwaltung derselben zu besorgen hat; so wie man die städtischen Abgaben oft Käm-
mereigefälle, die städtischen Güter und Grundstücke Kämmereigüter u. s. w. nennt.
In Dänemark bezeichnet man mit K. einen Gerichtsbeamten, nämlich den Vorsteher
der Districtsgerichte auf der Insel Femern. In letzterer Bedeutung scheint das Wort
früher mehr üblich gewesen zu sein, denn in manchen Gegenden heißen die Verwalter
der Untergerichte auf dem Lande ebenfalls K. In Oesterreich nennt man auch die
Kammerherrn (s. d.), an andern Orten die Kammerdiener des Fürsten K.
　Kaiser, deutscher, s. deutscher Kaiser.
　Kaiserliche Hof- und Landgerichte, altdeutsche Rechtspflege, s. Acten-
versendung.
　Kaiserrecht nennt man die Rechtsbücher und Rechtssammlungen, welche von
den römischen wie deutschen Kaisern veranstaltet wurden und zum Theil blos deren
Befehle und Anordnungen enthalten.
　Kameral hieß bis vor Kurzem und heißt theilweise noch Alles, was sich auf
die Geldverhältnisse des Staates und auf ihre Verwaltung bezieht. Daher
　Kameralrecht der Inbegriff der Rechte und Verbindlichkeiten, welche aus der
Landeshoheit fließen, insbesondere aber diejenigen, welche sich auf die Geldverhält-
nisse beziehen. Die große Wichtigkeit des K.s und der damit zusammenhängenden
Zweige der Staatsgewalt rief besonders

Kameralschulen hervor, wurden zu ihrem Beruf. Die berühmteste derselben bestand lange Zeit in Heidelberg. In neue-

derte von den Beamten mehr eine praktische Kenntniß dieses Geschäftsganges, als eine umfassendere Bildung zur Erkenntniß des Staatsorganismus in seinen Hilfsquellen und seiner Entwickelungsfähigkeit. Mit dem Wachsthum der Bildung und der Aus-

faffenderer Studien geltend. Man mußte die Quellen des Nationalreichthums kennen lernen, um die Finanzen durch eine zweckmäßige Steuererhebung und Verwaltung des

aber auch diese Quelle auszubeuten verstehen (Staatswirthschaftslehre). Mit der Ent-wickelung des Volksbewußtseins fing der Staat an, als sittliche Anstalt in seine Rechte zu treten; er hörte auf ein Uhrwerk zu sein, nur geschaffen, vom Herrscher aufgezogen zu werden. Das Gesetz konnte nicht mehr als Ausfluß des Herrscherwillens sich Aner-kennung verschaffen, es mußte nothwendig, d. h. im Bewußtsein des Volkes begründet sein. Die alten K. waren für die neuen Bedürfnisse nicht mehr ausreichend, sogar der Name mit seiner vagen Unbestimmtheit verlor sich und machte dem Namen und dem Begriff der **Staatswissenschaften** Platz. *Bertholdi.*

Kammer hieß sonst und heißt theilweise noch die Behörde, welche die Einkünfte des Staates und des Fürsten verwaltete. Daher auch die zahlreichen Benennungen von K.-Präsidenten, K.-Directoren, K.-Räthen u. s. w. Nur in Oesterreich hat sich die Benennung erhalten, und für jeden Zweig der Staatsverwaltung findet sich da-selbst eine Oberhof-K. Die Benennung war so allgemein, daß man unter K. auch den Fürsten mit seinem ganzen Hofe verstand, und so von K.musik, K.-Sängerin, K.-Fräulein und K.-Frauen sprach. Viele dieser Bezeichnungen haben sich bis heute erhalten, besonders ist das Amt der

Kammerherrn und **Kammerjunker** noch allgemein und gesucht. Es hat mit diesen dieselbe Bewandniß wie mit den Hofdamen (s. d.). Die K. sind vornehme Be-dienten, von denen einer täglich wechselnd den Dienst beim Fürsten oder der Fürstin hat, der in Anmeldungen, Begleitungen u. s. w. besteht. Gewöhnlich sind nur einige K. besoldet und diese verrichten dann auch meist den Dienst allein. Die Titel aber füh-ren eine Masse und schätzen sich glücklich, wenn sie ab und zu auch einmal Bedienter sein dürfen. Als Auszeichnung tragen die K. einen goldenen Schlüssel hinten auf dem rechten Rockschooß. Die Kammerjunker sind junge Leute vom Adel, die meist zu nichts Anderem erzogen und fähig sind, als sich zu K. abrichten zu lassen. Sie sind als die vornehmen Laufburschen an den Höfen zu betrachten und bringen es, wenn es hoch kommt, dahin, daß sie die Schüsseln auf- und abtragen dürfen. An einigen Höfen, z. B. am sächsischen, giebt es auch noch

Kammermenscher, d. h. Frauenzimmer, welche die niedrigsten Dienste in den fürstlichen Zimmern verrichten.

Kammern. Unter diesem kurzen Ausdruck faßt man oft die Land- oder Reichs-stände (s. d.) zusammen.

Kammerpolizei, s. Geschäftsordnung.

Kammerzieler, s. deutsches Reich.

Kampf, s. Krieg.

Kampfspiele. Bei den alten Griechen und Römern eine Volksbelustigung, durch welche sich die Jugend stählte und in den Waffen übte. Der Staat setzte Preise auf den Sieg in den K.n und das ganze Volk nahm begeistert daran Theil, so daß sie ein Band waren, welches die einzelnen Stämme des Volkes traulich zusammenführte und inniger verknüpfte. Auch unsere Vorältern hatten ihre R., mit der Freiheit des Volkes verloren sich aber auch diese und erstanden nicht wieder. Die Unterdrückung kann weder die Kräftigung des Volkes noch seine Vereinigung gestatten; sie beruht auf Schwäche und Trennung. Die R. der Neuzeit, die sogenannten Manövres locken wohl eine gaffende Masse, aber kein Volk an, weil dieses Spiel eher etwas Volksfeindliches als Volksthümliches hat.

Kanon (griechisch: Stab, Richtscheit, Regel, Vorschrift). So heißt die auf der heil. Schrift, der Ueberlieferung (Tradition) oder auf sonstiger Autorität beruhende Regel der römischen Kirche, besonders die Beschlüsse der Kirchenversammlungen, weil in ihnen die kirchliche Ueberzeugung sich aussprach, und besonders die auf die Disciplinargewalt der Kirche sich beziehenden Bestimmungen Canones hießen. Auch bezeichnet das Wort R. gewisse Gebete, welche die römischen Priester bei der Messe verrichten. A. Henfel.

Kanonade. Ein dauernder Angriff mit Kanonen. Die R.n werden in der Feldschlacht immer seltener, weil sie sehr kostspielig sind und doch wenig entscheiden. Um so wirksamer sind die R.n gegen feste Punkte und Städte.

Kanonen, s. Artillerie.

Kanonicus heißt das Mitglied eines Domcapitels oder Stifts; der Name rührt von der Verpflichtung zu gewissen Regeln (canones) des Lebens her, welche sie in der römischen Kirche übernehmen müssen. A.

Kanonisches Recht ist der Inbegriff der von den ökumenischen Kirchenversammlungen (s. d.) und von den Päpsten erlassenen kirchlichen Gesetze. Der Name kanonisch rührt von den in der christlichen Kirche sich allmählig bildenden Rechtssätzen (canones) her. Das k. R. ist in den nach und nach zur Geltung in der römischen Kirche gelangten Rechtssammlungen (s. Corpus juris canonici) enthalten und begreift auch verschiedene nicht kirchliche Rechtsverhältnisse; es ist daher nicht gleichbedeutend mit Kirchenrecht. Der Einfluß des k. R.s auf die ganze Rechtsentwickelung in Deutschland und einem großen Theile des übrigen Europa war im Mittelalter eben so bedeutend, als der Einfluß der Kirche überhaupt, und fällt, wie dieser letztere, unter sehr verschiedene Gesichtspunkte. Während er z. B. im Strafverfahren die Inquisition aufkommen und den altdeutschen Anklageproceß verdrängen ließ, war er für die Fortbildung des bürgerlichen Processes mannichfach, namentlich durch Einführung der kürzeren Formen der sogen. summarischen Processe, von Vortheil. Gegenwärtig gilt zwar das k. R. als eine Hilfsquelle des gemeinen Rechts in Deutschland, allein nur wenige einzelne Bestimmungen desselben haben noch unmittelbare praktische Bedeutung. Dagegen ist es eine Hauptquelle für das römische Kirchenrecht. A.

Kantschuh. Eine kurze, starke, aus geflochtenen Riemen bestehende Peitsche, welche in Rußland gebraucht wird, um den Menschen die Unübertrefflichkeit der Alleinherrschaft kennen zu lernen. Es ist ein Theilchen der Glückseligkeit, welche die fleischlichen und Geistesverwandten der Russen und des Russenthums uns bereiten möchten und es kränkt dieselben sehr, daß sie die nützliche Erfindung des R. nicht einführen können.

Raper, Raperbriefe, Raperschiffe. Die Gewohnheit des Kriegs, so weit es sich nicht von der Abwehr fremden Angriffs und von außen oder innen kommender Gewalt und Unterdrückung handelt, an und für sich mit den Zwecken und der Bestimmung der Menschheit selbst in Widerspruch, hat selbst in den völkerrechtlich zulässigen Formen, unter welchen er unter den gesitteten Völkern auftritt, noch Bräuche erhalten, die das Gepräge der ganzen Rohheit des frühern Zeitalters tragen. Darunter gehört die Anerkennung des Rechts kriegführender Nationen, R.briefe auszugeben und R.schiffe ausrüsten zu lassen. Die Letztern sind von Privatpersonen ausgerüstete Fahrzeuge, um den Landesfeind zu schädigen, indem man auf die Schiffe seiner Nationalen, seien dieselben und deren Ladung nun Staats- oder Privateigenthum, Jagd macht und dieſelben zu **kapern,** d. i. wegzunehmen und zu plündern ſucht. In der That iſt dieſer Brauch gar nichts Anderes als ein privilegirter Seeraub (ſ. d.); damit der⸗ ſelbe aber nicht als ſolcher beſtraft werden könne, ſetzt das Völkerrecht feſt, daß jedes **K.ſchiff** einen von der Regierung des Landes, welches ſich in ſeinem Krieg gegen ein anderes Volk auf dieſe Weiſe zu helfen ſucht, ausgefertigten **K.brief,** franzöſiſch lettres de marque, engliſch letters of marque and reprisal, bei ſich führe, worin die Ermächtigung zu derartigen Feindſeligkeiten unter den dafür vorgeſchriebenen For⸗ men ertheilt wird. Zu wiederholten Malen haben Staaten vertragsweiſe gegenſeitig auf die Begünſtigung dieſer Art Seeraub verzichtet, und bei dem Ausbruch des Kriegs zwiſchen den nordamerikaniſchen Freiſtaaten und Mexiko iſt es neuerdings zur Sprache gekommen, ob man dieſe den Grundſätzen der Geſittung widerſtreitende Unſitte nicht für immer aus dem Coder des Völkerrechts ſtreichen ſolle. Hoffentlich wird auf dem erſten Völkercongreſſe, der nach der im Werke begriffenen politiſchen Wiederverjüngung Europas abgehalten wird, dieſer Ungebühr, mit vielen andern völkerrechtlichen Miß⸗ bräuchen, ihr Recht wiederfahren und dieſelbe auf ewig aus dem internationalen Völkerbrauch verſchwinden.   **J. G. G.**

Karbatſche, eine etwas größere Art Kantſchuh (ſ. d.).

Kardieſtelgeld, ſ. Bedemund.

Karlsbader Beſchlüſſe, ſ. Bund.

Karlsbader Congreß, ſ. Bund und Congreß.

Kartätſchen. Eine Anzahl kleiner Kugeln, welche in eine runde Büchſe oder nur in einen Sack geſteckt ſind, und ſo in die Kanone geladen werden. Beim Schuſſe ſpringt die Büchſe und die Kugeln richten eine furchtbare Verherrung an. Der Kö⸗ nig von Preußen bewies „Seinen lieben guten Berlinern" 18 Stunden lang mit K. ſein „unbedingtes Vertrauen".

Karthaunen. Name der erſten Kanonen; die K. waren die erſten ſchweren Geſchütze, ſchoſſen bis zu 48pfündigen Kugeln und erhielten ſich beſonders in Deutſch⸗ land bis zum Ende des 17. Jahrh.s.

Kaſerne. Die Wohnung einer Anzahl Soldaten. Man findet die K.n in der verſchiedenſten Ausdehnung und Form, meiſt aber ſind es große Gebäude, die ein ganzes Regiment faſſen können. Die Hauptſache bei Anlage einer K. iſt geſunde Lage, Licht und Luft von allen Seiten, breite Gänge und Treppen, damit bei Allarm kein Gedränge und keine Störung entſtehe. Deutſchland iſt das claſſiſche Land der K.n und hat deren eine Unmaſſe. Dieſe und die Maſſe Kirchen und Klöſter vertre⸗ ten die beiden Richtungen, nach denen man das Volk zu knechten ſuchte. Hoffentlich werden beide bald eine nützlichere Beſtimmung erhalten: die Kirchen zu Volks⸗ und Wahlverſammlungen, die K.n zu Wohnungen für unſere obdachloſen Armen verwen⸗ det werden.

Kaſſen, Kaſſenweſen, ſ. Staatskaſſen.

Kaſſenanweiſungen, ſ. Staatsſchulden, Staatsſchuldſcheine.

Kaſten (Kaſtengeiſt). Die Einwohnerſchaft eines Staates zerfiel bis⸗ jetzt in Klaſſen oder Stände, die nur vor dem Geſetz zu einer Einheit und Gleichheit verbunden ſind. Dieſer Unterſchied iſt eine natürliche Folge der Verſchiedenheit der geiſtig⸗ſittlichen Bildung. Erben die mit einem Stande verbundenen Vorrechte oder Laſten in den Familien fort und gehen Aemter, Titel und Würden ohne Rückſicht auf Befähigung und blos vermöge der Geburt von dem Vater auf den Sohn über, ſo werden ſolche Stände mit dem portugieſiſchen Namen K. belegt. Solche K. ſind zumal monarchiſch⸗regierten Staaten eigen, wo Günſtlinge der Fürſten und ihrer Mini⸗ ſter das Volk beherrſchen und ihre Stellen erblich machen. Einem ſolchen Mißbrauch des erworbenen oder erſchlichenen Anſehns verdankt größtentheils die K. des Adels ihre Entſtehung. Am üppigſten aber wuchert das Unkraut des K.⸗Weſens noch auf dem verſengten Boden oſtindiſcher Willkürherrſchaft; denn hier ſind alle Vorrechte, alle staatsbürgerlichen Freiheiten und menschlichen Befugnisse ausschließliches Eigenthum der streng wieder unter sich abgeschiedenen 4 K. der Brahmanen oder Priester, der Tschettris oder Krieger, der Weisjas oder Gewerbtreibenden und der Subras oder Handwerker und Krämer, während die 5. und zahlreichste Klasse der Parias oder Verachteten völlig rechtlos ist. Eine natürliche Ausgeburt dieses K.-Wesens ist der K.-Geist, jenes Absonderungsstreben der Vornehmern von den Geringern, der besonders im deutschen Beamtenstand sich zeigt, dessen Gespreiztheit Untergebenen gegenüber auffallend und possirlich ist. In Republiken oder Freistaaten ist dies anders.. Hier giebt es weder bevorzugte Stände noch K., indem alle Menschen gleiche Rechte und Freiheiten genießen und nur die Befähigung zu Staatsämtern berechtigt. Wie lange noch dieses K.-Unwesen in Europa sich halten wird — ist eine Frage, zu der man sich in neuster Zeit um so lebhafter gedrängt fühlt, je eifriger die Völker jetzt angefangen haben, sich eine eigene Geschichte zu machen, und man einsieht, daß die Völker nicht blos da sind, um den Glanz der Kronen, die Pracht der Höfe und das Ansehn der K. verherrlichen zu helfen.　　　　W. Pretzsch.

Katechismus. Ein griechischer Ausdruck, der die Bücher bezeichnet, welche die christlichen Glaubenslehren in Fragen und Antworten zum Gebrauch beim Religionsunterricht in den Schulen enthalten. Der bekannteste ist der lutherische, der seiner veralteten Formen und starren Lehren wegen für unsere Zeit nicht mehr paßt. Dann giebt es auch noch Bürger-K., worin von den Pflichten wie Freiheiten und Rechten des Bürgers die Rede ist. Diese Art von K. ist bis jetzt fast immer verboten gewesen. Der berüchtigtste K. unter allen war jener, den Napoleon in den Schulen Frankreichs eingeführt und in welchem das Christenthum zur Befestigung des kaiserlichen Ansehns gemißbraucht wurde. So haben stets Willkürherrschaft und Eitelkeit die Religion zur Förderung ihrer verwerflichen Zwecke benutzt und jedes edlere selbstständige Gefühl der Menschenbrust ertödtet.　　　　W. Pretzsch.

Katholicismus. Ein griechisches Wort, bedeutet Allgemeinheit, besonders und Gebräuche der römischen Kirche oder des Papstthums. Wie der Geist des Christenthums kein trennender, sondern ein durchaus einigender — ein Geist der Liebe ist, der keine Spaltung kennt, so liegt es im Wesen des Christenthums, nicht blos eine innere Geistesverbrüderung zu begründen, sondern auch in seinen Bekennern eine äußere Lebensgemeinschaft zu erzeugen. Aber schon das Apostolat wurde Ursache unheilvoller Zersplitterung der christlichen Brüdergemeinschaft. Die abweichende Meinung einiger ersten Christen zu Ephesus gab Veranlassung, sich zu trennen und eine Gemeinde · in der Gemeinde zu bilden. Die Spaltung wurde erweitert, als die Bischöfe, die Nachfolger der Apostel, anfingen, ihr Ansehn durch Verfolgung selbstsüchtiger Pläne zu mißbrauchen und die Verdammung Andersdenkender auszusprechen. Völlig unheilbar aber wurde der Riß, als die Oberhirten zu Konstantinopel und Rom das Christenthum zuletzt in ein morgenländisches und abendländisches zerrissen und somit den Grund legten zu Religionskriegen, die unsägliches Elend über die Menschen gebracht haben. Die nächsten Folgen dieser Spaltung waren der Untergang des K., der Allgemeinheit des Christenthums — die völlige Unterordnung des Geistes freier Schriftforschung unter beengende Glaubensformen, Gewissenszwang, Haß und Verfolgung der Ketzer und eine Hierarchie (s. d.), deren Herrschsucht keine Grenzen mehr kannte. Am Weitesten trieb es der Bischof zu Rom, der sich unter Beilegung des Titels Papst zum allein-wahren Stellvertreter Jesu auf Erden und Inhaber aller Kirchengewalt erklärte und die abendländische Kirche zu einer katholischen, d. h. allgemeinen und allein seligmachenden erhob. Seit dieser Zeit ist der Name K. ausschließliches Eigenthum des Papstthums geblieben und hat bis vor Kurzem noch als trauriges Sinnbild geistiger Erstarrung und grenzenloser Unduldsamkeit gegolten, das seine Nahrung aus den drei Glaubensquellen: höchst einseitiger

Bibelerklärung, Ueberlieferung und den Kirchenvätern empfängt. In neueſter Zeit jedoch ſcheint auch der K. vom allgemeinen Drange nach Vorwärts mächtig ergriffen worden zu ſein, beſonders ſeit Pius IX. als lichtvolle Erſcheinung aufgetaucht iſt. Deshalb ſteht es zu erwarten, daß der dem K. zeither innegewohnte Mangel an freiem Leben und freier Bewegung endlich einmal ausgeglichen und durch ſchließliche Vereinigung aller Religionsparteien zu einer Kirche nicht nur der römiſche K. zu einem chriſtlichen K. wieder zurückgeführt, ſondern auch der im Volke lebende Glaube an eine Heerde und einen Hirten vielleicht noch einmal zur ſchönen Wahrheit erhoben werden wird. Als merkwürdige Erſcheinung der Neuzeit verdient noch erwähnt zu werden, daß neuerdings in dem Grade, als der K. ſich zu verjüngen und freiere Richtungen einzuſchlagen beginnt — in dem Proteſtantismus, namentlich aber bei einem Theile der Geiſtlichkeit, eine ziemlich auffallende Neigung zum Rückſchritt ſich bemerkbar gemacht hat. Die beſondere Verfaſſung des K. ſ. unter Prieſterherrſchaft. W. Pretzſch.

Kataſter, ſ. Flurbuch.

Kauf. Die Erwerbung irgend eines Gegenſtandes gegen Bezahlung heißt K. Der K. ſetzt demnach 2 Menſchen voraus, von denen der eine Geld bietet, der andere annimmt, der Käufer und Verkäufer. K. iſt demnach jeder Handel, der gegen baare Zahlung abgeſchloſſen wird. Der Natur der Dinge nach würde ſich nun der Staat um einen K. erſt zu bekümmern haben, wenn das Recht dabei verletzt wird, und dies iſt auch meiſtentheils ſo; doch hat beim K. größerer Gegenſtände, beſonders bei Grundſtücken, der Staat ſein Oberaufſichtsrecht dahin ausgedehnt, daß jeder K. erſt durch gerichtliche Beſtätigung ſeine Gültigkeit erlangt. Aus denſelben Gründen, aus welchen man die Sicherſtellung des Darleihers bei Grundſchulden (ſ. Hypothek) billigen kann, muß man auch das Verfahren beim K. billigen, wenn daſſelbe nicht in Bevormundung ausartet. Die Geſetzgebung über K. und Verkauf iſt eine der ausgebildetſten, die es giebt, allerdings nicht für unſere Zeit und Verhältniſſe, ſondern für das alte Rom, deſſen Knechtſchaft wir auch hier tragen.

Kauffahrer nennt man die zum Handel beſtimmten Schiffe, die nach Größe und Bauart ſehr verſchieden ſind. Man mißt dieſelben nach Laſten (4000 Pfund Handelsgewicht) oder nach Tonnen (2000 — 2200 Pfund). Die größten K. ſind auch für die Abwehr eines feindlichen Angriffs ausgerüſtet.

Kaufmann heißt, wer Kauf und Verkauf zu ſeinem Berufe macht (ſ. Handel).

Kaufmannſchaft. Die Geſammtheit der Handeltreibenden, die noch vielfach durch Innungsverband zuſammenhängen.

Kaufmannsgericht, ſ. Handelsgericht.

Keſſelfrage, ſ. Gottesurtheil.

Keſſelſchmiede, ſ. Calderari.

Ketzer nannte und nennt die römiſche Kirche Alle, welche nicht ihrem Glaubensleiſten ſich bequemen und dem Mann zu Rom nicht allein das Recht des Denkens zugeſtehen. Wir haben die wichtigſten K. beim Namen ihrer Gemeinſchaft genannt und das Verfahren Roms gegen dieſelben geſchildert, auch bereits mehrfach darauf hingewieſen, daß jede Kirche im bisherigen Sinne in den Wahn der Alleinrechtgläubigkeit und damit in die K.verfolgung ausarten muß, wie dies thatſächlich auch bei allen geſchehen iſt. Eichhorn mit ſeinem Conſiſtorium war gerade ſo anmaßend und rechthaberiſch, als der Papſt mit ſeiner Kleriſei, und es giebt vor dieſem Unſinne keinen andern Schutz, als völlige Freigebung, d. h. Abſchaffung der Kirche, ſo weit ſie etwas Anderes iſt, als eine freie Gemeinſchaft freier Menſchen.

Keule. Eine Waffe aus hartem und ſtarkem Holze, etwa 2 Ellen lang, deren eines Ende ſo dünn iſt, daß man es bequem mit der Hand umfaſſen kann, das andere Ende dagegen iſt klotzig, dick und abgerundet.

Kinder. In den Geſängen der Dichter, in den heiligen Urkunden der Völker

des Himmels genannt; darum ward der Bund der Ehe unter dem Volke, was sich selbst stolz das Volk Gottes nannte, mit den Worten geweiht: mehret euch zahllos. Aber die natürliche Ordnung ist verkehrt worden durch die Bosheit und der Wink der Natur verachtet von der Thorheit. Was ein Segen sein müßte, ist für den zahlreichsten Theil des Volkes zur Last geworden, die gefürchtet wird, ja zu einem Fluch, vor dem man zurückbebt. Der Fluch des alten Judengottes, gegen das Weib geschleudert, daß sie mit Schmerzen Kinder gebäre, scheint in Nichts zu verschwinden vor diesem neuen, welchen die bisherige nun glücklicherweise zusammensinkende Staatsordnung auf die Dauer von Jahren dem Vater und der Mutter zugleich zuwälzt in den bangen Sorgen für die Ernährung, für die Pflege, den Unterricht und die Erziehung der Kleinen, denen doch das Himmelreich beschieden sein soll. — Wenn der Gärtner seine Bäume, seine Pflanzen, wenn der Landmann in seinem Hof sein Geflügel sich mehren sieht, so wird er dessen froh und er ist sich bewußt, daß die größere Sorge, der größere Fleiß und die größern Kosten, die dadurch erforderlich werden, sich ihm reichlich und zehnfach vergüten durch den frühern oder spätern Ertrag des Gemehrten. Aber wenn das Edelste, was die Schöpfung aufweist, der Mensch, ihrem Gebote und dem in ihn gepflanzten Triebe folgend, sich mehrt, dann ergreift den Staat, die Gesellschaft, bange Besorgniß ob dieses Zuwachses, und die Staats- und Hofphilosophen bezeichnen die „Vielkinderei" als das Krebsübel der Gesellschaft selbst und schmähen das arme Volk, daß dieses, ohnehin von den meisten Genüssen des Lebens ausgeschlossen, seine Triebe nicht zu zügeln wisse; dann werden Gesetze gemacht gegen die Heirath der Armen, man treibt beide Geschlechter zur Prostitution in die Arme, befördert widernatürliche Befriedigung der Sinnenlust und die Verbrechen der Fruchtabtreibung, und gelangt in dem Wahnsinn der Verkehrtheit zu den albernsten Rathschlägen, zu Weinholdischen Infibulationstheorien und zur allgemeinen Abtödtung des Fleisches in einem neuen Klosterwesen. Aber die Zeit ist gekommen, wo auch diese Thorheit schwinden wird vor dem Lichte der Aufklärung, welche die tagende Freiheitssonne über die Welt streut. Bei der neuen sich vorbereitenden Ordnung des Staats und der Gesellschaft werden die K. des Volks nicht mehr als eine Last betrachtet, die Gesellschaft wird nicht mehr von dem Gespenst der Uebervölkerung bei Tag und Nacht gepeinigt werden; man wird darin das unschätzbare Pfund erblicken, welches wohl angelegt die Zukunft der Welt mit neuen ungeahnten Schätzen ausstattet, und statt den Wohlstand der Gesellschaft aufzuzehren, ihre Errungenschaft zu gefährden, im Gegentheil am meisten dazu beitragen wird, dieselben zu ihrer höchsten Entwickelung zu bringen. Damit aber solches sich erfüllen könne, ist es nothwendig, daß der Staat, wie er sich in seiner Verjüngung aus dem Schutt der alten Ordnung der Dinge herausbilden wird, es als seine erste und hauptsächlichste Sorge ansieht, ohne Rücksicht auf die Opfer, die er sich auferlegen muß, die geistige und leibliche Pflege der K., der ganzen Jugend des Volkes auf sich, in seine Obhut zu nehmen, auf seine Kosten die höchste Ausbildung aller Gaben, aller Fähigkeiten, aller Kräfte, welche das Volk in seinen K.n ewig neu erzeugt, zu ermöglichen. Es sind nur Vorschüsse, die er leistet, Vorschüsse, die sich ihm mit den reichsten Zinsen in dem Emporwachsen einer Bevölkerung zurückzahlen, die dem Staats- und Gesellschaftszwecke in seinen höchsten Anforderungen vollkommen entspricht. Unentgeltliche Pflege und Erziehung der K.welt, der sich immer neugebärenden Zukunft der Menschheit, auf Kosten des Staats, und zwar vom Tage der Geburt an, bis der junge Mensch in freiester Bethätigung aller seiner entwickelten Kräfte der Gesellschaft die Schuld zurückzuzahlen im Stande ist — das ist die Aufgabe, welche der Staat in der ihm bevorstehenden Neugestaltung zu lösen haben wird.   J. G. G.

Kinder, Arbeit der, in den Fabriken. Wie in so vielen andern Dingen, hat man bisher auch in Beziehung auf diese Verhältnisse schreiende Gebrechen und Uebelstände durch Heilmittel entfernen wollen, welche den Grund des Uebels durchaus nicht zu heben im Stande waren, und die, während sie nach einer Seite hin Abhülfe schufen, neue und schwere Nachtheile auf der andern mit sich brachten. Es ist wider Natur und Menschlichkeit, daß man das Kind im zarten Alter zu einer vielstündigen, unausgesetzten Tagesarbeit, heiße sie, wie sie wolle, zwangsweise anhält; daß man so vorzeitig die Kraft des Menschen im Kinde ausbeutet. Die Untersuchungen, welche in dieser Hinsicht in Ländern angestellt worden sind, die diesen Verhältnissen die gebührende Aufmerksamkeit schenken, haben schreckliche Dinge zu Tage gebracht; sie haben aber gezeigt, daß mehr noch als in den geschlossenen Gewerbsanlagen, wo Ueberwachung möglich, in verschiedenen einzelnen Gewerben, die sich ihrer Natur nach jeder Aufsicht entziehen können, die darin beschäftigten K. nicht nur den größten Anstrengungen, sondern auch harten Mißhandlungen ausgesetzt sind. Die Gesetzgebung in den einzelnen Ländern hat seit lange schon dahin getrachtet, dieser Ausbeutung der Kräfte des Kindesalters Schranken zu setzen; namentlich hat England seit 30 Jahren wohl an zwanzig solcher Gesetze gegeben, denen immer sehr ausführliche Untersuchungen über diese Zustände vorausgegangen sind. Man hat das Alter festgesetzt, in welchem das Kind erst in die Fabrik treten darf, man hat die Anzahl der Stunden beschränkt, die es zu arbeiten hat, man hat die Fabrikinspectoren beauftragt, über die Einhaltung dieser gesetzlichen Vorschriften strengstens zu wachen. Und trotz aller dieser Vorkehrungen hat sich die Sache nur in so weit geändert, daß die Anzahl der in den Fabriken beschäftigten K. wenigstens nicht zugenommen hat. Ein völliges Verbot, K. zur Arbeit in den Fabriken zu benutzen, würde aber, wie sich aus den über diese Dinge in Frankreich und England angestellten Ermittelungen erwiesen, den größten Widerstand von Seiten des Arbeiterstandes selbst erfahren, da der verheirathete und mit K.n gesegnete Arbeiter es gerade ist, welcher darauf bringt, daß er sein Einkommen durch die Verwendung seiner K. zur Arbeit mehren kann. Selbst die bestehenden Gesetze und Beschränkungen der Arbeitszeit u. s. w. werden deshalb von dieser Seite allenthalben umgangen und übertreten. Nur ein völliges und allgemeines Verbot, das auf einem Völkercongresse ausgesprochen werden müßte, könnte helfen; damit müßte aber zugleich verbunden werden, daß der Staat auf seine Kosten die geistige und leibliche Pflege und den Unterhalt, die Erziehung, die Bildung und den Unterricht der K. des Volkes übernähme. Dabei könnten dann vielleicht einige jener kühnen Gedankenblitze, die Fourier aus dem verworrenen und phantastischen Wirrsal seiner Theorien über Erziehung und Benutzung und Verwerthung der Arbeitskräfte selbst in K.n herausschießt, von ihrer ausführbaren Seite in Anwendung gebracht und auf diese Weise die Opfer, die der Staat bringt, oder besser ausgedrückt, die Zuschüsse, die er leistet, vermindert werden. Bis zu diesen allgemeinen Maßregeln würde ein völliges Verbot der Arbeit der K. in den Fabriken nur dazu dienen, die Lage einer großen Anzahl Arbeiter zu verschlimmern und sie gegen Gesetzgeber zu erbittern, die bei ihren Gesetzen so wenig die Sachlage in Rechnung ziehen.   J. G. S.

Kinderaussetzung, s. Aussetzung und Findelhäuser.

Kinder der Wittwe nannte man eine politische Partei Frankreichs, welche der Wittwe des enthaupteten Königs Karl I. anhing. Auch die Freimaurer nennen sich K. d. W.

Kindesmord. Man hat in den neuern Strafgesetzgebungen mit Recht auf den eigenthümlich krankhaften Zustand Rücksicht genommen, in dem sich eine Mutter befindet und befinden muß, die kurz nach der Geburt ihres unehelichen Kindes die Mutterhand zum Werkzeuge des Todes desselben werden läßt. Ist auf der einen Seite das enge Band zwischen Mutter und Kind ein Erschwerungsgrund der von jener an diesem vorgenommenen Tödtung (wie überhaupt beim Verwandtenmorde), so liegt auf der andern Seite in dem erwähnten Zustande ein wohlbegründeter Milderungsgrund. Abgesehen von diesem sind aber die besondern Motive, welche die außerehelich Geschwängerte zu dem Entschlusse, zu tödten, bewegen, ja selbst die noch häufige Vorstellung von dem neugebornen Kinde als unselbstständigem Wesen, hierbei mit Recht in Folge ärztlicher und psychologischer Erfahrungen berücksichtigt worden. Ja Einzelne sind sogar so weit gegangen, diese Tödtung des neugeborenen Kindes aus diesen Gründen geradezu als straflos zu bezeichnen. Wir müssen dem Fortschreiten der Humanität vertrauen, daß sie das Mißverhältniß zwischen Strafe und That, das in den Folgen der erstern gegenwärtig noch so schmerzlich sichtbar ist, gerade auch in diesem Punkte besser auszugleichen wissen werde; die gegenwärtige Gesetzgebung hierüber ist allerdings noch sehr unvollkommen.   **A.**

Kindesraub. Die gewaltsame Entfernung eines Kindes von seinen Eltern oder deren Stellvertretern. Das römische Recht bestrafte dieses Verbrechen mit dem Tode, wenn das geraubte Kind als Sklave verkauft oder behandelt wurde. Auch in spätern Gesetzgebungen wurde der K. schwer bestraft und zwar mit Recht, da die Freiheit das höchste Gut des Menschen ist.

Kings bench (Königsbank), Name des höchsten Gerichtshofes in England.

Kirche (Kirchenverfassung). Aus den Gräbern erheben sich meist jene der Gottesverehrung geweihten Gebäude, die man K.n in der engsten Bedeutung kennt. Aber nicht dieses Gebäude ist es, in welchem Lehren der Religion und Moral gepredigt werden, wo man den sogenannten Gottesdienst hält, von welchem wir reden; sondern jene Gemeinschaft von Gläubigen, die um ein bestimmtes Bekenntniß sich schaaren und als K. dieses Bekenntnisses betrachtet sein wollen oder sollen. Schon das alte Judenthum hatte diese K., oder vielmehr dieses Wahnbild herrschsüchtigen Pfaffenthums, welches seine Lehre oder seine Auslegung gegebener Lehren zur K., d. h. zum einigenden und zwingenden Mittelpunkte für die Genossenschaft machen wollte. Gegen diese im Hohenpriester- und Pharisäerthum verkörperte K. eiferte Christus mit seiner Lehre ein ganzes Leben lang, Vernichtung dieser K. und Herstellung der natürlichen Gemeinschaft war seine Aufgabe. Deshalb gründete er keine K., sondern Gemeinden, deshalb wollte er keine Priesterschaft, sondern gab diese Eigenschaft dem ganzen Volke, deshalb lehrte er und die Seinen mit allem Eifer Gleichheit der Menschen vor Gott. Aber die K. als Mittel, die Menschen zu knechten, war zu bekannt, die Priesterschaft, das Pfaffenthum, war zu fest gewurzelt, als daß es sogleich ausgerottet werden konnte. Der geistliche und weltliche Despotismus der Juden und Römer vereint verfolgte die Anhänger Christi, so lange sie freie Gemeinden bildeten; erst als das Unheil einer neuen K. in ihrem eigenen Schooße zu keimen begann und emporwucherte, söhnten sich die Tyrannen Roms mit dem Christenthum aus und benutzten den Ehrgeiz der Priesterschaft, um Menschen wieder zu knechten, die die neue Zeit zu gründen im Begriffe waren. Die K. als Gesammtheit einer Menge Menschen eines Bekenntnisses ist ein Wahn, eine Lüge; niemals haben die Angehörigen einer K. ein Bekenntniß gehabt, niemals Alle an das aufgestellte Bekenntniß geglaubt. Da aber eine K. keinen andern Mittelpunkt hatte, als ein Bekenntniß, so mußte sie dasselbe mit Schrecken und Tod umgeben, um es aufrecht und unangetastet zu erhalten. Rom ist in dieser Beziehung das Muster einer K., ja die einzig wahre K. Denn die andern haben zwar dasselbe Bedürfniß gefühlt, dieselbe Nothwendigkeit erkannt, nur fehlte es ihnen an Muth und Folgerichtigkeit, nach dem Erkannten zu handeln. Ist das Bekenntniß der Mittelpunkt der K., die Grundsäule, um welche sich die Gläubigen, die Anhänger der K. reihen, so muß das Bekenntniß auch das Höchste, das Unwandelbare, Unantastbare der K., sein. Sobald daran gedeutelt und gemäkelt werden kann, fällt die ganze K. zusammen. Das hat jede K. erkannt und die protestantische hat so gut ihre Scheiterhaufen gebaut, wie die römische und griechische. Jede K. muß die alleinrechtgläubige sein, sonst ist sie gar nichts; sie muß ihre Angehörigen einschnüren in die Zwangsjacke des Bekenntnisses, sie muß die Entgegenstrebenden zermalmen. Das haben denn auch die Pfaffen des 19. Jahrh.s, Tholuck, Eichhorn, Hengstenberg, Wietersheim, Harleß, Friedrich Wilhelm IV. u. s. w., eben so gut gethan, wie die Pfaffen des 16. Jahrh.s, Luther, Calvin, Johann Georg u. s. w. und wie die Pfaffen früherer Jahrh.e. Das müssen die geistlichen und weltlichen Pfaffen aller Zeit thun, so lange es eine K. im bisherigen Sinne giebt; in ihr wächst unvermeidlich Knechtschaft, Verfolgung, Glaubenshaß, Zwietracht und Verketzerung; nur außer ihr gedeihen Liebe, Freiheit, Brüderlichkeit, Versöhnung und Friede der Menschen. Die K., wenn sie Heil stiften soll, kann und darf nichts Anderes sein, als eine freie Vereinigung, sie darf sich nicht über die Gemeinde ausdehnen, die sich eben zusammen findet. Was die Gemeinde glaubt und bekennt, darum hat sich Niemand zu kümmern; der Zutritt wie der Austritt muß jedem Einzelnen jeden Augenblick eben so freistehen, als der Gemeinschaft ihr Bekenntniß, wenn sie ein solches hat, zu ändern oder abzuschaffen. Der Staat hat sich um diese Vereinigung nur insofern zu kümmern, als er wacht, daß das Recht nicht verletzt werde; ob die Gemeinschaft und der Einzelne irgend etwas glaubt und was, das geht ihn nichts an. Die neueste Zeit hat das Joch der Tyrannei gebrochen und die Völker haben sich frei gemacht; mögen sie nicht auf halbem Wege stehen bleiben. Die K., d. h. die Bekenntniß-K., die Symbol-K., die Staats-K., war von jeher die Pflegerin der Knechtschaft, die Vernichterin der Freiheit, die Theilhaberin oder die Dienstmagd der Gewaltherrschaft. Die Freiheit kann nur auf den Trümmern ihrer vernichteten Feinde gedeihen, zu diesen Feinden aber gehört unbedingt die K. — Diese Ansicht hindert uns nicht, die Stellung der K. in Staat und Leben, ihre Formen, Verfassung u. s. w. zu untersuchen. Die Unterscheidung zwischen der englischen, französischen, griechischen, katholischen (s. Katholicismus) und protestantischen K. haben wir bei den betreffenden Stellen mitgetheilt. Die Verfassung und Staatsstellung der einzelnen K.n ist ebenfalls bei deren Erwähnung beleuchtet; es gilt hier die neuern Gestaltungen der K. auch in dieser Beziehung zu betrachten, wie sie sich seit der K.nverbesserung ausgebildet haben. In der Organisation der K. begegnen wir dreierlei Ansichten oder Systemen, nämlich: 1) dem Episkopalsystem, welches annahm, daß die frühern bischöflichen Rechte durch die Reformation von selbst auf die weltliche Macht übergegangen wären und das Staatsoberhaupt gleichzeitig auch kirchliches Oberhaupt sei; 2) dem Territorialsystem, das den Landesherrn schon vermöge seiner Eigenschaft als oberster Grundherr auch für das geistliche Oberhaupt betrachtete, und endlich 3) dem Collegialsystem, nach dem die Mitglieder der K. für eine Staatsgesellschaft angesehen wurden, deren Rechte auf einem gesellschaftlichen Vertrage beruhten. Die Unhaltbarkeit dieser Systeme stellte sich bald genug heraus, denn im 1. konnte die weltliche Macht zwar in der Regierung, nicht aber zugleich auch in der Verwaltung der K.n ämter die Stelle der Bischöfe ersetzen, wie hinsichtlich des 2. Systems nur von den Rechten der K., nicht aber auch von denen des weltlichen Oberhauptes die Rede sein konnte, eben so wenig wie das 3. die Rechte der Gesellschaft vor den Uebergriffen der Staatsgewalt für die Dauer zu sichern im Stande gewesen sein würde. Daher wurde 1542 zuerst in Sachsen die späterhin in Deutschland ziemlich allgemein gewordene Consistorial-Verfassung eingeführt, welche durch Consistorien (s. d.) das eigentliche K.namt bestehen ließ und nur das Oberaufsichtsrecht der weltlichen Macht überließ. Auch dieses System mußte mit der Zeit als unbrauchbar erscheinen, indem durch den Zusammenfluß aller kirchlichen Gewalt in einzelnen Körperschaften nothwendig Mißbräuche durch Nichtbeachtung des Gesammtwillens herbeigeführt werden mußten. So entstand denn die Synodal- oder Presbyterialverfassung, welche auf dem Grundsatze der Freiheit und Gleichheit fußt, an der Leitung des K.nwesens die Gemeinden Theil nehmen läßt, die in Verbindung mit der Geistlichkeit die Angelegenheiten der K. auf Synoden berathen. Steht es fest, daß die K. eine blos menschliche Einsetzung, höchstens eine Bildungsanstalt im Staate ist so folgt hieraus von selbst, daß ihr zwar die Rechte anderer Staatsangehörigen gebühren, nicht aber, daß sie, über den Rechtsgesetzen des Landes stehe und selbst herrschen könne. Welche Widersinnigkeit also, von „herrschenden" K.n zu sprechen; diese sog. „herrschenden" K.n sind auch in der That nichts Anderes, als ein Mittel der absoluten Staatsgewalt. Wissen wir nun, was die K. ist, so wird es auch leicht, ihr Rechtsverhältniß zu regeln. Als Bildungsanstalt können ihr keine andern Rechte zugestanden werden, als die, welche der Staat seinen übrigen Bürgern gewährt. Diese politischen Rechte bilden zunächst das äußere Recht der K., dem sich das innere K.nrecht, oder die natürliche Befugniß anschließt, auf das sittliche Leben ihrer Angehörigen einwirken zu können; diese Einwirkung ist lediglich auf die zwanglosen Mittel der Lehre, des guten Beispiels, des freundlichen Rathes und der Gewissensrührung beschränkt. Jedes Weitergehen darin führt zum Gewissenszwange, den nun einmal unsere aufgeklärte Zeit, deren Wahlspruch „bürgerliche und religiöse Freiheit für die ganze Welt" heißt, nun und nimmer mehr duldet. Völlig unsinnig war daher das zwar fruchtlose Streben der schlesischen Synode von 1844, außer der K.nbuße auch noch die Ohrenbeichte und andere Geistesfesseln in der protestantischen K. wieder einführen zu wollen! — Die Stellung der K. zum Staate ist staatsrechtlich genommen eine untergeordnete, wobei vorausgesetzt werden muß, daß der Staat eben so wenig die K. zu Förderung eigennütziger und herrschsüchtiger Zwecke mißbrauchen darf. Wie die politische Welt dem Lichte der Freiheit entgegen wallt, kann auch die K. nicht zurückbleiben; sie muß sich zu freien Gemeinden umgestalten, wenn sie nicht mit ihrer Bundesgenossin, der Staatsgewalt, zugleich fallen will, wie schon die franz. Staatsumwälzung von 1793 es gelehrt.   *R. B. u. W.* Pretzsch.

Kirche, anglikanische, französische, griechische, katholische, protestantische u. s. w., s. die einzelnen Aufsätze.

Kirchenagende, s. Agende.

Kirchenälteste, s. Aelteste.

Kirchenbann, s. Bann.

Kirchenbuße. Die Nothwendigkeit jeder Kirche, den Alleinbesitz der göttlichen Wahrheit zu behaupten, führt folgerichtig dahin, daß sie Jeden bestrafen und verbammen muß, welcher an diesem Alleinbesitz oder an ihrer Wahrheit zweifelt, oder nicht nach ihren Vorschriften handelt. Strafen für diesen Frevel hat denn auch jede Kirche zu jeder Zeit gehabt, die mildesten im zeitweiligen Ausschlusse von den Wohlthaten und Gnadenmitteln der Kirche bestanden, strengstens in den Feuertod ausliefen. Je mächtiger und übermüthiger eine Kirche war, um so empfindlicher ihre K., und es ist unglaublich, welche demüthigende Rolle die römische Kirche ihre Widersacher durch K. spielen ließ.

Kirchendiebstahl, s. heilige Sachen.

Kirchengesetze. Bestimmungen, welche die Kirche vorschreibt und welche die Angehörigen derselben zu beobachten verpflichtet sind. In neuester Zeit beziehen sich die K. meist nur auf innere Einrichtungen, Verrichtungen und Geschäfte; zur Blüthenzeit der Kirchenherrschaft aber griffen die K. in alle Verhältnisse des Lebens ein und die Kirche erkannte keine Grenze des Umfangs an.

Kirchengewalt. Der Inbegriff der Rechte und Befugnisse, welche eine Kirche an sich gerissen hat und ausübt. Der ursprünglichen Natur nach gehört die K. der Gemeinde, wie alles Andere, so hat aber die Priesterschaft auch die K. an sich gerissen, oder sie unfreiwillig dem Staat abgetreten; jedenfalls ist sie in unbefugten Händen und der eigentlich Berechtigte ist darum betrogen.

Kirchengüter. Die Gesammtheit der Besitzthümer einer Kirche, die zu ihrer Erhaltung, zur Besoldung der Geistlichen, Abhaltung des Gottesdienstes u. s. w. bestimmt sind.

2 k .

bestimmt
schützen.

der Staat der
die Kirche dem

uchten und in der Ki
t anzettelten.
s. Reformation.
das Stück Land um Rom, welches der Papst als weltlicher

Kirchenbuße.

n die ersten Schriftsteller, welche die Lehre Christi nach den
davon erhalten hatten, zusammenstellten und erklärten. Dies
außer den sehr großen Abweichungen,
en in handschriftlichen Mittheilungen
aben mußte, haben die K. willkür-
und dann das Gebliebene nach ihrer
sind z. B. 3 Evangelisten rein ausgestoßen worden, ob-
, wie die 4 aufgenommenen, und zwar blos deßhalb,
weil sie noch schwärmerischer und dichterischer geschrieben haben, als Johannes,
und die Wunder u. s. w. bei ihnen bis zur Lächerlichkeit übertrieben sind. Welche
Thorheit es demnach ist, das 3 — 6 Jahre nach Christus zusammengestoppelte Buch
— die Bibel — Gottes oder Christi Wort zu nennen, bedarf eben so wenig der
Ausführung, als wie wenig auf die K. zu geben ist, welche die Lehre erst machten
und zustutzten, deren Grundpfeiler sie sein sollen.

Kirchenverbesserung, s. Reformation.

Kirchenversammlungen (lateinisch: Concilien; griechisch: Synoden). Als
die christliche Lehre sich auszubreiten anfing, stellte sich das Bedürfniß heraus, von
Zeit zu Zeit religiöse Versammlungen abzuhalten, um eine Zerspaltung der religiösen
Interessen zu verhüten und eine gewisse Einheit in der Lehre sowohl, als im Gottesdienst zu bewahren. Diese Versammlungen wurden von den einzelnen Gemeinden
durch Abgeordnete beschickt, wozu sie gewöhnlich ihre Presbyter und Diakonen (s. d.)
wählten. Dergleichen Zusammenkünfte fanden in jeder Diöces statt und der Bischof
der Diöces führte dabei den Vorsitz. Man nannte sie Kreis- oder Diöcesan-

Synoben ober **Provinzialsynoben** ober auch **Metropolitansynoben**, je nachdem sie nur die Diöces, die Provinz ober ein ganzes Land umfaßten und in der Hauptstadt (der Metropolis) abgehalten wurden. Dies währte, bis die christliche Religion Staatsreligion im römischen Reiche wurde. Da beriefen die Kaiser **all g e = meine K.** (concilia oecumenica), auf denen nicht mehr die Vertreter der **G e = meinden**, sondern blos die der Diöcesen, die **Bischöfe** erschienen. Die Presbyter und Diakonen konnten höchstens noch als Stellvertreter der Lezteren eintreten. Später wurden auch die Ordensgenerale, die Aebte der bedeutendsten Klöster und die Cardinäle (auch wenn sie nicht zugleich Bischöfe waren) zugelassen. Auch eine Anzahl Doctoren der Theologie pflegte man zu den Berathungen zuzuziehen; doch gestand man ihnen keine entscheidende Stimme zu. — Die **K.** waren die kirchlichen Landtage. Auf ihnen wurde die christliche Kirche ausgebaut, d. h. es wurden die Glaubenssätze festgestellt, die gottesdienstlichen Formen bestimmt, Abweichungen von der Lehre verdammt und widerspenstige ober unwürdige Mitglieder aus der christlichen Gemeinschaft ausgeschlossen. Hier wurde auch die Bibel zusammengestellt, d. h. es wurden diejenigen aus der Urzeit des Christenthums herstammenden Schriften, welche so ziemlich übereinstimmten, für Gottes Wort erklärt und die Schriften, welche die beabsichtigte Uebereinstimmung stören könnten, als unächte, apokryphische Bücher bei Seite geschoben. Die Beschlüsse der **K.**, welche, insofern sie sich auf die Lehre bezogen, **Dogmata**, und insofern sie die Disciplin betrafen, **Kanones** hießen, waren **untrüglich**; darum fingen sie auch mit der anmaßenden Formel an: „Es gefällt dem heil. Geiste und uns, zu verordnen, daß u. f. w." — Die ersten **K.** wurden von den oströmischen Kaisern einberufen; später aber maßten sich die Päpste dieses Recht an, und von da an wurde der heil. Geist, der angeblich die Beschlüsse der **K.** einflößte, immer mehr der Geist der römischen Curie (s. b.). Ja, auf der **K.** zu Trient witzelten die anwesenden Franzosen ganz offen: „der heil. Vater schicke der **K.** posttäglich den heil. Geist im Felleisen, worin sich die Instructionen für die Legaten befänden." Der Natur der Sache nach sollten die Beschlüsse der **K.** für die ganze Christenheit, also auch für den Papst, bindend sein. Dieser verspürte aber bald keine Lust mehr, sich einen Kappzaum anlegen zu lassen. Es gab darüber lange Streitigkeiten, und das Ende vom Liebe war, daß die Päpste nur diejenigen Beschlüsse ausführten, die ihnen zusagten, während sie diejenigen, die ihnen nicht gefielen, unter tausend scheinbaren Vorwänden zu umgehen wußten. So wurde das, was ein Schutz gegen die päpstliche Willkür hätte sein sollen, nur ein Mittel mehr zur Knechtung der Geister. Ueberhaupt leisteten die **K.** nie und zu keiner Zeit, was man von ihnen zu erwarten berechtigt war. „Es ist eine erhabene Idee," sagten die gutmüthig Vertrauenden, „daß es in schwierigen Zeiten und lebhaften Irrungen der Kirche eine Versammlung ihrer Oberhirten sei, die denselben beihelfen könne. Ohne Anmaßung und Neid, in heiliger Niedrigkeit, im kathol. Frieden berathschlagt eine solche; nach weiter entwickelter Erfahrung eröffnet sie, was verschlossen, und bringt an den Tag, was verborgen ist." Allein schon in den frühesten Zeiten war man weit entfernt, dies Ideal zu erreichen. Es hätte eine Reinheit der Gesinnung und eine Unabhängigkeit von fremdartigen Einwirkungen dazu gehört, die den heil. Vätern nicht verliehen zu sein schien. Meist waren es nur dynastische und pfäffische Interessen, die von ihnen unter dem Mantel der Heiligkeit verfolgt wurden. Auf manchen **K.** kam es zu den rohesten Zänkereien und den gröbsten Excessen. Die eine verdammte oft, was eine andere beschlossen, und einmal ließ man sich sogar so weit von der Leidenschaft hinreißen, daß man eine früher gehaltene **K.** feierlich für eine „Räubersynode" erklärte. — Die katholische Kirche kennt im Ganzen 18 **K.**; die bedeutendsten waren die ersten 4 ökumenischen ober **allgemeinen K.**, die 325 zu Nicäa, 381 zu Constantinopel, 431 zu Ephesus und 451 zu Chalcedon abgehalten wurden. Hier vereinigte man sich über die Lehren von der Dreieinigkeit, vom heil. Geist, von der doppelten Natur in Christo u. s. w. und entwarf das Glaubensbekenntniß, das auch von den Reformatoren des 16. Jahrh.s beibehalten wurde. Dann kamen 4 minder wichtige ökumenische K. und, nachdem das Schisma zwischen der griech. und röm. Kirche ausgebrochen war, die sogenannten lateranensischen K., welche der Papst blos mit seinen Cardinälen im Lateran zu Rom abhielt. Von höherer Bedeutung waren wieder die K. zu Pisa (1409), zu Kostnitz (1414—18) und zu Basel (1431—43). Sie sind unter dem Namen Reformationssynoden bekannt, weil es in ihnen auf eine Reformation der Kirche an Haupt und Gliedern abgesehen war. Wie aber die frommen Väter, die sich auf gedachten K. zusammenfanden, diese Reformation auffaßten, ersieht man am Besten daraus, daß sie auf der K. zu Kostnitz die

theilten. Die Macht des Papstes suchte man zu schmälern, aber von den eigenen Privilegien wollte man nichts fahren lassen; die Nacht der Dummheit sollte nicht gelichtet werden. So gab man dem Volke die heilsame Lehre, daß es Nichts zu erwarten habe, als höchstens einen neuen Lappen auf das alte Kleid. Und dem Volke ging diese Lehre nicht verloren; es half sich selbst in der darauf anbrechenden Reformation. Im Reformationszeitalter fand denn endlich die letzte K. statt, die zu Trient. Sie dauerte 18 Jahre (1545—1563), während welcher Zeit 25 Sitzungen gehalten wurden. Ein Beweis, wie fleißig die Versammelten waren! Diese K. ist deshalb sehr wichtig, weil die Beschlüsse derselben die Grundlage des neuen Katholicismus bilden. Auf ihr feierte die päpstliche Herrscherpolitik ihren höchsten Triumph; und der letzte Laut, der aus dem Munde der versammelten christlichen Väter durch den Dom zu Trient schallte, war ein Fluch gegen alle Ketzer. Hiernach kann man ongefähr bemessen, welcherlei Art die Beschlüsse der K. waren. In Disciplinarsachen wurden manche Verbesserungen eingeführt; in Glaubenssachen dagegen wurde Alles als unumstößliche Kirchenlehre bestätigt, was am meisten den Angriffen der Protestanten ausgesetzt gewesen war. Das Ansehen der Ueberlieferung, das Verdienst der Werkheiligkeit, die Bedeutung des Meßopfers, die Ohrenbeichte, das Fegefeuer, der Ablaß, die Verehrung der Heiligen und Reliquien, die Ehelosigkeit der Priester, die Satzungen über Bann, Kirche, Hierarchie und Priesterthum u. s. w., sie wurden sammt und sonders in ihrer ganzen Strenge aufrecht erhalten. Ja, der katholische Lehrbegriff wurde noch bei weitem starrer gemacht, als früher, indem selbst solche Sätze, die bisher Gegenstand abweichender Ansichten hatten sein können, zu festen unabänderlichen Glaubenslehren erhoben wurden. Die Cardinäle und Legaten wußten es sogar dahin zu bringen, daß die Auslegung der Beschlüsse der K. in die Befugniß des Papstes gestellt sein sollte, so daß dieser aus denselben macht, was er will. Auf den frühern K. wurde nach Köpfen, auf denen zu Kostnitz und zu Basel aber nach Nationen abgestimmt. Zu Trient, wo alles Alte aus dem Schutte der Vergangenheit hervorgesucht wurde, führte man auch die Abstimmung nach Köpfen wieder ein, und da die dem päpstlichen Stuhle unbedingt ergebenen Italiener allein zahlreicher waren, als die Deutschen, Spanier und Franzosen zusammengenommen, so war es kein Wunder, daß der Papst die K. lenken konnte, wie es ihm beliebte. — In der protestantischen Kirche hat das Synoden- und Concilienwesen wenig Eingang gefunden. Die Reformirten hielten einmal eine K. zu Dortrecht (1618—19) wegen der unter den Arminianern und Gomaristen über die Lehre von der Gnadenwahl ausgebrochenen Streitigkeiten. Auch hier war man unduldsam und verdammungssüchtig. Man verwarf die mildere arminianische Auffassung und beschloß die Verjagung aller nichtgomaristischen Prediger. — Von den Provinzialsynoden, welche in Preußen stattfinden, so wie von der Generalsynode, die 1845 in Berlin versammelt war, läßt sich wenig sagen. Wo lauter Geistliche beisammen sind, kommt sicherlich nichts Ersprießliches heraus. Mit Recht hat daher die junge deutschkatholische Kirche, welche ebenfalls schon 2 K. gehalten (die erste 1845 zu Leipzig, die zweite 1847 zu Berlin), dahin Bestimmung getroffen, daß der Einfluß der Geistlichen auf denselben nicht überwiegen kann. Die Abgeordneten dürfen hier nämlich nur zu einem Drittel aus Geistlichen bestehen; die Uebrigen sind Laien.　　　　　　　　　　　　　　　　　　　　　　　　　　*Jäkel.*

Kirchenzucht, s. Kirchenbuße.

Kirchliche Feste, s. Feste.

Kirchspiel. Eine Landeseintheilung. Das K. umfaßt die Häuser und Einwohner, welche in eine bestimmte Kirche eingepfarrt sind und über die sich der Wirkungskreis des Geistlichen erstreckt.

Klagelibell, s. Anklageproceß.

Klasse. Bezeichnung von Volksabtheilungen nach Rang, Beruf, Stand und Vermögen, um sie gewisse Staatsrechte genießen, oder Staatslasten tragen zu lassen. Seit Servius Tullius das röm. Volk in 6 K.n theilte, ist dies in fast allen Staaten geschehen.

Klassensteuer, s. Steuer.

Klauenthaler, s. Bedemund.

Kleinkinderschulen, s. Schulen.

Klerus (Loos, Antheil, Erbtheil) nannten sich die Beamten der christlichen Kirche schon im 2. Jahrh., wahrscheinlich, weil sie theils durch das Loos ernannt wurden. Den K. bildeten demnach die Bischöfe (s. d.), Aeltesten (s. d.) und Diakonen (s. d.). Wie allmälig sich der geistliche Stand ausbildete und alle Rechte der Gemeinden an sich riß, so bildete derselbe auch allein den K., der sich allmählig in eine Masse von Klassen und Abtheilungen abstufte und das Gebäude der Priesterherrschaft (s. d.) bildete, vor welcher die Welt bebte und unter deren Joch sie Jahrh.e lang geseufzt hat.

Kloster, s. Mönche und Nonnen.

Klostergelübde. Das feierliche Versprechen, welches Mönche und Nonnen beim Eintritt ins Kloster abzulegen hatten, in Armuth, Keuschheit und Gehorsam zu leben. Oft erstreckte sich das K. noch weiter, legte immerwährendes Schweigen, Entbehrungen aller Art u. s. w. auf. In demselben Grade, wie das Ordenswesen ausartete, wurden auch die K. laxer und nichtiger, und zur Zeit der tiefsten Sittenverderbniß waren sie nichts, als eine leere bedeutungslose Formel.

Klosterschulen, s. Schulen.

Klostervogt. Um sich vor Räubereien der benachbarten Ritter zu schützen, wählten die reichgewordenen Klöster sich einen der mächtigsten der Nachbarschaft zu ihrem K. Dieser hatte die Pflicht, sie gegen Angriffe zu schützen, was ihm entweder mit irdischen, oder, was den Klöstern lieber war, mit himmlischen Verheißungen bezahlt wurde. Als die Verhältnisse geordneter wurden, war der K. ein Rechtskundiger, welcher dem Kloster seinen Rath und Beistand weihte. S. Aebtissinnen.

Klubb. Im Allgemeinen jede Gesellschaft, die an einem bestimmten Orte sich versammelt, zum Zweck des Vergnügens, wissenschaftlicher Unterhaltung, oder der Berathungen über Staatsangelegenheiten. Die ersten politischen K.s wurden in England und später in Frankreich gebildet. Sie haben wesentlich zur Entwickelung der politischen Bildung beigetragen und den Bürger über seine Rechte und Verpflichtungen aufgeklärt. Durch das Reichsgesetz von 1793 wurden die K.s in Deutschland untersagt und nur mit Genehmigung der Regierung zu wissenschaftlichen oder vergnüglichen Zwecken gestattet, politische Besprechungen aber unter strengen Strafen verboten. Die Berechtigung des Staates, dem Bürger die Unterhaltung über sein Bürgerverhältniß zu verbieten, muß entschieden in Abrede gestellt werden. Kein Gesetz zeigte der persönlichen Freiheit der Bürger gegenüber eine so despotische Willkür, legte so unverholen die Absicht an den Tag, das „väterliche" Bevormundungssystem aufrecht zu erhalten, als dies Verbot. Die K.s sind

überall die Geburtsstätten der Volksfreiheit gewesen. Sie werden bei der jetzigen Wiedergeburt unseres Vaterlandes auch in Deutschland von Einfluß werden.   Berthold.

Klugheitsmaßregeln bei Rechtsgeschäften, s. Cautelen.

Knappe. Benennung der abligen Jünglinge im Mittelalter, die sich dem Kriegs-
handwerk widmeten und zu irgend einem Raufbold, Ritter genannt, in die Lehre
gingen. Im Kampfe schlugen sie mit, zu Hause waren sie Mundschenk, Kammerdiener und Pferdeknecht, bis sie auch Ritter wurden. Später waren die Kn Söldner und bildeten den Anfang der stehenden Heere. Jetzt heißen nur die Gehülfen bei
Müllern, Tuchmachern und Leinwebern noch K.

Knechtische, eine politische Partei, die man stets mit dem fremden Ausdruck
Servile bezeichnet. Wir wollen sie auch unter dieser Bezeichnung schildern.

Knees (Knäs, Knäzi), ein Edelmann I. Klasse in Rußland.

Kniebeugung. Ein Zeichen der Demüthigung des Menschen vor Gott, welches aber Herrschsucht und Knechtssinn auch vor den Erdengöttern eingeführt hat.
Es ist eine der gemeinsten Ausartungen politischer Abgötterei (s. d.), die, was unbegreiflich ist, selbst bis in unsere Zeit sich erhalten hat. In neuester Zeit hat die
K., welche man den protestantischen Soldaten bei gewissen Feierlichkeiten der römischen
Kirche zumuthete, viel böses Blut gemacht und besonders in Baiern und Sachsen zu
lebhaften Erörterungen geführt.

Knute, ein in Rußland gebräuchliches Strafwerkzeug. Es besteht aus einem
ledernen Riemen, in dessen Spitze Draht eingeflochten ist, und damit erhält der Verbrecher eine Anzahl Hiebe, bis zu 100 und noch mehr, auf den bloßen Rücken.
Oft sterben natürlich die Opfer während der Marter, sterben sie nicht, so steht ihnen
noch eine lebenslängliche Gefangenschaft in Sibirien bevor. Daß die K. im russ.
Heer herrscht, vom Edelmann gegen den Bauer gebraucht wird, ist bekannt; daß sie
die erste Frucht der russ. Bildung sein würde, die dem Westen Europas zu Gute
käme, wenn Rußland dahin vordringen sollte, ist unzweifelhaft. Daher der Abscheu
gegen das russische Wesen in ganz Deutschland. Früher knuteten die deutschen Edelleute ihre Unterthanen auch; daß sie es nicht mehr können, ist manchem noch jetzt
schmerzlich. Diese allein blicken sehnsüchtig nach Osten, um eine Gewalt über das
„Volk" wieder zu erlangen, gegen die sich das menschliche Gefühl mit Entrüstung
auflehnt. S. auch Kantschuh.   R.

Kog, s. Deichband.

Kolbe. Eine Waffe des Alterthums, aus einem 2—3 Ellen langen Stiele
bestehend, an dessen Ende sich ein eiserner Hammer und diesem gegenüber ein Haken
befindet, um den vom Schlage betäubten Gegner vom Pferde zu reißen. K. heißt auch
der untere Theil des Gewehrs, der in mörderischen Kämpfen oft zum Niederschlagen
gebraucht wird.

Kolbengericht, s. Zweikampf.

Kolone, s. Abmeiern.

Koog, s. Deichband.

Kopfsteuer, s. Steuer.

Kornabgaben, s. Zehnten.

Korngesetze, englische. Die Hauptnahrungsmittel fast unter allen Himmelsstrichen bilden die Körnerfrüchte: Weizen, Roggen, Gerste u. s. w. Es ist deshalb
unendlich wichtig, geeignete Maßregeln zu ergreifen, daß die Bevölkerung stets in
hinreichender Menge und zu möglichst wohlfeilen Preisen sich mit diesem Lebensmittel
versorgt finde. Man hat die mannigfaltigsten und oft einander widersprechendsten
Maßregeln eingeschlagen, bis man sich in dem Grundsatze zu vereinbaren angefangen
hat, daß die Aufhebung aller den Handel beengenden Gesetze das beste Mittel sei, dem
Volke Getreide ausreichend und billigst zu beschaffen. Von all den Versuchen in ent-
gegengesetzter Richtung haben die K. Englands und die letzten Maßregeln, welche zu

deren Beseitigung geschahen, eine wirklich weltgeschichtliche Bedeutung erlangt. Um dem Lande den gehörigen Vorrath zu sichern, galt in England früher ein unbedingtes Verbot der Ausfuhr von Getreide, an dessen Stelle später die Ausfuhr gegen Abgaben trat, sobald die Getreidepreise im Lande eine gewisse Höhe erreicht hatten; wogegen dem einheimischen Ackerbau das Zugeständniß gemacht wurde, daß die Einfuhr von Getreide blos in dem Falle, wo die Ausfuhr wegen der hohen Preise aufhören mußte, stattfinden durfte. Es waren jene K. das eigentliche Aeußerste aller Korngesetzgebung, denn sie umfaßten Ein- und Ausfuhrverbote, Ein- und Ausfuhrzölle zumal, jedoch wurden dieselben nicht streng in Ausführung gebracht; auch richtete damals ein unbedeutendes Vorkommniß hin, um Ein- oder Ausfuhr von Getreide zu begünstigen und dazu aufzumuntern. Außer diesen K. fing man aber auch schon sehr frühe an, die Freiheit des Getreidehandels im Innern des Landes selbst zu beschränken, in dem Wahn, daß der Vermittler zwischen dem Fruchtbauer und dem Fruchtverzehrer, der Getreidehändler, die Frucht vertheuern, ja künstlichen Fruchtmangel hervorzubringen im Stande sei. Nachdem man hatte einsehen lernen, daß diese Beschränkungen gerade das Gegentheil der Wirkungen hervorbrachten, die man damit beabsichtigt hatte, begann man im 17. Jahrh. Hand an diese Zwangsmaßregeln zu legen, aber erst Ende des 18. Jahrh.s fiel der letzte Rest der Beschränkungen im Innern; obwohl der Buchstabe der Gesetze das Verbot des Getreideaufkaufs aufrecht zu erhalten fortfuhr, erhielt doch der volkswirthschaftliche Grundsatz die Oberhand, daß den Interessen des Ackerbaus vor Allem der höchste Schutz und die höchste Begünstigung gewahrt werden müsse. In Folge dessen wurden nicht nur Ausfuhrverbote und Ausfuhrzölle beseitigt, sondern auch Ausfuhrprämien bei niedrigen Preisen im Inlande ausgesetzt. Daneben dauerte die Bezollung der Getreideeinfuhr immer fort, bis durch die Zunahme der Manufacturthätigkeit die Bevölkerung dermaßen stieg, daß es nothwendig wurde, die Zölle bedeutend zu ermäßigen und die Ausfuhrprämien, welche einmal in einem Zeitraum von 10 Jahren sich auf mehr denn anderthalb Mill. Pf. Sterl. belaufen hatten, zu beschränken, für gewisse Fälle sogar ein Ausfuhrverbot in Kraft treten zu lassen. Die Einfuhr nahm in Folge dessen bedeutend zu, während doch zugleich die einheimische Landwirthschaft sich vervollkommnete und gedieh. Bei dem reißend schnellen Anwachsen der Manufacturbevölkerung war es nur natürlich, daß nach und nach die Getreideausfuhr völlig aufhören mußte und trotz der Verbesserungen in der Landwirthschaft und dem dadurch erzielten höhern Ertrag derselben, diese nicht mehr im Stande sein konnte, dem einheimischen Verbrauche zu genügen. Die Furcht, von dem Auslande in dem Bezug des hauptsächlichsten Nahrungsmittels und gerade zu einer Zeit abhängig zu werden, wo sich ein langer Kriegszustand der Welt voraussehen ließ, im Verein mit dem einflußreichen Interesse der großen Landbesitzer, führte zu jenen K.n, gegen welche sich ein halbes Jahrh. später ein so nachdrücklicher Widerstand der industriellen Mittelklassen entwickelte, die sich dadurch in ihrem Interesse empfindlich benachtheiligt glaubten. Nach diesen K.n richtete sich die Höhe des Einfuhrzolls für fremdes Getreide nach dem Stand des Marktpreises der Frucht, so zwar, daß wenn der Quarter Weizen auf 55 Schilling stieg, der Einfuhrzoll nur 6 Pence, bei einem Preis von bis zu 50 Sch. aber schon das Fünffache betrug und bei einem Fallen unter 50 Sch. auf das beinahe Fünfzigfache, d. i. zu einem wirklichen Verbot, stieg. Die zollfreie Einfuhr des zur Wiederausfuhr bestimmten Weizens ward jedoch unter der Bedingung der Lagerung unter königlichem Verschluß gestattet. Die Folge dieser K. im Zusammenhang mit einer im Anfange unseres Jahrh.s eintretenden allgemeinen Theurung war, daß eine Masse von Capital dem Landbau zufloß und daß eine Menge früher unbebauten Bodens dem Ackerbau gewonnen wurde. 1804 wurden neue Veränderungen an den K.n vorgenommen, jedoch wieder nur zur Begünstigung der großen landwirthschaftlichen Interessen durch hohe Zölle gegen die Ueberschwemmung fremder Frucht. Als nach

Beendigung der Kriege bei den wohlfeilen Preisen des Getreides auf dem Festlande die Einfuhr in Großbritannien sich mehrte, drangen die großen im Parlament mächtigen Bodenbesitzer auf noch größere Begünstigungen, und 1813 wurden Commissionen niedergesetzt, um ihr Gutachten über die in den K.n zu treffenden Maßregeln abzugeben. Die Vorschläge gingen auf Einführung einer wechselnden Abstufung der Getreidezölle, je nach dem sich ändernden Marktpreise im Lande, hinaus, so zwar, daß bei einem Preis von 64 Sch. der Quarter der Zoll 24 Sch. betrug, welch letztere mit dem Steigen des ersten um 1 Sch. um den halben Betrag sich vermindern und bei einem Marktpreis von 86 Sch. und darüber auf 1 Sch. stehen bleiben sollte. Die heftige Opposition, welche sich hauptsächlich in den Manufacturdistricten dagegen erhob, veranlaßte zwar das Scheitern dieser Maßregel, dagegen drang eine andere Maßregel durch, wodurch die Einfuhr fremden Weizens erst bei einem durchschnittlichen Marktpreis von 80 Sch., des Roggens bei dem von 55 Sch., der Gerste bei dem von 40 Sch. erlaubt und nur hinsichtlich der Einfuhr aus den englischen Colonien diesen einige Zollermäßigungen bedungen wurden. Alle weitern Veränderungen in den K. huldigten dem gleichen Geiste. So insbesondre das Gesetz von 1822. — Der wachsende Andrang gegen die K. von Seite der Manufacturbevölkerung und die unter den Landwirthen sich mehrende Ueberzeugung, daß dieselben ihren Zweck nur zum Theil erreichten und den Schwankungen der Getreidepreise keineswegs vorbeugten, führte zu dem Gesetzentwurf von 1827, welcher Bestimmungen enthielt, die unter den damaligen Umständen für liberal gelten konnten. Aber das Gesetz scheiterte an dem Widerstand der hohen Bodenaristokratie, den Herzog v. Wellington an ihrer Spitze. 1828 ging jedoch ein ähnlicher Gesetzvorschlag durch beide Häuser des Parlaments, wonach bei einem Preise von 51 Sch. für das Quarter Weizen der Einfuhrzoll 35 Sch. 8 P., bei einem Preise von 69 Sch. dagegen 16 Sch. 8 P., bei einem Preise von 73 Sch. und darüber erst 1 Sch. betrug. — Dieses Gesetz behielt seine Geltung, bis mit dem Ministerium Robert Peel's 1841 jene großen von dem Handelsinteresse Englands dringend erforderten staats- und volkswirthschaftlichen Umgestaltungen begannen, die in diesem Augenblicke, trotz der bereits beschlossenen Aufhebung der K. selbst, noch nicht zu Ende sind. Das Ministerium Lord Melbournes und John Ruffels war an seinem Bemühen, eine Reform mittels der Einführung eines festen Getreidezolls in den K.n vorzunehmen, gescheitert. Peel begann die von den industriellen Klassen laut erheischte Reform mit Einführung einer neuen Wandelscala, die auf dem Maximum des Zollsatzes von 20 Sch. beruhte, welche eintreten sollte, sobald der sechswöchentliche durchschnittliche Marktpreis des Quarters Weizen auf 51 Sch. heruntergegangen sein würde. Trotz des heftigen Widerstands eines großen und mächtigen Theils seines Anhangs der großen Bodenaristokratie führte er die Maßregel durch, und als die Bewegung gegen alle und jede Erschwerung der Einfuhr fremden Getreides, die in der 1838 gebildeten Anti-Corn-law-League (Verein gegen die K.) ihren wohlorganisirten Mittelpunkt fand, immer mächtiger anwuchs und der 1845 sich zeigende bedeutende Ernteausfall darthat, daß eine längere Aufrechthaltung der K. ohne große Gefahr für die Ruhe des Staates nicht mehr möglich, war Peel es wieder, der, unterstützt von den Mitgliedern des Gegenkorngesetzvereins, an ihrer Spitze Cobden-, seinem eignen darüber wuthschäumenden Anhang unter den Tories eine vorläufige Aenderung in der bestehenden Scala mit bedeutender Ermäßigung der Zölle, und die Einfuhr des Getreides der britischen Colonien gegen einen bloßen Nennzoll, sowie den Beschluß der völligen Aufhebung der Getreidezölle nach Ablauf von 3 Jahren abrang. Von da an, d. h. vom 1. Febr. 1849 an, wird bei der Einfuhr von Getreide nur zur Controle . ein nomineller Zoll von 1 Sch. für den Quarter erhoben werden. Die steigende Theurung der Lebensmittel während des Jahres 1846, und hauptsächlich die Noth, welche in Folge des völligen Mißrathens der Kartoffeln in Irland eintrat, zwang die Regierung schon kurz nach jenen wichtigen Beschlüssen, dazu, die vorläufige Aufhebung der Getreidezölle zu erlassen, die ununterbrochen bis heute fortgedauert hat.   J. G. G.

Kosaken. Ein russischer Volksstamm, im Kriege als leichte Reiterei ausgezeichnet, aber auch wegen ihrer wilden Ungebundenheit und Raublust gefürchtet. In den Franzosenkriegen hat man in Deutschland erfahren, was sie als Freunde zu bedeuten haben. Was erst als Feinde? Sie bewachen die russischen Grenzen, und sind die ersten, welche in Deutschland einfallen, wenn Rußland einen Krieg gegen die Freiheit Europas beginnt. Vor der Zerstörungswuth dieser asiatischen Barbaren kann sich Deutschland nur durch Entfaltung all seiner geistigen Kraft schützen.

Kosmopolitismus, s. Weltbürgerthum, Weltbürgersinn.

Kostbar, kostspielig, was eine bedeutende Summe Geldes kostet. Solche Dinge sind im Staate die Hofhaltungen, die stehenden Heere, die gelehrten Richter, der Beamtentroß und dergl. Die Staatsverwaltung muß billig sein und mindest kostspielig; je billiger, desto besser; sie wird es auch werden, je mehr die Staaten zu der Volksherrschaft übergehen.

Kosten. Die Gebühren in gerichtlichen Sachen, welche dem Staat (dem Gericht) und den Sachwaltern zu zahlen sind und darnach in gerichtliche und außergerichtliche zerfallen. Sie sind der nothwendige Revers und die Schattenseite selbst oft von glücklich durchgeführten Processen; ihre Verminderung ist ein Hauptaugenmerk aller Justizreform, aber ihre völlige Beseitigung läßt sich nicht ohne neue und in vielfacher Hinsicht drückender und ungleicher vertheilte Abgaben denken. Die richtige Vertheilung unter die Betheiligten nach durchgreifenden, von dem richterlichen Ermessen weniger abhängigen Grundsätzen ist der Hauptgesichtspunkt, welcher hierbei als maßgebend aufgestellt werden kann.   A.

Kostspielig, s. Kostbar.

König. In alter Zeit Name des höchsten Gewaltträgers im Staate, gleichviel ob dieser Staat groß oder klein war. Der K. war die Verkörperung der Macht und daher hieß ebensowohl Gott K., als der Herrscher eines Landes und der Anführer irgend einer barbarischen Kriegerhorde. Jetzt nennt man K. nur den Herrscher größerer unabhängiger Staaten und die Würde ist, wie die Einherrschaft stets, erblich. In der Blüthezeit römischer Anmaßungen riß der Papst die Befugniß an sich, K.e zu ernennen und die K.e von Böhmen und Polen z. B. empfingen so ihren Namen; auch Napoleon maßte sich dieses Recht an und ernannte 10 K.e. Die übrigen K.e sind aus eigener Machtvollkommenheit entstanden, wie denn überhaupt die Herrschermacht ursprünglich der Gewalt allein ihre Einsetzung dankt. Ehemals wurde der K. bei seinem Regierungsantritt geweiht und gesalbt, theils um ihn mit dem Himmel und Gott in Beziehung zu bringen, theils um anzudeuten, daß die Kirche erst der Sache den Schlußstein zufüge; dies wird seit diesem Jahrh. meistentheils unterlassen.

Königliche Kunst nennt man in der überschwenglichen Logensprache die Freimaurerei, obgleich weder etwas Königliches noch etwas Künstliches dabei ist.

Königsbann, s. v. wie Blutbann.

Königsche oder vielmehr Royalisten, nennt man die Anhänger des Königs und Königthums; wir sprechen unter Royalisten davon.

Königsfriede, s. Landfriede.

Königsgesetz. Eine Urkunde in Dänemark, durch welche die unbegrenzte Alleinherrschaft des Königs eingesetzt und gegen jeden Eingriff — selbst den gesetzlichen und verfassungsmäßigen — geschützt wird. Das K. ward in Nacht und Heimlichkeit gebrütet und wird auch so gehandhabt: geht die Woge der Volksmeinung hoch, so zieht man dasselbe zurück; ebnet sie sich wieder, so rückt man damit vor und braucht es besonders zur Strafe gegen Mißliebige. Jedenfalls ist kein Verfassungszustand in Dänemark wahr und dauerhaft, so lange das K. noch besteht.

Körperliche Erziehung, s. Erziehung und Turnwesen.
Körperliche Züchtigung, s. Prügelstrafe.

on, Corpus, Universitas, moralische

Vereinigung von Menschen zu einem dauernden Zwecke, eine Vereinigung, die bleibend und ganz ist, wenn schon die einzelnen Theile derselben wechseln, absterben und durch neue ersetzt werden. Der Staat ist die K. in größter Ausdehnung und höchster Bestimmung; in ihm bestehen die K.en der Gemeinden, der Kirche u. s. w., die der Staat zu schützen hat. Das Wesen der K. beruht in der Willensgeltung der

der große Grundsatz, der Einzelne müsse seine Zwecke und Vortheile dem Ganzen unterordnen, hier verwirklicht ist, indem Niemand, selbst die Mehrheit nicht, das

nach die Blüthe des politischen Lebens und der politischen Bildung, zugleich die Schule, in welcher wirkliche und wahrhaftige Staatsbürger gezogen und gestärkt werden. Dies allein verpflichtet den Staat, ihr die größte Förderung angedeihen und sie ihr gemeinsames (Gesellschafts-) Recht ungeschmälert genießen und ausüben zu lassen; er hat nichts zu thun, als über dieses Recht zu wachen, es zu wahren und zu stärken. Das bisher herrschende Bevormundungssystem hat hier, wie überall, seine Aufgabe ver-

Körperverletzung. An der Grenze der schweren, thätlichen (Real-) Injurien beginnt das Verbrechen der K., das sich bis an die Grenze der Tödtung erstreckt. Strafe und Zumessungsgründe müssen verschieden sein nach Maßgabe namentlich der Absicht und des Erfolgs. Auch kann die K. häufig übergehen oder aufgehen in andern Verbrechen, z. B. Entführung, Nothzucht u. s. w. Schwierig ist diese Grenzbestimmung und bedenklich die zu schroffe Hervorhebung der K. als einzelnen Verbrechens mit harten Strafen, zumal wenn ihr der Erfolg mehr als die Absicht bei Zumessung der Strafe beachtet wird. In vielen Fällen liegt gerade bei diesem Verbrechen, in den civilrechtlichen Folgen (Heilerlohn, Ersatz für Arbeitsunfähigkeit) eine Gegenwirkung, welche durch harte Strafen unbillig erhöht wird, dagegen erheischt eine K. mit bleibenden gesundheitsnachtheiligen Folgen strenge Sühne.   A.

Krahnrecht. Ein sehr überflüssiges Recht, das Recht nämlich, einen Krahn oder eine Stadtwage zu halten, auf welcher alle durchgehenden Waaren gegen Entrichtung eines Wagegeldes gewogen werden müssen und erst dann weiter geführt werden dürfen. Der Handel kann weder solchen Aufenthalt noch solche Besteuerung vertragen, und es gleicht einer raubritterlichen Bedrückung, auf Kosten des Handels sich so mit nichts dir nichts zu bereichern. In gesitteten Staaten ist das K. nicht länger aufrecht zu erhalten. In den Häfen findet sich etwas Aehnliches. In den meisten Häfen nämlich müssen die Schiffe mittelst eines öffentlichen Krahnes beladen und ausgeladen und dafür ein bestimmter Krahnenzoll oder Krahnengefälle entrichtet werden. Wenn nun auch ein solcher Krahn eine Nothwendigkeit ist, um die Waaren in die Schiffe und aus denselben zu heben, und die Benutzung desselben vom Schiffsfrachter vergütet werden muß, so sollte man das doch der Privatindustrie überlassen, die jedenfalls geringere Anforderungen stellen würde, denn in gar vielen Fällen ist es darauf abgesehen, durch möglichst hohe Gefälle die öffentlichen Kassen zu spicken.

Krankenanstalten, Krankenhäuser, s. Wohlthätigkeitsanstalten.

Krankenkassen. Von Körperschaften (Innungen z. B.) oder Vereinen gegründete Kassen, aus denen die Mitglieder (Innungsverwandte) in Krankheitsfällen, so lange sie außer Stand sind, ihren regelmäßigen Unterhalt sich zu verdienen, oder auch wegen des mit Krankheiten verbundenen größern Aufwandes, Unterstützung erhalten. In unzähligen Fällen liegt die Erfahrung vor, daß der Arme, wenn er erkrankt, an Allem Mangel leidet und, wenn er vollends Familienvater ist, seine Familie an den Abgrund der Verzweiflung gebracht sieht. Um so größere Erleichterung und Beruhigung gewährt es, wenn er in einem solchen Falle aus einer K. zu der er in gesunden Tagen sein Scherflein beigesteuert, die Mittel zu seinem Unterhalt, zu Anschaffung von Arzneien und vergl. verabreicht erhält. Es ist dies kein Almosen, sondern der gerechte Antheil an dem Stammgut, das er selbst mit aufbringen und aufsparen half — die Vereinigung Vieler zu demselben Zweck erweist sich auch hier in ihren segensreichen Folgen. Den ärmern Klassen, den Arbeitern, ist die Errichtung von K. dringend zu empfehlen und es sollte darauf bedacht genommen werden, daß in jeder Fabrik (durch gemeinschaftliche Beiträge der Fabrikherrn und Fabrikarbeiter), in jeder Innung (sowohl der kleinern, ärmern Meister als der Gesellen wegen), an jedem Orte, wo sich die Armuth zusammendrängt, derartige Kassen gebildet würden. Das Aergste ist es, wenn die Staatsbevormundung solchen Kassen noch Hindernisse in den Weg legt, wie dies noch kürzlich in Sachsen geschehen, wo in einer kleinen Stadt die Tagarbeiter, Zimmerleute und dergl. eine K. stiften wollten, die Weisheit der Regierung aber die Bedingung stellte, daß mindestens 200 Mitglieder sein müßten. Die hatte man nicht, konnte man auch in dem kleinen Orte nicht haben, und so ward es den Betheiligten nicht blos unmöglich, sondern sogar ausdrücklich verboten, die Absicht ins Leben zu setzen. Mit solcher Staatsweisheit, die schamlos genug ihre Hartherzigkeit sogar aufs Papier brachte und in Verordnungen kleidete, wird es hoffentlich für immer zu Ende sein! Ein den K. verwandter Gegenstand sind die Leichenkassen (s. d.). *Cramer.*

Krankenpflege. In neuester Zeit haben sich derselben die Diakonissinnen zu bemächtigen gesucht, es ist bei ihnen aber weniger auf K. als auf betschwesterliche Zwecke abgesehen. Vergl. Diakonissinnen.

Krankheiten, ansteckende, deren Abhaltung, s. ansteckende Krankheiten und Cordon.

Kränzchen, s. Burschenschaft.

Kreis, eine größere oder kleinere Abtheilung eines Landes. Das deutsche Reich z. B. hatte 10 K.e, jeden von bedeutendem Länderumfang, das Königr. Sachsen früher 5, natürlich viel kleiner. Die Stände, welche die Angelegenheiten eines solchen K.es berathen, zu Zeiten des Reichs aber von größerem Belang waren als die heutigen, heißen K.stände, ihre Versammlungen K.tage, sind aber meist eine sehr unvollständige Vertretung des K.es, da der Adel oder die Rittergüter das vorwiegende Element darin bilden. Wo an der Spitze eines K.es eine landesherrliche Verwaltungsbehörde als Mittelbehörde steht, die dann K.regierung oder K.direction (s. Drost) heißt, früherhin wohl auch K.hauptmannschaft, und in der K.stadt ihren Sitz hat — bringt sie bisweilen den Vortheil, daß sie sich mit den Bedürfnissen des ihr untergebenen Bezirks schneller vertraut machen, manche Geschäfte auch rascher erledigen kann, hat aber auch den Nachtheil, daß durch sie der Regierungseinfluß immer weiter vorgeschoben und befestigt wird. Unabhängigkeit der Gesinnung findet man bei ihnen selten, dagegen Willfährigkeit, dem Willen der obersten Verwaltung Genüge zu thun, in gehöriger Maße.

Kreisdirection, s. Droſt.

Kreuzesprobe, s. Gottesurtheile.

— Kreuzzüge oder Kreuzfahrten heißen diejenigen kriegerischen Unternehmungen, welche seit dem 11. Jahrh. von den Chriſten des Abendlandes zur Eroberung des gelobten Landes veranstaltet wurden. Peter von Amiens war es, der nach seiner Rückkehr aus dem heiligen Lande durch die Schilderung der traurigen Lage der dortigen Chriſten, besonders des Zuſtandes des heil. Grabes die Gemüther entflammte und auf einer vom Papſt Urban II. nach Clermont in Frankreich 1095 ausgeschriebenen Kirchenversammlung wurde ein allgemeiner Zug gegen die Sarazenen beschlossen, Gottfried v. Bouillon aber, Herzog von Nieder-Lothringen, an die Spitze der Kreuzfahrer (so nannten sie sich von dem auf der rechten Schulter befindlichen Zeichen des Kreuzes) gestellt. 1099 bemächtigten sie sich Jerusalems. Bouillon erhielt den Titel eines Königs davon. Aber nach seinem Tode riß Uneinigkeit unter den übrigen Heerführern ein, die abscheuliche Aufführung des Heeres empörte Freund und Feind und so eroberte Sultan Saladin von Aegypten 1187 Jerusalem wieder. Umsonst versuchte König Ludwig v. Frankreich 1270 noch einmal mittelst eines K. die frühern Scharten auszuwetzen. In dem ganzen blutigen Kampfe wurde nichts weiter gewonnen, als leere Titel von — gehabten Besitzungen (daher die Titular-Bischöfe in partibus infidelium, d. i. im Gebiete der Ungläubigen), nachdem auf 7 Millionen Menschen bei diesen Zügen binnen 2 Jahrh.ten zu Grunde gegangen waren. Wie hätte auch ein Gebäude bestehen können, dessen Grundstein religiöser Fanatismus und eitle Ruhmsucht, die Stützen aber zum größten Theil niedere Leidenschaften und verwerfliche Endzwecke waren! — Wie aber durch die im Gefolge der K. sich zeigenden Schandthaten und Niederträchtigkeiten der Christenname geschändet und die Religion auf die empörendste Weise zum Deckmantel des Laſters gemißbraucht wurde, — so hatten die K. hinwieder auch das Gute: daß sie nicht blos zu wohlthätigen Abzugscanälen für den Auswurf der Gesellschaft wurden, sondern auch dem Handel und Wandel neue Verkehrsstraßen anbahnten, den Kreis des Wissens erweiterten, eine Masse neuer und nützlicher Kenntnisse nach Europa brachten und — was die Hauptsache! — aus dem Ruinen des alten Adelthums ein Bürgerthum aufblühen ließen, welches erst jetzt wieder den europäischen Zuständen eine andere und bessere Gestaltung zu geben vermochte. W. Pretzsch.

Krieg (Privat- und öffentlicher K., Bürger-K.). Für den denkenden Verstand und das Rechtsgefühl giebt es nichts Schmerzlicheres, als den Gedanken an K., oder die Vorstellung, wie es möglich sei, daß aufgeklärte Menschen oder Völker mit Haß gegen einander bis zur gegenseitigen Vertilgungswuth treiben können, zumal das Glück des Einzelnen wie der Staaten lediglich auf dem Grundsatz der Eintracht und des Friedens beruht, dessen Streben dahin geht, alle Unebenheiten des Zusammenlebens auszugleichen und alle Menschen mit einem gemeinsamen Bruderbande zu umschlingen. Daher kam es, daß neuerlich erst das von der Republik Frankreich ausgesprochene große und erhabene Wort „Bruderschaft" mit seinem Zauberklange die Herzen erfüllte und eine Ursache mehr wurde zur Niederreißung alter und verderblicher Völkerschranken. Doch, so gewinnend auch der Gedanke sein mag, den gewaltthätigen Zustand, K. genannt, für immer aus der Geschichte der Menschheit verschwinden zu sehen, — so wenig liegt die Möglichkeit dazu in dem Bereiche des menschlichen Wollens; denn so lange die Menschheit nicht auf jener höchsten Stufe der Cultur steht, welche allein die Aussicht auf einen ewigen Frieden (s. d.) gestattet, — so lange bleibt der K. unvermeidlich. Und selbst, wenn diese Zeit noch einmal eintreten sollte, wie dann? Würde solchenfalls nicht Uebervölkerung eintreten und Mangel an Wohnraum und Nahrung? Müßte nicht ein faules Stillleben an die Stelle rüstiger Bewegung treten und jede edlere Regung vergiften? Im Genusse eines ewigen Friedens würde das Völkerleben in seinen vielfachen Verschlingungen allmälig versumpfen und unfähig werden, auf seinem Grunde der Jugend und des Geistes seltene Blüthen zu treiben, — denn: nur Bewegung ist Leben und Stillstand der Tod! — Der K. ist also ein „nothwendiges Uebel", — so lange wenigstens, als nicht die politischen und sittlichen Zustände andere und bessere geworden. Rechten wir darum nicht mit der Fügung, daß sie von Zeit zu Zeit einen K. über die Völker hereinbrechen läßt, um — wie der Sturm das stehende Gewässer — die Lebenskräfte vor Fäulniß zu schützen und den durch einen jahrelangen Frieden fast erloschenen Glauben an die edlere Menschennatur aufs Neue wieder anzufachen! — Der Begriff K. ist freilich so vielseitig, daß es einer förmlichen Verständigung darüber bedarf, um sich nur einigermaßen darin zurecht finden zu können. Unter K. versteht man zuvörderst den feindseligen Zustand zweier Völker, um das mit

lung nicht erreicht werden kann. Seiner Natur nach

nach gewissen Grundsätzen und Regeln des Völkerrechts (s. d.) und der Kriegskunst geführt werden — dem Schauplatze nach, auf dem er geführt wird (festes Land oder das Meer), Land- oder See-K., und in ersterer Beziehung wieder eine besondere Abtheilung der Gebirgs-K. — so nen

feindlichen Heeren geführt, da
ger aber ist der Gebirgs-K. gewöhnlich, wenn er gegen ein aufgestandenes Gebirgsvolk geführt wird, wie früher die K.e Oesterreichs und Frankreichs gegen die Schweiz, und zuletzt der K. der Franzosen gegen die Tyroler; oder wenn eine geschlagene Armee in einem Gebirge ihre Rettung und letzte Zuflucht sucht. Ein kleines, entschiedenes, von Begeisterung beseeltes Heer ist im Gebirge unüberwindlich, wenn es die Theilnahme der Bevölkerung für sich hat (Guerillaskrieg). — Der gewöhnlichste K. ist der Privat-

Proceß zu zählen ist, nur mit dem Unterschied, daß hier das durchkreuzte Sonderinteresse und der wirklich oder nur vermeintlich gefährdete Rechtszustand der Parteien nicht mit

erhalten werden. — Völlig verschieden hiervon und ausgedehnter in seinem Begriffe

oder ein Bürger-K. ist. Wie bei jenem der sittliche Zweck in der Aufrechthaltung der Unabhängigkeit des Staats und Sicherung seiner Interessen vor fremden Ein-

die bürgerliche und religiöse Freiheit des Volkes und dessen gutes Recht gegen Uebergriffe einer despotischen Staatsgewalt zu vertheidigen. Er ist dann gerechte Nothwehr, und darum nicht blos erlaubt, — sondern geboten sogar von Vernunft, Pflicht, Sitte und Recht. Nur der beschränkteste Knechtssinn vermag darin etwas Unerlaubtes, eine strafbare Auflehnung gegen Ordnung und Obrigkeit zu erblicken; denn:

> „Wenn der Gedrückte nirgends Recht kann finden,
> Wenn unerträglich wird die Last — greift er
> Hinauf getrosten Muthes in den Himmel
> Und holt herunter seine alten Rechte,
> Die droben hangen unveräußerlich
> Und unzerbrechlich, wie die Sterne selbst."

Verwandt mit dem Bürger-K.e ist der Schutz-K. für's Vaterland, für Haus und Hof, Weib und Kind gegen fremde Zwingherrschaft. Ein solcher K. war jener der Deutschen gegen die französischen Eroberer in den J. 1813—15. — Hierbei ist von keinem Soldaten-K.e, keinem blosen Mordspiele ungeheurer Klopffechterschaaren die Rede, wie Vater Jahn sich ausdrückt, — sondern von einem Kampfe um „die höchsten Güter der Erde", welcher den schlichten Bürger und Landmann zu Helden macht und die vaterländische Begeisterung über die Knechte des Fünftagelohns siegen lehrt. In solchen K.en gebieten es Ehre und Pflicht, daß Keiner zurück bleibe, wen Alter und Krankheit nicht hindern, für das Vaterland die Waffen zu tragen. Der heldenkühne Kampf der Tyroler gegen Napoleon's Heer 1809, sowie die glorreiche Vertheidigung Saragossa's durch die Spanier, müssen ewig hierin allen Völkern zum nachahmenswerthen Beispiele dienen. — Dann giebt es auch noch Hilfs-K.e zur Unterstützung stammverwandter oder befreundeter Völker. Eine ganz neue Art davon waren die Interventionen oder bewaffneten Dazwischenkünfte, welche in neuerer Zeit die Fürsten sich zugesagt hatten, um die Volksaufstände erdrücken zu können. — In jenen Zeiten, wo die Fürsten und ihre Großen noch stolz auf den Völkerrechten einhertraben und ihren Launen ungestört fröhnen durften, — fiel es zuweilen Einem oder dem Andern derselben ein, aus Ehrgeiz, Ruhmsucht oder einer angeblichen persönlichen Beleidigung wegen, mir nichts dir nichts K. anzufangen, wobei Tausende aus dem Schooße der Ihrigen, worin sie sorglos und glücklich lebten, herausgerissen wurden, um sich auf dem Schlachtfelde morden oder verstümmeln zu lassen und dann mit der Krücke sich durch die Welt zu — betteln. Solche K.e sind jedoch nicht leicht mehr möglich, seit die fürstliche Willkür durch Verfassungen und sonst in Etwas begrenzt worden ist. Gott lob! daß jene Zeiten hinter uns liegen, daß namentlich auch die Zeit der Religions-K.e, die so fürchterlich gewüthet, vorbei ist. Mag übrigens auch nach dem unabänderlichen Gang der Natur zuweilen Zerstörung eintreten, wo die Erhaltung nur wohnen sollte, — wenn die aus der Nacht der Vorurtheile zur Sonnenhöhe der Vernunft gelangten Völker nur Eins nie vergessen: in jedem Kampfe menschlich und edelmüthig, gerecht und billig zu sein; dann würde der K. wenigstens für den Nichtkämpfer seine Schrecken verloren haben! W. Pretzsch.

d) **Kriegsartikel.** Die für das Heer gültigen Gesetze. Sie beziehen sich meist nur auf die Vergehen, die von den Soldaten im Dienst gegen den Dienst begangen werden, Unehrerbietigkeiten gegen die Befehlshaber u. dergl., während andere Verbrechen gewöhnlich nach den Landesgesetzen bestraft werden. Die K. sind meistentheils entsetzlich hart und tragen das Gepräge der Zeit noch immer an sich, wo die Fürsten und der Adel allein berechtigt, die übrige Menschheit rechtlos und das Heer eine vollkommene Sklavenheerde war, gehorsam um des Gehorsams willen, knechtisch unterworfen mit Leib und Seele dem Machtgebot des Höhern. Wie der Bart zu tragen und das Haar zu scheren, ist vorgeschrieben. Die kleinste Unachtsamkeit hinsichtlich eines Kamaschenknopfes ist ein Vergehen, und mucksen gegen eine Zurechtweisung, das sollte sich einer unterstehen! Die Stunde der Erlösung von diesen Fesseln hat hoffentlich auch geschlagen. Die K. von Karl Heinzen zeigen, bis zu welcher Erniedrigung die Gewalt- und Alleinherrschaft der Großen die Truppen herabgewürdigt hat.

Kriegsbauten, s. Bauwesen.

Kriegsbeute, s. Beute.

Kriegserklärung. Dem Ausbruch eines Krieges pflegte sonst eine bestimmte Erklärung an den feindlichen Staat, zuweilen durch eine besondere Gesandtschaft überbracht, vorherzugehen, daß man sich im Kriegsfalle zu demselben befinde und seine Ansprüche mit Waffengewalt verfolgen werde, und diese hieß K. Jetzt begnügt man sich damit, durch eine Kundmachung die eigenen Unterthanen von dem Kriegsfall in Kenntniß zu setzen und den verschiedenen Höfen die Gründe der Unvermeidlichkeit des Krieges darzulegen. Wenn die Gesandten ihre Pässe fordern oder zugestellt erhalten, ist die Verwickelung zwischen 2 Staaten gewöhnlich so weit gediehen, daß eine friedliche Ausgleichung ihres Zwistes nicht mehr möglich ist und entweder eine K. oder auch sofortige Eröffnung der Feindseligkeiten durch Ueberschreiten der Grenze, Wegnahme der fremden Schiffe u. s. w. nachfolgt.

Kriegsfuhren, s. bäuerliche Lasten und Frohnen.

Kriegsgebrauch, Kriegsmanier, Kriegsraison, Kriegssitte, Kriegsrecht. Obgleich der Krieg der gerade Gegensatz der Herrschaft des Rechts ist, indem im Krieg alle Rechtsverhältnisse zwischen den kriegführenden Staaten aufgehoben sind und die Gewalt, das Recht des Stärkern allein den Ausschlag giebt, so haben sich doch, wie durch ein stillschweigendes Uebereinkommen, unter gesitteten Völkern gewisse Regeln für den Krieg ausgebildet, deren Befolgung sie für ihre Pflicht erachten, damit wenigstens Unmenschlichkeiten und Schandthaten ausgeschlossen seien. Dahin gehört, daß der Feind, nur wenn und so lang er Gewalt entgegensetzt, getödtet oder verwundet werden darf, daß also Kinder, Weiber und Greise und überhaupt Alle, die die Waffen nicht ergriffen, auch wenn sie sich dem Heere angeschlossen, z. B. Feldprediger, Aerzte u. s. w., oder niedergelegt haben, nicht getödtet oder verwundet werden dürfen; daß der Gebrauch von Gift und Dolch, oder gewisser Arten von Waffen, wie gehacktes Blei, haarscharf geschliffene Klingen, Kettenkugeln u. s. w., unerlaubt ist; daß für die Bestattung der Gefallenen und Unterbringung der Verwundeten der siegreiche Theil zu sorgen hat; daß Plünderung, selbst wenn ein fester Platz im Sturm genommen, verwehrt und das Privateigenthum geschützt, dagegen aber auch die Verpflegung und Fortschaffung der Truppen und des Kriegsbedarfs, so wie die Aufbringung von Geldmitteln zu leisten sei; daß ein Waffenstillstand gehalten werden muß; daß dem Sieger alles öffentliche Eigenthum zufällt, über ein erobertes Land alle Hoheitsrechte zustehen; daß bei Beginn eines Krieges die Unterhaltung von Handelsverbindungen mit dem Feinde, die Zufuhr von Lebensmitteln und anderm Kriegsbedarf untersagt ist; den feindlichen Unterthanen jedoch, die sich im diesseitigen Gebiet befinden, der Schutz nicht versagt, dagegen aber auch Schiffe, auf offener See betroffen, wenn sie dem Feinde gehören, weggenommen und ihre Ladung für gute Prise erklärt wird u. drgl. Die Gräuel, welche immer im Gefolge eines Krieges sind, und früher oft so weit sich steigerten, daß ganze Länderstriche mit Feuer und Schwert verwüstet und Alles, was in die Hände der Sieger fiel, niedergemacht oder in die Sklaverei geführt wurde, haben sich durch den Einfluß der Gesittung wenigstens so weit gemindert, als es immer allgemeiner anerkannt wird, daß es auch im Interesse des Siegers liegt, das Kriegsrecht nicht weiter auszudehnen, als bis zu dem Punkte, wo er in Besitz des Rechtes, das ihm verweigert war, gekommen, oder die erlittene Unbill oder Beschädigung gebührende Genugthuung oder Ersatzleistung erhalten, oder Gleiches mit Gleichem vergolten hat. Zur Vernichtung des Feindes sollen die Kriege nicht geführt werden, sondern nur zur Abwehr gegen ungerechten Angriff, zur Wiederherstellung des gestörten Rechtszustandes, zur Erlangung von Genugthuung für zugefügte Beleidigung. Die Uebel des Krieges müssen auf das Maß des Nothwendigen beschränkt, das Menschenrecht auch am Feinde geachtet werden. Der Grundsatz, daß das Recht des Krieges so weit gehe, so weit die Gewalt reiche, muß immer mehr aus dem Gebrauch kommen, je mehr die Völker anfangen, sich als Brüder zu betrachten und von dem Rechte des Krieges nur zur Vertheidigung Gebrauch zu machen. R.

Kriegsgefangene, die im Kriege von einem Heere dem andern abgenommenen Gefangenen. Unter gebildeten Völkern ist es Sitte, daß der Feind, der durch Wegwerfung der Waffen oder durch Bitten um Pardon dem Kriegsstande entsagt und die Großmuth des Siegers in Anspruch nimmt, das Leben geschenkt erhält, zwar gefangen genommen, aber nach geschlossenem Frieden entlassen wird. Je roher die kriegführenden Völker waren, um so härter war auch das Loos der K.n, bald wurden sie niedergemacht, bald in die Sklaverei geführt und nur gegen Lösegeld freigegeben. Die Unmenschlichkeit ging zuweilen so weit, daß eine Besatzung, die sich übergeben und freien Abzug dafür ausbedungen hatte (s. Capitulation), nach der Uebergabe dem Vertrage zum Trotz noch niedergehauen wurde. Nur so lang der Soldat die Waffen führt, ist er als Feind zu betrachten, gegen den im Krieg das Recht des Stärkern und des Siegers gilt; wenn er sie niederlegt, ist es unmenschlich, ihn an Leib und Leben zu strafen, ungerecht, ihn zum Eintritt in das Heer des Siegers zu zwingen, und ist nur dafür zu sorgen, daß es ihm unmöglich gemacht wird, ferner Feindseligkeiten zu begehen.

Kriegsheer, s. Heer.

Kriegskosten, Kriegsschulden, Kriegssteuern. Der Aufwand, welchen ein Staat machen muß, um Krieg führen zu können, ist so bedeutend, daß die gewöhnlichen Einnahmen dazu nicht ausreichen. Um ihn aufzubringen, müssen deshalb dem Lande außerordentliche Lasten auferlegt werden. Entweder geschieht dies so, daß zu den übrigen Steuern noch eine besondere außerordentliche Steuer (Kriegssteuer) ausgeschrieben, oder, weil es meist eine mißliche Sache ist, die Steuern zu erhöhen, eine Schuld (Kriegsschuld) aufgenommen wird. In frühern Zeiten nahm man es so leicht mit dem Kriegführen, daß man wenig darnach fragte, ob das Land auch im Stande sei, die Mittel dazu aufzubringen: hatte der Staatsschatz kein Geld, so borgte man, und von dieser leichtsinnigen Wirthschaft rührt es zum großen Theile mit her, daß die meisten Staaten gegenwärtig noch mit Schulden belastet sind, die ihren Wohlstand empfindlich berühren. Die Kinder müssen die Sünden der Väter büßen. Weniger schwer, doch immer noch schwer genug fällt eine andere Art von Kriegssteuern ins Gewicht, diejenigen nämlich, welche von dem siegreichen Feinde einem Lande auferlegt werden. Der Sieger läßt sich oft von dem Besiegten die Kriegskosten bezahlen, wobei er gewöhnlich sein Schwert mit in die Wagschale wirft, oft nimmt er mit einer **Contribution,** einer Zahlung vorlieb, die er einer eroberten Stadt oder Provinz auflegt (vergl. auch Brandschatzung). Er hat die Gewalt, also hat er auch das Recht. Zuweilen ist diese Forderung so groß, daß sie nur durch Aufnahme einer Schuld befriedigt werden kann, und auch diese nennt man dann **Kriegsschulden.** Vom letzten franz. Kriege her giebt es noch beträchtliche Kriegsschulden. Eine Ungerechtigkeit aber ist es, wenn sie auf die Weise abgestoßen werden, daß auch die Fremden dazu beitragen müssen, wie dies z. B. in Leipzig geschieht, wo die Kriegsschulden-Steuerbeiträge nach dem Miethzins ausgeworfen und nun auch die zur Messe anwesenden Fremden gehalten sind, von ihren ermietheten Localen den Steuersatz zu zahlen. Kurz, wie man es ansieht, der Krieg ist eine kostspielige Sache, am Ende sind gewöhnlich beide Theile erschöpft, der Wohlstand ringsum zerrüttet; die Diplomatie der Fürsten hat sich kein Gewissen daraus gemacht, aus den nichtsnutzigsten Vorwänden Krieg zu beginnen und die Länder in Elend und Schulden zu stürzen. Die Diplomatie der Völker, die fortan das Recht über Krieg und Frieden selbst haben, wird vorsichtiger sein: sie wird bedenken, daß, wenn sich die großen Herren raufen, die Völker Haare lassen, und ein jeder Krieg eine Barbarei ist, der um des Krieges willen und nicht in der Absicht, den Frieden aufrecht zu erhalten, geführt wird. *Cramer.*

Kriegskunst, s. Taktik.

Kriegslieder. Lieder, in denen Kriegsthaten besungen werden, oder durch die der Kriegsmuth entflammt werden soll. Alle Völker hatten solche Sänger und Lieder. In der neuern Zeit sind bei den Franzosen die Marseillaise und Parisienne, bei den Polen die Warschawienne und Krakowienne, bei den Spaniern die Riegohymne, bei den Deutschen Körners Leyer und Schwert ("Das Volk steht auf u. s. w.") die volksthümlichsten K. geworden. Sollte Deutschland einen Kampf mit dem russischen Czaaren zu bestehen haben, so wird es ihm gewiß eben so wenig an Sängern fehlen, die seinen Kriegsmuth anfeuern, wie es ihm an Männern gefehlt, die seine Wiedergeburt angebahnt und in die Hand genommen haben.

Kriegsministerium. Diejenige Behörde, welche die oberste Leitung der Militärangelegenheiten, als da sind: die Bezahlung, Bekleidung, Verpflegung, Aushebung und Ausrüstung der Truppen, Festungsbau, Kriegsbedarf u. s. w. besorgt. Es ist ein Ueberbleibsel der guten alten Zopfzeit, daß in Deutschland an der Spitze des Heerwesens ein Soldat stehen muß: man meint, daß die Kriegszucht dies erfordere. An der Spitze des Heeres, wenn es ins Feld zieht, muß ein Soldat stehen, der zu schlagen und das Heer zu führen versteht. Die Verwaltung des Heerwesens wird eben so zweckmäßig in die Hände eines Bürgerlichen gelegt werden können, weil es dabei hauptsächlich auf Ordnung und Sparsamkeit ankommt. Die Zeit fordert gebieterisch, daß endlich der Kamaschendienst und die sklavische Zucht im Heere aufhört, daß Militär mit dem Bürgerstand verschmolzen wird. Beides vermag ein bürgerlicher Kriegsminister leichter anzubahnen, als ein Soldat, der in der alten Schule mit den alten Standesvorurtheilen aufgewachsen ist. Im K. sitzen außer dem Vorstand desselben gewöhnlich mehrere Räthe, Kriegsräthe, geheime Kriegsräthe, Intendanturräthe genannt. In kleinern Staaten führt die oberste Centralbehörde für die Heerangelegenheiten wohl auch den Namen Kriegscollegium, Kriegsdepartement, Kriegskammer.

Kriegspflichtigkeit, die Verpflichtung, in das Heer und in den Kriegsdienst einzutreten. Seit der ersten franz. Revolution hat sich der Grundsatz immer mehr Bahn gebrochen, daß es nicht Sache einzelner Stände, etwa des Adels oder der Bauern, sei, Kriegsdienste zu thun, sondern daß die K. eine allgemeine sein müsse, die Pflicht, im Falle eines Krieges das Vaterland zu vertheidigen, allen waffenfähigen Männern, in erster Linie der gesammten waffenfähigen Jugend, obliege. Die Gleichheit Aller vor dem Gesetz fordert, daß ohne Ausnahme jeder Staatsbürger zur K. verbunden sei und sich derselben weder durch Stellvertretung, noch durch Loskauf entziehen dürfe. Wo gewisse Stände davon ausgenommen sind, sei es, daß sie die Dienstpflicht auf Andere wälzen, oder, statt dieselbe persönlich zu leisten, durch eine Geldzahlung sich erleichtern können, herrscht keine Gleichheit vor dem Gesetz.

Kriegszucht, s. Mannszucht.

Kronanwalt, so viel wie Staatsanwalt, s. daselbst.

Kronämter. Der Begriff der K. ist im ältern Staatsrechte sehr verschieden, je nachdem die Begriffe Krone und Staat in den einzelnen Staaten mehr oder weniger zusammenfallen. Sie waren daher bald wirkliche Staatsämter, wie im deutschen Reiche, und dann häufig erblich (daher Erbämter), wurden auch Erzämter genannt; bald waren sie bloße Hofämter, zu welchen sie überhaupt in den neuern Staaten sich umgewandelt haben. In einigen Ländern waren sie mit militärischen Würden verbunden. **A.**

Krondotation, Krongut, Kronvermögen. Versteht man unter Krone das Rechtsverhältniß des Regenten als einer vom Staate, an dessen Spitze er steht, verschiedenen Person, so ergiebt sich hieraus die Bedeutung der obigen Begriffe von selbst. Krondotation ist hiernach die Summe, welche der Fürst vom Staate bezieht; Krongut ist das Besitzthum desselben im Gegensatz zum Staatsgut. Hierbei tritt indeß noch ein Unterschied insofern ein, als den Krongütern, oder, wie man sie auch nennt, Krondomainen, die Privatdomainen entgegengesetzt werden, von welchen blos letztere im Privatbesitz des Regenten, die ersteren nur in seinem Nießbrauche sind und der Regentenfamilie überhaupt gehören. **A.**

Krone. Ursprünglich der kostbare Kopfschmuck, welchen fürstliche und königliche Personen zur Bezeichnung ihrer Herrscherwürde tragen, dann im bildlichen Sinne die Person des Herrschers selbst. Der Gebrauch, den Herrscher äußerlich auszuzeichnen, ist sehr alt; schon König Salomon trägt eine Krone; durch eine solche Zierrath von Gold oder Silber, mit edlen Steinen oder Perlen besetzt, suchte man zu blenden und zu bezaubern. Nur zu oft verbarg sich indeß hinter dieser strahlenden K. das Laster und gegenwärtig ist es dahin gekommen, daß von jenem Zauber, den eine K. verbreitete, nur der kleinste Theil übrig geblieben ist, oder einen kümmerlichen Eindruck macht. Viel Jammer knüpft sich an diese K.n; man hat um sie gefeilscht und gekämpft, gelogen und betrogen; gierig streckten die Thronbewerber die Hand nach ihnen aus, in der Verzweiflung zerschlugen gedrückte Völker dieselben. Deutschland hat das Glück gehabt, daß, wenn eine fremde K. zur Erledigung kam, sie in der Regel einem deutschen Fürsten aufs Haupt gesetzt wurde; so in der neuesten Zeit die griechische und die belgische Königsk. Wenn man von R ä t h e n und D i e n e r n der K. spricht, so versteht man darunter die Räthe und Diener des Fürsten selbst, die ihn in der Regierung vertreten und nach Innen und Außen den Staat leiten. Diese Räthe der K. sind in monarchischen Staaten so sehr Vertheidiger der Vorrechte des Fürsten und seiner Hausinteressen, daß ihnen keine Zeit übrig bleibt, für die Interessen des Landes zu sorgen. *R.*

Kronprinz, der durch das Recht der Erstgeburt zur Nachfolge berufene Thronerbe. Bisweilen steht das Recht der Nachfolge auch der weiblichen Linie zu, und es kann also auch eine Kronprinzessin geben. Auch die Gemahlin des K.en heißt Kronprinzessin.

Kronsteuer. Bei einem Thronwechsel mußte oft, vor oder nach der Krönung, bald vom ganzen Lande, bald von einzelnen Einwohnerclassen, eine außerordentliche Steuer, die auf dem Herkommen beruhte, entrichtet werden. Sie hieß deshalb K. Insbesondere mußten sich die Juden in den deutschen Reichsstädten bei Gelegenheit der Kaiserkrönung den Schutz des neuen Kaisers mit einer solchen Steuer erkaufen. Wo sie noch besteht, hat man in neuerer Zeit vorkommenden Falls zu Gunsten der ohnehin schwer belasteten Länder darauf verzichtet.

Krönung. Die feierliche Einführung eines Fürsten in die Regierung, indem ihm die Krone, zum Zeichen, daß er der Herrscher sei, aufs Haupt gesetzt wird. Um die Sache recht feierlich zu machen, geschieht sie mit großem Gepränge und öffentlich, wird aber gewöhnlich überladen und ein steifer, langweiliger Gebrauch. Die Geistlichkeit spielt eine große Rolle dabei: sie war es ja, die von sich rühmte, daß sie die Fürsten einsetze. Die Krönung der deutschen Kaiser geschah ursprünglich in Aachen, dann in Frankfurt, — die Kurfürsten von Mainz und Cöln stritten sich lange darum, wer von ihnen beiden das heilige Amt der K. zu verrichten habe, — und war ein Wust von Förmlichkeiten und veralteten Gebräuchen. Die französ. Könige wurden in der Kathedrale zu Rheims durch den Erzbischof, die englischen in der Westminsterabtei durch den Erzbischof von Canterbury gekrönt. Die preuß. Könige setzten sich selbst die Krone aufs Haupt. In der neuesten Zeit wurde die Krönung der Königin Victoria von England noch mit allen den überschwänglichen und abenteuerlichen Gebräuchen vollzogen, in denen die britische Aristokratie so groß und so ungelenk zugleich ist. Die K. ist wegen des Schaugepränges, das dabei entfaltet wird, etwas für die schaulustige Menge, aber eine sehr kostspielige Sache; Aufzüge, Festmahle, Erleuchtungen u. s. w. begleiten sie; meist ist die deshalb abgekommen. Die Völker haben überdies nur zu viel Grund gehabt, bei einer K.sfeierlichkeit mit ihrem Jubel und ihrer Freude sparsam zu sein, indem mancher Eid, der bei solchen Gelegenheiten geschworen wurde, bald in Vergessenheit gerieth. *R.*

Krönungseid, s. Eid.

Krypto, griechisches Wort, g e h e i m , h e i m l i c h , v e r s t e c k t , nur in Zusammensetzungen gebräuchlich, wie K.katholiken, K.jesuiten, Leute, die, ohne äußerlich und öffentlich sich zum Jesuitismus und Katholicismus zu bekennen, vielleicht sogar öffentlich ihn verläugnend, doch geheime Anhänger desselben oder wenigstens ihren Grundsätzen und Handlungen nach wahre und wirkliche Katholiken und Jesuiten sind. Nur die verstockteste Heuchelei kann so handeln — Rom hat indeß jederzeit das Alles verziehen.

Kryptocalvinisten, s. Abendmahlstreit.

Kundschafter, s. Gesandter.

Kunkel, ursprünglich der Spinnrocken, die Spinnstube, dann, weil dies Sache der Weiber ist, im Gegensatz zu den Männern, denen das Schwert gehört, das weibliche Geschlecht überhaupt. Daher K. abel, Adel von mütterlicher Seite, K. lehn, so viel wie Weiberlehn.

Kunst, im Zusammenhange mit Staat und Politik. — K., von Können, zeigt an, daß Wissenschaft und natürliche Anlage im Stande sind, den Gedanken verkörpern und die todte Form beseelen zu können. Verschwistert daher mit der Wissenschaft, entsprossen Beide dem Boden des Rechts und der Sitte und streben gemeinschaftlich, gegenseitig sich nährend und befruchtend, zum Lichte empor; nur daß die Wissenschaft mehr von der Zergliederung des Besondern zum Allgemeinen schreitet, während die K. ausschließlich das Einzelne darzustellen und zu beleben versucht. So hat jede Wissenschaft ihre K. als unzertrennliche Begleiterin zur Seite, und der öffentliche Gottesdienst mit seinen Gebräuchen ist z. B. nichts Anderes als die K. der Philosophie oder Weltweisheit, insofern sie mit der Lehre von Gott und dessen Offenbarung durch Welt und Natur sich beschäftigt. Dies ist die K. in der weitesten Bedeutung des Wortes. Im gewöhnlichen Leben beschränkt sich jedoch ihr Begriff auf die schönen Künste der Malerei, Bildhauerei, Baukunde, Dichtkunst, Tonsetzung und Schauspiel, welche an die Stelle der frühern sogenannten freien K. getreten sind, die — wie die Sprach- und Rede-K., die Geometrie u. s. w. — nur von freien Personen (im Gegensatz von blos mechanischen oder unfreien K. en, welche bei den Griechen und Römern nur Knechte betrieben) geübt wurden. — Zweck der K. in dieser Beziehung ist: die Natur in Tönen, Farben und Gestalten möglichst getreu wiederzugeben und durch die innigste Vereinigung der Geistes- mit der Sinnenwelt belebend und veredelnd auf Geist, Herz und Gemüth zu wirken, damit der Geist erheitert, der Schönheitssinn sowie das Gefühl fürs Große und Edle erweckt und belebt, der Geschmack geläutert — und somit das menschliche Dasein geschmückt werde. Wie groß ihr Einfluß auf das Leben und dessen geistige und sittliche Gestaltung ist, läßt sich kaum ermessen. Daher sollten die Staatenlenker und Bildner des Menschengeistes unermüdet darauf sehen, daß in der K. Alles vermieden würde, was eine entgegengesetzte Wirkung hervorbringen könnte, — weil eines Theils das Gute, Wahre, Rechte und Schöne nie allseitig genug gemacht werden kann und dann die Macht des Beispiels nur zu bekannt ist. Würde z. B. die christliche Religion sich wohl zur Weltreligion haben erheben können, wenn ihr großer Stifter seine göttlichen Lehren nicht durch das erhabenste Beispiel bekräftiget hätte? Kann da wohl Gutes gedeihen, wo nur das Böse zum täglichen Vorbilde dient? Wenn wir also sehen, daß Lehre und Beispiel immer im schönsten Einklange mit einander stehen müssen, wenn etwas Großes und Gutes erreicht werden soll: so muß auch die K. selbst dann, wenn sie das Bessere will, auch besser sein, d. h. den Grad der Vollkommenheit in ihrer Ausbildung zu erreichen streben, welcher zu ihrer eigenen Bewunderung hinreißt. Jede Stümperei, jede Mittelmäßigkeit darin aber wird schädlich, weshalb jede Mißgestalt aus dem Auge gerückt und namentlich die schlechten Schauspielertruppen gar nicht geduldet werden sollten. Außerdem ist der K. aber auch noch eine höhere Aufgabe politischer Natur geworden, die sie zu lösen hat und durch welche sie mit der Gesammtheit in die engste Berührung gebracht wird. Diese Aufgabe besteht darin: daß sie den Staat in der Ausführung seiner politischen Pläne unterstützt und nie vom Volke läßt, dem sie entstammt ist. Hier soll sie die Liebe zur Freiheit erwecken, das Vaterlandsgefühl beleben, patriotische Begeisterung hervorrufen und einen Gemeingeist bilden helfen, der fest und stark in der Freiheit der Gedanken und Empfindungen wurzelt; denn Freiheit ist das erste Lebenselement der K. selbst, und ohne Freiheit kann sie auf eine würdige Weise nicht bestehen. So soll der Geist der K., aus dem Volksleben quellend und in dieses zurückführend, alle Glieder des Staatskörpers erwärmend und belebend durchströmen und sie geschickt machen, Großes zu leisten, wenn das Vaterland und dessen Freiheit es erheischt. — Und hat denn nun die K. diese große und würdige Aufgabe zu lösen gesucht? — Leider

nur selten, und dann selbst noch nicht vollständig genug. Von dem Volke sich immer
mehr und mehr entfernend, hat sie selbst ihre Freiheit aufgegeben, um die Buhldirne
fürstlicher Gunst zu sein, welcher der Glanz der Höfe, Titel und Ordenszeichen höher
stehen, wie das Vaterland und die Freiheit, die nicht immer aus vollem Seckel zu
lohnen vermögen. Man gehe nur einmal in das deutsche Schauspiel, und man
wird sich überzeugen von der Armuth der Bühne an vaterländischen Stücken.
Statt deren überall nur schlechtes französisches Machwerk oder jämmerliche Charlotte
Birch- und andere Schnurr-Pfeifferelen, welche das Gefühl abstumpfen und den Geschmack verderben. Zwar ging in dieser Beziehung dem deutschen Theater in Julius Mosen ein schöner Hoffnungsstern auf; allein nur, um bald genug wieder
hinter dem großherz. oldenburg. Thronsessel spurlos zu verschwinden. Die Musik
hat sich in fürstliche Kapellen geflüchtet, und in den deutschen Gemäldesammlun-
gen sucht man umsonst nach einem Stück, auf welchem die K. eine deutsche Groß-
that gefeiert hätte; statt dessen begegnen dem Auge überall nur bunte Krönungsgeschich-
ten, barbarische Jagdscenen, Heiligenbilder und nichtswürdige Maitressen, die es lebhaft
bedauern lassen, daß der K. das Beste — Vaterland und Freiheit — fehlt, und
nur in einer Hinsicht Staunen erregen: wie nämlich Volksvertretungen sich zu Erbauung von neuen Museen auf den Landtagen Summen abschwatzen lassen, mit denen
das Elend von Tausenden hätte gemildert werden können.   **W. Pretzsch.**

Kuppelei, die Veranlassung oder Beschaffung von Gelegenheit zu Unzuchtsver-
gehen. Sie verdient in der Regel härtere Strafe, als das eigentliche Unzuchtsverge-
hen, theils wegen der in ihr liegenden Niederträchtigkeit, theils weil sie gefährlicher
und schädlicher ist, als das einzelne Unzuchtsverbrechen selbst. Sie muß um so härter bestraft werden, wenn Verführung unschuldiger Mädchen damit zusammenhängt,
oder wenn sie von dem Manne in Betreff der Frau, von den Eltern in Betreff der
Töchter geübt wird.   **A.**

Kurfürsten, Wahlfürsten (küren, so viel als wählen), diejenigen Reichsfürsten, welche den deutschen Kaiser wählten. Frühzeitig schon übten die Herzöge
und die höchsten Würdenträger der Kirche einen bedeutenden Einfluß bei der Kaiserwahl; allmälig erlangten sie das Recht, Jemanden zur Wahl in Vorschlag zu
bringen; aus diesem Vorschlagsrecht (Vorwahl) entwickelte sich dann ein ausschließliches Wahlrecht derselben. Das hatte außerdem zur Folge, daß sie sich nicht
nur von den übrigen Reichsständen absonderten und eine höhere aristokratische Körperschaft (Kurfürsten) bildeten, sondern auch einen größern Antheil bei Ausübung
der Reichsgewalt zu erlangen wußten. Die Verhältnisse der K. unter sich und dem
Reichsoberhaupt gegenüber, die Vorrechte derselben vor den übrigen Reichsständen
sind durch die goldene Bulle (s. d.) festgestellt und geordnet worden. Jeder neue
Kaiser mußte ihnen diese besondern Vorrechte bestätigen, sie selbst aber waren jederzeit
bemüht, dieselben auf Kosten des kaiserlichen Ansehens und der übrigen Stände zu
erweitern und auszudehnen. K. waren anfangs 7, 3 geistliche und 4 weltliche, jene
die rheinischen Erzbischöfe zu Mainz, Trier und Cöln, diese der Pfalzgraf bei Rhein,
der Herzog von Sachsen, von Böhmen und der Markgraf von Brandenburg; im
westphälischen Frieden wurde eine 8. Kur für Baiern geschaffen, noch später eine 9.
für Braunschweig und Hannover, die böhmische aber war, weil die Krone Böhmens
mit der kaiserlichen Jahrh.e lang in einer Person vereinigt war, für erloschen zu betrachten. Als späterhin das Haus Baiern ausstarb, im Lüneviller Frieden aber (1801)
durch Abtretung des linken Rheinufers an Frankreich die geistlichen Kuren von Trier
und Cöln verschwunden waren, wurden das Erzbisthum Salzburg, das Herzogthum
Würtemberg, die Markgrafschaft Baden und die Landgrafschaft Hessen-Cassel zu
K.thümern erhoben, nicht lange darnach aber bei Auflösung des Reichs und dem Auf-
steigen der Landeshoheit zur vollen Souveränetät die bisherigen K. mit der königlichen (Würtemberg) oder großherzoglichen (Baden) Würde bekleidet, andere dagegen

ihrer Länder völlig beraubt (Hannover, Cassel). Nach Vertreibung der Fremdherrschaft behielt nur der K. von Hessen-Cassel den kurfürstlichen Titel bei. Seine alte
Bedeutung hat er indeß völlig verloren, indem bei der neuen Gestaltung Deutschlands
durch den deutschen Bund von der alten Reichsverfassung abgesehen und ferner
nicht mehr ein gewählter Bundesfürst als Oberhaupt an die Spitze des Ganzen gestellt wurde. Cramer.

Kursorisches Actenlesen, s. Actenauszug.

Kürassiere, schwere Reiterei, mit einem Küraß, Brustharnisch, versehen, der,
ehedem von Eisen, jetzt von blankem Eisenblech, sie gegen Hiebe und ferne Flinten-
schüsse sichert. Es werden die stärksten Leute zu dieser Truppengattung genommen
und ihnen die schwerern Pferde gegeben, daher können sie aber nicht zum Plänkeln,
sondern in der Regel nur zum Durchbrechen in Masse verwendet werden. Nur der
kleinste Theil der Reiterei sind K.

Küste, das Meeresufer; daher K.nbatterien, Batterien, die am Strande, an
den Häfen und Landungsplätzen angelegt sind, um feindliche Landungen zu verhindern; K.nfahrer, die kleinern Fahrzeuge, die sich nicht auf die hohe See hinaus-
wagen können, sondern blos längs der K. von einem Hafen zum andern den Handel
(Küstenhandel) vermitteln. Zur Betreibung dieses Handels sind überall nur die
Schiffe des eignen Landes, die Schiffe der Nationalen berechtigt, die Schiffe der Fremden sind davon ausgeschlossen. S. Handel.

Küstenhandel, s. Handel und Küste.

Druck von Friedrich Rückmann in Leipzig.

Volksthümliches

Handbuch

der

Staatswissenschaften

und

Politik.

Ein

Staatslexicon für das Volk.

Begründet

von

Robert Blum.

Aus seinem handschriftlichen Nachlasse von Gleichgesinnten fortgesetzt.

Zweiter Band.

L — Z.

Leipzig,
Verlag von Heinrich Matthes.
1851.

Vorwort und Einführung.

———

Selten wohl hat ein Schriftwerk vor seiner Vollendung, vor seinem Eintritte in den Kreis seiner Leser, so merkwürdige Schicksale erfahren, als das vorliegende „Handbuch der Staatswissenschaften."

Hervorgerufen durch das **laute Bedürfniß** des Volkes sollte es demselben das höchste Gut, Bildung erstreben helfen zu einer Zeit, wo der Druck, welcher auf den Völkern lastete, mehr als je daran erinnerte, nach Bildung zu streben, denn „**Bildung macht frei.**" Da schien plötzlich und unerwartet mit der Morgenstunde des Jahres 1848 auch für das deutsche Volk eine freundlichere Sonne aufgehen zu wollen. Der Begründer des „Staatslexicons" verließ das kaum in's Leben gerufene Werk und folgte der Stimme des Volkes, das ihn zu seinem Vertreter in der Paulskirche wählte. Auch dort noch war Robert Blum für das ihm lieb und theuer gewordene Unternehmen thätig, bis ein düsteres Verhängniß ihn dem tödtenden Blei in der Brigittenau entgegen führte. — — Das Unternehmen war unterbrochen und blieb ruhen; es hatte den Jubel des Volkes über sich hinrauschen sehen, es sah auch seine Niederlage. Die Rücksichten auf die große

Zahl derer, welche das Unternehmen gefördert hatten, die Pietät gegen den Mann, welcher es in das Leben gerufen, die Zweckmäßigkeit und Bedeutung der Idee, welche dem Werke zu Grunde liegt — dieses ward Ursache, die in mehr als einer Hinsicht schwierige Fortsetzung und Vollendung des vorliegenden "Staatslexicons" zu unternehmen. Sei es uns gestattet, hierüber einige Andeutungen zu geben, um der Beurtheilung die rechte Bahn im Voraus anzuweisen.

Ueber den "Plan des Werkes" hat sich Robert Blum selbst in gewohnter trefflicher Weise im August 1847 ausgesprochen. Er sagte in dem Prospect zu dem vorliegenden Staatslexicon:

"In dem Tempel zu Saïs hielten die ägyptischen Priester ein ver= schleiertes Bild, dessen Berührung und Enthüllung mit dem Fluche der Götter und der Strafe des Todes bedroht war. Dieses geheimnißvolle Treiben erzeugte im Volke den Glauben, die Priester allein seien beru= fen und im Stande, mit der Gottheit zu verkehren, und die verschleierte Wahrheit — die man in jenem Bilde vermuthete — zu schauen; auf die= sem Glauben aber beruhte die Alleinherrschaft der Priester. Als aber ein muthiger Jüngling kam, den Schleier zerriß und der Priestermacht trotzte mit scharfem Stahl, da stand vor den Augen des Volkes ein gewöhnliches Menschenwerk, ein hölzernes Bild, geformt von Künstler= hand, und beschämt erkannte das Volk, wie thöricht seine Scheu war. Mit dem Schleier aber war die Binde des Wahnes zerrissen, die des Volkes Blick umfing, das Joch der Priesterherrschaft fiel von seinem Nacken und die Geschichte ertheilte ihm mit Donnerstimme die große Lehre: Kenntniß ist Macht!

Wenige Jahrzehnte sind vergangen, da verhielt es sich in Deutsch= land mit dem Staate gerade so, wie mit dem verschleierten Bilde zu Saïs. Des Staates Triebkräfte und Gang, Wege und Absichten,

Endzweck und Ziel waren mit einem dichten Schleier verhüllt. Wer
diesen Schleier nur anzutasten, d. h. über Staatsdinge zu sprechen
wagte, galt bei den Staatspriestern als „Raisonneur" und wurde
mit mißliebigen Blicken betrachtet; wollte er denselben gar entfernen
und das dahinter verborgene Bild betrachten und beschreiben, so wiesen
ihn die Staatspriester zurück und bedrohten ihn mit Kerker und Tod,
wenn er ihrer Weisung Widerstand entgegen setzte. Das ist anders ge=
worden. Was der muthige Jüngling zu Saïs vollbrachte, hat bei uns
die Zeit und ihre Noth gethan; wie die verschleierte Gottheit in Aegyp=
ten ihre Ohnmacht zeigte, wenn es galt, eine Plage abzuwenden vom
Volke, so war der verschleierte deutsche Staat ohnmächtig, als er sich
aus der Noth helfen sollte, in die er gerathen war. Er mußte dem
Volke das Geheimniß verrathen, daß es der wesentlichste Bestandtheil,
die Seele und die Kraft des Staates sei; daß er alles nur durch das
Volk, nichts ohne dasselbe vermöge. Mit diesem Geständniß war der
Schleier zerrissen, die Binde des Wahnes zersprengt und das Joch der
Staatspriester zerbrochen.

Das deutsche Volk rettete den Staat, weil es sich selbst retten
mußte. Allein kaum hätte man glauben sollen, daß, nachdem es nun
mit seiner Bedeutung auch seine Kraft kennen gelernt hatte, man den
Versuch noch erneuern werde, die alte Heimlichkeit und mit ihr die Al=
leinherrschaft einer Kaste herzustellen. Und doch bietet unsere Geschichte
seit 1815 nur eine fast ununterbrochene Reihe von Versuchen, den
Staat als etwas vom Volke Getrenntes und Unabhängiges darzustel=
len, den alten Schleier des Geheimnisses wieder um ihn zu hüllen und
jeden sogenannt Unberufenen zurückzuscheuchen von dem Versuche der
Enthüllung; das Ganze aber als eine Art Domaine zu betrachten und
zu behandeln, die ein Einzelner oder Wenige nach Herzenslust ausbeu=

ten können, ohne sonst jemand als „Gott und ihrem eigenen Gewissen
Rechenschaft darüber schuldig zu sein." Das ist die älteste, aber auch
die unbegründetste, falscheste nnd beschränkteste Auffassung des Satzes,
daß die Regierung „von Gottes Gnaden" sei. Dagegen ist der Rechts=
anspruch der Theilnahme am Leben und Wesen des Staates in aller
und jeder Beziehung eben so lebhaft und allgemein. Das ist der
Kampf unserer letzten Vergangenheit, unserer Gegenwart und unserer
nächsten Zukunft. In der Hauptsache ist derselbe allerdings entschieden,
die vermeintlichen Besitzer des Staates haben das Recht des Volkes
vertragsmäßig anerkennen und ihm dasselbe theilweise einräumen müf=
sen; allein es ist dies bis jetzt auch nur theilweise geschehen, denn
die künstliche Trennung des Volkes in Kasten und Stände, das An=
knüpfen der Staatsberechtigung an blos äußerliche und zufällige Dinge,
die Ausschließung des zahlreichsten und nützlichsten Theiles des Volkes —
des vierten, des arbeitenden Standes — von jeder politischen Theil=
nahme, sie sind eben so, wie das Bevormundungs= und Polizeisystem,
welches wie ein Alp auf das Volk drückt, Zeichen und Ausflüsse des
Bestrebens der Staatspriester nach Alleinherrschaft."

    Robert Blum setzte nun den Zweck seines Werkes darein,
    jenes Streben der Staatspriester nach Allein=
    herrschaft durch allgemeine Erkenntniß des wah=
    ren Wesens, Zweckes und Zieles des Staates zu
    überwinden.

Die bisher erschienenen Schriften zur Erlernung dieser Erkenntniß
über den Staat sind aber dem Volke aus mehreren Gründen nicht
zugänglich; Robert Blum schuf daher in seinem „volksthüm=
lichen Handbuch der Staatswissenschaften" zuerst ein dem Volke

zugängliches Werk, welches das große Ziel seines Lebens erreichen
helfen sollte:

> „Freiheit im Staate, im Leben, in der Gesell=
> schaft, im Glauben, in der Kirche, in der Wif=
> senschaft, im Handel, überall und für Alle, auf
> dem Boden des Rechtes und des vernünftigen
> Gesetzes. Gleiches Recht und gleiche Gerechtigkeit
> für Alle, für die Regierungen, wie für das Volk,
> Wahrheit und Heiligkeit der Verträge und Ver=
> fassungen in allen Bestimmungen, Entwickelung
> und Ausbildung der letztern zu wahren Reprä=
> sentativverfassungen, d. h. zu solchen, in welchen
> das ganze Volk vertreten und seine Einwirkung
> auf die Staatsangelegenheiten nicht blos Täu=
> schung und Schein ist.“

Wie und ob dieser Zweck erreicht worden ist, darüber steht uns
kein Urtheil zu. Wir fanden die erste Hälfte des Werkes bereits vollen=
det und mußten uns den darin aufgestellten leitenden Grundsätzen un=
terwerfen, um die Einheit des Ganzen zu bewahren. So weit es
möglich war und die nöthigen Unterlagen nicht fehlten, haben wir den
gefeierten Begründer des Werkes selbst sprechen lassen, indem wir
aus seinen früheren Schriften schöpften. Beiträge erhielten wir von
Männern, deren Name einen guten Klang in der literarischen Welt
hat, wir erwähnen hier nur **Otto Leonhard Heubner, Adolf
Hensel, Wehner, W. Bertling, C. E. Cramer, J. G.
Günther, F. Th. Jäckel.**

Billige Beurtheiler werden die großen Schwierigkeiten nicht ver=

kennen, die mit der Durchführung eines Werkes verbunden sind, wo es gilt, Massen zu bewältigen; der Geist, der in dem Ganzen weht, mag und wird reichlich für die etwaigen Mängel der äußeren Form entschädigen, welche durch die Lage der Verhältnisse bedingt waren. Der Geist ist es ja aber auch allein, welcher l e b e n d i g macht; möge er auch hier diesen seinen hohen Beruf erfüllen!

Leipzig, im October 1851.

Die Redaction und der Verleger

zur Fortsetzung des Staatslexicons von Robert Blum.

L.

Ladungsbrief, s. Fracht.

Lagerhäuser. In großen Handelsplätzen, wo Unmassen von Waaren aus- und eingehen, stellt sich oft Mangel an Raum ein, dieselben unterzubringen und zu beherbergen. Um Räume zur Aufbewahrung derselben zu schaffen, pflegt man dann gewöhnlich auf öffentliche Kosten, sei es der Stadt oder des Landes, große Gebäude zu errichten, in denen die Kaufleute gegen Erstattung einer gewissen Lagergebühr ihre Waaren niederlegen können. Diese Gebäude heißen L. Wenn sie in der Nähe der Aus- und Aufladeplätze, der Zollhäuser, der Eisenbahnhöfe u. s. w. liegen, wenn die Lagergebühren niedrig angesetzt sind, werden sie zur Erleichterung, Erhaltung und Beförderung des Handelsverkehrs viel beitragen. Im Interesse der öffentlichen Sicherheit liegt es überdies, daß feuergefährliche Artikel (Schwefel, Pech, Oel, Pulver, Vitriol u. s. w.), die doch in großer Menge im Handel vorkommen, nicht im Innern der Städte zu lagern kommen. Sie werden am sichersten in solchen L.n niedergelegt.

Laibacher Congreß, s. Congreß.

Laien, die Weltlichen in der christlichen Kirche, im Gegensatz zu den Geistlichen, die einen besondern Stand bilden und eine besondere Würde bekleiden. In den Anfängen des Christenthums lag eine solche Sonderung der Gemeinde in Geistliche und Nichtgeistliche nicht; wer begeistert war von der Lehre und Kraft in sich fühlte, trat als Lehrer, Prediger in der Gemeinde auf, Alle waren Brüder und gleichberechtigt. Erst im 3. Jahrh. fängt auch im Christenthum eine Priesterschaft an als besonderer Stand aufzutauchen (Klerus); die Wissenden und Lehrenden schieden sich von den Gläubigen und Lernenden, und wie nur ein Mal der Anfang zur Herrschaft der Kleriker gelegt ist, so bildet sie sich wie ganz von selbst immer weiter fort. Zuletzt kommt es dahin, daß die Geistlichen in der Gemeinde Alles, die L. gar nichts mehr sind, jene die Herrschenden, diese die Gehorchenden, jene die allein Berechtigten, diese die Blindglaubenden sind. Gegenwärtig ist es noch so. In der katholischen Kirche ist diese Priesterherrschaft zwar am vollendetsten ausgebildet, läuft sogar in eine unumschränkte Spitze der Macht aus; aber auch in der protestantischen Kirche sind die L. mit ihren Rechten wie aus der Kirche verschwunden, d. h. die Pfaffen sind Alles, machen Alles, an die Gemeindeglieder, die Schäflein, die sich weiden lassen von ihren Hirten, kommt Nichts. Der demokratische Geist, der durch die Welt geht, hat indeß auch an die Thüren der Kirche gepocht: die L. verlangen, daß die Alleinherrschaft der Priester, der Zustand der Knechtschaft, in dem sich die Gemeinde befindet, aufhöre,

daß der Pfarrer der Diener der Gemeinde, nicht ihr Herrſcher ſei, daß ſie ſelbſt die
Verwaltung ihrer eigenen Angelegenheiten, die Feſtſtellung des Lehrbegriffs, die Wahl
und Berufung ihrer Prediger und Lehrer erhalte — und ſie verlangen dies von
Gottes und Rechtswegen, und ſie werden durch unabläſſiges Fordern ihre kirchlichen
Rechte ebenſo erlangen, wie ſie die politiſchen Rechte erlangt haben, ſo gewaltig iſt
der Strom der Bewegung, der durch ganz Europa geht.   Die Reformirten waren die
Erſten, welche ein Rechtsverhältniß zwiſchen Geiſtlichkeit und L. hergeſtellt und die
Rechte der Gemeinden anerkannt haben; die Deutſch-Katholiken ſind ihnen in dieſer
Beziehung, nur mit größerer Entſchiedenheit, nachgefolgt.   In einigen proteſtantiſchen
Ländern iſt wenigſtens ſo viel geſchehen, daß auf Synoden zur Ordnung der kirchlichen Angelegenheiten Geiſtliche und L. zuſammen ſitzen, in der katholiſchen Kirche ſteht
dagegen Alles noch ſtarr und unbeweglich und ungebrochen, die Lehre wie die Prieſterherrſchaft.   Die Herrſchaft des Volkes, welche gegenwärtig im Staate angebrochen
iſt, kann nur die Folge haben, daß es auch in der Kirche zu ſeinem Rechte gelangt
— die L. werden die Geſetzgebung und Verwaltung auch in kirchlichen Dingen erhalten und der Prieſter wird herunterſteigen von dem Throne, auf dem er über der
Gemeinde ſtand, auf die Stufe eines gleichberechtigten Gliedes oder Dieners der Gemeinde.   Dahin geht der Zug der Zeit.   Cramer.

Lancaſterſche Schule, ſ. Bell-Lancaſterſche Unterrichtsmethode.

Landacht, Acht. In dem alten deutſchen Proceſſe wurde derjenige, welcher
eines groben Verbrechens angeklagt war, und nach gehöriger Vorladung nicht erſchien,
verfeſtet oder in die Acht erklärt, wodurch der Ankläger das Recht erhielt, den Ver-
feſteten überall im Bezirke des Gerichts zu ergreifen und vor Gericht zu bringen. Blieb
der Verfeſtete über Jahr und Tag in der Acht, ſo verfiel er in die Oberacht.

Landadel, ſonſt der mittelbare, dem Landesherrn unterworfene Adel, im Gegenſatz zum reichsunmittelbaren Adel (ſ. Adel), jetzt der auf dem platten Lande auf
ſeinen Gütern lebende Adel. Während der größere Theil des Adels darauf angewieſen
iſt, ſich zu Staats- und Hofämtern hinzuzudrängen und Hundert gegen Eins darauf
zu wetten iſt, daß er auch jede einträgliche, bequeme, kein ſonderliches Kopfzerbrechen fordernde Beamtung und Bedienſtung in der Verwaltung und im Heer weg-
ſchnappen wird, ſo lang die Verfaſſungen und die Gleichheit vor dem Geſetz nicht
zur Wahrheit geworden, daß er anderſeits aber auch in dieſer Stellung jeder Zeit
das dienſtwilligſte Werkzeug zur Unterdrückung der Freiheit und der Volksrechte ſein
wird, das jedem Fortſchritt entgegen wirkt, zu jeder Intrigue die Hand bietet, wenn's
ſein muß, mit ruhigem Blut die friedlichſten Bürger niederſäbelt und niederhaut:
lebt der kleinere Theil des Adels, fern von Hof- und Staatsdienſt, auf ſeinen Gütern
der Landwirthſchaft. Er könnte, weil er unabhängig iſt und ſich immer noch in ziemlich günſtigen Vermögensverhältniſſen befindet, von Einfluß ſein und zur Hebung des
platten Landes viel beitragen, wenn er mit den Fortſchritten der menſchlichen Geſellſchaft, mit der Bewegung der Literatur ſich in Verbindung ſetzen und den Umgang
mit Bürger- und Bauernſtand ſuchen wollte. Das iſt indeß eine gar ſeltene Erſcheinung. Weit häufiger iſt es, daß der L. ſich einzig und allein in ſeine Landwirthſchaft vertieft, den Umgang mit den bürgerlichen Ständen nicht meidet, ſondern
auch mit Verachtung auf die bürgerlichen Kreiſe und ihren Beruf herabſieht; deshalb
zwar von Hunden und Pferden und Wolle und Viehzucht etwas verſteht, von öffentlichen Dingen aber, von den Zuſtänden anderer Länder, von der Literatur weniger
als gar nichts weiß und dabei doch im Vollgefühl des edlen Blutes, das in ſeinen
Adern fließt, in der Erinnerung an die Großthaten ſeiner Ahnen, als ſie noch Wegelagerer und Raubritter und Bauernſchinder waren, eine ſolche Portion von Dünkel
und Hochmuth und Aufgeblaſenheit zur Schau trägt, daß man dem Geiſt der Geſchichte nicht dankbar genug ſein kann, der die Anſprüche der gnädigen Herren auf
die Weltherrſchaft ausgelöſcht und ſie einfach zu großen Gutsbeſitzern herabgedrückt

hat. Es läßt sich denken, daß dieser verbauerte Adel, wo er noch eine besondre Vertretung auf den Landtagen hat, wie großentheils in Deutschland, den freisinnigen Bestrebungen des Bürgerthums, das immer demokratischer wird, nicht zugethan, sondern der erbitterteste Feind derselben und starrer Anhänger einer volksfeindlichen Politik ist, die ihn dafür mit Orden und Bändern und Titeln belohnt und seinen nachgebornen Söhnen die fetten Staatsämter und Officiersstellen verleiht. Diese besondere Vertretung des Adels, sei es in der zweiten Kammer, sei es als erste Kammer, wird indeß wohl am längsten gedauert haben. Die Söhne dieses L.s, wenn sie in der angegebenen Richtung den Vätern, von denen sie herstammen, gleichen, nennt man Landjunker — der Volksmund hat Krautjunker daraus gemacht. Reiten, Fahren, Jagen, den Bürgerstand verachten und beleidigen, Ausschließlichsein sind ihre Hauptbeschäftigungen: die Ehe mit einer Bürgerstochter würde ein unauslöschlicher Makel sein: der Tanz eines Landfräuleins mit einem Bürgerlichen ist schon eine Herablassung ohne Gleichen. In Hannover, Mecklenburg, Pommern, Schlesien, der Mark, in Baiern, Sachsen, Würtemberg, überall in Deutschland ist dieser L. noch zahlreich und überall derselbe. Cramer.

Landammann. In der Schweiz ein üblicher Name der ersten obrigkeitlichen Person, so viel wie Bürgermeister, Schultheiß.

Landbau, s. Landwirthschaft.

Landboten. So hießen in Polen die Abgeordneten zur zweiten Kammer. Sie mußten natürlich von Adel sein und waren auch nur Vertreter des Adels — daher oft Verräther des Vaterlandes, verbündet mit Rußland.

Landdrost, s. Drost.

Landedelmann, s. Landadel.

Landesbischof, protestantischer, evangelischer, s. Bischof.

Landesfürst, s. Landesherr.

Landesgemeinde. In den demokratischen Kantonen der Schweiz die Volksversammlung, welche die höchste Staatsgewalt ausübt, Gesetze giebt und die Verwaltung controlirt. Es ist dies die reine Volksherrschaft (Demokratie), indem das Volk, die volljährigen Männer, unmittelbar durch sich selbst in seiner Gesammtheit die Gesetze giebt. Natürlich ist dies nur in Staaten von sehr geringem Umfang möglich, in Staaten, wo die Gesammtheit des Volkes auf einem Punkte sich versammeln kann, wie in den kleinen Berg- und Hirtenkantonen der Schweiz. Wo die ganze Staatsbürgerschaft nicht an einem Orte zur Berathung der Staatsgeschäfte zusammenkommen kann, also in allen nur einigermaßen umfangreichen Ländern, wird es nöthig, daß sie ihre Souveränetätsrechte durch Vertreter ausüben läßt, die reine Demokratie in repräsentative Demokratie umwandelt, und dies ist neuerdings selbst in einigen der kleinern Schweizer Kantone geschehen, indem man sie L. abgeschafft und eine von dem Volke gewählte Vertretung mit den Rechten der L. bekleidet hat, weil man die Erfahrung gemacht hatte, daß die unmittelbare Ausübung der Staatsgewalt durch das ganze Volk bei einer sehr niedern Bildungsstufe desselben nur dazu diente, der Herrschaft der Jesuiten und Pfaffen es gänzlich unterthan zu machen, und statt seine Freiheit zu mehren, es zur schmählichsten Unfreiheit herabsinken zu lassen, was denn zur Folge hatte, daß es nicht blos in geistiger und sittlicher Hinsicht, sondern selbst in seinen materiellen Beziehungen auf einer sehr niedern Stufe stehen blieb, während ringsum die andern Kantone auf einen hohen Grad der Bildung und Gesittung und des Wohlstandes sich aufgeschwungen hatten. Der Vorstand der L. war der Landammann (s. d.).

Landesgesetze, die Gesetze eines Landes. Das Weitere unter Gesetz. Es kommt vor, daß L. mit besondern Ortsgesetzen in Widerspruch stehen und umgekehrt.

Landesherr, das Oberhaupt eines Staates, welchen Namen es sonst auch führen mag. Die L.en waren ursprünglich nur Beamte des Kaisers, eingesetzt von diesem. Mit der Zeit wußten sie das Amt in ihrer Familie erblich zu machen und ihre

1*

Macht auf Kosten der kaiserlichen zu erweitern, immer aber waren sie dem Kaiser so weit unterthan, daß sie nur gewisse Souveränetätsrechte in den ihnen untergebenen Ländern auszuüben befugt und der Reichsgesetzgebung unterworfen waren. Mit dem Verfall des Reichs wuchs die landesherrliche Macht immer mehr; im 30jähr. Krieg sieht man die L.en in offenem Kampf gegen das Reichsoberhaupt, das Beispiel der franz. Könige, die eine unumschränkte Gewaltherrschaft ausüben, ahmt man in Deutschland nach, die Hohenzollern namentlich bieten Alles auf, vollkommen souverän und eine Großmacht zu werden, und als das Reich auseinanderfiel, waren die landesherrlichen Rechte schon so weit ausgedehnt, daß es nichts als einer Namensänderung bedurfte, um aus der Landeshoheit, der Kaiser und Reich unterworfenen Staatsgewalt, zur vollen Souveränetät überzugehen. Indem sie den Titel L.en ablegten und den Titel Souverän sich beilegten, bildeten sie ihre Macht zu einer völlig despotischen um. Jetzt knüpft sich an den Namen L. keine Beschränkung durch die Reichsgewalt mehr, sondern L. ist gleichbedeutend mit Fürst, Monarch, Souverän: alle Gewalt im Staat steht ihm zu. Deutschland hat hiervon wenig gute Früchte gesehen. Die Zersplitterung, endlich der Untergang des Reichs und im Innern der Länder die Ausbildung einer despotischen Macht waren die Folgen davon, obgleich nicht geleugnet werden kann, daß diese Macht auch die Vorrechte des Adels niedergeworfen und zu dem Ende das Bürgerthum herangezogen hat. Als es sich nach den Freiheitskriegen um den Wiederaufbau Deutschlands handelte, scheiterte Alles daran, daß die Fürsten den Ursprung ihrer Macht vergaßen, auf die Souveränetät, die sie sich selbst beigelegt, vermittelst welcher sie sogar theilweise die Rechte der Landstände niedergetreten hatten, sich steiften und zum Besten des Ganzen, zur Begründung einer Obergewalt über ganz Deutschland, welche die Einheit vermittle, Nichts von diesen ihren angemaßten Souveränetätsrechten aufgeben wollten. — In den einzelnen Staaten ist dann nach und nach die unumschränkte fürstliche Machtvollkommenheit durch Landesverfassungen beschränkt worden: sie drückte aber immer noch so stark auf die Völker, zumal da man aller Orten nach einem gemeinschaftlichen Plane handelte, daß die jungen Keime der Freiheitsrechte des Volkes entweder ganz verkümmerten oder nur zu einer nothdürftigen krüppelhaften Entwickelung gelangten: nach Außen war Deutschland völlig machtlos, ein Nichts. Erst in den jüngsten Tagen ist jene starre trotzige Fürstenmacht durch eine großartige Erhebung des gesammten deutschen Volkes in ihren Grundfesten erschüttert, oder aus den Angeln gehoben worden. Und wenn es auch nicht dahin kommen wird, daß sie ganz abgethan werden wird, so ist sie doch genöthigt worden, mit dem Volke zu theilen und dem Staate eine demokratische Grundlage mit Anerkennung der Rechte des Volkes zu geben. Auch für die Gesammtverfassung Deutschlands wird dies durchgeführt werden. Auch hier werden die Fürsten einen großen Theil ihrer Souveränetätsrechte zum Opfer bringen, in ihre frühere Stellung als L., welche einer Obergewalt unterworfen sind und in ihren Staaten mehr eine vollziehende und verwaltende als gesetzgebende Macht haben, zurücktreten müssen. Je stärker die Bundesgewalt ist, je mehr Rechte der Nationalvertretung zustehen, um so mehr wird die landesherrliche Gewalt eingeengt und zurückgedrängt werden. Deutschland aber bedarf einer starken Bundesgewalt, damit es nach Außen hin unter den Völkern Europas die achtunggebietende Stellung einnehme, zu welcher sich aufzuschwingen es zeither durch die Politik seiner nur für sich und ihr Haus sorgenden souveränen Fürsten verhindert war. Die Haus- und Landesinteressen müssen verschwinden vor dem Gesammtinteresse des einen Vaterlandes. Das fordern die Völker und die Fürsten werden genöthigt sein, sich mit ihrer früheren Stellung als L.en, als Diener der Bundesgewalt, als Vollstrecker ihrer Befehle, zu begnügen. Die Volksrechte und Volksfreiheiten aber seien gleichfalls unter den Schutz dieser Bundesgewalt gestellt, damit nie wieder die Willkür und der Uebermuth es wagen darf, Hand daran zu legen. Die Zeit der

Fürsten und Landesherren ist vorbei, die Zeit der Völker beginnt! Erst jetzt fängt Deutschland an eine Großmacht zu werden, — und es wird, muß eine werden.

Cramer.

Landeshoheit, s. Landesherr.

Landeskinder, die in einem Lande Geborenen. Unter dem Raub- und Erbsystem der alten Politik, die Länder der verschiedensten Sprachen und Volksthümlichkeiten an einander kuppelte, gelang es doch gewöhnlich den Eingeborenen eines Landes, sich das Recht zu erwirken und durch besondere Urkunden sich bestätigen zu lassen, daß zu öffentlichen Aemtern nur L. befördert werden dürften. Nur im Militär findet eine Ausnahme statt; hier findet so zu sagen überall der fremde Adel durch seine Stellung und Verbindungen Unterkommen, und die höchsten militärischen Würden bekleiden nicht blos L., sondern auch Ausländer; es gilt sogar als eine Ehre, daß irgend ein Regiment, wenn auch nur dem Namen nach, unter dem Befehle eines fremden Fürsten, Königs steht — in Deutschland ist selbst der Kaiser von Rußland Inhaber solcher Heerabtheilungen. Recht seltsam dagegen nahm es sich aus, daß in Deutschland die alten Schlagbäume hinsichtlich der öffentlichen Beamtungen so lange stehen geblieben sind. Hätte sich nicht durch die Universitäten, an welchen man allerdings des Bedürfnisses wegen genöthigt war, nicht blos L. anzustellen und vorzuziehen, sondern auch Ausländer zu berufen, der Glaube erhalten, daß Deutschland ein zusammengehöriges Ganzes sei, man hätte wohl sonst aus der Strenge, mit der man bei Ansässigmachung von Ausländern verfuhr und darauf sah, daß nur L. zu öffentlichen Diensten und Aemtern gelangten, schließen müssen, daß ein deutscher Stamm dem andern völlig fremd sei und mit der Grenze jedes der 38 Bundesländer und Bundesländchen das Ausland anfange. Wagte es ja einmal irgend ein Patronatsherr oder eine Gemeinde, aus dem Auslande einen Geistlichen, Lehrer u. s. w. zu berufen und anzustellen, sicher konnte man darauf rechnen, daß von den Philistern das alte Lied von der Ausländerei angestimmt und der Vorwurf laut wurde, daß es im Inlande gewiß nicht an L.n fehle, die eben so fähig und würdig seien wie der Ausländer, zu dem betreffenden Amte befördert zu werden. So hat die künstliche Trennung, welche eine selbstsüchtige Politik zwischen den Angehörigen eines Volkes geschaffen und aufrecht erhalten hat, fast alle Bande der Zusammengehörigkeit des deutschen Volkes zerrissen. Fortan wird dies anders sein. In der neuen Bundesverfassung, die Deutschland erhalten wird, muß ein deutsches Staatsbürgerrecht anerkannt werden, so daß fortan jeder Deutsche nicht blos in jedem deutschen Lande ungehindert gehen, reisen, Handel treiben, wandern, sich niederlassen, sondern auch zu Gemeinde- und Staatsdiensten und Aemtern gelangen kann. Der Nachtheil, den die L. auf der einen Seite erleiden möchten, würde sich auf der andern Seite ausgleichen. Mit einem Worte: die deutsche Ausländerei muß aufhören, das Inland reichen, so weit die deutsche Grenze geht, und die L. sich ausbreiten und eine Heimath suchen dürfen, so weit der Boden deutsch ist. Daß die Angehörigen eines fremden Volkes, wirkliche Ausländer, nicht eher zu Beamten eines Staates befördert werden sollen, als bis sie in den Staatsverband aufgenommen sind, daß man nur in seltenen Fällen dazu Veranlassung haben wird, so lange sie nicht ihr Volksthum aufgegeben und sich in Sprache und Sitten und Rechtsanschauungen ihrem neuen Vaterlande angeschlossen haben, versteht sich von selbst. In Nordamerika können die Fremden, wenn sie naturalisirt, d. h. in den Staatsverband der vereinigten Staaten als Bürger aufgenommen sind, nach einer gewissen kurzen Zeit zu allen Staatsämtern gelangen. Nur der Präsident muß ein Eingeborner sein.

R.

Landesordnung nannte man früherhin die Gesetzsammlung eines Landes, oder auch einzelne Gesetze über einzelne Dinge.

Landestrauer, Landtrauer, Trauer, die für ein Land beim Ableben des Landesherrn oder seiner Gemahlin und Wittwe ausgeschrieben zu werden pflegt. Die gemüthliche Anschauung, mit welcher man früher das Verhältniß des Landesherrn zu seinen Unterthanen als das eines Vaters zu seinen Kindern zu betrachten gewohnt war, brachte es mit sich, daß beim Ableben dieses Vaters die guten frommen Kinder, d. h. das ganze Land, in die tiefste Trauer versetzt ward. Wenn es auch nicht alle= mal wahr war, daß man sich über das Ableben des Landesvaters ernstlich betrübte; wenn man sich wohl zuweilen sogar Glück wünschte, von der Gewaltherrschaft eines Bedrückers erlöst zu sein, und aufathmete in der Hoffnung einer bessern Zukunft bei der Nachricht seines Todes: so that man doch wenigstens so, als ob das Land einen unersetzlichen Verlust erlitten, und trug äußerlich eine Trauer zur Schau, von der das Herz nichts wußte, oder höchstens die Sitte, die Mode, die Hauptveranlassung war. Zunächst ward den hohen und niedern Hofdienerschaft, den Staatsdienern und Ge= meindebeamten, die Trauer vorgeschrieben, und der Adel nicht nur, auch der vermö= gendere Bürgerstand schloß sich dem in seiner Gutmüthigkeit freiwillig an, indem er Trauerkleider anlegte. Alle laute Vergnügungen, Concerte, Theater u. drgl. wurden auf eine gewisse Zeit eingestellt, dagegen mit den Kirchenglocken geläutet. Heut zu Tage ist die L. nicht mehr von so langer Dauer, wie ehemals, doch hat es mit ihr wohl noch eben dieselbe Bewandniß. Werth hat sie nicht, da sie in den meisten Fällen keine wahre Herzenssache, sondern befohlen und eine Mode ist. In die gewerb= lichen Verhältnisse greift sie in so fern störend ein, als sie viele Handelsartikel, bunte Stoffe z. B., besonders solche, die für die Frauenwelt bestimmt sind, plötzlich auster= Verkehr bringt, und einer Anzahl Menschen, der eine erlaubte Beschäftigung treiben und das Recht dazu haben (Musikanten, Schauspieler, Tanzhalter u. s. w.) ihren Erwerb schmälert. Die polnischen Frauen haben sich immer dadurch ausgezeichnet, daß sie in Zeiten großen Nationalunglücks, wenn ihr Vaterland unterdrückt, oder sei= ner besten Söhne beraubt wurde, Trauerkleider anlegten und L. hielten. Ein schöner Zug das!   Cramer.

Landesverrath, so viel wie Staatsverrath, s. d. und Hochverrath.

Landesverweisung. Zu den Mißgeburten einer rechtlosen Vorzeit, welche zum Theil jetzt noch in den bestaubten deutschen Strafgesetzbüchern ihren unheimlichen Spuk treiben, gehört auch die Strafe der L., die ursprünglich darin bestand, daß der Verurtheilte einen gewissen Bezirk oder auch das ganze Land auf eine bestimmte Zeit verlassen und einen Eid ablegen mußte, vor deren Ablauf nicht zurückkehren zu wollen. Dieser Eid hieß die **Urfehde**; die L. selbst aber war entweder eine **zeitliche**, d. h. nur Jahre lang dauernde, oder eine **ewige**, d. h. auf das ganze Leben des Verur= theilten sich erstreckende, und letztere mit Staupenschlag verbunden. Brach ein solcher Landesverwiesener durch vorzeitige Rückkehr die Urfehde, so wurde er durch Abhauen der drei vordern Finger an der rechten Hand bestraft. — Nun sollte man freilich meinen, daß mit der Zeit auch das deutsche Strafrecht anders und menschlicher hätte werden müssen, zumal es gegen die Grundsätze des Völkerrechts ist, mit dem Ab= schaume der Gesellschaft — denn nur für wirkliche Verbrecher war die Strafe der L. bestimmt — andere Staaten zu beglücken. Dies war auch zeither insofern der Fall, als sie nicht mehr den Verbrecher, — wohl aber den Vaterlandsfreund noch traf, wenn dieser zu laut und kühn für des Volkes verletzte Rechte auftrat und sich dadurch den deutschen „Landesvätern" und ihren Ministern „mißliebig" erwies; nur daß man ein solches willkürliches Strafverfahren in der Kunstsprache der Diplo= matie „polizeiliche Maßregeln" nannte. Auf diese Weise wurden auf Betrieb der hochseligen europäischen „Großmächte" 1837 die Mitglieder des sog. „jungen Deutsch= lands" aus der Schweiz, und 1845 die freisinnigen badischen Volksvertreter v. It= stein und Hecker mit gröbster Verletzung des Gastrechts (s. d. und Ausweisung) aus den preußischen Staaten hinaus „gemaßregelt". Alle Begriffe von grenzenloser Willkür und Ungerechtigkeit aber übersteigt das königl. preuß. Verfahren gegen den Erfurter Bürger **Krackrügge**, der 1847 noch dafür, daß er mit edler Selbst=

aufopferung ein unglückliches Mädchen, die Tochter des königl. preuß. Regierungs=
raths v. Ehrenberg, der nichtswürdigsten Behandlung ihres entmenschten Vaters
entzog, mit L. — und, da die gepriesene Gerechtigkeitsliebe des preuß. „Landesvaters"
ihm wenigstens noch die Wahl zwischen L. und dem Zuchthause ließ, Krack=
rügge aber seiner Familienverhältnisse wegen Letzteres wählte, — mit Zuchthaus=
strafe belegt wurde, die der wackere deutsche Mann auch verbüßte. W. Pretzsch.

Landfolge, s. Frohnen.

Landfrieden, Landfriedensbruch. Schon in den ersten Zeiten des deut=
schen Mittelalters bemühten sich die deutschen Kaiser dem immer mehr überhand neh=
menden Faustrecht (s. d.) gegenüber durch Gesetze für Aufrechthaltung des Friedens
zu sorgen. Es gelang dies nicht durchgreifend, sondern zuerst wenigstens nur dadurch,
daß bestimmt wurde: wer den Andern aus gerechter Ursache befehden wolle, müsse den
Gegner vorerst wenigstens 3 Tage vorher davon benachrichtigen, oder, wie man es
nannte, ihm absagen; wer einen Andern ohne solche Absage befehdete, brach den L.
Diese und ähnliche von den Kaisern wiederholt erneuerte Gesetze konnten jedoch bei
dem unruhigen Charakter jener Zeit immer nicht auf die Dauer gehandhabt werden.
Zu ihrer Unterstützung wurden daher häufig noch besondere Verbindungen der Städte
und der Grafen, namentlich in Süddeutschland, geschlossen, welche man auch wieder
L. nannte, die aber bald in das Gegentheil ausarteten und neue Fehden hervorriefen.
Nachdem sich in dieser Weise die Sache durch das ganze 14. und 15. Jahrh. hinge=
zogen hatte, indem selbst die sog. ewigen, d. h. auf alle Zeiten errichteten L. nur
jedesmal einige Jahre lang Bestand gehabt hatten, gelang es endlich dem Kaiser
Maximilian I., im Verein mit Kurfürsten, Fürsten und Städten, 1495 einen
„ewigen Landfrieden" zu errichten, in welchem die Selbsthülfe bei 2000 Mark löthigen
Goldes verboten ward. Erst in der Mitte des 16. Jahrh. wurde indeß das Faust=
recht ganz abgeschafft. — Unter L.sbruch verstehen die neuern Strafgesetze die straf=
bare Zusammenrottung Mehrerer, um durch widerrechtliche Angriffe gegen Personen,
Grundstücke u. s. w. öffentliche Gewalt zu üben. A.

Landgemeindeordnung, s. Dorfgemeinden.

Landgericht, ein Untergericht, welches die Gerichtsbarkeit über einen bestimm=
ten Bezirk, gewöhnlich mit Ausschluß der inliegenden Städte, welche besondere Stadt=
gerichte haben, also über das platte Land hat. In Baiern, Sachsen u. s. w. führen
die Untergerichte diesen Namen. Der Vorstand eines solchen heißt Landrichter.

Landgestüt, s. Gestüt.

Landgüter zerfallen in Bauern= und Rittergüter, und ist das dort Gesagte
nachzulesen.

Landkrieg, s. Krieg.

Landrath, s. Drost.

Landrecht, früher im Gegensatze zum Lehnrecht der Inbegriff der Rechtsgrund=
sätze über das lehnfreie Eigenthum und andere bürgerliche Rechtsverhältnisse, jetzt
der Name für ein bürgerliches Gesetzbuch in den einzelnen Staaten. Das früheste
dieser letztern Art ist das Allgemeine L. für die preußischen Staaten, in Gesetzes=
kraft seit dem 1. Januar 1794, bei dessen Abfassung der Kammergerichtsrath Suarez
hauptsächlich betheiligt war. Es hat große Vorzüge und leidet nur an einem häu=
figen ins Einzelne Gehen der gesetzlichen Bestimmungen, an deren Stelle allgemeine
Grundsätze zweckmäßiger aufgestellt wären. Das Letztere ist gerade der Vorzug des
etwas später publicirten österreichischen bürgerlichen Gesetzbuchs, das zwar nicht
den Namen L. trägt, aber in der That ein solches ist. In Baden hat man seit der
franz. Fremdherrschaft den Code Napoleon (s. d.) als „badisches L." mit einigen
Abänderungen eingeführt. A.

Landrente, der Reinertrag, welchen ein Landgut abwirft.

Landrentenbank, s. Ablösung.

Landrentenbriefe, ſ. Ablöſung.

Landrichter, ſ. Landgericht.

Landſaſſen (Landſaſſiat), früher in verſchiedener Bedeutung genommen, bezeichnet jetzt in der Regel die auswärts wohnenden Beſitzer von Gütern in ihrem Verhältniß zu dem Landesherrn, in deſſen Gebiete dieſe Güter liegen. Dabei unterſcheidet man zwiſchen dem minder vollen Landſaſſiat, d. h. demjenigen Rechtsverhältniß, wonach ſolche nur in Bezug auf dieſe Güter in einem Unterthanenverhältniß zu dem bezeichneten Landesherrn ſtehen, und dem vollen Landſaſſiat, wonach ſich dieſes Rechtsverhältniß auch auf andere, perſönliche Verpflichtungen erſtreckt. Das erſtere iſt als das richtigere und allgemeiner geltende anzuſehen.   A.

Landſchaft wird in einigen Ländern die Landesvertretung genannt, iſt demnach ſo viel wie Landſtände, Ständeverſammlung.

Landsmannſchaften, Verbindungen der Studenten auf Univerſitäten, die urſprünglich dadurch entſtanden, daß die Landsleute, die einander auf der Hochſchule begegneten, ſich aneinander anſchloſſen und ein geſelliges Leben führten, nachher aber ſich nicht ſo ſtreng daran kehrten, was einer, der zu ihnen trat, für ein Landsmann war. Erſt ſeit dem Entſtehen der Burſchenſchaft (ſ. d.) ſind die L. dadurch zu einer gewiſſen Berühmtheit gelangt, daß ſie die Unſitte, die auf den Univerſitäten ſich von Geſchlecht zu Geſchlecht fortgepflanzt (Pauken und Saufen, Renommiren und Commentreiten, Nichtsthun und in den Tag Hineinleben), zu bewahren und zu fördern und auszubilden bemüht waren, der von der Burſchenſchaft ausgehenden Richtung auf vaterländiſche Angelegenheiten und Sittenreinheit mit aller Macht ſich entgegenſtellten, zu dem Ende wohl ſogar den Aufſchwung der jugendlichen Gemüther durch das Hinleiten zur Ausſchweifung abzulödten ſuchten. Den Regierungen leuchtete es ein, daß ihnen von dieſen Verbindungen keine Gefahr drohe, ſondern vielmehr ihren Planen in die Hände gearbeitet werde, und daher kommt es, daß trotz aller Verbote gegen geheime Verbindungen die L. unangefochten fortbeſtanden, in Baiern ſogar ausdrücklich beſtätigt wurden. Wenn ſich zu Anfang der 30er Jahre hier und da in Süddeutſchland ein politiſcher Gedanke und zwar ein freiſinniger in die L. eindrängte, ſo war dies nur eine vorübergehende Erſcheinung und mehr Sache einzelner hervorragender Köpfe, als der Verbindung als ſolcher. Im Allgemeinen ſchloſſen ſie alle Theilnahme an politiſchen Dingen und Beſtrebungen aus, oder verrieten wenigſtens das conſervative und ariſtokratiſche Weſen; einzelne L. waren ſogar ſo ausſchließend, daß ſie nur dem Adel vom reinſten Blut offen ſtanden, aber aber trugen die ſelbſtgefälligſte Ueberhebung über den ſog. Philiſter, d. h. den Bürgersmann, zur Schau. Daran hat ſich im Lauf langer Jahre ſehr wenig geändert oder gemildert. Der allgemeine Umſchwung der Dinge wird indeß ſeinen Einfluß auf die Univerſitäten nicht verfehlen, und es ſteht zu hoffen, daß der Ernſt der Zeit auch von ihnen begriffen werden wird und unter der geſammten ſtudirenden Jugend, die ja zunächſt für das Staats- und Gemeinleben ſich beſtimmt, an die Stelle des wüſten Treibens, der hohlen Aeußerlichkeiten, die gegenwärtig noch vorherrſchen, der Sinn auf das Höhere tritt, welcher die Scheidewand zwiſchen Studenthum und Bürgerthum niederreißt und in der thatkräftigen Hingebung an das Vaterland den Ruhm ſucht, der aus dem landsmannſchaftlichen Weſen, wie es zeither ſich ausnahm, nicht hervorgehen konnte.

Landſtände nennt man ſolche Perſonen oder Gemeinheiten, ohne deren Zuziehung gewiſſe Hoheitsrechte des Landesherrn nicht ausgeübt werden dürfen und die daher das Recht haben, auf Landtagen zu erſcheinen, um daſelbſt über die von der Landesregierung in Vorſchlag gebrachten Gegenſtände ihre Meinung im Namen ihrer Machtgeber auszuſprechen. Dieſes Recht iſt ein weſentlicher Beſtandtheil einer Conſtitution oder Staatsverfaſſung (ſ. d.) und wurzelt in der älteſten deutſchen Volksgeſchichte; denn ſchon die alten Germanen beſchickten die Volksverſammlungen, in denen über Krieg und Frieden verhandelt wurde, durch Abgeordnete oder Stellvertreter (Volksrepräsentantschaft), welche für ihre Stämme zustimmend oder verneinend daran Theil zu nehmen hatten. Selbst dann noch, als die eigentliche deutsche Volksfreiheit und deren staatliche Einrichtungen längst schon zu Grabe getragen waren, gab es wenigstens der Form nach eine Landstandschaft noch, wie aus dem Reichsbeschlusse von 1231 hervorgeht, worin es ausdrücklich heißt: „daß von den Fürsten und Herren (principes et domini terrae) keine neuen Rechte und Einrichtungen gemacht werden sollten, wenn nicht die Landgemeinden (meliores et majores terrae) darin sich einstimmend erklärten." Je nach den Verhältnissen des Landes waren die L. oder Volksvertreter der spätern Zeit zusammengesetzt aus den Prälaten, Grafen und Herren, der Ritterschaft, den Städten und Landgemeinden. Eben so verschieden, wie ihre Bestandtheile, waren auch die Rechte dieser L., wobei es gewöhnlich nur auf den Regenten oder dessen Minister ankam, ob und wie sie ihre Vollmacht gebrauchen durften oder nicht; eigentlicher Antheil an der Gesetzgebung, wie es sich wohl verstanden hätte, war ihnen nirgends verstattet, höchstens, daß sie über Verwaltungsmißbräuche sich leise beschweren mochten. Noch später aber, und als der niedere Adel sich auf Unkosten der andern Stände immer mehr erhob, aber fast gar nichts mehr galten, gerieth die Landstandschaft ganz in Verfall und bestand kaum noch dem Namen nach, wie sehr auch im Volke das Verlangen danach lebhaft sich aussprach. Daher erregte es allgemeine große Freude, als 1815 der deutsche Bund außer andern liberalen Einrichtungen im staatlichen Leben auch Verfassungen verhieß und in seinem 13. Artikel die „landständische Verfassung als einen nothwendigen Bestandtheil der Grundverfassung aller deutschen Staaten" anerkannte. Allein, wie dieser deutsche Bund unter lauter schönen Verheißungen alt und grau wurde, ohne zu deren Ausführung kommen zu können, so war es auch damit. Zwar wurde nach und nach das alte Uebel der Steuerfreiheit der Rittergüter beseitigt und auch der kleinere Grundbesitz, der Bauernstand, zur Wählbarkeit zugelassen; allein schlau genug richtete man die Wahlgesetze (f. d.) für die Landstände so ein, daß die Wahlen von der Größe des Grundbesitzes oder des Vermögens überhaupt abhängig wurden; um so Volksvertreter gegenüber zu haben, deren Unterthänigkeit oder geistige Beschränktheit als Bürgschaft ihrer Schweigsamkeit gelten konnten. Die große Masse des Volks aber, der vierte besitzlose Stand, war gar nicht vertreten; nicht, daß es diesem an Befähigung dazu gemangelt hätte, — sondern weil man befürchtete, daß er, der Nichts zu verlieren hatte, auch frischer und freier von der Leber weg reden möchte. So bestanden mit wenigen ehrenvollen Ausnahmen die L. zeither nicht aus Sprechern, sondern aus stummen Bunickern und Jaherren, welche keinen andern Zweck ihrer Landstandschaft zu kennen schienen, als die Regierungsmaßregeln sammt und sonders gut zu heißen, und die nur dann ihr trauriges Oelgötzenthum aufgaben, wenn eine Ministerprise oder ein fürstliches Mittagsessen sie über ihr Fassungsvermögen glücklich machte. Dies soll aber nicht sein und muß anders und besser werden, wenn der neu aufflackernde Glaube an Volksfreiheit und Menschenrechte nicht wieder zur Lüge werden soll. Darum vor allen Dingen — Wahlreform! Von ihr hängt die Zusammensetzung und davon der gute oder schlechte, der freiheitmehrende oder freiheittödtende Gang der Landtage ab! W. Pretzsch.

Landständische Geschäftsordnung, s. Geschäftsordnung, landständische.

Landständische Verfassung, s. Verfassung.

Landstraßen, s. Straßenbau.

Landtag, die Versammlung der Landstände (s. d.). Ob das eine Versammlung von Feudalständen oder von volksvertretenden Abgeordneten sei, ob sie in zwei Kammern zerfalle oder nur aus einer Kammer bestehe — immer heißt sie L. Die deutschen L.e haben im Ganzen nicht viel vor sich gebracht. Es lag dies zum Theil an ihnen selbst, indem sie zu wenig Entschiedenheit zeigten, zum Theil aber auch in den öffentlichen Verhältnissen, indem sich die Adelspartei so fest gegen die Freiheit des

Volkes verschworen hatte, daß auch die billigsten und bescheidensten Forderungen bei ihrer Hartnäckigkeit kein Gehör fanden. Diese volksfeindliche Partei, die alle Ministerien besetzt hielt, ist nun gestürzt, und die deutschen L.e werden sich fortan wohl ersprießlicher erweisen, zumal da die politischen Ehrenrechte (Wahlrecht und Wählbarkeit) nicht auf den Besitz, auf ein gewisses Vermögen oder Einkommen beschränkt bleiben dürfen, sondern an unbescholtene volljährigen Mann ausgedehnt werden müssen — obgleich sie dadurch an Bedeutung verlieren müssen, daß die Gesetzgebung, die sich zeither auf so und so viel L.en zersplitterte, fortan für ganz Deutschland von einem Mittelpunkte, von der deutschen Nationalversammlung (Parlament, Reichstag) ausgehen wird und die Ständeversammlungen oder L. der Einzelstaaten dadurch zu Provinzial-L.en herabsinken werden.   R.

Landtagsabschied, die Antwort des Fürsten auf die Beschlüsse des Landtags. Mit einer Anrede oder Zuschrift des Landesherrn an die Landstände, in der er sich über die öffentliche Lage des Landes und die vorseienden Gesetzgebungsarbeiten ausspricht, wird der Landtag eröffnet (Thronrede); auf dieselbe Weise wird er geschlossen und die Verabschiedung geschieht so, daß in einer besondern Urkunde, dem L., auf jeden einzelnen von dem Landtag gefaßten Beschluß eine bestimmte Entscheidung, bejahend oder verneinend, gegeben wird. Es war seit 30 Jahren in Deutschland so gäng und gäbe, daß, wenn ein Landtagsbeschluß auf Erweiterung der Volksrechte oder auch nur auf Erfüllung der verfassungsmäßig verheißenen Rechte lautete, derselbe im L. entweder verworfen oder auf unbestimmte Zeit, in eine unabsehbare Ferne hinausgeschoben wurde. Hatten die Volksmänner mit vieler Mühe und Noth einen solchen Antrag endlich durch beide Kammern hindurchgebracht, dann kam der hinkende Bote, die Abweisung im L., doch noch nach. Oft kam es auch wohl vor, daß den Mehrheiten, die zu diesen Beschlüssen mitgewirkt, einzelnen Persönlichkeiten sogar, die sich ganz besonders dabei betheiligt hatten, im L. eine Strafpredigt für ihr unzeitiges, übereiltes, unüberlegtes, ungestümes, wühlerisches Thun gehalten, noch mehr, daß geradezu die Erwartung ausgesprochen wurde, das Land werde die „Feinde der Ordnung" und der „nur das Volkswohl im Auge habenden" Regierung nicht wieder mit einem Auftrag betrauen, der nur in den Händen der Anhänger des Regierungssystems gut aufgehoben sei. Durch derartige L.e zeichnete sich besonders Hannover aus nach der Aufhebung des Staatsgrundgesetzes durch Ernst August; aber auch in Baden hat das Ministerium Blittersdorf sich auf diese Weise berühmt gemacht.   Cramer.

Landtagsausschuß. In einigen Ländern ist dahin Vorsorge getroffen, daß auch nach Schluß des Landtags, in der Zwischenzeit von dem einen zum andern, ein Organ vorhanden ist, welches aus den Ständen und von ihnen gewählt der Regierung gegenüber das Land vertritt, und L. oder landständischer Ausschuß heißt. Gewöhnlich sind ihm besondere Rechte hinsichtlich der Verwaltung der Tilgung der Staatsschulden, eine Art Oberaufsicht, daß nichts gegen die Staatsverfassung geschieht, übertragen. Auch die Ausschüsse, welche zur Vorberathung und Begutachtung der Gesetzgebungsarbeiten u. dergl. von den Kammern niedergesetzt werden und ihnen Bericht zu erstatten haben, bevor sie selbst auf Berathung des Gegenstandes eintreten, heißen zuweilen Landtagsausschüsse (Deputationen, Commissionen, Abtheilungen). Vergl. hierüber Geschäftsordnung, landständische.

Landtagsordnung, s. Geschäftsordnung, landständische.

Landtagspredigt. Im christlichen Staat muß alles gute Werk, damit es gelinge, mit Singen und Beten und Gotteswort begonnen werden: also auch die Landtage, die Verhandlungen der Kammern. Der Eröffnung der Landtage geht also in einigen deutschen Staaten, z. B. Preußen, Sachsen u. s. w., ein feierlicher Gottesdienst voraus, in dem ein Hof- oder Oberhofprediger den versammelten Landständen die Wichtigkeit ihres Wirkens ans Herz legt, mit salbungsvoller Rede ins Gewissen spricht, kurz, eine L. hält. Wenn die Stände es nicht vorher schon wissen, was sie zu thun haben, was ihre Pflicht ist, durch die L. werden sie es auch nicht erfahren. Die Geistlichen können sich nur schwer der christlichen Anschauungen, der Bibelstellen, mit denen sie ihren Kopf angefüllt, entschlagen, und davon paßt denn das Meiste für eine politische Versammlung, die ihrer Stellung sich bewußt, nicht, oder nur, wenn es an den Haaren herbeigezogen wird. Die L. ist eine sehr überflüssige Feierlichkeit. Statt zu erbauen, liefert sie in den meisten Fällen einen neuen Beweis, daß die Vermengung von Kirche und Staat, die Einmischung kirchlicher Bräuche in politische Dinge weder der Kirche noch dem Staat zum Vortheil gereicht.

Landtagsverhandlungen, die Verhandlungen, welche auf einem Landtag gepflogen werden. Das Allererste, was dem Volke hinsichtlich des Landtags gewährt werden muß, ist, daß die Sitzungen desselben öffentlich seien, d. h. daß nicht blos das Volk selbst als Zuhörer bei den Sitzungen zugelassen wird, sondern auch, weil doch nur der kleinste Theil des Volkes des Ortes und Raumes wegen von dieser Vergünstigung Gebrauch machen kann, die Verhandlungen des Landtags niedergeschrieben und in passender Form, sei es in aller Vollständigkeit, sei es wenigstens als Kammerprotocolle gedruckt und also zur öffentlichen Kenntniß gebracht werden, damit Jedermann erfahre, was und in welcher Weise auf dem Landtag verhandelt werde, welche Haltung der eigne Vertreter beobachtet u. s. w. Wie lange hat es gedauert, welche Kämpfe hat es gekostet, bis diese Oeffentlichkeit der L. durchgedrungen ist! Nicht nur, daß einzelne Regierungen bis zum letzten Augenblick, wo das alte System mit Schimpf und Schanden zusammenbrach, sich n-eigerten, die Oeffentlichkeit der L. zuzugestehen, manche Kammern selbst waren feig und niederträchtig genug, jeden darauf gehenden Antrag zurückzuweisen — sie hätten allerdings vor dem Lichte der Oeffentlichkeit schlecht bestehen mögen und deshalb hüllen sie sich ins tiefste Dunkel des Geheimnisses, in das sich alles Schlechte verkriecht, und der Bundestag war ihnen ja hierin mit gutem Beispiele vorangegangen. Zunächst ist es Sache der Presse, die Kammerverhandlungen zu veröffentlichen, und sie wird es unfehlbar freiwillig thun, wo ihr diese Freiheit gestattet wird. Daneben ist es jedoch wünschenswerth, daß auch ein amtlicher Abbruck der L. erfolge, sei es in einem bestehenden, hierzu ausgewählten Blatte, sei es, daß die durch Schnellschreiber niedergeschriebenen Reden mit allen Unterlagen, den Gesetzesvorlagen, den gutachtlichen Berichten der Abtheilungen u. s. w. als ein besonderer Druck für sich unter Aufsicht und Mitwirkung der Kammer selbst oder der Regierung herausgegeben werden. Je vollständiger, desto besser; am besten, wenn die Reden auch in Redeform gegeben werden, — daß der Name des Redners nicht fehlen darf, versteht sich von selbst. Die Art, wie die L. in Sachsen veröffentlicht werden, durch amtliche „Mittheilungen“, die in aller Umständlichkeit und Genauigkeit gehalten und dabei doch ziemlich billig sind, weil aus der Staatskasse zur Herstellung derselben ein Zuschuß geleistet wird, verdient jedenfalls den Vorzug vor bloßen Protocollen, in denen ein magerer Auszug aus den Verhandlungen und das Ergebniß der Beschlüsse, also nur ein sehr ungenaues und unvollständiges Bild von den Verhandlungen gegeben wird. Cramer.

Land und Leute. Ein Ausdruck, der aus der Zeit stammt, wo die Gewaltherrschaft in voller Geltung stand. Die Schmeichelei und der Knechtssinn deutscher Gelehrten hatte die Lehre erfunden, daß nicht blos das Land, sondern auch die Leute, die darauf wohnen, dem Landesherrn gehören, daß er mit unbeschränkter Machtvollkommenheit, rein nach Belieben, über L. u. L. verfügen, also gegen ihren Willen sie verkaufen, verschenken, verpfänden, abtreten u. s. w. könne. Das gesammte Land sowohl betrachtete man als Eigenthum des Landesfürsten, das den Leuten nur zur Nutznießung überlassen sei, als auch die Leute wie seinen Besitz, über die er wie der Herr über Sklaven herrsche. Das war freilich eine schöne Zeit für die Erdengötter, um so schöner, da die Menschen gläubig genug waren, solchen Wahnsinn für wahr zu halten. Die Geschichte hat zu ihrem großen Leidwesen einen Strich durch diese

Rechnung gemacht. Jetzt steht die Sache so, daß weder das Land, welches ein Volk bewohnt, dem Landesfürsten gehört, noch das Volk als deffen Eigenthum betrachtet werden darf. Jetzt gilt der Grundsatz, daß der Staat und das Volk nicht des Fürsten wegen da sei, sondern der Fürst des Staates und Volkes wegen. Der Ausdruck L. u. L. hat seine frühere auf Gewalt gestützte Berechtigung völlig verloren; wer ihn jetzt noch thatsächlich geltend machen wollte, würde entweder verlacht, oder, falls es ihm Ernst sein sollte, durch das Volk in die gebührenden Schranken zurückgewiesen werden. Das Volk ist sein eigner Herr geworden, und das Land, auf dem es wohnt, gehört ihm. Lasse sich Niemand einfallen, Eigenthumsrechte daran geltend zu machen.

R.

Landvogt, ein Beamter im deutschen Reiche, der im Namen des Kaisers und als deffen Stellvertreter in der ihm übertragenen Vogtei Gerichtsbarkeit und Polizei ausübte. Der Name hat nur noch geschichtliche Bedeutung.

Landwehr, Landwehrsystem wird diejenige Art der Volksbewaffnung genannt, die bis zur Umwälzung von 1848 fast allgemein als unübertrefflich galt und für deren Musterbild die preußische L. angesehen wird. Welches auch die weitschauenden Absichten der Gründer der letztern gewesen sein mögen, und obwohl in der Einrichtung selbst ursprünglich Keime verborgen lagen, eine wirkliche Volkswehr daraus zu entwickeln; so war die preußische Landwehr nachgerade zu nichts Anderem geworden, als zu einem Anhängsel des stehenden Heeres, in welchem derselbe Geist der mechanischen Abrichtung und des willenlosen Gehorsams vorwaltete, der das stehende Heer selbst durchdrang, und der es im Drillen und zwangvollen Einschulen zu einem gefügen und allbereiten Werkzeug der Gewalt machte. Der Name schon zeigt, daß der Einrichtung der L. vor allem die Absicht zu Grunde lag, das Land zu schützen, die Einbrüche auswärtiger Feinde abzuhalten. So wie die Landtage in der nun auf immer untergegangenen Zeit es nur mit einer Vertretung des Grund und Bodens und seiner Interessen zu thun hatten, keineswegs aber das Volk, seine Gedanken und seine Bedürfnisse vertraten, wie dies durch Nationalversammlungen, Volkstage u. s. w. geschieht; so war auch die L. durchaus nicht zum Schutze der innern Freiheiten und der geistigen Errungenschaften, darunter die allgemeine Wehrfähigkeit selbst einbegriffen, da; ohne innere selbstständige Lebens- und Entwickelungskraft borgt ein solches Wehrsystem fast immer alle Formen von dem stehenden Heere und geht zuletzt so in ihm auf; wie z. B. in Oesterreich, wo die im Jahre 1809 geschaffene L. jetzt die vierten Bataillone der Armee bildet. In Preußen gab der Volksaufschwung bei Zertrümmerung der napoleonischen Fremdherrschaft die Idee einer allgemeinen Volksbewaffnung an die Hand, und den Urhebern und Förderern des Plans, Gneisenau, Scharnhorst u. A., scheint der Gedanke wirklich nicht fremd geblieben zu sein, daß die Ausbildung dieser Einrichtung endlich zu einem Aufgehen des stehenden Heeres in die allgemeine Volksbewaffnung und den Volkswehrstand führen werde. Dazu hätte aber gehört, daß man der L. zur Seite eine freie Entwicklung der Staatsgestaltung zugelassen; dies hätte die innere Fortbildung des Wehrinstituts gleichfalls zur Folge gehabt. In Ermangelung freier Staatseinrichtungen erstarb die Idee, welche, wenn auch nicht klar ausgesprochen, die L. in Preußen ins Leben gerufen, und das preußische L.system verhärtete und versteinerte dermaßen, daß wirkliche Lebensäußerungen hinsichtlich der Erfrischung und Stärkung des Volksgeistes nirgend mehr erblickt wurden, um so weniger, als man es sich von Seite des alten Regierungssystems angelegen sein ließ, selbst die beffern Seiten der Einrichtung zu verderben und durch Maßregeln, welche dazu führen mußten, daß zuletzt alle Officierstellen in der L. mit Söhnen des Adels und der Bureaukratie besetzt wurden, dieselbe zu einem ebenso willfährigen und gehorsamen Werkzeuge zu machen, als in dem stehenden Heere zur Verfügung stand. Die Staatsumwälzung von 1848 machte diesen Entwürfen mit einem Schlag ein Ende und zeigte in ihren Folgen, daß die L. in ihrer bisheri gen Geſtalt, eben ſo wenig als das ſtehende Heer, vereinbar iſt mit einem freien, ſeiner Machtvollkommenheit ſich bewußten und dieſelbe zur Ausübung bringenden Volke. Dazu ſchickt ſich nur allgemeine **Volksbewaffnung,** Volkswehr im eigentlichen Sinne; darüber, wie über die bisherigen Geſtaltungen und Einrichtungen unter dieſen Artikeln und unter **Turnen, Turnerei, Wehrſtand.**   J. G. G.

Landwirthſchaft wird der Zweig des Gewerbfleißes genannt, der ſich damit befaßt, den Grund und Boden der Art zu bearbeiten, daß letzterer den größtmöglichen Ertrag an Früchten liefert, die mittel- und unmittelbar zum Unterhalte der Menſchen beitragen. Zwiſchen den rohen Anfängen des Bodenanbaus im Kindesalter der Welt, wie dieſelben auch noch heute unter wilden und halbgeſitteten Völkern angetroffen werden, und der großen Vollkommenheit, die die L. heute erreicht hat, beſteht ein ſo ungeheurer Unterſchied, wie er ſich kaum in einem andern Zweige der menſchlichen Betriebſamkeit wiederfindet. Denn die L. iſt in unſern Tagen zu einer wirklichen Kunſt geworden, welche die Hinderniſſe und die Ungunſt der Natur zurückdrängt, ſie beſeitigt und durchbricht. Sie ſchafft, indem ſie ſich mit den von der Wiſſenſchaft aufgefundenen Hülfsmitteln ausrüſtet, den unfruchtbarſten Boden zum urbaren Gartenland um, ſie beſiegt die Unwirthlichkeit des Himmelſtrichs und weiß ſelbſt dann dem Boden noch Ertrag abzugewinnen, wo alle Bedingungen dazu zu mangeln ſcheinen. Bei dieſer Vervollkommnung der L. iſt es ihr gelungen, bereits ſchon jetzt jene **Malthus'ſche Theorie** Lügen zu ſtrafen, die da behauptet, daß die Bevölkerung im geometriſchen Verhältniſſe zunehme, während die Erzeugung der Ernährungsmittel nur im arithmetiſchen Verhältniſſe vorſchreite, ſo daß eines Tages das menſchliche Geſchlecht von allgemeiner Hungersnoth bedroht werden würde. Ueberall, wo man die Künſte des Friedens, unter denen die L. hinſichtlich ihrer Ausdehnung und der Nothwendigkeit ihrer Erzeugniſſe den erſten Rang einnimmt, wie es ſich gebührt, gepflegt und zu fördern ſucht, wo man die Feſſeln und Laſten entfernt, unter denen Grund und Boden ſo lange Zeit geſchmachtet haben und bis zu einem denkwürdigen Tagen in vielen Ländern noch ſchmachten — dort hat die Erzeugung der Lebensmittel in weit ſtärkerem Verhältniſſe zugenommen, als die Bevölkerung, was ſchon daraus hervorgeht, daß in dieſen Ländern trotz der Zunahme der Bevölkerung der Verbrauch der Lebensbedürfniſſe, für deren Hervorbringung die L. ſorgt, auf den Kopf gerechnet das Doppelte, ja das Dreifache deſſen beträgt, was vor 100 Jahren auf den Kopf traf. Auch iſt wohl zu erwägen, daß in unſern Tagen die in ſchneller Folge wiederholenden Zeiten der Hungersnoth früherer Jahre in Folge allgemeiner Mißernten, welche die Bevölkerungen lichteten, vorüber ſind, was gleichfalls darauf ſchließen läßt, daß es der L. in ihrer heutigen Vervollkommnung nicht nur gelungen iſt, Regelmäßigkeit dem Anwachſen der Bevölkerung entſprechend in ihre Production zu bringen, ſondern daß ſie auch den Ertrag ſelbſt der Art zu ſteigern weiß, daß die Zunahme des Verbrauchs im Allgemeinen und Einzelnen durch ſie befriedigt wird. Um ein Beiſpiel dieſer Verhältniſſe anzuführen, ſei hier erwähnt, daß man in Frankreich im Jahre 1791 den Geſammtertrag der Landwirthſchaft an Getreide auf 47 Millionen Hectolitres ſchätzte, was, die Menge des Saatkorns in Abrechnung gebracht, auf den Kopf einen Verbrauch von 1 Hectolitre 65 Centilitres ergab, während im Jahre 1840 die Erzeugung auf 70 Mill. Hectolitres geſtiegen war, was für den Kopf einen Verbrauch von 2 Hectolitres auswies. Dabei iſt aber noch in Rechnung zu ziehen, daß die L. heutzutage in Erzeugung anderer zum Lebensunterhalt dienender Producte, wie von Kartoffeln, Obſt u. ſ. w., ſo wie in Vermehrung des Viehſtandes durch vervollkommnetes Verfahren im Anbau und der Pflege des Bodens mittelſt Düngung, der Viehzucht durch Erzielung verſchiedenartiger Futterkräuter und neuer Methoden der Fütterung noch weit günſtigere Reſultate erzielt und die Menge der Lebensmittel ſolchergeſtalt in weit ſtärkerem Verhältniß vermehrt hat, als dies durch die Zunahme der Bevölkerung angedeutet ſcheint. —

Und doch läßt sich wohl sagen, daß wir erst am Anfang eines neuen Zeitalters für die L. stehen, daß die Wissenschaft nur erst begonnen hat, ihr befruchtendes Licht und ihre erwärmenden Strahlen auf diesen Arbeitszweig auszugießen; daß man erst angefangen hat, die in der L. beschäftigte unermeßliche Bevölkerung durch Ackerbauschulen, landwirthschaftliche Vereine u. s. w. mit jener Bildung und dem Geiste des Fortstrebens zu erfüllen, welche die Fortschritte in der Bearbeitung des Bodens beschleunigen können; daß der große Grundsatz des genossenschaftlichen Zusammenwirkens, der Association (s. d.), gerade in diesem Fache nur noch sehr sparsame Anwendung gefunden hat, um die Ausbeutung des Grund und Bodens in einer Weise zu bewerkstelligen, daß er in fortdauernder Weise den höchsten Ertrag liefert. Nimmt man endlich dazu, daß in den meisten Ländern bis zu diesem Tage die L. noch in den drückenden Fesseln der Feudalherrschaft lag, daß in manchen sogar Hörigkeit und Leibeigenschaft des größten Theils der ackerbautreibenden Bevölkerung das Vorwärtsstreben niederhielten und jeden Aufschwung freier Thätigkeit unmöglich machten, so läßt sich voraussagen, daß von nun an, wo der Augenblick gekommen zu sein scheint, in dem unter dem welterschütternden Stoße, der am 24. Febr. in Paris erfolgt ist, im ganzen Welttheil jene Fesseln abfallen oder zerrissen werden, der L., sobald sich die Ruhe nach dem Kampfe wieder eingestellt haben wird, ein neues Zeitalter ungeahnter Entwickelung und Blüthe beschieden sein wird, welche für immer den traurigen, der Menschheit unwürdigen Besorgnissen ein Ende machen müssen, daß der größte Theil der Menschen zum Hungern und dann und wann zum Verhungern bestimmt sei. J.G.G.

Landwirthschaftliches Institut. Da der größere Theil der Landwirthe die Landwirthschaft nur ganz handwerksmäßig betreibt, nach den Regeln, Anleitungen und Erfahrungen, die sich vom Vater auf den Sohn forterben, mit der rascheren Zunahme der Bevölkerung aber, damit es der letztern nicht an Lebensmitteln gebricht, die Verbesserung der Landwirthschaft gleichen Schritt halten muß, hat man es als nothwendig erkannt, landwirthschaftliche Institute (Landwirthschaftsschulen) zu errichten, in denen die Landwirthschaft nach wissenschaftlichen Grundsätzen gelehrt und betrieben wird. Fast in allen bedeutenden deutschen Staaten bestehen jetzt solche Schulen, die berühmtesten in Hohenheim in Würtemberg, zu Tharand in Sachsen, zu Schwetz in Preußen u. s. w. Meist sind damit Musterwirthschaften verbunden, in denen fremde Versuche und Erfahrungen benutzt werden. Der Nutzen solcher Schulen leuchtet ein. Wenn irgend wo, so herrscht in der Landwirthschaft noch ein großartiger Schlendrian. Indem der Landwirth auf solchen Anstalten die günstigen Erfolge veränderter Wirthschaftseinrichtung, neuer Erfindungen und Arbeitswerkzeuge u. s. w. durch den Augenschein kennen lernt, wird er geneigt gemacht, die eigne Wirthschaft nach denselben Grundsätzen einzurichten und zu verbessern. Es genügt deshalb auch nicht, daß blos die Söhne größerer Landwirthe für ihre Bildung etwas aufzuwenden haben, solche Anstalten besuchen, es muß vielmehr auch den Söhnen der kleinern Grundeigenthümer, des eigentlichen Bauernstandes, Gelegenheit verschafft werden, die Fortschritte der Landwirthschaft kennen zu lernen und die Vortheile, welche eine Verbesserung derselben durch Ersparung an Kosten und Erhöhung des Ertrags gewährt. Die verschiedenen Zweige der landwirthschaftlichen Industrie, Brauerei, Branntweinbrennerei u. s. w. werden zugleich in diesen Anstalten gelehrt und betrieben.   R.

Landwirthschaftliche Vereine. Zur gegenseitigen Anregung und Belehrung halten an vielen Orten die Landwirthe Versammlungen, auf denen sie über die Interessen der Landwirthschaft, die neuesten Erfahrungen und Erfindungen auf diesem Gebiete u. s. w. ihre Gedanken austauschen. Solche Versammlungen und Vereine sind sehr zweckmäßig, zumal wenn sich auch die kleinen Landwirthe daran betheiligen, denen ja ohnehin wenig Bildungsmittel zu Gebote stehen.

Lanzenknechte, s. Arkebusirer.

— **Laßgüter,** s. Ablösung.

Laſten, bäuerliche, ſ. bäuerliche Laſten.

Lateran, ein Palaſt in Rom, in dem ſich die biſchöfliche Kirche des Papſtes befindet, von der er nach ſeiner Wahl unter großen Feierlichkeiten Beſitz nimmt (Laterankirche). Daher

Lateranenſiſche Kirchenverſammlungen, die in dieſem Palaſt gehaltenen Kirchenverſammlungen. S. Kirchenverſammlungen.

Lateranenſiſche Synoden, ſ. Cardinal.

Lau. Im Staatsleben derjenige, der an den öffentlichen Dingen wenig Antheil nimmt und ſich wenig darum kümmert, wie ſie gehen. Solche Leute, die weder kalt noch warm, ſondern eben l. ſind, zwiſchen den einander befehdenden Richtungen hin und her geworfen werden, giebt es zu allen Zeiten unzählige. Sie ſind der Tod der bürgerlichen Freiheit, über welche gewacht werden muß, die Stütze der Gewaltherrſchaft, die eine patriotiſche Thätigkeit nicht will und nicht brauchen kann; von der Entwickelung des öffentlichen Lebens, das von jedem Einzelnen Parteinahme für oder wider fordert, werden ſie ohne Erbarmen hinweggeſchwemmt. **R.**

Laudemium, ſo viel wie Lehen, ſ. d.

Ländliche Creditvereine, ſ. Creditanſtalten.

Läugnen, ſ. Geſtändniß.

Lebensdauer. Die Sterblichkeit im Menſchengeſchlecht iſt bekanntlich ſehr verſchieden. Nicht nur durch Lage, Himmelsſtrich und Gepräge der Länder wird dieſe Verſchiedenheit herbeigeführt, ſelbſt in verſchiedenen Gegenden und Orten ein und deſſelben Landes iſt ſie eine andre, in ebenen Landſtrichen eine andre als im Gebirge, auf dem flachen Lande eine andere als in den Städten; ja ſogar in Bewohnern ein und deſſelben Orts tritt dieſe Verſchiedenheit oft ſehr ſchlagend hervor hinſichtlich des Geſchlechts, der Beſchäftigungsweiſe und der Lebensweiſe. Nichts deſto weniger haben gründliche und lange Unterſuchungen, die man in Bezug auf L. und das dieſelbe bedingende Sterblichkeitsverhältniß angeſtellt, die Berechnungen, die man auf ſolche Ermittelungen gegründet, nachgewieſen, daß ein gewiſſes Geſetz der menſchlichen L. zu Grunde liegt, das durch die angeführten Verhältniſſe und Bedingungen nur modificirt, nicht aufgehoben wird. Die Umſtände und Verhältniſſe nun, welche auf die L. des Menſchen einwirken, ſind entweder innere oder äußere. Als innere ſind zu nennen: die phyſiſche Eigenthümlichkeit und die geiſtigen Anlagen, ſelbſt endlich die geiſtige und leibliche Ausbildung und die Lebensweiſe des Einzelweſens; als äußere Urſachen ſind aufzuführen: örtliche und klimatiſche Verhältniſſe, Beruf und Beſchäftigung, Wohlſtandsverhältniſſe und die beziehentlichen Fortſchritte der Geſittung in ſtaatlicher, wiſſenſchaftlicher, gewerblicher und anderer Hinſicht. Sehr viele wiſſenſchaftliche Männer haben ſich mit Unterſuchung dieſes Gegenſtandes beſchäftigt, der in ſtaatswirthſchaftlicher und vieler andern Hinſicht von großem Intereſſe iſt, wie z. B. bei den Leibrenten und Lebensverſicherungsanſtalten die Berechnungen der Altersklaſſen, der Einzelnen u. ſ. w. nach den Sterblichkeitsgeſetzen ſich richten. Nach den Unterſuchungen Rickmann's, der ſeine Berechnungen auf die Bewegung der Bevölkerung (ſ. d.) in England und Wales während der Jahre 1813—30 gründete, ſtellt ſich die wahrſcheinliche durchſchnittliche L. für jedes Einzelweſen zur Stunde ſeiner Geburt auf etwa 26 Jahr; Casper in Berlin hat für dieſe Stadt ſie auf etwas über 20 Jahr berechnet; Quetelet auf 25 Jahr; Andere haben für andere Orte ein davon ſehr verſchiedenes Verhältniß aufgefunden. Alle Ermittelungen haben aber die Thatſache feſtgeſtellt, daß mit der fortſchreitenden Geſittung und der damit verbundenen Verbeſſerung der allgemeinen Wohlſtandsverhältniſſe die durchſchnittliche mittlere L. ſteigt, ſo daß gegenwärtig die letztere in England am höchſten, in Rußland am niedrigſten erſcheint. **J. G. G.**

Lebenslänglich, ſ. Lebenszeit.

Lebensmittel, ſ. Nahrung, Nahrungsmittel.

Lebensversicherung, Lebensversicherungsanstalten. Diese Ausdrücke
sind figürlich zu verstehen, da es Jedem einleuchten muß, daß man das Leben selbst
Niemandem wohl zusichern oder versichern kann. Unter L. wird aber die Zusicherung
und Herauszahlung einer gewissen Geldsumme bei dem Todesfall des Versicherten oder
einer andern zu gleichem Zweck ernannten Person verstanden; Versicherungsanstalten
hingegen nennt man diejenigen Gesellschaften, welche gegen die an sie während der
Lebensdauer der Versicherten zu zahlenden Beiträge oder Prämien, diese Verpflichtungen übernehmen. Es wünscht z. B. Jemand bei seinem Tode seinen Angehörigen
oder sonst wem 1000 Thaler zu hinterlassen; er verpflichtet sich nun gegen die Gesellschaft, so lange er lebt, einen jährlichen, auf die mittlere Lebensdauer der Versicherten
berechneten Beitrag zu zahlen, welche Beiträge die Gesellschaft möglichst nutzbringend
anzulegen sucht. Es erhellt daraus, daß eine solche Gesellschaft, um nicht in Verlust
zu gerathen, entweder bei Bestimmung der Wahrscheinlichkeit der durchschnittlichen
Lebensdauer für die Versicherten die letzten möglichst niedrig ansetzen, oder aber daß
sie die Beiträge möglichst hoch annehmen muß. Sonach hängt die L. von einem Ergebniß ab, auf welches man erst in der neuern Zeit gekommen ist, nämlich von dem
allgemeinen Gesetz, welches der menschlichen Lebensdauer (s. d.) zu Grunde liegt.
Denn wenn auch in der Lebensdauer des Einzelwesens dieses Gesetz sich nicht auffinden läßt, so tritt es um so deutlicher hervor, einen je größern Kreis von Menschen man betrachtet. Denn es zeigt sich dann, daß unter gewöhnlichen Umständen
von einer großen Anzahl Personen eines bestimmten Alters alle Jahre ein großer
Theil stirbt. Die über dieses Verhältniß der Sterblichkeit angestellten sorg-
fältigsten Untersuchungen und Ermittelungen haben zu ziemlich genauen Ergebnissen
in dieser Hinsicht geführt, welche für die L.anstalten, wie für die Leibrenten-
anstalten (s. d.) in besondere Tabellen, sogenannte Sterblichkeitstabellen,
gebracht worden sind. Man erfährt daraus mit ziemlicher Genauigkeit, wie viel z. B.
von einer Anzahl von 1000 Personen, die alle 40 Jahre alt sind, durchschnittlich
jährlich sterben, und die L.anstalt sieht sich dadurch in den Stand gesetzt, für eine
Person von diesem Alter, die sich bei ihr zur L. meldet, die Höhe des jährlich zu
leistenden Beitrags in einer Weise festzusetzen, die die Anstalt der Gefahr überhebt,
daß die durch Todesfälle veranlaßten Herauszahlungen der Versicherungssummen im
Durchschnitt, d. h. eins ins andere gerechnet, die Summe der eingezahlten Beiträge
sammt den daraus gezogenen Zinsen übersteigen. Auf solche Weise zahlen dann jene
Versicherten, welche länger leben, als die durchschnittliche Lebensdauer anzeigt, die
eine solche Anstalt ihren Berechnungen zu Grunde legt, denjenigen die Versicherungssumme, welche diese Lebensdauer nicht vollenden, und in dieser Hinsicht schon kann
man L.anstalten ihrem Wesen nach als Gegenseitigkeitsgesellschaften ansehen, die gegen geringe jährliche Einlagen den Hinterlassenen ihrer Mitglieder beim
Todesfall eine mehr oder weniger beträchtliche Unterstützung bieten. Diese Einrichtungen können aber auch der Form nach solche Gegenseitigkeitsanstalten sein und sind es
zum Theil auch, insofern in vielen der Grundsatz gilt, daß die möglicherweise erzielten Gewinne nicht den Privatunternehmern, sondern den Versicherten selbst zu Gute
kommen.   J. G. G.

Lebenszeit, auf. In monarchisch-constitutionellen Staaten ist es so herkömmlich, daß die Staatsämter und Gemeindeämter auf L. vergeben werden; in republikanischen Staaten dagegen auf Zeit. Selbst die oberste Stelle der Verwaltung, die des
Präsidenten, wird in Republiken in regelmäßigen Zwischenräumen immer wieder von
Neuem besetzt. Während die Erblichkeit der Würden und Aemter das Allerverkehrteste
ist, indem sich die Tugenden und Verdienste des Vaters sehr selten auf den Sohn
fortpflanzen, desto häufiger aber gerade seine Laster und Gelüste; während ferner die
Anstellung der Beamten auf L., die lebenslängliche Anstellung der Beamten, die Gefahr mit sich bringt, daß ihnen der Sporn und Wetteifer fehlt, der sie rüstig weiter

streben heißt; liegt in der Anstellung auf Zeit die beste Gewähr, daß die Beamten, wenn sie überhaupt im Amte zu bleiben wünschen, die treulichste Erfüllung ihrer st ein Mißgriff in der Wahl nach wenigen Jahren durch eine bessere Wahl wieder ausgeglichen werden kann. Wie viele Beamte giebt es, die die Bürger gern los sein möchten, aber doch mit fortschleppen müssen,

vormundung gehalten wird. Fähige, tüchtige Köpfe, die in den öffentlichen Dienst treten, brauchen sich nicht zu fürchten, nach Ablauf ihres Amtes brodlos zu werden: man wird sie, wenn sie es verdienen, wieder wählen. Für untüchtige, arbeitscheue, harte Beamte freilich wäre eine solche Anstellung auf Zeit ein harter Stand, sie wür-

Anstellung auf L., aber die Gesammtheit gewinnt dabei gewiß Nichts. Es muß darnach gestrebt werden, daß die Gemeinden wenigstens das Recht erlangen, die Gemeindebeamten, die von ihrer Wahl abhängen, nicht auf L., sondern immer nur auf eine bestimmte Reihe von Jahren zu vergeben, nach deren Ablauf eine neue Besetzung stattfindet, bei der die Bürger so klug und so gerecht zugleich sein werden, den Würdigen und Fähigen durch neue Wahl zu bestätigen, den Unwürdigen und Untauglichen aber durch einen bessern Nachfolger zu ersetzen und zu verdrängen. Die Anstellungen auf L. haben in den meisten Fällen Schlendrian in ihrem Gefolge, die auf Zeit sind ein Sporn und bringen immer frische Kräfte in Thätigkeit.　　　　R.

Leberprobe. Wenn es zweifelhaft ist, ob ein neugebornes Kind schon vor oder während der Geburt gestorben oder erst nach der Geburt von der (unehelichen) Mutter um das Leben gebracht worden sei, ob es also gelebt oder nicht gelebt habe, pflegt man die L. anzustellen. Es soll dadurch das Verhältniß des Gewichts der Leber zu dem ganzen Körpers ermittelt werden, welches verschieden ist, je nachdem das Neugeborene vor oder nach geschehener Athmung gestorben ist. Trotz der in dieser Hinsicht angestellten sehr schätzbaren Untersuchungen und Versuche hat man zu einem bestimmten Ergebniß nicht gelangen und weder in Bezug auf das absolute noch auf das relative Gewicht der Leber einen hinlänglichen und beständigen Unterschied zwischen todtgebornen Früchten und nach geschehener Athmung verstorbenen neugebornen Kindern nachweisen können. Demnach ist die Einführung einer L. (Lebergewichtsprobe) in die gerichtliche Medicin nicht rathsam, so sehr auch eine Entscheidung über diesen fraglichen Gegenstand erwünscht wäre.

Legat, zu deutsch: Gesandter, bezeichnete bei den Römern außerdem noch eine hohe militärische Würde. Die L.en waren Unterfeldherren und zerfielen wieder in mehrere Abstufungen, deren Namhaftmachung hier zwecklos wäre. In der Kaiserzeit wurde nicht selten den Großen des Reichs der Titel „Legat" ertheilt, auch ohne daß sie ein Commando hatten. — Seit dem Mittelalter bis jetzt ist der Ausdruck L. vorzugsweise für die Bevollmächtigten und Gesandten des Papstes gebraucht worden. Es giebt wirkliche L.en und solche, welche den Titel blos Ehrenhalber führen. Zu letzteren gehören mehrere Erzbischöfe, deren Kirchenamt außerhalb der römischen Diöces liegt, z. B. die von Trier, Cöln, Salzburg u. s. w. Sie heißen L.en. Die wirklichen L.en heißen legati missi, d. h. abgele sind theils Cardinäle, theils andere Geistliche. Die ersteren haben natürlich den Vorrang und heißen legati a latere, d. h. von der Seite des Papstes, aus dem Cardinalcollegium genommen. Die L.en, welche nicht Cardinäle sind, werden „apostolische Nuntien" (nuntii apostolici) genannt. An jedem nur einigermaßen wichtigen katholischen Hofe oder Staate giebt es solche Nuntien. Bei besonders wichtigen und dringenden Fragen werden auch außerordentliche Nuntien gesandt. — Die Verwaltung der Provinzen des Kirchenstaates geschieht ebenfalls durch L.en. Daher der Name Legationen, welchen diese Provinzen führen.

Leges agrariae, f. agrarische Gesetze.

Legislatur, zu deutsch Gesetzgebung, gesetzgebender Körper, f. d.

Legitimismus. Die Frage nach der Rechtmäßigkeit der Herrschaft vom dynastischen, d. h. vom Standpunkt der anerkannten Erbberechtigung aus, hat in der Geschichte, namentlich Englands, Frankreichs und Spaniens, zu vielfältigen Zerwürfnissen, Parteiungen und Kriegen Veranlassung gegeben. Der Begriff der Legitimität, sich ursprünglich nur auf eine Rechtmäßigkeit von „Gottes Gnaden" und auf die Unveräußerlichkeit vererbter Souveränetätsrechte begründend, hat in der neuern Zeit und namentlich seit 1830 wesentliche Veränderungen erlitten. Wenn der alte L. sein Princip allein in der Aufrechterhaltung der von ihm als rechtmäßig anerkannten Thronfolge und in der Aufrechterhaltung des Absolutismus erkannte, so hat der L. nach 1830 unter Louis Philipps Regierung sich allmälig in einen reinen und strengen Conservativismus umgewandelt, der in stillschweigender Anerkennung des Bestehenden sich um die Throne schaart, um mit allen seinen Kräften die letztern vor demokratischen Angriffen zu beschützen. Ein rein auf dynastische Sympathien begründeter L., wie er in Frankreich während des Kaiserthums und nach Louis Philipps Thronbesteigung für die Herstellung der Bourbonen sich geltend machte, muß stets in den nächsten Geschlechtern, wie es z. B. den Anhängern der Stuarts in England begegnete, zu vollkommener Bedeutungslosigkeit herabsinken. Wenn eine stille Anhänglichkeit an die vertriebenen oder zurückgesetzten Herrscherfamilien Niemandem zum Vorwurf gemacht oder verwehrt werden, wenn die Anerkennung der neuen Herrscher Niemand aufgezwungen werden kann, der zurückgezogen, in gänzlicher Unabhängigkeit von der Regierung lebt, weder Titel noch Aemter von ihr annimmt, oder sonst irgend Etwas thut, in dem sich ein Act der Unterwerfung erkennen läßt, so nöthigt doch die Macht der Verhältnisse Einen nach dem Andern der Anhänger vertriebener Regentengeschlechter, sich der neuen Ordnung der Dinge zu fügen, während etwaige Umtriebe derselben Sicherheitsmaßregeln der neuen Regierung und in Folge davon Auswanderungen und Verbannungen ebenfalls das Ihrige dazu beitragen, die Reihen der Legitimisten zu lichten. — Der moderne L. hat, wie bereits erwähnt, ein rein conservatorisches Interesse zur Sicherung aristokratischer oder hierarchischer Bevorzugungen. Ueberall hat der L. in der Aristokratie und dem Priesterthum seine zahlreichsten Anhänger gefunden, deren Interesse allein an die Erhaltung des Bestehenden sich knüpft. Durch diese Verbindung der Aristokratie mit dem Priesterthum, welches den Fanatismus der rohen Massen für ihre Sache zu erregen und auszubeuten wußte, sind legitimistische Kämpfe stets mit einer furchtbaren Rohheit und Erbitterung geführt. Die Kämpfe für die Herstellung der Stuarts, der Karlistenaufstand in Spanien, die Metzeleien in der Vendee für die Bourbonen liefern dafür einen furchtbaren und warnenden Beweis. Wenn in Frankreich dem L. mit dem endlichen Sturz des monarchischen Princips nach und durch 3 Revolutionen jede Hoffnung auf die Möglichkeit einer Wiederherstellung der alten Herrschaft für immer abgeschnitten ist, so scheint für Deutschland die Zeit legitimistischer Umtriebe erst noch bevorzustehen. Sollte aus den Bewegungen der Gegenwart die demokratische Partei siegend hervorgehen, sollten die alten Throne theilwelse oder gänzlich zusammenbrechen, so scheint bei der furchtbaren Anhängerschaft der angestammten Fürstenhäuser in der alten, durch Jahrh.e lange Gewöhnung mit den letztern eng verknüpften Aristokratie, in einer hartnäckigen Geistlichkeit und einer anhänglichen Schreibstubenherrschaft ein die größte Thätigkeit entwickelnder L. uns mit anhaltenden und gefährlichen Zerwürfnissen zu bedrohen. Jedenfalls sind legitimistische Parteiungen die gefährlichste Hinterlassenschaft gestürzter Monarchien an demokratische Verfassungen, in deren Schooß noch so ungeheuere legitimistische Elemente zurückbleiben müssen, als in Deutschland.   H. Bertholdi.

Lehn, Lehngeld, Lehngut, Lehnwaare, Lehnwesen überhaupt. — Lehn (lateinisch feudum) bezeichnet überhaupt etwas Geliehenes; das altnordische fodom, woraus nachher das lateinische feudum gebildet wurde, bedeutet ein Gut, das zur Entschädigung für Aemter und Dienste dem Besitzer lebenslänglichen Unterhalt gewährt. Ehe noch vom eigentlichen Lehn in der Geschichte des Mittelalters die Rede ist, findet man die Rechtsverhältnisse, die sich an das Verleihen eines solchen Gutes knüpfen, namentlich bei den sog. militärischen Beneficien, als solchen Grundstücken, deren volle Benutzung Jemandem lebenslänglich unter der Bedingung treu zu leistender Kriegsdienste eingeräumt worden war. Aber diesen Charakter hatten nicht alle Lehne von Anfang an. Ursprünglich konnte der Lehnsherr als Eigenthümer des Grundstücks seinen Lehnmann willkürlich entlassen und dieser wieder dem erstern nach Gefallen den Dienst aufkündigen, womit natürlich der Genuß von Grundstücken erlosch. Einerseits nämlich wurde die Verleihung eines Lehns nur als Liebespflicht des Lehnherrn angesehen (worauf auch der lateinische Name beneficium hinweist), andererseits aber war die Fortdauer der Dienstleistung die ausschließende Bedingung für die Nutznießung von Grundstücken. Allmälig wurde indeß dies Verhältniß ein lebenslängliches, weil es unbillig scheinen mußte, einen im Dienste grau gewordenen Lehnmann im Alter seines Unterhalts zu berauben, blos weil er die frühern Dienste ferner zu leisten nicht im Stande war. Hierdurch wurde nun die spätere Verwandlung der persönlichen Lehne oder eigentlichen Beneficien in erbliche Lehne (feuda) eingeleitet; zumal da es dem Geiste jener Zeit gemäß war, selbst Kron- und Hofämter des Vaters dem Sohne nicht ohne besondern Grund zu versagen, und da überdies der Mangel an genauen Lehnregistern es sehr schwierig machte, bei dem Tode eines Lehnmannes von seiner Hinterlassenschaft das Lehn von dem Nicht-Lehn, oder dem Allodialvermögen gehörig abzusondern. Als der alte Heerbann (s. d.) einging und die freien Grundbesitzer nicht mehr als solche zum Kriegsdienste berufen wurden, stieg das Ansehn der Lehnsleute immer höher und manche freie Besitzer boten sich selbst mit ihrem Grundeigenthum zu Vasallen an, um letzteres als Lehn zurück zu empfangen. Dadurch wurde aber die Erblichkeit der Lehne noch mehr gefördert, weil das Ausbedingen derselben bei solchen „dargebotenen Lehnen" ganz natürlich war. Da späterhin die Veränderung der Kriegskunst nur ganz allmälig das Unbrauchbarwerden der bisherigen Art und Weise der Lehnskriegsdienste bewirkte, so blieben die Besitzer der Lehne zuletzt auch ohne wirkliche kriegerische Dienstleistung im Grundbesitze und gewährten dem Lehnsherrn höchstens eine andere Entschädigung dafür, wie z. B. die sog. Ritterpferdegelder. Ebenso wurden allmälig nicht blos Grundstücke, sondern auch andere Gegenstände, ja sogar Gerechtsame mit dem Lehnsverband belegt, und daher bedeutet ein Lehn jetzt überhaupt eine Sache, die mit Vorbehalt des Eigenthumsrechtes daran Jemandem zu voller Benutzung, unter der Bedingung der Lehnstreue, eingeräumt ist. Unter der Lehnstreue selbst aber versteht man die Erfüllung der Verpflichtung, jede Gefahr von dem Eigenthümer des Lehns durch alle gesetzlich nicht verbotenen Mittel abzuwenden, abgesehen davon, daß sie auch die Leistung der besonders ausbedungenen, mit dem Lehn selbst übernommenen Verbindlichkeiten in sich schließt. — In den ältesten Zeiten wurde das Lehnsverhältniß, wie tausend andere Verhältnisse des bürgerlichen Lebens, in Deutschland blos durch das Gewohnheitsrecht geordnet. Der zweite Theil des Sachsenspiegels, das sog. sächsische Lehnrecht, dann ein älteres lateinisches Werk von unbekanntem Verfasser über die Beneficien und ein Theil des sog. Kaiserrechts (einer Rechtssammlung des Mittelalters) sind die Hauptquellen des germanischen oder einheimisch-deutschen Lehnrechts. Allein bei den nach Italien gezogenen germanischen Volksstämmen hatte sich ein besonderes gewohnheitsrechtliches Lehnrecht gebildet, dessen Bestimmungen von den beiden mailändischen Gelehrten Obertus ab Orto und Gerardus Niger, ungefähr um 1160, in einer eigenen Sammlung zusammengestellt, bald darauf aber durch Hugolinus a Porta Ravennate mittelst Anmerkungen (Glossen) erläutert wurden. Diese vorgenannten Quellen des deutschen sowohl als longobardischen Lehnrechts bilden zusammen den

2*

Stoff für die Grundsätze des sog. gemeinen Lehnrechts, obgleich auch Gewohnheits-
rechte der einzelnen Lehnscurien und vertragsmäßige Verabredung hierbei zu beachten
sind. Die Ausgleichung der verschiedenen Abweichungen dieser Quellen von einander
muß den Nationalbegriffen vom Lehnwesen überhaupt und dem Gerichtsgebrauch insbesondere überlassen werden. — Was die Personen, welche Lehn geben und empfangen
können, so wie die Sachen betrifft, welche Gegenstände des Lehns sein können, so gilt
Folgendes: An und für sich kann jeder dispositionsfähige Eigenthümer aus seinem
Hab und Gut ein Lehn errichten und sich, wenn auch nicht (wie früher jeder freie
Landsasse konnte) Kriegsdienste, die jetzt dem Landesherrn allein gebühren, doch andere
Dienste ausbedingen. Die Frage, ob der Landesherr befugt sei, neue Lehne zu errichten, ist nach den Grundsätzen zu entscheiden, welche in den einzelnen deutschen Staaten gelten. Während nämlich in manchen der Fürst nach bestehenden Verträgen mit
den Landständen heimfallende Lehne nicht als Krongut einziehen darf, sondern sie an
andere Unterthanen aufs Neue verleihen muß, so ist er anderwärts verpflichtet, selbige
als Domainen zu behalten und von seinen Domainen keine neuen Lehne zu errichten.
Der Lehnsherr kann seine Gerechtsame an den Lehen durch einen Bevollmächtigten
vertreten lassen. Lehnsmann aber kann derjenige nicht werden, welcher schlechthin unfähig ist, Eigenthum zu erwerben, wie z. B. die Mönche. Ebenso sind ausgeschlossen
alle die, welche durch die Lehnsgesetze selbst als in der Regel unfähig zur Lehnserb-
folge bezeichnet sind. Wer nur mit Einwilligung Anderer in Bezug auf etwas, das er
erwerben soll, Verbindlichkeiten übernehmen darf, kann auch ein Lehn nur unter der
betreffenden Einwilligung erwerben. Da ehemals das Lehn nur um Kriegsdienste
gegeben wurde, so verstand es sich sonst von selbst, daß Niemand ein Lehn erhalten
konnte, der nicht, wie man zu sagen pflegte, zur ritterlichen Schildzunft geboren war.
Im Laufe der Zeit wurde man jedoch hierin nachsichtiger und verlieh Lehne auch an
bloße Bürger, ja einige deutsche Städte verschafften sich sogar das Privilegium, daß
ihre Bürger überhaupt lehnsfähig sein sollten. Eine juristische Person, welche Lehne
erworben hat, muß die nöthigen Dienste durch ihren Vorsteher als Lehnsträger
verrichten lassen. Man nennt ein solches, einer juristischen Person überlassenes Lehn
ein Sonderlehn. — Zur Lehn gegeben wurden ursprünglich nur Grundstücke, und
bildet dies jetzt auch noch die Regel, so werden doch auch andere Gegenstände in Lehn
gegeben, wenn sie nur lehnsfähig sind, d. h. wenn ihre Benutzung, mit Vorbehalt des Eigenthumsrechts, an Andere veräußerbar ist. Deshalb können jetzt sogar
Gerechtsame in Lehn gegeben werden, wenn sie nur an unbeweglichen Sachen haften.
Man unterscheidet jedoch von den lehnsfähigen Sachen ausdrücklich die lehns-
tüchtigen Sachen, welche letztere nur solche sind, die durch ihre Beschaffenheit zugleich den Eigenthumsanspruch des Lehnsherrn sicher stellen, was denn freilich vorzugsweise von unbeweglichen Sachen gilt. Doch kann ein Lehnsherr, der eine bewegliche Sache in Lehn gab, sich wenigstens durch eine vom Lehnsmanne geleistete Caution einigermaßen sicher stellen. Da Sachen, die nur unter gewissen Bedingungen
veräußert werden dürfen, auch nur unter den nämlichen Bedingungen Gegenstände des
Lehnsverbandes werden können, so darf auch ein sog. Krummstabslehn, d. h. ein
Lehn an Kirchensachen, nur mit den gesetzlichen kirchlichen Feierlichkeiten errichtet
werden. Unter einem Rentenlehn, das noch hier zu erwähnen ist, versteht man
das zu Lehn gegebene Recht, fortdauernd gewisse jährliche Einkünfte zu beziehen; es
können jedoch bloße Besoldungen für aufkündbare Dienste nicht in Lehn gegeben werden. Die sonderbaren Arten von Lehen, welche außerdem im Mittelalter vorkommen,
wie z. B. die sog. Schönen-Frauen-Lehne, die Küchen- und Keller-Lehne, bedürfen
keiner besondern Erläuterung: sie erhielten ihre Namen von den Verpflichtungen, welche
die Vasallen für das Interesse ihres Lehnsherrn übernahmen. — Die Thatsache, wodurch ein Gegenstand zum Lehn wird, nennt man die Infeudation. Da nun
von Natur keine Sache im Lehn ist, sondern erst dazu gemacht werden muß, auch die

Lehnseigenschaft einer Sache niemals vermuthet werden darf, so hat Jeder, welcher ein Lehnsverhältniß behauptet, es zu beweisen. Die Möglichkeit zu Entstehung eines Rechts wird bekanntlich der Titel desselben genannt, wovon man das Wirklichwerden selbst unterscheidet. Hierauf beruht das juristische Verhältniß der Infeudation zur Investitur. Die Infeudation nämlich giebt blos den Rechtstitel auf das fragliche Lehn, die Investitur aber bewirkt die Erwerbung des Lehns selbst. Ein Lehngut, das an den Lehnsherrn zurückfällt, heißt ein heimgefallenes Gut. Dieser Heimfall findet aber in der Regel nur bei dem Aussterben der gesammten lehnsfähigen Nachkommenschaft des Vasallen statt, da man bei jeder Infeudation annimmt, sie geschehe für den Vasallen und dessen lehnsfähige Nachkommen auf ewige Zeiten. Doch kommen ausnahmsweise auch Personenlehn vor, die einem Vasallen nur auf Lebenszeit, ohne Vererbungsrecht verliehen sind. Das Wort „Investitur", welches die feierliche Handlung bezeichnet, wodurch ein Lehnsherr seinem Vasallen das Lehn wirklich übergiebt, kommt daher, daß ehemals der Vasall bei der Lehnsübergabe mit der Feldbinde seines Herrn bekleidet (investire — bekleiden) wurde, die er von nun an beständig tragen mußte. Dieser Handlung voran ging die eidliche Angelobung der Lehnstreue. Vordem geschah die Investitur feierlich vor der Lehnscurie der Vasallen, in deren Gegenwart der neue Lehnsmann seinem Herrn den Lehnseid der Treue auf die Evangelien schwur, wobei ihm der Herr ein Schwert oder ein anderes Zeichen der Uebergabe des Lehns überreichte. Auch wurde dazu die Anwesenheit im Lehngut selbst erfordert, was später in so weit geändert wurde, daß der Vasall den Lehnseid in der Lehnskanzlei seines Herrn, oder überhaupt bei der beauftragten Behörde leistete, welche dazu den Auftrag vom Lehnsherrn hatte und blos durch die Uebergabe des Lehnsbriefs investirt wurde, was auch bis jetzt beibehalten worden ist. — Unter einem Lehnbriefe versteht man eine im Namen des Lehnsherrn ausgefertigte und von ihm eigenhändig unterzeichnete Schrift über Inhalt und Bedeutung der geschehenen Investitur. Verschieden davon ist der sog. Zeugnißbrief, als eine bloße Bescheinigung, daß die Investitur erfolgt sei, ohne Angabe der nähern Verhältnisse und Bedingungen. Unter einem Lehnsreverse dagegen versteht man ein Bekenntniß des Vasallen über die Eigenschaft seines Gutes als Lehn und seiner Verpflichtungen gegen den Lehnsherrn. Die Zeit für die Investitur wird vom Lehnsherrn bestimmt und der Vasall hat auf die Ladung dazu zu erscheinen. Bleibt er auf die dritte peremptorische Ladung außen, so verwirkt er sein Recht auf die Investitur. Ursprünglich mußte der Vasall zur Investitur immer persönlich erscheinen und die Zulässigkeit eines Bevollmächtigten hing von der besondern Erlaubniß des Lehnsherrn ab, jetzt aber wird die letztere in der Regel vorausgesetzt, während auch der Lehnsherr seiner Seits durch einen Bevollmächtigten die Investitur zu ertheilen befugt ist. Hinsichtlich der Art und Weise, wie die Investitur ertheilt wird, sind folgende Unterschiede zu bemerken: 1) die Unterscheidung zwischen der gewöhnlichen Belehnung und der Mitbelehnung (gemeinschaftliche Belehnung Mehrerer), welche letztere entweder so geschieht, daß die Belehnten gleiches Recht und gemeinschaftliche Benutzung des Lehnguts erlangen, oder so, daß nur Einer von den Theilnehmern als Principalvasall gegenwärtig die Benutzung des Lehns für sich und seine lehnsfähigen Nachkommen zugetheilt erhält, die übrigen aber, wie man zu sagen pflegt, zur gesammten Hand belehnt, d. h. wie Verwandte des Principalvasallen behandelt werden, die mit ihm von einem und demselben ersten Erwerber des Lehns abstammen und die Erbfolge in dem Lehn nach dem Aussterben seiner Linie zugesprochen erhalten; 2) die Unterscheidung zwischen unbedingter und eventueller Investitur bezieht sich darauf, daß bei der letztern der Eintritt der Wirkungen von der Eröffnung des fraglichen Lehns abhängt. — Durch die Belehnung erwirbt der Lehnsmann oder Vasall theils Rechte an des Lehnsherrn Person, theils Ansprüche an die von diesem zur Lehn empfangene Sache. Einerseits nämlich wird der Herr seinem Vasallen persönlich verbindlich zum Lehnsschutz und verspricht, wie es in den Lehnsbriefen gewöhnlich heißt: „ihn frei zu bekennen und für ihn Gewähr zu leisten zu Leib und Leben, Gut und Ehre, auch Genuß und Besitz des Lehns." Andererseits aber hat der Vasall am Lehngut selbst das volle Benutzungsrecht aller ordentlichen und außerordentlichen Früchte, auch derer von den Zubehörungen des Gutes, sammt dem Besitz des Gutes selbst; der Lehnsherr aber nimmt am Benutzungsrecht der Vasallen nicht Antheil, während der Vasall für die Dauer des Lehnsverbandes die Früchte des Lehns auch Andern, z. B. durch Verpachtung, überlassen darf. Ebenso gebührt dem Vasallen allein die Verwaltung des Gutes und kraft der Lehntreue, dessen Verbesserung und Höherstellung im Ertrage. Auch hat der Vasall das Gut auf eigene Kosten rücksichtlich der Staats- und Privatlasten zu vertreten und selbst außerordentlich aufgelegte Abgaben, wie z. B. Kriegssteuern, zu tragen. Blos in solchen Verfügungen ist der Vasall behindert, aus denen für die Rechte des Lehnsherrn und seiner Nachfolger Schaden entstehen könnte, und der Lehnsherr kann in dieser Rücksicht sogar die richterliche Dazwischenkunft verlangen. Rücksichtlich der Veräußerung der Lehne ist Hauptsatz, daß der Vasall eine solche ohne Einwilligung des Lehnsherrn und seiner Lehnsfolger nicht vornehmen dürfe. Fand eine unrechtmäßige Veräußerung dennoch Statt, so kann der Lehnsherr das Lehn von jedem dritten Erwerber desselben zurückfordern und dieser hat sich, wenn er es in gutem Glauben an sich brachte, wegen der Entschädigung einzig an den Vasallen zu halten. Gegen den Willen des Lehnsherrn oder der Lehnsfolger bestellte Hypotheken sind kraftlos und bleiben es selbst bei gerichtlicher Eintragung. Eine allgemeine Hypothek auf alles Besitzthum des Vasallen überhaupt begreift niemals stillschweigend dessen Lehngut mit, sondern bezieht sich blos auf seinen Allodialbesitz, und das Lehngut unterliegt auch nicht einer allgemeinen gesetzlichen Hypothek, ohne die fragliche besondere Einwilligung. Haben nun die Lehnsfolger in die Hypothek eingewilligt, nicht aber der Lehnsherr selbst, so sind auch nur jene gebunden, nicht aber dieser. Die Gläubiger können daher auch blos aus den Nutzungen des fraglichen Lehns sich bezahlt machen, so lange die einwilligenden Lehnsfolger und ihre Linien das Lehn besitzen. Wenn umgekehrt zwar der Lehnsherr die Hypothek bewilligt, nicht aber die Lehnsfolger, so können zwar die Gläubiger das Gut verkaufen; allein die Lehnsfolger haben dann nicht blos das Retractsrecht, sondern auch das Vindicationsrecht beim Absterben des jetzigen Lehnsherrn. Nur bei erlangter besonderer Bewilligung von allen Betheiligten können also die Gläubiger die fragliche Hypothek am Lehne ebenso für sich geltend machen, wie an einem Allodium. Der Lehnsherr und die Lehnsfolger, die in Bestellung einer Hypothek einmal einwilligten, übernehmen dadurch die Bürgschaftsverpflichtung für den eigentlichen Schuldner. Blos ausnahmsweise, bei den sog. Nothschulden, wie z. B. wenn zur Tilgung von Kriegscontributionen ein Vasall Gelder aufnehmen muß, kann auch ohne besondere Einwilligung des Lehnsherrn und der Lehnsfolger für diese die Verbindlichkeit entstehen, eine auf das Lehn gebrachte Hypothek anerkennen zu müssen. Uebrigens kann die Nichterforderlichkeit der erwähnten besondern Einwilligung auch gleich im Lehnvertrag selbst im Voraus festgestellt werden; doch bleibt auch hier streng zu erweisenden Ausnahme von der Regel die Ausübung des Retractionsrechts dem Lehnsherrn und den Lehnsfolgern unbenommen. — Die Bestellung eines sog. Afterlehns, wodurch der Vasall Afterlehnsherr und der dritte Empfänger Aftervasall wird, ist dem Vasallen erlaubt, selbst

auf die Lehnsdienste dadurch nicht nur nicht leiden dürfen, sondern ihm auch der Aftervasall dergleichen Dienste auf den Ruf des Afterlehnsherrn zu leisten verbunden ist. Doch versteht es sich, daß der eigentliche Vasall hierbei ganz im guten Glauben verfahren sein mußte; außerdem wäre das Afterlehn ungültig. — Die Belehnung Vasallen entzieht dem Lehnsherrn nicht alle Realrechte am Lehne und giebt ihm zugleich persönliche Ansprüche gegen den Vasallen. Er behält nämlich einerseits das wahre Eigenthum am Lehne, im Gegensatz zum Benutzungsrecht des Vasallen, Ob er eigenthum genannt, und erwirbt andererseits die in der Lehnsherrlichkeit liegenden Rechte über den Vasallen. Das Obereigenthum sichert ihm nicht nur freies Vindica tionsrecht gegen dritte Personen, sondern auch das Befugniß, die Verschlechterung des Lehns und den bösen Willen des Vasallen auf alle Weise zu verhindern. Die Be nutzung des Lehns dagegen gebührt blos dem Vasallen. Aus der Lehnsherrlichkeit erwächst dem Lehnsherrn ein unbedingter Anspruch auf die Lehnstreue des Vasallen, da letzterer nicht nur alle Gefahr vom Lehnsherrn rechtlich abzuwenden, sondern über haupt dessen Wohl stets zu fördern hat, es mag nun diese Beförderung aus der Er füllung der besondern Investiturbedingungen fließen, oder aus allgemeinem Diensteifer. Nächst der Lehnstreue hat der Vasall dem Lehnsherrn auch die in der Volkssitte be gründete Hochachtung nach Standesverhältniß zu bezeigen. Ueber die Erfüllung dieser Pflichten hat der Vasall dem Lehnsherrn den Lehnseid zu leisten, d. h. er muß schwören, daß er ihm wolle treu, hold und gewärtig sein, nicht sein in Rath und That, wo gegen den Herrn gehandelt werde, alle Gefahr von ihm abwenden und sich überall als gehorsamer Lehnsmann bewähren. — Die Lehndienste der Vasallen sind theils gesetzliche, indem sie unmittelbar aus gesetzlichen Vorschriften fließen, wo dann auch die Vermuthung für sie streitet, theils beruhen sie auf besonderer Verab redung und sind conventionelle. In der blühendsten Zeit des Lehnwesens hatten die Vasallen eigentlich Ritterdienste, als turnierfähige Ritter, in Begleitung ihrer rei sigen Knechte, d. h. ihrer für den Schlachtkampf ausgerüsteten Leute, zu leisten. Nur Ausnahme war es, wenn der Vasall eine Burg ausschließlich als Lehngut zu ver theidigen hatte, ohne außerdem zu Kriegsdiensten verbunden zu sein. In dieser Be ziehung stellte man den gewöhnlichen Ritterlehnen die Burg- oder Seßlehne gegenüber. Unter einem Kemnadenlehn verstand man ein Lehn, welches ein befestigtes Haus enthält, zu dessen Vertheidigung der Vasall verpflichtet war. Die Kriegsdienste wur den nur auf erfolgtes besonderes Aufgebot des Lehnsherrn geleistet. Die Dauer der ehemaligen Reichsdienste im Heergefolge wird im Sachsenspiegel zu 6 Wochen angege ben, eine Frist, die freilich in der Regel nicht beachtet wurde und werden konnte. Es kam dabei vielmehr meistens auf besondere Verträge und auf den Umfang des Lehns an, wornach sich auch die Zahl der Pferde bestimmte, mit denen der Vasall zu erscheinen hatte. Unterhalt für den Vasallen und dessen Knappen, sowie Futter für die Pferde mußte der Lehnsherr gewähren, die Ausrüstung dagegen war blos Sache des Vasallen selbst, der auch die während des Feldzugs an der Ausrüstung erlittenen Verluste selbst zu ersetzen hatte. Schon zeitig kam es dahin, daß Vasallen, die nicht persönlich Kriegsdienste leisten wollten, sich in jedem einzelnen Falle durch Geldentschädigung davon befreien konnten. Diese Geldentschädigung führt gewöhnlich den Namen Schildgeld, im Reichsdienste aber heißt sie Heergeld. An die Stelle dieses Heergeldes sind späterhin die Ritterpferdegelder getreten. Nur ausnahmsweise konnten einem Lehnsmann alle Kriegsdienste mittelst Vertrags erlassen werden; dann sprach man von einem Freilehn. Ledige Lehne dagegen waren solche, deren Besitzer gegen jeden Feind dem Lehnsherrn dienen mußten, außer gegen den Landes herrn und Kaiser. Im Gegensatze zu den Kriegslehndiensten, welche die Regel aus machten, gab es auch nicht kriegerische Vasallendienste, am frühesten rücksichtlich der

gen verpflichtet. Außerdem gab es auch noch Lehne, die ganz besondere, nicht für gewöhnlich anzunehmende Dienstleistungen bewirkten. — Rücksichtlich des Rechts des Lehnsherrn, die Investitur zu erneuern, ist Folgendes zu bemerken: Bekanntlich war die Schreibkunst zu jener Zeit, als die Lehne erblich zu werden anfingen, noch wenig verbreitet; um daher die Art und Weise der Bestellung eines Lehns nicht in Ver gessenheit gerathen zu lassen, wendete man statt der jetzt üblichen Lehnbriefe ein ande res darüber Zeugniß gebendes Mittel an. Dieß war die Bestimmung, es solle die stattgefundene Investitur, welche nach der damals üblichen feierlichen Vollziehung sich meistens ganz auf die besondere Beschaffenheit des fraglichen Lehns bezog, von Zeit zu Zeit auf dieselbe Weise wiederholt werden, um die Eigenthümlichkeit der fraglichen Lehnsbestellung in das Andenken der Betheiligten zurückzurufen. Wenn diese Erneuerung geschehen solle, wurde durch Verabredung bestimmt; feste Termine dafür waren besonders dann üblich, wenn eine juristische Person die Stelle des Vasallen behauptete. Allmälig ward es gebräuchlich, die Investitur zu wiederholen, so oft eine Veränderung in der Person des Vasallen oder des Lehnsherrn vorging. Diese Bestimmungen wurden von nun an beibehalten, und daher muß auch noch jetzt jeder neu eintretende Vasall das Lehn muthen, d. h. um eine neue Investitur bitten. Die Zeit für die Muthung ist die Frist von Jahr und Tag, von dem Augenblick an gerechnet, wo der neue Vasall oder Provasall erfahren hat, daß die Nachfolge ihn getroffen, oder bei einer Veränderung in der Person des Lehnsherrn, von dem Tage an, wo der neue Lehnsherr in den Besitz der Lehnsherrlichkeit kam. In dringenden Fällen kann eine Lehnsgestundung für die Muthung bei dem Lehnsherrn nachgesucht werden. Ueber geschehene Muthung erhält er einen besondern Schein als Zeugniß. Sowohl bei der ersten, als der erneuerten Investitur finden sich als Gebühren die sog. Schreibegelder, von denen das eigentliche Lehngeld, Lehnwaare genannt, als die Abgabe zu unterscheiden ist, welche bei vielen Lehnscurien bei Veränderungen sowohl in der Person des Lehnsherrn wie des Vasallen an den Lehnsherrn bezahlt werden muß. Ehemals war statt dieser Abgabe ein bloßes Ehrengeschenk an Pferden oder Waffen gebräuchlich, welches das Heergewett genannt wurde, weil es nicht verlangt werden konnte, wenn es nicht besonders gewettet, d. h. vorher ausgemacht worden war. — Die Trennung des Lehns- und des (Nicht-Lehns- oder) Allodialvermögens eines Vasallen, welche in Frage kommt, so oft dasselbe an verschiedene Erben übergeht, ferner so oft ein Lehn eröffnet wird, oder der Vasall in Concurs geräth, geschieht durch außergerichtlichen Vergleich zwischen den Interessenten, mit Zuziehung des Lehnsherrn, und nur im Nothfalle ließ man eine gerichtliche Entscheidung nach Proceßform eingreifen. Bei dieser Absonderung streitet in Zweifelsfällen die Vermuthung für die Allodialeigenschaft jedes einzelnen Gegenstandes, weil dies das Natürliche ist. Die Zubehörungen eines Hauptgutes dagegen, dessen Lehnseigenschaft erwiesen worden ist, werden im Zweifel für Lehnszubehörungen gehalten, bis das Gegentheil dargethan ist. Leistungen dritter Personen an das Lehngut gehören zum Allodium, wenn sie auf gewisse Tage bestellt sind, und ein solcher Tag als Fälligkeitstermin vor dem Lehnsabsonderungstermine eintritt; außerdem aber werden sie nach Verhältniß der Zeit vom letzten Jahre, innerhalb welcher der Vasall das Lehn noch besaß, zwischen den Allodialerben und den Lehnsnachfolgern getheilt und eben dies gilt rücksichtlich der zum Lehngute gehörigen Nutzungen. Natürlicher Zuwachs und natürliche Verbesserungen des Bodens werden als untrennbare Theile desselben betrachtet; künstliche Verbesserungen aber können die Allodialerben an sich nehmen, sobald sie sich ohne Nachtheil des Lehns davon trennen lassen, oder eine Entschädigung dafür beanspruchen, falls die Trennung ohne Nachtheil des Lehns nicht möglich ist. Andererseits müssen aber auch die Allodialerben Ersatz wegen solcher Verschlechterung des Lehns leisten, welche durch offenbare Schuld des verstorbenen Vasallen herbeigeführt wurde. — Die Schulden eines verstorbenen Vasallen hat sein Nachfolger im Lehn, wenn er nicht zugleich die Allodialerbschaft mit erhält, in der Regel nicht zu bezahlen. Eine Ausnahme machen nur die sog. Lehnschulden, welche man in nothwendige und subsidiäre theilt; erstere sind stets nur aus dem Lehn zu zahlen, für letztere haftet dasselbe erst aber nur dann, wenn das Allodium nicht hinreicht. Ebenso spricht man von absoluten Lehnschulden, die jeden Lehnsfolger treffen, und von respectiven, die nur auf gewisse Lehnsfolger fallen. Endlich trennt man die streng gesetzmäßigen Lehnschulden, zu deren Uebernahme die Verbindlichkeit im Gesetze liegt, von den bewilligten Lehnschulden, die sich rücksichtlich der Zahlungsverbindlichkeit der Lehnsfolger auf bestimmten Vertrag stützen. Eine besondere Zahlungsverbindlichkeit für die Lehnsfolger erwächst sehr oft aus der auf die Lehne angewiesenen Mitgift, oder der Summe, von welcher die Töchter der Lehnsmänner bei ihrer Verheirathung ausgestattet werden müssen und wovon sie bis dahin die Zinsen beziehen. Eigentliche Witthumsleistungen treffen die Lehne nur in Folge besonderer Verträge und Provinzialgesetze. Unter dem sog. Lehnstamme versteht man eine Schuld, die für immer auf einem Lehngute haftet; gewöhnlich ist ein solcher Lehnstamm zum Besten der Allodialerben des Stifters begründet, doch kann er auch zum Besten gewisser Linien der Lehnserben vorkommen. Die Abzahlung des Lehnstammes entweder auf einmal, oder in gewissen Theilen, ist in der Regel für besondere Fälle den Besitzern der Lehne auferlegt, aber zu gestunden. — Die Beendigung des Lehnsverbandes erfolgt, 1) wenn das Lehn für den Herrn eröffnet wird, entweder weil der Vasall ohne Lehnsfolger starb, oder weil er das Lehn nicht annehmen wollte, oder weil es ihm zur Strafe entzogen ward. Außerdem kann auch noch durch Verjährung das Lehn an den Herrn zurückfallen, inwiefern ein Vasall, der über 30 Jahre sein Benutzungsrecht am Lehn nicht geltend gemacht hat, ohne daß ihm ein äußeres Hinderniß entgegen stand, durch den Einfluß der Zeit seines Lehns verlustig ward. Natürlich muß der Lehnsherr, der zum Besten seines Eigenthumsrechtes die Verjährung geltend machen will, sie erst gegen jede Linie der Agnaten und Mitbelehnten seines Vasallen besonders, ebenfalls durch die Zeit von 30 Jahren, vom Augenblick der Eröffnung des Lehns für die einzelnen Linien, zurückgeführt haben, ehe sein Grundstück von der Lehnseigenschaft ganz befreit sein kann. Oft ist daher der Rückfall eines Lehns an den Herrn nur zeitweilig, d. h. er erstreckt sich nur auf die Lebenszeit des bisherigen Vasallen, der sein Nutzungsrecht nicht geltend gemacht und es also durch Verjährung verloren hat, und nach dessen Tode muß der Herr den Agnaten und Mitbelehnten des Vasallen das Lehn zurückgeben. Zur Strafe kann ein Lehn für den Vasallen verloren gehen wegen grober Verletzung der Lehnstreue (Felonie), oder auch zu Folge anderer Verbrechen, gegen welche gesetzlich dieselbe Strafe besteht (Quasi-Felonie). Das Wort Felonie kommt von dem altdeutschen fellen (verrathen) und zeigt sich eigentlich in Verweigerung der Lehndienste, Versagung des Beistandes, um den Herrn aus der Gefahr zu retten, in eigenmächtiger Veräußerung des Nutzungsrechts am Lehn, Unterlassung der Lehnsmuthung und Verweigerung des Lehneeides, ferner in persönlichen directen oder indirecten Verletzungen des Herrn durch Nachstellungen nach dessen Leben, in Verrath seiner Geheimnisse, in Angriff auf seine Besitzungen, in begangenen thätlichen, wörtlichen oder symbolischen Beleidigungen an demselben, auch in Criminalanklage oder freiwilliger Zeugnißleistung gegen denselben. Außerdem findet noch Felonie des Vasallen statt, wenn er die Gemahlin oder die unverheirathete Tochter oder die Schwester des Lehnsherrn, oder dessen Schwiegertochter, oder endlich dessen Enkelin vom Sohne schändet. Unter den angeführten Fällen der Felonie werden nach Verhältniß der Umstände die gröbern Verbrechen mit dem Verluste des Lehns bestraft, die übrigen aber mit Geldbuße. Für gröbere Verbrechen gelten nun namentlich diejenigen Arten der Felonie, welche nach den Gesetzen des röm. Rechts beziehendlich Widerruf einer Schenkung, Enterbung oder Ehescheidung herbeiführen würden, wenn sie von andern Personen begangen worden wären. Doch wird auf diese Strafe nur erkannt, wenn der Lehnsherr dies verlangt. Dieser kann also dem Vasallen das Verbrechen vergeben und die Strafe erlassen, und ein stillschweigender Erlaß dieser Art wird angenommen, sobald der Lehnsherr, nachdem er schon von dem Verbrechen des Vasallen unterrichtet ist, diesen doch noch zur Leistung der Lehnspflichten auffordert. Es tritt 2) Auflösung des Lehnsverbandes ein durch Uebergang des Obereigenthumsrechts an den Vasallen. Dies findet

ſtatt, wenn ein Lehnsherr zum Beſten des Vaſallen auf ſein Eigenthumsrecht am
Lehne verzichtet, oder wenn der Vaſall hinſichtlich dieſes Eigenthumsrechtes die erwerbende Verjährung gegen den Lehnsherrn geltend macht, welcher die 30jährige Verjährungszeit hindurch ſeine Anſprüche ruhen ließ, oder endlich dadurch, daß der Lehnsherr zu Folge einer gegen den Vaſallen begangenen Felonie, — denn dieſe kommt
auch vor, da die Verpflichtung der im Lehnsverband begriffenen Perſonen zu Schutz
und Hülfeleiſtung allerdings eine gegenſeitige iſt, — ſein Eigenthumsrecht am Lehn
verliert. Dagegen kann dadurch, daß der Stamm des Lehnsherrn ausſtirbt, eine
wirkliche Erlangung des Eigenthums am Lehne Seiten des Vaſallen nicht bewirkt
werden, da in dieſer Beziehung den Allodialerben, oder, in deren Ermangelung, dem
Fiscus (ſ. d.) ein Vorzugsrecht zuſteht. Höchſtens könnte zu Folge beſonders beſte-
hender Verträge auch in dieſem Falle der Lehnsmann das Eigenthumsrecht erwerben.
Dies wäre aber nur eine ausdrückliche Ausnahme von der Regel. Durch Uebergang
des Obereigenthumsrechts an den Vaſallen verwandelt ſich das Lehn in ein Allodial-
ſtammgut für die Agnaten und Mitbelehnten des Vaſallen, ſo daß für dieſe dieſelbe
Erbfolgeordnung, wie bisher, ſammt ihren Wirkungen fortbeſteht.   A.

  Lehrburſche, Lehrherr. Das Verhältniß, in welchem der junge Menſch,
der ein Geſchäft (Handwerk) erlernen will (Lehrling, Lehrjunge, Lehrburſche), zu ſeinem Lehrherrn oder Lehrmeiſter, der ihm die Anleitung dazu geben und auf ſeine
tüchtige Ausbildung in dem gewählten Beruf bedacht ſein ſoll, ſteht, iſt in unzähligen Fällen eines der trübſeligſten. Nicht nur, daß von gar vielen Lehrmeiſtern und
Lehrherren die Kräfte des Knaben über die Maßen angeſpannt und ausgebeutet werden,
ſo trifft es ſich auch nicht ſelten, daß dieſe Lehrlinge zu den niedrigſten Arbeiten, die
nicht zu ihrem Berufe gehören, zu Gaſſenkehren, Kinderwarten u. drgl. verwendet,
dagegen von höherer Ausbildung durch Leſen, Stundenbeſuch u. ſ. w. zurückgehalten
werden — ſolchen Lehrherren kommt es nur darauf an, daß ſie an ihren Lehrlingen
ſo viel als möglich verdienen, mag übrigens aus ihnen werden, was immer will.
In den Jahren, in welchen der Knabe in die Lehre tritt, bedarf er einer ſorgſamen
Aufſicht und Ueberwachung, weshalb die väterliche Gewalt zum größten Theil auf
ſeinen Lehrherrn übergeht; aber weder iſt ſeine körperliche noch ſeine geiſtige Ausbildung vollendet, und deshalb ſollten die Eltern bei der Auswahl des Lehrherrn ganz
beſonders darauf ſehen, daß es nicht ein Mann ſei, der entweder den Kräften des
Knaben zu viel zumuthet, oder unbekümmert um ſeine geiſtige Fortbildung ihn in
ſeinen Freiſtunden hindämmern läßt oder gar vom Beſuch von Sonntagsſchulen u. ſ. w.
zurückhält.   R.

  Lehrfreiheit iſt die Freiheit, welche dem Lehrer geſtattet, in der Verwaltung
ſeines Amtes ſeiner Ueberzeugung in ſeiner Weiſe folgen und beſonders an den höhern
Lehranſtalten jede Lehre, unter dem Schutz des geheiligten Rechtes der freien Forſchung, zum Gegenſtand wiſſenſchaftlicher Vorträge machen zu dürfen, ohne hierin durch
ſtaatspolizeiliche Maßregeln gehemmt, oder daran gänzlich verhindert zu werden. —
Wenn dieſe Freiheit, vom Lehrſtuhl und von der Kanzel die Ergebniſſe der freien
Forſchung zur Anerkennung zu bringen, die einzige Bürgſchaft für eine freie und zeitgemäße Fortentwickelung des Beſtehenden in Staat und Kirche zum Ziele der Civiliſation gewährt, ſo folgt daraus die heilige Verpflichtung für die Völker, dieſes Palla-
dium zu überwachen und zu bewahren. Man hat bisher, wenn man von L. ſprach,
für nothwendig gefunden, dieſe Freiheit, beſonders für die niedern Lehranſtalten und
die Kirche, unter den Schutz gewiſſer Beſchränkungen zu ſtellen, um den Gefahren
böswilligen oder fanatiſchen Mißbrauchs zu entgehen. Selbſt Welcker verſuchte es,
vorbeugende Maßregeln durch die Verpflichtung der Lehrer auf ein beſtimmtes Rechtsverhältniß zu begründen, und von dieſer Verpflichtung die moraliſche Nothwendigkeit
der Feſthaltung an beſtimmten Grundſätzen abhängig zu machen. Iſt eine ſolche
Beſchränkung, die z. B. den vom Staate angeſtellten Lehrer rechtlich verpflichtet, die

im Staate geltenden und von ihm vorgeschriebenen Lehrgrundsätze, unbekümmert um
deren Inhalt, als seine eigene Ueberzeugung zur Grundlage seiner Vorträge zu machen,
nicht der erste Schritt zu einer Knechtschaft, die in jüngster Zeit in Deutschland zur
höchsten Vollkommenheit gediehen und von der es sich nur durch einen Umsturz wieder zu befreien im Stande war? Das Urbedingniß jeder Freiheit ist Vertrauen, so
wie Mißtrauen und Argwohn die Grundzüge jeder Knechtschaft sind. Haben wir
also für die Zukunft Vertrauen zum gesunden Sinn, zur wahren Bürgertugend und

gleich die Lernfreiheit mit ein, statt die L. von Neuem in, wenn auch noch so leichte,
Mißbrauch kann der allgemei-
werben, als eine grundsätzliche Unterdrückung, welche
durch Beschränkung der L. jede andere Freiheit unmöglich macht. — Von jeher hat
Deutschland sich der L. und der freien Verfassung seiner Hochschulen als eines besondern Heiligthums erfreut. Die Aussprüche der Facultäten, an welche namentlich in
kirchlichen und rechtlichen Angelegenheiten Fürsten und Bürger sich wandten,
standen in hohem Ansehen, übten selbst auf reichs- und landständische und völkerrechtliche Verhandlungen einen bedeutenden und maßgebenden Einfluß und lange wagten
die Unterdrückungsgelüste der Alleinherrscher nicht, sich an der freien Selbstständigkeit
derselben zu vergreifen. Erst als während der Rheinbundszeit die unumschränkte Alleinherrschaft sich zu befestigen und durch die Bundesversammlung sich durch ein großes
Listengewebe gegen die Möglichkeit einer Auflehnung der Völker zu sichern suchte, als
die alten Bürgschaften der Freiheit und eines festen Rechts, der Rechtsschutz der ganz
selbstständigen Reichs- und Landesgerichte, der unabhängigen Körperschaften, der Universitäten, das Rechtsgutachten der Facultäten bei Seite gemaßregelt waren, wurde
auch die L. auf dem Altar des Despotismus geschlachtet und unter die Ruthe der
Regierungs- und Polizeigewalt gestellt. Von dieser Zeit an wird von der politischen
Richtung die Befähigung der Professoren und Volkslehrer abhängig gemacht und der
Zutritt zu den öffentlichen Lehrstühlen nur den politisch Rechtgläubigen gestattet.
Die Karlsbader Beschlüsse setzten diesem Verknechtungswerke die Krone auf. An den
Universitäten wurden zur polizeilichen Ueberwachung der ehrwürdigen Lehrstühle, auf
welchen Recht, Wahrheit und Freiheit durch Jahrh.e einen sichern Wohnplatz gefunden,
Regierungsbevollmächtigte angestellt, um den Vorträgen der Lehrer „eine heilsame
Richtung" zu geben; man kam überein, diejenigen Lehrer, welche die Polizeigrenze
überschreiten und sich mißfällig machen würden, ihres Amtes zu entsetzen und in kei-
nem deutschen Bundesstaate wieder einen Lehrstuhl besteigen zu lassen, um durch diese
Bedrohung ihrer ganzen Existenz sie für die weisen und väterlichen Maßregeln der Regierung empfänglicher zu machen. Es ist nicht zu leugnen, daß die
Unterdrückung der L. und die mit eiserner Strenge gehandhabte Ueberwachung und
Benutzung des Unterrichts für den Zweck der Erziehung der heranwachsenden Geschlechter zum Gehorsam und zur Ehrfurcht vor dem Bestehenden eine der wirksamsten
Maßregeln der Unterdrückung ist, besonders wenn auch die Kirche, abhängig gemacht
vom Staate, zu diesem Zwecke mitwirken hilft. Die Geschichte der letzten Jahre hat

der protestantischen Länder, zur Bildung einer staatskirchlichen Geistlichkeit
zu diesem Zwecke und der Vernichtung und Ausscheidung aller diesem Zwecke sich
nicht fügender Elemente gezeigt. Die Amtsentsetzung mißliebiger Geistlichen, die Verfolgungen der Führer der Fortschrittspartei, Rupps, Wislicenus, Uhlichs,
Wanders, Königs u. A. haben zur Genüge die Absicht der Regierungen bewiesen, dem Bestehenden, d. h. der Selbstsucht der Alleinherrscher jede Aeußerung freiheitlicher Bestrebungen zu opfern. Glücklicherweise verhinderte das furchtbare „zu spät"
die vollkommene Erreichung des Zieles dieser unheilvollen Bestrebungen. Das Gesetz
der geschichtlichen Nothwendigkeit des ewigen Fortschrittes ließ die Völker gewaltsam

die feingeschmiedeten Feffeln zerbrechen — dennoch find die verderblichen Folgen dieser
Regierungsweife eine Erbschaft, welche fich hemmend an die Flügel der jungen Freiheit
hängt und fich in den reactionären Beftrebungen einer Partei offenbart, an welcher
die Ausfaat eines gefeffelten Unterrichtswefens nicht verloren ging. Furcht vor der
Freiheit, — das ift die Frucht, die auf diefem Baume gewachfen, — der Baum ift
gefällt, aber das Gift der Frucht wuchert fort und wird vielleicht nur durch neue
Umwälzungen ausgerottet werden können. Deßhalb ift mit ängftlicher Sorgfalt zu
wachen über das goldene Fließ der L., der Freiheit, welche die Mutter aller Freiheit ift.

H. Bertholdi.

Lehrfätze, Glaubensfätze, häufig gebraucht man auch das Fremdwort
Dogmen. Nicht blos in Dingen, die den Glauben, fondern auch in folchen, die
den Staat angehen, ift es von jeher Brauch gewefen, daß man gewiffe Sätze aufgeftellt hat, denen fich Alles unterwerfen mußte, an denen Niemand zweifeln, Niemand
deuteln durfte. Der Papft und die Kirche waren unfehlbar; hatten fie gefprochen, fo
war die Sache entfchieden; wer widerfprach, eine abweichende Meinung kundgab, war
ein Ketzer und verdammt. Die Herrfcher waren von „Gottes Gnaden", Stellvertreter
Gottes auf Erden, und daher ihm allein verantwortlich. Wer das bezweifelte, wer
fich eines unverbrüchlichen Gehorfams gegen die von Gott eingefetzte Obrigkeit weigerte, verfündigte fich gegen Gott felbft. Ueber diefe und viele andere ähnliche Sätze
hat man mit eiferner Strenge gewacht. Aber die menfchliche Vernunft fträubte fich
gegen den Zwang. Sie wollte nur anerkennen, was fie geprüft, aus freier Ueberzeugung angenommen hatte. Der Kampf zwifchen diefen feindlichen Mächten, zwifchen
Kirche und Staat einerfeits, die ihren Lehr- und Glaubensfätzen die allgemeine Anerkennung und Gültigkeit erzwingen wollten, und dem Denken andererfeits, das fich gegen viele derfelben auflehnte und Alles, was ift, für Menfchenwerk erklärte, hat bis
in unfere Tage herein fortgedauert. Jetzt endlich ift es entfchieden, daß kein Glau-
bensfatz, den man zu irgend einer Zeit aufgeftellt hat, auf eine ewige Dauer Anfpruch
machen kann; daß die menfchliche Vernunft das Recht hat, an alle Satzungen und
Einrichtungen der Kirche und des Staats den prüfenden Maßftab anzulegen, und
Niemand ein Nachtheil treffen darf, wenn er fich zu abweichenden Meinungen bekennt:
mit einem Worte, daß Glaubens- und Lehrfreiheit, d. h. das Recht, die herkömmli-
chen Glaubens- und Lehrfätze nicht nur zu verwerfen, fondern auch neue anzunehmen,
an deren Stelle zu fetzen und der öffentlichen Beurtheilung vorzulegen, im weiteften
Umfang gefchützt fein muß. So lange es Cenfur gab, konnte man fich mit der
Hoffnung fchmeicheln, äußerlich wenigftens den gefammten Wuft kirchlicher und politi-
fcher Glaubensfätze in allgemeiner Gültigkeit zu erhalten. Jetzt, nach Abfchaffung der
Cenfur, ift dies nicht mehr möglich; jetzt kann fich Nichts mehr der freien Prüfung
und Beurtheilung entziehen, oder mit dem Anfpruch auf unverbrüchliche, unantaftbare
Wahrheit auftreten: Alles wird unterfucht werden und dann wird man nach freier
Ueberzeugung wählen, das Eine verwerfen, das Andere gutheißen. Prüfet Alles —
und das Befte behaltet: das ift der einzige Lehrfatz, der fortan gelten und eine Wahrheit werden wird. Die Staatsverfaffung felbft, das Königthum z. B., das man zu
einem unverletzlichen, unnahbaren Heiligthum geftempelt und mit wahrhaft ergötzlicher
Aengftlichkeit vor jedem Einfpruch gehütet hatte, wird fich diefer Beurtheilung unterwerfen müffen.

R.

Leibeigenfchaft. In unferer Zeit, wo Freiheit, Gleichheit, Brüderlichkeit, in
deren Verwirklichung das Ziel der Menfchheit gefetzt ift, zum erften Mal mehr als
eine Redensart find und in ahnenden Bewußtfein der Völker als Zukunftskeim aufgehen, erfcheint die L. als das furchtbare Gefpenft einer Vergangenheit, welches den
Gefchlechtern der Zukunft unbegreiflich ift. Erft an den Pforten der Neuzeit wurde
die L., die bis dahin alle Völker durch die Gefchichte begleitet, für immer begraben.
Selbft die Freiftaaten des Alterthums konnten fich nicht zu der Höhe des Gedankens

der Gleichberechtigung aller Menschen erheben. Sie hielten die Nothwendigkeit einer Kaste fest, bestimmt, für ewig das Bürgerthum von der Last der gemeinen Arbeit zu befreien, und bemühten sich, die Vernünftigkeit dieser Einrichtung durch allerlei Trugschlüsse, durch die Behauptung zu beschönigen, daß der Sklave kein „ganzer Mensch" sei und gleichsam die Uebergangsstufe vom Thierreich zum Menschenthum bilde. Aber diese Trugschlüsse wurden zum Leck, an dem die Staatsschiffe der alten Freistaaten zu Grunde gingen. Ueberall hat die Geschichte gelehrt, daß nur das friedliche Zusammenwirken Gleichberechtigter und Gleichbetheiligter den einen großen Zweck des Staates „die Wohlfahrt des Ganzen durch die Wohlfahrt aller Einzelnen", zu verwirklichen vermöge. Jedes unterdrückte und jedes bevorzugte Element im Staate sind natürliche Feinde des Ganzen und zerstören das Gleichgewicht durch Auflehnungen oder Uebergriffe. Als die nothwendigen Freilassungen sich mehrten, als man die Sklaven bewaffnen mußte, um sie in den Kriegen gegen die Cimbern und Teutonen zu verwenden, bildete sich aus diesen rohen, durch die Kriege noch mehr verwilderten Massen ein furchtbarer Pöbel, der, dem Bürgerthum feindlich und drohend gegenübertretend, die Freiheit Roms vernichtete, weil nur die eiserne Hand des Despotismus sie zu zügeln vermochte. — In Deutschland ist die L. nie in gleichem Grade, wie bei den slavischen und romanischen Völkern ausgebildet gewesen. Die L. hatte hier mehr den Begriff der Hörigkeit angenommen, d. h. der Leibeigene wurde nicht als Handelsartikel, oder als beliebig zu verwendender Hausdiener betrachtet, sondern er war an ein vom Herrn abhängendes Grundstück geknüpft, für dessen Nießbrauch und Bebauung er verpflichtet war, dem Herrn bestimmte Abgaben an Geld, Naturalien und Diensten zu leisten. Diese Art der L. läßt auf ihre Entstehung von dem die Gutshörigen bezeichnenden alten Worte Lassen schließen. Wahrscheinlich waren die spätern Leibeigenen die Ureigner des Grund und Bodens, welchen die Eroberer unter Bedingungen gewisser Grundlasten denselben gelassen hatten, um sich selbst ein bequemes und angenehmes Leben zu sichern. Obgleich dem Herrn das Recht über Leben und Tod des Leibeigenen und die freie Verfügung über das Grundstück zustand, so wurde doch selten von diesen Rechten Gebrauch gemacht. Im Gegentheil wurde in der Regel das Gut in der Familie des leibeigenen Besitzers weiter vererbt, und von dem Grundherrn nur das Recht in Anspruch genommen, aus der Verlassenschaft eine Summe Geldes, ein Stück Vieh, das beste Pferd (Besthaupt) für sich zu behalten. Mit der fortschreitenden Bildung wurden die Rechte der Herren immer mehr und mehr zu Gunsten der Hörigen beschränkt, und namentlich war durch das Recht der Gutsvererbung und die Befugniß, über schlechte Behandlung bei den Gerichtshöfen Klage führen zu dürfen, ein bedeutender Fortschritt geschehen. Dennoch verblieben bis zur gänzlichen Aufhebung der L. in der Mitte des vor. Jahrh.s den Hörigen eine Reihefolge von Lasten, die, wenn auch noch so lässig und milde gefordert, doch niemals die bäuerlichen Verhältnisse zur gedeihlichen Entwickelung gelangen lassen konnten. Diese Lasten bestanden 1) in Herren- oder Frohndiensten, entweder nach einer vertragsmäßigen Bestimmung oder nach der Willkür des Herrn abzuleisten; 2) im sogen. Dienstzwang, d. h. in der Verpflichtung der nicht auf dem Gute verbleibenden Kinder, dem Gutsherrn zuerst, wenn gleich nicht ohne Vergütigung, ihre Dienste anzubieten; 3) in der Befugniß des Herrn, einen Erbeid zu fordern; 4) in der Verpflichtung zu gewissen Abgaben, einem Kopfzins, einer Heiraths- und Erbschafts-Abgabe, die außer den Gutsabgaben geleistet werden mußten, endlich 5) in der grundherrlichen Behauptung eines Züchtigungsrechts, das bis zum gänzlichen Aufhören der L. vielfältig ausgeübt wurde. — Leider ist uns, wenngleich ausgedehnt durch das Hinzutreten anderer Verhältnisse, aus der L. wie den alten Freistaaten ein Proletariat erwachsen, das als feindliches Element die friedliche Entwickelung unserer Staaten nicht weniger bedroht, als die Plebs die Staatsverhältnisse der Griechen und Römer. Diese Gefahr abzuwenden giebt es nur einen Ausweg, auf den die Geschichte hinweist, den die allgemeine Menschenliebe gebieterisch fordert, den Ausweg der vollständigen Aufnahme dieses feindlichen Elements in die übrige Gesellschaft, um es durch vollständige Anerkennung seiner Bürger- und Menschenrechte in ein freundliches, zur Verwirklichung des großen Gesellschaftszweckes freiwillig mitwirkendes zu verwandeln.

H. Berthold.

Leibesfrucht. Sobald im Schooße der Mutter das keimende Leben sich regt, hat der Staat die Verpflichtung für sich anerkannt, dasselbe vor willkürlichen Gefährdungen zu beschützen. Die Größe der Versuchung zur Vernichtung der L., die Furcht vor der Schande, die gänzliche Zerstörung jeder glücklichen Zukunft, die der außerehelich Geschwängerten fast immer bevorsteht, veranlaßte die Regierungen der meisten christlichen Staaten, durch harte, oft grausame Gesetze von der Tödtung und Abtreibung der L. abzuschrecken. Während im Alterthum, bei Griechen und Römern, die L. nicht als ein beseeltes Wesen anerkannt und deshalb auch durch kein Gesetz die Abtreibung verboten wurde, während Aristoteles armen Eltern sogar den Rath ertheilte, sich durch Abtreibung der L. vor den drückenden Sorgen der zukünftigen Ernährung der Kinder zu befreien, erhob die päpstliche Gesetzgebung, von dem Grundsatze ausgehend, **daß durch die Tödtung des Kindes im Mutterleibe dasselbe des Segens der Taufe verlustig gehe,** die Abtreibung zu einer strafbaren Handlung und bedrohte sie mit dem Tode oder einer Geldbuße, je nach dem Grade der Lebensfähigkeit, welche man nach der Dauer der Schwangerschaft annehmen zu können glaubte. Die neuere Gesetzgebung ist zwar weniger grausam, enthält aber doch, wie namentlich das preuß. Strafrecht, eine Menge von Strafbestimmungen, die als Verdachts- und Präsumtionsstrafen, bei der Unsicherheit der ärztlichen Erkenntniß einer natürlichen oder absichtlichen Abtreibung, zu vielfältigen Ungerechtigkeiten Veranlassung gegeben. Das preuß. Strafrecht straft nämlich schon die Verheimlichung der Schwangerschaft als ein Verbrechen, und verlangt, daß die unehelich Geschwächte selbst den Behörden ihren Fehltritt anzeigen solle. „Wird,“ heißt es im §. 935, „eine Geschwächte, die ihre Schwangerschaft nicht vorschriftsmäßig angezeigt hat, von einer unzeitigen L. entbunden, so begründet dies wider sie eine Anzeige, daß sie die L. vorsätzlich abgetrieben habe.“ Die Strafen, welche auf die Verheimlichung der Schwangerschaft gesetzt sind, während zugleich bei einem Alter der L. von 30 Wochen der Einwand der Mutter, daß sie ihre Schwangerschaft nicht gewußt habe, als unstatthaft zurückgewiesen wird, stehen in der That zu den „medicinischen Möglichkeiten“ und zu den verschiedenen gesellschaftlichen Verhältnissen, welche auf die Geschwächte einwirken können, in keinem Verhältniß. Selbst für den Fall, daß das Alter der L. und ob sie todt zur Welt gekommen, nicht zu ermitteln, bestimmt §. 942, daß das Straferkenntniß auf 3- bis 4jährige Zuchthausstrafe gerichtet werde. Die furchtbare Härte dieser Strafbestimmungen hat zu vielfältigen Beleuchtungen derselben Veranlassung gegeben. In der That erscheint die Forderung der Selbstanzeige der Schwangerschaft vom moralischen und psychologischen Standpunkte aus eben so unbillig, als die Zurückweisung des Einwandes der Richterkenntniß der Schwangerschaft nach einem 30wöchentlichen Alter der L. vom medicinischen unstatthaft ist. Ein unbescholtenes, schamhaftes Mädchen aus achtbarer Familie, die vielleicht als das Opfer eines augenblicklichen menschlichen Sinnenrausches fiel — wird sie nicht lieber das Aeußerste ertragen, als — und noch dazu einer Behörde — einen Zustand entdecken, der sie für immer der Schande preisgiebt; wird sie nicht bis zum letzten Augenblick hoffen, ihren Fehltritt durch ein mögliches Ehebündniß, durch irgend einen glücklichen Zufall verschleiern zu können? Gewiß liegt in dieser Forderung dem weiblichen Scham- und Zartgefühl gegenüber eine Härte, die auf keine Weise gerechtfertigt erscheint. Ebenso verhält es sich mit dem zweiten Punkt. Wie oft täuschen sich Aerzte und selbst Ehefrauen bis zum letzten Augenblick über ihren Zustand! Unsere berühmtesten Aerzte haben die Unsicher-

heit der Anzeichen der Schwangerschaft zugegeben — wie sollte eine zum ersten Mal
Gebärende nicht der Möglichkeit derselben Täuschungen ausgesetzt sein können? —
Bei der großen Unsicherheit der ärztlichen Erkenntniß einer natürlichen oder absichtlich
herbeigeführten Abtreibung, des Alters und der Lebensfähigkeit der Frucht, können
Strafbestimmungen unmöglich gebilligt werden, welche den Richter zu den größten
Irrthümern veranlassen können. Ebenso müssen Gesetze eines hohen Grades von
Härte und Unmenschlichkeit angeklagt werden, die auf bloße und noch dazu äußerst
unsichere Verdachtsgründe hin Strafen verhängen, welche die ganze Zukunft eines
vielleicht unschuldigen, jedenfalls menschlich gefehlt habenden Wesens für immer vernichten. Wir wollen hierdurch keineswegs die Abscheulichkeit des Kindermordes im
Mutterleibe irgend wie zu beschönigen suchen und die Straflosigkeit der Griechen und
Römer dafür in Anspruch nehmen, aber wir behaupten, daß, wie die Erfahrung hinreichend lehrt, nicht durch abschreckende Strafen die Verminderung dieser, leider in
neuester Zeit überhand nehmenden Verbrechen, sondern vielmehr durch die längst nothwendige Umgestaltung unserer gesellschaftlichen Zustände herbeigeführt werden müsse.
Denn wenn das Bedürfniß der physischen Liebe und der unwiderstehliche Trieb zur
Befriedigung desselben einen Grundzug der sinnlichen Menschennatur bilden, wenn
diesem Bedürfniß nur in der Ehe gesetzliche Befriedigung werden kann, wenn die
Ehe unter den gegenwärtigen Verhältnissen für einen großen Theil der Staatsangehörigen immer unmöglicher zu werden anfängt, so erwächst dem Staate die Verpflichtung, dem wachsenden Verbrechen nicht durch ein grausames, den starken Trieben der
Menschennatur gegenüber nie wirksames Gesetz, sondern durch Anstalten vorzubeugen,
welche, wenn sie nicht im Stande sind, der gesetzlichen Ehe hinreichende materielle
Grundlagen unterzubreiten, doch wenigstens durch Verminderung der öffentlichen Schande
und durch die Aussicht auf eine staatliche Auferziehung der Kinder die Mütter der
Versuchung zur Vernichtung der L. entheben, wozu in den meisten Fällen nur der
höchste Grad der Verzweiflung sie treibt. (S. Findelhäuser.)   H. Berthold.

Leibesübungen. Der hervorstechendste Zug im Charakter des Deutschen unserer Zeit war bis vor Kurzem noch die — Demuth, jene offenbare „Hundstu-
gend", welche nur im Stillen mit männlichem Muthe sich spreizte, öffentlich
aber, oder wenn sie einen „gnädigen" Herrn Baron oder Lieutnant von Weitem nur
witterte, sich am liebsten unsichtbar gemacht hätte. So schätzte sich der moderne Deutsche selbst gering, und wurde natürlich deshalb auch von Andern nicht höher im
Werthe angeschlagen! Wie konnte dies auch anders kommen? An die Stelle jener
alten „Bärenhäuter", welche im Teutoburger Walde die römischen Legionen niederschmetter-
ten, war nach und nach ein verweichlichtes Geschlecht getreten, das lieber hinter dem
warmen Ofen und bei einer Tasse Thee von den Thaten seiner Vorfahren gemüthlich
träumte, als selbst Thatkraft äußerte, gleichviel, ob Franzos oder Russe die täglichen
Lebensregeln ihm vorschrieb und in seinem Hause den Herrn spielte. Da endlich,
als die Saiten aufs Höchste gespannt waren und die fremden Mißhandlungen ärger
nicht mehr geschehen konnten — sannen einzelne wackere Männer über die Ursache
solchen Volksthum-Verfalls nach und entdeckten endlich: daß namentlich hinter dem
Bücherschreine in dumpfer Stube die Kräfte einrosteten und Geist und Körper zur
Beute des Siechthums werden müßten. Von nun an galt es als feststehender Grundsatz, daß nur in einem gesunden Körper auch eine gesunde Seele wohnen könne und daß nächst dem Geiste auch der Körper gebildet und gestählt werden
müsse durch L. und Kriegsspiele, wenn die Deutschen das wieder werden sollten, was
sie einst waren: ein Heldenvolk, das nicht erzittert, wenn — wie Jahn sagt —
die Weltgewitter über Deutschland erblitzten. So entstand das Turnen (s. d.),
welches alle L. umfaßte und namentlich von Jahn in einen besondern Zweige des
Erziehungs- und Unterrichtswesens erhoben wurde. Seine Turnanstalt auf der Hasen-
halde bei Berlin z. B. war es, welche in der Zeit vaterländischer Noth 1818—15

dem Kern des preußischen Heeres, der Landwehr, die trefflichsten Führer lieferte. Auch nach jenem Kriege nahmen die L. noch eine Zeit lang erfreulichen Fortgang; allein, als mit der Aussicht auf Frieden auch die fürstliche Willkür wieder wuchs, als besonders von den Turnplätzen aus ernste Mahnungen an die Großen wegen endlicher Wahrmachung früherer Verheißungen ergingen: da riß diesen, welche ohnehin lieber über Theeschwestern als über thatkräftige Männer regieren wollten, die Geduld; die L. mußten wieder eingestellt werden, die „mißliebigen" Schreier sammt Meister Jahn aber auf die Festungen wandern. Zwar wurden die L. späterhin, als sich die Furcht der Regierungen als grundlos erwiesen hatte, in etwas wieder geduldet; aber das Ganze blieb doch ein verkümmertes Wesen, dessen Dasein nur spärlich von der Großmuth der Polizei gefristet wurde und das weit eher Seiltänzer zu fürst-lichen Belustigungen, als kampf= und kriegsgerechte Männer heranzu-bilden bestimmt zu sein schien. — Jetzt nun, wo die „Weltgewitter wirklich auch über Deutschland zu erblitzen" anfangen und das Vaterland ein Geschlecht von Männern bedarf, die seine Freiheit auf starker Schulter zu tragen vermögen, — jetzt dürfen wir wieder hoffen, die L. zu Ehren gebracht zu sehen, — hoffen, daß der Staat selbst von seinen Söhnen noch sagen werde: „Sie sollen Alles lernen. Wer durchs Leben sich frisch will schlagen, muß zu Schutz und Trutz gerüstet sein!"

W. Pretzsch.

Leibgedinge, der Auszug, den sich die Besitzer bäuerlicher Güter, wenn sie bei Lebzeiten dieselben an die gesetzlichen Erben abtreten, ausbedingen. Außer der Woh-nung im Gute pflegen darin auch Erzeugnisse der Wirthschaft eingeschlossen zu sein. Vergl. Auszüger.

Leibrente ist die Uebertragung eines Capitals oder Capitalwerthes mit der Ver-pflichtung für den Empfänger, dem Uebertragenden für die Zeit seines Lebens jährlich eine vertragsmäßig ausbedungene Geldsumme oder sonstige Leistungen zu gewähren. Der Vortheil des L.nvertrages liegt für den Capitalempfänger, ab-gesehen von dem Nutzen, welchen ihm der freie Gebrauch eines Capitals für den Augenblick gewährt, das ihm nach dem Tode des Capitalisten als unbelästigtes Eigen-thum verbleibt, natürlich in der kürzesten Lebensdauer des letztern. Sie erscheinen, vom Standpunkte des Vortheils, als eine Wette, deren Erfolg von de. glücklichen Schätzung der Lebensdauer des Capitalisten abhängig ist. Aus diesem Grunde waren L.nverträge in der Mitte des vor. Jahrh.s noch in manchen deutschen Gesetzgebungen verboten, weil man sie als eine zu große Versuchung zur Abkürzung der Lebensdauer des Capitalisten betrachtete. Die neuere Gesetzgebung mit dem Grundsatz des Vertrauens auf die edlere Seite der Menschennatur hat die L.nverträge wieder gestattet, jedoch sind sie durch die Lebensversicherungs= und andere derartige Anstalten, so wie durch die materielle Zeitrichtung, so ziemlich in den Hintergrund gedrängt worden. Hier und da, besonders in den östlichen Provinzen, pflegen kinderlose Grundbesitzer, denen die Bewirthschaftung der Güter zu beschwerlich geworden ist, während sie doch von der alten Heimath sich nicht gern trennen mögen, ihr Besitzthum gegen eine, in Wohnung, Verpflegung und einer jährlichen baaren Summe bestehende L. auf einen Andern zu übertragen. Leider werden die Hoffnungen auf einen gemüthlichen und ruhigen Le-bensabend dem Capitalgeber nur zu oft durch selbstsüchtiges und boshaftes Benehmen von Seite des Capitalempfängers verbittert, wenn dieser sich in der Schätzung ihrer Lebensdauer geirrt, weshalb den Capitalisten bei der Vollziehung des Vertrags die äußerste Vorsicht zu empfehlen ist. — In ähnlicher Weise sind in vielen Theilen Deutschlands, namentlich im Magdeburgischen und Thüringschen, die sog. „Auszüge" üblich, durch welche, bei der Uebertragung bäuerlicher Grundstücke auf die natürlichen Erben, den Eltern oder Verwandten auf dem Gute Wohnung, Kost und eine jährliche Geld-summe während der Dauer ihres Lebens zugesichert bleiben.

H. Bertholdi.

Leib und Leben, Strafen an. Das ältere Strafrecht war mit Leibes= und

Lebensſtrafen ſehr freigebig. Der Unterſchied zwiſchen ihnen beſteht darin, daß die Lebensſtrafen an „den Kragen gingen", d. h. daß der Verbrecher am Leben, d. h. mit dem Tode beſtraft, vom Leben zum Tode gebracht wurde. (Erſäufen, Verbrennen, Erdroſſeln, Hinrichten, Hängen, Erſchießen); die Leibesſtrafen dagegen entweder nur körperliche Schmerzen zufügten, wie mittelſt körperlicher Züchtigung, z. B. Prügeln (Knute) und Brandmarkung, oder ſich doch mit einer Körperverſtümmelung „begnügten", mit Handabhauen, Fingerabhauen, Blenden u. dgl. Die neuere Zeit hat den Leibesſtrafen ſowohl als den Lebensſtrafen den Krieg erklärt, und nicht mehr fern iſt es, wo auf der ganzen geſitteten Erde die entehrenden Prügelſtrafen und die grauſamen Todesſtrafen verſchwunden ſein werden — man wird Rußland das Vorrecht einräumen, dieſe Ueberbleibſel der Barbarei und Gewaltherrſchaft bei ſich zu beherbergen. Die neue franz. Republik hat einen ſchönen Beweis ihrer friedlichen Richtung, ihres Vertrauens auf die Macht der Ideen gegeben, indem ſie alsbald nach dem Sturz des Königthums, wo ſie noch ringsum von Gefahren umgeben war, die Todesſtrafe abgeſchafft hat, deren ſie — zum Schutze der Freiheit — nicht mehr zu bedürfen überzeugt war. ⸺ R.

Leibwache. Zu ihrem perſönlichen Schutz umgaben ſich Gewaltherrſcher mit einer Truppe, die ihnen ganz beſonders ergeben war, in ihren Schlöſſern Wache hielt, bei öffentlichem Erſcheinen ſie begleitete. Dieſe Truppen, L. genannt, waren gewöhnlich die feſteſten Stützen der Tyrannei, wurden mit höherm Solde belohnt, ſpielten die Herren des Staats, empörten ſich aber auch gegen ihren Herrn, wenn er ihnen nicht mehr zu Willen war, oder der Mittel entbehrte, ihre mit jeder Gewährung ſich ſteigernden Anſprüche zu befriedigen. Die Geſchichte des römiſchen Kaiſerthums iſt reich an Beiſpielen, daß die L.n des Kaiſers ſelbſt ihn ſtürzten und einen Andern auf den Thron erhoben. Die Garden, Leibgarden, welche heute noch in faſt allen monarchiſchen Staaten beſtehen, ſind eine Art Fortſetzung der alten L.n: durch höhere Löhnung werden ſie vor den übrigen Truppengattungen bevorzugt, weil in ſie die zuverläſſigſten Mannſchaften, die ergebenſten Führer eingereiht werden, man ſieht ihnen deshalb wohl auch etwas nach, weil man ſich ihrer Treue für alle Fälle verſichern will — einen Ruhm ſetzt man übrigens noch darein, daß die größten und ſchönſten Männer in der Garde dienen, und durch den Vorrang, den man ihr bei Bewachung der Ehrenpoſten in den Reſidenzen, in den fürſtlichen Schlöſſern einräumt, wird die natürlich in dem Vorurtheil, daß ſie würdiger ſei, als die übrigen Truppen, beſtärkt. Ein Theil davon iſt beritten. Dieſe berittene Truppe führt den franz. Namen — ein deutſcher wäre ja nicht ehrenvoll genug — Garde du Corps.

Leibzoll, jüdiſcher, ſ. Emancipation der Juden.

Leichenhäuſer, ſ. Begräbniß.

Leichenkaſſen ſind eine Art Sparkaſſen, wodurch die Mitglieder von gewiſſen Körperſchaften, namentlich aber Innungen, Zünfte ſowie einige in einem beſtimmten Verbande ſtehende Arbeiterklaſſen, beſonders in geſchloſſenen Gewerbsanlagen, mittelſt Einzahlung regelmäßiger, gewöhnlich wöchentlicher kleiner Beiträge, die hier und da bei der Lohnauszahlung ſogleich vom Lohne zurückbehalten werden, ſich die Ausſicht verſchaffen, daß im Todesfall die Begräbnißkoſten beſtritten werden, und die Hinterlaſſenen eine je nach den Umſtänden und Einlagen größere oder geringere Geldunterſtützung erhalten. Vergl. Sterbelade.

Leichenſchau, ſ. Begräbniß.

Leihbank, ſ. Banken.

Leihhäuſer, diejenigen öffentlichen Anſtalten, in welchen gegen Ueberlaſſung eines Pfandes Gelddarlehne gemacht werden. Die kleinen Leute, welche in Verlegenheit kommen, müſſen gewöhnlich für die kleinen Gelddarlehne, mit denen ſie ſich aus ihrer Verlegenheit befreien wollen, mit großen Zinſen aufkommen. Der Wucher, der von den Geldleuten gerade gegen die bedrängte Armuth getrieben wird, hat deshalb

auf den Gedanken geführt, mittelst öffentlicher Leihanstalten ihnen zu Hülfe zu kommen. Man übergiebt den L.n ein Pfand, erhält darauf ein verhältnißmäßiges Darlehn (ein Drittel oder die Hälfte Werth des Pfandes), das nach einer bestimmten Zeit mit Zuschlag der festbestimmten Zinsen zurückbezahlt werden muß, wogegen das Pfand cht. darauf abgesehen ist, für öffent-
gten Leuten Hülfe und Unterstützung
zu gewähren, so sollte bei Festsetzung der Zinsen, die der Anstalt zu leisten sind, zu dem allgemein üblichen Zinsfuß nur so viel hinzugeschlagen werden, als der möglichst einzuschränkende Aufwand der Verwaltung unumgänglich erheischt. Nicht überall ist dies indeß der Fall; an manchen Orten wird das Leihhaus zu den Einnahmsquellen der Stadt gezählt; es gewährt trotz sehr verwickelten Verwaltung einen recht ansehnlichen Ueberschuß, und des Wuchers, den man zu Gunsten der Armuth abschneiden wollte, macht man sich selbst schuldig, wenn man z. B. statt der landüblichen 4 Procent 6 und 7 nimmt. Die L. scheinen ein nothwendiges Uebel zu sein. Werden sie auch mitunter gewiß leichtsinnig benutzt und Mancher, der sonst keine Gelegenheit gefunden haben würde, Geld zu nichtsnutzigen Zwecken zu erborgen, zum Schuldenmachen verleitet, so gereichen sie doch zum größern Theile den ärmern Klassen sicherlich zum Vortheil. Ohne die Dazwischenkunft solcher öffentlichen Anstalten würden diese der Habgier reicher Wucherer ganz verfallen sein. Und solche Anstalten, wo der Arme ohne Pfand Vertrauen genießt und eine Summe Geldes auf seinen ehrlichen Namen, seine Geschicklichkeit, den guten Gang seines Geschäfts vorgestreckt erhält, besitzt Deutschland wenigstens zur Zeit noch nicht. R.

Leihegut, s. Abmeierung.

Leihkassen, s. Creditanstalten.

Leinpfad, der Weg neben einem schiffbaren Fluß, wo die Menschen und Pferde, die die Schiffe stromaufwärts ziehen, gehen. Die Klagen, welche die deutsche Flußschifffahrt erhebt, richten sich neben Anderm auch gegen die schlechten L.e. Trotzdem, daß die Schifffahrt auf den deutschen Strömen mit schweren Zöllen belastet ist, und diese Einkünfte zunächst zur Instandhaltung des Fahrwassers, zu Strombauten, zu Verbesserung der L.e u. s. w. bestimmt sind, ist doch weder für das Eine, noch für das Andere etwas Bedeutendes geschehen und ein weites Feld zur Thätigkeit noch offen. Die alten Verwaltungen haben die Flüsse versanden, die L.e verwildern lassen. Es ist die höchste Zeit, soll die Flußschifffahrt, z. B. auf der Elbe, nicht ganz zu Grunde gehen, daß hier rüstig Hand angelegt wird. Will man durchaus die Zölle von der Schifffahrt noch forterheben, so dürfen sie nur zum Besten dieser Schifffahrt selbst verwendet werden. Vgl. auch Flußschifffahrt und Elbschifffahrt. R.

Leonina societas, s. Löwenvertrag.

Lesefreiheit. Unter den Freiheiten, welche zeither dem Deutschen von „Polizei wegen" gestattet waren, stand die Freiheit des Denkens obenan, — eine Vergünstigung indeß, die ihm höchst wahrscheinlich nur deshalb nicht gut entzogen werden konnte, weil eben kein Staatskünstler noch ein Verbotsmittel dagegen erfunden hatte. Desto geschäftiger aber waren die Volksbeglücker, die Gemüther vor den schädlichen Einflüssen des Lesens zu bewahren, namentlich in Oesterreich, wo das Schriftenwesen förmlich wie Contrebande betrachtet und darauf Jagd gemacht wurde. Darf denn aber von Gott und Rechtswegen die L. dem Bürger verkümmert werden? Das Rechts- und politische Gefühl verneint dies freilich; doch was kümmerten bisher solche Gründe die großen und kleinen Gewalthaber, von denen Jeder nur sich für den Staat zu halten beliebte und nach seiner eigenen Laune auf der Volksfreiheit herumreiten zu können glaubte! — Und so geht die L. Hand in Hand mit der Preß- und der Lehrfreiheit (s. b.), weshalb in dem Maße, als der Staat jene anerkennt, auch die L. gestattet werden muß; es wäre denn, daß solche unsittliche Schriften beträfe, wo dann das Verbieten zur Pflicht für den Staat oder dessen Regierung wird,

die wie für das leibliche, so auch für das geistige Wohl ihrer Angehörigen Sorge zu tragen hat. So wie sich aber ein sittlich-gebildetes Volk nicht mit dem Lesen unsittlicher Schriften abgeben wird, eben so wenig gestattet die Unverletzlichkeit der persönlichen Freiheit in und außerhalb des Hauses der Staatsgewalt, unter irgend einem Vorwande in das Haus des ruhigen unbescholtenen Bürgers einzudringen und mit Hintenansetzung jeder Rücksicht Durchsuchung zu halten, wie es vor Kurzem noch häufig vorgekommen ist. In solchen Fällen geht Gewalt vor Recht, und dem Eigenthümer des Hauses steht dann offenbar die ganz natürliche Befugniß zu, vom Hausrecht Gebrauch zu machen und Gewalt mit Gewalt zu vertreiben, d. h. die Ruhestörer zum Hause hinaus zu werfen. — Was hier vom Staate gesagt ist, gilt im Allgemeinen auch für die Kirche, welche sich eben so wenig, wie jener, hinsichtlich der L. eine bevormundende Gewalt über ihre Mitglieder anmaßen darf, wenn nicht die allgemeine Sittlichkeit darunter leiden soll. Wäre z. B. in vielen römisch-katholischen Ländern nicht von jeher unter dem Scheine der Förderung religiösen Lebens die L. so kopflos beschränkt worden: so würden Heuchelschein und Trug nicht so überhand genommen haben und wahre Religiosität und Sittlichkeit nicht so in Verfall gerathen sein, wie es wirklich der Fall ist. Der Verkümmerung der L. und der dadurch erzeugten geistigen Rohheit ist es allein zuzuschreiben, wenn ein dem Drucke der weltlichen Macht sich entringendes Volk seine Menschenwürde aus den Augen setzt und zu thierischen Grausamkeiten von der Gewalt des Augenblicks sich hinreißen läßt. — Ein Hauptmittel früherer Willkürherrschaft in Staat und Kirche zu Unterdrückung der L., die Censur (s. d.), ist neuerdings mit jener zugleich auch in Deutschland gefallen; wachen wir nun darüber, daß bei künftiger Regelung eines allgemeinen deutschen Preßgesetzes kein Zwitterding zu Stande komme, welches die Staatenlenker aufs Neue in Versuchung führen könnte, mit der Preßfreiheit zugleich auch die L. in neue Fesseln zu schmieden. Die L. ist die Quelle der Bildung; und daß diese klare und reine Quelle nicht irgendwie getrübt werde, — darüber zu wachen ist Sache des Anstandsgefühls Aller!
W. Pretzsch.

Lesegesellschaften und Vereine. Als die Sehnsucht nach Unterhaltung durch Schriften, das Bedürfniß einer unausgesetzten Vermehrung der erworbenen Kenntnisse, als namentlich die Theilnahme an der politischen Bewegung mehr und mehr alle Gesellschaftsschichten zu durchdringen und zu geistiger Regsamkeit aufzustacheln begann, fing man an, sich zu Lesegesellschaften und Lesevereinen zu verbinden. Diese Gesellschaften haben entweder nur den Zweck, sich namentlich die neuesten Druckwerke mit geringen Geldmitteln zugänglich zu machen, indem die durch die Beiträge der Gesellschaft angekauften Schriften, nachdem sie von den Mitgliedern der Reihe nach gelesen, schließlich als Eigenthum vertheilt werden, oder sie verbinden mit diesem Zweck noch den der mündlichen Besprechung des Gelesenen, ein Zweck, der durch die Verbindung der Lesevereine mit geschlossenen Gesellschaften oder durch die sog. Lesecabinette und Museen auf öffentlichem Wege erreicht wird. Die Lesevereine sind für die sprachliche, Geschmacks- und besonders für die politische Bildung des Volks unendlich wohlthätig gewesen. Die Maßregeln, durch welche die Gewaltherrschaft bis zu den Märztagen die politische Aufklärung des Volks zu unterdrücken bemüht war, bestanden mit der Censur zugleich in einer Beschränkung der Lesefreiheit. Der Buchhandel, die öffentlichen Büchersammlungen wurden der strengsten Aufsicht unterworfen, um jedes verbotene, als „volksvergiftend" verdächtige Buch mit augenblicklichem Beschlag zu belegen. Da flüchteten sich die verbotenen Aufklärungsschriften in die still bestehenden Lesevereine, um hinter dem Rücken der Spione mit doppeltem Eifer verschlungen zu werden. Und so weit sogar ging der Eifer und die Angst der Gewalthaber, daß sie sich nicht scheuten, in das Heiligthum der Privatbesitzes und der bürgerlichen Hausfreiheit ihre Schergen zu senden, um verfolgte, im Privatbesitz ein sicher geglaubtes Asyl findende Druckwerke einfangen und ihre Besitzer bestrafen zu lassen. Dennoch

3*

gelang es dieser neuzeitlichen Inquisition und ihren Schergen nicht, die Neugierde, genährt von ingrimmigem Haß gegen die Unterdrücker jeder billigen und gerechten Freiheit, durch die Furcht zu verscheuchen. Jedes Schreckenssystem hat noch eine Grenze seiner Wirksamkeit gefunden. Die Lesevereine haben ihre Früchte getragen und eine politische Bildung vorbereiten helfen, die uns nach dem Sturze der alten Herrschaft in der That überrascht. Noch wirksamer als diese Vereine waren für die politische Fortentwickelung des überall in empörenden Polizeibanden schmachtenden Volks die Museen, Harmoniegesellschaften und Lesecabinette, wo die Mittheilungen der politischen Zeitschriften zu lebhaftem Meinungsaustausch, zur Berichtigung anerzogener Vorurtheile Veranlassung gaben und die Censurlücken durch mündliche Besprechung ergänzt und ausgefüllt wurden. Auch jetzt noch, wo mit dem Sturze der alten Gewaltherrschaft die verwerflichste aller Inquisitionen aufgehört hat, werden die Lesegesellschaften namentlich in letzterer Art, der politischen Fortbildung, durch Besprechung und Beleuchtung der Parteifragen, durch augenblickliche Aufklärung über Mißverständnisse und Vorurtheile, auf eine wohlthätige Weise förderlich sein und uns in kürzester Zeit zur Erreichung des Zieles verhelfen, welches eine lebendigere Volksthümlichkeit unsere Nachbarstaaten schon vor Jahrzehnten erreichen ließ.   H. Bertholdi.

Lettre de provision, s. Exequatur.

Lettres de cachet, s. Cachet.

Letzte Oelung, ein heiliger Gebrauch in der katholischen Kirche, der darin besteht, daß, wenn ein Gläubiger gefährlich erkrankt, sein Seelsorger ihn (an den Augen, Ohren u. s. w.) mit geweihten Oelen salbt und ein Gebet dazu verrichtet. Dieser Gebrauch soll nach der Lehre der katholischen Kirche die Wirkung thun, daß die göttliche Gnade bei dem Kranken einkehrt, die Ueberreste der Sünde von seiner Seele hinweglöscht, und ihm dadurch die Kraft giebt, den Tod zu überwinden und in die ewige Seligkeit einzugehen. Bei den Katholiken ist die l. O. ein Sacrament; die Protestanten haben sie weder als Gebrauch, geschweige denn als Sacrament beibehalten. Als Mittel zum seligen Sterben kann auch weder das geweihte Oel noch die Ansprache des Pfarrers dienen — sondern nur ein gutes Gewissen, die Erinnerung an ein pflichtgetreues Leben.   R.

Letzter Wille, s. Testament.

Leuchtthurm. In Häfen, an der Mündung von Flüssen oder an gefährlichen Stellen hat man zur Sicherheit für die Schiffer hohe Thürme angelegt, die des Nachts erleuchtet werden und so dem Schiffer zur Richtung dienen, oder ihn vor Klippen warnen sollen. Sie heißen deshalb Leuchtthürme, weil das Feuer, welches in ihnen unterhalten wird, weithin leuchtet. Schon im Alterthum kamen die seefahrenden Völker auf den Gedanken, zur Sicherung der Schifffahrt solche Thürme zu bauen. Der berühmteste war der auf der Insel Pharos, dem der Hafen von Alexandria, der seiner Höhe und Schönheit wegen zu den Wundern der Welt gezählt wurde. An den englischen, französischen, niederländischen und deutschen Küsten giebt es jetzt eine Menge Leuchtthürme; ihre Zahl kann indeß immer noch vergrößert werden.   R.

Leugnen, das Gegentheil von Eingestehen, hat lange Zeit im deutschen Strafverfahren eine traurige Rolle gespielt. Weil nämlich der Richter darauf hinarbeiten mußte, um jeden Preis ein Geständniß des Angeklagten zu erlangen, so nahm man es sehr übel auf, wenn Letzterer leugnete und seine Schuld nicht eingestand, obgleich nach allen Rechtsregeln Niemand gehalten sein kann, sich selbst anzuklagen oder Zeugniß gegen sich abzulegen, und es eben Sache des Richters ist, die Beweise der Schuld so festzustellen, daß alles L. nichts hilft oder, wenn er das nicht vermag, dem Angeklagten freizugeben. Hier half man sich indeß damit, daß man dem Angeklagten vorspiegelte, wenn er eingestehe, oder seine Mitschuldigen nenne, werde seine Strafe geringer, wenn er dagegen bei seinem L. beharre, schärfer werden — und so mag manches Geständniß erpreßt worden sein. Die neue Gesetzgebung, welche im Strafverfahren bevorsteht, muß anerkennen, daß weder auf das Geständniß noch auf das L. ein Werth zu legen ist und daß den Angeklagten selbst dann keine härtere Behandlung treffen darf, wenn er einem Geständniß durch augenscheinliches L. auszuweichen sucht. Bei öffentlichem Verfahren wird überdies das L. weit seltener vorkommen, als in der geheimen Gerichtsstube, in der der Angeklagte den Richter von Hause aus als seinen erklärten Feind zu betrachten versucht war. Vergl. Geständniß.   R.

Leugnungseid, s. Eideshelfer.

Libell, jede Schrift, wes Inhalts sie auch sei, also Klageschrift, Bittschrift, aber auch Schmähschrift.

Liberalismus (der) ist jene edle, freisinnige und vorurtheilsfreie Denkungsart, welche der Geistesbildung entspringt und, in der anerkannten Nothwendigkeit des Besserwerdens im politischen und religiösen Leben der Völker wurzelnd, nur in der Erreichung des Rechten und Guten volle Befriedigung findet. Daher leitet er seinen Ursprung ab vom latein. liber oder frei und liberalis, d. h. was anständig ist, und stand deshalb bei den alten Römern schon als eine Tugend so hoch in Ehren, daß sie ihm Tempel und Altäre erbauten. — Der L. ist doppelter Natur; L. der Gesinnung und That, wie der Gesammtheit und des Einzelnen. Einmal offenbart er sich in dem schönen und großen Streben staatlicher Einrichtungen: die Rechte der Menschen anzuerkennen und diese selbst zum klaren Bewußtsein ihrer Menschenwürde zu erheben. Hier ist er Staats-L., dessen Zweck darin besteht, jene wohlthätige Herrschaft des Gesetzes zu begründen, welche mit der des Geistes und der Sitte sich vereinigt, um Menschenglück und Bürgertugend zu einem Gemeingut zu machen. Diesem L. zur Seite steht jener der Gesinnung des Einzelnen, welcher Wahrheit und Recht höher achtet, als Erdengüter und stets bereit ist, dem Recht und der Freiheit jedes Opfer zu bringen. Die aus ihm entspringenden Gedanken und Grundsätze sind die Gedanken und Grundsätze der wahren politischen und sittlichen Freiheit, welche die Völker belebend durchströmen und Knechtssinn als etwas Gemeines verachten und hassen lehren. — Aber wie selbst die Sonne ihre Flecken und der köstlichste Fruchtbaum seine Schmarotzerpflanzen hat, — so giebt es auch noch einen After-L., der sich nie höher als bis zum „guten Willen" zu erheben vermag und der erschrocken mit der Hand zum Geldsacke fährt, wenn irgend einmal von etwas mehr die Rede ist. Ein solcher L. entehrt seinen Träger und verdient die Verachtung aller Edlern im Volk. — Noch eine andere unächte Art des L. ist jene, welche das höchste Heil der Völker nur im gewaltsamen Zerstören alles Bestehenden sucht, ohne die Möglichkeit des Wiederaufbaues vor Augen zu sehen. — Der wahre L. aber spricht nicht blos in Gesinnung und im Wollen, sondern auch werkthätig im Wirken und Schaffen sich aus. Er kennt keine engherzigen Rücksichten und eigennützigen Zwecke; — wie die Natur, so drückt er liebend die Gesammtheit ans Herz, und sein Glaube an eine Zukunft voll Freiheit und Fortschritt steht so fest, daß ihn Nichts darin zu erschüttern vermag. So ist der L. ein Erbtheil aller der Menschen und Völker, deren Dasein an innerm Zusammenhange gewonnen und die alle Culturzustände bis zur Gebirgshöhe der Freiheit glücklich durchgekämpft haben. Wie der Grundton seines innersten Wesens vollkommene Freiheit und Gleichheit des Denkens und Wollens ist, — so übersieht er ohne blinde Leidenschaftlichkeit und träge Gleichgiltigkeit bei Prüfung der Staatsformen keine der Institutionen, welche in weiter Stufenfolge mitten inne zwischen Alleinherrschaft und demokratischer Selbstregierung liegen, und wählt frei diejenigen, welche zu Förderung des Fortschritts am geeignetsten und für den politischen Bildungsgrad des Volkes am angemessensten ihm scheinen. Dieser innern und äußern Selbstständigkeit wegen hat von jeher der L. seine heftigsten Gegner gehabt. Die Einen fürchteten seine geistige Ueberlegenheit, — die Andern seinen Einfluß auf die Massen; und so vereinten sich Furcht und Eifersucht zur Bekämpfung des L., der indeß unter allen Verhältnissen, im Privat- wie im öffentlichen Leben, in der Ständekammer wie auf dem Lehrstuhle die Waffen seiner Gegner mit der Gewalt der Wahrheit abstumpfte und seine Macht nur um so siegender begründete. So konnte es nicht anders kommen, als daß auch für Deutschland endlich die Zeit eintreten mußte, in der Vernunft und Sitte dem politischen und kirchlichen Absolutismus (s. d.) den Stab — hoffentlich — für immer brachen und den reinen und ächten L. auf den ihm gebührenden Thron erhoben. Ein Rückschritt ist kaum mehr denkbar, weil die Geister, vom Freiheitsodem angeweht, ihre Bahnen unaufhaltsam verfolgen, — weil die Völker fast alle zur Mündigkeit im Denken und Handeln gereift sind und die herrschenden Grundsätze des Zeitalters mit den verblichenen Erbstücken aus versunkenen Jahrh.en nimmermehr wieder in Einklang gebracht werden können, und weil endlich die Freiheit zur unbedingten Nothwendigkeit, zum Lebenselemente der Menschheit geworden ist.　　　　　　　　　　　**W. Pretzsch.**

Liberia, ein freier Negerstaat an der Westküste von Afrika, gegründet im Jahre 1821 von den Nordamerikanern, welche freigelassene Sklaven aus den Vereinigten Staaten mit allen Mitteln der Bildung und Gesittung dorthin versetzten und im staatlichen Gemeinwesen einrichteten, damit von dort aus die Cultur der Bevölkerung Afrikas durch Eingeborene selbst beginnen könne. Die amerikanische Union ließ sich die Sache große Opfer kosten und die Beförderer der Abschaffung der Sklaverei in den Freistaaten, die sogenannten Abolitionisten, sahen sich dabei selbst von den südlichen sklavenzüchtenden Staaten unterstützt, welche in der Anlegung einer solchen Niederlassung freigelassener Schwarzen einen Weg sahen, dem drohenden Anwachsen der Sklavenbevölkerung zu steuern. Viele Jahre hatte diese Pflanzung mit den Angriffen der eingebornen Bevölkerung und den geheimen Ränken zu kämpfen, welche die an der Guineaküste angesessenen Europäer gegen dieselbe spannen. Deßhalb stand sie auch fortwährend in einer gewissen Abhängigkeit und unter Oberaufsicht der Vereinigten Staaten, bis sich die freistaatlichen Einrichtungen so weit ausgebildet hatten, daß man in Washington glaubte sie sich selbst überlassen zu können. Im Jahre 1847 ward von den Amerikanern ihre völlige nationale Selbstständigkeit unter einer Verfassung ausgesprochen, die in allen Stücken der Volksfreiheiten derjenigen der Vereinigten Staaten gleicht. Das Gemeinwesen hat bereits dort einen blühenden Aufschwung genommen; Kirchen und Schulen verbreiten Sitte und Bildung nicht nur unter den schwarzen Freibürgern selbst, sondern sie tragen sie auch unter die umherliegenden Negerstämme, die, nachdem sie sich der Pflanzung erst feindlich erwiesen, jetzt mit ihr in freundnachbarliches Verhältniß getreten sind. Die Künste des Friedens, Ackerbau, Industrie und Handel blühen daselbst und verbreiten ihre Segnungen bis tief in das Innere hinein. Die Hauptstadt der Niederlassung heißt zu Ehren des Präsidenten Monroe, der diesen Plan beförderte, Monrovia.　　　　　　　　　　**J. G. G.**

Liberum veto, der freie Widerspruch, den in Polen jeder Edelmann auf den Reichstagsversammlungen, vorzüglich bei der Königswahl, gegen die Beschlüsse des Reichstags, oder die Königswahl, geltend machen konnte, und welcher zur Folge hatte, daß jeder Beschluß ungültig war und rückgängig wurde. Ein solches Widerspruchsrecht eines Einzelnen gegen die Beschlüsse der Mehrheit ist ein Unding, alle Gesetzgebung kann dadurch unmöglich gemacht werden. Polen hat die traurigen Folgen davon gesehen, denn Rußland fand unter den Landboten immer einen, der sich bestechen ließ und, wenn es Rußland zu seinem Vortheil fand, sein l. v. geltend machte — und so kam es in Polen nie zu einer Verbesserung des Staates. Das Recht der Mehrheiten muß gelten — der Einzelne ihm sich unterwerfen, sonst tritt eine allgemeine Lähmung und Stockung des Staatskörpers ein.　　　　　　　**R.**

Lichtfreunde, protestantische. Als der Geist der Julirevolution in Frankreich, der Geist fortschrittlicher Bewegung, der Geist, dessen Wahlspruch: „der Staat, das sind wir!" trotz der wachsamsten Cordonlinien sich über den Rhein in das schlummernde Deutschland schlich, warf sich, unter dem strengen politischen Bevormunbungssystem, die Sehnsucht nach öffentlicher Thätigkeit auf das religiöse Gebiet, um sich an der Gestaltung himmlischer Zustände für den Mangel an Freiheit zur Gestaltung irdischer zu entschädigen. Die Herren „von Gottes Gnaden" freuten sich über das neue und scheinbar ungefährliche Bett, in welches der Strom der neuen Ideen eingelenkt hatte. Sie lachten ins Fäustchen über die Leichtigkeit, mit welcher sich Deutschland durch Preisgebung einer Puppe von der Verfolgung seiner wahren Interessen ableiten ließ und bemühten sich, an der Stelle des politischen, einen religiösen Parteihaß zu nähren, der die fromme Dienerschaft der „Liebe" in der Mitte des 19. Jahrh. dieselbe Unduldsamkeit beweisen ließ, welche die Verwirklichung der ewigen Wahrheiten des Christenthums durch 18 Jahrh.e hindurch vereitelte. Aber die Freude der Mächtigen über den himmlischen Blitzableiter wurde bald in Furcht und Schrecken verwandelt, als man die alten fest geglaubten Ketten springen und das Volk sich massenhaft am Streit der Gelehrten betheiligen sah. Mit Erstaunen mußte man wahrnehmen, daß das Gift der neuen Ideen bereits ansteckend geworden, daß Unterdrückungsmaßregeln die Aufregung schürten und das Volk zu Untersuchungen über den Grad seiner Mündigkeit und den Umfang der Machtberechtigung der Regierenden führten. — Werfen wir einen Blick auf die geschichtliche Entwickelung einer Bewegung, welche, indem sie den kirchlichen Despotismus beleuchtete und zugleich erhellende Lichtstrahlen in das Halbdunkel des weltlichen Despotismus fallen ließ, die Zustände der Gegenwart vorbereiten und beschleunigen half. In der protestantischen Kirche haben sich von jeher zwei widerstrebende Richtungen geltend gemacht, die in der neuern Zeit unter dem Namen Rechtgläubige (Orthodoxe) und Vernunftgläubige (Rationalisten) theils für das strenge Festhalten an einem für alle Zeit fertigen Lutherthum, theils für eine vernünftige zeitgemäße Fortbildung der lutherischen Errungenschaft arbeiteten. Während Kant und seine Schule einen wissenschaftlichen Vernunftglauben begründeten, an deren Spitze Paulus, Wegscheider, Röhr, Gesenius, Bretschneider, Fritsche u. s. w. den Kampf für die Rechte des gesunden Menschenverstandes fortführten, erhoben sich Hengstenberg, Tholuck, Hahn, Reiger, Guericke, um durch die „evangelische Kirchenzeitung" gegen die „Ketzer und Abtrünnigen", einen Vernichtungskrieg zu unterhalten. Von dieser Seite wurde der Kampf mit großer Leidenschaftlichkeit und den Waffen der vergangenen Jahrh.e geführt. Verdächtigungen, Verketzerungen jeder Art spielten ihre Rolle, jedes Mittel war heilig für den Zweck der Vernichtung des Abtrünnigen und hätten die Führer dieser Seite die Macht in den Händen gehabt, wir würden im 19. Jahrh. ein protestantisches Auto da Fé erlebt haben. — Nach dem Jahre 1830 trat in diesem Kampfe, der übrigens fast nur die Mußestunden der Gelehrten ausgefüllt und im Volke nur geringe Theilnahme gefunden hatte, ein Wendepunkt ein. Theils wurde das „Himmlische" durch den Geist der Politik und den Aufschwung industrieller Bestrebungen in den Hintergrund gedrängt, theils hatten die ernstlichen Mahnungen der preuß. Regierung und vielleicht auch ein Zustand der Ermüdung einen Waffenstillstand herbeigeführt. „Das Leben Jesu" von David Strauß, die neuere Philosophie die sich gegen den „flauen und halben Rationalismus" richtete, die „Halleschen Jahrbücher" von Arn. Ruge gaben dem Streite eine andere Richtung. Ruge hatte sich zur Aufgabe gemacht, die gesellschaftlichen und schriftstellerischen Erscheinungen der Gegenwart mit aller Schärfe des Denkens zu untersuchen und den Uebergang aus dem Reich der Gedanken in das der Wirklichkeit vorzubereiten und zu ermöglichen. Dieses gefährliche Unternehmen, welches den Forschungsgeist des Volkes zu wecken begann, die Ungeduld, mit der Ruge zum äußersten Ende gelangte, trieb die alte Rechtgläubigkeit zum entgegengesetzten Ende und veranlaßte sie, Sicherheitsmaßregeln gegen die Freiheit der wissenschaftlichen Forschung zu begehren. Durch diese letztern Bestrebungen wurde unter der Fahne des sich mehr und mehr in allen Gebieten kundgebenden Vergesellschaftungsdranges die Gesellschaft der protest. L. gebildet, die in ihren ersten Anfängen

klein und unbedeutend (der Landprediger Uhlich in Pömmelte forderte im Beginn
des Jahres 1841 mehrere Amtsgenossen zu zeitweiligen Zusammenkünften auf, deren
erste im Juni 1841 in Gnadau stattfand), endlich die große kirchliche Bewegung der
neuesten Zeit, eine neue Kirchenverbesserung herbeiführte. Das Verfahren der Regierungen gegen die Führer dieser Gesellschaft und ihre Anhänger gab dem Volke zum
ersten Mal eine deutliche Einsicht in die schändlichen Zwecke, zu welchen man die Religion und die Gläubigkeit so lange gemißbraucht. Man fing an zu begreifen, wie
die prahlerisch verkündigte Glaubens- und Gewissensfreiheit zu nichte gemacht werde
und wendete sich mit Abscheu von den heuchlerischen Grundsätzen, durch welche man
in Schule und Kirche dem Geiste der Freiheit ein starkes eisernes Gebiß in den Mund
zu legen sich bemühte. Von dieser Zeit versuchte man mit aller der Unumschränktheit
zu Gebote stehenden Mitteln dem Throne in einer staatskirchlichen, katholisch eingerichteten, streng überwachten Geistlichkeit eine Garde zu schaffen, die durch ihr eigenes
Interesse fest an das Interesse der weltlichen Macht gebunden, in Kirche und Schule
den freiheitlichen Strebungen entgegenarbeiten sollte. So meisterhaft, namentlich in
Preußen, dieses schleichende, heuchlerische Verknechtungssystem eingefädelt und angefangen wurde, so stürzte es doch unter dem furchtbaren „zu spät", das in der Geschichte der Neuzeit eine so gewaltige Rolle spielt. Die Gewissensfreiheit ist für ewige
Zeiten gesichert und die erschlaffende Gläubigkeit der Völker wird niemals wieder zum
Zügel der Völkerfreiheit gemißbraucht werden können. Die Geschichte der L. ist kurz,
aber reich an Einblicken in die tiefe Versunkenheit eines großen Theils des protestantischen Pfaffenthums, in sein Streben nach kirchlicher Alleinherrschaft, durch welches
das Christenthum seinem Untergange entgegengeführt wurde. Von der ersten Versammlung in Gnadau am 29. Juni 1841 bis zur Absetzung Wislicenus und Rupp's
und der Bildung der ersten freien Gemeinde in Königsberg am 1. Jan. 1846, hat
die Gegenpartei Alles aufgeboten, den lichtfreundlichen Geist zu unterdrücken und zu
vernichten, und den Geist des Protestantismus und der christlichen Duldung Lügen zu
strafen. Der Vortrag von Wislicenus, in der Frühlingsversammlung des Jahres
1844 zu Köthen gehalten: „ob Schrift, ob Geist?" und später der Oeffentlichkeit
übergeben, rief eine wahre Fluth von Verketzerungen hervor. Als Gegenverein bildete
sich in Berlin besonders „der Verein zum historischen Christus", während in den
Missionsgesellschaften förmliche Bannbullen geschmiedet wurden, in denen die frommen
Versammlungen zugleich auf den Knien für die Bekehrung der verirrten Brüder bete-
ten. Ebenso unduldsam und oft nicht weniger lächerlich sind die Schriften, die von
der Partei der Rechtgläubigen, namentlich von Pfarrer Müller in Erxleben, gegen
die lichtfreundlichen Bestrebungen geschleudert wurden. Man erkennt die Vögel an
ihren Federn. Der Titel einer der ersten dieser Schriften lautet: „der Antikönig, oder
Feuer, Feuer zwischen der Vernunft und Offenbarung, eine geistliche Medicin wider
den Vernunftkoller!" — Die protestantische Bewegung hat ihren Zweck erfüllt und
die neue Zeit vorbereiten helfen. Mit dem Eintreten der politischen Freiheit ist die
Religion wieder vom Schauplatz abgetreten und hat damit den Beweis geliefert, daß
die freiheitliche Gestaltung irdischer Zustände dem Menschenthum näher, als der Himmel, in der Ueberzeugung, daß es hier unendlich besser sein könnte, ohne im Himmel
schlechter zu werden.   H. Bertholdi.

Liederfeste, diejenigen Volksfeste, deren Hauptaufgabe die Aufführung von
Gesangstücken ist, also so viel wie Sängerfeste, Gesangfeste. Sie sind ein Erzeugniß
der neuern Zeit, die den kunstgerechten Gesang beim Volke eingeführt hat, und durch
ihn, durch Freiheits- und Vaterlandslieder, mit für seine Heranbildung wirkt. Bei
solchen L.n pflegen dann auch Wettkämpfe angestellt und den Siegern Preise ertheilt
zu werden, was natürlich auf das Selbstgefühl der Einzelnen, die in der Gesammtheit ihre Bedeutung fühlen lernen, vortheilhaft wieder zurückwirkt. Als Deutschland seine väterlichen Regierungen noch hatte, galt jedes gemeinsame Streben in den Augen seiner

Vormünder für gefährlich; auch die L. haben das erfahren, und die Furcht vor jeder Regung des Volksgeistes ging so weit, daß man zur Abhaltung von L.n die Erlaubniß versagte — führten sie doch natürlich eine Menge Menschen zusammen, die durch den Gesang sich kennen lernten und dann ihre Meinungen, Hoffnungen und Wünsche hinsichtlich des Vaterlandes austauschten. Die neue Zeit, die das freie Vereinigungs- und Versammlungsrecht anerkennt, wird den L.n einen neuen Aufschwung geben; sie selbst werden um so heilsamer wirken, wenn sie mehr darauf ausgehen, durch vaterländische Lieder und Gesänge das Volk zu erheben, als durch schwierige Kunstaufführungen die Kunstverständigen zur Bewunderung hinzureißen. Vergl. auch deutsche Volksfeste. *R.*

Liegende Gründe, s. fahrende Habe.

Ligue, Bündniß, Vereinigung. Im Mittelalter stand das Recht, Bündnisse zu schließen, nicht blos den Landesherren, sondern auch den Städten, Rittern u. s. w. zu. Sie machten davon einen ziemlichen Gebrauch, und die Hansa (s. d.), die zu so großer Macht emporstieg, war nichts als eine L., ein Städtebündniß. Neben solchen Bündnissen, die gegen einen gemeinsamen Feind zu Schutz und Trutz oder zur Aufrechthaltung des besondern Besitzstandes geschlossen wurden, kommen noch andere vor, die in der Religion ihren Grund haben. Am bekanntesten ist die sog. heilige L., von der katholischen Partei zur Unterdrückung der protestantischen (hugenottischen) in Frankreich unter Heinrich III. geschlossen, weil dieser den Hugenotten freie Religionsübung gestattet und einige feste Plätze im Reiche als Wohnsitze angewiesen hatte (s. Hugenotten). Mit der Ausrottung der Ketzer glaubte man ein Gott wohlgefälliges Werk zu thun, um die Kirche sich verdient zu machen, und dieser erhabene Zweck heiligte alle Mittel, Treubruch, Bürgerkrieg, Menschenschlächterei, deshalb nannte sich der Bund die heilige L., weil sie für die Sache Gottes und zu seiner Ehre stritt. Auch das Bündniß, welches in Deutschland von einigen katholischen Ständen gegen die Union der evangelischen Fürsten 1538 zu Nürnberg errichtet, dann von mehreren, meist geistlichen Fürsten unter Baierns Betrieb erneuert und bis gegen das Ende des 30jährigen Krieges aufrecht erhalten wurde, wird die heilige L. genannt, weil es in diesem Kriege die Hauptstreiter für die katholische Sache lieferte und den Protestanten den Garaus zu machen suchte. Dies glückte nicht; im westphälischen Frieden mußten die Protestanten anerkannt werden, die L. hörte auf, aber der Name heilige L., den ihr der Fanatismus gegeben, ist ihr geblieben und in den Augen derer, die die Kirchenverbesserung ein Werk des Teufels und die Protestanten Ungläubige, Abtrünnige, Rebellen nennen, gilt die L. um ihrer guten Zwecke willen noch heute für heilig! — In England ist in der neuesten Zeit besonders der politische Verein, der sich die Abschaffung der Korngesetze zum Zweck gesetzt hatte, mit dem Namen L. bezeichnet worden (anti-corn-law-league). Vergl. Korngesetze. *R.*

Liguorianer, ein Mönchsorden, der ein Absenker der Jesuiten ist. Der Name kommt von dem heiligen Liguori, der sich im 18. Jahrh. als Prediger und Heldenbekehrer einen großen Namen erwarb, die Redemtoristen stiftete und endlich 1816 heilig gesprochen wurde. Da alles Volk gegen die Jesuiten gerechten Abscheu hatte, so wählten sie einen unverfänglicheren Namen, L. oder Redemtoristen, und schlichen sich unter diesem in verschiedenen Staaten ein, im Grunde aber, ihrer Lehre sowohl als ihrem Leben nach, waren und blieben sie doch vollständige Väter Jesu. Deshalb sind sie denn auch in dem neuesten Krieg gegen die Jesuiten nicht verschont geblieben, und namentlich aus Oesterreich und Wien vertrieben und verbannt worden — auf sie, auf ihre Verdammungs- und Verdummungssucht hatte sich ja Fürst Metternich bei seinem freiheits- und volksfeindlichen Thun hauptsächlich gestützt.

Linke. Von den Franzosen sind auch auf uns Deutsche als Bezeichnung für die politischen Parteien die Namen Rechte, Linke übergegangen. Die Anhänger der Regierung pflegen sich in den Kammern zusammen auf die rechte Seite zu setzen, die

Gegner derselben, die Opposition, auf die linke. Zwischen inne, bald hierhin, bald dorthin sich neigend, steht eine unentschiedene Mittelpartei, das Centrum, die Mitte genannt. Wenn die L. wieder in verschiedene Abstufungen zerfällt, je nachdem die Einen gemäßigter, die Andern entschiedener die Regierung bekämpfen, spricht man auch von einer äußersten Linken, welche der Regierung Schritt für Schritt entgegentritt und in ihren Forderungen von den bestehenden Verhältnissen oder dem herrschenden System am weitesten sich entfernt. Die L. kann für die Freiheit und gegen die Freiheit sein, je nachdem die Regierung dagegen oder dafür ist. Wird ein volksfeindliches Ministerium von der L.n gestürzt und diese gelangt zur Herrschaft, so tritt dann die gestürzte Partei, die vorher auf der Rechten stand, auf die L. und nimmt den Kampf auf. In Deutschland war indeß zeither dies noch nie der Fall, hier hat sich die Unterdrückung immer auf der Regierungsbank, auf der rechten Seite zu erhalten gewußt und deshalb hat man auf der L. immer nur die Freunde des Volks und der Freiheit, die freisinnige und entschiedene Partei sitzen gesehen. **R.**

Liquidität, s. Concurs.

Liquidationstermin, derjenige Termin in einem Schuldenwesen, in welchem die Gläubiger, die sich bei der Masse eines Gemeinschuldners angemeldet und Ansprüche erhoben haben, die Richtigkeit dieser Ansprüche zu erweisen haben, worauf dann ein diesfälliger Bescheid gegeben wird. Vergl. Concurs der Gläubiger.

Liturgie, die Vorschriften, welche bei der Feier des Gottesdienstes, der Messe, des Abendmahls, überhaupt bei allen kirchlichen Handlungen von den amtführenden Personen, der Geistlichkeit, zu befolgen sind.

Lieutenant. Die deutsche Sprachmengerei überschreitet namentlich im Heerwesen alles Maß. Fast alle Ausdrücke sind französisch. Daher nennt man denn den Führer eines Zuges, den Zugführer, L., und weil man sie wieder in höhere und niedere eintheilt, so sagt man statt Ober- und Unterzugführer Premier- und Sous- oder Seconde-L. Wann wird es mit dieser Sprachverbrämerei ein Ende haben?

Livrée, die Kleidung, welche der König oder andere vornehme Herren (oder Frauen und Königinnen) ihrer Dienerschaft anziehen. Natürlich ist diese Dienerschaft, die zu so hohen Ehren gelangt, besser, als die gemeinen Bürgersleute. Damit sie nun auch äußerlich kenntlich ist und Jedermann sogleich ins Auge fällt, wird sie in eine besondere Kleidung gesteckt, die durch bunte Aufschläge, Vorstöße oder Treffenbesatz ausgezeichnet ist. Die L. steht deshalb auch in großen Ehren bei den L.bedienten selbst und — beim Volke. Lächerlich ist's, wenn der Rock den Mann macht, das bunte Tuch in der öffentlichen Achtung den Ausschlag giebt, zumal wenn, wie dies größtentheils der Fall ist, eine knechtische, hündische Seele in der L. steckt. Aber die Welt will betrogen sein — und der bunte Tand blendet doch wenigstens!

Lloyd's Kaffeehaus in London befindet sich in dem obern Stockwerk der Londoner Börse und ist dadurch weltberühmt geworden, daß dasselbe durch seine Lage und die darin vorhandenen Hilfsmittel, sich über alle Dinge und Vorgänge des großen Weltverkehrs schleunigst zu unterrichten, für den Handelsstand gleichsam das Hauptquartier aller Handelsspeculationen und Unternehmungen zu See und Land geworden ist, daß es gewissermaßen als die Weltbörse im eigensten Sinne dagestanden hat. Hier werden von der Regierung sowohl, wie von den Mäklern, Rhedern, Kaufleuten u. s. w. sogleich die Nachrichten angeschlagen, welche aus allen Strichen der Windrose in London eintreffen; alle europäischen und außereuropäischen größern Zeitungen, alle Courszettel, Seeberichte, Anzeigen von Waarenauctionen u. s. w. hängen dort aus; die größten Handelsunternehmungen werden dort verabredet, die großartigsten Handelsgeschäfte dort abgeschlossen. — Seit der Gründung dieser Anstalt sind an andern Handels- und Hafenplätzen mehrere ähnliche Einrichtungen, wie die Hamburger Börsenhalle, und sogar unter demselben Namen entstanden. Unter diesen Letztern hat das L. in Triest in den letzten Jahrzehnten eine Berühmtheit erlangt, die dem

Londoner nicht nur nichts nachgiebt, sondern in vielen Stücken dasselbe übertrifft. Eine Gesellschaft von österreichischen Kaufleuten gründete diese Anstalt, welche hauptsächlich zuerst die Affecuranzgeschäfte im Auge hatte, auf Actien, und bestimmte dabei zugleich, daß alle daraus fließenden Gewinne nur zur Ausdehnung und Vermehrung des ursprünglichen Geschäftskreises verwandt werden sollten. Dadurch gewann das Unternehmen eine unermeßliche Ausdehnung; es richtete unter andern Dampfschifffahrtslinien im Mittelmeer nach der Levante ein, und unterstützte den bekannten Plan Waghorns, die Ueberlandspost aus Ostindien nach England über Deutschland zu führen, aus allen Kräften und mit so großem Erfolg, daß, wären nicht die letzten welterschütternden Ereignisse dazwischen gekommen, die schließliche Vereinbarung schon getroffen sein würde. Es ist zu hoffen, daß, wenn Deutschland seine nationale Wiedergeburt vollendet und Triest, sein Hafen an der alten Wendelsee, dem adriatischen Meere, alle die ihm daraus beschiedenen Vortheile ernten wird, auch das von einem österreichischen zu einem deutschen L. gewordene Unternehmen großartiger als je emporblühen wird.   **J. G. G.**

Locationsurtheil, s. Concurs.

Locomotiven, s. Eisenbahn.

Locus a quo, der Ort, wo der Aussteller eines Wechsels oder einer Anweisung wohnt; locus ad quem, der Ort, wo Wechsel oder Anweisung zahlbar sind.

Loge, s. Freimaurer.

Logen, s. Factoreien.

Logische Auslegung der Gesetze, s. Gesetz.

Lohn. Jeder Arbeiter ist seines Lohnes werth. Vergl. Arbeitslohn.

Lombarden, s. Banken.

Longobardisches Lehnrecht, s. Lehn.

Loos. Die Entscheidung einer Sache durch das Loos kommt im Staatsleben nur noch selten vor. Nicht der Zufall, sondern die fest begründete Ueberzeugung, also Stimmgebung, Wahl, soll über die öffentlichen Angelegenheiten entscheiden. Sonst wählte man zu den wichtigsten Aemtern mitunter so, z. B. in Hamburg bei den Rathsherrenwahlen, daß man eine Anzahl Namen aufschrieb, sie in ein Gefäß warf und einen durch das L. herauszog, welcher dann der würdigste war und Rathsherr wurde. Dieses Vertrauen auf die göttliche Vorsehung, welche das L. auf den Tüchtigsten lenken würde, hat jetzt überall vernünftigeren Grundsätzen Platz gemacht. Nur bei der Stellung der jungen Mannschaft zum Kriegsdienste kommt das L. noch in den Staaten vor, wo die Kriegspflicht keine allgemeine ist. Hier wird unter den jungen Männern, die für tüchtig befunden worden sind, aber nur zum kleinern Theile in das Heer einzutreten brauchen, geloost, wen das L. trifft, der wird Soldat, wer eine Freinummer zieht, ist frei. Wo es einmal so Gesetz ist, daß die Kriegspflicht keine allgemeine ist, daß nur ein Theil von Allen, die tüchtig sind, dienen muß, wird sich allerdings auch kein anderer Ausweg, eine Wahl zwischen diesen zu treffen, auffinden lassen, als das L., das zwar ganz blind fällt, aber den Staat wenigstens nicht in den Verdacht bringt, als bevorzuge er Einen vor dem Andern. Die Zukunft wird indeß auch diesen Zufall beseitigen und die gesammte Jugend im Waffendienst üben. Zuweilen muß man auch bei Abstimmungen, wenn sie mehrmals vergeblich versucht worden sind und endlich Stimmengleichheit eintritt, z. B. bei Wahlen, weil man kein anderes Auskunftsmittel hat, zum L. zwischen zweien, die gleiche Stimmen haben, seine Zuflucht nehmen. Immer aber ist es ein mißlicher Nothbehelf.   **R.**

Loostheile, s. Actien.

Lord, ursprünglich im Allgemeinen Herr, dann Titel der Häupter der höhern englischen Adelsfamilien. Daher Haus der L.s so viel wie Oberhaus, weil im Oberhaus neben der höhern Geistlichkeit nur der höhere Adel Sitz und Stimme hat. Das Uebergewicht, welches die L.s in England durch ihren Grundbesitz haben, steigert sich noch um Vieles dadurch, daß sie einen Theil des Parlaments bilden und in einem besondern Haus, welches eben das Oberhaus ist (im Gegensatz zum Unterhaus, wo die Gemeinen sitzen), als eine selbstständige bevorrechtete Körperschaft in öffentlichen Angelegenheiten mit berathen und beschließen. Sie sind natürlich als die vornehmsten und reichsten Herren des Landes in der Hauptsache für das Bestehende und gleichen in dieser Beziehung den ersten Kammern in Deutschland, die dem englischen Oberhaus nachgebildet sind, nur daß der höhere Adel in England nicht blos viel reicher ist, als der in Deutschland, sondern auch einsichtsvoll genug, die Freiheitsrechte des Volks zu achten und jeden Gedanken an Unterdrückung derselben zu verbannen, was der deutsche Adel allen Mahnungen der Geschichte zum Trotz immer noch nicht gelernt hat, oder wenigstens, wenn ihm die Zeitumstände günstig dazu scheinen, schleunigst wieder zu vergessen sich bemüht. R.

Lord-Mayor, so heißt in den größern Städten Englands das Oberhaupt der Gemeindeverwaltung, was wir in Deutschland Bürgermeister nennen. Er wird durch die Gemeindevertreter (Alderman) jährlich gewählt.

Loskauf von Grundlasten, s. Ablösung.

Lossprechung, s. Freisprechung.

Losung, s. Feldgeschrei.

Lotterie, s. Glücksspiele.

Lotto, s. Glücksspiele.

Löhnung, der Sold der Soldaten. Die paar Pfennige, die der Soldat täglich vom Staat ausgezahlt erhält, sind nicht der Rede werth, zumal dann, wenn harte Behandlung, Grobheit u. s. w. der Vorgesetzten die Zugabe dazu ist. Bei einem großen stehenden Heere fällt die L. für dasselbe aber doch bedeutend in's Geld, so zwar, daß die Ausgaben für dasselbe meist den Hauptposten im Staatshaushalt bilden. Was der gemeine Soldat in vielen Fällen an L. zu wenig erhält, erhalten die Officiere, namentlich die höhern, in vielen Fällen zu viel.

Löschanstalten, s. Feuerpolizei.

Lösegeld, s. Buße.

Löwenvertrag (leonina societas). Die Fabel, nach welcher der Löwe mit einigen andern schwächern Thieren, mit Fuchs und Esel, oder Kuh, Ziege und Schaf eine Jagdgesellschaft errichtete, um die gemachte Beute mit einander zu theilen, hinterher aber die Beute so theilte, daß er den ganzen Gewinn davon trug, seine Bundesgenossen aber leer ausgingen, hat Veranlassung gegeben, daß man auch in der Politik von einem L. spricht, d. h. von einem solchen, wo ein Mächtiger mit einem Schwachen für einen gemeinsamen Zweck ein Bündniß schließt, was sich dann, wenn es an's Theilen der Früchte des Vertrags geht, so gestaltet, daß der Stärkere allen Vortheil allein zieht und dem Schwächern nur das Zusehn überläßt. Am häufigsten ist dies bei Kriegsbündnissen der Fall, wo ein großer mächtiger Staat die kleinern zum Bündnisse zwingt, Truppen- und Geldleistungen von ihnen sich ausbedingt und sie zuletzt, wenn Alles überstanden und erreicht ist, was der Zweck des Vertrags war, doch um ihren Antheil an den Früchten des Sieges betrügt. Doch auch bei Handelsverträgen kommen ähnliche Ueberlistungen vor. Bei Handelsverträgen zwischen zwei Staaten sollen ihre Handelsverhältnisse auf dem Fuße der Gegenseitigkeit geordnet, für ein Zugeständniß wieder ein Zugeständniß gemacht werden. Wenn mächtige Staaten durch ihr Uebergewicht es dahin zu bringen wissen, daß sie von einem Land für ihren Handel größere Vortheile eingeräumt erhalten, als sie demselben gewähren, wenn der ganze Vortheil nur auf der einen, der ganze Nachtheil nur auf der andern Seite liegt, kann man mit Fug und Recht von einem L. reden. In letzterer Beziehung hat das Ausland oft die Rolle des Löwen, Deutschland die des — Esels gespielt. Selbst der preußisch-russische Cartelvertrag zur Auslieferung von Ueberläufern gehört hierher, weil sich blos Rußland dabei im Lichten stand und Preußen ganz und gar nichts davon hatte.   **R.**

Lungenprobe. Demselben Zweck, dem die Leberprobe (s. d.) dienen soll, nämlich an der Leiche eines neugeborenen Kindes zu untersuchen, ob das Kind gelebt, vor seinem Tode geathmet habe, dient auch die L. Sie geht davon aus, daß die Lunge eines Kindes, das noch nicht geathmet hat, schwerer ist, als Wasser, also darin zu Boden sinkt, während im andern Falle, wenn das Kind geathmet hat, die Lunge leichter ist als Wasser und darin schwimmt. Es ist indeß auch hier trotz der vielfältigsten Untersuchungen noch kein festes Ergebniß erzielt und sowohl Leberprobe als L. sind unsichere Mittel, den Thatbestand über das Leben eines Kindes mit Gewißheit zu ermitteln.

Lustseuche sei hier nur deshalb erwähnt, weil Lustdirnen (Freudenmädchen), welche die Unzucht als Gewerbe betreiben, einer härtern Strafe dann verfallen, wenn sie zur Zeit des Beischlafs wissentlich mit der L. behaftet gewesen sind. Es rechtfertigt sich dies dadurch, weil die L. eine ansteckende Krankheit und zwar eine der gefährlichsten Art ist. Vergl. ansteckende Krankheiten.

Lutherische Kirche, s. protestantische Kirche.

Luxus. Der höhere Wohlstand und Reichthum, sowohl bei ganzen Völkern, als bei Einzelnen, bedingt ein höheres Wohl- und Genußleben, welches man gewöhnlich mit dem fremdländischen Ausdruck L. bezeichnet. Aus der Eigenthümlichkeit dessen, was das Wort bezeichnet, geht von selbst hervor, daß der Begriff je nach Zeit und Ort, nach Stand und Bildung ein sehr verschiedener sein wird. Was vor einigen 100 Jahren noch selbst in gesitteten Ländern ein großer L. war, ist heute zum Bedürfniß geworden; was gestern noch als ein ausschließliches Genußmittel gewisser Klassen und Stellungen galt, wird heute von Allen als eine unentbehrliche Bedingung einer gesitteten Lebensweise in Anspruch genommen. Je umfangreicher und ausgedehnter die Gesittungsmittel sich gestalten, je mehr Hülfsquellen des Wohlbehagens und der Bequemlichkeit sich bei dem Fortschritte der Gewerbthätigkeit eröffnen, in desto reicherm Maße müssen die Segnungen derselben auch über Alle sich verbreiten, die an deren Herstellung und deren Ausbeutung theilnehmen; wo dies nicht der Fall ist, wo nur Einzelne in dem ausschließlichen Genuß dieser Vortheile bleiben, oder gar sich die Zahl derer vermindert, die daran theilnehmen können, müssen tiefe Gebrechen in den staatlichen und gesellschaftlichen Einrichtungen vorhanden sein, die den Grund dieser Erscheinung bilden. — Außer dieser allgemeinen Bedeutung hat L. wird das Wort auch in dem Sinne von bloßem unnützen Prunk, Pracht oder Ueppigkeit des Reichthums gebraucht, der oft bei solcher Handlungsweise nicht einmal die ihm zur Verfügung stehenden Mittel abmißt und solchergestalt zur Verschwendung, zur Vergeudung ausartet. In dieser Bedeutung ist der L. ein höchst gefährliches und schädliches Element für den Staat und die Gesellschaft, das beide durch die Gewalt des Beispiels und der Nachahmungssucht mit innerer Zerrüttung und Auflösung bedroht. Das beste Mittel dagegen besteht aber in nichts Anderm, als in einer tüchtigen öffentlichen Erziehung und Bildung, wodurch sowohl der Sinn für Einfachheit und Mäßigkeit, und die Voraussicht in die Zukunft geweckt und ausgebildet wird, als auch dadurch die Triebe der Eitelkeit und der Prunksucht gebändigt werden, welche zum großen Theile dem L. in seiner Ausartung Vorschub leisten. Man hat häufig dem L. durch Gesetze zu steuern gesucht und zu diesem Zwecke Aufwandgesetze, Luxussteuern u. a. drgl. Maßregeln erlassen, sei es für einzelne Klassen, sei es allgemein gültige. Sehr oft ist dabei der Neid und die Mißgunst der herrschenden Klassen gegen die durch Fleiß und Betriebsamkeit zu Wohlstand und Reichthum gelangenden unbevorrechteten Schichten des Volks im Spiele gewesen. Erzielt wird durch derlei gesetzliche Bestimmungen nichts. Jedoch läßt sich nicht verkennen, daß man in finanzieller und volkswirthschaftlicher Hinsicht die in der menschlichen Natur begründete Neigung zum·

L. Staatszwecken dienstbar machen und damit Vortheile für die Gesammtheit erzielen kann, wie dies z. B. durch eine höhere Bezollung und Besteuerung aller verfeinerten und dadurch theuern L.artikel möglich ist. S. Luxusgesetze.   J. G. G.

Luxusgesetze, oder **Aufwandgesetze,** sind zu verschiedenen Zeiten und schon von den ältesten Völkern gegeben worden. Sie wurden oft wegen wirklicher oder scheinbarer Uebertreibung des Aufwandes erlassen, oft auch von drückenden Finanzverlegenheiten dictirt und verbargen den Zweck einer indirecten Steuererhebung durch Geldstrafen für Uebertretungen heuchlerisch hinter vorgesteckten Bestrebungen zur Aufrechthaltung der Sittlichkeit. Es fragt sich, ob überhaupt und in wie weit eine Regierung berechtigt sein kann, durch Gesetze die freie Verwendung des Vermögens zum Aufwand zu beschränken und die Uebertretungen zu bestrafen. Was ist Aufwand? Das Wort ist bisher nicht in der Bedeutung von Luxus nach Sprachgebrauch gewesen, obgleich wir es ganz in diesem Sinne gebrauchen wollen. In diesem Sinne ist Aufwand: die Verwendung von Gütern, welche über die Nothdurft geht. Diese Güterverwendung kann die Nothdurft in zweifacher Art übersteigen: 1) durch übermäßigen Genuß der unentbehrlichen Bedürfnisse, durch Schwelgerei in Speisen, Getränken u. s. w.; 2) durch die Beschaffung entbehrlicher Bedürfnisse oder gar durch Erfüllung bloßer Wünsche. Wenn die erste Art des Aufwandes — fast nur eine Erscheinung bei rohen Völkern auf der ersten Stufe ihrer Entwickelung — in jeder Hinsicht verwerflich, durch Zerstörung des Körpers und des Geistes entsittlichend wirkt, so ist die zweite, die Befriedigung der feinern Lebensgenüsse von jeher ein Sporn der Industrie, ein ewig wacher Reiz zum Fleiße gewesen. Denn gerade die feinern Lebensbedürfnisse sind es, die durch die Begierde nach Befriedigung den Menschen aus den Schranken der Thierheit geführt haben. Sich ewig neu und verlockend seiner Phantasie vorstellend, reizten sie fort und fort zur Anstrengung aller Kräfte und spornten von Ruhe zu Ruhe zur Erreichung der höchsten Civilisation. Ohne Erwerbsfleiß giebt es keinen Aufwand, ohne Aufwand keine Civilisation. Wenn der Reichthum an sich nichts Verwerfliches ist, so kann die Verwendung desselben zum Wohlleben, als das Endziel der Verwendung irdischer Güter, es eben so wenig sein. Wie wäre der Geiz, der das Mittel für den Zweck setzt, sonst ein Laster? Ebenso unbegründet ist die Annahme, daß Aufwand nothwendig zur Entsittlichung führe. Der sittliche Zustand der Völker, die mit einem dürftigen Unterhalt zufrieden, hat das Gegentheil bewiesen; wir finden da keine Entfaltung der Anlagen, kein höheres Streben, keinen Sinn für das veredelnde Schöne, überall thierische Rohheit, Faulheit, Trunksucht und Schmutz. Ein Vergleich zwischen wohlhabenden deutschen Provinzen und Irland wird dies hinreichend bestätigen. — Vom **privatwirthschaftlichen** Standpunkt aus, kann ein übermäßiger Aufwand, weil er die Bedingung seines Bestehens, den Wohlstand, untergräbt, nicht wohl gebilligt werden; vom **staatswirthschaftlichen** Standpunkte aus hat die Beurtheilung seiner Schädlichkeit in neuester Zeit andere Grundlagen gefunden. Man war früher der Meinung, daß die Richtung des Aufwandes auf ausländische Erzeugnisse, so wie überhaupt auf schnell vernutzbare Dinge, Kleider, Mobilien u. s. w. dem Staate durch Versplitterung und Ausführung der Geldkräfte nachtheilig sei. Gegen diese Nachtheile suchte sich der Staat bisher durch Einfuhrzölle zu schützen, in denen zugleich indirecte Aufwandsteuern enthalten waren. Bei der Hinneigung der neuern Zeit zur Handelsfreiheit und der in diesem System begründeten Ausgleichung der Erzeugungsverhältnisse, fällt auch diese Besorgniß fort, um so mehr, als bei der gegenwärtigen Gestaltung der Geldverhältnisse Handelsfreiheit als das einzige Rettungsmittel gegen die Anhäufung des Reichthums auf der einen, und die wachsende Verarmung auf der andern Seite erscheint. Gerade hier sind wir gezwungen zu dem Ausspruch des geistreichen **Montesquieu** in seinem Buche: „der Geist der Gesetze" (s. d.) zurückzukehren: „Wenn die Reichen keinen Aufwand machen, so müssen

die Armen verhungern!" — Wenn nach dem eben Angeführten der Aufwand als eine
Bedingung der Civilisation erscheint, wenn selbst ein übermäßiger Aufwand noch
wohlthätiger wirkt als dumpfe Bedürfnißlosigkeit, wenn in staatsrechtlicher Beziehung
entweder schon eine indirecte Besteuerung des Aufwandes statt findet, oder der Aufwand selbst der massenhaften Capitalverwendung gegenüber als wohlthätiges Zer-
streuungsmittel der Geldanhäufung erscheint, so lassen sich hierin gewiß keine Punkte
finden, an welche eine Berechtigung zu Aufwandsgesetzen sich anknüpfen ließe. In der
neuesten Zeit hat aber eine gewisse Partei in frömmelnder Vorsorglichkeit sehr lebhafte
moralische Bedenken gegen das Umsichgreifen des Luxus erhoben und selbst L. zur Abwendung
der drohenden Seligkeitsgefahren gefordert. Sie hat auf das böse Beispiel der
Reichen für die Verführung der Armen aufmerksam gemacht und namentlich ein Gesetz zur Beschränkung des Aufwandes der Dienstboten als nothwendig bezeichnet. Ein
Aufwand, der unmoralisch und zur Demoralisation führt, ist allerdings verwerflich,
aber nicht weil er Aufwand, sondern unsittlich ist. Wenn z. B. ein Arbeiter
wöchentlich nach der Bestreitung der Nothdurft eine kleine Summe für Lebensbequem-
lichkeit oder auch einen feinern Genuß verwendet, so ist dies nicht tadelhaft; wenn er
aber dafür sich in Branntwein berauscht, oder andere entnervende Genüsse sucht, so
ist dies unmoralisch und darum verwerflich. Als Friedrich II. im Jahre 1772 am
1. April durch ein directes Gesetz dem Aufwand entgegen wirken wollte, so war dies
nicht zu rechtfertigen. Die Nothwendigkeit eines Gesetzes muß im freien Volksbewußtsein seine Wurzel haben und deshalb unwillkürlich geachtet werden. Friedrich's II.
Kaffeegesetz wurde lächerlich gemacht, wie jetzt ein Rock-, Hauben- und Pellerinengesetz
lächerlich gemacht werden würde. Der Staat hat nicht das Recht, die freie Verwendung des Erworbenen zum Zwecke des Wohllebens zu beschränken. Das Rechtsgefühl
der Nation würde sich dadurch verletzt fühlen und heimliche Gesetzübertretungen gerechtfertigt finden, die entsittlichender wirken, als der Einfluß, gegen welchen das
Gesetz gerichtet ist. Man muß die Freiheit ehren und achten, wenn sie sich ehrenhaft und achtungswerth führen soll. Aufwandgesetze kommen mir wie Schulstrafen
vor, gegen deren entehrende Anwendung sich die Mündigkeit sträubt. Bertholdi.

Lüge, Lügenstrafe. Da man beim geheimen Strafverfahren von dem Satze
ausging, daß der Angeklagte die Wahrheit aussagen, also nöthigenfalls gegen sich
selbst Zeugniß und ein Geständniß ablegen solle, diesen aber, in der Hoffnung durchzukommen und einer Strafe zu entgehen, häufig nicht nur zu Geständniß verwehren,
sondern auch zu den unwahrscheinlichsten Ausflüchten, zu handgreiflichen L.n seine
Zuflucht nehmen sah, so ist man darauf gekommen, solchem hartnäckigen Leugnen und
Lügen durch Zwangsmaßregeln zu begegnen, so zwar, daß man in diesen Fällen L.n-
strafen verhängt, welche in strenger Haft, schlechter Kost, Anlegung von Ketten,
Krummschließen u. s. w. bestehen, und den Angeklagten zum Aussagen der Wahrheit,
zum Ablegen eines Geständnisses zwingen sollen. Wir haben uns unter „Geständniß"
und „Leugnen" bereits dahin ausgesprochen, daß Niemand rechtlich verpflichtet sein
kann, gegen sich selbst zu zeugen, daß in freien Ländern, wie in England z. B., die
Richter den Angeklagten ermahnen, nichts auszusagen, was seiner Sache schaden
könnte. Eben deshalb sind auch L.nstrafen nicht zu billigen. Der Untersuchungsrichter geräth nur zu leicht in die Versuchung, sogleich bei Beginn der Untersuchung
sich ein Urtheil über die Schuld oder Unschuld des Angeklagten zu bilden. Hält er
denselben für schuldig und es deshalb für seine Pflicht, ihn um jeden Preis zu überführen, so wird er nur zu geneigt, Alles, womit sich derselbe entschuldigt, für unwahr,
für L.n zu halten und darauf hin, wenn er eine solche Befugniß hat, ihn mit L.n-
strafen so zu schrecken und gewissermaßen zu foltern, daß er am Ende lieber ein un-
wahres Geständniß ablegt, als den Peinigungen seines Richters, der ihm nun einmal
keinen Glauben schenkt, sondern in ihm nur einen verstockten Heuchler und Lügner
sieht, noch länger ausgesetzt bleiben will. Das ist aber keine Gerechtigkeit. So lange

das richterliche Urtheil noch nicht gesprochen ist, kann Niemand für schuldig und wenn er leugnet, für einen Lügner gelten. L.nstrafen können zur wahren Folter werden. Sie sind deshalb zu verwerfen und müssen aufhören. Vergl. übrigens Geständniß und Leugnen.

M.

Macchiavellismus, Macchiavellistisch. Von dem italienischen Gelehrten und Staatsmann Macchiavelli, welcher zu Ausgang des 15. und Anfang des 16. Jahrh. in Florenz lebte (1469 geboren und 1527 gestorben) und namentlich durch seine florentinische Geschichte und sein Buch vom „Fürsten" („Il principe") sich einen großen Namen erwarb, kommt der Ausdruck Macchiavellismus, welcher eine Staatskunst bezeichnet, die sich an keine Gesetze der Sittlichkeit und des Rechts gebunden glaubt. Macchiavelli hat nämlich in seinem „Fürsten" Grundsätze aufgestellt und den Herrschern empfohlen, die aller Sittlichkeit, allem Rechtsgefühl so offenbar Hohn sprechen, die Unterdrückung und Knechtung des Volks so entschieden vertheidigen, die schlechtesten, grausamsten Mittel, wenn sie nur zum Ziel führen, so warm in Schutz nehmen, daß eine solche Politik mehr für Straßenräuber, als für würdige Männer und Könige paßt. Hinterlist, Betrug, Eidbruch, Hinrichtungen, Schmeichelei, Verstellung, Schreckensherrschaft, jedes Verbrechen, welchen Namen es auch hat, ist nach ihm erlaubt und empfehlungswerth, wenn es klug angewendet wird und seinen Zweck erfüllt, der Erhaltung der Fürstenherrschaft dient. Einige wenige Sätze werden dies veranschaulichen. „In der That müßte ein Mann, der sich in allen Stücken stets tugendhaft zeigen wollte, in der Mitte so Vieler, die es nicht sind, zu Grunde gehen. Um sich daher auf einem Throne zu erhalten, muß der Fürst lernen, schlecht zu sein, und sich dann in seinen Handlungen durch die Nothwendigkeit leiten lassen (nicht durch die Gesetze, nicht durch die Rücksicht auf das Wohl des Volks). Gut würde es für einen Fürsten sein, wenn er alle guten Eigenschaften in sich vereinigte, ohne Mischung mit schlechten. Aber da die menschliche Natur nicht erlaubt, sie alle zu haben, so muß er hinreichende Klugheit besitzen, um die Schande derjenigen Laster, die ihn um seine Staaten bringen könnten, zu vermeiden. Was diejenigen betrifft, welche weniger gefährlich für ihn selbst sind, so stelle er sich vor ihnen sicher, wenn es möglich ist, kann er es nicht, so darf er sich hier mit weniger Scheu gehen lassen. Auch kümmere er sich nicht um die Schande derjenigen Laster, ohne die sich ein Fürst schwer auf seinem Throne erhalten kann. Bei genauer Untersuchung nämlich findet sich Manches, was Tugend scheint und einen Fürsten ins Verderben führen würde, und manches Andere, was Laster scheint und seine Sicherheit und Wohlfahrt befördert. Ihr müßt wissen, daß es zwei Arten des Kampfes giebt, den einen mit den Gesetzen, den andern mit der Gewalt. Die erstere gehört den Menschen, die zweite den Thieren, aber weil oft die erstere nicht ausreicht, so muß man zu der zweiten schreiten. Ein Fürst muß also eben so gut als Thier wie als Mensch zu verfahren wissen. Ein Regent, der also genöthigt ist, als Thier zu handeln, muß zugleich den Fuchs und den Löwen wählen. Der Löwe schützt sich nicht gegen Netze und der Fuchs nicht gegen Wölfe. Man muß also Fuchs sein, um die Netze zu erkennen, und Löwe, um den Wölfen Furcht einzuflößen. Wer sich allein auf den Löwen beschränkt, versteht es nicht. Ein kluger Fürst kann weder noch darf er sein Wort halten, wenn diese Handlung zu seinem Nachtheil ausschlüge, und wenn die Ursachen, welche ihn diese Verpflichtung zu übernehmen veranlaßten, nicht mehr vorhanden sind. Wenn alle Menschen gut wären, so würde diese Vorschrift es nicht sein; aber da sie schlecht sind und sie dir ihr Wort nicht halten werden, so brauchst du ihnen eben so wenig das deinige zu halten, und es wird einem Fürsten nie an legitimen Gründen fehlen, um seinem Mangel an Redlichkeit einen Anstrich zu geben. Aber indem er so nach Fuchsesart handelt, muß er diese geschickt zu verstellen wissen und überhaupt darin geschickt sein, sich zu stellen und zu verstellen. Jeder begreift leicht, wie lobenswerth ein Fürst deswegen ist, daß er sein Wort hält, sein Leben lang offen handelt und nicht zur Hinterlist seine Zuflucht nimmt, aber die Erfahrung lehrt, daß nur diejenigen Fürsten große Erfolge zu bewirken wußten, die sich wenig um ihr Wort kümmerten, die durch ihre Hinterlist die Menschen zu betrügen wußten und daß diese Fürsten damit endigten, daß sie sich zu Herren derjenigen machten, die sich auf ihre Gesetzlichkeit verließen. Fünf Eigenschaften muß ein Fürst sich den Schein geben zu besitzen, Milde nehmlich, Treue in Bezug auf sein Versprechen, Vorsichtigkeit, Aufrichtigkeit, Gottesfurcht. Aber nur den Schein zu erheucheln ist nothwendig. Denn wenn er diese Tugenden beständig hat und ihnen beständig treu ist, so sind sie schädlich, während, wenn er sie blos zu haben scheint, sie nützlich sind. Es ist gut, sie zu besitzen, aber man muß genugsam Herr seines Innern sein, um sie nach Bedürfniß mit entgegengesetzten Eigenschaften zu vertauschen. Es ist gewiß, daß ein Fürst und namentlich ein neuer Herrscher in seine Aufführung nicht Alles legen kann, was bewirkt, daß die Menschen für gut gelten, indem er oft genöthigt ist, um seine Gewalt aufrecht zu halten, gegen Humanität, Liebe, Religion zu handeln. Er muß also einen Geist besitzen, der in der Verfassung ist, sich, je nachdem der Wind und die Veränderungen des Glücks es ihm gebieten, bald so bald anders zu wenden; daß mit einem Worte er sich nicht vom Guten entferne, wenn er kann, aber daß er Böses thun könne, wenn es sein muß. Er muß große Sorgfalt anwenden, nichts aus seinem Munde kommen zu lassen, was nicht die fünf genannten Eigenschaften ankündige, und zu bewirken, daß, wenn man ihn sieht und hört, man glaubt, er sei ganz voll Milde, Aufrichtigkeit, Religion. Nichts ist namentlich nöthiger, als daß man diese letzte Eigenschaft zu besitzen sich den Schein gebe, weil die Menschen mehr nach den Augen, als mit den andern Sinnen urtheilen. Der Pöbel hält sich nur an den äußerlichen Schein und beurtheilt die Sachen nur nach ihrem Erfolg. Nun ist aber fast nichts in der Welt, als Pöbel." — Das möge genug sein, um eine Lehre zu veranschaulichen, die die vollendete weltlicher Jesuitismus genannt werden kann, aber freilich nicht blos in Italien, sondern auch in Frankreich, ja auch in Deutschland vielen Fürsten und ihren Rathgebern zur unverbrüchlichen Richtschnur gedient hat. Friedrich der Große empörte sich so sehr darüber, daß er eine Gegenschrift dagegen verfaßte, den Antimacchiavell. Trotzdem wäre es leicht nachzuweisen, daß bis in die jüngsten Tage herein die Völker nach jenen macchiavellistischen Grundsätzen beherrscht, bevormundet, geknechtet, beraubt, belogen, betrogen worden sind. Die Politik darf nicht allein von Regeln der Klugheit bestimmt werden, auch sie muß auf einer sittlichen Grundlage, auf den Gesetzen des Rechts und der Heiligkeit der Verträge beruhen. Sie darf sich als Zielpunkt nicht die Befestigung der Macht der Herrschenden, sondern das Wohl des Volkes setzen. Der Erfolg ist nicht der oberste Maßstab für das politische Handeln, sondern Gerechtigkeit. Schlechte Mittel entehren auch die beste Sache, — um wie viel mehr die schlechte — die Tyrannei und die Unterdrückung des Volkes. R.

Máchtgebot, Machtspruch, eine Entscheidung, ein Ausspruch oder Gebot, das nur dem Eigenwillen dessen, der die Macht hat, entfließt, daher despotischer, gewalthätiger, nicht gesetzlicher Natur ist. Wenn ein Machthaber, sei er groß oder klein, nach dem Grundsatz handelt: so will ich es, so befehle ich es, und darum geschehe es, und nicht darnach fragt, was das Gesetz und das Recht vorschreibt, sondern nur seinen Willen durchsetzen mag: so ist der Machtspruch fertig. In der Regel wird er dann auf dem eigenen Vortheil des Machthabers abzwecken, das Wohl der betheiligten Einzelnen oder eines ganzen Volkes verletzen, seine Freiheit, sein Vermögen, seine Rechte überhaupt angreifen. So war es nichts Anderes, als ein Machtspruch, als Karl X. in Frankreich durch seine Juliordonnanzen die Preßfreiheit aufhob; als der Bundestag politische Versammlungen, Vereine und Reden verbot; als Ernst August das hannöversche Staatsgrundgesetz für ungültig erklärte; als der Minister Falkenstein in Sachsen ein halbes Dutzend freisinnige Zeitschriften unterdrückte und ein Dutzend fremde Schriftsteller zum Lande hinaus maßregelte und Vieles dergl. mehr. Die deutsche Geschichte in den letzten 30 Jahren bildet eine ununterbrochene Reihe von Machtsprüchen; die Universitäten, die Schule, die Kirche, das Gemeindeleben; Tausende von Einzelnen wissen davon zu erzählen; selbst in die Gerichte, namentlich bei politischen Processen, griff die fleißige Hand treubesorgter Räthe der Krone mit einander überbietenden Machtsprüchen ein. Es war Alles im besten Zuge: da that plötzlich das Volk einen Machtspruch und rief: bis hieher und nicht weiter — das alte System ward gestürzt, die lang verweigerten Freiheitsrechte des Volkes mußten anerkannt und eine neue Bahn eingeschlagen werden. Durch Machtsprüche kann sich eine Regierung vorübergehend aus Verlegenheiten befreien, nimmermehr aber auf die Dauer sich damit befestigen, das Volk wird dadurch unzufrieden, mißmuthig, zu Widerstand, zu immer heftigerem Widerstand herausgefordert, bis es endlich — friedlich oder nicht — die volksfeindlichen Männer am Staatsruder beseitigt, oder wohl gar, wie mit Ludwig Philipp in Frankreich, wenn es zur Verzweiflung gebracht, keine andere Rettung sieht, den Königsthron in Trümmer stürzt. **R.**

Maçonnerie, die Freimaurerei, s. d.

Magazine, s. Getreidemagazine.

Magier, s. Heren.

Magistrat, Magistratsperson. Die obrigkeitlichen Aemter sowohl, als die Personen, welche sie verwalten, hießen bei den Römern M. In Deutschland hat der Name Aufnahme gefunden und in einigen Ländern, in Baiern z. B., heißt die städtische Obrigkeit, die städtische Verwaltungsbehörde M. und M.personen diejenigen, welche dieser Körperschaft angehören. Das deutsche Wort dafür ist Stadtrath, welches ebenfalls sowohl die ganze Körperschaft, welche mit Verwaltung des städtischen Gemeinwesens betraut ist, als auch das einzelne Mitglied derselben bezeichnet.

Magnaten heißen in Ungarn die vornehmen adeligen Geschlechter, welche vermöge ihrer Geburtsrechte an der Gesetzgebung Theil zu nehmen berufen sind.

Magna charta von England, s. Charta magna.

Magnificenz, Titel des Rectors oder Kanzlers einer Universität. Die deutsche Titelwuth mußte für jede in der bürgerlichen Gesellschaft hervorragende Stellung einen eigenen Titel haben. Weil nun die Würde eines Universitätsrectors eine sehr erhabene war, durfte er nicht anders als mit M., Herrlichkeit, Hochherrlichkeit, angeredet werden. Auch Generalsuperintendenten, Oberhofpredigern wurde der Titel beigelegt. Der Zopf hat sich bis auf unsere Tage fortgeerbt. Er muß abgeschnitten werden. Das ganze Titelwesen von der Minister-Excellenz an bis herunter zu dem hochedelgeborenen Bürgersmann ist nicht mehr zeitgemäß.

Mahlzwang, ein Ueberbleibsel der Feudalzeit. An vielen Orten waren die Einwohner verpflichtet, in einer bestimmten Mühle ihr Getreide mahlen zu lassen. Ob die Mühle nah oder entfernt war, ob sie das Mehl zeitig oder nicht zeitig liefern konnte — das war Alles eins: die Leute mußten in der Mühle mahlen lassen, an die sie gebannt waren, sie durften es in keiner andern. Das Drückende dieser Last, die zu den Bannrechten gehört, leuchtet von selbst ein. Sie ist, als die Herstellung der unentbehrlichsten Lebensmittel erschwerend, vertheuernd, die persönliche Freiheit in unerhörter Weise beschränkend, fast überall aufgehoben worden. Wo es noch nicht geschehen, muß es so bald als möglich geschehen. In Allem, was die Lebensmittel der Menschen betrifft, muß der freieste Verkehr gelten. Vgl. auch Ablösung.

Mährische Brüder, so viel wie böhmische Brüder, s. d.

Maibeten (Gerichtssteuer), s. Beten.

Majestät, Majestätsrechte, Majestätsverbrechen. Die Erhebung der Staatsgewalt über jede andere Gewalt, mag sie durch die Person eines Fürsten oder den regierenden Körper eines freien politischen Gemeinwesens dargestellt werden, erhält durch die Wichtigkeit ihres Einflusses auf Millionen, durch die Großartigkeit ihres Zweckes für die Fortentwickelung der Bildung, den Charakter einer Würde und Heiligkeit, welchem eine ausschließliche Bezeichnung gebührt. Für die Bezeichnung dieser staatlichen Hoheit ist der Name M. aus dem römischen Alterthum auf uns übergegangen. In allen Staaten sind mit dieser höchsten und heiligsten Gewalt gewisse Rechte verknüpft, so wie Verbrechen gegen dieselbe verübt werden können. Wenn die Rechte der M. in den verschiedenen Verfassungen verschieden begründet sind, theils im Genuß besonderer Vortheile (s. Regalien), theils z. B. in der Machtvollkommenheit bestehen, den Adel in seinen verschiedenen Abstufungen zu verleihen, Orden zu stiften und auszutheilen u. s. w., so bleibt doch in allen Staaten der M. das schöne Recht der Begnadigung und das Recht der Unverletzlichkeit, welches die M.sverbrechen als Hochverrath (s. d.) mit besondern und härtern Strafen belegt. — Was den Titel M. anbetrifft, der von dem Kaiser- und Königthum allein in Anspruch genommen wird, und in der Regel auch den entthronten Monarchen dieses Ranges verbleibt, so hat er außer gewissen Freiheiten und Beschränkungen rücksichtlich der Hofetikette, die außerhalb des Hofhimmels keine Wichtigkeit mehr haben, keine weitere Bedeutung und wird von der höhern Staatswissenschaft nicht beachtet. — Wie aller leerer Titelkram überhaupt, so hat auch die M. „von Gottes Gnaden" bedeutend an Glanz verloren, seit die fortschreitende Bildung dahinter gekommen, daß nicht Alles Gold sei, was glänzt; höchstens, daß hin und wieder noch ein Hofrath durch den Gedanken an seine allerdings sehr entfernte Beziehung zur M. in Entzücken versetzt werden kann! Könige und Kaiser betitelt man mit königl. und kaiserl. M.; die übrigen Fürsten müssen sich mit dem Titel königl. Hoheit, fürstl. Durchlaucht begnügen. Die „Gnade Gottes" hat sich nicht einmal hinsichtlich der Titel für Alle gleichmäßig erwiesen.   **B.**

Majestätsbeleidigung, s. Abbitte und Beleidigung.

Maifeld, s. Märzfeld.

Mainzer Untersuchungs-Commission, s. Bund.

Maynooth (Maynooth-Bill). Den Grundsatz der Gleichheit und des Rechts hat England von jeher gegen das mit ihm vereinigte Irland aus den Augen gesetzt. Am schreiendsten tritt dies im kirchlichen Leben hervor. Während man in England unermüdet für die geistige Bildung besorgt war und der Hochkirche ungeheure Summen für Gründung und Ausstattung von Unterrichtsanstalten zufließen ließ, mußte das katholische Irland bis zum Jahr 1795 noch seine Priester auf franz. oder belgischen Seminarien für ihren Beruf vorbereiten lassen. Erst in jenem für England so gefährlichen Jahre, wo auf einer Seite die franz. Republik, auf der andern Aufstand über Aufstand in Irland drohte, wurde in der kleinen Stadt Maynooth, unfern von Dublin, der Grundstein zu einem katholischen Priesterseminar für Irland gelegt, wobei die engl. Regierung aussprach, auch für den katholischen Klerus besorgt sein zu wollen. Allein, wie war diese Sorge beschaffen? Kaum daß die vom engl. Parlamente ursprünglich hierzu bewilligten 8000 Pfund Sterling für 13 Lehrer und 200 Schüler zum Nothdürftigsten ausreichten; denn während der Raum in dem Seminar ein so beschränkter war, daß immer mehrere Studenten in einem Bette zu schlafen gezwungen waren und der höchste Gehalt der Professoren sich auf 120 Pfd. nur belief, konnte für das Gebäude selbst so wenig gethan werden, daß es einer „wüsten Kaserne" glich. Namentlich aber blieben die für jeden der Studenten, welche von Staatswegen frei gehalten wurden, jährlich bestimmten 23 Pfd. ein Dorn im Auge des katholischen Volkes, weil jeder gemeine engl. Soldat jährlich 26 Pfd., mithin 3 Pfd. mehr, als ein angehender katholischer Priester, erhalte. Zudem noch war die Oberaufsicht über diese Anstalt in die Hände englisch-protestantischer Beamten gegeben, welche aller 3 Jahre nur deßhalb nach ihrem Schutzbefohlenen sich zu erkundigen kamen, um auf dessen Kosten einmal recht fett schmausen zu können. So dauerte dieser Zustand 50 Jahre fort. Da auf einmal brachte in der Sitzung des engl. Parlaments vom 3. April 1845 der Minister Sir Robert Peel eine Bill (s. d.) im Unterhause zum Vorschein, die, auf den Grundsätzen des Rechts und der Billigkeit fußend, die Verbesserung der M.-Anstalt insbesondere, überhaupt aber eine Gewährung größerer Vortheile und Berechtigungen für die katholische Kirche Irlands herbeiführen sollte. Sie enthielt hauptsächlich die 3 Vorschläge: 1) die Vorsteher von M. für eine moralische Person oder wirkliche Körperschaft zu erklären, um auf diese Weise der Anstalt Vermächtnisse und andere milde Stiftungen unmittelbar zugängig zu machen und somit alle frühern aus der Befolgung des Gegentheils entstandenen Weiterungen beseitigen zu können; 2) der Anstalt selbst fortan jährlich 26,360 Pfd. zufließen zu lassen, den Gehalt eines Professors auf 700 Pfd. zu erhöhen und die Zahl der Schüler auf 520 zu bringen, und endlich 3) 30,000 Pfd. für Neubauten zu gewähren, um auch das Aeußere des Collegiums in einer würdigeren Gestalt erscheinen zu lassen. Aber, wie sehr auch die Gleichstellung der beiden Kirchen Noth that, wie gegründete Ursache auch England haben mochte, durch Erhebung dieser Bill zum wirklichen Gesetze das Irland lange zugefügte Unrecht in etwas wieder auszugleichen, wie trefflich endlich auch Peel seine Grundsätze zu vertheidigen und die Mehrzahl der Parlamentsmitglieder zu überzeugen verstand: — die Wirkung auf den protestantischen Pöbel Altenglands glich einem Gewittersturme, der seine ganze Wuth gegen Irland richtete! Man sagt, daß in jenen Tagen die Zahl der beim Parlamente eingereichten Bittschriften um Aufhebung dieser Bill über 4000 mit mehr als 3 Mill. Unterschriften betragen habe. In allen Theilen Altenglands wurden Volksversammlungen gehalten, überall ertönte das fanatische Geschrei: „no popery (kein Papstthum)" — und selbst auf den Kanzeln rief das Geschrei fanatischer und unbußfärtiger protestantischer Pfaffen „Gottes Blitze" über den „ruchlosen" Robert Peel herab, den man in Anklagestand versetzt und streng bestraft haben wollte. Und was war die Ursache dieser groben Verletzung der heiligsten Interessen der Menschheit? Weniger wohl die Geldbewilligung für M., als die dadurch stillschweigend ausgesprochene Emancipation (s. d.) Irlands, dem der englische Haß nun einmal weder politische noch kirchliche Rechte eingeräumt wissen mochte. Selbst das freieste Volk kann ungerecht und unduldsam werden, wenn Eigennutz und Selbstsucht es beherrschen und die Stimme des Hasses den Ruf christlicher Liebe übertönt! *W. Pretzsch.*

Majorat, s. Erstgeburt.

Majorennität, s. Mündigkeit.

Majorität und Minorität, Mehrheit und Minderheit. Jede Gesellschaft, die Gleichberechtigung Aller am Gesellschaftszwecke will, muß, um zur Erkenntniß des Gesammtwillens zu gelangen, den Einzelnen um seine Willensmeinung befragen. Dazu gehört eine bestimmte Einrichtung der Gesellschaft, durch welche nicht allein die Erkenntniß dieses Gesammtwillens ermöglicht, sondern auch die Zwecke desselben zur Vollziehung gebracht werden. Da nicht jeder Einzelne sich an der Vollziehung der Gesammtbeschlüsse betheiligen kann, so muß also die Gesellschaft zuerst eine leitende und vollziehende Macht begründen, die nach dem Grundsatz der Gleichberechtigung aus dem Vertrauen der Gesammtheit hervorgehen und nach dem Willen derselben handeln, d. h.

der Gesellschaft für die Vollziehung ihrer Gesammtbeschlüsse verantwortlich bleiben muß. Das Mittel zur Einsetzung einer solchen Gewalt, nach dem Gesammtwillen und für die Erkenntniß und die Vollziehung desselben ist kein anderes als die Befragung des Einzelnen, oder die Abstimmung, nachdem von einem Mitgliede der Gesellschaft auf die Wahl eines bestimmten Mitgliedes oder die Ausführung einer bestimmten Maßregel ein Antrag gestellt, dieser Antrag öffentlich für und wider besprochen und dadurch einem Jeden zur Mittheilung seiner Willensmeinung Gelegenheit gegeben worden ist. Um nach diesem Für und Wider oder nach der Debatte, durch die Abstimmung zu einem bestimmten Ergebniß zu gelangen, ist man dahin übereingekommen, einen Beschluß als den Ausdruck des Gesammtwillens anzuerkennen, für den die Mehrheit sich erklärt, während die Minderheit ihre Ansicht zu Gunsten der Mehrheit aufgiebt und sich dem Willen derselben unterwirft. Für das Verhältniß der Mehrheit zur Minderheit, um den Beschlüssen Gültigkeit zu gewähren, findet ebenfalls ein bestimmtes Uebereinkommen statt, nach dem entweder eine unbedingte (absolute) Mehrheit, d. h. die Mehrzahl einer einzigen Stimme die Mehrheit feststellt, oder nur eine bestimmte Stimmenmehrzahl, z. B. von wenigstens zwei Dritttheilen der ganzen Versammlung, als Mehrheit entscheidet. Wie in der Gesellschaft, gilt in den volksvertretenden Körperschaften freier Staaten die Entscheidung der Mehrheit als der Ausdruck des Volkswillens. In Deutschland sind daher jetzt, wo die Revolution uns eine umfassende Volksvertretung gebracht, die Begriffe von Maj. und Min. zur Bedeutung gelangt. Wenn die Entscheidung durch Mehrheit als das einzige Mittel zur Erkenntniß des Volkswillens betrachtet werden muß, so ist leider zu bedauern, daß dieselbe, namentlich in constitutionellen Staaten, nicht immer aus der Ueberzeugung der einzelnen Stimmenden hervorgeht, sondern daß dieselbe, wenn es sich um Lebensfragen der Regierung handelt, oft eine künstlich gemachte, durch unmittelbare oder mittelbare Bestechung hervorgerufene ist. Die Geschichte aller constitutionellen Staaten hat die Möglichkeit einer durch Regierungseinflüsse gemachten Mehrheit bewiesen, dadurch stets das Vertrauen der Völker zu ihren Vertretern vernichtet und eine Tyrannei durch die Mehrheit herbeigeführt, die entweder nur durch gewaltsame Auflösung der vertretenden Körperschaften oder durch Revolutionen gebrochen werden konnte. Auch in unserer Nationalversammlung zu Frankfurt hat sich eine Tyrannei durch die Mehrheit herausgestellt, über deren wahre Absichten die Geschichte einst richten wird. Deshalb kann nur in der freiesten Verfassung, in der Republik, die Mehrheit als der sichere Ausdruck des Willens der Mehrzahl der Nation anerkannt und dadurch das Vertrauen der Völker zu seiner Regierung dauernd erhalten werden.   H. Bertholdi.

Maire heißt in Frankreich der erste Gemeindebeamte, unser Bürgermeister. In Frankreich ist die Selbstständigkeit der Gemeinden lange nicht so anerkannt, wie in Deutschland; der M. wird dort nicht von der Ortsbürgerschaft gewählt, sondern in den größern Städten von Paris aus, in den kleinern von dem Präfecten des Departements eingesetzt — aus der Zahl der Angesessenen. Es erleichtert diese Einrichtung das Regieren allerdings, indem von oben bis unten herunter Alles in einem Geiste zusammen wirkt, aber die Selbstständigkeit der Gemeinden geht darüber zu Grunde.

Maitressen, fürstliche, müssen hier deshalb erwähnt werden, weil einzelne von ihnen eine große politische Rolle gespielt haben. Die Neigung zum schönen Geschlechte ist bei vielen Fürsten einer ihrer hervorstechendsten Züge gewesen. Weil sie über dem Gesetz zu stehen glaubten, nahmen sie es mit der ehelichen Treue nicht zu streng, ließen sich vielmehr gern in Liebesabenteuer ein, zogen dann wohl auch die Frau, mit der sie Umgang hatten, in ihre Nähe an den Hof und behandelten sie dann mit all der Auszeichnung, die einem angetrauten Ehegemahl gebührt. Wenn ein Bürgersmann das thut und in doppelter Ehe lebt, in gesetzlicher und in natürlicher, so erregt das gerechten Anstoß. Wenn ein Fürst es that, entschuldigte man es mit der erhabenen Stellung desselben! Es konnte nicht fehlen, daß solche Frauen, die in allerhöchster Gunst standen, dies Liebesverhältniß in jeder Weise auszubeuten, sich nicht blos durch Geschenke, Verschreibungen u. s. w. zu bereichern, sondern auch auf die Regierungsgeschäfte Einfluß zu erlangen strebten. Und wie ist ihnen dies meistens gelungen! Ihr Einfluß wurde so maßgebend auf die Regierungsgeschäfte, auf die Anstellung der Beamten u. s. w., daß eigentlich sie, nicht der Fürst die Regierung führte — sie waren die Vermittler zwischen Volk und Fürst, ein besonderer Hof von Schmeichlern und Günstlingen bildete sich um sie — und die Fortdauer ihrer Neigung mußte sich der Fürst immer von Neuem durch neue Zugeständnisse, neue Geschenke erkaufen, er hatte nichts weiter zu thun, als nachzusinnen, wie er die Vergnügungs- und Habsucht seiner M. befriedigen sollte — einstweilen regierte diese. In der schönsten Blüthe stand diese M.nwirthschaft an dem alten franz. Hof: die Maintenon unter Ludwig XIV., die Pompadour unter Ludwig XV. haben das Geschäft ausgezeichnet verstanden. In Deutschland ist vorzüglich die Gräfin Aurora v. Königsmark am kursächsischen Hofe eine Berühmtheit geworden. Es leuchtet ein, daß das Beispiel, welches vom Fürsten gegeben wurde, auf die öffentlichen Sitten nachtheilig einwirken, zunächst den Hof und die höhern demselben nahestehenden Stände, endlich aber auch die Mittelklassen anstecken und das Sittenverderbniß immer allgemeiner machen mußte. In der neuern Zeit haben sich zwar im Allgemeinen die Höfe einer größern Sittsamkeit befleißigt, wenigstens öffentliches Aergerniß durch solch anstößigen Wandel zu geben vermieden: durchgängig aber doch noch keineswegs. Lange Zeit war die Gräfin von Reichenbach am kurhessischen Hof allmächtig, auch sie hat gut für sich gesorgt, natürlich auf Kosten des Landes, bis endlich das Volk durch eine allgemeine Erhebung ihrer Herrschaft ein Ende machte, und noch in seinen alten Tagen hatte sich König Ludwig von Baiern der Leitung einer spanischen Tänzerin Lola Montez hingegeben, die von ihm für die kurze Zeit, während welcher sie den König mit ihrer Neigung, das Land mit ihrem Einfluß beglückte, doch sattsam entschädigt worden ist. Manche Tänzerin und Schauspielerin an Hoftheatern soll sich, wenn auch nicht gerade Einflusses auf die Staatsgeschäfte, doch besonderer hoher und höchster Gunst zu erfreuen haben. Chronique scandaleuse.   R.

Mäkler, s. Börse.

Mala fide, in bösem Glauben, s. Bona fide.

Malefizgericht, so viel wie Blutbann (s. b.).

Malerei, s. Kunst.

Malteser, s. geistliche Orden.

Mandant, Mandat, Mandatar, s. Bevollmächtigung.

Mandatsproceß. Zur Unterdrückung des Faustrechts und zum Schutze des Landfriedens im heiligen römischen Reich war das Reichskammergericht niedergesetzt worden. Wer sich eines Landfriedensbruches schuldig machte, gegen den wurde ein Strafbefehl, Mandat, erlassen. Um den Landfrieden kräftig zu handhaben, war zuerst jede Vertheidigung gegen einen solchen Befehl unzulässig, und derjenige, gegen welchen es erlassen, eine Strafe verhängt wurde, mußte sich unbedingt unterwerfen. Ein solch unbedingtes Gebot widerstritt jedoch dem Grundsatz, daß vor der Verurtheilung auch der andere Theil gehört werden müsse, und es kamen deshalb auch bedingte Mandate vor, solche, gegen deren Ausführung der Betroffene Widerspruch erheben durfte, oder in Fällen, wo die Sache unzweifelhaft klar und für den Hilfesuchenden Gefahr im Verzuge war, nach geschehener Strafanwendung mit seiner Vertheidigung gehört zu werden verlangen konnte. Die Reichsgerichte haben in vielen Fällen gezeigt, daß sie ihre Aufgabe, Uebergriffe der Gewalt in die gebührenden Schranken zurückzuweisen, Schwächere gegen die Gewalt der Mächtigeren, insbesondere Unterthanen gegen ihre Landesherren zu schützen, zu erfüllen verstanden. Es war deshalb in der Verfassung des deutschen Bundes eine große Lücke, daß in sie diese heilsame Einrichtung der Reichsverfassung nicht mit aufgenommen wurde. Jetzt wo Deutschland in seiner Wiederge-

burt begriffen ist, wird es darauf zurückkommen müssen, ein oberstes Reichsgericht einzusetzen, bei welchem die Bürger und Stände der einzelnen deutschen Staaten gegen
die Beeinträchtigungen der Landesherren und Landesregierungen Schutz und Hülfe suchen und finden können. Auch zur Entscheidung von Streitigkeiten zwischen den einzelnen Staaten könnte und müßte dies Reichsgericht berufen sein.

Manifest heißt diejenige schriftliche Erklärung eines Staats oder dessen Oberhauptes, mittelst deren gewisse Staatsrechte sowie die Anstalten zur Behauptung derselben der Oeffentlichkeit übergeben werden. Unter die M.e gehört z. B. jede Kriegserklärung, wodurch die beabsichtigte Störung des öffentlichen Friedens unter Angabe der wirklichen oder vermeintlichen Rechtsgründe dafür bekannt gemacht wird.
Nicht immer geht jedoch dem Kriege ein derartiges M. voraus, oder die angegebenen
Gründe sind doch häufig nicht viel besser als aus der Luft gegriffen, in welchem
Falle das M. eine freche Verhöhnung der Sitte und des Völkerrechts ist. — Die
Stellung der Völker solchen M.en gegenüber war lange Zeit hindurch eine blos
d u l d e n d e und s c h w e i g e n d e, weil stets nur die Fürsten und ihre Regierungen
die Redenden waren. Erst die Unabhängigkeitserklärung der Nordamerikaner, sowie die
Erklärung der „Menschenrechte" zur Zeit der ersten franz. Staatsumwälzung bewies,
daß auch das Volk M.e abfassen und solche erlassen könne. Seitdem gehören solche Völ-
ker-M.e gar nicht unter die Seltenheiten mehr. Besonders fand das neuere M. des franz.
Volkes aus den Februartagen von 1848, worin es die Vernichtung des Königthums
aussprach und allen unterdrückten Völkern die Hand zum Freiheitsbunde reichte, so-
ungetheilten Beifall auch in Deutschland, daß man sofort in der Abfassung solcher
M.e Versuche anzustellen beschloß, die denn auch im Ganzen genommen bis jetzt recht
leidlich ausgefallen sind; obschon sie nach Form und Inhalt sich wesentlich unterscheiden von jenen berühmten M.en, durch die das deutsche Volk zeither von „Bundes-
tags-" und Anderer „Wegen" mitunter recht fühlbar beglückt wurde. *W. Bretsch.*

Männerbund, eine geheime Verbindung, die sich nach den Karlsbader Beschlüssen zur Vertheidigung der Volksrechte gebildet haben sollte. Es entstand damals
nämlich ein Jünglingsbund: das deutete in den Augen der Demagogenriecher auf
einen M., der vielleicht die Leitung des Ganzen habe. Man suchte deshalb und
suchte, fand aber nichts und die Mainzer Centraluntersuchungscommission löste sich
endlich, nachdem sie 9 Jahre gesessen, unzählige Untersuchungen überwacht und über
eine halbe Million Gulden verthan hatte, auf, ohne daß sie den M. entdeckt hatte.
Männer gab es genug, die die Rechte des Volkes zu vertheidigen entschlossen und bemüht waren; ob es aber einen M. gegeben, der zu dem Ende zu einem förmlichen
Bund, zu einem Geheimbund, zu einer Verschwörung, wie man sie witterte, zusammengetreten, ist heute noch zweifelhaft, oder vielmehr es ist jetzt ausgemacht, daß das
Ganze nur ein Polizeikniff gewesen, der wenigstens die Folge hatte, daß man
eine Anzahl ängstlicher Leute durch das Gespenst einer „im Finstern schleichenden und
hochverrätherische Pläne brütenden Partei" einschüchterte und die Unterdrückungsmaßregeln, mit denen man hervortrat, mit dem Scheine eines Vorwandes bekleidete. Ihr
Handwerk hat die Reaction immer gut verstanden. *R.*

Männerdienste, s. bäuerliche Lasten.

Mannlehn, ein Gut, welches nur ein männlicher Sprosse zu Lehn tragen kann
und dem Staate anheim fällt, wenn die männliche Linie ausstirbt. Vgl. unter Lehen.

Manu propria, mit eigener (oder höchst eigener) Hand geschrieben, wenn
irgend ein Schriftstück von einer fürstlichen Person eigenhändig (höchst eigenhändig)
geschrieben worden ist. Auf die eigene Handschrift des Fürsten wird natürlich ein ganz
besonderes Gewicht gelegt; was er selbst niedergeschrieben, verheißen, bewilligt 2c. hat,
soll niet- und nagelfest sein. Die Erfahrung hat sehr häufig das Gegentheil gelehrt.

Mannsthaler, s. Bedemund.

Mannszucht. Der Erfolg des Zusammenwirkens großer Menschenmassen für einen Zweck wird stets durch die Fügsamkeit bedingt, mit welcher dieselben dem leitenden Willen eines Einzelnen gehorchen. Diese Nothwendigkeit stellte sich besonders beim Heerwesen heraus und war die Mutter einer Gesetzgebung zur Erhaltung der militärischen Ordnung, die im umgekehrten Verhältnisse mit der wachsenden Humanität, an Strenge und Unmenschlichkeit zunahm, je mehr der Soldat in Folge der neuern Kriegskunst zur lebendigen Maschine, das Heer zum fürstlichen Spielzeug, zum willenlosen Werkzeug fürstlicher Despotengelüste wurde. Der Zweck dieser Gesetzgebung, die Erhaltung der M., d. h. die Gewöhnung des Soldaten an unbedingten Gehorsam, theils zur Verhütung roher Ausschweifungen einer übermüthigen Soldateska in Kriegszeiten, theils zur Ermöglichung der oben angedeuteten Wirksamkeit, hat in den letzten Jahrhunderten und namentlich in der neuesten Zeit noch eine weitere Ausdehnung erhalten, die in grellem Widerstreit mit der Humanität und den bürgerlichen Ansichten der Neuzeit, die Aufhebung der stehenden Heere, ganz abgesehen von der Kostspieligkeit, zu einer unbedingten Nothwendigkeit gemacht hat. Es ist dies der Mißbrauch des Wehrstandes zu einer Militairherrschaft, welche durch eiserne Kriegsartikel den Soldaten während der Dienstzeit aus dem Volke herausreißt, das Gefühl der Brüderlichkeit in ihm ertödtet und ihn zu einem so willenlosen Werkzeuge der Willkür macht, daß er unter dem Gesetz dieser M. den Mord seiner Vaterlandsbrüder, die Vernichtung der Freiheit seines Volkes zu Gunsten eines selbstsüchtigen Herrschers für eine heilige Pflicht und für ehrenhaft halten kann. Unsere Märzrevolution, die Geschichte unserer ganzen freiheitlichen Bewegung haben einen furchtbaren Beweis der Wirksamkeit solcher M. gegeben, die unter dem Titel „ritterlicher Ehrenhaftigkeit", soldatischer Königstreue, in den Söhnen des Volkes jede höhere wahrhaft patriotische Lebensäußerung erstickt. Dieses Erziehungssystem des Soldaten ist namentlich in Preußen zu einer erschreckenden Vollkommenheit ausgebildet worden. Man bediente sich zur Herstellung dieser M. derselben Mittel, durch welche der Katholicismus so ungeheure Erfolge erreicht. Indem man dem Soldaten im König einen Gott gab, dessen Cultus unter der lächerlichen Phrase ritterlicher Ehrenhaftigkeit unter der Geißel strenger Subordinationsgesetze geübt wird, schult man den Geist der Truppen in die soldatische Verknöcherung hinein, welche der Katholicismus im Gebiete der Religion auf ähnlichem Wege erzielt. Man hat es in neuster Zeit Preußen zum hohen Verdienst angerechnet, daß es aus dem Strafgesetzbuch eine Reihenfolge barbarischer Strafmittel gestrichen. Durch diese vom Zeitgeist der alten Herrschaft abgedrungene Milde ist jedoch in der Hauptsache Nichts geändert. Man hat nur, eben wie der Katholicismus, die Erziehungsweise verändert, an die Stelle des Stocks und der Latten sind andere, weniger grausam scheinende, aber in der That nicht weniger quälende Strafen getreten, durch die man denselben unbedingten Gehorsam erzielt. — Es kann durchaus nicht davon die Rede sein, die Nothwendigkeit strenger Gesetze zur Aufrechterhaltung der M. in Kriegszeiten ableugnen zu wollen, aber — hat der Staat das Recht, die Söhne des Volkes zu verknöcherten Söldlingen zu machen und sie unter dem schönen Namen des „Dienstes fürs Vaterland" zum Dienst der Knechtschaft zu automatisiren? Unsere alte Geschichte, auf welche die Zwangsherrschaft sich so oft beruft, hat uns die deutsche allgemeine Wehrhaftigkeit, wenn es gilt, für den Heerd im Vaterlande zu fechten, in glänzendem Lichte gezeigt. Die Zeit ist gekommen, wir werden zum alten Bürgerwehrsystem zurückkehren, die stehenden Heere werden nicht ferner die geputzte Leibgarde der Fürsten sein und mit ihnen wird jene M. fallen, deren ein Heer freier Bürger, die sich im Falle der Noth fürs Vaterland bewaffnen, nicht mehr bedarf.   H. Bertholdi.

Manualacten, s. Acten.

Marine, Alles, was zum Seewesen eines Staats gehört, also die Kriegsschiffe, die dazu gehörigen Beamten, die Vertheidigungsanstalten an den Küsten und in Häfen u. s. w. Die deutschen Küstenländer haben eine bedeutende Handels-M., um so

armseliger ist ihre Kriegs-M. gewesen (nur Oesterreich hatte in den italienischen Ge-
wässern Kriegsschiffe, Preußen die eine Amazone). Jetzt endlich, da das Bedürfniß
in dem Kriege mit Dänemark sich auf das dringendste herausgestellt hat, wird der Anfang mit einer deutschen Kriegs-M. gemacht, indem die constituirende deutsche Nationalversammlung vorerst 6 Mill. Thlr. zu Begründung einer Kriegsflotte bewilligt
hat. Da sie eine deutsche sein soll, wird sie unter der Botmäßigkeit der obersten deutschen Centralgewalt stehen müssen. Der überseeische Handel Deutschlands kann jeden
Augenblick vernichtet, seine Küsten der Verwüstung preisgegeben werden, wenn es sich
nicht durch eine Kriegs-M. zu schützen im Stande ist.

Markt und Messe. So nothwendig die Wochenmärkte für die Zeitersparniß
und Bequemlichkeit der Erzeugenden sowohl als der Verbrauchenden durch Feilbieten
der unentbehrlichen Lebensbedürfnisse an bestimmten Tagen und am bestimmten Orte,
so nothwendig waren früher Märkte und Messen für den größeren Handelsverkehr
und erforderten durch ihre Wichtigkeit für Handel und Industrie die aufmerksamste Sorgfalt und Pflege der Staatsregierungen. In der neuesten Zeit hat die Umgestaltung
der Handelsverhältnisse durch die Erleichterung des allgemeinen Verkehrs, durch die
Eisenbahnen und die daraus hervorgehende Hebung des Handels der kleinen Städte,
die Wichtigkeit der Märkte und Messen bedeutend vermindert, und namentlich bestehen
die ersteren fast nur noch als Volksfeste mehr durch die Gewohnheit als des Bedürfnisses wegen fort. Was die Messen anbetrifft, so besteht der Vortheil, den sie gewähren, hauptsächlich in der Vermittelung des Völkerverkehrs. Die Anhäufung großer Massen von Industrieerzeugnissen aus den verschiedenen und entferntesten Landestheilen und
Ländern und die dadurch erleichterte Auswahl der Käufer nach ihrem Bedürfniß, das
Zusammenströmen einer großen Menge von Geschäftsleuten an einem Platze, der die
Lösung gegenseitiger Verbindlichkeiten durch persönliche Besprechung weniger schwierig
macht, die natürliche Preisbestimmung, die aus den eingegangenen Quantitäten, aus
Begehr und Angebot sich erzielt, werden den großen Meßplätzen immer eine für den
Staat wichtige Bedeutsamkeit erhalten. Wenn man in früherer Zeit die Messen als
Ausstellungsplätze betrachtete, durch welche für die Erzeugnisse industrieller Strebsamkeit,
neue Erfindungen u. s. w. eine schnellere Anerkennung und Bekanntwerdung ermöglicht
wurde, so haben die Einrichtungen der neuesten Zeit, die Gewerbe- und Kunst-Aus-
stellungen, Vereine, Blätter und die beständige Messe der großen Städte diese Vortheile
der Messen aufgewogen und überflügelt. Ebenso haben die Messen aufgehört die Gradmesser für den Flor der Gewerbsthätigkeit, für Production und Consumtion zu sein,
auf deren Verhältniß man sonst aus dem lebhafteren oder verminderten Meßverkehr zu
schließen pflegte. Seitdem die Eisenbahnen und Postverbindungen den Verkehr zwischen
Käufer und Verkäufer erleichtert und ein directes Beziehen der Waaren, so wie die
Berechnung durch Wechsel und Handlungsreisende bequemer gemacht haben, liegt es
natürlich im Interesse der Handeltreibenden, sich die Kosten der Meßreisen und namentlich
die Transport- und Lagerkosten der Waaren nach und an den Meßplätzen zu ersparen
und ihre Geschäfte durch directe Vermittlung zu beschließen. In demselben Verhältnisse verlieren die Messen ihre vermittelnde Wirksamkeit für den Völkerverkehr. Je höher
die industrielle Thätigkeit in den einzelnen Staaten steigt, je mehr jedes Land in den
Stand gesetzt wird, seine Erzeugnisse selbst zu schaffen und mehr in Rohstoffen als in
den Manufacten der Ergänzung zu bedürfen, je weniger wichtig werden die Messen
und verschwinden, wie das England beweist, bei steigender Industriehöhe am Ende ganz.
Der Staat hat, was die Märkte anbetrifft, die durch den Zusammenfluß einer großen Menschenmenge für die Orte, in denen sie abgehalten werden, immer als nicht
unwichtige Erwerbsquelle erscheinen, bei dem ihm zustehenden Recht der Concessions-
ertheilung besonders dahin zu sehen, daß der zu ertheilenden Marktgerechtigkeit ein wirkliches Bedürfniß zu Grunde liege und durch dieselbe nicht die schon bestehenden Märkte
anderer Orte beeinträchtigt werden. Ebenso hat er für die polizeiliche Ueberwachung

derſelben, für die Feſthaltung richtigen Maaßes und Gewichtes, für die Zurückweiſung
verdorbener oder der Geſundheit ſchädlicher Waaren und für Ordnung und Sicherheit
Sorge zu tragen. Rückſichtlich der Meſſen liegt dem Staate beſonders die Erleichterung
des Verkehrs durch Vermehrung und Erhaltung der Handelswege, durch Befreiung
der Verkäufer von läſtigen Plackereien und durch eine ſchnelle Juſtiz für Wechſel und
Rechtsangelegenheiten ob.   H. Bertholdi.

Marſeillaiſe, das berühmteſte franz. Freiheitslied. Kriegslieder ſollen alle
Gefühle des Volks wie im Wirbelſturme aufrütteln und die Thatkraft zum Handeln
mit Allgewalt fortreißen. Die M. hat dieſe Aufgabe erfüllt. Sie hat die Seele des
Zaghafteſten mit Heldenmuth erfüllt, den Gleichgiltigſten zur Begeiſterung fortgeriſſen
und ſelbſt das ſchwache Kind zum Freiheitskampfe gedrängt, — ganze Heere von
Helden geſchaffen. An ihr iſt aber auch Alles aus Einem Guſſe, aus Einer Feuer-
quelle der Empfindung wie glühende Lava gefloſſen; Dichter und Componiſt waren
Eins — und das Feuer der Muſik übertrifft beinahe noch das der Dichtung. —
Die M. hat Wunder gethan; ihre zauberiſche Wirkung auf alle Gemüther iſt zu allen
Zeiten dieſelbe geblieben und die Worte, mit welchen der deutſche Dichter Klopſtock
den Schöpfer der M. vor einigen 50 J. ſchon in Hamburg begrüßte: „Sie haben mit
Ihrem Liede allein Frankreichs Feinde geſchlagen" — können für alle künftige Zei-
ten gelten. Dichter und Componiſt der M. war der franz. Ingenieur-Capitain Jo-
ſeph Rouget de Lisle in Straßburg. Sie war das Erzeugniß eines begeiſterten
Augenblickes im Leben ihres Dichters, denn ſie trat in Einer Nacht des J. 1791 als
Lied und Muſik in das Leben und empfing erſt ſpäter ihren jetzigen Namen von den
Marſeiller Freiwilligen, welche 1792 dem Convent zu Hilfe eilten und unter dem
Geſange dieſes Liedes in Paris ihren Einzug hielten. Wie es jedoch häufig zu gehen
pflegt, ſo vergaß auch Frankreich anfangs den Dichter über der Dichtung, den Meiſter über dem Werke; und nur erſt, als in den Julitagen von 1830 der Siegesklang
der M. Frankreichs Söhne noch einmal zum Kampf und zum Siege gegen die Willkürherrſchaft der Bourbonen rief, gedachte man des 70jähr. Greiſes, der in ſtiller
Verborgenheit lebte, deſſen Name aber von dieſem Einem Liede nur unſterblich geworden war. — Die M. ſteht noch unerreicht da. Selbſt in Deutſchland wird ſie
gern gehört und geſungen. Mögen die Schlußworte am Ende jeder Strophe derſelben
„Aux armes, citoyens!" die Bürger Frankreichs wenigſtens nie mehr zum Kampfe
gegen ihre eigenen Brüder rufen!   W. Pretzſch.

Marterleiter, ſ. Folter.

Märtyrer. Ein Name, der von dem griechiſchen Worte martyr (Zeuge) abgeleitet iſt. Er wurde in ſeinem engeren Sinne als „Blutzeuge" zuerſt in den Zeiten
der Chriſtenverfolgungen gebraucht und bezeichnete ſolche Chriſten, welche einen mar-
tervollen Tod dem Abfalle vom Chriſtenthum vorzogen. Später, als die chriſtliche
Religion die herrſchende geworden war, kam ſie ſelbſt in den Fall, M. zu machen.
Huß und Hieronymus, welche in Koſtnitz verbrannt wurden, Savonarola,
der in Florenz, und Giordano Bruno, der in Rom auf dem Scheiterhaufen endete, ſtarben als M. einer freiern Religionsauffaſſung. Dieſe Liſte könnte ins Ungeheure vermehrt werden. Man dürfte nur die Maſſe derjenigen hinzurechnen, welche
die Inquiſition in den verſchiedenen Ländern Europas auf den Holzſtoß ſchickte oder
in den Ketten vermodern ließ, weil ſie es verſchmähten, ihren Geiſt unter die Dictate
einer wahnſinnigen Prieſtergewalt zu beugen. Leider blieb ſelbſt die Reformation
nicht unbefleckt von M.blut. Wir erinnern an Servet (verbrannt in Genf), an
Valentin Gentilis (enthauptet in Bern), an Kaſpar Peucer und ſeine Schick-
ſalsgenoſſen. Als in der Folge mit dem wachſenden Einfluß der Philoſophie die religiöſe Unduldſamkeit immer mehr von ihrer Schärfe verlor, nahmen auch die religiöſen M. ab. Dafür tauchte eine neue Kategorie auf, die politiſchen M.
Man darf dieſen Begriff nicht mißverſtehen, wie es oft geſchehen iſt. Der Name M.

ist ein Ehrenname. Er bezeichnet einen Menschen, der für eine gute und heilsame Idee stirbt oder leidet. Auf politisches M.thum kann daher nicht derjenige Anspruch machen, der sich aus Unkenntniß, falschverstandenem Eifer oder hündischer Ergebenheit für den Despotismus opfert, sondern nur der, welcher für Wahrheit und Recht, für Freiheit und Bürgerwohl Glück und Leben willig preisgiebt. Politischer M. und M. der Freiheit ist eins und dasselbe. Solcher politischen M. nun giebt es zur Ehre der Menschheit und zur Schande der Tyrannei eine nicht geringe Anzahl. Jedes Land, das einen Freiheitskampf durchgemacht, hat deren aufzuweisen. Aus Deutschland sind (um nur Einige anzuführen) Moser, Schubart, Palm, Wirth, Weidig, Jordan, Jahn, Eisenmann, Seidensticker, König und Behr zu nennen, aus Spanien: Riego, Porlier und Torrijos, aus Griechenland: Rhigas und Alexander Opsilantis, aus England: Lord Russell und Algernon Sidney, aus Holland: Oldenbarneveldt, Johann und Cornelius de Witt, aus Italien: Tola, Menotti, Santarosa, Silvio Pellico und Gonfaloniero. Liefland hatte seinen Patkul, Tyrol seinen Hofer. In Mexiko erwarben Hidalgo und der jüngere Mina die M.krone. Und wie könnten wir deiner vergessen, heldenmüthiges Polen, mit deinem Kosciusko, deinem Lukasinski, und all jenen treuen Söhnen, die in den Eisfeldern Sibiriens oder in den Bergwerken des Ural ihre Begeisterung für Vaterland und Freiheit büßten! — Das M.thum einer Idee geht gewöhnlich dem Siege derselben voraus; ja, es kann gewissermaßen kein Sieg errungen werden ohne vorhergegangenes M.thum. Es liegt in der Natur der Sache, daß eine neue Lehre, wenn sie zuerst der Welt verkündigt wird, von der damit unbekannten Masse mit Mißtrauen aufgenommen wird und bei dem Versuch der praktischen Einführung auf hartnäckigen Widerstand stößt. Sie muß erst Proben ablegen, ehe sie Eingang in die Köpfe und Herzen der Menschen gewinnen kann. Ist sie nun von der Art, daß sie ihre Anhänger wirklich mit Muth und Ausdauer erfüllt, so daß diese selbst Kerker und Tod für sie nicht scheuen, so erwirbt sie sich Vertrauen. Das Publicum denkt, die Sache kann doch nicht ganz ohne sein; man beschäftigt sich mit der neuen Lehre, das Vorurtheil dagegen verliert sich, und der Sieg ist dann nicht fern. Eine Regierung kann daher nichts Unklugeres thun, als durch Hinrichtungen und Einkerkerungen M. zu machen. Wie lange hat sich in Frankreich die Idee der Republik in dem Blute ihrer M. (Berton, Caron, Saugt, Bories u. s. w.) fortgeschleppt. Jetzt ist sie doch durchgedrungen. Wie viel Opfer hat in Deutschland der Constitutionalismus, der Liberalismus, der Radicalismus geliefert! Und wer sitzt jetzt in den Ministerien, den Ständeversammlungen, dem Parlamente? Eben die Constitutionellen, die Liberalen, die Radicalen. Mit der Idee der Republik wird es in Deutschland ganz eben so gehen. Sie wird und muß ihre M. haben und sie wird und muß eben darum siegen. „In allen Dingen" — sagt Guizot in seiner „Geschichte der Civilisation in Europa" (ein Werk, das er in seiner bessern Periode schrieb) — „verbraucht die Vorsehung, um ihre Zwecke zu erreichen, Muth, Tugenden, Opfer, mit einem Worte: den Menschen; erst nach einer unbekannten Menge scheinbar vergeblicher Anstrengungen, nachdem viele edle Herzen entmuthigt unterlagen und ihre Sache verloren gaben, kann erst triumphirt die Sache." — Außer den politischen M.n könnte man noch von M.n der Wissenschaft (Galilei, Laing, Lander), von M.n der Menschlichkeit (die Girondisten) und manchen andern Arten des M.thums reden; doch dies würde uns zu weit führen und gehört auch, genau betrachtet, nicht in dieses Werk. 　　Jäkel.

Märzfeld. Im Frankenreich versammelte sich das Volk alljährlich am 1. März, um die öffentlichen Geschäfte abzumachen, Kriegszüge zu beschließen. Bei dieser Gelegenheit wurden dem König vom Volk freiwillige Geschenke zur Bestreitung der Bedürfnisse des Gemeinwesens gemacht, das Heer gemustert u. dergl. Der März war diejenige Jahreszeit, in welcher die Vorbereitungen zu den kriegerischen Unternehmungen getroffen werden mußten, um dieselben mit dem Frühling beginnen zu können. Als man sich später der Reiterei zu bedienen anfing, konnte man, um keinen Futtermangel zu leiden, die Feldzüge nicht mehr so früh beginnen, wie sonst. Die Volksversammlungen wurden deshalb auf den 1. Mai verlegt und hießen nun Maifelder. Die März-, später Maifelder, waren also die allgemeinen Versammlungen aller freien Männer zur Entscheidung aller wichtigen Angelegenheiten des Gemeinwesens. Denn damals hatte jeder freie Mann ein Stimmrecht, und über Krieg und Frieden, über Wahl und Absetzung des Königs, über Erlassung und Aufhebung allgemeiner Gesetze, über die Regierung und Verwaltung entschied das gesammte Volk. Später schrumpften die Volksversammlungen freilich auf die Landtage zusammen, an denen nur der Adel, die Geistlichkeit und die Städte Theil nahmen. Erst die jüngste Zeit hat die Freiheitsrechte der alten Deutschen wieder zur Anerkennung gebracht und jeden volljährigen Mann wieder in das Recht eingesetzt, bei der Wahl der Volksvertreter mitzuwirken, die über die höchsten Angelegenheiten des Landes und Volkes zu entscheiden haben.   R.

Maschinen, Maschinenwesen. Die Wissenschaft und deren Ergebnisse, die Kenntniß der Natur und ihrer Kräfte auf die Gewerb- und Productionsthätigkeit des Menschen übertragen und angewandt tritt in den M. und dem M.wesen als die glänzendste und gewaltigste Seite ihrer Allmacht hervor. Die Gesellschaft als Ganzes, wie jedes ihrer einzelnen Mitglieder hat das größte Interesse dabei, daß die Kosten der Erzeugung aller ihrer Nothwendigkeiten, Bedürfnisse und Bequemlichkeiten, Genüsse, und Hülfsmittel leiblicher und geistiger Entwickelung, Erholung und Kräftigung möglichst vermindert werden, damit Jedermann sich in den Stand gesetzt sehe, sich dergleichen zu den niedrigsten Preisen zu verschaffen und demgemäß seinen Verbrauch sowohl nach Menge als Gattung immer weiter auszudehnen. Erzielt wird dieß aber nur dadurch, daß Anstalten und Einrichtungen getroffen werden, mit dem Aufwand der geringsten Mittel die größte Menge jener Gegenstände herzustellen. Jede solche Verbesserung in der Production, wodurch Arbeitskraft und somit Kosten erspart werden, ist deshalb ein Fortschritt in der gesellschaftlichen Lage der Allgemeinheit, des ganzen Menschengeschlechts selbst und muß als eine Wohlthat für Letzteres angesehen werden. Die Geschichte des M.wesens erscheint in dieser Hinsicht als die wahre Culturgeschichte der Menschheit, die Geschichte der Entwickelung der menschlichen Arbeit mittels Durchdringung und Belebung derselben durch den menschlichen Gedanken, die Wissenschaft und ihre Ergebnisse zu Nutz und Frommen der wachsenden Bedürfnisse des socialen Menschen und ihrer Genugthuung durch die Leistungen der producirenden Arbeit. Dieser Charakter des M.wesens erhellt an nichts deutlicher als an den Wirkungen, welche die Einführung desselben zum Zwecke der Verbreitung des niedergeschriebenen Gedankens, welche die Buchdruckerkunst auf den Fortschritt der Gesittung geübt hat. Vor 400 J., ehe der Buchdruck erfunden war, besorgten einige tausend Abschreiber die Verbreitung dessen, was die Denker gedacht, die Weisen gelehrt, die Seher vorausgesagt; nur den Reichsten und Bevorzugtesten war es möglich, sich dergleichen Abschriften zu verschaffen und Einsicht zu nehmen in den Fortschritt des menschlichen Denkens; die von Guttenberg erfundene und von seinen Genossen verbesserte M., die Buchdruckerpresse, machte diesem traurigen Zustand der geistigen Mittheilung ein Ende, und als gar die neue Erfindung der Schnellpresse und deren Betreibung mit Dampfkraft hinzutrat, entwickelte sich mit einer beispiellosen Schnelligkeit die gegenseitige Bildung und Aufklärung durch die Menge und die Wohlfeilheit der Erzeugnisse der Presse. Wäre keine M. an die Stelle der Feder des Abschreibers in der alten Zeit getreten, so würde der weitaus größte Theil der Menschheit in geistiger Beziehung noch auf demselben Standpunkt stehen, auf dem die allgemeine Bildung damals stand. Hätten die Verbesserungen im M.fach nicht seit den letzten 50 J. auch den Buchdruck umgestaltet und dessen Erzeugnisse, man kann sagen, fabelhaft verwohlfeilert, so würde man den allgemeinen

Drang des Volks nach Wissen und Bildung keineswegs in dem Maße haben befriedigen können, als es geschehen ist. Wären die großen mechanischen Erfindungen der Anwendung des Dampfes und anderer Naturkräfte zur Gütererzeugung und Güterbeförderung nicht vor sich gegangen und hätten sich nicht dem verbesserten Buchdruck zur Verwohlfeilung, Vervielfältigung und zu beschleunigter Weiterbeförderung der Geisteserzeugnisse angetragen, hätten diese Erfindungen zudem den persönlichen Verkehr zwischen Menschen und Völkern nicht erleichtert und damit verwohlfeilert — so hätte nie jene große weltgeschichtliche Umwälzung, deren Zeuge wir sind, in diesem Maße und dieser Ausdehnung, nie in dieser von dem großen Gedanken der Völkerverbrüderung zu Zwecken allgemeiner Wohlfahrt, allgemeinen Friedens und allgemeiner Gesittung durchdrungenen Eigenthümlichkeit eintreten können und wie vordem müßte sich Jahrh., ja Jahrtaus. lang eine Idee der Vervollkommnung der Menschheit mühsam und drangsalvoll, durch Ströme von Blut und Vernichtung ganzer Geschlechter Bahn brechen, die jetzt in Zeit weniger Jahre zu siegreicher Geltung gelangen wird. Es ist wahr: diese Triumphe des Menschengeistes sind nicht ohne Opfer erkauft worden und werden auch in der Folge nicht ohne solche gewonnen werden; die Uebergänge, welche dergleichen wichtige Vervollkommnungen der Production, als welche die Einführung neuer M. erscheinen, in dem Zustande aller derer herbeiführen, die bei der veralteten Art und Weise der Herstellung beschäftigt waren, und daraus ihren Unterhalt zogen, sind gewöhnlich sehr schmerzlicher Art und es erscheint als dringende Pflicht für die Gesellschaft und den Staat, gegen diese Uebelstände wirksam helfend einzutreten: aber ein Vorurtheil ohne Gleichen, ein unvernünftiges und höchst gefährliches Vorurtheil wäre es, in Betracht dieser schmerzlichen Uebergänge, der zeitweiligen Opfer, welche die Einführung neuer M., die höchste Vervollkommnung des M.wesens kostet, darauf zu verzichten, d. h. mittel- oder unmittelbar die Entwickelung desselben hindern oder beschränken zu wollen. Die Ersetzung der physischen Kraft des Menschen bei Herstellung seiner Bedürfnisse durch die Verwendung unerschöpflicher Naturkräfte wird zwar bei jeder neuen Vervollkommnung der M. eine Anzahl Hände für den Augenblick außer Beschäftigung setzen und ihres Unterhalts berauben; aber diese Nothwendigkeit kann nun und nimmer einen Grund herleihen, diese Fortschritte in den Hülfsmitteln der Gesittung aufzuhalten, um sowenig er, als mit diesen Vervollkommnungen der Production fast allemal eine Vergeistigung der leiblichen Arbeit des Menschen selbst mittels der bloßen Beaufsichtigung und Ueberwachung der in den Dienst des Menschen auf diese Weise gezwungenen Naturkräfte statt der früheren mühevollen und aufreibenden körperlichen Anstrengung eintritt. Auch ist die unmittelbare Folge der Einführung neuer mechanischer Verbesserungen, wodurch in einem Productionszweig Menschenkräfte erspart werden, fast stets die, daß in andern davon abhängigen Gewerbzweigen die Nachfrage nach Arbeit steigt, oder was noch häufiger der Fall, sich ganz neue lohnende Beschäftigungen bilden, die mit der Zeit die durch die neue Erfindung verloren gegangenen Erwerbsquellen der Bevölkerung doppelt, oft 10- und 100fach ersetzen. Dies läßt sich bei den größten Erfindungen, wie der Buchdruckerpresse, dem mechanischen Spinn- und Webstuhl, der Dampfmaschine, dem Dampfschiff und der Eisenbahn bis ins Einzelne nachweisen. An die Stelle der ein paar tausend Abschreiber, welche vor 4 Jahrh. die Mittheilung der Gedanken durch die Vervielfältigung der Schrift vermittelten, ist, obwohl die Bevölkerung seitdem noch nicht auf das Fünffache gestiegen, die Anzahl der im Buchdruck und in allen davon bedingten Erwerbzweigen beschäftigten Arbeiter, der Papiermacher, der Maschinenbauer, der Buchhändler, Schriftgießer, Typenschneider, Zeichner, Illustrateurs, Schriftsteller, Correctoren, Setzer und Drucker, Buchbinder u. s. w. auf das 10- und 20fache gestiegen. Eine noch weit stärkere Vermehrung der Beschäftigung hat durch die Erfindung der Spinnmaschine in den Fächern der webenden Gewerbe stattgefunden. Als Arkwright vor 80 J. die Spinnmaschine erfand, ernähte die Baumwollenmanufaktur in England, Spinnerei und Weberei etwa 150,000 Menschen; heute ziehen mehr denn $1^1/_2$ Mill. daraus ihren Unterhalt, abgerechnet die nordamerikaniſche Bevölkerung, welche in der Cultur der Baumwolle ihren Erwerb findet, wovon die engliſche Induſtrie allein $^3/_4$ verbraucht. Von den Einwänden, welche man gegen das M.weſen und ſeine Förderung geltend macht, iſt der hauptſächlichſte der, daß nur dem Reichthum die Anſchaffung der koſtſpieligen M., der zu deren Aufſtellung nothwendigen, größtentheils noch viel koſtſpieligeren Gewerbsanlagen, Gebäude und anderer Einrichtungen, und der gleichfalls ſehr beträchtlichen Betriebscapitale möglich ſei, und daß durch die Maſſenproduction, die zum angemeſſenen Ertrag dieſer Liegen- und Werthſchaften und zur Erzielung niedriger Herſtellungspreiſe der Gewerbserzeugniſſe unumgänglich nothwendig wird, der kleinere Gewerbtreibende, ohne dieſe Hülfsmittel, mit dem Beſitzer ſolcher Gewerbsanlagen in Mitbewerb zu treten gezwungen iſt, dem Uebergewicht des Capitals erliegen und zuletzt verarmen müſſe, ſo daß endlich jener gewerbfleißige Mittelſtand ganz verſchwinden werde, der bisher die wahre Grundlage der bürgerlichen Wohlhabenheit gebildet habe. Das Mittel, dieſe traurigen Wirkungen des M.weſens in ſeiner jetzigen Geſtalt, Wirkungen, die nicht abgeleugnet werden können, zu heben, liegt aber in der Aſſociation der kleinen Vermögenskräfte und der Fähigkeiten. Dieſer Weg iſt in den Ländern mit freien politiſchen Einrichtungen auch bereits betreten und in Belgien, in England und Nordamerika wird ein bedeutender Theil der großen Induſtriezweige, die koſtſpielige und umfaſſende Gewerbsanlagen benöthigen, ſchon durch Geſellſchaften betrieben, welche ihre Fonds durch das Zuſammenſchießen kleinerer Capitale aufgebracht haben. Je großartiger mit jeder neuen Vervollkommnung des M.weſens die Einrichtungen, je coloſſalere Geldkräfte zu deren Herſtellung erfordert werden, deſto mehr wird der Betrieb derſelben der Vergeſellſchaftung der kleinen Capitale zufallen; ja wenn der Grundſatz gerechterer Beſteuerung des Reichthums in Einführung von progreſſiven Einkommen- und Vermögensſteuern, wie man hoffen darf, in der zu erzielenden neuen Ordnung der Dinge zu allgemeiner Geltung gelangt, ſo iſt kaum in Zweifel, daß bald nur dem kleinen Vermögen in ihrer Vereinigung die Ausbeutung des M.weſens zufallen wird. Ein anderer Vorwurf, welchen man dem M.weſen macht, geht dahin, daß die bei den M. beſchäftigten Arbeiter durch die lange, unabläſſige und ſchwere Arbeit in ihren Kräften und ihrer Geſundheit vor der Zeit aufgerieben werden und dem Elende ſo anheimfallen. Es iſt aber Thatſache, daß, je unvollkommener das Werkzeug iſt, womit der Arbeiter zu arbeiten gezwungen iſt, deſto anſtrengender und aufreibender die Arbeit ſelbſt wird. Die M. iſt nun nichts als ein vervollkommnetes und zuſammengeſetztes Werkzeug, mittels deſſen der Arbeiter ſich bei ſeiner Beſchäftigung erleichtert findet und alle weiteren Verbeſſerungen und Vervollkommnungen im Bau der M., wie die Erfindung neuer Triebwerke haben größtentheils zugleich den Zweck, dergleichen Erleichterungen für den Arbeiter zu ſchaffen. So erklärt es ſich, daß ein großer Theil ſolcher Erfindungen von Arbeitern herrührt, die dabei den Zweck eigner Erleichterung im Auge hatten. Ein Gleiches iſt der Fall hinſichtlich der Gefahren, welche die M. für das Leben und die Geſundheit der Arbeiter mit ſich führen; auch in dieſer Hinſicht trägt jede neue Verbeſſerung Sorge, dergleichen mehr und mehr zu entfernen und der Menſchenfreund muß in Betracht deſſen gerade die größtmögliche Entwickelung und Vervollkommnung des M.weſens wünſchen. — Ein großer noch nicht beſeitigter Uebelſtand des M.weſens iſt ſicherlich die lange, meiſt ziemlich eintönige Arbeit; er gehört aber den Beſchäftigungen und Erwerbszweigen, die mit M. betrieben werden, nicht ausſchließlich an; ja gerade in den letztern kann, wie es bereits durch Beſchränkung der Arbeitszeit mittels der Geſetzgebung in England, Belgien, Frankreich ꝛc. geſchehen iſt, auf geſetzgeberiſchem Wege weit leichter Abhülfe geſchafft werden, als in den andern kleinen oder Hausgewerben ohne M. Zudem läßt ſich vorausſehen, daß mit den weitern Fortſchritten des M.weſens es dahin kommen wird, wo man, wie dies jetzt bei den Bergwerken und den Eiſenbahnen ſchon der Fall iſt, die Werke Tag und Nacht in ununterbrochenem Betrieb hält und wo in Folge deſſen der Wechſel der Arbeiter eintreten muß, ſo daß eine Arbeit von 8,

vielleicht in der Folge von 6 Stunden täglich genügen mag, um dem Manne sein Auskommen zu sichern und ihn zugleich in den Stand zu setzen, einen Theil seiner Zeit
weiterer Ausbildung oder andern Arbeiten zu widmen, die nach der Natur des Menschen durch den Wechsel zur Erholung dienen. Alle diese in der Zukunft liegenden Verbesserungen in der Lage des arbeitenden Volkes sind aber nur möglich und werden nur
angebahnt werden durch die immer größere Ausbildung und Vollendung des M.wesens,
wodurch der Mensch die Kräfte der Natur zur Deckung seiner Bedürfnisse, zur Herstellung seiner Bequemlichkeiten, zur Anschaffung seiner Genüsse für sich arbeiten läßt,
während er Zeit gewinnt, der Pflege und Entwickelung seiner geistigeren Kräfte in immer reicherem Maße obzuliegen und dadurch seiner hohen Bestimmung entsprechend durch
sein Dasein zu gehen. **J. G. G.**

Maß und Gewicht. Der Staat hat die Verpflichtung, zur Erleichterung und
Sicherheit des Geschäftsverkehrs für Einführung und Erhaltung eines geordneten Maß-
und Gewichtsystems Sorge zu tragen. Zu diesem Zwecke handelt es sich zuerst darum,
Normalmaße auffinden und anfertigen zu lassen, deren Urmaße unverlierbar, d. h. mit
leichter Mühe unveränderlich herzustellen sind. Schon die Alten fühlten dies Bedürf-
niß und bewahrten die aus Stein und Metall gefertigten Urmaße in den Tempeln und
an heiligen Orten auf. Da aber diese Urmaße willkürlich angenommen wurden, so lief
man stets Gefahr, mit dem zufälligen Verlust derselben die Möglichkeit einer allgemeinen
Zurückführung der im Laufe der Zeit veränderten Maße zu den Urmaßen zu verlieren.
In neuerer Zeit hat man sich verschiedener Methoden bedient, um unveränderliche
Grundlagen in der Natur für die verschiedenen Maße zu gewinnen. So hat man in
Frankreich die Länge eines Meridiangrades der Erde zu Grunde gelegt und
in England zu demselben Zweck die Länge des Secundenpendels in der Haupt-
stadt ermittelt, um stets durch Berechnung auf die Urmaße zurückkommen zu können.
Hat man für Längen-, Flächen- und Körpermaße (Hohlmaße, sobald das
Körpermaß den Inhalt eines Gefäßes bezeichnen soll) so wie für die Bezeichnung der
Schwere ein bestimmtes Urmaß aufgefunden, so handelt es sich um die möglichst
zweckmäßige Eintheilung desselben für das Bedürfniß des Verkehrs, und darum, alle Abtheilungen in ein in einander greifendes Zahlensystem zu bringen. Man hat sich zu diesem Zweck des Decimal- oder des Duodecimalsystems bedient. Das Erstere hat den
Vorzug, daß es größere Rechnungen sehr erleichtert, während das Duodecimalsystem den
Vortheil gewährt, daß sich die Zahl 12 ohne Bruch häufiger theilen läßt, als die Zahl
10, und daß man es vorzieht, im täglichen Verkehr nach $\frac{1}{4}$, $\frac{1}{3}$, $\frac{1}{2}$ zu rechnen, was bei
dem Decimalsystem zu sehr unbequemen Rechnungen Veranlassung giebt. Man hat
daher versucht, wie dies bei der Einführung des neuen Maßsystems in Baden geschehen ist, beide Systeme zu vereinigen, indem man für die höheren Abtheilungen dem
Decimalsystem folgte, ebenso bei den Abtheilungen des Fußes und des Maßes für sack-
fähige Dinge, während bei der Elle, den Flüssigkeitsmaßen, dem Pfund die Abtheilung
nach $\frac{1}{2}$, $\frac{1}{3}$, $\frac{1}{4}$ angenommen wurde. In keinem Lande ist die Verschiedenheit der Maße
und des Gewichts vielleicht störender als in Deutschland, wo nicht allein die verschiede-
nen Landestheile, sondern oft sogar die verschiedenen Städte eines Landestheiles, sich
verschiedener Maße bedienen, deren Urmaße häufig längst verloren gegangen sind — ein
Uebelstand, der bisher zu vielen Streitigkeiten und Uebervortheilungen Veranlassung gegeben. In den großen deutschen Zollvereinstaaten hat man wenigstens durch die Einführung des Kilogrammgewichts einen Anfang gemacht, der um so zweckmäßiger und vor-
theilhafter ist, als dadurch zugleich ein Anschluß an das französische, niederländische und
schweizerische System bewirkt wurde. Die in Aussicht gestellte Einheit und Einigkeit
Deutschlands wird hoffentlich auch bald eine Maß- und Gewichts-Einheit zu realisiren
suchen, die für den freien und innigern Verkehr der einzelnen Staaten eine gleich unbedingte Nothwendigkeit ist, als die politische Einheit, ja die sogar dazu dienen wird, die
politische Einheit durch ein natürliches Band zu befördern. Die Herstellung eines glei-

chen und beffern Maß- und Gewichtsſyſtems wird jedoch in Deutſchland mit ungeheuren Schwierigkeiten verknüpft ſein und mit großer Vorſicht geſchehen müſſen. Denn es
handelt ſich bei uns nicht allein um die Koſten der Anſchaffung neuer Meßgeräthe, und
die Reduction aller Maß- und Gewichtsbeſtimmungen im Staats- und Gemeindeleben,
ſondern ganz beſonders um die zähe Gewohnheit des Volks, alle Bedürfniſſe, ſeine Producte, ſeinen Beſitz nach den hergebrachten Maßen zu ſchätzen. Es iſt natürlich, daß
man bei dieſen Veränderungen ſich möglichſt den vorhandenen Einrichtungen in Größen
und Namen anzuſchließen ſuchen und die Einführung, allmählig durch Reductionstabellen, durch den Schulunterricht u. ſ. w. vorbereitet, zu einer Zeit geſchehen muß, wo
die wirthſchaftlichen Verhältniſſe der Bevölkerung unumgängliche Verluſte leichter ertragen laſſen. — Nach der Einführung eines neuen Maß- und Gewichtsſyſtems muß
für die Erhaltung der möglichſten Gleichförmigkeit in allen Landestheilen Sorge getragen werden. Dies geſchieht durch Aufſtellung von Originalmaßen in den Werkſtätten,
durch Beauffichtigung der Gemäß- und Gewicht-Verfertiger, durch angeſtellte Aichungs-
commiſſarien, ſo wie durch öftere unvorhergeſehene Prüfung der im Geſchäftsleben gebräuchlichen Maße und Gewichte. Die Anſtellung von vereidigten Meßbeamten an großen Marktplätzen und für Grundſtückvermeſſungen iſt vom Staate zu verordnen.

H. Bertholdi.

Mäßigkeitsvereine. Unter den ärmern Claſſen hat das Branntweintrinken
immer weiter um ſich gegriffen. Nicht blos Sittenlehrer, ſondern auch Aerzte haben
das die „Branntweinpeſt" genannt und gegen die Weiterverbreitung dieſer Peſt, welche
nicht blos den Körper, ſondern auch den Geiſt und das ſittliche Gefühl abſtumpfe und
zu Schanden mache, zu wirken geſucht. Ein Mittel dagegen ſah man in den M.n,
deren Mitglieder ſich verpflichten ſollten, entweder den Branntwein ganz zu laſſen oder
doch ſeinen „Genuß" auf ein gewiſſes mäßiges Maß zu beſchränken und möglichſt
viele Proſelyten zu machen. Beſonders in den norddeutſchen Ländern, in Hannover,
Preußen, in Schweden haben ſich die M. Eingang verſchafft. Der große Agitator
O'Connell ſuchte ſeine Landsleute unter Andern auch dadurch auf eine höhere politiſche Stufe zu heben, daß er ihnen, die den Branntwein leidenſchaftlich liebten, bei jeder Gelegenheit, namentlich wenn es ein öffentliches Recht auszuüben, eine Parlaments-
Wahl vorzunehmen galt, aufs Strengſte gebot, keinen Branntwein zu trinken, weil ſie
im Zuſtande des Rauſches den Verlockungen der Gegenpartei um ſo zugänglicher wären. In England und Irland haben ſich in Folge deſſen Geſellſchaften gebildet, deren Mitglieder durchaus nur Thee trinken (thee-totallers). Es iſt nicht zu läugnen,
nen, daß der plötzliche Uebergang vom Genuſſe des Branntweins zur völligen Entſa-
gung deſſelben in vielen Fällen einen um ſo ſchlimmern Rückfall zur Folge hatte; daß
die M. vielfach von den Frommen dazu benutzt wurden, beſonders von der Geiſtlichkeit,
Frömmelei und Kopfhängerei in ſie einzuſchmuggeln; dennoch ſind die Verdienſte der
M. nicht zu beſtreiten. Nur ein nüchternes, mäßiges Volk kann ein gebildetes Volk
werden. Freilich iſt die Trunkſucht häufig eine Folge des Elends und der Noth, mit
welcher die arbeitenden Claſſen zu kämpfen haben; in der Verzweiflung greift der von
Hunger und Sorge niedergebeugte Menſch auch nach der Schnapsflaſche, um im Rauſche
ſeine Noth zu vergeſſen. Auch fehlt es in vielen Gegenden immer noch an einem billigen Erſatzmittel, an gutem reinem Biere, welches den ärmern Claſſen ſtatt des Branntweins geboten werden könnte. Das letztere wird zunächſt das beſte Gegenmittel gegen
den Branntwein ſein, zumal es wahrhaft ſtärkt: — wenn gleich auf manchen Univerſitäten, in einigen Gegenden Baierns auch Mäßigkeitsvereine gegen das übermäßige
Biertrinken nichts ſchaden könnten. Auch ſind wir nicht gemeint, den Branntwein
ganz und gar verbannen zu wollen: nur die ſclaviſche Gewöhnung an denſelben, die
ſo viel Familienunglück, körperliche und geiſtige Zerrüttung und Unſtatt in ihrem Gefolge hat, möchte man ſich bemühen auszurotten. Der Weg der Belehrung der ärmern Claſſen über ihr wahres Wohl wird, wenn er auch ein langſamer iſt, doch von

großem Nutzen sein. Das Uebel, welchem die M. entgegen arbeiten wollen, ruht aber in seinem Hauptgrunde viel tiefer, als man glaubt; es ruht in der sittlichen und geistigen Verwilderung, nicht allein der ärmern Klassen, sondern auch der höchsten, nur daß man in diesen keine M. gegen zu großen Genuß von Champagner und ähnlichen Getränken gebildet hat. Sobald der Staat sich bemüht, ein sittlich und geistig freies Volk zu erziehen, braucht er auch keine M. mehr. Man entferne die Ursache, und die Wirkung wird von selbst aufhören.

Mathuriner s. Trinitarier.

Matrikel heißt ein schriftliches Verzeichniß gewisser Personen oder Einkünfte. Auf Universitäten nennt man das Verzeichniß, in welches die Studenten bei ihrer Aufnahme eingeschrieben (immatrikulirt) werden M. Bei den Geistlichen wird das Verzeichniß der in ihren Kirchsprengel Eingepfarrten M. genannt; auch heißt so das Verzeichniß der zur Pfarrei gehörenden Einkünfte. Das Verzeichniß aller ehemaligen Stände des deutschen Reiches und ihrer Beiträge zur Reichskasse hieß Reichsmatrikel.

Matrose s. Schifffahrt.

Maturitätsprüfung. Maturität, die Reife, wird von der Reife an Bildung und Kenntnissen von solchen Jünglingen gebraucht, welche eine Vorschule, ein Gymnasium oder irgend eine andere Gelehrtenschule besuchen, um von da aus die Hochschule, Universität, zu beziehen. Wenn die jungen Leute die vorgeschriebene Zahl von Jahren auf der Vorschule zugebracht haben, so werden sie zu der M. (auch Abiturienprüfung, Abgangsprüfung genannt) zugelassen und erhalten, wenn sie die M. gut bestanden, das Maturitätszeugniß, das Zeugniß der Reife für die Hochschule. Erst in der zweiten Hälfte des 18. Jahrh. wurde die M. angeordnet und nach und nach verschärft, namentlich in Preußen. Die M. geben stets einen sehr unsicheren Anhaltepunkt für die wirkliche Reife der zur Hochschule abgehenden Schüler, zumal da die nöthigen Maturitätszeugnisse nicht selten durch Gunst, Geld oder andere Mittel erkauft werden können.

Maurer s. Freimaurer.

Mauth s. Zoll.

Medaille, Denkmünze, Schaumünze, nennt man eine Münze, welche zum Andenken an berühmte Personen oder merkwürdige Ereignisse geschlagen wird. In neuerer Zeit werden sie auch zur Belohnung für gewisse Dienste, z. B. der Soldaten, verabreicht (s. Orden). Schon die Römer und Griechen kannten die Denkmünzen; die auf uns gekommenen sind Zierden unserer Münzsammlungen. Später wurden Denkmünzen vorzüglich in Italien geprägt, wohin sich nach Eroberung Konstantinopels durch die Türken die Künste wandten. Von Italien aus verpflanzte sich der Gebrauch der M. nach Frankreich, England und Deutschland, wo sie unter Kaiser Maximilian I. (1493 — 1519) verbreitet wurden. In der neueren Zeit zeichneten sich Frankreich und England durch ihre M. aus; in Deutschland erwarb sich der Berliner Hofmedailleur Loos den größten Ruhm.

Mediatisirung. Mediatisirt heißen diejenigen deutschen Standesherren, denen ihre ehemalige Reichsunmittelbarkeit genommen und die sammt ihren Unterthanen der Oberhoheit eines größeren Staates unterworfen worden sind. Als das deutsche Reich sich auflöste und der Rheinbund gegründet wurde (1806. s. Bund, deutscher), wurde eine ganze Anzahl fürstlicher und gräflicher Familien, die bis dahin reichsunmittelbar gewesen waren, namentlich die, welche innerhalb des Gebiets von Baiern, Würtemberg, Baden und Hessen-Darmstadt ihre Besitzungen hatten, aus der Reihe selbstständiger Fürsten ausgestrichen und die Gebiete, über welche sie die Landeshohheit gehabt hatten, den benachbarten größeren, nunmehr souverän gewordenen Ländern unterworfen. (Dettingen, Leiningen, Fürstenberg ic.) Die Regierung, welche sie vorher gehabt hatten, ging für sie verloren und an größere Souveräne über. Zu leugnen

ist nicht, auf gewaltthätige Weise sind die Mediatisirungen geschehen, aber ein Un=
glück war es nicht, daß diese kleinen Länderchen, die oft nur eine Quadratmeile groß
waren, verschwanden und mit größeren vereinigt wurden. Der bunten Zerstückelung
Deutschlands wurde wenigstens in soweit abgeholfen, daß man nun statt nach Hun=
derten nach Zehnern die Lande Deutschlands zählte, was freilich immer noch genug
war. Als mit der Besiegung Napoleons der Rheinbund sich auflöste, hofften die Me=
diatisirten in ihre alten Rechte wieder eingesetzt zu werden. Der Wiener Congreß
hat dies indeß nicht nur nicht gethan, sondern noch mehrere der unmittelbaren Für=
sten dazu mediatisirt und der Souveränität Mächtigerer unterworfen (die Häuser Salm,
Isenburg ꝛc.). Doch sind ihnen noch ganz besondere Vorrechte geblieben, alle aus
der Gutsherrlichkeit herfließenden Rechte, Landstandschaft, Militär= und Steuerfreiheit,
bevorzugter Gerichtsstand, namentlich aber wurden sie zum hohen Adel gerechnet und
das Recht der Ebenbürtigkeit mit den souveränen Fürstengeschlechtern ihnen ausdrück=
lich belassen (s. Bundesacte). Seit in neuester Zeit der Gedanke der Einheit Deutsch=
lands lebendiger geworden ist, ist namentlich in den kleinen deutschen Fürstenthümern,
in Thüringen, den reußischen und anhaltischen Ländern, das Wort M. gehört worden.
Man ging damit um, einen Anschluß dieser kleinen Staaten, z. B. Reußenland an
Sachsen, zu bewirken oder aus den getrennten Theilen ein Ganzes herzustellen, z. B.
aus den verschiedenen thüringischen Staaten ein Gesammt=Thüringen. Nicht blos
von den Volksstämmen, auch von den Fürstengeschlechtern ward auf einen solchen An=
schluß der kleineren Staaten an größere oder auf ein solches Zusammenschlagen ge=
trennter Theile hingewirkt. Ohne neue M. wird es hierbei nicht abgehen können:
der Plan empfiehlt sich besonders deshalb, weil die vielen Hofhaltungen, Regierungen
und Ministerien eine sehr kostspielige Sache sind und diese Stämme beinahe Alles un=
ter sich gemein haben — nur die Regierung nicht. Am zweckmäßigsten wird dies
so geschehen, wenn sich diese Stämme mit ihren Fürsten wegen einer Thronentsagung
vertragen und sich dann demjenigen größeren Lande anschließen, zu dem sie sich durch
ihre Geschichte, Eigenthümlichkeit, Rechtszustand, Verkehr u. s. w. am meisten hinge=
zogen fühlen. Daß die Fürsten die Sache heut zu Tage nicht mehr allein abmachen
dürfen, wie es früherhin wohl Sitte war, wo sie „ihr" Land verkauften, vererbten,
verschenkten, verpfändeten u. s. w. versteht sich von selbst. Von den Mediatisirten
haben selbst der Märzrevolution Viele eingesehen, daß es nothwendig sei, die Vorrechte
aufzugeben; diese haben deshalb freiwillig darauf verzichtet und ih=
ren Unterthanen z. B. gewisse gutsherrliche Lasten erlassen, das Patronat zurückgege=
ben oder die Gerichtsbarkeit an den Staat abgetreten. Wo dies noch nicht geschehen,
steht es durch die Landesgesetzgebung zu erwarten. Denn die Zeit ist demokratisch
geworden und die Vorrechte des Adels kann und will diese demokratische Zeit nicht
länger ertragen. Die Mediatisirten müssen Bürger werden. Um ihre Ebenbürtigkeit
mit den regierenden Häusern wird sie Niemand beneiden.   **Cramer.**

Mediateur, Vermittler nennt man die Macht, welche zwischen zwei oder
mehreren andern Mächten das gestörte Einverständniß durch Unterhandlung herstellen
will, um den Frieden zu erhalten. Von dieser Vermittlung, Mediation, wesentlich
verschieden ist das Schiedsgericht (s. dieses), wo sich die feindlichen Mächte im
Voraus der Entscheidung einer neutralen Macht unterwerfen. Bei der Mediation
aber, welche in der Regel nachgesucht wird, sind die feindlichen Mächte darin einver=
standen, die Vergleichsvorschläge der vermittelnden Macht anzuhören, ohne gezwungen
zu sein, dieselben auch anzunehmen. In den neuesten Zeiten ist die Mediation ge=
wöhnlich zur Intervention (vergl. d.) geworden.

Medicinalpolizei. Der Staat hat die Verpflichtung, darüber zu wachen, daß
die Gesundheit der Staatsangehörigen, so weit die Kräfte der Einzelnen zum Selbst=
schutz unzureichend sind, erhalten, gesichert oder wieder hergestellt werde. Zu diesem
Zweck hat der Staat Gesundheits= (Sanitäts=)behörden eingesetzt, die unter verschiedenen

Verfaſſungsverhältniſſen verſchiedenartig organiſirt ihre Wirkſamkeit über alle Theile
des Landes verbreiten. An der Spiße dieſer Behörden ſteht gewöhnlich ein aus Aerzten zuſammengeſeßtes Collegium, das einen Zweig des Miniſteriums bildend, die Maßregeln für die Geſundheitspflege nach Außen und Innen berathet und deren Ausführung verordnet und überwacht. Abhängig von dieſer Behörde beſtehen ähnliche Collegien in den Provinzen, denen wiederum in den Kreiſen und Großſtädten, ſogenannte
Kreis- und Stadtphyſici, Kreis- und Amtsärzte untergeordnet ſind. Dieſe Behörden
zuſammen üben die Medicinal- oder Geſundheitspolizei. Bei der ungeheuren Wichtigkeit
der Geſundheitspflege für die allgemeine Wohlfahrt kann es nicht ſchwer ſein, zu be
ſtimmen, wie weit der Staat bei Handhabung der M. in das Volksleben eingreifen
darf. Wenn manche Staaten, in ängſtlicher Beſorgniß vor Verlezungen der Freiheitsrechte des Einzelnen, zu wenig zum Schuß der Geſundheit gethan haben, ſo ſind
die Nachtheile mangelnder Ueberwachung jedenfalls größer, als die Vortheile, welche
eine ſtrengere und umfaſſendere Handhabung der M. zu gewähren im Stande iſt.
Es iſt nicht unbillig, daß in vorkommenden Fällen das Recht des Einzelnen zu Gun
ſten der allgemeinen Wohlfahrt Beſchränkungen erleide und daß der Einzelne ſich
Beſchränkungen durch Maßregeln füge, zu welchen die Majorität ſtillſchweigend ihre
Zuſtimmung ertheilt, wie dies namentlich durch eine nothwendige Abſperrung einzelner
Gemeinden oder ganzer Diſtricte bei epidemiſchen Krankheiten geſchehen kann. Die
Wirkſamkeit der M. iſt eine zweifache. Sie hat zuerſt die Mittel zur Erhaltung
und Wiederherſtellung der Geſundheit zu fördern und zu überwachen, und zweitens
die Möglichkeiten der Gefährdung der Geſundheit durch Abwehrmaßregeln zu beſeitigen. Die erſte Art der Wirkſamkeit, die M. im weitern Sinne, umfaßt die Einrichtung und Beaufſichtigung der öffentlichen Heilanſtalten, der Irrenhäuſer, der Rettungsanſtalten, ſo wie die Ueberwachung der mediciniſchen Unterrichtsanſtalten, der Chirurgen- und Hebammeninſtitute, der Apotheken und großen Arzneiwaarenhandlungen
und die Prüfung der Befähigung der Geſundheitsbeamten. Hierher gehören die Maßregeln der Fürſorge für Kinder und ſolche Kranke, die für ſich ſelbſt nicht zu ſorgen
im Stande ſind, die Geſeße, welche die Aufnahme in öffentliche Heilanſtalten beſtimmen, ſowie die Anſtellung von Armenärzten zur unentgeldlichen Hilfeleiſtung. Die
zweite Art der Wirkſamkeit, die M. im engern Sinne, umfaßt alle Maßregeln zur
Abwehr möglicher Gefährdungen des allgemeinen Geſundheitszuſtandes und der Ge
ſundheit des einzelnen Staatsangehörigen. Dahin gehören erſtens die Maßregeln zur
Abwehr anſteckender Krankheiten, ſo weit der Einzelne ſich nicht ſelbſt zu ſchüßen vermag. Es iſt bereits in dem Art. „anſteckende Krankheiten" (ſ. d.) über die Zuläſſigkeit
von Abſperrungsmaßregeln hinreichend geſprochen. Jedenfalls kann nur eine außerordentliche Gefahr die Anwendung von Maßregeln geſtatten, deren Nachtheile oft mit
dem Vortheil in keinem Verhältniß ſtehen und deren Wirkſamkeit ſtets unberechenbar
bleibt. Was jedoch in Städten um ſich greifende Krankheiten betrifft, gegen welche,
wie z. B. gegen die Luſtſeuche, der Einzelne ſich ſelbſt zu ſchüßen vermag, ſo erſcheinen Maßregeln nicht gerechtfertigt, die von einem falſchen Sittlichkeitsprincipe ausgehend,
wie die Aufhebung der Bordelle, dem Ganzen ſchaden, ohne dem Einzelnen zu nüßen.
Zweitens gehört hierher die Verhinderung des Verkaufs ſchädlicher Nahrungsmittel.
Es iſt die Sache des Staats, Prüfungen zu veranſtalten, welche der Einzelne nicht
wohl für ſich anſtellen kann. Die Verfälſchung der Eßwaaren und namentlich der
Getränke durch geſundheitsſchädliche Subſtanzen, kann nicht von Einzelnen, ſondern
nur durch die ſorgfältige Prüfung der Behörden ermittelt und abgeſtellt werden, und
erſcheint als ein um ſo wichtigerer Gegenſtand für die M., als die nachtheiligen Folgen nicht Einzelne, ſondern ganze Gemeinden und Diſtricte betreffen. Drittens die
Verhinderung der Quackſalberei und die Ausübung der Heilkunſt durch Unbefugte.
Viertens die Verhinderung des Verkaufs ſchädlicher Arzneiſtoffe. Fünftens die Verhinderung der Verlezung der Geſundheit der Kinder durch grauſame Behandlung und

5 *

physische Vernachlässigung und endlich sechstens die Verhinderung des Begrabens von Scheintodten durch ärztliche Leichenschau.　　　　　H. Bertholdi.

Mehrheit s. Majorität.

Meier s. Abmeierung.

Meierbrief s. Abmeierung.

Meierrecht s. Abmeierung.

Meile. Dieser Ausdruck für eine gewisse Länge hat seine Ableitung von dem lateinischen Worte mille (tausend), weil 1000 geometrische Schritte, jeder zu 5 röm. Fuß, bei den Römern das Längenmaß einer M. ausmachte. Die geographische M. wird zu 2 Stunden (= 23650 rhein. Fuß) gerechnet; 15 geogr. M. gehen auf einen Grad des Aequators. Gleichbedeutend mit geogr. M. ist die deutsche M., obschon diese etwas größer ist. Die engl. M. enthält 5135 rhein. Fuß, so daß eine geogr. M. = 4⅓ engl. M. Wie die Landm., so sind auch die Seem. verschieden; so sind gleich 15 deutschen M. 17¼ span., 20 franz., engl. und niederl. Die Schiffer der nordischen Gewässer geben einer Seem. 60 Grade des Aequators.

Meineid heißt seiner Ableitung von dem veralteten Wort Mein (Betrug) nach so viel als ein betrügerischer Eid, oder die eidliche Versicherung einer dem Schwörenden als unwahr bekannten Thatsache. M. ist also ein falscher assertorischer oder Haupteid (s Eid); unterschieden davon ist der Eidesbruch, diejenige Handlung, durch welche man einen zur Verstärkung eines gegebenen Versprechens geschworenen Eid thatsächlich verletzt. Verletzung des Amtseides vom fürstlichen Krönungseide an bis herab zu dem Amtseide des geringsten Beamten ist Eidesbruch. Früher strafte man in Deutschland den mit allen Feierlichkeiten geschworenen f. g. gelehrten M. nach dem gemeinen Rechte dadurch, daß man den Meineidigen mit Ehrlosigkeit (s. d.) belegte und ihm die beiden vordersten Finger der rechten Hand abhauen ließ. Später wurden Freiheitsstrafen auf den M. gesetzt, deren Größe darnach bestimmt wird, ob es sich um einen falschen Eid in Civilsachen, oder um ein falsches Zeugniß in Criminalsachen handelt. Auch wird der leichtsinnige, falsche (culpose) Eid, die unüberlegte eidliche Versicherung einer Unwahrheit bestraft. Am meisten straflos geht der Eidesbruch aus, da er zu sehr aus dem Bereiche des Strafrechts liegt.

Meinung, öffentliche. Jeder Mensch hat seine M. für sich, d. h. er bildet sich über Dies oder Jenes sein eigenes Urtheil, welches theils auf eigner Wahrnehmung, theils aber auch auf dem Zeugnisse Anderer beruht. Ist dieses Urtheil ein weitverbreitetes, allgemein giltiges, mithin Eigenthum der Gesammtheit geworden, so entsteht daraus eine öffentliche M., welche sich entweder für oder wider Etwas entscheidet. Diese öffentliche M. ist eine Macht, welcher keine andere mehr gleich kommt. Sie vermag die großartigsten Umgestaltungen herbeizuführen und keine Gewalt der Erde ist im Stande, ihr die Spitze zu bieten oder wohl gar sie zu unterdrücken; denn was einmal als wahr oder falsch, als recht oder unrecht erkannt worden ist, das läßt sich nicht mehr umwandeln, höchstens, daß das laute Urtheil darüber unterdrückt und das gesprochene Wort bestraft werden kann. Wie sehr daher früher oft Regierungen den Beweis der Vortrefflichkeit ihrer Systeme mittelst Kanonen und Bajonetten den zweifelnden Völkern zu Gemüthe führen mochten: — es half Alles nichts — die öffentl. M. war nun einmal gegen sie, und darum mußte es anders und besser im Staatsleben werden.

Meister und **Meisterstücke** s. Zunft.

Melioration ist die Verbesserung eines Grundstückes, auch einer ganzen Wirthschaft. Das Gegentheil, Verschlechterung, heißt Deterioration. Die M. kommt in rechtlicher Hinsicht dann zur Sprache, wenn Jemand ein einstweiliges Besitzthum, Haus, Landgut, Feld u. s. w. wieder zurückgiebt und Ansprüche auf Entschädigung für die M. macht. Man unterscheidet dann gesetzlich nothwendige (impensae necessariae) und blos zum Vergnügen gereichende (utiles et voluptariae) M.

Die nothwendigen M. müssen einem Jeden vergütet werden; die nützlichen werden in der Regel auch dem ersetzt, welcher die Sache rechtlich besaß (possessor bonae fidei); wer aber wußte, daß er die Sache mit Unrecht besaß, kann nur die gemachten Verbesserungen wieder wegnehmen, so weit dies möglich ist. Auch können M., die zum Vergnügen gemacht worden sind, hinweggenommen werden, soweit es ohne Nachtheil an der Sache selbst geschehen kann.

Membran, die Haut eigentl., nennt man auch eine auf Pergament geschriebene Handschrift.

Mendicanten f. Mönche.

Mennoniten sind eine kirchliche Secte, deren Stifter Simons Mennon war. Er wurde zu Witmarfum in Friesland im J. 1496 geb. und trat 1524 in den geistlichen Stand. Im J. 1536 sagte er sich gänzlich von ·der kathol. Kirche los, die ihn nicht mehr befriedigen konnte. Er schloß sich nun den Taufgesinnten (f. b.) an, die unter dem Namen „Wiedertäufer" (f. b.) in den Niederlanden eine Religionspartei gestiftet hatten. Mennon wurde als Bischof in Gröningen angestellt und machte Friesland zu seinem Aufenthalt. Nach verschiedenen Wanderungen durch Norddeutschland mußte er nach Wismar flüchten und starb 1561, ohne daß er die inneren Spaltungen unter seiner Secte hatte heilen können. Seine eigentl. Anhänger, die sich nach ihm M. nannten, waren in wohlgeordneten Gemeinden vereinigt und nahmen die älteste apostolische Kirche zu ihrem Vorbild. Bald theilten sie sich aber in zwei Parteien; eine strengere, die feinen, d. h. Gottseligen und Genauen, und eine mildere, die Waterländer, weil ihre ersten Gemeinden im Waterlande in Nordholland wohnten. Nach Mennon's Tode fanden noch mehrere Spaltungen statt. Noch heute giebt es Anhänger dieser Religionspartei in Friesland, Lithauen, Danzig, Marienburg, so wie in Oft- und Westpreußen. Ueber das Weitere vergl. „Taufgesinnte."

Menologium, ein Ausdruck der griechischen Kirche für das Martyrologium (f. Märtyrer) der römischkathol. Kirche.

Menschenfreundlichkeit, Menschlichkeit, ist der etwas unklare Ausdruck für das unübersetzbare Wort Humanität. Dieses Wort bezeichnet im edelsten Sinne alles das, was den Menschen erst zum Menschen macht, seine menschliche Würde und Hoheit, die er von „Gottes Gnaden" empfangen hat, als Herr der Schöpfung und im Gegensatz zu der Welt der Thiere, zur Bestialität, Brutalität. Humanität schreibt man demjenigen zu, welcher sich bemüht, das Ideal der Menschheit durch größtmögliche Vervollkommnung aller seiner Kräfte und Anlagen zu erreichen. Natürlich, daß man von einem solchen Freundlichkeit, Leutseligkeit, Artigkeit und andere gesellige Tugenden erwarten kann. Die Humanität beruht also in der gleichmäßigen Ausbildung der sittlichen und geistigen Kräfte, ohne daß dabei die Einwirkung kirchlich-religiöser Anschauungen in Rede käme. Die alte heidnische Welt liefert bekanntlich weit mehr Beispiele der reinen, hohen M., Humanität, als die herrlich christliche Welt, wie denn auch ein großer Theil unsrer Staatseinrichtungen und Gesetzgebungen nichts weniger als den Charakter der „Humanität" im höheren Sinne an sich trägt. Die Alten gelangten durch sich selbst zu dieser höchsten Zierde des Menschen, zur Humanität; wir sollen durch das Studium der Alten, durch die f. g. „classischen Studien" zu Humanität gelangen, weshalb auch die Studien, welche darauf hin abzwecken, Humanitätsstudien, Humaniora, genannt werden; das ganze darauf gerichtete Erziehungssystem heißt Humanismus. Namentlich im 15. und 16. Jahrhunderte fing man, nach dem Wiedererwachen der Wissenschaften, an, die Humanitätsstudien zu betreiben. Die durch sie Gebildeten wurden die Träger und Stützen der Reformation. Die „Humanisten," wie man die Lehrer und Schüler der Humanitätsstudien nannte, übten bis in das 18. Jahrh. die Herrschaft über die gelehrte Welt aus. Leider vergaß man bald über dem Buchstaben den Geist, der aus ihm spricht, und die Humanisten wurden zu einseitigen Stubengelehrten, welche ohne

Ahnung der äußeren und inneren Welt und ihrer Vorgänge blieben. Gegen diesen Humanismus trat in der Mitte des 18. Jahrh. der Philanthropinismus (s. d.), durch Basedow, Campe u. a. ins Leben gerufen, auf. Man suchte die Bildung zur Humanität auf anderem Wege als durch das Studium der alten Sprachen zu erzielen, überschritt aber hierbei nicht selten das nöthige Maß. Dieser Kampf hat aber so viel gewirkt, daß man in neueren Zeiten mehr praktische Gegenstände, Naturwissenschaften, Mathematik und andere als Bildungsmittel in den Kreis der Unterrichtsgegenstände gezogen hat. Der rechte Weg zur wahren Menschenbildung kann aber nicht eher gefunden und betreten werden, bis man gewisse kirchliche Vorurtheile beseitigt hat.

Menschenliebe s. Philanthropinismus.

Menschenverehrer, Anthropolaträ (Sarkolaträ), ein Name der Secte der Appollinaristen (s. d.), weil sie in dem Menschen Jesus zugleich Gott verehrten.

Menschenraub, Plagium, war nach dem römischen Rechte das Verbrechen, durch welches ein freier Mensch zum Sclaven gemacht wurde. Es wurde mit dem Tode bestraft. Jetzt rechnet man zum M. alle widerrechtlichen Handlungen, wodurch Jemand mit Beraubung seiner Freiheit in den Zustand einer dauernden Abhängigkeit von fremder Gewalt versetzt oder seinem Vaterlande entrissen wird.

Menschenrechte sind die ewigen, unveräußerlichen Rechte, welche dem einzelnen Menschen in der Gesellschaft die Freiheit sichern, ohne welche er seine Bestimmung nicht erreichen kann. Die Menschheit mußte erst mehrere tausend Jahre alt werden, ehe die M. auch nur zur Anerkennung gelangten; zur vollen Geltung sind sie hier und da heute noch nicht gekommen. Das Sclaventhum, die Leibeigenschaft, die Hörigkeit, zum Theil auch das Feudal- und Lehnswesen waren und sind die Feinde der M., weil sie die Freiheit der Person vernichten. Das französische Volk befreite zuerst die Gesellschaft von den schmachvollsten Eingriffen in ihre angeborenen Rechte; 1776 erkannte der Congreß der vereinigten Staaten in Nordamerika die M. als die eitenden Grundsätze des Staatsrechtes an. In Frankreich wurde im August 1789 durch Lafayette's, Sieyes, Mirabeau's u. A. Bemühung die Erklärung der Rechte des Menschen und Bürgers zum Decret erhoben und der Constitution am 3. Sept. 1791 einverleibt. Der Convent fügte am 22. Aug. 1795 der Constitutionsacte eine etwas abgeänderte Erklärung der M. bei; sie bestanden aus Freiheit, Gleichheit und Sicherheit des Eigenthums. Durch die Freiheit erhält der Mensch das Recht zu allen Handlungen, welche die Rechte Anderer nicht verletzen; durch die Gleichheit gleichen Schutz und gleiche Strafe vor dem Gesetz, so daß weder Vorrechte der Geburt, noch erbliche Privilegien schützen können. Die Sicherheit endlich besteht in der Vereinigung Aller zur Aufrechthaltung der Rechte des Einzelnen. Das Gesetz muß sich auf den Willen Aller stützen, welcher sich durch die Mehrheit der Bürger oder Vertreter kund giebt. Die Souverainität beruht wesentlich in der Gesammtheit der Bürger; kein Einzelner, keine Vereinigung Mehrerer kann die Souverainität in Anspruch nehmen. Außer diesen und anderen Bestimmungen wurde ausdrücklich die Freiheit des Gewissens, des Cultus, der Meinungsäußerung und der Presse gewährleistet. — Die Constitutionen des spätern Kaiserreiches schweigen von den allgemeinen M.; Ludwig XVIII. erkannte aber in der Charte vom 4. Juni 1814 die allgemeinen M. wieder an. Aufs Neue wurden sie 1830 nach der Revolution sanctionirt. Außer Frankreich und Amerika, wo die M. zuerst zur Anerkennung gelangten, bildeten sich auch in andern Ländern Gesellschaften, um die Anerkennung der M. anzubahnen. In Frankreich entstand zunächst die Gesellschaft der M. (Société des droits de l'homme) 1830, welche sich bald in viele Zweige vertheilte. Durch sie wurden die Unruhen und die republikanische Schilderhebung vom J. 1834 vorbereitet. Obschon damals der Zweck vereitelt wurde, gelang es dieser Partei (zu der Cavaignac, Raspail, Bastide, Blanqui, Barbés u. A. gehörten) doch bald wieder, Einfluß zu gewinnen und die Februarrevolution von 1848 zu unterstützen. Die volle Anerkennung und Durchführung der M. ist heute noch das Strebeziel in allen constitutionellen Staaten.

Menschheit und ihre Culturgeschichte. Werfen wir einen prüfenden Blick auf die Geschichte der beiläufig sechs= bis achttausend Jahre alten M., so ist das Resultat einer solchen Betrachtung kein erfreuliches, vielmehr in mancher Hinsicht ein so trauriges, daß der wahre Menschenfreund das Auge mit Schmerz von der so oft verrathenen Menschheit hinwegwendet. Wie das Schiff bald auf der Höhe der Welle tanzt, bald wieder mit reißender Schnelle in den Abgrund fährt, so finden wir die M. bald auf der Höhe der Ausbildung und Freiheit, bald wieder in den Fesseln der Verdummung und Knechtschaft. Was die Väter theuer erkauften durch Leben und Blut, werfen nicht selten die Enkel für schnöden Sold hin. Allerdings ist nicht zu verkennen, daß die M. gegenwärtig auf einer Stufe der Wissenschaft und Kunst steht, wie sie noch nie gestanden, daß sie Naturkräfte sich dienstbar gemacht hat, wie noch nie dagewesen. Nur wird diese Lichtseite ungemein getrübt durch einen Blick auf die Cultur= und bürgerlichen Verhältnisse der M. Ein großer Theil der M. schmachtet noch in den Fesseln der niedrigsten Knechtschaft; ein noch größerer sogar der christlichen M. liegt noch in den Banden des ärgsten Aberglaubens, der einem Weisen Roms oder Griechenlands ein mitleidiges Lächeln abgenöthigt haben würde; ein letzter Theil endlich, und dieser ist in allen Schichten der Gesellschaft zu finden, ist in den Schlamm der sittlichen Gemeinheit versunken, welche keineswegs geeignet ist, den Stempel göttlicher Abstammung leicht erkennen zu lassen. Warum dieses aber heute noch, nach mehreren tausend Jahren, nach so vielen Erfahrungen und Leiden? Die Geschichte hat hierauf eine ganz einfache, aber nicht genug zu beherzigende Antwort: Man hat sich zu oft in den großen Erziehungsmitteln vergriffen und begeht diesen Mißgriff heute noch. Mit List, Trug und Lüge hat man erziehen wollen, wo Offenheit und Wahrheit an ihrer Stelle gewesen wären. — Werfen wir nun einen Blick auf den Entwickelungsgang, welchen die M. bisher genommen. Die Naturgesetze, die ewigen und unveränderlichen, führen uns zu der Ansicht, daß die Entwickelung der M. eben so nach und nach vor sich gegangen sei, wie wir ein Kind heute noch wachsen und sich entwickeln sehen. Der erste Schritt auf diesem Gange zur Entwickelung, und der bedeutendste, war die Schaffung der Sprache; von großer Bedeutung ward dann die Erfindung der Zeichen= und Buchstabenschrift. Die sociale, gesellschaftliche Vereinigung der Menschen führte sie von selbst zu Gesetzen, denen sie sich freiwillig und dann gezwungen unterwarfen. Der Anblick der Natur, die Betrachtungen darüber weckten die Keime zur Religion, welche in dem Menschen liegen. Bekanntlich hat man die Geschichte der M. in eine alte und neue getheilt. Die Entstehung des Christenthums durch Jesus ist der Markstein der alten und neuen Geschichte mit Recht, weil für die M. eine neue Aera beginnen mußte, wenn sie die im Christenthum liegenden Ideen in das Leben einführte und sich damit begnügte, blos daran zu glauben. Betrachten wir in kurzem Ueberblick die Hauptzustände der M. im Alterthum. Unbestritten ist Asien die Wiege der M.; die Chinesen, Hebräer, Bramanen und Hindus streiten um den Vorrang, das älteste Volk zu sein: dort wenigstens finden sich die ersten Anfänge der Wissenschaften und Künste, wie der Stern= und Heilkunde; Bauwerke, Tempel, Säulen sind alle in riesenhaftem Maßstabe erbaut. Auch Spuren von Gesetzgebung, von Gewerbfleiß (Weberei) finden wir in der ältesten Geschichte Indiens. Eine der wichtigsten Rollen in der Geschichte der ältesten Völker spielen die Aegypter, welche namentlich auf die Culturverhältnisse der M. den namhaftesten Einfluß ausübten. In Aegypten zuerst kamen Kenntnisse und damit Macht in die Hände eines Standes, des Priesterstandes, welcher die erste und höchste Klasse im Staate bildete, ein Vorbild, das man auch in spätern Zeiten hat erreichen wollen. Baukunst, Malerei, größere Vervollkommnung der Buchstabenschrift, Ackerbau, Handel und Gewerbe — dieses und viel Anderes hat seinen

Urſprung oder ſeine Pflege in Aegypten zu ſuchen. Aus dem Schooße der Aegypter gin=
gen die Juden oder Hebräer hervor, deren Bildungsgeſchichte hier eine weitere Dar=
ſtellung nicht bedarf. Zu den namhafteſten Völkern auf dem Schauplatz der alten
Welt gehören auch die Babylonier, Aſſyrer und Perſer, wo der wilde, ungezähmte
Deſpotismus am üppigſten aufwucherte und alle Keime der Cultur und Sitte erſtickte.
Als Handelsvölker ragen noch die **Phöniker** und **Karthager** hervor, welche letz=
teren durch ihre volksthümliche Regierungsform zu einem damaligen Weltvolke erhoben
wurden. Von dieſen Völkern lernten die zwei europäiſchen Hauptvölker der alten
Geſchichte: die Griechen und die Römer. Die Culturgeſchichte beider Völker wird
leider geſchändet durch das Sclaventhum, welches ungeachtet der Fortſchritte in Kunſt
und Wiſſenſchaft ſowie in ächt humaner Bildung fortbeſtand, bis es durch den Ein=
tritt des Chriſtenthums in die Weltgeſchichte den Hauptſtoß erhielt. Den Höhepunkt
bürgerlicher Freiheit, ſo wie der Bildung hatte die M. kurz vor **Octavianus Au=
guſtus** erreicht. So wie dieſer das Kaiſerthum mit der Thronfolge geſchaffen hatte,
wurde die bürgerliche Freiheit zu Grabe getragen und harrt bis heute noch des Auf=
erſtehungsrufes. Das römiſche Weltreich fiel einige Jahrhunderte nach Auguſtus,
nachdem deſſen Kaiſerthron mit Greueln aller Art befleckt worden war; es fiel zum
Theil durch die friſche Kraft germaniſcher Völkerſtämme. Werfen wir hier einen Schleier
über das für den Zweck unſerer Darſtellung unfruchtbare **Mittelalter** (ſ. d.) und ge=
hen wir zur neuen Zeit über, welche mit einer vielſeitigen Umgeſtaltung
der ſocialen Verhältniſſe in Folge wichtiger neuer Entdeckungen
und Erfindungen beginnt. Wir meinen die Zeit, wo die Buchdrucker=
kunſt, das Schießpulver erfunden, wo der neue Erdtheil Amerika entdeckt wurde, welches
Alles die große That der **Reformation** vorbereitete. Dieſe war nothwendig
aus den durch jene Erfindungen zum Theil vermittelten Fortſchritten hervorgegangen.
Der religiöſe Cultus der Völker ſteht im engſten Verbande mit der Cultur überhaupt.
Es begann nun ein Kampf des Alten und Neuen, welcher durch den weſtphäliſchen
Frieden (1648) nur beſchwichtigt wurde und heute noch nicht ausgekämpft iſt. Ein
neuer Ausbruch dieſes Kampfes war die erſte **franzöſiſche Revolution,** durch
welche wenigſtens einige Menſchenrechte wieder errungen wurden. Zum erſten Male,
ſo weit die Geſchichte reicht, kam der Grundſatz, die **Gleichheit der Menſchen
vor dem Geſetz** zur Geltung. Der Landbau ward durch Abſchaffung der Zehn=
ten, Frohnen und anderer drückende Laſten befreit; Gewerbe und Handel wurden
durch freiere Einrichtungen gehoben; die Juſtiz erfuhr Verbeſſerungen (Mündlichkeit
und Oeffentlichkeit), und andere Einrichtungen wurden angebahnt, um der M. wieder
zu ihren Rechten zu verhelfen. Ein zwanzigjähriger europäiſcher Krieg ſtörte und
hemmte den weiteren Ausbau ſo wie das Fortſchreiten auf dem Wege zur Freiheit.
Der nächſten Zukunft vielleicht ſchon iſt es vorbehalten, daß ein Theil der M. das
Werk der Reformation in religiöſen und der Befreiung in bürgerlichen Angelegenhei=
ten wieder vornimmt. Anzeigen von der inneren Nothwendigkeit ſind bereits in
Menge da; und die Weltgeſchichte lehrt, daß ſolche Gährungsproceſſe im Völkerleben
ſich eben ſo wenig unterdrücken laſſen, wie der Ausbruch der Krankheit in einem
Körper, in dem der Krankheitsſtoff bereits wohnt.

Mercantilſyſtem iſt ein von dem Franzoſen **Colbert** erfundenes Syſtem in
dem Staatshaushalt, nach welchem das Verhindern der Einfuhr ſolcher frem=
der Waaren, die im eignen Lande erzeugt werden können, der ſicherſte Weg zum
Volkswohlſtande ſei. Nach Colbert's Anſicht kann man die Zu= oder Abnahme des
Volksreichthums am ſicherſten darnach beurtheilen, daß man unterſucht, wie viel das
Inland von dem Auslande Geld empfange oder ihm ſende. Rußland übt dieſes Sy=
ſtem im vollſten Maße aus; in England wurde es als unbeliebt bis auf die Korn=
bill beſeitigt. Preußen, wohin es durch Friedrich d. Gr. eingeführt worden war, ver=
ließ es 1818 wieder.

Mercuriales wurden sonst in Frankreich, zur Zeit der Könige, geheime Versammlungen des Parlaments genannt, in welchen der Generalprocurator im Namen des Königs sein lobendes oder tadelndes Urtheil über die disciplinarische Haltung des Gerichtshofes aussprach. Der Mittwoch (dies Mercurii), an welchem diese Versammlungen gehalten wurden, gab ihnen den Namen M. Sie bestanden seit 1498. Napoleon stellte 1806 eine ähnliche Einrichtung wieder her. Im Volke heißen M. heute noch so viel als Strafpredigten.

Merowinger heißen die Nachfolger des fränkischen Königs Chlodwig (geb. 465), eines Enkels des Merobäus. Die M. herrschten bis 752, wo Pipin von Herstall die Reichsverwaltung erhielt.

Messaliner, auch **Eucheten,** d. h. Betbrüder, **Enthusiasten, Pneumatiker,** genannt, heißen die Glieder einer mystischen Religionspartei, welche 360 in Asien entstand; sie erhielten sich bis in das 6. Jahrh.

Messe. „Ite, concio missa est (Gehet, die Versammlung ist entlassen)" rief in der ältesten christlichen Kirche, als sie noch unter Heiden bestand, ein Kirchendiener am Schlusse des allgemeinen öffentlichen Gottesdienstes den Anwesenden zu. An der auf den allgemeinen Theil des Gottesdienstes folgenden Feier des Abendmahles durften nur die der Gemeinde durch die Taufe und ihr abgelegtes Glaubensbekenntniß Verbündeten Theil nehmen. Hierdurch kam es, daß man den Theil des Gottesdienstes, welcher die Abendmahlsfeier umschloß, kurzweg „Missa", M. nannte, weil vorher das Wort „missa" ausgerufen worden war. Die römischkatholische Kirche nahm bekanntlich mit der einfachen biblisch begründeten Abendmahlsfeier eine große Veränderung vor, indem sie auf einer Kirchenversammlung 1215 die Lehre schuf, daß durch die Segnung des Priesters beim Abendmahl Brot und Wein in Leib und Blut Jesu wunderbar verwandelt würden. Man betrachtete nun die ganze Handlung, das Gebet des Priesters über das Brot und den Wein, als ein Opfer und nannte es das Meßopfer, die Messe. In der röm. kathol. Kirche besteht die Messe aus folgenden Theilen: 1) das Offertorium, wo der Priester Brot und Wein zur Einsegnung vorbereitet; 2) die Wandlung (Transubstantiation), Verwandlung des Brotes und Weines in Leib und Blut Jesu; 3) die Sumption, der Genuß des Brotes und des Weines. Die M. wird auch Hochamt genannt, wenn musikalische Aufführungen dabei stattfinden. Man theilt die M. in hohe oder große, niedrige, stille und Handmessen, bei welchen der Priester das Geld auf die Hand gelegt erhält. Die hohen M. halten nur Bischöfe; die feierlichste ist die, welche der Papst hält. Eine besondere Art von M. sind die Seelenm. oder Todtenm.; trockne M.n finden auf der See statt, wo man den Kelch wegläßt, damit durch die Schwankungen des Schiffes nichts von dem Blute Christi verloren gehe. Noch nennt man auch die bei dieser Feierlichkeit der M. aufgeführte Musik eine M., welche aus mehreren Theilen bestehen muß. Hinsichtlich des Kunstwerthes dieser Musikstücke giebt es unübertreffliche Meisterwerke, wie die M. eines Palestrina, Seb. Bach, Haydn, Mozart u. A. Meßbücher werden die Bücher genannt, welche die Gesänge und Feierlichkeiten enthalten, welche bei der M. üblich sind. Die Priester müssen zur M. ein besonderes Meßgewand tragen. Die Beurtheilung dieses Meßcultus, welcher mit der reinen evangelischen Lehre Jesu im offensten Widerspruch steht, überlassen wir jedem denkenden Verehrer desselben.

Messen s. Märkte.

Messias ist ein hebräisches Wort und heißt ein **Gesalbter,** (im Griechischen **Christus**) oder ein König, wie im A. Test. Bei dem jüdischen Volke hatte sich, als es in tiefes Unglück, in Knechtschaft der heidnischen Völker gerathen war, die Hoffnung auf bessere Tage, auf eine glücklichere Zeit ausgebildet. Man fand in dem Schmerz über die traurige Gegenwart Trost darin, zu hoffen, daß der Gott der Väter sich seines Volkes wieder annehmen und es des auf die Höhe früher genossenen Ruh

mes und Glückes führen würde. Man hoffte und ſehnte ſich nach einem Manne, und deß=
halb glaubte man im Voraus daran, welcher, wie einſt David, dem Elend des Vol=
kes ein Ende machen werde. Von dieſer Hoffnung findet man verſchiedene Spuren
in den Schriften der Propheten, welche an derſelben das durch Unglück gebeugte Volk
wieder aufzurichten ſuchten. Dieſer Wiederherſteller der jüdiſchen Nation, der ehema=
ligen Größe erſchien aber nicht, ſondern es erſchien Jeſus, der einfache, ſchlichte
Volkslehrer, nicht um ein vergängliches irdiſches Reich zu ſtiften, ſondern um alle
Menſchen, als Kinder Gottes, in einem Reiche, dem Reiche Gottes, oder dem Him=
melreiche zu vereinen. Es läßt ſich nicht läugnen, daß Jeſus die in ſeinem Volke
lebende Meſſiasidee benutzte, ſich ſogar dem Volke als der, „der da kommen ſollte‟ hin=
ſtellte; er ſagte aber auch ſehr deutlich, daß ſein Reich nicht von dieſer Welt ſei,
daß er ein rein geiſtiges Reich ſtiften, die ſinnliche Meſſiasidee vergeiſtigen, verklären
wollte. Dieſen Plan Jeſu als M. haben zwar die Erleuchtetſten, Frömmſten
und Weiſeſten aller Zeiten im Stillen und öffentlich anerkannt (vergl. Reinhard
über den Plan Jeſu; v. Ammon über die Fortbildung des Chriſtenthums u. A.),
aber die Kirche hat es bis jetzt noch nicht in ihrem Intereſſe gefunden, ihm öffentliche
Anerkennung zu ſchenken.

Meſtizen (ſpan. Meſtizos) nennt man in Südamerika und Weſtindien die=
nigen, welche von einem europäiſchen Vater und einer amerikaniſchen oder indiſchen
Mutter abſtammen, alſo aus gemiſchter Race entſprungen ſind. Die Meſtizen
zeichnen ſich durch eine etwas röthere Geſichtsfarbe als die Europäer aus und haben
wenig Barthaar; ſie machten früher die dritte Claſſe der Bevölkerung des ſpaniſchen
Amerika aus. — In der Landwirthſchaft bezeichnet man mit dem Worte M. diejenigen
Schafe, welche von Eltern herſtammen, von denen nur ein Theil zu einer beſondern
Race gehörte.

Metalliques (rescriptions métalliques). Scheine für klingende Münze, welche
von dem franz. Directorium 1797 ausgegeben wurden, und die Staatspapiere erſetzen
ſollten. Oeſterreich gab ſpäter ſeinen Staatsobligationen denſelben Namen, welche auf
Conventionsmünze ausgeſtellt und darin verzinſt wurden. Den Gegenſatz bildeten die in
Papiergeld verzinsten und realiſirten Staatsobligationen. Ein Gleiches that auch Rußland.

Metallſiegel ſ. Bulle.

Methodiſcher Actenauszug ſ. Actenauszug.

Methodiſten. Im Jahre 1720 vereinigten ſich einige junge Theologen, Mit=
glieder der engl. Kirche, zu einer beſondern Religionsgeſellſchaft, welche ſich durch
fromme Uebungen, ſtrengere Sitten und ſtrenge Befolgung der evangeliſchen Vorſchrif=
ten auszeichneten. Sie wurden wegen ihrer regelmäßigen, methodiſchen Frömmigkeit
bald M. genannt und nahmen auch dieſen Namen an. Die eigentlichen Stifter dieſer
Geſellſchaft waren John Wesley und ſeit 1732 Georg Whitefield. Als ſpä=
ter J. Wesley ſeine Gemeinde in London nach Art der Herrnhuter einrichtete,
verbot die biſchöfliche Kirche den methodiſtiſchen Predigern die Kanzel, welche nun im Freien
predigen mußten. Durch dieſen Druck wurde, ſowie gewöhnlich, die Partei nur größer, und
baute ſich bald Bethäuſer, Tabernakel, und ſchuf ſich eine eigne Kirchenverfaſſung,
zum Theil nach dem Zuſchnitt der Herrenhuter. Im J. 1741 erfolgte eine Trennung
der Partei in Whitefieldianer und Wesleyaner. Ihre gottesdienſtlichen Gebräuche ſind
nach Art der biſchöfl. Kirche eingerichtet, nur herrſcht überall die größte Wärme und
Theilnahme. An jedem Tage verſammeln ſie ſich morgens und abends zur gemein=
ſamen Andacht; alle Monate halten ſie eine „Wachnacht‟ und am Neujahrstage kom=
men alle Wesleyaner in den Tabernakel zu Moodsfields bei London zur Feier des
Stiftungsfeſtes zuſammen. Die Gemeinden ſind unter ſich wieder in Klaſſen von
10—20 Mitgliedern getheilt, um die Kirchenzucht ſtrenger handhaben zu können.
Die ganze Geſellſchaftseinrichtung beruht auf den Grundſätzen der Verbindung, Aſſocia=
tion, wobei ihnen zum Theil die erſten Chriſtengemeinden als Vorbild dienen. Dieſe

Religionspartei ist in England sehr zahlreich und wirkt durch ihre Missionen in den überseeischen Ländern auf das Thätigste, namentlich unter den Sclaven.

Methuenvertrag. Der britische Gesandte Methuen schloß in Lissabon 1703 mit der portug. Regierung einen Handelsvertrag dahin ab, daß wollene Tuche und andere Wollenwaaren, deren Einfuhr seit 1684 verboten war, wieder zu dem früheren Eingangszoll von 23 Procent in Portugal zugelassen werden sollten. Dagegen verpflichtete sich England, die portugiesischen Weine bei der Einfuhr um ein Drittel niedriger, als die französischen, zu besteuern. In mehrfacher Hinsicht scheint dieser Vertrag, welcher die Ausfuhr der portugiesischen Weine so sehr begünstigte, für England nicht besonders vortheilhaft gewesen zu sein.

Metre, ein franz. Längenmaß ($3^3/_{16}$ rhein. Fuß).

Metropolit. Metropoliten war der Name der Erzbischöfe, welche in Hauptstädten (Metropolis, eigentl. Mutterstadt) ihren Sitz hatten. Daher hieß auch die erzbischöfliche Haupt- oder Mutterkirche Metropolitenkirche. Vergl. noch Primas.

Meuterei s. Aufruhr.

Miasmen s. ansteckende Krankheiten.

Midshipmen heißen bei der engl. Marine die Cadetten auf den Kriegsschiffen. Sie bestehen meist aus jungen gebildeten Leuten, welche sich für den höheren Seedienst vorbilden. Ein Linienschiff ersten Ranges von 120 Kanonen hat 24 Midshipmen.

Miethe und **Pacht.** Durch einen Miethvertrag verspricht man Jemandem entweder den Gebrauch einer nicht verzehrbaren Sache oder gewisse Dienste gegen Entrichtung eines Miethzinses oder Lohnes. Die erstere Art von Miethvertrag (locatio conductio rerum) schließt auch den Pacht in sich, wie man das Verhältniß nennt, durch welches Jemand Gebrauch und Nutzung einer Wirthschaft, eines Landgutes ꝛc. für einen bestimmten Zins erhält. Der Abmiether, Miethmann (conductor) kann, wenn es nicht anders verabredet ist, den ganzen oder theilweisen Gebrauch der vermietheten Sache einem Andern zur Aftermiethe (sublocatio) überlassen. Der zweite Miethvertrag, Lohnvertrag (locatio, conductio operarum) heißt auch Verdingungsvertrag, wenn man sich zur Ausführung einer Arbeit verbindlich macht, oder Dienstvertrag, wenn man Dienste einer bestimmten Art und auf bestimmte Zeit gegen einen Lohn auszuführen versprochen hat.

Milde Stiftungen s. Stiftungen.

Milderungsgründe s. Strafrecht.

Militär ist die Bezeichnung für alle zum Soldatenstande eines Staates gehörenden Personen, welche der Landesherr besoldet (Soldtruppen, Söldlinge). Das Militär bildet in der Gegenwart einen besondern Stand im Staate (vergl. Heer), während eine frühere Zeit nur freiwillige Vaterlandsvertheidiger, eine spätere gedungene und erpreßte Miethlinge (Ritterzeit) kannte. Die Stärke des Militärs ist in den verschiedenen Staaten verschieden, und im Frieden geringer, als im Krieg. Auf 1000 Einw. kommen im gewöhnlichen Friedestande in England 5, in Frankreich 10, in Oesterreich 11, in Preußen 9 und in Rußland 12 Mann Militär. Zur Ergänzung des Militärs bestand bis 1806 das Werbesystem; durch Napoleon ward das Conscriptionssystem eingeführt, welches die meisten Staaten annahmen, und unter mancherlei Veränderungen beibehielten. — Der Gründer dieses Buches sprach sich am 6. März 1848 in öffentlicher Versammlung über die Stellung des Militärs in Deutschland unter Anderm so aus: Ein Volk steht auf für die Errettung seiner früheren Errungenschaften, die es durch ein zweimaliges Blutvergießen sich begründet und die Bildung langer Jahre sich errungen hat. Diesem Volke gegenüber steht eine bewaffnete Macht, dieselbe Sprache sprechend, demselben Stamme entsprungen; Kinder derselben Mütter auf dieser, auf jener Seite. Was werden sie thun, die sich gegenüber stehen? Sich zerfleischen im blutigen Kampfe, oder gemeinschaftlich an die Freiheit denken? So fragt man sich beim Anblicke der bewaffneten Bürger eines Landes, die muthig den Aufstand beginnen in dem Bewußtsein, daß ihr Gedanke für die Freiheit stärker ist, als die Kugel, die ihnen entgegen fliegt. Die Geschichte der letzten Tage hat uns gezeigt, daß sie nur einen Augenblick sich geschlagen, dann die Hände sich einander gereicht, wie zwei B r ü d e r es thun müssen, wie zwei Männer, die e i n Z i e l haben, sind sie v e r e i n t dem Ziele entgegen gegangen, welches sie sich gesteckt hatten, und es ward Friede in den Räumen, statt daß der Krieg wüthete. Weshalb? weil nicht, wie anderwärts, zwischen den Bürgern ein und desselben Staates eine Trennung, ich will nicht sagen, eine Feindschaft künstlich hervorgerufen, künstlich genährt und erhalten und groß gezogen wurde. Weil der Soldat es wußte und fühlte, daß er erst Franzose gewesen ist und dann erst Soldat wurde und wieder Franzose sein wird, wenn er aufhört, Soldat zu sein, weil nicht verschiedene Interessen, verschiedene Institutionen, verschiedene Rechte und verschiedene Pflichten den bewaffneten und unbewaffneten Bürger von einander trennen und die Bildung der Bevölkerung ein Gemeingut geworden ist. Wo die Scheidewände aufgehoben sind, die zwischen den verschiedenen Theilen der Bevölkerung stattfinden und wo sie gemeinschaftlich seufzen unter dem schweren Joche der Knechtschaft, da sehen wir gewöhnlich dieselbe Erscheinung, daß wenn die Herzen und die Arme sich erheben gegen die Unterdrückung, der bewaffnete und der unbewaffnete Bürger sich als B r u d e r erkennen und e i n e Pflicht und e i n Ziel sie vereinigt. Leider! ist es bei uns Anders. Wir dürfen uns nicht versehen dieser inneren Zuneigung, dieser brüderlichen Harmonie, dieses treulichen Aneinanderschlusses der bewaffneten Söhne unseres Vaterlandes und der unbewaffneten. Mehr als in irgend einem andern Lande haben wir es in den letzten 30 Jahren erfahren müssen, daß die Abneigung, daß die F e i n d s c h a f t zwischen diesen beiden Klassen der Bevölkerung gestiegen und hin und wieder zu einem traurigen Ausbruche gekommen ist. Man hat dem M. einen höhern Grad von Bildung a b g e s c h n i t t e n, damit man ihn besser zum Soldaten, zur willenlosen Mordmaschine abrichten kann. Der arme Handwerker und Bauer, der Nichts hat, als seine Arbeit, seinen Pflug, man nimmt ihn davon weg und steckt ihn Jahrelang in eine ihm fremde Genossenschaft, mit deren geistigem Leben er keine Verschmelzung findet und finden kann. Man z w i n g t ihn zu einem gedankenlosen Gehorsam und befiehlt ihm, keinem weitern Gedanken Raum zu geben, als daß der Mensch zur Knechtschaft geboren und einem Einzigen dienstbar sei; man bläut es ihm ein, augenblicklichst unterthänigst zu folgen, wenn ihm auch das Unsinnigste geboten werde. Wir haben aber vor allen Dingen zu erkennen, daß die Verhältnisse so traurig sind, wie sie geschildert wurden und dann haben wir uns zu sagen: der bewaffnete Sohn des Landes ist nicht schuld daran, daß er nicht mitfühlt, was der unbewaffnete fühlt, er ist nicht schuld daran, daß er nicht mitdenkt, was sein unbewaffneter Bruder denkt, daß er nicht dasselbe Verlangen und dasselbe Ziel hat, wie sein unbewaffneter Bruder. Wir müssen ihn b e k l a g e n und je mehr wir ihn zu beklagen Ursache haben, um so mehr müssen wir ihn lieben. Du, indem Du Dein Kommisbrod scheinbar ruhig verzehrst, seufzest, wenn Du an Deinen Pflug denkst, an Deine Mutter, die Du am verwaisten Pfluge zurückgelassen hast, denn Dein Arm fehlt und die Wirthschaft geht zurück, aber sie ist dennoch mit Steuern überlastet, die Deine armen Eltern bezahlen müssen, damit Du und Deine Genossen, die Soldaten, die paar Pfennige bekommen könnt, bei denen Ihr noch dazu d a r b t. Und die Deinen sind dahin gekommen, daß sie Dir nicht einmal die Unterstützung geben können, die Du bedarfst in Deinem Verhältnisse. Die Söhne unsers Landes, sie können durch Dressur, durch Irrthum verleitet werden und können das nicht gleich aus dem Herzen herausziehen, wie sie den Rock der Dressur anzogen. Aber machen wir es uns zur Pflicht, diese Ansichten der Dinge laut und immerwährend auszusprechen, dann werden wir niemals zu fürchten haben, daß Brüder eines Landes feindlich gegeneinander stehen; sondern wir werden mit unsern bewaffneten Brüdern Hand in Hand gehen bis zu dem Augenblicke, wo es keine Scheidung mehr giebt, wo wir zusammen bewaffnet und zusammen an die Geschäfte des Friedens gehen. **Robert Blum.**

Militairacademie, Militairschule ist eine Anstalt zur Vorbildung für den höheren Militärdienst, für künftige Officiere. Von diesen höheren Anstalten verschieden sind die Compagnie- oder Regimentsschulen, in welchen die Gemeinen sich die nothwendigsten, ersten Kenntnisse, Lesen, Schreiben, Rechnen aneignen sollen; außerdem werden sie noch über den Dienst und die Einrichtung ihrer Waffen belehrt. Eben so giebt es Fortbildungsanstalten für die Unterofficiere. Die höheren Militärschulen sind entweder für allgemeine Bildung berechnet, polytechnische Schulen, Cadettenschulen, oder für die Bildung zu einem besonderen Zweig des Militärwesens, wie die Artillerieschulen, Ingenieurschulen und die Schulen für Infanterie und Cavallerie. In manchen Ländern, wie in Preußen, bestehen noch besondere Anstalten zur Ausbildung der Offiziere.

Militärcolonien kannte schon das Alterthum. In neuerer Zeit findet man sie nur in dem Grenzinstitute Oesterreichs (s. Militärgrenze), in Schweden und (seit 1820) in Rußland. In Schweden schuf gegen Ende des 17. Jahrh. Karl XI. die Indelta, oder die eigenthümliche Einrichtung der Truppen zur Herstellung einer größeren Macht mit geringerem Aufwande. Die Besitzer einzelner Grundstücke müssen einzelne oder mehrere Soldaten stellen, von denen jeder den zu seiner Ernährung nöthigen Acker- und Viehstand erhält. Jene Besitzer werden dafür von gewissen Abgaben befreit. Wird der Soldat einberufen, so müssen die Zurückgebliebenen seine Arbeiten besorgen; Sold erhält er nur im Kriege. Der Schöpfer der M. in Rußland ist Graf Arakjeschew, welcher die Absicht hatte, durch dieselben die Verminderung der Kosten für die Armee, Erleichterung der Rekrutirung, Bildung einer Reserve und ein Asyl für ausgediente Krieger und ihre Familien zu schaffen. Die Soldaten wurden nun bei den Kronbauern einquartirt, militärische Dörfer wurden gebaut und ihnen Land angewiesen, welches die Soldaten bebauen mußten. Die große Strenge, mit welcher dieser Plan ausgeführt wurde, reizte ganze Dörfer zur Empörung. Im Jahre 1825 befanden sich in diesen M. bereits 400,000 männliche Bewohner, worunter 40,000 Berittene. Kaiser Nikolaus gab nach der großen Militärrevolution (1825) die weitere Ausführung dieses Planes auf.

Militärgrenze heißt ein Landstrich des österreich. Kaiserstaates von 715 Quadrat-Meilen und 1,230,000 Einw., welcher sich in einer Länge von 227 Meilen längs der ungarischen und siebenbürgischen Grenzen hinzieht und eine besondere militärische Verfassung hat. Die Bewohner dieses Landstriches, Bauern, verrichten sämmtlich Militärdienste. Grund und Boden der M. gehört dem Staat, welcher ihn unter völliger Abgabefreiheit den Bauernfamilien verliehen hat, wofür diese Militärdienste leisten müssen, ohne im Frieden Sold zu empfangen. In den einzelnen Familien entscheidet Gesetz und Gebrauch darüber, welcher Sohn das Hauswesen und die Erbfolge übernehmen soll. Im Friedensstande stellt die M. 50,000 Mann; im Kriegsstande kann die Stellung bis auf 100,000 Mann anwachsen. Das Grenzmilitär, welches in der Regel zur Bewachung der türkischen Grenze gebraucht wird, ist ein sehr gut geübtes.

Militärheilkunde, Kriegsheilkunde (medicina militaris s. castrensis) unterscheidet sich im Wesentlichen nicht von der Heilkunde überhaupt, sondern nur durch ihren Zweck, indem sie auf den Stand der Soldaten ausschließlich sich beschränkt. Erst in der neueren Zeit fing der Staat an, die M. einzurichten und sich so einer Pflicht gegen die zu entledigen, welche ihm Gesundheit und Leben opfern. Zwar kannte bereits die röm. Republik Militärärzte (medici valaerarii); doch ging diese Einrichtung auch mit dem Verfall des Römerreiches verloren. Heinrich IV. von Frankreich war es, welcher 1597 zuerst zwei Militärhospitäler errichtete; später wurden stehende Hospitäler für Soldaten errichtet, auch fliegende Feldlazarethe (Ambulance), bis Ludwig XV. in mehreren Städten Unterrichtsanstalten für Militärärzte gründete, und Napoleon zur größten Vervollkommnung der M. beitrug. In Deutschland stellte Kurfürst Georg-Wilhelm v. Brandenburg (1619—40) zuerst Regimentsfeldscheerer und Militärärzte an, für welche 1713 ein anatomisches Theater gegründet ward. Besonders aber beförderte Friedrich II. die M.; seinem Beispiele folgend ward 1784 zu Wien eine chirurgische Militäracademie gegründet; 1785 zu Kopenhagen und Petersburg. In Dresden ward 1745 das Collegium medico-chirurgicum gestiftet, während Preußen bereits 1745 die Ambulancen eingeführt hatte. In den neueren Zeiten ist die M. und die damit verbundene Einrichtung sehr vervollkommt worden, so wie auch nicht geläugnet werden kann, daß die M. einen sehr wohlthätigen Einfluß auf die Fortbildung der Chirurgie überhaupt geäußert hat.

　　Militärkarten zeichnen sich von den gewöhnlichen Landkarten dadurch aus, daß sie für militärische Zwecke berechnet sind. Eine M. muß alle Gegenstände enthalten, welche für die Kriegsoperationen wichtig sind, so einzelne Häuser, hervorragende Bäume, Windmühlen, selbst Wegweiser. Es muß bezeichnet sein, ob eine Brücke gemauert oder nur eine hölzerne sei, die Stellen müssen angegeben sein, wo sich Furthen befinden. Die M. sind in der neueren Zeit durch die Kunst sehr vervollkommt worden. Zu den M. gehören auch noch Situationspläne, welche alle Einzelheiten eines gewissen Theils der Erdoberfläche (Terrain) enthalten, s. Situationszeichenkunst.

　　Militärmusik hatten von jeher alle kriegerischen Völker, wenn sie auch nur durch Schlachtgesänge und Lärminstrumente, wie bei den Wilden, hervorgebracht wurde. Sie sollte den Muth beleben und die Krieger begeistern. Erst später, in der neuern Zeit, diente sie auch zur Beförderung einer regelmäßigen Bewegung, des Marsches, und zur Erleichterung desselben. In neuerer Zeit ist die M. durch die Erfindung neuer Musikinstrumente sehr vervollkommt worden; s. Marseillaise.

　　Militärschulen s. Militäracademie.

　　Militärstrafen s. Kriegsartikel.

　　Militärstraßen heißen einige Straßen, welche für Bewegung, Marschrichtung der Armee bestimmt und eingerichtet sind, um dieselbe so viel als möglich zu sichern und zu erleichtern. Sind die gewöhnlichen Straßen verdorben oder durch den Feind gesperrt, so werden Wege für alle Waffengattungen über Felder und Wiesen angelegt, Colonnenstraßen, und durch ausgesteckte Strohwische (jalons) bezeichnet. Eine andere Art von M. sind die Etapenstraßen, d. h. die Straßen, welcher der Armee im Voraus vorgeschrieben sind und durch die Verpflegungsorte (Etapen) sich ziehen (s. Durchmarsch).

　　Militärwissenschaften oder Kriegswissenschaften sind diejenigen Kenntnisse, welche dem höheren Militär, besonders den Befehlshabern, unentbehrlich sind. Seitdem es eine Kriegskunst giebt, muß es auch Kriegs- oder M. geben, durch welche man eben die Kriegskunst erlernt. Nebst der allgemeinen wissenschaftlichen Vorbildung, die jeder höhere Militär besitzen muß, bedarf er noch der nöthigen Ausbildung in der Waffenlehre, Taktik, der Befestigungskunst, Terrainlehre (Ortslehre) und der Kriegsgeschichte. Die meisten Ansprüche auf wissenschaftliche Tüchtigkeit macht die Artillerie oder Waffenlehre. Daher mag es auch wohl kommen, daß die meisten bei der Artillerie angestellten höhern Offiziere dem Bürgerstande angehören, während bei den andern Waffengattungen die höheren Stellen in der Regel durch Adelige besetzt werden.

　　Militärverwaltung oder besser die Militärökonomie hat die Aufgabe, mit den vom Staat entweder in Geld oder in Naturalien gelieferten Mitteln die Bedürfnisse der Truppen, ihre Verpflegung, Bekleidung, Ausrüstung, die Rekrutirung der Reiterei, so wie Transport und Unterkunftsmittel, die materielle Seite des Gefestigungswesens' und der Lazarethwirthschaft zu besorgen. Die Einrichtung dieses, durch die Verwendung ungeheurer, bei uns leider fast die Hälfte des gesammten Staatseinkommens verzehrender Summen, höchst wichtigen Staatswirthschaftszweiges, ist in den verschiedenen Ländern nach verschiedenen Grundsätzen geordnet. Es wird entweder für die Verpflegung, Bekleidung, der Grundsatz möglichster Selbstbeschaffung festgehalten oder die Beschaffung sämmtlicher Heeresbedürfnisse den Händen von Lieferanten übergeben, die nach bestimmten Verträgen selbstständig die Bedürfnisse der Heerwirthschaft besorgen. Beide Arten der M. haben ihre Licht- und Schattenseiten. Wenn für eine so kostspielige und aussaugende Verwaltung jedenfalls der Grundsatz festgehalten werden muß, die aus dem Lande gezogenen Geldmittel ins Land zurückfließen zu lassen, so hat die Bewirthschaftung durch Lieferanten jedenfalls den Nachtheil, daß den Letzteren die Entnahme der Bedürfnisse aus dem Inlande nicht wohl vorgeschrieben werden kann: sie kauften zu den billigsten Preisen und suchten sich die Handarbeit zu den billigsten Löhnen zu verschaffen. Auf der andern Seite entzieht die unmittelbare Selbstbeschaffung der Heeresbedürfnisse, wie sie in Deutschland größtentheils eingeführt ist, dem arbeitenden Kleinbürger jede verdienstliche Theilnahme der Verwendung der Summen, die er mit aufbringen half, indem ein vom staatswirthschaftlichen Standpunkte aus nicht wohl zu billigendes Schmuggel- und Sparsystem durch Selbstverfertigung der Schmiede-, Schlosser-, Riemer-, Schuster- und Schneiderarbeit in Militärwerkstätten nicht zu Gunsten der Verringerung der Staatsabgaben, sondern zu Gunsten des Militärbudgets spart, dessen Ueberschüsse meistentheils in Gnadengeschenke und Pensionserhöhungen der Großoffiziere verwendet wurden. Nach den Grundsätzen der möglichsten Selbstbeschaffung der Bedürfnisse, wird die M. durch besondere Verwaltungsbehörden, Commissionen oder Intendanturbehörden besorgt, deren Haupt, das Kriegsministerium, die Art und Weise der Verwaltung anordnet und über die Verwendung der Geldmittel Rechenschaft fordert. Die Verpflegung der Truppen geschieht entweder durch Verabreichung baaren Geldes oder durch Lieferung von Lebensmitteln. Mit Ausnahme des Brodes, das in Krieg und Friedenszeiten als Hauptnahrungsmittel des Soldaten stets in natura geliefert wird, ist in Friedenszeiten die Selbstverpflegung des Einzelnen durch Verabreichung baaren Geldes die gewöhnliche. Hierbei wird der Soldat in den Kasernen durch die sog. Kochvereine, welche den Ankauf der nothwendigen Producte im Ganzen zu billigen Preisen ermöglichen, und durch die Lieferung von Kochgeräthschaften und Feuermaterial unterstützt. Die Lieferung der Lebensmittel in natura pflegt, gegen Abzug an der Löhnung, nur dann zu geschehen, wenn auf Märschen oder im Kriege der Soldat sich die Lebensmittel nicht selbst zu beschaffen im Stande ist. Zur Verpflegung der Truppen gehört die Unterkunft oder Einquartierung (s. d. Art.) derselben. Sie geschieht in Garnisonsorten in der Regel durch Kasernen oder durch Einquartierung in Bürgerhäusern (s. d. Art.). So lange das Heer eine Nothwendigkeit ist und als ein Theil des Volks angesehen werden muß, ist die Unbequemlichkeit der Einquartierung eine Verpflichtung, die der Staatsbürger nicht von sich abweisen kann. Sie bezieht sich bei Märschen und bei Friedenszeiten jedoch nur auf Gewährung von Obdach, Feuer und Licht und schließt die weitere Verpflegung nur gegen bestimmte Vergütigung ein. Bekleidung und Ausrüstung werden durch die Militärökonomie durch Lieferung fertiger Kleidungs- und Bewaffnungsstücke besorgt. Beide werden in Militärwerkstätten und Fabriken, und wenn diese Fabriken Privaten gehören, doch unter Aufsicht der Militärbehörden gefertigt. Ob der Staat berechtigt ist den steuernden Bürgerprofessionisten von der Theilnahme an diesen Arbeiten auszuschließen, ist eine Frage, die wohl nicht geradezu mit Ja beantwortet werden kann. Das Militär soll kein Staat im Staate sein. Es ist eine unproductive Genossenschaft, die auf Kosten des Staates lebt, und wenn die Aussaugung durch die stehenden Heere, welche dem deutschen Gesammtvaterlande jährlich circa

800 Mill. Thlr. kosten, einen großen Theil zur Verarmung des Mittelstandes beigetragen haben, so erscheint es natürlich und billig, daß bis zur ersehnten Aufhebung derselben, wenigstens ein Theil der aus dem Bürgerstande entnommenen Gelder durch die Vertheilung desselben am Verdienst der Militärarbeit in dessen Kassen zurückfließe. Die Remontirung geschieht entweder durch Zuzucht der Pferde in eigenen Stutereien oder durch Ankauf derselben im dienstjährigen Alter. Für ausnahmsweisen Remontebedarf wird durch Lieferungsverträge mit Privaten gesorgt. Die Gelder für ausrangirte Militärpferde fließen in die Remontekassen zurück. Die Transportmittel, die in Friedenszeiten nicht in hinreichender Masse forterhalten werden können, beschafft die M. durch Verträge und Uebereinkommen mit Privaten, seitdem das barbarische Requisitionswesen nur noch für dringliche Fälle in Kriegszeiten Geltung behalten hat. Was die Befestigung betrifft, so gehört die technische Leitung der höheren Behörde zu. Die M. hat aber die materielle Ausführung zu besorgen, namentlich die Erwerbung des Grund und Bodens auf gesetzlichem Wege zu ermöglichen. Der durch Befestigungen entstandene Schaden gehört unter die Kriegsschäden und fällt dem Staate zur Last. Einer der wichtigsten Theile der M. ist das Lazarethwesen im Frieden wie im Kriege. Wo in Kriegszeiten keine Militärlazarethe bestehen, wo die bestehenden nicht ausreichen, müssen wandernde (ambulante) Lazarethe, welche dem Heere folgen, Aushülfe leisten. Im äußersten Falle hat der Staat das Recht, durch die M. Privatkrankenanstalten zur Aufnahme kranker Soldaten anzuhalten und, natürlich gegen Vergütung, öffentliche oder Gemeindelocalitäten zur Einrichtung von Lazarethen zu benutzen. Die Verpflegung der kranken Soldaten und die Herbeischaffung der nöthigen und geeigneten Lebensmittel für dieselben bleibt eine der höchsten Aufgaben der M. Die M. hat mit der Beschaffung der Geldmittel für ihren Verbrauch nichts weiter zu thun. Sie erhält dieselben aus den Staatskassen, und wird die Größe des Bedarfs wie bei der übrigen Staatsverwaltung durch einen jährlichen Geldsatz festgestellt, wobei auf Vorräthe für den Fall eines Krieges Rücksicht genommen werden muß. Die Rechnungen werden von den einzelnen M.=Behörden der nothwendigen Beweglichkeit halber monatlich abgeschlossen, jedoch nur von 6 zu 6 Monaten dem Kriegsministerium in summarischer Zusammenstellung übergeben.   H. Bertholdi.

Milizen heißen Soldaten, welche außer dem stehenden Heere und der Landwehr im Kriege dienen, nach dessen Beendigung aber wieder aus dem Heere treten. Zu den M. gehört der Landsturm, der zur Zeit des Kriegs aufgeboten wird. In Amerika, welches den europäischen Soldatenreichthum nicht kennt, giebt es außer den Milizen nur sehr kleine Abtheilungen stehender Truppen.

Minderheit oder **Minorität** s. Majorität.

Minderherrschaften wurden früher in Schlesien diejenigen Mediatherrschaften genannt, deren Besitzer alle Rechte des Standesherrn theilten, aber nicht auf den Fürstentagen erscheinen durften.

Minimen, mindeste (geringste) Brüder oder Eremiten des heil. Franz von Paula und nach demselben auch Paulaner, Pauliner genannt, bildeten einen Mönchsorden, welcher 1457 gestiftet wurde. Die M. breiteten sich bald in allen Ländern aus. Später errichteten
partei der strengen Franziscaner,
ihren Einrichtungen. Sie genießen fast nichts, als Brod, Früchte und Wasser. Um ihre schwarze Kleidung tragen sie einen Leibriemen, an welchem die Geißel hängt. Sonst sind sie der stillen Andacht geweiht. Durch Ferdinand IV. erhielten sie 1815 ihr Stammkloster in Italien zurück.

Minister, eigentlich Diener, heißen vorzugsweise die höchsten Staatsbeamten, welche unmittelbar die Beschlüsse des jeweiligen Staatsoberhauptes, sei es nun ein Monarch oder eine andere Regierungsgewalt, vorbereiten, ausführen und vollziehen und die Regierung überhaupt leiten und überwachen. Die M. sind naturgemäß die

Stellvertreter des Staatsoberhauptes, welcher selbstverständlich alle im Bereiche der Staatsverwaltung liegenden Geschäfte nicht besorgen kann. Geschichtlich sind die M. als die unmittelbaren Mithelfer und Ausführer der Beschlüsse des Staatsoberhauptes zu betrachten. In neuerer Zeit aber, wo die persönliche Mitwirkung des Staatsoberhauptes an der Regierung nicht selten ganz in den Hintergrund getreten und er oft nur ein willenloses Werkzeug in der Hand der Kabinetspolitik geworden ist, deren Träger die M. sind, ist die Stellung derselben zu größerer Bedeutung für die Völker gelangt. Geistig kräftige Naturen führten laut Zeugniß der Geschichte das Staatsruder selbst mit kräftiger Hand; sobald aber die Staatsgewalt, wie es häufig nicht anders sein konnte, an geistig Schwache überging, wurden nicht selten die Minister unmittelbare Oberherren des Staatsoberhauptes. Mißgriffe in Regierungsmaßregeln muß man daher nicht immer auf das Staatsoberhaupt werfen, sondern erst untersuchen, ob die Vorwürfe des Volkes nicht zunächst die Räthe der obersten Staatsgewalt, die M., treffen. In Staaten, die eine Verfassung haben, sind deshalb auch die M. verantwortlich gemacht worden (s. Ministerverantwortlichkeit). Durch diese Verantwortlichkeit sind die M. allerdings scheinbar dem Staatsoberhaupte etwas ferner gerückt worden, aber dieses hat nur dann Werth, wenn sie Ehrgefühl genug besitzen, um, wie es in einigen Staaten der Fall ist, vor der Majorität der Volksvertretung zurückzutreten. Ist dies nicht der Fall, bleiben die M. trotz der über ihr System ausgesprochenen Mißbilligung der Volksvertretung in ihrem Dienst, so ist dieses das erste Zeichen, daß die Staatsgewalt nicht blos scheinbar in ihren Händen ruht, daß sie in der That Herren im Lande sind, daß das rathlose Staatsoberhaupt ihnen unterthan ist, obschon alle Verfassungen dem Regenten die Wahl seiner M. zugestehen. In größeren und mittleren Staaten hat man die Hauptzweige der Staatsverwaltung: Justiz, Cultus, Inneres, Finanzen, Krieg und Aeußeres, getrennt und über jedem dieser Verwaltungszweige, Departement, einen M. gesetzt. In kleineren Staaten werden nicht selten mehrere dieser Verwaltungszweige einer Person als M. übertragen.

Ministerialconferenzen. Während in früherer Zeit die Persönlichkeit der Fürsten mehr in den Vordergrund trat, während sie selbst auf der großen Völkerbühne erschienen, um mit eigner Hand die Schicksale der Völker zu entscheiden, haben sie sich in neuerer Zeit etwas in den Hintergrund gezogen und überlassen die Zügel der Herrschaft ihren Dienern oder Ministern. Es ist daher wohl der Mühe werth, auf das Thun und Treiben derselben in der Geschichte ein aufmerksames Auge zu richten. Seit längerer Zeit schon sind die Völker gewöhnt, den Zusammenkünften der Fürstenvertreter, den Ministerconferenzen, den Congressen ihre Theilnahme zu schenken; je unheilvoller nicht selten diese Versammlungen ausschlugen. Ein Congreß (s. d.), eine Ministerconferenz, wie man es auch nennt, ist die Zusammenkunft von Bevollmächtigten (oder auch Häuptern) mehrerer Staaten, entweder um Streitigkeiten unter sich zu schlichten, oder um ihre gegenseitigen Interessen zu ordnen, oder auch, um über gemeinsam zu treffende Maßregeln in Bezug auf eigene oder fremde Angelegenheiten zu berathen. Keine Zeit ist an Congressen so reich gewesen, wie die jüngste; und nie sind die Congresse verhängnißreicher und in das Leben der Völker einschneidender gewesen, als in der letzten und vielleicht auch gegenwärtigen Zeit. Werfen wir im Angesichte eines der bedeutungsvollsten Ereignisse der Neuzeit — der Dresdner M. 1851 — einen Blick auf die Congresse des gegenwärtigen Jahrhunderts. Kurz vor Anfang desselben, 1791, fand der Congreß zu Pillnitz statt, welcher den Grund zu dem Bund der Monarchen gegen das revolutionäre Frankreich legte, dessen Consequenzen vielleicht noch in die Gegenwart hereinragen. Ihm folgte der Congreß zu Rastatt (1797—99), wo die siegreiche Republik Frankreich das gedemüthigte Deutschland verhöhnte. Welthistorisch war weiter der Congreß zu Erfurt (1808), wo der Siegeskaiser Napoleon im Angesichte der deutschen Fürsten sich mit dem russischen Czar in die Herrschaft Europas theilte. Auf dem Congreß zu Prag (1813) trat Oesterreich noch als Vermittler Frankreichs auf, um sich bald für dessen Feind zu erklären. Hierauf folgten die Congresse zu Chatillon und Chaumont (1814) und nach Napoleons Fall der Friedenscongreß zu Paris (1814), durch den die „Legitimität" der Bourbonen hergestellt ward, und endlich der Congreß von Wien (1815). Dieser letzte sollte weltgeschichtliche Bedeutung erlangen, da auf ihm nicht nur das Schicksal Deutschlands, sondern Europa's auf längere Zeit festgestellt wurde. Die Aufgabe dieses Congresses war keine geringere, als die Feststellung der Grundsätze, auf welchen in Zukunft nicht nur das allgemeine Staatensystem in Europa, sondern auch die Verfassung und Verwaltung der einzelnen Staaten ruhen sollte. Das Resultat desselben war die in 121 Artikeln abgefaßte Congreßacte, welche sich hauptsächlich mit Entschädigungen oder Befriedigungen der Mächte beschäftigte. Im J. 1818 fand wieder ein Congreß zu Aachen statt zwischen den fünf Großmächten Oesterreich, Frankreich, Großbritannien, Preußen und Rußland. Das Hauptprotokoll erklärt: „daß die Mächte nach reiflicher Erwägung der Grundsätze, auf welchen die Erhaltung der in Europa unter dem Schutze der göttlichen Vorsehung hergestellten Ordnung der Dinge beruhe" 1) fest entschlossen sein, sich weder in ihren wechselseitigen Verhältnissen noch in jenen, welche sie an andere Staaten knüpfen, von den Grundsätzen der engsten Verbindung zu entfernen, die bisher in allen ihren gemeinschaftlichen Angelegenheiten obgewaltet habe und die durch das zwischen den Souverainen gestiftete Band christlicher Bruderliebe noch stärker und unauflöslicher geworden sei; 2) daß diese Verbindung keinen andern Zweck haben könne, als die Aufrechthaltung des Friedens, gegründet auf gewissenhafte Vollziehung der in den Tractaten vorgeschriebenen Verpflichtungen und Anerkennung aller daraus hervorgehenden Rechte." Ueber diese Uebereinkunft wurde nun an die Höfe — nicht aber an die Völker, die man in Aufrufen, wie: „An mein Volk" zum Kampfe aufgefordert hatte, eine Declaration erlassen, in welcher als Zweck der Verbindung immer und immer „die Ruhe der Welt" hingestellt ward. — Man gab unterdessen dem deutschen Volke nicht, was zu verlangen es das Recht hatte, eine der Stufe seiner Geistesbildung und den gemachten Versprechungen gemäße National- und Staatenverfassung. - Der öffentliche Geist schritt vorwärts und kam hier und da in unbedachter Weise zur äußeren Erscheinung. Um ihn zu dämpfen, hielten die Minister von Oesterreich, Preußen, Baiern, Sachsen, Hannover, Würtemberg, Baden, Mecklenburg und Nassau in Karlsbad im August 1819 einen Congreß, und vereinigten sich zu Vorschlägen, welche der Bundestag mit beispielloser Eile am 21. Sept. 1819 zu „Bundesbeschlüssen" erhob. Einige in Karlsbad nicht erledigte Punkte wurden auf dem Wiener Ministercongreß (1819—20) abgemacht und als „Schlußacte" zum Bundesgesetz erhoben. Wie wenig diese Beschlüsse den Geist der zu Aachen zur Schau getragenen „christlichen Bruderliebe" und der „Pflichten gegen Gott und die Menschen," der steten Herrschaft der Gerechtigkeit, der Eintracht und der Mäßigkeit" athmeten, ist bekannt. Die Congresse zu Troppau (1820), Laibach (1821), zu Verona (1822) berührten die deutschen Zustände nicht, weßhalb wir sie hier unbesprochen lassen. Als eine, wenn auch späte, Fortsetzung der „Karlsbader Conferenzen" war die Ministerconferenz in Wien im Jahre 1834 zu betrachten. Die Actenstücke darüber liegen seit dem Jahre 1848 dem Publikum vor. Gesammelt findet man sie in folgender Schrift: Politische Actenstücke unter der Leitung des Fürsten Metternich. Nebst Anhang: die geheime preußische Denkschrift vom Jahre 1822. Inhalt: Bundesacte vom 8. Juni 1815. — Geheime Beschlüsse der Karlsbader Conferenzen vom 20. Sept. 1819. — Wiener Schlußacte vom 20. Mai 1820. — Bundestagsbeschlüsse vom 21. October 1830, 28. Juni und 5. Juli 1832. — Geheime Beschlüsse der Wiener Conferenz vom 12. Juni 1834, so wie Bruchstücke aus der Eröffnungs- und Schlußrede des Fürsten Metternich. Geheime Preußische Denkschrift vom Jahre 1822. gr. 8.

6 Bog. Leipzig, Matthes. 7¼ Ngr. Zu den denkwürdigsten Congressen dürfte für Deutschland der Zusammentritt der Vertreter sämmtlicher deutschen Regierungen in Dresden (1850) gehören, welcher anfangs den Namen „freie Conferenzen" führen wollte, bald aber mehr als jeder andere sich unter den dichten Schleier des diplomatischen Geheimnisses verbarg.

Ministerialen, d. h. Dienstleute, waren in der älteren deutschen und fränkischen Geschichte Hausbeamte an den Höfen und den Hoflagern der Könige und ihrer Statthalter, sowie an den Sitzen der auch mit weltlicher Macht umgebenen Bischöfe. Anfangs leisteten sie ihren Herren wirkliche Dienste; später wurden sie ein Theil des Hofstaates. Die ältesten und höchsten Aemter der M. waren das Amt des Marschalls, Kämmerers, Schenken und Truchseß, welche noch Unterbediente neben sich hatten. Die M. wurden von ihren Herren mit Gütern belohnt, und erlangten sogar die Erblichkeit ihrer Lehnen. Da sie zu ihren Oberherren in einem gewissen Dienstverhältnisse standen, so galten sie nicht als vollständig frei und waren den Fürsten und dem hohen Adel nicht ebenbürtig. Später ließen die M. ihre Dienste von Andern verrichten, denen sie zur Entschädigung ebenfalls Güter zum Lehne gaben. Hierin liegen einige Fingerzeige zur Geschichte des deutschen Lehnwesens.

Ministerverantwortlichkeit. In allen constitutionellen Staaten wird das Königthum als der sichtbare Träger einer unsichtbaren und ewigen Gewalt betrachtet, die sich in der thronberechtigten Herrscherfamilie durch Erblichkeit fortpflanzt. Diese Macht, in deren Hände die ganze vollziehende Gewalt gelegt ist, mußte zu Gunsten der ihr gegenüberstehenden Volkssouverainetät in ihrer Machtvollkommenheit auf eine Art beschränkt werden, die die Volksrechte hinlänglich sichern, die Ehrfurcht vor der geheiligten Persönlichkeit des Inhabers der Krone nicht zu nahe trat. Zu diesem Zwecke wurde die M., diese trügerische Sicherheitsgarde der Volksfreiheit vom schlauen Constitutionalismus geschaffen, welche die Räthe der Krone für die Handlungen derselben der Rechenschaft unterwirft. Nur in dem einzigen Staate England ist der Zweck der M. bisher vollkommen erreicht, während in den Continentalconstitutionen und namentlich in den deutschen constitutionellen Staaten diese Verantwortlichkeit bisher eine leere Form geblieben ist, um so gefährlicher, als sie leicht zur Unterdrückung der Freiheit unter der Hülle der Freiheit gemißbraucht werden kann. Um die M. zu einer nutzbaren Staatseinrichtung, zu einer wahren Schutzwehr der Freiheit zu machen, muß jedem Staatsbürger das Recht zustehen, bei den Kammern, dem natürlichen und einzigen Gerichtshof für die verantwortlichen Räthe der Krone, seine Anklage vorbringen und geltend machen zu können. Deshalb dürfen die Minister nicht als solche in den Kammern Sitz und Stimme haben, obgleich sie als einfache Mitglieder der Kammern den Sitzungen derselben beiwohnen dürfen. Ferner dürfen die Minister, wie dies in den Continentalconstitutionen bis heute üblich, nicht zugleich Bureauchefs sein und als solche, durch die despotische Herrschaft über ein zahlreiches Beamtenheer, dessen Brodgeber sie sind, einen unbegrenzten Einfluß gewinnen. Nur in Staaten, wo jeder Beamte selbstständig verantwortlich für seine Amtsführung und unabhängig vom Ministerium ist, wo eine Berufung auf die Orden der Vorgesetzten ihm keine Sicherheit und Straflosigkeit gewährt, kann der Minister für seine Handlungen und für die des Regenten mit Erfolg verantwortlich gemacht werden. Die ganze Geschichte des französischen Constitutionalismus hat das Trügerische und Gefährliche dieser Einrichtung bewiesen, welche man als höchste Sicherstellung der Volksfreiheit so großartig gepriesen. Nur in England, sagt Murhard, wo das Volk und seine Repräsentanten sie so gut kennen, sie so sorgfältig bewahren und kräftig ausüben, daß sie keine todte Gesetze bleiben, wo das Ministerium keine überragenden Vortheile gewährt, ist diese Einrichtung mit keiner Gefahr verbunden. In Frankreich hingegen, wo das Ministerium so ungeheure Vortheile gewährt, daß vermöge des menschlichen Egoismus die Minister Alles daran setzen, in ihren Stellungen zu bleiben, sind die Räthe der Krone zu eifrigen Werkzeugen des Königs geworden, deren Gelüsten zu fröhnen, sie als den Zweck ihrer Berufung betrachten. Wenn der Constitutionalismus überhaupt nur als ein künstlicher Ausweg erscheint, vorgeschlagen von einer Partei, die ihres Vortheils wegen sich scheut mit der Vergangenheit des Absolutismus zu brechen, zwei einander feindlich gegenüberstehende Gewalten durch ein Gleichgewichtssystem künstlich zu balanciren und ihren Forderungen eine scheinbare Genugthuung zu geben, so ist es um so nothwendiger, die junge Freiheit der alten Macht gegenüber mit hinreichenden Schutzwehren zu umgeben. Die M. kann jedoch nur dann als eine solche Schutzwehr betrachtet werden, wenn die Minister für Alles, was innerhalb der Sphäre ihrer Amtsführung liegt, nicht blos dem Gerichte der Kammern unterworfen, sondern auch vor jedem Gerichtshof von Jedem belangt werden können, der Grund zu haben glaubt, sich über einen Mißbrauch, den sie von ihrer Gewalt machen, zu beklagen, ohne einer Eximirtheit zu genießen. Die Revolution hat in Deutschland den Constitutionalismus in ein neues Stadium, in das der breitesten demokratischen Grundlagen, getrieben. Die Geschichte unserer jungen Freiheit hat jedoch jetzt schon hinreichend bewiesen, wie wenig die M. in unsern durch und durch bureaukratisirten, an äußerste Gefügigkeiten gewöhnten Staaten zur Wahrheit werden kann. Bereits sind, trotz dieser Sicherungsmaßregeln, die Rechte der breitesten Grundlagen wieder angetastet, ohne daß Jemand gewagt hätte, sich anklagend gegen die Räthe der Krone zu erheben. Sollte in der That die Constitution ein nothwendiges Uebergangsstadium für alle Nationen zu einer freiesten Verfassung sein, sollten auch wir, die wir uns vorzugsweise das Land der Intelligenz nennen, genöthigt sein, wie Frankreich nach der Julirevolution ein 18jähriges constitutionelles Staunen durchzumachen, um die Unmöglichkeit einer Verfassung zu begreifen, in der zwei feindliche, ewig unversöhnliche Gewalten einander kämpfend gegenüberstehen? In diesem Falle werden wir bei unserem Nationalcharacter und der Eigenthümlichkeit unseres politischen Entwickelungsganges so gut wie die Franzosen, die Erfahrung machen müssen, daß die M. die Sicherheit einer Phrase gewährt, und daß eine Aenderung des betrüglichen Zustandes nur auf andere Weise herbeigeführt werden kann.

H. Bertholdi.

Minorität s. Majorität.

Miquelets ist der Name eines kleinen dem Krieg- und Raub ergebenen Bergvolkes, welches in den südlichen Pyrenäen in Kolonien, überhaupt auf der Höhe des Gebirgskammes, zwischen Frankreich und Spanien seinen Sitz hat. Im Kriege sind sie Parteigänger, welche viel Schaden anrichten können; im Frieden sind sie die Führer der Fremden auf den Gebirgen.

Missalen oder **Meßbücher** sind in der kathol. Kirche diejenigen gottesdienstlichen Bücher, welche die Messen für alle Sonn- und Festtage, sowie für besondere Gelegenheiten, Gebete, Lieder u. s. w. enthalten. Das in der ganzen römischkathol. Kirche gültige Meßbuch wurde am 14. Juli 1570 publicirt und war für alle Kirchen gültig, ausgenommen für diejenigen nicht, welche ihr Meßbuch seit ihrer Stiftung oder mindestens 200 Jahre lang gebraucht hatten. So behielten namentlich in Deutschland viele Gemeinden ihre Meßbücher. Vor Erfindung der Buchdruckerkunst wurden die M. mit der größten Pracht geschrieben und ausgeschmückt.

Mission, Missionäre. Das Wort Mission, ein Auftrag, eine Sendung, wird vorzugsweise von einer solchen Sendung gebraucht, welche es mit der Ausbreitung des Christenthums zu thun hat, so wie Missionäre, Sendlinge, Boten, diejenigen heißen, welche eben eine solche Sendung zur Ausbreitung der christlichen Religion übernehmen. Allerdings hatte der Stifter derselben seinen Freunden und Anhängern das Gebot gegeben, sein Wort unter allen Völkern zu verkünden, und seine Missionäre, die Apostel, thaten es auch getreu und gingen hin und „lehrten alle Heiden." Der Eifer, die aus innen kommende Neigung, das Christenthum weiter

zu verbreiten, welche einſt die Apoſtel in die Welt trieb, iſt zu allen Zeiten in ein-
zelnen Verehrern Jeſu erwacht; beſondere Pflanzſchulen aber für die Verbreitung des
Chriſtenthums hat die Kirche erſt in neuerer Zeit errichtet. Bonifacius, jener
„Apoſtel der Deutſchen" brachte das Chriſtenthum nach Deutſchland, als Miſſionär
des röm. Stuhles, welcher es ſich angelegen ſein ließ, alle irgend zu erreichenden
Völker ſeiner Kirche zuzuführen. Sobald dieſes Werk in Europa vollendet war,
hörte der Miſſionseifer etwas auf, um aber im 16. Jahrh. nach der Entdeckung von
Amerika und der weiteren Verbreitung des Proteſtantismus deſto eifriger wieder zu
erwachen. Beſondere Thätigkeit entfalteten mehrere Mönchsorden, wie die Benedictiner und Ciſterclenzer; die größte aber die Jeſuiten, deren Mitſtifter Xaver ſelbſt
nach Japan und China ging, am erfolgreichſten aber war ihr Wirken in Amerika,
wo ſie in Paraguay ihren Hauptſitz hatten. Zu gleicher Zeit faſt ſtifteten auch,
um dem Proteſtantismus entgegen zu treten, die Päpſte Miſſionsinſtitute, ſo Papſt
Gregor XV. 1620 die „Congregatio de propaganda fide" und Papſt Urban VIII.
1627 das „collegium de prop. fide" (Geſellſchaften zur Verbreitung des Glaubens).
Die proteſtantiſche Kirche hatte mit ihren eigenen Angelegenheiten ſo viel zu thun,
daß ſie erſt gegen Ende des 17. Jahrhunderts an das Miſſionswerk denken konnte,
zumal da es ihr an äußeren Mitteln fehlte. Im J. 1647 beſtätigte in England
eine Parlamentsacte die Geſellſchaft zur Ausbreitung des Chriſtenthums in fremden
Ländern; 1698 gründete ſich die Geſellſchaft zur Beförderung chriſtl. Erkenntniß.
In Dänemark bildete ſich, von König Friedrich IV. unterſtützt, unter Mitwirkung des
berühmten Franke in Halle die däniſch-halliſche Miſſionsgeſellſchaft, welche bald ihre
Boten in die entfernteſten Erdtheile ſchickte, ſo den bekannten Miſſionär Ziegenbalg
nach Oſtindien. Eben ſo thätig war auch die Brüdergemeinde der Herrenhuter und
ihre Wirkſamkeit wurde bald die bedeutendſte. In England bildete ſich 1794 die große
Miſſionsgeſellſchaft, welcher die anſehnlichſten Mittel zu Gebote ſtehen, da auch der
Staat dazu beiſteuert; außer dieſer haben ſich dort noch eine Menge Zweiggeſellſchaf-
ten gebildet, welche zuſammen jährlich ungeheuere Summen für ihren Zweck verwenden. Als unbedeutend dagegen ſtehen die Miſſionsanſtalten in Baſel da, geſtiftet
1810, und in Berlin, geſtiftet 1823. Der Hauptgrund der geringeren Unterſtützung
des Miſſionsweſens in Deutſchland iſt darin zu ſuchen, daß ſich an demſelben nie
die geſammte proteſtantiſche Bevölkerung betheiligt hat, ſondern nur der Theil, welcher der ſogen. pietiſtiſchen, myſtiſchen Richtung angehört. Die freidenkenden Proteſtanten mochten mit jenen Uebergläubigen nicht in Verbindung treten, da es ihnen
nicht in ihrem Sinne lag, die Verbreitung des todten Buchſtabenglaubens fördern zu
helfen. Dieſen aber fördern faſt alle Miſſionäre; dieſelben gehören in der Regel der
ſtrengſten Rechtgläubigkeit an, ſind Freunde des ſtarrſten Feſthaltens am Buchſtaben
der kirchlichen Sazungen. Dadurch iſt das an ſich lobenswerthe Unternehmen bei
Vielen in Mißachtung gekommen, was nicht geſchehen ſein würde, wenn man die
reine Lehre Jeſu verkündigt hätte und nicht die Lehre kirchlicher, veralteter Be-
kenntnißſchriften. Der Erfolg der M. hat daher auch nie im rechten Verhältniß zu
dem Aufwand geſtanden, den ſie machen, bei nur etwas aufgeklärten Völkern finden
die Miſſionäre wenig oder keinen Anklang, höchſtens gelingt dies unter rohen Wilden
und Halbwilden.

Miſſion, innere. Die innere M. iſt ihrem Weſen nach nichts neues, wohl
aber dem etwas dunkeln und unklaren Ausdrucke nach. Doch, die Sache ſoll ja eben
nicht klar ſein. Man verſteht unter innerer M. die Beſtrebungen, wahrhaft chriſtlichen Sinn und Wandel bei Andern hervorzurufen. Die innere M. geht nicht an die
Heiden, ſie geht an ſolche, die dem Namen nach Chriſten ſind, aber nicht als ſolche
glauben, denken und handeln. Dieſes iſt die mildeſte Erklärung, welche wir von dieſem neueſten Verſuch der Frömmler, aus der Revolution Nutzen zu ziehen, geben
können. Denn, namentlich nach der Niederwerfung der Revolution tauchte die innere

M. auf und suchte all das Unglück und Verderben von dem Unglauben herzuleiten. „Aus der Kirche muß die innere M. hervorgehen, das große Apostolat des Neuen Bundes", so rief man aus und fügte noch hinzu: „Gegen den alten bösen Feind, den Satan im Gewande nach der neuesten Mode, richte sich die Predigt, die Beichtrede, der Confirmandenunterricht, die Privatunterhaltung des Geistlichen mit den Beichtkindern." Das ist des Pudels Kern! Aeußerlich umgiebt sich die innere M. mit guten Werken, sorgt für Armen- und Krankenpflege, Gründung und Leitung von Leihhäusern, errichtet Anstalten für verwahrloste Kinder, betheiligt sich bei gewerblicher Association, sorgt für die Verbreitung von Volksschriften in ihrem Sinne geschrieben — kurz, scheint allerlei Gutes zu stiften. Nur Schade, daß dies Alles gegen den alten bösen Feind, den Satan, im Gewande nach der neuesten Mode gerichtet ist!

Mißhandlung der Thiere s. Thierquälerei.

Mißheirath (mesalliance). Schon bei den Römern gab es Gesetze, welche die Heirathen aus verschiedenen, sich entgegengesetzten Ständen untersagten. In Deutschland war bei dem germanischen Volksstamme nur die Ehe zwischen Freien und Unfreien untersagt, und nach und nach bildete sich der Rechtssatz: „das Kind folgt der ärgern Hand," d. h. daß die Kinder unfrei wurden, wenn dieses ein Ehegatte war. Später trug man den Grundsatz auf den hohen Adel und seine Verhältnisse mit Bürgerlichen über. Dem niederen Adel gestand man so viel zu, daß seine mit Freien erzeugten Kinder, mit wenig Ausnahmen, adelig und lehnsfähig waren. Gegenwärtig hat der ganze Begriff der Mißheirath nur noch bei den regierenden Häusern und dem ihnen ebenbürtigen hohen Adel Geltung.

Mitbelehnung s. Lehen.

Mitgabe, Mitgift, Aussteuer, Ausstattung wird der Theil des elterlichen Vermögens genannt, welchen die Töchter bei ihrer Verheirathung erhalten. Die Rechtsbestimmungen sowohl über die Verpflichtungen der Eltern zur Aussteuer als über die Anwendung derselben bei der Erbtheilung sind in den verschiedenen Ländern sehr abweichend.

Mittelalter heißt in der Geschichte der Zeitraum von Karl dem Großen (im 8. Jahrh.) an bis auf Karl V. zu Anfange des 16. Jahrh. Es ist die goldene Zeit der Entstehung des Faustrechts, des Adels und der Vorrechte, der Gründung des Lehnswesens und des Unterganges der alten Rechte und Freiheiten des deutschen Volkes. Darum wird es auch noch die „gute, alte Zeit" genannt von Allen, welche den seligen Stillstand lieben und für das heilige Düstere schwärmen. Gönnen wir diesen guten Seelen jene harmlosen mittelalterlichen Freuden! Die Zeiten Josua's sind doch nun einmal vorüber, wo die Sonne still stand und nur das Geschichtliche Geltung hatte. Zudem ist auch das M. nicht ohne Lichtseiten, wenn man es nur einer besondern Aufmerksamkeit zu würdigen sich geneigt finden lassen will. Denn nicht nur, daß viele nützliche Einrichtungen ihre Entstehung dem M. verdanken, so darf es überhaupt auch mit Recht als die Wiege einer bessern Zeit für die Völker betrachtet werden, — einer Zeit, in welcher Das zur reifen Frucht sich endlich gestaltete, was im M. als Saamen ausgestreut worden war. So ging aus dem mittelalterlichen Lehnwesen und des Faustrechts roher Gewalt allmälig das Streben nach freier Rechtsverfassung und rechtlicher Freiheit hervor, — der schmählige Geistesdruck förderte die Buchdruckerkunst zu Tage und der Verfall des kirchlichen Lebens gebar die Reformation, die um so rascher und fester im Volke Wurzel fassen konnte, je mehr die Sittenverderbniß der Geistlichkeit den Geist des Christenthums auf die sittliche Kraft und Würde des Volkes zusammengedrängt hatte. Und berühren sich auch in allen Verhältnissen des M. die äußersten Endpunkte, indem hier der Blick durch Zerstörung zurückgeschreckt — dort aber wieder das Auge durch die herrlichste Entfaltung und Blüthe gefesselt wird: —

so durchschimmert doch im Ganzen genommen alle diese verwickelten Zustände eine Größe des Charakters, der man seine Bewunderung nicht zu versagen vermag. — Besonders bedeutungsvoll aber war das M. für die äußere und innere Gestaltung des deutschen Landes. Wie es nach Außen hin bestimmtere Formen erhielt und eine Achtung gebietende Stellung in der Reihe der Staaten einzunehmen begann, so verjüngte sich auch sein inneres Leben und die alte germanische Volksverfassung löste sich auf in neue freiere staatliche Einrichtungen, denen ein Repräsentativsystem (Stellvertretung durch Reichsstände) zum Grunde lag. Freilich waren diese Uebergänge mitunter schwer und schmerzlich genug; aber die schon einheimischer gewordene Bildung, so wie die tiefere und tüchtigere deutsche Natur ließen sie glücklich überstehen. Zwar lastete im M. drückender als je das Joch der Knechtschaft auf dem Volke und Aberglaube und Gewissenszwang schlossen fester ihren menschenfeindlichen Bund; aber in der steigenden Macht der Kirche (s. Hierarchie) und in dem Aufblühen des Bürgerthums (s. b.) in den Städten lag ein Gegengewicht, das eben so die faustrechtliche Gewalt zu zügeln vermochte, wie die religiöse Begeisterung der Kreuzzüge, der kräftige, gesunde Sinn des Ritterthums und das rasche Entfalten der Künste und Wissenschaften das Volk vor völliger Geistesverdumpfung bewahrten. Selbst die Klöster mit allen ihren sonstigen Verkehrtheiten dienten dazu, die Bildung zu fördern, indem sie nicht nur den Anbau des Bodens förderten, sondern auch Zufluchtsstätten wurden für die Wissenschaften und Bildungsanstalten für das geistig verwahrloste Volk. So herrscht überall Gesinnung und Kraft und Macht und führt selbst durch Irrthum zum Rechten. — Faßt man daher alle, selbst die unerfreulichsten, Erscheinungen des M. zusammen und unterwirft sie dem unbefangenen Urtheile eines für's Große und Schöne empfänglichen Sinnes: so werden seine maßlosen Lobpreiser eben so verstummen müssen, wie das sinnlose Verdammen desselben zum Schweigen gebracht wird; denn uns erscheint dann das M., wie bereits erwähnt, als die nothwendige, bereits aber vorübergegangene Entwickelungsstufe des Volkslebens, welche seine Gegenwart gestaltete, dessen Zukunft vorbereitete und die, wie alle Geburten, mit Wehen begleitet war, welche freilich zum Theil noch immer nicht verschmerzt sind. Lassen wir aber deßhalb nun einmal ab von jenem einseitigen Hasse des M. und suchen wir vielmehr in seinen ächt deutschen Einrichtungen des Schwurgerichts, der freieren Staatsverfassungen u. s. w. den Grund der jetzigen Gestaltung, wie Justus Möser und andere Ehrenmänner schon vor uns es machten, — dann werden wir nicht blos gegen die Vergangenheit gerechter werden, sondern auch die Gegenwart besser verstehen lernen und für die Zukunft besorgter sein; denn jeder Rückblick auf das M. und seine Erscheinungen soll und muß uns daran mahnen: zeitgemäße Staatsverfassungen ins Leben zu rufen, wie das deutsche Volk, wie die lehrende Jugend und sein künftiges kräftiges Mannesalter sie erfordern!

Mittelbarkeit s. Actenmäßigkeit.

Mobile Colonnen werden diejenigen Abtheilungen der Armee genannt, welche zu besonderen Zwecken seitwärts der Armee abgesondert werden. Man verwendet dazu die Freicorps und Streifcorps, so wie auch einzelne Abtheilungen der Armee selbst. Sie werden zu dem s. g. kleinen Kriege gebraucht, um den Feind zu beunruhigen.

Mobiliarsteuer nennt man die Abgabe, welche von dem beweglichen Vermögen erhoben wird. Die M. gehört zu den directen und zu den Vermögenssteuern, da grade die Capitalien der Staatsbürger den Hauptgegenstand der M. bilden. Wird die M. zu weit, z. B. auf den Viehbestand der Landwirthe, ausgedehnt, so kann sie sehr nachtheilig werden. Die M. wird Consumptions- und Luxussteuer, wenn sie sich auf verarbeitetes Gold und Silber oder Luxusgegenstände erstreckt.

Mobilien sind die beweglichen Güter, welche man früher fahrende Habe, Fahrniß nannte. Das Gegentheil davon sind Immobilien, unbewegliche

Güter. Manche M., bewegliche Güter, wie Staatscapitalien, können immobilisirt, unbeweglich gemacht werden, wenn sie als unveräußerlich im Staatsschuldenbuche bemerkt werden.

Modalität, die Art und Weise, wie etwas besteht, geschieht oder gedacht wird; M. bezeichnet vorzugsweise die zufälligen Bestimmungen, nicht das Wesen; man spricht z. B. von der M. eines Geschäfts, um den Gang zu bezeichnen, auf dem es zu Stande gekommen ist.

Mode. Was an einem Orte im Handeln und äußeren Benehmen, in der Art sich zu kleiden, zu wohnen, zu leben zur Sitte und Gewohnheit geworden ist — das ist M. im weiteren Sinne; im engern Sinne bezeichnet man damit die jeweilige zur allgemeinen Geltung gekommene Art sich zu kleiden. Die Mode ist eine Tochter der Bildung, Civilisation und größern Freiheit der Menschen; so wie auch der dadurch bedingten größeren Wohlhabenheit. Ein armes, rohes Volk kennt keinen Wechsel der Kleider nach andern Gesetzen, als nach denen der Nothwendigkeit; wo Despotie und Tyrannei herrscht, ist die freie Beweglichkeit und das Wohl auch gehemmt, wie z. B. in den asiatischen Staaten, in China, zum Theil auch in Rußland, durch starre Formen und Gesetze alles Neue abgehalten wird. So viel Nachtheile daher die M. auch sonst in ihrem Gefolge haben mag, so ist sie doch stets als ein Zeichen der persönlichen Freiheit, eines größeren Verkehrs und des Wohlstandes im Volke zu begrüßen. Uebrigens ist nicht zu leugnen, daß die neuere Zeit durch ihren Ernst sehr über solche Aeußerlichkeiten, wie die M., erhaben ist, und daß man viel seltener als früher jene stutzerhafte Unnatur und Thorheit findet oder auch jenes durch die M. begünstigte Absperrungssystem der verschiedenen Klassen der bürgerlichen Gesellschaft, welches unsern Schiller die Freude deshalb preisen ließ, weil sie das wieder durch ihren Zauber vereinigte, „was der Mode Schwert getheilt." — Die Geschichte der M. ist als ein Theil der Culturgeschichte der Menschheit nicht ohne mehrfaches Interesse.

Moderamen inculpatae tutelae s. Nothwehr.

Mogul, Großmogul, heißen die Herrscher einer in Ostindien 1526 gegründeten mohamedanischen Dynastie wegen ihrer Abkunft von den Mongolen. Seit 1804 besteht diese Herrscherfamilie nur der Form nach noch unter der Oberhoheit der engl.-ostind. Compagnie fort.

Mohamed, Mohamedanismus, Islam. Abul Kasem oder **Mohamed**, der bekannte Stifter der nach ihm benannten mohamedanischen Religion oder des Islam, ward zu Mecca im J. 570 n. Chr. geboren. M. war Kaufmann und machte als solcher Geschäftsreisen. Eine hervorragende höhere Geistesbildung besaß er nicht, so unsicher auch die geschichtlichen Quellen für seine Geschichte sind. Unverkennbar aber hatte er ausgezeichnete Fähigkeiten, einen ungemein scharfen Verstand, Lebensklugheit, Menschenkenntniß und eine selbst im Morgenlande nicht gewöhnliche erhabene, oft glühende Phantasie. Hierzu kam noch ein Hang zu religiöser Beschaulichkeit, der ihn häufig in die Einsamkeit führte. Bald sah er das Widersinnige, den Aberglauben und das Unwürdige in dem Cultus ein, dem seine Landsleute zugethan waren. In ganz Arabien herrschte das schmählichste Heidenthum; der Zustand des Volkes war daher ein sehr trauriger. Diese Betrachtungen mochten M. zuerst veranlassen, als Reformator aufzutreten. Er scheint anfangs nichts weiter gewollt zu haben, als die Wiederherstellung der reinen Lehre des Alterthums: „es giebt nur einen Gott und die Seele des Menschen ist unsterblich." Doch konnte M. dieses Ziel nicht erreichen, wenn er sich nicht das Ansehen und die Würde eines Propheten gab und seinem Auftreten den Anschein einer göttlichen Mission. Im Jahre 609 trat M. mit seiner Sendung als Prophet auf und verbreitete seine Lehre zunächst unter seinen Verwandten. Bald fand er großen Anklang, aber auch Verfolgungen, welche ihn am 15. Juli 622 zu der Flucht von Mecca nöthigten, womit die Mohamedaner ihre Zeitrechnung (Hegira oder Hedschra, was eben Flucht heißt) anfangen. Im 10. Jahre der Hedschra konnte M. schon die Abschiedsreise nach Mecca antreten, umgeben von dem höchsten Glanz und begleitet von vielen Tausenden von Anhängern. M. starb im 11. Jahre der Hedschra. Es ist bekannt, welche Ausbreitung seine Lehre, der Islam, Islamismus, fand. Es bekennen sich zu derselben gegenwärtig über 150 Millionen Menschen. M. nahm, wie oben angedeutet, die Rolle eines von Gott unmittelbar inspirirten, begeisterten Propheten an, und es gelang ihm bald, in religiösen und weltlichen Dingen eine fast unwiderstehliche Macht zu erhalten. Möglich, daß dazu eben sein Plan, sein Reich auch zu einem weltlichen zu machen, wesentlich beitrug. Es läßt sich bei dem Mangel an sicheren Quellen jetzt nicht mehr entscheiden, ob und in wie weit M. als Betrüger zur Erreichung seiner ehrgeizigen Absichten handelte, oder ob er einzig im Dienste seiner großen Idee stand, oder endlich, ob er sich bei seiner schrankenlosen Phantasie nicht selbst täuschte und Schwärmer war. M. stellte nun seine Hauptlehrsätze als geoffenbarte Religion hin. Sie ist niedergelegt in dem Koran, dem einzigen Religionsbuch des Islam, und enthält folgende wesentliche Grundsätze: 1) Es giebt nur einen Gott, einen einigen, allmächtigen, allweisen, allbarmherzigen und allwissenden. M. verwirft ausdrücklich die Lehre der christl. Kirche von der Trinität. Christus gilt ihm als hochwürdiger Prophet, aber nicht als Sohn Gottes. 2) Unsterblichkeit der Seele, Auferstehung nach dem Tode, welche beide M. mit glühender Begeisterung verkündete und dadurch ungemeinen Anhang gewann, da diese Lehre seinen Landsleuten bisher fremd war. Durch Drohungen himmlischer Strafen, durch Verheißungen himmlischer Belohnungen suchte M. seiner Lehre Eingang zu verschaffen. An diese zwei Hauptlehren knüpfte er eine dritte, welche ebenfalls als neu ungeheuren Einfluß ausübte. 3) Vorherbestimmung, Fatalismus. Alle Zufälle des Lebens hat Gott einem Jeden ausdrücklich und unabänderlich vorherbestimmt — das ist der Inhalt dieser Schicksalslehre. 4) Offenbarung, M. Prophetenthum. Der Koran sei unmittelbar aus dem Himmel herabgekommen, lehrte M., ging also noch weiter als die kirchl.-christliche Inspirationslehre. M. erkennt übrigens die großen Männer der Bibel, Abraham, Elias, Moses, Jesus, als Propheten an. Ferner lehrte M. außer diesen vier Hauptsätzen das Weltgericht, das Paradies, mit morgenl. Einbildungskraft ausgeschmückt, eben so die Hölle. — Die Sittenlehre des M. ist einfach und würdig. Redlichkeit, Treue, Mäßigkeit und Mildthätigkeit werden als die ersten Tugenden empfohlen; ebenso Feindesliebe. Diese Lehre wirkte auch höchst wohlthätig auf die socialen Zustände Arabiens. Hieran schloß sich ein religiöses Ceremonialgesetz, enthaltend: tiefe Verehrung Gottes, tägliches fünfmaliges Gebet, Beschneidung der Knaben (vom 8—10. Jahre), Almosenertheilung, Fasten, Wallfahrten, Reinigungen, Polizeigesetze und Civilgesetze (wie Ehegesetze), Strafgesetze, endlich politische Vorschriften. Die Lehre M. wurde unbestritten für die Völker des Orient eine Wohlthat, welche in den tiefsten Götzendienst und in die größte Sittenlosigkeit versunken waren. Später fanden unter den Mosleminen Spaltungen statt. Man unterscheidet: Sunniten, Schiiten und Wahabiten (Wechsten).

Molla heißt bei den Türken und Persern eine obere Gerichtsperson, welche in ganzen Districten wie in einzelnen Städten die bürgerliche und heimliche Gerichtsbarkeit verwaltet. Der M. gehört zur höhern Geistlichkeit; nach ihm kommt der Kadi, über ihm steht bei den Türken der Kadiasker, bei den Persern der Sadr, welcher das Haupt der M. ist.

Molo heißt ein Damm, welcher aus großen Steinen errichtet die Mündung oder den Einfluß eines Hafens umschließt; oft kann er auch, wie in der Havana, durch Ketten geschlossen werden. Der M. verhindert zugleich, daß der durch die Strömungen an den Küsten fortgespülte Sand in den Hafen dringe und ihn versande; eben so schützt er die Schiffe vor den Wellen und feindlichen Angriffen.

Moloch, Molech, ein im A. Test. öfters vorkommendes Götzenbild heidnischer

Bewohner des Morgenlandes. Man verehrte unter dem M. wahrscheinlich den als unheilvoll geltenden Planeten Saturn und brachte ihm Menschenopfer dar. Das Götzenbild war das metallene Bildniß eines Menschen mit einem Ochsenkopfe. Wenn es durch starkes Feuer, das man in seinem Innern anzündete, glühend geworden war, legte man Kinder als Opfer in die Arme des Götzen, während die Priester durch Lärminstrumente das Angstgeschrei der Opfer zu übertäuben suchten.

Momiers, so viel als Heuchler, die Mummerei treiben, heißt eine Partei der Methodisten in der Schweiz, die namentlich seit 1817 sich bemerklich machte. Schon 1813 trat in Genf ein junger Geistlicher, Empaytaz, Verehrer der Frau von Krüdener, als der Verbreiter ihrer Schwärmerei auf und griff die genfer Geistlichkeit öffentlich wegen ihrer nicht rein calvinischen Denkungsart an. Die Regierung gewährte den M. endlich die Gründung eigner Gemeinden. Diesen Namen, M., erhielten sie zuerst im Waadtlande, wo sie 1818 öffentlich vom Volke mißhandelt wurden. Endlich erließ die Regierung 1814 ein Gesetz, durch welches sie des Landes verwiesen wurden; doch handhabte man dasselbe mild, bis es durch die Julirevolution (1830) wieder aufgehoben ward. Die Umtriebe der M., mit welchen Namen man im weiteren Sinne alle frommen Heuchler oder Tartüffe belegte, dauerten bis in die neueste Zeit fort.

Monarchie; monarchisches System und Princip. Unter M. versteht man die Herrschaft oder Regierungsgewalt eines Einzigen; die monarch. Verfassung ist unter allen Staatsformen die älteste und weitverbreitetste. Ebenso scheint es auch die natürlichste zu sein, da sie nach und nach aus den einfachen Verhältnissen des Familienlebens hervorging. Wie in der Familie der Hausvater eine durch die Natur begründete Obergewalt ausübte, wie unter verschiedenen Stämmen der Stammälteste über die Stämme herrschte, so bildete sich auch nach und nach die Macht der Könige oder Fürsten aus. Das Bedürfniß der Alleinherrschaft lag in dem Zwecke der ersten größeren gesellschaftlichen Vereine; Vertheidigung gegen Feinde, Auswanderung, Ansiedelung, Gründung von Colonien, dies Alles erforderte Einheit im Willen und in der Ausführung. Wenn die M. im Laufe der Zeiten so viele Anhänger fand, so ist der Grund davon zum Theil in den großen Schwächen der ihr zur Seite stehenden Staatsformen zu suchen. Die Aristokratie (s. d.) hat in ihrem Gefolge stets eine Trennung des Volkes in Dienende und Herrschende; die öffentlichen Angelegenheiten werden nur im Interesse der Herrschenden besorgt; Langsamkeit, Entzweiung in der Berathung, Schwäche und Zerrissenheit in der Ausführung — dies ist der Hauptcharakter aristokratischer Verfassungen. Dieselben Gebrechen hat aber auch, und oft in noch größerem Maaße, die Demokratie, wozu noch kommt, daß hier Leidenschaften und der Einfluß kühner und ehrgeiziger Partheiführer nicht selten eine gewichtige Rolle spielen. Von diesen Gebrechen ist allerdings die weise, durch Grundgesetze beschränkte M. frei. Einheit der Richtung und Kraft in der Ausführung ihres Willens sind ihr eigen, so wie die Macht des Einigen mit Majestät bekleideten der Vergleichung und dem Neide weit mehr entrückt ist, als in anderen Staatsformen. Diese Vorzüge theilen aber nicht alle Monarchien. Es giebt Wahl- und Erbm. Der Idee nach möchte man sich für die Wahlm. erklären, da es nicht zu erwarten ist, daß die Haupteigenschaften eines Herrschers, Talente und Tugenden, sich forterben sollen. Bei freier Wahl dagegen kann ein gebildetes Volk den Vortrefflichsten seiner Bürger wählen. Die Erfahrung hat aber leider gelehrt, daß der Erfolg der Wahl nicht nur von der Güte des Wahlgesetzes, sondern auch von einer Menge Zufälligkeiten, Entzweiungen, Leidenschaften, Umtrieben und andern verderblichen Einflüssen abhängt. Nicht selten wird auch jede Wahl zur Schwächung des Königs mehr gebraucht, womit dann zugleich die Schwächung des Reiches eintritt. Die deutschen Kaiser- und die polnischen Königswahlen liefern die traurigsten Belege für diese Wahrheit. Eben so große Nachtheile hat aber auch die Erbm., wenn nicht die Verfassung dem eignen Willen des

Herrschers Schranken gesetzt hat. Ist dies der Fall, so hängt das Wohl und Wehe des Volkes von dem Zufall ab, welcher heute einen Titus und Marc Aurel, morgen einen Nero und Domitianus geboren werden läßt. Und je leichter auch die besten Anlagen und Kräfte durch Schmeichelei und verkehrte Erziehung verdorben oder in den Dienst der Selbstsucht gestellt werden, um so größer ist hier die Gefahr. Hieraus folgt, daß die monarch. Macht weiter beschränkt werden muß, wenn sie die Vorzüge behaupten will, durch welche sie dann die Uebelstände und Gefahren überwiegt, die nothwendig in ihrem Gefolge sein müssen. — Eine andere Eintheilung der M. ist die in unbeschränkte und beschränkte. Die unbeschränkte M., oder absolute, wo alle Gewalten in dem Herrscher vereinigt sind, ist eigentlich Despotie. Diese Verfassung mag für die Jahre der Unmündigkeit eines Volkes passend gewesen sein, nur darf aber der Despot nicht das Volk in der Unmündigkeit mit Gewalt erhalten wollen, um für sich die absolute Gewalt zu retten. Der berühmte Schlözer sagt von der absoluten M.: „die ganze Weltgeschichte kennt nicht ein einziges cultivirtes Volk, das sich mit Bedacht und freiem Willen in diese Regierungsform begeben hätte; überall ist sie durch Ueberlistung oder plumpe Vergewaltigung entstanden" — „die ganze Menschheit verunebelt sich oft bei dieser Regierungsform, Alles kriecht, bekommt Titelsucht, lernt Hundesdemuth, wird Löwenlecker. Und säße auch eine Grazie auf einem solchen Thron: da unten am Throne, von ihm ungesehen, schleicht ein Otterngezücht herum, das in dieser unnatürlichen Regierungsform so natürlich, wie Gewürme in dem sonst so wohlthätigen Schlamme des Nils, nistet." — Durch ein blos aristokratisches Element kann eine Monarchie jene weisen Beschränkungen eben so wenig erhalten, als sie dadurch Bürgschaft für Recht, Freiheit und Gemeinwohl gewähren kann. Dieses kann lediglich nur durch das demokratische Element geschehen, wovon die Keime in dem constitutionellen Princip, in dem repräsentativ-monarch. Systeme liegen. Diesen Ansichten hat aber die neuere Diplomatie keinen Beifall geschenkt, sondern bestimmt, daß das „monarch. System" und neben ihm das „monarch. Princip" volle Geltung behalten müsse, daß von einer Theilung der Gewalten zwischen Volk und Fürst nicht die Rede sein könne. Gegen diese Alleinherrschaft des monarchischen Systemes ließen sich aber erhebliche Bedenken erheben. Die Gegner dieses Princips haben oft angeführt, daß es in seiner strengen Consequenz zum Tode alles öffentlichen Rechtes und der Civilisation führe. Wir wollen hier nicht untersuchen, in wie weit die neueste Geschichte diese Befürchtung bestätigt hat oder nicht. Uebrigens scheint man bei der starren Festhaltung des monarchischen Systemes ganz vergessen zu haben, daß dasselbe sehr oft von derselben Seite angefeindet worden ist, von welcher hier jetzt die Verdächtigungen der demokratischen Partei und die Scheu vor der Volksgewalt kommen. Die ehemaligen sehr bedeutenden Beschränkungen des Königsrechts waren meist dem aristokratischen Princip entflossen; diese Beschränkungen erschienen aber weniger drückend, da sie gewissermaßen von Ebenbürtigen ausgingen und nicht von dem verhaßten Volke. Nachdem die Besieger Napoleons von demselben die Kunst gelernt hatten unumschränkt zu regieren, und namentlich die despotische Gewalt auszuüben, eigneten sie sich diese durch das Volk erkämpfte Gewalt an, um gegen den erwachten Volksgeist damit zu Felde zu ziehen. Bald wurde dort das „Königthum mit republikanischen Institutionen" den Diplomaten ein Greuel und dem „Bürgerkrieg" ward das monarchische Princip so lange zur Wahrung dringend empfohlen, bis ihn das Volk sammt seinem Princip verstieß.

Mönche und **Nonnen.** Schon in den ersten Zeiten des Christenthums bildete sich der Glaube aus, daß man Gott in der Einsamkeit besser verehren könne, als im Geräusche der Welt. Getrieben von dem Drange nach Uebersinnlichem, fanden sich daher viele Menschen bewogen, sich von der bürgerlichen Gesellschaft zurückzuziehen und in ehelosem Stande zu leben, um sich ganz und von allen äußern Einwirkungen unberührt, ihren frommen Entzückungen hingeben zu können. Sie standen in einem gro-

gen Rufe der Heiligkeit und wurden nach ihrer Lebensweise **Anachoreten, Eremiten, Monachi** genannt — Namen, welche sämmtlich so viel als „Alleinlebende" bedeuten. **Pachomius,** ein Schüler des heiligen Antonius, sammelte zuerst im 4. Jahrhundert die Eremiten Oberägyptens in eine förmliche Gesellschaft, deren Mitglieder nun
die Benennung monachi; aus der unser „**Mönch**" entstanden ist, speciell auf sich bezogen. Ihre Anzahl vermehrte sich bald ins Unglaubliche, und wie das Mönchsin-
stitut sich im Oriente eines großen Beifalls zu erfreuen hatte, so fand es auch bald
im Abendlande Eingang. Die Wohnstätten der M., mit denen stets eine eigne Kirche
verbunden war, hießen **Klöster** (von claustrum, ein nach Außen abgesperrter Ort).
Anfänglich waren die M. Laien, aber nachdem ihr Streben von angesehenen Kirchenlehrern, wie Basilius und Augustinus, unterstützt worden war, wurden sie **Geistliche.**
Als solche verschafften sie sich einen neuen Einfluß auf die Angelegenheiten der Kirche
und der Welt überhaupt, von welcher letzteren sie sich erst so hartnäckig gesondert hatten. Die Organisation des Mönchthums wurde mit dem Umsichgreifen desselben immer künstlicher gegliedert und ausgebildet. Es bildeten sich förmliche Orden mit festen
Regeln und bestimmten Kleidertrachten. So entstanden im 6. Jahrhundert die Benedictiner, gestiftet von Benedict von Nursia, und zu Anfang des 13. Jahrhunderts die
Franziskaner und Dominikaner, jene gestiftet von Franzesco de Assisi, diese von dem
Spanier Domingo de Guzman. Außerdem gab es Karmeliter, Prämonstratenser,
Cisterzienser, Augustiner. Später kamen die Kapuziner, die Theatiner, die Camal-
dolenser rc. hinzu. Die Zahl der Mönchsorden wurde nach und nach Legion, jeder
von dem andern durch Kleiderschnitt, Farbe oder sonstige Abzeichen unterschieden. Alle
aber mußten die Gelübde der **Keuschheit,** der **Armuth** und **Gehorsams** ablegen.
Die Franziskaner und Dominikaner hatten überdies noch ein viertes Gelübde, das des
Predigens. Außer diesem war das **Betteln** ihr eigentlicher Beruf, daher sie gewöhnlich unter dem Namen der **Bettelorden** vorkommen. Diese Bettelmönche gewannen durch ihre herumziehende Lebensweise einen ungeheuern Einfluß auf das Volk.
Sie nährten unter diesem den Aberglauben, hielten das Ansehen des römischen Stuh-
les aufrecht und verfolgten mit unnachsichtlicher Strenge Zweifelnde und Andersdenkende.
In den verschiedensten Gestalten, als Beichtväter, Erzieher, Aerzte, Hexenbanner und
Teufelsbeschwörer, durchstrichen sie die bürgerliche Gesellschaft und setzten sich in den
Besitz aller Geheimnisse. Die Päpste, die meist selbst M. gewesen und also mit den
Grundsätzen und dem Treiben der Orden aufs Innigste vertraut waren, fühlten die
Unentbehrlichkeit dieser Bundesgenossen und wußten sich ihrer vortrefflich zu bedienen.
Das Mönchthum war das **Ohr** sowohl, als die **Hand** der Hierarchie. — Auch **weib-**

weder eine eigne Regel, wie die Ursulinerinnen, oder schlossen sich einer schon vorhandenen Mönchsregel an, wie die Franziskanerinnen, Dominicanerinnen, Benedictinerinnen,
Karmeliterinnen, Cisterzienserinnen rc. Sie übten vornehmlich einen verderblichen Einfluß auf die Erziehung der weiblichen Jugend; sonst äußerten sie keine besonders ein-
greifende Wirksamkeit auf die weltlichen Angelegenheiten. — Auch die M. beschäftigten
sich viel mit dem Unterricht der Jugend; doch wäre es besser gewesen, sie hätten es
nicht gethan. Denn was die Bildung des Volkes unter solcher Leitung gewinnen konnte,
läßt sich leicht ermessen, wenn man bedenkt, daß die meisten M. unwissend und
sittenlos waren. Trotz ihres Keuschheitsgelübbes ergaben sie sich der gröbsten Unzucht und den unnatürlichsten Wollüsten; trotz ihres Armuthsgelübbes lebten sie wie
große Herren. Oeffentlich trugen sie zwar das Gewand der Dürftigkeit; aber in ihren
Klöstern, die sich fast alle mit der Zeit durch Schenkungen, Erbschaften rc. ein enormes
Vermögen erworben hatten, praßten und schwelgten sie, wie die ausschweifendsten Epikuräer. Hin und wieder gab es allerdings Klosteranstalten, die eine rühmliche Ausnahme von der gewöhnlichen Regel machten und sich als Pflegerinnen der Wissenschaften, als Freistätten für Unterdrückte, als Spitäler für Alte und Gebrechliche auszeich-

neten, allein bei weitem die Mehrzahl derselben konnte sich dieser Vorzüge nicht rühmen. Im Gegentheil waren sie meist Pflanzstätten der Dummheit, Zufluchtsörter für arbeitsscheue Müßiggänger, Höhlen der Laster und Verbrechen. Durch ihr Beispiel entsittlichten sie die Völker; durch die systematische Verdummung, die von ihnen ausging, warfen sie die Aufklärung um mehrere Jahrhunderte zurück. Sie waren die Beulen an dem Körper der Menschheit. Solche Beulen konnte man früher in Europa zu Hunderttausenden zählen. Es ist das keine Uebertreibung. Der Benedictinerorden zählte im 15. Jahrhunderte allein 15,107 Klöster. Rechnet man ungefähr eben so viel von jedem der vielen übrigen Orden, so wird die oben angegebene Summe nicht zu hoch erscheinen. Diesem furchtbaren Umsichgreifen des Klosterwesens setzte zuerst der blutige Hussitenkrieg, später noch folgenreicher Luthers (und Zwinglis) Reformation ein Ziel. In den Ländern, welche vom Papstthume abfielen, wurden sämmtliche Klöster aufgehoben und deren Baulichkeiten und Einkünfte zu Schul= und Staatszwecken verwendet. Einen neuen Stoß erhielt das Klosterwesen durch die französische Revolution und die napoleonische Herrschaft. Die Männer der Revolution säuberten in ziemlich kurzer Zeit den Boden Frankreichs von diesem frommen Ungeziefer, das auf demselben herumkroch, indem sie die Klöster als Nationaleigenthum erklärten und die Mönche unter die Armee steckten. Napoleon, nicht weniger gewaltsam und mit seinem Arm noch weiter reichend, vermittelte die Säcularisation vieler Klöster in Spanien, Italien, Belgien und Deutschland. Zwar wurde ein guter Theil derselben nach seinem Sturze wieder hergestellt, wie denn namentlich in Baiern unter Ludwig's I. jammervoller Regierung die Klöster wie Pilze aus der Erde hervorwuchsen; aber das war nur das letzte Aufflackern der Lampe vor dem Verlöschen. Man müßte blind sein, wollte man verkennen, daß die Zeit der Klöster vorüber ist. Sie finden keinen Boden in der öffentlichen Meinung mehr; die Vernunft hat ihr Urtheil gesprochen und hoffentlich wird auch bald ihre letzte Stunde schlagen. Eine gewaltige Bewegung durchbraust jetzt die Welt. Wird sie gründlich durchgeführt, läßt man das Schiff der Revolution nicht an den Klippen der Bedenklichkeit und Philisterhaftigkeit scheitern, so braucht man kein Prophet zu sein, um vorherzusagen, daß schon in wenigen Jahren es keine Höhlen für geistliche Tagediebe und faule Betschwestern mehr geben wird.   Jäckel.

Mönchschrift. Im Mittelalter (s. d.) war Gelehrsamkeit und Beschäftigung mit den Wissenschaften bekanntlich allein in den Klöstern zu finden. Die Mönche beschäftigten sich besonders auch mit Abschreiben der alten Handschriften und Urkunden. Die von ihnen dabei angewendete eigenthümliche Schrift heißt die M. Sie war vom 13—16. Jahrhundert im Gebrauch; sie hieß auch bei den Diplomaten „eckige Minuskel," gothische oder neugothische Schrift. Die eckige M. ist der runden römischen Schrift entgegengesetzt, und wurde noch bei den ersten Druckwerken angewendet, hauptsächlich aber in den Missalen (s. d.). Nach und nach wurde sie durch die römische und die jetzt übliche deutsche Druckschrift, welche aus ihr entstanden ist, verdrängt. Bei Verzierungen und Prachtdrucken bedient man sich ihrer noch; die Engländer nennen sie black letter.

Moniteur. Diese berühmteste aller französischen und übrigen Zeitschriften ist die wichtigste Quelle der neueren Geschichte Frankreichs. Sie erschien am 24. Nov. 1789 unter dem Titel: Gazette nationale, ou le Moniteur universel“ und war vorzugsweise dazu bestimmt, über die Verhandlungen der Nationalversammlung Bericht zu erstatten. Der Gründer des weltberühmten M. war der Buchhändler Pankouke. Im Febr. 1790 vereinigte er mit dem M. das Blatt Marets „Bulletin.“ Der M. gewann bald an Bedeutung und Verbreitung. Die berühmtesten Männer der damaligen Zeit betheiligten sich an der Redaction des M., wie Jourdan, Grandville, Sauvo. Dieser letztere leitete den M. von der Consularzeit an bis 1840, wo die Redaction Alph. Grün übernahm. Vom 1. Jan. 1811 erschien das

Journal nun nur unter dem Titel Moniteur universel. Die Sammlung desselben besteht bereits aus mehr als hundert starken Foliobänden und steht wegen ihrer Seltenheit in hohem Preis.

Monogamie s. Ehe.

Monogramm heißt eine Figur, in welcher durch einen oder durch mehrere zu einem Ganzen verschlungene Buchstaben, oder durch ein Zeichen u. s. w. der Name und Titel einer Person ausgedrückt werden soll. „Solche" Handzeichen, M., finden sich schon bei den Alten, namentlich findet man sie häufig auf griechischen Münzen. Karl d. Gr. gab ihnen eine bessere Gestalt, und sie kamen nun auf Münzen, Urkunden u. s. w. in Gebrauch. Geistliche und weltliche Fürsten wählten sich bei ihrem Regierungsantritt ihre M. Erst im 12. Jahrh. fingen sie an außer Gebrauch zu kommen; in Deutschland wurden sie erst auf dem Reichstage zu Worms 1495 abgeschafft. In späterer Zeit nannte man die Namenszeichen der Maler, Kupferstecher u. s. w. auf ihren Kunstwerken Monogramme.

Monographie heißt diejenige Schrift, welche einen einzelnen Gegenstand einer Wissenschaft behandelt; z. B. eine M. über die Bienenzucht.

Monokratie s. Alleinherrschaft.

Monophysiten hießen die Theilnehmer einer kirchlichen Secte, welche in Christus nur eine Mensch gewordene göttliche Natur anerkannten, im Gegensatz zu der Lehre, daß in Christus zwei Naturen, eine göttliche und eine menschliche, vereinigt seien. Die Lehre von nur einer Natur wurde von dem Archimandrit Eutyches auf der s. g. Räubersynode zu Ephesus 449 durchgesetzt. Der ganze unfruchtbare Streit gehört mit Recht der Vergessenheit oder der Geschichte der menschlichen Thorheiten an. Am stärksten blieben die M. in Aegypten, Syrien u. s. w., wo Jacob Baradäus (st. 578) die selbstständige Kirche der Jacobiten und Armenier bildete.

Monotheismus ist der Glaube an einen Gott, im Gegensatz zu Polytheismus, dem Glauben an mehrere Götter. Der M. erkennt der Zahl nach nur ein einziges göttliches Wesen an, als welches der Idee von dem vollkommensten Wesen entspricht. Die Vielgötterei war Eigenthum der Heiden, obschon sich auch unter diesen einzelne befanden, welche sich zur Idee nur eines Gottes emporschwangen, wie Plato und Sokrates. Als Volksglauben finden wir den M. bei den Juden, Mohamedanern und Christen, obschon er bei diesen durch die streng-kirchliche Fassung der Lehre von der Dreieinigkeit getrübt worden ist. Am reinsten war die Anschauung Jesu, die er in den Worten niederlegte: „Geist ist Gott."

Monotheleten, eine kirchliche Partei, welche den Monophysiten verwandt war. Sie erkannten zwar zwei Naturen in Christus an, aber verbanden sie zu einer Einheit des Wollens und Wirkens, indem sie behaupteten, der menschliche Wille Jesu sei in dem göttlichen untergegangen. Aus den M. entstand die Secte der Maroniten.

Montanisten, eine kirchliche Secte, von Montanus im J. 160 gestiftet, wandte sich vorzüglich auf das praktische Leben. Sie glaubten an eine fortdauernde Wirkung des heil. Geistes, die sich durch gereizte Zustände (Ekstasen) und Bilder (Visionen) zeigte. Dabei führten sie ein strenges Leben mit häufigem Fasten verbunden.

Montur s. Uniform.

Monumente s. Denkmale.

Moral, Ethik, Sittenlehre, ist die Lehre von dem Guten, was wir thun, und von dem Bösen, was wir unterlassen sollen. Die Moral steht in eben so enger Verbindung mit der Religion, als mit dem Staate. Aus der Religion als der einzig wahren und unerschöpflichen Quelle soll die Neigung das Gute zu thun und das Böse zu lassen, entspringen; der Staat aber, die Gesellschaft, fordert wieder mit Recht, daß die gegebenen Gesetze beobachtet werden. Wir haben uns also hier für unsern Zweck hauptsächlich mit der Nachweisung zu beschäftigen, in welchem Verhältniß die Moral zum Staate stehe. Stellen wir uns bei dieser Nachweisung auf den Standpunkt des germanisch-christlichen Staates. So lange die Völker ohne eine von Gott selbst geoffenbarte Religion waren, mußten die Aussprüche der Vernunft, wie sie sich in den Weisesten zeitweilig offenbarten, als Richtschnur für das allgemeine Handeln gelten. Aus diesen Aussprüchen der Besten und Weisesten wurden nach den Verhältnissen der Gesellschaft die Gesetze hergeleitet, geschaffen und anerkannt. Die heidnischen Völker hatten eben so gut wie die christlichen, ihre M. Am deutlichsten hat sich hierüber der Apostel Paulus ausgesprochen, wenn er (Röm. 2, 14) sagt: „obgleich die Heiden das (mosaische) Gesetz nicht haben, so thun sie doch von Natur des Gesetzes Werke; denn, weil sie eben das Gesetz nicht haben, sind sie sich selbst ein Gesetz: und damit beweisen sie, daß das Werk des Gesetzes in ihre Herzen geschrieben sei, zumal auch ihre Gedanken sich unter einander anklagen oder entschuldigen.“ In des Menschen Herz ist mit unauslöschlichen Zügen geschrieben, was er thun und lassen soll; dieser „kategorische Imperativ“ ist dem Menschen von Anfang an als Engel zur Seite gestellt und brauchte nicht erst von dem Königsberger Philosophen (Kant) gegen Ende des 18. Jahrhunderts erfunden zu werden. Aus diesem inneren Rechtsgefühle, aus dem Gewissen, wie wir es nennen, sind alle sittliche oder moralische Bestimmungen herzuleiten. Ein ganz anderes Ansehen aber gewinnt die Sache dem Staat gegenüber, wenn wir uns auf den kirchlich-christlichen Standpunkt stellen. Auf diesem müssen wir mit dem Staate die Offenbarung Gottes selbst in der Bibel anerkennen; dieser göttlichen Sittenlehre gegenüber müssen nun alle von Menschen erdachten Sittenlehren, Philosopheme und „Imperative“ thatsächlich aufhören. Vor der göttlichen Offenbarung muß sich männiglich, Staat und Kirche, beugen. Der Geist der göttlichen Offenbarung muß den ganzen Staatskörper in all seinen Gliedern durchströmen, aus allen Einrichtungen, aus allen Gesetzen, aus allen Staatshandlungen darf nichts sprechen, als die von Gott geoffenbarte, die christliche Moral oder Sittenlehre. — Von diesem und nur von diesem Standpunkte aus hat es einen Sinn, wenn man in der Staatslehre von der M. spricht. Mit eben dem Rechte, mit welchem der Staat den einen Theil der geoffenbarten Religion, die Glaubenslehre, in voller Geltung zu halten berechtigt ist, mit eben dem Rechte, oder mit eben derselben Verpflichtung muß er den andern Theil, die Moral, die Sittenlehre, zur Geltung kommen lassen und dahin wirken, daß das ganze staatliche Leben endlich ein christlich-sittlicher Geist ohne die Apparate des Standrechtes, eitler Ehrenbehänge, knechtischer Unterwürfigkeit und andere an das im Despotismus untergegangene Heidenthum durchwehe. Die „Schriftgelehrten“ der neuesten Zeit haben einen Unterschied zwischen der religiösen oder theologischen und der philosophischen M. gemacht, aber sehr mit Unrecht. Hält man den Offenbarungsglauben fest, so muß die philosophische Moral sich beugen; läßt man ihn fallen, so erhält die philosophische M., als die eigentlich menschliche, die Herrschaft. Ein Drittes aber, eine Vermittlung giebt es nicht. In den Verhältnissen des Staatslebens muß eben die sittliche Ordnung vorwalten, welche die Religion für das Privatleben zur Vorschrift macht. Wie weit man übrigens mit der gewöhnlichen Staatslehre in der M. kommen kann und hier und da auch gekommen ist, hat der ausgezeichnetste Träger dieser Weltanschauung, Macchiavelli, bewiesen (s. d.).

Moralphilosophie ist die zur Wissenschaft gewordene Sittenlehre, während diese rein in das Gebiet des praktischen Lebens gehört. Die M. beschäftigt sich mit den Untersuchungen über das Sittliche und Unsittliche, um die letzten Gründe der Handlungen, die Grundbestimmungen über den Werth des Wollens und Handelns, darzulegen.

Moralprincip ist ein Satz, der als höchster Maßstab des sittlichen Werthes aufgestellt wird, von welchem alle einzelnen Bestimmungen der Sittenlehre ausgehen, wie die Strahlen aus der Sonne. Bei der Verschiedenheit der Ansichten giebt es natürlich auch verschiedene M.; dieser erhebt das zum obersten Grundsatz, in Anderen wieder etwas anderes. So hat man als solche M. die Formeln aufgestellt: „Strebe nach Aehnlichkeit mit Gott;" „Lebe naturgemäß;" „Strebe nach Glückseligkeit" u. a. m. Alle diese mitunter weit her geholten und mehr oder weniger Selbstsucht verrathenden Ausgeburten der Zeitphilosophie verschwinden, wie der Nebel vor der Sonne, vor dem einfachen klaren Sittengesetz Jesu: „Liebet euch unter einander."

Moralische Person s. Körperschaft.

Moratorium (literae quinquennales), Indult oder Anstandsbrief heißt die landesherrliche oder richterliche Verwilligung für einen Schuldner, zu Folge welcher er bis zu einer festgesetzten Zeit von seinem Gläubiger nicht zur Bezahlung seiner Schuld angehalten werden darf. Der Schuldner muß, um ein M. zu erlangen, die nöthigen Nachweise liefern, warum es ihm ungeachtet seiner Zahlungsfähigkeit nicht möglich ist, jetzt zu zahlen, den Gläubiger vor Verlust sichern und die Zinsen bezahlen. Oft erhalten ganze Körperschaften ein M., das dann **Generalmoratorium** heißt, im Gegensatz zu dem **Specialmoratorium** für einzelne Gläubiger. In einigen Ländern sind die Moratorien durch die Verfassung, wie in Sachsen, ganz untersagt.

Mord ist seit dem Bestehen der Menschheit das größte Verbrechen, indem es dem Menschen das höchste irdische Gut, das Leben, raubt. Deßhalb wurde auch bei allen Völkern der M. mit der härtesten Strafe, mit der Todesstrafe belegt. Von dem M., der beabsichtigten Tödtung aus Ueberlegung und Vorsatz, ist der nicht beabsichtigte Todtschlag in der Leidenschaft zu unterscheiden; letzterer wird nach den neuesten Gesetzgebungen selten noch mit der Todesstrafe belegt. Eine besondere Verschärfung der Strafe tritt ein, wenn der M. an dem Monarchen (Fürstenmord) oder einem Gliede seiner Familie oder an nahen Blutsverwandten (Vatermord, Kindesmord) [s. d.]) verübt worden ist. Indirecte, mittelbare Tödtungen hat der Staat durch polizeiliche Gesetze und Aufsicht zu verhüten, so z. B. darüber zu wachen, daß Niemand ohne nachgewiesene und anerkannte Befähigung einen Beruf ausübe, der das leibliche Wohl betrifft (als Arzt, Apotheker, Hebamme u. s. w.), ferner muß der freie Verkauf mit gefährlichen Stoffen: Gift, Schießpulver u. s. w., gesetzlich beschränkt werden. Eben so wie die Geschichte lehrt, daß alle Völker den Raub des Lebens oder der Gesundheit als das schwerste Verbrechen geahndet haben, ebenso lehrt sie aber auch, daß häufig solche Verbrechen unbestraft blieben, sogar wohl noch belohnt wurden, daß Despotismus, Tyrannei, rachsüchtige Politik ungestraft die größten Verbrechen begehen durfte.

Mordbrenner heißen die Veranlasser eines Schadenfeuers, durch welches das Leben Anderer in Gefahr kommen konnte, oder wobei man einen Mord beabsichtigte. Dieses scheußliche Vergehen wurde früher mit dem Feuertode bestraft.

Morganatische Ehe s. Ehe.

Mortalität, Mortalitätslisten s. Sterblichkeitslisten.

Mortuarium s. todte Hand.

Mosaismus oder **Judenthum**. Von keinem Gegenstande der ältesten Völkergeschichte giebt es noch einen lebenden Beweis, außer von dem Judenthum. Das gegenwärtige Dasein dieses Weltvolkes ist der sprechendste Beweis für die Wahrheit ihrer Geschichte. Die Staatswissenschaft hat wohl das Recht, sich näher nach einem Volke und dessen Einrichtungen umzusehen, welches vor Jahrtausenden schon als alleiniger Inhaber des Monotheismus unter den Völkern bastand, aus dessen Mitte die größte Weltrevolution hervorgegangen ist, wir meinen das Christenthum. Der Blick in die früheste oder alte Geschichte dieses Volkes wird sehr getrübt durch den Heiligenschein, welchen der Aberglaube und die Unwissenheit, welche auch hier, wie gewöhnlich, Hand in Hand gingen, darüber gebreitet hat. Die Quelle der alten jüdischen Geschichte ist eine Sammlung von Schriften, das A. Test., welche erst viele Jahrhunderte nach den Begebenheiten, die sie erzählen, entstanden sind. Ein Nomadenhäuptling Palästinas oder Kanaans, Abraham, wird als Stammvater der Juden oder Hebräer betrachtet; der Glaube an nur einen Gott war schon ihm eigen und erbte sich in seiner Familie fort, welche nach ihrer Uebersiedelung nach Aegypten im Laufe eines Jahrhunderts zum Volke emporwuchs. In Aegypten war das Volk der Hebräer nach und nach in Sclaverei gerathen; aus dieser befreite sie Mose, einer aus ihrer Mitte, welcher die 12 Horden oder Stämme aus Aegypten führte und an dem knechtischen, verwahrlosten Volke das große Werk der Umbildung versuchte. Er führte diesen Plan aus, indem er das Nomadenvolk eine Reihe von Jahren umherziehen ließ und während dieser Zeit ihnen Verfassung und Gesetze gab. Diese That Mose's steht unbestritten in der Geschichte als eine große, leuchtende da. Mose stellte zuerst den reinsten Monotheismus durch die strengsten Gesetze wieder her, machte den einen Gott zum unsichtbaren König des Volkes und stiftete somit eine Theokratie, eine Gottesherrschaft, oder auch ein „priesterliches Königreich" (Exod. 19, 6.); die Priester seines Gottesstaates waren aber zugleich Staatsbeamte. Die Gesetze, welche Mose dem Volke gab, wurden als unmittelbar von Gott gekommen betrachtet; die Priester waren die Wächter darüber, gleichsam die Unterbeamten Gottes. Diese Idee Mose's von einer Theokratie steht bis jetzt noch in der Geschichte unübertroffen da. Nachdem nun Mose diese Volksregierung durch Priester und Familienväter ohne bleibendes Oberhaupt eingerichtet hatte, führte sein Nachfolger Josua die Hebräer in das Land Kanaan, welches, allerdings unter großen Grausamkeiten, von ihnen erobert ward. Die Kriege mit den vertriebenen heidnischen Völkerstämmen gaben Anlaß, daß kriegerische Tugend bald auch bei den Hebräern geachtet wurde, und so kam es, daß einzelne tapfere Männer sich zu Dictatoren (s. d.) des Volkes machten. Sie hießen Suffeten, Richter. Schon ging man damit um, das Suffeten- oder Richteramt erblich zu machen, als die Volksältesten es vorzogen, auf die Einführung eines Wahlkönigreiches zu bringen. Die Wahl wurde durch den Oberpriester Samuel, den letzten Richter, auf Saul geleitet. Nun begannen eine Reihe „Priesterumtriebe", wie sie sich in den späteren christlichen Priesterstaaten vollständig erneuten; Saul ward abgesetzt, David erwählt, der grausame, sittenlose Verfasser des Uriasbriefes, das Vorbild orientalischen Despotismus. Die Theokratie, wie sie Mose wollte, ging verloren an Salomo, Davids Sohn und Nachfolger. — Die Königswürde war schon erblich geworden, erbaute den Tempel, um das Volk zu größerer Einigung durch gemeinschaftlichen Gottesdienst zu bringen. Sein üppiges Leben, das er in seinem Alter noch durch die Errichtung eines Serails bekundete, nöthigte ihn, auf das Volk große Steuerlasten zu legen. Hierdurch kam es, daß nach seinem Tode die Stammältesten eine letzte Anstrengung machten, eine verfassungsmäßige Regierung zu erhalten; dieser Versuch scheiterte an der Zähigkeit Rehabeams, Salomons Sohnes, und zehn Volksstämme fielen von dem Hause David ab und gründeten unter Jerobeam das Reich Israel. Beide Reiche wurden nach einigen Jahrhunderten durch heidnische Völker zerstört, die Juden aber in die Gefangenschaft geführt. Die letzte Periode der jüdischen Geschichte enthält die Versuche, nach der Rückkehr einiger Stämme nach Kanaan, eine neue Staatsverfassung durch Vereinigung des Hohenpriesterthums mit dem Königthum zu gründen. Diese Versuche blieben erfolglos und bald erlag das in sich zerrissene Volk der Macht der Römer, wie wir es zur Zeit Jesu finden. Die weitere Geschichte des jüdischen Volkes und des Mosaismus würde außer unserm Zweck liegen. Wir deuten nur noch darauf hin, daß die Juden heute noch die Inhaber des reinsten Monotheismus sind, eben so auch der Idee nach die menschlichste und vollkommenste Gesellschaftsverfassung in sich tragen.

Mosaisches Recht, auch Mosaische Gesetzgebung, nennt man die Zusammenstellung, den Inbegriff aller von Mose gegebenen Gesetze. Eine tiefe Weisheit, auf die damaligen Culturzustände des Volkes berechnet, läßt sich in den Mosaischen

Gesetzen nicht verkennen. Einzelne Vorschriften des M. R., wie über die Ehescheidung, die Verwandtschaftsgrade, sind auch in der christlichen Gesetzgebung noch von Geltung, so wie die Hauptstütze der Todesstrafe aus dem M. R. geholt wird.

Moschee (arab. Medschid), d. h. der Ort der Anbetung, ist die Bezeichnung für die mohamedanischen Bethäuser. Die Moscheen haben Kuppeln, auch etagenweise aufsteigende Thürme, an deren Spitzen sich Halbmonde befinden. Diese Thürme heißen Minarets; auf ihnen werden die Stunden des Gebetes ausgerufen. Die M. sind viereckig gebaut, haben Vorhöfe, in denen sich Brunnen zu den Waschungen befinden. Arabesken, Schnitzwerk und Sprüche aus dem Koran bilden die einzige Verzierung, da Bilder verboten sind. Der Fußboden ist mit Teppichen belegt; Sitze giebt es nicht. An der Seite des Gebäudes, welches nach Mecca zu liegt, befindet sich in einem Schrank der Koran; dahin richten die Betenden ihren Blick. Größere M. heißen Dschamis, in ihnen wird der feierliche Freitagsgottesdienst abgehalten. Mit diesen Dschamis sind Schulen (Medressen) und Hospitäler (Imarets) verbunden. Die M., welche oft große Einkünfte besitzen, sind in der Regel für Nichttürken unzugänglich.

Motion, ein Ausdruck der parlamentarischen Sprache, heißt ein Antrag, den ein oder mehrere Mitglieder der Kammern stellen, um etwas Neues in Anregung zu bringen. Eine M. muß von einer gewissen Anzahl Ständemitgliedern unterstützt werden, bevor sie zur Berathung gelangt.

Motiv, der Beweggrund zu einer Handlung; etwas motiviren, die Ursachen zu etwas angeben. Bei Kunstwerken heißt Motivirung die innere Vorbereitung eines Moments der Darstellung durch einen in dieselbe verwebten Umstand, welcher Umstand das M. oder die Ursache wird, aus welcher irgend eine Vereinigung am Ganzen herbeigeführt wird.

Mouschard ist der franz. Spott- und Schimpfname für Polizeispione, welche zur Ausforschung politischer Gesinnungen im Dienste der Regierung stehen.

Mucker. Es ist nicht unsere Schuld, sondern die Ironie des Zufalls, daß die M. ihren Platz zwischen den Mouschards und Mulatten finden. Von beiden haben sie Aehnlichkeit. M. ist der Name einer Secte; welche ihre Entstehung dem Volkswitze verdankt, der damit die geheimen Unsittlichkeiten jener Secte andeuten wollte. Im Jahre 1835 ward jene Secte in Königsberg entdeckt. Ihre Entstehung verdankt sie dem Schwärmer J. H. Schönkopf (gest. 1826); seine Schüler, die Prediger Ebel und Diestel, wendeten die Lehrsätze Schönkopfs dazu an, den Geschlechtsgenuß zu einer Art Gottesdienst, zu einer Heiligung des Fleisches durch den Geist zu machen. In den Conventikeln wurden auf Grund dieser Lehre die gröbsten Unsittlichkeiten getrieben. Endlich gelangte die Kunde von diesem Treiben, namentlich im s. g. Seraphinengarten, zur Kenntniß der Behörden. Ebel und Diestel wurden suspendirt, in Untersuchung gezogen und später abgesetzt und bestraft. Eine durchgreifende Untersuchung scheint man wegen der ungeahnten weiten Verzweigung der Muckergesellschaft vermieden zu haben.

Mulatten werden diejenigen Farbigen in Ost- und Westindien genannt, welche einen Europäer zum Vater und eine Negerin zur Mutter haben, oder auch umgekehrt. Die Haut der M. ist meist olivenfarbig; in Westindien sind sie fast alle noch Sclaven.

Mündigkeit (Minorennität, Majorennität). Minor. oder Minderjährigkeit ist der Major. oder Volljährigkeit entgegengesetzt; die Major. beginnt nach dem röm. Rechte mit dem zurückgelegten 25. Lebensjahre; in Preußen, Oesterreich und Oldenburg ist das 24., in Sachsen, Baiern, Würtemberg, Baden, Hannover, England und Frankreich das 21. Jahr als Ende der Minor. festgesetzt worden. Bei regierenden Fürsten und dem hohen Adel tritt die Majorität mit dem vollendeten 18. Lebensjahre ein. Auf geschehenen Antrag wird auch das Recht der Major. an Minderjährige von den Behörden ertheilt. Die Minderjährigkeit enthält nach röm. Rechte, welches in seinen Hauptsätzen noch in voller Geltung ist, folgende Abschnitte: 1) die Kindheit bis zum 7. Jahre; 2) die Unmündigkeit, Impubertät, körperliche Unreifheit, welche bei den Knaben bis zum 14., bei den Mädchen nur bis zum 12. Jahre geht; 3) die Pubertät oder Mündigkeit. Dem Kinde stehen noch gar keine Verpflichtungen zu, obschon für dasselbe dergleichen aus rechtlichen Gründen eintreten können. Das Kind wird durch väterliche Gewalt oder durch einen Vormund (tutor) vertreten; es ist nicht zurechnungsfähig, kann wohl gezüchtigt, aber nicht bürgerlich bestraft werden. Der Unmündige hat schon mehr Selbstständigkeit; er kann Rechte erwerben, darf sich aber zu nichts verbindlich machen, da er sich durch Unvorsichtigkeit (culpa) und verbrecherischen Vorsatz (dolus) verantwortlich und auch bürgerlich strafbar machen kann. Auch muß er noch einen Vormund haben. Der Mündige kann giltige Willenshandlungen vornehmen, seinen Consens zu seiner Ehe geben, sein Testament machen; er ist zurechnungsfähig, den gesetzlichen Strafen unterworfen, steht aber nach dem röm. Rechte namentlich hinsichtlich der Verwaltung seines Vermögens noch unter einem Beistand (curator). Das neue Recht aber hat fast überall den Unterschied zwischen Unmündigkeit und Minderjährigkeit aufgehoben, wodurch auch das frühere Recht wegfällt, daß der Mündige in den ersten vier Jahren noch nach erlangter Volljährigkeit alle Geschäfte, wodurch er während seiner Minderjährigkeit in Schaden gekommen ist, rückgängig machen konnte. — Zur Lehnsmündigkeit ist ein Alter von 23 Jahren 6 Wochen und 3 Tagen nöthig; die Ehesmündigkeit tritt nach den neuesten Gesetzbestimmungen meist mit dem 18. Jahre ein, während das röm. Recht das 20. dazu festsstellte. — Nach den allgemeinen Grundsätzen des Vernunftrechtes kann nur Demjenigen der völlig uneingeschränkte Gebrauch der ihm zustehenden Rechte gestattet werden, welcher sich in einem hinreichenden Zustande der Entwickelung und Thätigkeit seiner Vernunft befindet. Von diesem Grundsatze ausgehend hat man die oben angeführten Gesetzbestimmungen getroffen, da der Mensch nicht mit dem vollen Gebrauche seiner Vernunft geboren wird, sondern erst nach und nach dazu gelangt. — Noch möchten wir hier eine andere Unmündigkeit erwähnen, die nicht blos einen Theil der Staatsangehörigen angeht, sondern oft ganze Völker und Volksstämme. Es ist dieses die politische Unmündigkeit, in welcher sich manche Völker nach der Ansicht der Träger der Staatsgewalt befinden. Aus dieser selbstgeschaffenen Ansicht leitet man dann die Befugniß der mit höherer Weisheit begabten, gleichsam majorennen Regierung ab, den Volkswillen einer angemessenen Beschränkung zu unterwerfen, welche nicht selten so weit ausgedehnt wird, daß das Volk beim besten Willen nicht zur Reife und Mündigkeit gelangen kann. Ein Rechtsstaat darf nach den ewigen Grundsätzen der Vernunft eine fortdauernde Unmündigkeit nicht anerkennen und unterstützen.

Mundium ist im Allgemeinen ein Schutzverhältniß, wie es noch gegenwärtig sich bei der Vormundschaft findet. Das alte deutsche Wort Mund (manus) heißt so viel als Hand, welche als Zeichen des Schutzes gilt. Zunächst kommt das M. im deutschen Familienrechte vor; großjährige Männer übten das M. oder den Schutz an Kindern und Schwachen aus. Uneheliche Kinder standen unter dem M. des Königs, weshalb sie auch Königskinder hießen. Das M., die Schutzbefohlenschaft, erstreckte sich übrigens auch auf das Vermögen der Schutzbefohlenen, welche überhaupt durch das M. geschützt, unterstützt und vertreten werden sollten. Das M. war die Grundlage für das Familienrecht, welches später durch das röm. Recht bedeutend erschüttert wurde. Der Mann hatte das M. über die Frau, der Vater über die ehelichen Kinder; nach des Vaters Tode hatte es der nächste Verwandte; es erstreckte sich sogar auf großjährige unverheirathete Töchter. Dem König stand übrigens das Stammesmundium über alle die zu, die keinen Vormund hatten, und so auch dem Herrn über seine Unfreien oder Leibeigenen.

7 *

Mündlichkeit f. Actenmäßigkeit.

Municipien (municipia) waren bei den Römern solche besiegte Städte, deren Bürgerschaft das volle röm. Bürgerrecht erhielt und dadurch in die Tribus (Volks- steuerlisten) aufgenommen wurden, wobei ihnen die selbstständige Verwaltung ihres städtischen Gemeinwesens verblieb

Municipalverfassung f. Gemeinde.

Munition. Unter diesem Namen begreift man alle Geschosse nebst der dazu ge- hörigen Ladung und Zündung, und die beim Laden noch nöthigen Dinge, als Ver- schläge, Hebespiegel, Steinkörbe ꝛc. Die Munition wird in dem Laboratorium gefer- tigt und in den Magazinen aufbewahrt. Die M., welche mit in den Feldzug geführt wird, zefällt in zwei Abtheilungen, welche Chargirungen heißen. Die erste soll selbst für eine große Schlacht ausreichen; die zweite soll den augenblicklichen Man- gel ersetzen; eine dritte wird noch zur Unterstützung der zweiten in Bereitschaft ge- halten. Auf eine Chargirung rechnet man bei der Infanterie auf einen Mann 60, bei der Cavallerie 40 Patronen; für jedes Geschütz 200 Schuß.

Münster (von monasterium, Kloster) heißt eigentlich der Aufenthaltsort von Mönchen; auch bedeutet es nach seiner franz. Umwandlung (moutier, moustier) eine Abtei. In Deutschland bedeutet es so viel als Kathedrale (Hauptkirche, an wel- cher ein Bischof seinen Sitz hat), später bezeichnete es jede Hauptkirche. In Nord- deutschland braucht man für M. das Wort Dom.

Münzconvention f. Münzwesen.

Münze. Münze heißt bekanntlich ein geprägtes Stück Metall, das entweder als Geld oder zur Erinnerung an irgend ein Ereigniß dienen soll (Denkmünze f. Me- daille). Die M. haben die Kreisform, mit Ausnahme einiger viereckigen in asiati- schen Ländern. Die eine Seite der M. heißt die Hauptseite oder der Avers, welche gewöhnlich das Bild des Landesherrn enthält; die andere Seite, die Rückseite oder der Revers, enthält das Wappen des Landesherrn oder die Angabe des Werthes der Münze, oder auch beides zusammen. Am Rand befindet sich häufig eine Schrift, welche Legende, Umschrift, heißt; die Schrift in der Mitte der M. heißt Epigraph oder Aufschrift. Gegenwärtig werden M. nur aus Gold, Silber, Kupfer und Pla- tina geschlagen, von letzterem jedoch nur in Rußland seit 1828. Die edlen Metalle, Gold, Silber und Platin, werden jedoch nicht rein ausgeprägt, sondern enthalten noch einen Zusatz, Legirung, von einem andern, weniger werthvollen Metall. Das ge- setzliche Gewicht einer M. heißt das Schrot: das gesetzliche Gewicht des in der M. (ohne die Legirung) enthaltenen Metalles aber das Korn. Die gesetzlichen Be- stimmungen über Nennwerth, Gewicht, Schrot und Korn der M. heißt der Münz- fuß (f. d.). Man hat dreierlei Werth der M. zu unterscheiden: den Nennwerth, (Nominalwerth), welchen sie im Verkehr haben; den wahren Metallwerth (Realwerth) und den Handels- oder Courswerth. In allen civilisirten Staaten hat der Staat ausschließlich das Recht, M. zu schlagen (f. Münzregal).

Münzfälschung oder auch Münzverbrechen ist ein doppeltes Verbrechen, indem es einen Betrug gegen das Publicum enthält, insofern die ausgegebene falsche Münze von geringerem Werth ist, als die ächte, und ein Verbrechen gegen den Staat, insofern die Prägung des Geldes ohne dessen Erlaubniß ein Eingriff in seine Rechte ist. Wer wissentlich falsche Münze ausgibt, wird in der Regel eben so wie der Verfertiger bestraft. Zu den Münzverbrechen gehört daher nicht blos die Anfertigung falscher Münzen und die Verausgabung derselben, sondern auch die Verschlechterung guter Münzen und die Umwandlung geringerer in scheinbar höhere. Münzverbrechen wur en stets sehr streng bestraft. Bei den alten Völkern mit Abhauen der Hände, mit dem Tode, ja mit dem Feuertode, man bestrafte das Verbrechen Goldmünzen betraf. Der Sachsen- und Schwabenspiegel drohte mit Strafe „zu Hals und Hand." Lange hielt sich, auch in Deutschland, die Ansicht, daß die Münzverbrechen als Majestäts-

verbrechen zu betrachten und darnach zu bestrafen seien. Daher wurde die Todesstrafe festgehalten. Der weise Großherzog von Toscana, Peter Leopold, verordnete zuerst
1785, daß das Falschmünzen nicht mehr als Majestätsverbrechen, sondern als Diebstahl zu bestrafen sei, bis zu lebenslänglicher Zuchthausstrafe, welcher Ansicht auch
die preußische Gesetzgebung später beigetreten ist. Dagegen behielt Napoleon in dem
Code pénal die Todesstrafe bei. Die übrigen deutschen Staaten, auch Oesterreich,
haben mit zeitigen Freiheitsstrafen die Münzverbrechen bedroht.

Münzfuß s. Münzwesen.

Münzkunde — Numismatik — ist die Lehre oder Wissenschaft von den Münzen
in technischer und geschichtlicher Beziehung (s. Münze). In technischer Hinsicht beschäftigt sich die M. mit der Untersuchung des Stoffes der Münze, mit dem mechanischen Verfahren des Münzers, dem Gepräge 2c.; in geschichtlicher Hinsicht mit
dem Datum der Münze, dem Münzherrn und der Schriften auf denselben. Als
Hülfswissenschaft der Geschichte hat es die M. vorzugsweise mit Denkmünzen und
den Münzen des Alterthums zu thun oder mit seltener gewordenen Münzen der
neueren Zeit. Die alten oder antiken Münzen geben manchen Aufschluß über Geschichte, Geographie und Chronologie der alten Welt. Dieser war aber das Sammeln und Studium der Münzen fremd; erst im Mittelalter fing man an, in dem
15. Jahrh., Münzsammlungen anzulegen. Die wichtigsten sind gegenwärtig das
Münzcabinet zu Paris, das Cabinet des britischen Museum zu London, das königl.
Cabinet zu Madrid, zu Kopenhagen, zu Petersburg, zu Wien, zu Gotha und zu
Dresden. In neuerer Zeit bildeten sich in London und Berlin numismatische Gesellschaften.

Münzregal ist das ausschließliche Recht des Staates, Geld zu prägen. Schon
die röm. Kaiser übten dieses Recht als ein ausschließendes. In Deutschland stand
das M. ursprünglich blos dem Könige zu, der es dann einzelnen Stiftern, Bischöfen,
Aebten, weltl. Fürsten und Städten verlieh. Die alten Herzöge von Sachsen, Baiern
und Schwaben legten es sich ebenfalls bei, und es wurde auch als gesetzliches Vorrecht der Churfürsten in der goldenen Bulle anerkannt. Gegenwärtig ist das M. mit
der Souverainetät verbunden.

Münztarif s. Valvation.

Münzwardein. Das Wort Wardein ist die im Mittelalter üblich gewordene
deutsche Form von guardian, ein Wächter oder Ueberwacher, vorzugsweise ein Beamter, der über den Gehalt der ausgebrachten Metalle zu wachen hatte und diese nach
ihrem Gehalte untersuchte. Berg- und Münzwesen war damals eng verbunden, und
beiden stand ein Beamter vor. In späterer Zeit wurde dieses Amt getrennt und es
entstand ein Bergwardein und ein Münzwardein.

Münzwesen. Der erste gegenseitige Verkehr der Menschen wurde durch Tausch
vermittelt. Die Noth zwang die Menschen aber nach und nach, einen andern
Weg einzuschlagen und zur Idee eines Werthmessers zu denken. Dieser wurde das
Geld, die Münze, das Ausgleichungsmittel im Leben. In den ältesten Zeiten
wurde Vieh als Münze geboten; in Rußland früher Hasen- und Marderfelle, weshalb jetzt noch die kleinste russische Münze Polefck (d. i. ein halbes Hasenfell) heißt.
Endlich kam man auf den Gedanken, die Metalle als Ausgleichungsmittel anzuwenden
und ging nach und nach zu den edlen Metallen, Gold und Silber, über. Von jetzt
an wurden die Güter nach Geld abgeschätzt und die Bahn für den Welthandel war
geöffnet. Im Anfange wurden die Metalle, die als Münze dienten, zugewogen, später wog sie der Staat und verzeichnete darauf das Gewicht. Hieraus bildeten sich
nach und nach die Münzen, wie wir sie jetzt haben. Viele Namen, Drachme bei den
Griechen, Aß bei den Römern, Pfund, Mark und andere Ausdrücke, deuten noch auf
jenen Ursprung der Münzen hin. Wenden wir uns, nach diesen allgemeinen Betrachtungen, zu der Geschichte der Münze in Deutschland. Die Deutschen nahmen
das M. von den Römern und den fränkischen Königen. Im Jahre 1228 wurden

zuerst zu Hall in Schwaben die s. g. Heller geschlagen, später, 1286, zu Prag s. g. Dickpfennige (denarii grossi, grossi Pragenses, Groschen). Die Goldmünzen, Goldgulden, kamen erst später auf. Erst um das Jahr 1484 fing man an größere Silbermünzen bis zu 2 Loth zu schlagen. An eine Münzordnung war natürlich nicht zu denken. Jeder Reichsstand, jeder kleine Graf prägte Münzen, um von dem Münzregal Nutzen zu ziehen. Erst Kaiser Karl V. erließ 1524 eine Reichsmünzordnung, von Efflingen, gegen welche mehrere Reichsstände protestirten. Die deutsche Zer-

lich als die süddeutschen Staaten, bei denen die Gulden die Rechnungsmünze waren, dem Reichsbeschlusse von 1566 ganze Thaler zu prägen, nicht beitraten. Das Unwesen ging so arg fort, daß der reichsgemäße Thaler (9 Stück aus der feinen Mark Silber zu 68 Xr.) im Jahre 1622 auf 600 Xr., in Sachsen sogar auf 15 Thlr. stieg. Im J. 1667 kam zwischen Sachsen und Brandenburg zu Zinna d Stande, nach welchem die Mark zu 10¼ Thlr. ausgeprägt wurde der Leipziger Münzfuß zwischen mehreren Staaten festgesetzt, zur Durchführung eines 18 Guldenfußes (= 1 Mark zu 12 Rthlr.). Im J. 1738 wurde dieser Münzfuß zum Reichsfuß erhoben, erlangte aber keine allgemeine Geltung. Am 21. Septbr. 1751 kam zwischen Oesterreich und Baiern die Münzconvention zu Stande, nach welcher der 20 Guldenfuß eingeführt wurde; Preußen hatte 1750 den 21 Guldenfuß (den Graumann'schen) eingeführt. Neben diesen bestand factisch im Reiche noch ein 24 Guldenfuß. In der neuesten Zeit brachte man in das M. in soweit einige Ordnung, daß 1837 Süddeutschland allgemein den 24½ Guldenfuß, Norddeutschland, so weit es zu dem Zollverbande gehört, den 14 Thaler oder 21 Guldenfuß annahm. Dieses ist der gegenwärtige Standpunkt des M. in Deutschland. Nach der Münzordnung des Kurfürsten Friedrichs II. von Sachsen von 1444 betrug der Preis des Silbers für die Mark 7 rheinische Gulden; jetzt beträgt er 21 Gulden oder 14 Rthlr. An diese rein geschichtliche Darstellung knüpfen wir nur noch die Bemerkung, daß auch das M. in seiner deutschen Verwirrung dazu dienen muß, die Gesellschaft, das Volk — auszubeuten. Sobald Einige bemerken, daß ein Staat schlechtere Münzen schlägt als der andere, so ziehen sie augenblicklich Nutzen davon. Sie kaufen diese Münzen wohlfeiler ein, versuchen aber sie in dem Staate, der bessere Münzen hat, in gleichem Nominalwerthe mit denselben auszugeben. Die unkundige Menge, die noch keine Ahnung von dem schlechteren Gehalte der fremden Münze hat, nimmt sie zu gleicher Geltung. Das schlechte Geld muß nun im Umlaufe bleiben, weil es unentbehrlich geworden ist, da man das Bessere außer Landes geschafft hat, und die Folge ist, daß die Preise aller Bedürfnisse steigen, welches die Gesellschaft büßen muß.

Murrhinische Gefäße, eine Art Prunkgefäße im Alterthum, Näpfe, Becher, Schalen, aus kostbarem Stoff und von ausgezeichneter Arbeit. Mithridates, König von Pontus, soll die ersten besessen haben, durch dessen Besiegung sie (61 v. Chr.) den Römern bekannt wurden und als Luxusgegenstände in hohem Preise standen. Sie waren aus einem verschieden gefärbten, undurchsichtigen, leicht zerbrechlichen Stoffe gefertigt, von dem auf unsere Zeiten nichts gekommen ist. Ueber die Beschaffenheit und den Ursprung der Masse herrschen nur unbestimmte Vermuthungen.

Museum. Die Alten verstanden unter M. einen den Musen, den Beschützerinnen der Wissenschaften und Künste, geweiheten Ort. Der König Ptolemäus Philadelphus (284 bis 246 v. Chr.) von Aegypten errichtete zu Alexandrien das erste M. in seinem Palaste, wo die vorzüglichsten Gelehrten sich versammelten und auf Staatskosten unterhalten wurden. Nach dem Ende des Mittelalters nannte man jede Sammlung seltener Gegenstände aus dem Gebiete der Naturgeschichte oder Kunst ein M. Die berühmtesten Museen sind in Italien das M. im Vatican zu Rom, zu Neapel, Turin rc. In Paris war das M. zur Zeit Napoleons, der alle Schätze der bezwungenen Länder dort aufhäufte, das reichste der Welt. In England ist das älteste M. das zu

Orford, das reichste zu London; in Deutschland sind berühmt die M. zu Dresden, Wien, Berlin. S. Lesegesellschaften.

Musterwirthschaften nennt man solche Landwirthschaften, die durch ihre vorzügliche Einrichtung und Leitung zum Muster dienen können. Zu einer M. gehört ein musterhaftes System, Anlage der Einrichtung,' und ein musterhafter Betrieb, Ausführung des Systems. Das System bezieht sich auf die Wahl der zu bauenden Gewächse, das gegenseitige Verhältniß, die Fruchtfolge und Verwendung der Producte; der Betrieb umfaßt die Mittel, durch welche jene Zwecke erreicht werden sollen; das Düngerwesen, die Bestellung, die Ernte, die Wiesenwirthschaft, die Viehzucht ꝛc. In einigen Ländern, wie in Ostpreußen, hat man bereits angefangen, auf Staatskosten Musterwirthschaften zu errichten, um den Landwirthen mit gutem Beispiele voranzugeben.

Muthen, ein altdeutsches Wort, so viel als sinnen, nachsinnen, um etwas nach suchen; z. B. der Gesell muthet um das Meisterrecht, hält darum an; daher: Muthjahr. Lehnmuthen heißt, um Ertheilung der Lehn nachsuchen; Muthschein ist die Bescheinigung, daß das Nachgesuchte gewährt worden ist.

Mutschirung hieß im Mittelalter die abwechselnde Regierung zweier oder mehrerer hinterlassenen Söhne über ein Land, welches nach dem Hausvertrage nicht getheilt werden konnte, das man aber auch nicht gemeinschaftlich regieren konnte oder wollte. So fand im Herzogthum Sachsen 1566 eine solche Mutschirung statt, zwischen Joh. Friedrich II. und Joh. Wilhelm, den Söhnen Joh. Friedrichs des Großmüthigen.

Mystagog, ein Priester bei den Griechen, welcher den in die Mysterien Einzuweihenden einführte. In Sicilien waren M. solche, welche die Fremden in die geheimen gottesdienstlichen Oerter führten.

Mysterien nannten die Griechen und Römer religiöse Geheimlehren, welche mit mancherlei Feierlichkeiten und Gebräuchen umgeben nur den Eingeweihten in geheimen Zusammenkünften unter völliger Abgeschlossenheit mitgetheilt wurden. Geheimnißkrämerei war von jeher der Deckmantel für die Lüge und den Betrug. Die Wiege der M. war unstreitig Aegypten und überhaupt der Orient, von wo aus sie nach Griechenland und von da nach Rom kamen. Leider haben sie ihren Weg aus der heidnischen Welt auch in die christliche gefunden. Man wollte schon damals das Volk in seinem Aberglauben, seiner Unwissenheit und seinen Vorurtheilen lassen, weil man Nachtheil für die Ruhe und Sicherheit fürchtete, was bei den damaligen Völkern wenigstens durch den Hinblick auf die Sclaverei etwas gerechtfertigt erscheint. Als Socrates den Anfang machte, den Schleier von dem verhangenen Bilde der Wahrheit zu ziehen, mußte er den Giftbecher trinken; als Jesus allen Wahn, alle Lüge zerstörte, schlug man ihn an's Kreuz. Die wichtigsten M. bei den Griechen waren die eleusinischen, die dionysischen, die orphischen, die samothrakischen und die M. der Isis.

Mysticismus. Es hat von jeher, zu allen Zeiten und unter allen Menschen, Personen gegeben, welche sich mit den Wahrheiten und Lehren ihrer Religion, selbst mit den Glaubenssätzen derselben nicht begnügen konnten, sondern der Einbildungskraft und, wenn auch in seinem Wesen edlen, so doch unklaren Gefühle, die Zügel schießen ließen und nach und nach sich dadurch zu der Meinung erhoben „sie seien mit einem Seelenvermögen begabt, durch welches sie mit der Gottheit oder mit himmlischen Wesen schon in diesem Leben in Verbindung treten könnten." Diese Verwirrung des religiösen Gefühles, welche wir übrigens in der neueren Zeit höchst selten rein antreffen, ist der edlere Mysticismus, die edle Pietät und wie die Namen alle heißen, welche man diesem religiösen Hinüberziehen in die Räume des Jenseits gegeben hat. Von diesem Mysticismus, welcher zum Theil der Seelenkunde und dem Unerklärlichen, was der Mensch in sich trägt, angehört, ist hier nicht die Rede. Hier ist

die Rede von dem M., der nichts als Maske ist, welche die Selbstsucht, die Herrschsucht und die sittliche Verworfenheit so oft verbindet, um den schändlichsten Betrug
zu üben. Seitdem Jesus aussprach: „Ich bin das Licht der Welt," darf es für
keinen seiner Anhänger Geheimlehren oder Geheimthuerei geben. Nach dem Willen
des Stifters der christlichen Religion soll es eben überall licht und hell werden, aber
nicht dunkel, wie die modernen Dunkelmänner oder Mystiker wollen. Und doch
giebt es so viele unter dem Namen M. oder Dunkelmänner bekannte Personen, welche
alle Kräfte anstrengen, um dunkle, undurchdringliche Nacht über die Menschheit herbei
zu führen. Fragen wir zuerst nach der Ursache. Zum einen Theil ist es geistige Beschränktheit und angeborner Stumpfsinn, welcher so Manche in die Arme des M.
führt; zum andern Theil ist es sittliche Unreinheit, die herabgewürdigte und in den
Schmuz sittlicher Versunkenheit getretene geistige Natur so vieler, welche die Vorwürfe
ihres innern Richters nur durch mystische Beruhigungsmittel für den Augenblick zu
betäuben weiß. Zum größten Theil aber ist es die schmachvollste Speculation,
die verwerflichste Selbstsucht, die gröbste Ehrsucht, welche so viele gegen ihre bessere
Ueberzeugung dem M. entgegenwirft, weil dieser, als ein immer thätiges Verknech-
tungsmittel, die ihm geleisteten Dienste am besten durch reiche Pfründen, prächtige
Aemter und anderen goldenen Hafer zu belohnen weiß. Die Mystiker, Obscuranten,
Pietisten der neuesten Zeit gehören zum Theil mehr dem s. g. weltlichen Stande,
als dem geistlichen an. Verhältnißmäßig findet man nur wenig Geistliche, welche
dem M. huldigen, und unter diesen Wenigen gehören noch Viele aus wahrer Ueberzeugung zu den Freunden des oben erwähnten edlen M. Desto gefährlicher aber ist
die kleine Zahl derjenigen, welche ohne Scham und Scheu vor dem Höhepunkt, auf
welcher die theologische Wissenschaft und mit ihr die ausgezeichnetsten Träger derselben stehen, es doch für gut finden, um ihrer ehrgeizigen und herrschsüchtigen Pläne willen sich dem System der Verdummung und Verknechtung zuzuwenden. An die
„theologischen Führer des modernen M." reihen sich nun eine Menge Schwachköpfe,
Thoren und Uebelgesinnter aller Art. Viele aus der Beamtenwelt, die durch eigne
Kraft und Kenntniß keine Sprosse auf ihrer Amtsleiter höher steigen können, lassen
sich von dem mystischen Zugführer in das Schlepptau nehmen. Vornehme Wüstlinge,
kopfleere Geldmänner, reiche Sünder folgen dem würdigen Zuge mit gleißnerischem Ant-
litz nach und haben vor lauter Zerknirschung, vor lauter Sündenelend kaum Kraft
genug, um den nöthigen Anstand gegen ihre mitgefallenen Mitschwestern zu beobachten. Dieses sind einige Züge, mit denen man die mystische Rotte des neunzehnten
Jahrhunderts schildern könnte.

N.

Nabob oder **Nawaub**, so viel als Abgeordneter, hieß im Reiche des Mo-
guls (s. d.) der Befehlshaber, Administrator einer einzelnen Provinz; er stand unter
dem Statthalter. Nach dem Umsturz des Reiches behielten diesen Titel diejenigen
bei, welche sich als Vasallen der Herrschaft der Engländer unterwarfen. Im Allge-

meinen bezeichnet man mit dem Namen N. leben, der zu großem Reichthum gelangt ist und in oriental. Pracht lebt.

Nachbarrecht heißt sowohl die Mitgliedschaft in einer ländlichen Gemeinde, als auch die hieraus stammenden Rechte und Pflichten. Das N. steht mit dem Gemeinde-bürgerrecht und Heimathsrecht (f. Gemeinde und Heimath) in enger Verbindung, obschon es von demselben wesentlich verschieden ist. Das N. ist nach den verschiedenen Gegenden und Gemeinden ein verschiedenes, hier enger, dort weiter. Das weitere N. kommt allen in die Gemeinde Aufgenommenen zu, mit Ausschluß der bloßen Mieth-bewohner; das engere N. aber steht nur gewissen Gemeindegliedern zu, wie den An-spännern, den Besitzern großer, geschlossener Güter. Durch das N. hat jeder Bewoh-ner eines Ortes das Recht, in den Gemeindeangelegenheiten seine Stimme abzugeben, an den Gemeindenutzungen, Weiden, Holz rc. Theil zu nehmen, zugleich aber auch die Pflicht, alle Gemeindelasten mittragen zu helfen.

Nachdruck oder Büchernachdruck. Ueber die größere oder kleinere Unrechtmä-ßigkeit des N. hat es stets verschiedene, oft sehr aus einander gehende Ansichten gege-ben. Man hat den N. nicht selten nur als einen Eingriff in das Eigenthumsrecht des Buchhändlers, als Verleger, betrachtet. Soll der N. aber als ein solcher wider-rechtlicher Eingriff bastehen, so muß man ihn zuerst als Eingriff in das schriftstelle-rische Eigenthum betrachten, das erst durch Vertrag und meist nur zum Theil auf den Verleger übertragen wird. Nun hält man aber der Ansicht über schriftstellerisches Eigenthum nicht ohne Grund entgegen, daß nach dem röm. Rechte ein wahres Ei-genthumsrecht und Fruchtgenuß von demselben nur an körperlichen Sachen beste-hen und eine Ausdehnung des Eigenthumsrechtes auf unkörperliche Sachen nur durch besondere positive Schöpfungen (Fictionen) entstehen könne. Man hat jedoch das Recht der Vervielfältigung durch den Druck und des Alleinverkaufs als einen Aus-fluß und Bestandtheil des vollen, unbestreitbaren Eigenthums, das jedem Schrift-steller an seinem Manuscripte oder den davon gemachten Abdrücken zustehe, betrachtet und hieraus den Rechtsschluß abgeleitet, daß, nach dieser Feststellung des Begriffs von dem schriftstellerischen Eigenthum Niemandem die Vervielfältigung eines schriftstellerischen Erzeugnisses zustehen kann, dem nicht der Verfasser das Recht dazu vertragsweise ab-getreten hat. Auf diesen Standpunkt hat sich auch die neuere Gesetzgebung über den Nachdruck gestellt. Früher, wo kein allgemeines Nachdrucksverbot bestand, schützte der Staat den Schriftsteller durch Schutzbriefe oder Privilegien. Frankreich erließ zuerst beim Beginn ein allgemeines Nachdrucksverbot, in dem das Recht des Verlagseigen-thums auf die Dauer der Lebenszeit des Verfassers und auf 20 Jahre nach seinem Tode festgesetzt wurde, welche Frist später auf 30 Jahre ausgedehnt ward. England schützt jeden Verleger auf 28 Jahre, den Verfasser und dessen Hinterlassene auf Le-benszeit. In den Vereinigten Staaten von Nordamerika ist der Verfasser und Ver-leger auf 28 Jahr nach Erscheinung des Werkes, ersterer, wenn er diesen Zeitraum überlebt, auf weitere 14 Jahre geschützt, welche noch auf seine Hinterbliebenen über-gehen. Auch in Rußland, Polen, Dänemark und Schweden bestehen Verordnungen gegen den N. Im Norden Deutschlands galt längst ein unbeschränktes und ewiges Verlagsrecht, während im Süden theils gar keins galt, theils nur ein sehr beschränk-ter Schutz gegen Nachdruck durch Privilegien ertheilt wurde. Obschon die Bundes-acte in Art. 18 die Sicherstellung der Rechte des Verfassers und Verlegers gegen den N. für einen Gegenstand der Bundesgesetzgebung erklärt hatte, so dauerte doch jener Zustand in Oesterreich, Würtemberg und in Frankfurt a/M. fort, bis am 6. Septbr. 1832, namentlich auf Betrieb Preußens, welches schon in den Jahren vor-her mit fast allen deutschen Staaten, mit Ausnahme der so eben genannten, Verträge gegen den N. abgeschlossen hatte, ein Bundesbeschluß erfolgte, wodurch eine Gegensei-tigkeit des Schutzes gegen N. in den Bundesstaaten anerkannt wurde. Am 9. Nov. 1837 erschien der Beschluß, welcher die Dauer des literarischen Eigenthumsrechtes auf zehn Jahre vom Erscheinen an festsetzte, welche jüngst durch den Beschluß vom 19. Juni 1845 auf Lebenszeit ausgedehnt wurde und bis 30 Jahre nach dem Tode des Verfassers, bei welchen Bestimmungen es im Wesentlichen geblieben ist. — Der natürlichen Billigkeit dem Schriftsteller und Verleger gegenüber fordert aber auch die Rücksicht auf das öffentliche Wohl, daß jener Schutz nicht zu lange ausgedehnt werde, und daß nicht durch zu hohe Preise der Bücher dem Volke grade die nützlichsten Geisteswerke unzugänglich gemacht und Gegenstand buchhändlerischen oder schriftstellerischen Wuchers werden. Die Gesetzgebung und Politik wird daher bei völkerrechtlichen Verträgen über N. umsichtig verfahren müssen. Wohl nicht mit Unrecht hat man aufgestellt, daß der N. ein wirksames Mittel zur Steuerung zu hoher Bücherpreise ist, ohne daß dem Schriftsteller ein Nachtheil dadurch erwächst oder was weit eher der Fall zu sein scheint, wenn man den französischen Buchhandel in's Auge faßt, noch ein Vortheil daraus zufließt; denn wie mancher französische Schriftsteller würde ohne die belgischen Nachdrücke dem Auslande unbekannt geblieben sein. Trotz dem, daß die Werke der namhaftesten franz. Schriftsteller, vorzüglich die schönwissenschaftlichen, in Belgien nachgedruckt werden, so empfangen dieselben doch ein so bedeutendes Honorar, daß man recht gut annehmen kann, daß dasselbe auch ohne den N. sich nicht höher belaufen könnte; denn unsere deutschen belletristischen Schriftsteller erhalten für ihre Werke kaum so viel Tausend Groschen, als jene in Frankreich Tausende von Thalern für einen zwei= bis dreibändigen Roman bezahlt bekommen. In Belgien wird der N. französischer Werke in größter Ausdehnung betrieben; es bestehen daselbst auf Actien gegründete großartige Etablissements mit mehreren Millionen Franken Grundkapital, welchen ihre Nachdrücke bedeutend wohlfeiler als die Originalausgaben zu stehen kommen; sie verkaufen nun dieselben nicht allein in Belgien, von wo aus sie auch nach Frankreich eingeschmuggelt werden, sondern setzen sie auch nach Deutschland, Polen, Rußland, Ungarn, Italien, Großbritannien, Amerika, Indien, und dem Vorgebirge der guten Hoffnung ab. Im Jahre 1844 schloß bereits Frankreich mit Sachsen ein internationales Verlagsrecht ab, b. h. wenn ein französischer Schriftsteller gleichzeitig mit der in Frankreich erscheinenden Ausgabe eine solche innerhalb Sachsen drucken läßt, so kann dieses Werk weder in Sachsen nachgedruckt, noch ferner eine andere unrechtmäßige Ausgabe verkauft werden. Gleichen Schutzes werden sächsische Schriftsteller in Frankreich theilhaftig. Ein ähnlicher Vertrag ward im Jahre 1847 zwischen England auf der einen, und Preußen, Sachsen und Hannover, so wie von noch einigen kleinern deutschen Staaten auf der andern Seite abgeschlossen. Deutsche Werke wurden im Auslande früher selten nachgedruckt, jetzt werden sie fast gar nicht nachgedruckt. Wenn ein Verfasser sein Werk gleichzeitig in mehreren Sprachen erscheinen läßt, ist er nicht vor weiterer Uebersetzung gesichert. Die Bestrafung des N. ist in den einzelnen Staaten Deutschlands verschieden, jedoch findet außer namhaften Geldstrafen als Entschädigung für den Beeinträchtigten in allen Fällen Confiscation der Nachdrücke statt. Auszüge, Chrestomathien, Anthologien, Nachbildungen, arrangirte Musikstücke werden nicht als Nachdruck betrachtet. *Heinrich Matthes.*

Nacheile. Nach dem altdeutschen Strafverfahren war jede Gemeinde auf ein bestimmtes Geschrei (Gerüffte) zur Verfolgung eines flüchtigen Verbrechers verbunden. Später wurde diese Pflicht, Gerichtsfolge, als eine Landfrohne betrachtet, die der Unterthan zu leisten habe. Der Reichsabschied von 1548 verordnete, daß „So Jemand auf der Straße angegriffen und beschädigt würde, so soll nach Gewohnheit eines jeden Ortes an die Glocken geschlagen und jede Obrigkeit, Amtleute und Unterthanen dem Thäter nachzueilen schuldig seien. Durch dieses Gesetz, welches im ganzen Reiche galt, war die Nacheile nicht beschränkt. Dieses geschah aber mit der Auflösung der Reichsverfassung und die N. ward in ein fremdes Gebiet nicht gestattet. Die Staaten des deutschen Bundes haben sich durch Verträge das Recht der N. gegenseitig eingeräumt, und dieselbe durch Gesetze geordnet. So bedarf der

Nacheilende eines offenen Passes ꝛc. Jetzt benutzt man zur N. das Institut der Gensd'armerie und Polizei.

Nachfolge s. Erbrecht und Thronfolge.

Nachschoß s. Abschoß.

Nachsteuer s. Abschoß.

Nacht, Recht der ersten (jus primae noctis). Aus sehr am unrechten Orte angebrachtem Zartgefühl haben sogar rechtsgeschichtliche Werke es nicht selten unterlassen, genügenden Aufschluß über einen Gewaltmißbrauch zu geben, welcher nicht blos deutlich zeigt, bis zu welchem Grade der Schändlichkeit das formelle Recht gemißbraucht werden kann, sondern auch einen Beweis liefert, bis zu welcher schamlosen Roheit die Träger der Gewalt vorschreiten konnten. Die ersten Spuren jener Gewaltansprüche zur Befriedigung ungezügelter Lüste finden wir bei den römischen Kaisern. Kaiser Maximin (307 n. Chr.) führte die Gewohnheit ein, daß Niemand ohne besondere Erlaubniß des Herrschers heirathen durfte; hierdurch war seinen Spürhunden das Auftreiben neuer Opfer für die kaiserl. Bestialität erleichtert worden. Dieser Gewaltmißbrauch wurde nun im Mittelalter, da er bei Vielen Anklang fand, in eine förmliche Rechtsinstitution umgewandelt. Der Leibeigene konnte sich ohne Zustimmung seines Herrn nicht verheirathen. Die Barone erblickten hierin eine willkommene Gelegenheit, von ihren Hörigen (s. Leibeigenschaft) eine neue Abgabe zu erpressen. Sie ertheilten die Ermächtigung zur Heirath nur gegen Bezahlung; die Taxe hieß maritarium, cunnagium. Als nun die kleinen Ritter sich von den Fürsten immer mehr unabhängig gemacht hatten, walteten sie immer schrankenloser über die unglücklichen Leibeigenen. Straflos konnten sie alles thun, was ihnen ihre Brutalität eingab. So forderten sie nun als ein Recht, daß jede ihrer neuvermählten Leibeigenen die erste Nacht nach ihrer Verheirathung sich den Lüsten des „gnädigen Herrn" opfern müsse. Die frühere Heirathstaxe hörte nun auf. Das neue Recht hieß jus primae noctis, jus luxandae coxae, praelibatio, droit de cuillage, de jambage, durch welche Worte, mit deren Uebersetzung wir uns nicht beflecken wollen, die viehische Geilheit zur Gnüge ausgedrückt wird, mit welcher Barone, Aebte, Bischöfe dieses Recht genossen. Nach Jahrhunderten, als das Rechtsgefühl wieder zu erwachen anfing, scheuete man sich allerdings der Ausübung jenes scandalösen Rechtes; man ließ es ablösen, d. h. man nahm wieder von den Hörigen bei ihrer Verheirathung das Maritagium (s. d.), welches in Deutschland unter dem Namen: „Jungfernpfennig," „Stechgroschen," „Schürzenthaler" als Abgabe vorkommt, die bald in Geld, bald in Vieh, Kühen, Kälbern, Hühnern, entrichtet werden mußte. Diese Heirathstaxe, ein Denkmal tiefster menschlicher Schmach und Erniedrigung, dauerte bis in die neueste Zeit herab.

Nachtmahlsbulle. Die päpstlichen Bullen (s. d.) oder Verordnungen werden bekanntlich nach ihren Anfangsworten genannt.' Eine der bedeutungsvollsten und berüchtigtsten dieser Bullen ist die „In coena domini (beim Nachtmahle des Herrn)," welche schon vom Papst Urban V. (1362—70) entworfen, durch Pius V. 1567 und durch Urban VIII. 1627 erneut wurde. Die N. enthält die vollständige Verfassung der röm. Kirche und die Verwahrungen derselben gegen die weltlichen Fürsten, Kirchenversammlungen und Laien, zugleich aber auch die feierliche Excommunication und Verfluchung aller Ketzer. Nach der Anordnung von Papst Pius V. soll sie an jedem grünen Donnerstag vorgelesen werden; dieses Gebot veranlaßte aber schon 1568 große Unruhen in Frankreich, und wurde deshalb wohl nur in Rom regelmäßig ausgeführt.

Nachtrab s. Arrieregarde.

Nadelgeld oder Spillgeld (Spille ist Spindel) nennt man die Summe Geldes, welche der Ehemann der Frau jährlich für ihre Ausgaben an Kleidung, Wäsche und Putz aussetzt. Allgemeine Anwendung findet dieser Gebrauch nur bei dem hohen

Adel. Zu unterscheiden davon ist, wenn die Frau sich bei der Verheirathung die Verfügung über einen Theil ihres Einbringens vorbehält (bona receptitia).

Näherrecht, der Abtrieb, die Losung. Unter N. wird überhaupt das Recht verstanden, im Falle der Ueberlassung einer Sache an einen Andern unter den Lebenden den Vorzug vor diesem zu verlangen, wenn dieselben Bedingungen erfüllt werden, welche der erste Contrahent übernommen hat. Das Näherrecht wird durch Vertrag, Testament begründet, oder es kann auch aus einer unmittelbaren Verordnung der Gesetze entstehen. Ein gesetzliches N. steht dem Erbzinsherrn bei der Veräußerung des erbzinslichen Gutes, dem Gläubiger bei dem öffentlichen Verkaufe der Güter seines Schuldners und dem Landesherrn, als Bergherrn, das Verkaufsrecht in Ansehung der aus den Bergwerken in seinem Lande gewonnenen Münzmetalle zu. Verloren wird das N. durch Verjährung — nach deutschem Rechte muß das N. binnen Jahr und Tag ausgeübt werden — durch freiwillige Entsagung und wenn die Beschaffenheit der Sache, welche den wesentlichen Grund des N. ausmacht, gänzlich aufgehört hat. Einige Rechtslehrer rechnen das N. zu den deutschen Rechtsinstituten und lassen den Ursprung in die frühesten Zeiten der Volksgemeinden und Markgenossenschaften fallen; andere schreiben die Einführung desselben dem Kaiser Constantin dem Großen zu. Durch die Gesetzgebungen der neueren Zeit hat das N. viel an seinem Umfange verloren und durch die treffliche Einrichtung unserer Grund- und Hypothekenbücher ist vorzüglich bei dem Kaufe von Grundstücken dem Betruge, da ein Dritter, ohne es zu wissen, leicht ein Grundstück mit N. kaufen konnte, durch den Umstand gesteuert worden, daß das N. nur dann gegen einen Dritten Wirksamkeit hat, wenn es in das Grund- und Hypothekenbuch eingetragen ist.   *Robert Kleinschmidt.*

Nahrung, Nahrungs- oder Lebensmittel. Nahrungsmittel nennt man diejenigen Dinge, aus denen die organischen Geschöpfe die verbrauchten Stoffe wieder ersetzen. Sie unterscheiden sich von den Lebensmitteln eigentlich dadurch, daß diese weit mehr umfassen. Jeder vorhandene Stoff kann Nahrungsmittel werden; daher die große Mannigfaltigkeit und Verschiedenheit der Nahrungsmittel bei den verschiedenen Klassen der organischen Geschöpfe. Selbst nicht jede Pflanze gedeiht in jedem Boden; eben dieses ist auch bei den Thieren der Fall. Dem Menschen aber ist eine so freie Wahl gelassen, daß fast Alles von ihm zu Nahrungsmitteln benutzt wird. Man hat jedoch einen Unterschied zwischen Speise und Nahrungsmittel zu machen, denn nicht alle Speise, ist auch Nahrungsmittel. Als eigentliche Nahrungsmittel dienen die Elemente, welche sich in jenen vorfinden; die hauptsächlichsten sind Kohlen-, Stick-, Wasser- und Sauerstoff, welche aus den Speisen abgeschieden und mit dem Körper in Verbindung gebracht werden. Wie dieses geschieht, ist ein Geheimniß der Natur.

Namen. In den ältesten Zeiten führte Jedermann nur einen N., was selbst bei den **Griechen** der Fall war. Die Römer führten aber mehrere Namen, und zwar vier: den Familiennamen (nomen), den Namen der Familienlinie (cognomen), den eigentlichen Personnamen (praenomen), welcher der Person, die ihn führte, ausschließlich gehörte, und den Zunamen (agnomen), welcher einem Bürger öfters als Auszeichnung verliehen ward. — Bei den alten Deutschen erhielt das Kind bei der Geburt einen N.; Familiennamen und Taufnamen kannte man nicht. Dieser N. wurde erfunden und gehörte dem Kinde eigenthümlich an; die deutsche Sprache war zu solchen Namenbildungen sehr geeignet. Man durfte nur an die ersten besten willkürlich gewählten Sylben eine von jener großen Menge Nachsilben (olf, bold, bert, fried, helm, ger ꝛc.) setzen, so war der neue N. fertig. Auch war es bei den Deutschen, wie bei den Griechen Sitte, dem Kinde den N. des Großvaters zu geben. Nach Einführung des Christenthums erschienen die N. biblischer Personen und Heiliger. Im 12. Jahrhundert fing man an, die adeligen Familien von den Orten, wo sie herstammten, zu nennen. Mit der Entstehung der Ritterschlösser im 12. Jahrhunderte entstanden die N. von Berg und Burg, Stein und Fels; denen man gern Drachen, Greife, Falken, Bäre, Wölfe und anderes Gethier beifügte. Die Roheit der Sitten fand schon in den N. ihre Beurkundung. Familiennamen von Bürgern und Bauern findet man bereits im 13. Jahrhundert. Doch dürften wenig bürgerliche oder briefadelige N. über das 18. Jahrhundert hinaufreichen. In späterer Zeit nannte man sich nach dem Geburtslande oder Geburtsorte, welches vorzüglich die Gelehrten thaten. Man änderte auch nicht selten willkürlich den N. um, indem Männer den N. der Frau annahmen; besonders war dies bei den Adeligen der Fall, die nicht selten N. und Wappen der ersten Ehegattin ihres Vaters annahmen. Bei dieser großen Willkür und Freiheit sind Berufungen auf Abstammung von berühmten „Ahnen" fast mehr als lächerlich. Das erste Verbot gegen das willkürliche Wechseln der N. erließ Frankreich im Jahre 1535 und wurde später von andern Staaten ebenfalls erlassen. Eine Beschränkung in der Wahl der Taufnamen ist erst in neuerer Zeit aufgekommen, schon unter Napoleon, welchem die durch die Revolution gewährte Freiheit in dieser Hinsicht nicht gefiel. Nur die N. aus dem Kalender und der alten Geschichte (also nicht, wie es oft geschah, Robespierre) durften gewählt werden. Zur Zeit der s. g. Freiheitskriege 1813 entstanden Namen wie: Blücherine, Gneisenauette, Landsturmine und ähnliche, die man zuließ. Im Jahre 1850 aber fanden Verbote gegen N. wie Kossuth, Waldeck und Andere statt.

Narrenfest. Schon im 5. Jahrhunderte kam ein Fest auf, welches in mehreren europäischen Ländern von den Geistlichen so gut wie von den Nichtgeistlichen unter Begehung der größten Narrheiten gefeiert wurde. Das größte Fest der Heiden, welches an Ausgelassenheit alles übertraf, waren die Saturnalien (Calendae Januarii). Alle kirchlichen Verbote zur Ausrottung dieses Festes waren bis in das 9. Jahrhundert vergeblich; nach und nach gingen aber aus den Saturnalien die Narrenfeste der Christen hervor, deren erste Spur sich gegen Ende des 12. Jahrhunderts findet. Das N. wurde, wie die Saturnalien, im Monat December gefeiert — von Weihnachten bis auf den letzten Sonntag nach Epiphanias (6. Jan.). Die Hauptfeierlichkeiten fielen auf den Neujahrstag. Chorknaben, junge Sakristanen und Kirchdiener machten die Hauptpersonen, während Bischöfe und Geistliche mit den Nichtgeistlichen die Zuschauer bildeten. Zu diesem Feste, welches bald das Fest der Unterdiakonen und Decemberfreiheit genannt wurde, wählte man einen Narrenbischof, der unter lächerlichen Feierlichkeiten in der Kirche eingesperrt wurde. Er nahm sodann den Bischofssitz ein, hielt das feierliche Hochamt, ertheilte den Segen, während die in Maskenanzüge gekleideten Theilnehmer des Festes in der Kirche die größten Thorheiten und größten Unsittlichkeiten verübten. Der Hauptsitz dieser Feste war Frankreich; in Deutschland wurden sie am Rhein gefeiert und haben sich bis heute noch unter dem Namen Carneval erhalten. Uebrigens wurden diese Feste von Päpsten und Bischöfen schon frühzeitig verboten, weil sie ein deutliches Zeugniß davon ablegten, daß die Scheu vor den von der katholischen Kirche für heilig erklärten Dingen im Volke keineswegs tiefe Wurzel geschlagen hatte.

Nasiräer, Nazaräer hieß eine jüdische Secte, welche sich eines streng sittlichen Lebens befleißigte. Als äußeres Zeichen ließ sie das Haar unbeschoren. Zu den N. soll Simson gehört haben.

Nation, Nationalität, Volk, Volksthum. Eine N., ein Volk ist eine Menschenmenge, welche Abstammung, Sprache, Sitten u. dergl. gemein hat und sich andern Menschen gegenüber als eine Einheit, ein abgeschlossenes Ganze darstellt. Der Inbegriff dessen, worauf dieses Bewußtsein der Einheit beruht, heißt Nationalität, Nationalcharakter, Volksthum. Auf die Frage: Wer ist das Volk? kann man daher nur antworten: 1) diejenigen, welche die in der Geschichte zur äußeren Erscheinung gekommene Volksthümlichkeit an sich tragen; 2) diejenigen, in welchen Bewußtsein und das Gefühl der Volkseinheit zum Leben erwacht ist. Hierdurch wird zugleich die so oft aufgeworfene Frage gelöst, was **Volkswille** sei. **Volkswille** ist eben so wenig das, was ein aufgeregter Haufe verlangt, als das, was Solche dafür ausgeben, die es zwar nach geschriebenem Rechte vor der Staatsgewalt vertreten, die aber nicht durch freie Wahl dazu berufen worden sind. Was eine durch Censur oder barbarische Preßgesetze geknebelte Presse seufzet und zu erbetteln wagt, ist eben so wenig Volkswille, als der durch Bajonette gesicherte Siegesruf der Reaction. Nur der ganze freie Wille der Gesellschaft ist ein wahrer Volkswille; doch darf er nicht, wie oft die Volksvertretung, auf juristischen Fictionen ruhen. Der Volkswille lebt in jedem Volke, und wäre es auch zeitweilig im Kerker und in Fesseln. Die bitterste Verhöhnung des Volkswillens ist stets die Beschränkung der Presse gewesen; sie ist nichts anderes, als das Geständniß, daß die höchste Gewalt die Billigung des Volkes besitzen müsse, denn nur deshalb sucht man den Tadel zu unterdrücken. Der chinesische Schuh und der russische Schnürleib geben zwar dem Körper die Gestalt, welche man ihm gegeben sehen will; aber gesünder und kräftiger machen sie ihn nicht. Eben so dürfte es mehr als zweifelhaft sein, ob gewisse Maßregeln geeignet sind, das Volk gesünder und kräftiger zu machen, es zu beglücken und zu erwecken. — Das deutsche Volksthum hat in mehr als einer Hinsicht Ursache, auf seine Hauptzüge, Wahrheits- und Gerechtigkeitsliebe stolz zu sein. Die Geschichte weist dieses nach, und auch, wie in dem deutschen Volksthume stets ein gesunder, lebensfrischer Sinn wohnte. Die **Inquisition** konnte nicht über den Rhein vordringen; aus Deutschland verbreitete sich das Licht der Glaubensfreiheit; Deutschland gab der römischen Hierarchie und Lüge den ersten Stoß. Wer sich darüber genauer unterrichten will, dem empfehlen wir „Jahn's deutsches Volksthum."

Nationalbewaffnung s. Volksbewaffnung.

Nationalcharacter ist im Allgemeinen das, was wir oben als Volksthümlichkeit bezeichnet haben. Der N. ist die besondere Richtung, welche eine Nation als Ganzes zeigt; am deutlichsten ist der N. im eigentlichen Volke ausgeprägt, in seinen Sitten und Gebräuchen, in seinen Liedern und Festen (s. Volksfeste).

Nationalconvent war in der ersten franz. Revolution die Versammlung der Volksdeputirten, welche nach dem Umsturz des Thrones die Staatsgewalt in die Hände nahmen. Der N. wurde mit 750 Mitgliedern am 21. Septbr. 1792 eröffnet; am 25. Septbr. erklärte er Frankreich zur Republik; die Jacobiner, oder die Bergpartei hatten in ihm die Oberhand. In dem N. wurde nach der Hinrichtung des Königs das Revolutionstribunal errichtet, so wie der Wohlfahrtsausschuß gebildet. Bald erhob sich Robespierre zum Dictator des N.; er, Saint-Just und Couthon bildeten das Triumvirat, welches durch die Guillotine den N. so lichtete, daß er in wenig Wochen nur noch 240 Mitglieder zählte. Erst am 28. Juli 1794 nahm die „Schreckensherrschaft" ein Ende. Schon drohte die Reaction der Mittelclassen und der königl. Partei das Uebergewicht gegen den N. zu erhalten, als Bonaparte am 4. Octbr. 1795 die Sectionen der Pariser Gemeinde durch Kartätschen vertrieb. Am 26. Oct. 1795 löste er sich auf, und hinterließ der Nation eine neue Verfassung, nach welcher die Regierungsgewalt an ein **Directorium** kam. Im Ganzen hatte der N. 8370 Decrete erlassen.

Nationalfeste s. Volksfeste.

Nationalgarde s. Volksbewaffnung.

Nationalgut s. Nationalvermögen und Volkswirthschaftslehre.

Nationalinstitut ist, dem Wortlaute nach, im Allgemeinen jede für **das Volk** berechnete Einrichtung. In Deutschland, wo es bekanntlich noch kein Volk im wahren Sinne giebt (s. Nationalität), giebt es nur Staatsinstitute, wie Posten, Zuchthäuser u. s. w. Vorzugsweise versteht man unter N. das ehemals königl. N. in Frankreich, die Académie française, gestiftet 1637, welche später sehr erweitert wurde. Der Convent (s. Nationalconvent) hob sie am 8. Aug. 1793 zwar auf; doch am

23. Oct. 1795 rief das Directorium einen „National-"Gelehrtenverein in's Leben und gab ihm den Namen „Institut nationale," welcher Name im Laufe der Zeiten mehrfach wechselte, bis er 1814 in Institut imperial verwandelt wurde. Durch eine Ordonnanz vom 21. März 1816 ward dieses Institut in verschiedene Akademien getheilt. Bis jetzt hat kein anderes Land ein ähnliches Institut in das Leben rufen können, am wenigsten Deutschland. ....

Nationalliteratur, Volksliteratur, ist die Gesammtmasse der schriftstellerischen Erzeugnisse eines Volkes, welche zugleich die Eigenthümlichkeit desselben beurkunden. Deutschland hat, andern Völkern gegenüber, nicht Ursache, sich seiner Literatur zu schämen. Dieselbe beginnt zwar erst mit dem Mittelalter und enthält aus dieser Zeit vorzugsweise Blüthen der Dichtkunst (Minnesänger), aber desto bedeutender wurde sie später, namentlich seit dem 18. Jahrhundert. Es ist anerkannte Thatsache, daß Deutschland in jedem Fache der Wissenschaften und Künste die größten Geister aufzuweisen hat, die nur selten durch das Ausland überragt worden sind. Daß die deutsche Volksliteratur noch nicht überall, namentlich im Auslande, zu der ihr gebührenden Geltung gekommen ist, liegt zunächst an der Geringschätzung, mit welcher man auf das deutsche Volk, als politischen Körper, herabzublicken gewohnt ist.

Nationalökonomie s. Volkswirthschaftslehre.

Nationalvermögen oder **Nationalreichthum** umfaßt die Summe aller wirthschaftlichen Güter, welche in dem Besitz eines Volkes sind. Zu unterscheiden sind die N.-Güter, welche im unmittelbaren Besitz des Volkes sich befinden, zu öffentlichen Zwecken bestimmt sind (Gebäude, Straßen 2c.), von denjenigen, welche unter die Einzelwirthschaften vertheilt sind. Rechtlich ist der Unterschied zwischen den Krongütern und den Nationalgütern noch nicht überall festgestellt. Zur Zeit der Revolutionen hat, wie in Frankreich, die Volksgewalt nicht selten die Krongüter für Volkseigenthum erklärt und verkauft. Wurde die Revolution bewältigt, so mußten die Käufer jene Güter wieder herausgeben, wurden wohl auch, wie in Spanien, als Theilnehmer an der Revolution bestraft. Das N. eines Staates ist von der größten Bedeutung, da es zugleich die erste Stütze des Nationalcredits ist.

Nationalversammlung, französische, nannte sich die Reichsversammlung, welche Ludwig XVI. am 5. Mai 1789 eröffnen ließ, aus eigner Machtvollkommenheit. Der Hof suchte zwar diesen Namen in Wegfall zu bringen, allein die Deputirten des dritten Standes, zu denen auch die Freisinnigen der andern beiden Stände gehörten, widersetzten sich dem Hof und siegten. Die Geistlichkeit und der Adel wurden durch eine königl. Ordonnanz gezwungen, sich der N. anzuschließen und die — Revolution hatte begonnen. Die N. entwickelte nun unter dem Namen einer constituirenden eine ungemein große Thätigkeit. Beschlossen ward (4. Aug. 1789) die Abschaffung der Privilegien, Aufhebung der herrschaftl. Gerichtsbarkeit, der Zehnten, des Religions- und Preßzwanges, und die Erklärung der Menschenrechte (s. d.). Nachdem die N. zu Gunsten der Revolution 3250 Decrete erlassen und am 3. September 1791 die neue Constitution mit dem Könige beschlossen hatte, löste sie sich am 30. Septbr. auf. An ihre Stelle trat die gesetzgebende N., welche nach dem Umsturz des Throns (10. Aug. 1792) den Nationalconvent (s. d.) zusammenberief.

Nationalversammlung, deutsche. Die letzten sturmbewegten Jahre hatten Deutschland unter Anderm auch etwas gebracht, was es seit tausend Jahren nicht gesehen hatte, eine Versammlung von Volksvertretern aus allen Gauen des weiten Vaterlandes — die N. zu Frankfurt am Main. Am 5. März 1848 kamen, nach Ausbruch der Volkserhebung in Deutschland, in Heidelberg Männer zusammen und berathschlagten, was geschehen solle. Man wählte eine Commission von sieben, welche Einladungen an alle namhaften Volksmänner, Mitglieder der Ständeversammlungen, erließ. Am 31. März trat — dies war der Erfolg dieser Einladungen — eine vorberathende Versammlung für ein deutsches Parlament zusammen. Das Vor-

parlament eröffnete seine Sitzungen und sofort wurde die Festsetzung einer N. ange=
nommen. Das Vorparlament wählte nun einen Ausschuß von 50 Mitgliedern, wel=
cher mit dem Bundestag in Verbindung treten sollte. Der 1. Mai war für die Er=
öffnung der N. festgesetzt worden; sie konnte aber nicht eher erfolgen, als am 18. Mai in
der Paulskirche. Der traurige, ja schimpfliche Ausgang der N., ihre vollständigste
Wirkungslosigkeit veranlaßt uns, nur die Hauptpunkte ihrer Wirksamkeit anzugeben.
Am 27. Juni schuf man die „provisorische Centralgewalt"; am 19. Juni den Reichs=
verweser, welcher in der Person des Erzherzogs Johann von Oesterreich am 12. Juli in
Frankfurt eintraf. Der wichtigste Gegenstand der Berathung waren die Grundrechte des
deutschen Volkes. Schon hatte die Reaction ihren Pfad betreten, schon hatte die N. am 18.
Septbr. blutige Tage in Frankfurt gesehen, als sie mit dem Monat October an die Berathung
der Reichsverfassung ging, als dem Endziel ihrer Wirksamkeit. Die größten Schwierig=
keiten unter den weit aus einander gehenden Parteien bot die Oberhauptfrage dar.
Am 28. März 1849 ward der König von Preußen zum Kaiser gewählt. Oesterreich
berief jetzt seine Abgeordneten zurück; Fr. Wilhelm v. Pr. lehnte die Kaiserkrone ab.
Die N. forderte die Fürsten zur Annahme der Reichsverfassung auf. Dieser traten
die meisten Regierungen entgegen und beriefen ihre Abgeordneten zurück. Am 10.
Mai erfolgte ein Aufruf an das Volk von Seiten der N., die Reichsverfassung
zur Geltung zu bringen. In Sachsen erhob sich ein Aufstand, wie auch in Baden;
beide wurden erdrückt und Deutschland sah, wieder etwas Neues — Standrechtssce=
nen! Am 30. Mai hielt die N. ihre 230. und letzte Versammlung in Frankfurt.
Ein Theil der Mitglieder ging nach Stuttgart, wo sie am 6. Juni die erste Sitzung
hielten, durch Beschluß die provisorische Regierung absetzten und eine provisorische
Reichsregentschaft schufen. Am 18. Juni wurde der N. das Sitzungslokal durch
Militär gesperrt. Sie war nun aus einander gesprengt.

Naturalien sind eigentlich alle diejenigen Erzeugnisse der Natur, welche durch
die Kunst noch keine Umänderung erfahren haben. Gewöhnlich versteht man aber
unter N. diejenigen Naturkörper aus den bekannten drei Reichen, welche durch Zu=
sammenstellung naturhistorische Sammlungen (Naturaliencabinette) bilden. Diese ha=
ben einen rein wissenschaftlichen Zweck, indem sie zur Veranschaulichung dienen. Mu=
stersammlungen von N. sind die Sammlungen zu Berlin und Leyden.

Naturalisation wird die Aufnahme eines Fremden in die Staatsverbindung
durch Ertheilung des Indigenats (s. Heimath) oder der Rechte eines Eingebornen ge=
nannt. Die Bedingungen, unter denen Jemand in den verschiedenen Staaten die N.
erlangen kann, sind sehr verschieden. Man gestattet leichter den Aufenthalt und die
Betreibung der Gewerbe, wohl auch den Erwerb von Grundstücken, als daß man bis
zur N. schreitet. In den meisten Ländern ist sie noch eine Regierungs= und Gna=
densache; wieder in andern, z. B. in England, muß die gesetzgebende Gewalt dabei
concurriren.

Naturalismus wird die Ausübung einer Kunst oder Wissenschaft genannt,
wenn man sich dieselbe nicht durch das Studium der Regeln derselben, sondern durch
natürliche Erfahrungen angeeignet hat. So haben es Manche zu leiblicher Fertigkeit
in der Musik gebracht, ohne das Notensystem zu kennen. — Noch versteht man un=
ter N. den Gegensatz von Supernaturalismus (s. d.), d. h. die Ansicht, daß der
Mensch durch seine eigene Vernunft, ohne unmittelbare göttliche Offenbarung zur Er=
kenntniß der religiösen Wahrheit kommen kann; der N. leugnet daher auch diese Of=
fenbarung, während der Rationalismus sie der Prüfung für werth hält.

Naturrecht oder richtiger Vernunftrecht ist das Rechtssystem, welches auf
der Gesetzgebung der Vernunft (Natur) beruht. Ihm entgegengesetzt ist das histo=
rische, positive Recht, welches sich auf die künstlichen Satzungen stützt, welche der
Staat im Laufe der Zeiten nach und nach geschaffen hat. Betrachten wir zuvörderst,

in welcher Beziehung das R. zur Moral steht. R. und Moral unterscheiden sich, obgleich sie sowohl die Erkenntnißquelle, aus welcher beide schöpfen, — die Vernunft — als auch den Gegenstand insofern gemein haben, als beide Wissenschaften sich auf die freien Handlungen der Menschen beziehen, nicht nur durch den Umfang in Rücksicht der menschlichen Handlungen, und durch den Inhalt und die Ergebnisse, sondern auch durch den Zweck und die demselben angemessene Anforderung. Während nämlich das R. zunächst nur solche Handlungen zum Gegenstande hat, welche in die Außenwelt hervortreten und auf den Zustand anderer Menschen oder den Gemeinzustand der Menschen Einfluß haben, so umfaßt dagegen die Moral die gesammte Thätigkeit des Menschen in jeder Art und Richtung, mithin die innern Handlungen ebenso wie die äußern, und die letztern auch dann, wenn sie außer dem Bereich des Rechts liegen, wie z. B. die Handlungsweise des Menschen gegen sich selbst. — In Bezug auf den Inhalt und die Ergebnisse lehrt die Moral das Wesen des sittlich Guten und die demselben in jeder Hinsicht entsprechenden Pflichten des Menschen, während das R. das Wesen des Rechts überhaupt betrachtet und daraus eben so wohl die Rechte oder die Rechtspflichten der Menschen in ihren gegenseitigen Beziehungen, so wie auch die zum Zusammenleben der Menschen nothwendigen Einrichtungen der äußeren Lebensverhältnisse entwickelt. Endlich ist auch der Zweck des R. darauf gerichtet, den äußern Freiheitsgebrauch der Menschen durch gegenseitige Beschränkung allgemein für alle Menschen möglich zu machen und die nothwendigen Bedingungen für die der Bestimmung des Menschengeschlechtes entsprechende Gemeinexistenz fest zu stellen und zu sichern, und demnach beschränkt es seine Anforderung nur auf die Uebereinstimmung unsrer äußern Handlungen mit den Rechtsgesetzen und der Natur der socialen Zustände und Verhältnisse. Die Moral dagegen hat zum Zweck das ganze Streben des Menschen nach dem Ziele sittlicher Vollkommenheit, in deren Erstrebung die wahre Tugend des Menschen besteht. Wenn man, um zum zweiten Punkt zu gelangen, Politik die Wissenschaft von den tauglichsten Mitteln zur möglichst vollkommenen Erreichung des Staatszweckes heißt, so scheint sie mit dem R. zwar insofern einen gemeinschaftlichen Gegenstand zu haben, als in beiden Wissenschaften vom Staate und von dem, was in und durch denselben bewirkt und erreicht werden soll, gehandelt wird. Es ist aber der Endzweck ein verschiedener; während nämlich das Naturrecht, insoweit es vom Staate handelt, den Zweck desselben lehrt und die allgemeinen Grundsätze für die Rechtsverhältnisse und für die nothwendigen Einrichtungen im Staate erforscht, beschäftigt sich dagegen die Politik mit Erforschung der Mittel zur Erreichung des Staatszweckes. Im Uebrigen ist auch das R. eine rein-philosophische Wissenschaft, während die Politik zum großen Theil auch auf Grundlagen des wirklichen Lebens beruht, indem die Tauglichkeit der Mittel zu möglichst vollkommener Erreichung des Staatszweckes in jedem besondern Staate durch mancherlei besondere Umstände bedingt ist; namentlich durch die körperliche, geistige und sittliche Beschaffenheit des in einem bestimmten Staate vereinigten Volkes und durch die ganze Eigenthümlichkeit der Verhältnisse dieses Staates. — Die Tragweite des Einflusses, den sich das Naturrecht, dessen Forderungen fast bei jeder Nation verschieden sind, da immer der Bildungsgrad derselben zu berücksichtigen ist, auf alle Zweige des menschlichen Wissens erworben hat, ist kaum zu ermessen, so sehr auch die Machthaber jeder Zeiten bemüht gewesen sind, die Forderungen des natürlichen Rechtes, dem Menschen als solchem angeboren, als irrsinnig, unausführbar und, wie dies gewöhnlich der Fall ist, als unchristlich und unmoralisch darzustellen. Die Gründe, welche diese Herren zu solchen Schritten bewegen, sind auf ihre eigene Sicherheit und auf die Legitimität gestützt. Denn wenn im Laufe der Zeiten das Natürliche und Vernunftgemäße ausgeartet und diese Ausartung bis zu einem bestimmten Grade von Abgeschmacktheit gebracht ist, dann drängt uns ein natürliches Gesetz auf die Rückkehr zu der ursprünglichen und natürlichen Einfachheit. Diese Rückkehr aber ist das

Weſen und der Grundgedanke einer jeden Revolution. Blicken wir zurück nach Grie-chenland, nach Rom, und wir werden zu dem Schluſſe kommen, daß die Revolutio-nen dieſer Völker nur zum Zwecke die Erlangung der dem Menſchen als ſolchem an-gebornen Rechte hatten, gegenüber einer Partei, die ſich nur erhalten konnte durch die dem Volke zugefügten Schmälerungen. Was hat die Bauernkriege entzündet? Waren die Forderungen der Jahrhunderte hindurch getretenen, geſtoßenen, beleidigten und gehetzten Bauern unchriſtlich und unmoraliſch? Waren ſie nicht natürliche For-derungen, enthielten ſie nicht das Verlangen nach Rechten, die jedes vernünftige We-ſen zu beanſpruchen ein Recht hat? Wird es Jemandem in den Sinn kommen, den Beweggrund der franzöſiſchen Revolution zu verdammen? Hat nicht die deutſche Bewegung im Jahre 1848 in den Grundrechten eine Rückkehr zu den natürlichen Rechten ausgeſprochen? Oder iſt etwa das Recht zu denken, zu ſprechen, zu ſchrei-ben, zu wohnen an jedem beliebigen Orte, das Recht einer ungeſtörten und unge-hinderten Religionsausübung nicht dem Menſchen angeboren? Oder werden vielleicht durch Ausübung dieſer Rechte andere Rechte verletzt? Nie und nimmermehr! Nach dieſen Ausführungen wird es einleuchten, daß das N. — natürlich je nach den Ver-hältniſſen mit gewiſſen Einſchränkungen — die menſchlichen Rechte erhalten und be-wahren wird, und den Bund der unbedingten Alleinherrſchaft mit der kirchlichen Herrſchſucht, Hierarchie, braucht ein vernünftiges Volk nicht zu fürchten.— Die Na-tur wird ihre Rechte erkämpfen; ſie iſt darauf hingewieſen. Das N. hat endlich nicht blos einen wiſſenſchaftlichen Werth, ſondern auch einen practiſchen Nutzen, der theils ein ſittlicher, theils ein juriſtiſcher iſt; in ſittlicher Hinſicht nämlich kann und ſoll dieſe Wiſſenſchaft einerſeits dadurch, daß ſie uns von der Nothwendigkeit des Rechts und des Staates und von der ſittlichen Bedeutung der Gerechtigkeit überzeugt, den Sinn für Recht und Gerechtigkeit und die Achtung vor den Geſetzen als den Trägern der bürgerlichen Ordnung in uns beleben und kräftigen, und dadurch dem bürgerlichen Gehorſam eine ſittliche Grundlage geben und andrerſeits kann und ſoll ſie, indem ſie durch Vergleichung des Rechts und der Sittlichkeit zur richtigen Wür-digung von beiden uns führt, uns geneigt machen, den Gebrauch unſrer Rechte durch die ſtete Rückſicht auf Billigkeit zu ermäßigen und in Fällen, wo er mit der Sitt-lichkeit in Conflict kommen würde, den höher ſtehenden Anforderungen derſelben auf-zuopfern. — In Bezug auf das poſitive Recht hat das N. den Nutzen, daß es, da die naturrechtlichen Grundſätze doch mehr oder weniger das Fundament des poſitiven Rechts bilden, zum richtigen Verſtändniß und zur tiefern Ergründung derſelben ſehr weſentlich beiträgt und ſogar auf Entſcheidung poſitiv rechtlicher Zweifel Einfluß ha-ben kann; daß es ferner den Maßſtab zur Beurtheilung der Vernunftmäßigkeit eines poſitiven Rechts und der Richtſchnur für deſſen Fortbildung darbietet, und daß es end-lich ſogar die Lücken deſſelben für die unmittelbare Anwendung im Leben erzeugt.

Robert Kleinſchmidt.

Naturſtand heißt derjenige Zuſtand, wo man ſich die Menſchen ohne alle bür-gerliche Ordnung, mithin auch ohne alle äußere Gefahr denkt. Dieſer Zuſtand iſt entweder ein Stand der Wildheit oder — wie Hobbes meint — des ſteten Krie-ges Aller gegen Alle — oder aber ein Stand der Unſchuld, wo das noch unverdor-bene Gemüth einzig nur der Stimme der Natur folgt und Liebe das Band iſt, welche alle umſchlingt und zu einem ſchönen harmoniſchen Ganzen verbindet. So poetiſch nun dieſe Auffaſſung des N. auch iſt, ſo wenig ſcheint aber ein ſolcher niemals in dieſer Weiſe ſtattgefunden zu haben, obſchon eine Vergleichung des Lebens des Einzelnen mit dem Leben der Menſchheit gewiſſermaßen beſtätigt, daß die erſten Men-ſchen bei dem Mangel an andern Erziehungsmitteln allein nur von jenem Gefühle gegenſeitiger Zuneigung geleitet worden ſind, für welches wir den Ausdruck "Liebe" zu gebrauchen pflegen. Allein, daß die Beſtimmung der Menſchheit eine andere ſei, als in ewiger unthätiger Kindheit das Daſein zu verträumen, lehrt die Vernunft und

besagt schon die älteste Urkunde des Menschengeschlechts, indem sie die Erhebung der ersten Menschen zur Freiheit des Denkens und Handelns mit dem Genusse der verbotenen Frucht vom Baume der Erkenntniß vergleicht. Dieser „Baum der Erkenntniß" nun wächst überall und trägt seine Früchte für alle Völker, welche noch im N. leben; sie alle kosten früher oder später einmal davon — und die Folge des Genusses ist — ihre Cultur! — Mag man nun auch weder den einen noch den andern dieser N. wünschenswerth finden, noch überhaupt ihn für möglich halten, — so läßt sich doch dagegen nicht wegläugnen, und die Erfahrung hat es auch hinlänglich bezeugt, daß jede falsche Richtung, welche die Cultur nimmt, immer weiter von der Natur entfernt und die Menschen in ihrem Thun und Wesen endlich zu Zerrbildern macht, deren Anblick nur Ekel und Widerwillen erregt. Eine solche Cultur ist freilich dann schlimmer, wie gar keine; aber die Erfahrung lehrt auch wieder, daß nach solchen Abirrungen die Menschen immer wieder auf den rechten Weg zurückzukommen und einem Zustand sich zu nähern suchten, welcher den Anforderungen der wahren Bildung besser entsprach und mit der höchsten Einfachheit der Sitten die größte Geistesbildung verband. Und dies ist der N., welchem das der unnatürlichen und geschminkten Zustände überdrüssige jetzt lebende Menschengeschlecht wieder entgegenstrebt.
Cramer.

Natürliche Grundlagen der Staatsverhältnisse und aller gründlichen, gesunden Staatswissenschaft. Es läßt sich nicht wohl in Abrede stellen, daß in gegenwärtiger Zeit die europäischen Staaten- und Völkerverhältnisse sich in einem Zersetzungs- oder Gährungsprocesse befinden, dessen Ende weder nach Zeit, noch Resultat abzusehen ist. Um so dringender erscheint es, an der Hand der Geschichte und bewährten Staatsweisheit den fast schülerhaften Versuchen neuerer Staatsmänner gegenüber einen prüfenden Blick auf die wahren und einzigen Grundlagen der Staatsverhältnisse zu werfen. Es sind dieses keine andern, als Natur, Freiheit und Geschichte. In ihrer richtigen Auffassung, Behandlung und Vereinigung beruht allein das Heil der Völker.

Nautik s. Schifffahrtskunde.

Navigationsacte heißt das Gesetz, welches am 9. Oct. 1651 das damals republik. engl. Parlament erließ. Es war namentlich auf die Zerstörung des holländischen Welthandels berechnet und bestimmt: 1) daß alle in Asien, Afrika oder Amerika erzeugten Waaren nur durch brit. Schiffe nach England, Irland oder den brit. Colonien direct sollten verführt werden können; 2) daß alle in jedem europ. Lande erzeugten Waaren nur in brit. oder solchen Schiffen sollten eingeführt werden, welche Eigenthum des Landes wären, aus welchem die Waaren kämen.

Nekrologien (Todtenbücher) hießen im Mittelalter in den Klöstern die Kalender, in welche man die Namen derjenigen einschrieb, deren Namen durch Einschließung in das Kirchengebet geweihet werden sollten. In die N. zeichnet man ein die Hauptfeste, Namen der Heiligen, Märtyrer, Päpste, Kaiser und Könige, Aebte rc. Für die deutsche Geschichte sind die N. sehr wichtig.

Nekropolen (Todtenstädte) hießen die großen Begräbnißörter, in welchen die alten Aegypter die Mumien beisetzten. Die N. bestehen aus großen unterirdischen Gängen von ungeheuerem Umfang. Die in Felsen gehauenen N. haben sich noch erhalten und gehören zu den größten Bauwerken Aegyptens.

Neophiten wurden in der alten Kirche die Neugetauften genannt. Nach der Taufe, welche damals gewöhnlich in der Osterzeit vorgenommen ward, trugen sie acht Tage lang weiße Kleider, deren Ablegung unter gewissen Feierlichkeiten geschah. Später nannte man auch N. die in Mönchsorden Neuaufgenommenen.

Nepotismus. Eigentlich versteht man darunter im engern Sinne das System, welches die Päpste befolgten, um ihren Familien durch Verleihung großer Kirchenämter Macht, Ansehen und Reichthümer zu verschaffen; in weiterem Sinne ist N.

8*

jeder Mißbrauch des amtl. Einflusses zu dem Zwecke, den eigenen Verwandten unverdiente Vortheile vom Staate, der Kirche oder dem Gemeindeverbande zuzuwenden. In der alten Zeit waren die öffentl. Aemter mehr Ziel des Ehrgeizes, als der Habsucht; daher kommt es, daß der N. erst mit dem Mittelalter anfängt, und zwar mit der Geschichte der Päpste. Der Grund dazu lag mit darin, daß die kirchlichen Aemter, mit denen bald weltliche Macht verbunden wurde, nicht erblich waren, sondern ihr Besitz hing von der jedesmaligen Wahl ab. Hauptsächlich waren es nun die Neffen (nepotes), durch deren Begünstigung die Päpste ihre Familien zu heben suchten. Unter Papst Alexander VI. zeigte sich der N. in wahrhaft-schamloser Gestalt. Von seinen (des Papstes!) mit einer Buhlerin erzeugten Kindern hatte er vier Söhne und zwei Töchter anerkannt, unter ihnen das größte Ungeheuer seiner Zeit, Cäsar Borgia. Alle diese Bastarde wurden in die höchsten Aemter und Würden gebracht. Erst Papst Alexander VII. gelobte bei seiner Wahl (1655), sich von dem N. fern zu halten; Innocenz XII. verbot ihn 1692 durch eine Bulle. Doch auch die weltl. Gewalt war zu jener Zeit vom N. nicht frei, wie es nicht anders bei Wahlmonarchien und solchen Körperschaften sein konnte, in denen das aristokratische Element vorherrscht. Hat doch das preußische Landrecht (Th. II., Tit. 9, §. 35) es ganz offen ausgesprochen, daß der Adel zu den Ehrenstellen im Staate, wozu er sich geschickt gemacht hat, vorzüglich berechtigt sein soll. Der N. ist für jeden Staat ein Krebsschaden, denn er untergräbt das Vertrauen und erzeugt die gehässigsten Leidenschaften.

Nestorianer wurden die Anhänger des Presbyter Nestorius zu Antiochien genannt; seit 428 war er Patriarch von Konstantinopel. Auf der Synode zu Ephesus, 431, ward er der Ketzerei angeklagt und abgesetzt. Die Hauptlehre des Nestorius bestand darin, daß er das Göttliche und Menschliche in Christus schärfer getrennt wissen wollte und deshalb auch die Maria nicht als „Gottgebärerin" anerkannte. Seine Anhänger, die N., verbreiteten sich später namentlich in Persien, wo sie die Gemeinde der chaldäischen Christen, auch Thomaschristen, bildeten.

Neubruch, Rabeland oder Neuland heißt solches Land, welches früher entweder wüste lag, oder als Wiese, Weide rc. benutzt, dann aber in Ackerland verwandelt wurde. Da der N. sehr reich an Humus ist, so bedarf er in den ersten Jahren kaum des Düngers. Von dem N. mußte früher hier und da ein Zehent abgegeben werden, welches N.-Zehent hieß.

Neutralität. Jeder Staat hat das unbestrittene Recht, wenn zwischen zwei anderen Staaten Krieg sich erhebt, neutral zu bleiben, d. h. sich nicht in den Krieg zu mischen, sobald ihm nicht Vertragsverhältnisse andere Verpflichtungen auferlegen. Beschränken wir uns für unsern Zweck nur auf einen Hinblick in die Verhältnisse Deutschlands. Die deutschen „Reichskriege" haben fast stets zu einem traurigen Resultat geführt. Der Reichsabschied von 1641 eiferte gegen die „von etlichen Ständen oder sich selbst angemaßte N."; später ward wiederholt erklärt, daß nach erklärtem Reichskriege keine N. statt finden könne, „unter welchem Prätext es auch immer sein könnte." Umsonst! Preußens Neutralitätssystem nach dem Baseler Frieden (5. April 1795) führte zum Untergange des Reiches. Auch die Bundesverfassung hat nicht die nöthige Bestimmtheit in der N. des Bundes getroffen.

Nichtigkeit, — Nichtigkeitsklage f. Nullität.

Niederlegen s. Abdankung.

Nießbrauch (ususfructus). Der N. besteht in dem Rechte, von einer Sache, die einem Andern eigenthümlich gehört, alle Nutzungen zu ziehen. Mit dem N. sind natürlich die beschränkteren Rechte des Gebrauchs zu persönlichem Bedarf und der Wohnung verbunden.

Nihilianismus nennt man die fälschlich dem Petrus Lombardus beigelegte

Ansicht, daß Christus, in wie weit er Mensch gewesen, nichts gewesen sei. Papst Alexander III. gab sich die Mühe, diesen Glauben 1179 zu verdammen.

Nihilismus ist bei den Mystikern das vollständigste Nichtsthun, das vollständige Aufhören alles Denkens und Wollens, wobei nur das „göttliche, ehrwürdige Nichts, übrig bleibt, s. Quietismus.

Nikolaiten soll im ersten Jahrh. n. Chr. eine Ketzersecte in Kleinasien geheißen haben. Nikolaus von Antiochien, einer der sieben Diakonen zu Jerusalem, soll sie gestiftet haben. Ihre Lehre bezog sich auf Unterdrückung der Sinnlichkeit. Im Mittelalter wurden diejenigen Priester, welche des Heirathens wegen ihren Stand veränderten, oder ihre früheren Weiber nicht entlassen wollten, N. genannt.

Nimbus nannte man im Alterthum die Wolke, in welcher man sich die Götter bei ihrem Niedersteigen auf die Erde eingehüllt dachte; auch der Strahlenkranz hieß N., mit dem umgeben man sich manche Götter dachte. Sie wurden auch so abgebildet. Bei den Römern umgab man mit einem solchen N. oder Strahlenkranze alle unter die Götter versetzten Imperatoren oder Kaiser. Daburch ward der Strahlenkranz auch das Vorbild zu dem Lichtkreise, der auf christl. Denkmälern das Haupt Christi und der Heiligen umglebt. Im Allgemeinen bezeichnet man jetzt mit N. den Glanz, die Pracht, welche Jemand um sich her verbreitet.

Nobiles wurden bei den Römern die Nachkommen derjenigen Plebejer genannt, welche ein Magistratsamt bekleidet hatten. Die N. bildeten die Nobilität, welche sowohl aus patricischen als plebejischen Familien bestand (s. Patricier), und als ein erblicher Amtsadel angesehen werden kann. Schon früh schloß sich die Nobilität von dem eigentlichen Volke (plebs) ab und suchte in den alleinigen Besitz der Staatsämter zu gelangen.

Nomaden, Hirtenvölker, sind solche Völker, die sich vorzugsweise mit der Viehzucht beschäftigen, im Gegensatz zum Landbau. Die N. haben daher keine festen Wohnsitze, sondern ziehen hin und her, um immer die besten Weideplätze für ihre Heerden zu haben. Die östlichen und südlichen Länder sind die Heimath der N., welche, auf einer geringen Stufe der Cultur stehend, nicht selten Neigung zum Raub haben, eben so aber auch zum Krieg. Die Hunnen, Ungarn, Araber und Tartaren waren Nomadenvölker. In Europa finden sich jetzt nur noch in den Steppen an dem schwarzen Meere, sowie am äußersten Norden Nomaden. Mittel- und Vorderasien ist noch reich an N.; eben so Afrika, wo die Kaffern, Bitschuanen, Hottentotten und andere Völkerstämme hausen. In Südamerika gehören auch noch einige Völkerstämme zu den Hirtenvölkern.

Nomenclator, Namennenner, wurde in Rom derjenige Sclave genannt, welcher seinem Herrn die Namen der bei ihm etwa anwesenden Personen nennen mußte. Auch ordnete der N. die Gastmale an, nannte dem Gaste die einzelnen Gerichte und deren Bestandtheile. Jetzt versteht man unter N. ein Namenverzeichniß.

Nominalwerth, Nennwerth, ist der durch Worte oder Zahlen bestimmte Werth einer Sache, im Gegensatze von dem Real- oder wirklichen Werth. Am meisten kömmt dieser Ausdruck bei den Staatspapieren vor. Ist der N. derselben dem Realwerth gleich, so sagt man, sie stehen al pari (sich gleich).

Nonae s. Zeitkunde.

Nonconformisten s. Anglicanische Kirche.

Nonnenkloster s. Mönche.

Normaljahr ist ein Ausdruck, welcher bei Abschluß des westphäl. Friedens dem Jahre 1624 gegeben wurde. Es wurde nämlich festgesetzt, daß alle die, welche im ganzen Laufe dieses Jahres 1624 an einem Ort freie Religionsübungen gehabt hatten, dieselbe auch ferner behalten sollten. Der Besitz von Kirchengütern sollte bei denjenigen verbleiben, welche am 1. Jan. 1624 schon in demselben gewesen waren. In der neueren Zeit hat das N. alle Bedeutung verloren.

Normalschulen s. Schulen.

Notabeln (les Notables) heißen in Frankreich die durch Rang und Stellung ausgezeichneten Männer. Als der Despotismus der Könige sich nicht mehr mit den Reichsständen vertragen mochte, so berief man die Notabeln des Reichs, welche zu Allem bereit waren. Nach langer Pause (von 1626 an) ließ Ludwig XVI. als der Staat am Abgrund stand, die N. wieder einberufen. Die Versammlung ward am 22. Febr. 1787 eröffnet. Als der König 1788 endlich gezwungen war, die Reichsstände wieder einzuberufen, versammelte er die N. noch einmal, um sie über die Zahl der Mitglieder vom dritten Stande ꝛc. berathen zu lassen. Ihre Erklärung gegen jede Neuerung war die Loosung zur Revolution.

Notariat, Notarien. Dieses Institut wurzelt im röm. Rechte. Zu den Zeiten der röm. Republik kommen „öffentliche Schreiber" (scribae, librarii) vor, während die Privatschreiber exceptores, oder wenn sie mit Abkürzungen (notae) schrieben, Notarii genannt wurden. Die öffentl. Schreiber wurden von den Behörden angestellt; in der Kaiserzeit gewannen sie an Ansehen, da sich schon damals ein „geheimes" Kabinet ausbildete. Wie noch heute in Italien, so gab es auch schon damals Personen, welche ihre Dienste zum Anfertigen von Briefen, Urkunden, auf offnem Markte anboten. Bald vereinigten sie sich zu einer Zunft unter einem Vorstande, über welchen der Staat die Oberaufsicht führte. Von diesen „tabelliones" wurden alle Arten von Urkunden über Rechtsgeschäfte abgefaßt, und zwar immer noch öffentlich. Bald wurde es nöthig, daß man einen Beweis für die von einem tabellio oder Notar angefertigte Urkunde beibrachte. Es wurde daher die Beiziehung von „Instrumentzeugen" verordnet. Die persönl. Gegenwart des Notars bei Aufnahme des Actes, oder der Schrift, seine Unterschrift, die genaue Angabe der Zeit (Regierungsjahr des Kaisers) und anderes wurde gesetzlich festgestellt. Die Einrichtung wurde nun später unter den fränkischen Königen nachgeahmt. In der Reichskanzlei wurden die Urkunden von Personen abgefaßt, welche referendarii, cancellarii, notarii hießen. Später ward das Recht, Notarien zu ernennen, Vorrecht des Kaisers. Doch übten es auch die Päpste aus. In den Städten ward später eine Notariatsordnung erlassen. Das Notariatsstudium wurde geregelt, sogar Notariatsschulen wurden angelegt. Im Jahre 1512 erließ Kaiser Maximilian eine „Notariatsordnung," wodurch das Notariatswesen geordnet wurde, da die Pfalzgrafen ihr Recht, kaiserl. Notarien zu ernennen, oft gemißbraucht hatten. Im Jahre 1771 erklärte Preußen, daß alle preußische Notarien als solche instrumentiren sollten. Die Revolution in Frankreich warf dort auch das Notariatswesen um und schuf ein neues. In Deutschland führte die Auflösung des Reichs eine Umgestaltung des Notariatswesens herbei. In der neuern Gesetzgebung ist es in den verschiedenen Ländern auch verschieden gestaltet worden.

Nothbeten s. Beten.

Notherbe. Pflicht- oder Notherben sind diejenigen nächsten Intestaterben (in aufsteigender und absteigender Linie der Ehegatten), welchen ein bestimmter Theil des Nachlasses (Pflichttheil, s. d.) hinterlassen werden muß, wenn nicht gesetzliche Gründe sie ganz von der Erbschaft ausschließen.

Nothfrist. Die N. oder Ordnungsfristen sind solche vom Gesetz bestimmte Fristen, nach deren unbenutztem Verlauf das Recht zu der vorzunehmenden Handlung von selbst verloren geht, s. Frist.

Nothlüge ist die Lüge dann, wenn man durch dieselbe entweder sich oder andern ein Unglück oder Verbrechen ersparen will, und deshalb glaubt, die Wahrheit verletzen zu müssen.

Nothmünzen heißen diejenigen Münzen, welche zur Zeit eines ungewöhnlichen Geldmangels für den gewöhnlichen Verkehr geschlagen werden. Man schlägt die N. entweder aus Metall, doch so, daß der wahre Münzwerth weit unter dem Rennwerthe steht (s. Münze), oder aus ganz werthlosen Stoffen, Leder, Holz ꝛc. Die

Ausgabe von N. ist in beiden Fällen lediglich auf den Credit desselben berechnet, von dem sie ausgehen. Zur Zeit des Krieges wurden in Deutschland früher viele N. geschlagen; Nothklippen heißen sie, wenn sie eckig sind. In neuester Zeit hat Oesterreich zu diesem Mittel greifen müssen, um den Verkehr nicht ganz zu stören.

Nothstand, Nothrecht. Es giebt zwei Verhältnisse, welche einer an sich verletzenden Handlung den Charakter der Strafbarkeit nehmen; es sind 1) der Nothstand und das dadurch begründete Nothrecht; 2) die Nothwehr und das Nothwehrrecht (s. d.). Beide müssen aber scharf von einander geschieden werden. Das sogenannte Nothrecht (Nothmaßregel) findet statt in einem wahren Nothstande, in einer Gefahr für Leib und Leben; das Nothwehrrecht dagegen findet statt bei dem rechtswidrigen Angriff eines Andern auf Leben oder Vermögen. Das Nothrecht richtet sich gegen alle; das Nothwehrrecht aber nur gegen den rechtswidrigen Angreifer. — Die Nothmaßregel findet ihre Begründung in der Natur der Sache nach dem Rechtsworte: „Noth kennt kein Gebot"; sie ist daher rechtlich unverantwortlich für jeden, der nicht auf eine juristisch erkennbare und verbindliche Weise eine bestimmte Gefahr übernahm, wie z. B. ein Lazaretharzt, Soldat zc. Gefährlich ist das häufige Annehmen von Nothrechten von Seiten des Staates, welche sich in der Regel als nicht haltbare Ausnahmen vom allgem. Rechte hinstellen. Die neueren Strafgesetzbücher haben dem Nothrechte eine weitere Ausdehnung gegeben, indem sie auch schon in den Gefahren für schwere Leibesverletzungen den Nothstand erblicken und die zur Rettung nöthigen Verletzungen für straflos erklären. Ferner erklären sie auch die Abwehr von Gefahren für die nächsten Angehörigen, Schutzbefohlenen, der Gattin und der Kinder, für straflos. Das Nothrecht kann aber nur dann ohne Rechtswidrigkeit ausgeübt werden, wenn wahre Gefahr für Leib und Leben da war, und wenn der Verletzer keine größere Verletzung zufügte, als er in seinem durch Gefahr bedrängten Gemüthszustande für nöthig hielt. Das Urtheil über das den Verhältnissen Angemessene und Nothwendige steht dem sich im Nothstande befindlichen zu. Vorausgesetzt wird aber bei alle dem, daß keine besondere Verpflichtung zur Bestehung der Gefahr vorhanden war, wie z. B. bei Soldaten.

Nothtaufe wird die Taufhandlung genannt, wenn sie an Neugeborenen, für deren Leben zu fürchten ist, sofort vollzogen wird. Die röm.-kathol. Kirche vollzieht die N. sogar an Halbgeborenen. Die N. kann von jedem Nichtgeistlichen giltig vollzogen werden; die nachträgliche Einsegnung des Kindes durch den Geistlichen erfolgt dann später. Mit der seit Augustinus aufgekommenen Ansicht, daß ungetaufte Kinder nicht selig werden könnten, entstand auch die Nothtaufe.

Nothwehr und Selbsthülfe. Die Rechtsschützung des Staates besteht darin, daß er angegriffene Rechte seiner Angehörigen nicht blos selbst schützt, sondern auch da, wo er nicht selbst schützen kann, die Selbstvertheidigung, die N. u. S., zuläßt. Das Recht der N. ist ganz verschieden von dem Nothrechte (s. d.); es besteht in der Befugniß jedes Staatsangehörigen, sich oder seine Mitbürger gegen jeden gegenwärtigen, begonnenen oder noch bevorstehenden Angriff auf irgend ein Recht selbst zu vertheidigen, und, so weit es die zum Schutz des Rechtes nöthige Vertheidigung mit sich bringt, auch den Angreifer zu verletzen. Die N. ist der allgemeinste, natürlichste Gebrauch des Rechtes, welches sich auf die natürliche rechtliche Freiheit des Menschen gründet. Der Staat hat dieses Recht nicht erst geschaffen, er soll es nur schützen; vollständig oder überall kann auch der ausgebildetste Staat nicht schützen; es bleibt daher in solchen Fällen, wo der Staat nicht schützen kann, nichts übrig, als die Selbsthülfe. Diese ist gerechtfertigt nach der Stellung des rechtswidrig Angegriffenen, nach der Stellung des rechtswidrigen Angreifers und auch, wenn man endlich von dem allgemeinen Standpunkte des Rechtsgesetzes ausgeht. Natürlich hat die N. ihre rechtlichen Grenzen. Das Unrecht des Angegriffenen fängt an, wenn er aus dem rechten Maße der schuldlosen

Nothwehr (moderamen inculpatae tutelae) geht; wenn der Angriff z. B. nicht rechts=
widrig war, oder wenn derselbe mit Sicherheit= und ohne Nachtheil durch mildere
Schutzmittel abgewendet werden konnte. Eine Verletzung aus N. ist auch dann
rechtlich erlaubt, wenn es gilt, einen Angriff abzuwehren, welcher die Integrität
eines persönlichen und sächlichen Besitzstandes im weitesten Sinne mit Verletzung
bedroht. Diese bisher angeführten natürlichen Rechtsgrundsätze, welche mit dem
römischen, kanonischen und deutschen Rechte übereinstimmen, auch von den bessern
neuern Gesetzgebungen beibehalten worden sind, sind doch von einigen neueren Ge=
setzen verletzt worden, indem sie das Nothwehrrecht durch falsche Lehrsätze beschränk=
ten. Als Quellen dieser falschen Rechtslehre haben wir zu betrachten den erstor=
benen Rechtssinn so vieler Juristen, deren Rechtsgefühl durch das positive Recht
und das Buchstabenwesen erdrückt worden ist; ferner ein despotisches Polizei= und
Bevormundungssystem. Die Grundsätze des übermüthigen Ludwig XIV., des
Schöpfers eines tyrannischen Polizeiwesens, die Grundsätze des Militärbespoten und
Beschützers des Rheinbundes haben auch in Deutschland Eingang gefunden. Eine
dritte Quelle dieser Beschränkungen der N. ist die Vermischung der Moral
mit dem Rechte, wodurch jene chinesische Polizeidespotie wesentlich unterstützt wird.
Durch Vermischung der juristischen und moralphilosophischen Grenzen, wie es die my=
stischen Systeme so gern thun, werden die Grundbedingungen aller rechtlichen Freiheit
und Sicherheit untergraben. Man hat hierbei nicht bedacht, daß man die Würde
und Kraft der Moralität nicht sicherer untergraben kann, als wenn die Moralpflich=
tigen unter den juristischen Strafzwang gestellt werden. Hierdurch wird das Be=
wußtsein und der Glaube an die Freiheit und Wahrheit der Moralpflichten zerstört. —
Jede Beschränkung des Nothwehrrechtes, so lange es sich in seinen Rechtsgrenzen be=
wegt, ist rechtswidrig, eine vielfach verletzende und verderbliche Ausnahmebestim=
mung, weil die Beschränkungen und Nachtheile ehrliche Männer, die Vertheidiger ih=
rer und der Ihrigen und ihrer Mitbürger Rechte zu Gunsten der rechtswidrigen An=
greifer, Diebe und Räuber, treffen. Daher kam es auch, daß viele große Gesetzge=
ber den Selbstschutz der Bürger nicht beschränkten, wie schon Mose (4 Mose 22, 2)
that. — In besondere Frage kann hier noch die N. gegen öffentliche Behör=
den und Gewalten kommen, wie sie in Staaten vorkommt, die Verfassungen ha=
ben, wie die englische. Es ist bekannt, daß in der neuesten Zeit viele Rechtsgelehrte
das für „Nothwehr" erklärten, was andere für Hochverrath hielten.

Nothzucht, Halbnothzucht, Quasinothzucht. Das Verbrechen der N.
wird begangen durch die Nöthigung einer Frauensperson zur Duldung eines außer=
ehelichen Beischlafes, mittelst körperlicher, ihren Widerstand besiegender Gewalt, oder
mittelst Drohungen mit Tod oder schweren Verletzungen, welche mit der Gefahr so=
fortiger Verwirklichung verbunden waren. Die N. wird von allen europäischen Ge=
setzgebungen als eins der schwersten Verbrechen bestraft, da sie die Sittlichkeit im
höchsten Grade verletzt, die Gesundheit, Ehre und das ganze bürgerliche Glück eines
unverheiratheten Frauenzimmers zerstört und gegen Verheirathete begangen, die Grund=
lage des Staates, die Familie, bedroht. Einige Gesetzgebungen betrachten, nach Vor=
gang des röm. Rechtes und der peinl. Halsgerichtsordnung, die N. von Seiten der
verübten Gewalt; die bairische und sächsische stellen sie unter die Verbrechen gegen die
Personen und Freiheit. — Bei der Aburtheilung des Verbrechens der N. muß vor
Allem darauf gesehen werden, in wie weit ein wirklicher Widerstand der weibl. Per=
son bestand, und ob er wirklich durch Gewalt des Angeklagten gebrochen worden ist.
Die Carolina (s. d.) bestrafte die N. mit dem Tode durch das Schwert; die neueren
Gesetzgebungen bestimmen mehrjährige Freiheitsstrafe.

Notorietät, Offenkundigkeit, notorisch. N. ist so viel als juristische
Gewißheit einer Thatsache. In einem Rechtsstreite müssen die Parteien die That=
sachen, um welche es sich handelt, durch die gesetzlichen Beweismittel darthun. So

können nun auch Thatsachen in einem Rechtsstreite vorkommen, die der Allgemeinheit ihrer Beschaffenheit nach allgemein bekannt sind; z. B. Naturbegebenheiten, Ereignisse ꝛc., solche Thatsachen werden als notorisch, allgemein bekannt, ohne weitere Beweismittel angenommen.

Novalzehnten, Neubruchzehnten, Rodelandzehnten s. Neubruch.

Novatianer, Anhänger einer streng ascetischen Partei, welche der röm. Priester Novatianus (250 n. Chr.) bildete. Die N. behaupteten, daß die „Gefallenen" nicht wieder dürften in die Gemeinde aufgenommen werden, oder doch nur erst nach vollzogener Wiedertaufe. Sie nannten sich auch die „Reinen" (Katharer) und erhielten sich in einigen Gemeinden bis in das 6. Jahrhundert.

Novation, Erneuerung, heißt in der juristischen Sprache die Handlung, durch welche man eine bestehende Verbindlichkeit tilgt, indem man eine neue Verbindlichkeit an der Stelle der frühern übernimmt. Die N. kann unter denselben Personen vorgenommen werden, welche vor derselben zu einander in einem rechtlichen Verhältniß standen; sie kann aber auch mit Veränderung der Personen vorgenommen werden, indem statt des vorigen Schuldners ein Anderer eintritt (expromissio), oder der Schuldner Einen, der ihm schuldig ist, dem Gläubiger an Zahlungsstatt überweist. In dem letzteren Falle streift die N. in das Gebiet der Cession (s. d.). Uebrigens kommt die N. meist nur in Schuld- und Contractverhältnissen vor, und bedarf man bei Vornahme derselben stets rechtlichen Beistandes.

Novellen (Novellae) werden die Verordnungen des griechischen Kaisers genannt, welche nach Zusammenstellung des Corpus juris (s. d. und römisches Recht) seit dem Jahre 534 n. Chr. erschienen sind. Von den sämmtlichen N. besitzen nur 97 praktische Giltigkeit (vergl. Pandekten).

Novizen s. Probejahr.

Noyaden (Ersäufungen) wurden die Ertränkungen genannt, welche in der franz. Revolution von dem Conventsdeputirten Carrier zu Nantes angeordnet wurden.

Nullität, Nichtigkeitsklage. Unter N., Nichtigkeit eines Rechtsgeschäftes versteht man im weitesten Sinne jede Ungiltigkeit desselben, mag sie aus was immer für Gründen entspringen. Nichtig, null, ist jede Handlung des Richters — im Civil- und Criminalprocesse — welche wegen des Mangels eines wesentlichen Erfordernisses von Anfang an als nicht geschehen betrachtet werden muß und daher von Anfang an keine rechtlichen Wirkungen haben kann. Man theilt die Nichtigkeit in heilbare und unheilbare. Im Criminalprocesse hat derjenige, welcher durch ein nichtiges Erkenntniß verurtheilt und in Haft genommen worden ist, Anspruch auf Bezahlung der Sachsenbuße (s. d.). *Robert Kleinschmidt.*

Numismatik s. Münzkunde.

Obduction s. Medizinalpolizei.

Oberaufsicht, oberaufsehende Gewalt. Die allgemeine Staatsgewalt und die in ihr enthaltenen einzelnen Hoheitsrechte lassen sich in materielle und formelle theilen. Die materiellen haben die verschiedenen materialen Staatszwecke, wie Bilbung, Wohlstand, im Auge; die formellen beschäftigen sich mit der Art und Form, in welche die Staatsgewalt für die materiellen Zwecke thätig sein soll. In dieser Hinsicht giebt es nur drei Hoheitsrechte: die gesetzgebende, die vollziehende (regierende) und r i c h t e r l i c h e Gewalt. Ein Irrthum aber neuerer Rechtslehrer ist es, hierher auch das Recht fortwährender Aufsicht zu zählen. Die Aufstellung eines besonderen Oberaufsichtsrechtes ist daher nicht blos unwissenschaftlich, sondern auch gefährlich und verderblich für alle verfassungsmäßige Freiheit und Selbständigkeit der Bürger und ihrer Vereine. Man denke hierbei an England und vergleiche die Zustände daselbst mit den unsrigen. Ein geistvoller Rechtskundiger (C. Welcker) sagt sehr richtig über die Oberaufsicht: „Nur ein allgem. Grundsatz läßt sich aufstellen. Es ist der, daß der Staat auf keine Weise zweckmäßiger, vollständiger, wohlfeiler und unverletzender seine Oberaufsicht ausüben kann, als durch eine britische Oeffentlichkeit aller Staatsverhältnisse und durch eine britische Freiheit der Presse und Freiheit der öffentl. Meinung und zugleich auch eine britische freie Concurrenz, die z. B. selbst unter den vielen verschiedenen Friedensrichtern die Wahl gestattet. Wie mit Argusaugen übersieht, durchschaut und controlirt er auf diese Weise alle für ihn wichtigen Verhältnisse. Hunderttausend theuere Berichterstatter, geheime und öffentliche Polizeispione, Aufseher und Centralbehörden geben der Regierung nicht halb so treue und vollständige Kenntniß von Allem, was ihr zu wissen heilsam ist."

Obergerichte sind diejenigen Gerichte erster Instanz, welche über alle in ihrem Bezirk vorkommenden Criminalsachen zu entscheiden haben. Die O. stehen im Gegensatz zu den bloßen Erbgerichten. O. werden vorzüglich noch diejenigen Gerichte genannt, welche unter sich zur Aufsicht Untergerichte haben, für welche sie die Appellationsinstanz bilden (s. Gericht). Sie heißen daher auch Appellationsgerichte, Oberappellationsgerichte; in Preußen Oberlandesgerichte. Die O. haben eine collegialische Verfassung und sind mit Räthen oder Richtern besetzt.

Oberhaus s. Parlament.

Oberhofgericht s. Hofgericht.

Oberinnen s. Aebtissinnen.

Oberlandesgericht s. Obergericht.

Oberst bezeichnet eine höhere militärische Stellung, die nach den besonderen Zuständen der Armee und Zeiten verschieden ist. Gewöhnlich bezeichnet sie einen Grad, der zwischen dem Bataillons- oder Regimentscommandanten und dem General liegt. Von den besonderen Verhältnissen hängt es ab, ob der O. ein oder mehrere Regimenter unter seinem Befehle habe. Oberstlieutenant ist eine Stellung zwischen dem Oberst und Major, ohne besondere Function; Oberstwachtmeister ist eine sehr gewöhnliche Benennung für Major.

Obertribunal, geh., ist in Preußen ein oberster Gerichtshof, der seinen Sitz in Berlin hat, und entscheidet in dritter und letzter Instanz über die Nichtigkeitsklagen, so wie in allen Processen über gutsherrliche und bäuerliche Verhältnisse. Unter das O. in Berlin gehören die Oberlandesgerichte in Ost- und Westpreußen, Kur- und Neumark, Schlesien, Pommern, Sachsen und Westphalen. Ueber dem geh. O. stehen in der Provinz Posen das Oberappellationsgericht zu Posen, und für die Rheinlande der Revisions- und Cassationshof in Berlin.

Oberzeugmeister hieß in Sachsen früher, bis 1810, derjenige Artillerieoffizier, welcher die Oberaufsicht über das Zeughaus in Dresden hatte.

Obligation s. Schuldschein.

Obrigkeit ist im Allgemeinen der Inbegriff von Personen, welche im Auftrage des Staates oder der Gemeinde die ordnungsmäßige, rechtliche Gewalt über andere üben. Gewöhnlich versteht man unter O. die Behörden in Städten, den Magistrat, und auf dem Lande die Ortsobrigkeit.

Obscurantismus der Hierarchie und Despotie. Es giebt einen religiösen oder vielmehr kirchlichen und einen politischen O. Dieser ist seiner Wortbedeutung nach nichts anderes als die Neigung zur Finsterniß, was auf dem Gebiete des geistigen Lebens gleich ist mit Verdummung; auf dem politischen Gebiete wird der O. zugleich auch Verknechtungssucht. Verdummungs- und Verknechtungssucht ist die deutlichste Erklärung von O. Jeder Freund des Lichtes und der Aufklärung sucht durch Mittheilung und Vergleichung der wahren Thatsachen und Erkenntnisse und durch klares Denken alle Gegenstände des Lebens, in der Religion, wie in der Politik in ihrem wahren Lichte und Zusammenhange darzustellen, damit die Nacht der Täuschungen, der Vorurtheile und des Aberglaubens endlich durch die Sonne der Wahrheit verdrängt werde. Der Obscurant, der Verdummungsmann, versucht das Gegentheil, nämlich jene Nacht der Täuschungen und Vorurtheile zu erhalten. — Der vernünftige, wahrhaft religiöse Mensch wird hier nicht anstehen können, welchen Weg er zu wählen habe, ob den des Lichtes, oder den der Finsterniß. Und doch giebt es viele böswillige, absichtliche Verdummungs- und Verknechtungsmänner! Es erklärt sich dieses nur dadurch, daß die Werke des Trugs und des Raubes so Mancher das Licht nicht vertragen können. Die schrecklichsten Folgen dieses verbrecherischen O. ist weniger das zerstörte Glück und Leben Tausender, die Verwüstung von Städten und ganzen Ländern, als vielmehr die geistige, sittliche und politische Entartung, welche er erzeugt. Jedes obscurantische Bündniß der priesterlichen und weltlichen Macht für Thron und Altar war den Fürsten wie den Völkern gleich verderblich, wie die Geschichte vieler Länder und Dynastien laut bezeugt. Die Hauptquelle des O. ist der böse, eigennützige Wille so Mancher, nebst dem Bewußtsein eigener sittlicher Gesunkenheit; weit weniger aber angeborne Verstandesschwäche; hierzu gesellt sich namentlich bei lichtscheuen Mystikern der Hochmuth, die Herrschsucht, die Einseitigkeit in der Auffassung des geistigen Lebens und die falsche Ansicht über Gang und Bedingungen der menschlichen Cultur, s. Mysticismus.

Obsequium (Gehorsam) heißt in der kathol. Kirche ein Mal der unbedingte Gehorsam gegen die Vorgesetzten, zu dem sich Mönche und Nonnen verpflichten, dann das Gefängniß, in welches die Ungehorsamen gesperrt werden. Obsequien nennt man auch das Todten- oder Seelenamt für Verstorbene; auch das Leichenbegängniß oder die Todtenfeier.

Observanz nennt man eine durch Herkommen oder längere Befolgung stillschweigend anerkannte Regel, welche dadurch für die Betheiligten so lange verbindlich ist, bis sie ausdrücklich oder stillschweigend aufgehoben wird. Der Unterschied zwischen O. und dem stillschweigenden Vertrag (s. d.) besteht darin, daß dieser durch eine einzige Handlung, jene aber durch eine Reihe von Handlungen begründet wird, s. Recht.

Observationsarmee, Beobachtungsarmee, nennt man eine Armee, welche nicht sowohl zum Angriff des Feindes bestimmt ist, als vielmehr zur Beobachtung desselben, zur Bewachung der Grenzen rc. Eine geringere Anzahl solcher Truppen heißt Observationscorps.

Obsignation s. Versiegelung.

Occupation, Bemächtigung, nennt man die Aneignung einer Sache in der Absicht, sie an sich zu behalten. Man unterscheidet eine privat- und völkerrechtliche und staatsrechtliche O. Im engern juristischen Sinne ist O. diejenige Besitzergreifung, wodurch Jemand eine Sache wirklich zu der seinigen macht, oder, als sein Eigenthum erwirbt. Die Bedingungen der Eigenthumserwerbung überhaupt sind bei den Völkern ebenso verschieden, als wie die zur Eigenthumserwerbung durch Occupation. — Hinsichtlich der staatsrechtlichen O. ist Folgendes zu bemerken: Durch den faustrechtlichen Feudalismus (s. Lehn) entstanden hinsichtlich des Eigenthumsrechtes und der O. des Staates oder des Regenten und dadurch auch hinsichtlich des Eigenthumsrechtes der Bürger eine ganze Reihe der abgeschmacktesten, verderblichsten Rechtslehren. Man verwandelte das völkerrechtliche Eigenthum des Volkes in ein staats- und privatrecht-

liches Eigenthum, in ein Eigenthum des Regenten. Man schrieb diesem ein Privat-
oder Patrimonialeigenthum an Lande, oder ein lehns- oder schutzherrliches Obereigenthum an dem Privateigenthume der Bürger zu, endlich sogar ein ausschließendes
Occupationsrecht an den herrenlosen Sachen im Lande, deren Begriff man auf die
widersinnigste Weise ausdehnte. Diese wahrhaft räuberischen Anmaßungen wurden
dann als „Regalien" geltend gemacht. So nahm man z. B. unter dem Namen
Jagdregal den Bürgern das Recht, durch die O. des Erjagens Eigenthum zu erwerben. Praktisch müssen diese faustrechtlichen Usurpationen gegenwärtig als rechts-
ungiltig verworfen werden und können nur als Ausnahmegesetze insofern und in so
weit angewendet werden, als sie durch noch giltige Ausnahmegesetze bestätigt sind.

Ochlokratie s. Verfassung.

Octroi, ein Wort aus der alten franz. Kanzleisprache (vielleicht von auctoritas),
heißt eine aus dem Hoheitsrechte fließende Bewilligung des Landesherrn an Gemeinden, Körperschaften oder Privatpersonen. Octroyiren heißt in diesem Sinne so viel
als bewilligen. Im engern Sinne aber braucht man dieses Wort für nur zweierlei
Arten solcher Bewilligungen; 1) das O. einer Handelsgesellschaft, welches das
ihr auf eine beschränkte Zeit ertheilte Vorrecht ist, mit einer gewissen Gattung von
Waaren oder auch mit allen Waaren auf einem bezeichneten Wege ausschließlich Handel treiben zu dürfen. Eine Handelsgesellschaft, die ein solches O. oder Privilegium
besitzt, heißt eine octroyirte. Die berühmteste ist die engl.-ostindische Compagnie;
2) das O., als städtische Abgabe, ist eine in Form des Thorzolls erhobene Ver-
brauchsteuer von eingehenden Waaren, besonders von Spirituosen, Fleisch, Mehl ꝛc. Der
Ertrag des O. wird entweder zur Bestreitung von Gemeindebedürfnissen verwendet, oder es
wird zum Theil an den Staat abgegeben. Das O. darf niemals die nothwendigsten
Bedürfnisse vertheuern; dadurch wird der Verbrauch vermindert, zum Betrug ermuntert und die ärmere Klasse gezwungen, zu schlechter, schädlicher Nahrung zu greifen.

Octroyirte Verfassungen nennt man solche Verfassungen, welche einseitig von
den Fürsten gegeben werden, während das Verfassungswerk seiner Natur nach ein Act
des wechselseitigen Verhandelns zwischen Fürst und Volk ist. Eine o. V. ist also
ein offenbarer Widerspruch. Eine Verfassungsurkunde kann wohl octroyirt werden,
aber nicht eine Verfassung, d. h. ein wahrer verfassungsmäßiger Rechtszustand, wo
die Verfassungsurkunde völlig frei von dem Volke und seinen Vertretern angenommen
worden ist. Die blos o. V. ist eigentlich nur ein Verfassungsvorschlag; die gegenseitige, vertragsmäßige freie und ehrliche Annahme von Seiten des Volkes macht
sie erst zur Verfassung.

Offenbarung s. Religion.

Offensiv-Allianz s. Angriff.

Offensive, der Angriff, im Gegensatz zur Abwehr oder Vertheidigung, Defensive,
ist ein im Kriege vorkommender Ausdruck.

Oeffentliche Meinung s. Meinung.

Oeffentliches Gerichtsverfahren s. Geschworne.

Oeffentlichkeit ist ein Bedürfniß und eine Forderung der Neuzeit geworden.
Durch die Oe. soll es Allen im Volke möglich werden, welche den Willen und die

hat man den Begriff Oe. auf das Gerichtsverfahren, Gerichtswesen, das civile wie
das strafrechtliche, beschränkt, und versteht darunter dasjenige Verfahren, wo die Haupt-
verhandlungen öffentlich und mündlich gepflogen werden, im Gegensatz zu dem heimlichen, geheimen, schriftlichen Verfahren. (S. Actenmäßigkeit; Anklageproceß; Geschworne.) Im Staatsleben ist für alle Verhältnisse die möglichste Oe. wünschenswerth und wohlthätig. Sie verhindert eine Unzahl Mißbräuche, ermuntert zur Pflichttreue, erwirbt und stärkt das Vertrauen, verbreitet Kenntnisse und nährt den Gemeinsinn und die Theilnahme an dem politischen Leben. Daran allerdings ist den Freun-

den der Schriftlichkeit und Geheimnißkrämerei nicht viel gelegen. Der Staat aber, welcher bei dem letztern beharrt, stellt sich selbst ein Zeugniß seiner Unmündigkeit und Unwürdigkeit aus, denn das Rechte und Wahre scheuet das Licht nicht. In neuerer Zeit ist allerdings durch die ständischen Verfassungen hier und da etwas für die Oe. geschehen, aber nicht selten ist man auf dem halben Wege stehen geblieben. Was die Sonne für die Erde ist, das ist die Oe. für den Staat.

Official wird der Vicar eines Bischofs in weltlichen Gerichtssachen, z. B. Ehesachen, genannt. Die O. entstanden schon im 13. Jahrh. **Officialat** nannte man das bischöfliche Gericht, namentlich in peinlichen Fällen, wo ein O. an des Bischofs statt den Vorsitz führte und Recht sprach.

Officinell nennt man Alles, was nach der Bestimmung der Landespharmakopöe in den Apotheken als einfache oder zubereitete Arzneimittel vorräthig gehalten werden muß.

Officium (Sanctum officium), ein Name der Inquisition, s. d.

Offizier, ein Befehlender beim Militär. Es giebt **Subalternen-** und **Stabsoffiziere.** Bei den letztern macht die Generalität eine besondere Abtheilung aus. Zu den subalternen O. gehören der Fähnrich, der Lieutnant, der Hauptmann; zu den Stabsoffizieren der Major, Oberstlieutnant und Oberst. Bei der Cavallerie sind einzelne Benennungen dafür verschieden. Der Offizierstand hat zwar viele Rechte, aber auch viele Pflichten, unter welchen die erste ist, die **wahre** Ehre stets aufrecht zu erhalten. Den Geist, welcher den Offizierstand beherrscht, nennt man Gemeingeist, esprit de Corps.

Ohnehemden s. Descamisados.

Ohnehosen s. Sansculotten.

Ohrenbeichte. Das Institut der Beichte ist nur in der katholischen und in der protestantischen Kirche üblich, in welche letztere sie aus der ersteren als unnöthiger Ballast mitgenommen wurde. Sie besteht in dem kirchlichen Gebrauch, daß der Christ vor dem Genusse des Abendmahles dem Geistlichen ein Bekenntniß seiner Sünden mit dem Versprechen der Besserung ablege. Hierauf ertheilt der Geistliche die Absolution (s. Sündenvergebung). Die Beichte ist eine rein menschliche Einrichtung, welche weder auf einem Gebote Jesu noch der Apostel beruht. Sie entstand aus der Bevormundung der Kirche, welche diejenigen, welche ein öffentliches Vergehen begangen hatten, mit dem Kirchenbann belegte und sie zwang, vor der Gemeinde ein öffentliches Bekenntniß ihrer Sünden abzulegen, worauf erst sie die Verzeihung der Kirche (absolutio) erhielten. Dieses öffentliche Sündenbekenntniß verwandelte man später in ein Privatbekenntniß vor den Bischöfen und Aeltesten. Im 5. Jahrhundert aber, als man das Abendmahl als ein Opfer zu betrachten anfing, verlangte man in der kathol. Kirche von Jedem vor dem Genuß des Abendmahles ein Sündenbekenntniß, während die griechische Kirche die Bußzucht und die Beichte abschaffte. Die Priester dehnten nun die Verpflichtung zum Beichten immer mehr aus, auch auf s. gen. verborgene Sünden und schufen somit die O., indem das Bekenntniß solcher geheimen Sünden dem Beichtvater in das Ohr gesagt wurde. Im Jahre 1215 ward die O. von dem Papst gesetzlich verkündigt. Die Reformirten schafften, wie so manches Unchristliche, auch die Beichte ab; die Protestanten behielten sie aber bei. Ueber das Weitere s. Sündenvergebung.

Oekonomie, Landwirthschaftslehre, ist die Lehre von den einzelnen Theilen der Landwirthschaft zu einander und zum Ganzen. Der Hauptzweck der Oe. ist, den möglichst größten Reinertrag nach Maßgabe der Verhältnisse zu gewähren.

Oekonomisten s. Physiokratisches System.

Oekumenische Kirchenversammlung s. Kirchenversammlungen.

Oelung. Seit dem 12. Jahrh. wurde die letzte Oe. eines der sieben Sacramente der kathol. Kirche, welche man mit einem vom Bischofe geweihten Oel (Chrisma) an Todtkranken durch Salben des Kopfes, der Hände und der Füße verrichtete. Die letzte Oe. hat nach der Ansicht der kathol. Kirche sacramentalische Kraft, bewirkt die Vergebung der Sünden, Stärkung der Seele und, wenn Gott es will, Genesung von der Krankheit. Sie kann daher nur von Priestern und nur an solchen Personen vorgenommen werden, denen der Genuß des Abendmahles verstattet ist. Man gründet dieses Sakrament in der kathol. Kirche auf den Gebrauch der Apostel, Kranke unter Gebet mit Oel zu salben. Auch die griechische Kirche hat die Oe. aufgenommen, die protestantische aber hat sie verschmäht.

Old Bailly s. Bailli.

Oligarchie (Ogliokratie) heißt eigentlich die Herrschaft Weniger, im Besonderen aber wird dieses Wort von einer Ausartung der Aristokratie (s. d.) verstanden, wo Wenige ihrer Vortheile willen die Herrschaft an sich reißen. Wie die ausgeartete Monarchie zur Tyrannei wird, so kann die Ausbeutung des Volkes zum Vortheil einiger eng Verbundenen O. werden. In der Wirklichkeit war diese Staatsform nur in der alten republikanischen Welt zu finden; doch ist sie noch nicht ausgestorben. In monarchischen Staaten umringen diese Oligarchen den Thron wie Schmarozerpflanzen und machen den Monarchen zum Werkzeug ihres Willens; eben so sucht sich die O. in den Ministerien und in den Kammern einzunisten. In der Regel besteht sie aus der Partei der Krautjunker, d. h. derjenigen von der Adelspartei, welche nicht einsehen können, daß ihre Ahnen einst Raubritter waren.

Olympiade war bei den alten Griechen ein Zeitabschnitt von vier Jahren, den man nach den regelmäßigen Wiederkehr der olympischen Spiele so benannte. Diese letzteren wurden der Ausgangspunkt der Zeitrechnung. Diese beginnt mit Sicherheit mit dem 21. Juli 776 vor Chr. und schließt mit der 293. O. oder mit dem Jahre 394 nach Chr. Die Zeitrechnung nach O. selbst kam erst 300 n. Chr. durch den Geschichtschreiber Timäus in Sicilien auf.

Omen, Prodigium, ward bei den Römern abergläubischer Weise irgend ein ihnen bedeutungsvolles Zeichen (Anzeichen) genannt. Selbst die größten Männer, wie Cäsar, standen unter der Herrschaft dieses Aberglaubens, welcher sich nur durch das allerdings nicht ganz in Abrede zu stellende Hereinragen höherer Kräfte in unser Leben entschuldigen läßt.

Operationen, militärische, nennt man die Maßregeln, welche eine Armee ergreift, um ihren Zweck zu erreichen. Hierher gehören also Stellungen, Märsche rc. Der Operationsplan geht stets dem Feldzuge voraus, doch wird er nur in allgemeinen Umrissen entworfen. Die allgemeine Linie, auf welcher sich die Heere bewegen sollen, heißt die Operationslinie.

Opfer sind ein Eigenthum der heidnischen Welt. Die O. waren das erste Zeichen der im Menschen erwachenden Religiösität, indem durch sie den höheren Wesen ein Zeichen der Liebe, Dankbarkeit, Ehrfurcht rc. dargebracht werden sollte. Zu dem O. brachte man das Beste, Liebste, was man hatte, selbst — Kinder. Besonders ausgebildet war der Opferdienst bei den Juden. Zu beklagen ist es, daß, nachdem Christus den Opferdienst factisch aufhob, doch noch in einigen angeblich christlichen Confessionen sich Anklänge davon finden.

Opposition nennt man das Entgegentreten der freisinnigen Partei gegenüber der Willkür, der Gewalt und der rechtlosen Anmaßung. Der Hauptträger der verfassungsmäßigen O. ist der Engländer Fox. Unsere deutschen, die O. ergreifenden Volksvertreter sind gegen diesen britischen Heros nur Schattenbilder.

Optimates und **Populares** waren die Bezeichnungen für zwei politische Parteien in den letzten Zeiten der röm. Republik. Die O. bestanden meist aus Senatoren und Nobiles (s. b.); die P. bestanden aus Volksmännern. Zwischen beiden begann der Kampf, welcher zu Gunsten der P. durch Jul. Cäsar herbeigeführt wurde, indem er sich zur Verwirklichung seines großen Plans der Volkspartei anschloß. Seit

Cäsar's Ermordung gelangten die P. nie wieder zu ihrer früheren Kraft und Bedeutsamkeit.

Optimismus oder die Lehre von der besten Welt, welche nämlich behauptet, daß Alles in der Welt gut und am besten sei. Schon einige Weltweise der alten Welt stellten die Meinung auf, daß diese Welt ungeachtet ihrer scheinbaren Unvollkommenheiten dennoch im Einzelnen vollkommen und nicht anderes sein könne. Besonders aber erhob sich in der ersten Hälfte des vor. Jahrh. Streit darüber, der um so unerquicklicher war, als er mit ziemlicher Erbitterung geführt wurde. Namentlich war es Leibnitz, welcher in einer besondern Abhandlung, Theodicee genannt, darzuthun suchte, daß Gott unter der unendlichen Menge Welten, welche sein Verstand gedacht, nach seiner Vollkommenheit diejenige Welt gewählt, worin die Verbindung des Guten mit den entgegengesetzten Uebeln ein Bestes mache, welches dem mathematischen Allergrößten ähnlich sei; daher komme ein jedes Uebel, welches zwar zugelassen, aber nicht beliebt worden. In diesem Weltgebäude nun, welches den Vorzug verdient habe, seien auch die Schmerzen und bösen Handlungen der Menschen begriffen, aber in geringerer Zahl und mit den vortheilhaftesten Folgen, die nur möglich gewesen u. s. w. — So vielen Beifall auch diese Schrift in Deutschland fand, so hart wurde sie dagegen von anderen Seiten her angegriffen, wie z. B. von Voltaire, der in seinem „Candide oder der O." Leibnizen mit seiner Ansicht lächerlich zu machen suchte. So läßt Voltaire u. A. seinen Candide den O. so erklären: „er sei eine Wuth, Alles für gut zu halten, wenn man sich übel befinde u. s. w." —, wobei er das Wort Pessimus (das Allerschlechteste) als Gegensatz zum O. gebrauchte. — Indeß hat dieser Streit um des Kaisers Bart seitdem in der Maße abgenommen, als die gesundende Vernunft das grübelnde Gefühl besiegt, und der entfesselte Geist der Religion eine höhere und reinere Weltanschauung herbeigeführt hat. — In dem politischen Leben bezeichnet man mit dem Namen Optimisten jetzt noch jene trostlosen Gesellen, die Alles für gut halten, was sie nicht in ihrer eigenen Ruhe stört.

Opus operatum nennt man im kathol. kirchlichen Sinne jede Handlung, welche nur in der äußeren Form besteht, ohne wahren moralischen Gehalt, wie z. B. Beten, Singen, Fasten u. dergl.

Orakel, Götterverkündigungen, welche von angeblich begeisterten Personen verkündet wurden. Auch hießen die Orte O., an welchen solche Offenbarungen geschahen. Das älteste O. befand sich zu Meroë in Aegypten; ihm schloß sich an das zu Theben, Ammonium, Dodona und Delphi. Das ganze Orakelwesen war ein Priesterbetrug, obschon nicht zu läugnen ist, daß auch hier die ersten Spuren des sogen. Hellsehens (Somnambulismus) zu suchen sein könnten.

Orangelogen (Orangemen, Orangemänner, Orangisten). Am 12. Juli 1690 besiegte Wilhelm III. aus dem Hause Oranien die kathol. Irländer. Es ist dies einer jener verhängnißvollen Siege, welche eine Geschichte Jahrhunderte langer Bedrückungen zur Folge haben. Von dieser Zeit an spielte der Protestantismus in Irland dieselbe Rolle und vielleicht noch hartnäckiger und grausamer, wie der Katholicismus in andern Ländern gespielt; von dieser Zeit an datirt sich die Partei der Orangemänner, von den gequälten Iren mit diesem Spottnamen nach Wilhelm III. genannt, die es sich vorgesetzt hatten, das historische Recht, das Recht der Eroberung, über das Vernunftrecht triumphiren zu machen. Es war den englischen Königen allmälig gelungen, die irische Nationalität zu unterdrücken, die anglikanische Hofkirche in den Besitz der Reichthümer und Einkünfte zu setzen, welche bis dahin der katholischen Kirche gehörten, aber es war und ist bis heute unmöglich geblieben, die irische Nationalität zu vernichten, die ähnlich der polnischen, mit unerschütterlicher Ausdauer ihre Befreiung in einer langen Reihe ununterbrochener Revolutionen versucht hat.

Die Orangisten, eine halb politische, halb kirchliche Partei, riefen durch ihre

Verfolgungen Vereine und Verbrüderungen unter den durch ihren verschlossenen und hartnäckigen Nationalcharakter zur Conspiration besonders geeigneten Irländern hervor, die auf dem geheimnißvollen Wege der Verschwörung Rache an den Orangisten zu nehmen geschworen. So entstand schon 1762 die Verbrüderung der „Weißburschen," 1782 die Verbindung der „irischen Freiwilligen" und 1791 der Bund der „vereinigten Irländer," welche die Unabhängigkeitserklärung des irischen Parlaments zu ertrotzen vermochten. Bis dahin hatten die Orangemänner noch keine bestimmten Vereinigungspunkte und keine innere Organisation gehabt. Auf Veranlassung der Unabhängigkeitserklärung des irischen Parlaments jedoch und namentlich auf das Gerücht von Unterhandlungen der „vereinigten Irländer" mit dem französischen Directorium traten sie zu eigenen Logen zusammen, deren erste am 21. Sept. 1795 im Dorfe Longhall gestiftet wurde. Der Zweck dieser Logen, die sich schnell über Irland verbreiteten, war die Aufrechthaltung des protestantischen Uebergewichts in Irland und die Sicherstellung des Hauses Braunschweig auf dem Throne der vereinigten Königreiche. Da man damals der Ansicht war, daß nur durch die Aufrechthaltung des Protestantismus die englische Herrschaft in Irland gesichert werden könne, so galt der Orangebund für eine außerordentlich legale Verbindung, der bald die höchsten Staatsbeamten und sogar Prinzen des königlichen Hauses beitraten, so daß schon im Jahre 1798 die große Loge in Irland organisirt wurde. Auf der andern Seite schlossen sich die „vereinigten Irländer" fester aneinander und bald zählte diese geheime Verbrüderung fast eine halbe Million bewaffnete Irländer, die mit Frankreich für eine irische Revolution unterhandelten. Diese Revolution wurde durch die Regierung, die zeitig davon benachrichtigt war, in der That verhindert und beschränkte sich nur auf blutige Localaufstände; aber wie in Deutschland die revolutionären Localaufstände der ersten dreißiger Jahre, so wurden auch hier die gerechten Aeußerungen eines unterdrückten Volkes zum Vorwande vollständiger Knechtung benutzt. Die Vereinigung des irischen Parlaments mit dem englischen war der Gipfelpunkt der ministeriellen Politik. Obgleich nur Protestanten im irischen Parlament hatten sitzen können, so hatte es doch stets seine Selbstständigkeit erhalten und war dem englischen Interessen oft hemmend in den Weg getreten. Um so größer war der Triumph, als es endlich Pitts Anstrengungen gelang, im Jahr 1801 diese Vereinigung zu Stande zu bringen. Damit war jeder katholische Einfluß vernichtet, der durch die Wahlen bisher noch möglich gewesen war und dem protestantischen Uebergewicht die Krone aufgesetzt worden. Die Orangisten benutzten diesen Sieg, sich in den wichtigsten Aemtern festzusetzen, namentlich die Richter- und Friedensrichterstellen an sich zu reißen und in der Pnomanry, einer Miliz, die größtentheils aus den kleinern protestantischen Grundbesitzern bestand, Einfluß zu gewinnen. Bei der Union war der größte Theil der englischen Staatsmänner von dem Grundsatze ausgegangen, die Katholiken vollständig zu emancipiren und ihnen alle Rechte englischer Staatsbürger zu Theil werden zu lassen. Das war jedoch keinesweges in der Absicht der Orangemänner. Mit dem Fortschreiten der Emancipationsfrage regten sie sich von Neuem und suchten namentlich durch Gewinnung höherer Militärbeamten die physische Macht auf ihre Seite zu ziehen. Ihr keckes Auftreten machte jedoch die Regierung besorgt und rief, nachdem sich ihre Logen fast über ganz England ausgebreitet, Maßregeln der Regierung hervor, welche den Beitritt des Militärs verboten. Im Jahre 1828 hatte O'Connel den alten „katholischen Verein" wieder hergestellt und dadurch im Parlament von Neuem einen katholischen Einfluß ermöglicht. Dieser Einfluß und der des liberalen Zeitgeistes brachte die Orangisten immer mehr in die Stellung einer Oppositionspartei, und obgleich durch sie der Census auf 10 Pfd. St. erhöht und dadurch die Wahl der katholischen Grundbesitzer erschwert und die katholische Verein aufgelöst worden war, konnten sie sich doch keinesweges über den allmäligen Verfall ihrer Macht täuschen. Aber die ungeheueren Fortschritte O'Connels und die Gewißheit der Regierung, den

Forderungen der Katholiken in Irland geneigteres Gehör zu schenken, gab dem Orangebund ein neues Ziel und dadurch eine erhöhte Thätigkeit. Hatte es sich bisher nur um die Vernichtung des katholischen Einflusses in Irland gehandelt, so handelte es sich jetzt um den Sturz der herrschenden Partei und die Erhebung der Orangisten an das Staatsruder. Zu diesem Zweck wurde durch eine unermüdliche Thätigkeit der Orangebund nicht allein über die ganze Insel verbreitet, sondern sogar über die Colonien, so daß der Bund in kurzer Zeit die ungeheure Anzahl von 300,000 Mitgliedern zählte, an deren Spitze der Herzog von Cumberland stand. Jedes Mitglied verpflichtete sich bei seinem Eintritt durch einen feierlichen Eid zur Erhaltung und Ausbreitung der protestantischen Religion und zur Ausrottung und Verdrängung des Katholicismus. Im Jahre 1835 hatte die Kühnheit der Orangisten den höchsten Grad erreicht. Großartige Demonstrationen, an deren Spitze die vornehmste Legion — Aristocraten, riefen im Parlamente heiße Parteikämpfe hervor, deren Folge der Antrag des Irländers Feim auf Untersuchung der Orangelogen war. Dieser Antrag wurde angenommen und es gelang der Thätigkeit des unermüdlichen Humem Documente zusammen zu bringen, welche über das Treiben des Bundes merkwürdige Aufschlüsse gaben und herausstellten, daß Veränderungen in der Freiheit des Volkes und nach dem Tode Königs Wilhelms die Uebertragung der Krone auf den Großmeister des Ordens die eigentliche Tendenz des Bundes sei. Diese Anschuldigungen wurden von 27 Logen, die sich zugleich vom Bunde lossagten, unterstützt und die Untersuchung, namentlich gegen den Obersten Faistman gerichtet, der sich jedoch der Haft durch die Flucht entzog und die wichtigsten Papiere rettete. Dennoch gab die Partei ihren Widerstand nicht auf und nach dem Schlusse des Parlaments häuften sich wieder die Nachrichten blutiger Frevel, die durch die Orangisten in Irland herbeigeführt waren. In den Häusern der Führer wurden die Versammlungen fortgesetzt und auch der Herzog von Cumberland erklärte, daß er nach wie vor Großmeister des Ordens bleiben und nach den alten Principien verfahren werde. Nach dem Zusammentritte des Parlaments, im Jahre 1836, nahm Hume den Gegenstand wieder auf und stellte, unterstützt durch drei Bände gewichtiger Documente, einen Antrag, der in der folgenden Modification durch Lord Ruffel angenommen wurde: „der König solle ersucht werden, die ihm rathsam scheinenden Maßregeln zu ergreifen, um die Orangelogen und überhaupt alle politischen Gesellschaften wirksam zu entmuthigen, welche Personen eines andern religiösen Glaubens sich geheimer Zeichen und Symbole bedienen und mittels geheimer Verzweigungen zu wirken suchen." Der Herzog von Cumberland erklärte noch in derselben Sitzung, daß er den Vereinen die Auflösung empfehlen werde, obgleich er für seine Person noch den Grundsätzen der Orangisten anhängen werde und zeigte auch bald nachher dem Parlamente die wirkliche Auflösung an. Obgleich mit der Auflösung der Logen die Orangisten selbst noch nicht verschwunden waren, im Gegentheil immer wieder bei einzelnen Gelegenheiten auftauchen, so hat die gesetzliche Auflösung der Logen einen glänzenden Beweis für die Festigkeit des englischen Rechtszustandes und für den Sinn für die Gesetzesachtung der englischen Staatsbürger abgelegt. Kein anderes Land in Europa hätte die Unterdrückung einer so bedeutenden Partei so leicht und geräuschlos überstanden als England. H. Bertholdi.

Oratorium wird ein musikalisches Werk ernsten Inhaltes genannt, welches blos zur musikalischen Aufführung bestimmt ist, obgleich sein Inhalt in das Dramatische überstreift. Diesen Namen erhielten die damit bezeichneten geistlichen Musikaufführungen erst in der Mitte des 17. Jahrh. Unter den Componisten von O. in der neueren Zeit sind zu nennen Seb. Bach, Händel, Haydn, Schneider und Mendelssohn-Bartholdy, welcher in seinem Paulus das Höchste leistete.

Oratorium, Priester vom, oder Priester vom Bethause, werden die Mitglieder einer geistlichen Brüderschaft genannt, welche Philipp von Neri 1548 in Rom stiftete.

Der Orden erhielt 1574 bis Erlaubniß, sich ein eignes Bethaus (Oratorium) zu bauen, welches noch besteht.

Orbeben s. Beten.

Ordalien s. Gottesurtheile.

Orden, kirchliche, hießen die Verbrüderungen zu einem andächtigen, frommen Leben (s. Mönche). Die Ordensmitglieder verpflichteten sich zu lebenslänglicher Theilnahme und Befolgung der Ordensregeln. Zu den ältesten Orden gehören die Benedictiner; im Mittelalter (s. d.) entstanden die Camaldulenser, die Karthäuser, die Cölestiner, Cistercienser, Augustiner, Dominicaner, Franciscaner und andere. Das Kirchliche Ordenswesen hat für uns alle Bedeutung verloren und dient nur noch als Beitrag zur Geschichte menschlicher Verirrungen.

Orden, Ritterorden. Die Zeit ihrer Entstehung ist ungewiß; Einige lassen den Constantinorden schon 313 n. Chr. gestiftet worden sein. Die ersten Ritterorden waren mehr oder weniger geistliche. Zu diesen gehört der O. des heil. Johannes von Jerusalem, gestiftet 1048; die Ordensritter nannten sich später Johanniter; ihr erstes Kloster und Hospital war in der Nähe des heiligen Grabes, das sie unter ihren Schutz nahmen. Seit 1309 setzte sich dieser O. in Rhodus fest (Rhodiserritter) und seit 1530 in Malta, (Malteserritter). Vor dem Ausbruche der franz. Revolution zählte er noch gegen 3000 Ordensritter. Der O. der Johanniter besteht heute noch und ist im Besitz nicht unbedeutender Güter und Einkünfte. Sein Hauptsitz ist der Kirchenstaat. Die Tempelherren, Templer, gründeten sich 1118 und nahmen außer den drei Mönchsgelübden: Armuth, Keuschheit und Gehorsam, noch den Schutz der Pilger und den Krieg gegen die Ungläubigen über sich. Dieser O. zeichnete sich namentlich durch Uebermuth, Habsucht und Ueppigkeit aus; auch ward er politischer und religiöser Umtriebe verdächtig. Am 13. Oct. 1307 ließ König Philipp in Frankreich verschiedene Ritter verhaften und den Inquisitionstribunalen das Verfahren gegen sie eröffnen. Die fürchterlichsten Grausamkeiten wurden gegen sie verübt; 54 wurden am 12. Mai 1310 lebendig verbrannt; 1312 wurde der O. aufgehoben, obschon er sich im Stillen bis auf die neueste Zeit fortgepflanzt hat. Nächst diesem verdient Erwähnung der deutsche O., seit 1127, zur Vertheidigung des heiligen Landes. Der Befehlshaber des O. hieß Hochmeister, Deutschmeister, Großmeister. Napoleon unterdrückte 1809 in den Rheinlandstaaten den deutschen O. In Sachsen wendete der König 1811 die Ordensgüter den Universitäten und Landesschulen zu. Der Wiener Congreß ließ die Verfügungen von 1809 stillschweigend gelten. Am 28. Juni 1840 erschien ein k. österreich. Patent, durch welches der O. als ein selbstständig geistlich-ritterliches Institut angesehen wurde, jedoch unter dem Bande kaiserl. Lehns. — Nach dem Vorbilde dieser geistlichen Ritterorden bildeten sich später die weltlichen. Sie nehmen zum äußeren Zeichen auch das Kreuz, das ovale Schild und andere Zeichen an. Die Zahl der weltlichen O. war über 100. — Zur Stiftung von O. und zur Errichtung von Ordensstatuten ist gegenwärtig nur das Staatsoberhaupt berechtigt. Man nennt die O. jetzt gewöhnlich: 1) große Ritterorden, welche gekrönten Häuptern gegeben werden; 2) Hausorden und 3) Verdienstorden, entweder für das Militär oder für Civilbeamte. In frühern Zeiten wußte man nichts von der Abtheilung der Orden in Klassen; dieses kam erst in der Mitte des 18. Jahrh. auf. Die erste Klasse heißt gewöhnlich Großkreuze; die zweite Kommandeure, Comthure; die Inhaber der dritten: Ritter. Die Zahl der Mitglieder eines O. ist, wenigstens für die höheren Klassen, bei den meisten O. festgesetzt. Das Annehmen fremder O. bedarf der landesherrlichen Bestätigung. Als Anhängsel an die O. finden sich gegenwärtig noch die Denkzeichen, Medaillen (s. d.), Kreuze, Denkmünzen 2c. Wie sehr das ganze Ordenswesen sich überlebt hat, bedarf hier keiner weiteren Auseinandersetzung. Als Napoleon 1802 seinen Gesetzentwurf über die

Errichtung der Ehrenlegion im Staatsrathe berathen ließ, meinte der Staatsrath Berlier: „die Auszeichnungen seien Kinderklappern der Monarchie."

Ordinate werden in Polen die vom Senat und der Ritterschaft bestätigten Majorate (s. Erstgeburt) genannt.

Ordination s. Priesterweihe.

Ordo sacrorum agendorum s. Agende.

Ordonnanz, eigentlich ein militärisches Gesetz; auch werden die milit. Personen so genannt, welche den höheren Militärbeamten zur Ausführung ihrer Befehle beigegeben werden. In Frankreich nannte man vor dem Jahre 1789 sämmtliche Erlasse des Königs O.; sie besaßen die Eigenschaft der Gesetze und schließen gewöhnlich mit der Formel: „car tel est notre plaisir (so beliebt es uns)."

Organisation der Gerichte. Die O. d. G. bezeichnet die von dem Staate vermöge seiner Justizhoheit zur Handhabung des Rechtes getroffene Anordnung der verschiedenen Gerichte, welche zur Ausübung der Rechtspflege bestimmt sind, ferner den Inbegriff der Vorschriften über die Besetzung der Gerichte, über das Verhältniß den verschiedenen Instanzen (s. d.), so wie über das Verhältniß zu den übrigen Behörden. Diese Anordnung ist ein Gegenstand der Gesetzgebung, kann daher auch in constitutionellen Staaten nur durch Mitwirkung der Kammern abgeändert werden. Die O. d. G. ist in einem Staate von der größten Wichtigkeit; den bedeutendsten Einfluß auf dieselbe hat die Art der Theilnahme des Volkes an der Rechtsprechung. Es kommt also hauptsächlich darauf an, ob die Gesetzgebung des Landes das Institut der Geschworenen hat oder nicht. Eine rechte, gleichförmige O. d. G. darf man in Deutschland nicht suchen; erst in letzter Zeit hat man sich hier und da veranlaßt gesehen, der Gerichtsorganisation bessere Unterlagen zu geben (s. Actenversendung).

Orgien waren bei den Griechen und Römern die mit mystischen Gebräuchen dem Bacchus gefeierten Feste, wo Trunkenheit und Zügellosigkeit aller Art herrschte. Später wurden alle anderen ähnlichen Feste so genannt, so wie auch jetzt noch nächtliche, mit Ausschweifungen verbundene Gelage O. heißen.

Orient. Das Morgenland oder der O. ist unstreitig als die Wiege der Menschheit anzunehmen. Man versteht unter O. gewisse Gegenden Asiens, wohl auch den ganzen Erdtheil, welcher diesen Namen führt. Die ersten Spuren von Sprache, Gesittung, Religion, Rechts- und Staatsleben finden sich in dem O. Die Natur schon hat dem O. einen eigenen Stempel aufgedrückt; die Welt der Thiere ist hier am vollkommensten ausgebildet; die Pflanzenwelt liefert die edelsten Erzeugnisse, das Mineralreich hat hier seine ersten Schatzkammern. Der O. weist zugleich die ersten Bildungsstätten der Menschheit nach; in ihm entsprang das Judenthum mit seinem Monotheismus; aus ihm stammt das Christenthum, die Hauptreligion der gegenwärtigen civilisirten Welt. So ist denn der O. für die Menschheit das geworden, was das Wort eigentlich bedeutet: der Aufgang. Leider ist nur zu beklagen, daß so manche Wolken sich vor diesen „Aufgang der Sonne" gelagert haben, welche seit Jahrhunderten der größten Anstrengung zu ihrer Hinwegräumung nicht weichen wollen.

Orientiren heißt, seine Stellung zu den Weltgegenden bestimmen. Man sieht z. B. nach Morgen oder Ost; dann hat man Nord oder Mitternacht zur linken Hand, Süd oder Mittag zur rechten Hand und West oder Abend hinter sich im Rücken.

Oriflamme (aurea flammula) hieß die ehemalige Kriegsfahne der Könige von Frankreich; ursprünglich war sie die Kirchenfahne der Abtei St. Denis. Sie bestand aus dem angebl. Leichentuch des heiligen Dionysius, aus einem Stücke rothem Tuch, an den Spitzen mit grünseidenen Quasten geziert, an einer goldenen Lanze.

Originalität bezeichnet im Allgemeinen das Verhältniß der Dinge zu ihrem Ursprung, besonders bei denen, welche der Vervielfältigung fähig sind. Ein

9*

Original nennt man daher das erste, ursprüngliche Product im Gegensatz zu den Nachahmungen. Daher heißt auch Original so viel als Muster. Im engern Sinne schreibt man O. denjenigen Menschen oder Dingen zu, welche durch ihre Eigenthümlichkeit sich vor allen anderen unterscheiden. Originell heißt daher alles Außergewöhnliche, Auffallende.

Ormuzd, der Name einer Gottheit, welche die Chinesen als gütiges Wesen verehren, im Gegensatz zu Ahriman, dem bösen Wesen.

Ornat heißt die Kleidung der Geistlichen bei ihren Amtsverrichtungen. Der O. in der römischen und griechischen Kirche ist reicher und verschiedener als der einfache in der protestantischen.

Orthodoxie s. Rechtgläubigkeit.

Ostiarien s. Priesterweihe.

Ostindienfahrer nennt man die Handelsschiffe, welche von den nach Ostindien handelnden europäischen Compagnien dahin ausgerüstet werden. Ein O. trägt 400 bis 700 Lasten, ist stark bemannt und führt 40—80 Kanonen.

Ostracismus (Scherbengericht) war der Name eines Gerichtes zu Athen in Griechenland, welches zu Anfang des 6. Jahrh. vor Chr. dort eingeführt wurde. Der O. hatte den Zweck, die durch Verdienste, Rang oder Reichthum der Volksfreiheit oder allgemeinen Rechtsgleichheit Gefahr drohenden Bürger zu verbannen. Alle Jahre konnte dieses Gericht abgehalten werden; der Name der Verdächtigen wurde auf einen Scherben (Ostrakon) geschrieben und an einem gewissen Orte niedergelegt. Wenn mindestens 6000 Stimmen für die Verbannung waren, so wurde sie auch vollzogen. Das Volk, dem überhaupt jede Erlassung von Strafen zustand, konnte jedoch die gesetzliche Verbannungszeit, zehn Jahre, nach Belieben abkürzen. Die gefeiertesten Männer Athens mußten sich dieser sehr gefürchteten Strafe unterwerfen. Diese Einrichtung fand auch in andern Staaten Griechenlands Eingang.

Ovation s. Triumph.

P.

Pacht s. Miethe.

Pact s. Vertrag.

Pagoden nennt man bei den Hindus und andern Völkern Südasiens die freistehenden Tempel. Die Pagoden stehen auf freien, mit Obelisken geschmückten Plätzen, sind aus Stein und Holz gemacht und meist in Form eines Kreuzes gebaut. Die Ausstattung der P. ist überaus prachtvoll. Auch heißen die Götzenbilder P., welche aus gebrannter Erde geformt sich in den Tempeln befinden. Hiervon kommt es, daß man jede ungestaltete, scherzhafte Figur P. nennt.

Pairs (engl. Peers von dem lat. pares, Gleiche) bildeten sich zugleich mit dem Lehnwesen aus, indem die Vasallen so genannt wurden, weil sie nach dem allgem. Völkerrechte nur von ihres Gleichen gerichtet werden konnten. Als sich nun nach und nach aus dem Vasallenthum der Lehnadel entwickelte, verlangte er dem König-

thum gegenüber die ursprüngliche Gemeinfreiheit als Standesrecht. Dieser Reichs-
oder Pairieadel ward um so mächtiger, als später selbst die Monarchen aus seiner
Mitte gewählt worden. In Deutschland, wo man die P. nicht kannte, wurden aus
den großen Vasallen die Reichsstände. In Frankreich ward das Pairsgericht ebenfalls ein ständischer Reichsrath. Als Hugo Capet, Herzog von Francien, 987 den
Thron bestieg, gab es außer ihm nur noch sechs P. oder Lehnsfürsten. Gegen Ende
des 13. Jahrh. wurden neue Pairien geschaffen. Als Philipp IV. 1302 auch die
Abgeordneten der Städte als dritten Stand in die Reichsversammlung rief, wurde
der Pairshof von demselben getrennt und mit dem Parlament verschmolzen. Nach
dem Aussterben dieser Pairie bildete man eine dritte, die aber ohne alle Bedeutung blieb.
Bei dem Ausbruch der Revolution gab es 38 weltliche Pairs, die den Herzogtitel
besaßen. — In England hatte sich ebenfalls durch die Einführung des Feudalismus
ein hoher reichsständischer Pairsadel gebildet. Dieser Adel der Cordes oder Herren
ward später in fünf Klassen getheilt: Herzöge, Marquis, Grafen, Viscounts und Barone. Obschon dieser Adel nicht zur Landeshoheit emporsteigen konnte, so gelang es
ihm doch durch die Begünstigung des Vererbungsrechtes den größten Grundbesitz zu
erwerben. Als im 13. Jahrh. auch in England der dritte Stand zu den Reichsver-
sammlungen gezogen ward, theilte sich das Parlament in das Unter- und Oberhaus,
welches die P. aufnahm. Von jetzt an wurden die P. nur Vertreter ihrer Sonderinteressen, dem Staate und Volke gegenüber, wobei es mit wenig Veränderungen geblieben ist.

Paladin, eigentlich jeder zur Umgebung des Fürsten gehörige Edle. Vorzugsweise wurden die Helden von der Tafelrunde des König Artus und Karls des Großen
so genannt und dann das Wort auf jeden auf Abenteuer ausgehenden Ritter angewendet.

Paläographie s. Urkunden.

Palikaren, griechische und albanesische Lehnsoldaten, welche bald den türkischen
Paschas dienen, bald auf eigne Faust ein räuberisches Kriegerleben führen. In Griechenland werden jetzt sämmtliche unregelmäßige Truppen P. genannt.

Palisaden werden behauene oder unbehauene Baumstämme genannt, welche in
den Erdboden eingeschlagen werden, so daß sie mehrere Ellen über demselben hervor-
ragen, um eine Verschanzung gegen den Feind zu bilden.

Pandecten, Justinianeische Gesetzgebung. Während in der Periode von dem
römischen Kaiser Augustus bis Constantin (im Jahre 31—306 n. Chr.) die höchste
Blüthe des römischen Reiches in lebendiger Rechtsbildung ausgeprägt war, enthält die
Periode von Constantin bis zu Justinian (306—565 n. Chr.) die Zeit des Verfalles und der pfuschenden Gesetzmacherei; die Nationalität des römischen Volkes
war geändert, es bestand aus Griechen, Illyriern und Orientalen. Der lebendige Zusammenhang des Rechtes mit dem Volksleben war daher zerrissen; aber auch die alten Organe der Rechtsbildung waren verschwunden, die Prätoren (s. d.) gaben
keine Rechtssprüche mehr und die Rechtswissenschaft und die Jurisprudenz war
schon im 3. Jahrhunderte der geistigen Erschlaffung des Volkes erlegen, und es blieb
nur die kaiserliche Gesetzgebung übrig. Sie war höchst thätig nach Zahl der erlassenen Gesetze, aber willkürlich, und ersetzte die innere Lehre durch geschmacklosen Wort-
schwal. So trug sie denn mehr zur Verwirrung als Fortbildung des Rechts bei
und erzeugte das Bedürfniß von Sammlungen des geltenden Rechts, deren wichtigste,
die Justinianische, das Ziel unsrer Untersuchung ist. Das geltende Recht dieser
Zeit lag in zwei Gestalten vor, in den Schriften der älteren Juristen, in welchen das
Resultat der ganzen früheren Rechtsbildung durch Gesetze, obrigkeitliche Verordnungen
(leges, edicta magistratuum) zusammengefaßt war, und in den kaiserlichen Aussprüchen, den sog. Constitutionen, oder wie man damals sagte, es bestand aus dem Rechte
(jus) und den Gesetzen (leges) oder kaiserlichen Verordnungen (constitutiones) jus

und leges seu constitutiones. Die Gesetzgebung Justinians war demnach auf zwei Werke berechnet, auf eine neue Constitionensammlung und auf einen Auszug aus den Schriften der Juristen. Der Kaiser ließ die P. oder Digesten aus den Schriften von 39 Juristen durch 17 rechtskundige Männer, an deren Spitze Tribonian stand, an- fertigen. Am 16. December 533 wurde das Werk publicirt, mit Gesetzeskraft vom 30. Decbr. desselben Jahres an. — Die P. enthalten 50 Bücher, die wieder in Ti- tel eingetheilt sind. Mit der Zeit hat man unter „Pandecten" das ganze römische Recht verstanden, weil in dieser Zusammentragung die allgemeinen Rechtsprincipien

bung als Gesetz aufgenommen (recipirt),

stimmungen unanwendbar sind, deren G

bei den Römern existirt, wie z. B. die Sclaven; daher ist auch das Verfassungs- und Verwaltungsrecht nicht aufgenommen und die Bestimmungen über die Rechtsquellen sind wegen ihrer staatsrechtlichen Natur nicht streng bindend. Nicht minder haben nur die mit Randbemerkungen versehenen (glossirten), d. h. von den Rechtsgelehrten (Glossatoren) in Italien gekannten und als gültig anerkannten Theile Gesetzeskraft er- langt. Was die Glosse nicht anerkennt, erkennt auch das Gericht als richtig nicht an. Quidquid non agnoscat glossa, non agnoscit cura. Heut zu Tage ist der Be- griff der P. ein anderer geworden, indem man unter Pandectenrecht den Inbegriff der aus dem röm. justinian. Rechte aufgenommenen Privatrechtsinstitute und Princi- pien mit den durch kanonisches Recht und deutsches Reichsrecht bewirkten Abänderun- gen versteht. Das kanonische Recht (diejenigen Rechtsbestimmungen, die von der christlichen Kirche ausgingen) ist in dem corpus juris canonici enthalten. Diese Sammlung besteht aus dem decretum Gratianum, den decretales Gregorii, dem liber sextus von Bonifacius VIII. und den fünf Büchern des Papstes Clemens V. Außer diesen vier officiellen Sammlungen sind später noch zwei Privatsammlungen extravagantes genannt, hinzugekommen. Von den deutschen Reichsgesetzen sind für das Pandectenrecht wichtig: die Notariatsordnung vom J. 1512, die Reichspolizei- ordnungen von 1548 und 1577, die Kammergerichtsordnungen von 1495 und 1575, die Reichsabschiede von 1529 und 1654, der Deputationsabschied von 1600, und endlich die Carolina Art. 209. Ein weiteres Eingehen würde hier nicht am Orte sein; interessant dürfte jedoch die Erörterung der Frage sein, aus welchem Grunde das römische Recht den Haß des ganzen deutschen Volkes und dessen Widerwillen auf sich geladen hat. Zuvörderst müssen wir hier vorausschicken, daß die in dem röm. Rechte enthaltenen, auf das Civilrecht Bezug nehmenden Rechtsgrundsätze, weil sie mit dem Naturrechte und der Moral Hand in Hand gehen, eine Aenderung in den Prin- cipfragen nicht erleiden werden; alle Rechte, die sich die Völker neuerer Zeiten gegeben haben, sind mehr oder weniger auf das Römische gestützt. Selbst wenn es dem Com- munismus — natürlich in seiner rohesten Gestalt — gelingen sollte, die Herrschaft über die civilisirte Welt zu erlangen, würde das römische Recht mit Ausnahme der Bestimmungen über Besitz, Eigenthum, Besitzerwerb, Erbrecht, doch als Norm ange- nommen werden müssen. — Wir müssen also den Grund anderswo suchen. Zugleich mit dem röm. Rechte wurde in Deutschland das canonische als Gesetz aufgenommen. Dem Pfaffenthum, das alles Sündhafte in den Bereich seiner Gesetzgebung gezogen, war es gelungen, mit diesem Rechte, das die Gedankenfreiheit niederhielt und den blinden Glauben proclamirte, die Ausübung des Gesetzes in die Hand zu nehmen; es entwand der weltlichen Obrigkeit, die wohl noch nicht aller Humanität bar war, den Richterstab, und nahm ihn in seine Hände. Die in Deutschland auflodernden Brandfackeln und die furchtbaren Herenprocesse waren die Folgen. Die Hierarchie mißbrauchte mit Hülfe des canonischen das römische Recht auf fürchterliche Weise. Selbst nachdem die Fürsten, die ihre Throne mit Hülfe der luther. Kirche etwas mehr befestigt hatten, das Richteramt wieder den Händen der Geistlichkeit entwunden, verging noch eine geraume Zeit, ehe der Humanität ein Platz auf dem Richterstuhle eingeräumt wurde. Man haßte das röm. Recht, wie es in Verbindung mit dem canon. Rechte auf schurkische Weise gehandhabt wurde; man haßte es, weil der größte Theil des Rechts von den Pfaffen gesprochen wurde. Dieser Vorwurf kann das röm. Recht nur in Bezug auf das Criminalrecht treffen. — Jedes Gesetz aber wird mit dem Volkswillen in Zwiespalt kommen, sobald es nur auf Abschreckung und Grausamkeit gestützt ist. Jetzt wird in Deutschland Niemand mehr nach dem röm. Recht verurtheilt; aber wahrlich wir wünschen aufrichtig, es hätte noch Platz! Erinnern wir nur an die mit bestialischer Grausamkeit in der Carolina (s. d.) festgesetzten Strafen, erinnern wir nur an die Strafen, die bezüglich der Majestätsverbrechen in unsern Gesetzbüchern ausgesprochen sind, und wir werden gewiß in Zweifel gerathen, welche Gesetzgebung — natürlich unsre Berücksichtigung der Verschiedenheit der Sitten — grausamer ist. — Wir wollen uns keineswegs als Vertheidiger des röm. Rechts auftreten, sondern nur darauf aufmerksam machen, daß selbst das schlechteste, grausamste Gesetz durch gute Handhabung und passende Ausführung zu einem segenreichen werden kann. Das röm. Recht war in schlechte und unreine Hände gekommen; es mußte also das Volk dessen Schwächen zuerst fühlen. Möchte die Zeit nicht mehr fern sein, in welcher das Volk mit Theil nimmt an der Ausführung des Rechts, in welcher Humanität gepaart mit Strenge die Sitten des Volks mildern und das Letztere selbst auf die ihm gebührende Bildungsstufe, von welcher es durch die Ränke der Machthaber bisher ausgeschlossen wurde, bringen.   Robert Kleinschmidt.

Panduren, leichte ungarische Infanterie, nach dem Flecken Pandur in Ungarn so genannt. In früheren Zeiten waren die P. wegen ihrer Raubsucht berüchtigt. Gegenwärtig sind sie den Grenzern (s. Militärgrenze) zugetheilt.

Panier s. Banner.

Panisbrief s. Anwartschaft.

Pankration (ein Kampf Aller) hieß bei den Griechen ein Wettkampf, bei welchem die Kämpfer (Pankratiasten) den Faustkampf mit dem Ringen verbanden, doch so, daß sie dabei nur die unbewaffnete Faust brauchten.

Panslavismus nennt man das Streben, alle slavischen Völkerstämme zu einem einzigen Reiche zu vereinigen. In Europa giebt es gegenwärtig noch drei Hauptvölkerstämme: die Romanen, Germanen und Slaven. Zu den Romanen gehören die Portugiesen, Spanier, Franzosen, ein Theil der Belgier, Schweizer, so wie die Italiener. Sie mögen 80 Millionen betragen. Die Germanen, der noch am reinsten dastehende Stamm, zählt etwa 70 Millionen; die Slaven sind ebenfalls fast durchaus unvermischt (mit Ausnahme der Russen, welche mit den Mongolen und finnischen Völkerschaften bekannt wurden) gehören zum größten Theil dem Katholicismus an und sind sich in ihren Sprachen nahe verwandt. Zu den Slaven gehören die Russen, Czechen oder Böhmen, die Südslaven in Oesterreich, Ungarn, der Türkei und die Nordslaven in Nordungarn. Es mögen etwa 80 Millionen sein. In neuerer Zeit nun ist unter diesen Völkern das Bewußtsein gemeinsamer Herkunft mehr als je erwacht, und mit demselben das Streben nach Einigung und Verbindung. Das ist eben der P. Die Absichten und Pläne der Führer dieser nicht in Abrede zu stellenden Bewegung sind in neuester Zeit etwas aus ihrem Dunkel herausgetreten. Man denke an die letzten Vorgänge in Oesterreich 1848 und 1849.

Pantheismus. Durch dieses Wort (Allgötterei) bezeichnet man eine seit dem 18. Jahrh. besonders hervorgetretene Lehre gewisser Philosophenschulen, nach welcher Gott und Welt eins sind, das All der Dinge selbst Gott ist. Der P. ruht auf dem Grundgedanken, daß Alles Eins und dieses Eine eben Gott sei, und sich in einer unendlichen Menge von Formen darstelle. Schon das Alterthum der Inder und Griechen kannte den P. Das Christenthum trat ihm kräftig entgegen, obschon auch die christl. Kirchengeschichte von vielen pantheistischen Secten zu erzählen weiß. Mit dem 16. Jahrhundert trat der P. wieder in dem Philosoph Giordano Benno aus dem Neapolitanischen auf, und namentlich in dem Juden Spinoza (gest. 1677). In der neueren Zeit blieb auch das System Kants von dem P. nicht unberührt. Jetzt ist die Gegenwart zu solch unfruchtbaren Speculationen zu ernst geworden.

Pantheon war im Alterthum ein Tempel, welcher allen oder doch den vorzüglichsten Göttern geheiligt war. Am berühmtesten war das unter Kaiser Augustus erbaute P. in Rom, welches gegenwärtig in eine Kirche (seit 607) umgewandelt ist. Genannt wird noch das P. in Paris.

Papa, griechisch pappas, Vater, war in der griechischen Kirche der Name für alle, namentlich höhere Geistliche; auch in der abendl. Kirche kam das Wort P. in dieser Bedeutung vor, bis sie im 5. Jahrh. den Titel P. ausschließlich dem Bischof von Rom beilegte. Papst Gregor VII. erhob diesen Namen (1075) zum ausschließlichen Titel des Papstes.

Papiergeld (papier monnaie, paper money) ist ein Werthzeichen von Papier mit darauf bemerkter Geldsumme, welches im Verkehr die Stelle der Metallmünze vertritt. Die Einführung des P. ist eine Folge des entwickelten Credits; das Metallgeld ist ein Gut; das P. bedeutet einen Werth. Von den übrigen Creditpapieren, Staatspapieren und anderen Schuldverschreibungen unterscheidet sich das P. dadurch, daß es ohne alle Förmlichkeit der Uebertragung von Hand zu Hand geht und keine Zinsen trägt. In neuester Zeit hat man in Oesterreich auch Zinsen tragendes P. geschaffen. Schon die ältesten Völker kannten die Hauptgrundsätze der Nationalökonomie; mit dem Tempel zu Delphi war ein Institut verbunden, einer Depositenbank nicht unähnlich; Athen machte eine Zeit lang eiserne Münzen, statt der Gold- und Silbermünzen; die Chinesen hatten Papiergeld ("fliegende Münze") schon im 9. Jahrh. — In neuerer Zeit war es der Schotte Law, welcher zuerst in Frankreich (1716) den Vorschlag machte, eine Bank zu errichten, um den tief verschuldeten Staat zu retten. Durch die Errichtung der Bank wurde der Credit geschaffen, welcher bisher gefehlt hatte. Die Bank fiel zwar, weil man ihr zu viel aufbürdete; aber ein gleiches Schicksal traf auch später die englische Landbank (1815 und 1825) und andere. Ueber das Weitere s. Bank, Banknoten, Staatsschulden.

Papst, Papismus. Papst (s. Papa), wie ursprünglich und bis in das 5. Jahrh. jeder Bischof hieß, ward nach und nach der Name des römischen Bischofs, welcher als Nachfolger des Petrus unter den fünf Patriarchen (s. d.) als der erste gelten wollte. Der röm. Bischof wußte bald durch die Reichthümer und Weltstellung Roms, durch schiedsrichterliche Aussprüche und kluge Benutzung aller Gelegenheiten die Obergewalt über die Kirche in die Hände zu bekommen. Nach und nach wuchs die Macht der Päpste immer mehr und verdunkelte selbst den Glanz der Fürsten, so daß bereits P. Johann VIII. über die Kaiserkrone verfügen konnte. Obschon die größten Unthaten und Greuel aller Art von den "Nachfolgern des Petrus" verübt wurden, so stieg ihre Macht doch in jenen barbarischen Zeiten immer höher; P. Nikolaus II. legte 1059 die Papstwahl in die Hände des Cardinalcollegiums und entzog sie so aller Einwirkung der Laien. Einer der thatkräftigsten, zugleich aber auch herrschsüchtigsten Päpste war Gregor VII. (1073—85), welcher den Grund zur kirchlichen Universalmonarchie legte, den P. Innocenz III. (1198—1216) in ihrer höchsten Blüthe sah. Mit kühner Hand knüpften die Päpste die Geistlichkeit des mittleren und westlichen Europa durch den Glaubenseid, die Nöthigung zum Cölibat und anderes an den päpstl. Stuhl. Nach und nach entstanden die übrigen Stützen des Papstthums. Die Mönchsorden, eine kirchliche Miliz, die Inquisition und alle die zur Verknechtung der Menschheit erfundenen Einrichtungen, auf welchen der Fluch Tausender ruht. Die erste Demüthigung erfuhren die P. durch König Philipp den Schönen von Frankreich, welcher sie nöthigte, ihre Residenz in Avignon (1307—77) zu nehmen. Im nächsten Jahrhundert sank die moralische Macht der P.

schon bedeutend; die Vorläufer der Reformation Wicleff, Huß und Hieronymus forderten eine Kirchenverbesserung, die zwar noch unterblieb, aber doch in den Gemüthern vorbereitet wurde. Begünstigt durch die Erfindung der Buchdruckerkunst trat die Reformation durch Luther, Zwingli und Calvin dem Papstthum entgegen, und jetzt nicht ohne Erfolg. Vergebens versuchten die Jesuiten die Reformation zu vertilgen und den Ausfall durch Missionen unter den Heiden zu ersetzen, das alte Ansehen des P. war für ewig verschwunden. Die Fürsten entzogen sich seiner Bevormundung und der Westphäl. Friede gewährte (1648) die Religionsfreiheit. Die franz. Revolution war nicht geeignet, dem Papstthum in die Höhe zu helfen; die franz. Kirche riß sich vom P. los und die Söhne der Republik plünderten den heiligen Vater aus. Die Politik der europäischen Großmächte fand es 1814 für angemessen, den durch Napoleon so schwer gedemüthigten P. wieder herzustellen. Kaum war dies geschehen, so wurde die Inquisition erneuert, die Jesuiten wieder neu belebt, kurz der ganze frühere Kampf gegen die Idee der Neuzeit wieder aufgenommen. Wie sehr übrigens die Macht des P. unter den Völkern in seiner Nähe moralisch untergraben ist, haben die letzten Jahre wieder gezeigt.

Parabrahma s. Brama.

Paradox, unglaublich, unmöglich, nennt man das, was gegen die allgemeine Meinung und Erwartung verstößt. Wissenschaftlich heißt p. das, was gegen die herrschende Ansicht ohne Begründung hingestellt wird.

Paragium heißt derjenige Landestheil, welcher als Apanage (s. Jahrgeld) mit Regierungsrechten für Glieder fürstl. Familien ausgesetzt wird; diese letzteren heißen dann paragirte Fürsten.

Paraklet (wörtlich der Tröster), ein Name, welchen man dem Stifter der christlichen Religion beigelegt hat. Auch versteht man unter P. den an die Apostel verheißenen „heiligen Geist." Mehrere kirchliche Secten behaupteten daher, daß der P. noch erscheinen werde.

Parallelismus ist das Verhältniß ähnlicher Dinge zu einander. In den hebr. Schriften des A. Test. wird dadurch das Ebenmaß zweier Verse oder Glieder bezeichnet.

Parallelen heißen in der Belagerungskunst die Gräben, welche mit der Front in gleicher Richtung laufen.

Paraphernalgut, Parapherna (das Nebenbei, Eingebrachte) heißt das Vermögen einer Ehefrau, welches sie noch außer der eigentlichen Mitgift besitzt, an welchem dem Manne kein weiteres Recht zusteht; es bleibt Eigenthum der Frau.

Parcellen s. Enclaven.

Parcelliren s. Theilbarkeit des Bodens.

Pardon (Verzeihung) ist der Ruf des im Kampfe Besiegten um Schonung für sein Leben, Kriegsgefangener. Die neuesten Zeiten haben leider wieder bewiesen, daß manche Kriegssöldner noch auf einer so tiefen Stufe sittlicher Bildung stehen, daß sie wehrlose, gefangene, Feinde wie Freunde niedermetzelten.

Parere, ein schriftlich abgefaßtes Gutachten von Handelsgerichten oder auch von unterrichteten Kaufleuten über eine streitige Handelsangelegenheit.

Parisienne, Pariser Hymne, heißt das Freiheitslied, welches Cas. Delavigne zur Verherrlichung der Julirevolution dichtete und in Frankreich großen Anklang fand.

Park ist in der Militärsprache ein Platz, wo eine größere Menge von Geschützen, Artilleriewagen 2c. aufgestellt ist. Man spricht daher von einem Geschütz-park, Munitionspark 2c.

Parlament wurde in Frankreich sonst jede Versammlung genannt, in welcher etwas gemeinschaftlich berathen werden sollte. Später hieß der Pairshof (s. Pairs) P. Durch Ludwigs IX. Reformen (1226—70) erhielt es eine größere Be-

beutung. Unter Philipp IV. ward das P. (1302) stehend in Paris, während es früher im Lande herumgezogen war, da das Recht an Ort und Stelle gesprochen werden mußte. Das P. eröffnete nun jährlich zwei große Sitzungen, mußte diese aber bald vermehren. Nach und nach wurden auch in anderen Städten P. errichtet, zu Toulouse 1451; zu Dijon 1476; zu Metz 1633; zu Nancy 1775. Die Revolution stürzte auch diese Institute durch ein Decret vom März 1796. — In England trat an die Stelle des Angelsächsischen Volksrathes die Reichsversammlung der Barone, Prälaten und Bannerherren, welche später den Namen Parlament (1272) erhielt. In England gelang es den Königen nicht, das P. wie in Frankreich zu einem königl. Obergericht herabzusetzen; es bildete vielmehr den Grund zu der später ausgebildeten Volksrepräsentation. Unter Eduard III. (1327—77) trat der dritte Stand (Abgeordnete der Städte, Grafschaften) in die Reichsversammlung; der alte Pairshof schied nun als Oberhaus (house of peers) aus, bildete aber mit dem Unterhause (house of commons) zusammen die Volksvertretung, das P. In neuerer Zeit ward das schottische und irländische P. mit dem engl. verschmolzen, welches seit 1800 den Namen Imperial parliament annahm. Dieses britische P. ist wesentlich in seinen Rechten und Gebräuchen von den parlament. Versammlungen anderer Reiche verschieden.

Parlamentair heißt der Abgeordnete im Kriege, welchen die eine Partei zu irgend einer nöthigen Besprechung zu der andern sendet. Nach dem Völkerrechte sind die P. unverletzlich.

Parlamentsmünzen werden die Münzen genannt, welche das engl. Parlament unter dem Protectorat Cromwells im Namen der Nation schlagen ließ.

Parlamentsreform s. Reformbill.

Parochie, ein Kirchsprengel; früher ward damit der gesammte bischöfliche Sprengel bezeichnet, später auch der jeder Kirchengemeinde. Eine Parochie umfaßt in der Regel neben der Mutterkirche noch mehrere eingepfarrte Gemeinden, Tochter-(Filial) Kirchen. Die den Parochianen obliegenden Geld- oder Naturalleistungen heißen Parochiallasten.

Parole s. Feldgeschrei.

Parquet nennt man in öffentlichen Gerichtshöfen den abgeschlossenen Platz, wo sich die Richter befinden.

Parricidium, Vatermord s. Mord.

Partei im Staatsleben. P. nennt man gewöhnlich die Gesammtheit derjenigen, welche sich zu einer gemeinschaftlichen Ansicht über Gegenstände des Staates, der Kirche oder Wissenschaft bekennen. Wir haben uns gegenwärtig nur mit den P. auf politischem Gebiet zu beschäftigen, mit dem übrigens das Kirchliche gar sehr verwachsen ist. Die verschiedenen Interessen sind es, welche die Menschheit stets gespalten haben, und zwar immer zu ihrem Nachtheil. Es giebt Sonderinteressen und allgemeine Menschheitsinteressen. Jenes sind die Rechte, Privilegien, diese das Recht. Durch die Rechte, die Privilegien, wird die Gesammtheit zu Gunsten der Einzelnen beeinträchtigt. Das wesentliche Merkmal des Rechtes aber ist: die Achtung der Rechte, der Bedürfnisse der Einzelnen. Es giebt daher nach diesen zwei Arten von Interessen auch zwei Arten von P.: Vertreter der Privilegien und Vertreter der Menschheitsinteressen. Die Vertreter der Privilegien sind in dem, was sie wollen, einig; sie haben einen gemeinschaftlichen Zweck; aber in der Wahl der Mittel, um diesen Zweck zu erreichen, sind sie nicht einig, sondern spalten sich in drei Hauptabtheilungen. Die erste Klasse wird von derjenigen Partei gebildet, welche sich unmittelbar an die Staatsgewalt wendet, diese benutzt, um die Gesammtheit zu zwingen, in ihrem Interesse zu arbeiten. Das sind die Anhänger des politischen Absolutismus. Die zweite Klasse vertritt diejenige Partei, welche das religiöse Gefühl der Menschen benutzt, um diese in einem Zustande zu erhalten, in dem sie geneigt sind, in dem

Intereſſe der Privilegirten zu arbeiten. Hierher gehören die Vertreter der Kirche, die Prieſter, ſo wie ſie ſich durch Roms Päpſte ausgebildet haben. Die dritte Klaſſe endlich vertritt die P., welche die Anſtalten der Production und des Verkehrs be= nutzt, um die Geſammtheit in ihrem Dienſte arbeiten zu laſſen. Dieſes ſind die Ver= treter des Capitals, die Bourgeois. Dieſe drei P. haben das gemein, daß ſie dieſel= ben Intereſſen vertreten, welche den Intereſſen der Geſammtheit entgegengeſetzt ſind, um die Geſammtheit als Mittel zu benutzen. Nur durch die Mittel unterſcheiden ſich dieſe drei P. Die Vertreter des polit. Abſolutismus zwingen durch Gewalt; die Vertreter der Kirche bearbeiten das menſchliche Gemüth auf eigenthümliche Weiſe; die Vertreter des Kapitals benutzen das Geld, um die Nichtbeſitzer dienen zu laſſen. Dieſe P. ſind natürlich conſervativ; ſie ſuchen mit allen Mitteln den ihren In= tereſſen entſprechenden Zuſtand des Beſtehenden zu erhalten; ſie ſuchen um jeden Preis zu verhindern, daß das Volk in eine Lage komme, wo es die Privilegien vernichten könnte. Das Beſtehende muß erhalten werden, mag es ſo widerſinnig, verfault, unnatürlich, unrecht ſein, wie es will — es dient ja ihren Sonderintereſſen. — Die= ſen Vertretern der Selbſt=, Hab= und Eigenſucht gegenüber ſteht die P., welche die allgemeinen Intereſſen vertritt. Mit einem Worte nennen wir ſie, es iſt die de= mokratiſche P., die P., welche die den Menſchen von ihrem Schöpfer mitgegebe= nen heiligen Rechte anerkennt und anerkannt wiſſen will. Das iſt der Zielpunkt ih= res Strebens. Weil die demokratiſche P. jedem Einzelnen ſein Recht wahren will, deshalb ſucht ſie die Geſammtheit dieſer Einzelnen, das Volk, in die Lage zu bringen, die Formen des Staates ſeinen, d. h. des Volks, Intereſſen, den Intereſſen der Geſammtheit, anzupaſſen. Auf dieſen ganz einfachen, nüchternen Anſchauungen der Völkerverhältniſſe ruht die Demokratie. Dieſe Grundſätze werden zur Geltung kommen, weil ſie zur Geltung kommen müſſen, nach den ewigen Grundſätzen der Vernunft, des Rechtes und der Erfahrung. Ob ſie dieſe Geltung heute oder morgen, in fünf oder fünfzig Jahren erlangen, das bleibt gleich; es koſtet vorher eine Maſſe Unglücks mehr, und nachher eine Maſſe Unglücks mehr. Der Charakter der demo= kratiſchen P. iſt ein reformatoriſcher, ſchöpferiſcher; ſie repräſentirt die organiſche Ent= wickelung vom Alten zum Neuen, vom Unbrauchbaren zum Brauchbaren; ſie fördert den ewigen Verjüngungsproceß der Menſchheit, in dem ſie ihr das Abſtreifen der abgeſtorbenen Haut erleichtert. — Wir wollen die Gegenſätze dieſer beiden Hauptparteien hier nicht weiter hervorheben; ſie ſpringen von ſelbſt in die Augen; ſo viel iſt aber gewiß, in den gegenwärtigen Kämpfen auf dem Gebiete der Politik iſt es die demokratiſche P., welche das leitende Princip bildet, welches das Heft in den Händen hat, trotz dem, daß hochweiſe Diplomaten, durch die augenblickliche Kano= nenſtimmung getäuſcht, das Gegentheil glauben. Herrſchen kann jede Partei; rechtlich nur die demokratiſche. Das Recht unterliegt aber nie auf immer, ſondern kommt ſtets wieder zur Geltung.

Parteigänger, hieß der Anführer eines gewöhnlich aus leichten Truppen beſte= henden Corps, welches erſt mit Ausbruch des Kriegs ſich an eine der Parteien an= ſchloß. Die P. gehören der ältern Geſchichte an, da ſie jetzt unmöglich geworden ſind. Zu unterſcheiden ſind davon die Partiſane, welche ähnlichen Dienſt, wie die P. verrichteten, aber als Streifcorps, wie 1813, bei ihrer Partei verblieben.

Parthenopeïſche Republik. Parthenope iſt der älteſte Name für Neapel. Im Jahre 1799 wurde das Königreich Neapel von den Franzoſen in eine Republik umgewandelt, welcher man den Namen P. R. gab. Anfangs hatte der franz. Gene= ral Championnet das Volk gegen ſich; als aber der Erzbiſchof Zurlo Capace erklärte, daß Chriſtus Demokrat geweſen ſei, fügte man ſich willig der neuen Staatsform. Die P. R. wollte aber nicht gedeihen; Championnet mußte am 27. Febr. 1799 den Befehl niederlegen, da er die Blutſauger des franz. Directoriums entfernt hatte. Zwar übernahm Macdonald den Oberbefehl, wurde aber bald durch andere Ereigniſſe wieder abgerufen. Am 20. Juni 1799 landete in Calabrien ein Royalistenheer aus sardinischen, britischen, russischen und türkischen Truppen bestehend und richtete unter den gräßlichsten Ausschweifungen den Thron der Bourbons wieder auf.

Partisan s. Parteigänger.

Partisane, eine Art Gewehr in früheren Zeiten, hatte einen 6—8 Fuß langen Schaft von Holz mit einer eisernen Spitze, wohl auch mit Widerhaken. Kam an die P. ein beilartiger Ansatz, so war es eine Hellebarte (s. d.).

Pascha (wörtlich: Fußstütze des Königs), ein Titel bei den Orientalen und Türken, welcher anfangs nur den Prinzen ertheilt wurde, den aber jetzt jeder höhere Beamte erhält. Das Zeichen dieser Würde ist der Roßschweif; nach dem Range unterscheidet man P. von einem, zwei und drei Roßschweifen.

Pasquill. Mit diesem Namen bezeichnet man gewöhnlich eine Schrift, welche durch Bild oder Wort eine Injurie gegen Jemanden enthält und absichtlich veröffentlicht worden ist. Der Hauptcharacter des P. ist also, was manche Gesetzgeber nicht einsehen wollen, daß das Erklärte oder Dargestellte eine Injurie enthalte, wovon eine offne, freimüthige, erlaubte Darstellung der Handlungen und Fehler anderer wesentlich verschieden ist. Die Benennung P. findet sich zuerst in dem Reichsabschied 1567, und in der Reichspolizeiordnung von 1677. Das Wort P. soll von einem witzigen Schuhmacher in Rom, Pasquino, abstammen. Dieser geißelte durch seinen Witz namentlich die großen Schwächen der Geistlichen. Nach seinem Tode ward zufällig in der Nähe seiner Bude eine Bildsäule aufgestellt; an diese, welche das Volk Pasquino nannte, hing man satyrische Ausfälle und Schmähschriften in der Weise Pasquinos abgefaßt. Diese Schmähschriften, „famosi libelli,“ erhielten nun den Namen „pasquini libelli.“ Wahre Ehrenkränkungen, und namentlich durch Schrift verbreitete, bleibende, wurden von jeher streng bestraft. Schon das röm. Recht drohete eine Capitalstrafe. Spätere Gesetze bedrohten schriftliche Aufsätze, welche die Absicht hatten, Jemanden als einen Lasterhaften darzustellen, mit Körperzüchtigung, Infamie ꝛc. Unter den Kaisern ging die Strenge noch weiter; je sittenloser das Oben ward, desto strenger strafte man die öffentliche Rüge dieser oberen Schlechtigkeit, bedrohte sie sogar mit Todesstrafe. Doch gab es damals noch einen Schutz, den die modernen Staaten entbehren: der Verfasser konnte als öffentlicher Ankläger auftreten und die Anschuldigungen beweisen. Dann wurde er frei gesprochen. Die neuesten Rechtslehrer sind über den wahren Character der P. und über ihre Bestrafung eben so uneinig, als die Strafgesetze.

Paßwesen. Das P. ist eine Erfindung der modernen Polizeistaaten, vorzüglich Frankreichs. Ein Zeugniß über Persönlichkeit und Verhältnisse des Reisenden ist für diesen eine höchst zweckmäßige Einrichtung. Aber, sie muß nur eben im Interesse der Reisenden gehandhabt werden, nicht aber im Interesse des Staates, theils um eine eben so erfolglose als gehässige Controle über die Reisenden zu führen, theils um eine große Anzahl Beamter ohne allen weiteren Zweck füttern zu können. Die über das P. bestehenden Gesetze, das Einholen der Visa — dies und vieles Andere hat den Staatsbürgern einen Berg von Unerträglichkeiten auf die Schultern gewälzt, ohne daß der Staat einen Nutzen davon hat. Denn bei der wahrhaft lächerlichen und sinnlosen Einrichtung, daß sich die Polizei mit der bloßen Einsicht des ihr zugeschickten Passes begnügt, ohne den Inhaber desselben zu sehen, geht alle dem P. zu Grunde liegende Controle der Reisenden verloren. Auf die übrigen Mängel unseres P. wollen wir hier nicht hinweisen, da sie sich jedem täglich nur zu fühlbar aufdrängen.

Passah. (Pascha) heißt das Fest der Juden, welches sie zur Erinnerung an die Verschonung ihrer Voreltern vor dem Würgengel und an den dadurch vermittelnden Auszug aus Aegypten feiern. Das Passah, Fest der Verschonung, dauert sieben Tage und ist die Feier von Mose bis in das Einzelste bestimmt worden. Das P., welches nach Erbauung des Tempels nur in Jerusalem gefeiert werden durfte, trug nicht wenig zur Erhebung des Volksgeistes bei. Die gegenwärtige Feier des P. bei den Juden ist nur ein schwacher Schatten der vorgeschriebenen Feierlichkeit. •

Patent wird ein **offener Brief** (literae patentes) des Landesherrn genannt, in welchem irgend ein das Staatswohl betreffendes Ereigniß zur öffentl. Kenntniß gebracht wird; s. Manifest.

Patentsteuer s. Steuer.

Pater patriae, Vater des Vaterlandes, war bei den Römern ein **Ehrentitel**, den man nur selten solchen Männern beilegte, welche sich ausgezeichnete Verdienste um das Vaterland erworben hatten. In der neuern Zeit hat diesen ehrwürdigen Namen die elendeste Speichelleckerei nicht selten gemißbraucht. Der erste bei den Römern, welcher diesen Namen erhielt, war der weltgefeierte Redner Cicero, von dem manche Kabinetsredner der Neuzeit etwas lernen könnten, wenn sie überhaupt noch etwas zu begreifen vermöchten.

Pathe s. Taufzeuge.

Patriarchen heißen die drei Stammväter (Erzväter) des jüdischen Volkes, Abraham, Isaak, Jacob (s. Mosaismus). Da in jenen Zeiten eine größere Reinheit und Einfachheit der Sitten geherrscht haben soll, so nennt man die Urzustände der Menschheit, wo Unschuld und Friede herrschte, patriarchalische. Später wurde das Wort P. der Ehrentitel für die Oberhäupter des jüdischen Sanhedrin (s. d.). Von diesen ging der Titel P. in die christliche Kirche über und wurde den Bischöfen beigelegt, später aber nur ausschließlich den Metropoliten zu Rom, Konstantinopel, Alexandrien, Antiochien und Jerusalem. Im türkischen Reiche ist das Oberhaupt der Christen der P. zu Konstantinopel; er hat den Rang eines Paschah von drei Roßschweifen und wird vom Sultan eingesetzt. Noch größeres Ansehen hatte der P. über die russische Kirche in Moskau, bis Peter der Gr. 1721 das heilige Synod aus dem Patriarchat machte.

Patricier waren die Gegenpartei der Plebejer oder des Volks im alten Rom. Ursprünglich bestanden die P. aus sämmtlichen frei geborenen Bürgern und bildeten den eigentl. Kern des Volkes. Als Stand erschienen sie erst, als die Plebejer, als neuer Bestandtheil der Bevölkerung, mit gewissen politischen Rechten ausgestattet wurden. Zwischen beiden entspann sich nach Gründung der Republik ein heftiger Kampf, der sich erst 366 v. Chr. zum Siege der Plebejer entschied. Ein besonderes Patriciertum entstand im 12. und 13. Jahrhundert in den deutschen Reichsstädten und in der Schweiz; es bestand aus den angesehensten Familien, welche bald zu den obrigkeitlichen Aemtern eine ausschließende Berechtigung zu erlangen wußten.

Patrimonialgerichtsbarkeit oder **Erbgerichtsbarkeit.** Unter P. im weiteren Sinne versteht man sowohl die Municipalgerichtsbarkeit, d. i. die Gerichtsbarkeit der Städte, als die P. im engern Sinne, d. i. die Gerichtsbarkeit, welche die Besitzer gewisser Güter als ein zu dem Gute gehöriges Recht ausüben oder durch ihre Beamten ausüben lassen. Beide Arten von P. haben das Characteristische, daß sie ein Befugniß, welches nach heutigen Rechtsansichten nur der Staatsgewalt zusteht, in die Hände von Privatpersonen legen. Ihren Ursprung muß man, was die ersten Quellen derselben anlangt, bis auf die früheste deutsche Verfassung zurückführen. In Betreff der P. im engern Sinne ist hierbei Folgendes zu erwähnen. Unter den Deutschen gab es ursprünglich nur zwei Stände, den Stand der Freien und den Stand der Unfreien. Beide zerfielen in zwei Unterabtheilungen, die Unfreien in Leibeigene und Freigelassene, die Freien in Vollbürger, d. h. solche, welche **freies Landeigenthum** (Alodium) besaßen, und in Halbbürger, d. h. solche, welche entweder güterlos waren, oder als Hintersassen unter bestimmten Abhängigkeitsverhältnissen freies Grundeigenthum Anderer bewirthschafteten. Nur die Vollbürger hatten das Recht der Theilnahme an der Volksversammlung und dem Volksge-

richt und das Recht, selbstständig in das Kriegsheer einzutreten. Die Güterlosen konnten sich blos insofern am Heereszuge betheiligen,
eines begüterten Vollbürgers, der dann, princeps genannt wurde, bildeten; vor Gericht
wurden sie, ebenso, wie die Unfreien, durch die Vollbürger repräsentirt, und standen
im Schutzverhältnisse unter denselben. Es war nämlich ein mit dem freien Grundeigenthume verknüpftes Recht, daß kein Gerichtsbeamter in der Regel einen Act der
Gerichtsbarkeit auf demselben ausüben durfte, sobald der Grundeigenthümer sich bereit
erklärte, für die gegen ihn oder seine Hintersassen erhobenen Anforderungen im
Volksgerichte einzustehen oder seine Hintersassen zu stellen. Hierher gehörten auch
die meisten Belangungen in Criminalfällen, weil fast alle Verbrechen durch Geld aus-
verbunden mit Steuerfreiheit, bildete das ur-
in Folge derselben hatte der Grundeigenthümer
zugleich die Befugniß, über die Handlungen seiner Hintersassen zu richten und bei ihrem eigenen Genossenschaftsgerichte den Vorsitz zu führen. So weist sich schon in
der frühesten deutschen Staatsverfassung die Idee von einer gewissen, mit erblichem
freien Eigenthum verknüpften Gerichtsbarkeit über die auf dem betreffenden Grundbesitze als Hintersassen befindlichen Einwohner und die Ausnahmestellung der Letzteren
von den öffentlichen Gaugerichten nach. Nur darf man zwar die gegenwärtige guts-

sie zusteht, dergleichen ursprüngliche freie, ehemals von deutschen Vollbürgern besessene
Alode sein, vielmehr läßt sich bei den meisten das Gegentheil erkennen, insofern sie
Vasallen- und Lehngüter sind, mithin nicht ein vollkommenes und freies, sondern ein
von einem Oberherren abhängiges Eigenthum darstellen. Aber die Besitzer von dergleichen Vasallen- und Lehngütern mußten auf den Grund jener uralten Immunität
das Institut der P. auszubilden, und letztere bei dem Verfalle der Volksgerichte und
der Bildung der Landeshoheiten gegen den Landesherrn zu behaupten. Die schroffe
Absonderung, mit welcher die alten Deutschen dem freien Grundeigenthume allein politische Berechtigung einräumten, rächte sich. Die Hintersassen und Unfreien wurden
die Herren und die freien Vollbürger wurden zu Schutzverwandten und Hörigen.
Die Könige bedurften nämlich bei ihren häufigen Kriegen bald zahlreichere Heere, und
sie und ihre großen Beamten halfen sich durch die bereits erwähnten Comitats, welche
fast nur aus Hintersassen und Unfreien bestanden. Mit diesen Bestandtheilen des
Heeres fingen namentlich die Beamten an, das eigentliche Nationalheer, die freien
Vollbürger, nicht nur in den Hintergrund zu drängen, sondern die Letzteren auch auf
andere Weise so zu belästigen, daß diese, durch immerwährende Kriege und Plünde-
rungen zu Grunde gerichtet, unter zweien Uebeln das kleinere wählten, und sich mit
ihrem Eigenthume unter den Schutz ihrer Dränger begaben. Die geistlichen und
weltlichen Beamten, die Lehn- und Dienstleute der Könige wurden überdies für ihre
Dienste mit Gütern belehnt; die Lehnweise übertragenen Güter und die Amtsrechte
wurden nach und nach erblich; die Inhaber solchen größeren Grundbesitzes erhielten
Immunitäts-Privilegien, und diejenigen, welche sich auf Immunitätsboden ansiedelten,
wurden als Schutzpflichtige der Grundherren betrachtet. Das Schutzverhältniß entwickelte sich in vielfacher Weise. Wer nicht selbst Macht genug besaß, um sich gegen
die immer mehr überhand nehmende Faustrechtsgewalt zu vertheidigen, mußte sich unter den Schutz Anderer begeben. Wie die großen Kronvasallen, die Herzöge, Fürsten
und Grafen, und die größten freien Grundbesitzer durch erbliche Erwerbung ihrer
Aemter und beziehendlich durch ein großes, sich geschaffenes Dienstgefolge, mit welchem
sie sich in ihrem Eigenthume zu behaupten mußten, auf Grund jenes alten Immunitätsrechts und der ertheilten Immunitäts-Privilegien eine Stellung gegen Kaiser und
Reich einnahmen, die sich zur Landeshoheit ausbildete, so nahmen auch in diesen
neugebildeten Ländern solche Vasallen und Lehenbesitzer, die über einen gewissen Kreis
von Freien und Hörigen das Schutzrecht ausübten, und welche dabei landesunmittel-

bar waren, b. h. welche sich keinem Schutzherrn zwischen sich und dem Landesherrn unterworfen hatten, auf Grund desselben Immunitätsrechts ihrerseits eine Ausnahmestellung gegen den Landesherrn in Anspruch, und gestalteten das frühere Schutzrecht zur P. Die Municipalgerichtsbarkeit entwickelte sich auf andere Weise. Auch in den Städten finden sich anfangs noch zwei Klassen von Einwohnern, die Freien und die Hörigen, und zwar jede Klasse unter ihren besondern Beamten, die Freien unter dem kaiserlichen Vogt, die Hörigen unter dem Burggrafen, während außerdem oft noch ein Schultheiß als ordentlicher Vorstand des Civilgerichts, das er mit freien Bürgern, als Schöppen, bildete und zugleich als Oberaufseher königlicher Einkünfte vorkam. Die Vollendung der städtischen Verfassung geschah nun durch die allmälige Verschmelzung der freien und unfreien Gemeinde in eine Stadtgemeinde, in welcher alle Lasten der Hörigkeit aufgehoben waren, und dadurch, daß es ihnen gelang, sich von den herrschaftlichen Beamten loszumachen, entweder, indem sie die Vogtei an sich brachten, oder indem ihnen das Schultheißenamt verpfändet wurde. Dadurch konnten sie bald die eigene städtische Gerichtsbarkeit erwerben, und die alten herrschaftlichen Beamten, wenn sie auch fortdauerten, wurden abhängig von der Stadt. Insofern die Vogtei einem Herrn eigenthümlich vom Kaiser überlassen worden war, blieben sie der Landeshoheit dieses Herrn unterworfen; im entgegengesetzten Falle behaupteten sie das Vorrecht der Reichsstädte, welches sie mitunter auch durch kaiserliche Privilegien erhielten oder sich erkauften. (Vergl. Mittermaier, Grundsätze des gemeinen deutschen privileg. Pr.-Rechts. Abth. 1.) Mit dieser historischen Begründung der P. soll jedoch derselben keineswegs das Wort gesprochen werden. Im Gegentheile sehen wir hieraus, daß sie, wenigstens die ihm engern Sinne, schon ihrer ersten Idee nach auf einem Zustande beruht, der, wie sehr man sich auch in vieler Beziehung mit den freien altgermanischen Staatseinrichtungen befreunden mag, doch den Anforderungen auf wahre staatsbürgerliche Freiheit, die zu allererst jedes Sonderrecht und jede politische Rechtlosigkeit ganzer Klassen von Staatsbürgern verdammen muß, schnurstracks zuwiderläuft. Unter den Gründen für das Fortbestehen der P. hat man besonders den hervorgehoben, daß sie gegen zu große Centralisation der Justiz nach einer Richtung hin durch lauter mehr oder minder von der Regirung abhängige Staatsbeamte ein Gegengewicht darbiete. Der Grund ist aber nur beziehungsweise schlagend; er setzt eine an Gebrechen leidende Staatverfassung voraus. Die Centralisation kann nur dann schaden, wenn die Staatsverfassung und das Gerichtsverfahren schlecht ist, im entgegengesetzten Falle kann sie nur segensreich werden. Denn eine völlig gleichmäßige Ausübung der Gerechtigkeitspflege ist eine der ersten Aufgaben des Staats. Man kann von allen andern Gründen und Gegengründen absehen, wenn es sich ergiebt, daß die P. mit dieser Forderung nicht zusammenbestehen kann. Denn kann sie es nicht, so hat die Staatsgewalt das Recht und die Pflicht, sie zu beseitigen. Sie kann es aber nicht, schon ihrer Natur nach. Denn im Laufe der Jahrhunderte durch zufällige, meist gewaltsame Verhältnisse entstanden, und als käufliche und verkäufliche Waare dem Verkehr unterworfen, ist sie rücksichtlich ihrer räumlichen Begrenzungen so unregelmäßig durch einander gestellt und daneben häufig in so unsäglich kleine Theilchen zersplittert, daß sich jeder zweckmäßig abgerundete Landgerichtsbezirk gegenüber den meisten Patrimonialgerichtsbezirken rücksichtlich der Bedingungen und Mittel zur schnellen und sichern Durchführung der Gerechtigkeitspflege im entschiedenen Vortheil befindet. Die Hauptsache aber ist das, daß jene Patrimonialgerichtsbezirke in Folge der geschilderten Verhältnisse einer Menge von Anforderungen, wie sie die fortgeschrittene Gesetzgebung in Bezug auf Organisation der Gerichte stellen muß, wohin namentlich Oeffentlichkeit und Mündlichkeit des Verfahrens, Trennung der Justiz von der Verwaltung, collegialische Zusammensetzung der Untergerichte, immer offene Gerichtsstelle, gute Gefängnisse u. s. w. gehören, zu entsprechen unbedingt nicht im Stande sind. Bei der städtischen Gerichtsbarkeit treten zwar diese Hindernisse nicht so schroff hervor. Die

Städte würden aber doch auch durch finanzielle Gründe verhindert sein, die gedachten Anforderungen vollständig zu erfüllen, und eine durchgreifende, zweckentsprechende Abrundung der Gerichtsbezirke würde bei dem Fortbestehen der städtischen Gerichtsbarkeit ebenfalls nicht ausführbar sein. Der Hauptvorwurf, den man der gesammten P. macht, daß nämlich die Sorge der Inhaber, sie, wenn auch nicht einträglich, doch wenigstens nicht zu kostspielig werden zu lassen, fast regelmäßig sehr sichtbar hervortrete und eine gute Justizpflege gefährde, würde durch mannigfaltige Erfahrungen gerechtfertigt werden können; indeß darf man sich recht wohl auf diese wenigen Andeutungen beschränken. Denn die Frage ist nicht mehr von praktischer Bedeutung, da die P., wo sie nicht ihr Ende bereits erreicht hat, doch demselben in nächster Zeit mit größter Wahrscheinlichkeit entgegen geht. Schon seit den Jahren 1809 und 1813 in Württemberg und Baden und später in Anhalt-Köthen und Braunschweig in Wegfall gebracht, ist sie neuerdings auch in Oesterreich und Preußen aufgehoben worden. Dem gewichtigen Beispiele der letztgedachten beiden Staaten werden wohl die übrigen nachfolgen. Im K. Sachsen, wo bis in die neueste Zeit die Stellung der Patrimonialrichter insofern eine bemerkenswerth abhängige geblieben, als sie von den Inhabern der Gerichte ganz ohne Grund, nach reiner Willkür, entlassen werden konnten, steht die Aufhebung der P. bevor nach dem Gesetze, die Umgestaltung der Untergerichte, nebst einigen damit in Verbindung stehenden Bestimmungen, sowie die dem Gerichtsverfahren künftig unterzulegenden Hauptgrundsätze betreffend, vom 23. Nov. 1848, welches sich darüber so ausspricht: Die königl. Landgerichte, Justizämter, Justitiarate und Kammergutsgerichte, nicht minder die sämmtlichen Patrimonialgerichte mit Einschluß der Municipalgerichte der Städte und das Universitätsgericht zu Leipzig werden aufgehoben (§. 1.). Die Rechtspflege wird von der Verwaltung auch in der untern Instanz getrennt. (§. 2.) Die Rechtspflege soll künftig in der untern Instanz gleichmäßig durch königl. Bezirksgerichte mit stets offener Gerichtsstelle verwaltet werden (§. 4.). Die Bezirksgerichte werden collegialisch eingerichtet (§. 6.). An Orten, die vom Gerichtssitze weiter entfernt liegen, können auch Einzelrichter angestellt werden (§. 12.). Dieses Gesetz ist nicht aufgehoben, — wie dies wegen der meisten andern Gesetze des Jahres 1848 der Fall ist — vielmehr die Herstellung der Bezirksgerichte nach den Grundzügen desselben im Werke. Wenn es ins Leben tritt, ist noch unbestimmt, es ist aber bereits vielfach mit Städten wegen Leistung von Beiträgen zu Herstellung eines Bezirksgerichts unterhandelt worden. D. L. H.

Patrimonialgüter oder Chatoullgüter (Bonum Scatullae), Cabinetsgüter, sind Bezeichnungen für das Privateigenthum eines Regenten, und sonach gleichbedeutend mit Krongütern, s. Krondotation.

Patriotismus s. Vaterlandsliebe.

Patrontasche, auch Cartouche, ist bekanntlich die Ledertasche, in welcher man das zum Schießen nöthige Geräth an Patronen, Kugeln, Pulver ꝛc. aufbewahrt. Bei den Jägern, Scharfschützen und der Reiterei heißt die P. Cartouche.

Patrouille ist eine kleine Truppenabtheilung, welche zur Auskundschaftung der Stellung des Feindes, der Wege ꝛc. ausgesendet wird. Es giebt daher Sicherheitsp., Visitirp. und Schleich- oder Mausep., welche über die Vorpostenlinie hinausgehen. In Friedenszeiten geschieht es wohl auch, daß in Städten bei Unruhen Militär- oder Bürgerp. die Straßen durchziehen.

Pauke nannte man im Alterthum jedes mit einer Haut bespannte hohle Instrument, welches mit der Hand oder einem Werkzeug geschlagen wurde. Jetzt versteht man unter P. die Kesselp., welche ursprünglich zur Militärmusik gehörte. Ehemals hatten die Kavallerieregimenter P., oft silberne, die den Fahnen gleich geschätzt wurden.

Paulette hieß in Frankreich eine Abgabe, welche der König jährlich von dem Einkommen der Staatsbeamten bezog. Heinrich IV. führte diese Steuer 1604 ein-

und verpachtete ſie an einen gewiſſen Ch. Paulet, woher ihr Name ‧ ſtammt. Die Revolution machte der P. ein Ende.

Pauperismus ſ. Verarmung.

Peculat ſ. Veruntreuung.

Peculium nannte der Römer das, was der Herr dem Sclaven von dem Erwerbe ſeiner Arbeit freiwillig überließ. Auch das Vermögen der unter väterlicher Gewalt ſtehenden Kinder hieß P. Was die Kinder von dem Vater erhielten (p. profectitium), konnte von demſelben jederzeit zurückgenommen werden, aber die Kinder hatten den Nutzen davon. Was die Kinder auf andere Weiſe bekamen, p. adventitium, ‧ gehörte ihnen, ſtand aber unter der Dispoſition des Vaters. Dieſe Grundſätze werden heute noch angewendet.

Pedell (bedellus, bidellus im Latein des Mittelalters) ſtammt von dem alten ſächſ. Wort bidele (Büttel), ein Ausrufer, Bote. P. wurde früher ein Diener einer öffentl. Behörde genannt; jetzt führen dieſen Namen nur noch die Diener der Univerſitätsbehörden. An manchen Univerſitäten, wie in Leipzig, müſſen die P. zugleich Notare ſein.

Pegel, der Waſſerſtandsmeſſer, iſt in Städten und an der See oder an großen Flüſſen angebracht, um ſtets die Höhe des Waſſers wiſſen zu können. Die älteſten P. waren die Nilmeſſer in Aegypten.

Peinliche Halsgerichtsordnung ſ. Carolina.

Peinliches Recht ſ. Strafrecht.

Penſion ſ. Staatsdiener.

Penſionnair war in den großen Städten Hollands der frühere Name des Syndicus. Es gab einen Groß- oder Rathspenſionnair, Staatsſecretair der Stände. Der Einfluß dieſer erſten Magiſtratsperſonen war in Holland ſehr groß, ſo daß er als erſter Miniſter betrachtet werden konnte. Die Revolution machte dieſem Titel 1795 ein Ende; Napoleon erneuerte ihn zur Zeit der bataviſchen Republik.

Percuſſionsgewehr ſ. Zündhütchen.

Peremtoriſche Recuſation ſ. Geſchworne.

Perhorrescenz nennt man die Erklärung, daß man den Richter, durch welchen, oder die Gerichtsſtelle, vor welcher eine Rechtsſache entſchieden oder in Unterſuchung gezogen werden ſoll, nicht für unparteiiſch halte und daher um einen andern Richter oder eine andere Richterſtelle (forum) bitte. Einem ſolchen P.=geſuche müſſen hinreichende Gründe beigegeben werden. Dahin gehört nahe Verwandtſchaft mit dem Richter, enge Freundſchaft des Richters mit dem Gegner ꝛc. Dieſe Gründe müſſen erwieſen oder durch den P.=eid beſtärkt werden.

Perſonaliſten waren im Gegenſatz zu dem hohen Adel mit der Reichsſtandſchaft diejenigen Reichsgrafen, welche, obgleich ſie vorläufig Sitz und Stimme in den reichsgräflichen Collegien hatten, doch noch nicht im Beſitz einer reichsunmittelbaren Graf- oder Herrſchaft waren und daher auch noch nicht zu dem hohen Adel gehörten.

Perſonalſteuer iſt die Steuer, welche unmittelbar, direct, von demjenigen Einkommen erhoben wird, welches weder aus Grundbeſitz noch Gewerbe, ſondern aus perſönlichen Dienſtleiſtungen (Gehalt der Beamten) oder aus ſonſtigen andern Quellen kommt. P. zahlen nicht blos Beamte, Gelehrte, Künſtler, ſondern auch Handarbeiter und Geſinde.

Perſonenrecht, Perſonalrecht (jus quod ad personas pertinet), iſt die Lehre von den Perſonen und deren Rechtsfähigkeit überhaupt und von den Familienverhältniſſen insbeſondere. Das Perſonenrecht bildet die Grundlage des Privatrechts, indem es die bleibenden perſönlichen Verhältniſſe beſtimmt. Perſon iſt, der urſprünglichen Bedeutung nach, ein Menſch, welcher Träger von Rechten ſein kann, alſo ein rechtsfähiger Menſch. Das iſt nach dem Vernunftrechte jeder Menſch, nach dem poſitiven kann es ſich anders verhalten; ſo z. B. war der römiſche

Sclave nicht rechtsfähig, also nicht Person. In Deutschland hat glücklicher Weise dieser Unterschied seine praktische Bedeutung verloren, und jedes vom Weibe geborene Wesen, welches eine menschliche Gestalt hat, wenn auch das eine oder das andere Glied seines Körpers fehlerhaft gebildet sein sollte, ist Mensch, und rechtsfähige Person. Fehlt ihm aber die menschliche Gestalt, so ist es Mißgeburt, monstrum, und aller Rechte unfähig. Auf dem Rechtsgebiete ist der ursprüngliche Begriff von Person erweitert worden, indem in rechtlicher Beziehung Vieles, was kein Mensch ist, doch als Person gedacht wird, insofern es nämlich als Subject von Rechten in Betracht kommt. Daher unterscheidet man zwischen physischen Personen, einzelnen Menschen, und moralischen Personen, Rechtssubjecten anderer Art, z. B. Staat, Staatskasse oder Fiscus, Gemeinde, milde Stiftung u. s. w. Das Personenrecht behandelt nun, was die moralischen Personen anlangt, die Bedingungen, unter denen sie Rechte erworben, und verbreitet sich in Bezug auf die physischen Personen über die Eigenschaften derselben, je nach denen sich ihre Rechtsverhältnisse näher gestalten, z. B. Geschlecht (s. Geschlechtsverhältnisse), das Alter (s. Mündigkeit), die Gesundheit, namentlich die geistige (s. Willensfreiheit), den Wohnort (s. Gerichtsstand) u. s. w. ganz besonders aber über die Familienrechte, dessen hauptsächlichste Abschnitte die Ehe, die väterliche Gewalt, die Vormundschaft bilden. (S. d. betr. Art.)

D. L. H.

Personenstand. Im weitesten Sinne ist der P. die Hauptbedingung der Rechtsfähigkeit der Einzelnen. Nur solche, welche diese Fähigkeit hatten, waren bei den Römern Personen (personae) im Gegensatze zu den Sklaven, welche man als Sachen behandelte. Weil also nur Personen einen Rechtsstand haben konnten, so bezeichnete man dieses Verhältniß mit dem Wort P. (Status).

Personenstandsbeamte sind diejenigen Beamten, welche die Aufnahme der Personenstandsurkunden und die Führung der Personenstandsregister (s. b.), der bürgerlichen Standesbücher, besagen. In Frankreich heißen sie „officiers d'état civil," Beamte des bürgerlichen Standes. Wo die Kirchenbücher zugleich als P.-Register benutzt werden, sind die Pfarrer die P.-Beamten. In dieser Beziehung sind sie zugleich Diener des Staates und der Kirche, deren Richtungen sich durchkreuzen können. Die Gesetzgebung Frankreichs trennte daher die bürgerlichen Standesbücher von den Kirchenbüchern, und übertrug die Führung der erstern gewissen Beamten. Dieses Amt wurde dem Gemeindevorstande (maire) übergeben. In neuester Zeit ist die Einführung des P.-Registers in Deutschland dringendes Bedürfniß geworden; sie wurden auch in den „Grundrechten" verheißen, aber nicht überall eingeführt. Man sucht durch diese Unterlassung die Gründung neuer Religionsgesellschaften zu verhindern, indem man solchen kirchlichen Beamten das Taufen und die Trauungen untersagt.

Personenstandsregister. Personenstandsurkunden, bürgerliche Standesbücher, heißen die fortlaufend geführten öffentlichen Urkunden, worin die Vorgänge, welche für die Einzelnen einen Personenstand begründen, zum ewigen Gedächtniß bezeugt und beglaubigt werden. Diese Beurkundungen sind in der großen Familie, Staat genannt, unentbehrlich, da von den bedeutendsten Familienereignissen, Geburt, Ehe, Tod, die wichtigsten Rechte abhängen. An diese Ereignisse reihen sich Adoption (Kindesannahme), Legitimation (Anerkennung eines unehelichen Kindes) und Ehescheidung. Daher wurde es in der christlichen Kirche seit dem 3. Jahrhunderte üblich, daß die Getauften in ein Verzeichniß eingetragen wurden. Auch Todtenregister wurden angelegt und Ehebücher eingeführt. Seit der Reformation wurde in beiden Kirchen auf die Führung dieser Bücher mehr Aufmerksamkeit gewendet. Sowohl das Conc. Trid. (Sess. 24, c. 2.) als die protestantischen Kirchenverordnungen verfügten das Nöthige über die Kirchenbücher, wie man jenes Register nannte. In jener Zeit, wo die Geistlichkeit oft allein die Kunst des Schreibens verstand, war es dem Staate gerade willkommen, die P. in diesen Händen zu wissen; je mehr aber der Staat aus dem Verhältniß der Unterordnung zur Kirche heraustrat, desto mehr ging auch sein Streben dahin, jene Kirchenbücher zu bürgerlichen Standesregistern zu machen. In Frankreich erschien zu diesem Zweck schon 1664 eine Ordonnanz; die Revolution übertrug die Führung der P. besonderen Beamten. Gegenwärtig befindet sich dieser wichtige Zweig der Gesetzgebung in einem Stillstande; man hat hier und da an die Verbesserung der Kirchenbücher gedacht, ohne aber daran zu denken, daß diese nicht jedem Bürger offen stehen, sondern nur dem, welcher das Glaubensbekenntniß des Pfarrers theilt.

Pertinenzien sind solche Nebensachen, welche in keiner wesentlichen Verbindung mit der Hauptsache stehen, obschon sie zu derselben gehören. Am wichtigsten ist der Begriff der P. bei Gebäuden, Landgütern rc. Bei den Häusern z. B. gehört zu den P. alles, was „wand-, band-, niet- und nagelfest und eingemauert ist."

Pest s. ansteckende Krankheiten.

Petarde ist eine Maschine, welche zum Sprengen der Thore und anderer Befestigungswerke gebraucht wird. Sie besteht aus einem metallenen Körper, der mit Pulver gefüllt ist. Die P. wird an ein Brett, Madrißbrett, geschraubt und an dem Orte befestigt, wo sie losspringen soll. In der neueren Zeit ist die P. fast ganz außer Wirksamkeit gekommen.

Petersgroschen oder **Peterspfennig** ward seit dem 8. Jahrhundert die Abgabe genannt, welche England an den Papst entrichtete. Sie wurde alle Jahre am Tage St. Peters durch Einsammlung aufgebracht; im 13. Jahrh. überstieg sie schon das Geldeinkommen der Könige. Heinrich VIII. hob den P. 1532 auf.

Petition s. Bittschrift.

Petition of right, Bittschrift um Rechtsherstellung, könnte zwar manche Petition genannt werden: vorzugsweise aber heißt p. of r. die Beschwerdeschrift, welche Karl I. 1628 vom engl. Parlament überreicht wurde. Am 7. Juni 1628 gewährte der König die Anerkennung sämmtlicher höchst wichtiger Punkte, welche, wie die Bestimmungen über Eigenthum und die persönliche Sicherheit später die Grundlagen der britischen Freiheit wurden.

Petitio principii, ein Ausdruck in der Denklehre, mit welchem man den Fehler bei einem Beweise bezeichnet, welchen man begeht, wenn man etwas durch einen Grund beweisen will, der selbst erst des Beweises bedarf.

Petitorische, possessorische Besitzklagen (Interdicta). Der Besitz wird als ein Recht behandelt, indem mit ihm ein Rechtsschutz verbunden ist, auf welchen der Besitzer als solcher Anspruch hat. Dieser Rechtsschutz besteht in den possessorischen Interdicten, deren Zweck theils die Aufrechthaltung eines bestehenden Besitzes, theils die Wiederherstellung eines verlornen ist. Geht die Klage Jemandes auf das Recht des Besitzers selbst, so heißt sie eine petitorische. Klagt man hingegen blos auf den Besitz, entweder, daß man einen gewissen Besitz erst erlange, oder daß man in dem schon ergriffenen Besitz geschützt werde, oder daß man den verlornen Besitz wieder bekomme, so heißt eine solche Klage eine possessorische. Diese Klagen unterscheiden sich ihrer Wirkung nach besonders darin von einander, daß bei den Possessorienklagen das Verfahren summarisch ist, und eine schnellere Rechtshülfe Statt findet, als bei den petitorischen Klagen. Es werden daher bei den ersteren keine Einreden, die einer weiteren Ausführung bedürfen (exceptiones altioris indaginis) zugelassen. Denn der Besitz einer Sache darf nicht durch unnöthige Weitläufigkeiten behindert und aufgehalten werden, damit die Vortheile desselben nicht verloren gehen. Dahingegen ist das Verfahren bei den petitorischen Klagen mehreren Weitläufigkeiten unterworfen.

Pfaffe (von papas, Vater) war in der kathol. Kirche früher der Ehrenname für jeden Geistlichen; gegenwärtig hat das Wort P. eine üble Nebenbedeutung erhalten.

Pfahlbürger hießen im Mittelalter die fürstlichen und adeligen Unterthanen, welche in einer Stadt das Bürgerrecht erlangt hatten, ohne daselbst zu wohnen. Weil sie nun außerhalb der (Grenz-)Pfähle wohnten, hießen sie P. Auch wurden die Bewohner der Vorstädte so genannt. Den Städten war es öfters untersagt worden, zum Nachtheil der Fürsten und Gutsherren P. aufzunehmen. Pfahlgericht, Zaungericht hieß die auf den Umfang der Mauern und Zäune eines Gutes beschränkte Gerichtsbarkeit.

Pfalz (palatium, Palast) wurden die kaiserlichen Schlösser genannt, in welchen sich die Kaiser abwechselnd aufhielten. Pfalzgraf (comes palatinus) war der Titel der obersten Beamten, welche die deutschen und fränkischen Könige in ihren P. hatten. Den höchsten Rang hatte der Pfalzgraf von Aachen. Durch die Ländereien, die er geschenkt erhielt, entstand die Pfalzgrafschaft am Rhein. Später stellten die Kaiser noch Hofpfalzgrafen an, welche in zwei Klassen zerfielen. P. hießen auch ehemals zwei deutsche Länder, die bis 1625 zusammengehörten: die Oberpfalz (die bairische) und die Unterpfalz (am Rhein). Seit dem Pariser Frieden haben sich Baiern, Hessendarmstadt und Preußen in diese Länder getheilt.

Pfand wird jede Sache genannt, auf welche ein Gläubiger von seinem Schuldner ein Realrecht (s. d.) erhält. Das Pfandrecht hört nach Abtragung der Schuld auf; der Gläubiger kann aber das P. zur Tilgung der Schuld benutzen, wenn diese nicht auf die vorgeschriebene Art abgetragen wird. Im engern Sinne heißt P. der Gegenstand, welchen der Pfandberechtigte erhält; ist dieser Gegenstand beweglich, so heißt er Faustpfand; wird die verpfändete Sache nicht übergeben, so heißt sie Hypothek (s. d.). Das Pfandrecht wird eingetheilt in ein freiwilliges und ein nothwendiges, wenn die Ertheilung durch gesetzliche Verfügung erfolgt. Der landesherrliche Fiscus hat ein allgemeines Pfandrecht auf das Vermögen aller, welche zur Erhebung der Staatseinkünfte angestellt sind, welche mit dem Staate Verträge abgeschlossen haben oder mit Abgaben im Rückstande sind. Ein gesetzliches Pfandrecht haben auch die Ehefrauen auf das Vermögen ihrer Männer wegen des Eingebrachten, Unmündige auf das Vermögen ihrer Vormünder, Gemeinden und Körperschaften auf das Vermögen ihrer Vorsteher rc.

Pfand- und Versetzanstalten s. Leihhäuser und Creditanstalten.

Pfandbriefe s. Staatsschulden.

Pfändung nennt man die eigenmächtige Ergreifung fremder Sachen, um sich dadurch sein Eigenthum oder andere Gerechtsame vor Verlust zu schützen, oder einen schnellen Ersatz für zugefügten Schaden zu erhalten. Die Gesetze lassen die P. in einigen bekannten Fällen zu; es muß aber, wenn kein Vergleich zu Stande kommt, dem ordentlichen Richter, unter dessen Gerichtsbarkeit die P. vorgefallen ist, Anzeige davon gemacht werden.

Pfarrbauern s. Dotalen.

Pflegekindschaft s. Annahme an Kindesstatt.

Pflichttheil, der gesetzliche Theil der Erbschaft (legitima, s. portio haereditatis), ist der Theil einer Erbschaft, auf welchen Jemand als Miterbe vermöge seiner Verwandtschaft mit dem Erblasser gesetzlichen Anspruch machen kann. Im Allgemeinen kann zwar Jeder, dem Vererbung durch Testament erlaubt ist, zu seinen Erben wählen, wen er will. Nach Vorgang des römischen Rechtes aber hat man in den verschiedenen Gesetzgebungen diese Freiheit des Erblassers dahin beschränkt, daß er einen gewissen Theil seines Vermögens gewissen Personen nothwendig hinterlassen muß. Dieser Theil wird P. genannt. Die nächsten Anverwandten, welche als Notherben (s. d.) den P. zu fordern haben, sind: 1) alle Verwandte in absteigender Linie, selbst ungeborne Kinder; 2) die Verwandten in aufsteigender Linie, sofern jene nicht vorhanden sind; 3) die Geschwister des Erblassers, wenn ihnen die vorher gedachten Personen nicht voraus gehen. Der P. darf durch nichts beschwert oder vermindert werden; er fällt aber weg, wenn Personen rechtmäßiger Weise enterbt worden sind.

Von diesen allgem. Bestimmungen finden aber viele Abweichungen statt; so ist in Sachsen seit 1829 der P. der Geschwister ganz abgeschafft, s. Erbrecht.

Pfründe (Präbende) nennt man das jährliche Einkommen von einer geistlichen Stiftung, und Präbendarius den, welcher es erhält. Auch nennt man eine jährliche Leibrente (s. d) Präbende.

Pharao war der Name für König bei den Aegyptern. In der früheren Zeit nahm man die Pharaonen aus dem Priesterstande; in der späteren aus dem Kriegerstande.

Pharisäer, eine Secte bei den Juden, welche einige hundert Jahr vor Chr. sich bildete. Die P. nahmen außer den Büchern des A. T. noch eine Art Ueberlieferungen und Auslegungen der Schrift als Quelle der Religion an. Den größten Werth legten sie auf die Erfüllung der äußeren Ceremonialgesetze, ohne sich um die sittliche Reinheit des Herzens zu kümmern, weßhalb sie der Stifter des Christenthums mit übertünchten Gräbern vergleicht, welche von außen hübsch scheinen und inwendig voll Moder und Fäulniß sind. Er nannte sie „Schlangen und Otterngezüchte." In der Gegenwart nennt man die Anhänger kirchlich-religiöser Verfinsterung und Verdummung nicht mit Unrecht die modernen P.

Pharo oder **Faro** s. Leuchtthurm.

Philalethen (Freunde der Wahrheit) nannten sich die ungenannten Verfasser einer im Jahre 1830 in Kiel erschienen Schrift: „Entwurf einer Bittschrift an deutsche Fürsten," in welcher der Plan zur Gründung einer neuen religiösen Gesellschaft aufgestellt wurde. Dieselbe sollte keine Glaubenssätze enthalten, sondern nur das allgem. religiöse Leben durch sinnbildliche (symbolische) Gebräuche nähren und erhalten. Die Sache fand damals wenig Anklang, da die gleichzeitige franz. Julirevolution das Interesse ablenkte. Doch scheinen die P. die Vorläufer der protest. Freunde gewesen zu sein, s. Lichtfreunde.

Philanthropinismus heißt ein neues pädagogisches System, nach den Erziehungsregeln Rousseau's, dessen Gründer Basedow (starb am 25. Juli 1790 zu Magdeburg) war. Er stiftete unter dem Namen Philanthropin eine Erziehungsanstalt in Dessau (1774); nach ihr gründete Salzmann eine ähnliche in Schnepfenthal. Die Philanthropen (Menschenfreunde) standen im Gegensatze zu den Humanisten (s. Menschenfreundlichkeit) und waren von manchen Uebertreibungen nicht frei, obschon sie für Erziehung und Bildung viel geleistet haben, namentlich durch die Verbesserung der Landschulen, durch das Einführen der Turnübungen (Gymnastik) und überhaupt durch die Weckung eines frischen, regen Jugendlebens. Die späteren Kriegsjahre, die dann folgenden Verdummungsversuche, die beispiellose Gleichgültigkeit so Vieler für Erziehung und Unterricht — dies alles hat das Erste, was uns noth thut, eine durchgreifende Umgestaltung (Reformation) des Schulwesens bis heute noch in den Hintergrund gedrängt.

Philhellenen, Griechenfreunde, wurden alle die genannt, welche die Griechen bei ihrer Erhebung und ihrem Freiheitskampfe (1821—1830) auf irgend eine Weise unterstützten. Der Banquier Eynard in Genf verdient als einer der thätigsten P. genannt zu werden.

Philippika nennt man eine heftige Strafrede. Der griechische Redner Demosthenes hielt gegen den König Philipp von Macedonien einst drei heftige Reden. Daher der Name. Auch die vierzehn Reden des Cicero gegen den Antonius werden P. genannt.

Philister war der Name eines kriegerischen Volksstammes in der Nähe von Palästina. In unsrer Zeit nennt man engherzige, spießbürgerliche Menschen P.; auch bezeichnet damit der Student alle Nichtstudenten.

Physiokratisches System s. Quesnay'sches System.

Picarden, (böhm. statt Begharden), auch Adamiten genannt, hieß eine religiöse, schwärmerische Secte, welche von den Taboriten wegen ihrer Abendmalslehre ausschied und auf einer Insel des Flusses Lusinitz in völliger Weibergemeinschaft lebte, wo sie der Hussitenhäuptling Ziska 1421 fast vernichtete. Auch wurden die Anhänger der beiden Wiedertäufer Schneider und Schuster in Amsterdam A. genannt, weil sie nackt gingen.

Pietismus s. Obscurantismus, Frömmelei, Mucker.

Pilger (Pilgrim, von peregrinus, ein Fremder) nennt man die Personen, welche aus Frömmigkeit eine Wallfahrt nach fernen sogen. heiligen Orten machen. Früher trugen sie ein braunes oder graues Pilgerkleid, einen breiten Pilgerhut, welcher mit Meermuscheln geschmückt war, und einen Pilgerstab nebst Pilgerflasche.

Pillory s. Schandpfahl.

Piquet ist eine Truppenabtheilung, welche im Feldlager des Nachts zum Schutz der Feldwachen und Vorpostenlinie aufgestellt wird. Nur selten wird den P. Artillerie beigegeben.

Piraten s. Seeräuber.

Placet, placet regium, heißt die genehmigende Unterschrift päpstlicher Bullen und Verordnungen und bischöfl. Erlasse von Seiten des Staatsoberhauptes. Erst nach erlangtem P. dürfen jene Verordnungen publicirt werden.

Plagiarius, ursprünglich ein Menschendieb, heißt jetzt derjenige, welcher einen sogen. gelehrten Diebstahl, Plagiat oder Plagium begeht, d. h. welcher die Worte und Gedanken anderer für die seinigen ausgiebt. In juristischer und bürgerlicher Hinsicht kann der P. nicht bestraft werden, da die Beweisführung fast unmöglich ist.

Plagium s. Menschenraub.

Plaidiren s. Geschworne.

Plebs, die Gesammtheit der Plebejer in Rom, Gegensatz der Patricier (s. d.) waren alle diejenigen, welche nicht unter die Patricier aufgenommen wurden; sie waren Staatsunterthanen, politisch unberechtigte Landeigenthümer. Unter den Königen erhielten sie das Bürgerrecht. Nach und nach wurde der P. das eigentliche Volk, welches seine Rechte erst in langem, schwerem Kampf mit den Patriciern erringen mußte. Es war derselbe Kampf, den das Volk in der Neuzeit mit den Bevorrechteten führt.

Plenum, Plenarversammlung, im Allgemeinen eine vollständige, vollzählige Versammlung. Im Besondern verstand man unter P. den vollen Rath der deutschen Bundesversammlung (90 Stimmen).

Pneumatiker s. Messalianer.

Pocken s. Vacciniren.

Polemianer s. Apolloniaristen.

Polemik, eigentl. Streitkunst, heißt die Wissenschaft von der Vertheidigung der Kirchenlehre, welche jetzt erst ganz außer Geltung gekommen ist. Im Allgemeinen wird das Wort P. auch von jeder Vertheidigung, Ankämpfung gebraucht.

Police nennt man die Urkunde, welche der Versicherer über einen Versicherungs-contract ausstellt.

Politik ist die Grundlehre der Staatswissenschaften (s. d.), die Lehre von den Mitteln, die Aufgaben des Staates zu lösen. Die wahre P. muß diese Zwecke in den rechten Einklang mit dem Rechts- und Sittengefühl der Völker bringen, und nie schlechte Mittel dazu anwenden (s. Macchiavellismus). Das Weitere hierüber werden wir in dem Artikel „Staatswissenschaften" bringen.

Politische Arithmetik. Da der Staat auch einen Inbegriff von Gegenständen umfaßt, die sich nach Zahl, Maß und Gewicht schätzen lassen, so läßt er auch eine pol. A. zu. In die p. A. gehören z. B. die statistischen Tabellen (s. Personenstandsregister), welche von der größten Bedeutung für den Staat sind; die Berechnung des Staatshaushaltes und alles, was in das Zahlenfach gehört.

Politische Beredtsamkeit s. Redekunst.

Politische Blätter s. Zeitungen.

Politische Freiheit s. Freiheit.

Politische Gesellschaften und Vereine s. Vereine, auch Demagogie und Geheime Gesellschaften,

Politisches Gleichgewicht. Das Streben nach Erhaltung des p. G. ist so alt, als die Weltgeschichte selbst, denn den Versuchen der Vergrößerung des Besitzstandes und der Ausdehnung der Herrschaft stellte sich stets das Streben nach Erhaltung des Bestehenden gegenüber. Daher finden wir auch schon in der ältesten Geschichte Beispiele von Verbindung mehrerer Staaten, um die Uebergriffe eines größeren zu verhüten und eine Störung des p. G. dadurch unmöglich zu machen. Belege hierzu, die namentlich für Deutschland belehrend sein können, liefert die Geschichte des griechischen Staatenbundes. Nachdem das europäische Staatenwesen sich im Mittelalter in seinen Hauptzügen ausgebildet hatte, wurde auch die Idee eines p. G. wach; ein Hauptgegenstand des Länderdurstes war damals schon Italien. Frankreich und Spanien erlangten nach Verlauf des Mittelalters die größte Bedeutung im europäischen Staatensystem; die Macht Karls V. ließ wohl gar den Gedanken an eine europäische Universalmonarchie aufkommen. Den ersten Entwurf zu einem kräftigen europ. Gleichgewicht machte Heinrich IV. von Frankreich; einen Schritt weiter ging man in dem Westphälischen Frieden (1648), in den auch nordische Staaten mit hineingezogen wurden. Man hatte es seit Ende des 16. Jahrhunderts wenigstens so weit gebracht, daß kein größerer Staat mehr errichtet und andern einverleibt wurde. Immer mehr und mehr wurde aber nun die Kabinetspolitik die herrschende, und sie brachte nun das Theilungs- und Arrondirungssystem auf. Unerwartet schnell trat Preußen in der Mitte des 18. Jahrh. als fünfte Großmacht auf; das erste Opfer der eben erwähnten Kabinetspolitik ward nun das unglückliche Polen, während die theilenden Mächte sich auf die Grundsätze des „p. G." beriefen und dadurch ihren Raub zu beschönigen suchten. Auch Frankreich, als Republik, drückte seinen ersten Eroberungen den Stempel des p. G. auf. Napoleon suchte das verloren gegangene p. G. in Europa dadurch herzustellen, daß er sich mit Rußland in die Herrschaft theilen wollte; als ihm auch das nicht mehr genügte, strebte er nach europäischer Alleinherrschaft und — ging unter. Nach seinem Sturze ward das p. G. wieder unter den fünf Hauptmächten hergestellt; welche Grundlagen es hat, dieses hat unter andern Oesterreich 1848 gezeigt. Daß gegenwärtig von diesem p. G. nicht mehr die Rede sein kann, daß Europa unter den Fußtritten des nordischen Selbstherrschers zittert, wird Niemandem mehr zweifelhaft sein, welcher die Vorgänge genauer beobachtet. Sobald die Völker zum Bewußtsein ihres Daseins und ihrer Weltstellung gelangen und aufgehört haben, willenlose Werkzeuge zu sein, hat für das p. G. die letzte Stunde geschlagen.

Politische Oekonomie s. Volkswirthschaftslehre.

Politische Umtriebe und Untersuchungen. Wir haben hier nur noch dem Art. „Demagogie" (s. b.) einiges aus der neuern Zeit hinzuzufügen. Je größer die Anstrengungen, je größer die fürstlichen Versprechungen in dem sogen. Befreiungskampfe waren, um so höher steigerten sich die Erwartungen der Völker. Wie sehr wurden sie herabgespannt durch das Erscheinen der Bundesacte (1815), welche einer der thätigsten und geistreichsten Mitarbeiter in der Metternichschen Werkstätte (Graf v. Golz) „ein in seiner Grundlage verfehltes Gebäude" nannte. Als nun die verheißenen Verfassungen nicht kamen, als man die Censur schärfte — da gab es Unzufriedenheit. Die ganze daraus entstandene Bewegung nannte man „politische Umtriebe." Schon hatte die Aufregung zu Thaten geführt, wie die von Sand und Löning, und die — politischen Untersuchungen, etwas ganz Neues, begannen. Im Jahre 1819 ward eine Centraluntersuchungscommission in Mainz niedergesetzt, welche viele Jahre lang arbeitete, ohne ein anderes Resultat zu erlangen, als daß sie 1827 einen Folianten von 600 Seiten in 100 Abzügen für die Regierungen drucken ließ. Die Karlsbader Beschlüsse (s. Bund und Congreß) wirkten indeß fort und erschwerten der liberalen Presse den Kampf. Das Hambacher Fest (Mai 1832) rief die Bundesbeschlüsse vom 28. Juni 1832 hervor, denen am 20. Juni 1833 die Eröffnung einer neuen Centraluntersuchungscommission in Frankfurt folgte, nachdem man das „Frankfurter Attentat am 3. Apr. desselben Jahres verübt hatte. Die Untersuchungen zogen sich sehr in die Länge, brachten eine Menge in die Kerker, ohne ein Resultat zu liefern. Das junge Europa, das junge Deutschland war erstanden und wurde nun Ziel der Verfolgungen; gegen 1800 Untersuchungen wurden geführt und manches Opfer fiel. — Die Menge der Untersuchungen erklärt sich dadurch, daß man auch Preßprocesse hineinzog, weil der Deutsche immer noch da „verklagt und straft," wo der Franzose — lacht. Politischer Humor und Witz ward zu Injurien gestempelt. Nach und nach matteten sich die Untersuchungen ab; man gewöhnte sich an gewisse Dinge und hielt sie für unschädlich, bis das Jahr 1848 kam und allerdings manche Binde von den Augen der in süßem Schlummer Eingewiegten wegnahm. Die neueste Zeit ist wieder reich an politischen Untersuchungen; glücklich die, welchen das Standrecht eine schnelle Erlösung verschaffte, während hunderte ihrer unglücklichen Genossen hinter Kerkermauern seufzen.

Politische Wissenschaften s. Staatswissenschaften.

Polizei. Man ist von jeher nicht recht im Klaren gewesen, was unter P. zu verstehen sei, da die Grenzen derselben einmal enger, einmal weiter gezogen wurden. Mit dem Worte „πολιτεια" (Politeia), wovon P. abstammt, bezeichneten die Griechen die gesammte Verwaltung eines Staates und einer Stadt. Das Wort P. kam bei uns früher durch die Reichsgesetze in Gebrauch, ohne daß das Leben und die Wissenschaft dasselbe aufgenommen hatten. Unter P. versteht man im Staatsleben nicht jenen kleinen Wirkungskreis gewisser Behörden, der sich auf die Erhaltung der allgem. Ordnung und Sicherheit erstreckt, sondern die Gesammtheit aller jener Anstalten und Einrichtungen, welche den Zweck haben, durch die Staatsgewalt alle diejenigen Hindernisse der allgem. Entwickelung zu beseitigen, welche durch den Einzelnen nicht beseitigt werden können. Der Staat muß in alle den Fällen helfen, in welchen der Einzelne einen allgem. erlaubten Zweck nicht erreichen kann. Die poliz. Thätigkeit hat sich zunächst auf die physische (körperliche) Persönlichkeit der Bürger zu erstrecken (s. Medicinalpolizei); eine besonders wichtige Aufgabe für die P. ist das Armenwesen (Wohlfahrtspolizei). Die Gehässigkeit, welche das Institut der P. sich nicht selten zugezogen hat, beruht einmal in den allerdings nicht immer angenehmen Maßregeln, welche zu nehmen sind, dann aber auch in einem Abkömmling, in der geheimen P. Das Hauptfeld der geh. P. ist von jeher die Politik gewesen. Ludwig XIV. ist ihr Schöpfer. Als das Murren des Volkes wie fern grollender Donner gehört wurde, schuf man die geh. P., um die Unzufriedenen einzukerkern. Bald verbreitete sich diese moralische Giftpflanze auch nach Deutschland, wo sie namentlich in Oesterreich gepflegt wurde. Nach 1815 schien ihre Thätigkeit etwas nachzulassen; doch die politischen Umtriebe brachten sie bald wieder in neue Bewegung, in der sie sich jetzt noch befindet. Am berüchtigsten war die geh. P. in Braunschweig zur Zeit des Herzogs Karl. Das Urtheil über die geh. P. ist längst gesprochen; sie ist der verderblichste Krebsschaden an dem Staatskörper, welcher gewöhnlich ein Zeichen der allgemeinen Fäulniß ist; ein gesünder, kräftiger Staatskörper hat nicht nöthig das Licht zu scheuen und die moralisch gesunkensten Personen in seinen Dienst zu nehmen.

Polyandrie, Polygamie s. Ehe.

Polytheismus s. Vielgötterei.

Pompiers, Spritzenleute, aber vorzugsweise die Mitglieder der Rettungsmannschaften. Die P. in Paris sind das Muster, nach dem man in Deutschland (Hamburg, Berlin 2c.) ähnliche Anstalten gebildet hat.

Pönitenz, Neue, heißen die Strafen und Bußwerke, Fasten, Wallfahrten 2c., welche die kathol. Kirche wegen begangener Vergehungen auferlegt. Diese bestehen aber sehr häufig nur in kirchl. Vergehen, im Nichtbeobachten der kirchl. Gebräuche, wie der Fasten.

Pontificalien heißen die priesterlichen Gewänder in der kathol. Kirche, die Amtstracht, namentlich der Bischöfe bei festlichen Gelegenheiten. Daher der Ausdruck: „in pontificalibus" so viel heißt, als in voller Amtstracht.

Pontificat nennt man vorzugsweise die priesterliche Würde des Papstes, als ersten Priesters (pontifex maximus).

Ponton, ein kleines, leichtes Fahrzeug aus Holz, Blech, Leder; die P. werden durch Taue, Balken und Bretter zu einer Brücke verbunden, welche dann Schiffsbrücke heißt.

Pope ist in der griechischen Kirche der Name der Weltgeistlichen; die höheren Geistlichen heißen **Protopopen.**

Populares s. Optimaten.

Popularität s. Volksthümlichkeit.

Position, Stellung, heißt in der Kriegswissenschaft vorzugsweise jede vortheilhafte Stellung der Truppen, entweder um den feindlichen Angriff mit Erfolg abschlagen oder selbst einen solchen unternehmen zu können.

Positives Recht beruht seiner Entstehung und seinen Quellen nach theils auf ausdrücklichen, von der gesetzgebenden Gewalt im Staate erlassenen und gehörig bekannt gemachten **Gesetzen,** theils auf **Sitte und Gewohnheit.** Das Gewohnheitsrecht, auch Herkommen genannt, geht vom Volke aus, umfaßt die bisherige Handlungsweise der Bürger in Bezug auf Rechtsverhältnisse, setzt voraus, daß die Gewohnheit dem Begriffe des Rechts und der bürgerlichen Ordnung nicht widerstreite und daß sie durch eine Reihe von Handlungen während einer Reihe von Jahren ohne Unterbrechung ausgesprochen sei, und hat alsdann mit einem ausdrücklichen Gesetze gleiche Kraft. Der Begriff **geschriebenes Recht,** jus scriptum, und **nicht geschriebenes Recht,** jus non scriptum, wurde von den Römern rein grammatisch genommen. Da aber bei denselben alle Gesetze geschrieben und alle Gewohnheiten nicht geschrieben waren, so wurde auch das Gesetzesrecht als geschriebenes und das Gewohnheitsrecht als nicht geschriebenes bezeichnet, und man hat späterhin diese Bezeichnung dergestalt festgehalten, daß heutzutage unter jus scriptum nur das Recht aus Gesetzen und unter jus non scriptum das Recht aus Sitte und Gewohnheit verstanden wird, mag das letztere aufgeschrieben sein oder nicht. In Rücksicht seines Gegenstandes zerfällt das positive Recht in **Staatsrecht** oder **öffentliches Recht,** als den Inbegriff derjenigen Rechtssätze, welche sich auf die Verfassung und Regierung des Staats und das Verhältniß der Staatsbürger zum Staate beziehen, und in **Privatrecht,** als den Inbegriff derjenigen Rechtssätze, welche sich auf die rechtlichen Verhältnisse der Staatsbürger gegen einander beziehen. Das Privatrecht enthält die Theile, nämlich 1) das **Personenrecht** (s. d.); 2) das **Sachen-** oder **Realrecht** (s. d.); 3) das **Obligationenrecht,** auch **Verkehrsrecht,** Recht der Forderungen (s. d.) genannt. Uebrigens wird das Wort Recht auch im subjectiven Sinne gebraucht, und bedeutet dann die Befugniß, etwas zu thun, oder von einem Andern zu fordern.   D. L. H.

Possessorisches Rechtsmittel s. Petitorienklage.

Post, Postregal, Postregie, Postreform. Die Post, als eine Anstalt zur regelmäßigen und sicheren Beförderung von Nachrichten, Sachen und Personen, gehört unstreitig zu den wichtigsten Gegenständen der Staatseinrichtung. Die ersten Spuren von P. verlieren sich in die älteste Geschichte der Perser. An eine Organisation der „öffentlichen

Boten" dachten zuerſt die Römer, indem ſie ſich dazu
aufgeſtellt hatten. Doch waren die öffentl. Boten nur
ſtimmt. Auch Karl d. Gr. ſcheint für die Regierungs=
einzelne Theile ſeines Reichs hergeſtellt zu
wig XI. von Frankreich als den Errichter der P.; doch auch er beſtimmte ſie in der
erlaſſenen Verordnung nur für „die Affairen des Königs." Geregelte Anſtalten für
den brieflichen Verkehr ſowohl der Regierungen, als auch der Privaten beſtanden ſchon
längſt vor Ludwig XI.; reitende Fleiſchhauer (Metzgerpoſten) und Kaufleute beſorgten
die Briefe; die Univerſität in Paris hatte eigne Boten für die Angehörigen der Leh=
rer und Studirenden; eben ſo hatten die Ritter des deutſchen Ordens in Preußen
(ſeit 1276) ein ſchon geordnetes Botenweſen; eben ſo auch ſpäter die Handels= und
Seeſtädte. In Deutſchland wurde Graf Franz von Taxis vom Kaiſer Maximilian
1516 zum niederländiſchen Poſtmeiſter ernannt; die erſte P. ging von Wien nach
Brüſſel. Nach und nach ſuchten die Kaiſer die Oberpoſthoheit (das Poſtregal) in
ganz Deutſchland an ſich zu bringen; 1615 ward der Graf von Taxis mit dem
Generalpoſtmeiſteramt im Reiche belehnt. Einige mächtige Reichsſtände, wie Bran=
denburg, legten deſſen ungeachtet ihre eigenen P. an. Der Reichsdeputationsbeſchluß
von 1803 garantirte dem Fürſten von Thurn und Taxis die Erhaltung der P.,
worauf die Bundesacte wieder zurückkam, den ſouverainen Staaten aber ſtillſchweigend
das Poſtregal zugeſtand, wodurch die Oberaufſicht und Leitung der P. von Seiten
des Staates bedingt wird. Keineswegs kann aber hieraus auf ein Recht des Staa=
tes zur Beauffichtigung des Briefwechſels hergeleitet werden. Jedes „ſchwarze Kabi=
net" (wo man die Briefe heimlich öffnet) iſt eine Schande für den Staat. Deshalb
iſt auch das Briefgeheimniß (ſ. d.) in den meiſten Verfaſſungen gewährleiſtet. Ob
man es immer heilig hält, iſt eine andere Frage. Verſchieden von dem Poſtregal iſt
die Poſtverwaltung, Poſtregie; der Staat hat faſt überall das Poſtregal in ein
Monopol verwandelt und dem Privatunternehmen manches ungerechter Weiſe abge=
ſchnitten, und eine Poſtſteuer erfunden, welche in demſelben Maße den Reichen
wie den Armen trifft, was eine ſchreiende Ungerechtigkeit iſt. Auch zugegeben, daß
die P. eine Quelle des Staatseinkommens ſein ſoll, ſo wird doch dieſer Zweck grade
durch die hohen Frachtſätze nicht erreicht. Einſichtsvolle Staaten, wie die Vereinigten
Staaten in Nordamerika und namentlich England, haben bereits eine Poſtreform
vorgenommen. Am 17. Aug. 1839 entſchied eine Parlamentsacte für die Einfüh=
rung des von Rowland Hill angeregten Pennyporto; vom 10. Jan. 1840 trat die
neue Einrichtung in das Leben, nach welcher für alle Briefe von einem Punkte des
Reichs zum andern bis auf $\frac{1}{2}$ Unze ſchwer ein gleichförmiges Porto von einem
Penny entrichtet ward. Der Erfolg war ein höchſt glänzender. In Deutſchland iſt
man, ſo weit es bei der Vielheit der Poſtverwaltungen möglich war, in der neueſten
Zeit auch mit Poſtreformen vorgegangen; das Thurn= und Taxiſche Privilegium iſt
factiſch aufgehoben; größere Staaten haben ſich zu gleichen Sätzen vereinigt, die Fran=
lich für Kreuzbandſendungen e

Poſthumus, ein Sohn, Poſthuma, eine Tochter, die nach des Vaters

man P. auch eine Vorausſetzung, deren Erweis man nicht beibringt.

Präadamiten werden diejenigen Menſchengeſchlechter genannt, welche vor Adam
gelebt haben ſollen, indem man annimmt, daß die Erde weit früher bewohnt geweſen
ſei, als Moſe in der Bibel erzählt.

Präbende ſ. Pfründe.

Präcluſion, die Ausſchließung, wird in der Rechtsſprache gebraucht, wenn

Jemand eine erforderliche Handlung oder Erklärung bis zu einer gewissen Frist (s. d.) nicht vorgenommen hat; es wird dann angenommen, als habe er seinen Rechten entsagt, er wird mit seinen Ansprüchen präcludirt, ausgeschlossen.

Prädestination, Vorherbestimmung, ist der freie Beschluß Gottes, nach welchem aus der durch den Sündenfall verderbten Menschheit nicht alle selig werden können. Der heil. Augustin sann diesen Lehrsatz aus, der schon damals die größte Mißbilligung erhielt. Auch Luther vertheidigte ihn anfangs, mehr noch Calvin. Die wahre Lehre Jesu selbst weiß nicht ein Wort von der P.

Präfect, ein Vorgesetzter, war bei den Römern ein Befehlshaber im Kriege; später, unter den Kaisern, wurden auch andere Beamte mit diesem Titel belegt.

Präfecturen sind in Frankreich die obersten Verwaltungsbehörden der einzelnen Departements (Provinzen). Da die Präfecten Werkzeuge der Minister waren, so hob sie die Nationalversammlung 1789 auf und ließ jede Provinz sich selbst einen Generalverwalter wählen. Napoleon stellte 1800 die P. wieder her.

Pragmatische Sanction, ein Staatsvertrag, wird vorzugsweise das Gesetz genannt, durch welches Kaiser Karl VI. 1713, da er ohne männliche Nachkommen war, die Nachfolge in der weiblichen Linie ordnete. Ungeachtet aller Vorkehrungen, die Karl getroffen hatte, wurde die P. S. nach seinem Tode die Ursache zu dem österr. Erbfolgekrieg unter Maria Theresia. — P. S. heißt auch noch ein Grundgesetz, welches Karl VII. von Frankreich 1438 gab, auf welchem die Freiheit der Gallicanischen Kirche (s. d.) beruht; auch wurde 1439 ein Beschluß des deutschen Reichstages, so wie das Erbfolgegesetz von König Karl III. von Spanien 1759 P. S. genannt.

Prägschatz s. Schlagschatz.

Präjudiz, eine im Voraus gefaßte Meinung, Vorurtheil, heißt in der Rechtslehre die nachtheilige Folge, die Jemandem daraus erwächst, daß er einer gesetzlichen Form nicht nachgekommen ist. Daher heißt P. auch so viel als Nachtheil. Auch wird so die Entscheidung einer Rechtsfrage genannt, welche für ähnliche als Regel dienen soll.

Prälaten werden die Beamten in der kathol. Kirche genannt, welche eine Jurisdiction im eigenen Namen ausüben. Früher waren es nur Bischöfe, die Patriarchen; später wurden es auch Cardinäle und Aebte. Auch in protest. Ländern hat sich der Name bei Domstiftern erhalten.

Präliminarien s. Friedensschluß.

Prämie, eine Belohnung, im gewöhnlichen Sinne des Wortes. Bei Versicherungen ist P. der Ersatz, welchen der Versicherer von dem Versichernden dafür erhält, daß er die Gefahr bei der Versicherung übernimmt.

Prämonstratenserorden. Dieser bedeutende geistliche Orden ward von dem Erzbischof Norbert in dem franz. Bisthum Laon 1120 gestiftet. Der Orden wurde nach den Regeln der Augustiner eingerichtet; er zählte vor der Reformation gegen 2000 Klöster. Gegenwärtig besteht er noch in Polen und in Oesterreich, namentlich in Böhmen.

Pranger s. Schandpfahl.

Präsentation, Vorstellung, ist die Ernennung eines oder mehrerer Candidaten zu einer erledigten geistl. Stelle, welche dem Patron der Kirche zusteht. Der Staat hat natürlich das Recht der Verweigerung seiner Genehmigung. P. wird auch das Vorzeigen eines Wechsels genannt, entweder zur Acceptation (s. d.) oder zur Bezahlung.

Präsident heißt der Vorsitzende einer Versammlung, oder im engern Sinne einer collegialisch eingerichteten Behörde, welcher die Geschäfte leitet. Bei größeren Behörden oder Collegien giebt es einen Oberpräsident, Vicepräsident und Directoren. — Von besonderer Wichtigkeit sind die P. bei der Volksvertretung in ständischen Versammlungen. Die P. werden je nach der Landtagsordnung von den Kammern gewählt und vom Staatsoberhaupt bestätigt; in manchen Staaten wählt aber dieses auch den P. der ersten Kammer. Der P. hat nicht blos die Geschäfts- und Tagesordnung zu überwachen, sondern auch die Arbeiten der Kammern in den verschiedenen Deputationen. Die Wirksamkeit des P. ist ungemein wichtig, da er als Organ der Kammer mit der Regierung in die nächste Beziehung tritt; die Grundbedingung eines gesicherten Wirkens wird stets das Vertrauen der Kammern bleiben. Nicht minder wichtig ist ein gewisser Takt, den der P. besitzen muß, da er die Polizei in der Kammer auszuüben hat.

Präsumption, eine Voraussetzung aus Gründen der Wahrscheinlichkeit. In der Rechtswissenschaft wird unter P. ein Satz verstanden, der so lange als wahr gilt, bis das Gegentheil erwiesen ist. Wahrscheinlichkeiten aus persönlichen Gründen nennt man praesumptiones hominis oder facti; die in den Gesetzen anerkannten Vermuthungen heißen praesumptiones juris. Präsumtiv hieß Alles, was unter gewissen Voraussetzungen, wahrscheinlicher Weise geschehen kann.

Prätendent ist ein Jeder, welcher auf etwas Ansprüche geltend machen will; im engern Sinne bezeichnet man mit dem Worte P. Jemanden, welcher Erbansprüche auf einen Thron macht.

Prätor war bei den Römern der den Consuln zunächst stehende Magistrat (s. d.). Aus den Bekanntmachungen, Edicten, welche die P. erließen, bildete sich nach und nach das prätorianische Recht, welches auf die Entwickelung des gesammten röm. Rechtes von dem größten Einfluß war.

Prätorianer wurden die Garden der röm. Kaiser genannt. Sie erhielten schon frühzeitig große Vorrechte und wurden dafür bald — die Stützen des Kaiserthrones. Später wurden die Kaiser von den P. ganz abhängig, so daß sie Kaiser Constantin auflöste.

Prävarication wird die Treulosigkeit eines Sachwalters genannt; im engern Sinne besteht sie darin, wenn ein Ankläger dem Angeklagten Mittel an die Hand giebt, der Strafe zu entgehen. Auch wird es P. genannt, wenn ein Sachwalter sich zum Nachtheil seines Machtgebers mit dem Gegner desselben einläßt.

Prävention (wörtl. zuvorkommen) wird in der Rechtssprache dann gebraucht, wenn Jemand früher eine Handlung vornimmt, als ein anderer ebenfalls dazu Berechtigter, und sich dadurch das ausschließliche Recht zur Fortsetzung der Sache verschafft.

Präventivjustiz oder Rechtspolizei, nennt man die Rechtspflege, wenn sie irgend einer Rechtsstörung zuvorzukommen sucht. Die P. darf aber auch nur gegen drohende Rechtsverletzungen Anstalten treffen und bei einem leicht zu beseitigenden Uebel die Polizei walten lassen. Die P. hat einzuschreiten, sobald die Wahrscheinlichkeit einer drohenden Rechtsverletzung vorliegt. Die Rechte des Staates können in der Hauptsache zweierlei Angriffen ausgesetzt sein. Entweder geht der Versuch gegen das gesammte Dasein oder wenigstens gegen die bestehende Verfassung, oder nur gegen ein bestimmtes Recht, ohne daß von der Aenderung der andern Grundlagen des Staates die Rede wäre. Die allgemeinen Maßregeln, welche der Staat zum Schutz seiner Rechte anwendet, sind nicht selten der Gegenstand des Kampfes zwischen den politischen Parteien gewesen. Hierher gehört z. B. die Ueberwachung der Vereine, welche nicht selten so weit getrieben wird, daß von einem Vereinsrecht gar nicht mehr die Rede sein kann. Eben so ist es auch mit den Volksversammlungen, welche zu den verschiedensten Zwecken veranstaltet werden können. Der Staat ist bei der Ueberwachung derselben in seinem Rechte; es darf dieses aber nicht in „polizeiliches Ermessen" ausarten, welches nicht selten aus einer Kleinigkeit ein hochverrätherisches Ungeheuer macht. Der wichtigste Gegenstand der P. ist aber die Presse. Die erste hier einschlagende Frage ist die, ob der Staat wirklich von der freien Aeußerung der Gedanken etwas zu fürchten hat; und, wenn dies der Fall ist,

beſitzt er ausreichende und er laubt e Mittel, dagegen aufzutreten? Wir können Je=
dem gegenwärtig das Urtheil über dieſe Fragen überlaſſen. Zu den allgem. Maßre=
geln der P. gehört noch das auch ſehr ausgebeutete Paßweſen, ſo wie die Anord=
nungen über den Waffenbeſitz. Aber der Staat ſoll auch zum Schutze der Rechte
des einzelnen Bürgers P.maßregeln treffen. Hierher gehören z. B. die Findelhäuſer
(ſ. d.) und Alles, was das Leben der Bürger ſchützt. Ebenſo verlangen die Ehre,
das Eigenthum ihren Schutz durch vorbeugende Maßregeln. Uebrigens können dieſe
alle durch öffentliche Beamte getroffen werden und man braucht dazu nicht ge heime
Agenten, wie man es hier und da beliebt hat.

Praxis ſ. Theorie.

Precarium heißt die Geſtattung irgend eines Rechtes oder einer Sache zum
Gebrauch auf Bitte und mit beliebigem Widerruf; durch das P. wird kein juri=
ſtiſcher Beſitz erlangt.

Prediger werden die Geiſtlichen der Proteſtanten genannt, weil die Predigt der
Haupttheil ihrer Amtsverrichtungen iſt. Nach der Auffaſſung der evangeliſchen Kirche
ſollen die P. wieder das werden, was die Apoſtel waren, Volkslehrer, nicht aber Prieſter,
wie die katholiſche Kirche bei ihrem Opferdienſte gleich dem Juden- und Heidenthum hat.
Mit dem Opferdienſte hat auch der Prieſterdienſt factiſch aufgehört. Zu beklagen iſt
es aber, daß die P. noch nicht ganz zur Einſicht der hohen Würde eines Volksleh=
rers gekommen ſind, und es nicht ſelten vorziehen, immer noch eine Art von Mittels=
perſon zwiſchen dem Volk und Gott zu machen. Das Amt der P. würde ein weit
ſegensreicheres ſein, als es iſt, wenn ſie ihre Lehraufgabe ſchärfer ins Auge faß=
ten und häufig an das Wort ihres Meiſters dächten: „Ihr ſeid das Licht der Welt‟
oder an das andere: „Wo das Salz dumm wird, womit ſoll man ſalzen?‟ — So=
bald ſich die kathol. Kirche in ihren Grundzügen entwickelt hatte, entwickelte ſich auch
der Prieſterſtand, welcher der Herrſchſucht und dem Stolz ſchmeichelte. Im Mittel=
alter war von einer Bildung der Prieſter noch nicht die Rede; kaum, daß ſie eine
veraltete lateiniſche Homilie, Predigt, ableſen konnten. Erſt im Anfange des 13.
Jahrhunderts bildeten ſich die Dominikaner oder Bettelmönche als Volksredner gegen
die Ketzer aus, weßhalb ſie auch Prädicanten, Predigermönche genannt wurden. Die
Reformation machte nun das Predigen zum Hauptberuf des Geiſtlichen; die fort=
ſchreitende Ausbildung der deutſchen Sprache, namentlich durch Luther, die Erweite=
rung der Buchdruckerkunſt trugen nicht wenig zur Ausbildung der „geiſtlichen Beredt=
ſamkeit‟ bei. Leider beſtand der Inhalt der Predigten nach der Reformation nur
lange Zeit aus Glaubensgrübeleien und Glaubensſtreitigkeiten, bis ſich erſt im 18.
Jahrhundert namentlich Spener das Verdienſt erwarb, das praktiſche Chriſtenthum
auf die Kanzel zu bringen. Zur Ausbildung der angehenden P. giebt es verſchie=
dene Anſtalten: Predigerſeminarien unter Aufſicht des Staats; Predigergeſellſchaften
auf Univerſitäten. Im Allgemeinen aber iſt für die Vorbildung zum P. noch viel
zu wenig gethan. Man betrachtet das Predigen als eine Sache, die ſich ſo von ſelbſt
lernt, ohne daran zu denken, daß das Predigen nur ein Zweig der Beredtſamkeit iſt
und in mehr als einer Hinſicht die bedeutendſten Vorſtudien verlangt.

Presbyter, Aelteſte, hießen bei den erſten Chriſten die angeſehenſten Gemein=
debeamten. Presbyterium wurde das Collegium derſelben genannt. Sie waren Vor=
ſteher, Biſchöfe der Gemeinden, und hatten auch für die äußeren Angelegenheiten der=
ſelben zu ſorgen. Mit der Einführung des Prieſterthums ging dieſes ſehr ſegens=
reiche Inſtitut unter; die Prieſterkaſte bildete nun einen Prieſterſtand, dem gegenüber es
nur Laien, Nichtprieſter, gab. Die reformirte Kirche hat jene älteſte Verfaſſung mit
P., Presbyterialverfaſſung, wieder aufgenommen. Auch hat man in der proteſtant.
Kirche hier und da den Verſuch gemacht, zu der Presbyterialverfaſſung zurück zu kehren.

Presbyterianer ſ. Anglik. Kirche.

Preſſe; Preßfreiheit; Preßgeſetz. Bei der großen Ausführlichkeit, mit welcher

über Preßfreiheit bereits in dem Art. Cenſur (ſ. d.) geſprochen worden iſt, gnügt
es, hier nur das nachzutragen, was durch die ſeitdem (1847) gänzlich veränderte

freiheit beginnt erſt nach Erfindung der Buchdruckerkunſt, obgleich auch die alte Welt
bei ihren beſchränkten Vervielfältigungsmitteln von etwas Geſchriebenem ſchon Geſetze
und Strafen über gewiſſe nur durch die ſchriftl. Mittheilung mögliche Vergehen
hatte. Preßfreiheit iſt ein ſo natürliches Recht, daß man lange Zeit gar nicht daran
zweifelte, es müſſe Jedem frei ſtehen, ſeine Gedanken durch die P. veröffentlichen zu
können. Rom fand dieſes natürliche Recht zuerſt ſehr gefährlich und ſchuf die Cenſur (ſ. d.). In England beſteht die Preßfreiheit ſeit 1694; Deutſchland hat ſie ſich
mit dem Jahre 1848 erkämpft. Daß neben dieſer Preßfreiheit eine Preßgeſetzgebung
beſtehen muß, verſteht ſich von ſelbſt. Es giebt bekanntlich zwei Mittel, um den
Vergehen durch die P. entgegen zu treten: Präventivmaßregeln (Vorbeugungsmaßre-
geln), wie Cenſur, Caution, Conceſſion, und Repreſſivmaßregeln, Unterdrückungsmaßregeln, Confiscation, Preßgeſetze, harte Strafen. Zu einer Einheit in der Preßgeſetzgebung iſt es in Deutſchland noch nicht gekommen; das dazu unumgänglich nothwendige Schwurgericht iſt theils noch nicht in allen Staaten eingeführt, theils in andern wieder abgeſchafft worden, wie in Sachſen. Die Preßvergehen unterliegen in
ſolchen Staaten wieder dem „gewöhnlichen" geheimen Gerichtsverfahren. Hierzu
kommt aber noch ein ſehr arger Uebelſtand; man hat meiſt noch gar keine Preßgeſetze, ſondern bedient ſich bei der Beſtrafung der Beſtimmungen, welche die Strafgeſetzbücher an die Hand geben, ohne zu beachten, daß zur Zeit der Abfaſſung derſelben die Cenſur beſtand, welche Preßvergehen faſt unmöglich machte. Durch dieſe
Uebelſtände iſt eine Rechtsunſicherheit, eine Rechtsloſigkeit herbeigeführt worden, welche
dem „richterlichen Ermeſſen," das heißt nicht ſelten der Willkür, Thor und Thür öffnet und ganz dazu geeignet iſt, den Rechtsſinn im Volke vollſtändigſt zu untergraben.
Es iſt bereits oben (ſ. C.) von dem Begründer dieſes Buches aufs Schlagendſte nachgewieſen worden, welches unſchätzbare Kleinod Preßfreiheit für ein Volk iſt. Möge
man in Deutſchland nicht fortfahren, die kaum errungene Preßfreiheit dem Volke
weiter zu verkümmern, als leider bis jetzt ſchon geſchehen iſt. Deutſchland ſteht
einer durch und durch neuen und vollſtändigen Preßgeſetzgebung entgegen, da die
jetzt beſtehenden geſetzlichen Beſtimmungen über Beſchlagnahme, über den Vertrieb ſo-

Preſſen der Matroſen heißen in England die Maßregeln, welche man ergreift, um die nöthige Zahl Matroſen und Schiffsſoldaten zu erlangen, wenn die
freiwillige Anwerbung nicht ausreicht. Dieſer letztere Fall tritt jetzt ſelten ein, daher auch
das Matroſenpreſſen, welches früher mit den unerhörteſten Eingriffen in die Freiheit
der Menſchen unternommen wurde, faſt gänzlich aufgehört hat. Doch finden ſolche
unfreiwillige Anwerbungen zum Seedienſte in der Türkei, Holland und Nordamerika
noch ſtatt.

Prêtres insermentés oder refractaires wurden während der franz.
Revolution diejenigen Geiſtlichen genannt, welche ſich weigerten, den in der Conſtitution vom 12. Juli 1790 vorgeſchriebenen Eid zu leiſten. Die Wahl der Biſchöfe
und Pfarrer war in derſelben in die Hand des Volkes gelegt; eine Beſtätigung des
Papſtes hielt man nicht für nöthig, wohl aber eine Anzeige der Wahl. Die
meiſten alten Prälaten und viele Geiſtliche überhaupt weigerten ſich, den Eid zu

gegen Frankreich. Das Revolutionstribunal ergriff nun die ſtrengſten Maßregeln gegen
die p. i., ſie wurden hingerichtet, oder deportirt. Als einige conſtitutionelle Biſchöfe
1794 von dem Nationalconvent die Gewiſſensfreiheit erlangt hatten, gelang es 1796,

einen großen Theil der Kirchen wieder den p. i. zu eröffnen. Napoleon führte die Kirche wieder in die Arme Roms.

Prevotalgerichte, frühere Gerichtshöfe Frankreichs, mit einem polizeilichen An-sehen und summarischen Verfahren ausgestattet. Der Prevôt (praefectus, s. d.) de Paris stieg nach und nach zu dem größten Ansehen. In den neueren Zeiten sind die P. aufgehoben worden.

Priesterherrschaft oder **Hierarchie** nennt man die Herrschaft der Priester in einem Staate. Die P. ist so alt, als die Völker. Es gab eine P. bei den Heiden, bei den Juden und Christen; es giebt ebenfalls noch heute unter allen Völkern eine P. Vorzugsweise aber nennt man die Herrschaft der katholischen Kirche P. oder Hier-archie. So lange Priester bestehen, haben sie sich zu Mittelspersonen zwischen der Gottheit oder den Göttern und den Menschen gemacht. Diese nach und nach an sich gerissene Stellung suchten die Priester aller Zeiten und aller Religionen auf das Trefflichste auszubeuten. Sie erlangten nach und nach eine große Gewalt über die leicht-und abergläubische Menge; ihr Ehrgeiz wurde im vollen Maße befriedigt. Die Be-lege hierzu finden wir in der Geschichte aller Völker; bei den Juden war die P. vollständig ausgebildet; Samuel, der Träger derselben, behandelte den König Saul wie ein unmündiges Kind, entthronte ihn sogar und schloß seine Kinder von der Nachfolge aus. Die Priester gingen stets mit der weltlichen Macht Hand in Hand, wenn sie sich nicht über dieselbe stellen konnten; jeder Aufklärung mußte sie von Haus aus Feind sein, denn die Aufklärung zerstört ja ihren ganzen Bau. Socrates ward von heidnischen Priestern vergiftet, Jesus von jüdischen Priestern an das Kreuz ge-schlagen, Huß und Hieronymus von röm.-kathol. Priestern verbrannt. Solche Mittel zur Unterdrückung der Völkerfreiheit und der Ideen ergreift man allerdings gegenwärtig nicht mehr; dafür giebt es aber andere, die den Verhältnissen eben so angemessen sind, denn Priesterherrschaft und Despotismus gehen stets Hand in Hand und arbeiten einander in die Hände. Die Geschichte unserer Tage liefert eine Menge Belege für die Wahrheit des Gesagten. Die politische Reaction kann keine besseren Gehülfen finden, als die Priester; deshalb sucht man auch die Völker wieder dem todten Buchstaben-glauben in die Hände zu führen. Traurig ist es, daß auch in den christlichen Kir-chen von einer P. die Rede ist; es würde dieses nicht der Fall sein, wenn man den ausdrücklichen Grundgesetzen des Christenthums gemäß das „lehrende" Element, das wahrhaft erziehende mehr hervorgehoben hätte. Das Christenthum will und kennt nur Volkslehrer und Volksbildner, aber keine Priesterkaste. Mit dem Opferdienste mußte auch diese fallen; die katholische Kirche hat den Opferdienst wieder eingeführt, folglich mußte sie auch Priester schaffen. Wenn man erst allgemein eingesehen haben wird, worin der eigentliche Kern der Religion und namentlich der christlichen, besteht, wird auch die Stellung der Geistlichen oder Priester eine andere werden und die P. zu einem Märchen werden. Die protest. Kirche hat vor dreihundert Jahren den er-sten Schritt zum Sturz der P. gethan, ist aber leider dabei nicht nur stehen geblie-ben, sondern hat auch zugelassen, daß sich in ihrem eigenen Schooße ein ähnliches Unkraut wie die röm. P. bilden konnte.

Priesterweihe, Ordination, wird in der protest. Kirche die feierliche Einsegnung zu dem geistlichen Amte genannt. Die P. wird von den höheren Kirchenbeamten, Bischöfen, Superintendenten ꝛc. verrichtet. In der kathol. Kirche ist die P. ein Sa-crament, welches eine besondere Gnade, die Befähigung zur Vollbringung des Meß-opfers und die Vergebung der Sünden mittheilt. Die kathol. Kirche, und auch die griechische, unterscheidet acht verschiedene Grade (ordines) der P. Die vier untern Grade, die kleineren Weihen, geben den Charakter der geistlichen Würde noch nicht, verpflichten auch nicht zur Ehelosigkeit; die höheren oder heiligen Weihen thun dieses, indem sie zugleich dem Geweihten den character indelebilis, d. h. einen unauslösch-lichen Stempel aufdrücken.

Primärschulen s. Schulen.

Primas oder Metropolitan (s. d.) und Exarch hieß früher der Bischof in der Hauptstadt einer Provinz. Später erhielten die päpstlichen Vikarien den Titel P. Bekanntlich schuf Napoleon auch einen souveränen Fürst P. durch die Rheinbundsacte, indem er zu dieser Würde den Reichserzkanzler von Dalberg erhob.

Primogenitur s. Erstgeburt.

Princeps, der Erste, galt als gewöhnlicher Name der röm. Kaiser, um ihre erste Stellung im Staate zu bezeichnen. Eigentlich nannte man den ersten im Senate P., als höchste Ehrenbezeigung, bis Kaiser Octavianus Augustus 23 v. Chr. sich diesen Titel verleihen ließ. Das Wort P. entspricht dem deutschen Worte Fürst und hat sich in allen europäischen Sprachen fortgepflanzt.

Princip, das Erste, der Anfang, der innere Grund. In Bezug auf die Wissenschaften oder Dinge versteht man unter P. den ersten oder Grundgedanken der Erkenntniß, aus welchem die übrigen abgeleitet werden. Das P. der Verdummung geht z. B. von dem Grundgedanken aus, daß das Heil für die Menschen nur in der Dummheit zu suchen sei. Wenn man daher von Jemandem sagt, er befolge ein falsches P., so heißt dieses, die Grundidee, der Grundgedanke ist falsch, aus welchem seine übrigen Ideen oder Gedanken entspringen.

Principaltugenden s. Cardinaltugenden.

Prinzen von Geblüt werden die entfernteren Verwandten eines regierenden Königs genannt, denen das Recht der Thronfolge gewöhnlich zusteht.

Prinzessinnensteuer, eine außerordentliche Steuer, welche noch hier und da von fürstlichen Häusern erhoben wird. Bei nicht fürstlichen Häusern heißt sie Fräuleinsteuer. Die P. ist eine Steuer, welche bei Verheirathung eines Fräuleins aus der landesherrlichen Familie erhoben wird, und entweder die Mitgift (s. d.) derselben bildet oder zur Erhöhung derselben dient. Die Staatsrechtslehrer haben in früherer Zeit sich gegen die P. ausgesprochen und die Landstände nicht für verbunden erklärt, dieselbe zu bewilligen. Man fing erst im 15. Jahrh. an, sie P. zu verlangen; sie besteht noch in Preußen, in Sachsen-Weimar, Eisenach, in Braunschweig; in Baiern erhält jede Prinzessin als Aussteuer aus dem Budget 100,000 fl. Der berühmte Staatsrechtskenner Moser sagt über einen Vertheidiger dieser Steuern: „Es ist dies aber eine gott- und gewissenlose Hofschmeichelei, für welche die alten Deutschen einen solchen Landblutegel mit blutigem Kopfe heimgeschickt haben würden."

Prior oder **Guardian** wird in den Klöstern der Nächste nach dem Abte genannt; wo kein Abt ist, heißt der Vorgesetzte P. Das Amt desselben heißt Priorat. Großprior ist bei den geistlichen Ritterorden (s. d.) der Nächste nach dem Großmeister.

Priorität heißt das Recht, vor einem Andern (eher, früher) zu irgend einem Vortheil, einem Amte, einer Forderung zu gelangen. Die P. begründet sich zum Theil auf früher entstandene Ansprüche.

Prise wird im Seewesen jedes weggenommene feindliche Schiff genannt. Die Seeräuberei, Kaperei, ist sehr alt, und war nicht selten den Zwecken der sie begünstigenden Regierungen dienstbar. Bereits im 14. Jahrh. war die Kaperei auf eine furchtbare Höhe gestiegen, so daß mehrere Regierungen Jedem erlaubten, Schiffe gegen die Seeräuber auszurüsten. Hierauf erfolgte die Ertheilung der Kaperbriefe (s. d.) und die Einführung von Prisengerichten, d. h. solchen Gerichten, welche erst darüber entscheiden, ob die eingebrachten Schiffe als „gute Prise" zu erklären sind.

Privatacten s. Acten.

Privatrecht. Unter Privatrecht wird das einem jeden deutschen Staate eigenthümliche Recht, im Gegensatze zu dem gemeinen verstanden. Es zerfällt in partielles und locales Recht, je nachdem es über das ganze Land, oder doch über eine oder mehrere Provinzen desselben sich verbreitet, oder auf einzelne Städte sich beschränkt.

In einem andern Sinne ist P: der Inbegriff aller der Rechtssätze, welche sich auf Familien-, Eigenthums- und Forderungsrechte beziehen, deren Erwerbung, Gebrauch und Entäußerung der Willkür der Einzelnen (Privaten) überlassen ist. Das P. steht unter den allgemeinen Staatsgesetzen, durch welche es auch Abänderungen erleiden kann, wodurch aber keineswegs ein Eingriff in die Rechte der Privaten gemacht wird, indem für den Fall, daß Jemandem von seinem Besitzthum zu allgemeinen Zwecken etwas genommen wird, der Staat dafür volle Entschädigung leistet, wie z. B. bei Expropriationen. Uebrigens gilt nur in reinprivatrechtlichen Dingen das Rechtssprichwort: „Willkür (d. h. privatrechtliche Abrede) bricht Stadtrecht ꝛc."

Privilegien, Privilegienhoheit. Unter einem P. (jus singulare, privilegium) versteht man im Allgemeinen jede Abweichung von dem gemeingültigen strengen Rechte (jus commune, strictum); jede Ausnahme also von Rechtsgrundsätzen, ein Sonderrecht. Ein P. kann eine Begünstigung, Bevorrechtung enthalten, kann aber sich zu besonderen Leistungen verpflichten, Beschränkungen auflegen. Im ersteren Falle nannte man in Deutschland ein solches P. Gnade, Freiheit. Hat sich der Verleiher eines P. verpflichtet, anderen Personen, oder doch nicht innerhalb eines gewissen Bezirkes, ein ähnliches P. zu ertheilen, so heißt dieses ein ausschließendes P. oder Monopol. Die P. sind hinsichtlich der Gegenstände, auf die sie sich beziehen, eben so verschieden, als es auch verschiedene Rechte giebt, welche nach der speciellen Verfassung eines Landes als besondere Rechtsverhältnisse gelten. Die gewöhnlichsten Arten der P. sind: Handelsp., Monopole und Patente für Erfindungen; gegen Nachbildung u. s. w.; die Ertheilung des jus universitatis für Vereine jeder Art (Stadtrecht, Marktrecht) und die Bestätigung milder Stiftungen; die Verleihung von Auszeichnungen, Orden, Titel ꝛc.; die Begnadigung; die Ertheilung von Dispensation und früher noch bis zu dem 16. Jahrh. das Asylrecht, das Recht, Verfolgten eine Freistätte zu gewähren. P. werden durch Verleihung durch das Staatsoberhaupt erworben; dieses Recht der Krone heißt daher Privilegienhoheit oder Privilegienregal. In früheren Zeiten stand in Deutschland dieses Recht dem Kaiser zu, welcher es entweder selbst oder durch die Pfalzgrafen (s. d.) ausübte. Gegenwärtig steht es den Staatsoberhäuptern kraft ihrer Souverainetät zu (s. Concession, Nachdruck).

Privilegirte Stände sind diejenigen Klassen der Gesellschaft, deren Vortheile dem Volk gegenüber erhöht sind, durch Befreiung von gewissen Lasten oder durch andere Vorrechte, Steuerfreiheit, Militärfreiheit. In der neueren Zeit hat man die Gleichheit vor dem Gesetz immer mehr und mehr einzuführen gesucht, obgleich es noch nicht überall gelungen ist.

Probejahr, Noviziat, heißt das Jahr, welches die Candidaten geistlicher Orden vor Ablegung des Gelübdes bestehen müssen. Gewöhnlich wird das P. in den Klöstern zugebracht. Die das P. bestehen, heißen Novizen.

Problem heißt jede wissenschaftliche Frage, deren Beantwortung nicht unmittelbar klar ist, eine Aufgabe, welche erst zu lösen ist. Problematisch nennt man daher alles noch Ungewisse, Unentschiedene.

Procente s. Zinsen.

Procession, ein feierlicher Aufzug, vorzugsweise in der kathol. Kirche ein feierlicher Aufzug der Geistlichkeit unter Gesang und Musik. Diese P. werden auch Bittgänge, Kreuzgänge genannt, Wallfahrten oder Betfahrten, wenn sie nach einem entfernteren Ort zu einem Heiligenbild gemacht werden. In protest. Ländern, wie in Sachsen, sind diese Umzüge auf der Straße verboten.

Proceß. In der Rechtswissenschaft nennt man eine Reihe von Handlungen, wodurch ein Richter veranlaßt wird, ein streitiges Rechtsverhältniß zu entscheiden und zu beendigen, einen P. Auch werden die gesetzlichen Regeln und die wissenschaftliche Entwickelung derselben, nach welchen das gerichtliche Verfahren eingerichtet werden muß, P. genannt. (Proceßordnung und Anklageproceß.) Die Haupteintheilung der

P. ist die in Civil- und Criminalproceffe oder Anklageproceffe (f. d.). Beide werden aber nicht felten in einem gemifchten Verfahren behandelt, indem z. B. der Befchuldigte zugleich feine Schädenanfprüche geltend macht, oder der Kläger im Civilproceffe zugleich auf Beftrafung anträgt. Die Form des Proceßverfahrens muß, was leider nicht immer der Fall ift, mit dem Volksleben in der engften Verbindung ftehen, und durch' den fittlichen Zuftand und die Verfaffung bedingt fein. Kein Volk hat in feiner fittlichen Fortbildung und in feiner Verfaffung wefentliche Veränderungen erlitten, ohne daß diefelben auf feine Gerichtsverfaffung und fein Proceßverfahren von großem Einfluß gewefen wären. Nur in der neueren Zeit fcheint man dem Standpunkte der Bildung und Gefittung der Völker durch zweckmäßigfte Verbefferung des Gerichtsverfahrens nicht überall Rechnung zu tragen. Die Gebrechen und Mängel des Proceßwefens find eigentlich Folgen einer Entartung, welche das Staatsleben ergriffen hat und in allen öffentlichen Einrichtungen Schäden und Mängel erzeugt. Bei uns fcheint der todte Mechanismus immer mehr und mehr zu fiegen, indem man das Regieren zur Hauptfache macht und fo das Volk, um es leichter regieren zu können, geiftig tödtet. Bei den Griechen und Römern herrfchte natürlich auch im Civilproceß die Oeffentlichkeit mit ihren Segnungen, während bei uns leider noch die Schreibefucht und die Geheimnißkrämerei die Oberhand hat. Auch die Deutfchen hatten früher ihre freien, öffentlichen Schöffengerichte. Im 15. Jahrhundert aber ward diefer Zuftand durch Einführung des römifchen und kanonifchen Rechtes vollftändig umgeändert; es wurden Reichsgerichte errichtet, und es bildete fich aus dem kanonifchen Rechte, dem römifchen Rechte und den Ueberbleibfeln des deutfchen Rechtes und der Reichs- und Landesgefetzgebung der fogenannte gemeine deutfche Proceß. Derfelbe ift bei der eigenthümlichen Mifchung feiner Beftandtheile weniger als das Refultat beftimmter, pofitiver Quellen, als vielmehr des Gerichtsgebrauches und der Anfichten der Juriften anzufehen, welche jene Mifchung zu einem Ganzen geftalteten. Es bildete fich nun nach und nach der Gang des gemeinen deutfchen Proceffes mit allen feinen Nachtheilen und Vortheilen; es riß ftatt des regen Volksintereffes eine todte Gefchäftsmäßigkeit ein. Ohne rechtsgelehrte Beiftände war es nicht möglich, Proceffe zu führen. Die Richter und Advocaten lernten den P. aus den Werken der Rechtsgelehrten. Den Schlechteren bot der Proceßgang reichen Stoff zur Chicane, welche, wie heute noch, in vollem Einklange mit den gefetzlichen Formen blieb. Es entftanden wirkliche Lehrbücher und Anweifungen über die möglichen Schleichwege und Rechte, wie „die juriftifche Maufefalle 2c." Daneben kam ein Bevormundungsfyftem auf, welches durch die Befugniffe der Gerichte in der fogenannten freiwilligen Gerichtsbarkeit ihnen auf eine Menge von Privatverhältniffen einen Einfluß gab, der häufig ganz willkürlich geübt ward. — Erft gegen Ende des vorigen Jahrhunderts dachte man an Verbefferungen. In Preußen gab die 1793 publicirte allgemeine preußifche Gerichtsordnung dem P. eine neue Grundlage; die Vergleichung mit der franzöfifchen Gefetzgebung forderte zur Nachahmung auf. Frankreich und England gehen auch heute noch Deutfchland als Mufter hierin voran. Die Hauptforderung unfrer Zeit ift Oeffentlichkeit der Rechtspflege; mit diefer werden alle Uebel, welche das Volk jetzt fo fehr drücken, mit einem Mal befeitigt. *F.*

Proceßordnung. Die P., d. h. der Inbegriff der über das Proceßwefen überhaupt beftehenden Gefetze, hat den Zweck, dem Spiel mit den bloßen Formen Schranken zu fetzen, ungerechte Proceffe zu verhüten. Leider find die Formen unferes gerichtlichen Verfahrens nicht felten fo verwickelt, daß es der Ungerechtigkeit leicht wird, auf jeden Fall Zeit, wohl gar den Sieg durch ein Verfehen des Gegners, durch einen unrichtigen Ausdruck in der Klage oder Einlaffung, durch eine unvorfichtige Anlage des Beweifes, durch die Verfäumniß einer einzigen Stunde zu gewinnen. Diefem Spiele mit den Formen foll die P. Schranken fetzen; fie foll zugleich vorfätzlich ungerechte Proceffe verhüten, denn diefe find im Staate das größte Uebel, da fie den Rechtssinn des Volkes vollständig zerstören. Man hat in neuerer Zeit durch die Einrichtung der Friedensrichter (s. d.) und der Schiedsgerichte (s. d.) dagegen zu wirken gesucht.

Proconsuln, Proprätoren, waren bei den Römern Beamte, denen die Macht eines Consuls (s. d.) oder Prätors (s. d.) zur Verwaltung einer Provinz gegeben wurde.

Procura wird zunächst das Honorar für eine Leistung genannt; dann auch eine schriftliche Vollmacht zur Abmachung von Geschäften im Auftrage des Vollmachtgebers. Endlich heißt P. das Recht, welches der Besitzer eines Handlungshauses einem Andern überträgt, in seinem Namen zu unterzeichnen. Der Procurist hat aber unter die Firma, für welche er zeichnet, seinen Namen zu setzen.

Procurator wird jeder Bevollmächtigte (s. Bevollmächtigung) zur Besorgung einer fremden Angelegenheit genannt. Die Römer nannten die Aufseher über Landgüter, die Verwalter der kaiserlichen Einkünfte P. Jetzt nennt man jeden Bevollmächtigten zur Besorgung gerichtlicher und außergerichtlicher Geschäfte P. Bei Heirathen fürstlicher Personen heißt derjenige P., welcher sich an des Bräutigams Statt die Braut antrauen läßt.

Procureur du roi s. Staatsanwalt.

Prodatarius, der Name des Cardinals, welcher an der Spitze der Dataria steht, der päpstlichen Verwaltungsbehörde, welche die kirchlichen Gnadensachen besorgt, s. Curie.

Prodigium s. Omen.

Production, Hervorbringung, wird in der Staatsökonomie namentlich von der Arbeit gebraucht (s. Mercantil- und Quesnay'sches System). — P. heißt auch in juristischer Bedeutung die Vorlegung der Beweismittel, z. B. die Vorstellung der Zeugen vor Gericht.

Profan, unheilig, nannten die Römer Alles, was keinem Gott geweiht war; jede Person, die nicht in die Mysterien (s. d.) als Geheimnisse eingeweiht war. Bei den Opfern mußten die Uneingeweihten sich entfernen. Profangeschichte nennt man die Geschichte der heidnischen Völker im Gegensatz zu den christlichen.

Professor war schon zur Zeit der römischen Kaiser der Name für öffentliche Lehrer, besonders der Grammatik, welche an Schulen angestellt waren. Auf den deutschen Universitäten werden die angestellten academischen Lehrer P. genannt; man theilt sie in ordentliche und außerordentliche. Auch Lehrer an andern Lehranstalten erhalten jetzt den Titel P., wie denn auch überhaupt viel Mißbrauch damit getrieben worden ist.

Profeß s. Klostergelübde.

Professen werden vorzugsweise diejenigen Mitglieder des Jesuitenordens genannt, die in alle Ordensgeheimnisse eingeweiht sind. Sie sind ordinirt und wohnen in den Profeßhäusern.

Profoß, früher der Name eines Militärbeamten, welcher die körperlichen Züchtigungen vollziehen mußte. Es gab sogar einen Generalprofoß, welcher Todesstrafen vollziehen, ja selbst bestimmen konnte.

Programm wird jetzt jede öffentliche Ankündigungsschrift, die von Universitäten, höheren Schulen ꝛc. ausgeht, genannt. Auch nennt man im weiteren Sinne andere gedruckte Einladungsschriften zu irgend einem Unternehmen P.

Prohibitivsystem ist eine Erfindung der Regierungen aus der neueren Zeit. Vor zweihundert Jahren bekümmerten sich die Regierungen wenig oder gar nicht um die Waaren, welche in den Staat eingeführt wurden. Bald aber verbot man die Ausfuhr von Gold und Silber und die Einfuhr von Waaren, die man im eignen Lande glaubte fertigen zu können. So entstand das P., das System der Handelsbilanz, welches aber von verschiedenen Seiten her bekämpft worden ist.

Projectil, ein Geschoß, ist die Bezeichnung für die Wurfwaffen. Die Artillerie kennt Vollkugeln, Hohlgeschosse und Schrotgeschosse. Die Vollkugeln werden von

11*

Eisen massiv gegossen und nach der Zahl der Pfunde genannt, die sie wiegen sollen. Die Hohlgeschosse werden Granaten genannt, wenn sie aus Haubitzen, und Bomben, wenn sie aus Mörsern geworfen werden. Zu den Schrotgeschossen rechnet man die Kartätschen und Schrapnels.

Proletarier (Proletarii) wurden in der ältesten römischen Geschichte diejenigen Bürger genannt, welche nur ein geringes Vermögen (weniger als 266 Thlr.) und, weil sie keine Abgaben bezahlten, auch keinen Einfluß auf die Staatsverwaltung hatten. Die P. hatten für den Staat nur insofern Werth, als sie demselben durch ihre Fortpflanzung (proles, Nachkommenschaft) nützlich wurden; sie standen nur eine Stufe höher, als die Sclaven, waren aber freie, wenn auch arme und gedrückte Bürger. Leider konnte der P. aber, wenn er seine Schulden nicht bezahlen konnte, zum Sclaven gemacht werden; dieses hörte zwar später auf, aber der P. blieb doch dem Reichen gegenüber in der größten Abhängigkeit. Gegenwärtig bezeichnet man mit dem Namen P. den großen, vierten, Stand der besitzlosen Arbeiter, welcher erst in der neueren Zeit zu seiner Geltung gelangt ist (s. Arbeiter), da er immer zahlreicher wird. Die Aufgabe der Staaten in unserer Zeit ist, durch weise Verwaltung dahin zu wirken, daß die besitzlose Arbeiterklasse durch Thätigkeit und Ordnung sich Besitz erwerben kann. Jetzt ist dieses leider nicht überall möglich, indem der Arbeiter meist nur zum Vortheil des Arbeitgebers arbeitet. Das Kapital ist ihm gegenüber eine Macht geworden, gegen welche er keinen Schutz hat. In Amerika gestalten sich bereits die Verhältnisse der P. besser; in wenig Jahren gelingt es ihnen oft, sich ein kleines Kapital zu erwerben; in Europa, namentlich in Deutschland, leiden die P. noch unter dem ärgsten Drucke und sehen sich nicht selten um ihre Menschenrechte und Menschenwürde gebracht. Kein Wunder, daß die Mißstimmung in diesen Schichten der Gesellschaft immer höher und höher steigt, wie in Irland, Frankreich und auch in Deutschland; wo man sich von gewissen Seiten immer noch nicht überzeugen kann und will, daß die Arbeiter eben so gut Menschen sind, wie andere Wohl- und Hochgeborene; daß auch sie ihr Maß Rechte auf das Leben vom Schöpfer erhalten haben, die man ihnen nicht verkümmern darf, wenn man nicht Stürme heraufbeschwören will, wie sie Frankreich sehen mußte.

Promesse nennt man ein Document über Vermiethung von Loosen einer Geldlotterie, wo dem Miether alle höheren Gewinne, dem Vermiether aber die in einer Klasse herausgekommenen kleinen Gewinne zukommen.

Promotion, Beförderung, wird von der Ertheilung academischer Würden gebraucht; so spricht man von einer Doctorp., wenn Jemand den Doctortitel erlangt hat. P. ist ein Stück des deutschen Zopfes.

Propaganda heißt im weitern Sinne eine Verbreitungsanstalt, nämlich der christlichen Religion (s. Missionen); vorzugsweise aber die vom Papst Gregor XV. 1622 gestiftete Gesellschaft zur Verbreitung des Glaubens (congregatio de propaganda fide). Sie hat den Zweck, namentlich die sogenannte Ketzerei auszurotten. Später wurde mit ihr eine Vorbildungsanstalt für Missionäre verbunden. Ueberhaupt nennt man P. jede Gesellschaft, die sich die Verbreitung einer Idee zum Ziele gesetzt hat.

Propheten. Es hat zu allen Zeiten und unter allen Völkern Männer gegeben, welche besonders für das religiöse Leben erglüht waren. Die „Gottbegeisterte, Seher, Weise genannt, wirkten nicht selten ungemein viel für die sittliche Volksbildung. Vorzugsweise versteht man unter P. die begeisterten Volksführer der Juden, welche den Glauben des Volkes und die Sittlichkeit desselben heben, namentlich aber den Götzendienst verhindern wollten. Samuel gründete Bildungsanstalten für künftige P., Prophetenschulen genannt, in welche junge Männer für den Jehovadienst erzogen wurden. Da das Amt der P. in den trüben Zeiten des jüdischen Volkes meist in Warnungen vor Abfall von Gott, in Drohungen seiner Strafen, in Verheißungen besserer Tage bestand, so bildete sich nach und nach die Nebenbedeutung des Vorhersagens.

aus, welche man jetzt noch irriger Weise mit dem Worte P. verbindet. Die hinterlassenen Schriften der hebräischen P., wie die des Jesaias, Jeremias, haben hohen
poetischen Werth.

Propst (praepositus), ursprünglich der Titel für die Aufseher über die Oekonomie in Klöstern; später wurde es der Name hoher geistlicher Würdenträger, welche
nach dem Bischof folgten. In einigen protestantischen Ländern ist der Titel P. für
die Pastoren an den Hauptkirchen beibehalten worden.

Prophezeihung s. Weissagung.

Proprätor s. Proconsul.

Propyläen, Vorhallen, wurden bei den Griechen die Hallen genannt, welche
am Thor der Tempelhöfe sich befanden, und zum Theil mit großer Pracht erbaut
waren.

Prorogation, Aufschub, nennt man die Hinausschiebung, z. B. einer Frist auf
eine längere Zeit.

Proscription wurde bei den Römern vorzugsweise die Feilbietung von Gütern
genannt, die vom Staate eingezogen worden waren, oder bei der Execution eines
Privatschuldners zum Verkauf kamen. Später erhielt das Wort P. eine politische
Bedeutung: man nannte so die Bekanntmachungen der Listen Derjenigen, welche ohne
Urtheil und Recht in politischen Kämpfen hingerichtet wurden. Der Römer Sulla
erfand die P. Man bezeichnet jetzt auch damit Verbannungen, Ausweisungen und
andere polizeiliche Maßregeln.

Proselyt heißt im Griechischen ein Fremdling, Herüberkömmling; das Wort
wird aber im engern Sinne von denjenigen gebraucht, welche von einer Religionspartei zu einer anderen übertreten. Die Juden theilten die P. in verschiedene Klassen ein. Hiervon kommt das Wort

Proselytenmacherei, welches das Bestreben bezeichnet, fremde Religionsverwandte zu der eigenen Religion herüberzuziehen. Namentlich hat man der katholischen Kirche die P. häufig schuld gegeben, so daß auch gewisse Gesetze dagegen gegeben worden sind. Der Protestantismus hat sich nie den Vorwurf der P. machen
lassen.

Protectorat, Protection, bezeichnet eine Gönnerschaft der Mächtigen, namentlich der Fürsten, Theilnahme an Verhältnissen von Untergeordneten. In der Politik
braucht man das Wort P. für den gewöhnlich sehr zweideutigen Schutz, welchen eine
Großmacht einer kleineren angedeihen läßt. Man denke an das Protectorat Frankreichs über den Rheinbund.

Protest, Protestation. Protest heißt im Wechselrechte die Urkunde, welche
ausgestellt wird, wenn der Inhaber eines Wechsels die Zahlung oder die Acceptation
nicht erlangen kann. Der P. muß von einem Notar aufgenommen werden. Protestation aber nennt man jeden feierlichen Widerspruch gegen eine Erklärung,
Handlung ꝛc. Die P. gewährt nur insofern Schutz, daß man nicht für zustimmend
gehalten wird, s. auch Wechsel.

Protestanten, Protestantismus s. Reformation.

Protestantische Freunde s. Lichtfreunde.

Protocoll, eigentlich ein Zettel, welcher vorn an die Bücherrollen geklebt wurde,
heißt gegenwärtig die Niederschrift einer Erklärung, eine Aussage vor Gericht oder vor
einer Versammlung. Doch verdienen Privataufzeichnungen von Verhandlungen mit
Recht nicht den Namen P., welches eine Gerichtsperson abzufassen hat. Ein regelmäßig abgefaßtes P. hat als Urkunde volle Beweiskraft; bei Criminalverhandlungen
müssen die anwesenden Schöppen das P. mit unterzeichnen. Von besonderer Wichtigkeit im Staatsleben sind die P., welche bei Ständeversammlungen oder im diplomatischen Verkehr aufgenommen werden. Erst in neuerer Zeit sind derartige P.

durch die Presse der Oeffentlichkeit übergeben worden. Die P. des Bundestages hat zum Theil erst das Jahr 1848 an das Licht gebracht.

Protonotarien, apostolische, heißen im Kirchenstaat die zwölf, ein Collegium (das Protonotariat) bildenden Geistlichen, welche alle die Kirche betreffenden Amts-handlungen zu besorgen haben.

Protopope ist der Name für die höheren, über den Popen (s. d.) stehenden Geistlichen in der griechischen Kirche.

Provarication s. Amtsvergehen.

Provinz wurde im römischen Staatsrecht der einem Magistrat zugetheilte Wirkungskreis, auch die Führung eines Krieges genannt; namentlich auch ein Land, welches dem römischen Staate unterworfen war. Bei uns bezeichnet das Wort P. jetzt einen Theil des Landes, welches man oft in P. theilt. So nennt man auch das ganze Land P. im Gegensatz zu der Hauptstadt.

Provinzialismus nennt man ein Wort oder eine Orte des Landes üblich, nicht allgemein

Provision hieß in kirchenrechtlich   die Verleihung eines kirchlichen Amtes. Die P. besteht in der Auswahl der Person und in der Uebertragung des Amtes. Das Recht der P. steht bald dem Landesherrn, bald den Kapiteln zu. — Im Handelsfache heißt P. der Genuß, den man von der Besorgung eines Geschäftes hat.

Provisorium s. Interimisticum.

Proxeneticum s. Bevollmächtigung.

Prügelstrafen

Prytaneum war in den Städten Griechenlands das Stadthaus, wo sich der S at versammelte. Besonders um den Staat verdiente Männer erhielten im P. Verpflegung und Kost.

          man eine Schrift, welche von dem Verfasser unter einem falschen Namen herausgegeben worden ist.

Pubertät, Mannbarkeit, Reife, heißt der Zustand, in welchen der Mensch nach der Kindheit eintritt. Ueber die staatsrechtliche Folge der P. s. Mündigkeit.

Publicisten heißen die Schriftsteller im Fache des Staats- oder Völkerrechtes; man giebt jetzt wohl auch allen politischen Schriftstellern diesen Namen, deren Zahl sich bei der regeren Theilnahme an dem Staatsleben sehr vermehrt hat. Der Beruf eines P. ist von großer Bedeutung; er kämpft entweder für Vaterland, Recht, Licht und Freiheit oder für die Feinde dieser himmlischen Güter. Zum Kampf für diese Güter führt Begeisterung und Liebe; zum Kampf gegen dieselben Bestechung und elender Sündensold. Wahrheits- und Gerechtigkeitsliebe müssen die ersten Eigenschaften eines P. sein, wenn er wirken will; Muth und Aufopferungsfähigkeit müssen ihn begleiten. Der berühmte Klüber theilte die P. unter andern ein in: wissen-schaftlich gebildete, recht- und wahrheitsliebende Furchtlose, und in Schein- und After-publicisten, die Routiniers und Stegreif- und Gelegenheitspublicisten, die Pöbelpublicisten, die Hof- und Windpublicisten, welche knechtisch den Mantel nach dem Winde hängen und chamäleonartig die Farbe wechseln, und welche F. C. von Moser auch Galgenpublicisten nannte. — Diese letzteren Arten scheinen auch heute noch nicht ausgestorben zu sein, wie man aus gewissen angeblich freimüthi-gen Blättern ersieht.

Publicität s. Oeffentlichkeit.

Pugillatus so viel als Faustkampf s. d. Faustkampf.

Pulverkammer ist auf dem Schiffe der untere Raum, in dem die fertigen Pa-tronen (s. d.) aufbewahrt werden.

Pulververschwörung wird eine Verschwörung unter **König Jacob I.** von England genannt. Sie ging von den sich verletzt glaubenden Katholiken aus, welche den Plan machten, den König nebst seiner Familie und sämmtliche Mitglieder des Ober- und Unterhaufes bei der Eröffnung des Parlamentes (1605) durch eine Pulvermine in die Luft zu sprengen. Die Jesuiten boten die Hand dazu. Die Verschwörung wurde aber entdeckt und die Verschwörer als Hochverräther hingerichtet.

Punische Kriege werden drei Kriege genannt, welche zwischen Rom und Karthago geführt wurden. Der erste dauerte von 264 — 242 v. Chr.; der zweite von 218 — 201 und der dritte von 150—140 v. Chr., welcher mit der Eroberung und Zerstörung Karthago's endigte. Es war ein Kampf um die Weltherrschaft.

Pupillen, f. Unmündige.

Punktation, Entwurf, nennt man eine Schrift, in welcher die Hauptpunkte eines abzuschließenden Vertrags enthalten sind.

Purgatorium, das Fegfeuer, f. d.

Puritaner f. Anglicanische Kirche.

Puseyismus, eine Partei der englischen Hochkirche, welche sich dem Katholicismus nähert. Ihr Stifter war Dr. Pusey, geb. 1800, Professor zu Orford. Im Jahre 1843 wurde ihm auf zwei Jahre die Kanzel verboten, was den Uebertritt mehrerer seiner Anhänger zum Katholicismus veranlaßte. Die Bewegung ist bei den Umtrieben der römisch-katholischen Kirche in England noch nicht zu Ende.

Pyramiden werden die großen ägyptischen Bauwerke genannt, welche wegen ihres Alters und ihrer Riesenhaftigkeit heute noch die Bewunderung auf sich ziehen. Sie sind in viereckiger Form nach oben spitz zulaufend errichtet, und dienten wahrscheinlich zu Begräbnißplätzen für die ägyptischen Pharaonen oder Könige. Auch will man eine sinnbildliche Bedeutung in ihnen finden.

Pyrenäischer Friede heißt der zwischen Frankreich und Spanien am 7. Nov. 1659 abgeschlossene Friede, wodurch der dreißigjährige Krieg eigentlich erst beendigt wurde.

Pyrrhicha, ein Waffentanz der Alten, mit Uebungen im Werfen der Pfeile und Wurfspieße. Bei den Römern wurde die P. bei festlichen Gelegenheiten öffentlich aufgeführt.

Q.

Quadragena ist eine vierzigtägige Bußzeit, welche die katholische Kirche einem Sünder auferlegt. Die mit der Q. Belegten durften nur Wasser und Brot genießen, in keinem Bette schlafen und mußten eingezogen leben.

Quadragesimä, der Name des Sonntags, mit welchem die Fasten anfangen; f. Fasten.

Quadrupelallianz, ein vierfaches Bündniß, wurde in der neueren Zeit das zwischen vier Mächten zur Abwehr eines politischen Uebergewichtes geschlossene Bündniß genannt. So ward die erste Q. am 28. Oct. 1666 zwischen den Generalstaaten, dem König von Dänemark, dem Kurfürsten Friedrich Wilhelm von Brandenburg und dem Herzog von Braunschweig Lüneburg geschlossen. Die jüngste Q. wurde am 22. April 1834 zu London zwischen Frankreich, England, Portugal und Spanien gegen Rußland geschlossen, f. politisches Gleichgewicht.

Quäker (engl. Quakers, d. h. Zitterer) ist der Name einer Religionsgesell=
schaft, welche sich gegen 1650 in England bildete. Im Jahre 1646, in einer Zeit
politischer und kirchlicher Gährung, trat Fox als Religionslehrer auf und sprach ge=
gen Alles, was dem reinen Christenthum entgegen war. Bald gewann er Anhän=
ger, welche aber auch sofort zum Theil wegen ihrer sonderbaren Gebräuche der Ver=
folgung ausgesetzt waren, die sie sogar auf das Schaffot brachte. Durch die Tole=
ranzacte, 1689, erhielten die Q. vollkommene kirchliche Freiheit. Am zahlreichsten
sind sie, außer in England, in den vereinigten Staaten von Nordamerika verbreitet.
Ihr einfaches Wort gilt vor Gericht an Eides statt; ihre häuslichen und sittlichen
Tugenden erwerben ihnen überall Achtung.

Quarantaine, Contumaz, s. ansteckende Krankheiten.

Quarré ist in der Militärsprache ursprünglich eine zusammengedrängte Masse
Infanterie, ohne bestimmte Form. Kleine Truppentheile bilden compacte (ausgefüllte)
Quarrés; größere aber hohle. Die Geschütze werden an den Ecken des Q. auf=
gestellt.

Quartal ist der vierte Theil des Jahres; auch nennt man die Zeit so, wo ein
solcher Abschnitt anfängt. Bei den Handwerkern werden die vierteljährigen Zusam=
menkünfte der Meister oder Gesellen Q. genannt.

Quartier s. Einquartirung.

Quästoren war der Name eines römischen Magistrats, welcher die Oberlei=
tung der Staatskassengeschäfte über sich hatte. Die Zahl der Q. wurde nach und
nach bis auf vierzig vermehrt.

Quatember (quatuor tempora, die vier Jahreszeiten) ist die Bezeichnung ei=
nes Zeitabschnittes im Jahr; in einigen Gegenden zu Ostern, Johannis, Michaelis
und Weihnachten; in andern Reminiscere (27. Febr.), Trinitatis (28. Mai), Crucis
(17. Sept.) und Luciä (17. Decb.); an diesen Tagen werden Steuern entrichtet und
andere bürgerliche Geschäfte besorgt. Bei den Katholiken sind die Q. vier Fasttage,
welche Mittwochs, Freitags und Sonnabends vor gewissen Feiertagen gehalten
werden.

Quesnaysches, physiokratisches System wird das staatswirthschaftliche
System genannt, welches in Frankreich durch Fr. Quesnay (st. 1774 als Leib=
chirurg Ludwigs XV.) eingeführt wurde. Es hat im Allgemeinen eine bessere Stel=
lung der Landbewohner zum Zweck und erregte zu seiner Zeit ungewöhnliche Auf=
merksamkeit. Nachdem Quesnay sein Werk: „Tableau économique" 1758 heraus=
gegeben hatte, bildete sich eine Schule staatswirthschaftlicher Philosophen unter dem
Namen Physiokraten oder Oeconomisten. Das System beruht auf höchst
freisinnigen, wenn auch noch nicht überall ausführbaren Grundlagen; der berühmte
Mirabeau nannte es „einen prächtigen Palast ohne Treppen." So ist es stets
mit großen, dem Volke heilbringenden Ideen gegangen; es hat immer an Werkmei=
stern gefehlt, welche die — Treppe baueten.

Quietismus (Quietisten, griech. Hesychiasten) ist der Name einer religiö=
sen Verirrung, welcher sich seit 1675 viele Mitglieder der katholischen Kirche hinga=
ben. Ein spanischer Weltpriester, Molinos, schrieb in diesem Jahre einen „geistlichen
Wegweiser (Guida spirituale)" über das Zurückziehen der Seele in das Innere.
Molinos mußte zwar seine Irrthümer abschwören und in ein Kloster wandern, aber
seine Lehre fand doch in Frankreich und Deutschland viel Verbreitung.

Quindena s. Abschoß.

Quinquennium, ein Zeitabschnitt von fünf Jahren.

Quittkreuzer s. Bauernlasten.

Quittung ist die schriftliche Bescheinigung, daß man einen Gegenstand wirk=

lich empfangen hat. Eine Privatquittung erlangt erst nach 30 Tagen volle Beweiskraft.

Quote (das Wievielste) heißt der Theil, welcher einem bei einer gemeinschaftlichen Theilung zufällt, s. Actien.

R.

Rabatt, der Abzug von der Zahlung, welchen man im Handel dann erhält, wenn die Zahlung früher, als bestimmt, geleistet wird, oder wenn die Waaren nicht nach Verabredung geliefert werden. Auch heißt R. der Abzug, welchen man auf mehreren Handelsplätzen im Waarengeschäft auf gewisse Artikel üblicher Weise gewährt. Die Buchhändler gewähren sich in der Regel 33 1/3 und 25 Procent; doch erleidet diese Annahme manche Ausnahmen.

Rabbi, Lehrer, Meister, war der Ehrenname der jüdischen Schriftgelehrten und Gesetzkundigen.

Rabbinen nannte man im Mittelalter die jüdischen Gelehrten, welche in der hebräischen oder rabbinischen Sprache schrieben, weil die Kenntniß derselben Eigenthum der Gelehrten geworden war.

Rabbiner sind die berufenen und anerkannten Lehrer der Juden, welche zugleich das Priester- und Richteramt verwalten. Ihre Wirksamkeit beschränkt sich gegenwärtig auf die Beobachtung der vorgeschriebenen Gebräuche, Verrichtungen der Trauungen, Unterweisung im Talmud, so wie auf die Leitung des Gottesdienstes.

Rabulist (rabula de foro) war schon bei den Römern ein Mensch, der durch Lug und Trug zum Schaden Anderer und zu seinem Nutzen die Processe in die Länge zu ziehen oder durch sie Vortheil zu erhalten suchte. Gegenwärtig nennt man gewissenlose, geldhungrige Advokaten R.

Racen der Menschen. Man hat vom wissenschaftlichen Standpunkte aus das Geschlecht der Menschen bekanntlich in verschiedene Racen getheilt. Den ersten wissenschaftlichen Versuch einer Eintheilung der Menschen enthielt das „Journal des savans" vom Jahre 1684; doch alle die von da an gemachten Eintheilungen des menschlichen Geschlechts sind noch sehr unvollkommen. Die Verschiedenheit der Hautfarbe ist dem Wesen nach ein sehr unbedeutendes Merkmal, eben so die Größe oder Beleibtheit der Menschen, oder die Farbe und Gestaltung des Haares. Der berühmte Naturforscher Blumenbach (st. 22. Jan. 1840) machte die Schädel- und Gesichtsbildung zur Grundlage und verknüpfte damit die Hautfarbe und Haare. Man theilte nun die verschiedenen Menschenstämme ein in folgende R.: 1) kaukasische R.; zu ihr gehören die Europäer, mit Ausnahme der Lappländer und finnischen Völker, die Westasiaten, die Nordafrikaner; 2) Mongolische R.; zu ihr gehören die Finnen und Lappen und die übrigen Asiaten mit Ausnahme der Malayen; 3) Aethiopische R., bestehend aus den Afrikanern mit Ausnahme der dort wohnenden Neger; 4) Amerikanische R.; zu ihr rechnet man die ursprünglichen Bewohner Amerika's; 5) die Malayische R., zu welcher die Bewohner der Infein des stillen Oceans, der ostindischen Inseln und der Halbinsel Malacca gehören. Aus diesen Hauptracen sind nun durch Vermischung eine große Menge Abarten entstanden, über deren Abgrenzungen man noch nicht einig ist. Von den etwa 1000 Millionen Menschen kommen nach den angestellten Berechnungen auf die Kaukasische R. 500 Millionen; auf die Mongolische R. über 400 Millionen; auf die Aethiopische R. 100 Millionen; auf die amerikanische R. etwa 10 und auf die Malayische R. 25 Millionen. Die Hauptrolle in der Geschichte der Menschheit spielt die Kaukasische R., welcher auch die berühmtesten Völker des Alterthums angehörten, und welche heute noch der Träger der Civilisation ist, welche sich von hier aus auf die übrigen Menschenstämme fortpflanzt.

Rädern s. Strafarten.

Rädelsführer, Rädleinsführer, werden die Anstifter einer Empörung genannt, welche gewöhnlich am härtesten bestraft werden. Der Name soll daher kommen, daß im Bauernkrieg (s. d.) mehrere Anführer ein Rad vortrugen.

Radical, Radicalismus. In der neueren Zeit hat man diese Worte, welche ursprünglich die Neigung bezeichnen, eine Sache bei der Wurzel anzugreifen, auf einen bestimmten Umkreis politischer Meinungen übergetragen. Als Bezeichnung einer politischen Partei kam dieser Name zuerst in England in Anwendung, obschon der Begriff, die Sache, seit Jahrtausenden schon dagewesen ist. Sobald ein Volk zu dem Bewußtsein gekommen ist, daß ein bis dahin geltendes politisches oder religiöses System sich überlebt hat, tritt eben ein Kampf gegen das Bestehende ein; dieser Kampf wird entweder zur Reformation oder zur Revolution; den Anhängern der Reformation hat man den Namen Liberale gegeben; die Anhänger der Revolution aber muß der Radicalismus liefern. Nicht selten vermengt man auch die Radicalen mit den Republikanern, obgleich der R. auf keine ausschließende Regierungsform hindeutet.

Radicalreformers heißen in England die Vertreter der Demokratie, welche eine gründliche Umwandlung der britannischen Staatsverfassung wollen. Die R. gehen also weiter als die Whigs (s. d.) oder Liberalen und sind den Tories gerade zu entgegengesetzt. Bekannt ist die Verschwörung der R. im Jahre 1820. Seit 1831 schieden die Chartisten (s. d.) sich von den R. aus. Die Radicalen der höhern Stände, deren Zahl im Parlament gegen 60 war, vereinigten sich mit den Whigs und bildeten unter O'Connel eine Partei. Später gewährte diese dem Ministerium Peel ihre Unterstützung; ihre Hauptagitation ging dann gegen die bekannte Kornbill, s. Korngesetze.

Rakete ist ein Kunstfeuer, welches aus einer Hülse von Blech oder Papier besteht, welche mit Salpeter, Schwefel und andern Dingen gefüllt, sich bei der Entzündung fortbewegt und durch einen angebundenen Stab eine gewisse Richtung erhält. Ueber der Hülse ist eine sogen. Versetzung angebracht, welche aus verschiedenen Leuchtkörpern oder aus einem Schlage besteht. Die Leuchtkörper werden zur Belustigung gebraucht; der Schlag dient als Signal im Kriege, daher eine solche R. auch Signalrakete heißt; unterschieden davon ist die Brandrakete, bei welcher die Versetzung in einem Brandsetzen besteht.

Rampe, Appareille, Auffahrt, heißt in Festungen der Erdaufwurf, welcher von dem Innern einer Stadt oder eines Werkes auf den Wallgang führt.

Rangordnung, Rang, nennt man die Ordnung, wodurch sich im Aeußern ein Vorzug des Einen vor dem Andern aussprechen soll; die Rangordnung enthält nun die Bestimmungen über das Rangverhältniß der souverainen Staaten unter einander, der Souveraine bei Zusammenkünften und der Gesandten bei Audienzen. Die Hofr. der einzelnen Regenten bestimmt den Rang derer, die bei Hofe zu erscheinen das Recht haben. Die Streitigkeiten der ehemaligen deutschen Reichsstände sind wegen ihrer Lächerlichkeit berüchtigt geworden. Man theilt die Staaten gegenwärtig nach der Zahl der Einwohner in Staaten 1., 2., 3. und 4. Ranges ein. In England enthält die R. unter den einzelnen Klaffen der Beamten und Einwohner 62 Abstufungen. In Rußland ist die R. der Staatsdiener nach den militärischen Abstufungen bestimmt.

Rangirung bestimmt den Platz, den jeder einzelne Soldat in der Compagnie und jedes Geschütz in der Feldbatterie einnimmt. Bei der Infanterie giebt die Größe der Leute den Maßstab ab, so daß der Größte auf dem rechten Flügel des ersten Gliedes steht.

Rangschiff s. Schifffahrt.

Ranzion s. Buße.

Rapport heißt bei dem Militär jede schriftliche oder mündliche Anzeige der Untergebenen an den Vorgesetzten. Man unterscheidet den Tagesrapport, welcher die Stärke der Mannschaften angiebt, den Verpflegungs-, den Lazareth- und Waffenrapport In besonderer Bedeutung wird das Wort R. in der Lehre vom thierischen Magnetismus gebraucht.

Rasiren wird in der Militärsprache das Bestreichen einer Fläche mit Geschossen genannt, welche sich nicht über Mannshöhe erheben dürfen. Auch wird die Zerstörung der Bruftwehr feindlicher Feld- und Festungswerke so genannt.

Rath (consilium) ist die Jemandem gemachte Meinung über einen Entschluß den er zu einer gewissen Handlung faffen soll. Für einen solchen R. ist Niemand verantwortlich, wenn er nicht in betrügerischer Absicht ertheilt worden ist, oder der Rathgeber sich einer Amtsverletzung dabei schuldig gemacht hat. Der R. zu einem Verbrechen wird als Theilnahme an demselben bestraft. Noch bezeichnet das Wort R. einen Rang, welchen die Mitglieder höherer Collegien erhalten. Auch ist dieser Name als leerer Titel in Deutschland vielfach gemißbraucht worden, wo man sich vor wenig Jahren noch vor lauter „Räthen" nicht retten konnte. Geschichtlich merkwürdig ist der „R. von Castilien;". der „R. der Fünfhundert" und der „R. der Alten" in Frankreich. Jetzt wird auch jedes städtische Magistratscollegium R. genannt.

Rathspensionäre s. Pensionäre.

Ratification, Ratihabition s. Bestätigung.

Ration nennt man das Futter, welches ein Pferd oder anderes Zugthier täglich bekommt; sie besteht also gewöhnlich aus Hafer, Stroh, Heu ꝛc. Man unterscheidet bei dem Militär gewöhnlich den Marsch-; leichte und schwere, welche letztere z. B. die Zugpferde der reitenden Artillerie erhalten, während sich die Reitpferde mit leichter R. begnügen müssen.

Rationalismus (stammt von dem lat. Worte ratio, Vernunft, ab) nennt man die Denkweise, welche Alles nach den Gesetzen der Vernunft prüft und beurtheilt, ohne sich dabei an eine maßgebende Autorität zu binden; der R. ist das grade Gegentheil von Obscurantismus (s. d.); er bringt in alle Verhältniffe des Lebens Licht, Klarheit und Wahrheit. Zunächst wird das Wort R. im engern Sinne von der religiösen Richtung gebraucht, welche den blinden Buchstaben- und Kirchenglauben" verwirft, und mit der Fackel der Wissenschaft und Vernunft die Schlupfwinkel des Aberglaubens beleuchtet, als Gegensatz zum Supernaturalismus (s. d.). Beide Ausdrücke, R.' und Supernaturalismus, verdanken ihre Entstehung dem berühmten Reinhard, welcher sie zuerst in seinen „Geständnissen" (1810) brauchte. Rationalisten hat man daher nicht selten „Denkgläubige" genannt, als Gegensatz der Buchstaben- oder „Kirchengläubigen." Der Mensch hat das heilige, unantastbare Recht, mit seiner Vernunft Alles zu prüfen, was ihm im Leben entgegentritt; dieser Prüfung können sich auch die aus menschlicher Hand gekommenen, von menschlicher Hand geschriebenen oder gedruckten Religionsurkunden nicht entziehen. Auf diesem Felde nun ist der R. namentlich in der neueren Zeit thätig gewesen; er hat den unmittelbar göttlichen Ursprung der christlichen Religionsurkunden in Abrede gestellt und an dieselben die Hand der Kritik und Wissenschaft gelegt. Allerdings kam nun ein anderes Resultat zum Vorschein. Die Sonne stand nicht mehr still zu Gibeon, der Esel Bileams hörte auf zu reden; der grausame, blutgierige orientalische Despot David war nicht mehr der gottbegeisterte heilige Sänger; jene fünftausend wurden nicht mehr durch fünf Brote und zwei Fischlein gesättigt; Jesus wandelte nicht mehr auf den stürmisch gepeitschten Wogen des See's Genezareth, sondern ging ruhig am Ufer — kurz, es wurde anders, es kam Licht in die Nacht mönchischer Verdummung. Das ist das Werk des R. Zugleich aber machte er es sich auch zur Aufgabe, den Kern des Christenthums, die religiösen, unübertroffenen Ideen in ihrer vollen Reinheit zu erhalten und ihren wahrhaft himmlischen Glanz wieder herzustellen. Das Wort R. ist jetzt so ziemlich wieder aus der Mode gekommen; man unterscheidet gegenwärtig nur Denkgläubige und Dummgläubige, da bei dem jetzigen Standpunkte der Wissenschaften es ein Drittes nicht geben kann, - es müßte denn die Partei der verkappten Jesuiten in protestantischem Gewande sein. Die erste Reaction, Gegenbewegung, gegen den von den gefeiertesten Männern in Staat und Kirche gepflegten R. begann nach der Eröffnung des Bundestages, wo man die Freiheitsgefühle der Völker durch fromme Betrachtungen wegen des mehrfach von oben her verübten Wortbruches einzulullen suchte. Doch bald brach sich der R. wieder neue Bahn und hat jetzt so ziemlich in der theologischen Welt die Herrschaft errungen. In der neuesten Zeit, nach der Niederwerfung der deutschen Revolution von 1848, hat man wieder zu dem längst verbrauchten Verdummungsmittel gegriffen und holt wieder aus der nie leeren jesuitischen Rüstkammer die längst verrosteten Waffen gegen den Völkergeist des 19. Jahrhunderts. Ihm wird und muß trotz aller Anfechtungen der Sieg bleiben. — Auch auf anderen Gebieten der Wissenschaften hat sich der R. geltend gemacht. Man ist in der Landwirthschaft, in der Heilkunde, in der Rechtswissenschaft, im Betrieb der Gewerbe zu den ewigen Gesetzen der Vernunft zurückgekehrt und huldigt auch hier dem R., d. h. dem vernünftigen Verfahren. **W.**

Raub wird das Verbrechen der Entwendung mittelst Ausübung von Gewalt an der Person des Besitzers der entwendeten Sache genannt. Der R. verletzt also zugleich das Recht des Menschen auf sein Eigenthum und auch seiner Person, weshalb er zu den schwersten Verbrechen gehört. Das römische Recht stellte die leichteren Fälle des R. unter Diebstahl, zeichnete aber die schwereren desto mehr aus. Die ältesten deutschen Rechte hoben namentlich den bei dem R. begangenen Friedensbruch hervor. Im Mittelalter wurde in Deutschland der R., selbst der Straßenraub, nicht selten als Fehde behandelt und von den Raubrittern, den Ahnen des gegenwärtigen Junkerthums, als Gewerbe betrieben. Kaiser Rudolph von Habsburg fing zuerst an, die Raubburgen zu zerstören; Kaiser Maximilian machte dem Rauben durch den „Landfrieden" vom Jahre 1445 fast ein Ende, welches endlich die „Halsgerichtsordnung" (s. d.) von Kaiser Karl V. 1552 herbeiführte. Das wesentlichste Unterscheidungsmerkmal des R. von dem Diebstahl bleibt immer noch die Anwendung der Gewalt gegen den Besitzer, wovon der bewaffnete Diebstahl, um die Wegbringung der gestohlenen Sachen zu sichern, zu unterscheiden ist. Ein nothwendiges Merkmal des R. ist ferner die Entwendung fremden Eigenthums; wobei aber weniger auf den Werth der entwendeten Sache, als auf den Grad der angewendeten Gewalt ankömmt. Diese Gewalt muß an der Person, nicht aber an der Sache, z. B. an dem Gut, der Geldbörse ꝛc., verübt worden sein. Drohungen, welche auf Leib und Leben gerichtet sind, stehen in der richterlichen Beurtheilung der Gewalt gleich. Die neuere Gesetzgebung hat statt der früheren Todesstrafe eine größere oder geringere Freiheitsstrafe auf den R. gesetzt, und läßt die Todesstrafe nur dann eintreten, wenn bei dem R. eine Tödtung oder lebensgefährliche Verletzung erfolgt ist. Geht die Absicht des Räubers dahin, bis zur Tödtung des zu Beraubenden vorzuschreiten, so entsteht der Raubmord (latrocinium). Der Kirchenraub (sacrilegium), die Entwendung einer zum Gottesdienste bestimmten Sache wird mit einer höheren Strafe als der gemeine Diebstahl belegt. H.

Räubersynode s. Kirchenversammlung.

Raubritter s. Faustrecht.

Raugraf war die Bezeichnung einiger gräflichen Geschlechter im Mittelalter; man sagte auch Wildgraf oder Rheingraf. Kurfürst K. Ludwig von der Pfalz erneuerte 1667 diesen Titel, doch ohne damit Land zu verbinden.

Razzia, ein arabisches Wort, bezeichnet in der Berberei die Beutezüge, welche die Gewalthaber gegen ihre Feinde, gegen abtrünnige, steuerverweigernde Stämme unternahmen, früher geschah dieses nur von den türkischen Machthabern; gegenwärtig machen es die Franzosen in Afrika nach. Auch in Europa können gewisse Zwangsmaßregeln mit der R. verglichen werden.

Reaction heißt eigentlich Gegenwirkung, Gegendruck; in der Politik wird das Wort aber meist gebraucht, um die Maßregeln zu bezeichnen, welche man nimmt, um gewisse Zustände zurück zu führen, sofern sie nämlich ein geringeres Maß politischer und kirchlicher Freiheit enthalten. Denn sonst könnte es auch eine Zurückführung zu größerer Freiheit geben, die man aber jetzt wenigstens nicht mag. Die R., Rückwirkung, setzt stets eine Wirkung voraus; diese Bewegung nach Vorwärts geht vom Volke aus; die Bewegung nach Rückwärts, die R., von den Regierungen und ihren Anhängern. Erfolgt dieses Zurückschieben mit einer gewissen Folgerichtigkeit und Stätigkeit, so hat sich ein Reactionssystem gebildet. Einer der ruhigsten und gefeiertesten Staatsmänner (Pölitz, staatsw. Vorles. B. I. S. 119) sagt über dasselbe: „Die Anhänger des Reactionssystems lächeln mitleidig zu dem Ideale der unbedingten Herrschaft des Rechts und wollen nicht begreifen, wie es unabhängig von dem Positiven eine selbstständige und in sich abgeschlossene Gesetzgebung der Vernunft geben könne. Ihnen gelten alle die, welche an ein Vorwärtsschreiten der Menschheit glauben und von den Regierungen die Beförderung und Erleichterung dieses Vorwärtsschreitens erwarten, entweder für gutmüthige Träumer und Schwärmer, oder auch gradezu für Revolutionäre und Demagogen, zumal, wenn sie etwas zu laut und zu stark an die Forderungen der Zeit erinnern, oder selbst durch ihre Thätigkeit den Eintritt neuer Formen und Einrichtungen in das sociale Leben herbeizuführen bemüht sind. Nur das, was war, nur das, was für seine Stammtafel — sie beruhe auf Pergament, oder auf dem Herkommen oder auf dem Mißbrauche verjährter Rechte — für ein Jahrtausend ins Mittelalter zurückzuführen vermag, wo der Priester und der Ritter allein im beginnenden Staate zählte und über beiden ein eben durch sie in seiner Macht oft sehr beschränkter Fürst, so wie unter ihnen der Herrendienstpflichtige, Eigenhörige und Leibeigene stand — nur das ist im System der heutigen R. recht und zeitgemäß. Es bieten daher die Männer der R. die ganze Kraft auf, die dem geschichtlich bestehenden, nach der Jahrhunderte langen Dauer des Besitzstandes, beiwohnt, um das in's öffentliche Leben eingetretene Neue und Zeitgemäße wieder aus demselben zu verdrängen und zu vernichten, damit an dessen Stelle das Vormals Bestandene wieder hergestellt und jede Spur des Neuen völlig vernichtet werde." So sprach vor Jahren ein Mann, der zu den Weisen des deutschen Volkes gehört, sich in seiner kalten, leidenschaftslosen Weise aus. Die Anhänger der R. hängen aber nicht an Allem, was ehedem als Recht galt, sondern nur an dem Theile des sogen. historischen Rechtes, welcher dem Privilegirten, dem Adel, der Priesterschaft und dem fürstlichen Absolutismus Vortheil bringt oder zum Behuf solchen Vortheils zu beuten (ab) läßt, während sie andere Theile des historischen Rechtes, welche dem Volke günstig sind, unweigerlich dem Machtgebote der Gewalt oder dem Vortheile der höheren Stände preisgeben. „Das Reactionssystem" — sagte einst der Superintendent Dr. Tzschirner — „verkennt die Nothwendigkeit der Bewegung in der Welt und kämpft mithin gegen das Weltgesetzt selbst an, so daß es nicht befremden kann, wenn die von ihm ausgehenden Versuche, nicht nur das Hervortreten neuer Ideen und das Werden neuer zeitgemäßer Institutionen in den in Bewegung begriffenen Staatsgesellschaften zu verhindern, sondern auch diese auf den Standpunkt zurückzuführen, auf welchem sie vor der Bewegung gestanden hatten, eben so wohl rechtsverletzend als unheilbringend werden. Nicht nur der Zweck, den diejenigen sich setzen, welche den Völkern aufbringen wollen, was aufgehört hat, ihren Ansichten und Bedürfnissen zu entsprechen und sie auf einen im Fortgang ihrer Bildung bereits überschrittenen Punkt zurückzubringen streben, ist unrecht und verwerflich, sondern eben so sehr sind es auch die Mittel, welche von der R. zur Erreichung jenes Zweckes gewählt zu werden pflegen." — „Am auffallendsten wird jene angedeutete Rechtsverletzung, zu welcher das Reactionssystem führt, dann, wenn es, nachdem bereits ein neuer staatsgesellschaftlicher Zustand eingetreten ist, um den frühern Zustand wieder herzustellen, die während des Bestandes der neuen Ordnung der Dinge durch Besitz erworbenen, von der höchsten Gewalt im Staate bereits anerkannten und unter den Schutz des Gesetzes gestellten Rechte zurücknimmt oder aufhebt, ohne die Unverletzlichkeit des Besitzstandes und selbst ohne die Heiligkeit bestehender Verträge zu achten." — Diesen im Jahre 1824 von dem geistvollen Tzschirner geschriebenen Worten halte man die Verfügungen gegenüber, durch welche mehrere deutsche Regierungen die „während des Bestandes der neuen Ordnung erworbenen Rechte," wie die Grundrechte, wieder zurücknehmen! Der so eben genannte Verfasser obiger Worte zieht daraus den Schluß: „Mithin ist solche R. ganz eben so widerrechtlich und gewaltthätig, als jede die Unverletzlichkeit des Besitzstandes nicht achtende Revolution." — Der schon angeführte Kenner der Staatswissenschaften, Pölitz, bemerkt über das Reactionssystem weiter: „Es ist so alt, wie die Versuche des menschlichen Geschlechts, im Bessern fortzuschreiten. Nach demselben sollte die Gesetzgebung Mose's bereits in der arabischen Wüste durch eine meuterische Rotte vernichtet werden; nach demselben mußte Sokrates den Giftbecher leeren, nach demselben fiel das Haupt des Johannes und blutete der erhabene Stifter des Christenthums auf Golgatha, und wurden seine Apostel die Märtyrer des neuen über die Menschheit aufgegangenen Lichtes; nach demselben starben Tausende während der Christenverfolgungen im alten Römerreiche des gewaltsamen Todes, und wurden später die Waldenser, bei welchen zuerst die Morgenröthe des gereinigten Christenthums dämmerte, verfolgt; nach demselben erlitt Huß den Feuertod und starb Luther in dem päpstlichem Banne und in Reichsacht. Für die R. wirkte die Inquisition in mehreren Reichen und seit 1540 der Jesuitenorden. Als Opfer dieses Systems sanken Hunderttausende im 30jährigen Kriege ins Grab." Die Veränderungen, welche die R. entweder hindern oder ungeschehen machen will, betreffen entweder das politische oder kirchliche Leben der Völker, oder endlich beides; es giebt daher eine politische, kirchliche und politisch-kirchliche R. Die Entstehung des jetzigen Reactionssystems erklärt sich sehr einfach. Es mußte entstehen, sobald die französische erste Revolution durch die Gegenrevolution besiegt war. Mit Napoleons Sturz begann die R.; denn Napoleon setzte den von der Revolution angefangenen Kampf des philosophischen Rechtes gegen historische Einrichtungen, der ewigen Ideen gegen zufällige Verhältnisse nur fort. Natürliches und geschichtliches Recht erneuerten ihren Kampf nach Napoleons Fall; die R. begann ihren Lauf durch ganz Europa, zunächst in Frankreich durch die Wiederherstellung der Bourbonen; die Julirevolution predigte noch einmal die Wahrheit, daß man den Fortschritten der Menschheit nicht ungestraft entgegen treten kann; umsonst! Das Jahr 1848 mußte von neuem diese Lehre geben! In Deutschland wurde die R. wesentlich durch die mittelalterliche Schwärmerei begünstigt, welche sich im Befreiungskriege so Vieler bemächtigt hatte. Der Bundestag fing bald an, dem constitutionellen repräsentativen System gegenüber zu treten, wie die Karlsbader Beschlüsse (s. Congreß) bald zeigten.

Die R. schritt nun, durch die zwei Großmächte unterstützt, siegreich vorwärts, bis das Jahr 1830 ihren Lauf etwas hemmte. Doch sie ermannte sich, nach Niederwerfung der Polen, bald wieder und bekundete dieses durch die Bundesbeschlüsse vom 28. Juni und 6. Juli 1832, welche den Geist der entschiedensten R. athmeten und es offen aussprachen, ihr Zweck sei: „eine in das verfassungsmäßige Gewand ständischer Opposition gekleidete Anmaßung des demokratischen mit einer zügellosen Presse verbündeten Geistes zu bekämpfen." Noch weiter gingen die Bundesbeschlüsse vom 12. Juni 1834. Es ist bekannt, was Alles geschah, um jeden Fortschritt im Volksleben unmöglich zu machen. 1841 wurde in Preußen das bereits in 17 Auflagen verbreitete Religionsbuch des ehrwürdigen Kanzlers Niemeyer in Halle aus den Schulen verbannt. Wie wenig aber die R. dazu geeignet ist, den innern Zustand eines Volkes zu verbessern und die äußere Stellung desselben zu verstärken, zeigte das Schicksal der zwei Großmächte 1848. Die Weltgeschichte lehrt klar und deutlich, daß alle Völker, über welche die Geißel des Reactionssystems geschwungen wird, in ihrer geistigen Entwickelung erlahmen, und mit dieser sinkt die Blüthe des Feldbaues, der Aufschwung des Gewerbewesens, des Handels und der Sinn für Kunst und Wissenschaft. Ungeachtet aller dieser Lehren steht die R. aber nach den traurigen Ereignissen der letzten Jahre in ihrer vollsten Blüthe, nicht blos auf dem Gebiete des Staatslebens, sondern auch auf dem Gebiete des kirchlichen. Politische und kirchlich-religiöse R. gehen Hand in Hand, um das Unmögliche möglich zu machen, um die aus der Zeit und ihrer Bildung hervorgegangenen Ideen von staatsbürgerlicher Freiheit zu vernichten.

Realinjurien s. Beleidigung.

Reallasten (opera realia) nennt man die Leistungen, welche dem Besitzer einer Sache auferliegen und mit dieser auf jeden neuen Besitzer übergehen. Die R. sind aus verschiedenen Quellen herzuleiten: sie entstanden aus Darlehn, wofür jährlich Zinsen bedungen wurden; aus Kaufcontracten, wo statt des Kaufgeldes Zinsen oder Leistungen versprochen wurden, aus Stiftungen rc. R. sind immer ein großes Hinderniß für die Entwickelung des landwirthschaftlichen Verkehrs gewesen, weshalb man sie auch in den neueren Zeiten zur Ablösung gebracht hat.

Realrecht, Sachenrecht, ist die Lehre von den bleibenden äußeren Verhältnissen der Personen, zur Sachenwelt. Es enthält die Rechtssätze, welche über die äußeren Mittel für die Zwecke der Privatpersonen Bestimmung treffen. Sache im weitesten Sinne ist Alles, was noch außer der Person im Raume erscheint und bleibend ist. Im juristischen ursprünglichen Sinne versteht man darunter einen vernunftlosen, begrenzten Körper, welcher einer willkürlichen menschlichen Einwirkung fähig ist und daher auch Object von Rechten sein kann. Es hat aber dieser Begriff mehrfache Erweiterung erhalten, indem z. B. auch un körperliche Dinge, welche Objecte unseres Vermögens sein können, zu den Sachen gezählt wurden, und so ist die Sache im jetzt gebräuchlichen juristischen Sinne Alles, was Object von Rechten sein kann. Ein dingliches Recht, R. in subjectivem Sinne, ist ein solches, welches Jemandem unmittelbar an einer Sache zusteht, so daß diese, je nachdem die Natur des Rechts es mit sich bringt, der Herrschaft und Willkür des Berechtigten entweder ganz, wie das Eigenthum (s. d.), oder doch in gewissen Beziehungen unterworfen ist. Das letztere ist bei den Dienstbarkeiten, dem Pfandrechte (s. d.) u. s. w. der Fall, und diese Rechte, jura in. re; jura in re aliena, werden in einem besondern Sinne unter dem Ausdrucke „Realrechte" zusammengefaßt. Alle dinglichen Rechte, das Eigenthum und die übrigen Realrechte, begründen die Möglichkeit, rechtlich über die Sache zu verfügen, und die rechtlichen Ansprüche auf die Sache gegen Jedermann, bei dem sie anzutreffen, geltend zu machen. Sie unterscheiden sich hierdurch vom Besitze, d. h. einem thatsächlichen Zustande, wo Jemand eine körperliche Sache dergestalt in seiner Gewalt hat, daß er zwar nach seiner Willkür auf dieselbe einwirken und fremde Einwirkung davon abhalten kann, ohne jedoch rechtlich darüber verfügen zu können. So befindet sich z. B. der Dieb im Besitze der gestohlenen Uhr, er kann aber nicht rechtlich darüber verfügen, und der Eigenthümer kann die Uhr fordern, wo er sie findet. Der Besitz in dem angegebenen Falle war ein unrechtmäßiger, ein rechtmäßiger findet dann statt, wenn derselbe auf erlaubte Art angefangen hat. Wenn also Jemand, um bei dem angegebenen Beispiele stehen zu bleiben, die gestohlene Uhr unter Umständen kauft, die ihm die Ueberzeugung gewähren, daß der Verkäufer das Recht habe, sie zu veräußern, z. B. wenn er sie von einem Uhrmacher kauft, so erlangt er hierdurch den rechtmäßigen Besitz, keineswegs aber das Eigenthum oder sonst ein dingliches Recht an der Sache. Indeß gewährt in diesem Falle auch der Besitz gewisse Rechte, 'namentlich die Möglichkeit, das Eigenthum an der Sache durch Verjährung (f. d.) zu erlangen. Nach einer Hauptunterscheidung der Sachen in bewegliche und unbewegliche unterscheiden sich auch die dinglichen Rechte in solche an beweglichen und unbeweglichen Sachen (f. Grundeigenthum). In denjenigen Ländern, wo ein geordnetes Hypothekenwesen besteht, wie z. B. in Preußen und seit 1843 im Königreiche Sachsen, kann kein dingliches Recht, als solches, mit Erfolg geltend gemacht werden, wenn dasselbe nicht im Hypothekenbuche ausdrücklich eingetragen ist. In gewisser Beziehung gehört auch das Erbrecht (f. d.) zu den dinglichen Rechten, da eine rechtlich erworbene Erbschaft gegen jeden Besitzer derselben klagbar gemacht werden kann. Es unterscheidet sich aber rücksichtlich seines Gegenstandes von den übrigen dinglichen Rechten dadurch, daß es sich dabei nicht um eine einzelne Sache, sondern um ein juristisches Ganzes (universitas juris) handelt. *D. L. H.*

Realschulen f. Schulen.

Rebellion f. Aufstand.

Recapitulation, Wiederholung, wird bei ausführlichen Beweisen die Aufzählung der einzelnen Gründe am Schlusse jeden Theiles genannt. Im Rechnungswesen bezeichnet man mit R. die übersichtliche Zusammenstellung der einzelnen Rechnungstitel.

Recension und **Recensionswesen.** R. nennt man theils die Beurtheilung eines Buches, theils auch die neue Bearbeitung eines Schriftstellers. Wir haben es hier nur mit der ersten Bedeutung des Wortes R. und mit dem Recensionswesen zu thun. In der neueren Zeit sind eigene Zeitschriften oder Bücher entstanden, welche den Zweck haben, alle neu erschienenen Schriften öffentlich zu beurtheilen. In Frankreich erschien zuerst 1670 ein Werk, welches Schriften öffentlich beurtheilte; in Deutschland war das erste: B. Mencken's Acta eruditorum und seit 1682 Chr. Thomasius' „freimüthige Gedanken über allerhand Bücher." Die Zahl der Recensionsinstitute hat sich in Deutschland ebenfalls sehr vermehrt; gegenwärtig ist das Recensionswesen etwas in Verfall gekommen, da man die Beurtheilungen nicht immer mit der nöthigen Tiefe, Gründlichkeit und Parteilosigkeit abfaßte, im Gegentheil nicht selten Seichtigkeit und Parteilichkeit Platz griffen. So ist es gekommen, daß man in der sogen. gelehrten Welt wenig Werth mehr auf R. legt; für das Volk haben sie nie Werth gehabt. Die Verbreitung einer Druckschrift ist in der Regel das sicherste Urtheil über ihren Werth. In der Gegenwart aber, wo die schroffsten Gegensätze in Staat und Kirche sich gegenüber stehen, wo Parteihaß blüht und wuchert, ist an ein vernünftiges R. nicht mehr zu denken.

Recepisse, ein Empfangschein, ist eine schriftliche Bescheinigung über den richtigen Empfang einer Sache. Im besonderen werden die Empfangscheine, welche die Amsterdamer Bank ausstellt, R. genannt.

Receß wird das Resultat angestellter Verhandlungen genannt. Namentlich nennt man so die Vereinbarung zwischen einzelnen Familien (Familienrecesse); zwischen Gutsherrn und Eingesessenen (Dienst- und Frohnrecesse. Die verglichenen Leistungen heißen dann **Receßgelder,** worunter man vorzugsweise den **Grubenzins**

versteht, welcher zwischen dem Landesherrn und den Grubeneigenthümern verabredet worden ist.

Recht ist die Regel, welche den Freiheitsgebrauch jedes Einzelnen mit dem Freiheitsgebrauche aller Andern im Einklange erhält. Jeder Mensch trägt das Verlangen nach möglichst freier Thätigkeit in sich. Denkt man sich die Freiheit des Einen als unbeschränkt, so muß sie mit der Freiheit seiner Mitmenschen in Widerspruch gerathen; es würde also die unbeschränkte Freiheit Aller die Freiheit jedes Einzelnen vernichten. Wir handeln recht, wenn unsere Handlung mit der Freiheit jedes Andern nach einem für alle gemeinsamen Gesetze bestehen kann. Gerechtigkeit ist die Tugend, recht zu handeln; oder mit unserem Schiller zu sprechen:

> Gerechtigkeit
> Heißt der kunstreiche Bau des Weltgewölbes,
> Wo Alles Eines, Eines Alles hält,
> Wo mit dem Einen Alles stürzt und fällt.

Das Recht ist daher das Band, die nothwendige Schranke, welche das Zusammenleben der Menschen allein möglich macht, indem jeder von seiner ursprünglichen Freiheit so viel aufgiebt, als zu der daneben bestehenden Freiheit des Andern erforderlich ist. Der Nutzen, der daraus entspringt, ist für Jeden gleich groß; das Opfer, das Jeder bringt, muß daher ebenfalls gleich sein, und weil es zum Besten der Freiheit jedes Einzelnen gebracht wird, so darf die letztere nicht mehr beschränkt werden, als der Zweck es erfordert. Der oberste Grundsatz des Rechts muß solchemnach dahin gehen, daß mittelst Aufstellung der nothwendigen Schranken für die Freiheit des Einzelnen die größtmögliche Freiheit Aller gesichert werde. Insofern eine allgemeine Regel auf einzelne Verhältnisse angewendet werden soll, müssen aus dieser allgemeinen Regel besondere Regeln oder Gesetze abgeleitet werden, welche für die gedachten einzelnen Verhältnisse Bestimmung treffen. Daher nennt man Recht auch den Inbegriff aller derjenigen Gesetze und Regeln, durch welche die ursprüngliche Freiheit der Menschen behufs eines vernünftigen Zusammenlebens beschränkt wird. Dasjenige Recht, welches blos aus reinen Vernunftbegriffen abgeleitet, wobei also der Grundsatz festgehalten wird, die Schranken so zu ziehen, daß dadurch die größtmögliche Freiheit der Einzelnen gesichert werde, heißt **Vernunftrecht**. Der Inbegriff derjenigen Gesetze und Regeln, welche in einem bestimmten Staate wirklich gelten, heißt **positives** (bestehendes) **Recht**. In einem wohlgeordneten Staate müßte eigentlich das positive R. nichts enthalten, was den Vorschriften des Vernunftrechts zuwiderliefe. Die Schuld des Widerspruchs zwischen beiden beruht größtentheils auf dem Unrecht vergangener Jahrhunderte, und die Lösung des Widerspruchs ist schwierig, weil langjähriger Besitz Verhältnisse herbeigeführt hat, welche häufig den Forderungen des Vernunftrechts entgegentreten. Zwar kann nach reinen Verstandesbegriffen das, was niemals R. gewesen, auch niemals R. werden; aber theils giebt es Zustände, bei welchen einem langjährigen und eben durch die Formen des geltenden positiven R. gesicherten Besitze die nöthige Rücksicht nicht versagt werden kann, theils hängt die Möglichkeit einer Abänderung oft hauptsächlich von den Besitzenden selbst ab, so daß die Aufhebung des Widerspruchs durch das Interesse derselben verhindert wird. Die Wissenschaft darf aber nie müde werden, das Vernunftrecht unausgesetzt fortzubilden und alle Wahrheiten desselben immer mehr und mehr zum geistigen Gemeingute des Volks zu machen, indem diesen Wahrheiten hierdurch, wenn auch langsam, doch sicher, die Bahn in das wirklich geltende Recht gebrochen wird. Hierbei ist es nothwendig, 1) dem Gebiete des Rechts seine festen Grenzen anzuweisen, und 2) den Geist zu bezeichnen, in welchem die einzelnen Folgerungen aus der allgemeinen Rechtsregel, innerhalb des Gebiets, auf welchem sich das Recht zu bewegen hat, zu entwickeln sind. Zu 1) die Feststellung der Grenzen des Rechts führt auf das Verhältniß des R. zur **Moral** oder dem **Sittengesetze**. Das

Sittengeset ist der Inbegriff derjenigen Regeln des Handelns, welche den Menschen zu dem Ideal der Vollkommenheit erheben sollen. Diese Regeln erstrecken sich nicht bloß auf die Handlung, wie sie sich äußerlich darstellt und allgemein erkennbar ist, sondern auch auf die Triebfedern zur Handlung, auf die Gesinnung. Es leuchtet daher von selbst ein, daß das Gebiet der Moral ein weiteres sein müsse, als das Gebiet des R. Das letztere kann nur solche Handlungen ins Auge fassen, welche äußerlich erkennbar sind, über welche ein menschlicher Richter zu urtheilen vermag, und auf deren Vollziehung oder Unterlassung durch sinnliche Beweggründe (Belohnungen und Strafen) hingewirkt werden kann. Außerdem ist das Gebiet des Rechts im Vergleiche zu dem der Moral insofern ein engeres, als der Zweck, den die Moral sich setzt, ein weiterer ist, als der, den das Recht sich setzt. Der Zweck der Moral geht auf Vervollkommnung des Menschen, der Zweck des Rechts auf die Möglichkeit eines freien Zusammenlebens derselben. Allerdings soll dieses freie, friedliche Zusammenleben einen Zustand herbeiführen, in welchem der Mensch seine höchste Aufgabe, die Erfüllung des Sittengesetzes, am besten erreichen kann; aber wenn man durch Rechtsgesetze die Zwecke der Moral durchführen wollte, so würde man nach Obigem theils Zweckwidriges, theils Unmögliches wollen, hierdurch zu Mißgriffen verleitet werden und mehr Schaden als Nutzen stiften. Durch diese Rücksichten bewogen haben sich Manche verleiten lassen, die völlige Trennung der beiden Gebiete, eine völlige Entfernung allen moralischen Einflusses vom Rechtsgesetze zu verlangen. Sie sind aber mit dieser Forderung in den entgegengesetzten Irrthum verfallen. Denn auch die Quelle für die Rechtsgesetze, eben so gut, wie für die Moralgesetze, ist die Vernunft; die Vernunft aber muß ihrer eigenthümlichen Natur nach alle Begriffe, die sie verarbeitet, auf letzte und höchste Einheiten zurückführen, und in diesen Einheiten müssen ihre moralischen und rechtlichen Gesetze ihren Grund suchen. Wollte nun der rechtliche Gesetzgeber allen moralischen Einfluß von seinen Gesetzen entfernt halten, so würde er sich von niederen sinnlichen, äußeren Beweggründen bei Aufstellung seiner Gesetzgebung leiten lassen müssen, und er würde alsdann zu 2) in einem Geiste verfahren, der den unseligsten Einfluß auf die Gesetzgebung äußern müßte, und allerdings, namentlich in früheren Strafgesetzgebungen (wo man z. B. behufs der Sicherstellung eines geringfügigen Eigenthums das Leben des Diebes preisgab) wirklich geäußert hat. Das Richtige besteht also darin, daß man die für das Gebiet des Rechts gezogenen Grenzen fest einhält und niemals Moralgesetze zu Rechtsgesetzen macht, daß man aber bei Feststellung der Rechtsgesetze sich von den Grundsätzen der Moral leiten läßt, und in das Gesetz nichts aufnimmt, was mit diesen Grundsätzen im Widerspruche steht.   *D. L. H.*

Recht, gemeines s. römisches Recht.

Rechtgläubigkeit oder Orthodoxie wird das Festhalten an dem Lehrbegriffe der Kirche genannt. Ein protestantischer Christ soll daher, wie manche Leute wollen, Alles glauben, was die symbolischen Bücher, als Richtschnur des Glaubens, aufstellen. Mit der Glaubens- und Gewissensfreiheit steht natürlich die sogen. R. im offensten Widerspruch. S. Lichtfreunde; Mysticismus, Rationalismus, Reaction.

Recht, historisches s. römisches Recht.

Rechtlosigkeit wird der Zustand genannt, in welchem der Mensch keine Rechte und auf den Schutz der bürgerlichen Gesellschaft keinen Anspruch mehr hat. In einem solchen Zustande der R. befanden sich früher die Sklaven und die in die Acht (s. Bann) Erklärten. In ihrer vollen Ausdehnung ist zwar die unmittelbare R. nicht mehr vorhanden, da auch der sogen. bürgerliche Tod (s. b.) nur den Verlust gewisser Rechte mit sich führt; Despotie aber und schrankenlose Herrschsucht kann leicht einen mittelbaren Zustand der R. herbeiführen. Ein solcher Zustand gehört selbst in constitutionellen Staaten nicht zu der Unmöglichkeit und äußert sich besonders dann, wenn die Vollzieher der Gesetze, der Richterstand, moralisch gesunken sind und sich nicht entblöden, das Recht zu beugen. Der Zustand der R. ist das größte Unglück, in welches ein Staat fallen kann, weil dadurch nothwendig das Rechtsgefühl im Volke gestört und untergraben und somit der staatlichen Ordnung die erste Stütze genommen wird.

Rechtmäßigkeit, Gesetzmäßigkeit, Gesetzlichkeit, findet man da, wo das Handeln Einzelner wie Aller im vollkommensten Einklange mit den bestehenden Rechten und Gesetzen steht. Der R. oder Gesetzmäßigkeit steht gegenüber die **Willkür** und Gewalt. Wo die Menschen wie Heerden von Thieren der Peitsche des Treibers sich fügen und mit Verhöhnung der ewigen Gesetze ihre Mitmenschen knechten helfen müssen — da waltet keine R. und Gesetzmäßigkeit. Die R. ist übrigens, wie England und Amerika beweisen, der sicherste Damm gegen alle Revolutionen.

Rechtsbehelf s. Rechtswohlthaten.

Rechtsbesitz s. Besitz.

Rechtsfall wird jedes rechtliche Verhältniß genannt, welches im Leben vorkommt. Die bestehenden Gesetze sind der Maaßstab, der an die verschiedenen Rechtsfälle gelegt wird. Leider hängt aber die Anwendung dieses Maaßstabes oft von dem „richterlichen Ermessen" ab. Dieser erklärt einen Rechtsfall als einen unter das Criminalrecht gehörenden, während der andere nur eine einfache, der Entscheidung der Civilgesetze unterliegende Rechtsfrage findet. Obschon auch in Deutschland längst eine große Anzahl der merkwürdigsten Rechtsfälle im Druck erschienen ist, so haben sie doch keine große Geltung erlangen können, weil sie bei der Vielstaaterei in Deutschland nie den allgemeinen Werth erlangen konnten, wie in England und Frankreich, welche an Sammlungen merkwürdiger Rechtsfälle sehr reich sind.

Rechtsgutachten s. Actenversendung.

Rechtskraft. Sobald ein Rechtsverhältniß durch die Aussprüche der richterlichen Gewalt unwiderruflich entschieden ist, also, wie man sagt, ein förmliches Recht bildet, wobei es ganz gleich ist, ob das wirkliche Recht damit übereinstimme, oder nicht — entsteht die R., die res judicata. Leider geschieht es hierbei nicht selten, daß das formelle Recht von dem wahren abweicht, und die R. die Ungerechtigkeit unterstützt. Im Criminalprocesse giebt es für die Verurtheilung keine R., da der Verurtheilte, selbst wenn er schon bestraft worden ist, seine Unschuld zu jeder Zeit darlegen kann. Die Straferkenntnisse werden allerdings, sobald die Rechtsmittel der Vertheidigung erschöpft sind, vollzogen. Es ist auch die Frage aufgeworfen und noch nicht entschieden worden, ob nicht der Staat auch bei einem freisprechenden Urthel wegen neuer Beweise der Schuld die Untersuchung wieder aufnehmen könne. In Frankreich und England kann dieses nie stattfinden. In bürgerlichen oder Civilrechtssachen erhalten nur wirkliche richterliche Entscheidungen R.; diese kann aber auch durch Nichtigkeitsklagen (s. d.) wieder aufgehoben werden.

Rechtskunde s. Rechtswissenschaft.

Rechtsmittel heißt im Allgemeinen jedes Mittel, durch welches man sein Recht geltend macht, z. B. durch Klage (s. Anklage), Einreden, Gegenreden ꝛc. Im Besonderen aber versteht man unter R. das Mittel, wodurch eine unrecht erscheinende Entscheidung einer nochmaligen Prüfung eines höhern oder demselben Gerichtshofe, aber mit andern Urtheilsfindern, unterworfen wird (s. Berufung, Actenversendung, Instanz).

Rechtspflege, die Art und Weise, die zu Recht bestehenden Gesetze zu beobachten, s. Gericht, Gerichtsverfassung, Proceßordnung und Richter (Justiz).

Rechtspflichten, Rechtsverbindlichkeit s. Recht.

Rechtsstand wird der Zustand genannt, welcher auf das Recht gegründet ist; er ist dem Besitzstande, der bloßen Ausübung gewisser Rechte, entgegengesetzt. Der Besitzstand geht mit der Zeit in den R. über durch Verjährung; die Bedingungen derselben hat die Gesetzgebung zu bestimmen. S. Verjährung. Von besonderer Wichtigkeit ist der Gegensatz zwischen R. und Thatbestand in den Verhältnissen der Regierung zu dem Volke. So hat die Frage noch keine genügende Antwort gefunden, wenn der Thatbestand, daß Innehaben der obersten Gewalt, in den R. übergehe, und ob etwas auf die Mittel ankomme, durch welche man zu seiner obersten Gewalt gelangt sei. So wurde über die Giltigkeit der Regierungshandlungen des ehemaligen Königs von Westphalen, des Kaisers Napoleon ꝛc. viel gestritten. In England spricht ein Gesetz von 1495 alle die frei, welche einer bestehenden, wenn auch unberechtigten Staatsverwaltung gehorcht haben.

Rechtsverweigerung, Justizverweigerung, wird jede rechtswidrige Verweigerung, Verzögerung oder Zerstörung des verfassungsmäßigen richterlichen Schutzes für bestrittenes oder verletztes Recht genannt. Die R. kann eine richterliche sein, wenn sie von den Gerichten selbst und allein ausgeht. In diesem Falle sucht man Schutz bei den Obergerichten oder zunächst bei dem Justizministerium. Bedeutender aber ist die R. wenn sie von der Regierungsgewalt verschuldet wird, theils dadurch, daß die Regierung, auf erhobene Beschwerde ihre Pflicht, die Gerichte zu ihrer Schuldigkeit anzuhalten, nicht erfüllt; theils dadurch, daß sie selbst es verhindert, daß die Rechtsforderung von den Gerichten angenommen oder die Rechtshülfe geleistet wird. Diese R. aber kann möglich gemacht werden durch Cabinetsjustiz (s. d.). Die deutsche Bundesacte gewährte durch Art. XII. einen gewissen Schutz gegen die R. der Cabinetsjustiz, was in dem 29. Art. der Schlußacte noch besonders bestätigt wurde: „Wenn in einem Bundesstaate der Fall einer Justizverweigerung eintritt und auf gesetzlichen Wegen ausreichende Hülfe nicht erlangt werden kann, so liegt der Bundesversammlung ob, erwiesene und nach der Verfassung und den bestehenden Gesetzen jedes Landes zu beurtheilende Beschwerden über verweigerte oder gehemmte Rechtspflege anzunehmen und darauf die gerichtliche Hülfe bei der Bundesregierung, die zu der Beschwerde Anlaß gegeben hat, zu bewirken.“ Die Erfahrung hat aber leider bewiesen, daß ungeachtet dieser Bundesbestimmungen die R. nicht zu den Seltenheiten gehört.

Rechtswohlthaten (beneficia juris) werden gewisse Rechtsbehelfe genannt, durch deren Ergreifung man den Schaden abwenden kann, welcher nach der Strenge des Rechtes eintreten sollte. Hierher gehören die R. der Bedenkzeit, vermöge deren ein Erbe sich überlegen kann, ob er eine Erbschaft antreten will oder nicht; die R. des Nachlaßverzeichnisses u. a. m.

Reciprok, wechselseitig, gegenseitig, wird von Verhältnissen wie von Begriffen gebraucht.

Reclamation heißt im Allgemeinen jede Beschwerde über Rechtsverletzung; namentlich bezeichnet man damit die gerichtlichen Zurückforderungen in Besitz genommener Dinge, auf die der frühere Eigenthümer seine Rechte gültig macht.

Recognition wird in der Rechtssprache die Anerkenntniß einer Person, Sache oder Schrift vor Gericht genannt. Die R. enthält bald eine Behauptung, bald ein Geständniß; im ersteren Falle muß sie häufig durch einen Eid bekräftigt werden, wenn man z. B. einen Verbrecher recognoscirt. In Sachsen muß jede auch von einem Dritten geschriebene Urkunde recognoscirt werden und zwar gerichtlich; öffentliche Urkunden bedürfen keiner R.

Recognosciren heißt in der Militairsprache die feindlichen Stellungen und Unternehmungen ausforschen. Hierzu werden Patrouillen ausgeschickt, s. Militairw.

Reconvention oder Widerklage wird die Klage genannt, welche der Beklagte in demselben Gerichte anbringt, vor dem er verklagt worden ist, weil man annimmt, daß Jeder da, wo er Recht gegen einen andern sucht, auch diesem Recht gewähren müsse. In einigen Ländern ist das Recht der R. beschränkt worden.

Record nennt man im englischen Rechte eine auf Pergament geschriebene und in einem dazu berechtigten Gerichtshof, Court of record, aufbewahrte Urkunde über eine vor dem Gericht gepflogene Verhandlung und das darauf erfolgte Erkenntniß. Gegen solche Urkunden ist kein Beweis zulässig. Doch haben auch nur die königlichen Gerichtshöfe das Recht des R. (jus archivi). **Recorder,** Registrator, wird der Beamte in größeren Städten genannt, wo sich ein solcher Gerichtshof (Court of record) befindet. Der Recorder in London ist einer der angesehensten Beamten, welcher alle Erkenntnisse der Londoner Gerichtshöfe publicirt.

Recruten werden die jungen Leute genannt, welche in das stehende Heer oder in die Landwehr eintreten. S. Aushebung, Heer und Militär.

Rector, Leiter oder Ordner, hieß bei den Römern seit Kaiser Constantin der den Präfecten (s. d.) untergeordnete Statthalter. Jetzt nennt man die ersten Lehrer und Verwalter höherer Schulen R., welches Wort aber in der neuesten Zeit durch Director verdrängt worden ist.

Recurs, auch Regreß (s. d.), ein Rechtsmittel (s. d.), durch welches man bei einer höheren Behörde über eine niedere Beschwerde führt. In Sachsen wird der R. nur in Verwaltungssachen angewendet, während er in Preußen als ordentliches Rechtsmittel gilt.

Recusationsrecht s. Geschworne.

Redacteur, Ordner, ist der Name desjenigen, welcher die Leitung, Anordnung solcher Schriften übernommen hat, die entweder aus Beiträgen Mehrerer oder in gewissen Zeitabschnitten, wie die Zeitschriften, erscheinen. In der neueren Zeit, wo der Einfluß der politischen Zeitschriften ein größerer geworden ist, ist die Stellung eines R. nicht ohne Bedeutung. Die R. stehen leider aber meist nicht im Dienste einer aus ihnen entsprungenen Idee, sondern einer Partei, welche sie gekauft hat. Zeitschriften von sehr großem Umfange haben oft mehrere R.; unter diese ist dann auch die Verantwortlichkeit getheilt, während ein R. die Gesammtverantwortlichkeit tragen muß.

Redekunst, parlamentarische, politische Beredtsamkeit. R. ist der Inbegriff der Regeln, nach welchen eine Rede eingerichtet sein muß, um bei den Zuhörern den stärksten Eindruck für die Ansicht des Redners zu machen. Einer der größten Redner des Alterthums, Cicero, verlangt von einem Redner: Scharfsinn; Gedanken eines Philosophen; die Sprache fast eines Dichters; das Gedächtniß eines Rechtsgelehrten, die Stimme eines Bühnenhelden und das Geberdenspiel eines ganz ausgezeichneten Schauspielers. Hierzu aber muß nothwendig noch kommen die richtige Würdigung der Bildung, des Fassungs- und Beurtheilungsvermögens der Zuhörer, so wie Fleiß, der auf die Rede gewendet werden muß. Der Redner soll so sprechen, daß er überzeugt, unterhält und rührt. Bekanntlich stand die Redekunst bei den freien Griechen und Römern in der höchsten Blüthe, ehe es noch Regeln für dieselbe gab. Mit dem Untergang der Freiheit, mit dem Einbruch mönchischer Verdummung und Unterjochung ging auch die R. zu Grabe. Nur in den freien Städten finden wir einige Spuren von ihr; nach dem Mittelalter und von der Reformation an bildete sich die „geistliche Beredtsamkeit" aus, während die politische ganz verschwunden war. Erst in der neuesten Zeit erstand diese wieder, zunächst bei den Engländern und Franzosen. Die Hauptsiege der französischen Revolution wurden durch Reden gewonnen; man denke an die ungeheueren Erfolge, welche Mirabeau's Reden hatten. Bald zeichneten sich auch in andern Ländern, mit mehr oder weniger freien Verfassungen, Redner von Bedeutung aus, wie in Italien, Belgien, Holland, Schweden und Norwegen. Vor einigen Jahrzehnten erst, als in Deutschland hier und da durch die Verleihung von Verfassungen ein parlamentarisches Leben sich bildete, erwachte auch hier die parlamentarische R., so in Baiern, Baden, Würtemberg, Sachsen. In unerwarteter Menge aber tauchten 1848 politische Redner auf, als die ersten Strahlen einer längst ersehnten Völkerfreiheit Deutschland begrüßten. In der Paulskirche in Frankfurt, in den Ständekammern der verschiedenen Staaten bildeten sich unter dem Einflusse der gewaltigen Zeit bald auch gewaltige Redner, die den glänzendsten Namen des Auslandes an die Seite gesetzt werden konnten. Warum? Weil es ein parlamentarisches, freies, volksthümliches Leben gab. Dieses allein ist die Geburtsstätte der politischen Rede. Wo jenes Leben nicht waltet, finden sich auch keine Redner, wie die „Landstände" der früheren Zeit zur Gnüge bewiesen haben. Hier müssen, wie Luther trefflich sagt, „die Geister an einander platzen." Eine An= zahl Jaherren einer Anzahl Neinherren gegenüber ist keine freie, parlamentarische Volksvertretung. Die letzten Erfahrungen haben übrigens gezeigt, daß Deutschland auch in dieser Hinsicht so viel geistige Kräfte besitzt, daß es, namentlich mit Hülfe seiner reichen, herrlichen Sprache kühn mit jedem andern Volke in die Schranken treten kann. Zu beklagen ist es daher, daß in manchen Staaten die Reaction für das „Vereinsrecht" so arge Beschränkungen herbeigeführt hat, daß dasselbe als ganz unterdrückt erscheinen muß. Mit den Versammlungen und Vereinen hört aber auch zugleich die Gelegenheit auf, sich im Reden zu üben. Bei den großen Beschränkungen aber, welchen alle Vereine unterliegen, dürften sich am wenigsten die „Rede= oder Sprechvereine" einer günstigen Aufnahme zu erfreuen haben.

Redemptoristen, auch Ligourianer (s. d.), einer der vielen Namen, unter wel= chen die Jesuiten (s. d.) herumschleichen, wenn sie unter ihrem wahren Namen nicht kommen dürfen. Der Orden der R. wurde 1732 gestiftet; sie nennen sich Glie= der des Ordens vom Erlöser (redentore) und haben Ordenshäuser in Italien, seit 1811 in Freiburg und seit 1820 in Oesterreich. Auch in Belgien haben die R. Eingang gefunden.

Redoute heißt ein Festungswerk, welches durch Geschütz und kleines Gewehr vertheidigt werden kann.

Reduction, Zurückführung, wird in der Chemie gebraucht von der Herstel= lung des reinen Metalls. In der Militärsprache wird die Auflösung der nach erfolg= tem Frieden unnöthigen Truppenmassen R. genannt. Bei Münzen, Maaßen und Ge= wichten ist R. der Ausdruck einer nach einem andern Maaße gemessenen Größe; hierzu bedient man sich der Reductionstabellen.

Refectorium heißt in Klöstern der Saal zu der gemeinschaftlichen Speisung und Unterhaltung. Alte deutsche Urkunden nennen diesen Ort auch Remter, Remtir und Reventer. Auch in den Burgen wurden Refectorien angelegt. Zu unterscheiden von dem R. ist in den Klöstern noch der kleinere Speisesaal.

Referendar ist der Name eines Justizbeamten, der nicht wirkliches Mitglied eines Collegiums ist, sondern sich dort vorbildet. Der R. arbeitet unter Aufsicht des Präsidenten, doch ohne Besoldung und Stimme.

Referiren, eigentlich Jemandem etwas vortragen. In der Sprache der Juri= sten versteht man unter R. den Vortrag des Inhaltes von Acten, welchen das Mit= glied eines Collegiums macht, um von demselben eine Entscheidung zu erlangen. Der Einfluß des Vortragenden, Referenten, ist nicht unbedeutend, da sehr viel darauf an= kommt, in welchem Lichte er die Sache erscheinen läßt. Es ist nicht selten der Fall, daß namentlich bei dem geheimen und schriftlichen Gerichtsverfahren in der Strafge= setzgebung, das Schuldig und Nichtschuldig zum großen Theil davon abhängt, wer der Re= ferent des Angeschuldigten ist. Arbeitsscheu, Unklarheit, böser Wille, Kränklichkeit des Referenten können viel auf den zu fällenden Richterspruch einwirken. Die Referirkunst ist daher ein sehr wichtiger Theil der praktischen Jurisprudenz.

Reform oder Reformation nennt man überhaupt jede Verbesserung, vorzugsweise aber jene Umgestaltung der gesellschaftlichen Verhältnisse, des Staatslebens, welche das Lebensunfähige wegnimmt und durch Lebensfähiges ersetzt, welche entwickelt ohne gewalt= sam umzustürzen. Die Menschheit schreitet, hier mehr, dort weniger, in ihrer Ent= wicklung und Ausbildung fort; dadurch ist auch bezeugt, daß ihre Gesellschaftsverhält= nisse mit dieser Entwicklung und Fortbildung gleichen Schritt halten. Man betrachte nur, was man schon seit Jahrhunderten auf dem Wege der R. hat fallen lassen und fallen lassen müssen. Geht dieses durch die Naturgesetze bedingte Fallenlassen ver= lebter und hinfälliger Formen nicht auf dem friedlichen Wege der Reform vor sich, so geschieht es auf dem blutigen Wege der Revolution, mag auch die ebenfalls blutige

Reaction (s. d.) sich so lange dagegen stemmen, als sie will. „In dem Maaße, wie ein Volk in der Cultur und Civilisation vorrückt, muß auch der Staat mit allen seinen Anstalten und Einwirkungen auf das Volksleben fortrücken und seine Verfassung, Regierung und Verwaltung fortbilden, wenn sie nicht mit dem Leben des Volkes in Widerspruch gerathen und somit störend werden sollen. Versäumt eine Regierung, die nöthigen R. eintreten zu lassen, dann kann sie selbst dazu beitragen, daß am Ende, statt der Reformation von Oben herab, eine von Unten herauf herbeigeführt wird, nämlich auf dem Wege der Revolution, wie wir in der neuern Zeit fast in allen Ländern gesehen haben." So sprach Pölitz 1831; ein Staatsmann von noch größerer Bedeutung, wenn gleich von geringerem sittlichem Werthe, Talleyrand, bemerkte einst: „Zögert man, das Nothwendigste zuzugestehen, dann verliert man in diesem ungleichen und gefahrdrohenden Kampfe die Ehre einer großmüthigen Resignation. Die Nothwendigkeit, den billigen Wünschen des Volkes entgegen zu kommen und denselben nachzugeben, beweist aber gerade, daß man das Volk nicht fürchtet. Man legt alsdann freiwillig eine Gabe auf den Altar des Vaterlandes, ohne in den Verdacht zu gerathen, mit Gewalt gezwungen zu sein!" Diese längst vor dem Jahre 1848 ausgesprochenen Worte scheinen sich aber manche Machthaber nicht gemerkt zu haben; sie „verloren die Ehre einer großmüthigen Resignation" und — mußten nachgeben, wenn auch nur auf kurze Zeit. Wie sehr es aber vom Volke gewürdigt wird, wenn ein Fürst „eine Gabe freiwillig auf den Altar des Vaterlandes legt," beweist in einigen Staaten Deutschlands das Jahr 1830, wo die drohendsten Bewegungen durch jene freiwillige fürstliche Resignation niedergehalten wurden, während sie bei der Ablehnung der Reichsverfassung 1849 in wilde Empörung ausbrachen. — Allerdings kommt es bei der Einführung von Reformen darauf an, ob sie dem Volksgeiste angemessen sind. Lange Unterdrückung und Willkürherrschaft verschlechtern den Charakter der Menschen, stumpfen sie für alles Höhere ab. Hat ein Volk lange unter dem Drucke der Aristokratie, des Adels und der Geistlichkeit gelebt, so ist die Einführung auch der wohlthätigsten Reformen nicht leicht. Wenn das Volk durch lange Gewohnheit zu einer gewissen Knechtschaft des Geistes gelangt ist, dann überläßt es sich einem krankhaften Schlafe. Wie gelangen nun zu der Frage: Wer widersetzt sich am meisten den Reformen? Die Selbstsüchtigen, die zu Nutz und Frommen des Ganzen nichts von ihren Vorrechten aufgeben wollen, diese entmenschten, habsüchtigen Nachkommen der Raub- und Stegreifritter, die dummen Ritter einer längst begrabenen Vergangenheit, welche nichts weiter gelernt haben, als daß es einmal so und so gewesen ist, und alle die, welche von den gerade bestehenden Einrichtungen Nutzen ziehen, diese sind die Feinde der R., während alle wahrhaft Edle in allen Schichten der Gesellschaft zu ihren Freunden gehören. Wäre alles Neue schlecht, so müßte auch alles Alte schlecht gewesen sein, da Alles einmal neu gewesen ist; diese einfache Wahrheit geht aber an solchen Hartköhrigen spurlos vorüber; sie verschließen der R. ihr Ohr, bis sie die Revolution aus ihrem Schlafe weckt. — Entweder durchgreifende R., oder gar keine — ist ein altes, wahres Wort. Nie bestraft sich die Halbheit ärger, als hier, wie wir an der Halbheit unseres Constitutionalismus sehen. Wo die Einrichtungen fortbestehen und durch die R. meist nur fester geschlossen werden, durch welche der Staat die schwerfälligsten Mittel für die kleinsten Zwecke verwendet, Lasten auflegt, um hervorgebrachte Einrichtungen zu erhalten, Menschen wehe thut, um Einbildungen zu erhalten, wo man sich nicht entschließt, einfache, menschliche und christliche Einrichtungen zu treffen — kann fort und fort reformirt werden, ohne daß es besser wird. Man hüte sich daher bei der R. vor allem vor der Halbheit und Langsamkeit, welche aber sehr wohl von Unbesonnenheit und Uebereilung zu unterscheiden ist. Der erste Grundsatz für ein politisches Reformationssystem ist, daß man streben muß, dem ewigen Rechte der Vernunft zur vollen Herrschaft zu verhelfen, überall und alsogleich. Mögen die, welche im hergebrachten Besitz von Berechtigungen sind, die der Entwickelung der Nationalkraft, den

Bedürfnissen des jetzigen Geschlechts, den Forderungen der vernünftigen Rechtes entgegenstehen, bedenken, daß ihr Recht oft nichts, als nackter Besitz, daß am Ende doch immer die Gegenwart Recht behält vor der Vergangenheit, die sie vertreten, daß es besser ist, ein erträgliches Abkommen bei Zeiten zu treffen, als der Macht der Verhältnisse einen eigensinnigen Widerstand entgegen zu setzen, der nur um so größeren Verlust herbeiführen muß.   **P.**

Reformation, Protestantismus, Kirchenverbesserung sind die Ausdrücke, mit welchen man die Umgestaltung des Kirchenwesens zu Anfang des 16ten Jahrhunderts zu bezeichnen pflegt. Diese ungeheure Umwälzung im kirchlichen Wesen Europas war aber mehr als eine bloße Kirchenverbesserung; sie war fast eine Revolution, eine Zerstörung alter, eine Begründung neuer Zustände in der kirchlichen wie in der politischen Welt, in den gesellschaftlichen, sowie in den Culturzuständen der Völker. Eben so falsch als die gewöhnliche Ansicht von der R. als einer bloßen Kirchenverbesserung ist auch die, als habe die R. die Spaltung der allgemeinen christlichen Kirche herbeigeführt. Seit Jahrhunderten schon war die große, heute noch nicht geschlossene Spaltung in zwei große Kirchthümer, die orientalische, griechische, und römische Kirche, erfolgt. Schon war die Macht des Papstthums auf der Kirchenversammlung (s. d.) zu Kostnitz 1414 erschüttert worden, aber noch war sie zur Zeit Luthers eine fast allgewaltige, besonders durch ihre Verbindung mit der weltlichen Macht. Das deutsche Kaiserthum war dem Papstthum erlegen, das Reich in die größte Verwirrung gestürzt; die Wahlen der Könige wurden von den Päpsten geleitet; während die übrigen Staaten hinsichtlich ihrer innern und äußern Ausbildung Fortschritte machten, war in Deutschland überall die größte Verwirrung. Das Gefühl der Erniedrigung, der Unerträglichkeit und Unhaltbarkeit der öffentlichen Zustände regte sich zur Zeit der R. überall. Als Luther 1517 die weltberühmten Hammerschläge an die Schloßkirche zu Wittenberg machte, ging eben eine Reichsversammlung zu Mainz aus einander, ohne, wie gewöhnlich, auch nur einen Beschluß gefaßt zu haben. Die öffentlichen Verhältnisse blieben unsicher, zerrüttet, das Volk in Gährung, das Reich rath- und hilflos. Dieser allgemeinen Schwäche gegenüber trat das Papstthum nur noch kühner auf, obschon die Päpste wie die Priester beim Volke weithin verachtet waren und man schon zur Einsicht des Unterschieds zwischen Papstthum und Christenthum gekommen war. Werfen wir einen Blick auf die Lage Deutschlands zur Zeit des Anfangs der R., um deren Wohlthaten besser würdigen zu können. Von dem verbündeten Papst- und Fürstenthum drohete der Volks- und Geistesfreiheit die größte Gefahr; innere Kriege standen in der nächsten Aussicht und die Einmischung fremder Mächte würde nicht gefehlt haben; das osmanische Reich stand auf dem Gipfel seiner Macht, und schon waren seine Horden dem Herzen Deutschlands nahe. Und im Angesichte dieser Lage waren die öffentlichen Verhältnisse so unerträglich geworden, daß gar Manche die Türken herbeiwünschten. Da kam die R. und brachte einen Umschwung in die Geister, wie er noch nie dagewesen war, und den Deutschen gebührt der Ruhm, die europäische Freiheit, Cultur und Christenthum gerettet zu haben. Sie erhoben sich auf den Freiheitsruf, der in ihrer Mitte aus Luthers Worten erscholl; der bedeutsame Augenblick traf mit einem Manne zusammen, der demselben gewachsen war, in welchem das Volk, zum Aufstande reif, einen Führer fand, wie es ihn brauchte, den zu verstehen, zu folgen es verständig, muthig, großherzig und fromm genug war. Bekanntlich gab der schmachvolle Ablaßhandel im Jahre 1517 den ersten Anstoß zur R. Luther griff sofort die verwundbarste Stelle des Papstthums an, den Grund alles Uebels, indem er auf die Verunstaltung der evangelischen Lehre durch das kirchliche Lehrsystem hinwies. Die Ueberzeugung von dieser Wahrheit ergriff die Gemüther gewaltig und die deutsche Ruhe und Bedächtigkeit verwandelte sich in Entrüstung, Eifer und Ungestüm. Von Bedeutung für den Fortschritt der R. war es, daß Friedrich von Sachsen, nach Kaiser Maximilians Tode Reichsverweser, es verschmähte, gegen Luther Gewalt zu üben, während Papst Leo die ungeheure Bewegung in feiner Verblendung für ein Mönchsgezänke hielt. Bald aber forderte Luther eine so durchgreifende Reform, daß nie ein Papst seine Zustimmung dazu geben konnte; eine gemäßigte R., wie sie der Papst geben konnte, war schon außer Frage gekommen. Nachtheilig wirkte nun auf den Fortgang der R. das enge Verwachsensein der fürstlichen Macht mit der päpstlichen, obschon die Schweizerreformation, durch Zwingli 1518 angeregt, die deutsche unterstützte. Dieses Nichtmitgehen der Fürsten mit der R. war zunächst die Ursache zu dem schrecklichen Bauernkriege (s. d.). Die heftigste Reaction folgte auf die Niederwerfung der Bauern, deren Sinn auch Luther nicht verstand, da er am historischen Reichswesen eben so fest hielt, wie am historischen Kirchenwesen. Dessen ungeachtet behielt die R. die Meinung des Volkes für sich; ihre fürstlichen Vertheidiger wurden Johann der Beständige von Sachsen und Landgraf Philipp von Hessen. Auf dem Reichstage zu Speier traten die evangelisch gesinnten Reichsstände 1526 offen als Bekenner der Lutherischen Lehre auf. Das Torgauer Bündniß, 1526, sicherte die R. vor neuen Angriffen. Es kann hier nicht unser Zweck sein, den äußeren Gang der R. weiter zu verfolgen, da wir es nur mit der Darstellung der Resultate zu thun haben. Mit Entschlossenheit traten die Evangelischen 1530 auf dem Reichstage zu Augsburg auf. Schon drohete der Kaiser Karl V. mit gewaltsamen Einschreitungen, schon wurden Vorbereitungen zum Kriege getroffen; die protestantischen Stände blieben standhaft und waren mit Glaubenskraft und Begeisterung erfüllt. Man fing bereits an, sich zu einigen, da nicht Wenige dem fürstlichen Kirchenregimente zu mißtrauen anfingen, aber die Maaßlosigkeit Roms zerstörte jede Einigung. Während der Kaiser, nach Verabschiedung des Reichstages, mit Gewalt drohete, schlossen die Evangelischen ein Schutz- und Trutzbündniß zu Schmalkalden, bis 1532 der erste Religionsfriede zu Nürnberg zu Stande kam, und die R. machte nun weitere Fortschritte. Im zweiten Nürnberger Religionsfrieden, 1541, wurde die R. förmlich anerkannt. Leider zerfiel der schmalkaldische Bund und Deutschland sah einen Religionskrieg, welcher in der Schlacht bei Mühlberg 1547 den Churfürsten von Sachsen und Landgrafen von Hessen in Kaiser Karls Hände brachte. Der 1555 in Augsburg geschlossene Religionsfriede trat der R. wieder hemmend entgegen. Die hier gelegten Keime des Unfriedens, der Störungen, der Parteisucht gingen auf und ihre, wenn auch späte, Frucht war der fürchterliche Krieg, welcher Deutschland dreißig Jahre lang zerriß. Erst im Westphälischen Frieden, 1648, wurde der Protestantismus in Deutschland als gleichberechtigt festgestellt, was auch der Wiener Bundesacte anerkannte. Dieses der äußere Gang der R.; der Zweck derselben ist nur zu einem geringen Theile erreicht worden, und das Wenige, was durch Jahrhunderte langen Kampf für die Menschheit gerettet wurde, ist zum Theil wieder verloren gegangen. Die R. ist höchstens als ein halb gelungenes Werk zu betrachten; und das Gelungene wurde der Nachwelt wieder durch eiserne Satzungen, wie die symbolischen Bücher verkümmert. Daß ein Menschenwerk unbrauchbar wird und veraltet, wenn man in dreihundert Jahren nicht die Hand zur Verbesserung an dasselbe legt, ist klar. So ist es auch dem Protestantismus ergangen; in seiner jetzigen Fassung steht er im 19. Jahrhundert als etwas gänzlich Veraltetes, gar nicht in dasselbe Gehörendes, Fremdartiges da. Eine neue R. des Christenthums ist, wenn die religiösen Ideen desselben gerettet werden sollen, nicht zu umgehen; sie hat aber es auch, außer den alten Feinden, noch mit neuen aufzunehmen: mit dem fürstlichen Kirchenregiment und mit dem überall herrschenden praktischen Unglauben. *W.*

Reformbill heißt das Gesetz vom Jahre 1832, durch welche in Großbritanien das Wahlsystem erweitert, die Zusammensetzung des Unterhauses verändert und das ganze Parlament (s. d.) überhaupt umgestaltet wurde. Vor Einführung der R. bestand das Unterhaus aus 658 Mitgliedern; England sandte 80 Mitglieder für 40 Grafschaften, 50 für 25 größere Städte, 339 für 172 Landstädte und Flecken. Auherbem schickten Seehäfen, Universitäten, Schulen Abgeordnete, so daß England allein 513 derselben stellte; Schottland dagegen stellte nur 45, Irland 100 Abgeordnete. Die Wahlverhältnisse bestanden seit uralten Zeiten und waren höchst unzweckmäßig, weshalb man schon längst, aber vergebens, an eine Umwandlung der Wahlverhältnisse gedacht hatte. Bereits 1830 legte Lord Russel dem Unterhause einen Plan zur Umgestaltung des Parlaments vor, der nur mit 64 Stimmen abgewiesen wurde. Nach Abdankung des Ministerium Wellington=Peel legte Lord Russel am 1. März 1831 im Auftrage des sogenannten Reformministeriums den Gesetzentwurf zu einem neuen Wahlgesetz und einer andern Vertheilung der Parlamentssitze vor. Die Aufregung darüber ward im Parlament so groß, daß der König es zur Freude des Volkes am 21. Apr. 1831 auflöste. Als das neugewählte Parlament am 24. Juni wieder zusammengetreten war, ward die R. am 21. Septbr. vom Unterhause angenommen. Im Oberhause ward sie am 7. Oct. verworfen. Die Aufregung wurde nun so bedeutend, daß der König das Parlament prorogirte; am 6. Decbr. 1831 trat es wieder zusammen und am 23. März 1832 erfolgte die Annahme der R. unter einigen Abänderungen im Unterhause. Endlich mußte sich auch nach vielen Kämpfen das Oberhaus dazu verstehen und die R. ward am 7. Juni durch des Königs Sanction zum Gesetz erhoben. Durch dasselbe ist in Großbritanien der hartnäckige Einfluß der Aristokratie auf die Gesetzgebung gebrochen und die Mittelklasse zur Grundmacht des Staats gemacht worden.

Reformirte Kirche (Calvinismus). Als Luther in Deutschland das Werk der Reformation (s. d.) begann, ward es fast zu gleicher Zeit auch in der Schweiz, in den Niederlanden, in England und Frankreich begonnen. In der Schweiz war es Ulrich Zwingli (geb. 1484), welcher in Zürich 1519 das Banner gegen den Ablaßkram erhob. Im Jahre 1523 vertheidigte er seine Lehrsätze in Zürich öffentlich so glücklich, daß der Rath ihn dabei bestätigte. Die Reformation bildete sich nun in der bekannten Weise aus, kam aber mit Luther, namentlich wegen der Abendmahlslehre, in Streit, was leider zur Trennung der Kirchen später Anlaß gab. Zwingli starb im Kampfe für sein Vaterland und Religionsfreiheit am 11. Oct. 1531. Ein Nachfolger gewissermaßen Zwingli's war Joh. Calvin (geb. 1509); doch auch er vermochte nicht, eine vollkommene Einheit der reformirten Gemeinden herbeizuführen, zumal da er in einigen Hauptlehren von Zwingli abwich. Er wollte der Kirche und ihren von der Geistlichkeit geleiteten Presbyterien eine auch durch äußere Mittel mächtige Glaubens= und Sittenherrschaft zueignen. Seit 1536 wurde Calvin der Reformator für Genf und übte großen Einfluß auf die Zwingli'schen freien Gemeinden der andern Kantone. Sein Entwurf der christlichen Lehre und Kirchenzucht wurde 1537 eidlich als Grundgesetz in Genf von Senat und Bürgerschaft angenommen. Im Jahre 1541 wurde seine Kirchenpolizei als „das Joch des Herrn" ebenfalls zum Staatsgesetz gemacht und 1553 am 27. Oct. Michael Servetus wegen seiner Irrgläubigkeit in Genf verhaftet und lebendig verbrannt. Dieses war die nächste Folge der neuen Kirchenzucht. Auch außerhalb der Schweiz wollte die Bildung einer eigentlichen reformirten Kirche nicht zu Stande kommen, während in der Schweiz der Streit zwischen den Zwinglianern und Calvinisten fortdauerte. Im westphäl. Frieden wurden die Reformirten der Schweiz als Augsburgische Confessionsverwandte und als kirchliche Partei anerkannt. Im Jahre 1675 nahmen die reformirten Schweizercantone die von Joh. Heinr. Heidegger verfaßte schweizerische Glaubensformel (formula consensus helvetici) in 26 Artikeln als gemeinschaftliches Symbol an, doch ohne dadurch zur vollen Eintracht zu gelangen. Schwere Kämpfe hatte die Reformation auch in den Niederlanden zu bestehen gehabt; leider gab es auch hier Parteien, die sich gegenseitig befehdeten, bis die dortrechter Synode 1618 die Remonstranten (s. d.) verwarf und die Calvinische Lehre in milder Fassung aufnahm. In Frankreich erhielten die Reformirten (s. Hugenotten) nach schweren Verfolgungen erst durch

das Edict von Nantes 1598 Duldung; sie waren der Calvinischen Lehre zwar zugethan, aber ohne inneren Halt. Die englische Kirche, die man auch zu der reformirten rechnet, bildete sich ganz eigenthümlich aus (s. Anglicanische Kirche) und steht
ebenfalls vereinzelt da. In Deutschland gehören die Pfalz und das brandenburger
Regentenhaus nebst einigen kleineren Fürsten zur reform. Kirche. In Preußen erfolgte 1817 als letzter Versuch einer Vereinigung der protestantischen und reformirten
Gemeinden die Union (s. d.).

Réfugiés, Flüchtlinge, wurden die der reformirten Kirche Frankreichs Angehörenden genannt, welche vor den Religionsverfolgungen unter Ludwig XIV. entflohen
(s. Dragonaden). Nach der 1685 erfolgten Aufhebung des Edictes von Nantes (s.
reformirte Kirche) eilten Massen von Flüchtlingen über die Grenze und siedelten sich
in andern Ländern an, wie in Brandenburg, Sachsen und Hessen, wo sie französische
Colonien bildeten.

Regalien (jura regalia) werden im Allgemeinen die mit der Staatshoheit verbundenen Rechte genannt. Man theilt sie in höhere oder wesentliche (Hoheits-
oder Majestätsrechte) und niedere oder zufällige, Kammerregalien. Die höheren R. können der Regierung nie entzogen werden. Zu den niederen R. gehört das
Bergrecht, das Jagdrecht, das Forstrecht; auch gehören Monopole (s. Privilegien)
der Regierung hierher.

Regatta hieß in Venedig die von Zeit zu Zeit vom Markusplatze aus stattfindende Wettfahrt. Jetzt nennt man jede Wettfahrt eine R.

Regent und **Regentschaft.** Regent heißt das Staatsoberhaupt, dem nicht
als ersten Beamten, wie dem Präsident in den Freistaaten, sondern als Monarchen
aus eigner Machtvollkommenheit die oberste Leitung der Staatsangelegenheiten zusteht. Im engern Sinne heißt auch R. ein Reichs- oder Landesverweser, welcher in
Abwesenheit oder wegen Minderjährigkeit zc. die Regierung führt. Gewöhnlich ist
durch die Verfassung festgesetzt, wer in jenen Fällen die Regentschaft führen soll, und
diese Bestimmung kann auch durch die letztwillige Verfügung des Vorfahren
nicht abgeändert werden. In England bestimmt das Parlament die Wahl der Regentschaft; in den constitutionellen Staaten Deutschlands ist durch die Verfassung
meist das Nöthige bestimmt. Die Interimsregierung, das Vicariat, die Staatsvor-
mundschaft oder die Regentschaft hat den Zweck, zu verhüten, daß die Staatsregierung zweckwidrig geführt oder unterbrochen werde und der Staat in Regierungslosig-
keit oder Anarchie verfalle. Der Regent oder Regierungsverweser führt die Regierung
entweder allein, oder mit Zuziehung eines Regentschaftsrathes. Früher empfing der
vormundschaftliche R. die Reichslehen und schwur den Reichseid in eignem Namen.
Jetzt nimmt er anstatt seines Mündels die Landeshuldigung an, bestätigt die Privilegien, verwaltet die Landesregierung und erläßt die Gesetze. Die Regentschaft hört
auf, wenn die Veranlassung zu derselben nicht mehr vorhanden ist. Die einzelnen
Bestimmungen über die Regentschaft sind in den verschiedenen Staaten verschieden.
Der Fall einer Minderjährigkeit ist klar und unbestritten; eben so ist deutlich
bestimmt, wer die Regentschaft zu übernehmen hat. Größere Schwierigkeiten aber
bietet die Bestimmung von den „sonstigen Verhältnissen von Geistes- oder körperlicher
Beschaffenheit" eines Regenten, welche die Regentschaft nöthig machen. Uebrigens
sind die Regentschaften in den europäischen Staaten nur selten.

Regesta s. Acten.

Regicides, Königsmörder, wurden in Frankreich von der ultraroyalistischen
Partei diejenigen genannt, welche für den Tod Ludwigs XVI. im Nationalconvent
gestimmt hatten. Noch 1816 mußten diejenigen der R., welche während der hun-
derttägigen Regierung Napoleons (vom 20. März 1814—21. Juni) für die Gesetzacte gestimmt oder vom Kaiser Aemter und Belohnung angenommen hatten, binnen einem
Monat ihre Güter verkaufen und Frankreich bei Strafe der Deportation verlassen.

Regie wird in Frankreich eine mit Verantwortlichkeit und Rechnungsablegung verbundene Verwaltung genannt. Auch in Deutschland wird das Wort in diesem Sinne gebraucht, seitdem man angefangen hat, Steuern und Gefälle zu verpachten. Die Mißbräuche der R. sind sehr groß und anerkannt. Bei dem Theater ist R. die Verwaltung der Bühne.

Regierung, früher auch Obrigkeit genannt, bezeichnet die Gesammtheit der Staatsbehörden, welche mit irgend einer öffentlichen Gewalt bekleidet sind, in ihrer Verbindung und Unterordnung gegen das souveraine Oberhaupt. Der Regierung steht in diesem Sinne das Volk als Gesammtheit der Gehorchenden gegenüber. Gewöhnlich werden aber unter R. nur die höheren Behörden verstanden, das Ministerium; auch nennt man den Staat selbst wohl die R., wie z. B. die bairische R. ꝛc. Noch endlich wird das Wort R. und Regierungsgewalt für den Inbegriff derjenigen Thätigkeiten des Staates gebraucht, welche am häufigsten bei den Regierungsbehörden vorkommen. (S. Staat und Staatsgewalt).

Regierungsgewalt s. Staatsgewalt.

Regierungsantritt s. Huldigung und Succession.

Regierungsformen s. Staatsverfassung.

Regierungsnachfolge s. Succession.

Regierungsrechte s. Staatshoheitsrechte.

Regiment ist in der Militärsprache die Bezeichnung für eine größere Masse Soldaten; ein R. ist aus mehreren Schwadronen, bei der Reiterei, oder Bataillonen, bei dem Fußvolk zusammengesetzt. Die Stärke eines R. ist daher verschieden; gewöhnlich besteht es aus 3—4000 Mann.

Register, ein Verzeichniß der Eingaben oder mündlich angebrachter Sachen; derjenige, welcher das Eintragen der Eingaben oder die Aufnahme des mündlich Angebrachten (Registratur) besorgt, heißt Registrator.

Registraturwissenschaft ist der Inbegriff der Regeln, nach welchem ein aus gerichtlichen Acten bestehendes Archiv, so wie die Aufsammlung der laufenden Acten zu ordnen ist. Die R. gehört zur Archivwissenschaft.

Reglement nennt man in der Militärsprache eine Vorschrift, welche die Befehle zur Ausführung des in den Garnisonen vorkommenden Dienstes, die Bestimmungen der beim Exerciren vorkommenden, zu befolgenden Vorschriften und das Verhalten der Truppen vor dem Feinde enthält.

Regredienterbin. Man war früher nicht einig darüber, ob bei dem Erlöschen im Lehn- und Privatfürstenrecht eines Mannesstammes und dem Anfall der Succession (s. d.) an die weibliche Linie dem nächsten Verwandten des letzten Besitzers der Vorzug gebühre, oder ob nicht vielmehr die Erbfolge an die früher ausgeschlossenen Töchter des ersten Erwerbers zurückgehen (regrediren) müsse, welche (Töchter) Regredienterbinnen genannt wurden. In der neueren Zeit verdankte einem solchen Streite bekanntlich der österreichische Erbfolgekrieg seinen Ursprung. In den neueren Verfassungen ist die Sache nicht zu Gunsten der R. entschieden.

Regreß, Rückgang, wird die Aufforderung zur Vertretung oder Schadloshaltung an denjenigen genannt, von dem man ein gewisses Recht zu verlangen hat, wenn dieses anderweit nicht hat zur Geltung gebracht werden können, oder auf dessen Grund hin man nachtheilige Handlungen unternommen hat, ohne daran selbst Schuld zu haben.

Regulirte (regulates) werden in der katholischen Kirche alle diejenigen genannt, welche sich durch ein Gelübde verpflichten, nach einer gewissen Regel zu leben, demnach alle, die einem Orden angehören.

Rehabilitation, Restitution, s. Wiedereinsetzung in den vorigen Stand.

Reich. Unter diesem Worte versteht man im Allgemeinen eine große Menge von Dingen, die zufolge eines allgemeinen Grundsatzes (Princips) mit einander in

Verbindung stehen. So in den Naturwissenschaften. Im Besonderen werden große Staaten Reiche genannt, wenn sie ein monarchisches Oberhaupt an der Spitze haben. Im engern Sinne verstand man unter R. das deutsche Reich, und im engsten den oberrheinischen, bairischen, schwäbischen und fränkischen Kreis. Vergleiche Deutsches Reich.

Reichsabschied oder Reichsregreß wurde die Urkunde genannt, in welcher früher am Schluß der Reichstagsversammlungen sämmtliche Beschlüsse nebst den kaiserlichen Entschließungen zusammengefaßt waren. Von den älteren R. finden sich keine mehr vor; nur seit Kaiser Maximilian I. sind sie aufbewahrt worden. Der letzte Reichstag dauerte von 1663 bis zur Auflösung des deutschen Reiches, 1806.

Reichsacht s. Bann.

Reichsadel s. Adel, Reichsritterschaft.

Reichsämter, Reichserbbeamte, s. Erzämter.

Reichsapfel. Die deutschen Kaiser tragen auf Abbildungen eine Kugel in der rechten Hand, welche mit einem Kreuz versehen ist, als Zeichen der Herrschaft. Diese Kugel heißt der R. Schon bei den Römern galt dieser Gebrauch. Bei feierlichen Gelegenheiten wurde der R. dem Kaiser von einem besonderen Beamten, dem Truchseß, vorgetragen.

Reichsarchive. Diese enthalten alle auf das ehemalige deutsche Reich sich beziehende Urkunden; sie befinden sich gegenwärtig in Wien, (kaiserliche Reichshofarchiv), in Wetzlar (Reichskammergerichtsarchiv), in Regensburg und in Frankfurt a./M.

Reichsarmee. Nachdem die deutschen Herzoge und Fürsten ꝛc. unabhängige Landesherren geworden waren, mußte jeder Reichsstand mit den Seinigen bei einem Reichskriege erscheinen, während der Kriegsdienst früher eine unmittelbare Pflicht gegen das Reich gewesen war. Seit dieser Zeit her, und namentlich seit dem Reichstage zu Worms, 1521, wurde eine Reichsarmee geschaffen, welche damals aus 20,000 Fußgängern und 4000 Reitern bestehen sollte. Später wurde sie um das Fünffache vermehrt, hat es aber nie viel weiter gebracht, als ein Gegenstand der Bespöttelung zu werden.

Reichscollegien hießen die einzelnen Abtheilungen, in welche die deutschen Reichsstände auf den Reichstagen zerfielen. Es gab deren drei: das kurfürstliche, das fürstliche und das reichsstädtische.

Reichsdeputation wurde jeder zur Erledigung gewisser Geschäfte von Kaiser und Reich gewählte Ausschuß genannt. Zu den ordentlichen R. mußten alle Kurfürsten, 15 Reichsfürsten, ein Prälat, zwei Reichsgrafen und sechs Abgeordnete von Reichsstädten zusammen kommen. Die außerordentlichen R. wurden seit der Reformation zur Hälfte aus katholischen und zur Hälfte aus evangelischen Mitgliedern oder Reichscollegien gewählt. Die letzte R. war die am 24. August 1802 niedergesetzte.

Reichsdörfer waren solche Dörfer oder Höfe, die unmittelbar unter dem Kaiser und Reich stunden; sie fanden sich meist in Franken und Schwaben, als den Stammsitzen der Kaiser.

Reichsfürsten waren die Mitglieder des Fürstenstandes im deutschen Reiche. Diese Würde knüpfte sich früher nur an den Besitz eines Reichsfürstenamtes; erst später wurde sie, seit Rudolph I., verliehen. Nach dem 30jährigen Kriege häuften sie sich so, daß ein Unterschied zwischen den wirklichen R. mit Sitz und Stimme im Fürstenrathe und den Titularreichsfürsten gemacht wurde.

Reichsfuß s. Münzwesen.

Reichsgesetze waren im deutschen Reiche die auf dem Reichstage festgestellten gesetzlichen Bestimmungen. Es bedurfte dabei der Annahme von allen drei Reichscollegien und der Sanction des Kaisers. Die R. waren für die Landesherren verbindlich, ließen ihnen aber später die Freiheit, abweichende Landesgesetze zu erlaffen. Die wichtigsten Reichsgrundgesetze waren: 1) die kaiserliche Wahlcapitulation, der Vertrag, wodurch der jedesmalige Kaiser mit dem Kurfürsten übereinkam, wie weit seine Rechte und Pflichten sich erstrecken sollten (f. Wahlcapitulation); 2) die goldene Bulle von 1356 (f. goldene Bulle); 3) die Concordate mit dem päpstlichen Hofe von 1122, 1447 und 1448; 4) der ewige Landfriede, durch welchen das Faustrecht abgeschafft wurde, vom 7. Aug. 1496; 5) die Kammergerichtsordnungen, besonders von 1555; 6) die Reichspolizeiordnungen von 1577; 7) der westphälische Friede; 8) der Friede von Lüneville, 9. Febr. 1801, welchen der Kaiser zwar allein abgeschlossen hatte, der aber vom Reich sofort genehmigt wurde; 9) der Reichsdeputationshauptschluß vom 25. Febr. 1803 hinsichtlich der Säcularisation und Entschädigungen. Er war gleichsam das „Testament" des deutschen Reiches; denn bald darauf, 1806, fiel es in Trümmern zusammen, nachdem Goethe schon 1790 gesungen hatte:

> „Das liebe heil'ge röm'sche Reich,
> Wie hält es noch zusammen?"

Reichsgerichte. Ungeachtet der Vorwürfe, welche man mit einer gewissen Vornehmheit den früheren Reichsgerichten gemacht hat, müssen wir sie doch als Zierden jener Zeit betrachten, nach denen wir uns vergebens sehnen. Die R. bestanden aus dem Reichskammergericht, unter Maximilian I. 1495 geschaffen und dem Reichshofrath, der seit 1501 bestand. Die Streitsachen zwischen Fürsten und Völkern wurden vorzeiten in Deutschland von Richtern entschieden, welche dem kaiserlichen Hofe zu folgen pflegten. Als die Kaiser wegen der Kriege oft von Deutschland abwesend waren, setzten sie Hof- und Landgerichte zur Besorgung der Justizangelegenheiten ein. Mit dem Verfall der kaiserl. Macht erfolgte auch der Verfall der Justizpflege. Kaiser Maximilian I. machte demselben dadurch ein Ende, daß er das kaiserliche und Reichskammergericht einführte, welches seit 1693 seinen Sitz zu Wetzlar hatte. Ein Landfriede ward veröffentlicht, alle Fehden verboten und ein Reichsregiment eingeführt. Dem Reichskammergericht stand ein vom Kaiser gewählter Kammerrichter aus dem Grafenstande vor, dem Präsidenten, Afsessoren, Procuratoren, Agenten und eine sehr zahlreiche Kanzlei beigegeben waren. Das Gericht zeichnete sich durch seinen Sinn für Recht und die Weisheit seiner Sprüche aus. Die Geschäfte wurden in Audienzen vorgebracht und in Senaten bearbeitet. Die Zahl der Afsessoren, welche die Reichsstände präsentiren und unterhalten mußten, sollte 50 sein, je 24 von katholischen und protestantischen Ständen und 2 vom Kaiser ernannte. Doch nie kam die Zahl der Afsessoren auf die Hälfte der Vorschrift, da es an — Gehalt für dieselben fehlte. Dieß war die Ursache der bald folgenden Verwirrung und der Aufhäufung unerlediter Geschäfte. Der Reichshofrath, anfangs mehr ein Staatsrath des Kaisers als ein Gerichtshof, verdankte sein ganzes Dasein, Wahl, Besoldung rc. dem Kaiser, in dessen Residenz er seinen Sitz hatte. Er bestand aus einem Präsidenten, Vicepräsidenten und 18 Räthen, unter denen 6 evangelische sein mußten. Bald hatte der Reichshofrath gleiche Gerichtsbarkeit mit dem Reichskammergerichte; ausschließlich und vorzugsweise kamen ihm alle kaiserlichen Reservatrechte alle Lehnsachen zu. Im westphälischen Frieden ward der Reichshofrath als oberstes zu gleicher Jurisdiction mit dem Reichskammergerichte berechtigtes Reichsgericht hingestellt. Bald zog man es vor, den Reichshofrath zu wählen; die Richter waren zugänglicher, in Geschäftsbehandlung vorzüglicher. Außer diesen zwei höchsten Reichsgerichten gab es noch besondere kaiserliche Hof- und Landgerichte, überall aber die Austrägalgerichte (f. Schiedsgericht), als Reichsuntergerichte. — So lange Deutschland diese Gerichte hatte, beklagte man ihre Mängel und Unvollkommenheiten, ohne ihren Werth einzusehen; jetzt, wo man sie entbehrt, schwinden jene Mängel vor dem viel größeren Uebelstande gänzlicher Entbehrung.

Reichskleinodien oder Reichsinsignien wurden die Kostbarkeiten genannt, welche man bei der Krönung des Kaisers brauchte. Es waren die goldene Krone, das vergoldete Scepter, der goldene Reichsapfel, das Schwert Karls des Großen, das des heiligen Moritz, die vergoldeten Sporen, die Dalmatica und andere Kleidungsstücke. Die Kaiser führten sie früher meist bei sich, bis sie seit 1424 in Nürnberg verwahrt wurden; 1797 kamen sie nach Wien.

Reichsritterschaft. Zu den Gliedern der ehemaligen deutschen Reichsverfassung gehörte der Verein der unmittelbaren Reichsritterschaft, ein Verein adeliger Reichsglieder, welche dem Kaiser und Reich unmittelbar unterworfen waren, ohne förmliche Stände des Reichs zu sein und auf den Reichstagen Sitz und Stimme zu hatten. Die R. bildete sich im 14. Jahrhunderte im südlichen Deutschland und erhielt 1555 ihre Bestätigung; ihre volle Ausbildung aber erst im westphälischen Frieden. Die R. zerfiel in die Ritterschaft des fränkischen, schwäbischen und rheinischen Kreises; jeder Kreis hatte einen Hauptmann, Räthe und Syndikus. Die Reichsritter waren Landesherren, doch nur mit beschränkten Rechten. Den Fürsten des südlichen Deutschlands waren die R. längst lästig gewesen; doch erst die neuere Zeit zerstörte auch diese Einrichtung durch die Stiftung des Rheinbundes. Die Reichsritter behielten aber doch noch größere Rechte, als die Rittergutsbesitzer. Die Bundesacte gestand der R. einen wesentlichen Theil der Rechte der Standesherren (s. d.) zu.

Reichsstädte wurden die Städte im deutschen Reiche genannt, welche unmittelbar unter dem Reiche standen, Landeshoheit in ihrem Gebiet und Sitz und Stimme auf dem Reichstage hatten. Die Städte erlangten diese Reichsunmittelbarkeit (s. d.) durch Loskaufen von ihren Oberherren, durch kaiserliche Verleihung und auch wohl durch Gewalt. Im westphäl. Frieden wurde den damaligen R. ihre Freiheit bestätigt. Die innere Verfassung der R. war sehr verschieden, mehr oder weniger demokratisch oder aristokratisch, je nachdem die Magistrate aus der Bürgerschaft, oder aus dieser und dem Adel, oder aus diesem allein gewählt wurden. Die Verfassung stand unter Aufsicht und Garantie des Kaisers. Durch den Reichsdeputationshauptschluß am 25. Febr. 1803 wurden die R. bis auf Hamburg, Augsburg, Nürnberg, Lübeck, Bremen und Frankfurt a./M. unter die Landeshoheit mehrerer Reichsstände vertheilt. Durch den presburger Frieden, am 4. Mai 1806, verlor Augsburg die Reichsunmittelbarkeit, durch den Rheinbund Frankfurt und Nürnberg; die übrigen wurden 1810 durch Napoleon ihrer Selbstständigkeit beraubt, doch nebst Frankfurt durch den deutschen Bund als freie Städte wieder hergestellt und in denselben aufgenommen.

Reichsstände waren im deutschen Reiche die unmittelbaren Glieder des Reichs, die auf den Reichstagen Sitz und Stimme hatten. Zu ihnen gehörten als geistliche: die geistlichen Kurfürsten, Erzbischöfe, Bischöfe, Prälaten, Aebte, Aebtissinnen, der Hoch- und Deutschmeister und der Johannitermeister; als weltliche: die Kurfürsten, Herzoge, Fürsten, Landgrafen, Burggrafen, Markgrafen, Grafen und Reichsstädte. Nach dem westphäl. Frieden theilte man die R. auch in katholische und protestantische. S. über die neueste Verfassung Deutschlands „Bund."

Reichstag. In der Natur der Sache, der Bestimmung der Menschen und Völker, so wie in dem Zwecke des Staates und der Völker ist das Recht eines jeden Volkes begründet, an seinen öffentlichen Angelegenheiten Antheil zu nehmen und bei allen wichtigen, auf das Wohl des ganzen Volkes Einfluß habenden Fragen eine freie Stimme zu führen. Religion und Vernunft haben dieses Recht von jeher geweiht. Mose, der große und weise Gesetzgeber, gab seinem Volk kein Gesetz, ohne Gott und sein Gewissen gefragt, ohne sein Volk und die Weisesten aus ihm zu Rathe gezogen zu haben. Und so finden wir in der ganzen Geschichte den naturgemäßen Gedanken vorherrschend, daß das, was für Alle Gesetz sein soll, auch nur aus dem freien, verständigen Willen Aller hervorgehen könne. Bei den deutschen Völkern ging zuerst die Gewalt aus von der Gemeinde aller freien Männer; als die einzelnen Völkerstämme

sich mehr und mehr einigten, bildeten sich aus den einzelnen Landesgemeinden die großen Nationalversammlungen oder Reichstage, welche im März und Mai,
später im September, gehalten wurden. Alle Gesetze mußten der Genehmigung des
Volkes unterliegen, welches sie verwarf oder annahm. Nach Karl dem Großen kamen
die Nationalversammlungen in Verfall. Im Laufe der Zeiten bildeten sich nun die
drei verschiedenen Collegien der R. aus: die Kurfürsten, Fürsten und Städte.
Ohne diese durfte nichts über Gesetze, Krieg, Steuern, Befestigungen, Friedensschlüsse
und Bündnisse beschlossen werden. Seit Karl dem V. wurde die kaiserliche Macht
noch durch eine Wahlcapitulation bestimmt und beschränkt, nur daß die dem Kaiser
entrissene Macht nicht auf das Volk, sondern auf die Kurfürsten und Fürsten überging. Im Reichsfürstenrath hatten alle Reichsfürsten persönlich oder durch
Gesandte Sitz und Stimme, die Länder besaßen. Vor 1803 waren 63 weltliche
und 35 geistliche Stimmen. Das reichsstädtische Collegium, in welchem früher
61, nach dem Verlust des Elsasses aber nur 51 Städte Sitz und Stimme hatten,
war in die rheinische und schwäbische Bank getheilt. Seit dem Jahre 1663 wurde
es üblich, daß die Reichsstände nicht mehr in Person erschienen, sondern sich durch
Bevollmächtigte vertreten ließen. An der Spitze der R. stand der Kurfürst von
Mainz, als Erzkanzler des Reichs. Es läßt sich nicht in Abrede stellen, daß die
Mängel dieser Verfassung groß, der Gang der Geschäfte höchst schleppend und das Resultat der Verhandlungen meist sehr gering waren. Aber ein großer Gedanke lag
doch dem Institut zu Grunde, der Gedanke: nicht allein die kleinen, sondern auch alle
großen, wichtigen Fragen des öffentlichen Wohles vor die Stände zu bringen. Es
war ein Organ geschaffen zwischen Fürst und Volk. Wie dieses Institut mit der
Auflösung des Reiches verloren wurde, und durch die Bundesacte keinen Ersatz erhielt,
ist bekannt. Die Nachtheile haben sich davon sehr deutlich gezeigt; und doch hält
die Kabinetspolitik unsrer Tage das Volk noch nicht für reif, um neben den Fürsten-
collegien sich durch seine Gewählten vertreten zu lassen!

Reichsunmittelbarkeit. Es gab früher im deutschen Reiche eine Menge Besitzungen und Personen, welche keiner landesherrlichen Gewalt, sondern dem Reiche
selbst unmittelbar unterworfen waren. Dieses Verhältniß nannte man R. Diese besaßen später, außer den landesständischen Landen selbst, eine Menge größere und kleinere Herrschaften, Stifter, Klöster; ferner der hohe Adel (s. Reichsritterschaft) und
die Mitglieder der höchsten Reichsgerichte. Man legte auf die R. großen Werth;
die reichsunmittelbaren Güter wurden daher sehr theuer bezahlt, da sie ihren Besitzer
zum Souverain machten. Durch die Auflösung des Reichs wurde der R. ein Ende
gemacht.

Reichsverweser, Reichsvicar. Wenn der Kaiser starb und noch kein Nachfolger desselben als römischer König erwählt war, der die Regierung sofort übernahm,
oder wenn der Kaiser auf längere Zeit sich aus dem Reiche entfernte, ferner während
der Minderjährigkeit des Kaisers oder wegen durch Krankheit herbeigeführter Unfähigkeit desselben zum Regieren wurde ein Reichsvicar, Reichsverweser bestellt. In der
goldenen Bulle (s. d.) von 1356 ward es als altes Herkommen anerkannt, daß der
Herzog von Sachsen in den Landen des sächsischen Rechts und der Pfalzgraf bei
Rhein in den schwäbischen, rheinischen und fränkischen Landen das Reichsverweseramt
ausübe. Gewisse Rechte konnten aber die R. nicht ausüben. Aus dem Grabe
wurde dieser längst entschlafene Titel wieder im Jahre 1848 geholt, um den Erzherzog Johann von Oesterreich auf kurze Zeit damit zu schmücken.

Reinigungseid (purgatorium, purgatio canonica). Der Ursprung des R. ist
in dem germanischen Rechte der vorchristlichen Zeit zu suchen. Durch die Anklage
eines freien Mannes wurde immer ein Verdacht begründet, welchen der Beschuldigte
nur durch den Eid entfernen konnte. So die Ansicht der Germanen. Der R. ward
früher an Gerichtsstelle, später aber in einer Kirche, in den ältern Zeiten auf die

Waffen, dann auf Reliquien oder auf das Evangelium geleistet. Der Eid mußte mit Eideshelfern geleistet werden, welche bestätigten, „daß der Eid rein und nicht meineidig sei.“ Aus diesen Eideshelfern bildeten sich im Norden später die Geschworenen. Mit dem Aufkommen des Inquisitionsprocesses im 15. Jahrh. änderte sich die Bedeutung des Reinigungseides. Der Angeklagte verlor den Beweisen des Gerichtes gegenüber die Befugniß, die Anklage durch einen Eid zu beseitigen. Der Richter suchte ein Geständniß zu erlangen, und wenn es mittels der Folter war. Der R. galt nur noch für ein Mittel, bei unvollständigem Beweise die Wahrheit zu erfahren. In diesem Sinne ward er von den kanonischen Rechten und den Reichsgesetzen bestätigt, woraus sich die jetzt noch bestehende Praxis gebildet hat. Dem Angeschuldigten wird der R. durch ein Erkenntniß aufgelegt, gegen welches eine Vertheidigung gestattet ist. Die Ablegung des Eides hat die Lossprechung des Angeschuldigten zur Folge. Der R. ist also nach dieser Ansicht ein geistiges Zwangsmittel: der Angeschuldigte soll gestehen oder einen Meineid auf sein Gewissen laden. Daher haben auch neuere Gesetzgebungen den R. ganz abgeschafft. Bei dem heimlichen Inquisitionsprocesse kann der R. eben als eine Zwangsmaßregel zum Geständniß nur als eine moderne Tortur angesehen werden, während es früher ein Mittel des freien, unbescholtenen Mannes war, den Verdacht von sich zu weisen. Im Sinne des altdeutschen Rechtes wurde der R. nicht auferlegt, sondern es stand dem Angeschuldigten die **Befugniß** zu, sich durch den R. von dem entstandenen Verdacht zu befreien.

Reintegration s. Acten.

Reis-Efendi heißt bei den Türken der Reichskanzler und Minister der auswärtigen Angelegenheiten. Er ist die Hauptperson in der großherrlichen Staatskanzlei und fast immer in der Nähe des Großveziers.

Reiterei oder Cavallerie wird bekanntlich die Truppenart genannt, welche vorzugsweise mit der blanken Waffe zu Pferde ficht. Die Hauptwaffen der R. sind die Lanze und der Säbel, Pallasch oder Degen; doch führt sie auch Karabiner und Pistolen. Man unterscheidet leichte und schwere R., namentlich nach dem schweren oder leichten Schlag der Pferde.

Reitschoß s. Bedemund.

Relation wird der Vortrag genannt, welchen der Referent in einer Justiz- oder Verwaltungssache vor seinem Collegium erstattet. S. Referiren.

Relegation, Verbannung, erfolgte bei den Römern entweder auf Lebenszeit oder auf eine bestimmte Reihe von Jahren. Eine schärfere Strafe war das Exil (s. Landesverweisung). Gegenwärtig wird mit dem Worte R. auf Universitäten die Strafe bezeichnet, durch welche Studirende von einer Universität entfernt werden. Diese R. standen zur Zeit der „geheimen Verbindungen“ in ihrer schönsten Blüthe und raubten manchem deutschen Jüngling sein Lebensglück. Die R. cum infamia, mit Ehrlosigkeit, ist zwar verschwunden, aber eine gleiche Härte fast ist es, daß man einem mit der R. Belegten das Unterkommen auf einer andern Universität fast unmöglich gemacht hat.

Relevanz wird bei einer gerichtlichen Handlung jede Sache von Erheblichkeit, Bedeutung genannt. Unerhebliche Dinge, unbegründete Beschwerden ꝛc. nennt man irrelevant.

Religion. Es ist nicht ohne Bedeutung, daß weder die Urkunden des Judenthums, noch des Christenthums das Wort Religion oder auch nur ein ihm entsprechend ähnliches kennen, sondern daß erst die lateinische Sprache das Wort zu einem Begriff liefern mußte, der so alt ist, als die Menschheit. Die Schriften des A. und N. Testaments enthalten Worte und Ausdrücke, wodurch der gewöhnliche Begriff von R. nur annähernd bezeichnet wird, wie: der Name des Herrn; die Furcht des Herrn; Wahrheit; Glaube u. a.; erst die römische Kirche brauchte in ihrer lateinischen Uebersetzung der Bibel das Wort religio. Die einfachste aus der Geschichte hergeleitete Erklärung der R. ist die, daß sie sei eine bestimmte Art und Weise, ein höheres Wesen zu erkennen und zu verehren. Mit andern Worten ist R. der Inbegriff der Vorstellungen, welche sich der Mensch von Gott macht. Zu diesen Vorstellungen von einem oder mehreren göttlichen Wesen sind alle Menschen gelangt. Die Art und Weise nun, wie sie zu diesen Vorstellungen gelangten, bestimmt zum Theil die verschiedenen Arten der R. Die Vorstellungen von einem Gott oder mehreren göttlichen Wesen, welche der Mensch durch Betrachtung der Natur, durch sein eignes Nachdenken, durch die Thätigkeit seiner Vernunft erlangt, nennt man Naturreligion oder Vernunftreligion. Ihr gegenüber steht die geoffenbarte Religion, oder die Offenbarung. Es giebt nämlich einige Religionsgesellschaften, welche behaupten, Gott habe sich den Stiftern ihrer Religion auf unmittelbare, wunderbare Weise mitgetheilt, sich ihnen offenbart. So behauptet das Judenthum von seinem Stifter Mose; so das Christenthum von seinem Stifter Jesus, so der Islam von seinem Stifter Mohamed. Die geoffenbarten, positiven Religionen haben also noch eine besondere Quelle: die Offenbarung Gottes, welche in ihren Religionsschriften niedergelegt sein soll. Es kann hier nicht der Ort sein, weiter und tiefer in die Untersuchung einzugehen, wie weit sich die Lehre von einer Offenbarung vor der Vernunft rechtfertigen lasse. Die Vernunft wird als das vorzüglichste Geschenk Gottes betrachtet; es ist also rein unmöglich, daß Gott etwas offenbaren könne, was seiner ersten Gabe an die Menschen, der Vernunft widerspräche. Von diesem Standpunkte aus muß sich jede angebliche Offenbarung die Prüfung durch die Vernunft gefallen lassen. Und vor diesem Richterstuhle, vor der Vernunft, haben nun einige Lehren der sogen. geoffenbarten R. weder des Judenthums, noch des Islams, noch auch des Christenthums Stand halten können. Zu allen religiösen und kirchlichen Zerwürfnissen und Spaltungen hat eben die Frage Veranlassung gegeben, ob der Mensch berechtigt sei, mit seiner Vernunft die in Schriften von Menschen niedergelegten angeblichen Offenbarungen Gottes zu prüfen. Jesus hat es gethan, denn er verwarf einen großen Theil dessen, was den Pharisäern als Offenbarung galt. Luther und die Reformatoren haben es gethan, denn sie verwarfen einen großen Theil dessen, was der römischen Kirche als Offenbarung galt, die erleuchtetesten Männer der Neuzeit haben es gethan, denn sie verwarfen und verwerfen einen großen Theil dessen, was den Reformatoren und den symbolischen Schriften als Offenbarung galt. Aus diesen verschiedenen Ansichten sind denn nun auch mit der Zeit verschiedene Religionsgesellschaften entstanden. Eine geschichtliche Darstellung nun von der Entwickelung der religiösen Ideen unter den Völkern heißt Religionsgeschichte. Die Nothwendigkeit der R. für den Staat ist längst anerkannt; sie beruht auf der Nothwendigkeit eines höchsten inneren Gesetzgebers und Oberen. Die R. macht jede Pflicht, also auch jede Bürgerpflicht zur Gewissenssache; der Mensch mit Religion erfüllt seine Pflichten um Gottes willen, während der Mensch ohne Religion sie nur so lange erfüllt, als er dem Zwange dazu nicht ausweichen kann. Wie heilig sollte also dem Staate die Religion sein! Ungläubige und Gottesleugner können keine guten Staatsbürger sein; und doch hat der Staat nicht selten so viel gethan, um die Mutter des Unglaubens, den Aberglauben, zu erziehen und zu ernähren. Mit der Nothwendigkeit der R. überhaupt ist für uns wenigstens zugleich die Nothwendigkeit des Christenthums erwiesen; es hat „die Sanction der Zeit und die Bekehrung der Völker" (s. Christenthum). Dagegen aber ist eine sogenannte eigentliche Staatsreligion (religion de l'état) weder rechtlich noch theologisch denkbar. Man hat es versucht, die Religion als Mittel zu gebrauchen und sie zur Magd des Staates herabzuwürdigen; dieser Mißgriff hat sich aber in der Geschichte stets fürchterlich gerächt, und die jeweiligen Staatslenker mögen sich hüten, ähnliche Mißgriffe zu begehen. Die R. im Menschen ist sich ihres hohen, göttlichen Ursprungs bewußt, und läßt sich nicht ungestraft von der tölpelhaften Hand roher, äußerer Gewalt antasten. In der älteren Geschichte stand die Religion mit der Staatsgewalt nur in einer sehr lockeren Verbindung; durch die Hierarchie der römischen Kirche ist es dahin gekommen, daß die Staatsgewalt auch Geschmack an der Herrschaft über die Gewissen der Menschen bekam. Seitdem die protestantische Kirche sich von Rom losriß und die weltliche Macht einstweilen die Kirchengewalt in die Hand nahm, haben sich die Gelüste derselben, diese Gewalt für immer und uneingeschränkt auszuüben, gezeigt. In den einzelnen Staaten Deutschlands sind die gegenseitigen Verhältnisse der verschiedenen Religionsgesellschaften unter sich, so wie Aller zum Staate festgestellt. Vergl. Kirche, Kirchenverfassung. W.

Religions- und kirchliche Bewegungen in Deutschland, freie Gemeinden. Wir fügen unter diesem Namen dem noch aus der neuesten Geschichte Einiges bei, was bereits in früheren Artikeln dieses Werkes bemerkt worden ist. Vergl. Obscurantismus, Pietismus, Mucker, Frömmelei, Lichtfreunde. An diesem letzten Artikel, „Lichtfreunde," schließen wir noch Folgendes an. Der eigentliche Name dieser „Religionsgesellschaft in der protestantischen Kirche" ist „protestantische Freunde." Die Prediger, Uhlich an ihrer Spitze, welche zu ihnen gehörten, erklärten laut und offen, daß sie nicht aus der protestantischen Kirche scheiden, daß sie nur das ihnen unstatthaft Erscheinende reformiren wollten. Die preußische Regierung ging darauf nicht ein und Uhlich ward im Herbste des Jahres 1847 von seinem Amte in Magdeburg suspendirt. In Königsberg war bereits 1846 die Trennung einer Zahl Protestanten von der Landeskirche erfolgt; sie bildeten, den ehemaligen Divisionsprediger Dr. Rupp an der Spitze, eine „freie christliche Gemeinde," erklärten aber ausdrücklich, daß sie dadurch nicht aus der evangelischen Kirche überhaupt geschieden seien. Diesem Beispiele folgte bald Wislicenus in Halle, Baltzer in Nordhausen und Uhlich in Magdeburg. Die politischen Wirren der letzten Jahre haben die kirchlich-religiöse Bewegung in den Hintergrund geschoben; die neuesten Maßnahmen einiger Regierungen sind nicht geeignet gewesen sie zu fördern. Aber in ganz Deutschland findet eine große Zahl von ihrer Mutter losgerissener Gemeinden, bald als deutsch-katholische, christkatholische, freie christliche oder freie Gemeinden, welche im Jahr 1850 sich durch ein äußeres Band als „Religionsgesellschaft freier Gemeinden" einigten. Die Bewegung ist noch keineswegs beendet; sie ist nur gehemmt durch die Schritte der Reaction. Die Folgen dieser Hemmung dürften aber leicht unheilvoller werden, als selbst die übertriebenste Besorgniß sich die Folgen ihrer Fortentwickelung ausmalte. S. Deutschkatholicismus.

Religionsedict wird jede landesherrliche Verordnung genannt, die sich auf den religiösen Glauben der Unterthanen bezieht. In neuerer Zeit machte sich das R. in Preußen vom 9. Juli 1788 wegen seiner willkürlichen Unterdrückung der Religionsfreiheit bemerklich. Gewisse Verordnungen der neuesten Zeit, wie die Verordnung des sächsischen Kultusministeriums vom 16. Juli 1845, erinnern lebhaft an jene Zeiten.

Religionseid heißt im Allgemeinen der Eid, welchen der Staat denjenigen abnimmt, welchen er das Bürgerrecht oder ein öffentliches Amt ertheilen will. Davon verschieden ist der R. der Geistlichen, welcher den Beweis liefern soll, daß der anzustellende Geistliche dem Religionsbekenntniß der betreffenden Kirche wirklich zugethan ist.

Religionsfreiheit, Glaubens- und Gewissensfreiheit. R. ist die Erlaubniß, welche der Staat verschiedenen Religionsbekennern giebt, ihre Religion öffentlich im Staate zu bekennen und zu üben, ohne dadurch in ihren Rechten als Staatsbürger gegen Andere verkürzt zu werden. In Europa finden sich, mit Ausnahme von der Türkei und Rußland, nur zwei verschiedene Religionen, die christliche und jüdische. Diese letztere ist in allen christlichen Staaten Europa's gestattet, obschon mit größeren oder geringeren Beschränkungen. In der Türkei sind Christen und Juden zwar geduldet, aber vielfach beschränkt. Verschieden von der R. ist in den christlichen Staaten die Confes-

13*

ſionsfreiheit, welche jeder chriſtlichen Religionspartei erlaubt, ihren Glauben öffentlich
zu bekennen und gleiche Rechte mit andern Staatsbürgern zu haben. Das Gegentheil der durch Confeſſionsfreiheit anerkannten Kirche iſt die herrſchende Landeskirche
oder Staatskirche. Die römiſche Kirche duldete bekanntlich keine anderen chriſtlichen
Religionsgeſellſchaften, ſondern ſah ſie als Ketzer an, welche durch die Inquiſition verfolgt wurden. Erſt Friedrich II. von Preußen brachte die Confeſſionsfreiheit zur
wirklichen Geltung, obſchon ſie durch den Weſtphäliſchen Frieden dazu erhoben worden
war. Ihm folgte Kaiſer Joſeph II. in Oeſterreich nach. In der deutſchen Bundesacte wurden gleiche Rechte für Katholiken und Proteſtanten — feſtgeſetzt! In Frankreich und den Niederlanden wurde die Confeſſionsfreiheit anerkannt; in England am
13. April 1829 die Emancipation der Katholiken. S. Glaubensfreiheit.

Religionsfriede. Der unter dieſem Namen bekannte Friede wurde am 23.
Juli 1532 zu Nürnberg von den proteſtantiſchen Ständen unterzeichnet und am
2. Aug. in Regensburg beſtätigt. (S. Bauernkrieg.) Die Proteſtanten erhielten
nichts, was ſie nicht ſchon gehabt hatten, der Kaiſer Alles, was er wünſchte. Man
verpflichtete ſich, gegenſeitig alle Feindſeligkeiten wegen Religionsſachen zu unterlaſſen,
bis zu einem Concilium oder anderweiten Vergleiche. Der R. wurde auch in
den Jahren 1534—45 ſechsmal erneuert, da der Kaiſer die Zeit für ſeine Pläne immer noch nicht gekommen ſah. Als die proteſtantiſchen Stände nun das Concil zu
Trient, 1545, nicht anerkannten und ihr Bündniß durch den Schmalkaldiſchen Bund erneuerten (ſ. d.), begann der Kaiſer den Krieg und ſiegte: Da wurde Moritz von
Sachſen der Retter der proteſtantiſchen Freiheit, indem er den Kaiſer zu dem Paſſauer
Vertrage, 1552, nöthigte. Am 26. Sept. 1555 kam der Augsburger R. zu
Stande; von dieſem war noch die reformirte Kirche ausgeſchloſſen, welche ihre Rechte
erſt im Weſtphäliſchen Frieden 1648 erhielt.

Religionsſchwärmerei ſ. Fanatismus.

Religionswechſel heißt der Uebertritt von einer Religion zur andern. In der
neueren Zeit kommt der R. nur bei einzelnen Perſonen vor. Das Recht, ſeine Religion zu wechſeln, ſteht natürlich einem Jeden frei, ja, es iſt ſogar heilige Pflicht eines Jeden, der gewonnenen beſſeren Ueberzeugung zu folgen und die erkannte Unwahrheit zu verlaſſen. Von dem R. iſt der Confeſſionswechſel zu unterſcheiden, welcher
den Uebertritt von einer chriſtlichen Religionspartei zur andern bezeichnet. In der
jüngſten Zeit geſchah dieſes ſeit der Reformation zum erſten Male wieder mit den
Deutſch-Katholiken; bei dieſen iſt eben ſo wenig von einem Religionswechſel die Rede,
als bei den Zeitgenoſſen Luthers, die aus der katholiſchen Kirche ſchieden, die Rede davon war. Keine einzige chriſtliche Secte iſt glücklicherweiſe im alleinigen Beſitz der
chriſtlichen Religion oder Ideen; dieſe ſind Gemeingut. Der Menſch trennt ſich nur
von dem Menſchenwerk, wenn er von einer Religionsgeſellſchaft zur andern übertritt,
oder Convertit wird.

Reliquien, Reſte, Ueberbleibſel, werden vorzugsweiſe alle die Ueberreſte genannt,
welche die Chriſten von Chriſtus, den Apoſteln oder andern Heiligen der römiſchen
Kirche beſitzen. In der erſten chriſtlichen Zeit hatten dieſe Gegenſtände nur einen geſchichtlichen, religiöſen Werth; ſpäter ſchrieb die katholiſche Kirche den R. Wunder-
kräfte zu, und ſuchte den Aberglauben des Volkes zu benutzen. Heute noch wird in
der katholiſchen Kirche zum Hohne des 19. Jahrhunderts die Verehrung der R. und
der Handel mit denſelben getrieben. Man denke nur an die berüchtigte Ausſtellung
des Trier'ſchen Rockes! Daß mit den R. großer Betrug geübt wird, iſt längſt anerkannt, da nur die wenigſten ihre Aechtheit nachzuweiſen im Stande ſind.

Remonſtranten oder Arminianer iſt der Name für eine Partei in der reformirten Kirche (ſ. d.), geſtiftet von einem gewiſſen Arminius, ſtarb 1609 als Prof.
der Theologie. Er hatte freiere Anſichten als Calvin; ſeine Anhänger überreichten
nach ſeinem Tode den Generalſtaaten 1610 eine Schrift, welche ſie gegen die ihnen

gemachten Vorwürfe vertheidigen sollte. Diese Schrift, „Remonstrantie" genannt, gab ihnen den Namen. Nach der Synode zu Dordrecht (1619) wurden ihre Prediger abgesetzt und verbannt. Viele gingen nach Holstein und gründeten dort **Friedrich-stadt.** Später wurden die R. milder behandelt, ihr Grundsatz, daß sie kein Glaubensbekenntniß, keine symbolischen Schriften haben, daß ihnen die Schrift als einzige Glaubensregel gilt, verdient alle Beachtung und Nachahmung.

Remonte wird der Ersatz von Pferden genannt, welche der Cavallerie und Artillerie jährlich überwiesen wird, um den Abgang von todten oder unbrauchbaren Pferden zu ersetzen. Bekanntlich ist der Bedarf und die Unterhaltung der Pferde bei den „stehenden Heeren" ein sehr kostspieliger Gegenstand.

Remotion ist die Entlassung von einem Amte ohne üble Nebenbedeutung; es giebt eine ehrenvolle R. oder Dimission mit Beibehaltung des Ranges und Titels; eine einfache Entlassung; eine R., welche durch die Schuld des Beamten herbeigeführt ist und endlich Cassation oder Amtsentsetzung zur Strafe.

Remter s. Refectorium.

Renegaten. Ein Renegat ist im eigentlichen Sinne einer, der Etwas ableugnet; vorzugsweise aber werden R. diejenigen genannt, welche von der christlichen Religion zum Mohamedismus übergetreten sind. Endlich versteht man unter R. auch noch den von einem **politischen** Glauben Abgefallenen. Ein solcher Abfall kann sowohl vom Absolutismus zum Liberalismus geschehen, als umgekehrt; diese letzteren Uebergänge sind die häufigeren. Die politische Meinungsveränderung tritt natürlich in den Ländern am meisten hervor, in welchen die bedeutendsten politischen Veränderungen schnell auf einander folgten. Vor allen Ländern steht hier Frankreich seit 1788 voran; hier gab erst der absolute, dann der constitutionelle König, dann der Convent, dann das Directorium, dann das Consulat, dann das Kaiserreich, dann die erste Restauration, dann die hundert Tage, dann die zweite Restauration, dann die Julimonarchie und endlich die Republik und die Präsidentschaft Napoleons Gelegenheit genug, seine wahren politischen Ansichten zu zeigen. Auch Deutschland hat in neuester Zeit seine politischen R. gehabt. Viele, die in den Jahren der Lebensfrische für die Freiheit und Größe des Vaterlandes schwärmten, wurden später ihrem politischen Glauben untreu und stellten sich auf die Seite der Feinde des Vaterlandes und des Volkes. Sie vergaßen die ewig wahren Worte, welche Schillers Posa den Don Carlos sagen läßt:

> — „Sagen Sie
> Ihm, daß er für die Träume seiner Jugend
> Soll Achtung tragen, wenn er Mann sein wird;
> Nicht öffnen soll dem tödtenden Insecte
> Gerühmter besserer Vernunft das Herz
> Der zarten Götterblume — daß er nicht
> Soll irre werden, wenn des Staubes Weisheit
> Begeisterung, die Himmelstochter, lästert."

Wie Viele stellten sich 1848 unter das schwarz-roth-goldene Banner und glühten für die große, heilige Sache des Vaterlandes; als es aber galt, dem Gefühle Wort und That folgen zu lassen, als es galt, über der Heiligkeit der Sache schnöde Sonderinteressen zu übersehen, und im Dienst der großen, heiligen Idee zu bleiben — da achteten sie die Träume ihrer Jugend nicht mehr, da lästerten sie die „Himmelstochter Begeisterung" und wurden politische Renegaten. S.

Rente wird eigentlich die Mehreinnahme genannt, welche z. B. von vier productiven gleichartigen Theilen drei vor dem letzten vierten gewähren, dessen Ertrag nur der gewöhnliche Gewinn von dem Kapital ist. Auch nennt man noch den Zins eines unaufkündbaren Kapitals R. Ist der Vertrag von einem Einzelnen mit einem Andern oder einer Gesellschaft abgeschlossen, so heißt der Zins Leibrente. Diese Gesellschaften heißen Rentenanstalten und haben sich seit 1825 in mehreren bedeutenden Städten gebildet.

Renunciation f. Verzicht.

Repealassociation, der Verein für Widerruf heißt die von O'Connel zu Dublin gestiftete Verbindung, welche die Auflösung der Union Irlands mit England hinsichtlich der Gesetzgebung zum Zweck hatte. O'Connel ging von dem Grundsatz aus, daß Irland nur Gerechtigkeit durch die Wiederherstellung seines eigenen Parlaments erlangen könnte. Sein Zweck war nun, die Verbreitung dieser Ansicht und die Auflösung der Union. Nach vielen Kämpfen legte O'Connel der Verbindung 1840 den Namen „Loyals nationale R." bei und die Bewegung ging immer weiter. O'Connel berief Volksversammlungen; die erste dieser Riesenversammlungen (Monster-meetings) mit 150,000 Mitgliedern, ward am 16. März 1843 zu Trim abgehalten, in welcher O'Connel wiederholt auf den friedlichen, gesetzlichen Weg hinwies, auf dem man das Ziel erreichen würde. Endlich leitete die Regierung einen Proceß gegen ihn ein, in Folge dessen O'Connel zu einjähriger Haft verurtheilt ward. Später schied O'Connel aus dem Vereine aus.

Repli ist in der Militärsprache ein Stützpunkt, auf welchen sich Truppen ziehen können, um dem Feinde Widerstand zu leisten. Zu einem R. wählt man einen Ort, welcher die Hülfsmittel zur Vertheidigung bietet.

Replik s. Duplik.

Reporter heißen in England die Berichterstatter, welche im Auftrage von Zeitungsredactionen den Verhandlungen des Parlaments, des Gerichtshofes ꝛc., beiwohnen, um darüber den betreffenden Blättern Berichte zu geben, welche oft die ganzen gehaltenen und durch die Schnellschreibekunst aufgenommenen Reden enthalten.

Repräsentationsrecht wird im Erbrechte (f. d.) das Eintreten in die Reihe eines bereits verstorbenen Ascendenten (Mitglieder aufsteigender Linie) genannt. Das deutsche Recht hatte früher den Grundsatz: „Je näher dem Sipp (Stamm), je näher dem Erbe" aufgestellt, und ließ die Kinder verstorbener Kinder nicht mit den noch lebenden Kindern erben. In der neueren Gesetzgebung sind wesentliche Veränderungen eingetreten.

Repräsentativsystem. Repräsentatives, constitutionelles und landständisches System hat man bisher für gleichbedeutend gehalten; und doch haben die Worte eine andere als ihre ursprüngliche Bedeutung erhalten. Repräsentativ heißt nicht mehr jede Verfassung, der zu Folge das Volk Vertreter, Repräsentanten wählt, sondern man bezeichnet damit auch solche Verfassungen, in denen der Grundsatz der Volksherrlichkeit, Volkssouverainität, vorherrscht. Ebenso bezeichnet Constitution nicht blos Verfassung, sondern man versteht darunter auch die Verfassung, bei welcher der Grundsatz der Volksherrlichkeit nicht vorherrscht. Die Repräsentativverfassung ist die Hauptgattung; die constitutionelle Regierung nur eine Unterart derselben; die erstere besteht da, wo die Constitution die vollziehende Gewalt der Controle einer oder mehrer Versammlungen unterwirft, die mehr oder weniger vollständig das Land repräsentiren. Sie ist die vollständigste, wenn sie die gegenseitige Unabhängigkeit der drei Staatsgewalten, der gesetzgebenden, vollziehenden und richterlichen, aufrecht erhält. Bekanntlich theilt man die Regierungsformen in republikanische, constitutionell-monarchische, absolut-monarchische und despotische. Diese Eintheilung ist nicht ganz richtig; denn in der Republik Venedig herrschte z. B. das repräsentative System weit weniger vor, als in den constitutionellen Monarchien England und Belgien. Bei den verschiedenen Verfassungsformen treten nur zwei Grundgesetze hervor: entweder hat man die Ansicht, daß alles, Land, Leute, eines Einzigen wegen da sind, welcher Einzige zur Beherrschung Aller von Gott eingesetzt ist, darum auch nur diesem und nie dem Volke verantwortlich ist, und deshalb von dem Volke in seiner Machtvollkommenheit nicht beschränkt werden darf — das ist die Regierung von „Gottes Gnaden;" oder man hat die Ansicht, daß das Wohl Aller im Staate als höchstes Gesetz gelte und daß die Mittel zur möglichster Erreichung dieses Wohles durch die Gesammtheit selbst auszuwählen und nach den Beschlüssen der Mehrheit festzusetzen sind. Diese letztere Ansicht führt zur wahren Repräsentativregierung. Das erste System steht in seiner Blüthe in China und Japan: das andere in den „Nordamerikanischen Freistaaten." Zwischen diesen beiden Systemen hat man nun ein Mittelsystem zu bilden gesucht, das constitutionelle, welches aber keineswegs gleichbedeutend mit repräsentativ ist. In England z. B. hat das repräsentative System, ungeachtet des Bestehens der Monarchie, entschiedener gesiegt, als in mancher Republik, denn factisch herrscht das Parlament und nicht das Staatsoberhaupt. Das absolutistische Princip „von Gottes Gnaden" mit landständischen Verfassungen waltet gegenwärtig in den meisten deutschen Staaten vor. Das Staatsoberhaupt vereinigt beinahe unbedingt alle Rechte der Nation in seiner Person. Die verfassungsmäßigen Beschränkungen bestehen mehr scheinbar, als in Wirklichkeit. Die Nationalversammlung in Frankfurt versuchte durch die Einführung der „Grundrechte" und der „Reichsverfassung" in dieses System das wahrhafte repräsentative Element zu bringen. Es ist bekannt, wie dieser Plan an der Reaction zu Grunde gegangen ist.

Repressalien und **Retorsion** bezeichnen eine Wiedervergeltung, aber mit dem Unterschied, daß Repressalien ein völkerrechtswidriges, Retorsion aber ein völkerrechtsmäßiges, aber unbilliges Verfahren des andern Theils voraussetzt. Repressalien kommen meist nur im Kriege, Retorsionen in friedlichen Zeiten, z. B. bei Zollverhältnissen, vor.

Reproduction s. Wiedererzeugung.

Republik. Selten ist ein staatsrechtlicher Begriff von dem Sprachgebrauche und der Unkenntniß schlimmer entstellt und mißdeutet worden, als das Wort R. Selbst gebildete Männer, selbst Staatskundige und Staatsbeamte, fühlen sich von einem Schrecken ergriffen, wenn sie das Wort R. hören, sie, die meist mit Lust und Vergnügen das herrliche Werk Platons „die Republik" studirten. Sehen wir also diesem Gespenst der Gegenwart etwas schärfer in das Angesicht. Man hatte sich früher gewöhnt, das fremde Wort R. mit „Freistaat" zu übersetzen und dachte sich darunter einen Staat von nicht monarchischer Verfassung. Man vergaß dabei, daß der Ausdruck R. sich gar nicht auf die Regierungsform bezieht, sondern auf den Grundsatz, auf welchem eine Verfassung beruht. Die zwei lateinischen Worte: „res publica" bezeichneten bei den Römern das „gemeine Wesen," das Gemeinwesen. Die Griechen, welche freistaatliche Verfassungen hatten, haben nur dafür den Ausdruck: der „Staat," die „Stadt." Das Gemeinwesen, die Republik, ist also nichts anderes, als ein Staat, dessen einzelne Glieder zu einem gemeinsamen Zwecke verbunden sind. Ein solcher Staat kann eine demokratische, aristokratische, monarchische Verfassung haben; denn ob Alle, oder einzelne, oder Einer für die Erreichung der Zwecke des Gemeinwesens oder der res publica (Republik) sorgt, das ändert an dem Grundsatze nichts. Es können demnach die Gewalten so vertheilt werden, daß unter einem erblichen Monarchen die Freiheit aller Staatsglieder eben so gesichert ist, als dieß nur unter einer anderen Regierungsform möglich sein könnte. Die Vereinigten Niederlande waren unter ihrem Statthalter eben so gut Monarchie als Republik. Der größte Feind der Volksfreiheit waren stets die „Aristokratien" (s. b.); weit weniger waren es die monarchisch regierten Republiken. Die constitutionelle Monarchie ist nichts weiter als eine Republik mit monarchischer Regierungsform, weshalb auch die Führer der Julirevolution die constitutionelle Monarchie eine „verkleidete Republik" nannten. Werfen wir nun einen Blick auf die Geschichte. Die Staaten Griechenlands und Rom waren R. im eigentlichen Sinne des Wortes, Gemeinwesen zum Schutze allseitiger Freiheit. Auch die ersten deutschen Staaten waren nichts anderes, als R.; nur mit dem Unterschiede, daß hier durch das Klima das öffentliche Leben, der Gemeingeist, nicht so gefördert wurde, als dort, wo eine „ewig heitere Sonne lachte." Der Deutsche fand das Höchste im Familienleben und — sonderte sich ab, wurde daher auch bald Knecht der Römer. Diesen Geist der Ungeselligkeit und Absonderung brachten die Deutschen mit in die Vereinigung ihrer zahllosen Kleinen Gemeinwesen zu einem „römisch-deutschen Reiche." Es war daher ganz natürlich, daß, wo .alle monarchisch regierten Staaten auf Eigenthumsrechten der regierenden Familien beruhten, also dem Grundsatze nach reine Despotien waren, der Ausdruck Monarchie und Despotie nach und nach für gleichbedeutend genommen, die Regierungsform mit dem Verfassungsgrundsatze verwechselt wurde, welche Verwechslung man sehr bald auch auf die Gegensätze übertrug und die monarchische Verfassung für unverträglich hielt mit dem Begriff und dem Wesen einer Republik, d. h. eines auf Anerkennung der Rechte. aller Staatsgenossen gegründeten Staates. Hieraus ergiebt sich nun: 1) daß diese Begriffsverwechslung ein grober Irrthum ist, daß das heutige westliche Europa gar keine Monarchie kennt, welche nicht dem Grundsatze nach eine Republik wäre; 2) das Wesen der Republik hängt nämlich nicht ab von der Regierungsform, sondern von dem Rechte, vermöge dessen die höchste Gewalt ausgeübt wird; es ist also dem Wesen der R. eine mit erblichen Regierungsrechten ausgestattete Aristokratie ihrem Grundsatze nach eben so zuwider, als eine damit bekleidete Monarchie; 3) die erbliche Aristokratie ist also der Darstellung des republikanischen Grundsatzes weit gefährlicher, als eine erbliche Monarchie; 4) darum ist es aber auch für die Erhaltung und das Gedeihen monarchisch-republikanischer Verfassungen nur ersprießlich, daß die Theilnahme des Volkes an öffentlichen Angelegenheiten stets rege gehalten werde. — Eine ganz andere Frage aber ist die, welche Staatsform die beste sei. Man hat von beiden Seiten her es nicht an Mißgriffen fehlen lassen. Diejenigen, welche für die Vertheidigung der sogen. republikanischen Regierungsform einen Verein durchaus moralischer und vernünftiger Menschen voraussetzen, haben allerdings Recht, wenn sie behaupten, daß ein solcher Verein keiner königlichen Gewalt bedürfe. Allein damit ist noch nicht entschieden, welche Staatsform für die Menschen, unter denen wir leben, und von denen keiner ganz gut und ganz vernünftig ist, die beste sei. Diese Frage muß nach den Bildungsstufen der Völker und den Mitteln entschieden werden, welche einem Jeden zur Erreichung des Gemeinwohls zu Gebote stehen. Republikaner ist also Jeder, der im Staate und allen seinen Einrichtungen und Gewalten nur eine Anstalt für den Schutz und die Erhöhung des allgemeinen Wohles erkennt; er wird nicht wollen, daß Einrichtungen bestehen, welche der Mehrzahl der Staatsangehörigen· auf die Dauer zuwider, drückend und lästig sind. Er wird wollen, daß der Wille und die Gesinnung jedes Einzelnen sich über Alles und Jedes frei ausspreche, damit die Wünsche der Mehrheit erkannt und geprüft werden. Der wahre Republikaner wird dem Gesetze gehorsam sein, so lange es besteht. Solcher Republikanersinn ist der Lebensathem aller Staaten, er allein macht sie glücklich, stark und geachtet. Die Inhaber der Gewalt müssen ihn nähren und erhalten; dann wird jede Staatsverfassung sich mit den Gesinnungen und Bedürfnissen des Volkes ändern, aber immer wird das Volk frei und glücklich, immer die Regierung geachtet und stark sein. Wer aber eigensinnig nur in Abschaffung königlicher Gewalt das Glück der Völker sucht, der verwechselt die Form mit dem Wesen, den Schein mit der Sache. Wer gar zur Durchsetzung dieser Meinung Mittel gebraucht, die das Gesetz verbietet, der beweist, daß er ein Republikaner nicht sei, nicht sein könne oder wolle. Die neueste Zeit hat die Belege für die Wahrheit des Gesagten gegeben. Vielen der Republikaner fehlte die republikanische Tugend und Bildung, der eigentliche Kern der Republik. Die demokratische Form der

Das Volk in den unteren Schichten war ohne alle politische und republikanische Tugenden und wurde zu frevelhaften Plänen als Werkzeug gemißbraucht; man verführte es zum Theil durch die gehässigsten lügnerischen Aufreizungen und Täuschungen; man entflammte seine Rachsucht und reizte es zu verbrecherischen Gelüsten. Die Tage des Kampfes haben hier und da es bewiesen, wie ein armes, durch lange politische Unterdrückung entadeltes Volk noch weit entfernt war von den Grundbedingungen einer republikanischen Regierungsform,— von republikanischer Bildung und Tugend. Sollte auch eine freie constitutionell-monarchische Regierungsform an sich nicht vollkom=

ner sein, als eine rein republikanische, so muß sie für das Volk wenigstens als Vor=
schule für diese dienen; daher ist die Beibehaltung der constitutionell=monarchischen
Form zur Erwerbung der Einigung, Freiheit und Macht nothwendig.   I.

Republik, platonische, und ihre Bedeutung für das Staatsleben der Gegen=
wart. Einer der Weisesten, der geistvolle Grieche Platon (geb. zu Athen 429 v. Chr.),
hat bekanntlich eine Schrift „über den Staat" hinterlassen, welche unter dem durch die
ungenaue Uebersetzung: „Platons Republik" herbeigeführten Namen seit länger als
zweitausend Jahren für das gefeiertste Werk über Staat und Staatenverfassung gilt.
Von allen Seiten her hat man die großen, ewigen Ideen Platon's über den Staat
zu verdächtigen gesucht, oder in das Reich der Unmöglichkeit verwiesen. Daher hier
ein Wort darüber. Der platonische Staat ist keineswegs ein Traumbild und, un=
ausführbar; dieses haben die Weisen aller Zeiten anerkannt, unter denen wir nur
auf Kant verweisen, welcher die Einwürfe gegen eine Idee „eine pöbelhafte Berufung
auf vorgeblich widerstreitende Erfahrung nennt." Ein anderes Vorurtheil gegen die
Staatsverfassung des Platon rührt daher, daß man annahm, er habe einen Entwurf
der sogen. Republik im gewöhnlichen Sinne geben wollen, oder eine Anleitung, die
Demokratie auf den Thron zu setzen. Platon wollte weiter nichts, als die Grund=
idee des Staates aufstellen, ohne auf die Form weiter einzugehen. Die Politik
Platons ist keine bloße „Staatsklugheits= oder Pfiffigkeitslehre", wie sie wohl
hier und da zur Mode geworden ist, sondern Staatsweisheitslehre, d. h. die
Wissenschaft von den höchsten Zwecken des Staatslebens. Diese Staatslehre aber ist
für unsre Zeit und unser Volk nicht ohne große praktische Wichtigkeit. Der Lehre
Platons vom Staate liegt die Vergleichung des Staates mit dem körperlichen und
geistigen Organismus des Menschen zum Grunde; die verschiedenen Stände im Staate
werden mit den verschiedenen Seelenkräften des Menschen verglichen. Wie nun im
Menschen alle Kräfte auf ein Ziel hin wirken sollen, so soll auch im Staate Alles
mit der gehörigen Unterordnung des Niedern unter das Höhere für den Zweck der
sittlichen Veredlung arbeiten und so die Seele des Staates, den ächten politischen
Gemeingeist, bilden. Das Ideal dieser Staatslehre war, die menschliche Gesell=
schaft in einen freundschaftlichen Zustand umzubilden; dessen Feinde stets Irrthum und
böser Wille waren. Groß und erhaben ist die Idee Platons, Muster heute noch für
alle Staatsmänner; freilich müssen wir die Zeit und Verhältnisse berücksichtigen, unter
denen er lebte, müssen vor allem berücksichtigen, daß ihm die noch erhabeneren Ideen
des reinen Christenthums nicht zur Seite standen, denen er aber sehr nahe kam.
Platon konnte bei seinem Volke, wo noch die Sklaverei herrschte, das demokratische Prin=
cip nicht zur vollen Geltung bringen, wohin es in unsrer Zeit strebt. Allerdings
unseren praktischen Staatsmännern wollen die Ideen des Platon eben so wenig ein=
leuchten, als die Ideen des Christenthums. Das hat auch Platon gewußt, denn er
sagt ausdrücklich: „Die Philosophen genießen allein die Freiheit, über den Staat
zu denken und zu reden, wie der Geist es sie thun heißt; die Geschäftsmänner
(Staatsdiener) aber dürfen nur so viel davon erfassen, als ihnen zugemessen ist; sie
sprechen nur über ihre Mitsklaven vor dem gemeinsamen Herrn, in dessen Hand
ihr Geschick liegt und zittern dabei fortwährend für ihr eignes Wohl." Die Grund=
sätze jeder Staatsform sind längst von den Weisesten aller Völker ausgesprochen wor=
den; der Hauptgrundsatz aber, welcher für die Menschheit allein von Heil und Segen
sein kann, ruht in der Befolgung der sittlichen Vorschriften des Christenthums. Daß
diese durch die Kirche seit länger als tausend Jahren der Menschheit verkümmert wor=
den sind, und durch Staat und Kirche heute noch verkümmert werden — das ist der
Fluch für das Geschlecht der Menschen, welche längst auf ihrer Bahn weiter vorge=
schritten sein würde, wenn man ihr diesen Himmelsweg nicht zu einem „Lauf mit
Hindernissen" gemacht hätte.

Requetenmeister (Maîtres de requêtes) wurden in Frankreich die Magistrate
genannt, welche über eingegangene Bittschriften, Cassationsgesuche (requêtes) Bericht

und Bescheid zu erstatten hatten. Bei den Parlamenten gab es eine Requetenkammer, welche über die Gesuche entschied. Eine andere höhere Requetenkammer war die des königlichen Palastes; ihre Sachen hießen requêtes de l'hôtel. Diese ganzen Einrichtungen sind natürlich aufgehoben.

Requisition, Requisitionssystem. Requisition wird im Allgemeinen die Aufforderung einer Behörde an eine andere um die verfassungsmäßige Hülfe zur Ausrichtung ihres Amtes genannt. Die Verantwortung lastet auf der Behörde, welche die R. veranlaßt; die requirirte Behörde darf aber nur dann Folge leisten, wenn die Behörde, von welcher die R. ausgeht, wirklich competent und die Handlung selbst verfassungsmäßig ist. Requisitionssystem nennt man im Felde die Maßregeln, welche getroffen werden, um das zur Verpflegung der Armee Nöthige zu erlangen, wenn die regelmäßigen Lieferungen nicht eingehen oder nicht ausreichen.

Rescript heißt eine Zuschrift, die von einer höhern Behörde an eine untere, oder an eine derselben untergebene Privatperson erlassen wird.

Reservatio mentalis, der Vorbehalt in den Gedanken, ist ein jesuitischer Kniff, und besteht darin, daß man den Worten, mit denen man etwas verspricht, in seinem Innern eine ganz andere Bedeutung giebt.

Reservatrecht ist das Recht, durch welches man sich gewisse Bedingungen bei Abschließung eines Geschäftes vorbehält; s. Recht.

Reservatum ecclesiasticum, geistlicher Vorbehalt, wird die Bestimmung genannt, auf welche König Ferdinand 1555 beim Abschlusse des Augsburger Religionsfriedens (s. d.) drang. Jeder Geistliche, vom Erzbischof bis zu dem Geringsten, sollte beim Uebertritt zu dem Protestantismus sein Amt niederlegen. Trotz der Widersetzung der protestantischen Stände wurde das r. e. in den Reichstagsabschied aufgenommen.

Reserve wird in der Militärsprache die Truppe genannt, welche bei einem Gefecht zurückbehalten wird, um erst dann verwendet zu werden, wenn die Nothwendigkeit auf einem Punkte Verstärkung erfordert. Durch die rechtzeitige Herbeiziehung der R. sind oft die bedeutendsten Schlachten gewonnen worden.

Resident s. Gesandter.

Residenz wird der Ort genannt, wo ein regierendes weltliches oder kirchliches Oberhaupt seinen bleibenden Sitz hat. Früher hatten die Residenzen große Vorrechte. In katholischen Ländern wird auch die Verbindlichkeit für Geistliche, am Orte ihrer Präbende (s. d.) zu wohnen, R. genannt.

Responsum, Antwort, heißt vorzugsweise die Entscheidung, welche ein Rechtscollegium auf eine an dasselbe gerichtete Anfrage giebt.

Restauration heißt eigentlich die Wiederherstellung einer Sache in ihren ursprünglichen Zustand. In der politischen Sprache heißt R. die Wiederherstellung der früheren Verhältnisse nach einer Revolution, und ist dann oft mit Reaction (s. d.) gleichbedeutend. In der neueren Geschichte ist die R. bemerkenswerth, welche nach Cromwells Tode 1660 in England vorging; noch merkwürdiger aber die R. in Frankreich nach Napoleons Fall. Am 2. Juni 1814 gab Ludwig XVIII. die Charte, in welcher er alle seit 1789 gehaltenen Grundsätze umfließ. Er datirte sogleich vom 19. Jahre seiner Regierung an; die Revolution, Napoleons Herrschaft, war für ihn gar nicht da gewesen. Der Adel nahm seine frühere Stellung wieder ein, die Geistlichkeit ihre Gewalt und das Volk seufzte unter dem Drucke der — Lächerlichkeit. Karl X. ließ nach dem am 16. Sept. 1824 erfolgten Tode seines Vorgängers einiges fallen; er gab der Presse die Freiheit wieder, welche aber bald, 1827, wieder genommen ward. Ein Staatsstreich folgte dem andern, bis endlich 1830 am 26. Juli durch die berüchtigten Ordonnanzen der letzte fiel, dem sofort ein „Volksstreich" folgte, — die Vertreibung der Bourbonen.

Restitution s. Wiedereinsetzung in den vorigen Stand.

Restitutionsedict wird das Edict genannt, welches Kaiser Ferdinand am 6. März 1629 erließ, worin den Protestanten die Herausgabe aller seit dem Passauer Vertrage 1552 an sich gezogenen unmittelbaren Stifter und Kirchengüter an die Katholiken anbefohlen und die Reformirten vom Religionsfrieden ausgeschlossen wurden. Dieses berüchtigte Religionsedict erregte den tiefsten Unwillen im Volke, rief Gustav Adolph nach Deutschland herüber und wurde der Grund des langjährigen Verwüstungskrieges.

Resurrectionsmänner (Resurrection-men), Auferstehungsmänner, werden in England diejenigen genannt, welche Leichen heimlich ausgraben und sie verkaufen. In England herrscht ein großer Abscheu gegen das Ausliefern der Leichname an Anatomien, weßhalb die Leichen sehr gesucht sind. Seit 1828 hat eine Parlamentsacte das Abliefern der Leichen der im Gefängniß Gestorbenen an anatomische Anstalten gestattet, wenn sie die Angehörigen nicht zurückfordern.

Retardat, Rückstand, wird jede verspätete Geldabgabe genannt, Zinsen, Prozeßkosten ꝛc. Im Bergrecht heißt R. dasjenige bergrechtliche Verfahren, durch welches ein Kurinhaber seines Kuxes verlustig geht, wenn er seine Geldzuschüsse nicht zur rechten Zeit entrichtet.

Retentionsrecht heißt die Befugniß des Besitzers einer fremden Sache, diese nicht eher herauszugeben, bis er wegen Anforderungen, die sich auf diese Sache beziehen, zufrieden gestellt ist.

Retirade s. Rückzug.

Retorsion s. Repressalien.

Retract s. Näherrecht und Recht.

Rettungsanstalten werden diejenigen Anstalten genannt, welche der Staat anordnet, um das Menschenleben aus Gefahr zu retten. Es kommen hier namentlich die Fälle in Betracht, wo das Leben Einzelner durch Feuer, Wasser oder Gasarten in Gefahr kommt. Leider giebt es bis jetzt nur in größern Städten, wie Hamburg, Paris ꝛc.; s. Wohlthätigkeitsanstalten.

Rettungshäuser, Erziehungshäuser für verwahrloste Kinder. Der eigentliche Stifter war Joh. Falk (geb. zu Danzig 1770). Er stiftete zu Weimar 1813 eine „Gesellschaft der Freunde in der Noth," welche den Zweck hatte, sich verlassener und verwilderter Kinder anzunehmen. Gelegenheit gab damals das Verwaistsein so vieler Kinder, deren Väter Opfer des Krieges geworden waren. Im Jahre 1819 wurde das Falk'sche Institut zu Weimar als öffentliche Erziehungsanstalt für verwahrloste Kinder eröffnet. Seitdem vermehrten sich die Rettungshäuser in Deutschland so, daß gegenwärtig wohl über 120 bestehen. Auch Amerika, England und Frankreich haben solche höchst wohlthätige Anstalten.

Reunions, Reunionskammern, wurden die Gerichte genannt, welche König Philipp XIV. von Frankreich zu Metz, Breisach und Besançon errichtete, um zu untersuchen, welche deutsche Länder einst in irgend einer Verbindung mit Frankreich gestanden hätten. Die R. hatte auch das Recht, dem König die Besitznahme der von ihnen bezeichneten Länder zuzusprechen. Auf diese Weise nahm Ludwig Besitz von großen Länderelen, wozu er auch noch Waffengewalt anwendete.

Reuvertrag (pactum disciplinae) wird ein Nebenvertrag genannt, vermöge dessen sich einer der Contrahenten vorbehält, von dem Vertrage wieder abgehen zu dürfen. Bei dem Kaufgeschäft nennt man es Reukauf.

Reveille wird das Signal genannt, welches den Uebergang des Tages zur Nacht und den Wiederanfang der soldatischen Thätigkeit bezeichnet. Es wird Abends und Morgens gegeben.

Revers nennt man die schriftliche Gegenverpflichtung, das Angelöbniß, Dieses oder Jenes zu thun oder zu unterlassen, einen Verwahrungsschein. Reversbriefe, Reverse, Reversalien werden die Versicherungen genannt, in denen ein Fürst beim Antritt seiner Regierung verspricht, die verbrieften Rechte seiner Unterthanen nicht anzutasten. Ueber den Gebrauch dieses Wortes bei Münzen s. Münze.

Revision, Durchsicht, ist im juristischen Sinne ein Rechtsmittel, wodurch die nochmalige Prüfung einer richterlichen Entscheidung verlangt wird. S. Actenver= sendung.

Revolution s. Aufstand.

Revolutionstribunal war der Name des Gerichtshofes, welcher in der fran= zösischen Revolution errichtet wurde. Danton machte am 9. März 1793 im Convente den Vorschlag, ein außerordentliches Criminalgericht einzusetzen; dasselbe sollte mit Con= ventsmitgliedern besetzt werden und alle auf die Revolution sich beziehenden Verbrechen ohne Gestattung einer Appellation richten. Am 11. März fand die Herstellung dieses Gerichtshofes statt, welcher im October den Namen Tribunal revolutionnaire er= hielt. Die Schreckenspartei stellte den berüchtigten Fouquier-Tinville als öffentlichen Ankläger an, der die von Robespierre durch den Wohlfahrtsausschuß gegebenen Be= fehle vollzog. Die Guillotine begann nun ihre Arbeit, so daß vom 11. März 1793 bis 27. Juli 1794 gegen 2800 Personen durch das R. ihr Leben verloren. Auch in den Provinzen wurden ähnliche Tribunale errichtet. Am 23. Mai 1795 wurde es durch ein Decret des Convents aufgehoben, nachdem es seine Thätigkeit schon frü= her eingestellt hatte.

Rhede nennt man einen Ankerplatz in der Nähe eines Hafens. Eine beschlos= sene R. ist durch das angrenzende Ufer vor den herrschenden Winden und dem hohen Seegange geschützt; eine offne R. besitzt diese Eigenschaften nicht; eine reine R. hat einen steinernen Grund, nicht aber eine faule, während eine gute R. die Eigen= schaften einer beschlossenen und reinen hat. Rheder wird derjenige genannt, der ein Schiff zur Frachtfahrt ausrüstet.

Rhein, Rheinlande. Der Rhein ist der schönste und wichtigste Fluß in Mit= teleuropa und spielt in der deutschen Geschichte eine so bedeutende Rolle, daß er hier schon einer Erwähnung bedarf, namentlich um für das Folgende die nöthigen Unter= lagen zu geben. Sein Lauf beträgt 303 Stunden; seine Breite ist zwischen Mainz und Straßburg 1000—1200 Fuß, von da bis Cöln 1200—1400 Fuß und an der holländischen Grenze 2300 Fuß. Die Tiefe beträgt 3 Fuß (bei Basel), bis 20 Fuß (bei Cöln). Die eigentliche Perle Mitteleuropas sind die Rheinlande; sie sind nicht blos bedeutend nach Bodenumfang und Volksmenge, sondern auch durch ihre natürliche Schönheit, durch die geistige Kraft und Tüchtigkeit ihrer Bewohner. Die deutschen Besitzungen auf dem linken Rheinufer sind gegenwärtig der größere Theil der preußischen Rheinprovinzen (368 Qu.=M.), Rheinbaiern, die Pfalz (105 Qu.=M.); Rheinhessen (25 Qu.=M.), das oldenburgische fürstliche Birkenfeld (9 Qu.=M.) und die hessen=homburgische Herrschaft Meisenheim (5 Qu.=M.). Das rechte Rheinufer umfaßt die übrigen preußischen Rheinprovinzen (112 Qu.=M.); Nassau (82 Qu.=M.), die großherz.=hessische Provinz Starkenburg (60 Qu.=M.), Frankfurt (4 Qu.=M.), die kurhessische Provinz Hanau (28 Qu.=M.), Baden (260 Qu.=M.), die größere Hälfte von Würtemberg (200 Qu.=M.), ein Theil des nördlichen Baiern, Franken (400 Qu.=M.). Zusammen 1300 Qu.=Meilen mit einer Einwohnerzahl von über 6 Millionen. Zu den nichtdeutschen Provinzen gehören: der größte Theil der Schweiz (700 Qu.=M.); französische Besitzun= gen (655 Qu.=M.); der größte Theil der Niederlande und Theile von Belgien (650 Qu.=M.), zusammen 2100 Qu.=M. mit 8,300,000 Einwohnern. Diese Bewohner gehören fast durchgehends dem germanischen Stamme an, so wie man auch überall die deutsche Sprache findet, mit Ausnahme der französischen Departemente. Schon vor zweitausend Jahren, als der Rhein die Grenze zwischen Gallien und Germanien bildete, noch mehr aber in den letzten Zeiten der römischen Herrschaft übertraf das Rheinland die meisten andern Gegenden Mitteleuropas an Cultur, Wohlstand und

Bevölkerung. Allenthalben erhoben sich blühende Städte umgeben von wohlangebaue-
ten Fluren. Noch heute findet man die Trümmer von Heerstraßen, Wasserleitungen,
Brücken und andern Monumenten, welche die Römer in riesenhaftem Maßstabe anlegten. Die Züge der Völkerwanderung gingen über die Rheinlande weg und verwüsteten Bildung und Wohlstand. Vandalen, Hunnen und andere Barbaren zertraten
das blühende Land auf lange Zeit. Bei dem Vertrage von Verdün, in welchem ein
Paar Raufbolde, die Nachkommen des Usurpators Karls d. Gr., sich in die damalige
europäische Welt theilten, und die Völker heerdenweise einander zutheilten, ward
das mittlere linke Rheinufer seiner Reben wegen Deutschland zugetheilt, während
im Uebrigen der Rhein die Grenze Deutschlands bilden sollte. Dieses Gebiet vergrö-
ßerte sich endlich bis weit hinein in Gallien. Die Rheinlande waren es, wo die
Mehrzahl der deutschen Kaiser wohnte; hier erreichten die freien Städte ihre höchste
Blüthe; hier entstand deutsches Bürgerthum und der rheinische Städtebund. Leider
wurden aber auch die Rheinlande gar häufig der Tummelplatz wilder Krieger, wie
im 30jährigen Krieg, und in den von Frankreich und Spanien veranlaßten Raubkrie-
gen. Ein eben so großes Unglück war die nach und nach erfolgte Zersplitterung der
Rheinlande in unzählige Herrschaften, so daß die bairische Pfalz in 127 Parzellen
zersplittert wurde. Die Herren derselben wollten alle die Rolle eines Ludwig XIV.
spielen und sogen das zum Theil leibeigene Volk auf das Schrecklichste aus. Den
Schweiß der Unterthanen verpraßten die kleinen Despoten in Paris oder Wien.
Von diesen Uebelständen wurden die Rheinlande mit einem Schlage befreit durch
die französische Revolution; das linke Rheinufer ward Frankreich einverleibt, und unter seine Institutionen gestellt und blühete — wie nie zuvor. Der Wiener Congreß
entschied nach Napoleons Fall über das Schicksal dieser schönen Lande; leider siegte
die unglückselige Idee der Zersplitterung! Der Schlüssel zum ganzen Rheingebiet kam
in fremde Hand und das Herzblatt Deutschlands ward zerrissen.   A.

Rheinbund. Schon in dem Kriege Frankreichs mit Oesterreich im Jahre 1805
hatten mehrere süddeutsche Fürsten sich genöthigt gesehen, sich Frankreich anzuschließen.
Der Friede zu Preßburg, 26. Decbr. 1805, gab den Anlaß zur völligen Auflösung
des deutschen Reiches. Dem Kurfürsten von Baiern und Würtemberg ward die Kö-
nigskrone und volle Souverainetät zu Theil; diese letztere auch dem Großherzog zu
Baden. Die deutschen Fürsten erklärten nun in Masse ihre Trennung von Kaiser
und Reich, und am 12. Juli 1806 ward in Paris der Rheinbund geschlossen,
zwischen Napoleon und 16 der bisherigen süddeutschen Fürsten. Die neue Verfassung dieses Bundes, welche an die Stelle der bisherigen Reichsverfassung trat, bestimmte, daß alle Staaten der verbündeten Fürsten für immer vom Gebiete des deutschen Reichs getrennt und alle deutschen Reichsgesetze innerhalb dieser Staaten aufgehoben, auch alle Titel erloschen wären, welche irgend eine Beziehung auf das deutsche
Reich hatten. Der politische Mittelpunkt und die Repräsentation des Bundes sollte
ein Bundestag in Frankfurt a./M. sein; der Bund sollte in zwei Collegien, das königliche und das fürstliche, getheilt werden, so daß die Könige und Großherzöge zu
dem ersteren, die Herzöge und Fürsten zu dem letzteren gehörten. Der Fürst Primas
(s. d.) ward Präsident des Bundes. Jedes Mitglied erhielt die volle Souveränität,
beschränkt auf die Verhältnisse im Innern des Staates, das Recht der Gesetzgebung,
der oberen Gerichtsbarkeit, der oberen Polizei, der militärischen Conscription und der
Besteuerung. Der Kaiser Napoleon wurde als Protector des Rheinbundes proclamirt und ihm die Ernennung des Fürsten Primas zugesagt. Napoleon leitete die
gesammten auswärtigen Verhältnisse des Bundes; das erste Bundescontingent bestand aus 83,000 Mann; das französische, zum Schutze des Bundes bestimmte, aus
200,000 Mann. Nun ging man an das Werk des Mediatisirens (s. d.); die
Zahl von 300 bisherigen reichsunmittelbaren (s. d.) Ständen schmolz bis auf einige
30 zusammen. Am 6. Aug. 1806 ließ Napoleon den Abschluß des R. bekannt ma-

chen und erklären, daß er zwar nicht ferner das Dasein der deutschen Reichsverfassung, wohl aber die volle Souveränität derjenigen Fürsten anerkenne, aus deren Staaten Deutschland nun bestehe, welchen der Zutritt zum Bunde offen bleibe. An demselben Tage legte Kaiser Franz I. die römisch-deutsche Kaiserwürde nieder, entband alle Stände des Reichs ihrer Pflichten, erklärte seine Reichsländer als frei von allen Verhältnissen zu Deutschland, setzte sich die österreichische Kaiserkrone auf und — empfahl das ehemalige Reichskammergericht (s. b.) den gewesenen Reichsständen zur Unterhaltung. Zu dem R. trat nun noch während des Kriegs mit Preußen, Sachsen, nachdem der Churfürst am 11. Decbr. 1806 den Königstitel angenommen hatte; ihm folgten sofort die sächsischen Herzogthümer, die Fürsten von Schwarzburg, Anhalt, Lippe-Detmold und von Reuß. Das neu errichtete Königreich Westphalen trat ebenfalls bei, so wie die Herzöge von Meklenburg-Strelitz, Schwerin und Oldenburg. Der Bund zählte nun auf 5916 Qu.-M. (gegen 15 Millionen Einwohner und das Bundesheer stieg auf 120,000 Mann. Napoleon nahm dem Bund schon 1810 über 500 Qu.-M. wieder ab. Das Jahr 1813 trennte den Bund, dem der König von Sachsen am längsten, zu seinem Unglück, treu blieb.

Rhetorik s. Redekunst.

Richter, Richterliche Gewalt, Richterliche Stellen (Justiz, Justizverwaltung, Justizstellen). Justiz nennt man im Staate die Anstalt für Erkennen, Handhaben und Vollstrecken des Rechtes als solches. Richterliche Gewalt, Justizgewalt, ist das Recht und die Obliegenheit des Staates zur Errichtung, Pflege und Erhaltung einer solchen Anstalt und zur Fürsorge für deren dem Zweck entsprechende, ungehemmte und vollständige Wirksamkeit. Justizsachen sind alle zur Verhandlung und Entscheidung durch die Justiz- oder richterlichen Behörden entweder nach allgemeinen Grundsätzen geeignete, oder durch positive Gesetze dahin verwiesene Rechtssachen. Die Justizverwaltung im weitern Sinne faßt die Gesetzgebung und (Justiz-)Verwaltung im engern Sinne in sich. Jene setzt die allgemeinen Grundsätze für die Rechtspflege fest, diese hat es mit der Ausführung der allgemeinen Vorschriften, also mit der Errichtung, Besetzung, Beaufsichtigung der Gerichte zu thun. Die Justiz-Gesetzgebung wird in constitutionellen Staaten durch Zusammenwirken von König und Volksrepräsentanten ausgeübt, die Justiz-Verwaltung im engern Sinne steht den verschiedenen Justizstellen zu, deren insbesondere für das Rechtsprechen und den Instanzenzug (s. b.) dreierlei sein müssen: untere, mittlere und höchste. Dieselben werden durch das Justizministerium überwacht, welches zwar in das Rechtsprechen und in die Entscheidung einzelner Fälle sich nicht einzumischen, wohl aber dafür, daß die Gesetzmäßigkeit überall befolgt werde, zu sorgen hat. Die Justiz im strengen Sinne kann nur vom Staate ausgehen; gleichwohl hat das historische Recht (s. b.) auch verschiedene Privat-Justizgewalten geschaffen, welche das vernünftige und allgemeine Staatsrecht verwerfen muß. — Einer der sehnlichsten Wünsche der Völker, namentlich auch der deutschen, ist die Erlangung vollständiger Unabhängigkeit der Justiz- oder Rechtspflege. Zwar sprechen die meisten Verfassungsurkunden sich in ziemlich pomphafter Weise über die Zugestehung der Unabhängigkeit der Gerichte aus; allein im Leben sucht man sie nicht selten vergebens. Selbst der absolute Fürst, Friedrich II. von Preußen, erkannte den Grundsatz der Unabhängigkeit des Richterstandes an; nichtsdestoweniger aber schmähete er die Richter wegen eines erlassenen Urtheils, setzte den Großkanzler ab, ließ die Kammergerichtsräthe auf die Hausvoigtei bringen und die Regierungsräthe auf die Festung schleppen und alles dieß — ohne richterliches Urtheil. Wie ganz anders standen die Reichsgerichte im deutschen Reiche und wie Parlamente in Frankreich da! In der neueren Zeit scheinen allerdings die Richter nicht selten solchen Unannehmlichkeiten dadurch aus dem Wege zu gehen, daß sie sich freiwillig ihrer durch die Verfassungen verbrieften Unabhängigkeit begeben und von den jeweiligen Ministern und vom

Hofwinde treiben laſſen, wie die Windmühlen. Will man in Wahrheit Unabhän= gigkeit der Gerichte, ſo muß man folgenden Anforderungen Genüge leiſten. Nur wirklich angeſtellte Bürger können Richter ſein, ſofern nicht Schwurgerichte ein= treten. Die Ernennung und Beförderung der Richter darf nicht unbedingt der Regierung überlaſſen ſein. In Norwegen iſt die richterliche Gewalt ſo unabhängig, daß das oberſte Gericht ſeine Entſcheidungen in ſeinem eigenen Namen, nicht im Namen des Königs erläßt. Auch müſſen die Richter gegen willkürliche Verſetzungen feſtgeſtellt wer= den, und vor willkürlicher Penſionirung und in Ruheſtandverſetzung geſichert ſein. Eine der Grundbedingungen für die Unabhängigkeit des Richterſtandes bleibt aber ſtets die Oeffentlichkeit der Gerichtsverhandlungen; wo dieſe fehlt, wird ſich jene Unabhängigkeit nie vollkommen herſtellen laſſen. R.

Rittergüter nannte man gewöhnlich den Grundbeſitz, welchen Ritter beſaßen (ſ. Ritterſchaft). Sie beſaßen beſondere Vorrechte, Patrimonialgerichtsbarkeit (ſ. d.), Steuerfreiheit ꝛc. In manchen Staaten durften nur Adelige R. beſitzen. Viele Vor= rechte der R. ſind bereits in conſtitutionellen Staaten verſchwunden, obſchon auch dieſe den Beſitzern der R. als großen Grundeigenthümern einen beſonderen Antheil an der Volksvertretung eingeräumt haben.

Ritterorden ſ. Orden.

Ritterpferde nannte man im Mittelalter die berittene Kriegsmannſchaft, welche die Ritterſchaft dem Reiche zu ſtellen hatte. Später wurde dieſe Verpflichtung in eine Geldleiſtung verwandelt, die aber den früheren Namen beibehielt.

Ritterſchaft ſ. Adel.

Ritterſchlag wurde die feierliche Handlung genannt, durch welche Jemand mit= tels eines kreuzweiſe geführten ſanften Schwertſchlages auf den Rücken zum Ritter gemacht wurde. Der, welcher dieſe Handlung vollzog, mußte Ritter ſein; der, an dem ſie vollzogen wurde, mußte 21 Jahr alt, von adeliger Herkunft ſein und ſich durch Kriegsthaten ausgezeichnet haben. Doch fanden hinſichtlich der Herkunft auch Aus= nahmen ſtatt.

Ritterſpiele ſ. Turniere.

Roboten oder Frohnen (ſ. d.) werden nach dem ſlaviſchen Worte robota, Ar= beit, in Oeſterreich die Hand= und Spanndienſte genannt, welche die Gutsunterthanen der Herrſchaft zu leiſten haben. Die R. wurden ſtets vom Volke auf das Bitterſte gehaßt und gaben zu den blutigſten Aufſtänden in Böhmen, Ungarn und Oeſterreich Anlaß. In neuerer Zeit ſind die R. ermäßigt worden; das Jahr 1848 hatte ſie hier und da gänzlich beſeitigt.

Rodeland, Radeland ſ. Neubruch.

Rodelandzehnten ſ. Novalzehnten.

Rolandsſäulen, Rulandsſäulen, Rutlandsbilder, nennt man ſteinerne Bildſäu= len, einen gewappneten Mann mit dem Schwert in der Hand und zuweilen mit den Reichskleinodien (ſ. d.) ausgeſtattet vorſtellend, welche in einigen norddeutſchen Städten, wie in Bremen, Halle, Magdeburg, auf den Marktplätzen aufgeſtellt ſind. Sie ſtam= men vielleicht aus dem 14. Jahrh., ſtellen den fränkiſchen Helden Roland vor und wurden an den Orten aufgeſtellt, wo früher das „Ding,“ das öffentliche Gericht, ab= gehalten wurde. Ueber den Urſprung des Namens iſt man nicht einig, indem Einige ihn von dem altſächſiſchen Wort Ruge, Rüge, d. h. Anklage, ableiten.

Römiſche Curie ſ. Curie.

Römiſch-katholiſche Kirche ſ. Katholicismus.

Römiſches Recht. „An die Schickſale und Intereſſen Roms wurden durch das Verhängniß viele Jahrhunderte lang die Beſtimmungen des vorzüglichſten Theils der Menſchheit geknüpft“ (Rotteck). Was hier vom römiſchen Staate geſagt iſt, gilt doppelt vom römiſchen Recht, denn es hat den Staat überlebt und lebt und herrſcht noch. Das älteſte unter den Königen entſtandene r. R. wurde von den Patriziern, die eine Art erblichen Geschlechtsadels und den anfänglich herrschenden Stand bildeten, auch nach Vertreibung der Könige und Gründung der Republik geheim gehalten und von den Consuln willkürlich geübt. Sobald die Plebejer (der freie Bürgerstand) ih= ren erfolgreichen Kampf um gleiche politische Berechtigung mit den Patriziern begon= nen hatten, war es eine der ersten Forderungen ihrer zu Recht und Macht gelangten Vertreter, der Tribunen, daß durch eine geschriebene Gesetzgebung der Willkür der Consuln gesteuert und das Recht öffentlich werde. Die Patrizier widerstrebten, die Tribunen drangen durch, und man machte die zehn ernannten Gesetzgeber, decemviri, unter Aufhebung aller bisherigen Beamten, zu Dictatoren (s. d.) bis zu Vollen= dung des Geschäfts. So entstand das berühmte Gesetz der zwölf Tafeln, lex decemviralis, auch schlechthin lex genannt, welches vom Volke in den Centu= rien (der vollen Volksversammlung, bei der beide, die Patrizier und Plebejer, erschie= nen) angenommen und, in Metall gegraben, auf dem Forum öffentlich aufgestellt war. Dieses Gesetz war nicht blos ein neues bürgerliches Gesetzbuch, sondern zugleich Staatsgrundgesetz und blieb in allen folgenden Zeiten die Grundlage des Staats= und Privatrechts der Römer. Cicero sagt von demselben: „ich meine, dieses eine Zwölf= tafelgesetzbuch ist besser als eine Bibliothek voll der Werke aller Philosophen.'' An= ders urtheilt Montesquieu darüber, indem er bemerkt: „Der Geist der Republik hätte es erwarten lassen, daß die Decemvirn nicht die strengen und rohen Königsgesetze in ihr Gesetzbuch aufnehmen würden; allein Männer, die nach der Gewaltherrschaft streb= ten, durften nicht im Geiste der Republik handeln. Das Gesetz enthält die grausam= sten Strafen, z. B. die des Feuertodes, fast lauter Capitalstrafen, Todesstrafe für den Diebstahl u. s. w.'' Diese Härte verschwand indeß mit der Vertreibung der Decem= virn. Zwar wurden jene Strafen nicht ausdrücklich aufgehoben, aber alle jene Be= stimmungen verloren ihre Kraft, als durch die Lex Valeria und später durch die Lex Porcia festgestellt wurde, daß kein römischer Bürger mit dem Tode oder mit körperli= cher Züchtigung bestraft werden dürfe. Nach dem Zwölftafelgesetze bildete sich das r. R. theils durch ausdrückliche Gesetzgebung, theils durch Gewohnheit weiter aus. Aus= drückliche Gesetze waren: 1) die eigentlichen Volksbeschlüsse, leges, als dieje= nigen Gesetze, welche das ganze Volk auf Vorschlag des Vorsitzenden, des Senats, princeps, in den Centurien, comitia centuriata, gebilligt und angenommen hatte; 2) Beschlüsse der Plebejer allein, plebiscita. Sie galten anfänglich nur für die Plebejer; durch die Consuln Horatius und Valerius kam aber ein Gesetz zu Stande, in dessen Gemäßheit sie für das ganze Volk verbindlich wurden, und es wurde dieses Gesetz später noch zwei Mal unter dem Consul Publilius und unter dem Dictator Hortensius erneuert und bestätigt; 3) die Beschlüsse des Senats allein, Sena= tusconsulta. Anfänglich wollten die Plebejer diese nicht ohne ihre Zustimmung gel= ten lassen. Als jedoch die Plebiscita allgemein verbindlich wurden, erkannten die Plebejer auch die Senatusconsulta an, indeß blieb den Tribunen das Recht, von ihrem Veto Gebrauch zu machen. Die hier geschilderten eigentlichen gesetzgebenden Gewalten waren vorzugsweise durch das öffentliche Recht in Anspruch genommen. Die weitere Ausbildung des Privatrechts erfolgte daher hauptsächlich auf praktischem Wege, indem theils altes Herkommen, mores majorum, theils durch Volksmeinung und Sitte sich neu bildende Rechtssätze, consuetudo, theils Gerichtsbrauch, usus fori, ein Gewohnheitsrecht bildeten, was als solches gesetzliche Kraft erlangte. Den wichtigsten Einfluß äußerten hierbei die Rechtsgelehrten durch ihre Gutachten, responsa prudentum, zu deren Ertheilung seit August einzelne ausgezeichnete Juristen mit besonderer Ermächtigung versehen wurden, theils die Prätoren. Der Prätor, Oberrichter des römischen Staates, verwaltete sein Amt nur ein Jahr lang. Das strenge r. R., nach welchem er Recht zu sprechen hatte, jus civile, fand nur auf römische Bürger Anwendung, und zeichnete sich durch starre Grundsätze und eigen= thümliche Formen aus. Je mehr die Römer ihre Herrschaft ausbreiteten und den

römischen Staat zu einem Weltreiche machten, desto mehr wuchs der Verkehr mit den
Nichtrömern, und jene starren Formen und Rechte, auch wenn man sie hätte anwenden wollen, reichten für die Masse von neuen Verhältnissen, auf die sie nicht berechnet
waren, nicht aus. Die Prätoren sahen sich daher genöthigt, neben dem nationalen
Rechte, jus civile, auch noch ein allgemeines natürliches Recht, Grundsätze, welche bei
allen gesitteten Völkern des Alterthums als Rechtswahrheiten anerkannt waren, jus
gentium, zur Anwendung zu bringen, und diese Grundsätze machte jeder Prätor, um
sich von vornherein vor dem Vorwurfe der Willkür und Parteilichkeit und vor etwaigen Angriffen der Tribunen zu schützen, gleich beim Antritte seines Amtes, mittelst
einer besondern Urkunde, Edictum, öffentlich bekannt, „damit die Bürger es wüßten,
wie er allenthalben Recht sprechen würde; und sich vorsehen könnten." Das Gewaltige der Verhältnisse des alten Roms und die Großartigkeit der Rechtsfälle, die stets
öffentlich vor dem Volke verhandelt wurden, führte die edelsten und begabtesten Männer dem Studium der Rechtswissenschaft zu, und „die Ausbildung der letzteren wurde
der eigenthümlichste und wichtigste Theil der ganzen Cultur der Römer." Berücksichtigt man nun die hier geschilderten Bedingungen, unter denen das r. R. entstand,
so wird man die Bemerkung Rottecks „daß die römische Gesetzgebung ihrem vorherrschenden Charakter nach (und abgesehen von den aus besondern politischen, religiösen und
sittlichen Verhältnissen geflossenen Instituten) blos eine positive Verkündung und, wo
es noth thut, nähere Bestimmung des Vernunftrechts sei," schon nach reinen Verstandesfolgerungen für richtig annehmen. Mit dem Verfall des römischen Staats kam
aber auch für das r. R. die Periode des Verfalls. Zwar behaupteten die römischen
Juristen und namentlich eine Schule derselben, die Proculejaner, von Proculus, ihrem berühmtesten Lehrer, so genannt, und von Labeo gestiftet (im Gegensatze zu den
Sabinianern, von Sabinus benannt und von Capito gestiftet, welche mehr den monarchischen Institutionen Geltung zu verschaffen suchten), in ihren wissenschaftlichen
Theorien fortdauernd die großen würdigen Grundgedanken des freien Rom. Allein
in der späteren Kaiserzeit, insbesondere seit der Mitte des dritten Jahrhunderts nach
Christus, ging mit der immer mehr fortschreitenden Zerrüttung des Reichs auch die
Rechtskenntniß unter, und unter dem Drucke des Despotismus und der Sittenverderbniß erlag der alte römische Geist. Die Edicte der Prätoren, die schon unter dem
Kaiser Hadrian vom Prätor Salvius Julianus zusammengestellt und zu einem Ganzen (Edictum perpetuum, welches Hadrian durch einen Senatsbeschluß bestätigen ließ,
und welches nun keine Abänderung weiter erlitt) verarbeitet worden waren, hörten auf
und an die Stelle derselben traten kaiserliche Erlasse, theils allgemeine Verordnungen,
constitutiones generales, theils besondere, personales, welche letztere wieder in mandata,
Befehle an die Staatsbeamten, decreta, Entscheidungen von Rechtsstreitigkeiten und
rescripta, Antworten auf Anfragen, zerfielen. Entsprachen auch die allgemeinen Verordnungen den Grundsätzen eines parteilosen Rechts (insofern nicht die kaiserliche Machtvollkommenheit und das Bestreben, diese immer fester zu gründen, eine Ausnahme her-
beiführten, man denke nur an das berüchtigte Majestätsgesetz der Kaiser Arcadius und
Honorius, das die Kinder mit den Vätern straft u. f. w.), so beruhten doch die besondern Verordnungen häufig auf bloßer Willkür und Parteilichkeit; ein Vorwurf, von
dem selbst Justinian, der große Freund der Rechtsgelehrsamkeit und Begründer des heutigen römischen Rechts, nicht frei ist. Denn Montesquieu berichtet von ihm unter
Bezugnahme auf Prokops geheime Geschichte: „Früherhin sah man wenig Leute
bei Hofe: da aber unter Justinian die Richter nicht mehr unabhängig Recht sprechen
durften, so wurden die Gerichtssäle leer und der Kaiserpalast hallte von dem Geschrei derjenigen wieder, die dort ihre Rechtsgeschäfte betrieben. Alle Welt weiß, daß
dort nicht blos rechtliche Entscheidungen, sondern auch Gesetze verkauft wurden."
Die erste amtliche Zusammenstellung von kaiserlichen Constitutionen ließ der Kaiser Theodosius der Jüngere veranstalten (codex Theodosianus), und im Jahre 438

für das Orientalische Kaiserthum publiciren, während sie in demselben Jahre der Kaiser Valentinian III. auch für den Occident bestätigte. Eine allgemeine Revision und Zusammenstellung aller Rechtsquellen ließ Justinian vornehmen (s. corpus juris). Zuerst hatte er, im Jahre 528, eine neue Sammlung kaiserlicher Constitutionen veranstaltet. Diese erste Sammlung, codex vetus, ist verloren gegangen. Sodann beauftragte er im Jahre 530 eine Commission von 16 Rechtsgelehrten, unter dem Vorsitze des Tribonianus, die Schriften der angesehensten ältern Juristen in einem Auszuge zusam-

abzuändern. Es wurden 2000 Schriften von 39 Rechtsgelehrten zu diesem Behufe benützt, und die Commission beendigte ihr Werk, wobei sie „drei Millionen Zeilen in der Abkürzung bis auf 150,000 vermindert hatte," im Jahre 533.

petuum zusammengestellt, gelangte zugleich mit den Institutionen, die nur zum Unterrichte dienen sollten, und einen kurzen Inbegriff des Rechts enthalten, am Schluße

plicirte codex wieder d
534 unter Aufhebung
langjährigen Regierun
unter dem Titel Nov
bers seit der 5. und
bewirkten Ausgabe
Romani allgemein erhielt. Durch Justinians Eroberungen kam sein Gesetzbuch ziemlich gleichzeitig mit seinem Entstehen nach Italien und ging dort, wegen Fortdauer der Städte, auch in den Zeiten der Barbarei nie ganz unter. Beim Wiederaufleben der Wissenschaft wurde es auf der Universität Bologna gelehrt. Der Ruhm dieser Universität zog die studirende Jugend aller Länder in die dortigen Hörsäle, und von Bologna aus verbreitete sich nun das Römische Recht durch fast alle europäischen Staaten. In Deutschland machte sich die Aufnahme doppelt leicht, weil man das deutsche Kaiserthum als Fortsetzung des römischen ansah, und weil die deutschen Kaiser und Landesherren bald einsehen lernten, wie sehr das römische Recht mit seiner unter den Imperatoren ihm eingepfropften Idee von absoluter Herrschergewalt ihrem Interesse gemäß war. Daher wurde es sofort beim Aufblühen der deutschen Universitäten im 14. Jahrhundert auch auf diesen gelehrt und fand von da in die Gerichte Eingang. Es ist nicht durch ausdrückliches Gesetz eingeführt worden, aber als Gewohnheitsrecht zur Geltung gekommen, und besteht nach gemeinem deutschen Recht bei einigen Lehren als Hauptrecht, bei andern als Hülfsrecht, in welcher letztern Eigenschaft es das deutsche nur ergänzt. Bei Widersprüchen im römischen Rechte selbst haben die Novellen (s. d.) Justinians („der erst des Klägers Gold zu zählen pflegte, und in die Wage dann Novellen legte") den Vorzug vor allen übrigen Theilen, und der Codex mit den kaiserlichen Constitutionen den Vorzug vor den Pandekten und Institutionen. Wie es in den einzelnen deutschen Staaten mit seiner Anwendbarkeit

soweit nicht Tribonian hineingepfuscht hat, ein reicher Schatz von tiefem juristischen, vernünftigen Rechtswahrheiten in Bezug auf alle möglichen Verhältnisse des bürgerlichen und häuslichen Lebens anzutreffen ist, bedarf nach dem Obenbemerkten kaum erst der Erwähnung. Dessenungeachtet kann man nicht sa-

Beibehaltung, sei es nun als Haupt- oder Aushülfsgesetz, wünschenswerth sei, wenn es auch zum Studium immerhin vortreffliche Dienste leisten mag. Es enthält nämlich eine Menge von Bestimmungen, die sich auf römische Staatsverfassung, auf römische Sitten und Gebräuche, auf das römische Beamtenwesen, auf die starren altrömischen Gerichtsformeln, auf den Unterschied zwischen dem strengen, für den römischen Bürger und dem minderstrengen, für den Nichtbürger bestimmten Rechte, auf den Verkehr, den sie mit den Sclaven und durch die Sclaven trieben, u. s. w. beziehen, welche daher nicht mehr anwendbar sind, und welche, weil die Meinungen über die Grenzlinie zwischen dem Anwendbaren und Nichtanwendbaren vielfach von einander abweichen, zu einer sehr fühlbar gewordenen Unsicherheit in Auffindung der Urtheilssprüche Veranlassung geben. Außerdem leidet es an manchen Härten, an übergroßer Begünstigung der fiscalischen Interessen und in strafrechtlicher Hinsicht an einer rein despotischen Willkür, welche, theils insofern die diesfallsigen Bestimmungen als Gesetz zur Anwendung gekommen, theils durch den Geist, den sie hervorgerufen, viel Unheil angestiftet hat. Der größte Schade aber besteht darin, daß es die einheimische Gesetzgebung verdrängt und die Fortbildung und Entwicklung derselben verhindert, zu Umwandlung des altdeutschen öffentlichen und mündlichen Gerichtsverfahrens in dem geheimen Prozeß hauptsächlich mit beigetragen, und, weil in fremder Sprache verabfaßt und seiner ganzen Natur nach nur der Wissenschaft zugänglich, das Volk in völliger Unbekanntschaft mit dem Rechte und der Rechtspflege erhalten hat; eine Unbekanntschaft, die mit hundertfachen Nachtheilen für das geistige und materielle Leben des Volkes verknüpft ist. Und so mag man, wie sehr man auch den wirklichen Vorzügen des r. R. volle Anerkennung widerfahren läßt, doch mit Luden klagen: „In Deutschland hat man die große Erbschaft der Väter unter die Füße getreten und das unselige Vermächtniß der ärgsten Feinde des deutschen eigenthümlichen Volkslebens ergriffen, gehalten und gepflegt, bis man gänzlich fremd geworden war im eigenen Vaterlande und mehr am Sclavenmarkte zu Rom lebte, als am Malberg der deutschen Gaue. Den Teutschen ist Rache geworden für den Ueberfall ihres Vaterlandes durch die Römer — in ihrem Schwerte; den Römern ist Rache geworden für die Zertrümmerung ihres Reichs durch die Deutschen — in ihrem Rechte." —

Es dürfte hier am geeignetsten Orte sein, noch das Nöthige über zwei besondere Gattungen des Rechts beizufügen, welche ihre Bedeutung mehr oder weniger dem römischen Rechte zu verdanken haben: über das gemeine Recht und über das historische Recht. I. Gemeines Recht, allgemeines und Ausnahmsrecht (jus commune et singulare), gemeinschaftliches und besonderes Recht (jus commune s. generale et speciale, particulare). Gemeines Recht wird dasjenige genannt, welches die reine oder strenge Natur des Rechts mit sich bringt; besonderes Recht dagegen dasjenige, welches als Ausnahme von dem strengen Rechte eingeführt wurde. Die Römer gingen von dem Grundsatz aus, daß wegen der vernünftigen freien Natur des Staates und seiner Bürger das allgemeine vom Staate als vernünftig erkannte Recht mit den natürlichen Folgerungen aus demselben die Regel bilde, bis eine von der positiven Gesetzgebung gemachte besondere Ausnahme von demselben oder ein Privilegium erwiesen werde. Solche Ausnahmen dagegen sollten nicht begünstigt, namentlich nicht auf andere Fälle ausgedehnt, sondern genau auf den wörtlich bestimmten Ausnahmefall beschränkt bleiben. — Ein zweiter Gegensatz vom allgemeinen und besonderen Rechte bezieht sich auf die äußere Ausdehnung oder Beschränkung der Gültigkeit der Rechtsbestimmungen. Das gemeine oder gemeinschaftliche Recht bezeichnet nun in diesem Sinne diejenigen Rechtsregeln, welche für den ganzen Kreis der Menschen, für die ganze Menschheit, den ganzen Völkerverein gelten. Besonderes Recht heißt dagegen dasjenige, welches nur für einen Theil des Ganzen, nur für eine bestimmte Gegend, oder für bestimmte Gemeinden, auch nur für bestimmte Klassen (z. B. Juden) und Sachen

14*

den Namen des siebenjährigen Krieges erhielt. Leider haben diese Kriege über Deutschland Verwüstung und Elend in Fülle gebracht; sie waren die letzten Kriege, welche deutsche Brüderstämme gegen einander führten. Friedrich II. machte nach Kaiser Karls VI. Tode Ansprüche auf die vier schlesischen Fürstenthümer Liegnitz, Brieg, Wohlau und Jägerndorf. Ohne Kriegserklärung begann er den ersten schlesischen Krieg (1740—42) und eroberte bald das ganze Herzogthum Schlesien. Bei Mollwitz, 10. April 1741, kam es zur ersten ernsten Schlacht, welche die Oesterreicher zum Rückzuge nöthigte. Marie Theresia mußte sich zu Unterhandlungen entschließen und es kam am 9. Oct. 1741 der Vertrag zu Oberschnellendorf zu Stande, in dem ganz Niederschlesien nebst einem Theile von Oberschlesien Preußen versprochen wurde. Friedrich aber ergriff die Waffen bald auf's Neue, siegte und schloß am 11. Juni 1742 den Frieden von Breslau, durch welchen er Nieder- und Oberschlesien nebst der Grafschaft Glatz erhielt. Schon im Jahre 1744 rückte Friedrich mit 80,000 Mann wieder in Böhmen ein; eroberte am 16. Septbr. Prag und bedrohete bald Oesterreich. Er mußte zwar nach Schlesien sich zurückziehen, erfocht aber am 4. Juni 1745 bei Hohenfriedberg einen so vollständigen Sieg, daß die feindliche Armee nach Böhmen flüchten mußte. Die zweite berühmte Schlacht in diesem Feldzuge war die Schlacht bei Kesselsdorf am 15. Decbr. 1745. Am 25. Decbr. desselben Jahres ward der Friede zu Dresden abgeschlossen, in Folge dessen Preußen in dem Besitz von Schlesien blieb.

Schleuder, eine im Alterthum und Mittelalter übliche Kriegswaffe; besonders spielte sie im ersteren eine große Rolle, indem ganze Völkerstämme, wie die Aetoler, wegen ihrer Kunst im Schleudern berühmt waren. Die Schleuderer bildeten bei den Griechen und Römern mit den Wurfspießwerfern und Bogenschützen die drei Arten der leichten Truppen.

Schleusen sind Bauwerke zur Regulirung irgend eines Wasserstandes. Sie werden, wie in Rußland, von Holz gebaut, oder von Steinen. Der Zweck der S. bestimmt die verschiedenen Arten derselben; so giebt es Stauschleusen oder Flutschleusen, welche den Zweck haben, den Wasserstand bis zu einer gewissen Höhe zu stauen, zu bringen. Kippschleusen sind solche, welche sich von selbst öffnen, sobald der Wasserstand eine gewisse Höhe erreicht hat; Schifffahrtsschleusen werden zum Zweck der Binnenschifffahrt (s. Schifffahrt) angelegt. Diese werden auch Kanäle genannt.

Schlüsselgewalt, Amt der Schlüssel, nennt die Kirche die angemaßte Macht der Sündenvergebung und Sündenbehaltung. Nach der Erklärung Luthers ist die S. die „sonderbare (allerdings sehr sonderbar!) Kirchengewalt, die Christus seiner Kirche gegeben hat auf Erden, den bußfertigen Sündern die Sünde zu vergeben, den unbußfertigen aber die Sünde zu behalten, so lange sie nicht Buße thun." Die Unterlage zu dieser Lehre, die aus der katholischen Kirche stammt, sind die bekannten Stellen Joh. 20, 21—23 und Matth. 16, 19, wo Jesus seinen Jüngern sagt: „welchem ihr die Sünde behaltet, dem sind sie behalten; welchem ihr sie vergebt, dem sind sie vergeben." Die Kirche nahm sich später die Freiheit, dieses im höchsten Falle auf die Apostel beschränkte Wort Jesu auf sich auszudehnen und schuf daraus die Lehre von dem Amt der Schlüssel, von der Absolution, dem Ablaß ꝛc. Leider ist diese Lehrfassung auch in die Bekenntnißschriften der evangelischen Kirche übergegangen, obschon sie praktisch fast überall aufgegeben ist.

Schmähschrift s. Pasquill, Ehre, Beleidigung.

Schmalkaldische Artikel werden die Artikel genannt, welche Luther 1536 zu Wittenberg verfaßte, um sie als Grundlage der Verhandlungen auf der nach Mantua ausgeschriebenen Kirchenversammlung zu nehmen. Wenn das Resultat des Reichstags zu Augsburg (s. Reformation) für die protestantische Kirche kein ungünstiges war, so lag es nicht an dem Willen des Kaisers; aber er mußte die evang-

Beibehaltung, sei es nun als Haupt- oder Unterstützung, es auch zum Studium immerhin vortreffliche Dienste leistet, eine Menge von Bestimmungen, die sich auf römische Sitten und Gebräuche, auf das römische, auf die Gerichtsformeln, auf den Unterschied zwischen und dem minderstrengen, für den sie mit den Sclaven und durch die Sclaven wären, u. f. w.

mehr anwendbar sind, und welche, weil die Meinungen über dem Anwendbaren und Nichtanwendbaren vielfach sehr fühlbar gewordenen Unsicherheit in Ansehung der geben. Außerdem leidet es an manchen Härten, an calischen Interessen und in strafrechtlicher Hinsicht welche, theils insofern die diesfallsigen Bestimmungen kommen, theils durch den Geist, den sie hervorgerufen, größte Schade aber besteht darin, daß es die die Fortbildung und Entwicklung derselben verhindert, öffentlichen und mündlichen Gerichtsverfahrens in mit beigetragen, und, weil in fremder Sprache nur der Wissenschaft zugänglich, das Volk und der Rechtspflege erhalten hat; eine Unbekanntschaft, theilen für das geistige und materielle Leben man, wie sehr man auch den wirklichen verfahren läßt, doch mit Lupen klagen: schaft der Väter unter die Füße getreten Feinde des deutschen eigenthümlichen man gänzlich fremd geworden war in zu Rom lebte, als am Malberg der den für den Ueberfall ihres Vaterlandes Römern ist Rache geworden für die Zertrümmerung in ihrem Rechte." —

Es dürfte hier am geeigneten Ort besondere Gattungen des Rechts weniger dem römischen Rechte und über das historische Recht. I. na h m recht (jus commune et s Recht (jus commune s. g Recht wird dasjenige genannt mit sich bringt; besonders strengen Rechte eingeführt daß wegen der

des 17. sein. In Auffinden des längst vergessen, in der 2. Hälfte mit den Jesuiten

höchsten militärischen vergoldeten halben Stange befestigt ist, herab Pascha's zu, vor deren

und der sie umgebende Raum entlichen Reden gehalten wur nabel (rostra) angebracht. Da-

nern und den mit ihnen verwand misch von Worten aus mehreren llkürliche Ausdrücke kommen, die kein

gilt. Die Römer bezeichneten besonders das Naturrecht (s. d.) als ein gemeines; neuere Juristen und Theologen, vorzüglich im Mittelalter, stellten die Offenbarung der christlichen heiligen Schriften als ein allgemeines für alle Menschen giltiges Recht hin. — In Deutschland hat man bis zur Gegenwart das gemeinschaftliche Recht aller gesitteten und insbesondere das gemeinschaftliche Recht aller germanischen Völker sehr vernachlässigt. Seit Auflösung des deutschen Reiches ist auch das gemeine Recht sehr bedrängt worden. S. deutsches Recht. II. **Historisches Recht.** Im weitern Sinne gehört zu dem h. R. alles Das, was jemals, zu irgend einer Zeit, oder an irgend einem Orte, als Recht gegolten hat oder gilt. Im engern Sinne, und zumal in Bezug auf die großen Fragen unserer Zeit, versteht man unter h. R. das durch einen längeren Bestand gewissermaßen geheiligte, und im engsten Sinne, welcher für die praktische Anwendung der wichtigste ist, vorzugsweise nur dasjenige Recht, welches zur Zeit des Ausbruchs der französischen Revolution factisch bestand. Man unterscheidet dabei nicht, ob es heute wirklich noch besteht, oder ob es durch Umwälzungen außer Geltung gekommen ist. — Nehmen wir das h. R. im engern Sinne, nach welchem es das auf längerem factischen Bestande beruhende ist, ohne Unterschied aber, welches sein Ursprung und sein Inhalt sei, wofern es nur wirklich als Recht behauptet und als solches anerkannt oder geduldet worden ist. Wesentlich ist also das h. R. in diesem Sinne nichts, als der längere Bestand, über dessen Dauer aber aber keine nähere Bestimmung gegeben werden kann. Nur überhaupt, daß die Zeit es geheiligt habe, wird gefordert. — Gegenwärtig beliebt man zu behaupten, daß im h. R. überall nur der Volks- oder Nationalgeist zu erkennen sei; man stellt das h. R. als den Ausdruck der Volksgesinnung oder des Volkswillens einer frühern Zeit hin, und behauptet, es sei frevelhaft, solchem h. R. ein sogen. natürliches oder rein vernünftiges hinzustellen. Diese Vorstellung aber ist falsch und unhaltbar. Das h. R. ist fast nirgends und nie aus dem Volksgeiste hervorgegangen, sondern es hat seinen Ursprung in der Gewalt, in der List, gegenüber einem gedankenlosen, eingeschüchterten und verblendeten Volke. Die Priester- und Despotenherrschaft hat das h. R. geschaffen, nicht aber der Volkswille. Es ist demnach ganz verkehrt, das h. R. unbedingt und blind zu verehren. Das h. R. ist es, welches durch Jahrtausende die Sklaverei gehalten hat; es ist das Kastensystem in's Dasein gerufen und erhalten bis heute. Es hat an die Stelle der natürlichen Gleichheit Privilegien bevorzugter Klassen gesetzt; es hat hier einer Adelskaste dort der wilden Leidenschaft der Massen das Wohl des Staates preis gegeben. Es hat den Priestern Herrscherstühle errichtet, Inquisition, Folter, Brand und Mord und — Censur geschaffen, es hat das „Recht der ersten Nacht" (s. d.) geheiligt und die Würde des Menschen mit Füßen getreten. Auch heut noch hält es h. R. das Matrosenpressen, die Lehnsherrlichkeit und andere Dinge, welche zu dem Alp gehören, welcher die Völker drücket. — Die Neuzeit hat daher den Kampf gegen das h. R. begonnen; zunächst that dieses die französische Revolution. Die Revolution schaart sich unter das Banner des Vernunftrechts und Naturrechts; die Reaction hält ihr historisches Recht in die Höhe. Zwischen beiden stellt sich die Reform als Vermittlerin, aber als rath- und trostlose. Die Aufgabe der Zeit ist demnach: auf dem Wege des Gesetzes und Rechtes Kampf des vernünftigen Rechtes gegen das historische. Dabei muß aber Folgendes festge-

welche unter einem als gültig anerkannten Titel in das Seinige des Erwerbers gekommen sind. Auch das durch Gesetze Erworbene ist unantastbar. Aber keineswegs kann der Grund-

seitigen, das Frische aber noch stehen lassen will. Es kommt hierbei nicht darauf an, ob etwas alt oder neu, sondern ob es gut oder schlecht, recht oder unrecht sei. Der Streit hierüber muß nicht auf dem rechtshistorischen, sondern auf dem vernunftrechtlichen Boden geführt werden, auf jenem einer gesunden, die Bedürfnisse der Gegenwart und Zukunft mehr berücksichtigenden Politik. Nur hier kann er eine befriedigende Entscheidung erhalten. D. L. H.

Romanische Sprachen heißen diejenigen Sprachen, welche sich in einigen der römischen Herrschaft unterworfenen Ländern aus der römischen Volkssprache gebildet haben. Hierher gehören die Länder Italien, Gallien, Spanien, Portugal. Durch die Vermischung mit der germanischen oder deutschen Sprache entstanden wieder eine Menge Dialecte. Im engern Sinne wird romanisch die Mundart genannt, welche man im Kanton Graubünden spricht.

Römermonate wurden im deutschen Reiche die von den Ständen an die Kaiser zu den damals üblichen Römerzügen (f. d.) zu zahlenden Abgaben genannt. Man hatte die persönlichen Dienste später in Geldabgaben verwandelt. Die R. blieben, als die Römerzüge längst aufgehört hatten, als Abgabe.

Römer-Zinszahl, Indiction, nennt man die Art, die Jahre zu zählen, zu welcher das Ansagen (Indiction) gewisser den Römern unter Kaiser Konstantin auferlegten, alle 15 Jahre zu entrichtenden Steuern Veranlassung gegeben hatte. Man zählte also nach dem je 15. Steuerjahr; das erste fiel in das Jahr 313 n. Chr. Die Sache ist längst verlassen, und es ist eine große Abgeschmacktheit, daß man in unsern Kalendern die R. noch erwähnt.

Römerzüge. Deutschland hatte sich so tief vor Rom gedemüthigt, daß die neuerwählten Könige nach Italien reisen mußten, um dort als Kaiser vom Papste gekrönt zu werden und sich von den italienischen Vasallen huldigen zu lassen. Diese kostbaren, prunkvollen Krönungsreisen nannte man R. Otto I. unternahm den ersten 962; Heinrich VI. hielt den glänzendsten 1311. Später, als nicht selten Kriegszüge daraus wurden, hörten die R. auf.

Rosenkranz nennt man bei den Katholiken eine Schnur mit einer Anzahl kleiner Kugeln von verschiedener Größe, um nach denselben die Gebete abzuzählen. Der R. wurde von dem Stifter des Dominikanerordens im 13. Jahrhundert eingeführt, welcher dabei nicht an die Worte Jesu dachte: „Ihr sollt nicht plappern wie die Heiden." Später bildeten sich Rosenkranzbrüderschaften; Papst Gregor XIII. stiftete 1573 das Rosenkranzfest, welches Papst Clemens XI. 1716 zu einem allgemeinen Fest der Kirche erhob.

Rosenkreuzer war der Name einer geheimen Verbindung im Anfange des 17. Jahrhunderts. Der Zweck sollte Verbesserung der Kirche und der Staaten sein. In der That aber beschäftigte man sich mit leeren Träumereien, mit dem Auffinden des Steines der Weisen und ähnlichen Albernheiten. Der Bund war längst vergessen, als ihn die berüchtigten Gaukler Cagliostro und Schröpfer wieder in der 2. Hälfte des 18. Jahrhunderts in Erinnerung brachten. Vielleicht stand er mit den Jesuiten in Verbindung.

Roßschweif. Der R. ist bei den Türken das Zeichen der höchsten militärischen Würde. Er besteht aus einem Pferdeschweif, welcher von einem vergoldeten halben Monde, der an einer oben in eine vergoldete Kugel auslaufenden Stange befestigt ist, herabfällt. Er kommt nur dem Sultan, dem Großvezier und den Pascha's zu, vor deren Zelten er im Kriege aufgepflanzt ist. S. Pascha.

Rostra wurde im alten Rom die Rednerbühne und der sie umgebende Raum auf dem Markte (forum) genannt, von welcher die öffentlichen Reden gehalten wurden. An der Rednerbühne waren erbeutete Schiffschnäbel (rostra) angebracht. Daher ihr Name.

Rothwälsch ist der Name für die den Zigeunern und den mit ihnen verwandten Gaunern übliche Mundart. Es ist ein Gemisch von Worten aus mehreren Sprachen, zu welchen noch selbstgeschaffene, willkürliche Ausdrücke kommen, die kein Uneingeweihter verstehen kann.

Rotte heißen in der Militärsprache mehrere hinter einander aufgestellte Soldaten, während die neben einander stehenden das Glied bilden. Mehrere R. bilden eine Section; drei oder vier derselben einen Zug.

Royalisten werden die unbedingten blinden Anhänger des Königthums genannt, welche dasselbe meist aus selbstsüchtigen Rücksichten in Schutz nehmen und dasselbe veranlassen, auszurufen: „Gott behüte mich vor meinen Freunden."

Rubrum s. Acten.

Rückzoll s. Ausfuhrprämien.

Rückzug, Retirade, ist in der Militärsprache der Ausdruck für die Bewegung, durch welche sich eine Armee von dem Feinde entfernt.

Rüge heißt die gerichtliche Anzeige eines von einem Andern begangenen, gerügten Vergehens, welches sich nicht zur Criminalbestrafung eignet. Früher gab es zur Untersuchung solcher Vergehen Rügengerichte; gegenwärtig werden die R. als Injurienprocesse behandelt.

Ruhe der Staaten. Zu keiner Zeit dürfte es wohl angemessener sein, über den wahren Sinn dieser Worte etwas zu sagen, als jetzt, wo alles, was eine Stimme hat, nach Ruhe ruft. Ruhe, Ruhe! — um jeden Preis, das ist die Losung derer, die mit den Augen nicht sehen und mit den Ohren nicht hören wollen. In der ganzen Natur ist keine Ruhe; Bewegung ist der erste Grundsatz, der durch die Welt geht, immer und ewig Bewegung. Warum also Ruhe im Staatenleben, was doch auch ein Leben ist? Die Ruhe ist stets eine Folge, aber nicht eine Ursache. Wollt ihr also Ruhe haben, so könnt ihr sie augenblicklich erhalten, wenn ihr die Ursachen der Unruhe hinweggeräumt. Aber nur keine falsche Ruhe! Keine faule Ruhe, das wäre für die Völker das größte Unglück! Unser großer Schiller läßt, als König Philipp gesagt hatte:

> „Sehet euch in meinem Spanien um.
> Hier blüht des Bürgers Glück in nie bewölktem Frieden;
> Und diese Ruhe gönn' ich den Flamändern"

den Don Carlos antworten: „Die Ruhe eines Kirchhofs!" Das ist die Ruhe, welche so Viele wollen, welche auch gegenwärtig auf Deutschland lagert und lastet! Und der ehemalige französische General Eickemeyer sagte: „Todtenstille in einem Staate richtet mehr Verwüstung an, als Krieg." — Die wahre Ruhe der Staaten ist die Folge innerer Ordnung, gegründet auf Freiheit und Gerechtigkeit. Es ist dies ein Zustand, den der Producent, der Manufacturist, der Fabrikant, der Steuerpflichtige, den jeder Arbeiter mit Freuden begrüßen wird. Diese Ruhe ist die Brücke zur Herabsetzung der Abgaben und Vermehrung der Einnahmen. Bedauerlich aber ist die Ruhe der Staaten, wenn sie Folge der Erschöpfung nach heftigem innern Kampf und Streit oder von blutigen auswärtigen Kriegen ist. Am allertraurigsten aber ist die Ruhe der Staaten, welche nur aus einstweiliger Befolgung erzwungener Zwangsmaßregeln hervorgeht. Sie gleicht dem scheinbar ruhigen Schlafe eines Bösen, der einige Augenblicke ohne Träume schlummert.

Russische Kirche. Sie stimmt hinsichtlich ihrer Lehre ganz mit der griechischen Kirche (s. d.) überein und erhielt eine von dieser getrennte Verwaltung erst im 16. Jahrhundert. Im Jahre 1589 erkaufte der Czar Feodor Iwanowitsch von dem Patriarchen in Konstantinopel die Gründung eines besondern Patriarchats zu Moskau, dem vier Metropoliten untergeordnet sein sollten. Die Bestätigung des moskowitischen Patriarchen von Seiten des konstantinopolitanischen fiel 1660 auch weg und die russische Kirche stand selbstständig da. Desto mehr mußte sie aber den Arm des Czaaren fühlen; Peter d. Gr. erklärte sich für den Oberherrn der Kirche und übertrug 1721 die oberste Leitung der kirchlichen Angelegenheiten der „heiligen dirigirenden Synode" zu Petersburg. Die Kaiserin Katharina II. nahm der Kirche das lästige Kirchengut und setzte für die Geistlichen geringere Besoldungen ein. Seitdem ist die Kirche in Rußland, so scheinbar wohl es ihr auch gehen mag, stets ein Werkzeug in der Hand der Kaiserpolitik.

Russisches Recht. Das russische Recht ist ein eigenthümliches Ganze, auf welches das römische Recht nie so großen Einfluß gehabt hatte, wie auf die Bildung des deutschen Rechts. Eines der ältesten Gesetzbücher Rußlands ist das Gesetz „Prawda ruskaja" vom J. 1020; unter Iwan III. Wassiljewitsch wurde 1497 das erste vollständige Gesetzbuch entworfen, welches 1644 durch ein neues ersetzt wurde. Seit jener Zeit geschieht die Fortbildung des russischen Rechts durch Ukasen, deren Zahl von 1649 bis zum Tode Alexanders, 1825, sich auf 40,000 beläuft. Alle von den Kaisern angestellte Versuche, diese Gesetze sammeln zu lassen und zu einem Gesetzbuch zu vereinigen, blieben ohne Erfolg, bis Kaiser Nikolaus die Sache wieder aufnahm und es erschien 1830 die erste Gesetzsammlung in 48 Bänden; aus dieser erschien 1833 der Swod, das corpus juris rossici in 15 Bänden, das von 1835 an in Kraft getreten ist.

S.

Sabäismus, eine Religionsform, nach welcher die Himmelskörper, Sonne, Mond und Planeten als Götter verehrt werden. Der S. herrschte namentlich in Aegypten, Arabien, in Asien zwischen den Ländern des Euphrat und Tigris; der S. artete später in einigen üppigen Naturdienst aus, zu dem selbst die Juden nicht geringe Neigung zeigten. Vieles aus dieser ältesten Religionsform ist in die Götterlehre der Griechen und Römer übergegangen.

Sabbath, Ruhetag, wird bei den Juden bekanntlich der siebente Wochentag genannt, welcher nach der Mosaischen Vorschrift der Ruhe gewidmet ist. Der S. beginnt am Freitag Abend und dauert bis zum Abend des Sonnabend.

Sabbatherschnur, Airoph, heißt eine Schnur, welche in jüdischen Orten oder in den von Juden bewohnten Stadttheilen von Dach zu Dach über die Straßen hinweggezogen wird. Innerhalb des durch diese Schnur bestimmten Raumes können die Juden am Sabbath Alles in den Händen und Taschen tragen, was ihnen außerhalb dieses Raumes verboten ist. Die Zerstörung der S. wird streng bestraft.

Sachenrecht s. Realrecht.

Sachsenbuße (emenda saxonica) wird diejenige Entschädigung genannt, welche nach altem sächsischen Rechte derjenige zu fordern berechtigt ist, welcher ungerechter Weise gefangen gehalten wurde. Diese Geldentschädigung muß entweder der Richter, der ohne rechtlichen Grund Jemanden gefangen hielt, oder auch ein Dritter, der unwahre Angaben gemacht hat, leisten. Neben der S. kann noch Schadenersatz verlangt werden; sie beträgt für jeden Tag und jede Nacht 40 Groschen baar Geld. Noch in den letzten Jahren kam in Sachsen ein Fall vor, wo die S. bezahlt werden mußte.

Sachsenjahr wird im sächsischen Rechte der Zeitraum von einem gewöhnlichen Jahre sechs Wochen und drei Tagen genannt, in welchem bewegliche Dinge und einige andere Rechte der Verjährung (s. d.) unterworfen sind.

Sachsenspiegel heißt die Sammlung der Rechtsvorschriften und rechtlichen Gewohnheiten, welche im Mittelalter in Deutschland, besonders in Sachsen, Westphalen,

Friesland, Hessen, Brandenburg, Pommern, Böhmen, Mähren, der Lausitz rechtliche Kraft hatten. Diese Länder hießen daher auch die Länder des sächsischen Rechts. Der S. soll im Jahre 1215 entstanden sein; er besteht aus deutschen Rechtsvorschriften, Urtelssprüchen der Schöppen, auch aus einigen Sätzen des römischen und kanonischen Rechts. Durch den Sachsenspiegel wurde die Verdrängung vaterländischer Gesetze und Gewohnheiten verhindert und der Willkür der Schöppen vorgebeugt. Der S. ist in der alten sächsischen Mundart geschrieben und enthält ein „Landrecht" in drei Büchern und ein „Lehnrecht." Später wurde noch ein „Richtsteig des Land- und Lehnrechts" hinzugefügt. Bald galt der S. trotz der päpstlichen Anfeindungen als allgemeine Regel für rechtliche Entscheidungen und zwar bis weit hinauf in den Norden. Er ist die Grundlage des gegenwärtigen sächsischen Rechts.

Sächsische Frist s. Sachsenjahr und Verjährung.

Sachwalter s. Advokat.

Sacrament wurde bei den Römern der Soldateneid genannt; dann die Caution, die man bei der Anstellung eines Prozesses stellen mußte; endlich jeder den Göttern geweihete Ort. In der christlichen Kirchensprache übersetzte man mit dem Worte sacramentum das griechische Wort mysterion, d. h. Geheimniß, und nun bedeutete S. jede geheimnißvolle Lehre oder Sache. Erst im 12. Jahrhunderte wurde das Wort S. zur Bezeichnung gewisser heiliger Handlungen gebraucht, die man Sacramente nannte. Die römisch-katholische Kirche, so wie die griechische, hat deren s i e - b e n : Taufe, Abendmahl, Firmung (s. d.), Buße (s. d.), letzte Oelung (s. d.), Ordination (s. d.) und Ehe (s. d.). Die Reformatoren nannten S. nur eine von Christus selbst eingesetzte heilige Handlung und behielten nur Taufe und Abendmahl als S. bei. Eigenmächtig machten sie noch den Zusatz, daß der, welcher ein S. begehe, durch sinnliche Mittel und Zeichen gewisser göttlicher Gnaden theilhaftig werde. Der S a c r a m e n t s s t r e i t zwischen Luther und der reformirten Kirche (Zwingli) (s. d.) bezog sich auf die Frage, ob im Abendmahle Christus leiblich oder blos geistlich zugegen sei. Bekanntlich entschied sich die reformirte Kirche für letztere Ansicht und schied dadurch von den Protestanten aus. Die S a c r a m e n t i r e r, wie die Anhänger dieser Schweizeransicht genannt wurden, erlitten nun heftige Verfolgungen, deren sich die protestantische Kirche hätte schämen sollen. Im Reichsabschied zu Speier, 1529, wurden sie mit Strafen bedroht.

Sacrilegium, Kirchenraub, wird die Entwendung einer dem öffentlichen Gottesdienste geweiheten Sache, einer sogen. heiligen Sache (s. d.), genannt. Der Kirchenraub wird härter bestraft, als jeder andere. Auch nannte man jede Handlung S., durch welche Verachtung und Verspottung kirchlicher Gegenstände (Kirchenfrevel, Kirchenschändung, Kirchenentweihung) ausgedrückt wird. Die neuere Gesetzgebung hat andere Ausdrücke für diese Vergehen gewählt.

Sacristei wird ein Zimmer oder Gewölbe in der Kirche genannt, welches theils zum Aufenthalt der Geistlichen, theils zur Aufbewahrung der kirchlichen Bücher und Geräthschaften, so wie auch zu kirchlichen Handlungen (Taufen, Trauungen ꝛc.) gebraucht wird. Sacristan heißt in der katholischen Kirche der jüngere Geistliche, welcher die Schlüssel zur S. hat und die Aufsicht über dieselbe besorgt.

Säcularisation heißt die Verwandlung einer geistlichen Person oder Sache in eine weltliche. Sachen werden säcularisirt, wenn sie die Eigenschaft kirchlicher Güter verlieren und in weltliche Hände kommen. Durch die Reformation waren eine Menge kirchlicher Güter in die Hände der Fürsten gekommen, welche die Verwaltung derselben übernahmen. Im westphälischen Frieden wurden die Erzbisthümer Magdeburg und Bremen, die Bisthümer Halberstadt, Merseburg, Naumburg ꝛc. säcularisirt. Nach der Abtretung des linken Rheinufers (s. Rhein) wurden alle noch übrigen geistlichen Länder in Deutschland säcularisirt und durch sie die erblichen Fürsten entschädigt.

Säcularspiele hießen bei den Römern Festspiele, die ursprünglich tarentinische oder terentinische genannt wurden. Seit 505 n. R. wurden diese Spiele regelmäßig am Schluß eines Jahrhunderts gefeiert.

Säculum ist ein Zeitraum von hundert Jahren. Im Sinne des kanonischen Rechtes zeigt das Wort S. die Welt und das bürgerliche Leben an, im Gegensatz zu der Kirche und den heiligen Sachen. Daher ist die Bedeutung des Wortes Säcularisation (s. d.) gekommen.

St. Simonismus ist der Name einer socialistischen Ansicht in Frankreich, deren Urheber Graf Claude Henri Simon (geb. 1760, gest. 1825) war. Im Alter von 17 Jahren focht er in Amerika unter Washington für die Freiheit und führte später ein vielbewegtes Leben. Die Revolution stieß ihn ab, und er sann über die Mittel nach, für die Gesellschaft eine bessere Verfassung zu gründen. Mit dem größten Eifer warf er sich auf die Wissenschaften, führte dabei aber kein geregeltes Leben. Nach Herstellung der Bourbons schuf er 1814 sein erstes socialistisches Werk über die „Reorganisation der europäischen Gesellschaft," in welchem er sich namentlich der Arbeiter annahm. „Ich schreibe für die Bienen gegen die Hummeln," war sein Ausspruch über sein Werk. Später, 1823, erschien sein „Katechismus der Industrie," in welchem er die Stellung der Arbeiter behandelte, und 1825 sein berühmtestes Werk: „Das neue Christenthum (nouveau christianisme)." Die Grundlage des Christenthums fand er in dem Gebote: „Liebet euch unter einander!" In diesem Gebot fand er den Grundsatz der Gleichheit im gesellschaftlichen, socialen, Leben. So wurde St. Simon der erste Socialist der neueren Zeit. Ueber die weitere Ausbildung seiner Ideen im St. Simonismus vergl. den Artikel: Gesellschaft, Wissenschaft der rc.

Salbung. Das Salben, das Einreiben des Körpers mit feinen, ätherischen Oelen, ist eine uralte Gewohnheit des Morgenlandes. Die Morgenländer salbten sich nicht nur selbst, sondern auch ihre Gäste, und die S. mit wohlriechenden Oelen wurde die höchste Ehrenbezeigung. Die Mosaische Gesetzgebung führte die Salbung der Priester, ihrer Kleider und der gottesdienstlichen Geräthschaften ein. Es sollte durch diese Handlung dem Priester ein nicht auszulöschendes Zeichen, Charakter, gegeben werden, welcher zugleich besondere göttliche Geistesgaben ertheilt. Dieser Gebrauch der Salbung ist auch in die katholische Kirche übergegangen, wo sie mit dem heiligen Salböl (Chrisma) vollzogen wird (s. Priesterweihe).

Salesianerinnen ist der Name für die „Nonnen des Ordens von der Heimsuchung der Jungfrau Maria." Der Name ward dem Stifter desselben entlehnt, dem heil. Franz von Sales, welcher den Orden 1618 stiftete. Ursprünglich war derselbe eine Zufluchtsstätte für Witwen und kränkliche Frauen, erweiterte sich aber in der Folge und machte sich neben den geistlichen Uebungen die Krankenpflege zur Pflicht. Im 18. Jahrhundert hatten die S. 160 Klöster mit über 6000 Nonnen. In Italien, in Wien, Breslau und andern Orten bestehen jetzt noch Klöster der S.

Saline s. Salzwerk.

Salisches Gesetz (lex salica). Das s. G. war das Volksrecht der salischen Franken, schon vor Karl dem Gr. verfaßt. Für die Gegenwart ist es ohne alle Bedeutung.

Salutiren nennt man in der Militärsprache die Handlungen, durch welche Soldaten und Offiziere der niederen Grade den Höhern ihre Achtung bezeigen. Das S. unterscheidet sich von den sogen. Honneurs und der Begrüßung dadurch, daß es nur unmittelbar im Dienste vorkommt und nur Vorgesetzten und der Fahne zukommt. Das S. der Schiffe erfolgt durch eine Anzahl blinder Schüsse oder durch das Auf- und Niederholen der Flagge.

Salve heißt das gleichzeitige Abfeuern einer Anzahl Gewehre oder Geschütze. Sie werden als Ehrenbezeigungen bei Begräbnissen gegeben; auch aus den Geschützen, um das Mauerwerk einer Festung gleichzeitig zu durchbohren; die Infanterie giebt S. in ganzen Bataillonen.

Salvegarde f. Sauvegarde.

Salvus conductus oder **sicheres Geleit** ist ein Rechtsinstitut, durch welches der Angeklagte bei seiner persönlichen Stellung vor Gericht der Nichtverhaftung versichert wird.

Salzwerke oder **Saline** nennt man die Anstalten zur Gewinnung des Kochsalzes. Das Salz wird entweder aus Meerwasser durch Verdunsten an der Sonne gewonnen (Seesalz) oder durch das Versieden sogenannter Salzsoolen, oder aus Steinsalz. Hiernach sind auch die Salzwerke verschieden. Vorzugsweise versteht man unter Salinen die Anstalten, wo das Salz durch das Versieden der Soole gewonnen wird.

Sanction der Gesetze. Der Publication der Gesetze geht in allen absolut-monarchischen Staaten die Sanction der Gesetze voraus. Es ist derjenige Act der gesetzgebenden Gewalt, wodurch der Regent die von ihm an die betreffenden Staatsbehörden zur Genehmigung gegebenen Gesetzentwürfe wiederholt mit seiner Zustimmung versieht und dadurch erst das Gesetz zur Anwendung fähig macht. Dieser Act der S. d. G. fällt mit dem Befehle der Ausfertigung der betreffenden Gesetze zusammen. Nach den Grundsätzen der Repräsentativverfassung kann der Monarch nicht genöthigt werden, ein Gesetz zu geben oder einem von der Volksvertretung gebilligten Gesetzentwurf seine Sanction zu ertheilen, selbst dann nicht, wenn die Kammern den von der Regierung ausgegangenen Gesetzentwurf angenommen haben sollten. Die norwegische Verfassung dagegen, welche der Volksvertretung das Recht der Initiative (s. Gesetzentwurf) zuweist, erklärt den Monarchen für verpflichtet, die Sanction zu ertheilen, wenn ein Gesetzvorschlag auf drei verschiedenen ordentlichen Reichstagen unverändert von der Volksvertretung angenommen worden ist. Wo die Verfassung es nicht ausdrücklich bestimmt, ist der Souverain an keine Frist gebunden, innerhalb welcher er ein von den competenten Staatskörpern begutachtetes oder genehmigtes Gesetz zu sanctioniren oder sanctionirte zu publiciren verbunden wäre. In den constitutionellen Staaten Deutschlands hat der Regent überall das Recht der Sanction, nur daß es häufig in der Verfassung entweder gar nicht ausgedrückt, oder mit dem Worte „erlassen" bezeichnet wird.

Sanction, pragmatische, s. Pragmatische Sanction.

Sansculotten, Ohnehosen, nannte die aristokratische Partei spottweise im Anfang der französischen Revolution die Proletarier (s. d.) von Paris. Bald wurde der Name S. überhaupt zur Bezeichnung eines guten Demokraten gebraucht, verschwand aber später gänzlich.

Sappeurs bilden beim Militär entweder ein eigenes Corps, oder einen Theil des Pioniercorps. Sie haben den Bau der Laufgräben (Sappen) zu leiten; ihre Arbeiten gehören zu den gefährlichsten.

Sarkophag (fleischverzehrend) wurde ursprünglich eine Kalksteinart in Asien genannt, welche die Eigenschaft hatte, die Leichen, welche man in dieselbe legte, binnen wenig Wochen zu zerstören. Man wählte nun diese Steinart zu Särgen und der Name S. wurde nach und nach jedem steinernen Sarge beigelegt. Bei den Alten wurden die Sarkophage mit besonderer Pracht ausgestattet, mit den Bildern der Verstorbenen geziert ꝛc. In der römisch-christlichen Zeit brachte man die Bilder von Christus und den Aposteln auf den S. an. Die Steinsärge dauerten bis in das Mittelalter fort.

Sarter, Zarter, Serter, hieß früher der Aufriß eines neu zu erbauenden Schiffes und der zwischen Rheder und Meister darüber abgeschlossene Contract. Man erkannte früher die Eigenthümlichkeit der Schiffe der verschiedenen Nationen an dem Sarter oder der Bauart; gegenwärtig ist diese Eigenthümlichkeit fast verschwunden.

Sarkolaträ, Fleischanbeter, s. Apollinaristen.

Satrapen hießen bei den Persern die mit großer Machtvollkommenheit ausgestatteten Statthalter der Provinzen.

Sattelhöfe oder Sattelgüter werden solche Landgüter genannt, welche zwar nicht die Vorrechte der Rittergüter besitzen, aber doch viel Freiheiten vor den gewöhnlichen Bauergütern haben. Sie finden sich häufig in Ober- und Niedersachsen und stammen von früheren größeren Besitzungen her.

Saturnalien, ein Fest der alten Römer, welches zur Erinnerung an den schönen Naturzustand unter dem Saturnus, an die goldene Zeit, gefeiert wurde. Bei den Römern ward das Fest der S. seit 494 v. Chr. regelmäßig am 19. Decbr. gefeiert; später ward es auf drei Tage verlängert; noch später aber auf sieben Tage, indem man damit das Fest der Sigillarien verband, an welchem die Eltern den Kindern kleine Figuren von Thon schenkten. Die S. waren das bedeutendste Fest, an welchem sich alle Stände der Fröhlichkeit überließen; es ist das Vorbild für unser Weihnachtsfest geworden.

Saukrieg wurde in der Volkssprache die letzte mittelalterliche Fehde genannt, mit welcher im Jahre 1558 Hans von Carlowitz den letzten Bischof von Meißen überzog, und letzterem unter andern seinen ganzen Viehstand, worunter eine große Anzahl Schweine, wegnehmen ließ.

Säulenheilige s. Styliten.

Säulenordnungen nennt man die besondere Anordnung der einzelnen Theile der Säulen. Man hat fünf Säulenordnungen aufgestellt: die toskanische, dorische, ionische, korinthische und römische; jede derselben hat ihre besonderen Gesetze.

Sauvegarde, Salvegarde, hieß die Schutzwehr, welche der commandirende General beim Eindringen in einen feindlichen Ort einzelnen Personen, Häusern und Anstalten bewilligt, um sie zu sichern und zu schützen. Die S. ist unverletzlich. Auch nennt man einen schriftlichen Befehl, dessen Zweck Schutzverleihung ist, S. oder Schutzbrief.

Savoyerzug wird der bewaffnete Einfall einiger hundert italienischer, polnischer und deutscher Flüchtlinge aus der Schweiz nach Savoyen genannt, welcher unter Mazzini im Jahre 1834 statt fand, um im Königreich Sardinien eine Umwälzung hervorzubringen. Das ganze Unternehmen war ohne alle Wirkung.

Saxe galante ist der Titel eines berüchtigten Buches, welches zuerst 1735 französisch in Amsterdam erschien. Es enthält Schilderungen der Liebesabenteuer August des Starken von Sachsen und überhaupt ein Sittengemälde jener Zeit. Man nennt den Freiherrn von Pöllnitz als Verfasser.

Scabini s. Schöffen.

Scalpiren nennt man das Abziehen der Kopfhaut, welches die Wilden in Nordamerika mit schwer verwundeten oder getödteten Feinden vornehmen. Die abgezogene Haut, Scalpe, wird als Siegeszeichen aufbewahrt.

Scapulier ist das Stück der Mönchskleidung, welches aus zwei Stücken Tuch besteht, von denen das eine die Brust, das andere den Rücken deckt. Bei den Laienbrüdern geht das Scapulier nur bis an die Knie; bei den andern Religiosen bis auf die Füße.

Scepter. Dasselbe war schon bei den ältesten Völkern ein Zeichen der Würde und Gewalt, wurde auch als Zeichen der Uebertragung dieser Gewalt an Andere verliehen. Bei den Römern führte nur der Triumph feiernde Oberfeldherr den S. Im Mittelalter wurde der S. unzertrennlich von der Person des Kaisers, und demselben bei feierlichen Gelegenheiten durch einen dazu bestimmten Beamten vorgetragen. Der S. erhielt nach und nach die Bedeutung der Person, galt als ihr Repräsentant derselben; das Berühren, Küssen desselben galt als Zeichen der Unterwürfigkeit. Noch in den neuern Zeiten ward er von den Richtern den Parteien zur Berührung als

Zeichen eines Angelöbniſſes gereicht. Auch die Rectoren an den Univerſitäten führen zum Zeichen ihrer Richtergewalt ein S.

Schandpfahl, Pranger, wird der ſteinerne Pfeiler oder hölzerne Pfahl genannt, an welchem Verbrecher öffentlich zur Strafe ausgeſtellt werden. In der neueren Geſetzgebung iſt die Prangerſtrafe meiſt beſeitigt worden, da ſie ihren Zweck in keiner Weiſe erreichte.

Scharfrichter, Nachrichter, wird derjenige genannt, welcher an den zum Tode durch das Schwert Verurtheilten das Urtheil vollzieht. Die S. bilden eine eigene Zunft; ihr Meiſterſtück beſteht in der Vollziehung eines Todesurtheils. Sie und ihre Kinder gelten nach den ehemaligen Reichsgeſetzen für ehrlich; in den neueren Zeiten iſt die Abdeckerei und Thierarzneikunde ihre Hauptbeſchäftigung.

Scharfſchützen, Tirailleurs, heißen die Infanteriſten, wenn ſie einzeln ſtehend von ihrer Waffe Gebrauch machen. Die Franzoſen bildeten zuerſt das Tirailleurgeſecht zu einem Syſtem aus, was man auch in Deutſchland in Anwendung gebracht hat.

Scharmützel ſ. Gefecht.

Schärpe iſt ein militäriſches Abzeichen der Offiziere bei den meiſten Armeen. Man trägt die S. gewöhnlich um den Leib gewunden, oder von der rechten Achſel nach der linken Seite zu.

Schatzkammerſcheine werden ſolche Scheine genannt, welche als Anweiſungen auf den Staatsſchatz ausgegeben werden; ſie dienen dazu, Theile der künftigen Staatseinnahmen durch den Staatscredit früher zu erhalten. S. Bills.

Schätzungsklage ſ. Abbitte.

Scheitern ſagt man von einem Schiffe, wenn es auf den Strand oder auf Klippen geworfen wird, ſo daß es vollſtändig zerſchellt; ſtranden aber, wenn es bei heftigem Sturme auf dem Ufer feſtzuſtehen kommt. Das geſtrandete Schiff kann unter günſtigen Verhältniſſen wieder flott gemacht werden. Im Schiffsrechte (ſ. Haverei) muß man genau ſcheitern und ſtranden unterſcheiden. Schiffbruch wird der durch das Scheitern oder auf andere Weiſe herbeigeführte vollſtändige Untergang eines Schiffes genannt.

Schenkung iſt der Vertrag, wodurch Jemand einem Andern etwas von dem Seinigen überläßt, ohne eine Gegenleiſtung dafür zu bedingen; das unentgeltliche Geben einer Sache. Man unterſcheidet, ob die Ueberlaſſung der geſchenkten Sache ſogleich vollzogen wird, oder ob der Schenkgeber (donator) verſpricht, dem Beſchenkten oder Schenknehmer (donatarius) in der Zukunft etwas geben zu wollen. Zu den letzteren Arten von Schenkungen gehört die Schenkung auf den Todesfall, wobei der Schenkgeber das Eigenthum der Sache auf Lebenszeit behält und der Beſchenkte es erſt nach dem Tode des Schenkgebers erhält. Eine ſolche Schenkung gehört zu den letzten Willensverordnungen und ſteht den Vermächtniſſen gleich. Eine ſolche Schenkung wird nur dann als giltig angeſehen, wenn der Beſchenkte ſie angenommen hat, wenn ſie vor wenigſtens fünf Zeugen geſchehen iſt und der Schenkgeber das Recht hatte, ein Teſtament zu errichten. Bei der S. unter den Lebenden iſt die unentgeltliche Ueberlaſſung einer Sache das Merkmal; es kann aber auch ein Geſchenk zu einem beſtimmten Zwecke gegeben werden, welchen der Beſchenkte erfüllen muß, oder auch um frühere Dienſte zu belohnen. Zu dem Weſen der Schenkung gehört die Abſicht, Jemandem etwas unentgeltlich zuzuwenden; wer einem andern aber etwas in der Meinung giebt, daß er es ihm ſchuldig ſei, kann es wieder zurückfordern. Wer aber etwas giebt, und weiß, daß er es nicht ſchuldig iſt, macht damit ein Geſchenk und kann es nicht zurückfordern. Der Beſchenkte kann, wenn er das Geſchenk angenommen hat, gegen den Schenkenden auf Erfüllung klagen.

Scherbengericht ſ. Oſtracismus.

Schickſals- und Verhängnißglaube, Fatalismus. Fatum iſt die blinde, unvermeidliche Vorherbestimmung der Ereignisse und Schicksale im Menschenleben. Es hat zu allen Zeiten Menschen gegeben, welche diesem Schicksalsglauben huldigten. Unter den Christen fand er ebenfalls durch einige Aussprüche Jesu über die auch in das Einzelnste eingehende Vorsehung Gottes Eingang, und bildete sich durch die Lehre vom Sündenfall als Prädestinationslehre (s. d.) aus. Die Anhänger Mohameds (s. d.) huldigen dem Fatalismus unbedingt. Derselbe widerspricht der göttlichen Liebe und Weisheit und stützt sich auf eine höchst trübe Auffassung der Lehre von der göttlichen Vorsehung und der Freiheit des menschlichen Willens. Allerdings, wenn der Mensch nach gewisser Theologen Ansichten ein willenloser Klotz (truncus) ist, so muß er sich von dem Fatum hinschieben lassen, wohin dieses will.

Schiedsgerichte, Austräge, Austrägalinstanz. Zur friedlichen Schlichtung entstandener Streitigkeiten giebt es drei Hauptwege: 1) den gerichtlichen im engern Sinne, oder den obrigkeitlich-gerichtlichen; 2) den Vergleichsweg und 3) den schiedsrichterlichen, oder austrägalen. Von dem richterlichen Wege handelt der Artikel Prozeß; über den Vergleichsweg s. Friedensrichter. Das Wesen des Schiedsgerichts besteht im Allgemeinen darin, daß in demselben zwar über die wahren Rechte der streitenden Theile rechtlich genau entschieden, dieselben aber keineswegs, wie im Vergleichswege, theilweise aufgegeben werden, daß aber doch auch der Ausspruch kein obrigkeitlich, sondern ein vertragmäßig giltiger ist, oder daß er nicht vermöge höherer Staatsgewalt vor einem obrigkeitlichen Gericht erfolgt, sondern von einer Behörde, welche die streitenden Theile zur Entscheidung ihres Streites mittelbar oder unmittelbar vertragmäßig niedersetzen, wählen und erkennen. Ein schiedsrichterlicher Spruch beruht also mittelbar stets auf einem Vertrag, und die Verpflichtung, sich dem Spruche zu fügen, ist an sich nur eine Vertragsverbindlichkeit. Auch im völkerrechtlichen Verhältniß haben die Schiedsgerichte keine andere Eigenthümlichkeit, als die allgemeine der völkerrechtlichen Verhältnisse, daß für sie nämlich ein eigentlicher Staatszwang zur Verwirklichung auch dieser Verträge wie bei andern Rechtsverbindlichkeiten fehlt. Aber es wird überhaupt die Erfüllung der schiedsrichterlichen Verträge und Urtheile nicht blos häufig noch durch besondere Conventionalstrafen und Bürgschaften gesichert; sie finden auch starke moralische Sicherungen einestheils durch den deutlich ausgesprochenen rechtlichen und friedlichen Willen, welcher eine neue faustrechtliche Rechtsverweigerung nur als doppelt verwerflich, als folgewidrig und treulos darstellt, anderntheils durch das im schiedsrichterlichen Spruch auch vor der Welt klar und deutlich gewordene Recht in dem bestimmten Streit und durch die hinzugezogene feierliche Zeugenschaft der erwählten Schiedsrichter; zum Theil auch selbst durch die Scheu und Furcht, den schiedsrichterlichen Spruch zu verachten. Diese Furcht ist besonders im Völkerverhältniß oft einflußreich, zumal wenn die erwählten Schiedsrichter mächtige Regierungen sind. Wegen jener moralischen Verbürgungen eines friedlichen schiedsgerichtlichen Rechts würde es auch vortheilhaft für den Rechtszustand und den Frieden der Welt sein, wenn viele oder alle civilisirten Völker sich vereinbarten, ihre Streitigkeiten vor einem Kriege einem allgemeinen, völkerrechtlichen, schiedsrichterlichen Tribunal zur Verhandlung und Entscheidung vorzulegen, wenn gleich die nothwendige Selbstständigkeit der Völker eine höhere Gewalt zur Vollziehung durchaus ausschließt. Schiedsgerichte finden sich bei allen Völkern in verschiedenen Formen, auch bei den alten Germanen. Werfen wir nun, nach diesen allgemeinen Andeutungen, einen Blick auf die Geschichte der deutschen Schiedsgerichte. Am unentbehrlichsten sind die Schiedsgerichte in völkerrechtlichen Bundesverhältnissen. Dieses Bedürfniß erzeugte im deutschen Bunde diejenigen Schiedsgerichte, welche man Austräge, Austrägalinstanzen nennt, und welche den Zweck haben, die Streitigkeiten zwischen den souvrainen Bundesstaaten oder Regierungen unter einander zu schlichten. Hierzu kam später das sogenannte Bundesschiedsgericht zunächst zur Schlichtung der Streitigkeiten zwischen den einzelnen Bundesregierungen und ihren Landständen. Jede friedliche Beendigung eines Rechtsstreites durch eine Entscheidung bezeichnete man früher in der Rechtssprache mit dem Worte Austrag; die schiedsrichterliche Beendigung nannte man einen gütlichen Austrag; Austräge aber bezeichnete das Schiedsgericht. Solche Schiedsgerichte bildeten sich in Deutschland durch Privatverträge und Gewohnheiten; vorzüglich wurden die Austräge unter dem Reichsadel gewöhnlich. Die Kurfürsten setzten 1338 ihr Collegium selbst zum Schiedsgericht in ihren gegenseitigen Streitigkeiten, was sie 1438 aufs Neue bestätigten. Die Kaiser ertheilten manchen Reichsständen das Privilegium, daß ihre Streitigkeiten auch ohne besondere schiedsrichterliche Verträge durch Austräge geschlichtet würden. Auch nach Abschluß des ewigen Landfriedens und der Errichtung der Reichsgerichte (s. d.) blieben die auf besonderen Verträgen ruhenden Austräge in Geltung und es wurde allgemeine Sitte, dem Antrage des Klägers auf Austräge nachzugeben. Die kaiserliche Gerichtsordnung behielt auch für die Reichsunmittelbaren die Austräge bei, die, wo sie begründet waren, als eine eigne, nicht zu übergehende Instanz galten, von welcher noch eine Appellation an die Reichsgerichte stattfinden konnte. Zugleich begründete die kaiserliche Gerichtsordnung allgemein gesetzlich eine Austrägalinstanz für eine Reihe von Personen, welche man die gesetzlichen Austräge nannte; diese Personen waren: ohne Rücksicht auf den Stand des Klägers alle Reichsfürsten und die fürstenmäßigen Personen; alle übrigen Prälaten, Grafen und Herren von dem unmittelbaren Reichsadel, jedoch hier nur, wenn der Kläger von gleichem oder höherem Stande war. Die Einrichtung dieser gesetzlichen Austräge war nach den verschiedenen Verhältnissen verschieden. War z. B. bei beklagten Fürsten und fürstenmäßigen Personen der Kläger gleichen Standes, so schlug er vier regierende Kurfürsten, zwei geistliche und zwei weltliche, vor, und der Beklagte wählte einen aus, welcher dann durch seine Räthe den Proceß führen und entscheiden ließ. Bei der Schilderung des jetzigen Zustandes müssen wir zuvörderst den gänzlichen Mangel eines ständischen Schiedsgerichtes beklagen. Bei der Errichtung des deutschen Bundes beabsichtigten die Entwürfe und die große Mehrzahl der Gründer des Bundes früher stets eine staatsrechtliche Natur des Bundes oder einen Bundesstaat und ein allgemein bleibendes Bundesgericht zur Entscheidung sowohl der Streitigkeiten der Regierungen unter einander, als auch für Streitigkeiten zwischen den Regierungen und ihren Landständen. Allein Baiern und Würtemberg widersetzten sich diesem und behaupteten die innere oder staatsrechtliche Selbständigkeit ihrer Staaten als wohlerworbenes Recht auch ihrer Unterthanen. Der Bundeszweck wurde erst jetzt als rein völkerrechtlich bestimmt und sorgfältig aus ihm Alles ausgeschieden, was auf eine innere, staatsrechtliche Einheit hätte hindeuten können. Ebenso wurde erst jetzt aus der „Organisation und Feststellung des Bundes

&glieder entfernt, der Bund rein völkerrechtlich organisirt und nunmehr die volle Souveränität der Bundesstaaten und Regierungen ausdrücklich als Grundgesetz anerkannt. Nur so viel gab man zu, daß der Bund einen deutsch-nationalen Charakter erhalte und daß die hierzu wesentlichen wenigen Nationalrechte der Bürger denselben als Ausnahmen und, neben einigen Privilegien für einzelne Klassen in einem besonderen Anhange der Bundesacte, von den Regierungen und vom Bunde verbürgt wurden. Ein ständiges Bundesgericht kam daher nicht zu Stande. Alle durch den Bund begründete rechtliche Schützung der in ihm anerkannten Rechte der Bundesregierungen und der Unterthanen und der Stände bestand bis jetzt 1) in der allgemeinen Zusage der Vermittlung, der Verwendung und der Bewirkung von Seiten des Bundes; 2) in gewissen gesetzlichen und gesetzlichen Austrägen für gewisse Streitigkeiten zwischen den Regierungen und Landständen; 3) in einem privilegirten Schiedsgericht für die Beschwerden der ehemals reichsunmittelbaren Adeligen der Regierungen. Die gesetzlichen Bestimmungen über die Austrägalgerichte des Bundes bestehen in dem Art. II. der Bundesacte. Dieser sagt: „Die Bundesmitglieder machen sich verbindlich, einander unter keinem Vorwand zu bekriegen, noch ihre Streitigkeiten mit Gewalt zu verfolgen, sondern bei der Bundesversammlung anzubringen. Dieser liegt alsdann ob, die Vermittelung durch einen Ausschuß zu versuchen und, falls dieser Versuch fehlschlagen sollte, und demnach eine richterliche Entscheidung nothwendig würde, solche als eine wohlgeordnete Austrägalinstanz zu bewirken, deren Ausspruch sich die streitenden Theile zu unterwerfen haben." Zur Ausführung dieser Bestimmung des Grundvertrages erfolgten später eine ganze Reihe von Beschlüssen und Bestimmungen; eine Austrägalordnung vom 16. Juni 1817; die Artikel 21—24 der Wiener Schlußacte; die Bundesgesetze vom 3. Aug. 1820, vom 19. Juni 1823, vom 7. Oct. 1830, vom 28. Febr. 1833, vom 25. Juni 1835 und vom 19. Oct. 1838. Diese Gesetze bestimmen 1) über die Natur des Austrägalgerichts; 2) über die Behörde, welche es bildet; 3) über die an dieselbe gewiesenen Personen oder die subjective Competenz; 4) über die an dieselbe gewiesenen Sachen oder über die objective Competenz; 5) über das Verfahren; 6) über die Wirkung und Vollziehung der Entscheidungen, und endlich 7) über eine eigenthümliche Entscheidung einer Vorfrage zu Gunsten der Unterthanen. Wir können uns des weitern Eingehens in diese Bestimmungen um so mehr enthalten, als sie fast nie in praktische Anwendung gekommen sind, und eine Neugestaltung auch dieser Verhältnisse so eben vorbereitet wird. Das Bundesschiedsgericht war durch den Beschluß vom 30. Oct. 1834 gegründet. Art. 1. sagt: „Für den Fall, daß in einem Bundesstaate zwischen der Regierung und den Ständen über die Auslegung der Verfassung oder über die Grenzen der bei Auslegung bestimmter Rechte den Regenten den Ständen eingeräumten Mitwirkung, namentlich durch Verweigerung der zur Führung einer den Bundespflichten und der Landesverfassung entsprechenden Regierung erforderlichen Mittel Irrungen entstehen und alle verfassungsmäßige und mit den Gesetzen vereinbarliche Wege zu deren genügender Beseitigung ohne Erfolg eingeschlagen worden sind, verpflichten sich die Bundesglieder als solche gegen einander, ehe sie die Dazwischenkunft des Bundes nachsuchen, die Entscheidung solcher Streitigkeiten durch Schiedsrichter auf dem in dem folgenden Artikel bezeichneten Wege zu veranlassen." Der Art. XI. erklärt nun das Schiedsgericht eben so anwendbar auf die Irrungen zwischen den Senaten und den verfassungsmäßigen bürgerlichen Behörden in den freien Städten. Art. XII. aber gestattet auch den Bundesgliedern in ihren Streitigkeiten unter einander die Vereinbarung über dieses Schiedsgericht an der Stelle der Austrägalinstanz. — Diese Erscheinungen haben im Volke nicht immer die beste Beurtheilung gefunden, und die Ausschließung der Volksvertreter von dem Bundesrath, der blos fürstlichen oder adeligen Abgesandten, sehr schmerzlich vermissen lassen. Es ist bekannt, wie die Nationalversammlung in der Reichsverfassung ein Volkshaus schuf; es ist bekannt, was Preußen 1849 für ein Volkshaus that. Gegenwärtig nimmt man wieder die abgetragene Formel zur Hand: das Volk sei noch nicht reif zu solcher Vertretung! Zu beklagen ist es nur, daß Niemand an diese politische Unreife glaubt. W..

Schießpulver besteht aus einer Mischung von Salpeter, Schwefel und Kohlen, welche bei ihrer Verbrennung eine große Menge sehr zusammengedrückter Gase entwickeln, deren Ausdehnungskraft durch die Hitze sehr vermehrt das Zertrümmern fester Umgebungen oder das Fortschleudern beweglicher Körper zur Folge hat. Man hat verschiedene Arten von Pulver: Kriegs-, Jagd- und Sprengpulver, die man wieder in Unterabtheilungen bringt, wie in Ordinär-, Fein-, Bürschpulver; Mehlpulver und Knirschpulver. Die Zeit, wo das S. erfunden worden ist, läßt sich nicht mit Bestimmtheit angeben; die Chinesen mögen zuerst damit bekannt gewesen sein; die Araber brachten es nach Europa und schon im 13. und 14. Jahrhundert wird der Gebrauch der Geschütze erwähnt. Die Erzählung, daß B. Schwarz das S. erfunden habe, hat keine geschichtliche Begründung.

Schießscharten werden die Einschnitte in die Brustwehr oder Oeffnungen in einer Mauer genannt, um den dahinter aufgestellten Geschützen die Feuerwirkung möglich zu machen, ohne ihnen die vordere Deckung zu entziehen. Die untere Fläche der S., die Sohle, liegt gewöhnlich drei Fuß über dem Horizont, auf welchem das Geschütz steht, und man nennt dieß die Kniehöhle. Die Seitenwände oder Becken sind mit Faschinen oder Schanzkörben bekleidet. Die obere Decke gemauerter Scharten heißt die Kappe. Im Bereich des Geschützes müssen die hintern Oeffnungen durch Blendungen geschlossen werden. Der stehenbleibende Theil zwischen zwei S. heißt Kasten; mehrere derselben neben einander bilden eine Schartenzeile. Gekoppelte S. sind in der Mitte ihrer Länge enger, nach hinten nur wenig, nach vorn aber mehr erweitert.

Schiffbrücken sind solche Brücken, deren Belag auf Kähnen oder Pontons (s. d.) ruht, die in kurzen Entfernungen von einander mit ihrer Länge nach der Richtung des Stromes gestellt, durch Anker festgehalten werden. Der Belag besteht aus Balken, welche auf dem Bord der Kähne befestigt dieselben verbinden, und aus darüber gelegten Bohlen. Durch mehrfach angebrachtes Tauwerk, so wie durch Balken auf den Enden der Bohlen wird die Festigkeit des Ganzen bewirkt. Die S. werden auf solchen Flüssen gebraucht, deren Breite und Schnelligkeit die Erbauung von Brücken nicht möglich macht. Die S. sind so eingerichtet, daß mit Leichtigkeit den Schiffen der Durchgang möglich gemacht wird.

Schifffahrt. Die S. ist entweder Binnenfahrt, wenn sie auf Landseen, Flüssen und Kanälen stattfindet, oder Küstenschifffahrt, wenn sie zwischen benachbarten Seestädten eines und desselben Landes, oder Seeschifffahrt, wenn sie auf der offenen See betrieben wird. Die S. ist für die Völker von der größten Bedeutung gewesen; ihre Geschichte ist zugleich die Geschichte der Civilisation und ihrer Ausbreitung. Leider müssen wir hier wieder beklagen, daß Deutschland, ungeachtet seiner überaus günstigen Lage, noch nicht in dem Besitz einer Flotte ist. — Die Schiffe theilt man bekanntlich in Linienschiffe, Fregatten, Corvetten. Durch die Dampfschifffahrt hat die S. überhaupt eine früher nicht geahnete Bedeutung bekommen.

Schiffsbaukunst oder Schiffszimmerkunst heißt die Kunst, den einzelnen Theilen eines Schiffes die gehörige Gestalt und Verbindung zu einem zweckmäßigen Ganzen zu geben. Die S. beruht auf der wissenschaftlichen Untersuchung der Eigenschaften eines Schiffes. Das Schiff, besonders ein großes Kriegsschiff, ist das kühnste, kunstreichste Bauwerk. Der zum Schiffbau eingerichtete Platz heißt die Schiffswerft.

Schiffsjournal heißt das Tagebuch, das auf den Schiffen von dem Schiffsführer oder Steuermann geführt wird; in dasselbe werden alle während der Reise vorgekommenen Begebenheiten eingetragen: die Windrichtungen, die Schnelle der Fahrt, Beobachtungen ꝛc. Bei Unfällen hat es die Beweiskraft eines kaufmännischen Hauptbuches.

Schiffsmünzen nennt man die Münzen, welche auf spanischen Schiffen bei ihrer Heimkehr aus den überseeischen Ländern geprägt wurden und zur Bezahlung des Soldes der Marine bestimmt waren. Sie sind von Gold, Silber oder Kupfer, aber meist höchst roh geprägt. Auch werden S. solche Münzen genannt, welche ein Schiff im Gepräge tragen. Die bekanntesten sind die Schiffsnobel Englands.

Schild. Der Schild war im Alterthum und Mittelalter eine Vertheidigungswaffe gegen jeden Angriff. Die Aegypter, Juden und Griechen kannten die S. Die Form derselben war sehr verschieden; die viereckige und runde die üblichste; bald waren sie von Holz, Flechtwerk; seltner von Metall. Der S. gehörte zu den Ehrenwaffen und es galt für Schande, ihn wegzuwerfen. Auf den Schild erhob man Personen zu Zeichen, daß sie zu einer Würde gewählt worden waren, als Befehlshaber, Herrscher ꝛc. Diese Gebräuche gingen zum Theil auch auf die deutschen Stämme des Mittelalters über. Aus den Schildbildern entstanden die Wappen. Die anfangs einfachen Unterscheidungszeichen wurden nach und nach zu vollständigen Wappen.

Schiiten f. Sunniten.

Schilderhebung f. Aufstand.

Schildwacht heißt der Soldat, dem ein bestimmter Posten zur Bewachung im Allgemeinen oder als Ehrenposten angewiesen ist. Der Posten hatte früher die bei jeder Wache aufgehängten Schilde zu beaufsichtigen, woher der Name S. entstanden ist. Die S. ist auf ihrem Posten unverletzlich, und jedes Verbrechen gegen dieselbe wird hart bestraft.

Schirmvoigte (advocati ecclesiae) kamen bei den Kirchen vor, indem sie diesen bewaffneten Schutz gewährten. Der König bestellte bei den Franken die S. kraft seines Schutzrechts über die Kirchen. Nach und nach wußten die S. ihr Amt erblich zu machen, zogen die Kirchengüter als Lehen an sich und mißbrauchten ihr Amt noch auf andere Weise. Seit dem 12. Jahrhundert gelang es den Kirchen, sich nach und nach von den S. zu befreien.

Schisma, Kirchenspaltung, findet nach dem katholischen Kirchenrechte dann statt, wenn die oberste Kirchengewalt durch die Wahl mehrerer Päpste getheilt ist. Die längste Spaltung dauerte von 1378—1417. Im engern Sinne nennt man auch ein Abweichen von der kirchlichen Verfassung ein S.; Schismatiker sind dann die Andersdenkenden.

Schlacht f. Gefecht.

Schlagschatz. Die Münzberechtigten verringern bekanntlich (f. Münze) den Gehalt der Münzen um so viel, daß die Kosten der Ausprägung gedeckt werden. Die Münze gilt also mehr, als ihr innerer Werth ist. Der Schlagschatz ist nach der Größe der Münzen verschieden, denn die Kosten des Ausprägens sind für kleinere Münzen viel bedeutender, als für große. In England allein wird das Metall ganz rein und ohne Abzug des Schlagschatzes ausgeprägt; die Kosten des Prägens werden aus der Staatskasse bestritten. Schläge- oder Prägeschatz nennt man die Abgabe, welche von Silber ꝛc. gegeben werden muß, das an die Münze verkauft wird.

Schleichhandel, Schmuggelhandel. Der freie Verkehr sowohl der Völker im Allgemeinen als auch der zu einem Volke gehörenden Völkerstämme im Besonderen (wie in Deutschland) ist durch polizeiliche Maßregeln nicht selten gehemmt worden. Die Politik hat dem Völkerverkehr Schranken gesetzt, Zollschranken. Man hat hier und da diese Schranken zu überspringen und die verbotenen Waaren doch in den Nachbarstaat zu „paschen," zu „schmuggeln" versucht. Dieß geschieht auf dem Wege des Schleichhandels. Leider giebt jenes unnatürliche Absperrungssystem (f. d.) nicht selten zu blutigen Händeln Anlaß, indem die Grenzaufseher gegen die Schleichhändler von ihren Waffen Gebrauch zu machen befugt sind. Wenn die Idee des Freihandels Grund und Boden gewonnen haben wird, so fallen auch die Zollschranken und mit ihnen der S.; f. Handelsfreiheit.

Schleifen heißt in der Militärsprache die gänzliche Zerstörung der Werke einer Festung. Oft versteht man unter S. auch nur das Verfahren, durch welches diese Werke zur Vertheidigung unbrauchbar gemacht werden. Das Demontiren unterscheidet sich vom S. dadurch, daß es mehr die feindlichen Geschütze betrifft, oder die Brustwehr stellenweise zerstört.

Schlepptau wird das Tau genannt, an welchem ein faul segelndes oder beschädigtes Schiff von einem andern gezogen wird. In neuerer Zeit bedient man sich zu dem Fortschaffen solcher Schiffe kräftiger Dampfschiffe.

Schlesische Kriege werden die drei Kriege genannt, welche König Friedrich II. von Preußen mit Oesterreich über den Besitz Schlesiens führte, von denen der dritte

den Namen des siebenjährigen Krieges erhielt. Leider haben diese Kriege über Deutschland Verwüstung und Elend in Fülle gebracht; sie waren die letzten Kriege, welche
deutsche Brüderstämme gegen

Karls VI. Tode Ansprüche auf die vier schlesischen Fürstenthümer Liegnitz,
Wohlau und Jägerndorf. Ohne Kriegserklärung begann er den ersten schlesischen
Krieg (1740—42) und eroberte bald das ganze Herzogthum Schlesien. Bei Mollwitz, 10. April 1741, kam es zur ersten ernsten Schlacht, welche die Oesterreicher
zum Rückzuge nöthigte. Marie Theresia mußte sich zu Unterhandlungen entschließen
und es kam am 9. Oct. 1741 der Vertrag zu Oberschnellendorf zu Stande, in dem
ganz Niederschlesien nebst einem Theile von Oberschlesien Preußen versprochen wurde.
Friedrich aber ergriff die Waffen bald auf's Neue, siegte und schloß am 11. Juni
1742 den Frieden von Breslau, durch welchen er Nieder- und Oberschlesien nebst der
Grafschaft Glatz erhielt. Schon im Jahre 1744 rückte Friedrich mit 80,000 Mann

reich. Er mußte zwar nach Schlesien sich zurückziehen, erfocht aber am 4. Juni
1745 bei Hohenfriedberg einen so vollständigen Sieg, daß die feindliche Armee nach
Böhmen flüchten mußte. Die zweite berühmte Schlacht in diesem Feldzuge war die
Schlacht bei Kesselsdorf am 15. Decbr. 1745. Am 25. Decbr. desselben Jahres
ward der Friede zu Dresden abgeschlossen, in Folge dessen Preußen in dem Besitz
von Schlesien blieb.

Schleuder, eine im Alterthum und Mittelalter übliche Kriegswaffe; besonders spielte sie im ersteren eine große Rolle, indem ganze Völkerstämme, wie die
Aetoler, wegen ihrer Kunst im Schleudern berühmt waren. Die Schleuderer bildeten
bei den Griechen und Römern mit den Wurfspießwerfern und Bogenschützen die drei
Arten der leichten Truppen.

Schleusen sind Bauwerke zur Regulirung
werden, wie in Rußland, von Holz gebaut, oder von Steinen. Der Zweck der S.
bestimmt die verschiedenen Arten derselben; so giebt es Stauschleusen oder Flutschleusen, welche den Zweck haben, den Wasserstand bis zu einer gewissen Höhe zu
stauen, zu bringen. Kippschleusen sind solche, welche sich von selbst öffnen, sobald
stand eine gewisse Höhe erreicht hat; Schifffahrtsschleusen werden
zum Zweck der Binnenschifffahrt (s. Schifffahrt) angelegt. Diese werden auch Kanäle
genannt.

Schlüsselgewalt, Amt der
der Sündenvergebung und Sünden   Nach der
S. die „sonderbare (allerdings sehr sonderbar!) Kirchengewalt, di
Kirche gegeben hat auf Erden, den bußfertigen Sündern die Sünde zu vergeben, den
unbußfertigen aber die Sünde zu behalten, so lange sie nicht Buße thun." Die Unterlage zu dieser Lehre, die aus der katholischen Kirche stammt, sind die bekannten
Stellen Joh. 20, 21—23 und Matth. 16, 19, wo Jesus seinen Jüngern sagt:
„welchem ihr die Sünde behaltet, dem sind sie behalten; und welchem ihr sie vergebet,
dem sind sie vergeben." Die Kirche nahm sich später die Freiheit, dieses im höchsten
Falle auf die Apostel beschränkte Wort Jesu auf sich auszudehnen und schuf daraus
die Lehre von dem Amt der Schlüssel, von der Absolution, dem Ablaß zc. Leider
ist diese Lehrfassung auch in die Bekenntnißschriften der evangelischen Kirche übergegangen, obschon sie praktisch fast überall aufgegeben ist.

Schmähschrift s. Pasquill, Ehre, Beleidigung.

Schmalkaldische Artikel werden die Artikel genannt, welche Luther 1536 zu
Wittenberg verfaßte, um sie als Grundlage der Verhandlungen auf der nach
Mantua ausgeschriebenen Kirchenversammlung zu nehmen. Wenn das Resultat des
Reichstags zu Augsburg (s. Reformation) für die protestantische Kirche kein ungün-
stiges war, so lag es nicht an dem Willen des Kaisers; aber er mußte die evangeli-

schen Fürsten schonen, welche ihm die Reichshülfe in dem Türkenkriege verweigern konnten. Am 29. März 1531 ward der **Schmalkaldische Bund** (s. d.) geschlossen und im Februar 1537 übergab Luther den verbündeten evangelischen Fürsten die S. A. als Unterlage für die bevorstehende Kirchenversammlung. Luther sagt in der Vorrede über den Zweck dieser Artikel Folgendes: „Da der Papst Paul III. ein Concil ausschrieb im vergangenen Jahre, auf die Pfingsten zu Mantua zu halten und hernach von Mantua wegrückte, daß man noch nicht weiß, wohin er es legen will oder kann, und wir uns auf unsern Theil versehen sollten, daß nir entweder auch zum Concil berufen oder unberufen verdammt würden, ward mir befohlen, Artikel unserer Lehre zu stellen und zusammen zu bringen, ob's zur Handlung käme, was und in wie ferne wir wollten oder könnten den Papisten weichen und auf welchen. Artikeln wir gedachten endlich zu beharren und zu bleiben.“ Luther wollte also nichts anderes, als noch ein Mal in Umrissen die Grundsätze seiner Lehre angeben, zugleich aber, wie er ausdrücklich sagt, sich gegen bösliche Verleumdungen wehren. Auf dem Concil sollte es sich erst herausstellen, in wie weit man etwa nachgeben wolle. Jenes Concil wurde übrigens von den protestantischen Ständen abgelehnt und die S. A. wurden nur von den in Schmalkalden anwesenden Theologen unterschrieben. Später nun nahm man diese Schrift Luthers, deren Manuscript in der Heidelberger Bibliothek aufbewahrt wird, unter die symbolischen Bücher (s. d.) als Bekenntnißschrift der evangelischen Kirche auf, schuf also von Neuem eine menschliche Autorität, nachdem kaum die päpstliche gestürzt war.

Schmalkaldischer Bund. Am 27. Febr. 1531 schlossen neun protestantische Fürsten, Grafen und eilf Reichsstädte einen Bund, welcher den Zweck hatte, gemeinschaftlich den evangelischen Glauben und die damit zusammenhängende politische Selbstständigkeit gegen Kaiser Karl V. zu schützen. Der Bund wurde vorläufig auf 9 Jahre abgeschlossen; der Kurfürst von Sachsen, Johann, und der Landgraf von Hessen sollten als Häupter desselben die gemeinschaftlichen Angelegenheiten leiten. Außer diesen beiden Fürsten traten dem Bunde noch bei die Herzöge von Braunschweig und Lüneburg, der Fürst von Anhalt, die Grafen von Mansfeld, die Städte Straßburg, Ulm, Kostnitz, Reutlingen, Lindau, Biberach, Isny, Lübeck, Magdeburg und Bremen. Am 24. Decbr. 1535 ward auf dem Convente zu Schmalkalden der Bund auf 10 Jahre verlängert und ein stehendes Bundesheer beschlossen; schon waren auch noch mehr Fürsten und Städte beigetreten, so daß er fast die volle Hälfte Deutschlands auf seiner Seite hatte und den Katholischen drohender gegenüber zu treten anfing. Leider verhinderte aber Uneinigkeit und Mißtrauen ein entschiedenes Handeln gegen den Kaiser, der durch List zu erreichen suchte, was der Gewalt nicht möglich war. Der Krieg begann im Juli 1546 und endete am 24. Apr. 1547 mit der Schlacht bei Mühlberg, wo die beiden Häupter des Bundes, Johann Friedrich von Sachsen und Philipp von Hessen, in die Hände des Kaisers fielen. Der Bund war dadurch vernichtet, und die Sicherstellung der Religionsfreiheit verdankten die Evangelischen nur der Kühnheit des Kurfürsten Moritz von Sachsen, mit welcher er den Passauer Vertrag herbeiführte.   G.

Schmuggelhandel s. Schleichhandel.

Schöne Wissenschaften. Unter diesem etwas unklaren Ausdruck versteht man, wie unter Belletristik, diejenigen Wissenschaften, welche sich mehr mit dem Angenehmen, Schönen beschäftigen, als mit dem Ernsten und Belehrenden. Unter die s. W. gehört z. B. die Dichtkunst.

Schooner werden lange, schmale, schnellsegelnde Schiffe genannt, welche sich durch leichtes zweimastiges Takelwerk auszeichnen und meist von Engländern, Franzosen und Dänen gebraucht werden. Die vorzüglichsten Schiffe dieser Art heißen auch Fruchtjäger, weil sie, wenn sie gekupfert sind, zur Ueberbringung der Südfrüchte nach der Ostsee gebraucht werden. Zu Kriegsfahrzeugen ausgerüstet, führen sie zehn und mehr Geschütze.

Schöppen, Schöffen (Scabini), heißen jetzt die Beisitzer in den Gerichten, namentlich in den Dorfgerichten. Früher wurden auch die Mitglieder von Justizcollegien S. genannt, welche über die an sie eingeschickten Rechtssachen die Urtel zu fällen hatten. In den älteren Zeiten konnten auch in Deutschland die Richter das Gericht nur anordnen und schützen, das Urtel aber mußte von den S. „gefunden" oder gesprochen werden. Im Mittelalter entstanden die oben erwähnten Justizcollegien, Schöppenstühle genannt, welche aus Rechtserfahrenen bestanden. Doch erstreckte sich ihre Kenntniß nur auf das vaterländische, deutsche Recht, welches sie gegen das eindringende römische und kanonische vertheidigten. Durch die Thätigkeit der S. ward das deutsche Recht vor seinem gänzlichen Verfall geschützt. Dabei standen diese Gerichtshöfe im höchsten Ansehen, wie der Magdeburger weit hin berühmt war. In der neueren Zeit sind diese Rechtsinstitute eingegangen und haben Collegien Platz gemacht, in denen jede Spur von Oeffentlichkeit und Mündlichkeit von allem vaterländischen Recht gewichen ist; s. Actenmäßigkeit.

Schottenklöster wurden die Klöster genannt, welche schottische und irländische Mönche im 6. und 7. Jahrhunderte bei der Ausbreitung des Christenthums hier und da gründeten. In vielen Städten Deutschlands giebt es heute noch Spuren von jenen Schottenklöstern.

Schrankenvertrag s. Barriere-Tractat.

Schreckensherrschaft, Terrorismus, nennt man das Regierungssystem, welches den öffentlichen Gehorsam durch Furcht und Schrecken, durch blutige Grausamkeit und Willkür erzwingen will. Ein solcher Zustand ist ein Krieg der Regierung mit den Regierten und kann nur durch die ungescheute Verletzung der öffentlichen Rechte gehalten werden. Als in Frankreich die Jakobiner durch die Vernichtung der „Gemäßigten," Girondisten (s. d.) zur Herrschaft gelangt waren, Mai 1793, kam der Schrecken (terror) zur Rettung der Republik zur Herrschaft und schuf das Revolutionstribunal (s. d.). Robespierre stand an der Spitze der Schreckensherrschaft und fiel mit derselben am 27. Juli 1794. Die S. läßt sich aber auch noch von einer andern Seite betrachten. Zu allen Zeiten haben Staatsgewalten, welche sich in ihrem Bestande nicht sicher wußten, durch unredliche Mittel ihre Macht zu befestigen gesucht. Unter diesen Mitteln fand man nicht selten auch Furcht und Schrecken, wenn auch nur vor dem — Zuchthause. Es giebt keine Verfassung, wo nicht Uebergriffe von Seiten der Regierung, in Folge der ihr zustehenden vollziehenden Gewalt und des besonders in der neueren Zeit so vielfach ausgebeuteten Verordnungsrechtes, möglicher Weise stattfinden könnten. Haben solche Uebergriffe stattgefunden, so ist der Terrorismus thatsächlich da, wenn auch die Form noch milder erscheint; es ist der unblutige Terrorismus der Reaction, der nicht selten verderblicher wirkt, als der blutige Terrorismus der Revolution.

Schreibstubenherrschaft, Bureaukratie, Kanzleiregiment, (von Bureau, der wollene Teppich, womit man die Schreibtische bedeckt, Schreibtisch, Schreib- und Geschäftsstube). Man bezeichnet damit die Staatsverwaltung, welche aus der Schreibstube der Beamten nach beengender und beängstigender Buchstabenvorschrift, ohne Bekümmern um die im Volke und der Zeitbildung sich regenden Bedürfnisse und Bestrebungen, geleitet wird. Sie klebt an einem Einkästelungs- und Einschachtelungssystem, wonach alle Verhältnisse und Erscheinungen, mögen es auch ganz neu sich bildende oder gebildete sein, unter ein Richtmaaß des vorhandenen Schematismus gebracht werden, wenn auch die Erscheinung ganz anderer Natur und Beschaffenheit ist, als der Gegenstand, für welchen die Vorschrift gegeben wurde. Sie trachtet nach Beherrschung aller bürgerlichen Angelegenheiten, macht auf Kleinigkeiten Jagd, spinnt sich wie ein Netz über das ganze Staatsgebiet aus, ist hochfahrend, anmaßend und eingebildet und versteht doch niemals in gefahr= und drangvollen Zeiten Abhülfe zu schaffen. Die S. drückt alle kräftigen Elemente des Volkslebens zu einem dahin= schleichenden Siechthume herab, wie die Gewerbe und den Handel; wie diese nicht nach den aus ihnen selbst fließenden, naturgemäßen Gesetzen, sondern nach vorgefaß= ter Meinung von der S. beherrscht und beschränkt werden, so wurde die freie Gedan= kenäußerung in der Presse durch die Censur, der unentbehrlichen Stütze der S., ge= lähmt, die freie Vereinigung der Bürger zur Erreichung gemeinschaftlicher Zwecke ängstlich überwacht und möglichst gehindert. Sie nimmt in ihren Dienst nur Leute auf, welche ihr Urtheil nach den Ansichten des Bureau=Chefs geschmeidig zu formen verstehen, am liebsten erzieht sie sich ihre Diener von der Pike auf und läßt sie all= mälig je nach der Willfährigkeit und Schreibfertigkeit der Leute emporsteigen, betrach= tet und beschützt ihr Beamtenheer als eine bevorzugte Klasse und schöpft ihre Ent= scheidungen aus deren Berichten. Dieser übermüthigen, beengenden, kleinlichen S. steht das Selbstregieren (selfgovernment) der Gemeinden, Körperschaften und Vereinigungen gegenüber. Es beruht auf dem Grundsatze, daß die dem Staatszwecke nicht entgegenlaufenden Handlungen der Bürger ihrem Gutdünken und Vortheile überlassen sind, und setzt voraus, daß die Gesammtheit der Staatsbürger im Staate zur Erlangung möglichst größter Freiheit, nicht wie im bureaukratischen Staate zur möglichst größten Beschränkung der natürlichen Freiheit, zusammengetreten sei. Eng= land und Nordamerika sind diejenigen Staaten, welche das Schreibstubenwesen nicht kennen, dort ist der Bürger vor willkürlichen Ein= und Angriffen der Beamten gesi= chert, dort bevormundet man die selbstständigen Bürger nicht wie Unmündige, dort entfaltet sich aber auch, bei einer durch Preßfreiheit gewährten Aufklärung aller Klassen und bei dem unbeschränkten Associations= (Vereinigungs=) Rechte, der Handel und die Industrie zur höchsten Blüthe. In Frankreich und den deutschen ab= soluten und constitutionellen Ländern war dagegen die S. zu Hause, in Frankreich aber durch die größere Freiheit der Presse und der Vereinigungen in ihrer lebens= tödtenden Peinlichkeit gehindert und beschränkt. Deutschland aber war das wahre Nest der S., — kaum in den jüngsten Tagen hat es die Bande derselben abzustrei= fen angefangen und auf eigenen Füßen zu stehen und zu gehen begonnen. In einer anderen, wenn auch mit dem Dargestellten im Zusammenhange stehenden, Bedeu= tung redet man von einem bureaukratischen System und setzt dasselbe dem Collegialsystem entgegen. Letzteres bezeichnet eine durch Collegien und collegiale Beschlüsse geleitete Verwaltung, erstere den Verwaltungsorganismus, in welchem ein einzelner Beamte die Geschäfte leitet und die Beschlüsse faßt. Im Allgemeinen verdient das Collegialsystem vor dem bureaukratischen den Vorzug, weil es eine rei= fere, vielseitigere Prüfung gewährt und vor den menschlichen Schwächen des einen Beamten durch die Mehrzahl der Mitglieder Schutz gewährt. Der S. aber könnte man nicht unpassend die Worte eines Dichters zurufen:

„Die ihr euch feig vor Roß, Sturm, Feu'r bewiesen,
Den freien Geist, warum bekämpft ihr diesen?"

Adolph Henzel.

Schrift, heilige, oder Bibel werden diejenigen Schriften genannt, welche das Bibelbuch bilden und von den Christen als die Urkunden der geoffenbarten Religion angesehen werden. Bekanntlich zerfällt die Bibel in zwei große Haupttheile, das Alte und das Neue Testament. Das Alte Testament enthält die Religionsurkunden der Juden, zum großen Theil in hebräischer Sprache geschrieben; es enthält „das Gesetz" (durch Mose, s. Mosaisches Recht) und „die Propheten." Ihrem Inhalte nach sind sie theils geschichtlichen Inhaltes, indem sie die Geschichte des jüdischen Volkes erzählen, theils sind sie poetischen Inhaltes, wie die Gesänge, Psalmen und prophetischen Schriften; endlich sind sie auch rein prophetischen und gemischten Inhaltes. Hierzu kommen noch einige Lehrschriften, Sammlungen von Aussprüchen und Geboten. Daß die Schriften des A. Test. zum großen Theil nicht von den Männern geschrieben worden sind, deren Namen sie tragen, ist jetzt allgemein angenommen. Erst spät, nach dem Untergang des jüdischen Reiches, nach der Rückkehr aus der babylonischen Gefangenschaft, fing Esra an, jene Urkunden des Volkes zu sammeln. Das Neue Testament enthält zunächst die Urkunden über die Entstehung des Christenthums, die vier Evangelien und die Apostelgeschichte; dann eine Anzahl Briefe der Apostel, welche ihre Lehrsätze, die Fortbildung der Lehre Jesu durch die Apostel enthalten; endlich auch ein poetisches Buch, die Offenbarung Johannis. Auch von den vier Evangelien läßt sich durchaus mit wissenschaftlichen Gründen nicht beweisen, daß die Männer ihre Verfasser sind, deren Namen sie tragen: auch die Aechtheit einiger apostolischen Briefe ist angezweifelt worden. In der christlichen Kirche kam nun nach und nach die Lehre von der Inspiration auf, oder von der unmittelbaren Eingebung des Inhaltes der Schriften von Seiten des heiligen Geistes an die Verfasser. Durch diese Lehre ward nun der Inhalt der Bibel zu einer unmittelbaren Offenbarung Gottes gemacht, und jeder Zweifel daran streng verboten. Die verschiedenen Kirchen bildeten nun das kirchliche Glaubenssystem aus, welches zur Zeit der Reformation mit der evangelischen Lehre Jesu fast keine Aehnlichkeit mehr hatte. Durch die Bibelübersetzung Luthers kamen diese Religionsurkunden zuerst unter das **Volk**; die **Wissenschaften** bemächtigten sich nun in der protestantischen Kirche der **Erklärung**; die Bibel wurde wieder, was sie vom Anfange an gewesen war, ein von **Menschen** geschriebenes Buch, das deshalb auch nicht frei von **Irrungen** ist. Die Zahl der streng Bibelgläubigen mußte immer kleiner werden, je mehr es der theologischen Wissenschaft gelang, Licht in das Dunkel zu bringen, in welches Menschen den heiligen Kern der Religion gehüllt hatten. Vor der Fackel der wissenschaftlichen Prüfung verschwand eine ganze Welt von Wundern; Bileams Eselin hörte auf zu sprechen; die Sonne stand nicht mehr still zu Gibeon; die Juden zogen nicht mehr trockenen Fußes durch das rothe Meer und der feurige Wagen holte den Elias nicht mehr in den Himmel. Desto größer aber und gewiß diesen Verlust ersetzend war von der andern Seite der Gewinn: die göttlichen, religiösen Ideen, namentlich im N. Test., traten in immer größerer Klarheit hervor und — der Kern der Religion wurde gerettet, während die alles zerstörende Zeit ihre Macht nur an der Schale ausüben konnte. In der gegenwärtigen Zeit verdient die Bibel ihre volle Geltung wieder als älteste Urkundensammlung der beiden größten Religionsgesellschaften, der Juden und der Christen; auch Heilige Schrift.   **W.**

Schriftlichkeit s. Actenmäßigkeit.

Schriftsassen s. Amtssassen.

Schriftsässig werden, vorzüglich in Sachsen, solche Rittergüter genannt, deren Besitzer blos unter dem Landesherrn als der ersten Instanz stehen, und deren Gerichte auch nur diese Instanz als ihre Appellationsinstanz anerkennen. Amtssässige Güter dagegen erkennen das Amt, zu dem sie gehören, als ihre nächste Instanz an. Die schriftsässigen Güter werden wieder in altschriftsässige und neuschriftsässige getheilt; den erstern steht die Landtagsfähigkeit

rechten zu. In manchen Ländern ist die Schriftsässigkeit mit gewissen höheren Titeln und Aemtern, auch wohl mit dem Adel verbunden.

Schub wird eine in neuerer Zeit eingeführte Polizeimaßregel genannt, nach welcher man sich fremder Bettler, Landstreicher ꝛc. entledigt. Diese Leute werden aufgegriffen und unter Begleitung oder mittels eines Zwangspasses bis in ihre Heimath gebracht. Die eben so üblichen Ausweisungen mißliebiger Personen sind nur der etwas milderen Form nach von der Reise auf dem S. verschieden.

Schuld, Schuldschein, Schuldverschreibung, Obligation, Verbindlichkeit, bezeichnete bei den Römern ursprünglich das Schuldverhältniß dessen, welcher einem Andern zu einer Leistung verpflichtet war; späterhin wurde dasselbe Wort auch für die entsprechende Befugniß Desjenigen, welcher die Leistung zu fordern hatte, an-

Verhältnisse mittelst deſſelben in einen Begriff zuſammen zu faſſen, und hiernach verſteht man unter Obligation ein zwiſchen zwei beſtimmten von einand hängigen Perſonen beſtehendes Rechtsverhältniß, vermöge deſſen die eine, den Gläubiger (creditor) von der andern, dem Schuldner (debitor) eine beſtimmte Leiſtung zu fordern berechtigt iſt. Im gemeinen Leben werden die geſchriebenen Urkunden über dergleichen Rechtsverhältniſſe, namentlich die Handſchriften, vermittelſt deren Jemand bekennt, daß er einem Andern eine beſtimmte Summe aus einem Darlehn ſchuldig geworden iſt, kurzweg Obligationen = Schuldverſchreibungen genannt. Treffen bei einem obligatoriſchen Verhältniſſe mehrere Gläubiger oder mehrere Schuldner zuſammen, ſo können entweder ſämmtliche Gläubiger ein Jeder das Ganze zu fordern berechtigt und ſämmtliche Schuldner, ein Jeder das Ganze zu zahlen verpflichtet ſein, oder es

tigt, und von den Schuldnern Jeder nur ſeinen Antheil zu zahlen verbunden ſein, und dann heißt ſie obligatio pro rata. Die ſolidariſche Obligation ſetzt in der Regel einen beſondern Grund, namentlich ausdrücklichen Vertrag durch die Formel: „Alle für Einen und Einer für Alle,‟ oder geſetzliche Beſtimmung, indem z. B. mehrere Genoſſen eines Verbrechens für den gemeinſchaftlichen Schaden ſolidariſch haften, voraus. Die ſolidariſche Verbindlichkeit iſt aber ſtets ſo zu verſtehen, daß, wenn von den mehreren ſolidariſch Berechtigten ein Gläubiger das Ganze erhalten hat, die Uebrigen nichts mehr fordern können, und wenn von den ſolidariſch Verpflichteten ein Schuldner das Ganze bezahlen mußte, die übrigen Schuldner vom Gläubiger nicht weiter in Anſpru

Obligationen entſtehen theils aus Verträgen — hierher gehören beſonders der Kaufvertrag, der Pacht- oder Miethvertrag, die Emphyteuſis (Abmeierung, Erbzinsvertrag), der Geſellſchaftsvertrag, der Bevollmächtigungsvertrag, der Darlehnsvertrag, der Leihvertrag (Ueberlaſſung einer Sache zum Gebrauch ohne Vergütung), der Verwahrungsvertrag (Depositum), der Tauſchvertrag, der Trödelvertrag, Schenkung, Vergleich über ein ſtreitiges Recht, Bürgſchaft u. ſ. w. — theils aus Vergehen, indem Jeder, der ſich ein Vergehen zu Schulden kommen läßt, abgeſehen von der Strafe, die Verbindlichkeit hat, den dadurch verurſachten Schaden zu erſetzen — theils aus verſchiedenen andern rechtlichen Gründen (variae causarum figurae). Die letzteren ſind entweder ſolche, welche gleichſam aus einem Vertrage, quasi ex contractu (wie z. B. aus dem Verhältniſſe zwiſchen Vormund und Mündel) oder gleichſam aus einem Vergehen, quasi ex delicto (wo der Eine für den Andern haften muß, z. B. der Bewohner des Zimmers für Jeden ohne Ausnahme, der aus dem Zimmer etwas auf die Straße gegoſſen oder geworfen und dadurch Schaden verurſacht hat), oder ſonſt aus einem andern, von den Geſetzen anerkannten, auf natürlicher Billigkeit beruhenden Grunde (wohin z. B. gehört, daß der Eigenthümer eines den Schaden haften muß), von Obligationen angeſtellt werden, ſind perſönliche Klagen, d. h. ſie gehen nur gegen beſtimmte verpflichtete Perſonen, während die Klagen, die auf einem dinglichen Rechte beruhen, gegen Jedermann gehen. (Daher im gemeinen Leben beim Darlehen der Ausdruck: „auf Obligation ausleihen,‟ d. h. gegen keine weitere Sicherheit, als die Perſon des Schuldners gewährt.) Die geſchriebenen Urkunden über ein obligatoriſches Rechtsverhältniß ſind nicht zur Begründung deſſelben erforderlich, wohl aber bei Geltendmachung der Forderung theils zu ſchnellerer Prozeßführung (ſ. ſummariſcher Prozeß), theils zum Beweiſe nützlich. Hierbei iſt jedoch zu bemerken, daß durch die Schuldverſchreibung ſelbſt, wenn auch in derſelben der richtige Empfang des Geldes

bekannt ist, dennoch die wirklich erfolgte Gewährung des Darlehns nicht sofort, sondern erst nach Ablauf von zwei Jahren bewiesen wird, eine Bestimmung, die allerdings den oft bedrängten Erborger, der die Urkunde in der Regel vor Empfang des
Geldes ausstellen muß, gegen etwaigen Betrug stützt. Will sich der Gläubiger, sobald er dem Erborger das Darlehn gezahlt hat, des Beweises der Zahlung versichern,
so muß er sich noch eine besondere Quittung über das Darlehn ausstellen lassen.
Die bemerkenswerthesten Arten, wie ein obligatorisches Verhältniß wieder a u f g e l ö s t
wird, sind: 1) Z a h l u n g, d. h. Leistung dessen, was geschuldet wird, Seiten des
Verpflichteten an den Berechtigten; — wenn keine Zahlzeit bestimmt ist, so muß die
Verbindlichkeit sogleich erledigt werden, doch ist der Richter ermächtigt, eine schickliche,
aus der Natur des Verhältnisses entnommene Frist zu verstatten; für das Königreich
Sachsen findet die Bestimmung statt, daß, wenn kein Zahlungstermin festgesetzt, sondern nur die Zahlung ehestens, sobald als möglich oder nach und nach, nach guter
Gelegenheit, versprochen ist, das Kapital im ersten Falle nicht vor Ablauf eines Jahres nach dem gegebenen Versprechen, im zweiten aber nicht auf ein Mal in unzertrenn-
ter Summe, sondern nur in billigen, vom Richter zu bestimmenden Terminen eingeklagt werden kann; der B e w e i s der Zahlung wird am sichersten durch Quittung
geführt, Privatquittungen haben aber, aus ähnlichen Gründen, wie dies oben von
den Schuldverschreibungen bemerkt worden, erst nach Ablauf von 30 Tagen volle Beweiskraft, indem ihnen innerhalb dieser Frist die Ausflucht nicht geleisteter Zahlung
entgegengestellt werden kann; — 2) g e r i c h t l i c h e D e p o s i t i o n, welche dann eintritt, wenn der Gläubiger die thatsächlich, zur rechten Zeit und am rechten Orte an-
gebotene volle Zahlung anzunehmen sich weigert; — 3) C o m p e n s a t i o n, Aufrech-
nung einer Forderung durch eine Gegenforderung, insofern sie beide von gleicher Gattung, beide fällig, und beide erwiesen sind; — 4) z u f ä l l i g e r U n t e r g a n g einer
einzelnen, individuell bestimmten Sache, species, insofern sich der Verpflichtete mit
der Ablieferung nicht im Verzuge befindet; — 5) R e m i s s i o n, Erlaß der Schuld; —
6) C o n f u s i o n, welche dann statt findet, wenn Forderung und Schuld in einer
Person zusammenfallen, z. B. der Gläubiger Erbe des Schuldners wird oder umgekehrt. — O b l i g a t i o n e n = R e c h t, Recht der Forderungen, Verkehrsrecht, ist der
Inbegriff aller derjenigen Rechtssätze, durch welche der Verkehr, den die Personen mit
den Sachen treiben, geregelt wird. Wie das Sachenrecht Besitz, Eigenthum und
Einschränkungen des Eigenthums als bleibende, aus dem Verkehr entstandene Verhältnisse darstellt, so beschäftigt sich das Obligationenrecht mit der Darstellung der
Art und Weise, wie der Verkehr selbst rechtlich vor sich geht.   D. L. H. ː

    Schulen, Gelehrtenschulen. Bei der ungemein großen Wichtigkeit, welche die
Schule für den Staat haben muß, bei den eben so großen Mißgriffen aber, welche
man bei Einrichtung der Schulen heute noch begeht, ist ein vollständiger Ueberblick
in die Geschichte des Schulwesens gewiß mehr als gerechtfertigt. Die alten Völker,
die Griechen und Römer, hatten nur Wissenschaftsschulen, höhere Schulen, welche die
Bildung erhielten und verbreiteten. Mit der Einführung des Christenthums als
Staatsreligion ward der Grund zu dem bald darauf erfolgten Untergange jener
Schulen gelegt, welche schon im 4. Jahrhunderte von Staatswegen geschlossen wurden. Die zur Herrschaft gelangte christliche Geistlichkeit suchte die „heidnische" Bildung zu unterdrücken und begann ihr Verdummungssystem, das noch in die gegenwärtige Zeit hereinragt. Im Abendlande verschwanden die früher so blühenden römischen Schulen aus den Städten, als die germanischen Völker einbrachen und dürftige Kloster= und Stiftsschulen kamen später an ihre Stelle. Der Rest der klassischen
Bildung flüchtete sich in die Klöster und wurde hier für die Folgezeit erhalten. Natürlich wurde in den Klosterschulen, die später entstanden, nur das gelehrt, was in
das Pfaffenwesen paßte; die Wissenschaften wurden durch die mönchischen Beigaben
bis zur Unkenntlichkeit verunstaltet. Daher kam es, daß bei dem Wiederaufleben

der Wissenschaften, kurz vor der Reformation, die ersten Lehrer der griechischen und römischen Literatur überall so freudig begrüßt wurden. Luther war grimmig darüber, daß er seine Jugend an solch' elenden Unterricht hatte wenden müssen. „Ja wie leid ist mir's jetzt" — sagt er — „daß ich nicht mehr Poeten und Historien gelesen habe und mich auch dieselben Niemand gelehrt hat. Und habe dafür müssen des Teufels Dreck mit großen Kosten, Arbeit und Schaden, daß ich genug habe davon auszufechten." Die Reformatoren legten nun den durch sie umgestalteten oder geschaffenen Schulen in Deutschland jenes Studium der Alten (s. Menschenfreundlichkeit) zu Grunde; die sogen. Gelehrtenschulen waren also nichts als Anstalten der Vorbereitung zum gelehrten Studium, erbaut auf den Grund der Griechen und Römer. Und dieses sind sie in der Hauptsache noch heute geblieben. Man ist vorwärts gegangen, indem man bald dem Unterricht in den alten Sprachen die Mathematik beigesellte; später nahm man andere Realwissenschaften und neuere Sprachen auf. Unserer Zeit war es vorbehalten, die Real- und höheren Bürgerschulen erblühen zu sehen, welche für alle die jene in den Gelehrtenschulen gegebene Bildung ersetzen, welche nicht „studiren" wollen, d. h. welche sich eine zeitgemäße, wissenschaftliche Bildung aneignen wollen, aber ohne diese auf die Kenntniß der alten Literatur zu beschränken. (Vergl. Philanthropinismus.) Der ganze Streit ist noch nicht entschieden; auf der einen Seite macht man den griechischen und römischen Schriftstellern den Vorwurf, daß sie freisinnige politische Ideen weckten und nährten; auf der andern benutzt man sie zur Erziehung mystischer Schwachköpfe. Die „Aargauer Zeitung" rief 1832: „Das Studium der Griechen und Römer ist es, welches die Jünglinge unfrei macht und ein geistloses Nachbeten und Nachkriechen erzeugt. In freien Staaten sollte dieser zeit-, geld- kraftfressende lateinische Kram auch als ein altes Möbel in die aristokratische Rumpelkammer geworfen werden. Man kann Arzt, Advokat und Prediger sein, ohne Lateinisch oder Griechisch zu verstehen." Auf solche Weise haben sich die geachtetsten Stimmen vernehmen lassen. Weitzel in seiner Schrift: Zweck des Unterrichts sagt bereits 1828: „Sechs bis acht Jahre des schönen Lebens werden daran gewendet, um ein wenig Latein und Griechisch zu lernen, von dem es zweifelhaft ist, ob es die Hälfte von denen, die es gelernt, je brauchen können. — Die Schwierigkeiten der Grammatik machen das sogenannte klassische Studium aus. Alles dreht sich um einen dürren Streifen Sprachmechanismus." Die Wahrheit liegt, wie immer, auch hier in der Mitte. Wahr ist, es muß endlich ein Zustand kommen, wo wir, um zu einer allgemeinen, gediegenen Bildung zu gelangen, nicht mehr den Weg dahin auf römischen und griechischen Krücken wandeln werden. Die Kenntniß der sogen. Ursprachen ist nicht mehr unerläßliches Bedürfniß, um ein tüchtiger Arzt, Rechtskundiger oder Theolog zu werden. Wir dürfen nur unsere Zustände selbst bilden und endlich ein Mal die zweitausendjährigen Kinderschuhe ausziehen. Was den Inhalt der griechischen und römischen Klassiker anlangt, so ist nicht zu verkennen, daß sie, wie ein großer Philosoph sagt: „das Paradies des Menschengeistes sind, der hier in seiner schönern Natürlichkeit, Freiheit, Tiefe und Heiterkeit erscheint." Wem es gegeben ist, der möge sich einweihen lassen in die alte Welt Griechenlands und Roms; aber, es soll dieses nicht mehr Erforderniß der Menschenbildung überhaupt sein. Die Vorwürfe, welche man jetzt den klassischen Studien macht, würden nicht so hart sein, wenn man früher die Einseitigkeit, die schlechten Lehrmethoden verlassen hätte und dem Lichte des 19. Jahrhunderts verstattet, die antike Welt zu erleuchten. Hierzu kommt, daß diese Lehranstalten noch zu sehr unter der Vormundschaft der Kirche stehen. Die neuere Zeit hat nun allerdings bedeutende Fortschritte im Schulwesen gemacht. Man hat außer den allgemeinen Schulen noch eine — vielleicht zu große — Menge Special- oder Sonderschulen geschaffen; man findet jetzt Realschulen, Realgymnasien, Gewerbschulen, Militärschulen, Landwirthschaftsschulen, Handelsschulen, Progymnasien und noch mehrere Anstalten, welche den

Zweck haben, für ein besonderes Fach von Wissenschaften vorzubilden. Man ist in dieser Zersplitterung zu weit gegangen und hat nicht selten der Flachheit und Einseitigkeit dadurch Vorschub geleistet. **W.**

Schulinspection nennt man die Thätigkeit, welche dafür sorgt, daß in und außer der Schule Alles geschehe, was zur Erreichung des Schulzweckes erforderlich ist. Die S. gehört an größeren Anstalten dem Director, Rector oder Inspector zu. Die Oberinspection übt dann wieder eine höhere, in der Regel geistliche Behörde aus. Hier kommt nun allerdings die oft nur theologisch gebildete S. in die Verlegenheit, etwas überwachen zu sollen, wie z. B. die Methode, den Lehrgang eines Unterrichtsgegenstandes, der ihr selbst fremd ist.

Schullehrerseminare werden die Anstalten zur Bildung künftiger Lehrer genannt. Sie sind erst in der neueren Zeit entstanden; früher hielt man jeden Candidaten des Predigtamtes auch für befähigt zum Lehrer; auf den Dörfern gab man die Erziehung der Nachwelt nicht selten in die Hände abgedankter Soldaten. Diese schreienden Mißstände haben die S. in das Leben gerufen. In Hannover entstand das erste schon 1751. Nach dem Befreiungskampfe nahm Preußen zuerst eine Umbildung der S. vor, und bald wurden sie Musteranstalten. Doch haben sie lange noch nicht ihre wahre Bestimmung erreicht. Man macht ihnen gewöhnlich den Vorwurf, daß sie die zu bildenden Lehrer höchst seicht, oberflächlich gebildet entlassen; daß diese jungen Leute nicht selten deshalb dünkelvoll und anmaßend, bei aller geistigen Schwäche, in ihr so wichtiges Amt kommen. Als Musteranstalten stehen jetzt die S. in der Schweiz da.

Schulverbesserung s. Schule.

Schulverwaltung. Unter S. versteht man die Leitung und Verwaltung der Schulen eines Bezirkes oder ganzen Landes. Diese Behörden sind entweder nur für ihren Zweck da, oder mit andern Behörden verbunden, je nachdem das System der Trennung der Schule von der Kirche zur Geltung gekommen ist. Die oberste Stelle in der S. nimmt gegenwärtig das Ministerium des öffentlichen Unterrichts ein, welches gewöhnlich mit einem andern Ministerium, wie mit dem des Cultus, vereinigt ist. Zu beklagen ist es hier und da gewesen, wenn der Vorstand eines solchen Ministeriums für das Schulwesen nur Jurist war, wo dann nicht selten die ganze geistige Bildung eines Volkes in juristische Formen eingezwängt wird.

Schulwesen: Volksschulen. Die wichtigste Aufgabe des Staates ist die Begründung und Beförderung eines guten Erziehungs= und Unterrichtswesens. Das Wohl und Wehe künftiger Geschlechter liegt in dieser Hinsicht in den Händen des Staates und damit zugleich sein eignes Glück oder Unglück. Von einem Schulwesen, welches dem Ideale desselben auch nur etwas nahe käme, ist in Deutschland noch nicht die Rede, trotz des Ausposaunens von dem „gehobenen Schulwesen," welches hier und da ein Schulrath als Amtspflicht betrachtet. Man hat vor Allem die Erziehung in der Schule bis jetzt zu sehr vernachlässigt, oder sie zu einer Dressur herabgewürdigt. Von einer Volkserziehung, im edlen, etwa griechischen Sinne des Wortes, kann da nicht die Rede sein, wo man das Auswendiglernen abgelebter kirchlicher Symbole, geschmackloser Lieder und Aehnliches noch nicht überwunden hat; wo man die schönsten Stunden des Tages damit vergeudet, die Jugend in die Mährchen einer längst begrabenen Zeit einzuweihen. Dieses systematische Verdummungssystem, welches immer und immer wieder in einem neuen Gewande auftaucht, wird von Staat und Kirche noch festgehalten; und so lange dieses der Fall ist, kann auch begreiflicher Weise von einer ächtmenschlichen und christlichen Volkserziehung nicht die Rede sein. Der Unterricht aber muß auf alle Klassen des Volkes ausgedehnt und nicht auf einige bevorzugte Klassen beschränkt werden, wie es so häufig noch der Fall ist. Oder, man will uns doch etwa die so höchst karge Stallfütterung in mancher Dorfschule nicht als „Volksunterricht" hinstellen? Man will doch die seichten Halbwisser, die körperlich und geistig verkommenen Jammergestalten, die man noch hier und da in Deutschland „Schullehrer" nennt, nicht als Volksbildner ausgeben? · Die tiefe Gesunkenheit unseres Volkes, die wir leider so sehr zu beklagen haben, die der Staat über kurz oder lang noch mehr zu beklagen hat, sie hat ihren Grund nur in dem schlechten, verfallenen Schulwesen, welches beispiellose Verblendung immer halten will. Ohne uns im Reiche leerer Träumereien zu ergehen, sprechen wir es ganz offen aus: Volkslehrer müssen allseitig tüchtige, geistig kräftige und freie Männer sein. Der Staat möge sich solche erziehen, aber freilich nicht in den Schullehrerseminarien, sie anständig besolden und nicht mehr die Hirten des Dorfes ein Gegenstand des Neides für sie sein lassen. — Dann wird er ein edles Volk bald erzogen haben und — die Zuchthäuser werden leer stehen. Die Volksschule muß aber vor allen Dingen zu ihrer Selbstständigkeit erhoben werden; sie muß aufhören, ein Anhängsel der Kirche zu sein; sie muß aufhören, unter der Aufsicht und Leitung von geistlichen Hirten zu stehen, die oft nichts weniger verstehen, als im Sinne und Geiste der **pädagogischen Wissenschaft** zu unterrichten. Der Schulunterricht hat aufgehört, sich auf das Auswendiglernen der kirchlichen Hauptstücke und einiger Bibelsprüche nebst dem Einmaleins zu beschränken; die Kirche mag den Religionsunterricht überwachen, aber sie muß die Schule aus dem Abhängigkeitsverhältnisse treten lassen, da der tüchtige Schulmann ohnedies dem Herrn Pastor in der Regel über den Kopf gewachsen ist. Allerdings mag es schwer halten, die äußeren Verhältnisse, welche noch zwischen Kirche und Schule stehen, zu trennen; dieses wird aber leichter geschehen, wenn die Einwirkung der Gemeinden auf die Schulen mehr beansprucht wird. Hier giebt es für einen vernünftigen Staat „brennende Fragen" und schreiende Uebelstände; hier ist ein Feld, wo eine Fülle von Segen aufgehen kann, wenn — der rechte Saame ausgestreut wird. Der Lehrerstand muß nicht nur selbst an seiner Fortbildung durch Lesevereine zc. arbeiten, sondern auch durch den Staat darin unterstützt werden. Es kann dieses theils durch bessere Besoldungen, theils durch Pensionen und Wittwenkassen geschehen, die dem Mann, der sein Leben der Volkserziehung widmet, die Zukunft minder schwarz erscheinen lassen. In den Städten hat das unabweisbare Bedürfniß manches möglich gemacht, wie z. B. die Anstellung von Lehrerinnen, die gar nicht mehr zu entbehren sind; eben so die Errichtung von **Kleinkinderschulen**, die eigentlich nur Bewahranstalten für die Kleinen sind, und ihren ungemein großen Nutzen haben. Die Schule kann ihre Thätigkeit jetzt nicht mehr mit dem Schluß der gewöhnlichen Schulzeit beendigen; es ist unerläßlich, daß die Fortbildung der aus der Schule geschiedenen Jünglinge fortbestehe in Sonntagsschulen, Gewerbschulen oder in Lese= und Hörsälen für die Handwerker. Auch hierin haben manche größere Städte ein Beispiel gegeben, welches im Kleinen auf jedem Dorfe nachgeahmt werden kann. Endlich noch fehlt es an der Errichtung höherer Bildungsanstalten für Mädchen, an höheren Mädchenschulen, welche in neuester Zeit nur in einigen wenigen Städten, wie in Hamburg, entstanden sind. Als einer höchst zweckmäßigen Einrichtung gedenken wir noch der **Kindergärten**, in welchen Vorschulen der Natur die Kleinen ihren angemessensten Aufenthalt finden.   **W.**

Schulze, Schultheiß, richtiger Schuldheis von dem lat. Worte Sculdarius, Scultetus, ist der Name des Beamten, welcher die Mitglieder der Gemeinde zur Leistung und Entrichtung ihrer Schuldigkeit gegen die Fürsten anhielt. Der Name stammt also von dem Worte Schuld, was so viel bedeutet, als fordern, verlangen. Doch schon im Mittelalter erscheint der Schulze als Stellvertreter des eigentlichen Richters, er war Vorsteher der Gemeinde. Auch in den Städten fand die Stellung des S. nach und nach Abänderung. Gegenwärtig hat es der S. auf den Dörfern zumeist mit der Ausübung der polizeilichen Gewalt zu thun; s. Richter.

Schulzucht, auch wohl Disciplin, ist die Zucht, welche von Seiten der Lehrer in der Schule geübt wird. Die Schule (f. d.) hat die doppelte Aufgabe: zu erziehen und zu unterrichten. Das Erstere, die Erziehung, aber in ihrer edelsten Bedeutung, ist das Wichtigere, welches aber leider bei unserem noch sehr in dem Argen liegenden Schulwesen nicht selten ganz vernachläisigt wird. Anstatt die Kinder allseitig und wahrhaft zu erziehen, d. h. zu veredeln, begnügt man sich, durch strenge S. oder Disciplin die groben, störenden Fehler der Kinder zurück zu weisen, oder unschädlich zu machen. Von großem Einfluß auf die S. ist die äußere Stellung der Lehrer; ist diese eine abhängige, wie gewöhnlich, so leidet die S. darunter, da der Lehrer selten Kraft genug hat, keine „Rücksichten" zu nehmen. Nur ein freier, unabhängiger Lehrer kann wahrhaft erziehen und bilden; muß er aber „Rücksichten" nehmen, um sich nicht um die „Sondereinkünfte" zu bringen, welche das Salz zu dem ihm kärglich zugemessenen Brote bilden, so kann er auch nicht erziehen und bilden und höchstens eine etwas zweideutige Disciplin oder S. halten.

Schupflehn oder Fällehn ward früher in Schwaben und in den angrenzenden Provinzen die lange Zeit übliche Verleihungsform bäuerlicher Grundstücke genannt, nach welcher der Empfänger meist gegen Erlegung einer gewissen Summe das Gut oder einzelne Theile desselben auf seine Lebenszeit, oder auf die Lebenszeit seiner Gattin überkam, ohne jedoch dasselbe in Afterpacht geben, veräußern, verpfänden oder vererben zu dürfen. Ein auf diese Weise an sich gebrachtes Gut hieß auch ein leibfälliges, oder eine Herrengunst; der Inhaber desselben hatte noch außer jener angezahlten Summe die öffentlichen Lasten zu übernehmen und jährlich eine geringe Abgabe an Geld oder Naturalleistungen an den Gutsherrn zu entrichten. In Würtemberg wurden diese Lehen 1817 aufgehoben und jedes bis dahin leibfällige Gut als ein erbliches für die Nachkommenschaft des bisherigen Pachters erklärt.

Schuttery (von dem niederdeutschen Worte schutten, d. h. schießen) heißt im Königreich der Niederlande die Nationalmiliz, welche ihrem Ursprunge nach mit unsern Schützengesellschaften übereinstimmt. Die S. entstand aus der Bürgerbewaffnung der Städte im Mittelalter, unter welcher sich besondere Schützenvereine bildeten, die nach und nach gewisse Vorrechte erwarben und sich auch da noch erhielten, als die Pflicht der Städtevertheidigung für die Gesammtheit der Bürger aufgehört hatte. Später wurden diese Gesellschaften wieder zu einer allgemeinen Bürgerbewaffnung, bis sie in der neuesten Zeit mit der Landwehr verschmolzen. In den Kriegen, welche die Niederländer mit Spanien führten, leistete die S. sehr wesentliche Dienste. Auch war sie stets die Hauptstütze der demokratischen Partei in der alten Republik der sieben vereinigten Staaten.

Schutzbrief s. Sauvegarde.

Schützengesellschaften, Schützengilden, entstanden in Deutschland aus der Verpflichtung des Bürgers, die Stadt zu beschützen und zu bewachen. Die S. theilten sich später in Rüstungs- und Bogenschützen und erlangten manche fürstliche Privilegien. Zu bestimmten Zeiten wurden zur Uebung im Schießen Mann-, Scheiben- und Vogelschießen abgehalten. Das erste soll in Schweidnitz noch im 13. Jahrhunderte gehalten worden sein. Gegenwärtig sind diese Gesellschaften, welche in der Regel eigene Grundstücke besitzen, nur noch für die Zwecke des geselligen Vergnügens vereinigt.

Schutzgenossen, Schutzverwandte, heißen im Allgemeinen Diejenigen, welche mit einer Gesellschaft in einer gewissen Verbindung stehen, ihren Schutz genießen, ohne eigentliche Mitglieder derselben zu sein und an ihren Lasten Theil zu nehmen. Dieses Verhältniß kommt nicht allein bei Stadt- und Dorfgemeinden, sondern auch bei andern Corporationen vor. Die S. bilden eine Mittelklasse zwischen wirklichen Bürgern und Fremden, welche blos einen vorübergehenden Schutz erhalten. In die Schutzgenossenschaft der Städte drängte sich vor dem Landfrieden (s. d.) 1494 ein großer Theil der Landleute, theils um größere Sicherheit gegen die Bedrückung und Gewaltthaten ihrer Gutsherren zu haben, theils auch um aus dem Stande der Leibeigenen und Hörigen in den Stand freier Bürger zu kommen (f. Pfahlbürger). Natürlich traten später gefetzliche Beschränkungen hinfichtlich der S. ein. Die neuere Gefetzgebung hat diefe Verhältniffe alle umgestaltet; in der fächfifchen Städteverfaffung finden fich noch minderberechtigte Schutzverwandte neben vollberechtigten.

Schwabacher Artikel f. Symbolifche Bücher.

Schwabenfpiegel, auch Kaiferrecht genannt, ift neben dem **Sachfenfpiegel** (f. d.) das zweite felbftftändige Rechtsbuch des Mittelalters, welches gegen Ende des 13. Jahrhunderts nach Vorgang des Sachfenfpiegels zufammengetragen wurde. Der S. befteht aus dem Landrecht und dem Lehnrecht. Der gefetzliche Gebrauch des S. war immer nur auf gewiffe Provinzen befchränkt; fo galt er in Oefterreich, Baiern, Elfaß, am Rhein ze.

Schwäbifcher Bund ift der allgemeine Name für die Vereinigungen der fchwäbifchen Städte, welche fich feit der Zerftückelung des alten Herzogthums Schwaben im Jahre 1254 zu gegenfeitigem Schutze bildeten. Im Jahre 1488 ging daraus der große fchwäbifche Bund hervor, welcher wefentlich zur Aufrichtung des Landfriedens beitrug.

Schwäbifche Kaifer heißen die aus dem Haufe Schwaben ftammenden Kaifer, weil fie vorher das Herzogthum Schwaben befaßen. Es find Friedrich I. (1152—90), Friedrich II. (1212—50), Konrad IV. (ft. 1254).

Schwadron f. Escadron.

Der **Schwanenorden** ift der ältefte Orden des preußifchen Königshaufes; er wurde von dem Kurfürften Friedrich II. von Brandenburg im Jahre 1443 geftiftet und war urfprünglich eine geiftliche Gefellfchaft von Fürften, Rittern und andern adeligen Perfonen, welche die Verehrung der Jungfrau Maria zum Zwecke hatte, woher er auch den Namen Sodalitas beatae Mariae erhielt. Den Namen S. führte er von dem Schwane, welcher mit zur Verzierung des Ordenszeichens diente, das in dem Bilde der Maria mit dem Jefuskinde beftand. Der Orden hatte fehr anfehnliche Güter und war weit verbreitet. Als ein katholifcher Orden verlor er nach der Reformation feine Bedeutung, wurde aber nie aufgehoben; feine Güter fielen an verfchiedene Fürften. König Friedrich Wilhelm IV. erneuerte den S. am 24. Decbr. 1843 als eine freie Gefellfchaft für den Zweck, durch vereinte Kräfte die Zwecke der chriftlichen Menfchenliebe erreichen zu helfen. Der König übernahm nebft feiner Gemahlin das Großmeifterthum. Zu unterfcheiden von diefem Orden ift der Schwanenorden an der Elbe, wie fich eine 1660 geftiftete Gefellfchaft nannte, welche die Verbefferung der deutfchen Sprache zum Zweck hatte.

Schwärmerei nennt man eine gewiffe Richtung des geiftigen Lebens, welche ihren Grund in einer gewiffen Aufregung, Gereiztheit hat. Die S. ift im Zeichen eines nicht vollftändig geordneten geiftigen Lebens; in dem Zuftand der S. hat der Menfch der Einbildungskraft überwiegende Macht über die Vernunft eingeräumt. Man unterfcheidet hauptfächlich politifche Schwärmerei und religiöfe (f. Myfticismus). Die erftere, die politifche S. fchreibt man nicht felten auch folchen Männern zu, die nichts weniger, als Schwärmer find, welche aber unbeirrt um das Gefchrei der Menge die von ihnen erkannten Wahrheiten mit Begeifterung erfaffen und in das Leben einzuführen fuchen. Ein hoher Grad von S. heißt Fanatismus (f. d.).

Schwarzes Bret wird auf den Univerfitäten eine Tafel genannt, welche an irgend einem öffentlichen Gebäude befeftigt ift, woran alle die Studirenden betreffenden Bekanntmachungen angefchlagen werden.

Schweiz. Die Schweiz, im Herzen Europa's zwifchen drei der mächtigften und civilifirteften Nationen gelegen, der Gegenftand eiferfüchtiger Nebenbuhlerei feit Jahrhunderten, ift in vielfacher Beziehung von der größten Bedeutung, hinfichtlich ihrer Gefchichte, Einrichtungen und Eigenthümlichkeiten. Der Flächenraum der Schweiz beträgt gegen 900 ☐ M.; von denen aber mehr als drei Achtel aus Felfen, Seen und

Gletschern bestehen. Die Volksmenge beträgt fast 3 Millionen. Das Land würde
nicht im Stande sein, diese verhältnißmäßig starke Einwohnerschaft zu ernähren, wenn
nicht seine freie Verfassung den Gewerbfleiß ungefesselt ließe, und das Erworbene
gegen Geldsaugereien der Finanzkünste schützte. Die S. ist ein Staatenbund, der
aus zweiundzwanzig Republiken, Cantonen, besteht, die jede in eigener Selbstständigkeit, fast unabhängig von einander nur durch wenige Gesetze, die für Alle gelten, zusammengesetzt sind. Diese kleinen Republiken sind ungleich an Größe, Sprache, Religion, Sitten, Gebräuchen, Verfassungen und Gesetzen; und doch hat kein Föderativstaat je eine längere Dauer gehabt, als die Eidgenossenschaft. Sie entstand, als die
drei Länder Uri, Schwyz und Unterwalden im Jahre 1291 den Bundeseid schworen.
Diesem Verein schlossen sich nach und nach andere Städte und Landschaften an,
welche in der mittelalterlichen Anarchie des deutschen Reiches ihre Selbstständigkeit zu erhalten gewußt hatten. Schon 1353 schlossen sich an die Eidgenossen noch
die Kantone Luzern, Zürich, Zug, Glarus und Bern an, welche acht zusammen die
Eidgenossen der acht alten Orte geheißen wurden. Erst 1513 gestaltete sich der Bund
der dreizehn Orte in der Form aus, die unabhängiger Staatenverein im Westphälischen Frieden, 1648, von den Mächten Europa's förmlich anerkannt wurde.
Früher war dieser Verein nur ein „Schutzbündniß gegen feindliche Angriffe und zur
Bewahrung des innern Friedens." Gemeinschaftliche Angelegenheiten wurden auf der
Tagsatzung berathen. Die Minderheit mußte sich der Mehrheit fügen; wollte sie
dieses nicht, so griff sie zu dem Schwerte; daher auch die Schweiz an innerem Zwiespalt und Kriegen so reich ist, als ein anderes Land. Zürich wurde der Vorort
genannt, weil die Regierung dieses Kantons die Leitung der allgemeinen Kanzleige-
schäfte führte. Um diese ältere Eidgenossenschaft der 13 Kantone hatte sich mit der
Zeit noch ein Ring von 13 kleineren Staaten gebildet, welche man „zugewandte
Orte" nannte. Sie standen aber nicht mit allen Kantonen im Bund, sondern nur
mit einigen. Diese seltsame Staatenverbindung war nicht ohne große Verworrenheit;
eben so waltete in dem einen Staat das aristokratische Element mehr vor, während
in dem andern das demokratische die Oberhand hatte. Die Bevölkerung hat keinen gemeinsamen Nationalstamm, sondern besteht aus den Nachkommen einer Menge
ganz verschiedener Völker, wie der Rhätier, Helvetier, Römer, Franken, Gothen 2c.;
sie sprechen die romanische, französische und italienische Sprache. Nicht nur
jeder Kanton, jede Landschaft, jede Stadt hat ihre Eigenthümlichkeiten, ihre eigenthümliche Geschichte. Eben so groß aber ist auch die Ungleichheit des Klima's, der
Lebensarten, Bedürfnisse und Sitten, der Mundarten wie der Trachten. So ist die
S. als ein geborner Föderativstaat zu betrachten. Diesen eigenthümlichen Verhältnissen hat die S. ihre Gestaltung zu verdanken, weil eben in einem kleinen Kreise
der bürgerlichen Gesellschaft jedem Einzelnen ohne Gefahr für andere, ein größeres
Maaß der Freiheit gewährt werden kann, als in größeren Reichen. Die Freiheit,
durch welche jeder Bürger auf seiner eigenen Scholle als Freiherr, in seiner kleinen
Republik, die sein Vaterländchen ist, als Mitkönig lebte, entwickelte alle Kräfte, bürgerliche Tugend und erzeugte Wohlstand und Zufriedenheit. Daher auch der Heldenmuth der Schweizer, die Begeisterung für ihr Vaterland und ihr Heimweh. Natürlich gilt dieses nicht von den Aristokratien und Priesterstaaten, die stets schlechter als
Monarchien, blos Affen derselben in republikanischer Form sind. — Schon längst
hatte man an eine Reform des Schweizerbundes gedacht, als die französische Revolution 1798 die Hand auch an die S. legte. In drei Monaten war die Eidgenossenschaft unterjocht; die Formen des Bundes hatten sich überlebt und stürzten bei dem
ersten Stoß zusammen. Die S. ward bekanntlich in eine helvetische Republik
umgeschaffen mit einer Centralregierung, einer Gesetzgebung und einem obersten Gerichtshof für das ganze Land. Blutige Aufstände brachen aus und zerrissen das
Land; bis Bonaparte 1803 die Vermittlung übernahm. Er bewahrte dem Volke die

Freiheit und vernichtete die patrizischen Vorrechte, stellte die Unabhängigkeit der Kantone für ihre innere Verwaltung wieder her, setzte eine Tagsatzung ein und statt des Vorortes einen Landamman der Schweiz als Vollziehungsbehörde des Bundesstaates. Im Jahre 1814 gab die S. diese ihr aufgelegte Verfassung wieder auf und schuf die Bundesverfassung um, in welche von neuem der aristokratische Geist Eingang fand. In dem Jahre 1829 und 1830 schon begannen einzelne Kantone die Abänderung ihrer Landesgrundgesetze; nach der Julirevolution in Frankreich benutzten 14 Kantone die Gelegenheit, die demokratische Staatsform wieder herzustellen. Hinsichtlich der neuesten Verhältnisse in der S. bemerken wir noch, daß schon 1833 der Versuch zu einer Bundesrevision gemacht wurde, aber nicht gelang. Die Parteikämpfe dauerten fort, namentlich war es der katholische Klerus des Kanton Luzern, welcher auf die Untergrabung des liberalen Systems hinarbeitete. An der Spitze dieser der Priesterschaft verfallenen Partei stand der Landmann Joseph Leu. Das Jahr 1841 brachte für Luzern den Sturz des liberalen Systems, bald loderte auch im Aargau der Aufstand auf; das Freiamt erhob sich gegen die Klöster, und Aargau hob, 1841, seine sämmtlichen Klöster auf. Jetzt entstand ein Zwiespalt; fünf Kantone nahmen für die Klöster Partei und nannten sich „Bundesgetreue Staaten," und stifteten einen „Sonderbund," welcher die Zurückberufung der Jesuiten betrieb. Außer Luzern gehörten noch dazu Uri, Schwyz, Unterwalden, Freiburg und Wallis. Hier griff 1844 die unterdrückte liberale Partei zuerst zu den Waffen; 1845 erfolgte der große Freischaarenzug gegen Luzern, der leider erfolglos sich wieder auflöste. Die Tagsatzung erließ endlich 1847 den Beschluß, daß der Sonderbund mit der allgemeinen Bundesverfassung unverträglich und also aufzulösen sei. Als alle gütlichen Vermittlungen dazu, so wie zur Vertreibung der Jesuiten nichts halfen, rief die Tagsatzung im Spätherbst 1847 eine Armee zusammen, welche bald den Sieg gewann. Der Sonderbund war zertrümmert und die Jesuiten vertrieben. Schon war die Schweiz durch Metternich und Louis Philipp bedroht, als das Jahr 1848 die Träger der Jesuitenpolitik vertrieb und die schweizerische Eidgenossenschaft ungestört der Aufführung ihres neuen Staatengebäudes obliegen konnte. Ob man sie darin nicht wieder unterbrechen, ob man diesen „Heerd der Revolution," dieses Asyl „der Wühler" nicht bald mit einem Besuch behren wird, darüber dürfte vielleicht schon die nächste Zukunft Aufschluß geben. B.

Schwertbrüder ist der Name eines geistlichen Ritterordens, welcher nebst seinen Besitzungen zum deutschen Reiche gehörte. Bischof Albert, der Bekehrer der Liesen und Gründer der Stadt Riga, stiftete diesen Orden gegen das Jahr 1200, um die in Liesland gestiftete christliche Kirche zu schützen. Der Verfassung des Ordens ward die Verfassung der Templer (s. d. und geistliche Orden) zu Grunde gelegt; die Glieder hießen „Brüder des Ritterdienstes Christi;" sie trugen als Ordenskleid einen weißen Mantel mit rothem Kreuz und Schwert. Daher auch der Name S. Der neue Orden wuchs sehr bald an Macht und Zahl; eroberte Kurland, Esthland und Reval. Später vereinigten sich die S. mit den „deutschen Rittern;" der deutsche Ordensmeister stellte nun einen Landmeister an ihre Spitze. Später erhielten sie das Recht, sich einen eigenen Heermeister zu wählen; ihr Landmeister, Walther von Klettenberg, ward 1525 in den Reichsfürstenstand erhoben und erhielt Sitz und Stimme auf dem Reichstage mit dem Titel Fürstenmeister. Zugleich wurde die Reformation in dem Orden durchgeführt; als aber die deutschen Ritter Liesland und andere Besitzungen verloren, legte der letzte Heermeister der S. 1562 freiwillig sein Amt nieder.

Schwertmagen s. Agnaten.

Schwimmende Batterie werden auf einem Floß oder auf zwei unter einander verbundenen Schiffen erbaut; sie sind seit 1782 erfunden und wurden zuerst bei Gibraltar angewendet.

Schwur f. Eid.

Scrutinium wird im Kirchenrecht die Untersuchung genannt, welche der Uebertragung eines geistlichen Amtes vorausgeht. In der katholischen Kirche heißt S. die vermittels Stimmzettel vorgenommene Wahl eines Bischofs.

Scurra wurde bei den Römern jeder ärmere Bürger ohne Landeigenthum genannt; diese schlossen sich an Reichere an und dienten denselben zur kurzweiligen Unterhaltung. Daher bedeutet auch S. so viel als Possenreißer, Narr.

Seapoys f. Sipoys.

Seckel oder Sekel (Siclus) war bei den Hebräern der Name eines Gewichtes für edle Metalle, nach welchem sie den Werth der ausländischen Münzen bestimmten. Der gemeine Seckel (Beka) galt für den gewöhnlichen Verkehr; der große oder heilige Seckel dagegen, weil die Priester die Tempelabgaben darnach berechneten, war gegen ein Loth schwer.

Secundogenitur. Im Privatfürstenrathe kommt neben der Erbfolgeordnung nach der Erstgeburt (f. d.) auch die nach dem Rechte der Zweitgeburt oder S. vor. Gewöhnlich bezieht sie sich nur auf gewisse Vermögenstheile.

Sedes und **Sedisvacanz.** Sedes, Sitz, heißt vorzugsweise der Regierungssitz eines Bischofs, besonders aber des Papstes, welcher auch apostolischer Stuhl (sedes apostolica) genannt wird. Nach dem Tode eines Bischofs ist der Stuhl leer, es ist Sedisvacanz, welche nur eine bestimmte Zeit dauern darf. Die Münzen, welche während der Erledigung des päpstl. Stuhles geschlagen werden, heißen Sedisvacanzmünzen; später verstand man darunter auch solche Münzen, die bei Erledigung von Bisthümern geschlagen wurden. Sie führen gewöhnlich das Bild eines Schutzheiligen.

Seeaffecuranz heißt die Sicherstellung der Schiffseigenthümer gegen die Gefahr zur See mittels Versicherung des Werthes der Schiffe. Man beobachtet dabei besonders, daß kein Schiff über seinen wahren Werth versichert werde; daß die Contrahenten nicht von dem Schicksal des Schiffes unterrichtet sind, wenn es schon in See ist; daß der Verlust weder durch den Versicherer noch durch dessen Untergebenen herbeigeführt ist.

Seebriefe, Connossement, Bil of lading, ist ein Schifffrachtsbrief oder Ladungsschein, welchen der Capitän eines Kauffahrteischiffes über die an Bord genommenen Waaren in drei Exemplaren ausstellt. Ein Exemplar behält der Verlader, das zweite der Capitän, das dritte erhält der Empfänger der Waaren zugeschickt.

Seehandel. Im Alterthum und im Mittelalter, wo die Schifffahrt sich meist auf Küstenfahrten beschränkte, blieb der S. dem Landhandel noch sehr untergeordnet. Das mittelländische Meer war die Hauptstraße für den damaligen Seehandel. Erst seit dem 16. Jahrhunderte, wo der Seeweg nach Ostindien gefunden und Amerika entdeckt wurde, entwickelte sich der S. Als Seemächte (f. d.) galten Portugal, Spanien, Holland und England. Der S. wurde bald zum Welthandel und führte zur Anlegung zahlreicher Colonien.

Seehandelsvereine f. Handelsgesellschaften.

Seelenmesse f. Messe.

Seelenverkäufer oder Zettelverkäufer wurden jene berüchtigten in Holland und besonders in Amsterdam ihr Wesen treibenden Mäkler genannt, welche Matrosen oder Soldaten zum Dienst in den Colonien anwarben, sie bis zur Abfahrt unterhielten und dabei für jeden Angekauften einen Schuldzettel erhielten, der ihnen ausgezahlt wurde, wenn der Verkaufte am Leben blieb. Mit diesen Zetteln wurde wieder der ärgste Betrug getrieben. Leider hat erst die neueste Zeit diesem schändlichen Unfug ein Ende gemacht.

Seemächte oder Seestaaten werden diejenigen Staaten genannt, welche in ihren Häfen eine Kriegsflotte zum Schutze ihres Handels und ihrer Colonien aufstellen können. Die erste Seemacht ist England; ihm folgen die Vereinigten Staaten von Nordamerika, Rußland und Frankreich. Napoleon bewies, welches Gewicht er auf die Seemacht legte und brachte in wundervoller Kürze der Zeit die französische Marine zu einer bedeutenden Höhe.

Seeprotest heißt die civilische Erklärung, welche von dem Schiffsführer und den ältesten der Mannschaft über den Verlauf der Reise nach dem Schiffsjournal (s. d.) gegeben wird.

Seeräuber, Piraten. Die Seeräuberei unterscheidet sich von der Kaperei dadurch, daß sie von Corsaren, Freibeutern unter willkürlicher Flagge aus eigner Machtvollkommenheit gegen Jedermann ausgeübt wird. Als S. erlangten vom 8—11. Jahrhundert die Normänner einen Ruf; später die nordafrikanischen, welche in Verbindung mit westafrikanischen S. heute noch ihr Handwerk treiben.

Seerecht nennt man den Inbegriff der Gesetze, welche sich auf die Schifffahrt und den Seehandel beziehen. Diese Gesetze betreffen die privatrechtlichen Verhältnisse zwischen den Eigenthümern des Schiffes, dem Capitän und den Befrachtern; die Beschädigungen der Ladung, den Seewurf (s. d.) und die Versicherungen. Zugleich umfaßt das S. aber auch das Staats- und Völkerrecht. Die wichtigste Urkunde über das S. ist die Navigationsacte (s. d.).

Seesoldaten sind die auf Schiffen befindlichen Soldaten. Sie dienen auf Kriegsschiffen nicht blos als Musketiere, um das Kleingewehrfeuer in der Schlacht zu unterhalten, die Posten zu besetzen und die Ladungen zu bewachen, sondern müssen auch, wie die Matrosen, am Takelwerk mit arbeiten und die Geschütze bedienen.

Seewurf heißt das Ueberbordwerfen einer Schiffsladung, wenn dieses zur Erleichterung des Schiffes nöthig ist. Wird das Schiff dadurch gerettet, so muß der Schade von Schiff und Ladung gemeinschaftlich getragen werden; s. Haverei.

Seihks s. Sikhs.

Sekten. Ursprünglich wurden so die verschiedenen philosophischen Schulen der Griechen und Römer genannt. Gegenwärtig aber versteht man darunter die kleinen Religionsgesellschaften, welche sich von der Mutter- oder Hauptkirche abgesondert haben. Die Sekten unterscheiden sich von der Hauptkirche entweder durch eine andere Auffassung der Lehre, oder durch einen andern Cultus; gewöhnlich aber durch beides zugleich. Die katholische Kirche kennt bekanntlich nur Ketzer, aber keine S. Es hat noch nie eine Religionsgesellschaft gegeben, welche keine S. gehabt hätte; die Juden spalteten sich in mehrere S.; der Islam (s. Mohamed) hat sich gespalten; die heidnische Religion ebenfalls. Aber bei keiner Religionsgesellschaft ist das Sektenwesen so ausgeartet, als bei den Christen. Die Geschichte der christlichen S. beweist auf's Deutlichste, wie sehr die irren, welche meinen, das Wort von einem Hirten und einer Heerde könnte je durch eine papierne Glaubenseinheit zur Wahrheit werden. Die bedeutendsten S. haben an ihrem Orte ihre besondere Erwähnung gefunden.

Selbstherrschaft s. Alleinherrschaft.

Selbsthülfe s. Nothwehr.

Selbstmord, Selbstverstümmlung, Vergehen gegen sich selbst. Bis heute haben über die hier bezeichneten Handlungen die verschiedensten Ansichten geherrscht, welche auch zum Theil in die Gesetze über diese Handlungen übergegangen sind. Es kommt hauptsächlich bei der Beurtheilung dieser verschiedenen Ansichten darauf an, daß man auf die Rechts- und Staatsansichten zurückgeht, von denen sie ausgehen. Eine despotische, patrimoniale, feudale Staatslehre, welche die Bewohner des Staates vollständig zum Eigenthum der Herrschaft macht, giebt natürlich dieser Herrschaft auch das Recht, alle die Handlungen ihrer Unterthanen zu strafen, die ihrem Interesse widerstreiten. Die theokratische Staatslehre begründet das Recht und die Pflicht der Regierung, die göttlichen Gebote über die Pflichten der Menschen gegen sich selbst aufrecht zu erhalten und die Grundsätze der blinden Glaubensherrschaft durchzuführen. Die wahre

Freiheitslehre und die vernunftrechtliche scheidet die moralischen und religiösen Pflichten des Menschen gegen sich selbst, gegen seine überirdische Bestimmung und gegen Gott von seinen Pflichten des rechtlichen Friedens und seinen rechtlich übernommenen weltlichen Gesellschafts- oder Staatspflichten. Nur wo Rechtspflichten gegen den Staat verletzt sind, tritt ein Zwangs- und Strafrecht ein. Dieses leidet nun eine doppelte Beschränkung. Erstens darf die Rechtsordnung ihre unmittelbare Grundlage, Achtung der rechtlichen Persönlichkeit nicht selbst aufgeben. Deßhalb kann sie solchen allgemein entehrenden Handlungen, welche diese Achtung zerstören würden, nicht selbst Rechtskraft beilegen; zweitens wird das Staatsgesetz ausnahmsweise in den seltenen dringendsten Fällen, wo es zum Schutze der sittlichen Grundlagen des Rechts unentbehrlich scheint, einzelne Unsittlichkeiten, sofern sie verderbliches Aergerniß geben, verbieten und mit Strafe belegen. Auf diesem vernunftrechtlichen Standpunkt stand auch das römische Recht. Wenn daher gewisse Schriftsteller den Unterschied von Recht und Moral aufgeben, und der Staatsgewalt die an sich grenzenlose Befugniß beilegen, bloße Irreligiositäten und Immoralitäten mit Strafe und Zwang zu belegen, so huldigen diese entweder mit Bewußtsein der Reaction gegen die Freiheit oder sie wissen nicht, was sie thun. Nach den angedeuteten Grundsätzen muß dann auch, mit seltenen Ausnahmen, Staatszwang und Staatsstrafe bei Vergehen des Menschen gegen sich selbst, bei Selbstmord und Selbstbeschädigung eben so wie bei andern bloßen Immoralitäten und Irreligiositäten wegfallen. Gesetzgebung, Urtheil und Strafe müssen hier Gott, dem eignen Gewissen, der Kirche und der heiligen Sittengesetzgebung, so wie dem Urtheile der freien öffentlichen Meinung überlassen werden. Es ist daher ein Irrthum, wenn man den Selbstmord als rechtsverletzend darstellen will, weil, wer in den Staat trete, demselben seine Kräfte verpflichte und rechtswidrig handle, wenn er sie ihm eigenmächtig entziehe. Die freie Theilnahme am Staate verpflichtet mich nur, so lange ich nach meiner Ueberzeugung dessen Bürger bleiben kann und will, nicht länger. Es ist nicht zu bestreiten, daß der Selbstmord nach der Moral sehr verwerflich ist, daß der Mensch nicht eigenmächtig sich seiner Bestimmung entziehen darf. Aber damit ist das Recht des Staates, den Selbstmord zu strafen, noch nicht erwiesen. Die Athenienser bestraften ihn schon, obgleich ihn die Stoiker ganz anders beurtheilten. Selbst die christlichen Moralisten stimmen in ihren Ansichten nicht überein; der heilige Augustinus und andere Kirchenväter billigten den Selbstmord der Jungfrau zur Rettung ihrer Keuschheit. Am sichersten würde man thun, sich an das sehr einfache christliche Gebot zu halten: „Richtet nicht!" Die Carolina (s. d.) und selbst das romanische Recht behielten die Straflosigkeit des Selbstmordes bei. In der Praxis aber belegte man den S. mit der Güterconfiscation und entehrendem Begräbniß; den Versuch mit Gefängniß oder Zuchthaus. Die einzelnen Strafbestimmungen sind in den verschiedenen Staaten heute noch verschieden. Selbstverstümmelung erscheint als besonders strafbar, wenn sie vorgenommen wird, um sich öffentlichen Pflichten dadurch zu entziehen. B.

Selbstsucht, Egoismus, die Hauptkrankheit unsrer Zeit, besteht darin, daß man sein Wollen und Handeln nur auf sich und sein Bestes richtet. Die Selbstsucht ist der ärgste sittliche Fehler und steht im offensten Widerspruch mit den Geboten der christlichen Moral. Die Selbstsucht erzeugt die häßlichsten, entehrendsten Laster und hat für die Menschheit die traurigsten Nachtheile. Der Selbstsüchtige denkt nie an das allgemeine, er wird nie Weltbürger werden, sondern stets eine für sich allein lebende Person bleiben. Die Ursache, aus welcher unsre Zeit so arm an Ideen, an geistigem Aufschwung, an Thaten ist, ist die Selbstsucht, welche überall herrscht.

Selbstverlag. Im Selbstverlage erscheint eine Schrift, wenn der Verfasser sie auf eigne Kosten durch den Druck herstellen läßt, sie entweder selbst im Wege des Buchhandels vertreibt, oder einem Buchhändler zum Vertrieb überläßt; s. Buchhandel.

Seligsprechung, Beatification, wird in der katholischen Kirche der feierliche

Act genannt, durch welchen ein Verstorbener nach Untersuchung seines Wandels und seiner Verdienste vom Papste selig gesprochen wird. Die kirchlichen Wirkungen der S. bestehen in dem Anspruch auf Privatverehrung in einem bestimmten Theil der Kirche und in der Anwartschaft auf künftige Kanonisation (Heiligsprechung). Die S. kam im 12. Jahrhunderte auf und hat sich bis heute erhalten.

Seminarien s. Schullehrerseminarien.

Semperfreie, eigentlich Sendbarfreie, sollen im Mittelalter diejenigen genannt worden sein, die durch ihr hohes Ansehen von der allgemeinen Pflicht, vor dem Sendgericht zu erscheinen, befreit waren. Es ist jedoch wahrscheinlicher, daß der Titel S. die erbliche Freiheit mehrerer reichsadeligen Familien andeutete, wie ihn denn mehrere Geschlechter bis in die neueste Zeit geführt haben.

Senat, französischer. Senat conservateur, Erhaltungssenat, wurde in der französischen Verfassung von 1799 die constitutionelle Gewalt genannt, welche auf die Befestigung des Ganzen und die Erhaltung des Gleichgewichtes unter den übrigen Gewalten berechnet war. Der S. bestand zuerst aus 80 Mitgliedern, welche auf Lebenszeit gewählt wurden und das 40. Lebensjahr überschritten haben mußten. Jeder Senator erhielt einen jährlichen Gehalt von 30,000 Francs. Napoleon wußte den S. bald zu seinem Werkzeuge zu machen, an dessen Spitze er selbst sich als Consul stellte. Nach der Erhebung Napoleons zum Kaiser war der S. nur noch ein Staatsrath, der die Befehle des Kaisers genehmigte und — 1814 dessen Entthronung aussprach. Nach Einführung der Bourbons wurde der S. aufgelöst.

Senat, russischer. Peter der Große schuf 1711 an der Stelle des Bojarenhofes den dirigirenden S., welchen Kaiser Alexander 1801 neu organisirte und zur höchsten Behörde für die inländischen Angelegenheiten erhob. Der S. überwacht die Beobachtung der Gesetze, erläßt neue, und führt die Mitaufsicht über die Staatseinnahmen und Ausgaben. Der Kaiser, welcher das Haupt des S. ist, ernennt die Senatoren, deren Zahl in der Regel 100 — 120 beträgt. Der S. ist in acht Departements getheilt, von denen sich fünf in Petersburg und drei in Moskau befinden. In den Hauptversammlungen ist Stimmenmehrheit, in den Versammlungen der einzelnen Abtheilungen aber Stimmeneinheit nöthig; doch gehört dazu die Sanction des Kaisers, der durch sein Veto jeden Beschluß umstoßen kann.

Senatus war bei den Römern die berathende Versammlung, mit der die gesetzlich-beschließende Volksgemeinde und die auszuführenden Magistrate, die drei Grundtheile in den meisten Staaten des Alterthums bildeten. Senat, Volk und Magistrat waren die drei Personen, durch welche Rom die Welt regierte. Seiner Abstammung nach bezeichnet das Wort S. die Versammlung der Alten (Senes). Zur Zeit des Königthums im alten Rom bestand der S. aus einem Ausschuß bejahrter Bürger, die die Bestimmung hatten, dem König berathend zur Seite zu stehen. In der früheren Zeit war 46 Jahr das Alter, in welchem erst der Eintritt in den S. gestattet war; später ging man auf 30 und endlich zur Kaiserzeit auf 25 Jahr zurück. Das zur Bekleidung dieser Würde nöthige Vermögen (Census) wurde später sehr erhöht; die Zahl der Senatoren war Anfangs 200, stieg aber bis zur Zeit des Augustus auf 800, welche Zahl dieser auf 600 herabsetzte. Die Senatoren hatten eine besondere Tracht, im Theater und Circus Ehrensitze. Die Beschlüsse der S. waren keine Gesetze, aber sie hatten gesetzliche Kraft; die eigentliche Thätigkeit derselben bezog sich mehr auf die Verwaltung; so stand ihm die Oberaufsicht über die Staatsreligion, den Staatsschatz, die Annahme und Absendung der Gesandten zu. Unter den spätern römischen Kaisern sank die Macht des S. immer mehr, bis er gegen Ende des 5. Jahrhunderts in der Geschichte ganz verschwindet.

Send, heilige Send, auch Sendgericht, war eine Art geistlicher Gerichte, welche die Archidiakonen jährlich in den Städten und Dörfern ihres Kirchsprengels abhielten oder durch Sendrichter, Sendschöppen, abhalten ließen. Diese Gerichte

16*

unterfuchten namentlich bie Bergehen gegen kirchliche und religiöfe Beftimmungen, wie gegen die Sonntagsfeier. Die großen Mißbräuche, welche fich bei der Abhaltung der Sendgerichte einfchlichen, führten noch vor der Reformation ihre Aufhebung herbei.

Seniorat f. Erftgeburt.

Separation f. Theilbarkeit des Bodens.

Separationsrecht. Die erfte Regel bei einem Concurfe (f. d.) ift die, daß das gefammte Vermögen des Schuldners unter die Leitung des Concursrichters kommt, der es durch den Gütervertreter, curator bonorum, verwalten läßt, und daß demnach jeder Gläubiger mit feiner Forderung an das Concursgericht gewiefen ift und fie nur mittelft des gewöhnlichen Concursverfahrens geltend machen kann. Vermittelft des Separatione(Abfonderunge)-rechts können gewiffe Gläubiger eine Ausnahme von diefer Regel beantragen und die Abfonderung eines Theils vom Gefammtvermögen verlangen, um aus diefem abgefonderten Theile für fich allein und mit Ausfchluß der übrigen Gläubiger befriedigt zu werden. Hierher gehören vorzüglich: 1) Diejenigen, deren Anforderungen aus einer dem Gemeinfchuldner zugefallenen Erbfchaft herrühren, und Diejenigen, welche Vermächtniffe aus diefer Erbfchaft zu fordern haben. Sie können verlangen, daß die Erbfchaft von der übrigen Maffe getrennt und zunächft zu ihrer Befriedigung verwendet werde. Sie find aber diefes Rechts verluftig, wenn fie den Erben nach der Erbantretung irgendwie als ihren Schuldner anerkannt haben. 2) Die Gläubiger eines Kaufmanns, der mehrere Handelsgefchäfte hat, infofern fie in Anfehung eines gewiffen Handelsgefchäfts mit ihm in Verbindung getreten waren; fie können die Abfonderung diefes Gefchäfts von den übrigen fordern. 3) Die Lehngläubiger bezüglich der Abfonderung des Lehens; 4) Soldaten, mit deren Gelde der Gemeinfchuldner und Mündel, mit deren Gelde der Vormund unerlaubter Weife Sachen gekauft hat, im Hinblick auf Abfonderung diefer Sachen. 5) In Sachfen werden Bergfchulden aus dem Werthe des Bergkuxes ausfchließlich bezahlt. In anderer Beziehung find hier noch Diejenigen zu erwähnen, welche gewiffe Sachen als ihr Eigenthum aus der Maffe voraus wegnehmen, wie z. B. die Chefrau die in Natur noch vorhandenen eingebrachten Gegenftände, Kaufleute die dem Schuldner übergebenen Commiffionswaaren u. f. w. Allein hier werden die Sachen nicht in Folge des S., fondern kraft des Eigenthums daran von den Eigenthümern zurückgefordert, und man nennt Letztere nicht Separatiften, fondern Vindicanten. *D. L. H.*

Separatiften werden alle diejenigen genannt, welche fich von der Kirchengefellfchaft, welcher fie angehören, abfondern und eine eigene veranftalten (f. Sekten). Befonders verfteht man unter S. die fogenannten „Stillen im Lande;" zu den Separatiften der neueren Zeit gehören die Momiers (f. d.) in der Schweiz, die Altlutheraner in Preußen, fo wie die freien Gemeinden (f. Reformation).

Septennalität, Siebenjährigkeit, heißt urfprünglich die auf fieben Jahre feftgeftellte Dauer des brittifchen Unterhaufes in Bezug auf feine Zufammenfetzung, dann aber auch die Frage über die längere oder kürzere Dauer repräfentativer Verfammlungen überhaupt. In früherer Zeit konnte der König von England das Unterhaus nach Belieben erneuern; fpäter erft, am 7. Juli 1716, beftätigte der König die gegenwärtig noch in Kraft ftehende Septennalitätsbill.

Sequeftration wird die Aufbewahrung oder Verwaltung einer im Streit befangenen Sache genannt; auch heißt die Handlung felbft, durch welche diefe Aufbewahrung oder Verwaltung verfügt wird, Sequeftration und der Aufbewahrer Sequefter. Gewöhnlich wird die S. in Schuldfachen verfügt, um die Einkünfte einer Sache den Gläubigern zu fichern.

Serail ift der Name für die Refidenz des Sultans in Konftantinopel, welche aus einer Menge Paläften, Gärten, Mofcheen c. befteht und von einer hohen Mauer eingefchloffen ift.

Sergent ist in manchen Heeren die Bezeichnung der älteren Unteroffiziere einer Compagnie. In Frankreich ist Sergent-major so viel als Feldwebel.

Servil, knechtisch gesinnt, nennt man Denjenigen, welcher um seines eigenen Vortheils willen oder aus Furcht eine übertriebene Dienstbeflissenheit und knechtische, kriechende Folgsamkeit gegen Höhergestellte an den Tag legt. Der Servilismus ist stets ein Zeichen großer Niederträchtigkeit, ein Zeichen des Mangels aller sittlichen Würde. Im Staatsleben ist der Servilismus gefährlich; er verblendet und täuscht die Machthaber, erhebt die Verdienstlosen und leistet der Reaction seine Dienste. Der Ausdruck selbst kam zuerst 1814 in Spanien auf, um den Gegensatz der Liberalen zu bezeichnen.

Serviten, Diener der heiligen Jungfrau, Brüder von Ave Maria, Brüder vom Leiden Christi, heißen die Mönche eines 1233 gestifteten Bettelordens, welcher auch in Deutschland sehr verbreitet war.

Servitut, Dienstbarkeit, Gerechtigkeit, wird das Recht an einer Sache genannt, dieselbe überhaupt oder nur zu bestimmten Zwecken benutzen zu können. Dieses Recht der Benutzung kann an jeder Sache ausgeübt werden; Besitzer dieses Rechtes kann entweder eine Person sein, dann ist es servitus personalis, oder es kann mit einer unbeweglichen Sache in der Weise verbunden sein, daß jeder Besitzer derselben sein Recht auf den mit einem Dienst belasteten Grundstück ausüben darf. Das Nutzungsrecht kann darin bestehen, daß man entweder selbst etwas an dem Gegenstande thun darf, z. B. Früchte davon zu ziehen, einen Weg zu benutzen, oder daß man dem Besitzer des Gegenstandes einen gewissen Gebrauch davon untersagen kann, wie z. B. das Verbauen der Fenster. Die persönlichen S. bestehen entweder in der vollen Benutzung einer fremden Sache und in dem Genuß der davon abfallenden Früchte (Nießbrauch) oder in einem beschränkten Nutzungsrechte. Die S. entstehen durch Vertrag und letztwillige Verfügung; auch können sie durch Verjährung erworben werden (s. d.) und durch Unterlassung des Gebrauches, nach Ablauf einer gesetzlich bestimmten Zahl von Jahren, erlöschen.

Seuchen s. ansteckende Krankheiten.

Sheriff heißt in England der erste Beamte in einer Provinz oder Grafschaft. Die Wirksamkeit eines S. ist sehr bedeutend; er verwaltet die Polizei, zieht die königlichen Abgaben ein, bringt die Strafurtheile zur Vollziehung und sitzt in bürgerlichen Sachen zu Gericht. Unter dem S. stehen auch die Geschworenen. Das Amt selbst ist ein Ehrenamt, welches keine Besoldung trägt, wohl aber vielen Aufwand verursacht, weshalb auch Niemand verbunden ist, es in vier Jahren zwei Mal zu führen.

Shire heißen in Großbritannien die Districte, Provinzen, in welche das Land getheilt ist. Die Beamten der S. sind der Lordlieutenant, der Sheriff (s. d.) und Andere.

Shrapnels werden die Hohlgeschosse genannt, welche mit Karabinerkugeln gefüllt und mit Sprengladung versehen sind. Sie werden in einer bestimmten Entfernung von dem Feinde abgeschossen; sind sie dort angelangt, so theilt sich der bis dahin brennende Zünder der Pulverkammer mit; das Geschoß zerreißt und die Kugeln in demselben zerstreuen sich, Verderben verbreitend. Die S. werden in flachen Bogen aus Haubitzen und wohl auch aus Kanonen geschossen. Die Wirkung des Geschosses hängt vorzüglich von der Berechnung der Zünderlänge ab. Es ist traurig, daß die Erfindung solch' ausgedachter Mordmaschinen noch in die Geschichte der Menschheit gehört.

Sibylle, ein Wesen aus der Fabellehre der Alten. Am berühmtesten wurde die Sibylle von Cumä, welche die Weissagungen verfaßt haben soll, die unter dem Namen Sibyllinische Bücher bekannt wurde.

Sicheres Geleit s. salvus conductus.

Sicherheitsbestellung, Caution (satisdatio) wird von Solchen verlangt, welche entweder fremdes Vermögen zu verwalten haben, oder im Genuß einer Sache sind, die sie unter gewissen Bedingungen wieder abtreten müssen. In Civil- und Criminalprocessen kommen S. häufig vor, um wegen gewisser oder gegen gewisse Handlungen der einen Partei oder des Angeschuldigten Sicherheit zu haben. In jüngster Zeit hat man die S. auch in den Preßgesetzen zur Anwendung gebracht, indem man das Erscheinen einer Zeitschrift unter Andern an die Bedingung einer Cautionsstellung geknüpft hat. Die Caution soll dem Staate Sicherstellung dafür geben, daß die etwa zu verbüßenden Geldstrafen nicht verloren gehen. In der That aber hat man das Cautionssystem nur als Präventiv-Vorbeugungsmaßregel eingeführt, um die Herausgabe einer Zeitschrift zu erschweren.

Sicilische Vesper wird eine jener Greuelthaten genannt, mit welcher sich die Geschichte der monarchischen Staaten so häufig besteckt hat. Durch die Hinrichtung des letzten Hohenstaufen Konradin (1268) hatte sich Karl von Anjou in den Besitz von Neapel und Sicilien gesetzt. Die Völker waren der eisernen Zuchtruthe müde und folgten dem Johann von Procida, um Sicilien zu befreien. Am 30. März 1282, an einem Ostermontag, in der Stunde der Vesper, griffen die Einwohner von Palermo zu den Waffen und metzelten die eingedrungenen Franzosen unbarmherzig nieder. Bald folgte das ganze Land diesem Beispiel und befreiten sich durch muthiges Durchkämpfen von dem fremden Joche.

Siebenjähriger Krieg. Die Kaiserin Maria Theresia hatte durch den für sie unglücklichen Ausgang der beiden ersten schlesischen Kriege (s. d.) die reiche Herrschaft Schlesien an den preußischen Sieger abtreten müssen. Es gelang ihr, die Kaiserin Elisabeth von Rußland sich zu verbinden; eben so auch Sachsen und endlich Frankreich am 1. Mai 1756. Der sächsische Cabinetskanzlist Menzel verrieth dem scharfsichtigen Friedrich von Preußen den Plan seiner Feinde; im August 1756 drang er, ohne Kriegserklärung, mit drei Heersäulen in Sachsen ein und eroberte es in wenig Wochen, so daß er am 16. Septbr. Dresden in Besitz nahm und damit die geheimen Pläne seiner Feinde zerstörte. Bald war das gesammte sächsische Heer bei Pirna eingeschlossen; Friedrich drang in Böhmen ein, nöthigte die Oesterreicher bei Lowositz (1. Octb.) zum Weichen und am 15. Oct. übergab sich die gesammte sächsische Armee. Der Kurfürst floh nach Polen. Siegreich hatte Friedrich den ersten Feldzug beendet. Auf Veranlassung von Maria Theresia wurde Friedrichs Unternehmung auf dem Reichstage zu Regensburg (17. Jan. 1757) als Landesfriedensbruch erklärt und eine Reichsexecutionsarmee von 60 000 Mann bewilligt. Frankreich und Schweden schlossen sich als Garanten des westphälischen Friedens an. Diesem Bund trat noch Katharina von Rußland bei. Im April 1757 rückte Friedrich auf vier Wegen in Böhmen ein und vereinigte sich bei Prag am 6. Mai mit seinen Heersäulen und schlug die Oesterreicher gänzlich. In Folge der für ihn unglücklichen Schlacht bei Kollin (18. Juni 1757) verließ er Böhmen und schlug die Reichstruppen sammt den Franzosen bei Roßbach am 5 Nov. Am 5. Decbr. schon schlug er bei Leuthen in Schlesien das österreichische Heer unter Daun. Auf die jämmerlichste Weise wurde das unglückliche Deutschland zertreten, der Laune eines wenn auch siegreichen Eroberers wegen. Im folgenden Jahre, 1758, besiegte Friedrich die Russen bei Zorndorf (26. Aug.), wurde aber bei Hochkirch am 14. Oct. geschlagen. Ein gleiches Schicksal traf ihn im folgenden Jahre, am 12. Aug. 1759, bei Kunersdorf. Preußen war im höchsten Grade erschöpft, als Friedrich 1760 den Feldzug wieder begann; er besiegte zwar am 3. Nov. die Oesterreicher bei Torgau, doch die Kriegsfurie wüthete fort, bis der Tod der Kaiserin Elisabeth Friedrich von einem Feinde befreite, indem der Kaiser Peter III. sofort mit ihm ein Bündniß abschloß. Am 15. Februar 1763 ward der Friede zu Hubertusburg abgeschlossen, durch welchen alle Theile ihre Besitzungen, so wie sie vor dem Kriege waren, zurück erhielten. Preußen behielt die im schlesischen Kriege erkämpfte Provinz Schlesien; die Nachbarländer, namentlich Sachsen, bluten noch Jahre lang an den Wunden, welche ihnen — Cabinetspolitik geschlagen hatte.

Siegelkunde, Sphragistik, ist ein wesentlicher Theil der Diplomatik. Sie beschäftigt sich mit dem Unterricht von den Regeln und dem Gebrauche der Siegel, nebst Untersuchung ihres Materials. Die Besiegelung einer Urkunde ist nämlich ein höchst wesentlicher Theil derselben. In früheren Zeiten, wo Unterschriften der Urkunden noch nicht gebräuchlich waren, war die Besiegelung das einzige sichtbare Zeichen der Vollziehung, und jetzt noch gilt das Siegel als ein vorzügliches Stück förmlichen Originals. Der Diplomatiker muß sich daher eine Kenntniß der verschiedenen Arten der Besiegelung erwerben. Die Siegel kommen in Deutschland erst seit dem 11. Jahrhundert vor; gewöhnlich waren sie rund oder oval, von Gold, Blei, Wachs. Späterhin ward das sogenannte spanische Wachs gebräuchlich; noch später die Siegeloblaten. In Betracht kommen auch die Farben, Umschriften, Zierrathen und die Befestigungen der Siegel.

Siegelmäßigkeit. Auf Grund einer uralten Rechtsgewohnheit in Altbaiern setzte der bairische Civilcoder von 1753 fest, daß „alle geist- und weltliche Stände oder Landsassen, adelige Personen, graduirte Personen, Offiziere, Priester, Patricier ec. für siegelmäßig zu achten wären, d. h. die Befugniß hätten, ihr eignes Wappen zu führen und Verträge unter sich ohne Zuthun eines Gerichts aufzunehmen, und statt bürgerlicher Eide in Civilsachen blos die Eidesformel zu unterzeichnen. Am 20. April 1808 ward dieses Privilegium zwar aufgehoben, aber zehn Jahr später in die Verfassungsurkunde am 26. Mai 1818 wieder aufgenommen, allerdings mit einigen Beschränkungen und Veränderungen.

Siegelstempel s. Bulle.

Signalfeuer sind Feuer, welche des Nachts angezündet werden, um ein Signal oder Zeichen zu geben. Man bedient sich dazu des bengalischen Feuers, der Raketen, Leuchtkugeln. Die bengalische Flamme kann man auf 10 Meilen weit mit bewaffnetem Auge sehen, wenn nicht Nebel, Schnee oder andere ungünstige Umstände es verhindern; ferner bedient man sich der Blickfeuer, welche durch die Entzündung von einigen Pfund Pulver entstehen, indem dasselbe mit sehr starker Flamme schnell verbrennt.

Sikhs, Seikhs, ist eine Religionsgesellschaft im nördlichen Indien, welche einen eigenen Staat begründet hat. Der Stifter der Sikhs, d. h. Schüler oder Jünger, war Nanaka oder Navek, ein Hindu aus der Kriegerklasse, geb. 1469. Er suchte die Mohamedaner und Brahmanen zu vereinen und lehrte den strengsten Monotheismus. Dabei entkleidete er die bestehenden Religionsformen von allem Ueberflüssigen und drang auf einfache Gottesverehrung und reine Menschenliebe. Der Gottesdienst der Sikhs war höchst einfach, weshalb sie auch anfangs nur wenig Anhänger fanden, die sich aber später doch bedeutend vermehrten. Nach dem Tode des Stifters Navek erbte die Würde eines Oberhauptes der S. fort; 1675 ward aus der Religionsgesellschaft eine politische; der damalige Häuptling Guru Gowind vernichtete die Kasteneinrichtung der Hindus, erleichterte den Druck des Volkes und erwarb sich so viele Anhänger. Die zum Staate gewordene Kirche bildete nun eine demokratische Bundesrepublik, welche aber bald mit äußeren Feinden in Kampf kam. In den neuesten Zeiten versuchten die Engländer eine Vermittlung zwischen den streitenden Parteien, die damit endete, daß 1845 die Niederlage und Theilung des Reichs der S. erfolgte, und sie 1846 in vollständige Abhängigkeit der Engländer kamen.

Silberling s. Seckel.

Simonianer werden die Anhänger des Simon Magus genannt, eines Religionsstifters zur Zeit der Apostel. Seine Gesellschaft bestand bis in das zweite

Jahrhundert. Da er sich die „Mittheilung des heiligen Geistes" von den Aposteln durch Geld zu verschaffen suchte, so wird nach ihm ein Amtsverbrechen benannt.

Simonie s. Amtsvergehen.

Simultaneum (simultaneum religionis exercitium) bezeichnet die gleiche Religionsausübung zweier Religionsparteien. Nachdem das Christenthum Staatsreligion geworden war, nachdem sich besonders die Kirche die weltliche Macht angemaßt hatte, war auch der Geist christlicher Duldung verschwunden. Nach der Reformation brach die Verfolgungswuth im größten Maaßstabe aus und erzeugte die blutigsten Kriege. Der westphälische Friede, als Schlußstein des 30jährigen Krieges, vernichtete die Unduldsamkeit keineswegs. Er heiligte allerdings in Beziehung auf die unmittelbaren Reichsverhältnisse und die Reichsstände und das Reichsbürgerrecht das Princip der Rechtsgleichheit für die Katholiken und Protestanten. Aber er löste zugleich den Reichsstaat in ein Corpus Catholicorum und in ein Corpus Evangelicorum auf; diese waren auf Unterhandlungen, Repressalien (s. d.) und zuletzt auf Krieg förmlich angewiesen. Im Innern der Reichsstaaten oder in Beziehung auf das ganze deutsche Volk war im Allgemeinen fast keine Religionsfreiheit, kein staatsrechtlicher Schutz der Bürger, ihrer religiösen und kirchlichen Verhältnisse begründet. Es galt vielmehr durch das ausgesprochene furchtbare landesherrliche Reformationsrecht und seinen entsetzlichen Grundsatz: „Wem das Land, dem die Religion" (cujus est regio, illius est religio) das Recht, daß die Regierung des Landes die Religion anbefehlen konnte. Wer sein Heiligstes nicht der Laune eines Despoten opfern wollte, mußte landesflüchtig werden. Dieses nothwendige S. trat mit dem Normaljahr (s. d.) 1624 ein; daneben giebt es nun noch ein freiwilliges S., welches der Landesherr ohne jene Nothwendigkeit einführt. Darüber erhob sich nun ein langer Streit. Man stritt, ob der katholische Fürst eines protestantischen Landes zu Gunsten der Katholiken, oder ob der protestantische Fürst eines katholischen Landes zu Gunsten der Protestanten ein S. einführen könne; die Protestanten verneinten die Frage, weil der Protestantismus sich nie der jesuitischen Umtriebe bedient hat, die Katholiken also nichts von ihm zu fürchten haben. Wohl aber lag die Besorgniß vor, daß durch Uebergriffe der katholischen Kirche für den Protestantismus zu fürchten sei. Der Reichsdeputationshauptschluß von 1803 sprach endlich aus, „daß der Landesfürst das Recht habe, andere Religionsverwandte zu dulden und ihnen den vollen Genuß gleicher bürgerlicher Rechte zu gestatten." Art. 16. der Bundesacte bestimmte: „Die Verschiedenheit der christlichen Religionsparteien kann in den Ländern und Gebieten des deutschen Bundes keinen Unterschied in dem Genusse der bürgerlichen und politischen Rechte begründen."

Sinecure (sinecura d. h. ohne Sorge) ist eine Erfindung der Pfaffen und bedeutet eine geistliche Pfründe oder Stelle, welche dem Inhaber Einkünfte gewährt, ohne daß er nöthig hat, etwas dafür zu leisten. So wollte man es gern haben! Später nannte man jedes andere Einkommen, das keine Gegenleistung beansprucht, S.; dahin gehören Hof- und Staatsämter, welche viel einbringen und keine Arbeit bedingen. So sind auch in England fast alle geistlichen Stellen der bischöflichen Kirche S., die durch einen Vikar (s. d.) verwaltet werden.

Sinking-Fund s. Staatsschulden.

Sipoys. Seapoys, gleichbedeutend mit Sipohi oder Spohi, wird die von Europäern in Ostindien aus Landeseingebornen gebildete Infanterie genannt. Die Franzosen brachten es zuerst auf, Eingeborne zu Soldaten zu werben, weil diese den Einwirkungen des Klima leichter widerstehen konnten. Die Engländer machten es bald nach und in kurzer Zeit hatten sie 32 Regimenter S. Die ostindische Compagnie hat zur Zeit gegen 200,000 S., Reiterei und Fußvolk. Sie gehen dem Klima angemessen sehr leicht, und werden nicht geschont. Dabei zeichnen sie sich durch Mäßigkeit und Tapferkeit vortheilhaft aus, sind duldsam und unverdrossen.

Sippschaft ist von dem alten Worte Sip, Stamm, abzuleiten und bezeichnet die Blutsverwandtschaft. Zuweilen braucht man das Wort auch im verächtlichen Sinne.

Sittenpolizei, Religions- und Unterrichtspolizei. Es ist der Zweck dieses Artikels, eine genauere Betrachtung der Hauptgrundsätze über die staatspolizeiliche Schützung und Förderung der Religion und Bildung anzustellen, da die Sittlichkeit das Grundprincip des Rechtsgesetzes und des Rechtsstaates bildet. Ueber das Ganze der Polizei, die einzelnen Beziehungen derselben zur Religion vergl. Christenthum, Duldung, Kirche, Gallicanische Kirche, Religion, Schule, Moral, Recht und Staat. — Religion, Sittlichkeit und Bildung sind die heiligsten Grundlagen und Zielpunkte des menschlichen und gesellschaftlichen Lebens und Strebens. Die Hauptfrage ist nun: Wie kann, wie darf die Staatsregierung Religion, Sittlichkeit, Bildung fördern? Darüber gehen nun die Ansichten aus einander." Betrachten wir zunächst die falschen Ansichten über die Förderung der Sittlichkeit und Bildung von Seiten des Staates und ihre verderblichen Folgen. Die erste falsche Ansicht ist, daß man Religion, Sittlichkeit und Bildung in einer bestimmten staatsgesetzlich vorgeschriebenen Gestalt erzwingen will, während diese drei doch nur auf dem Boden der vollsten Freiheit gedeihen können. Diesen Abweg betrat die theokratische Priesterherrschaft der Juden und Christen; sie suchte den Menschen durch blinden Glauben zu bevormunden und zu beherrschen. Indem sie so der etwa bestehenden weltlichen Macht, welche ihr zur Verknechtung des Volkes die Hand bietet, Dienst erweist, erhebt sie das religiöse Sittengesetz zum weltlichen Staatsgesetz. An dieses theokratische Bevormundungssystem knüpfte sich dann in den Uebergangsperioden der Völker eine weltlich despotische und absolutistische Bevormundung. Der Fürst wurde nicht selten der politische Papst, wobei schwache, eigennützige und herrschsüchtige Hofgeistliche ihre Dienste leisteten. Sie stehen aber dabei keineswegs im Dienste der Kirche, sondern sie thun es in bösischer und schmeichlerischer Unterthänigkeit. Sie thun es, indem sie zum Dienste und als Werkzeuge für den weltlichen Herrn sich hergeben, indem sie mit einer verblendeten und eigennützigen Hofaristokratie zu solchem Dienste sich verbinden und die Religion herabwürdigen. Eine zweite falsche Ansicht läßt wieder Polizei, Sittlichkeit und Bildung als dem Staat ganz fremd erscheinen. Diese Ansicht hat sich gewöhnlich dann gebildet, wenn die Völker und ihre Organe, die Schriftsteller, zum Bewußtsein ihrer Mündigkeit, ihrer freien selbstständigen Vernunft erwachen, und die Mißbräuche und Erniedrigungen der früheren priesterlichen und weltlichen Bevormundung und Unterdrückung durchschauen. So kam es in Frankreich, daß Voltaire, die französischen Encyklopädisten und später die Häupter der Revolution die Religion mit dem Aberglauben verwechselten. Eine dritte falsche Ansicht mischt die beiden ersten auf eine klägliche Weise zusammen. Man giebt wohl zu, daß die erwachte Vernunft und die öffentliche Meinung eine vollständige Durchführung des Bevormundungssystems nicht gut möglich machen. Man spricht wohl von bürgerlicher Freiheit, beschränkt sie aber auf die bloße Privatfreiheit. Man stellt nun zum Schutz der Religion, Sittlichkeit und Bildung einen staatspolizeilichen Schutz hin. Diesem Zwange opfert man die Selbstständigkeit, das feste Recht und alles Recht hin, führt nur ein Scheinleben. Es gilt nur so lange, als es den herrischen Vormündern und ihren Werkzeugen nicht unbequem oder unangenehm wird. Vor allem aber muß ihm die Oeffentlichkeit und die Freiheit der Wahrheit, die Preßfreiheit zum Opfer fallen, weil sie am meisten dem blinden Glauben an die alleinige oder unfehlbare Weisheit der Vormünder und ihrem despotischen Herrscherrechte feindlich sind. Die Freiheit und das Recht, wie die wahrhaft fürstliche Würde, gehen unter in dem Belieben des Vormundes und Herrn. Er oder dessen Günstlinge und Minister wissen allein, was für die armen unmündigen Bürger wahr und gut, religiös und sittlich ist. Bei solchem unverantwortlichen Vormundschafts- und Herrenrecht über willenlose Kinder und Knechte erscheint es doppelt als Frevel von diesen, wenn sie über die Regierungshandlungen Derjenigen sich auch nur ein Urtheil anmaßen wollen, die ein solches so arg gemißdeutetes göttliches Recht und monarchisches Princip und ihre factische Herrengewalt zu Erdengötzen erhebt. Eine vorgeschriebene und privilegirte Staats-, Rechts- und Kirchenlehre aber und eine ihr dienstbare privilegirte Aristokratie von priesterlichen, gelehrten und adeligen Hof- und Oberdienern muß dieses neue Reich vor blindem Autoritätsglauben schützen. Diejenigen, welche Gewalt und Reichthum besitzen, halten an der Verkehrtheit aus der gewohnten süßen Neigung für Herrschaft und Besitzthum fest, oft im besten Glauben und mit derjenigen Selbsttäuschung, welche an sich schon die Gewohnheit und der eigene Vortheil begründen und welche bei der öffentlichen Wahrheitsunterdrückung die im Vormundschafts- oder Polizeistaate allein freie Lüge und Schmeichelei täglich befestigen. Die Lüge aber weiß nun jene Täuschung zu nähren, vor Allem durch die Unterdrückung der Freiheit, der Wahrheit und außerdem bald durch eine hofschmeichlerische oder nur krankhafte pietistische Auffassung der christlichen Lehre. Schon Kant beklagte diese „auf das Princip des Wohlwollens gestützte Regierung, welche die Bürger als unmündige Kinder behandelt und der größte denkbare Despotismus ist." — Schon hatte das Unglück des deutschen Volkes es dahin gebracht, daß man dieses unheilvolle Bevormundungssystem aufgeben, daß man endlich ein zweitausendjähriges Volk mündig sprechen wollte, als wieder reactionäre Bewegungen auftauchten, und dieses mit dem Fluch der Völker beladene System zu halten suchten unter dem Lügennamen der Restauration. Die Bestrebungen sind namentlich in zweierlei Hinsicht zu beklagen. Sie sind vor Allem die größten Hemmnisse und Gefahren für die Freiheit selbst und dadurch Hemmnisse und Gefahren für das Heil, die Größe und Sicherheit des Vaterlandes. Die Vertheidiger dieses Systems wirken sich aber auch selbst entgegen, denn sie wirken dem entgegen, was wohlwollende Rathgeber, Regierungen und Diener mit ihnen bezwecken: die Liebe und Achtung der Sittlichkeit, der Religion, der Wissenschaft, einer die Revolution ausschließenden Kraft und Festigkeit und Sicherheit der Regierung wie der Verfassung. — Die allerverderblichste Wirkung jener falschen Ansichten ist aber die, daß sie selbst ihre und ihrer Vertreter Achtungswürdigkeit mindert und das Volk verdirbt. Sie entadelt, sie verschlechtert zuerst den Beamten-, den Priester-, den Adel- und Gelehrtenstand. Sie nimmt ihnen die höchste Schutzwehr gegen Unmündigkeit, das Bewußtsein und die Sicherheit ihrer Würde, als selbstständiger und ehrwürdiger Priester, Organe, Vertreter des göttlichen Willens, der Wahrheit, des Rechts, der Ehre. und würdigt sie zu Werkzeugen menschlicher Willkür und Eigenmacht. Sie reizt sie auf zur Anwendung der Lüge und des Unrechts, zur Bekämpfung der Wahrheit und Freiheit, sie führt zur — Feigheit. Man sehe doch diese feige Erbärmlichkeit bei so vielen Beamten, Richtern, Gelehrten, bei Wahrheits- und Rechtslehrern! Sehet doch ihre Angst, ihre Heuchelei, ihre Scheu, selbst die klarsten Verfassungsrechte anzuerkennen, ihre unmännliche Verleugnung von Wahrheit und Recht — kurz sehet die armen Sünder Göthe's:

„Was ist ein Philister?
Ein hohler Darm.
Mit Furcht und Hoffnung angefüllt —
Daß Gott erbarm'!

Wenden wir uns nun von der Betrachtung der bisher herrschenden falschen Ansicht über die Verpflichtung des Staats, Religion, Sittlichkeit und Bildung zu fördern, zu der rechten Ansicht: Die Förderung ist allein möglich in dem freien, dem wahren und lebendigen Staat. Diese wahrhafte Freiheit und Lebensfähigkeit ist aber nur da zu finden, wo die freien Organe der Körperschaften und Associationen der Familien, Gemeinden, Kirchen und Schulen bestehen, neben einer allgemeinen parlamentarischen

Gesetzgebung und Selbstbesteuerung der ganzen Nation, einem schwurgerichtlichen Selbstgericht und der vollsten Oeffentlichkeit und Preßfreiheit. Auf diesem naturgemäßen
Wege erreichten alle freien Völker, die Athener, die Römer, die Britten, ihre Aufgabe. Merkwürdig ist es übrigens, daß sehr viele Fürsten und Staatsmänner das
Wahre des eben Ausgesprochenen auch erkannt haben, aber nur in Zeiten der Gefahr,
wie 1806 und 1813, nichts desto weniger aber später wieder unterließen, die Grundpfeiler des Staates, Sittlichkeit, Ehre, Gerechtigkeit und Treue auf's Neue zu befestigen. Wo aber diese Grundpfeiler mängeln oder zerbrechlich sind, da helfen alle noch
so gut gemeinte polizeiliche Maßregeln, denen man den Namen sittenpolizeiliche zu
geben pflegt, nicht, den Ruin der Völker aufzuhalten.   B.

    Situationszeichnen oder Planzeichnen heißt, ein treues, vollständiges Bild
eines Landstriches oder eines Terrains auf das Papier zeichnen. Die Situationspläne verbreiten sich noch mehr in das Einzelne, wie die Militärkarten (s. d.), müssen
daher auch nach einem größeren Maßstabe gezeichnet werden.

    Sixtinische Kapelle heißt die Hofkapelle im Vatican, welche unter Papst Six-
tus IV. 1173 erbaut wurde. Sie ist mit den herrlichsten Malereien der größten
Meister ausgeschmückt.

    Sklaverei. Unter Sklaverei versteht man den rechtlosen Zustand eines
Menschen, in welchem ihn ein Anderer als sein Eigenthum behandelt, einen Zustand
der Knechtschaft, wobei die persönliche Freiheit verloren gegangen ist. Die politische Sklaverei, wo ganze Völker sich ihren Herrschern gegenüber in einem Sklaven-
zustande befinden, herrscht mehr oder weniger noch in vielen Ländern, wie in Asien
und Afrika. Man hat die Sklaverei in den Morgenländern dem Klima zuschreiben
wollen, aber mit Unrecht. Denn viele der Völker, welche heute noch in der Sklaverei seufzen, hatten sich früher zur größten Freiheit erhoben. Richtiger nimmt man
an, daß die nach und nach eingeführte Beschränkung der Freiheit die Völker in Wildheit und Barbarei stieß, mit welcher bald die Sklaverei zu vereinigen ist. Außer
dieser politischen Sklaverei giebt es noch eine Civilsklaverei, von welcher hier die
Rede sein soll. Der Ursprung dieser Sklaverei ist sehr einfach; der Stärkere über-
wand den Schwächeren und machte ihn sich dienstbar; häufig machte man bei den
Weibern den Anfang, wie jetzt noch bei wilden Völkerstämmen die Weiber die
Sklaven der Männer sind. Hierzu kam noch der Krieg. Die im Kriege Gefangenen
wurden im Alterthum Sklaven. Da man ein Mal den Gebrauch, Menschen zu
Sklaven zu machen und sie wie eine Waare zu verkaufen, angenommen hatte, so
wurde er bald auch erweitert. Die Nachkommenschaft der Sklaven wurden wieder
Sklaven; Schuldner verfielen ihren Gläubigern als Sklaven; man bestrafte Verbrecher dadurch, daß man sie als Sklaven verkaufte. Die Griechen scheinen in den ältesten Zeiten die Sklaverei nicht gekannt, sondern sie erst später aus Asien herüber
erhalten zu haben. Leider wurde sie hier, namentlich in Sparta, später ganz ausgebildet. Am vollständigsten aber bildete sich die Sklaverei, aber auch das Recht der Sklaven
bei den Römern aus, welche nach und nach von der größten Härte sich der Menschlichkeit näherten. In den ältesten Zeiten Roms war die Härte, mit welcher die
Sklaven behandelt wurden, beispiellos; Tausende wurden jährlich bei den öffentlichen
Spielen hingemordet. Es führte diese Grausamkeit zu mehrfachen Empörungen, bei
welcher einer 6000 besiegte Sklaven mit einem Mal gekreuzigt wurden. Erst im
zweiten Jahrhundert nach Christus wurde den Herren der Sklaven das Recht über Leben
und Tod derselben genommen; im Allgemeinen dauerte aber die Unmenschlichkeit fort.
Dem Christenthum war es vorbehalten, durch seine Lehre, daß Gott der Vater aller
Menschen und diese Brüder seien, das Sklaventhum nach und nach zu verdrängen,
obgleich es vollständig erst in der neuesten Zeit beseitigt worden ist. Die alten Deutschen hatten ebenfalls Sklaven, welche sie zum Landbau brauchten, doch in viel mildern Verhältnissen, als die Römer. Der Sklave hatte sein Hauswesen, dem er als Fa-

milienoberhaupt selbstständig vorstand. Mohamed (s. d.) nahm sich der Sklaven in seiner Sittenlehre sehr an und sicherte ihnen eine milde Behandlung. Man hat vielfach versucht, das Sklaventhum durch Rechtsgründe zu rechtfertigen, aber stets ohne Erfolg, denn selbst nicht auf den Grund eines Vertrages hin kann Sklaverei rechtlich werden; denn durch einen Vertrag sich zum Sklaven hingeben, setzt voraus, daß man Person und Sache zugleich sei, was unmöglich ist. Man hat daher auch in der neueren Zeit das große staatsgesellschaftliche Verderbniß, welches mit der Sklaverei verbunden ist, eingesehen, und ihr entgegengewirkt. Am 1. Juni 1834 wurde in England in einer Parlamentsacte die Abschaffung der Sklaverei in den außereuropäischen Besitzungen ausgesprochen. Diesen Sieg der Menschlichkeit verdankte man den begeisterten Worten eines William Pitt, Graf Grey und Canning. Beinahe eine Million farbiger Sklaven wurden durch jenen Beschluß frei und die britische Nation brachte dabei ein Geldopfer von 20 Millionen Pfund Sterling, welche Hochherzigkeit einzig in der Geschichte dasteht. Leider haben noch nicht alle Staaten dieses Beispiel befolgt oder befolgen können, da sich der Abschaffung der Sklaverei z. B. in den südlichen Theilen des nordamerikanischen Unionsgebietes ungeheure Schwierigkeiten entgegenstellen. Mit dem Wegfall des schmählichen Sklavenhandels, der jetzt fast überall errungen ist, wird auch die Sklaverei ihr Ende erreichen. *C.*

Socialismus s. Gesellschaft, Wissenschaft der; St. Simonismus.

Socialreformer werden diejenigen genannt, welche eine Umwandlung der bestehenden bürgerlichen Verhältnisse, so wie der Eigenthums- und Besitzverhältnisse für nöthig halten. Die Gütergemeinschaft fand schon im Alterthum bei Vielen Anklang; so lebten die Essäer und Therapeuten, die Pythagoräer und Epikuräer in Gütergemeinschaft. Die ersten Christen hatten ebenfalls „Alles gemein," was von den größten Kirchenlehrern gebilligt wurde. In neuerer Zeit versuchten mehrere christliche Sekten einen Umsturz der gesellschaftlichen Verhältnisse, wie die Wiedertäufer (s. d.), die böhmischen Brüder und die herrnhuter Brüdergemeinde. Die Niederlassung der Jesuiten in Paraguay gab das vollständigste und schönste Bild einer modernen Association. Kurz, die Ideen über eine Umgestaltung der gesellschaftlichen Verhältnisse sind sehr alt. In der neueren Zeit sind sie wieder aufgetaucht, aber mit politischen Bestrebungen in Verbindung gebracht und deshalb verboten und verfolgt worden. Daß Vieles faul ist an unseren gesellschaftlichen Zuständen, ist eine Wahrheit.

Societät s. Gesellschaft.

Socinianer werden die Anhänger des Lälius und Faustus Socinus genannt. L. Socinus, geb. 1525, ging von der Rechtswissenschaft zur Theologie über, ward mit den Reformatoren bekannt und suchte in Polen für die Reformation zu wirken. Er wurde verfolgt und starb 1561 in Zürich. Sein Neffe, F. Socinus, geb. 1539, wurde der Fortpflanzer seiner Lehren in Neapel, der Schweiz und in Siebenbürgen. Doch auch er wurde verfolgt und starb 1604. Die Socinianer sind die Vorläufer der Rationalisten (s. d.) und nahmen nichts als wahr an, was gegen die Vernunft stritt. Sie verwarfen die Göttlichkeit Jesu und die Dreieinigkeitslehre. Weil sie die Einheit Gottes zu ihrem Hauptlehrsatze machten, wollten sie Unitarier (s. d.) heißen.

Sofiismus s. Sfäsismus.

Solipsen — Selbstlinge — ist ein Name der Jesuiten, welche eben der Selbstsucht vor Allem ergeben sind.

Solonische Gesetze. Bekanntlich wurde Athen vor Solon durch die Drakonischen Gesetze regiert, welche durch ihre zu große Strenge Erbitterung erregt und das Volk in Gefahr gebracht hatten. Nach Ablehnung der ihm angebotenen Königswürde übernahm Solon 594 v. Chr. in Athen die Ausführung einer neuen Gesetzgebung. Er hob darin das alte Schuldrecht auf, nach welchem der Schuldner seine persönliche Freiheit verlieren konnte. Er gab der ganzen Staatseinrichtung eine demokratische Unterlage, durch welche die Rechte der Bürger sicher gestellt wurden.

Die Gesetze des Solon wurden auf hölzerne Tafeln gegraben und auf 100 Jahre beschworen. Solon war nächst Mose einer der weisesten Gesetzgeber der alten Welt.

Sonntagsschulen s. Schulwesen.

Sophisten wurden in Griechenland im 5. Jahrhundert vor Christus eine besondere Klasse von Lehrern der Beredtsamkeit und Staatskunst genannt. Die Sophisten, d. h. Weise, hatten diesen Namen aus Stolz gewählt, deßhalb, so wie später, weil viele derselben sich durch Anmaßung lächerlich machten, nannte man S. solche Gelehrte, welche durch leere Spitzfindigkeiten Aufsehen machen wollen.

Souverain, Souverainetät s. Staat.

Spanische Befestigung. Diese wurde in Italien zuerst erfunden und in Spanien weiter ausgebildet. Sie besteht darin, daß nach ihr an Festungswerken Bastionen angebracht werden.

Spanischer Erbfolgekrieg heißt der Krieg, welcher von 1701 bis 1713 zwischen Frankreich, Spanien und Oesterreich wegen der Erbschaft des Königreichs Spanien geführt wurde. Leider wurde auch Deutschland der Schauplatz des Kriegs für einige Zeit, da Baiern auf die Seite Frankreichs getreten war, bis die berühmten Feldherren Prinz Eugen und Marlborough 1704 die Franzosen über den Rhein trieben. Der zerstörende Krieg wurde am 11. April 1713 zu Utrecht geschlossen.

Sparbanken, Sparkassen. Zu ihrer Entstehung hat die Schwierigkeit Anlaß gegeben, kleine Ersparnisse schnell und sicher gegen Zinsen anzulegen. Für den Einzelnen gehen dadurch die Früchte seines Fleißes verloren; für die Gesammtheit aber wird die Vermehrung des Nationalcapitals verzögert. Man hat daher in der neueren Zeit Anstalten eingerichtet, welche die augenblickliche Anlegung kleiner Summen möglich machen; es sind dieses die S. Man kann dieselben in allgemeine und in solche theilen, welche einen bestimmten Zweck haben. Die allgemeinen S. nehmen Einlagen zwischen einer festgesetzten niedrigsten und höchsten Summe an; leihen sie zinstragend aus- und zahlen das Geld oder einen beliebigen Theil zurück. Die Zinsen können zur rechten Zeit erhoben oder auch zu dem Capital geschlagen werden. Werden die Verwaltungskosten nicht durch wohlthätige Spenden gedeckt, so muß dieses durch Herabsetzung des Zinsfußes geschehen. Es ist zu wünschen, daß solche allgemeine S. für jeden zugänglich und an allen Orten eingeführt werden. Die S. zu bestimmten Zwecken dienen dazu, zur Bestreitung einer einzelnen größeren Ausgabe, welche erst in entfernter Zeit eintreten wird, das erforderliche Capital nach und nach zu sammeln. Dieses kann geschehen durch Einzahlung einer kleinen Summe, zu welcher man die Zinsen schlagen läßt, oder durch allmälige regelmäßige Beiträge. Zu diesen S. gehören eigentlich die Sterbe-, Kranken- und Ausstatungskassen.

Specialverdict s. Geschworene.

Sphragistik s. Siegelkunde.

Spielberg. Derselbe liegt bei der Stadt Brünn in Mähren und ist in neuerer Zeit als Staatsgefängniß berüchtigt worden.

Spießruthenlaufen, Gassenlaufen, war eine schimpfliche Militärstrafe, welche zur Schande unserer Zeit erst vor wenig Jahren in Wegfall gekommen ist. Sie bestand bekanntlich darin, daß der Verbrecher bis auf den Gürtel entkleidet durch eine Gasse von 100—300 Mann zu verschiedenen Malen geführt wurde und von jedem Soldaten einen Hieb mit einer weidenen Ruthe erhielt. Nicht selten erfolgte der Tod auf diese oft mit der größten Grausamkeit vollzogene Strafe.

Spillgeld s. Nadelgeld.

Spillmagen s. Agnaten.

Spiritualen wurde die strengere Partei des Franziskanerordens (s. Orden) genannt. Sie sonderten sich 1294 von dem Orden ab und wurden als Orden der Cölestiner-Eremiten bestätigt. Später wurden sie als Ketzer behandelt.

Spital s. Wohlthätigkeitsanstalten.

Sponsalien oder **Verlöbnisse** sind die Verträge, durch welche die künftige Vollziehung einer Ehe zwischen zwei Personen festgesetzt wird. Sie können nur von solchen Personen vollzogen werden, die das Recht und die Fähigkeit haben, Verträge einzugehen. Verlöbnisse minderjähriger Personen sind giltig, wenn die betreffenden Personen die Mannbarkeit erreicht haben. In manchen Gesetzgebungen sind noch besondere Feierlichkeiten vorgeschrieben, welche beobachtet werden müssen, wenn die Verlobung giltig sein soll. Die nach den Vorschriften solcher Gesetze vollzogenen Verlöbnisse heißen öffentliche, im Gegensatz zu den geheimen, wo man jene Vorschriften nicht beachtet.

Sporadisch nennt man das Erscheinen gewisser Krankheiten in vereinzelten Fällen; es ist das Gegentheil von epidemisch (s. ansteckende Krankheiten).

Sporteln. Sportula war bei den Römern ein Körbchen, in dem man bei öffentlichen Mahlzeiten denen, die nicht zugegen sein konnten, ihren Antheil zuschickte. Später wurde diese Gabe in Geld verwandelt. Gegenwärtig versteht man unter S. die gerichtlichen Nebengebühren. In früheren Zeiten waren sie sehr allgemein und bildeten nicht selten den Haupttheil des Einkommens der Beamten. Wegen der Schwierigkeit, sie einer Controlle zu unterwerfen, und bei der Leichtigkeit, sie zu Bestechungen zu benutzen, entstand aus dem Sportelwesen mancher Mißbrauch. Deshalb hat man auch die S. fast überall aufgehoben. **Sporteltaxe** ist die gesetzliche Vorschrift, nach welcher die Gerichts- und Advokatengebühren angesetzt werden.

Spottbild, Caricatur, nennt man eine bildliche Darstellung, in welcher Theile, Eigenschaften des dargestellten Gegenstandes übertrieben sind, wobei aber die Aehnlichkeit noch erkennbar sein muß. Das S. hat denselben Zweck, wie die Satyre; es soll auf bildliche Weise die Thorheiten, Schwächen oder Albernheiten geißeln und lächerlich machen. Namentlich ist es ein Mittel geworden, das Verderbliche, Unstatthafte und Lächerliche an politischen Zuständen und Personen darzustellen. In England namentlich und auch in Frankreich werden die S. besonders gepflegt; der deutsche Künstler scheint zu ernst und zu gutmüthig, um treffliche S. zu machen.

Spottmünzen werden die Medaillen genannt, welche geprägt worden sind, um Personen, Zustände oder Begebenheiten lächerlich zu machen; es sind geprägte Caricaturen, welche besonders auf das Zeitalter Ludwigs XIV. und im siebenjährigen Kriege geprägt wurden.

Sprechvereine s. Redekunst.

Spruchcollegium s. Actenversendung.

Sfufismus ist der religiöse Mysticismus der mohamedanischen Mönchsorden. Die Anhänger dieser Schwärmerei heißen nach ihrer wollenen Kleidung Sfufi, d. h. Wollbekleidete; sie führen meist ein sogen. „beschauliches Leben;" s. Mysticismus und Mohamed.

Staat. Entstehung, Zweck und Idee des Staates; Verfassung desselben. Der S. ist der Inbegriff der öffentlichen Einrichtungen eines Volkes; nächst der Familie ist er die allgemeinste, höchste, einflußreichste aller menschlichen Einrichtungen. Der Staat ist nach den ersten Grundsätzen des Vernunft- und Völkerrechtes nichts anderes, als ein freier Verein freier sittlicher Personen. Dieses erkannte stets die freie und praktische römische und britische Gesetzgebung an, nicht aber unsere unfreie und unpraktische deutsche. Und doch bleibt es ewig wahr:

> „Das Recht ist ein gemeines Gut,
> Es liegt in jedem Erdensohne.
> Es quillt in uns wie Herzensblut;
> Und wenn sich Männer frei erheben
> Und traulich schlagen Hand in Hand,
> Dann tritt das Inn're Recht ins Leben
> Und der Vertrag giebt ihm Bestand."
>
> Uhland.

Daß der Staat das zum freien sittlichen lebendigen Gemeinwesen organisirte

Volksleben ist, dafür spricht noch die Bezeichnung der griechischen und römischen Namen (f. Republik). — Man hat die Staaten nach ihrer Verfassung verschieden eingetheilt; die älteste Eintheilung ist die mehr als zweitausendjährige des Aristoteles in Monarchie, Aristokratie und Demokratie, Einherrschaft, Mehr- oder Adelsherrschaft und Volksherrschaft. Die Aristokratie kann ausarten in Oligokratie und Timokratie (die Herrschaft weniger und des Geldes); die Demokratie in Ochlokratie, Pöbelherrschaft. Die Haupt- oder Grundeintheilung der Staaten darf aber nicht von der Zahl der Regierenden, wie hier genommen werden, sondern nach dem Vereinigungs- oder Grundgesetz des ganzen Staatslebens. Dieses führt zu der Eintheilung nach den drei Verfassungen: Despotie, Theokratie, Rechtsstaat. Der berühmte Franzose Montesquieu theilt die Staaten in Despotien, Monarchien und Republiken; richtiger war es aber, sie nach der Verfassung in Despotien und Rechtsstaaten einzutheilen. Eine andere Eintheilung der Staaten ist die nach der Constitution oder Regierungsform; hier theilt man die Staaten in constitutionelle und nicht constitutionelle. Constitutionelle sind solche, in welchen das regierte Volk als solches zur Persönlichkeit und zur Sprache für seine Rechte und Bedürfnisse organisirt ist. In einem despotischen Staate kann diese Regierungsform nicht statt finden, wohl aber in einem theokratischen, wie früher in dem jüdischen. Eine solche Constitution aber ist unentbehrlich zur Durchführung und Erhaltung der Grundsätze des Rechtsstaates. Die constitutionellen Organe des Volkes können nun wieder repräsentative, wenn das Volk durch erwählte Vertreter, Ständeversammlungen spricht; nicht repräsentative, wenn die stimmberechtigten Bürger unmittelbar sprechen. Die repräsentativen Stände können dann wieder 1) staatsbürgerliche Repräsentanten sein, wenn sie aus der allgemeinen Staatsbürgerschaft ohne Absonderung nach besonderen Ständen erwählt werden, oder 2) ständische Vertreter im engern Sinne, wenn sie zunächst aus der Mitte besonderer Stände von diesen erwählt werden. — Die beste Verfassung wird stets die sein, nach welcher die Regierung als selbstständige Behörde die Einheit des Staates erhält; die Volksfreiheit der einzelnen Bürger und der freien Volksconstitution in sich aufnimmt durch das zweckmäßigste Organ: durch frei erwählte zahlreiche Vertreter der Bürger. *W.*

Staatenbund. Man hat den S. von dem Bundesstaat (f. d.) zu unterscheiden. Der S. ist die Verbindung einer Anzahl einzelner Staaten zu gegenseitiger Bürgschaft für ihren Besitz, für die bestehenden Regierungsformen, so wie zur gemeinschaftlichen Abwehr feindlicher Angriffe. Ein solcher S. ist Deutschland. Ein Bundesstaat hingegen besteht aus einer Verbindung von Staaten zu einem gemeinsamen Ganzen hinsichtlich der Gesetzgebung, Vertheidigung ꝛc. Im Bundesstaat liegt die Souveränität in der Union, Vereinigung; im S. aber in den Theilen.

Staatsalmanach f. Almanach.

Staatsangehörigkeit f. Heimath, Heimathsrecht.

Staatsanleihe f. Staatsschulden.

Staatsanwalt (Kronenanwalt, procureur du roi) ist die Bezeichnung eines öffentlichen Beamten, welcher das öffentliche Interesse bei Verwaltung der Rechtspflege beobachtet. Das Institut der Staatsanwaltschaft ist zwar vielfach durch die Einrichtungen Frankreichs veranlaßt worden, doch ist die Idee dieses Instituts viel älter, als Frankreich selbst. Man hat dieses Institut oft mit einer gewissen Bosheit zu verdächtigen gesucht, als eine nur mit den politischen Verhältnissen Frankreichs zusammenhängende Einrichtung. Die Geschichte weist aber nach, daß in den meisten Ländern schon früh der Gedanke aufkam, durch eigne Beamte das Interesse der bürgerlichen Gesellschaft hinsichtlich der Entdeckung verübter Verbrechen verfolgen zu lassen. Berühmte Rechtslehrer haben nachgewiesen, daß die Idee eines öffentlichen Anklägers schon in den germanischen Einrichtungen wurzelte. In Frankreich hängt die Ausbildung der Staatsanwaltschaft mit der Geschichte des Parlaments (f. d.) zusammen;

die Macht der neuen Gerichtshöfe, welche das königliche Ansehen bedrohte, sollte durch
die procureurs du roi gehemmt werden. So hatte auch Spanien schon früh ein
der Staatsanwaltschaft ähnliches Institut; eben so Portugal, Schottland und Holland.
Die meisten Veränderungen erlitt die Staatsanwaltschaft in Frankreich, wo sie zur
Zeit der Revolution allerdings gefährlich werden konnte. Vor dem Jahre 1848
fand man die Staatsanwaltschaft mit Geschwornen nur in einigen Rheinprovinzen,
wo sie aus Frankreich herüber gekommen war. Gegenwärtig hat man diese Rechtsinstitute, deren ungeheure Wichtigkeit nicht zu verkennen ist, in mehreren Ländern,
sogar in Oesterreich eingeführt, während sie in andern Ländern, wie in Sachsen, wieder — aufgehoben worden sind.

Staatsarzneikunde ist die Wissenschaft von der Anwendung der Medicin und ihren
Hülfswissenschaften zur Erreichung von Staatszwecken. Man theilt sie in die gerichtliche
Medicin (medicina forensis) und in die Medicinalpolizei (s. d.). Die erstere, behandelt die
aus allen Fächern der gesammten Medicin entnommenen Kenntnisse, welche zur Aufhellung
und selbst zur Entscheidung zweifelhafter Rechtsfälle angewendet werden. Die Untersuchungen, welche der Gerichtsarzt zu diesem Zwecke anzustellen hat, beziehen sich entweder auf Personen oder auf Sachen; Gegenstand der Untersuchung sind der körperliche oder geistige Zustand, Zeit, Ort, Ursache des Todes 2c. Bei Sachen soll untersucht werden, ob sie schädliche Substanzen enthalten. Die Carolina (s. d.) schreibt
schon vor, in welchen Fällen Aerzte, Wundärzte und Hebammen ihr Gutachten abzugeben haben. Erst im 18. Jahrhunderte aber entwickelte sich die S. zu einer Wissenschaft, namentlich durch deutsche Aerzte.

Staatsbankrott, Nationalbankrott, heißt die Unmöglichkeit, in welcher sich eine
Regierung sieht, ihre Verbindlichkeiten zu erfüllen und die Erklärung dieser Insolvenz.
Eine Zahlungsunfähigkeit eines ganzen Volkes ist unmöglich; wohl aber kann schlechte
Staatshaushaltung, verbunden mit kostspieligen Militärspielereien einer Regierung,
zum Regierungsbankrott bringen.

Staatsberedtsamkeit s. Redekunst.

Staatsbürger ist jetzt der gewöhnliche Ausdruck für die Mitglieder des Staates, welche an den Vortheilen und Lasten desselben Theil nehmen; früher hießen sie
Unterthanen. Der S. ist den Gesetzen des Staats auch im Auslande unterworfen,
zu Steuern, zum Kriegsdienste verbunden, hat aber auch wieder gewisse Rechte. Das
Staatsbürgerrecht ist also mehr als das bloße Heimathsrecht (s. d.) und kann auch
nach manchen Gesetzgebungen verloren gehen.

Staatsdienst. Staatsdiener, öffentliche Diener oder Beamte sind diejenigen,
welche von der Staatsgewalt angestellt und bevollmächtigt sind, in ihrem Namen bestimmte öffentliche oder Staatsangelegenheiten zu verwalten. Von diesen sind zu unterscheiden die Privat- und Hofdiener des Fürsten; die Corporationsdiener, die
Gemeinde- und Kirchendiener; die Mitglieder wissenschaftlicher Körperschaften; Notare,
Advokaten, Aerzte, Lehrer, welche Dienste verwalten, die ihnen nicht vom Staate
übertragen sind. Die neueste Gesetzgebung macht aber in einigen Staaten Ausnahmen, indem sie z. B. die Lehrer unter das Staatsdienergesetz stellt. Zu den wirklichen Staatsdienern gehören natürlich auch die Militärdiener oder Beamten. Das in neuerer Zeit häufige Streben der Staatsgewalt, sich despotisch möglichst auszudehnen, alle
andern Befugnisse und Rechte gleichsam zu verschlingen, und dadurch die Selbstständigkeit der Bürger aufzuheben, führte auch dahin, die oben genannten Personen
wie eigentliche Staatsdiener abhängig zu machen. So wandte man bei ständischen
Wahlen das Urlaubsverweigerungsrecht an; man verlangte von ihnen, daß sie sich
blind an die jeweilige Ministerpartei anschließen und der Volkspartei entgegen treten
sollten. Man scheute sich nicht, sie durch willkürliche Beraubung oder Verweigerung
ihres Lebensberufes und Lebensunterhaltes, willkürliche Versetzung zu dem knechtischen

Dienste zu zwingen. Man bedrohte wohl auch Gewerbtreibende, Buchhändler mit Entziehung der Concession; Schriftsteller mit der Ausweisung. Man ging hier und da
so weit, zur Beschönigung der eben gedachten Maßregeln, Staatsdiener in fürstliche
Diener zu verwandeln, diejenigen, welche die Rechte und Interessen der Nation und
ihr Gemeinwesen betreffende Angelegenheiten verwalten, nannte man in dem Sinne
fürstliche Diener, daß sie keine Staatsdiener seien. In den älteren Perioden der deutschen Geschichte wurden die Beamten für bleibende, öffentliche Aemter, wie Herzöge,
Grafen ꝛc. auch bleibend oder lebenslang ernannt. Nur erwiesene Unfähigkeit oder
Unwürdigkeit beraubte sie ihrer Anstellung gegen ihren Willen. Selbst die Geschwornen oder Schöffen wurden lebenslänglich, sowie viele Aemter erblich. Man suchte
die Amtsverhältnisse durch Verknüpfung mit Grundeigenthum gern fest und erblich zu
machen. Und so blieb der Grundsatz in Geltung, daß einem würdigen, öffentlichen
und Privatrechte und dem natürlichen Sinne des Vertrags widerspreche, ein solches
Staatsdienstverhältniß anders zu lösen, als durch freien Willen des Dieners, durch
Naturhindernisse und durch gerichtlich anerkannte Unwürdigkeit und Unfähigkeit. Diese
Ansicht theilte noch der Reichsdeputationshauptbeschluß 1803; auch die Bundesakte sicherte
im Art. 15. diese Rechte der Staatsdiener. In der Rheinbundzeit wurden die Rechtsgrundsätze zuerst verletzt; in späterer Zeit haben politische Verfolgungen nicht selten
dazu Anlaß gegeben; noch später bloße Mißliebigkeit. Als wesentlich nothwendige Verbesserungen unserer Staatsdienergesetze bezeichnen wir Folgendes: Die rein despotische ministerielle Abhängigkeit solcher Personen, welche gar keine Staatsdiener sind,
muß aufhören. Die verfassungsmäßige Selbstständigkeit und Freiheit der Corporationen, der Privaten und Gewerbe muß wieder zur Geltung kommen. Es muß dahin
gesehen werden, daß unbeschadet des Hoheitsrechtes des Regenten, die Wahl desselben
nicht auf Unwürdige geleitet werde, daß gerechte Ansprüche nicht durch Nepotismus
(s. d.) gefährdet werde und daß in Beziehung auf Beförderung würdiger Staatsdiener
keine unverdiente Zurücksetzung stattfinde.   G.

Staatsfinanzwissenschaft s. Finanz.

Staatsgebiet s. Territorium.

Staatsgerichtshof. Unter S. versteht man ein eignes Staatsinstitut zum
Schutz und Schirm der bestehenden politischen Verfassung. Die Behörde, welche in
der Wirklichkeit dieses Institut darstellt, wird mit der Macht ausgestattet werden müssen, diejenigen zur Rechenschaft zu ziehen oder zu bestrafen, welche die in ihren Händen befindliche Gewalt zum Nachtheil der grundgesetzlich staatsgesellschaftlichen Ordnung
und des Wohles der Staatsgemeinde mißbrauchen. Bei der Wichtigkeit dieser Aufgabe ist es nöthig, daß diese Schutzeinrichtung für die Staatsverfassung so geschaffen
werde, daß sich mit Grund erwarten lasse, der Kläger werde unter allen Umständen
Recht, der Angeklagte Sicherheit gegen Parteilichkeit und das Urtheil Kraft zu seiner
Vollstreckung erlangen. Es wird immer viel darauf ankommen, unter welchen politischen Verhältnissen ein Staatsgerichtshof wirkt. Je mehr die Herrschaft der
Gesetze durch die staatsgesellschaftlichen Verhältnisse und Einrichtungen verbürgt ist,
desto weniger Vergehen oder Gebrechen werden gegen die Constitution von
Seiten der öffentlichen Gewalt vorfallen. In einer absoluten Monarchie kann
von einer solchen Einrichtung nicht die Rede sein. Werfen wir noch einen Blick in
die Geschichte dieses Instituts des S. In den ältern Zeiten hatte man einem einzigen Mann als constitutionellen Oberrichter den Schutz der Verfassung und der Gesetze, sowie die Bestrafung der Damiderhandelnden übertragen. So war es in Spanien im 14. Jahrhundert und diese Einrichtung blieb dort bis nach 1461. In England bildet die Pairskammer den S.; in Norwegen gelang es, eine ähnliche Einrichtung zu schaffen. Anders in den constitutionellen Staaten Deutschlands. In einigen
berief man die ordentlichen Gerichtshöfe, namentlich die höchste Instanz derselben zum
S.; in Würtemberg und Sachsen werden die Mitglieder des S. zur Hälfte vom Kö-

nig, zur andern Hälfte von den Volksvertretern gewählt, jedoch nur aus den Vorständen oder Mitgliedern der höhern Gerichte. Sämmtliche Mitglieder werden für die Dauer einer Landtagsperiode bestellt, für ihren Beruf besonders verpflichtet und in Bezug hierauf ihres Unterthanen- und sonstigen Amtseides entbunden. Doch auch dieser Ausweg hat seine Schattenseiten. Die Staatsregierung wird jedenfalls nur Personen aus der Beamtenklasse wählen; wird von Seiten der Ständeversammlung nur ein Beamter noch gewählt, so wird die Zahl der Beamten im S. das Uebergewicht erlangen. Der S. sollte ein Schwurgericht sein, im edelsten Sinne des Wortes, und er wird es werden, wenn dasselbe nach weisen Bestimmungen durch freie Wahl von den Besten der Nation aus den Besten gewählt wird.

Staatsgeschichte als politische Wissenschaft. Die Geschichte der Staaten, die der Welt ist für die Völker von der größten Bedeutung; man kann nicht oft genug, dringend darauf hinweisen, wie unerläßlich es sei, sich mit der Staatsgeschichte der Vergangenheit bekannt zu machen, um die Gegenwart zu verstehen. Die Geschichte enthält das Leben der Menschheit mit der ganzen Fülle seiner Erscheinungen im Bereiche des Handelns und Wissens. Darum macht aber jede besondere Wissenschaft, also auch die Politik, ihre besondern Ansprüche an die Geschichte. Die Politik betrachtet die Geschichte von einer anderen Seite, als die Mathematik. Sie hat es mit den Zwecken des Staates zu thun und sich nach den Mitteln umzusehen, durch welche diese erreicht werden. Sie richtet ihren Blick in die Zukunft der Völker und weil sich dieß an die Gegenwart anschließt, so verlangt sie von der Geschichtschreibung, daß sie ihr das gegenwärtig Bedeutende, das noch in der Gegenwart Lebende im Gegensatze zu dem Veralteten und Abgestorbenen zur Bedeutung bringe. Bei der so großen Wichtigkeit einer vollständigen Kenntniß der gegenwärtigen Staatszustände entstand daher in der Statistik (s. d.) eine besondere Wissenschaft, die sich erst in neuerer Zeit entwickelt hat, die Staatsgeschichte.

Staatsgewalt- und **Hoheitsrechte** s. Staat und Verfassung.

Staatsgrundgesetz s. Verfassung.

Staatshaushalt s. Volkswirthschaftslehre.

Staatskassen werden diejenigen Kassen des Staats genannt, in welche die Einkünfte fließen, und aus welchen der Aufwand des Staates bestritten wird. Die Beamten derselben müssen besonders bewährt und treu sein, damit nicht die traurigen Staatskassendefecte vorkommen. S. Fiscus und Finanzen.

Staatskunde oder **Statistik** ist die Darstellung des innern und äußern Lebens der verschiedenen Staaten in ihrem gegenwärtigen Bestand; sie ist ein Theil der Staatswissenschaften (s. d.) und unterscheidet sich von der Geschichte dadurch, daß sie das innere und äußere Leben der Völker, Staaten und Reiche beschreibt, und dabei die Wechselwirkung zwischen Beiden in der Gegenwart beschreibt, während die Geschichte dasselbe im Bereiche der Vergangenheit darstellt. Man kann die Statistik in eine örtliche, lokale, provinziale und allgemeine eintheilen, je nachdem sie sich nur mit einem einzelnen Orte, einer Provinz, oder mit einem ganzen Lande beschäftigt. Es giebt auch eine allgemeine und besondere Statistik; die besondere beschäftigt sich nur mit einem Theil der Staatskräfte, die allgemeine mit allen. Zu den aus dem innern Staatsleben entnommenen Gegenständen, mit welchen sich die S. beschäftigt, gehören die Grundmacht des Staates nach Land und Volk; die Cultur des Volks, Landbau, Industrie, Handel, Kirche, Wissenschaft; die sittliche Bildung der Nationen, die Verfassung des Staates, die Verwaltung. Die S. gehört unter die jüngeren Wissenschaften und ist erst vor ungefähr einem Jahrhundert entstanden, indem man sie von dem Staatsrecht und der Geographie absonderte und der Geheimnisse der früheren geheimen Polizeistaates enthüllte. Namentlich war es A. L. Schlözer, welcher durch die Herausgabe seiner „Staatsanzeigen" sich um die junge Wissenschaft die größten Verdienste erwarb. Die französische Revolution riß endlich den geheimen und geheimthuenden

die neuen repräsentativen und ständischen Verfassungen hatten wenigstens den Vortheil, daß sie die Thatsachen des Staatslebens zur allgemeinen Kenntniß und vielseitiger Beurtheilung brachten. Von jetzt an erhob sich auch die S. aus ihren Anfängen. Der Geist und die Kraft des Volkes hatte in Frankreich die Ketten zerrissen, der Geist und die Kraft der Völker hatte den welterobernden Riesen besiegt. Dadurch wurde die Wissenschaft gezwungen, die bisher gar nicht beachteten geistigen und sittlichen Volkskräfte in den Kreis ihrer Forschungen zu ziehen. Die mittleren und untern Klassen des Volkes besonders fingen an, sich gegen die höhern und privilegirten Stände zu erheben, und dadurch eine neue Periode in der Weltgeschichte herbeizuführen. Daher mußte die Wissenschaft, jener officiellen Staatsstatistik eine Völkerstatistik gegenüberstellen, welche die Lage und Interessen der untern Volksklassen berücksichtigte. Die St. ist daher manchen Staatsmännern sehr unlieb geworden, welche vergessen haben, oder nicht wissen, daß die eigentlich repräsentative Monarchie erst der neueren Geschichte angehört, und daß sie, vielleicht ohne ihr Zuthun und gegen ihren Wunsch durch die Macht der Ereignisse die Mutter der repräsentativen Demokratie geworden ist. Bei der Entbindung war die Staatskunde nicht unthätig; und es läßt sich erwarten, daß die Mutter ihr nicht ohne Schmerzen gebornes Kind liebevoll auferziehen und nicht in den Moro willigen wird, den manche Staatskünstler hier begehen möchten. **B.**

Staatspapiere werden die zinstragenden, und die unverzinslichen Schuldscheine der Staaten genannt, von den aber das in Umlauf befindliche Papiergeld wohl zu unterscheiden ist; s. Staatsschulden.

Staatsrath. Unter diesem Namen versteht man selbstverständlich den Rath, welcher in höchster Instanz das Wohl und die Interessen des Staates zu berathen hat; der St. kann und soll also in keinem Staate fehlen. Gewöhnlich versteht man unter St. den obersten Verwaltungsrath, Ministerrath, als Gegensatz des gesetzgebenden Körpers und des Cabinets- oder Privatrathes des Fürsten. In den neueren Zeiten bildete sich nach dem Muster des alten französischen Conseil d'état ein Staats- oder Geheimrath aus, welcher neben dem obersten Verwaltungs- oder Ministerrathe gewöhnlich aus einer Vereinigung desselben mit den übrigen Chefs der Landesbehörden und anderweit befähigten Männern zusammengesetzt ist; so z. B. in Preußen, Hessen, Baiern rc. Er ist lediglich eine berathende Behörde und hoher Rath der Fürsten zur Begutachtung und Vorbereitung wichtiger Fragen der Gesetzgebung und Verwaltung. Gefährlich kann dieser Staatsrath werden, wenn er von andern Beweggründen, als von der Liebe zum Vaterlande, sich treiben läßt.

Staatsrecht s. Staat.

Staatsschrift, Deduction, nennt man eine Schrift, welche politische oder staats- und völkerrechtliche Ansprüche begründen soll. Sie enthalten demnach Darstellungen und Beurtheilungen bestimmter Begebenheiten von den vor für die dabei Betheiligten, welche eine wichtige Quelle der Geschichte sind, da sie oft einzelne Hauptverhältnisse in das Licht setzen. Eine gute S. muß auf bündige Weise alle für die Folgerung wesentliche Thatsachen, so weit sie bestritten sind, mit urkundlichen Beweisen darstellen und zwar auf anziehende Weise.

Staatsschulden. Wenn der Staat durch seine Einnahmen die Ausgaben nicht mehr decken kann, wozu aber selten Lust vorhanden ist, so muß er, wie jeder Privatmann, Schulden machen. Gelingt dieses dem Staat, so ist es ein Zeichen, daß er öffentlichen Credit hat. Die Schuldenmasse der heutigen Staaten hat eine früher noch nie dagewesene Höhe erreicht; dieses unerhörte Schuldenwesen greift so tief in die Verhältnisse der Völker ein, ist mit dem Staatshaushalt und der Politik so innig verbunden, daß es die größte Aufmerksamkeit verdient. Zwei Ursachen haben namentlich die ungeheure Schuldenlast der Staaten herbeigeführt: die großen Kosten, welche die immer größer und kostspieliger werdenden stehenden Heere verursachen, und der

den Staat aus dem Dunkel der Cabinette an das Licht der Oeffentlichkeit heraus und
großer Credit der Staaten, der es den Regierungen möglich macht, durch Anleihen
sehr leicht und bald die größten Summen zusammen zu bringen. Doch hat man
nicht immer aus Noth Schulden gemacht, sondern auch oft zu nützlichen Zwecken,
zur Erbauung von Straßen, Eisenbahnen 2c. Die Ursachen des eben erwähnten großen Credits der civilisirten Staaten beruht auf dem vergrößerten Reichthum der
Völker, auf dem Vertrauen der Capitalisten zu den Regierungen, auf der Ausbildung
des Verkehrs mit Staatspapieren, welcher den speculirenden Geldhändlern großen Gewinn abwirft. In der neueren Zeit ist hierzu noch die Furcht der Geldaristokraten
gekommen, durch verweigerten Credit dem Staat die Mittel zu nehmen, gegen das
Volk die nöthigen Maßregeln zu ergreifen. Staatsschulden werden gemacht entweder
durch Ausgabe von unverzinslichem Papiergeld, Kassenscheinen, Kassenanweisun-
gen, oder durch verzinsliche Anlehen. Wenn der Staat Papiergeld ausgiebt, so contrahirt er beim Publikum eine Schuld, die unverzinslich ist, für die Gegenwart und
Zukunft also den Steuerpflichtigen keine Zinslast aufbürdet, dem Volke die Capitalien nicht entzieht. Dieses könnte fast veranlassen, für die Ausgabe des Papiergeldes
zu stimmen, wenn nicht die jüngsten Erfahrungen bewiesen hätten, daß es nicht des
Krieges, daß es nur des erschütterten Vertrauens zu einer Regierung bedarf,
um den Staatscredit sofort zu schwächen und sein Papiergeld werthlos zu machen.
Das Beklagenswertheste bei solchen Vorfällen ist noch, daß der unvermeidliche Schaden und Verlust nicht den Gläubiger, sondern das Volk trifft. Aus diesen und andern Gründen scheint die Aufnahme verzinslicher Anlehen weit zweckmäßiger, um in
der Zeit der Noth die wahren Bedürfnisse des Staates befriedigen zu können.
Von diesen Mitteln haben auch die Staaten in der neuesten Zeit, nach Erschöpfung
aller andern Mittel, in der ausgedehntesten Maaße Gebrauch gemacht. Die Haupt-
vortheile dieser Anlehen liegen darin, daß sie zum Theil mit vom Auslande aufgebracht werden, wodurch dem eignen Lande ein großer Nutzen erwächst; die Staatsschuldscheine, welche auf diese Weise in den Verkehr kommen und den Werth der
dargeliebenen Summen repräsentiren, bieten dem Capitalisten erwünschte Gelegenheit,
angesammelte Capitalien sicher unterzubringen. Dieser Umstand, so wie die Leichtigkeit, durch Verkauf der Staatsschuldscheine schnell wieder in den Besitz des baaren
Geldes zu kommen, fördert die Theilnahme an solchen Darlehensunternehmungen des
Staates. Allerdings hat das Schuldenwesen der Staaten seine großen Schattenseiten; die zu leistenden Zinszahlungen nöthigen zur Erhöhung der Abgaben und Auferlegung neuer Steuern. — Man unterscheidet zweierlei Arten von Staatsschulden,
die schwebende und die fundirte (s. Sinking fund). Die schwebende besteht aus
solchen Anlehen, welche nur auf kurze Zeit gemacht werden, um durch kleine Ausfälle die Ordnung im Staatshaushalte nicht zu stören; sie sind eigentlich nur Anlehen der Finanzverwaltung. Diese Anlehen finden statt durch Ausgabe verzinsbarer
Obligationen, auch verzinslicher Kassenscheine (Bons royaux, Exchequer bills, Schatzkammerscheine). Die fundirte Schuld ist jener Haupttheil der Schulden, welcher
durch besonderen Beschluß der gesetzgebenden Gewalt als Staatsschuld anerkannt, in
den Schuldentilgungsplan aufgenommen und auf einen besonderen Tilgungsfond angewiesen ist. Ueber die Heimzahlung der Capitalien haben in neuerer Zeit wenigstens
die größeren Staaten nichts mehr zugesagt, sondern lediglich Zinsen oder sogen. immerwährende Renten versprochen. Zu den älteren Formen der Anlehen mit bestimmter Heimzahlungsfrist gehören die gegen Zeit- und Leibrenten. Bei Zeitrenten
verspricht der Staat mit der jährlichen Zinsenzahlung regelmäßig die Heimzahlung
eines Theils des Capitals. Die Leibrenten werden nach der wahrscheinlichen Lebensdauer der Darleiher berechnet. Zu den Leibrenten gehören auch die Tontinen
(s. d.). Eine eigene Art von Anlehen mit bestimmter Heimzahlung bilden die auch
in Deutschland in der neuesten Zeit in Anwendung gebrachten Lotterieanlehen (baierische

Anlehen von 1812, österreichische von 1820, 1821, 1834, badisches von 1820 zc.).
Der Staat kann, so gut wie der Privatmann, in den Fall kommen, Staatsbankerott
(s. d.) erklären zu müssen. Man findet aber gewöhnlich andere Formen auf, um sich
der Erfüllung der Verpflichtungen gegen die Gläubiger zu entziehen; bald hat man
die Schulden in verschlechterter Münze mit mehr oder weniger werthlosem Papiergeld getilgt, bald die Verzinsung eingestellt, oder den Zinsfuß herabgesetzt, bald einen
Theil oder die ganze Schuld geradezu für erloschen erklärt. Man hat sich zwar damit entschuldigt, daß der Staatsbankerott das Staatsvermögen nicht vermindere; die
Regierungen dürfen aber nicht vergessen, daß es das erste Gesetz der Moral und Politik ist, ihre eigenen Verpflichtungen mit Redlichkeit und Pünktlichkeit zu erfüllen.
Um für das ·oben ausgesprochene die nöthigen Beweise zu liefern, lassen wir einige
Zahlen sprechen. Nach den neuesten statistischen Quellen haben folgende Länder
die beigesetzten Staatsschulden: Baiern: 82,000,000 ₰; Baden: 27,000,000 ₰;
Preußen: 180,000,000 ₰; Sachsen: 50,000,000 ₰; Oesterreich: 1,100
Millionen ₰; Würtemberg: 88,000,000 ₰. Was brauchen wir weiter Zeugniß? B.·

Staatsschatz s. Staatskassen.

Staatsschuldscheine s. Staatsschulden.

Staatsstreich, coup d'état, ist eine kräftige, gewöhnlich gewaltsame Maßregel,
welche ein Fürst oder Staat in außerordentlichen Fällen ergreift, wo die gewöhnlichen
Mittel nicht ausreichen. Mit den Staatsstreichen ist immer mehr oder weniger Un-
gesetzliches verbunden, weshalb auch nicht selten sehr ernste Nachwehen eintreten.
Karl X. von Frankreich, Louis Philipp sind Zeugen von den Folgen der Staatsstreiche.

Staatsverfassung s. Staat und Verfassung.

Staatsvermögen, Aerarium. Aerarium hieß bei den alten Römern die
öffentliche Kasse, der Staatsschatz, die Schatzkammer oder der Ort, wo die Staatsgel-
der verwahrt wurden. Es wurde von dem Senat verwaltet und hatte drei Abtheilungen: das gewöhnliche A., in welches die gewöhnlichen Einnahmen flossen und
woraus die ordentlichen Ausgaben bestritten wurden; das aerarium sanctius (das
Heiligere), welches den Reservefonds für außergewöhnliche Ausgaben enthielt und die
Kriegskasse, aurum contra Gallos (Gold gegen die Gallier) genannt. Das heiligere
A. hörte auf heilig zu sein, sobald sich Menschen fanden, denen die Freiheit nicht
mehr heilig war; dann wurde es geplündert. Als Augustus auf den Trümmern der
Republik seinen Kaiserthron erbaute, schuf er eine neue Kriegskasse (aerarium militare),
da er eben nur durch die Soldaten Kaiser geworden war. In diese Kasse floß der
zwanzigste Pfennig von allen Schenkungen und Vermächtnissen und anderem Erlöse;
aus allen Waaren, die in Rom verkauft wurden, der hundertste Pfennig. Neben diesem A., dessen Verwaltung noch dem Senat verblieb, entstand noch eine neue Staatskasse, die man Fiscus nannte, worüber der Fürst allein verfügte. Mit der Zeit
verschlang der Fiscus das A. ganz. Gegenwärtig bedeutet A. so viel als Staatskasse; s. Fiscus.

Staatsverrath, Landesverrath. Staatsverrath fällt eigentlich mit Hochverrath
(s. d.) zusammen, nur daß man dabei an den Verrath des Landes und seinen Regenten an eine auswärtige Macht denkt. Zur Ergänzung des Artikels über Hochverrath, welcher sich mit dem politischen Hochverrath beschäftigt, geben wir hier die
nöthigen Bemerkungen über den juristischen Hochverrath oder den St. Es ist dieses
eines der schwersten Staatsverbrechen, indem es ein Angriff gegen das Bestehen des
Staates oder gegen sein Bestehen auf einem bestimmten Gebiete ist. In dem gemeinen
deutschen Strafrechte bildet das römische Recht die Grundlage. Leider erzeugte aber
das Herausreißen einzelner Stellen der römischen Rechtssammlung aus ihrem Zusammenhange eine Menge harter und ungerechter Ansichten im deutschen Rechte. Man
mußte bei Prüfung römischer Ansichten sich davor hüten, moderne Vorstellungen
der alten, nichtchristlichen Zeit unterzuschieben. Besonders wurde die Sitte nach-

theilige bei jedem Verbrechen das versuchte und das vollendete zu unterscheiden. Die Carolina hat über die Staatsverbrechen eine große Lücke; die ganze Lehre vom Staatsverrath war ohne feste Grundlage; die Rechtslehrer stellten eine Menge einzelner Fälle auf und bildeten sich ein, daß man beim Hochverrath jede Versuchshandlung strafen müsse. „Sie fühlen die Gefahr nicht, welche der bürgerlichen Freiheit eben durch unbestimmte Hochverrathsgesetze gedroht wird, da überhaupt das Princip der Abschreckung herrschend wurde und man es grade bei diesem Verbrechen geltend machen zu müssen glaubte. Man riß einzelne Stellen des römischen Rechtes aus dem Zusammenhange und benutzte sie zu einer Theorie über Hochverrath; und insbesondere dehnte man das Verbrechen dadurch weit aus, daß man keinen festen Punkt hatte, bei dem der Hochverrath strafbar zu werden beginnt.“ Mit diesen Worten bezeichnet einer der gefeiertesten Rechtslehrer der gebildeten Welt, Mittermaier, einen der vielen faulen Flecke unseres Strafrechtes. Als der berühmte Mann diese scharfen und schwere Anklage enthaltenden Worte schrieb, that er es im wissenschaftlichen, rechtlichen Unwillen darüber, daß überhaupt solche nichtige Rechtssätze, wie die eben gedachten, noch da sind. Was würde er aber gesagt haben, wenn damals, als er das Verwerfliche dieser Rechtslehre nachwies, schon die Hoch- und Staatsverrathsprocesse der letzten Jahre da gewesen wären? Diese haben leider den besten Beweis dafür geliefert, daß er vollkommen Recht hatte, daß das Verbrechen des Hochverraths zu weit ausgedehnt worden ist, ohne daß man einen festen Grund hatte. Die neuere Gesetzgebung ist in einigen Ländern von diesem Zusammenwerfen aller Begriffe abgegangen, so wie denn die sächsische den Begriff des Hochverraths eingeschränkt hat und einen gewaltsamen Angriff dazu als Bedingung stellt. Der Staatsverrath erhält übrigens im Kriege hauptsächlich seine Bedeutung. Wer den Feind begünstigt, durch Uebergabe von Festungen oder Vertheidigungsposten, durch Ueberlieferung von Mannschaften oder Munition, durch Dienstleistungen als Spion, durch Verrath an Kriegsoperationen, Kriegskassen, an Staatsgeheimnissen oder Urkunden, begeht das Verbrechen des St.   **J.**

Staatsverwaltung. Es giebt zwei Staatsverwaltungssysteme, die in der Vergleichung mit einander sich ganz schroff gegenüber stehen, weil sie auf ganz entgegengesetzten Grundsätzen beruhen. Das eine hat den Grundsatz, daß alles Oeffentliche im Staate, so viel und so weit als möglich von oben herab durch die mit der Staatsgewalt bekleidete regierende Autorität und so wenig als möglich von unten herauf geschehen solle. Das andere Staatsverwaltungssystem dagegen verlangt, daß so wenig als möglich durch die Staatsregierung, vielmehr so viel als möglich durch die Staatsbürger geschehe. Die Anhänger des ersten Systems gestehen zwar zu, daß Alles für das Volk geschehen solle, aber wollen nicht, daß etwas durch das Volk geschehe. Was nun für das Volk etwa zu thun sei, das soll der Beurtheilung der regierenden Personen überlassen bleiben. Die Regierer stehen dann zu den Regierten im Verhältnisse der Vormünder zu den Mündeln, von Vätern zu unmündigen Kindern. Dieses Regierungssystem führt, da es der Herrschsucht der Machthaber schmeichelt, zu einer Art Vielgötterei, welche das Grab der Volksfreiheit wird, da sie in ungemessenes Zuvielregieren ausartet. So wie aber ein Kind durch das zu viele durch einander Befehlen verzogen wird, so wird auch ein Kind durch das zu viel Regieren verregelt oder verzogen. — Nach der andern Ansicht ist das Volk berufen, Alles selbst zu thun, was durch dasselbe geschehen kann, alles zu besorgen, wozu es geschickter ist, als die von der obersten Staatsgewalt bestellten Beamten und Behörden. Der Staat soll einer aus vielen besonderen Associationen zusammengesetzten großen Association gleichen. England giebt das glänzendste Beispiel von der Ausführbarkeit eines solchen nationalen Selbstregierungs- und Selbstverwaltungssystems in allen Kreisen des Staatslebens, selbst in der Erbmonarchie. Der König ist dort nicht, wie anderswo, eine in gesonderter Stellung der Nation gegenüberstehende und in Unabhängigkeit von dieser handelnde Autorität, sondern er handelt stets in Gemeinschaft mit der Nation, die durch das Parlament vertreten wird. Der König allein für seine Person hat nicht die höchste Regierungsgewalt, aber er hat sie in Verbindung mit der Nationalrepräsentation. Auf diese Weise haben die Engländer ein Regierungs- und Verwaltungswesen zu schaffen gewußt, welches der Nation selber die oberste Leitung und Besorgung der Nationalangelegenheiten verbürgt, ohne dem Wesen der Monarchie zu nahe zu treten. „So sieht man" — rief der preußische Oberpräsident von Vincke 1815 aus — „im britischen Inselreiche Nichts für das Volk, aber Alles durch das Volk geschehen und durch dasselbe mehr geschehen, als die regierende Gewalt irgendwo hat je ausführen können." W.

Staatswirthschaftslehre s. Volkswirthschaftslehre.

Staatswissenschaften. Erst in neuerer Zeit haben sich, wie bereits unter Staatskunde (s. d.) erwähnt, die S. ausgebildet. Einige Theile derselben sind uralt, andere noch im Entstehen. Im Allgemeinen versteht man unter S. die Wissenschaften, welche sich unmittelbar auf den Staat beziehen, so wie auch auf die Bildung des Staatsmannes und Staatsbürgers. Zu unterscheiden davon sind die Cameralwissenschaften (s. d.), welche mehr technische Fachlehren sind, so wie auch die Volkswirthschaftslehre (s. d.), welche ohne Rücksicht auf den Staat ausgeübt werden kann. Den Mittelpunkt der St. bildet die Politik (s. d.); ihr reihen sich die staatsrechtlichen Wissenschaften, die nationalökonomischen, Finanzwissenschaften, Statistik und die Hülfswissenschaften der Geschichte an.

Stabilität wird in der Politik das Festhalten genannt an dem eben Bestehenden; Stabilitätssystem ist das Bestreben, dieses Bestehende um jeden Preis zu erhalten. Wenn zu irgend einer Zeit dieses System sich Geltung zu verschaffen gesucht hat, so ist es in der unsrigen. Die civilisirte Menschheit ist wieder an einem jener großen Marksteine angekommen, welche die Vorsehung nur nach Jahrhunderten setzt, wo man den Anfang einer neuen Periode in ihrer Geschichte beginnt. Die Geburtswehen dieser Periode sind zum Theil vorüber; es waren dies die französische Revolution, es waren dies die Ereignisse 1830 und 1848. Die Partei der Reaction (s. d.) wünscht nun diesen welterschütternden Ereignissen gegenüber das Bestehende aus Selbstsucht zu erhalten; sie liebt die Stabilität. Die Freunde derselben sind blind gegen alle Zeugnisse der Geschichte, welche es laut predigt, daß seit Jahrtausenden die Loosung: „Vorwärts" heißt, da die Menschheit, so weit es nur irgend möglich war, bei den ungeheuern Hemmnissen, die man ihr in den Weg legte, auch vorwärts geschritten ist. Das Sklaventhum ist fort; die Leibeigenschaft ist fort; die Folter ist fort; das Verbrennen Lebendiger ist fort; der Katholicismus in seinen Grundlagen aufs Tiefste erschüttert; das absolute despotische System kann sich kaum mehr halten und — im Angesicht dieser Thatsachen wollen verblendete oder böswillige Thoren der Menschheit sagen: bis hierher und nicht weiter! Hier müßt ihr stehen bleiben! Wir lieben die Stabilität. Jeder vernünftige und einsichtsvolle Menschenfreund wird sich leicht selbst einen Begriff von der Haltbarkeit dieses Systems machen können.

Stadium war bei den Alten ein Längenmaaß von 600 griechischen oder 625 römischen Fuß; 40 Stadien machten ungefähr eine deutsche Meile aus. Eigentlich bezeichnete man mit dem Wort S. die für den Wettlauf angegebene Länge, daher man jetzt noch von dieser Bedeutung her S. einen Zeitabschnitt in der fortlaufenden Entwickelung einer Begebenheit oder eines Zustandes, z. B. einer Krankheit, zu nennen pflegt.

Städte, ihre Entstehung, Wirkung und gegenwärtige Aufgabe. In einer Zeit, wo die Rathlosigkeit auf dem Throne sitzt; in einer Zeit, wo man die geistigen Errungenschaften mehrerer Jahrhunderte mit einem Handstreich vernichten möchte, ist es doppelt Pflicht, auf alles das hinzuweisen, was unseren Vorfahren im Vaterlande ihre Freiheit, ihren Ruhm und ihr Glück hat begründen helfen. Hierzu gehört das b e u t s c h e S t ä d t e w e s e n. Es ist eine alte Erfahrung, daß der Mensch nur im Verein mit seinen Mitmenschen stark und gebildet wird. Das s t ä d t i = s c h e Leben namentlich fördert eine höhere Cultur der Völker. Als einst in Griechen= land und Rom und in D e u t s c h l a n d zur Zeit des Faustrechts einfache frühere Na= turzustände sich auflösten und f a u s t r e c h t l i c h e Räuber und Häuptlinge Volk und Land und die gemeine Freiheit mit allgemeiner Verwüstung und Untergang bedroh= ten, da waren es die Städte, welche Cultur, Freiheit und Gesittung retteten. Es liegt offen in der Geschichte vor, daß vor Allem Deutschland den Städten Schutz ge= gen die rohe faustrechtliche Gewalt, daß es ihnen Handel, Gewerbe, Bildung und Ge= sittung, Rettung und Ausbildung staatsbürgerlicher Freiheit verdankt. Die Ausbil= dung des deutschen Städtewesens war eine besonders glückliche, was am deutlichsten aus einem Vergleiche derselben mit den Städten Griechenlands und Roms, mit den Städten der s l a v i s c h e n Völker und mit den e r s t e n deutschen Zuständen hervor= geht. Die Städte des Alterthums dehnten ihre Macht und Freiheit zu weit aus; die slavischen hingegen machten sich nicht frei genug. Die griechischen und römischen Städte trennten sich von ihren Volksstämmen, machten sich souverain, verjagten die Könige und machten die Landbewohner zu Sclaven. Die slavischen Völker aber wußten sich aus der Leibeigenschaft der Adligen nicht zu befreien; sie erkämpften nicht die Theilnahme an der allgemeinen staatsbürgerlichen Freiheit; sie konnten diese daher auch nicht schützen. So versank Rußland zuerst in tartarische Unterjochung, dann in innere Knechtschaft bis heute. In gleicher Knechtschaft befand sich Deutschland, ehe seine Städte emporblühten. Bei der Ausbildung derselben wirkten namentlich d r e i Elemente mit: der Einfluß des Christenthums, des classischen Alterthums und der deutschen Grundsätze und Einrichtungen. Wenn zur Zeit der rohen faustrechtlichen Rechtslosigkeit hier oder da eine Anzahl Häuser entstanden waren, so umzogen sie die Bischöfe mit heiligen Prozessionen und Weihungen, um dadurch die Grenzen zu be= zeichnen, an denen vier Kreuze aufgestellt wurden. Das so eingeweihte Gebiet dieser Wohnsitze wurde einem Schutzheiligen geweiht, dieses g e w e i h t e B i l d, W e i c h = b i l d, gab nun dem neuen Stadtgebiet den Namen. In diesem geweihten Sitze des Bischofes, der Kirche, der Klöster entstand nun ein Schutz gegen das rohe Faust= recht. Im 10. Jahrhundert verliehen die Könige solchen Bisthumssitzen eine voll= ständige Immunität (Befreiung), wodurch der Bischof alle richterliche Gewalt erhielt. Diese hatte der Bischof nun nicht blos über seine Hörigen (Burgenses genannt, weil sie die Burg zu vertheidigen hatten), sondern auch über alle Freien, die im Weich= bilde wohnten. So verschmolzen Alle zu e i n e r Gemeinde. Die Religion und die Kirche wirkten unter den damaligen Verhältnissen höchst wohlthätig; unter ihrem Einflusse entwickelte sich später die christliche Kunst; die herrlichen Dome entstanden, welche Malerei und Bildhauerkunst ausschmückten. Nach und nach, namentlich als die Besorgniß vor dem Faustrecht der Feudalherren größer ward, wurde das alte Weichbildrecht auf fast alle Städte übertragen, welche nun anfingen, sich zu befestigen. Wesentlich trugen auch zur Ausbildung der germanischen Städte das classische alter= thümliche Element und das r ö m i s c h e R e c h t bei, obschon dieses später, unter un= geschickter Handhabung zum Fluch für Deutschland ward (vergl. römisches Recht). Für die Ausbildung des freien städtischen Gemeinwesens wirkte das römische Recht zunächst durch die Fortdauer römischer Einrichtungen und Stadtverfassungen in den Städten Italiens, Frankreichs und Deutschlands. Besonders einflußreich wurde die blühende Stadt K ö l n für Deutschland; von diesen befestigten römischen Städten gingen selbst die Namen der Beamten, consules, senatores, auf die deutschen Städte über. Viele deutsche Städte, wie Magdeburg, Lübeck, entlehnten von Köln ihr Stadt= recht. Durch Hülfe dieser Rechtsinstitutionen entfalteten sich die Associationen, Brü=

berschaften und Innungen der Gewerbe zu ganz freien Corporationen mit freigewähl-
ten Vorstehern, mit Selbstgesetzgebung und Selbstgericht. Alle Hörigkeit
vor dem Bischof verlor sich, und Handel, Gewerbe und Wohlstand blüheten empor. —
Sehr wesentlich war aber auch der Einfluß alter ächt germanischer Freiheits-
grundsätze für die Ausbildung des Städtewesens, welche durch den Einfluß des Christenthums und des classischen Alterthums wieder in das Leben gerufen worden waren.
Hierher gehören zunächst folgende vier Hauptgrundsätze: 1) die in dem früheren altgermanischen Wehrvereinen enthaltenen demokratischen gleichen Genossen- und
Freiheitsrechte; 2) die altdeutschen Grundsätze der freien Einigung der Einzelnen
und der Verein für rechtlichen Schutz und aller erlaubten Zwecke; 3) der Grundsatz
der vollsten Gesetzgebung und der richterlichen Gewalt der Genossen
über alles Gemeinschaftliche, mit freier Wahl ihrer Vorsteher; 4) der Grundsatz der
durchaus nur freiwilligen Selbstbesteuerung, durch freiwillige und vereinbarte Abgaben. Die Zünfte erkämpften im 14. Jahrhundert die Theilnahme an
Rath und Regiment des Gemeinwesens und die durch das Feudalrecht unterdrückte
Freiheit lebte wieder auf. — Auf diese Weise entstanden die deutschen Städte; so entstand im 10. Jahrhundert das Weichbildsrecht der Städte, im 14. ihr Muni-
cipalrecht, im 14. ihre demokratische Verfassung. Hierdurch entwickelte sich
nun die staunenswerthe Blüthe der deutschen Städte im Mittelalter, welche eine Han-
delsgröße und Seemacht bildeten, die wir mit Bewunderung und — Sehnsucht betrachten. — Sehr zu beachten ist endlich noch das repräsentative, ächt germanische Element, welches sich in den Städten entwickelte. Zuerst erscheint es in den
Schöffen, die aus der Gemeinde der freien erwählten Bürger, welche im Namen des übrigen Volkes Recht sprechen mußten. Der sich später entwickelnde „Rath"
war ebenfalls ein rein repräsentatives Collegium, dem ein engerer Ausschuß, die Bür-
gerverordneten, gegenüber stand. Zudem bewährten die deutschen Städte die ihnen
angestammte Treue, Freiheitsliebe und Anhänglichkeit an die Nation und die Fürsten.
Daher rissen sich die Städte, nach der oben gedachten Weise des Alterthums, los.
Was wäre aus den Fürsten geworden, hätten in dem Bauernkriege sich die Städte
dem Landvolk mit angeschlossen! Die Städte und das deutsche Vaterland hatten es
also keineswegs verdient, daß die Fürsten auf den Trümmern des Faustrechts und mit
Hülfe der höfisch gewordenen Feudalaristokratie eine despotische Allgewalt zu begründen anfingen, aus Neid gegen die Geld- und Handelsmacht der Städte ihre für
Deutschland so werthvollen Verbindungen unterdrückten und ihre Kraft und Freiheit
zu unterdrücken suchten. Als die Landstädte den Kugeln der neuen Kriegskunst keinen
Widerstand mehr leisten konnten, und ihre Thore den fürstlichen Söldlingen offen
stehen mußten, schmälerten die Fürsten ihre Rechte und unterwarfen sie der Polizei-
und Obervormundschaft. So kam in das Reich die Auflösung und in das
Land die Despotie; Schmach und Elend folgten den Fürsten und der Geistlich-
keit für die unterdrückte Freiheit auf dem Fuße nach. 				B.

Städteordnung ist eigentlich eine städtische Verfassung; die Städte hatten allerdings längst ihre „Ordnungen" (s. b.), bevor man daran dachte, diese modernen
Städteordnungen einzuführen. Wir finden sie in England und in Nord- und Mit-
teldeutschland; Frankreich und Süddeutschland haben allgemein für Stadt und Land
berechnete Gemeindeordnungen. Nachdem der Staat die Rechte, welche früher die
Städte besessen hatten, wieder an sich gerissen hatte, suchte er sie wenigstens in eine
solche Stellung zu bringen, daß ihre Organe von ihm abhängig wären. In Preußen wurden die Städte vollkommen durch landesherrliche Beamte verwaltet und hatten
gar keine Selbstständigkeit mehr, als 1808 die so wichtige und erfolgreiche Städteordnung erschien, welche den Städten wieder eine selbstständige Stellung gab. Stadtrath und Stadtverordnete bildeten die Hauptbehörden und gingen aus städtischen

Wahlen hervor. Ein Theil der Magistratsglieder ist besoldet, aber nicht regelmäßig auf Lebenszeit angestellt. Die sächsische Städteordnung von 1832 hat dieses vermieden, beruht aber im Uebrigen auf ähnlichen Grundsätzen. Die städtischen Wahlen sind dadurch sehr herabgedrückt worden und haben ihre Bedeutung fast verloren, daß sie in den meisten Fällen einer Bestätigung der Regierung bedürfen. Diese Bestätigung kann aber verweigert werden, auch wenn die Gründe blos in „Ansichten" bestehen. Die übrigen deutschen Städteordnungen sind in der Hauptsache den eben angeführten gleich; s. Gemeinde und Dorfgemeinde.

Stadtrecht, das Wort kommt in dreifachem Sinne vor. Zum Verständniß dieser drei Bedeutungen ist es nothwendig, einen Blick auf den Ursprung der älteren deutschen Städte zu werfen. Ein Theil derselben ist römischer Abkunft, wie Passau, Regensburg, Augsburg, Freisingen, Salzburg, Constanz, Basel, Straßburg, Speier, Worms, Mainz, Trier, Cöln, Utrecht. Ihre spätere Blüthe verdanken sie theils ihrer dem Handelsverkehr günstigen Lage, theils dem Umstande, daß sie Bischofssitze wurden. Durch letzteren Umstand gelangten auch neuangelegte deutsche Städte, wie Eichstädt, Würzburg, Bamberg, Minden, Bremen, Osnabrück, Verden, Paderborn, Hildesheim, Münster (Mimgartenfurt), Halberstadt, Magdeburg, Lübeck, Brandenburg, Havelberg, Merseburg, Naumburg, Zeitz, Meißen, bald zu größerer Bedeutung. Ein anderer Theil der Städte hat sich aus den Reichskammergütern gebildet. Die deutschen Könige und Kaiser hatten deren eine große Anzahl in allen Heerführerthümern, namentlich in Franken (d. i. ursprünglich das Land von Mainz aus nordwärts an der Ostseite des Rheins bis an die Ruhr, welches bald durch Eroberung auch auf große Gebiete an der Westseite des Rheins und an der Mosel hinauf ausgedehnt wurde), dann aber auch im südlichen Lande der Friesen, in Sachsen, in Thüringen, in Baiern und Alemannien. Man zählt deren 176 auf. Die Könige und Kaiser nahmen ihren Wohnsitz bald auf diesem, bald auf jenem Reichskammergute, stets abwechselnd in allen Theilen des Reichs. Sie zogen nicht allein die Reichsdienstmannen, Hof- und Kriegsleute, sondern auch die höchsten geistlichen und weltlichen Beamten des Reichs, die sich häufig zu Staatsberathungen am Hoflager des Kaisers einfanden, nach sich. Dies veranlaßte vermehrten Anbau, Errichtung von Handelshäusern und Werkstätten des Kunstfleißes und Gründung anderer gewerblicher Etablissements. Die bedeutendsten auf diese Weise entstandenen Städte sind Aachen, Frankfurt, Metz, Zürich, Ulm, Heilbronn, Weinheim, Andernach, Kreuznach, Heldesheim, Wesel, Arnstadt, Forchheim rc. rc. Endlich gehören zu den vorzüglichsten Grundlagen der Städte die Burgen, die zum Zwecke der äußeren Sicherheit dienten, und deren namentlich König Heinrich I. (auch der „Finkler" oder: Vogelsteller genannt) viele gegen die Ungarn und Wenden gründete und nach dem Muster der römischen Anlagen befestigte. Hierher gehören Quedlinburg, Goslar, Nordhausen, Duderstedt, Leisnig, Altenburg, Kirchberg, Groitzsch, Düben, Giebichenstein, Wettin, Leipen, Gent, Antwerpen, sowie die Reichsburgen Wetzlar, Friedberg, Nürnberg. Den Stamm der Bewohner bildeten in den alten Städten freie Landeigenthümer der umliegenden Gegend. In allen Städten befanden sich Stammhäuser solcher altbürgerlicher Geschlechter, die später auch kurzweg Geschlechter oder Patrizier (nach den Römischen Patriziern) genannt wurden, und eine Art von städtischem Adel bildeten, daher sie auch Stadtjunker hießen. Nächst ihnen finden wir in den Städten die eigentlichen Bürger, ebenfalls freie Landeigenthümer, die aber nebenbei Handel und Gewerbe trieben. Verschieden von diesen waren die freien Handwerker, die für Lohn arbeiteten und den vierten Stand bildeten, die unfreien Leute. Diese theilten sich in die Vornehmen, die höheren Dienstmannen und Beamten der Könige und Bischöfe (die aber doch dem Heirathszwang und dem Sterbefall unterworfen waren und von ihrem Herrn wie Sachen verschenkt, auch oft als Geiseln gegeben wurden) und die Niederen, das Hofgesinde, darunter die Hofhandwerker. Die Gerichtsbarkeit über diese verschiedenen Stände war zu Anfang eine verschiedene. Die Freien standen unter dem Schaffer- oder Schöffengerichte. Die Schöffen wurden von ihnen selbst gewählt, und den Vorsitz führten königliche oder bischöfliche Beamte, Stadtgrafen, Stadtvögte, Schultheißen. Die Gerichtsbarkeit über die Unfreien übten die Burggrafen, Stiftsvögte, Klostervögte aus. Bereits im 10. Jahrhunderte fingen die Bischöfe an, die gesammte Gerichtsbarkeit über den ganzen Bisthumssitz zu suchen, und die Könige willfahrten dem Verlangen, theils weil sie nicht im Stande waren (namentlich in den Zeiten des immer mehr um sich greifenden rohen Faustrechts), den nöthigen Schutz selbst zu gewähren, theils weil sie durch die Macht und Selbstständigkeit der größeren Städte, in denen sich die Bischofssitze befanden, eine Stütze gegen die überhandnehmende Macht und Willkürlichkeit ihrer eigenen Beamten und der Großen des Reichs sich verschaffen wollten. Mit der Gerichtsbarkeit erwarben die Bischöfe in der Regel gleichzeitig das Recht der Steuerbefreiung, Zoll- und Marktprivilegien. Sie verschmolzen nun die doppelte Gerichtsbarkeit über die Freien und Hörigen, und vereinten alle Bewohner des Bezirks zu einer Gemeinde, die vor ihren Vögten oder Schultheißen Recht nahmen (jedoch stets unter Zuziehung der Schöffen) und gemeinsam gegen faustrechtlichen Frevel einstanden. Das Gebiet des Bisthumssitzes wurde unter feierlichen Processionen und Weihungen der ganzen Ausdehnung seiner Grenzen nach umzogen und unter den Schutz eines Ortsheiligen und eines Gottesfriedens, Heiligen oder Weichfriedens (von weihen) gestellt. An den Grenzen errichtete man vier Kreuze und stellte des Schutzheiligen geweihtes oder Weichbild auf. (Eine andere Ableitung von Weichbild ist von Wik, Weik, Wich, Weich, städtische Ansiedelung oder befestigter Platz, hergenommen von dem römischen Vicus, und Bild, d. h. Recht, erklärbar aus den bildlichen Bezeichnungen der eigenen Gerichtsbarkeit.) Dieses Weichbild gab nun selbst dem neuen Stadtgebiet und seinem entstehenden, besonderen Frieden und Stadtrechte, dem Weichbildrechte, den Namen. Die früheste Verleihung der königlichen Gerichtsbarkeit an die Bischöfe fand zu Cöln im Jahre 953 und zu Magdeburg im J. 965 statt. Die Bischöfe erkannten sehr bald, welcher Nutzen von gewerbfleißigen Städten zu ziehen sei, und statteten sie mit manchen Privilegien aus. Die Könige übertrugen dieselben Rechte auf ihre königlichen Sitze und Städte, und später gingen jene Rechte auf andere, namentlich die landesherrlichen Städte, über. Die Freiheit der Städte hatte zur Folge, daß sie blühend und reich wurden, und den Königen, Bischöfen und Landesherren waren die offenen Seckel der Bürger und die bedeutenden Streitkräfte, mit denen die Städte in den immerwährenden inneren und äußeren Kriegen ihnen beisprangen, sehr willkommen. Die Städte wußten sich nun nach und nach der königlichen, bischöflichen und landesherrlichen Gewalt dadurch zu entziehen, daß sie sich von den oberherrlichen Beamten losmachten (s. Patrimonialgerichtsbarkeit) und gleichzeitig eine genossenschaftliche Verwaltungsbehörde, die Stadträthe oder Stadtmagistrate bildeten, welche zwar anfänglich nur zur Unterstützung des Schöffengerichts dienen sollten, jedoch bald die gesammte Gerichtsbarkeit und Verwaltung an sich brachten. Gegen das Ende des 13. und zu Anfang des 14. Jahrhunderts begann diese Entwickelung in der städtischen Verfassung fast in ganz Deutschland sich schnell hinter einander in den Städten zu gestalten, und von da an ist die Blüthezeit der Städte zu rechnen, welche selbst durch die Streitigkeiten zwischen den Geschlechtern und den Bürgern nicht beeinträchtigt wurde, indem die Bürger, in Zünfte vereinigt, sich meistentheils Antheil an dem zuerst von den Geschlechtern allein beanspruchten Stadtregiment erkämpften. Diese Blüthezeit erstreckte sich bis in die Mitte des 15. Jahrhunderts, wo sich die ersten Spuren vom Verfall der Städte zeigen, deren weiteren Ruin der dreißigjährige Krieg zur Folge hatte. Schon seit dem Zeitpunkte, wo die Gerichtsbarkeiten verschmolzen wurden, fingen die so geschlossenen Stadtweichbilder an, sich ihr besonderes Recht zu schaffen. Das berühmteste war das Cölnische. Nach ihm entstand das Magdeburger und Lübecker, und das der größeren Städte wurde für eine Menge kleinerer maasgebend, wie z. B. das lübecker St. nach 90 anderen Städten ertheilt wurde. In der Blüthezeit der Städte bildete sich das Recht der Selbstgesetzgebung oder Röhre in derselben immer mehr und mehr aus. In seinen Anfängen beruhte es nicht auf königlicher oder fürstlicher Verleihung, entstand vielmehr dadurch, daß Verwaltungsbeschlüsse ausgedehnt und zu wirklichen Gesetzgebungsbeschlüssen erhoben wurden. Wenn dann für letztere ein längeres Herkommen sprach, konnte die Bürgerschaft nicht wohl in die alte Abhängigkeit zurückversetzt werden, und was längst ausgeübt worden, erhielt nun die urkundlich rechtliche Begründung. Hiernach haben sich drei Bedeutungen gebildet, welche man dem Worte St. beilegt. Man versteht darunter: 1) den Inbegriff aller Privilegien und Freiheiten, welche einer Stadt und dem dazu gehörigen Gebiete zustehen; 2) dieses Gebiet selbst, in welchem Sinne das Wort gleichbedeutend ist mit städtischem Weichbild; 3) den Inbegriff der in der Stadt geltenden Gesetze und Rechtsnormen, die Gesetzsammlung der Stadt. Gegenwärtig kommt das Wort nur noch in der zuerst gedachten Bedeutung vor. In dem so verstandenen Stadtrechte sind hauptsächlich folgende Befugnisse enthalten: a) das Recht, an der Städteordnung, d. i. an der besonderen städtischen Verfassung Theil zu nehmen; b) das Recht auf ausschließliche Betreibung der bürgerlichen Nahrung (des Handels und des Handwerks), c) das Marktrecht. Alle diese Befugnisse sind aber theils der Zeit verfallen, wie z. B. die neue preußische Gemeindeordnung vom 11. März 1850 keinen Unterschied zwischen Stadt und Land annimmt, theils werden sie, bei vollständiger Entwickelung des Gemeindewesens, da, wo sie noch bestehen, aufgegeben werden müssen. Denn wenn man von dem Grundsatze der politischen Gleichberechtigung aller Staatsbürger ausgeht, kann auch ein Unterschied in der politischen Berechtigung der Gemeinden nicht mehr stattfinden. Als Hauptgrundsätze einer freisinnigen Gemeindeordnung für alle Gemeinden des Staates (wie man sie namentlich in der neuen Gemeindeordnung für die Herzogthümer Anhalt-Dessau und Anhalt-Köthen sehr rationell durchgeführt findet) sind folgende hervorzuheben: 1) allgemeines actives und passives, weder durch Klassenunterschiede noch durch Census beschränktes Wahlrecht, und directe Wahl des Gemeindevorstandes und der Gemeindevertreter durch sämmtliche Gemeindeglieder; 2) Wechsel in der Amtsführung des Gemeindevorstandes ebensowohl als der Gemeindevertreter, ohne drückende, solchen Wechsel factisch fast wieder aufhebende Pensionirungen; 3) Selbstständigkeit der Gemeinden. Diese ist nicht vereinbar mit einem Bestätigungsrechte der Gewählten Seitens der Regierung und mit Abhängigkeit der Gemeinden in ihren Beschlüssen über Verwaltung ihres Vermögens von vorheriger Genehmigung der Regierung. Insoweit sich im Hinblick auf wirkliche, nach dem Gesetze festgestellte Unwürdigkeit der Gewählten oder im Hinblick auf zu vermeidende leichtsinnige Gebahrung mit dem Gemeindevermögen eine Oberaufsicht erforderlich macht, ist dieselbe einem, gleichfalls aus Volkswahl hervorgegangenen Kreis- oder Provinzialausschusse zu übertragen, dem Staate aber bleibt das Recht vorbehalten, durch besondere Beamte das Gemeindewesen zu überwachen und auf Abstellung von Mängeln bei der Gemeindeverwaltung anzutragen oder sie nach Befinden durch Entscheidung des vorgedachten Ausschusses herbeizuführen. O. L. H.

Stadtverordnete ist der Name für die durch die neuen Städteordnungen (s. d.) eingeführten Vertreter städtischer Gemeinden. Sie gehen allerdings aus städtischer, aber durch mancherlei Bedingungen sehr beschränkter Wahl hervor. Die Wirksamkeit der St. ist ebenfalls der städtischen Behörde gegenüber eingeschränkt und bezieht sich hauptsächlich auf die nachträgliche Verwilligung der nöthigen Gelder, auf Bau-, Forstwesen u. dergl. Bei dem geringen Gemeingeist, der in Deutschland nur herrscht, namentlich bei dem jetzt in schönster Blüthe stehenden Parteiwesen, ist von einer wahrhaften Vertretung der Stadtgemeinde durch die St. sehr selten die Rede; gewöhnlich

wird nur eine Partei vertreten, die eben grade emporgekommen ist, oder am geschicktesten zu manoeuvriren weiß.

Staffeln, Echelons, ein Ausdruck der Militärsprache, welcher die einzelnen
Theile einer gebrochenen Angriffs- oder Vertheidigungslinie bezeichnet, die zwar in
gleichen Abständen auf einander folgen, aber nicht hinter einander, sondern neben
einander.

Stammbaum f. Adelsprobe.

Stammgüter, Erb-, Geschlechts-, Stockgüter, sind im Allgemeinen solche
unbewegliche Güter, welche durch natürliches Erbgangsrecht auf die Nachkommen des
ersten Besitzers übergegangen sind. Die Gesetze haben diesen Gütern die Eigenschaft
der Unveräußerlichkeit beigelegt, so daß sie in fortwährendem Erbgange (ab intestato)
bei der Familie erhalten werden sollen. Der Gegensatz der Stamm- oder Erbgüter
ist die Errungenschaft (Bereitschaft, Eroberung), d. h. alles dasjenige Vermögen,
welches eine Person überhaupt auf andere Weise, als durch Intestaterbfolge (also
durch Kauf, Schenkung) erwirbt. Der Ursprung der S. geht bis in die ältesten
Zeiten der ehemaligen deutschen Reichsverfassung. Schon den ältesten Aufzeichnungen
der deutschen Volksrechte aus dem 5—9. Jahrhundert sind diese S., besonders unter
dem Namen haereditas (Erbe), bekannt, und zwar nicht als eine neue rechtliche Einrichtung, sondern als ein in uraltem Herkommen gegründetes Rechtsverhältniß.
Es ist daher ein Fehler, wenn man in neueren Zeiten die Entstehung der S., so wie
des alten deutschen Erbrechtes überhaupt auf das „Gesetz" gründet. Man übersieht dabei, daß es in Deutschland Jahrhunderte lang ein Recht und Rechte gab, ehe
man Gesetze hatte, so wie heute noch Dasjenige, was man als reines und gemeines
deutsches Recht anzuerkennen hat, zum größten Theil nur als Recht und im Herkommen, nicht aber in Gesetzen wurzelt und angetroffen wird. Das Stammgutsystem,
der Grundsatz der Unveräußerlichkeit des von den Ahnen erworbenen und von ihnen
auf ihre Nachkommen vererbten unbeweglichen Vermögens, zum Zwecke weiterer Vererbung in der Familie, wurzelt tief in dem Geiste des deutschen Rechtes. Der ausgezeichnete Charakter des Stammgutes liegt in der Unveräußerlichkeit des Gutes zum
Zwecke seiner Erhaltung in der Familie, beziehendlich für die Erben des ersten Erwerbers in absteigender Linie. Diese Unveräußerlichkeit kam aber dem Stammgute
ursprünglich nur in dem Sinne zu, daß der Besitzer dasselbe nicht ohne die Zustimmung des oder der im Augenblicke der Veräußerung nächsten Erben, d. h. seiner unmittelbaren Leibeserben, veräußern konnte, so daß, wenn diese zustimmten, kein entfernter Erbe irgend einen Rechtsanspruch oder Einwand erheben konnte. Veräußerun-
gen des S. an die Kirche oder den König wurden schon frühzeitig für erlaubt gehalten. Wo sich das Stammgut bei dem dritten Stande praktisch erhalten hat,
zeigt sich eine Fortbildung desselben. In einigen Rechten der Städte, in welchen sich
eine Aristokratie entwickelte, welche den Glanz der Familie zu erhalten strebte, wurde
der Begriff des S. auch auf die Mobilien ausgedehnt, welche ererbt worden waren. Ferner wurde da, wo sich im dritten Stande das Stammgut in seiner ursprünglichen Beschränkung auf Immobilien erhalten hatte, hier meistens in der späteren Zeit das ursprüngliche Aneignungsrecht der nächsten Erben ausgeschlossen und
an dessen Stelle nur noch ein Retractsrecht (s. d.) gesetzt. **F.**

Stammtafel heißt ein Geschlechtsregister, eine genealogische Tafel. Man unterscheidet 1) eigentliche Stamm- oder Geschlechtstafeln, welche alle Personen
bezeichnen, die eine Familie bilden; 2) Ahnentafeln, welche die Abstammung einer
einzelnen Person in aufsteigender Linie enthalten; 3) synchronistische Tafeln, in denen
die Geschlechtstafeln mehrerer Familien vereinigt sind, und 4) historische Stammta-
feln, welche neben der eigentlichen Geschlechtstafel noch historische Ereignisse enthalten

Verschieden von der St. ist die **Stammliste**, die nur stammführende Familienväter aufführt.

Stand, Unterschied der Stände. Im politischen Sinne versteht man unter S. eine solche staatsgesellschaftliche Hauptklasse von Personen, deren Lebensbestimmung in der gemeinschaftlichen Förderung eines Hauptzweiges der gesellschaftlichen Aufgabe oder der Cultur besteht, und welche die mit dieser besonderen Bestimmung verbundene Stellung in der Gesellschaft einnehmen, die mit ihr verbundenen gesellschaftlichen Rechte und Pflichten haben. Die Ständeabtheilung bildet gleichsam den Knochen- und Gliederbau in der Gesellschaft. Wo die Gesellschaften in ihrem Wesen verschieden sind, da müssen auch die Ständeverhältnisse verschieden sein. In den despotischen Zuständen und bei Fortdauer einzelner Einrichtungen derselben schließt der despotische Herrenstand der Eroberer oder Unterdrücker gewöhnlich ganze Klassen von Bewohnern des Staates als Leibeigene, Sklaven (Heloten, Paria's) von dem Staatsbürgerrechte, von der Freiheit und den Vortheilen der Gesellschaft gänzlich aus. Auch die übrigen Stände werden nach dem hier vorherrschenden verknechtenden Staatsgrundsatz nicht durch Freiheit, Fähigkeit und Würdigkeit, sondern durch eine despotisch festgehaltene Stammes- oder Kastenabtheilung, durch eine Eintheilung nach den Kasten der Krieger, der Priester, der Bauern, der Handwerker ꝛc. bestimmt. Die mächtigste Kaste, die **Kriegerkaste**, als mit der rohen äußeren Gewalt bekleidet, behauptet dabei den Vorrang. Die Priesterschaft steht dieser fördernd zur Seite (s. Staat). Im rechtlichen Staate gestalten sich freilich die Verhältnisse anders. Dieser ist ein freier Hülfsverein; ein freies und hülfreiches lebendiges Gemeinwesen eines selbstständigen Volkes für die gemeinschaftliche Verwirklichung der menschlichen Gesammtaufgabe oder der menschlichen Cultur. In einem solchen freien Gemeinwesen ergeben sich nun von selbst für die Ständeabtheilungen folgende Hauptgrundsätze: 1) alles Das bleibt unvertheilt oder gemeinschaftlich für alle Glieder der Staatsgesellschaft, was ohne Verletzung ihrer rechtlich gleich freien und gleich heiligen persönlichen Würde und Bestimmung und ihrem gleich freien Antheil an dem Gemeinwesen, an seinem Vortheil und Lasten nicht getheilt werden kann, so wie natürlich auch Dasjenige, was für die gemeinschaftliche Förderung der Cultur keiner Vertheilung bedarf. Gemeinschaftlich bleibt also für Alle die gleiche Anerkennung, Achtung und Schätzung der rechtlichen Freiheit und Würde als Mensch und Bürger, oder das gleiche Menschen- und Bürgerrecht. Hierher gehört das Wehrrecht und die Wehrpflicht. In diesen Grundsätzen liegt die ganze Fülle der staatsrechtlichen Freiheit, nach welcher die Völker sich so lange gesehnt haben. Vielleicht darf man hoffen, daß es unserer Zeit gelingen werde, die Hindernisse und Gefahren zu beseitigen, die der Erwerbung dieser Rechte noch entgegentreten; 2) auf jenem freien und organischen Wege müssen nun die besonderen Bestrebungen für die gemeinschaftliche Aufgabe unter so viele besondere freie Stände der Staatsbürger sich vertheilen, als es verschiedene Hauptzweige der gemeinschaftlichen Aufgabe giebt, für deren zweckmäßige Betreibung das gemeinschaftliche Zusammenwirken einer besonderen Hauptklasse von Personen mit einer mehr oder minder verschiedenen Vorbereitung, Beschäftigung, Lebensweise und bürgerlichen Stellung natürlich und heilsam ist. Hiernach unterscheidet sich: 1) der **Stand der Studirten und studirten Beamten**; er zerfällt in Theologen, Philosophen, Mediciner, Oekonomen, Juristen und Politiker; diese fünf Klassen bilden den **Gelehrten- und Beamtenstand**; 2) der Stand der Nichtstudirten, der **Bürgerstand**, welcher sich zunächst mit der praktischen Förderung der Cultur beschäftigt. Er zerfällt in die **Oekonomie** im weitern Sinne, welche sich mit der Gewinnung der Naturprodukte durch Land-, Bergbau, Jagd und Fischerei beschäftigt; das **Gewerbe** im weitern Sinne, welches durch Verarbeitung der materiellen Stoffe, die selten den vernünftigen Zwecken des Lebens dienstbar macht; den **Handel** im weitern Sinne, welcher sich mit dem Umtausch der Güter beschäftigt. —

Nach dieser Auseinandersetzung wird man leicht das Unpassende mancher Eintheilung der Stände finden, wie in Wehr-, Lehr- und Nährstand. Das gesammte Volk soll seinen eigenen Wehrstand bilden; der Adel ist es längst nicht mehr. Eben so wenig ist die Geistlichkeit mehr allein der Lehrstand. **B.**

Standarte hieß ursprünglich das kaiserliche Reichsbanner; jetzt wird die Fahne der Cavallerie so genannt. Das Fahnentuch der S. ist viel kleiner, als bei der Infanterie und der Schaft ist mit Vorrichtungen versehen, um zu Pferde festgehalten zu werden, weshalb auch sein unteres Ende an einem Lanzenschuh ruht. Nur jedes Regiment führt eine St.

Standbild, Statue, heißt eine durch Kunst in einer harten Masse ausgebildete Gestalt. Die Menschengestalt ist die würdigste Aufgabe für den Künstler zu einem S. Man unterscheidet die Idealstatue und Portraitstatue. Berühmt sind heute noch die S. der griechischen und römischen Künstler und gelten als ewige Vorbilder.

Stände s. Abgeordnete.

Standesherren. Durch den Reichsdeputationshauptschluß von 1803 wurde Macht und Einfluß des deutschen Reiches zu einem Schattenbilde herabgedrückt. Schon zwei Jahre darauf, am 26. Decbr. 1805, offenbarte der zu Preßburg abgeschlossene Friede zwischen Frankreich und Oesterreich von Neuem die Ohnmacht des deutschen Reichs, wenn von einem solchen überhaupt noch die Rede sein konnte, in denen er mehreren Reichsständen Vorrechte ertheilte, die mit dem Buchstaben und Geiste der Reichsverfassung im ärgsten Widerspruch standen. Am 12. Juli 1806 schlossen vier Kurfürsten, unter ihnen der erste Stand des Reichs und zwei Könige, eilf Fürsten und ein Graf zu Paris mit Napoleon einen Vertrag, durch welchen sie aus dem Reichsverbande traten und unter dem Protectorat des französischen Kaisers den Rheinbund (f. d.) bildeten. Am 6. Aug. 1806 legte Franz II. die deutsche Kaiserkrone nieder. Die rheinische Bundesacte unterwarf eine große Menge deutscher Fürsten und Grafen, welche bis dahin erbliche Reichsstände gewesen waren, mit ihren Besitzungen der Souveränetät eines der rheinischen Bundesfürsten, oder, in dem man diese Besitzungen theilte, mehreren. Die Fürsten und Grafen wurden nun Standesherren genannt, welchen Namen schon viel früher in Schlesien fürstliche Gutsherren geführt hatten. In den Staaten des deutschen Bundes befinden sich gegenwärtig ungefähr 25 fürstliche und etwa eben so viel gräfliche S. Ueber den Rechtszustand der S. spricht sich die Bundesacte dahin aus: 1) sie bleiben ein Bestandtheil des hohen Adels (nach den Beschlüssen von 1825 und 1829 heißen sie Durchlaucht) und behalten die Ebenbürtigkeit; 2) sie „sind die ersten Standesherren des Staates," also geborne Landstände, und mit ihrer Familie am meisten privilegirt, besonders hinsichtlich der Steuern; 3) sie, ihre Familien und Besitzungen behalten alle Rechte und Vorzüge, welche aus ihrem Eigenthum und dessen ungestörtem Genuß herrühren und nicht zu der Staatsgewalt und den höheren Regierungsrechten gehören. Hierher gehört: Befugniß des Aufenthaltes in jedem deutschen Staate und in jedem mit dem Bund in Frieden lebenden Staate, Recht der Autonomie; privilegirter Gerichtsstand und Conscriptionsfreiheit; Civil- und Criminalgerichtsbarkeit erster und zweiter Instanz, Forstgerichtsbarkeit, Ortspolizei, Aufsicht auf Kirchen, Schulen und Stiftungen, mit bleibender Unterwerfung unter die Standesgesetze. Man hat viel darüber gestritten, ob die St. diese Rechte auf ewige Zeiten auszuüben befugt sein sollten, oder ob und unter welchen Bedingungen diese Rechte mobilicirt werden konnten. Den St. war bei ihrer Mediatisirung (f. d.) offenbare Gewalt und Unrecht zugefügt worden; dieses wollte man durch die Verheißung gemeiner Rechte wieder gut machen. **W.**

Standrecht. In Fällen, wo das Dasein des Staates, die öffentliche Ordnung oder die vorzüglichsten Rechte aller Bewohner einer Gegend in so dringender Gefahr sind, daß der gewöhnliche langsame Gang der Criminaljustiz nicht im Stande ist, dem Uebel Einhalt zu thun, sind außerordentliche Maßregeln nothwendig. In solche Fälle kann auch der wohleingerichtetste Staat kommen; man kann es daher auch nur billigen, wenn die Gesetzgebung eben solche Fälle nicht unberücksichtigt läßt, in der Voraussetzung, daß jene außerordentlichen Maßregeln nur dann angewendet werden dürfen, wenn die außerordentliche Noth sie rechtfertigt und man dabei die ewigen Grundsätze des Rechtes festhält. Das Ganze, was der öffentliche Zustand der Noth und Gefahr gestattet, ist, daß die Formalien des Untersuchungsprocesses nachgelassen und daß alle Verhandlungen so kurz und bündig sind, als es unbeschadet der Gerechtigkeit nur möglich ist. Die Civilgewalt ist in gedachten Fällen meist nicht zureichend; daher nimmt man das Militär dazu. Dieses kann aber nichts für sich allein vornehmen, sondern Alles nur nach der Vorschrift des standesrechtlichen Gerichtes, welchem deßhalb Offiziere als Beisitzer beigegeben werden. — Am meisten fühlte man die Nothwendigkeit schneller und abschreckender Maßregeln im Kriege bei dem Militär, weswegen auch bei dem Militär im Felde, wenn größere Verbrechen verübt werden, sofort das S. eingeführt wurde. Nach und nach dehnte man dasselbe in dringenden Fällen auch auf Civilpersonen aus. Zuerst stellte es die „peinliche Gerichtsordnung" von 1788 als deutsches Gesetz auf. Die hier ausgesprochenen Grundsätze wurden 1803 in das k. k. österreichische Gesetzbuch übergetragen und — 1848 in Anwendung gebracht. Im Königreich Baiern ward das S. zuerst 1809 bei den Einzelgerichten eingeführt, welche bei dem damaligen Kriege die entstandenen Volksaufstände aburtheilten. Nachher ging das S. in das allgemeine Strafgesetzbuch über (1813). Voraussetzung der Anwendung des S. ist das Dasein einer solchen Menge schwerer Verbrecher in einer Gegend, daß daraus eine allgemeine Störung und Unsicherheit des Rechtszustandes entsteht. Dieses tritt in folgenden Fällen ein: 1) bei einem Aufruhr, der so bedeutend ist, daß er nur durch außerordentliche Maßregeln unterdrückt werden kann; 2) bei der ungewöhnlich häufigen Begehung des Mordes, Raubes oder Brandes, besonders wenn ganze Banden derselben sich vorfinden. Waren in solchen Fällen die gewöhnlichen Mittel nicht zulänglich, so wird das S. erklärt. Die Anordnung desselben hängt von den höheren Landesstellen ab. Die Anzahl der Richter ist zur Beschleunigung auf wenige beschränkt, doch dürfen es nicht unter 5 sein. Sind die Mitglieder des S. ernannt, so wird ihnen Ort und Stunde des Zusammentritts von der obern Behörde bestimmt. Die besondere Verkündigung des S. muß durch Trommelschlag oder Trompetenschall erfolgen und die Verwarnung enthalten, daß Jeder ohne Nachsicht mit dem Tode bestraft werde, welcher nach Verkündigung des S. das verbotene Verbrechen begehen würde. Wenn das S. in einem Bezirke verkündet ist, so ist die rechtliche Wirkung davon folgende: 1) in diesem Bezirke ist die ordentliche Criminalgerichtsbarkeit in Ansehung jener Verbrechen suspendirt, welche zum S. gehören; 2) sind nach Verkündigung die verbotenen Verbrechen wieder begangen worden, so werden die Schuldigen vor das S. gebracht, welches die Untersuchung und Entscheidung innerhalb 24 Stunden beendigt, und, im Fall der Verurtheilung, nur auf die Todesstrafe erkennt, wogegen weder Berufung noch Gnadengesuch stattfindet. Nach dem bairischen Strafgesetzbuche ist zur Verurtheilung einer Mehrheit von vier Stimmen gegen eine, nach dem großh. hessischen Militärstrafgesetzbuch eine solche von fünf gegen zwei erforderlich. Im Falle nicht einstimmiger Lossprechung wird der Angeschuldigte dem ordentlichen Gericht überwiesen. Das österreichische Strafgesetzbuch fordert zur Verurtheilung nur eine Mehrheit der Stimmen. Die ganze Verhandlung bei dem S. erstreckt sich nur auf die wesentlichen Umstände der angeschuldigten That und beschäftigt sich blos mit der Erörterung der beiden Fragen: ob das fragliche Verbrechen vor das S. gehöre und ob es von dem in Untersuchung befangenen begangen worden sei. Die erkannte Todesstrafe wird regelmäßig durch Erschießen und zwar innerhalb zwei bis drei Stunden nach der Verkündung derselben vollzogen. Das Standrechtsgericht muß seinen Vorgesetzten durch Einsendung der Protokolle Rechenschaft ablegen. Dieses die Theorie über das standrechtliche Verfahren, wie sie die deutsche Gesetzgebung in den verschiedenen Staaten aufgestellt hat. Man hat bei der Aufstellung dieser Grundsätze wohl nicht daran gedacht, daß sie auf deutschem Boden je in Anwendung kommen würden, außer etwa einer verwilderten Soldateska im Kriege gegenüber. Die deutsche Geschichte kennt Alles: Verknechtung und Verdummung des Volkes; fürstliche Versprechungen und fürstlichen Wortbruch; Verfassungswidrigkeiten, Willkür und Gewaltthaten jeder Art — aber sie wußte bis jetzt nichts von Empörungen, Verschwörungen, Fürstenmord und — Standrecht zu erzählen. Das letztere hat das deutsche Volk, damit ja nichts in seiner Geschichte fehle, endlich in den letzten Jahren auch kennen gelernt. Als Wien im October 1848 seinen Riesenkampf gegen den Treubruch und die Gewaltthat von oben begonnen hatte, ließ der herbeigerufene, die Kaiserstadt umlagernde Windischgrätz am 22. October durch ein Placat den Belagerungszustand und das Standrecht verkünden. Am 30. zogen seine Horden in das verrathene Wien ein und das S. begann seinen Lauf. Auch der Begründer dieses Werkes, Robert Blum, der als Mitglied der Nationalversammlung zur Ueberreichung einer Adresse an den Gemeinderath nach Wien geeilt war und dort in das Eliencorps zur Herstellung der Ruhe und Ordnung in die Stadt eingetreten war, wurde verhaftet, vor das S. gestellt und, ungeachtet seiner durch die Reichsgesetze der Centralgewalt verbrieften Unverletzlichkeit als Mitglied der Nationalversammlung am 8. Nov. Abends zum Tode verurtheilt. Das S. war zusammengesetzt aus zwei Hauptleuten, einem Major, einem Rittmeister, zwei Lieutenants, drei Feldwebeln, zwei Corporals, zwei Gemeinen und drei Gefreiten. Das Urtel lautete auf Tod und ward am 9. Nov. morgens vollzogen. In größerem Maßstabe aber sollte das Herz von Deutschland im Jahre 1849 das S. ausführen sehen, als die wegen der Anerkennung der Reichsverfassung in Baden erfolgte Erhebung unterdrückt worden war. Die edelsten Männer, welche in Gefangenschaft kamen, verfielen dem soldatischen S.: Max Dortu zuerst, am 31. Juli in Freiburg, Adolph von Trützschler am 14. August in Mannheim; und zum ersten Male in der deutschen Geschichte sahen sich die herrlichen Ufer des freien deutschen Rheins mit dem Blute der edelsten Söhne des Vaterlandes getränkt. Die Geschichte wird einst diese Anwendung der bei vollem Frieden abgeschlossenen Bestimmungen des S. zu beurtheilen wissen. **S.**

Starosten (Capitanei) wurden in Polen Edelleute genannt, welche zu den Würdenträgern des Landes gehörten und vom Könige durch königl. Güter durch Schenkung, Verkauf oder Verpfändung, zum Theil auch durch Verleihung auf Lebenszeit in Lehn erhalten hatten. Zu diesen Gütern gehörten die Starosteien, die der König auch beim Absterben des Inhabers nicht einziehen durfte, sondern einem Andern verleihen mußte. Einige S. hatten in einem gewissen Kreise auch die Gerichtsbarkeit (Starostei) über peinliche Sachen und persönliche Klagen der Edelleute.

Stapel, Stapelrecht. Stapel heißt auf einer Schiffswerfte die ganze Reihe der in einer Linie gelegten Stapelklötze, auf die der Keil des neu zu erbauenden Schiffes zu liegen kommt. Wird ein altes Schiff zur Ausbesserung auf das Land geschleppt, so schraubt man dasselbe so hoch auf, daß man die Stapelhölzer hinunterschieben kann. Wenn nun von dieser Werkstätte aus ein neuerbautes oder reparirtes Schiff in's Wasser gelassen wird, so nennt man dieses, ein Schiff vom Stapel lassen. Auch bezeichnet man noch mit St. einen Hafen oder eine Stadt, wo viele fremde Waaren lagern.

Stapelrecht, Stapelgerechtigkeit, Stapelfreiheit, heißt das Vorrecht eines Ortes, daß die zu Schiffe oder zu Wagen dahin gebrachten Waaren nicht gerade durch oder vorbei geführt werden dürfen, sondern daselbst abgelegt und eine gesetzlich bestimmte Zeit lang zum öffentlichen Verkauf ausgeboten werden müssen. Das S. ist ein unumschränktes, wenn es sich auf alle Waaren und Zeiten ausdehnt, und nicht blos auf die Ablegung der Waaren, sondern auch auf die Feilbietung derselben erstreckt, oder ein beschränktes, wenn es nur in Rücksicht auf gewisse Waaren oder nur zu bestimmten Zeiten ausgeübt werden darf; oft bezieht es sich auch nur auf die Abwägung der Waaren. Der erste Keim dieser Gerechtsame findet sich in der Gesetzgebung Karl des Großen; Anfangs sollte sie weiter nichts bezwecken, als daß der Kauf und Verkauf der Waaren auf öffentlichen Märkten und nicht in Privathäusern geschehe. Später entwickelte sich das St. vorzüglich an der Wasserstraße des Rheins, wo die Städte Köln, Mainz und Speier im Besitz desselben waren; doch mußten auch viele andere Städte es zu erlangen. Nach und nach artete diese wohlthätige Gerechtsame aus und wurde zu einem schädlichen Privilegium, welches die Freiheit des Handels lähmte, dessen Abschaffung verlangt wurde und später auch erfolgte. So wurde 1804 schon das St. der Städte Köln und Mainz aufgehoben; später auch in fast allen andern Städten. Besonders trug dazu die Dampfschifffahrt mit bei.

Statarischer Actenauszug s. Actenauszug.

Statistik s. Staatskunde.

Statthalter wurde in der Republik der vereinigten Niederlande der Oberbefehlshaber der Kriegsmacht genannt; die Gewalt des St. war nicht in jeder Provinz gleich. Mit der **Generalstatthalterschaft** war die Würde eines Generalcapitains und Admirals des vereinigten Staates verbunden, dessen Gewalt in der Ausübung hoher Rechte in Staats- und Regierungssachen und über die Land- und Seemacht bestand. Diese wichtigen Befugnisse, welche in mancher Hinsicht den landesherrlichen Rechten gleich kamen, wurden 1747 bei Einführung der Generalstatthalterschaft noch vermehrt. Eine gewisse Partei arbeitete nun auf die Schmälerung dieser Rechte hin; das Einschreiten Preußens schützte aber den St. Die hierdurch entstandene Unzufriedenheit benutzte dann die französische Republik, nicht den vereinigten Staaten, sondern dem St. 1794 den Krieg zu erklären. Holland war bald besiegt und die Würde des Generalstatthalters aufgehoben. Im Jahre 1813 ward er zurückberufen und nahm nach den Beschlüssen des Wiener Congresses den Königstitel an.

Statue s. Standbild.

Status causae et controversiae heißt das Verhältniß einer streitigen Angelegenheit, besonders in eigentlichen Rechtssachen die Sachlage, der Stand der Dinge.

Statut nennt man die Stiftungs- oder Grundgesetze einer Gesellschaft oder Körperschaft. Nach röm. Rechte gehörte zur Gültigkeit eines St., daß alle Mitglieder zur Abstimmung berufen, zwei Drittel wirklich erschienen sind und von diesen der Beschluß durch Mehrheit der Stimmen gefaßt worden ist. Ob die St. der landesherrlichen Bestätigung bedürfen, hängt von dem Zwecke der Gesellschaft ab.

Steckbrief heißt die öffentliche Bekanntmachung eines Gerichtes, daß eine persönlich genau beschriebene Person festzuhalten und an das betreffende Gericht abzuliefern sei. Es sind diese Personen, hinter denen ein Steckbrief erlassen wird, entweder solche, welche durch Entspringen aus dem Gefängniß, der Strafanstalt, oder durch Bruch des Handgelöbnisses sich der Strafe oder durch die Flucht einer Untersuchung entziehen wollen. Im letztern Falle darf der St. nur dann erlassen werden, wenn das Verbrechen schwer genug ist, um eine persönliche Verhaftung zu rechtfertigen und der Verdacht ein dringender ist. In dem St. muß das Verbrechen oder der Grund zu dem St. genau angegeben werden.

Stehendes Capital wird ein Vorrath von Gütern genannt, welcher in einem Gewerbe oder Geschäftsbetriebe irgend einer Art stehen bleibt, nicht verbraucht und nicht zurückgezogen wird, auch wohl wieder ersetzt werden soll, wenn ein Theil oder das Ganze verzehrt worden ist. Ein Capital wird ein stehendes entweder durch natürliche Beschaffenheit, wie Grund und Boden, Gebäude zc. oder durch Verträge und Gesetze, welche bestimmen, daß ein Capital nicht angegriffen oder zurückgezogen werden darf.

Stellionat ist eine feine Art des Betruges, wo Jemand durch List unwahre

Thatsachen für wahre ausgiebt, um sich einen unerlaubten Vortheil zu verschaffen, oder auch wahre Thatsachen verschweigt, wo er rechtlich verbunden war, sie zu sagen. Nach der neuern Gesetzgebung wird das St. mit den auf Betrug gesetzten Strafen bedroht; s. Betrug und Fälschung.

Stempel nennt man 1) ein Werkzeug, durch welches irgend ein Zeichen auf einen Gegenstand eingedrückt oder durch Farbe aufgedrückt wird; 2) das Zeichen, welches durch jenes Werkzeug entstanden ist. Das Stempeln wird gewöhnlich vorgenommen, um den Ursprung, die Ächtheit oder die Güte eines Gegenstandes zu beglaubigen, wie z. B. bei Münzen, Gold= und Silberwaaren; in andern Fällen werden Gegenstände auch gestempelt, um die Schlechtigkeit derselben zu bezeichnen, und so jede Besserung unmöglich zu machen, wie das Brandmarken der Verbrecher. Endlich hat auch die Finanzkunst die Erfindung gemacht, das Papier zu stempeln und die Leute zu zwingen, daß sie sich dessen in gewissen Fällen bedienen müssen. Der Staat aber läßt sich dieses Stempeln theuer bezahlen und zieht aus dem Verkaufe des Stempelpapiers eine Einnahme, welche als Stempelsteuer bekannt genug ist. Diese Erfindung verdanken wir einem Holländer. Als die Generalstaaten im Anfange des 17. Jahrhunderts alle damals bekannten Steuern eingeführt hatten, um die Kosten des Befreiungskampfes gegen Spanien zu bestreiten, und doch die nöthigen Summen nicht aufbringen konnten, schrieben sie eine große Belohnung für Denjenigen aus, welcher eine neue Steuer erfände, die viel einbringe und doch wenig drückend sei. Unter den Preisbewerbern erhielt Derjenige den Preis, welcher die Einführung einer Papiersteuer, vectigal chartae, vorschlug und so wurde 1624 die Stempelsteuer in Holland eingeführt. Unsicher sind die Angaben, daß schon früher die Bestempelung des Papiers habe bezahlt werden müssen; eine solche Bestempelung fand allerdings sehr früh statt, sie war aber nur ein Zeichen für Actenpapier und steuerfrei. Die Spanier ahmten sogleich das Beispiel Hollands nach und führten die Stempelsteuer auch ein; Frankreich folgte nach und die deutschen Reichsländer fanden die neue Einrichtung ebenfalls sehr gut und führten sie ein (Sachsen und Brandenburg 1682, Nürnberg 1690, Hannover 1709), nach dem Worte des Engländers Adam Smith: „Es giebt keine Kunst, welche eine Regierung schneller von der andern lernt, als die, dem Volke das Geld aus der Tasche zu locken." Der Versuch der britischen Regierung, die Stempelsteuer in den nordamerikanischen Colonien einzuführen, war eine der Ursachen zum Befreiungskampf und der Losreißung der Staaten von England. Um die Stempelsteuer zu einer möglichst einträglichen zu machen, mußte man natürlich suchen, derselben so viel als möglich Schriften zu unterwerfen. Man dehnte die Stempelabgabe auf die verschiedenartigsten Gegenstände aus, und dadurch geschah es, daß sie keinen bestimmten Charakter erhielt, so daß man nicht weiß, unter welche Klasse man die Stempelsteuer bringen soll. Was für den Gerichtsstempel paßt, gilt nicht für den Kartenstempel; die Stelle, welche für diesen angemessen ist, paßt aber wieder nicht für den Stempel zu Wechseln oder Quittungen. v. Justi sagte schon 1758 in seiner „Staatswirthschaft": das Stempeln der Kalender und dergleichen Dinge kann ich gar nicht billigen; denn der Grundsatz, den einige Cameralisten haben, daß sie solche Dinge zu Gegenständen der Abgaben aussuchen, die nothwendig sind und von Jedermann gebraucht werden, taugt ganz und gar nichts." Man kann eine dreifache Art der Stempelsteuer unterscheiden: 1) eine Gebühr für gerichtliche Handlungen, zu deren Ausführung sich die Bürger an Staatsbehörden wenden; 2) eine Steuer von der Vertheilung der Güter, insbesondere von Eigenthumsveränderungen beweglicher und unbeweglicher Güter; 3) eine Verbrauchssteuer von manchen Gegenständen. Gegen die Abgabe einer Gebühr für die Thätigkeit von Behörden läßt sich im Allgemeinen nichts einwenden; früher aber wurden die daher gezogenen Einnahmen zu den Besoldungen verwendet, und es erhob sich das Bedenken, daß Richter und Verwaltungsbeamte ihre Schreiberei unnöthig vervielfältigen könnten, um den Ertrag der Gebühren zu erhöhen. Als Steuer auf die Vertheilung der Güter läßt sich der Stempel auch nicht rechtfertigen. Es läßt sich allerdings nicht in Abrede stellen, daß gerade diese Art der Besteuerung sehr einträglich sein muß, da die Verminderungen im Eigenthum von Liegenschaften nicht verborgen bleiben können. Die Härte liegt aber darin, daß der Kaufmann, welcher die bedeutendsten Umsätze macht, von dieser Abgabe frei ist. Eigentliche Verbrauchssteuer ist der Stempel von Karten (in England auch von Würfeln), Kalendern, Zeitungen ꝛc. Der Kartenstempel ist eine Luxussteuer, gegen die wenig einzuwenden wäre; aber gegen die Stempelabgabe von Büchern und Zeitschriften sprechen sehr erhebliche Gründe. Der Preis des Stempelpapiers, also die Größe der Abgabe, wird festgesetzt: 1) nach der Natur der Eingaben, welche auf Stempelpapier geschrieben werden müssen, und die daher in Klassen eingetheilt werden — Klassenstempel; 2) nach der Größe der Summe, über welche in einer Urkunde verfügt wird — Gradationsstempel; nach der Größe des Stempelblattes oder Bogens (aber nur in einigen Staaten) Dimensionsstempel.

Stempelsteuer s. Stempel.

Stempelzeichen, Contremarke, heißt das Zeichen, welches den Münzen nach ihrer Ausprägung durch besondere Stempel aufgedrückt wird. Es soll dadurch angezeigt werden, daß entweder eine bis daher ungültige Münze Geltung erhält, oder daß der Werth einer bereits in Umlauf gesetzten Münze verändert wurde. Die Contremarke besteht aus einem Zeichen ohne Schrift, theils auch aus Schrift allein, theils aber auch aus Beidem zugleich. Diese Zeichen finden sich schon auf griechischen und römischen Münzen; in Frankreich wurden früher bei jedem Regierungswechsel die Münzen gestempelt.

Sterbelehn, laudemium, s. Lehn.

Sterblichkeit, Mortalität, wird das Verhältniß der Todten zu den Lebenden genannt und die sich daraus ergebende Lebensdauer der Menschen überhaupt, so wie einer gewissen Anzahl derselben unter ähnlichen oder verschiedenen Umständen. Erstere nennt man absolute, diese relative S. Gegenwärtig werden überall Sterblichkeitslisten zusammengestellt; aus dem Vergleich derselben ergiebt sich das Resultat: die Anzahl der Geborenen verhält sich in einem Jahre wie 5 zu 4; von je 35 Menschen stirbt einer; von 10,000 Geburten sterben im ersten Lebensjahr 1964, im zweiten 687, im dritten 343 und nur ein einziger erreicht das 99. Jahr. Die interessanten Resultate dieser Berechnungen werden jetzt gewöhnlich durch die Behörden alljährlich bekannt gemacht.

Sternkammer (Camera stellata) wurde in England der Gerichtshof genannt, welcher alle die Fälle bestrafen sollte, die außerhalb der Grenzen des gewöhnlichen Rechts lagen. Dieser Gerichtshof, schon vor der Mitte des funfzehnten Jahrhunderts eingerichtet, wurde bald ein Werkzeug des königlichen Despotismus. Der König wählte und entließ die Mitglieder der St.; und persönlich in der Gerichtssitzung, so galt er als der einzige Richter. Unter der Königin Elisabeth kam zu dieser Cabinetsjustiz noch die „Hohe Commission" (High-commission), welche auf dem kirchlichen Gebiete das war, was die St. auf dem politischen. Beide Gerichtshöfe wurden 1641 vom Parlament aufgehoben.

Steuern. Was im Allgemeinen über Steuern zu sagen ist, wurde bereits in dem Artikel „Abgaben" (s. d.) vollständig behandelt. Wir haben es daher jetzt nur mit der vorzugsweise St. genannten „Gewerbesteuer" und ihren verschiedenen Abzweigungen zu thun, nachdem wir die Hauptgrundsätze der Besteuerung aufgestellt haben. Die Steuern sind Abgaben, welche den Staatsangehörigen als eine allgemeine staatsrechtliche Pflicht, zu den Lasten des gemeinen Wesens beizutragen, auferlegt werden. Der Rechtsgrund zu den St. ist die Theilnahme an den Wohlthaten des Staatsvereins; das Maaß derselben ist Besitz und Erwerb, Vermögen und Einkommen, welche einen Maaßstab an der Theilnahme an den Wohlthaten des Staates abgeben.

Man unterscheidet daher nach diesem Maaßstabe Grund- und Gefällsteuer; Häuser-, Gewerbe- und Capitalsteuer; endlich eine Klassensteuer aus jedem andern Einkommen, aus Besoldungen, Kunst- und Wissenschaftsbetrieb. Die Bedeutungen dieser einzelnen Steuern verstehen sich von selbst. Die sogenannten indirecten St. sind aus dem oben aufgestellten Grundsatz, daß die Beitragspflicht nach Vermögen und Einkommen bemessen werden soll, nicht entsprungen, sondern aus einer ungerechtfertigten Willkür und Härte gegen die Aermeren. Wenden wir uns nun zu der Haupt- oder Gewerbesteuer. Die Gewerbe sind Anstalten, in denen Naturkräfte, Arbeit und Capital zur Hervorbringung und Veredlung von Gütern wirken. Dieses gilt von den geringsten Gewerbtreibenden bis zu dem höchsten; von dem Angler bis zu dem Fabrikherrn, der Tausende von dem fremden Capital und Tausende von Menschen in seinem Dienst hat. Das Einkommen des Unternehmers aus dem Gewerbe heißt Gewerbsgewinn; ist das Betriebscapital sein eigenes, so gebührt ihm noch der Zins, und arbeitet er selbst mit, wie die meisten Handwerker, auch das Arbeitslohn. Die Gewerbsteuer, welche dem Unternehmer von seinem Gewerbsgewinn auferlegt wird, ist nach dem Grundsatze, jedes Einkommen zu besteuern, eine gerechte Abgabe; allein sie muß nach dem reinen Einkommen bemessen werden. Schwer ist es allerdings, den Reinertrag eines Gewerbes auszumitteln; die Verschiedenheit der Gewerbe ist ungemein groß; der Schuhflicker treibt eben so gut ein Gewerbe, wie der Theilhaber an der Bank, der seine Dividenden zählt. Zur Ermittelung des Steuerbetrags bei Gewerbtreibenden ist es daher nöthig, sämmtliche äußere Kennzeichen, woraus sich auf den Ertrag eines Gewerbes schließen läßt, mit Umsicht zusammen zu stellen und darnach den Steuerbetrag zu bestimmen. Solche Kennzeichen sind: die für das Gewerbe benutzten Gebäude, Maschinen, Werkzeuge, Vorräthe an rohen und verarbeiteten Stoffen, Zahl der Arbeiter. Hierüber muß der Steuerpflichtige gefragt werden; seine Angaben werden dann durch Sachverständige begutachtet. Von der Gewerbsteuer unterscheidet sich hinsichtlich der Methode die Patentsteuer, welche sich an die Befugniß zur Betreibung eines Gewerbes knüpft, wie das in Frankreich und zum Theil in Preußen der Fall ist. Wie in Deutschland in Allem keine Einigkeit herrscht, so auch nicht in den Steuern, weder in ihrem Namen, noch in ihren Unterlagen. Nur darüber ist man einig: so viel Steuern einzutreiben, als möglich, neue zu schaffen oder die alten zu erhöhen, wo es nur geht. Vergl. Abgaben, Einkommensteuer. *G.*

Steuerbewilligung und **Steuerverweigerung.** Die Stände haben in constitutionellen Staaten bekanntlich das Recht, mit der Regierung den nöthigen Landesbedarf (das Budget) zu verabreden. Der Grund davon liegt in früheren Verhältnissen der deutschen Staaten. Die früheren deutschen Könige konnten dem Volke nichts auferlegen, was nicht von diesem beschlossen war. Der Fürst mußte die gewöhnlichen Ausgaben aus seinen Gütern bestreiten, zu den allgemeinen Reichslasten mußte das Land die Kosten beitragen, eben so die außerordentlichen Beiträge für den Fürsten zur Abtragung von Kammerschulden oder zur Erhöhung seiner Einkünfte. Daher waren die Steuern nur zweierlei Art: feststehende (Ordinarsteuer), die einer Verwilligung nicht bedurften und nur auf gewisse Zeiten oder zu gewissen Zwecken verwilligte Steuern, Extraordinärsteuern. Jetzt hat die Steuerbewilligung in den deutschen Staaten fast gar keine Bedeutung mehr; anders ist es in England. Dort ist die Steuerbewilligung eine immer wiederkehrende Uebereinkunft der Regierung mit dem Volke über die als nothwendig anerkannten Staatsbedürfnisse und deren Deckung; die Steuerverweigerung aber die Erklärung, nicht daß der Regierung an sich, sondern nur den gegenwärtigen Ministern das Vermögen des Volkes nicht anvertraut werden könne. In Deutschland machte man hier und da solche Erklärungen zu Hochverrath.

Steuerbuch s. Flurbuch.

Steuerfreiheit. Als die germanischen Völker in den Provinzen des ehemaligen römischen Reichs bleibende Herrschaften stifteten, wollten sie von den alten Einwohnern, die ihre Besitzungen mit ihnen theilen mußten, Zinsen und Dienste genießen. Es wurden also nur diese alten Einwohner steuerpflichtig. Die Geistlichkeit wurde steuerfrei, weil sie es als Sünde erklärte, von ihrem Altar etwas zu nehmen, obschon sie von dem Altar der Armen den zehnten Theil von Früchten ꝛc. nahm. Als die Steuern mehr ausgebildet wurden, mußten auch die Vasallen, Adel und Geistlichkeit Steuern übernehmen, und von einer Steuerfreiheit war keine Rede mehr. Erst durch die neuere Ausbildung der Landstände, in welcher die Lehnsmannschaft als Ritterschaft einen bedeutenden Einfluß gewann, nach dem dreißigjährigen Kriege, wurde die Steuerfreiheit eingeführt. Die Ritterschaft berief sich auf ihre Verbindlichkeit zu Ritter- und Hofdiensten und verwilligte nur Beiträge von ihren in Pacht oder Zins ausgethanenen Gütern, nicht aber von ihren Rittersitzen und den Grundstücken, welche sie selbst bebaute. Eben so machte sie sich von den Verbrauchs- und anderen Steuern frei, obschon es nicht ohne Kämpfe mit den Städten und übrigen Ständen abging. In neuern Zeit ist durch die Gesetzgebung in den meisten Staaten, wie in Sachsen, diese Steuerfreiheit beseitigt worden.

Steuerverein ist der Name für einen Verein, den Hannover, Braunschweig und Schaumburg-Lippe am 1. Mai 1834 unter sich abschloß; am 7. Mai 1836 schloß sich auch Oldenburg an. Dieser sogenannte S. nahm im Wesentlichen die Grundsätze des Zollvereins an. Im Jahre 1837 schloß dieser Verein mit dem Zollverein einen Vertrag ab, worin sie sich verbanden, dem Schleichhandel entgegen zu wirken. Im Jahre 1840 kündigte der S. diesen mit 1841 ablaufenden Vertrag. Am 10. März 1840 trat aber Hannover zurück. Braunschweig trat am 1. Jan. 1842 dem Zollverein bei. Um die verschiedenen Unverträglichkeiten mit Hannover zu vermeiden, welches sich vom Zollverein ausschloß, wurde am 16. Oct. 1845 ein Vertrag bis 1854 abgeschlossen, in welchem man sich über die wesentlichsten Punkte einigte.

Stift heißt eine Anstalt (und die dazu gehörigen Personen, Gebäude und Güter), welche mit milden Vermächtnissen (s. Stiftungen, milde) und geistlichen Rechten ausgestattet ist, ursprünglich zu kirchlichen und religiösen Zwecken bestimmt und einer geistlichen Körperschaft anvertraut war. Die Vorgänger der S. waren die Klöster (s. d.); hiernach bildete sich das kanonische Leben der Geistlichen an Kathedralen und Collegiatsstiftskirchen, bei welchen wenigstens drei Geistliche angestellt sein mußten, die ein Collegium ausmachten, an dessen Spitze ein Propst stand. Das ausschweifende Leben der Weltpriester und der niederen Geistlichkeit veranlaßte schon im 8. Jahrhundert den Bischof Chrodegang zu Metz, die an seiner Kirche angestellten Geistlichen zu einer klösterlichen Gemeinschaft zu vereinigen. Diese Einrichtung wurde später bei allen Domkirchen eingeführt. Seitdem machten die Geistlichen ein eng verbundenes Ganze aus. Sie wohnten in Einem Gebäude (Münster), speisten an einer Tafel und wurden von dem Ertrage der Stiftsgüter unterhalten. So bildeten sich die Domcapitel, deren Mitglieder Domherren, Stiftsherren genannt wurden, weil sie nach und nach in den Besitz eines bestimmten Theils der Stiftsgüter gelangten. Sie gelangten zu immer größerem Ansehen, besonders seitdem Söhne aus adeligen Familien unter sie eintraten und von Fürsten und ihren Verwandten unterstützt wurden. Sie entzogen sich schon im 12. Jahrhundert der Verpflichtung des Zusammenwohnens und dem Gelübde der Armuth; genossen ihre Einkünfte in besonderen Amtswohnungen, ohne sich viel um die kirchlichen Handlungen zu kümmern. Erst im 14. Jahrhundert fingen die Stifter oder Capitel an, sich auf eine bestimmte Anzahl zu beschränken; so entstanden die geschlossenen Capitel von festgesetzter Anzahl; bei den reichsunmittelbaren Hochstiftern mußte jeder Eintretende seine Stiftsfähigkeit durch 16 Ahnen beweisen. Während diese adeligen Capitularen sich den Genuß aller Rechte ihrer Kanonikate vorbehielten, wurden ihre Pflich-

ten den regulirten Chorherren auferlegt, welche sich von jenen weltlichen Chorherren unterschieden. Noch bis jetzt haben die weltlichen Chorherren die Freiheit,
ihre Einkünfte zu verzehren, wo sie wollen; sie halten das Gelübde der Ehelosigkeit
und des Gehorsams gegen ihre Prälaten. Vor der Säcularisation (s. d.) der deutschen Hochstifter (1803) hatten dieselben Landeshoheit und Stimmenrecht auf dem
Reichstage. Mehrere dieser Hochstifter mußten nach der Reformation academische
Lehrer aufnehmen, wie z. B. Meißen und Merseburg, in welchen zwei Dom-
herrenstellen den beiden ältesten Doctoren und Professoren der Theologie und Jurisprudenz in Leipzig gehören. Außer diesen Hochstiftern giebt es auch weibliche
Stifter, welche entweder geistliche, oder freie weltliche sind. Da der stiftsfähige
Adel seinen Töchtern das ausschließliche Recht auf die Pfründen dieser Stifter zu
verschaffen gewußt hat, so werden sie freie weltadelige Damenstifter genannt;
die Kanonissinnen heißen Stiftsdamen. Mehrere dieser Stifter erziehen junge
adelige Mädchen im Stiftshause.

Stiftshütte, Bundeshütte, hieß bei den Juden das heilige Zelt, welches
nach Mose's Anordnung zur Abhaltung des Gottesdienstes erbaut wurde. Die Juden bedienten sich dessen statt des Tempels, den erst Salomo erbaute. Die Bibel enthält eine vollständige Beschreibung von der Pracht, welche in der St. herrschte.
Durch einen Vorhang wurde das Allerheilige von dem Heiligen gesondert; in der
ersten Abtheilung befand sich die Bundeslade. Um das Zelt selbst lief ein Vorhof
für das Volk.

Stiftung (Fundation) nennt man jede Anstalt, welche zu einem gemeinnützigen,
wohlthätigen Zwecke von Einem oder Mehreren mit den nöthigen Mitteln ausgestattet worden ist, wie Universitäten, Schulen, Armenanstalten ꝛc.; s. Stiftungen, milde.

Stiftungen, milde und fromme. Unter milden Stiftungen versteht man das
für menschenfreundliche und religiöse Zwecke, für Unterstützung der Armen, für Kirchen und Klöster ꝛc. ausgesetzte Vermögen. Nicht selten hat man dieses Vermögen
und die dadurch begründeten Anstalten für moralische Personen gehalten, doch widerstreitet diese Ansicht den natürlichen Rechtsgrundsätzen, wie den positiven Gesetzen.
Niemals kann man bloßen todten Sachen oder Anstalten wahre juristische Persönlichkeit zuschreiben; weder das römische noch das kanonische Recht könnte diese billigen.
Diese falsche Bezeichnung ist daher entstanden, daß nicht selten dem Staate, der Kirche
oder einer Gemeinde an einer Stiftung Rechte erwachsen sind; man bezeichnete dann
diese Anstalten selbst als die berechtigte und verpflichtete Person. In der That aber
bildeten das eigentliche Rechtssubject der Staat, die Kirche oder die Gemeinde. Die
Rechte und das Vermögen der Stiftungen sind bei öffentlichen oder dem Staat gehörigen Stiftungen durch die Verfassung geschützt. Stiftungen, worauf andere Personen als der Staat berechtigt sind, oder die Personen in Beziehung auf ihre Stifts-
rechte genießen des allgemeinen verfassungsmäßigen Rechtsschutzes. Die aus einer
Stiftung bereits erworbenen Rechte Einzelner auf Genuß derselben stehen ebenfalls
unter dem Schutz der Verfassung.

Stimmengleichheit, Stimmenmehrheit. Die Frage, ob die Mehrheit der
Stimmen zur Bewirkung eines Beschlusses entscheiden soll, ist nach dem Naturrecht
wie nach dem historischen verschieden beantwortet worden. Eine Gültigkeit der Stimmenmehrheit setzt voraus: 1) daß ein für Mehrere gemeinschaftliches Rechtsverhältniß
bestehe; 2) daß die Mehreren in Bezug auf dasselbe als mündig und stimmberechtigt
angesehen werden. Diese Gültigkeit der Stimmenmehrheit kann aber nach richtigen
Grundsätzen nur bei der wahren personenrechtlichen Corporation freier mündiger
Glieder, bei dem wahren Gemeinwesen statt finden. Dagegen kann sie nicht statt finden bei der blos sachenrechtlichen Gemeinschaft und einem dem vorübergehenden
Verkehrsverhältniß angehörenden Gesellschaftsvertrage. Sie findet nur statt, wo eine
Einheit eines aus mehreren selbstständigen Gliedern gebildeten Rechtssubjectes mit ei-

nem einzigen Gesammtwillen in Beziehung auf ein gemeinschaftliches untheilbares Rechtsverhältniß gegeben ist. Bei dem wirklichen Gemeinwesen kann der Eine oder gemeinschaftlich-vernünftige Gesammtwille zwar je nach der besonderen Verfassung von einem oder mehreren Vorstehern ausgesprochen werden. Ist aber auch dieses nicht der Fall, so ist es doch naturrechtlich und politisch nothwendig, daß die Stimmenmehrheit aller selbstständigen mündigen Mitglieder über die Verhältnisse und Rechte des Gemeinwesens entscheide. Denn es soll, so weit dieses überhaupt möglich ist, die Gesammtvernunft, der Gesammtwille des Gemeinwesens, des Volks, der Gemeinde herrschen und natürlich mehr gelten, als die Ansicht des einzelnen Gliedes. Jeder Beschluß endlich muß der Verfassung oder dem Grundvertrag entsprechen; er darf nicht in erkennbarem Widerspruch mit demselben stehen. Erst dadurch wird und bleibt ein Beschluß Wille der Gesammtheit, Gesammtvernunft. So wird er auch mit Recht von den überstimmten Einzelnen in ihren Willen aufgenommen und als ihr Beschluß mit unterzeichnet und vollführt. Jeder, der in ein Gemeinwesen tritt, kann nichts anderes wollen, als daß stets die verfassungsmäßigen Stimmenmehrheitsbeschlüsse gelten, ohne selbstsüchtige Auflehnung der Einzelnen dagegen. Sind sie gefaßt, so sind sie wirklich Wille der Gesammtheit und ihrer Glieder. Für den Fall, daß bei einer Abstimmung Stimmengleichheit entsteht, muß diese entweder durch die Stimme des Vorstandes zur Stimmenmehrheit erhoben werden, oder es findet eine Entscheidung durch das Loos statt. Vergl. Abstimmung.

Stipendien heißen die Gelder, welche aus milden Stiftungen, Staats- oder Stadtkassen an Studirende zur Unterstützung auf eine bestimmte Zeit ausgezahlt werden. Auch giebt es St. zu besonderen Zwecken, zur Erwerbung academischer Würden, zu wissenschaftlichen Reisen, Reisestipendien.

Stockbörse wird in London der Ort genannt, wo der Handel mit englischen Fonds, Stocks und andern Staatspapieren betrieben wird. Auf dem festen Lande ist die Trennung zwischen Stock- und Wechselbörse nicht so scharf, und werden beide Arten von Geschäften in demselben Local betrieben.

Stockbuch s. Flurbuch.

Stock-jobbery wird der auf schnellen Gewinn berechnete, aus Speculation hervorgegangene Handel mit Staatspapieren und Actien genannt; s. Actienhandel.

Stocks oder **Fonds** werden in Großbritannien vorzugsweise diejenigen Staatseinnahmen genannt, welche bei Staatsanleihen zur Tilgung des Capitals und der Zinsen überwiesen zu werden pflegen. Da jeder Staatsschein für Zinsen oder Capital auf einen gewissen Fonds angewiesen ist, so hat man die Scheine selbst auch Stocks oder Fonds genannt.

Stola hieß bei den Römern ein langes, bis auf die Füße reichendes Gewand mit Aermeln, welches vorzugsweise von Frauen getragen wurde. Später nannte man den Chorrock der Geistlichen oder die Festkleidung derselben Stola. Sie besteht aus einer langen und breiten weißen Binde von Seide oder Silberstoff, welche bei den Geistlichen über beide Schultern und die Brust kreuzweis herabhängt. Sie ist mit drei Kreuzen versehen, an den Enden häufig mit Glöckchen, bei Prälaten mit Stickerei und Perlen verziert und zur Abhaltung der Messe nothwendig. In der protestantischen Kirche haben nur die Geistlichen der englischen Kirche die St. beibehalten.

Stolgebühren, jura stolae, nennt man die Gebühren, welche für gewisse kirchliche Handlungen, Taufen, Trauungen ꝛc., an die Geistlichen zu entrichten sind. Früher waren die Gaben der Gemeindeglieder an die Geistlichen freiwillige. Doch schon seit dem 6. Jahrhundert erhielt jeder Geistliche die Befugniß, diese Besoldungen oder Accidenzien einzunehmen. Später wurde daraus ein förmliches Recht, welches noch heut besteht und oft für die Aermeren sehr drückend ist. Die Kirche sollte ihre Diener auf andere Weise besolden, damit sie dem Worte ihres Herrn treu bliebe: „Umsonst habt ihr es empfangen, umsonst sollt ihr's auch geben."

Strafanstalten s. Auburnsches Gefängnißsystem, Besserungsanstalten u. Zuchthäuser.

Strafarten. Wir haben es hier weniger mit der geschichtlichen Forschung, wie bei den verschiedenen Völkern die verschiedenen Strafen sich ausbildeten, zu thun, als mit der Nachweisung, wie das gegenwärtige System der Strafarten sich ausgebildet hat, welche Veränderungen durch die neue Gesetzgebung in dieser Lehre hervorgebracht worden ist. Es ist natürlich von der größten Wichtigkeit für den Staat, zu wissen, welche Strafen die passendsten sind, weil die St. eben die Mittel sind, welcher sich der Staat bedient, um den Zweck des Strafinstituts zu erreichen. Wo ungerechte oder unpassende Strafen angewendet werden, ist das Strafgesetz seiner Wirksamkeit beraubt, denn der Zweck der Strafe kann dann nicht erreicht werden. Durch ein schlechtes Strafsystem werden für die gesellschaftliche Ordnung schon dadurch Nachtheile erzeugt, weil mit Sicherheit vorhergesehen werden kann, daß unpassende, von der öffentlichen Meinung entschieden gemißbilligte Strafen nicht vollstreckt werden und daher für die zu Verbrechen Geneigten eine neue Aussicht sich eröffnet, daß ihr Verbrechen nicht bestraft werde, und daher der Reiz zum Verbrechen wächst. Die Grundansichten der Gesetzgebung von dem Zweck der Strafe, die sittlichen Vorstellungen des Volkes und die Bildungsstufe desselben bilden den Grund zu den Strafarten. Wo man den Hauptzweck der Strafe in die Abschreckung vor Verbrechen setzt, muß man eine Menge von Strafen erfinnen, welche auf die Abschreckung berechnet sind, vorzüglich auf die äußeren Sinne wirken, deren Vollziehung die Zuschauer erschüttert und überhaupt einen gewaltigen Eindruck macht. Wenn man aber Sicherung des Staates vor Verbrechen als Zweck der Strafe aufstellt, muß man Strafarten wählen, welche diese Sicherheit am meisten begründen, eben so wie eine Gesetzgebung, welche die Besserung des Verbrechers als Zweck der Strafe aufstellt, alle Strafen verbannen muß, welche diesem Zwecke entgegen treten. Einen großen Einfluß müssen aber die sittlichen Vorstellungen des Volkes auf die St. haben. Wenn das Strafgesetz nicht in den Ansichten des Volkes wurzelt, so hat es keine Wirksamkeit. Die sogenannten politischen Vergehen sind in der neuesten Zeit oft sehr hart bestraft worden; den Zweck der Abschreckung hat man dabei zum Theil erreicht; den Zweck der Besserung gewiß nicht; eben so wenig aber auch ist man vor Wiederholungen gesichert. Das Volk hält in seinen sittlichen Begriffen die Zuchthausstrafe für einen Rinkel, Heubner und andere einmal nicht für entehrend. Die Geschichte beweist, wie die Gesetzgebung auch dieser sittlichen Bildung der Völker immer Rechnung trug. Als man das Lebendigverbrennen, das Rädern und ähnliche Unmenschlichkeiten anfing für solche zu halten und es aussprach, fielen diese St. weg. Die Strafe muß ein Uebel enthalten, welches nach den allgemeinen Begriffen als ein Uebel für den erscheint, welcher es erleidet; dieses Uebel darf aber an sich nicht unmoralisch sein, nicht mit den Ansichten des Volkes in Widerspruch stehen und nicht der Erreichung des Zweckes, welchen die Gesetzgebung sich gestellt hat, widerstreiten. Betrachten wir nun die einzelnen St. Die Rechtmäßigkeit der Todesstrafe ist in neuerer Zeit mehrfach bekämpft worden, schon darum, weil der Staat kein Recht habe, über das Leben seiner Mitbürger zu verfügen, da Niemand über sein Leben verfügen und daher auch, wenn er in den Staat tritt, dieses Recht dem Staate nicht übertragen kann. Es widerspricht die Todesstrafe den sittlichen Vorstellungen des Menschen, da sie nicht blos die bürgerliche, sondern auch die menschliche Existenz vernichtet, wodurch den Bestraften der Weg zur Besserung abgeschnitten und die Möglichkeit geraubt wird, seiner Entwickelung auf Erden, deren Ziel nur Gott setzen kann, zu vollenden. Von geringerem Gewicht ist der theologische Beweis gegen die Todesstrafe, weil man auf dem Gebiete des Rechts und der Gesetze die Stimme Gottes in der Offenbarung nicht hören will. Eine jämmerliche Wortklauberei ist es von den Vertheidigern der Todesstrafe, wenn sie sich auf einen Buchstaben des mosaischen Gesetzes stützen, um ihre Ansicht zu rechtfertigen. Man frage den Geist des Christenthums und dieser wird die Antwort nicht schuldig bleiben. Man hat auch die Erfahrung gefragt, ob die Todesstrafe in der That die abschreckende Wirkung hervorgebracht habe, die man von ihr erwartete. Die Antwort war, selbst nach angestellten statistischen Berechnungen, eine verneinende. Der Anblick der Hinrichtungen hat mehrfach die Veranlassung zum Mord gegeben; man hat gesehen, daß die Aufhebung der Todesstrafe in den Ländern, wo sie erfolgte, nur günstige Wirkungen gehabt hat. Das deutsche Volk errang durch seine Nationalversammlung im Jahre 1848 die Abschaffung der Todesstrafe und ehrte sich und seine Bildung damit. Leider sind die einzelnen Staaten nur zu bald wieder zur Todesstrafe zurückgekehrt, obgleich keine vermehrten Verbrechen dazu Anlaß gaben. Empörend ist es aber, und jedes menschliche Gefühl aufstachelnd, wenn die Todesstrafe noch durch wahrhaft bestialische Grausamkeit geschärft wird, wie z. B. das preußische Strafrecht das Hinausschleppen des Verbrechers auf der Kuhhaut, das Rädern von unten und Aehnliches noch kommt. Ein Rest der früheren körperlichen Strafen, die nicht selten in Verstümmelungen übergingen, erscheint noch die körperliche Züchtigung. Sie findet sich noch in der preußischen, österreichischen, bairischen, hannöverschen, sächsischen und würtembergischen Gesetzgebung mit mancherlei Beschränkungen. Die Vertheidiger der körperlichen Züchtigung berufen sich auf die Rohheit der Verbrecher, welche dieser Strafe eher weichen soll, als die Gefängnißstrafe. Allein, diese Strafart ist in ihren Folgen gar nicht zu berechnen; während sie an dem kräftigen, rohen Verbrecher spurlos vorübergeht, bereitet sie dem schwächeren, noch von Ehrgefühl belebten die fürchterlichsten Nachtheile, die selbst das Gesetz nicht beabsichtigt. Hoffentlich wird diese St. bald aus der Gesetzgebung verschwunden sein; allerdings ist sie die leichteste, aber für die Zukunft des Verbrechers die gefährlichste, da sie sein ganzes Leben vernichten kann. Die gewöhnlichste Strafe ist die Freiheitsstrafe. Sie hat einen dreifachen Zweck: 1) entfernt sie den Bestraften nur aus einer gewissen Gegend (Verweisung); 2) hält sie ihn zwangsweise in gewissen Gegenden fest und zur Arbeit an; 3) beraubt sie den Bestraften der Freiheit so, daß er in Strafanstalten verwahrt wird. Die Verweisung kann Orts- oder Landesverweisung sein. Die letztere erscheint nicht selten nur als polizeiliches Sicherheitsmittel gegen Ausländer, und ist dann verwerflich, weil sie dem Völkerrecht entgegentritt und einen Verbrecher einem andern Lande zuschiebt. Sie ist aber auch unzweckmäßig, da sie den Verwiesenen aller Mittel beraubt, in dem fremden Lande durch ehrlichen Erwerb zu existiren. Die Verhandlungen in England über die Transportation der Verbrecher in Menge haben ein trauriges Ergebniß geliefert. Die Colonien sind moralisch durch die Verbrecher in so großer Zahl vergiftet worden. Ueber die Gefängnißstrafen ist schon an einem andern Orte (s. Auburnsches System, Besserungsanstalten und Haft) gesprochen worden; wir bemerken daher zur Vervollständigung nur Folgendes: das System der Freiheitsstrafen und die Classification der Strafanstalten ist wesentlich dadurch bedingt, ob 1) die Gesetzgebung des Landes sich entschließt, das Pönitentiarsystem (Bereuung und Besserung) zu Grunde zu legen oder nicht; 2) ob das System der entehrenden Strafen beibehalten wird, wo an gewisse Strafen sich der Verlust der bürgerlichen Ehre knüpft; 3) welches von den verschiedenen in der letzten Zeit in Vorschlag gebrachten Systemen der Gefängnißeinrichtung zu Grunde gelegt wird. Die wichtigsten hier noch einschlagenden Fragen sind Folgende: zunächst die über die Zulässigkeit lebenslänglicher Freiheitsstrafe. Die Antwort hängt mit davon ab, ob die Gesetzgebung die Todesstrafe beibehält oder nicht, ob das System der Einzelhaft beibehalten wird oder nicht. Wo keine Todesstrafe besteht, wird allerdings die lebenslängliche Freiheitsstrafe an ihre Stelle treten müssen. Führt die Gesetzgebung vollständige Einzelhaft ein, so sollte der großen Härte wegen diese Strafe nie auf Lebenszeit ausgedehnt werden. Die lebenslängliche Freiheitsstrafe wirkt aber auch sehr ungleich. Wenn zwei Verbrecher wegen desselben Verbrechens zeitlebens ihre Freiheit verlieren sollen, und der eine ist 18 Jahr, der andere 70 Jahre alt, so trifft den jüngeren die Strafe viel härter. Mißbilligung verdient endlich auch die **Galeeren-strafe**, welche in Frankreich und Italien noch besteht. Das Zusammenleben einer so großen Menge Verbrecher ist höchst gefährlich und von den nachtheiligsten Folgen. Ueberdieß ist diese Strafe nicht einmal wirksam, da die Verbrecher sich weit besser auf den Galeeren befinden, als in den Zuchthäusern. Sehr traurig ist auch noch die Einrichtung der Anstalten, in welchen kurze Freiheitsstrafen verbüßt werden. Die meisten derjenigen, welche eine solche Strafe verbüßt haben, verfallen sehr bald wieder in dasselbe Vergehen, ja bringen wohl auch die Anleitung zu größeren aus der Straf-anstalt mit. Dieser moralischen Ansteckung sollte durchaus durch zweckmäßige Einrich-tungen vorgebeugt werden. Noch erwähnen wir die **Ehrenstrafen**. Sie sind ent-weder solche, welche die Ehre der Bestraften **vollständig** vernichten, oder sie nur vermindern, oder sie wirken nur beschämend. Vollständig wird die Ehre vernichtet durch den **bürgerlichen Tod**, welcher noch in einigen Ländern, wie in Frankreich, Belgien und Baiern, vorkommt. Der zu lebenslänglicher Freiheitsstrafe Verurtheilte ist, wenn der bürgerliche Tod hinzutritt, moralisch todt; er darf kein Vermögen be-sitzen, nichts erwerben und seine Ehe wird getrennt. Diese Strafe enthält die größ-ten Härten, indem sie sogar die Kinder der Bestraften verletzt. Die Verminderung der Ehre tritt dann ein, wenn der Bestrafte den Adel, Ehrenstellen, Fähigkeit zum Staatsdienste, politische Rechte verliert. Die Zweckmäßigkeit dieser Strafe ist sehr be-stritten worden, da sie nicht selten durch das ganze Leben des Bestraften nachtheilig wirkt. **Vermögensstrafen** bestehen entweder in der Einziehung, Confiscation des ganzen Vermögens des Bestraften, oder einzelner Gegenstände aus seinem Besitz. Die **Geldstrafen** wirken häufig sehr ungleich, da sie den Reichen nicht treffen können.   **B.**

Strafbills werden diejenigen von den englischen Ausnahmegesetzen genannt, welche von der Krone im Verein mit dem Parlamente gegen besondere öffentliche Ver-brechen und aufrührische Zustände erlassen werden. In neuerer Zeit nannte man die gegen Irland erlassenen Gesetze St. Die Unzufriedenheit darüber brachte den Rück-tritt des Ministerium Grey (1834) mit sich. Seitdem kam keine specielle Strafbill gegen Irland in Anwendung.

Strafcolonien s. Verbannung.

Strafe wird das Uebel genannt, welches Jemandem wegen Uebertretung eines Staatsgesetzes zugefügt wird. Diese St. sind **Criminalstrafen**, wenn sie wegen wirklicher im Strafgesetzbuch bedrohter Verbrechen zuerkannt werden; **Polizeistra-fen**, welche wegen Rechtsverletzungen verfügt werden, wohin auch die fiscalischen Stra-fen gehören; **Disciplinar-** oder **Ordnungsstrafen** zur Aufrechthaltung der Ordnung im Staatsdienste; s. Strafarten.

Strafgesetze und **Strafgesetzgebung.** Strafgesetze heißen diejenigen Gesetze, welche gewisse Handlungen als Vergehen oder Verbrechen mit einer Strafe bedrohen. Fast kein Theil der Gesetzgebung hat in neueren Zeiten so viele Veränderungen erlit-ten, als die Strafgesetzgebung. Schon in der Mitte des vorigen Jahrhunderts fing man an, einzusehen, daß es mit dem alten Strafrechte nicht mehr gehe. In Baiern erschien 1751 der Codex Maximilianeus, um eine neue Bahn zu brechen; Oester-reich folgte mit einem neuen Gesetzbuch der Maria Theresia, 1768, welches jedoch unter Joseph 1787 wieder aufgehoben wurde. Hierauf erschien 1794 der crimi-nalrechtliche Theil des preußischen Landrechtes, welches als ein entschiedener Fortschritt betrachtet werden kann. Im gegenwärtigen Jahrhundert ging Oesterreich wieder, 1803, und Baiern 1813 mit neuen Strafgesetzbüchern voran. Obschon die andern deutschen Staaten ein gleiches Bedürfniß hatten, so verging doch eine ziemliche Reihe von Jahren, ehe man an das Werk ging. Sachsen brachte 1838

sein neues Criminalgesetzbuch, welches mit wenigen Abänderungen auch in Weimar und
Altenburg eingeführt wurde; 1840 erschien ein Strafgesetzbuch für Hannover und
für Braunschweig. Einer durchgreifenden Veränderung aber steht die Strafgesetzgebung noch entgegen, obschon in den letzten Jahren, namentlich Oesterreich und
Preußen, durch die Einführung der Schwurgerichte viel geschehen ist.

Strafrecht. Plato hat behauptet, daß in einem wohleingerichteten Staate gar
keine Strafen nöthig sein würden, und daß ein Fürst niemals wohl regieren werde,
wenn er nicht der Ideen theilhaftig wäre. Kant (Kritik der reinen Vernunft. S.
372) bemerkt dazu: „man habe dies lächerlich gefunden, und der platonische Staat
sei als Hirngespinnst eines müßigen Denkers, als Beispiel erträumter Vollkommenheit
zum Sprichwort geworden. Allein man würde besser thun, diesem Gedanken mehr
nachzugehen, und ihn (wo der vortreffliche Mann uns ohne Hülfe gelassen) durch
neue Bemühungen ins Licht zu stellen, als ihn, unter dem sehr elenden und schädlichen Vorwande der Unthunlichkeit als unnütz bei Seite zu setzen. Man müsse anfänglich von den gegenwärtigen Hindernissen absehen, die vielleicht nicht sowohl aus
der menschlichen Natur unvermeidlich entspringen möchten, als vielmehr aus der Vernachlässigung ächter Ideen bei der Gesetzgebung. Denn es könne nichts Schädlicheres
und eines Philosophen Unwürdigeres gefunden werden, als die pöbelhafte Berufung
auf die vorgeblich widerstreitende Erfahrung, die doch gar nicht existiren würde, wenn
jene Anstalten zu rechter Zeit nach den rechten Ideen getroffen worden, und an deren
Statt nicht rohe Begriffe eben darum, weil sie aus Erfahrung geschöpft worden, alle
gute Absicht vereitelt hätten. Werde auch was, was Plato behauptet, niemals zu
Stande kommen, so sei doch die Idee ganz richtig, welche jenes Maximum zum Ur-
bilde aufstelle, um nach demselben die gesetzliche Verfassung der Menschen der möglichst
größten Vollkommenheit immer näher zu bringen." Und wieviel denkende Köpfe seit
Plato haben sich mit dem Strafrechte und den Gründen und Zwecken der Strafe beschäftigt! Wieviel Systeme sind aufgestellt worden, um das Recht des Staates zur
Strafe nachzuweisen und die richtigen Grundlagen für die Abmessung der Strafen
festzustellen! Der neuesten Zeit war es vorbehalten, die platonische Idee gewissermaßen der Verwirklichung näher zu führen, und, vielleicht ohne sich darüber ganz klar zu sein,
den Versuch zu machen, das Wort „Strafe" seines althergebrachten Begriffes zu ent-
kleiden, mithin in der That ein staatliches Leben ohne Strafe herzustellen. Ich meine
damit die Bestrebungen und die, selbst durch die Gesetzgebung gethanen Schritte (s.
über die belgische Gesetzgebung im Art. Besserungsanstalten), die Besserungstheorie als die einzige berechtigte Strafrechtstheorie geltend zu machen. Ueberblicken wir
aber die Reihe Derjenigen, welche sich zu dieser Theorie bekennen, so werden wir viele
Philantropen und eine Masse von gebildeten Leuten aus allen Ständen, aber wenig
Männer vom Fach darunter finden. Dies ist sehr erklärlich. So lange man am
gewöhnlichen Begriffe der Strafe festhält, nach welchem sie — in allen Theorien,
wenn auch hier und da unter gewissen, durch das betreffende System gebotenen Einschränkungen — als ein dem Verbrecher im Hinblick auf sein Verbrechen zuzufügendes Uebel erscheint, so lange muß man der Besserungstheorie
eine untergeordnete Stellung anweisen; man kann in der Besserung des Verbrechers
weder die Begründung des Strafrechts, noch einen Maaßstab für die Beschaffenheit
und Größe der Strafe finden, und schenkt ihr, aus Humanitätsrücksichten, nur so viel
Spielraum, als eben mit den sonstigen vermeintlichen Gründen und Zwecken der Strafe
vereinbar ist. Im Hinblick auf den oben angegebenen Begriff von Strafe theilt man
die sämmtlichen Straftheorien in absolute, d. h. solche, welche die Begründung des
Strafrechts und Strafmaaßstabes nur die innere Natur der Strafe selbst beziehen, und relative, d. h. solche, welche sich nicht einzig und allein auf die innere
Natur der Strafe stützen, sondern daneben noch andere Gesichtspunkte ins Auge fassen. Streng folgerichtig müssen die relativen Theorien, als die minder vollkommenen,

aus der Natur der Sache heraustretenden Lehrgebäude, den absoluten Theorien nach-
gestellt werden, und unter den sonach für minder werthvoll angesehenen relativen Theorien hat man der Besserungstheorie wieder beinahe den untersten Platz eingeräumt,
weil sie, abgesehen davon, daß sie mit der Natur der Strafe in gar keiner Verbindung stehe, nicht einmal einen Rechtsgrund für sich habe. Das erstere ist, wenn
man an dem gewöhnlichen Begriff der Strafe festhält, richtig; denn es läßt sich eine
Besserung des Verbrechers denken, auch ohne daß demselben ein Uebel zugefügt wird.
Betrachtet man die Strafanstalten als das, was sie dem Besserungssysteme nach sein
müssen, als Schulen für solche Erwachsene, die einer öffentlichen Erziehung durch den
Staat bedürfen, oder als sittliche Heilanstalten, so wird den darin Aufgenommenen
kein Uebel zugefügt, sondern eine Wohlthat erzeigt. Was den angeblich mangelnden
Rechtsgrund anlangt, so werden wir darauf später zurückkommen. Jetzt wollen wir
zuvörderst einen Blick auf die hervorragendsten übrigen relativen und absoluten Straftheorien werfen und die Mängel derselben kurz andeuten, um sodann zu der Besserungstheorie, als der unsrer Ansicht nach einzig berechtigten, zurückzukehren und die
Forderungen geltend zu machen, die man stellen muß, um ihr diese Berechtigung auch
nach richtigen Verstandesfolgerungen aus dem Wesen des Verbrechens und dem darnach festzustellenden Begriffe der Strafe zu sichern. Die roheste unter den relativen
Theorien ist die alte Abschreckungstheorie, welche den Verbrecher zum Mittel macht, indem sie durch die ihm zugefügte Strafe auf die rohe Sinnlichkeit der
übrigen Staatsbürger einzuwirken sucht. Natürlich müssen diese Abschreckungsstrafen,
wenn sie den Zweck erreichen sollen, grausam und in die Sinne fallend sein, und man
muß dabei von der Ansicht ausgehen, daß der Staat das Recht habe, den Verbrecher
als Sache zu betrachten. Diese Theorie ist von allen Parteien als unhaltbar verworfen — in der Wissenschaft. Für praktisch scheint man sie hier und da immer
noch zu halten. Einen Schritt weiter gehen Diejenigen, welche den Verbrecher nicht
als Sache, sondern als Person in's Auge fassen und die Strafe nicht auf Andere,
sondern auf ihn selbst beziehen. Hierher gehört die Vertheidigungs- und Prä-
ventionstheorie. Wie die Nothwehr in demselben Augenblicke aufhört, wo die
gegenwärtige Gefahr aufhört, und nicht in Wiederzufügung eines Uebel für erlittenes
Unrecht, sondern in Abwehr des Unrechts besteht, so kann nach der Vertheidigungs-
theorie die Strafe nicht zugefügt werden wegen des begangenen Verbrechens, denn
diese Gefahr ist vorüber — man mußte also auch hier weiter gehen, als es der gebräuchliche Begriff der Strafe gestattet, und mußte sie auf zukünftige Verbrechen
des Verbrechers beziehen, indem man annahm, daß die Strafe zu verhängen sei, entweder um den Verbrecher zu vernichten und dadurch gänzlich unschädlich zu machen,
oder um ihn durch das zugefügte Uebel von künftigen Verbrechen abzuschrecken. Dieser Theorie ist theils vorzuwerfen, daß die Begehung eines Verbrechens noch nicht
mit Sicherheit darauf schließen läßt, daß der Verbrecher auch künftig neue Verbrechen
begehen werde. Es ist aber auch eine Lücke in der Theorie insofern, als man den
Verbrecher immer erst dann zuvorkommen, wenn bereits eins derselben verübt war.
Mit dem ersten Verbrechen, als solchem, befaßt sich diese Theorie gar nicht. Sie
mußte sich daher den Vorwurf gefallen lassen, daß in künftigen Verbrechen, d. h. in
der bloßen Gefahr noch kein Rechtsgrund der Strafe liege. Der Zweck der Abschreckung vor künftigen Verbrechen, den man bei der Strafzufügung aufgeben mußte,
wurde nun in die gesetzliche Strafdrohung hineingeschoben, und hierdurch entstanden
die neuen Abschreckungstheorien, die Theorie des psychologischen (geistigen) Zwangs und die Warnungstheorie. „Der sinnliche Antrieb zum Verbrechen müsse dadurch aufgehoben werden, daß Jeder wisse, auf seine That werde un-
ausbleiblich ein Uebel folgen, welches größer sei, als die Unlust, die aus dem nicht
befriedigten Antriebe zur That entspringe" (Feuerbach). „Der Zweck des Strafgesetzes bestehe in der Warnung Aller vor Störung des Rechtszustandes mittelst An-

drohung von Strafen; der Maaßstab der Strafbarkeit werde aber unabhängig vom Zwecke des Strafgesetzes rein aus der objectiven Gefährlichkeit des Verbrechens entnommen" (Bauer). Die Strafzufügung — darin stimmen beide überein — sei nur Folge der Drohung und Sanction des Gesetzes. Die letzte dieser beiden Theorien will einen Hauptübelstand vermeiden, der der ersteren zur Last fällt. Die geistige Zwangstheorie führt nämlich, wenn die Mittel dem Zweck entsprechen sollen, zu sehr harten Strafen. Es ist aber eine bekannte Thatsache, daß diese harten Strafen doch nichts helfen, und Montesquieu (Geist der Gesetze 6, 13.) hat es mit schlagenden Beispielen, namentlich aus der japanesischen Gesetzgebung, nachgewiesen, daß sie nicht abschrecken, sondern verwildern und solchemnach zum entgegengesetzten Ziele führen. Es ist geschichtliche Thatsache, daß in den Staaten, wo die Strafen am mildesten waren, die meiste Sittlichkeit herrschte, und daß da, wo die härtesten Strafen angewendet wurden, die Sittlichkeit ganz zu Grabe ging. Derselbe Geist der Grausamkeit, der dem Gesetzgeber die Hand führte, lenkte auch die Hand des Meuchelmörders und des Vatermörders. In demselben Grade, in dem die Strafen zunahmen, wurden auch die Gemüther verhärteter, bis sie sich mit der Grausamkeit der Rache gleichsam auf ein Niveau gestellt hatten" (Beccaria, Abhandlung von Verbrechen und Strafen. Franz. Ausg. v. Morellet, Amsterdam 1771. S. 69.). Deswegen erklärt die Warnungstheorie, daß der Zweck der Strafen zwar in Warnung bestehe, der Maaßstab aber nur aus der objectiven Gefährlichkeit entnommen werde. Diesen theoretischen Unterschied wird man jedoch, wenn man aus den obersten Sätzen der Theorie zu den einzelnen Folgerungen daraus übergeht, in der Praxis nicht festhalten, bei der Abmessung der Strafe nach der objectiven Gefährlichkeit und der Schätzung der letzteren wird die Nothwendigkeit einer nachdrücklichen Warnung, da die Warnung ein Mal als Zweck der Strafe anerkannt ist, sich doch stillschweigend und unbewußt mit in den Vordergrund drängen, und die eigentliche Grundlage des Ganzen bei beiden Theorien bleibt doch immer wieder die Beziehung auf künftige Uebertretungen, indem die Vollstreckung der Strafe wegen des gegenwärtigen Verbrechens nicht der Hauptzweck, sondern eben nur Folge der Drohung ist. Den Uebergang von den relativen zu den absoluten Theorien bilden Diejenigen, welche annehmen, daß durch das Verbrechen jeder Staatsbürger einen Schaden erleide, den der Verbrecher durch die Strafe wieder gut machen müsse. Klein sucht den Schaden darin, daß der Verbrecher durch seine That bei den übrigen Staatsbürgern einen Reiz zu gleichen Verbrechen erzeuge. Dieß setzt einen allgemeinen verwahrlosten sittlichen Zustand des Volks voraus. Das Verbrechen hat eher etwas Abschreckendes, als etwas Anreizendes in sich. Wollte man aber auch einen solchen Reiz annehmen, so würde die Strafe wieder auf das Abschreckungsprincip hinauslaufen, worüber wir uns bei der sofort zu erörternden Welcker'schen Theorie weiter zu verbreiten haben. Welcker nimmt an: „daß das Verbrechen eine intellectuelle oder geistige Störung, Schädigung, der Rechtsordnung enthalte, und daß die Strafe den Zweck habe, diese Störung wieder aufzuheben. In diesem, ihrem einzigen obersten Zwecke vereinige sie, als Bestandtheile desselben, drei Hauptstrafzwecke: 1) die rechtliche Genugthuung, d. i. die Herstellung der Achtung und die Sühnung der öffentlich verächtlich behandelten und beleidigten Verletzten und des beleidigten Gesetzes; 2) Abschreckung, zur Aufhebung der schädlichen Wirkungen für die friedliche Rechtsordnung, welche der Verbrecher bei den übrigen Bürgern hervorbringe; 3) Besserung und zwar, wo möglich die innere oder moralische, mindestens die äußere oder politische." Was nun die Vereinigung dieser drei Zwecke unter dem einen obersten anlangt, so würde, wenn sie wirklich Bestandtheile" desselben wären, ein Widerstreit derselben unter sich in keinem Falle statt finden dürfen. Die Existenz dieses Widerstreits insofern, als die Zwecke der Genugthuung und Abschreckung zur Todesstrafe führen können und dann den Besserungszweck ausschließen, erkennt aber Welcker selbst an, und wenn er ihn dadurch zu heben sucht, daß die Besserung, welche die Störung des rechtlichen Friedens aufheben soll, bei der Todesstrafe nicht weiter erfordert werde, weil die Fortdauer der rechtswidrigen Willensstimmung des Verbrechers durch die Todesstrafe ohnedieß beseitigt würde, so weist er dem Besserungszwecke eine so untergeordnete Stellung an, daß er sich mit seiner sonst vortrefflichen Begründung desselben (er bemerkt unter andern: „nur ein wahres Besserungssystem und der allmälig wachsende tiefe moralische Eindruck seiner Strafe kann uns von der Todesstrafe erlösen, kann die Herrschaft der Idee der Gerechtigkeit ohne Blut erhalten." Dazu möchte man fragen: wann soll denn angefangen werden?) in den vollsten Widerspruch setzt. Der zweite Zweck, die Abschreckung, hat zwar — im Gegensatze zur Feuerbachschen — nicht die allgemeinen sinnlichen Antriebe aller Bürger zu Verbrechen, sondern nur die vom Verbrecher aufgeregten im Auge. Die Mittel zu Erreichung des Zwecks bleiben aber in diesem und jenem Falle sich gleich. Es gilt daher von diesem zweiten Bestandtheile des Welckerschen obersten Zweckes dasselbe, was schon früher über die Abschreckung gesagt worden ist. Denn die besondere, durch das Verbrechen herbeigeführte Anreizung aller Bürger, wenn man eine solche annehmen will, läßt sich von dem allgemeinen sinnlichen Antriebe aller Bürger zum Verbrechen im Gemüthe derselben nicht getrennt denken; sie bilden dann beide einen einzigen verstärkten Antrieb, und wenn diesem durch Abschreckung begegnet werden sollte, so müßte man Strafen eintreten lassen, welche sich nach dieser Richtung hin doppelt wirksam bewiesen. Bei der Genugthuung endlich, dem dritten Bestandtheile, kommt es darauf an, ob man die Sühne der Verletzten und des beleidigten Gesetzes darin sucht, daß der Verbrecher durch den Zwang der Strafe zur Anerkennung der Verletzung und zu solcher Gesinnung und Festigung des Willens geführt werde, daß sich sein Standpunkt zu dem Rechte der Gesellschaft mit dem jedes andern Staatsbürgers wieder auf demselben Niveau befindet — alsdann fällt dieser Genugthuungszweck mit dem Besserungszweck zusammen; findet man aber die Genugthuung darin, daß man dem Verbrecher ein Uebel zugefügt wissen will, dann ist sie Vergeltung, wie sie auch Welcker selbst als vernünftige Wiedervergeltung bezeichnet, und man befindet sich nun auf dem Gebiete der absoluten Theorien. Diese fallen genau genommen in eine einzige zusammen: das ist eben die der Wiedervergeltung; und will man folgerichtig und unter Festhaltung des gebräuchlichen Begriffs von Strafe verfahren, so kann man auch nur diese Theorie für berechtigt ansehen. In ihrer rohesten Gestalt tritt sie als reine Talion, nach dem Mosaischen „Auge um Auge, Zahn um Zahn," auf. In ihrer geläutertsten Form erscheint sie als die Werththeorie Hegels. Sie hält nicht an dem starren Grundsatze fest: „das Uebel, das du unverschuldet einem Andern im Volke zufügst, thust du dir selbst an" — denn nach diesem Grundsatze wäre der leidenschaftlich handelnde Verbrecher selbst der Gesetzgeber — sondern erkennt an, daß Verbrechen und Strafe zwei Dinge von verschiedener Beschaffenheit und an sich unvergleichbar seien. Wie aber der Tausch, bei dem derselbe Fall eintrete, durch den über den beiden Tauschstücken stehenden ideellen Vermittler, den Werth, ermöglicht werde, so solle auch der Verbrecher die Strafe bekommen, die sein Verbrechen werth sei. Dieser Werth nun werde durch das im Volke herrschende Rechtsbewußtsein festgestellt; denn eben das unmittelbare Gerechtigkeitsgefühl, welches so und so viel Strafe heische, nichts Anderes sei es, was den Maaßstab der Strafe bilde. Ein neuerer Rechtslehrer, Berner (Entwurf zu einer phänomenologischen Darstellung der bisherigen Straftheorien, so wie zu einer begriffsmäßigen Vereinigung der relativen Theorie mit der absoluten. Archiv des Criminal-Rechts. N. F. Jahrg. 1845. Erstes St. S. 144 ff.), dem wir bei Darstellung der verschiedenen Straftheorien gefolgt sind, nimmt für diese Werththeorie zugleich noch den Vorzug in Anspruch, daß mit derselben eine Vereinigung der relativen Theorie recht wohl ausführbar sei. Es lasse sich in allen Fällen die Strafe, die das Verbrechen werth sei, durch ein größeres oder minderes Maaß ausdrücken, ohne daß man dadurch sofort ungerecht werde. Er bemerkt: „Niemand wird behaupten, daß die Strafe des Verbrechers eine solche sein müsse, zu der man nicht das Geringste hinzufügen oder von der man nicht das Geringste mehr abnehmen könne, ohne sofort eine Ungerechtigkeit zu begehen. Aber das Vergeltungsmaaß ist darum nicht weniger im Volksbewußtsein vorhanden. Es tritt auch hier ein Punkt ein, wo die Volksstimme, ja, wo der Verbrecher selbst sagen muß, diese Strafe ist zu streng, zu gering, also ungerecht. Innerhalb der Grenzen nun, welche das höchste und geringste Maaß der Strafe abzeichnen, könne man den relativen Theorien Spielraum gewähren." Diese Begründung des Strafrechts hat auf den ersten Anblick viel Ansprechendes. Wenn man aber bei der Gesetzgebung überhaupt und bei der Strafgesetzgebung ganz insbesondere, im Hinblick auf den Geist, in welchem die Gesetze abzufassen sind, den Standpunkt der Moral nicht außer Acht lassen darf (s. d. Art. Recht), so erscheint sie bei näherer Untersuchung doch nicht gerechtfertigt. Denn was ist jenes Gerechtigkeitsgefühl, welches die Vergeltung der Uebelthat durch ein dem Uebelthäter zugefügtes Uebel fordert? Man will den Verbrecher leiden sehen. Aber nicht aus Lust an seinem Schmerze, sagt man, nein im Interesse der Gerechtigkeit. Was heißt das, im Interesse der Gerechtigkeit? Man möge sich doch über die Begriffe klar werden. Es heißt, wir empfinden eine sittliche Unlust, wenn wir wahrnehmen, daß durch das Verbrechen die Rechte Anderer oder die unsrigen verletzt werden. Das Leiden des Verbrechers soll nun diese sittliche Unlust aufheben, also bleibt die Wiedervergeltung immerhin Lust am Leiden des Verbrechers, Rache. Allerdings, wenn anstatt des Verletzten selbst der Staat durch das Gericht die böse That rächt, so nennt man es nicht mehr Rache, sondern Vergeltung, es ist aber dieselbe Sache unter verschiedenen Formen. Die beiden wesentlichen Dinge, die Verletzung des Rechtsgefühls und die Befriedigung desselben durch ein dem Verletzenden zugefügtes Leiden, bleiben sich in beiden Fällen gleich. Rache und Wiedervergeltung sind durchaus verwandter Natur; es sind zwei Bäumchen, die aus einerlei Kern stammen und, nach den Hauptunterscheidungszeichen, einerlei Frucht tragen: die Rache ist der Wildling, die Vergeltung das veredelte Stämmchen. Schon Plutarch läßt den Dion, welcher die platonischen Lehrsätze in's bürgerliche Leben überzutragen beabsichtigt, den Ausspruch thun: „man hält die Wiedervergeltung nach dem Gesetze für gerechter, als die Beleidigung, wegen deren sie eintritt, allein, wenn man der Sache auf den Grund sieht, so findet man, daß beide aus einer und derselben Krankheit entstehen. (τὸ ἀντιμωρεῖσθαι τοῦ προαδικεῖν νόμῳ δικαιότερον ὡρίσθαι, φύσει γινόμενον ἀπὸ μιᾶς ἀσθενείας.)" Man darf nicht einwenden, daß damit über alle Gerechtigkeit der Stab gebrochen werde. Nenne man die Gerechtigkeit mit Beccaria das zur Vereinigung der Sonderinteressen nothwendige Band, oder, im subjectiven Sinne, die Tugend, recht zu handeln, d. h. so zu handeln, daß die Freiheit jedes Einzelnen mit der jedes Andern bestehen könne — die Gerechtigkeit hat mit jenem Wohlgefallen am Leiden des Verbrechers nichts gemein, sie ist zufrieden gestellt, wenn ihre Zwecke erreicht werden, sei es mit oder ohne Leiden der Uebelthäter. Also ist die Vergeltung durch das Recht nicht gefordert, durch die Moral verworfen, und es bleibt übrig, als eine andere Begründung des Strafrechts aufzunehmen. Die Ergebnisse, welche man mit den bisher bevorzugten Theorien in der Praxis gewonnen hat, sind nicht so verlockender Art, um denselben eine fortdauernde Anwendung gesichert zu wünschen. Feuerbach sagt: „Rechtsverletzungen jeder Art widersprechen dem Staatszwecke, mithin ist es schlechterdings nothwendig, daß im Staate gar keine Rechtsverletzungen geschehen. Der Staat ist also berechtigt und verbunden, Anstalten zu treffen, wodurch Rechtsverletzungen überhaupt unmöglich gemacht werden." Niemand wird bestreiten, daß die bestehenden Criminalgesetzgebungen den Feuerbachschen psychologischen Zwang in sehr ausgedehntem Maaßstabe geltend zu machen geeignet seien. Ist man damit zu befriedigenden Ergebnissen gelangt? So lange die Menschen Menschen sind, werden die Rechtsverletzungen überhaupt niemals unmöglich gemacht werden. Aber um sich dem Ziele zu nähern, mag es an der Zeit sein, das Werk auf andere Weise in Angriff zu nehmen, eine Strafrechts=pflege zu üben, die von dem Geiste der reinen sittlichen Vernunft durchweht ist, und die verachtete Besserungstheorie zur absoluten und allein berechtigten da=durch zu erheben, daß man das Verbrechen als Uebertretung des Gesetzes in Folge sittlicher Krankheit und die Strafe als das im Gesetze festgestellte Mittel zur Besserung des Verbrechers auffaßt. Wir haben dies bereits früher bei anderer Gelegenheit angedeutet (s. Besserungsanstalten). Auch ist der Ge=danke nicht neu; schon die Alten, Plato, Plutarch, bezeichnen die Strafe als Seelen=arznei (ἰατρεία ψυχῆς, σωφρονισμοῦ ἕνεκα). Montesquieu sagt: „in den gemäßig=ten Staaten (Monarchie und Republik) muß die größte Strafe einer schlechten That darin bestehen, daß man derselben überführt wird; die Gesetzgebung muß sich weniger damit befassen, die Verbrechen zu bestrafen, als zu verhindern, sie muß es sich ange=legen sein lassen, den sittlichen Zustand des Volks zu heben, als das Schwert zu ge=brauchen." (Geist der Gesetze, VI. 13.) Und der Verkünder der reinsten Moral, Christus, erklärt da, wo er sich über seine Sendung ausspricht und die Tendenz sei=ner Sittenlehre mit bestimmten Worten hinstellt: „das ist aber das Gericht, daß das Licht in die Welt gekommen ist" (Joh. 3, 19.). Der Zweck des göttlichen Gerichts, das Ziel und Ende der göttlichen Strafen ist Erleuchtung. Sittliche Erleuchtung im vollen Sinne des Worts und sittliche Besserung sind gleichbedeutend. Möge man doch diese christliche Begrün=dung·des Strafrechts (denn die Folgerungen, die eine dunkle Zeit aus den bildlich=Gleichnißreden Jesu gezogen hat, d. h. die Annahme, daß Gott strafe um zu strafen, darf man heutzutage in wissenschaftlichen Begründungen jedenfalls nicht mehr suchen) im christlichen Staate zur Geltung bringen. Wenn in diesem Sinne gestraft wer=den soll, das ist nach dem Recht zu bestimmen, nämlich dann, wenn sich die sittliche Krankheit des Staatsangehörigen durch die äußere, sich mit dem Gesetze im Wider=spruch stellende That zum Nachtheile der Staatsgesellschaft wirksam zeigt; auch ist das höchste Maaß der zu diesem Zwecke anzuwendenden Mittel und die allgemeine Beschaffenheit derselben durch das Rechtsgesetz im Voraus zu bezeichnen; aber der Geist, von welchem man sich bei der Wahl der Mittel und Abgrenzung des densel=ben zu gebenden Umfangs bestimmen läßt, muß von den Grundsätzen der reinsten Moral durchdrungen sein. Es soll nicht behauptet werden, daß man diesen An=sichten vom Strafrechte überhaupt noch gar keine Berücksichtigung geschenkt habe; man hat in der Praxis vielfach darauf hingearbeitet, die Besserung der Verbrecher zu erzielen; ganze Systeme, die Pönitentiar-(Bußzwangs=)Systeme stellen sich diesen Zweck zur Aufgabe, und wenn man die Buße als das auffaßte, was sie wirklich ist, nämlich: „die wiederkehrende Erkenntniß der Pflicht, verbunden mit der bestimmten Anerkenntniß ihrer Verletzung und der aus beiden hervorgehenden Reue und Sinnes=änderung" (v. Ammon, Fortbild. des Christenthums zur Weltreligion. II. II. 120.) und durch den äußerlichen Zwang, der angewendet wird, um diese Buße herbeizufüh=ren, den Begriff der Strafe für völlig erschöpft annähme (vergl. Krug, die bürgerliche Strafe als Bußzwang. Zwickau 1836), also keinen Beisatz von Zufügung eines Uebels, bloß um es zuzufügen, mit einmengte; so würden die diesfälligen Bestrebun=gen mit denjenigen, die von einer absoluten Besserungstheorie ausgehen, zusam=menfallen. Allein der Fehler besteht darin, daß man den Besserungszweck bisher nie=mals als allein maaßgebend betrachtet hat und solcherstalt durch Verfolgung anderer Zwecke zu Ergebnissen gelangt ist, die mit ihm in offenbarem Widerspruche stehen. Man vergegenwärtige sich aber den allmäligen Entwickelungsgang, den „die Trägheit zum Guten und die böse Gewöhnung" in dem Seelenzustande des Menschen nimmt, ehe sie sich zum Verbrechen gestaltet (vergl. Krug a. a. O. S. 24.); man vergegenwärtige sich die enge Verbindung, die zwischen dem von Kant (Kritik der rei=

nen Vernunft. 4. Aufl. S. 566—584.) dargestellten empirischen (d. h. durch die beständigen Naturgesetze und durch die ewige Folge von Ursache und Wirkung bedingten und in der Erscheinung hervortretenden) und dem intelligibeln (d. h. den selbstursächlichen, nicht unter den Bedingungen der Sinnlichkeit stehenden) Charakter des Menschen und den nicht hinweg zu streitenden Einfluß des ersteren auf den letzteren, sowie die daraus gezogene Schlußbetrachtung: „die eigentliche Moralität der Handlungen (Verdienst und Schuld) bleibt uns daher, selbst die unseres eigenen Verhaltens, gänzlich verborgen; unsere Zurechnungen können nur auf den empirischen Charakter bezogen werden; wie viel aber davon reine Wirkung der Freiheit, wie viel der bloßen Natur und dem unverschuldeten Fehler des Temperaments, oder dessen glücklicher Beschaffenheit (merito fortunae) zuzuschreiben sei, kann Niemand ergründen und daher auch nicht nach völliger Gerechtigkeit richten" — man beantworte sich endlich die Frage: wie viele Schuld an „der fortgesetzten sittlichen Verwahrlosung, die zum Verbrechen führt" (vergl. Krug a. a. O.), der Staat selbst trage? und man wird die Pflicht des Staates: von dem gewöhnlichen Begriffe, den man der Strafe beigelegt hat, und allen sonstigen durch dieselbe verfolgten Zwecken ganz abzusehen, und die Besserungstheorie als absolute und einzig und allein maaßgebende Richtschnur der gesammten Strafrechtspflege zu Grunde zu legen, als eine doppelt heilige anerkennen. Allerdings ist die Todesstrafe nach dieser Richtschnur eine logische (d. h. nach reinen Verstandesbegriffen sich als solche darstellende) Unmöglichkeit, und jedes Gesetz, welches nicht darauf berechnet ist, daß der Verbrecher dereinst gebessert dem bürgerlichen Leben zurückgegeben werde, ist ebenfalls unlogisch. Kann man aber den obersten Grundsatz nicht verwerfen, so darf man auch von den daraus sich ergebenden Folgerungen nicht zurückschrecken. Man mache nur den Versuch. Der psychologische Zwang und die verfeinerte Rache, die Wiedervergeltung, können sich keiner glänzenden Erfolge rühmen; dagegen steht es mit den Gesetzen der sittlich erleuchteten Vernunft im Einklang, anzunehmen, daß, wenn der Staat mit edlem Beispiele vorangeht und die Vorschriften der reinen Moral an dem Verbrecher grundsätzlich und ausschließlich bethätigt, dieß nicht nur auf die wahrhafte Besserung des Verbrechers, sondern auch auf die sittliche Veredlung aller übrigen Staatsbürger von dem durchgreifendsten Einflusse sein müsse, und solche Veredlung ist der beste Schutz gegen Verbrechen. — Von großem Einfluß sind im St. noch die Milderungsgründe. Milderungsgründe sind rechtliche Gründe, aus denen gegen einen, sonst zurechnungsfähigen, Verbrecher das bestimmte Strafgesetz entweder gar nicht oder nicht in vollem Umfange angewendet werden kann. Sie sind entweder durch das Gesetz ausdrücklich anerkannt, oder nur von den Rechtslehrern als solche aufgestellt. Gemeinrechtlich durch das Gesetz anerkannte Milderungsgründe treten ein: 1) wenn der Verbrecher, abgesehen von der Strafe, schon andere unverschuldete Uebel in Folge seiner Uebertretung durch die Staatsgewalt erlitten hat, z. B. vorzüglich langes oder sehr hartes Gefängniß; 2) wenn der Urheber des Verbrechens noch unmündig war und die That aus jugendlicher Uebereilung begangen hat. Von den Rechtslehrern werden noch als Milderungsgründe aufgeführt: I) die dem Verbrechen zu Grunde gelegte gute Absicht; II) Beschränkung der Selbstthätigkeit des Willens durch Schwäche des Verstandes, Leidenschaft, Gelegenheit u. s. w.; III) vorhergegangener guter Lebenswandel; IV) Irrthum und Unwissenheit in Ansehung der Größe der auf das Verbrechen gesetzten Strafe; V) freiwilliges Bekenntniß; VI) glücklicher Erfolg der Handlung; VII) Verwandtschaft des Beleidigers mit dem Beleidigten; VIII) Schadenersatz; IX) Entsagung der Rechte aus der Beleidigung von Seiten des Beleidigten; X) Reue; XI) Ablauf der halben Verjährungszeit. Inwieweit derartige Milderungsgründe von Einfluß sein können, ist nach der besonderen Strafgesetzgebung der verschiedenen Staaten zu bemessen. Im Königreich Sachsen wird kein Milderungsgrund als solcher zugelassen, der nicht durch das Criminalgesetzbuch selbst ausgesprochen ist. Diese gesetzlichen Sträfmilderungsgründe in Sachsen sind: 1) jugendliches Alter — wenn nämlich der Verbrecher über 12 Jahr (von wo an die Zurechnung statt findet), aber noch nicht völlig 18 Jahr alt. In diesem Falle ist die Strafe nach richterlichem Ermessen herabzusetzen und auf Todes- und lebenslängliche Zuchthausstrafe niemals zu erkennen; 2) Verstandesschwäche, jedoch nur bei Verbrechen, die mit Todesstrafe bedroht sind, indem dann bei hohem Grade von Blödsinn oder Verstandesschwäche, anstatt auf Todesstrafe, auf lebenslängliche Zuchthausstrafe erkannt werden soll; 3) unverschuldete Haft. Hier soll die Strafe herabgesetzt oder nach Befinden auf den Untersuchungsarrest angerechnet werden; 4) bei einfachen Verbrechen gegen das Eigenthum außergerichtliches Geständniß, insofern es aus eigenem freien Antriebe erfolgt und mit vollständiger Entschädigung des Verletzten durch Rückgabe oder Werthserstattung verbunden ist. In diesem Fall ist der Thäter mit Strafe ganz zu verschonen. War das Eigenthumsverbrechen ein ausgezeichnetes, so wird die Strafe bis auf ein Drittheil herabgesetzt. Die im Criminalgesetzbuche nicht ausdrücklich anerkannten, von den Rechtslehrern aufgestellten Milderungsgründe können in Sachsen nur insofern Einfluß äußern, als der erkennende Richter verpflichtet ist, bei Zumessung der Strafe innerhalb der durch das Gesetz gezogenen Grenzen des höchsten und niedrigsten Strafmaßes in jedem einzelnen Falle die besonderen Verhältnisse zu berücksichtigen, welche den Schuldigen nach der eigenthümlichen Beschaffenheit der zu bestrafenden Handlung und nach dem Grade der dabei gezeigten Böswilligkeit mehr oder minder strafbar darstellen. Dem Richter wird aber die Ausübung dieser Pflicht so lange vielfach erschwert, ja meistens fast unmöglich bleiben, so lange das geheime Untersuchungsverfahren ihm eine klare Anschauung aller einzelner, das Verbrechen begleitenden Umstände und namentlich ein getreues Bild von dem Seelenzustande des Verbrechers vorenthält.   O. L. H.

Strafverfahren, Criminalproceß. Der Criminalproceß ist bei weitem das Wichtigste im ganzen Rechtsgebiete; seine gute oder verderbliche Einrichtung entscheidet über die heiligsten und wichtigsten Güter des Menschen, mehr noch, als das Strafgesetzbuch selbst. Die Gesetze werden durch das Verfahren mehr oder minder gut oder schlecht. Sie werden das, wozu sie die Richter und die Urthel machen. Nicht selten übt das jedesmalige Regierungssystem entschiedenen Einfluß auf den Gang des Strafprocesses aus. Mit der Verschiedenheit der Verfassungszustände ändern sich gewöhnlich auch die Strafproceßeinrichtungen; sie werden milder oder strenger, je nachdem eine freiere oder despotische Richtung beliebt hat. Wenn eine Regierung ihre heiligen Versprechungen brechen und die Mahnungen an dieselbe unterdrücken will, wenn sie Recht und Freiheit und Verfassung zu verkümmern beschlossen hat, so fallen die festen Bürgschaften und Sicherungen zu Gunsten der angeklagten Bürger und der Unschuld, die Sicherungen gegen willkürliche Verhaftungen, Haussuchungen und nicht gerechte Verurtheilungen. Aus dem seiner ganzen Natur nach öffentlichen, völlig parteilosen Rechtsverfahren und Rechtsurthel wird dann ein geheimer Krieg, eine politische Ketzerinquisition. In roheren Zeiten treten dann unverschleierte Cabinetsjustiz, Tortur, blutige Strafen der Rache, Vermögensconfiscation ein. In andern Zeiten mordete und zerstörte man die Verfolgten und ihr Lebensglück durch lange geheime Processe und Kerkerqualen; f. Actenmäßigkeit, Anklageproceß, Geschworne.

Strand heißt der Theil des Meerufers, welcher bei niedrigem Wasserstande aus demselben hervorragt, bei hohem Wasserstande aber von demselben bedeckt wird. Von dem S. unterscheiden sich die Dünen, die in der Nähe des S. sich bildenden Sandbänke.

Strandrecht, Grundruherecht, bedeutet 1) die Gerichtsbarkeit über alles, was sich am Strande oder Ufer befindet; 2) das Recht des Landesherrn, sich das anzueignen, was an den Ufern gefunden wird; 3) die Befugniß, sich der Güter und Sachen zu bemächtigen, welche auf einem gestrandeten Schiffe gefunden werden, theils ohne zu berücksichtigen, ob sich der Eigenthümer meldet oder zugegen ist, theils nach einer bestimmten Zeit. Das S. ist sehr alt und war sonst auch in Deutschland üblich; man schloß sogar in das Kirchengebet die Bitte ein, daß Gott recht bald Schiffe möge stranden lassen. Indessen wurde dieses barbarische und verabscheuenswerthe Recht in der neueren Zeit beseitigt. Dagegen gestand man den Unterthanen ein sogenanntes „Bergerecht" zu, nach welchem ihnen ein Theil der Güter zukommt, welche sie retten oder bergen. Doch macht man von selbst selten oder nie mehr von diesem Rechte Gebrauch.

Stranguliren, erdrosseln, war in der Türkei eine sehr häufig vorkommende Hinrichtung, die vorzüglich an Pascha's oder anderen vornehmen Beamten vollzogen ward. Die Stummen des Serails mußten diese Hinrichtungen mittels einer seidenen Schnur im Geheimen verrichten.

Straßen, Landstraßen, Straßenbau. Die erste Bedingung eines lebhaften Verkehrs im Innern der Länder sind gute, sichere Straßen. Sie bringen die Ortschaften eines Landes mit einander in Verbindung und erleichtern den Verkehr. Eine weise Regierung, welcher das Wohl des Landes am Herzen liegt, wird daher vor Allem für gute S. sorgen. Denn, wo diese sich nicht finden, da fehlt auch vielen Gütern, namentlich solchen, welche schwer sind, die Gelegenheit umgetauscht oder verkauft werden zu können. In früheren Zeiten lag das Straßenbauwesen sehr im Argen; man besserte so viel man konnte und wollte, die alten Straßen aus und überließ die Communicationswege der — Sorge der Gemeinde, durch deren Fluren sie ging. Diese thaten aber nichts dafür; Wagner, Schmiede und Stellmacher sorgten schon, daß man ihnen den Erwerb nicht abkürzte. So stehen die Straßenverhältnisse heute noch in Spanien, Portugal, Sicilien, Neapel, Sardinien und in dem Kirchenstaat. Es ist dieses ein Hauptgrund, aus welchem diese Länder, ungeachtet des fruchtbaren Bodens und ihrer so begünstigten Lage sich nicht heben können. In den andern Staaten Europas, namentlich auch in Deutschland, hat man schon längst dem Straßenbau mehr Sorgfalt zugewendet. Man baut statt der früheren krummen Wege jetzt gerade Straßen; man erhebt den tiefer liegenden Boden durch Dämme, zieht an den Seiten Gräben, kurz, man baut Straßen und pflegt die gebauten. Die letzten zehn Jahre haben aber durch die Entstehung der Eisenbahnen eine vollkommene Umwälzung in das Straßenwesen gebracht. Fast ganz Deutschland ist mit einem Netz von Schienenwegen überzogen und die Verkehrs- und Transportmittel haben eine gänzlich veränderte Richtung genommen. Wir können hier nicht auf die Frage eingehen, in wie weit der Nachtheil, welchen die Eisenbahnen unbestritten in das Gewerbe- und Geschäftsleben gebracht haben, durch ihre Vortheile überwogen werden, sondern machen nur darauf aufmerksam, daß keine Zeit sich dem entziehen kann, was als nothwendig in die äußere Erscheinung tritt. Die faulen Mönche schimpften auf die Erfindung der Buchdruckerkunst, die Stahl- und Schwammfabrikanten auf die Erfindung der Zündhölzchen — die Wagner, Stellmacher und Pferdehändler schimpften auf die Erfindung der Eisenbahn, während mancher sich freut, daß er jetzt mit wenig Groschen und wenig Stunden eine Reise machen kann, zu der er früher Thaler und Tage brauchte. Zur Geschichte des Straßenwesens bemerken wir noch, daß schon die Aegypter 1200 Jahre vor Christus Kunststraßen hatten, und zwar von ungeheurer Länge. Die Spuren der Römerstraßen finden sich heute noch im ganzen Umfang des damaligen römischen Reiches und sind das Muster für unsere Chausseen geworden. Karl der Große ließ diese ungemein fest gebauten Kunststraßen wieder herstellen und neue anlegen; in Deutschland aber finden wir erst im 13. Jahrh. Spuren von ordnungsmäßigem Straßenbau. Die erste regelmäßige Kunststraße oder Chaussee wurde in Schwaben zwischen Nördlingen und Oettingen gebaut. Die englischen Straßen gehören zu den besten. In Deutschland gehören die Kunststraßen zu den Regalien; die Regierung hat das Recht, Kunststraßen in möglichst

gerader Richtung anzulegen, mit Entschädigung für den verlorenen Grund und Boden; sie hat aber auch die Pflicht, die Straßen zu unterhalten, wofür sie eine Abgabe von den Fahrenden zu erheben befugt ist; s. Bauwesen.   **W.**

Straßenbeleuchtung. Man kennt schon im alten Rom die S. durch Laternen, so wie auch in andern Städten. In Paris wurde 1524 zuerst befohlen, die
Straßen durch Lichter an den Fenstern zu beleuchten. Im Mai 1558 brannten dort
die ersten Laternen an den Häusern oder auf Pfählen befestigt; 1667 war die ganze
Stadt auf diese Weise vollständig beleuchtet. Diesem Beispiele folgte London 1668;
Berlin 1679; Wien 1684; Leipzig 1702; Dresden 1705 ꝛc. In der neueren Zeit
ist die S. in den größeren Städten durch Gas hergestellt worden. Diese Gasberei-
tungsanstalten sind theils in den Händen von Privatunternehmern, theils von öffentlichen Behörden.

Straßenraub s. Raub.

Strategie ist die Wissenschaft der allgemeinen Maaßregeln und Geschäfte eines
Feldherrn, welche er nehmen muß, um durch die zweckmäßigste Verwendung des Heeres den Zweck des Krieges zu erreichen. St. ist nicht mit Feldherrnkunst zu verwechseln; diese letztere ist ein Talent, welches nicht erlernt werden kann. Der Plan eines
Feldzuges wird mit Hinzuziehung der Feldherren durch die oberste Staatsbehörde entworfen; man entscheidet sich zunächst entweder für den Angriff oder für die bloße
Vertheidigung. Nach dieser und anderen Vorfragen wird erst der Operationsplan
entworfen. Die Theilung des Heeres in verschiedene Corps erfolgt und die anderweiten Maaßregeln werden getroffen. Der Ausgang eines Feldzuges hängt bekanntlich
nicht immer von den größeren strategischen Kenntnissen ab, sondern zumeist von dem
Geist, welcher das Heer beseelt; dann auch nicht selten von Zufällen, Witterungsverhältnissen, oder Diplomatie, welche oft die schönsten Pläne des Feldherrn vereitelt.

Streitaxt, Streithammer, Streitkolben, sind die Namen mehrerer
Handwaffen, deren sich die Reiterei im Mittelalter bediente; sie hatten den Zweck, durch
ihr Gewicht den Harnisch des Feindes, besonders den Helm, zu durchbringen und den
Gegner dadurch zu betäuben und zu überwältigen. Der eiserne Stiel dieser Waffen
war höchstens eine Elle lang; das Ende desselben war mit einem Griff oder mit einer
Kette versehen, um die St. an der Hand zu befestigen. Bei der St. bildete der obere
Theil auf der einen Seite ein Beil, auf der andern eine Spitze; der Streithammer
lief in einem Hammer aus; der Streitkopf in einen starken eisernen Kopf, der entweder wie ein Stern ausgeschnitten oder mit Stacheln versehen war.

Strelitzen — russisch Strjelzi, d. h. Schützen — war der Name der russischen
Leibwache des Kaisers, welche im 16. Jahrhundert errichtet wurde. Sie bildete zugleich die stehende Infanterie des Reiches und war bisweilen 30 bis 40,000 Mann
stark. In Moskau bewohnten die St. einen eigenen Stadttheil. Sie hatten viele
Vorrechte, und waren deshalb, obschon die tapfersten Truppen, doch verzogene, widerspenstige Kinder der Czaren. Peter der Große löste sie daher 1698 auf, nachdem sie
an einer Verschwörung gegen ihn Theil genommen hatten. Er ließ tausende hinrichten und verbrannte die übrigen, welche 1705 auch noch vernichtet wurden. Die einzige
namhafte Familie, die noch von St. herstammt, ist die Familie des Grafen Orlow.

Sturm heißt in der Militärsprache die Eroberung eines befestigten Ortes durch
die Gewalt der blanken Waffen. Der S. findet statt gegen Feldschanzen, Barrikaden,
Thore ꝛc.

Styliten oder Säulenheilige wurden christliche Einsiedler genannt, welche eine
Bußübung zu begehen glaubten, wenn sie einen Theil ihres Lebens auf den Spitzen
hoher Säulen zubrächten. Ein spanischer Mönch, Simon, lebte im 5. Jahrhundert
gegen 30 Jahre auf einer Säule. Er wurde dafür von der Kirche für heilig erklärt, kanonisirt, und fand viele Nachahmer.

Subhastation s. Versteigerung.

Subordination ist Unterordnung. Beim Militär wird dadurch die Pflicht des Untergebenen bezeichnet, jeden Befehl seines Vorgesetzten augenblicklich und unbedingt auszuführen. Die S. ist die Grundlage aller Disciplin und Mannszucht. Die Insubordination, die Nichtbefolgung der Befehle, wird daher mit harten Strafen bedroht. Ueber das Weitere s. Mannszucht.

Subsidien nannten die Römer das dritte Treffen, welches im Nothfall zur Unterstützung herbeigezogen wurde. Jetzt versteht man unter S. Gelder, welche in Folge abgeschlossener Verträge, ein Staat dem andern zur Unterstützung zahlt. In England werden Subsidiengelder diejenigen aus den öffentlichen Einkünften herrührenden Gelder genannt, die von dem Parlament für die Land- und Seemacht jährlich bewilligt werden. Subsidia charitaria nannte man in Deutschland die Gelder, welche die unmittelbare Reichsritterschaft dem Kaiser Karl V. 1546 gegen einen Revers bewilligte. Natürlich wurden die Gelder von den Unterthanen erhoben.

Substitution wird in Erbschaftsfällen die Einsetzung eines Nachfolgenden genannt, wenn der erste nicht Erbe wird. Die S. kann dadurch entstehen, daß der Erblasser auf den Todes- oder Nichtantretungsfall des ersten Erben einen Zweiten unmittelbar ernennt; dieses ist eine directe S.; oder sie entsteht dadurch, daß dem ersten Erben aufgegeben wird, die Erbschaft dem nachfolgenden Erben zu überliefern. Dieses ist eine fideicommissarische S. Die erstere Art dieser rechtlichen Handlungen zerfällt wieder in Vulgarsubstitution und Pupillarsubstitution. Die letztere findet dann statt, wenn der Vater oder Großvater sie im Namen seines unmündigen Kindes vornimmt, wenn dieses in der Unmündigkeit sterben sollte.

Succession s. Thronfolge.

Succumbenzgelder werden die Gelder genannt, welche eine Partei, die gegen das Urtheil des Richters zweiter Instanz an den Richter der dritten Instanz geht, dem Richter der zweiten Instanz zahlen muß, wenn sie mit der dritten Appellation abgewiesen wird.

Suffragan, von Suffragium (s. d.), ist jedes zu Sitz und Stimme (Suffragium) berechtigte Mitglied eines Collegiums von Geistlichen; vorzugsweise aber wird der Bischof S. genannt, welcher dem Erzbischof untergeordnet ist.

Suffragium wurde bei den Römern die Stimme genannt, welche der Bürger in den Volksversammlungen oder als Richter in Criminalprocessen abgab; auch die Abstimmung im Ganzen und das Stimmenrecht selbst ward S. genannt. Lange Zeit hindurch geschah die Abstimmung mündlich; erst später wurde durch die Gesetze die Abstimmung durch hölzerne, mit Wachs überzogene Tafeln eingeführt.

Suggestivfragen sind in der Rechtssprache solche Fragen des Richters an den in Untersuchung Befangenen, in welche die Thatsachen, welche der Befragte angeben soll, schon hineingelegt sind. Man nennt daher jede verfängliche Frage auch eine S. Es leuchtet ein, daß diese Art und Weise des Richters zu fragen eben so unzweckmäßig, da sie zuweilen die Beweiskraft des Geständnisses aufheben, als unwürdig sind. Denn nicht selten benutzt der Fragende die Befangenheit oder den geringen Grad der Bildung des Befragten, um durch solche verfängliche Fragen die Antwort zu erhalten, welche er, der Richter, braucht, um den Angeschuldigten zu überführen.

Sultan, d. h. Mächtiger, ist der gewöhnliche Titel der mohamedanischen Herrscher im Morgenlande. Der Bedeutendste ist der Herrscher des osmanischen Reiches. Auch den Frauen dieser Herrscher wird der Name S. beigelegt.

Summarischer Proceß. (Man vergl. Osterloh, die summarischen bürgerlichen Processe. 2. Aufl. Leipzig 1847.) Der Zweck des Processes ist die Wiederherstellung des gestörten Rechtszustandes. Er kann rechtlich nur durch Anrufung der Staatshülfe erreicht werden (s. bürgerlicher Proceß). Dieß muß unter bestimmten gesetzlichen Formen geschehen, damit theils beiden Parteien gegen willkürliche Uebergriffe des Richters, theils jeder einzelnen gegen Winkelzüge und Ränke der andern Sicherheit gewährt werde. Eine zu große Anhäufung solcher Formen beim Processe macht die Verfolgung des Rechts schwierig, ein fühlbarer Mangel daran macht das Recht unsicher. Daher ist es Aufgabe der Gesetzgebung, das rechte Maaß dieser Formen genau abzuwägen und weder in das eine noch in das andere Extrem (Uebermaaß) zu verfallen, sondern den Parteien zur Entwickelung und zum Beweise der gegenseitigen Ansprüche, so wie zur Rechtsvertheidigung, so viel Zeit und Gelegenheit zu geben, als dazu in der Regel in jeder Rechtssache erfordert wird. Der Inbegriff der zu diesem Ende aufgestellten Vorschriften, so wie sie für die meisten Fälle passen, macht die Grundlage des ordentlichen Processes aus. Nun giebt es aber auch viele besondere Fälle, wo die allgemeinen Regeln entweder verhältnißmäßig zu umständlich, zeitraubend und kostspielig, oder wegen der eigenthümlichen Natur der Rechtssachen nicht anwendbar sind. Für diese Fälle mußte eine besondere Verhandlungsart eintreten, und man hat alle diese außerordentlichen Proceßarten mit dem, streng genommen nur für die abgekürzten Proceßarten passenden, Namen der summarischen (d. h. nur die allerwesentlichsten Formen enthaltenden) Processe belegt. Die summarischen Processe werden in bestimmte (processus summarius determinatus) und unbestimmte (p. s. indeterminatus) eingetheilt. Bei ersteren ist das Verfahren durch feste, von dem ordentlichen Proceßgange abweichende Grundzüge vollständig geregelt, bei letzteren nicht. Einzelne Arten des bestimmten s. P. sind: 1) der Urkundenproceß, Executivproceß. Er findet dann statt, wenn der Kläger seinen Anspruch durch fehlerfreie beweiskräftige Urkunden sofort liquid (klar) machen kann. Das Verfahren dabei ist kürzer als beim ordentlichen Processe, und der Kläger gelangt schneller zu seiner Forderung. Eine Untergattung desselben ist der Execution sproceß (Vollziehungs- oder Hülfsvollstreckungsproceß), welcher ein noch abgekürzteres Verfahren zuläßt und voraussetzt, daß die Urkunden, auf welche der Kläger seinen Anspruch stützt, öffentliche, d. h. gerichtliche oder gerichtlich anerkannte Schriftstücke seien; 2) der Wechselproceß (s. d.); 3) der Besitzproceß. Streiten sich zwei Parteien über den Besitz (s. d.) einer körperlichen Sache oder eines dinglichen Rechts, so findet zwar in der Regel, namentlich nach sächsischem Rechte, auch der ordentliche Proceß statt, allein in dem Falle, wenn der Kläger Schutz im Besitz oder Wiedereinräumung des zuvor stattgefundenen, verloren gegangenen Besitzes fordert, tritt ein summarisches Verfahren ein. Das wichtigste hierher gehörige zu einem sehr abgekürzten Processe dienliche Rechtsmittel ist das possessorium summarium oder summariissimum, welches voraussetzt, daß sich der Kläger im jüngsten (neuesten, letzten) Besitze befinde oder befunden habe, d. h. daß die Besitzstörung auf einen Tag innerhalb des letzten Jahres von der Klaganstellung an zurückgerechnet, falle; 4) der Proceß in geringfügigen Rechtssachen. Dieser Proceß, bei welchem ebenfalls ein abgekürztes Verfahren und eine Abminderung der Kostenansätze statt findet, setzt voraus, daß die Rechtssache, um die es sich handelt, schätzbar und nicht über 50 ℔ werth sei, oder daß, wenn es sich um eine fortdauernde Leistung oder Nutzung handelt, diese nicht über zwei Thaler jährlich betrage. 5) Der Proceß in ganz geringfügigen oder Bagatellsachen (s. d.). In Sachsen findet bei demselben ein mündliches protocollarisches Verfahren statt. Auch können hier die Parteien unter Genehmigung des Richters sich dahin vereinigen, größere Rechtssachen unter den Formen des Bagatellprocesses zu verhandeln. 6) Der Provocationsproceß. In der Regel kann Niemand zur Geltendmachung seines Rechts und zur Klaganstellung gezwungen werden. Doch giebt es Fälle, wo eine Ausnahme statt findet, und in denen der zukünftige Beklagte den zukünftigen Kläger zu Geltendmachung seines vermeintlichen Rechts auffordern (provociren) kann. Ueber die Zulässigkeit einer solchen Aufforderung wird im Provocationsprocesse entschieden, der mit der Anstellung der Hauptklage seine Endschaft erreicht. Die Aufforderung (Provocatio) zur Klaganstellung ist in zwei Fällen zulässig, nämlich 1) wenn der zukünftige Kläger sich eines gegen den zukünftigen Beklagten ihm zustehenden Rechts rühmt (wenn der Erstere den Letzteren diffamirt) provocatio ex lege „Diffamari"; 2) wenn der zukünftige Beklagte fürchtet, daß ihm seine Ausflüchte gegen die Klage verloren gehen möchten, provocatio ex lege „Si contendat". 7) Der Concurs=proceß (s. Concurs der Gläubiger); 8) der Edictalproceß (s. d.); 9) der Eheproceß. Gegenstand desselben ist die Gültigkeit und das Fortbestehen, beziehentlich die Trennung der Ehe, oder die Erfüllung derjenigen Pflichten, welche die Erreichung der Zwecke der Ehe bedingen, ingleichen die Frage, ob der von den Ältern verweigerte Eheconsens (s. d.) Obrigkeitswegen zu ergänzen sei oder nicht. Zu den unbestimmten s. P., in welchen die zweckmäßigste Art zu verfahren dem vernünftigen Ermessen des Proceßrichters in der Hauptsache überlassen bleibt, gehören: 1) der Rechnungs= und Defectsproceß, welcher dann statt hat, wenn sich die Parteien über die Richtigkeit einer bereits abgelegten Rechnung streiten, und dazu dient, daß die Rechnung gerichtlich festgestellt und der Rechnungsführer zu Erfüllung der ihm nach Ausweis der festgestellten Rechnung obliegenden Verbindlichkeiten angehalten werde; 2) der Arrestproceß, das Verfahren bei Beschlagnahme eines ganzen Vermögens oder einer einzelnen Sache oder Forderung des Schuldners, zu dem Zwecke, um im Hinblick auf die künftige Hülfsvollstreckung im Hauptprocesse den Kläger wegen seiner Ansprüche zu sichern. Derselbe setzt in der Regel voraus, daß sowohl die Forderung des Antragstellers als der Umstand, daß der Schuldner in Abfall der Nahrung gekommen, sofort einigermaßen bescheinigt werde. 3) Außerdem findet ein unbestimmtes summarisches Proceßverfahren in Vormundschaftsstreitigkeiten und in Streitigkeiten über Ausgleichung der Kriegsschäden und Kriegs=lasten zwischen Verpachter und Pachter statt. Auch der Criminalproceß zerfällt seinem Inhalt nach in den feierlichen (solennen) und summarischen Criminalproceß. Wie es bei jedem s. P. Regel ist, daß die der Natur der Sache nach absolut wesentlichen Proceßerfordernisse auch bei ihm nicht fehlen dürfen, so gilt dieß namentlich bei dem summarischen Criminalproceß. Diese allgemeinen, wesentlichen, in allen Strafsachen nothwendigen Bestandtheile sind: 1) die Anschuldigung; 2) die Untersuchung und Beweisführung; 3) die Vertheidigung; 4) die Entscheidung. Nicht überall ist diesen Anforderungen des summarischen Criminalprocesses Genüge geschehen. Als merkwürdiges historisches Beispiel dafür können wir die Hexenprocesse (s. d.) anführen werden, bei denen man theils besondere Beweistheorien aufstellte (z. B. daß sonst unzulässige Zeugen, sogar Kinder, hier zulässig seien, daß der Beweis des Alibi (s. d.) der Angeklagten nicht zu statten komme, weil der Teufel den Hexen die Möglichkeit gewähre, als Doppelgängerinnen zu erscheinen, u. s. w.), theils häufig selbst die Vertheidigung nicht zuließ. Auch der heutzutage noch übliche Standrechts=proceß (s. d.) verstößt fast durchgehends gegen die obige Regel, namentlich dadurch, daß die Vertheidigung bei diesem Verfahren abgeschnitten wird.   D. L. H.

Sünde heißt seiner Bedeutung von sühnen nach jede Verletzung eines Gesetzes, welches eine Sühne, Verbüßung der Schuld oder Strafe nöthig macht. Man hat aber den Ausdruck S. nur auf die Verletzungen der religiösen Gesetze beschränkt, und nennt die Verletzungen der bürgerlichen Gesetze Vergehen und Verbrechen. Diese religiösen gesetzlichen Bestimmungen pflegt man auch göttliche Gesetze zu nennen, indem man sie unmittelbar von Gott ableitet. Allerdings machte Mose (s. d.) den Versuch, seine Gesetzgebung als eine unmittelbare göttliche Offenbarung hinzustellen; der Stifter des Christenthums hat sich darüber nicht ausgesprochen, sondern sich damit begnügt, die mosaischen Gesetze zu veredeln, zu vergeistigen. Einige Kirchen scheinen besonderes Wohlgefallen an der S. gefunden zu haben und stellten die verschiedenen Arten von Sünden ordentlich in Reih und Glied. Da findet man Unterlassungs=sünden, Begehungssünden, Schwachheitssünden, himmelschreiende Sünden, Todsünden und auch als Anführer gleichsam die — Erbsünde. Nur eine Sünde lassen die frommen Kirchenväter gern unerwähnt, es ist die Sünde, vor welcher der Stifter des Christenthums am meisten warnt, die S. gegen den heiligen Geist, welche darin besteht, daß man etwas gegen seine bessere Ueberzeugung behauptet und vertheidigt. Diese S. dürfte auch im Staatsleben nicht selten vorkommen.

Sündenvergebung, Absolution. Die erste christliche Kirche stellte eine gewisse Bußzucht auf, nach welcher diejenigen, welche sich grober Vergehen, Ehebruchs, Diebstahls ꝛc. schuldig gemacht hatten von den Versammlungen, vom Abendmahle, auch wohl von der ganzen Gemeinde ausgeschlossen wurden. Nur wenn sie Zeichen der Reue und Besserung von sich gaben, Büßungen übernahmen, wurden sie auf ihr Bitten wieder aufgenommen. War dieß geschehen, so ertheilte ihnen der Vorsteher der Gemeinde die Absolution, sprach sie von ihrer Sünde los. Diese Absolution war also ein Act der Versöhnung, einer Erklärung, der dem Schuldigen gewordenen Verzeihung und der Aufhebung der Strafe, keineswegs aber eine Lossprechung von der Schuld. Bis in das dritte Jahrhundert mußten die Gemeinden ihre Zustimmung zu der Absolution geben, ehe sie erfolgen konnte. Nach und nach aber wurde das Absolviren ein Recht der Bischöfe, und das öffentliche Sündenbekenntniß wurde ein Privatbekenntniß vor dem Priester, der die Büßen auferlegte, ermäßigte oder erließ und dann absolvirte. Vom 9. Jahrhundert an wurde die Absolution sogleich nach erfolgtem Sündenbekenntniß ertheilt; während bis jetzt diese Sündenvergebung sich nur auf grobe Vergehen erstreckte, dehnte man sie im 13. Jahrhundert auf alle Sünden aus, und sprach die Vergebung nicht mehr im Auftrage der Gemeinde oder der Kirche, sondern im Namen Gottes aus. Dieses ist heute noch die Lehre der katholischen Kirche, welche, wenn es ihr gut scheint, die Absolution auch verweigert. Die protestantische Kirche nahm die Lehre von der S. und Beichte mit herüber, wenn sie auch den Geistlichen nur das Recht zuspricht, die Vergebung anzukündigen, aber nicht zu ertheilen; die reformirte Kirche (s. d.) ging weiter und verwarf beide Lehren, so wie auch die griechische Kirche die Bußzucht und Beichte verwarf. Auf diese Weise entstand das Institut der Beichte, welche die römische Kirche im 5. Jahrhunderte bereits in genauere Verbindung mit dem Abendmahl brachte. Sie verpflichteten Jeden, welcher an dem Abendmahl Theil nehmen wolle, zuvor ein Sündenbekenntniß abzulegen oder zu beichten, und dann die Absolution entgegen zu nehmen. So entstand die geheime oder die Ohrenbeichte (s. d.). Diese Gewohnheit wurde durch Papst Innocenz III. 1215 zum Gesetz erhoben. In der protestantischen Kirche hat die Privatbeichte einer allgemeinen Feierlichkeit weichen müssen. Die Lehre von der S. durch die Kirche, so wie über die Beichte entbehrt aller und jeder biblischen Begründung. Sie ist reines Menschenwerk und wurde von dem römischen Priesterthum in aller Weise ausgebeutet. Man wollte nicht blos Herr über die äußeren Güter der Menschen werden, sondern auch Herr über die Gewissen. Wir schweigen von den Greueln, welche die Beichtstühle früherer Zeit zu erzählen wissen; wir schweigen von dem Mißbrauch, welchen man mit dem Beichtgeheimniß getrieben hat. Besonders wußten die Jesuiten das kirchliche Beichtinstitut zu benutzen; bei allen irgend einflußreichen Personen suchten sie sich als Beichtväter einzuschleichen; und auf diese Weise gelang es ihnen, in die Geheimnisse der Mächtigen einzudringen, und dadurch eine Gewalt und einen Einfluß zu erlangen, welcher nicht selten selbst ihre Beichtkinder zittern machte.   **W.**

Sunna, Sunniten. Das arabische Wort Sunna heißt so viel als Regel, Sitte. Die Mohamedaner bezeichnen damit in religiöser Hinsicht die Regel Mohamed's, welche von allen Mohamedanern beobachtet werden soll, da sie der Prophet selbst befolgte. Diese Regel besteht in einzelnen Aussprüchen und Handlungen Mohamed's; sie wurde durch seine ersten Schüler den übrigen mitgetheilt oder überliefert und heißt deshalb auch die Ueberlieferung, Hadis. Später zeichnete man sie auf und diese Aufzeichnung bildete neben dem Koran die Hauptquelle der mohamedanischen Religion. Diejenigen Mohamedaner nun, welche diese Regel des Mohamed befolgen, heißen **Sunniten**, Strenggläubige; ihnen gehört die Mehrzahl an. Das Gegentheil davon sind die Schiiten, welche, nicht wie die Sunniten, die ersten vier Kalifen als Nachfolger Mohamed's anerkennen. Die Spaltung ist also mehr politischer Art, als religiöser, weshalb sie nicht selten zu bedeutenden Störungen Anlaß gegeben hat.

Suovetaurilia wurde bei den Römern ein Opfer genannt, welches aus einem Schwein, Schaf und Stier bestand.

Supererspectanzklage s. Anwartschaft.

Superfötation, Ueberschwängerung, wird die nochmalige Empfängniß einer bereits schwangeren Frau genannt. An der Möglichkeit der S. wird noch gezweifelt, obschon sie unter ganz besonderen Verhältnissen vorkommen zu können scheint.

Superintendent wird in mehreren evangelischen Kirchen der erste Geistliche einer Ephorie genannt, über welche derselbe die kirchliche Aufsicht zu führen hat. In Sachsen wurde dieses Amt in Folge der von Luther vorgenommenen Kirchenvisitation (1527—29) geschaffen, theilweise zum Ersatz für die bischöfliche Regierung. In Baiern, Baden und andern Ländern heißen die S. anders; bei uns bilden sie mit der weltlichen Behörde die Kirchen= und Schulinspection, haben die ausschließliche Aufsicht über Geistliche und Lehrer zu führen, das Kirchenvermögen zu überwachen und die nöthigen Bauten an Kirchen und Schulen zu veranlassen.

Supernaturalismus s. Rationalismus.

Suppenanstalten s. Wohlthätigkeitsanstalten.

Supplicationes, auch Supplicia, wurden bei den Römern öffentliche gewöhnlich mit Opfern verbundene Betfeste genannt, bei denen das Volk in feierlichen Umzügen in die Tempel zog. Namentlich wurden sie nach glücklicher Beendigung eines Krieges angeordnet. Anfangs dauerten sie nur einen Tag, später mehrere Tage.

Supremat wird die von den Protestanten verworfene Oberherrschaft des Papstes über die Kirche genannt. Die gallicanische Kirche (s. d.) gesteht dem Papste weniger Suprematsrechte zu, als die römische.

Supremateid s. Abjurationseid und Anglicanische Kirche.

Suspension s. Amtsentsetzung.

Sykophanten wurden bei den Athenensern Personen genannt, welche das Verbot der Ausfuhr von Feigen überwachten und diejenigen anzeigten, welche Feigen ausführten. Später nannte man jeden hämischen Aufpasser, Spion einen S., eine Art Menschen, welche auch bei uns vorkommt, obschon die Ausfuhr der deutschen Feigen nicht verboten ist.

Symbole heißen ursprünglich Sinnbilder, bildliche, sichtbare Darstellungen einer unsichtbaren Idee. Ferner nennt man auch S. Zeichen, Vorzeichen, durch welche die Gottheit ihren Willen oder ein künftiges Ereigniß andeuten will. Ferner brauchte man das Wort S. in den griechischen Mysterien (s. d.), wo es theils die bildlich dargestellte Lehre bezeichnete, theils auch die Worte oder Zeichen, durch welche sich die Eingeweihten gegenseitig erkannten. In diesen verschiedenen Bedeutungen ward nun das Wort S. in die christliche Kirchensprache aufgenommen. Bald nannte man die Sacramente (s. d.) S.; später auch andere christliche Gebräuche, an denen besonders die katholische Kirche so reich ist.

Symbolische Bücher. Schon in der ältesten Zeit der christlichen Kirche stellte man Bekenntnisse auf, welche die Hauptlehrsätze des Christenthums enthalten sollten. Man nannte diese Bekenntnisse Symbole. Späterhin wurden diese Bekenntnisse dahin erweitert, daß sie auch das enthielten, was man nicht glauben oder als Lehrsatz annehmen wollte. Solche Schriften hießen dann s. B. Die ältere Kirche kennt nur drei Symbole, welche alle Hauptparteien der christlichen Kirche angenommen und in ihre f. B. aufgenommen haben. 1) Das apostolische Symbol, welches aus den Tauffymbolen besteht, aus der Bekenntniß des Glaubens an Gott Vater, Sohn und Geist; 2) das nicäisch-konstantinopolitanische Symbol, auf der öfumenischen Synode zu Nicäa 325 abgefaßt; 3) das athanasianische Symbol aus dem 5. Jahrhundert. Diesen Symbolen fügte die katholische Kirche später noch mehrere Beschlüsse der Kirchenversammlungen hinzu. Die Reformatoren behielten anfangs nur die drei alten Symbole bei; bald aber kamen sie in die Lage, zu erklären, was sie nicht glauben wollten. In dieser Absicht wurde die augsburgische Confession (f. d.) abgefaßt, welche später als das erste symbolische Buch der protestantischen Kirche galt. Ihr reiheten sich später an die „Schwabacher Artikel" und die „Schmalkaldischen Artikel" (f. d.); der große und kleine Katechismus Luthers und die Concordienformel, 1580. — Die f. B. sind in der protestantischen Kirche der papierne Papst; als solcher sind sie der freien religiösen Entwickelung noch nachtheiliger, als der römische Papst, weil sie unzugänglicher sind. Es ist schon in mehreren Artikeln (f. Reformation) über Zweck und Werth dieser symbolischen Schriften gesprochen und dargethan worden, daß sie als überlebte und den Glaubenszwang fördernde Schriften der wahren Ausbildung hindernd im Wege stehen. Erst in neuerer Zeit hat man in einigen Ländern angefangen, die eidliche Verpflichtung der Geistlichen und Lehrer etwas zu mildern, und den Eid so geformt, daß der Schwörende die Lehre der f. B. nur insoweit anzuerkennen gelobt, als sie mit der heiligen Schrift übereinstimmen. Hierin liegt aber wieder ein Zwang, denn gewisse Lehren der f. B. stimmen allerdings mit dem Wortlaute der Bibel überein, aber nicht mit dem Geist und der Idee des Christenthums, nicht mit der durch das Christenthum gebildeten Vernunft. Die äußere Zerrissenheit und Machtlosigkeit der protestantischen Kirche, ihr Abhängigkeitsverhältniß vom Staate sind die Ursache, daß man, trotz der ernsten und mahnenden Aussprüche der gefeiertesten Kirchenlehrer die f. B. noch nicht einer Revision unterworfen, oder, was das Beste wäre, abgeschafft hat. F.

Synagoge, Versammlung der Gemeinde, wird der Versammlungsort der Juden zu religiöser Erbauung genannt. Die jüdischen Synagogen kamen nach dem babylonischen Exil auf, und dienten anfangs überhaupt zu öffentlichen Versammlungen. Später, wie zur Zeit Jesu, waren sie Schulen für Kinder und Erwachsene. Im 5. Jahrhundert mußten die Juden ihre S. niederreißen oder sie wurden verbrannt; ein Zeichen der christlichen Duldsamkeit. Im Alterthum waren mehrere S., wie in Alexandrien, Bagdad, Toledo, wegen ihrer Pracht und Schönheit berühmt. Auch heute noch giebt es Prachtgebäude in größeren Städten, welche als S. dienen, wie in Prag, Wien, Dresden, Hamburg. Hauptbestandtheile jeder jüdischen S. sind die Bundeslade, in welcher die Gesetzrollen liegen, und die Estrade, Almemor oder Bima, auf welcher die Vorlesungen und die gottesdienstlichen Handlungen gehalten werden. Die Frauen sind von den Männern abgesondert. Zur Abhaltung einer öffentlichen Andacht sind mindestens 10 Personen nöthig. Deutsche S. heißen die, in welchen der Gottesdienst zum Theil in deutscher Sprache gehalten wird.

Syndicus wird ein Bevollmächtigter genannt, welchen eine ganze Körperschaft zur Besorgung ihrer Angelegenheiten bestellt. Zur giltigen Wahl eines S. ist nöthig, daß die ganze Körperschaft zur Wahl zusammengerufen wird, daß zwei Drittel der Gemeinde erscheinen und daß von diesen die größere Zahl in die Wahl einwilligt. Die Vollmacht, welche dem S. ertheilt wird, heißt Syndicat.

Synedrium, Sanhedrin, wurde das höchste Nationalgericht der Juden genannt, das zu Jerusalem seinen Sitz hatte und aus 71 Mitgliedern bestand. Es hatte über Rechtssachen nach dem mosaischen Gesetz zu entscheiden; zur Zeit der römischen Herrschaft mußte der römische Procurator (f. d.) die Todesurtheile bestätigen, wie es bei Jesus der Fall war.

Synergismus, synergistische Streitigkeiten. Synergismus wird die Meinung genannt, daß der menschliche Wille bei der Bekehrung eines Menschen mitwirke, indem er sich der Gnade der Berufung hingebe. Hierfür sprach Erasmus und Melanchthon. Später, 1757, entstand über diese Ansicht ein heftiger theologischer Kampf, bei dem sich besonders Flacius und Strigel auszeichneten. Die Concordienformel verdammte diese Lehre von der Mitwirkung (S.) des Menschen zu seiner Besserung.

Synkratie, Mitherrschaft, wird diejenige Staatsverfassung genannt, wo das Volk an der Ausübung der höchsten Gewalt mit Theil nimmt; s. Staat.

Synkretismus ist eine Vermischung philosophischer und religiöser Anschauungen. Im Besonderen bezeichnet man mit dem Worte S. das Verfahren der Vermittler zwischen zwei streitenden Parteien, welche die Unterscheidungslehren so darstellen, daß jeder die seinige in der Darstellung wieder finden kann. Synkretisten, Vermischer und daher Verfälscher, nennt man seit dem 17. Jahrhundert die Anhänger des Georg Calixtus und die helmstädter Theologen, weil sie neben der Schrift auch die Ueberlieferung, Tradition, aus den ersten drei Jahrhunderten als Religionsquelle annehmen. Der übrigens sehr bedeutungslose Streit dauerte in jener Zeit theologischer Buchstabenkämpfe ziemlich lange fort.

Synodal- und **Presbyterialverfassung.** Die ersten christlichen Gemeinden regierten sich durch ihre Vorsteher oder Bischöfe, welche keinen besondern Stand bildeten. Bei wichtigen Vorfällen berief man zur Berathung sämmtliche Vorsteher der Gemeinden eines Bezirkes zusammen. Dieser Zusammentritt hieß Synode. Nach Erhebung des Christenthums zur Staatsreligion beriefen die Kaiser die Synoden; später die römischen Bischöfe. Mit der Macht der Päpste verloren natürlich die Synoden an Wirksamkeit. Bei den Protestanten machte sich in der lutherischen Kirche das monarchische Princip, in der reformirten das republikanische geltend. Man übergab in der lutherischen Kirche das Kirchenregiment dem Staat; dieser aber brauchte keine Synoden. Erst nach dem Jahre 1815 dachte man wieder an die Einführung und Abhaltung regelmäßiger Synoden, namentlich in Preußen. Durch eine königliche Verordnung wurden 1816 Kreis- und Provinzialsynoden der Geistlichen, so wie Presbyterien für die einzelnen Parochien eingeführt, auch die Haltung einer Generalsynode in Aussicht gestellt. Die Laien wurden in diesen Synoden nicht vertreten, deshalb fanden sie keinen Anklang im Volk; auf der andern Seite waren die Synoden nicht so gefügig gegen die Regierung, als man erwartet hatte, und so kam es, daß das ganze Unternehmen wieder eingeng. Zwar wurde 1846 eine Reichssynode nach Berlin gerufen, da man von den protestantischen Freunden Gefahr fürchtete, allein auch sie war ohne Erfolg. In Baiern besitzt die protestantische Kirche eine Synodal- und Presbyterialverfassung, wenn auch noch unausgebildet; eben so wurde nach 1821 in Baden beides eingeführt. In Würtemberg finden ebenfalls Synoden statt; statt der Presbyterien hat man sogenannte Kirchenkonvente. In Sachsen sind alle Bestrebungen nach einer Synodal- oder Presbyterialverfassung, trotz aller Anregung, erfolglos geblieben.

Synoden s. Kirchenversammlungen.

Synusiasten s. Apollinaristen.

Syphilis s. ansteckende Krankheiten.

Systematische Opposition. Es ist eben so natürlich, unvermeidlich und heilsam, daß sich in jedem Staatsorganismus und zunächst in einer freien ständischen Verfassung eine Regierungs- oder Ministerialpartei und eine Oppositionspartei ausbilden und einander gegenüber treten. Hierdurch wird die Einheit und Freiheit, die beiden unentbehrlichen Hauptrichtungen im Staatsleben, vertreten und durchgeführt. Man hat lange gegen die Opposition angekämpft; zur Zeit haben aber auch die gutmüthigsten deutschen Politiker diesen Kampf gänzlich aufgegeben, abgesehen davon, daß ehrliche Männer sich längst davon zurückgezogen hatten. Es kann nun die Frage entstehen, ob diese natürliche Ausbildung der Parteien gut oder nicht gut sei, ob man der Partei sich treu anschließen, oder bei jeder einzelnen Angelegenheit und Abstimmung nach eigner gewissenhafter Ueberzeugung von jedem einzelnen Falle abtrünnig werden und hinüber- und herüberschwanken soll. Bei der Beantwortung dieser Frage haben wir zu berücksichtigen, daß die richtige Ueberzeugung der einzelnen Abgeordneten über ihren Entschluß an die Ministerial- oder Oppositionspartei davon abhängen muß, ob im Ganzen genommen die Maaßregeln, welche die Minifterialpartei, oder diejenigen, welche die Opposition durch ihre Verstärkung oder durch Sieg bewirken würde, den Vorzug verdienen. Ferner müssen bei Gelegenheiten, wo die Stände in einer Ministerial- und Oppositionspartei abgetheilt abstimmen, dreierlei Fälle ausgeschieden werden. Alle sogenannten neutralen Fragen; alle Maaßregeln, welche die Ehre und Sicherheit des Landes unentbehrlich machen, und alle, welche die Achtung und Ehre des Thrones erheischen. In diesen Fällen geht in England die Ministerial- und Oppositionspartei Hand in Hand. Endlich scheint es für das in so viele kleine abhängige Staaten zersplitterte Deutschland nothwendig, daß man auf eine im eigentlichen engern Sinne systematische Opposition verzichte. Diese besteht nämlich darin, daß man in gewissen politischen Fragen, die man häufig sogenannte Vertrauensfragen nennt, und bei Verwilligungen blos darum gegen das Ministerium zu stimmen, um dasselbe zu stürzen und um statt seiner Partei der eigenen Partei die Ministergewalt und die Staatsverwaltung zu verschaffen. In größeren Staaten hat diese Opposition eine Bedeutung; in kleineren Staaten aber ist sie zwecklos und nachtheilig.

T.

Tabackscollegium. Auch die Monarchie hat ihre Curiositäten; die Nachwelt wird einst nicht wenig staunen, wenn sie die Chronik des „galanten Sachsens" und die Geschichte des Tabackscollegiums Sr. Majestät Friedrich Wilhelm I. von Gottes Gnaden Königs von Preußen liest. Sr. Majestät von Preußen pflegte nämlich, um sich nach des Tages Mühen zu „erlustigen," Abends um 5 Uhr eine Gesellschaft um sich zu haben, welche theils aus den höchsten Staatsbeamten, Gelehrten oder durchreisenden Fremden bestand. Zu diesen gesellten sich noch Hofnarren und ähnliches Gelichter. Alle Mitglieder der Gesellschaft mußten das damals noch nicht so gewöhnliche Vergnügen des Rauchens genießen oder, wenn sie dieses nicht konnten, mindestens eine Pfeife in den Mund nehmen. Die dabei stattfindende Speisung bestand einfach aus Butterbrod und Bier; später kamen wohl auch noch einige Flaschen Wein. Der Zweck der ganzen Abendunterhaltung war gemüthliche Erheiterung, die allerdings nicht selten auf Unkosten der allerunterthänigsten Mitglieder zu Stande kam. In dieser scheinbar politisch-unschuldigen Gesellschaft kam übrigens mancher Plan und manche Regierungsmaaßregel zu Stande.

Taboriten war der Name, welchen sich die strenggläubigen Hussiten (s. d.) im

Gegensatz zu den Calixtinern (s. d.) beilegten. Er wurde von der durch den bekannten Hussitenführer Ziska 1419 angelegten Bergfeste Tabor entlehnt.

Tafelgüter (bona mensalia) wurden die Güter genannt, welche namentlich in den geistlichen Reichsstaaten zum Unterhalt des landesherrlichen Hofes bestimmt waren. Bestanden diese Güter in Lehngütern, so hießen sie Tafellehen. Der bescheidene Name sollte die unbescheidene Forderung beschönigen.

Tagesbefehl nennt man die in der Regel schriftlich gegebene Anordnung dessen, was im Laufe des Tages bei einem großen Theile der Armee geschehen soll. Der T. geht von dem höchsten Befehlshaber aus, und wird gewöhnlich mit der Parole ausgegeben.

Taktik oder Kriegskunst ist die Wissenschaft, nach welcher die Bestimmung für die Ausführung der Maaßregeln getroffen wird, welche die Strategie (s. d.) oder die Feldherrnkunst an die Hand giebt. Die Strategie bestimmt, was geschehen soll; die T. aber bestimmt, wie es geschehen soll. Man unterscheidet die niedere T., welche die Einübung der Truppen umfaßt, von der höhern T., welche sich mit der Anwendung des dort Erlernten beschäftigt. In staatswissenschaftlicher Hinsicht kommt hier Folgendes in Betracht. Die Armeen sind im Kriege die Organe, durch welche die Staaten gegen einander wirken. Sie haben den Zweck, sich gegenseitig zu vernichten. Die Kriegskunst begreift demnach den unmittelbaren Act der Vernichtung oder die Kunst des Schlagens (Taktik), so wie den mittelbaren Vernichtungsact, welcher in der Kunst besteht, die Maaßregeln in der Art zu nehmen, daß wir in steter Verbindung mit den eigenen Ersatzquellen bleiben, während das geschlagene Heer der seinigen beraubt wird (Strategie). Die erste Regel derselben besteht darin, so stark als möglich gegen die Verbindung des Feindes; die erste Regel der T. ist: gehe mit deiner Stärke gegen die Schwäche des Feindes. Bei der Beantwortung der Frage, was die Aufgabe des Staates für die Kriegskunst sei, haben wir zu berücksichtigen, daß dieselbe in der Gegenwart eine ganz andere geworden ist, als sie früher war. Die Heere der Söldlinge, der erkauften, und erpreßten haben doch mehr oder weniger Armeen Platz machen müssen, welche dem Volke entwachsen sind. Die militärische Bildung wird gegenwärtig durch die Volksbildung bedingt; der Staat muß daher dafür sorgen, daß eine Leib und Geist kräftigende militärische Jugenderziehung in das System der allgemeinen Volksbildung aufgenommen werde. Hierher gehört namentlich eine größere Ausbildung des Turnwesens und Erweiterung desselben. Diese militärische Erziehung läßt sich, wenn sie, wie es gewöhnlich geschieht, versäumt wird, durch militärische Abrichtung oder Dressur in den reifern Jahren nicht ersetzen, und das Soldatenwesen wird eine Last, während es eine Lust sein sollte; es verschafft nur Arbeit, während es Genuß bereiten könnte. Ein zweites unabweisbares Bedürfniß ist die Herstellung einer wahrhaft militärischen Begeisterung; die einzigen Quellen desselben sind die Freiheit und die Volksehre. Es kann einer nur dressirten Armee wohl gelingen, durch Uebermacht oder Begünstigungen des Zufalls zu siegen; aber solch einem Siege fehlt das Schönste: es fehlt ihm der Ursprung aus der Begeisterung. So lange Napoleons Heere jene Begeisterung beseelte, die aus der Freiheit und Volksehre hervorgeht, war er unüberwindlich; als beide aber untergraben wurden und jener Geist der Freiheit und Volksehre in den Heeren seiner Gegner in das Leben gerufen wurde, mußte er besiegt werden, und hätten ihm noch Millionen von Feuerschlünden zu Gebote gestanden. Im Falle eines Krieges mit einer fremden Macht dürfte Deutschland demnach bei seiner Zerrissenheit keine besseren Aussichten haben, als früher. Erst muß man die Möglichkeit einer Volksbegeisterung schaffen; dann erst wird Deutschland einer fremden Macht gewachsen sein.   **W.**

Talar nennt man ein langes, bis auf den Fuß herabreichendes Oberkleid, welches zu besondern Feierlichkeiten von Fürsten und Priestern getragen wird.

Talmud heißt dies Buch, welches die jüdischen Gesetze enthält, die nächst den mosaischen bestehen und durch mündliche Ueberlieferung entstanden sind. Der T. besteht aus zwei Theilen: der **Mischna** und **Gemara**. Neben dem geschriebenen Gesetze Moses hatten sich aus altem Herkommen noch eine Anzahl rechtlicher und religiöser Einrichtungen gebildet. Die geschriebenen und erlernten Vorschriften nannte man Mischna; das nur mündlich Ueberlieferte Kabbala.

Talon wird die Anweisung genannt, welche sich an den Zinsbogen mehrerer Staatspapiere und Actien befindet; durch Einsendung der T. wird man bei der Zinserhebung der Einsendung der Hauptdocumente überhoben.

Tarif heißt das Verzeichniß dessen, was für ein- und ausgehende Waaren an Zoll bezahlt wird.

Taubstummenanstalten sind die Anstalten, in welchen die Taubstummen Erziehung und Unterricht erhalten. Als erster Lehrer der Unglücklichen, welchen die Fähigkeit des Hörens und Sprechens abgeht, wird ein spanischer Mönch, Pedro de Ponce (1570), genannt. Die eigentlichen Anstalten für Taubstumme entstanden erst in der Mitte des 18. Jahrhunderts. Der Abbé Charl. Michel de l'Epée gründete die erste T. 1760 auf eigne Kosten; diesem Beispiele folgte Sachsen, wo Sam. Heinicke 1777 in Leipzig auf königl. Kosten eine ähnliche Anstalt errichtete, welche bald Musteranstalt und Bildungsschule für Lehrer der Taubstummen wurde, so daß jetzt überall in civilisirten Ländern T. zu finden sind. S. Wohlthätigkeitsanstalten.

Taufe. Reinigungen des Körpers wurden im Morgenlande sehr frühzeitig zu symbolischen, bildlichen Handlungen. Bei den Juden wurde jeder Heide, der zum Judenthum überging, getauft. Johannes ging weiter und taufte auch Juden, Jesus behielt die Handlung der Taufe bei der Aufnahme der Glieder seines Reiches bei und verordnete, daß durch die Taufhandlung an Erwachsenen diese Aufnahme vollzogen werde. Die Handlung selbst bestand in einem Untertauchen des Täuflings in einem Fluß oder in einem mit Wasser gefüllten Gefäß. Die griechische Kirche behielt diesen Gebrauch bei, während in der römischen das bloße Besprengen des Kopfes mit Wasser gebräuchlich ward. In der ersten christlichen Kirche wurden die Täuflinge vor der Taufe im Christenthum unterrichtet; bei der Taufe ward ihnen dann die Vergebung ihrer Sünden angekündigt, weßhalb Viele die Vollziehung der T. weit hinaus verschoben. Durch die Lehre Augustins von der Verdammniß die Ungetauften wurde die Kindertaufe vorbereitet und bald allgemein; im 10. Jahrhundert führte man die Glockentaufe ein. Nachdem die römische Kirche die T. als ein Sacrament (s. d.) hingestellt hatte, schrieb man ihr große Wirkungen zu; welches Luther in seiner bekannten Erklärung auf die Erlösung von Tod und Teufel ausdehnte. Dieses „Austreiben des Teufels," der Exorcismus (s. d.), hat man in der neueren Zeit in der protestantischen Kirche fallen lassen; doch muß die Formel auf Verlangen angewendet werden; wieder ein Beweis, zu welchen Unzuträglichkeiten die Beibehaltung veralteter Formen führt. Die katholische Kirche reicht dem Täuflinge noch Milch und Honig, nimmt eine Salbung und andere symbolische Handlungen an ihm vor. Zweckgemäßer dürfte es sein, die Taufe erst an schon etwas Erwachsenen und im Christenthum unterrichteten Kindern vorzunehmen, wodurch eine Menge der Gesundheit nachtheilige und kostspielige Dinge, wie das jetzt ganz bedeutungslose Pathenwesen in Wegfall kämen.

Taufgesinnte nennen sich diejenigen Christen, welche die Kindertaufe verwerfen und den Segen der Taufe auf Erwachsene beschränken. Wenn daher ein schon in seiner Kindheit Getaufter in ihre Gemeinschaft tritt, so wird die Taufhandlung noch ein Mal an ihm vollzogen. Deßhalb heißt diese Religionsgesellschaft seit dem 16. Jahrhundert die „Wiedertäufer." Gegen die Kindertaufe hatte man schon im Mittelalter gekämpft; als nach der Reformation die Bibel dem Volke zugänglich ward, erklärten sich Viele wieder gegen die Kindertaufe, weil sie keine biblische Begründung hat. Namentlich geschah dieses Verwerfen der Kindertaufe in der Schweiz; bald aber auch in Sachsen und andern deutschen Ländern. Schwärmerische Köpfe, wie Storch, Thomä, Stufner, Münzer, stellten sich an die Spitze und gingen in ihrer Lehre weiter, indem sie auch das kirchliche Lehramt und die obrigkeitliche Gewalt verwarfen. Der Bauernkrieg (s. d.) war zum Theil eine Folge davon. Seit 1525 ergingen in Deutschland kaiserliche Verbote gegen die Wiedertäufer; an Vielen wurde die Todesstrafe vollzogen. Der Hauptschauplatz der Wirksamkeit der Wiedertäufer war die Stadt Münster in Westphalen, wo sie ein neues sichtbares Reich Christi auf Erden stiften wollten. Der Fanatismus stieg hier durch Johann von Leyden und Andere auf das Höchste und führte die wildeste Zerstörung herbei, vor der sogar die Kirchen nicht verschont blieben. Am 24. Juni 1535 ward die Stadt eingenommen und dem Reiche der Wiedertäufer durch die Hinrichtung ihrer Häuptlinge ein Ende gemacht. Indessen war die Bewegung dadurch nicht unterdrückt und manche fielen noch in späterer Zeit als Märtyrer (s. Mennoniten, Remonstranten).

Taufzeugen, Pathen, wurden schon in den ältern Zeiten der Kirche den Täuflingen beigegeben, theils um an der Stelle des Täuflings die an denselben gerichteten Fragen zu beantworten, theils um die religiöse Ausbildung desselben zu überwachen. Bei Kindern waren anfangs die Aeltern Taufzeugen; auch nahm man nur einen Pathen zur Taufe. Das Eintragen derselben in die Kirchenbücher fand schon zeitig statt, da man später zwischen Täufling und Pathen ein Verhältniß annahm, welches die Schließung einer Ehe zwischen beiden hindere. In gegenwärtiger Zeit hat das Pathenwesen fast seine ganze Bedeutung verloren (s. Taufe).

Tauschhandel, auch Barattohandel, ist der Handel mittelst Waaren gegen Waaren. Je mehr die Kenntniß des Geldes unter die Völker drang, um so mehr verlor sich der T., bis er in der neueren Zeit fast ganz verschwunden ist.

Tausendjähriges Reich, Chiliasmus. Aus den messianischen Hoffnungen der Juden ging die Meinung hervor, daß der Messias (s. d.) auf Erden ein Reich stiften würde, welches eine Chiliade, d. h. tausend Jahr dauern, würde. Der Glaube an ein goldenes Zeitalter, welcher im Alterthum herrschte, verbreitete diese Ansicht noch mehr, welche auch unter den Christen Anklang fand, da eine Weissagung in der Offenbarung des Johannes (K. 20, 21) dieselbe zu bestätigen schien. Selbst große Kirchenlehrer gaben sich dem Glauben an die Gründung eines solchen Reiches hin, welches sie in Verbindung mit dem Sturz des römischen Reiches brachten. Die Anhänger und Verbreiter dieser Träumereien wurden Chiliasten, die Lehre selbst Chiliasmus genannt. Die Kirche trat gegen denselben auf; im Jahre 1000 n. Chr. erwartete man bestimmt den Anfang des tausendjährigen Reiches durch Anbruch des „jüngsten Tages." Auch nach der Reformation fand der Chiliasmus noch seine Anhänger, namentlich unter den Mystikern, Quietisten (s. d.). Noch bis in die neueste Zeit herein hat es nicht an Berechnungen gefehlt, welche Tag und Stunde von der Erscheinung des t. R. festsetzten. Der berühmte Theolog Bengel setzte den Anfang desselben in das Jahr 1846. Für das Volk tritt das „tausendjährige Reich" das „goldene Zeitalter" erst dann ein, wenn seine Rechte und Freiheiten anerkannt und geachtet werden.

Taxation heißt die Schätzung oder Werthbestimmung einer zum Verkauf oder zum Austausch bestimmten Sache, besonders in dem Falle, wenn der Verkauf oder Tausch gerichtlich geschehen soll. Vom Staate sind daher Personen als Taxatoren bestellt worden, welche als Sachkundige eidlich verpflichtet werden.

Technologie s. Gewerbekunde.

Telegraphie, Fernschreibekunst. Die Erfindung der T. verliert sich in das grauestee Alterthum, da man sehr frühzeitig die Nothwendigkeit fühlte, sich aus der Ferne durch gewisse Zeichen verständigen zu müssen. Die ersten, rohen Anfänge der T. finden sich bei den Trojanern, Griechen und Römern. Sie bestanden theils aus

Feuersignalen, theils befestigte man Balken oder andere erkennbare Gegenstände an Bäume; man richtete auch Postenketten ein. Außer diesen rohen Versuchen finden wir später keine Spur der Vervollkommnung, bis 1633 der Marquis von Worcester und 1660 der Franzose Amontons den Anfang zu einem System der Fernschreibekunst machten. Die erste telegraphische Maschine stellte der Engländer Rob. Hook 1684 auf. Doch blieben die Versuche hinter den Erwartungen zurück, bis 1789 der Franzose Chappe ein neues System erfand. Er stellte mit Unterstützung der Nationalversammlung 1793 die erste telegraphische Linie von Paris nach Lille her. Dieser Chappe'sche Telegraph fand nun mit den nöthigen Verbesserungen die größte Ausbreitung und ist im Wesentlichen derselbe geblieben, bis er in der neuesten Zeit durch den elektromagnetischen Telegraphen verdrängt wurde, dessen Schnelligkeit an das Wunderbare grenzt. Hierzu kommt noch, daß er des Nachts ebenfalls benutzt werden kann und von keinen Witterungsverhältnissen abhängig ist. Die bis jetzt schon sehr häufig angebrachte Einrichtung elektromagnetischer Telegraphen ist für den Staat von ungemein wichtigen Folgen; eben so auch für den Handel, das Gewerbeleben und das Publikum überhaupt, da die verschiedenen Regierungen demselben den Gebrauch des Telegraphen gestatten.

Tempelherren s. geistliche Orden und Orden.

Termin wird in der Rechtssprache eine bestimmte Zeit genannt, zu welcher Etwas geschehen soll. Man versteht darunter einen zu einer bestimmten Handlung festgesetzten Tag, einen Zeitabschnitt, in welchem oft eine ganze Reihe Verhandlungen vorgenommen werden sollen. Einen solchen Zeitabschnitt nennt man aber jetzt gewöhnlich das „Verfahren," d. h. den Schneckengang der Schreibstubenherrschaft, auf welchem allerdings die Sache des Klägers oder Beklagten sehr oft „verfahren" wird. Wer in einem Termin nicht erscheint, wird wegen Ungehorsams („in contumaciam") verurtheilt, wobei ihn mancherlei Rechtsnachtheile treffen. Peremtorisch wird ein T. genannt, nach dessen Ablauf Etwas nicht mehr zugelassen wird.

Terminanten waren eine Gattung der Bettelmönche; s. Mönche.

Terrain, ein Ausdruck der Militärsprache, bezeichnet einen Theil der Erdoberfläche, welcher zu Kriegszwecken benutzt werden soll. Es kommen hier alle Dinge in Betracht, welche auf den Marsch, die Aufstellung und das Gefecht der Truppen Einfluß haben. Man spricht von einem offenen T., wenn die Aussicht nach allen Seiten frei ist; von einem bedeckten, wenn dies nicht der Fall ist. Sind für die Truppen keine Hindernisse im Wege, so ist das T. eben; ist aber dasselbe gebirgig, hügelig, waldig, so nennt man es durchschnitten, coupirt; s. Militärkarten; Situationszeichen.

Territorialpolitik wird im allgemeinen Sinne die Politik genannt, welche auf Erhalten, Vereinigen, Erweitern und Abrunden des Staates gerichtet ist. Im besonderen Sinne bezeichnete man damit sowohl die auf Erwerbung einer Haus- und Erbmacht gerichteten Bestrebungen der deutschen Wahlkönige, theils das Streben der deutschen Landesherren nach voller Abhängigkeit in ihrem Gebiet vom Reiche.

Territorialreceß von Frankfurt (Generalreceß der zu Frankfurt versammelt gewesenen Territorialcommission). Der Pariser Friede von 1814 und die Schlußacte des Wiener Congresses 1815 ordneten bekanntlich die europäischen völkerrechtlichen Verhältnisse, den Länderbesitz und anderweite Verhältnisse der verschiedenen Staaten. Diese großen europäischen Verträge, so wie der zweite Pariser Friede von 1815 machten für eine Anzahl Verhältnisse weitere Bestimmungen nöthig. Zu diesem Zwecke wurden von 1815 bis 1819 zwischen den einzelnen Regierungen viele Verträge abgeschlossen. Diese sollten aber in einem gemeinschaftlichen europäischen Grundvertrag vereinigt werden; um daher diesen Zweck zu erreichen und auf friedlichem Wege die noch mangelnden näheren Bestimmungen nachzutragen, wurde auf Beschluß von England, Rußland, Oesterreich und Preußen auf dem Congreß

zu Aachen (ſ. Congreß) Bevollmächtigte zu einer Territorialcommiſſion nach
Frankfurt ernannt. Das Werk derſelben war der „Recez général de la Commission territoriale, rassemblée à Francfort en date de 20 Juillet 1819", dem
auch Frankreich ſpäter beitrat. In dieſem Recez ſind nun alle völkerrechtlichen Be-
ſitzrechte und Anſprüche der deutſchen und europäiſchen Staaten und Fürſten enthalten, und dieſer Territorialreceß wurde mit der Wiener Schlußacte vom 20.
Nov. 1818 die wichtigſte allgemeine Grundlage des neuen europäiſchen Völkerrechts.
Natürlich nehmen die „europäiſchen Großmächte" dabei die Oberleitung über die kleineren in die Hand.

Territorialſyſtem nennt man die Anſicht, nach welcher die Kirche dem Staate
vollſtändig untergeordnet iſt, ſo daß das Staatsoberhaupt nicht blos Beſchützer und
weltliches Oberhaupt der Kirche iſt, ſondern als ſolches auch mit der höchſten kirchlichen Gewalt bekleidet wird. Die Kirche . ſteht dann auch hinſichtlich ihrer inneren
Einrichtungen unter dem Staate, und ſie wird „die dienende Magd deſſelben," wozu
wenigſtens die proteſtantiſche Kirche hier und da herabgeſunken iſt.

Territorium, Staatsgebiet, iſt ein Strich Landes, welchen ein Volk oder
ein Völkerſtamm im Verhältniß zu andern Völkern oder Stämmen ausſchließlich einnimmt, alſo ein Landſtrich, welcher der Regierung eines gewiſſen Herrſchers unterworfen iſt. Das Staatsgebiet iſt als dingliche Vorausſetzung ſeiner Exiſtenz für den
Begriff des Staates ein eben ſo wichtiges Moment, als das Volk. Es kann daher
kein Volk in die Reihe der Staaten eintreten, welches ſich nicht ein ausſchließliches Gebiet erworben hat. Jedes Staatsgebiet ſollte eigentlich ein geſchloſſenes ſein (territorium clausum), denn nur da, wo dies der Fall iſt, kann die Staatsgewalt mit der
nöthigen Kraft handeln und den Anforderungen des Volkes entſprechen. Im Mittelalter gab es auch nicht geſchloſſene Territorien, d. h. Länder, in welchen die
Staatsgewalt eines Herrſchers nicht allenthalben, noch auch in einem größeren Theile
anerkannt war, ſondern wo eine Anzahl verſchiedener Herrſchaften ſich durchkreuzten.
So z. B. war Oberitalien (Lombardei) zur Zeit der deutſchen Kaiſers ein nicht geſchloſſenes T. in Bezug auf die Herrſchaft der deutſchen Kaiſer, da ihre Staatsgewalt nur noch in einzelnen Gegenden von einzelnen Fürſten anerkannt wurde. Die
Wiener Congreßacte vom 9. Juni 1815 ordnete die Territorialverhältniſſe
der europäiſchen Staaten; für die deutſchen Staaten ſorgte der frankfurter Territorial-
congreß im Jahre 1819. Doch iſt auch hier noch manche Ausnahme von den allgemeinen Beſtimmungen geblieben; ſo der Antheil Baierns an der Rheinpfalz. Hierzu trugen beſonders die zahlreichen Säculariſationen (ſ. d.) geiſtlicher Territorien bei,
womit man eigentlich ſchon nach dem Anfang der Reformation den Anfang machte
und fortgefahren war, bis der Lüneviller Friede 1801 die Säculariſation aller noch
übrigen geiſtlichen Territorien ausſprach, um dadurch die weltlichen Fürſten zu ent-
ſchädigen, welche durch die Abtretung des linken Rheinufers an Frankreich Verluſte
erlitten hatten. Durch die Rheinbundsacte, 12. Juli 1806, wurden noch mehrere deutſche Territorien vereinigt, indem nicht nur die Gebiete der reichsfreien Ritterſchaft, ſondern auch viele Territorien fürſtlicher und gräflicher Geſchlechter ein Opfer
der damaligen Politik wurden und mit dem Verluſte ihrer Landeshoheit andern größeren Fürſtenhäuſern einverleibt wurden. Auf dieſe Weiſe ſind auch alle übrigen großen Staaten Europa's entſtanden. Früher ſelbſtſtändige Territorien können in verſchiedene Verbindungen kommen: 1) durch Perſonalunion, wenn nämlich zwei an
ſich ſelbſtſtändig verbundene Territorien nur dadurch verbunden ſind, daß man nach dem
in jedem derſelben geltenden Succeſſionsgeſetze durch zufällige Uebereinſtimmung derſelben die nämliche Perſon zur Regierung in beiden Staaten berufen wird. In einem
ſolchen Falle behalten beide Territorien ihre volle politiſche Unabhängigkeit von einander, und die Verbindung unter einem Herrſcher iſt meiſt nur vorübergehend und
löſt ſich von ſelbſt in dem Augenblicke wieder auf, wo durch eine Abweichung der

Successionsordnung verschiedene Personen in den einzelnen Gebieten zur Thronfolge berufen werden; 2) durch Reunion können ebenfalls früher selbstständige Territorien in Verbindung kommen. Die Reunion findet statt, wenn die Person, welche durch das Thronfolgegesetz des einen Landes zur Regierung berufen ist, eben darum von Rechtswegen auch zur Regierung eines andern selbstständigen Landes berufen ist. Bei solchen Verbindungen erscheint das Land, dessen Thronsuccessionsgesetz maßgebend ist, als das Hauptland, die übrigen aber als Nebenländer ohne Rücksicht auf etwaige Verschiedenheit der Größe der einzelnen Länder; 3) durch Incorporation. Diese ist eine weitere Entwickelung der Reunion, zu welcher diese im Laufe der Zeit naturgemäß fortschreitet. Incorporation tritt dann ein, wenn für die vereinigten Gebiete nicht nur ein und dasselbe Thronsuccessionsgesetz, sondern auch ein und dasselbe politische Grundgesetz und somit dieselbe politische Verfassung besteht, so daß, wenn letztere eine repräsentative ist, für sämmtliche Länder auch nur eine einzige Repräsentation vorhanden ist, wornach also hier die Unterscheidung von Haupt- und Nebenländern wegfällt. Incorporationen pflegen nur da von Bestand und bleibendem Vortheil zu sein, wo sich in den incorporirten Provinzen keine streng und feindlich ausgeprägten Gegensätze verschiedener Nationalitäten und religiöser Confessionen finden, und es der Staatsregierung möglich ist, die sich leicht erzeugende Meinung zu besiegen, als wenn, der Incorporation ungeachtet, dafür zum Vortheil und Interesse eines einzelnen bevorzugten Landes regiert wurde. In einem Staate, dessen Organisation auf vernünftigen Principien beruhen will, muß für das Staatsgebiet eine dreifache Qualification in Anspruch genommen werden: 1) der Charakter der Freiheit; 2) der Charakter der Untheilbarkeit und 3) der der Unveräußerlichkeit. Unter der Freiheit des Staatsgebietes versteht man die Unabhängigkeit desselben von einer fremden Staatsgewalt, welche als die Folge der Souverainetät selbst erscheint. Zur Zeit des deutschen Reiches wurden die meisten deutschen Staaten hinsichtlich ihrer Freiheit dadurch beschränkt, daß sie Feudal, d. h. in Lehnsabhängigkeit von Kaiser und Reich, oder auch von einem andern Reichsstande waren. Mit der Auflösung des deutschen Reiches hat aber die Feudalität in Bezug auf sämmtliche souverain gewordene Staaten, aufgehört, so daß jetzt der Grundsatz der Freiheit der deutschen Staatsgebiete durchaus anerkannt ist. Das Gleiche ist der Fall hinsichtlich der Unveräußerlichkeit, indem durch die meisten Verfassungen bestimmt ist, daß eine Abtretung des Landes oder von Landestheilen an einen auswärtigen Souverain nicht ohne Zustimmung der Landstände geschehen darf. Art. 6 der Wiener Ministerialconferenzen (1820) bestimmt noch, daß kein dem deutschen Bund einverleibtes Gebiet ohne dessen Zustimmung an einen nicht zum deutschen Bunde gehörigen Staat veräußert werden dürfe. — Da der Wirkungskreis der Staatsgewalt sich mit dem Territorium in räumlicher Beziehung bestimmt, und die Staatsgewalt alle Sachen und Personen innerhalb der Landesgrenzen ohne Ausnahme beherrscht, so liegt in dem Begriff des T. auch zugleich die Regel für die praktische Umfangsbestimmung für die Staatsgewalt selbst, nämlich das sogenannte Territorialprincip, welches in der Formel enthalten ist: „Was sich in dem T. befindet, gehört zu dem T." („Quiquid est in territorio est de territorio"). Hieraus, und weil kein Staat ohne T. gedacht werden kann und jeder Staat nur durch sein T. besteht, ergiebt sich die weitere Bedeutung des Territorialprincips. Der Grund, aus welchem ein Herrscher einen gewissen Staat wirklich regiert und regieren kann, ist der Besitz des T.; mit der Erwerbung desselben ist stets die Souverainetät und Staatsregierung erworben; mit dem Verluste des T. geht die Souverainetät und Regierung verloren. — Die Befugnisse nun, welche der Staatsgewalt in Bezug auf das Staatsgebiet zukommen, bilden in ihrer Gesammtheit den Begriff der Territorialhoheit, Landes- oder Gebietshoheit, welche als eins der wesentlichsten Hoheitsrechte (s. d.) anzusehen ist. Diese Territorialhoheit ist aber nicht etwa als ein Eigenthumsrecht der Staatsgewalt oder des Souverains an Grund und Bo-

20*

ben anzusehen, sondern sie muß als ein politisches Recht, d. h. als der Inbegriff der gesetzgebenden und vollziehenden Gewalt des Staates in Bezug auf das Land, als der dinglichen Grundlage des gesammten Staatenvereins aufgefaßt werden. Die Territorialhoheit begreift daher die Berechtigungen der Staatsgewalt, die Bedingungen vorzuzeichnen und zu handhaben, unter welchen sie den Eintritt und den Aufenthalt in dem Staatsgebiet gestatten will, so wie das Recht, alle Personen, welche sich nur mit

halten, daraus beliebig und ohne Angabe von Gründen wieder hinwegzuweisen; eben so auch das Recht, einem jeden Fremden, welchen die Regierung aufgenommen oder

Fälle eine besondere Verpflichtung auferlegt ist. In der Territorialhoheit liegt auch die Befugniß des Staates, die Bedingungen des Erwerbes und der Ausübung von Eigenthums- und anderen dinglichen Rechten an beweglichen und unbeweglichen Sachen zu bestimmen, so wie auch dem Verkehr Sachen ganz zu entziehen oder ihnen eine besondere Heiligkeit beizulegen, weshalb solche Gegenstände auch befriedigte Sachen geausländische Gerichtsbarkeit von der Einwirkung auf und in das Territorium auszuschließen. Sie umfaßt daher auch noch 1) das Recht, allen gegen einen Inländer im Auslande ergangenen Urtheilen im Inlande die Vollziehbarkeit (das Exequatur) zu versagen, wenn nicht diese Berechtigung durch Verträge beschränkt ist; 2) das Recht, jedem Ausländer, welcher Grundstücke in dem Staate besitzt, hinsichtlich der darauf bezüglichen Klagen für verpflichtet zu erklären, sich den Gerichten des Inlandes zu unterwerfen und vor denselben seinen Gerichtsstand anzuerkennen; 3) das Recht, den intreffen, nur nach dem Rechte des Inlandes, unter dessen Jurisdiction sie liegen, sprechen sollen. Verschiedene ältere Ausflüsse der Territorialhoheit, wie Abschoß (s. d.), sind zum Theil durch die neuere Gesetzgebung in Wegfall gekommen.   *F.*

Terrorismus s. Schreckensherrschaft.

land ein Gesetz genann   arlament gab, um das Einschleichen der Katholiken in öffentliche Aemter zu verhindern. Jeder öffentliche Beamte mußte nach der Testacte noch einen besonderen Schwur, außer seinen Amtseiden, leisten und unterschreiben, daß er nicht an die Lehre von der Transsubstantiation (s. d.) oder von der Verwandlung des Brotes und Weines im Abendmahl in den Leib und das Blut Christi glaube. Dieser Eid wurde später nur noch von Mitgliedern des Parlaments geleistet, und 1828 gänzlich abgeschafft, weil dadurch der beabsichtigten Emancipation der Katholiken (s. d.) Eintrag geschah.

Testament, letzter Wille. Bei nicht vollständig ausgebildetem Rechtssinne will es nicht einleuchten, daß der Mensch das Recht habe, auch über seinen Tod hinaus zu verfügen, wie es nach demselben mit seinem Eigenthume gehalten werden solle. Die Völker einer älteren Zeit schränkten daher das Recht der Verfügung über den Nachlaß ein, und erschwerten es auch durch Förmlichkeiten, welche den Zweck hatten, dahin zu wirken, daß jene Verfügungen nur mit Bewilligung der Volksgemeinde geschehe. Die zwölf Tafeln der römischen Gesetzgebung ertheilten zwar jenes Verfügungsrecht jedem Bürger; nach der ältesten Form der T. aber mußte der letzte Wille entweder in einer Volksversammlung oder in einer Zusammenkunft der zum Krieg Ausziehenden erklärt werden. Die Germanen räumten das Recht der letztwilligen Verwilligung nur dem freien und noch körperlich kräftigen Manne ein, welcher nach dem alten Worte „ungehabt und ungestabt" erscheinen konnte; auch durfte dieses Recht nur in der Gemeindeversammlung ausgeübt werden. Beschränkungen dieses Rechts fanden fast bei allen Völkern statt; in Rom durften die Fremden kein Testament errichten, was auch in Frankreich bis zur Revolution der Fall war; eben so waren in Deutschland die Unfreien davon ausgeschlossen, so wie auch die Freien keine Verfügung über Stammgüter treffen durften. Die neuere Gesetzgebung hat diese Beschränkungen fast alle abgeschafft; nur zum Vortheil gewisser naher Anverwandten (s. Notherbe) bestehen sie noch. Wer die Mündigkeit (s. d.), d. h. hier sein 14. Lebensjahr erreicht hat, kann, wenn sonst keine gesetzlichen Hindernisse entgegen stehen, über sein volles Eigenthum verfügen. Im Rechte der Römer hing, wie zum Theil bei den Juden, die Lehre von dem letzten Willen mit der Religion und den ältesten Grundlagen des Staatslebens innig zusammen; darnach mußte ein Testament z. B. stets den ganzen Nachlaß umfassen, was in den neueren Gesetzgebungen aufgehoben worden ist. In der Hauptsache aber sind in der Gesetzgebung über Testamente die Grundzüge des römischen Rechts beibehalten worden und somit in das gemeine Recht übergegangen, wie es denn auch zum Theil in die englische Gesetzgebung übergegangen ist. In Deutschland ist es allerdings durch einzelne Landesgesetze abgeändert worden, hat aber in seinen hauptsächlichsten eigenthümlichen Bestimmungen noch volle Geltung. Die Hauptgrundsätze sind diese. Die Form der römischen Testamente hat noch Zeichen ihres Ursprungs an sich. Die feierliche und öffentliche Uebertragung des gesammten Vermögens wird zum Grunde gelegt, wenn ein Anderer als Erbe in die Rechte und Pflichten des Erblassers eintreten soll, so weit derselbe darüber verfügen kann. Es muß diese Willensmeinung vor sieben ausdrücklich für diesen Zweck erbetenen Zeugen geschehen. Vor diesen muß der Vollstrecker des Testamentes entweder seinen Willen mündlich erklären, oder eine von ihm darüber ausgestellte und unterschriebene Urkunde übergeben, welche dann von sämmtlichen Zeugen unterschrieben wird. Die Ermangelung dieser äußeren Förmlichkeiten macht ein Testament ungültig. Die inneren Förmlichkeiten bestehen in der Einsetzung eines Erben und namentlich auch des Notherben (s. d.); im Enterbungsfalle aber ausdrücklich die Erklärung der Enterbung. Durch die gänzliche Uebergehung eines Notherben oder durch die gesetzwidrige Enterbung eines solchen verliert das T. seine Gültigkeit; auch ist die nach Abfassung des T. erfolgte Geburt eines Notherben einer Zurücknahme desselben gleich. Wenn in einem T. ein mit dem Pflichttheil (s. d.) Berechtigter übergangen wird, so kann gegen das T. auf Herausgabe des Pflichttheiles geklagt werden. Wird einem Testator das Recht des Testirens gesetzlich entzogen, so tritt das T. außer Kraft, was auch geschieht, wenn der eingesetzte Erbe aus irgend einem Grund in Wegfall gekommen ist, ohne daß ein anderer an seine Stelle getreten war. Von äußeren Förmlichkeiten waren schon in den früheren Zeiten gewisse Personen befreit, wenn sie ein T. abfaßten; so z. B. die Soldaten; T. auf dem Lande erforderten nur fünf Zeugen; Testamente bei einer ansteckenden Krankheit oder von Reisenden errichtet bedürfen auch weniger Förmlichkeiten. Diese sind auch nicht nöthig, wenn Eltern nur ihre Kinder als Erben einsetzen; es bedarf dazu nur des Einschreibens der Namen in die Verordnung. — Die neuere Gesetzgebung hat an diesen Formen allerdings Manches abgeändert, doch werden sie in der Hauptsache in den meisten deutschen Ländern noch beobachtet. Im Mittelalter zogen die geistlichen Gerichte die T. an sich, indem man angab, das T. handle von dem Zustande nach dem Tode, gehöre also in den Bereich der Kirche! Natürlich suchten die besorgten Kirchenobern bei den Testamentsvollstreckern Einfluß zu gewinnen und ihren Kirchen Legate zu verschaffen. Man brachte es auch dahin, daß T. zu Gunsten einer Kirche von allen Förmlichkeiten befreit wurden. Die Testamentsvollstreckung ist in vielen Orten noch beibehalten, obschon sie nicht mehr als „gemeines Recht" gilt. In Sachsen hat ein T. Geltung, wenn es an Gerichtsstelle, oder dem Richter außerhalb derselben im Beisein eines Schöppen (s. d.) übergeben wird. — Ein T. kann nach den Bestimmungen des römischen Rechts stets widerrufen werden, und kann sich Niemand dieses Rechtes begeben. Die gerichtlichen Bestimmungen sind aber hierüber verschieden; nach gemei-

nem Rechte wird die Zurückforderung des T. aus der gerichtlichen Verwahrung nicht
als Zurücknahme angesehen, wie z. B. in Sachsen, wenn nicht die Absicht, es zu
entkräften, durch äußere Zeichen klar wird, wie z. B. durch das Abreißen der Siegel.
Die neueren Gesetzgebungen fordern übrigens zu einer blos mündlichen Zurücknahme
des T. die nämlichen Formalitäten, wie bei Errichtung desselben. — Wenn außer der
eigentlichen Willensbestimmung über das Hauptvermögen noch andere Bestimmungen
über Vermächtnisse ꝛc. getroffen werden, so geschieht dies in dem Codicill, welches
neben dem T. aber auch ohne ein solches errichtet werden kann. Es ist sehr zu rathen, jedem T. die sogen. Codicillclausel hinzuzufügen, daß es, wenn auch nicht als
T., doch als Codicill gelten solle.   **W.**

Teufelsmauer heißt in der Volkssprache ein Theil der Reste, welche sich an
der Mauer oder Befestigungslinie erhalten haben, durch welche die Römer ihre Besitzungen in Germanien zwischen Rhein und Donau gegen die noch freien germanischen Völkerstämme gesichert hatten. Diese Mauer zog sich wahrscheinlich von Köln
nach dem Taunus, über den Main bis zur Donau. Im 3. Jahrhundert nach Chr. G.
wurde sie durch die Germanen zerstört. Die bedeutendsten Reste der T., auch Rö-
merstraße oder Schweingraben genannt, finden sich in Baiern, in der Gegend von
Ellingen.

Thatbestand (corpus delicti) nennt man im Criminalrechte diejenigen äußeren
thatsächlichen Merkmale, welche zur Feststellung des Begriffs von einem Verbrechen
gehören. Der Tod eines Menschen, die Entwendung einer Sache aus dem Besitz ꝛc.
bilden den Thatbestand. Oft sind die Merkmale bei den verbrecherischen Handlungen
an den hinterlassenen Spuren bemerkbar, so z. B. die einem Menschen zugefügten
körperlichen Verletzungen, geschriebene oder gedruckte Reden. Jeder Criminalproceß
muß daher von dem gehörig festzustellenden Thatbestand ausgehen, denn dieser bildet
die Unterlage. Ein Geständniß kann den gänzlichen Mangel des Thatbestandes nicht
ersetzen. Wenn daher der T. nicht durch unmittelbare Anschauung auszumitteln ist,
der Gegenstand, an dem das Verbrechen verrichtet wurde, vielleicht vernichtet ist, so
muß man durch andere Umstände das Verbrechen zur Gewißheit machen, ohne welche
eine Verurtheilung nicht statt finden kann. Oft muß zur Ermittelung des T. die
Staatsarzneikunde (s. d. und Medicinalpolizei) die Hand bieten.

Thatsache nennt man Alles, was als Geschehenes oder Gegenwärtiges durch
äußere oder innere Wahrnehmung erhärtet werden kann. Thatsachen sind nicht, wie
Gedanken, ein Gegenstand des Streites; sie müssen anerkannt werden, der Streit kann
nur darüber entstehen, ob etwas geschehen ist, oder nicht. Die Erfahrung über etwas Geschehenes ist entweder eigne oder fremde; auf dieser beruht der sogen. Zeugenbeweis. — In der Rechtssprache wird T. die materielle Grundlage eines Rechtsstreites oder eines richterlichen Urtels genannt. Werden die T. von der andern Seite
nicht zugestanden, so entsteht eine doppelte Richtung des Rechtsstreites: die Thatfrage
(quaestio facti) und die Rechtsfrage (quaestio juris). Zuerst muß die Thatfrage
entschieden werden, da von ihr die Rechtsfrage abhängt. T. aber, welche auf rechtliche Entscheidungen keinen Einfluß haben, werden als unerheblich zurückgewiesen.
Will man eine T. für sie anführen, so muß man sie beweisen, wenn sie nicht notorisch (s. d.) sind.

Theater und dramatische Dichtkunst in ihrem Verhältniß zum Staate. Insofern die dramatische Dichtkunst den Zweck hat, irgend eine sittliche Idee zur Anschauung oder Geltung zu bringen, steht sie auch mit dem Staate in enger Verbindung,
indem derselbe auch im Dienst einer sittlichen Idee steht. Das Drama ist seinem
Wesen nach unstreitig die vollendetste und reifste Form der Dichtkunst, wie die dramatische Dichtkunst bei den Völkern auch immer am spätesten erschienen ist. Das
Heldengedicht, das Epos, die Gefühlsdichtkunst, die Lyrik gingen stets der dramatischen
Dichtkunst voran. Diese verwandelt den vergangenen Gegenstand des Heldengedichtes

in eine gegenwärtige Darstellung, wozu sie die Gefühlspoesie als eine Darstellung
des innern Lebens benutzt. Im Drama kommt die freie Persönlichkeit des Men=
schen eben so zu ihrem Rechte, wie die außer ihm liegende Macht des Schicksals.
Durch die Verbindung beider entsteht eben die dramatische Poesie, welche ihre äußere
Darstellung durch die Kunst auf dem Theater erhält. In der dramatischen Poesie
herrscht eben sowohl der selbstbewußte, aus sich die Verhältnisse gestaltende Menschen=
geist, als der hieraus hervorgegangene allgemeine Geist; im Drama erzeugt sich der
Mensch selbstthätig eine Welt; die sittliche Ordnung wird durch ihn geschaffen.
Darum ist auch das Drama ein Abbild alles geschichtlichen Lebens und
aller Entwickelung. Das Drama hebt den geschichtlichen Geist in seiner Rein=
heit heraus und bringt ihn zu einem erschöpfenden Ausdruck. In diesem Gedanken
liegt die eigentliche Schwerkraft der dramatischen Dichtungen und ihre große Bedeu=
tung für die Entwickelung der Menschheit, denn sie führen die Fäden der Handlung
bis zu den letzten Quellen des menschlichen Herzens zurück und stellen uns das Bild der sitt=
lichen Weltordnung in ihrer inneren Nothwendigkeit vor Augen. Das Drama grün=
det in uns und befestigt den Glauben an die Wahrheit der sittlichen Idee, welche sich
überall als unwiderstehliche Macht erhebt. — Allerdings haben wir in dem eben
Ausgesprochenen uns auf den Höhepunkt des Begriffs des Dramas gestellt, weil alle
Völker die dramatische Dichtkunst als die Blüthe ihrer dichterischen Kraft angesehen
haben. Den schlagendsten Beweis davon geben die Griechen; als Athen auf der
Spitze der edelsten und freiesten Bewegung, einer ausgebildeten Verfassung, eines öf=
fentlich bewegten Lebens stand, da bildete sich die dramatische Dichtkunst zu einer Höhe
aus, welche wir heute noch bewundern. Das demokratische Athen, in welchem sich
die freieste Regsamkeit aller Kräfte entfaltete, feierte in seinem Drama die höchsten
Thaten seines dichterischen Geistes. Calderon spiegelt uns in der edelsten Form
den ganzen sittlichen und politischen Zustand der spanischen Welt ab. Das sogen.
classische Trauerspiel der Franzosen ist nichts als ein Bild des Hofes und der Welt,
welche das Königthum um sich erbaut hatte. Noch tiefer ist dieser Zusammenhang
des geschichtlichen Geistes mit dem Drama bei Shakspeare und in den deutschen
Dramen unserer Zeit. Die Gährung, welche die französische Revolution im Volk
hervorgebracht hatte, spiegelte sich ab in Schillers herrlichen dramatischen Dichtun=
gen. Aus diesen Andeutungen geht klar der innige Zusammenhang des geschichtlichen
Geistes mit dem Drama hervor. Dieses erhält seinen lebendigsten und ergreifendsten
Ausdruck bekanntlich auf der Bühne, wo es auf die Gesammtheit des Volkes
wirkt und ein höchst bedeutendes Förderungsmittel seiner Bildung wird. Wie innig
der Zusammenhang der Bühne mit dem Leben sei, ist eben so unverkennbar, als es
auch den gefeiertesten deutschen Dichtern klar wurde, daß für die Bühne etwas Gro=
ßes, im Geiste der alten Welt, gethan werden müßte. Lessing, Schiller, Goethe
weihten ihrer Kräfte der Bühne und wollten sie zu einem Tempel der Nation
umgestalten. Doch, dies reichte nicht aus: die Wiederherstellung des Thea=
ters kann nicht Privatsache, es muß Volkssache werden, wie es die Organisation
eines freien Staates möglich macht. Unsere gegenwärtigen Staaten haben zwar
einen großen Kreis der Kunst und Wissenschaft in ihren Bereich gezogen, und sorgen
für die verschiedenen Institute derselben. Auch dem Theater ist eine solche Gunst
zu Theil geworden. Allein, einmal geht unter den schützenden Fittigen des absolut
monarchischen Staates nicht selten die Wahrheit der Wissenschaft und Kunst verloren;
wie man es erlebt hat, daß der Staat eine Hoftheologie erzogen hat, so hat er
auch in diesem Sinne Hoftheater erhalten. Die Unterstützung, welche der Staat
der dramatischen Dichtung und Kunst angedeihen läßt, ist nur ein Act der Gnade.
Das Theater erscheint am Hof als ein nur zur Belustigung und Ergötzung zugelas=
senes Institut, welches wegen der dem Fürsten verschafften Erheiterung unterstützt
wird, so lange dieses beliebt. Das Th. ist also eine Privatbelustigung, keineswegs

aber ein öffentliches von dem Nationalbewußtsein selbst als nothwendig und über das Belieben einer Person erhabenes Institut. Es steht noch als ein Fremdling jenseits des Staatsorganismus da, dem man zwar den Aufenthalt in dem Staate nicht versagt, dem man „polizeiliche Sicherheit" leistet, der auch nicht besorgen darf „ausgewiesen" zu werden, weil er theils unschädlich genug erscheint, theils indem er durch den augenblicklichen Genuß, welchen er gewährt, die Menge oft von ernsten Fragen abzieht. Diese Stellung aber des T. ist eine der Kunst unwürdige; die dramatische Kunst hat Anspruch darauf, in dem Hause des Staates als **freigebornes Kind** aufgenommen zu werden. Die Bühne muß also den zufälligen Platz verlassen und man muß ihr dafür einen berechtigten geben; das Theater muß aus dem Dienste der Fürsten, als Privatpersonen, in den Dienst des Staates übergehen und hier an der Verwirklichung des großen Zweckes ächter Humanität mitarbeiten. Dann wird die Bedeutung des T. der ähnlich werden, welche es einst bei den Griechen hatte. Auf die Frage: wer soll ein T. in solcher Bedeutung schaffen? können wir nur antworten: **die Dichtkunst muß es thun.** Dem Aufschwunge der dramatischen Dichtkunst wird und muß auch eine Umgestaltung der Bühne folgen. Die Geschichte giebt dafür Belege; der ungeheure Aufschwung, welchen die Poesie in Deutschland am Ende des vergangenen Jahrhunderts nahm, war nichts, als jenes gewaltige Hindrängen nach den Urquellen derselben, die Darstellung des Geistes, welcher durch die französische Umwälzung der bestehenden Verhältnisse hervorgerufen worden war. Die Poesie schuf das Theater; von den großen Dichtern bildeten sich große darstellende Künstler heran. Das andere, wodurch die Bühne gehoben werden kann, ist **ihre Einverleibung in den Staat,** dessen sie als Bildungsanstalt des Volkes werth und würdig ist.

steht und sich dem Volke gegenüber verantwortlich fühlt. Die Unterstützung, welche die Bühne bedarf, darf nicht mehr nach dem Belieben des Souverain eingeschränkt

Summe ausgeworfen werden. Die T. haben in ihrer bisherigen Laufbahn auch schon Fortschritte gemacht; ein solcher war es, als sie aus dem Wanderleben herausgingen und stehende Bühnen wurden. Gegenwärtig allerdings entspricht der Entwickelungsstufe des Staates, als absoluter Monarchie, die Stellung des T. als **Hoftheater.** Aus dieser Stellung kann es nur herausgehen, um Nationaltheater zu werden, welche Stellung dann dem freien Staate entspricht. 	B.

Theatiner sind regulirte Chorherren (s. d.), welche 1524 von dem Bischofe von Theate gestiftet wurden. In Italien ist ihr Orden noch sehr verbreitet und viel geltend; aus ihm werden meist die Bischöfe gewählt. Auch in Spanien und Polen ist er verbreitet.

Theilbarkeit des Bodens, Dismembration, Parcelliren, Güterzerschlagung, sind Ausdrücke, mit welchen man die Maßregeln bezeichnet, nach welchen geschlossene Güter zertheilt oder zerstückelt werden. Es ist noch ein Gegenstand des Streites, in wie weit die Freiheit der Dismembration den geschlossenen Gütern gegenüber in ihrem Rechte sei, oder in wie weit man dem Grund und Boden Theilbarkeit als für das Ganze wohlthätig zugestehen könne. Die Einen suchen das Heil in großen geschlossenen Gütern, die Andern in möglichster Parcellirung oder Dismembration derselben. Wenn der große Grundbesitz in Form einer Association bastände, so könnte er dem kleinen gegenüber nur als ein wohlthätiger begrüßt werden; so aber ist er das Eigenthum eines einzigen Großen zum Nachtheile der vielen Kleinen. Die Erfahrung hat zwar gelehrt, daß eine fortwährende Theilung des Bodens, und das Uebergehen der Theile desselben in die Hände immer wechselnder Besitzer für den Landbau des Staates nicht wünschenswerth sind; man darf aber auch nicht verkennen, daß die zunehmende Bevölkerung auf eine größere Vertheilung des Bodens hindrängt, daß die Geschlossenheit der Güter sich nicht mehr ohne Einführung einer ungleichen Erbfolge behaupten läßt, welche aber dem Zeitgeiste entschieden widerstrebt und das Proletariat (s. d.) ungeheuer vermehren wird; s. Gemeindegüter und Landwirthschaft.

Theilschilling s. Bauernlasten.

Theismus s. Deismus.

Theokratie s. Gottesherrschaft.

Theologie ist dem Wortlaute nach die Lehre von Gott. Bei den Griechen, von denen dieses Wort herstammt, bezeichnete es die Lehre über die Götter und ihr Verhältniß zur Welt. Die Gotteslehre oder Theologie hat bis jetzt zwei Hauptquellen gehabt: 1) den Deismus (s. d.), welcher als Polytheismus und Monotheismus (s. d.) sich kund gab, und 2) den Pantheismus (s. d.), welcher in den neueren philosophischen Schulen wieder aufgetaucht ist. In der christlichen Kirche kommt der Ausdruck T. erst seit dem 3. Jahrhundert vor; in seiner jetzigen Bedeutung als „Religionswissenschaft," d. h. gelehrte Darstellung der Religionslehren aber erst seit dem 14. Jahrhundert. Man unterscheidet verschiedene Arten der T.: eine populäre, volksthümliche; eine theoretische und praktische; die erstere enthält die Glaubens-, die andere die Sittenlehre. Wird die Wissenschaft von Gott nur aus der Vernunft und Natur geschöpft, so hat man eine philosophische, rationelle oder natürliche T. Das Gegentheil von ihr ist die positive, geoffenbarte T., welche ihren Stützpunkt in der Offenbarung hat. Jesus, als der Stifter des Christenthums, hat nichts weniger gewollt, als ein gelehrtes Glaubenssystem zu stiften, welches nur zu Streit und Zersplitterung Anlaß giebt. Sein Worte waren Geist und Leben; die Kirche machte aus denselben todte Buchstaben. Auch die Apostel, als die ersten Verkündiger der Lehre Jesu, stellten keine in sich zusammenhängende Glaubenslehre auf. Der Glaube an Gott und an die Lehre Jesu des Gottgesandten genügte zur Aufnahme in sein Reich. Erst im 3. Jahrhundert fingen einige Kirchenväter an, das apostolische Glaubensbekenntniß, den Glauben, von den Betrachtungen oder Speculationen darüber zu unterscheiden. Jenen Glauben erklärten sie für etwas Nothwendiges; das Nachdenken darüber, die Speculation, aber war frei. Als aber das Christenthum Staatsreligion geworden war, so entschieden die Kaiser die theologischen Streitigkeiten und wußten ihren Glaubensmeinungen Geltung zu verschaffen. Dieses war der Ursprung der positiven oder der Kirchentheologie, welche das größte Unglück über die Menschen gebracht hat. Es geschah dieses auf der Kirchenversammlung zu Nicäa, 325 n. Ch., wo der Lehrsatz über die Natur des Sohnes Gottes entschieden und die durchgesetzte Meinung zum bleibenden Glaubensartikel erhoben ward. Man ging nun auf dem einmal betretenen Wege weiter und schuf das ganze Heer der kirchlichen Lehrsätze, welche seit länger als tausend Jahren zu den erbittertsten, blutigsten Kämpfen Anlaß gegeben haben. Die Gotteslehre oder T. hörte nun auf Wissenschaft zu sein und wurde strenge Gesetzgebung, welcher zu widersprechen bald Gefahr und Tod brachte; eine solche erstarrte, gefrorne Gesetzgebung ist sie in der katholischen Kirche geblieben und in der protestantischen durch die symbolischen Bücher geworden. Allerdings fehlte es nicht an Kampf gegen diese unerhörte Anmaßung, gegen den Aufbau dieses Dammes, welcher die Entwickelung der Vernunft verhindern sollte; schon im Mittelalter bemächtigte sich die erwachte Philosophie der Theologie und machte auf das Widersprechende in vielen Lehrsätzen derselben aufmerksam. Die Mystiker wieder verschmähten das todte Formenwesen und drangen auf Einfachheit des Lebens und Glaubens. Die Reformation wollte über ihre Halbheit nicht hinaus gehen; sie wollte nun das Anstößige reformiren; die eigentliche Kirchenlehre galt ihr unantastbar; die Reformatoren machten die Autorität der Bibel zu ihrer Hauptstütze und wollten sich damit begnügen den Lehrbegriff bis in das 8. Jahrhundert zurückzuführen. Eine Abweichung von der alten Kirchenlehre aus jener Zeit war ihnen ein Greuel. Die Fürsten waren bald dahin gebracht, das Festhalten an solchen theologischen Gesetzen selbst durch bürgerliche Strafen zu erzwingen, die sich bei den kryptocalvinistischen Streitigkeiten bis zur größten Härte, ja bis zur Todesstrafe steigerten. Umsonst hatte man sich bemüht, die Vernunft zum Gehorsam zu zwingen! In den folgenden Jahrhunderten stieg man immer tiefer und tiefer mit der Leuchte der Wissenschaften in die dunkeln Räume der kirchlichen T. Es entstand eine kritische T., welche so manches wankend machte, was Jahrhunderte lang gestanden hatte. Die streng supernaturalistische T. konnte sich nur noch durch das strenge Festhalten an der Inspirationslehre halten; gefeierte T. schlugen leider die Maßregel der Halbheit und Schwäche ein, und schufen einen beschränkten Supernaturalismus, oder einen kritischen. Von dieser theologischen Denkart trennte sich endlich die rationalistische T., der Rationalismus, welcher eine unmittelbare unermittelte Offenbarung gänzlich verwirft. Unter diesen Kämpfen entstanden mehrere ganz neue theologische Wissenschaften: die Einleitung in das A. und N. Testament; die biblische T., die Dogmengeschichte; die Erklärung der heiligen Schrift, die Exegese, machte ungeahnte Fortschritte; das Leben Jesu wurde Gegenstand der tiefsten und glücklichsten Untersuchungen. Und so ist es denn in der Gegenwart dahin gekommen, daß die theologische Wissenschaft zu der Kirchenlehre oder T. im engern Sinne in einen Widerspruch gerathen ist, wie noch nie. Hierzu kommt aber noch, und das ist das Aergste, der Widerspruch mit den Gesetzen des bürgerlichen Staates. Was die gefeiertsten Lehrer der Wissenschaft nach tiefen, gewissenhaften Forschungen einträchtiglich lehren und als Wahrheit hinstellen, bestraft der Staat nach den einseitigsten, aller Willkür offenen Strafgesetzen. Was Tausende und über Tausende seit Jahrhunderten als wahr mit Leib und Leben vertheidigt haben, wofür sie Gut und Blut einsetzen, bestraft das Criminalgesetzbuch des Staates. Und die Folgen solchen unnatürlichen Widerspruches? Es sind die traurigsten, die es geben kann; das Heiligste im Menschen- wie im Staatenleben geht verloren, weil man die herausgebildete Vernunft nicht von den Fesseln des Buchstabenglaubens erlösen will. Leicht möglich, daß sie sich noch, wie schon da gewesen, selbst erlöst und es bald zum Heile der Menschheit nur noch Religion, aber keine — Staatstheologie mehr geben wird. B.

Theophilanthropen, auch Theanthropophilen, Freunde Gottes und der Menschen, wurde eine Religionsgesellschaft genannt, welche sich in Frankreich während der Revolution bildete, um durch das einfache Band der Gottes- und Menschenliebe die Gesellschaft für die Auflösung der christlichen Kirche zu entschädigen. Sie wurde 1795 gegründet; das Directorium erlaubte den T. den Gebrauch mehrerer Kirchen, welche den Priesterstand verwarfen und an dessen Stelle unbesoldete Gesellschaftsbeamte, Vorsteher, Vorleser setzte. Man feierte Natur-, Vaterlands- und Familienfeste und bildete der Taufe, Confirmation und Trauung ähnliche Handlungen nach. Die Gesellschaft gewann wenig durch Ausbreitung und verlor sich wieder, als ihr 1802 der Gebrauch der Kirchen durch die dem Katholicismus freundlichen Consuln wieder genommen ward.

Theorie, Staatspraxis und Staatstheorie. Wenn das Wort von Goethe: „Freund, grau ist alle Theorie" — von demselben Goethe, welcher im Jahre 1851 unschuldiger Weise dem preußischen Minister von Manteuffel Anlaß zu dem berüchtigten Kammerwitze von den „Lumpenhunden" gab — wenn jenes Wort Goethe's irgendwo zur vollen Wahrheit geworden ist, so ist dieses in der Staatskunst geschehen, denn hier ist die Theorie grau, wie nirgend anderswo. Im Staatsleben müssen Theorie und Praxis eng verbunden sein. Ohne die begeisternde Einwirkung der T. wird die Praxis zu einem leeren Formenwesen, empfängt ihre Richtung nur durch den Zufall, die Willkür und die engherzige Berechnung der nächsten Folgen. Ohne den Blick auf die Praxis ist aber auch die T. außer Stande, das Wesen der Dinge und Verhältnisse in ihrem wahren lebendigen Mittelpunkte zu ergreifen. Die

Praxis ist die wahre Vermittlerin zwischen der Wissenschaft, der T. und dem Leben. Wie die Praxis nicht die Schöpferin der Wissenschaft sein, sondern ihr nur den Stoff darbieten soll, so darf sich auch die T. nicht vom Leben entfernen, sondern muß sich in demselben entfalten und — was die Rechtswissenschaft betrifft, aus ihr ihre volksthümliche Richtung und bildende Kraft erhalten. Auf diese Weise entstand das römische Recht (s. d.) und bildete sich aus vor den Augen des Volks durch den Gebrauch, durch die Oeffentlichkeit der Gerichtsverfassung, durch die Theilnahme aller Gebildeten im Volke an seiner Entwickelung. Diesen Umständen verdankt das römische Recht seine großen Vorzüge, seinen weltgeschichtlichen Ruhm, daß es unter allen Rechtssystemen den höchsten Grad wissenschaftlicher Ausbildung erlangt hat. — In diesem Geiste muß auch unsere neuere Gesetzgebung entstehen; sie muß sich frei und öffentlich vor dem Volke entwickeln, nicht aber in der Heimlichkeit erzeugt, als Lebensunfähigkeitskind in die Welt treten. Dadurch wird der Rechtssinn im Volke untergraben, alle Theilnahme am Staate und seinem Wohle unterdrückt. Es ist wahrhaft kläglich, mit anzusehen, wie man hier und da die Formen, in denen sich ein Volk bewegen soll, gleich Scholaren nach den Regeln der „grauen" T. zuschneidet, ohne auch nur den geringsten Begriff vom wahren Leben und seinen Anforderungen zu haben. Daher ist es auch gekommen, daß das Volk solche Maßnahmen mit der kältesten Gleichgültigkeit an sich vorüber gehen läßt, und sie trägt, weil es sie eben für den Augenblick tragen muß. Halt aber und Dauer hat im Staatsleben nur das, was aus dem Volke, aus seinem wahren Bedürfniß hervorgegangen ist.　　　　　　　　　　　　　　　　　　　　　　　　　　**F.**

Theosophie, wörtlich anschauliche Kenntniß Gottes. Sie unterscheidet sich von der Theologie dadurch, daß die Lehrer der T. als Hochbegeisterte in ihren Forschungen über Gott die Grenzen der Vernunft zu übersteigen vorgeben. Die Theosophen, wie Jak. Böhme, Val. Weigel, Swedenborg und Andere, sind mehr oder weniger Schwärmer gewesen, obschon ein Hereinragen höherer Kräfte in die geistige Welt nicht unbedingt in Abrede zu stellen ist.

Thermen werden warme Bäder oder warme Quellen genannt. Bei den Römern waren mit den Bädern noch andere Anstalten, Musik-, Büchersäle, Spielplätze, Spaziergänge ꝛc. verbunden, was man unter dem Namen Thermen begriff. Natürlich wurden auch öffentlich für das Volk Bäder angelegt, während wir es kaum zu einer elenden kalten Badeanstalt gebracht haben, welche dem freien Zutritt geöffnet ist, allerdings oft der Menschen- und Thierwelt zugleich.

Thesis wird ein Satz genannt, welcher noch des Beweises bedarf. Gewöhnlich nennt man einen Satz so, welcher als Gegenstand eines sogen. gelehrten Streites aufgestellt wird. Am bekanntesten sind die Streitsätze oder Theses geworden, welche Luther an die Wittenberger Schloßkirche schlug und damit die Reformation begann.

Theuerung nennt man die außergewöhnliche Höhe der Preise einer Waare, besonders der ersten Lebensbedürfnisse. Die T. kann eine natürliche sein, wenn die Ursache dazu in Naturereignissen liegt; sie kann eine künstliche sein, wenn die Preise durch menschliche Maßregeln auf eine ungewöhnliche Höhe getrieben worden sind; sie kann auch entstehen durch Hemmungen des Verkehrs. In staatsrechtlicher Beziehung kommt hier Folgendes in Betracht. Was die Pflanze, das Thier und der Mensch zum Leben bedarf, giebt ihnen die Natur. Der Mensch muß aber Alles aufsuchen, sammeln und bereiten, was ihm unentbehrlich und nützlich ist. Der Wilde kann in Ueberfluß leben oder Mangel leiden, je nachdem die Jagd oder der Raub ergiebig war. T. und Wohlfeilheit sind ihm unbekannt, denn er kauft nicht und verkauft nicht. Mangel an Lebensbedürfnissen und Ueberfluß an denselben erscheint erst als T. und Wohlfeilheit dann, wenn sich die Begriffe von Volk, Staat, Eigenthum, Arbeit, Geld und Verkehr entwickelt haben und in die Wirklichkeit getreten sind. Der Begriff von

Theuerung beschränkt sich gegenwärtig fast nur auf die Nahrungsmittel; sie bezeichnet den Zustand, wo die Preise der unentbehrlichsten Lebensmittel so hoch stehen, daß der gewöhnliche Verdienst des Tages zur Anschaffung der ersten Nahrungsmittel für eine Familie nicht mehr hinreicht. Das Hauptnahrungsmittel bei uns ist das Getreide; hohe Preise desselben bekunden gewöhnlich den Zustand allgemeiner T. In weiterem Sinne ist der Preis eines jeden Gegenstandes theuer, wenn er über den mittleren Satz der Erzeugungskosten steigt, wohlfeil, wenn er unter denselben herabsinkt. Die sichersten Mittel gegen T. sind Beförderung und Erleichterung der Landwirthschaft, Herstellung und Unterhaltung guter Verkehrswege, freier Getreidehandel und Verhinderung aller Sperrungen. Die Anlegung von Magazinen scheint bei den ungeheueren Verkehrsmitteln der Gegenwart nicht mehr zweckmäßig.

Thierdienst, religiöse Verehrung gewisser Thiere fand man bei einigen Völkern des Alterthums, eben so wie Verehrung von Steinen und Pflanzen. Namentlich in Aegypten und im Morgenlande war der Thierdienst ausgebildet.

Thierquälerei, Mißhandlung der Thiere. Einer der vielen leuchtenden Sterne der länger als vier tausend Jahr alten mosaischen Gesetzgebung ist die gesetzliche Bestimmung derselben über das Ebenbild Gottes, oder des Menschen gegen die Thiere. Unbestritten sind diese Gesetze gegen Mißhandlung der Thiere die ältesten, welche das menschliche Geschlecht kennt, und zeugen eben so von der Weisheit als Humanität des Gesetzgebers. Mose verordnete (2. B. M. 20, 10), daß auch das Vieh an der Ruhe des Sabbaths Theil nehmen sollte. Er verbot das Castriren der Thiere (3, 22. 24) und verordnete, daß man bei Auffindung eines Vogelnestes und Wegnahme der Jungen die Mutter fliegen lassen sollte. Die übrigen Nachrichten über die Gesetzgebung der Alten enthalten keine Spur von Gesetzen, welche den Thieren Schutz gewährt hätten. Die römischen Gesetze enthalten zwar einige Verbote gegen die Mißhandlung gewisser Thiere, gehen aber dabei nicht von den Pflichten aus, die der Mensch gegen die Thiere zu beobachten hat, sondern von den Rücksichten, die man gegen den Besitzer der Thiere zu nehmen habe, damit diesem kein Nachtheil zugefügt werde. Ueber die Schonung des eigenen Thieres, welches nur als Rechtsobject betrachtet wird, findet sich keine Verordnung. Es ist dieses auch nicht zu verwundern, sondern leicht aus dem Schatten zu erklären, welcher in dieser Hinsicht auf dem geistigen und sittlichen Leben der Römer lagert. Die Männer, welche mit Vergnügen sich die Wettkämpfer, Gladiatoren, abschlachten ließen, welche mit Vergnügen den künstlich und grausam hervorgebrachten Thierkämpfen zusahen, konnten keine schonenden Gesetze für die Thiere geben. Die germanischen Völker behielten den Standpunkt des römischen Privatrechtes bei und betrachteten das Thier lediglich als Gegenstand des Eigenthums, dessen Verletzung mit Strafe bedroht wurde. Der Geist des Christenthums vermochte in der mittelalterlichen Barbarei, an der ja auch die Geistlichkeit Theil nahm, nichts gegen die grausame Behandlung der Thiere, welche namentlich bei der vorherrschenden Jagdlust ausgeübt ward und auch die Menschen hart und grausam machte. Man denke nur an die beispiellose Unmenschlichkeit, mit welcher zur Bestrafung nach Recht der Wilderer mit eisernem Bande an den Hirsch geschmiedet wurde, wodurch dem Menschen wie dem Thiere die fürchterlichste Qual bereitet ward. Doch, nicht nur Rechtsverletzungen sollen bestraft werden, auch grobe Verletzungen des dem menschlichen Herzen eingegrabenen Sittengesetzes. Wenn dieses ungestraft verhöhnt wird und werden darf, so geht die Menschheit ihrem Verfall entgegen. Im Jahre 1801 endlich stellte in England Lord Erskine, Mitglied des Oberhauses, einen Antrag, welcher die Aufschrift führte: „Menschlichkeit gegen Thiere" und ein Strafgesetz gegen die Mißhandlungen der Thiere beabsichtigte. Der edle Lord unterließ nicht, zur Unterstützung seines Antrages eine Menge der unerhörtesten Grausamkeiten zu erzählen, die er hatte gegen Thiere ausführen sehen. Der gefeierte Künstler Hogarth geißelte in seinen Kunstblättern die Thierquälerei auf das Empfindlichste; Alles umsonst! Erst unter Georg IV. und Wilhelm IV. (1835) wurden Gesetze gegen die Thierquälerei erlassen, welche sich sehr in das Einzelne erstreckten und sogar das Hungernlassen eigenthümlichen Viehes mit Strafe bedrohten. Das jüngste englische Gesetz vom 24. Aug. 1839 verfolgt auch die Veranstaltung von Thierkämpfen, die Vernachlässigung der Pflege des Viehes ꝛc. Die Gesellschaft hatte in England schon früher gegen die Mißhandlung der Thiere gewirkt, als die Gesetzgebung. Bereits 1824 hatte sich ein Verein zur Verhütung der Grausamkeit gegen Thiere gebildet. Uebrigens scheint schon längst ein Vorurtheil gegen T. in England vorhanden gewesen zu sein, denn ein altes Gesetz verbietet ausdrücklich den Fisch- und Geflügelhändlern, sowie den Metzgern den Zutritt zu den Schwurgerichten, weil man bei ihnen das menschliche Gefühl für abgestumpft hielt. In Frankreich scheint das natürliche Gefühl, der Volkscharakter, von jeher mehr vor Ausschreitungen gegen die Thiere bewahrt zu haben. Weniger gilt dieses von Italien und leider auch von Deutschland, wo es noch keine gemeinrechtliche Bestimmung gegen T. giebt und oft vor Aller Augen die empörendsten Quälereien von Zugthieren ꝛc. vorfallen. In den Kammern der deutschen Staaten wurde endlich in der neuesten Zeit die Stimme der Humanität nach und nach laut und brachte wenigstens hier und da einige Abhülfe zu Stande. Daß dieses in noch größerem Maßstabe geschehe, ist um so mehr zu wünschen, als die Menschenquälerei nicht ganz ohne Zusammenhang mit der T. ist. **B.**

Thomasschriften ist der Name einer Religionspartei auf der Küste Malabar in Ostindien; der Name stammt von dem Stifter derselben, Thomas Barsumus, Bischof von Edessa, im 5. Jahrh. n. Chr. Ihrem Glaubensbekenntnisse nach sind sie Nestorianer (s. d.) und haben die Hauptzüge ihrer Verfassung von den ältesten Christengemeinden entlehnt. Sie feiern die Liebesmahle, statten die Bräute von dem Kirchenvermögen aus und versorgen die Armen. Bei dem Abendmahl brauchen sie Brote mit Salz und Oel. Ihre Priester sind verheirathet; in den Kirchen haben sie nur das Kreuz. Im Jahre 1599 wurden sie dem Erzbischof von Goa untergeben, mußten ihrem nestorianischen Glauben entsagen und einige katholische Gebräuche annehmen. Nachdem die Portugiesen von der Insel Malabar vertrieben worden waren, hörte auch die Verbindung der Thomaschristen mit den Katholiken auf und sie stehen jetzt ohne kirchlichen Zwang unter englischer Hoheit, bilden eine christliche Republik mit Priestern und Aeltesten, welche zugleich die Justiz verwalten und die Ausschließung von der Gemeinde (Excommunication) als Strafe gebrauchen.

Thora oder Lehre wird von den Juden vorzugsweise das mosaische Gesetz und die Sammlung der 5 Bücher Moses (Pentateuch) genannt, welche jenes Gesetz enthalten. Der Eid wird bei den Juden auf die Thora geleistet.

Thot, Thaut, Thut, Thaeut, ist der Name einer Gottheit der alten Aegypter, welcher sie einer Vermittelung zwischen Göttern und Menschen zuschrieben. Die Hauptverehrung des Thot fand in Hermopolis statt; er wurde mit einem Sperberkopfe abgebildet und durch eine geflügelte Scheibe bezeichnet.

Thronfolge, Succession. In jedem Staat, welcher eine monarchische Verfassung hat, entsteht nach dem Hinwegfall des bisherigen Staatsherrschers bei dem Uebergange der Souverainetät auf einen andern, eine Frage, welche weder bei der demokratischen noch aristokratischen Regierungsform möglich ist, da hier nur eine moralische Person, sei es nun das Volk oder die aristokratische Körperschaft, mit der obersten Staatsgewalt bekleidet erscheint. Nach Erledigung der Stelle des jeweiligen Staatsoberhauptes ist dort nur von einem Wechsel der Magistratur die Rede. Anders ist es in der Monarchie; anders wieder in der Wahlmonarchie, und anders in der Erbmonarchie. In der Wahlmonarchie wird nach dem Abgang des Regenten ein neuer gewählt. Wer an dem Wahlacte Theil zu nehmen berechtigt sei, ist in jeder Wahlmonarchie fast auf eine andere Weise bestimmt. Gewöhnlich wird bis zur Ausgleichung der verschiedenen Wahlkämpfe eine provisorische Regierung eingesetzt. In

Deutschland waren der Kurfürst von der Pfalz und der Kurfürst von Sachsen zu Reichsvicarien berufen. Die Uebelstände, welche hiermit verbunden waren, gaben Anlaß zu dem Ausweg, daß man noch bei Lebzeiten des herrschenden Monarchen die Wahl eines andern vornahm, der auch nicht selten noch vor des Ersteren Ableben sich an den Regierungsgeschäften betheiligte. Auch in Deutschland griff diese Sitte Platz und der neuerwählte Kaiser wurde seit Kaiser Friedrich I. (1152) „erwählter römischer König" genannt, welchen Titel er bis zu der feierlichen Krönung durch den Papst beibehielt. Diese Wahl eines Nachfolgers bei Lebzeiten war gewöhnlich der erste Schritt zur Erbmonarchie, welche sich nach und nach daraus entwickelte. Die zu Recht bestehende Lehre von der Thronfolge nimmt vorzugweise auf die Thronfolge in der Erbmonarchie Rücksicht und stellt darüber Folgendes fest: I. Die regelmäßige Thronfolge ist diejenige, welche auf dem Rechte des Geblütes (jus sanguinis) beruht, beziehentlich auf dem Rechte der Verwandtschaft; letztere enthält jede Art der Thronfolge, welche auf irgend einem andern Rechtstitel, als der Verwandtschaft beruht. Die regelmäßige Erbfolge ist ihrer Idee nach durch den Begriff der Erbmonarchie selbst schon vollkommen bestimmt. Die Krone, das politische Herrscherrecht

zwar in dem Sinne der Intestaterbfolge, des Vererbens der besessenen Macht. Denn so wie die Erblichkeit selbst durch die Verbindung des Begriffs der Erblichkeit mit dem des politischen Herrscherrechts oder der Souverainetät dem Gebiete des Privatrechts entrückt wird und dem Gebiete des öffentlichen Rechts anheim fällt, so nimmt auf der andern Seite das politische Herrscherrecht durch diese Verschmelzung mit der Erblichkeit nothwendig theilweise — was die Thronfolge anlangt — einen privatrechtlichen Charakter an. Sobald die Erbmonarchie besteht, erscheint die Krone hinsichtlich ihrer Vererbung als ein Patrimonium des Souverains, als ein Recht, welches, wie es bei dem Privatrechte der Fall ist, vererbt werden kann. Wo die Erbmonarchie sich entwickelt hat, schließen sich die Rechtsgrundsätze über dieselbe genau den Vorstellungen an, welche bei dem betreffenden Volke hinsichtlich des Erbrechts im Allgemeinen gelten. Dieses zeigt sich auch sehr deutlich bei den germanischen Völkern, bei denen allerdings die Erbmonarchie zu einer Ausbildung gekommen ist, wie fast bei keinem andern Volke. Das Recht der Thronfolge hat sich hier genau nach den Bestimmungen ausgebildet, welche bei den verschiedenen deutschen Völkerstämmen hinsichtlich der Erbfolge der Privatpersonen in die Immobilien nach dem alten Urrechte gelten, da die Krone als der wichtigste Immobiliarbesitz, als der Besitz eines Territorium (s. d.), gehalten wurde. Hieraus geht zugleich hervor, daß bei den deutschen Völkern die Rechtsbildung nie als etwas Willkürliches betrachtet wurde, sondern als das Ergebniß einer tief im Volke wurzelnden Anschauung von einer sittlichen Nothwendigkeit, welcher Herrscher und Beherrschte huldigen müssen. Je wahrer dieses ist, je größer das Rechtsgefühl des deutschen Volkes gegen seine Fürsten stets war, um so mehr sind in neuerer Zeit gewisse Rechtsverletzungen gegen das treue Volk zu beklagen gewesen. In den germanischen Erbmonarchien stellt sich der oberste Grundsatz der regelmäßigen Thronfolge als eine Uebertragung des volksthümlichen Grundsatzes der Immobiliarsuccession dar. Der Einfluß, welchen die volksrechtlichen Ansichten über das System der Immobiliarsuccession auf das Recht der Thronfolge äußerten, läßt sich noch mehr daraus ersehen, daß bei den germanischen Völkern auch die Frage nach der Art und Weise, in welcher der Mannsstamm und der Weibsstamm des regierenden Hauses zu der Thronfolge berufen sind, überall nach dem Verhältnisse entschieden findet, wie der Mannsstamm und der Weibsstamm in den Stammgütern nach Volksrecht zur Succession berufen waren. — Da mit der Auflösung des deutschen Reiches alle Lehnsverbindungen der seitdem vollkommen souverainen Fürsten in Deutschland aufgehört und sonach die Thronfolge überall den Charakter einer Succession in ein allodiales Stammgut angenommen hat, so kann man nun für die

Thronfolge in den deutschen Staaten die Regel als unbedingt aufstellen, daß der Weibsstamm nach dem Abgange des Mannsstammes zur Nachfolge in der Regierung berechtigt sei, insofern er nicht durch besondere Haus- oder Grundgesetze davon ein für alle Male ausgeschlossen ist, wie z. B. in Kurhessen durch die Verfassungsurkunde, oder insofern er nicht dadurch in einzelnen Fällen an der Thronfolge verhindert wird, daß für den Fall des Abganges des Mannsstammes eine Erbverbrüderung mit einem andern regierungsmäßigen Hause geschlossen ist. Bei den deutschen Völkern dagegen, bei welchen das alte Volksrecht den Weibsstamm nicht unbedingt dem Mannsstamme bei der Stammgutsfolge nachstellte, sondern nur die Söhne den Töchtern vorzog, bildete sich auch ein dieser Ansicht gemäßes Thronsuccessionsrecht. So bei den sächsischen Völkern, welche nach Britannien hinüberwanderten, wo jetzt noch dieses Successionssystem herrscht. — Was nun aber die Successionsordnung betrifft, in welcher in Deutschland die zur Thronfolge berechtigten Personen zur Succession gelangen, so kann in solchen Ländern, wo nicht die Primogeniturordnung eingeführt ist, nur auf die Analogie der Stammgutssuccession zurückgegangen werden. In neueren Zeiten wurden die Successionsordnungen hier und da unter die Garantie der Landstände und dadurch zugleich gegen die Gefahr einer einseitigen Abänderung von Seiten des Fürsten sicher gestellt; dadurch erhielten die Successionsordnungen den Charakter von politischen Grundgesetzen und erlangten dadurch die richtige Stellung, welche ihnen nach dem Geiste einer solchen Erbmonarchie gebührt, welche Volksrechte anerkannt und dem Monarchen keine solche Gewalt beilegt, in Gemäßheit der er über Volk und Land als über ein Eigenthum im privatrechtlichen Sinne in schrankenloser Willkür schalten und verfügen könne. — Wo eine besondere Successionsordnung eingeführt ist, ergiebt sich die Nothwendigkeit, für die nachgebornen Agnaten (s. d.) zu sorgen, welche von der unmittelbaren T. ausgeschlossen sind. In den ältern Zeiten wurde die Versorgung der Nachgebornen oder Agnaten häufig durch Nutztheilungen, Paragia (s. d.), bewirkt; gegenwärtig findet sich nur noch in wenig kleinen Staaten diese Einrichtung; meist besteht die Vorsorge für die Agnaten in einer Rente, Apanage, welche entweder aus den Domänen, aus der Civilliste oder aus der Staatskasse, je nach der Vereinbarung mit den Landständen geleistet wird. — Noch haben wir der außerordentlichen T. zu gedenken. Hierher gehört: die Berufung des nächsten Thronerben zur Mitregierung; der Eintritt einer Regierungsvormundschaft; die Ernennung eines Thronfolgers durch den regierenden Fürsten selbst, sei es durch Erbvertrag oder Testament, oder durch ein mit den Ständen vereinbartes Thronsuccessionsgesetz; durch kriegerische Eroberung eines Landes durch einen auswärtigen Souverain; durch Friedensschlüsse und andere Staatsverträge; endlich durch Entthronung des bisherigen Staatsoberhauptes durch Revolution oder Usurpation.   J.

Thronrede und Antwortsadresse darauf. In allen repräsentativen und constitutionellen Staaten ist es Sitte geworden, daß die Versammlung der Volksvertreter mit einem feierlichen Vortrage eröffnet wird, welchen in Monarchien gewöhnlich das Staatsoberhaupt oder in seinem Namen einer der Minister, in Freistaaten der Präsident an die Vertreter des Volkes richtet. Dieser Vortrag heißt die Thronrede in monarchischen, die Eröffnungsbotschaft in republikanischen Staaten. Dieser Vortrag wird in monarchischen Staaten nicht selten für eine leere Förmlichkeit gehalten, für einen Act der Höflichkeit, oder gar für einen Wink, in welcher Weise von den Volksvertretern eine schmeichelhafte Antwort erwartet. In jenem Vortrage, der T., soll in allgemeinen Umrissen eine Uebersicht dessen gegeben werden, was seit dem Schlusse der letzten Versammlung der Nationalvertretung Wichtiges für das Land sich ereignet hat, oder was in Aussicht steht. Die T. soll sich daher über alle wichtigen socialen, gewerblichen, politischen Verhältnisse verbreiten, der jüngsten Vergangenheit, der Gegenwart, so wie der Zukunft. Eben so soll sie auch die Gegenstände bezeichnen, für welche die Regierung glaubt die Thätigkeit der Versammlung in Anspruch nehmen zu müssen. Der Standpunkt, von dem aus alles dieses geschehen soll, muß ein volksthümlicher sein; die Regierung soll sich den Volksvertretern gegenüber mit Offenheit und Ehrlichkeit, mit Klarheit und ohne diplomatische Zweideutigkeit aussprechen. Die Abfassung der Thronrede muß Gegenstand der Berathung des Gesammtministerium sein, denn sie kann nicht als ein vom Fürsten selbst ausgehender Vortrag bezeichnet werden, sondern die Verantwortlichkeit der Minister wird für sie eben so in Anspruch genommen, wie für jeden andern Regierungsact. In England, Belgien, Spanien, früher in Frankreich, ist es ein anerkannter Grundsatz, daß in Folge der Grundsätze der Unverantwortlichkeit des Fürsten, die Minister für jeden Regierungsact ohne Ausnahme, also insbesondere auch für die Thronrede, verantwortlich sind. Dieselbe wird daher in den Kammern frei besprochen und die Opposition greift sie eben so an, wie jede andere Maßregel der Regierung. In jenen Staaten wird nie sich ein Minister einfallen lassen, hinter der Unverantwortlichkeit des Staatsoberhauptes Schutz für sich zu suchen, wie man in Deutschland nicht selten hier und da versucht hat. Doch auch in diesen Staaten sind die T. nach und nach zu einem Gemenge hohler, nichtssagender Redensarten herabgesunken. — Anders ist das Verhältniß in republikanischen Staaten. Hier muß der Vorstand des Staates über seine eigenen Handlungen Erklärungen geben und Rechenschaft ablegen. Die Eröffnungsrede des Präsidenten ist daher nichts anderes als ein Rechenschaftsbericht. In gegenseitiger Verbindung mit den T. stehen die Antwortsadressen, welche die Volksvertreter zu ertheilen haben. In manchen deutschen Ländern hat man lange gezweifelt und gestritten, ob es überhaupt in der Befugniß der Volksvertreter liege, eine Antwort auf die T. zu geben. In wahrhaft repräsentativen Staaten natürlich kann diese Frage nicht aufkommen. Wenn schon die T. sich fern von allem Schein halten muß, so soll es noch mehr die feierliche Erklärung, welche die Volksvertreter der Regierung gegenüber zu ertheilen haben. In diesem eben so wichtigen und feierlichen Momente müssen sie durchdrungen sein von ihren hohen Pflichten, müssen gedenken ihres Eides, ihres im Angesichte des ganzen Volkes und Vaterlandes gegebenen Wortes, sich nach bester Ueberzeugung, nach bestem Wissen und Gewissen über die Wünsche, Bedürfnisse, Klagen und Beschwerden des Volkes mit edler Festigkeit und männlichem Freimuthe auszusprechen. Die Berathung der Antwortadressen auf die T. findet gewöhnlich öffentlich statt. Im englischen Parlamente kommt die Antwort oft in wenig Stunden zu Stande; in andern Ländern braucht man nicht selten Wochen dazu. Der Grund ist einfach der, daß man in England sich nur über die wichtigsten Grundzüge verständigt.

Thurn und Taxis s. Post.

Tiers-état, der dritte Stand, ward im Feudalzeitalter überall und zunächst in Frankreich die ganze große Volksmasse im Gegensatz zu den privilegirten Ständen, dem Adel und der Geistlichkeit, genannt. Die Geschichte der neueren Zeit lehrt, wie dieser dritte Stand aus dem Zustande der früheren Rechtlosigkeit und Knechtschaft zu einem freien Bürgerstande sich emporgearbeitet hat. Schon König Philipp IV. von Frankreich sah sich genöthigt, dem dritten Stande 1303 einige Theilnahme am öffentlichen Leben zu bewilligen, indem er die Generalstände — Etats-généraux — einführte. Doch war der Einfluß dieser Generalstände noch ein geringer, da die Gemeinden von ihren Grundherren zu abhängig waren. Die Berathung und Abstimmung geschah auch nicht nach Köpfen, sondern nach Ständen. Hierzu kamen noch mancherlei Demüthigungen, welche man den Abgeordneten des dritten Standes zufügte; sie mußten vor den Schranken stehen bleiben und vernahmen die königlichen Vorschläge knieend. Als die Könige diese Generalstände verfallen ließen und die Notabeln (s. d.) an ihre Stelle setzten, ging dem Volke jede Theilnahme an dem Staatsleben verloren; von den Früchten seiner Arbeit schwelgten Adel,—

Geiftlichkeit und Hof um die Wette. Dieses der Grund zu der Revolution von 1789. Sieyes war es, der auf die Frage, was der dritte Stand sei, die berühmte Antwort gab: „der dritte Stand ist Alles (Le tiers état est tout)." Vergl. Nationalverſammlung.

Tiers-parti, die dritte Partei, ward in der franzöſiſchen Deputirtenkammer eine Abtheilung des Centrum, welche zwar nicht zur Oppoſition gehörte, aber auch nicht für die Politik des Doctrinärminiſterium ſtimmte, genannt. Die dritte Partei wünſchte eine Verwaltung aus den Männern des Kaiſerreiches, die Herrſchaft des Mittelſtandes und im Innern die Politik des Wohlſtandes. Am 10. Nov. 1833 wählte ſich Louis Philipp aus dieſer Partei ein neues Miniſterium, in dem ſich Maret, Breſſon, Dupin und andere befanden. Doch ſchon nach drei Tagen zog ſich das neue Miniſterium wieder zurück, da es weder den Hof noch die Kammern zur Seite hatte. Tiers-parti nennt man auch wohl jede politiſche Partei, welche keine Entſchiedenheit liebt, die ſpießbürgerliche.

Tilgungsfonds, Amortiſation. Die erſte Bedeutung von Amortiſation (von amortir, ertödten) iſt der Uebergang liegender Güter oder Gefälle aus weltlichen Händen in geiſtliche, an eine Kirche, ein Kloſter oder Stift. Die Objecte wurden dadurch von Steuern und Laſten befreit, konnten nicht veräußert werden, da die Kirche nichts wieder herausgab, was ſie einmal hatte, kurz ſie waren dem Verkehr entfallen, oder, wie man ſich ausdrückte, an die todte Hand gefallen. Die Maſſe dieſer Güter wurde nach und nach ſo groß, daß die weltlichen Fürſten darauf dachten, dem Zunehmen ſolcher unbeweglichen Freigüter ein Ziel zu ſetzen, da das weltliche Eigenthum ihnen ſchwer belaſtet gegenüber ſtand. Kaiſer Karl V. ſetzte nun feſt, daß zur Erwerbung von Liegenſchaften und Gefällen durch die Kirche zuvörderſt die Genehmigung des Staates eingeholt werden müſſe. Die Ereigniſſe der neuern Zeit, die Säculariſationen (ſ. d.) gaben dem öffentlichen Verkehr endlich einen großen Theil der geiſtlichen Güter zurück. Jene urſprüngliche Bedeutung des Wortes Amortiſation iſt daher für uns erloſchen. Dagegen hat dieſes Wort in der Gegenwart eine andere und zwar große Bedeutung im Staatshaushalte erhalten, nämlich jene Ertödtung der Staatsſchuld oder Schuldentilgung (ſ. Staatsſchulden). — Werfen wir hier einen Blick in das Gebiet der Schuldentilgung des Staates. Ueber die Frage, ob der Staat ſeine Schulden bezahlen ſoll, ſcheint man ziemlich einig, denn ſie wird von allen Seiten bejaht. Eine andere Frage aber iſt die, ſoll der Staat ſich darauf beſchränken, die Zinſen ſeiner Schulden zu bezahlen, oder ſoll er auch die Capitalien tilgen? Bei der Beantwortung dieſer Frage hängt Alles von Zeit und Umſtänden ab. Hat der Staat bei irgend einer Anleihe Verbindlichkeiten hinſichtlich der Rückzahlung eingegangen, ſo ſoll er ſie erfüllen; beſitzt er die Mittel, ſeine Schulden ganz oder zum Theil heimzuzahlen, ſo ſoll er es thun. Es kann aber auch Zeiten und Fälle geben, wo der Staat beſſer thut, ſeine Schulden nicht zu tilgen, nicht zu amortiſiren, ſondern ſich auf die Bezahlung der Zinſen zu beſchränken. In einer ſolchen Lage iſt der Staat, wenn ſeine ordentlichen Einkünfte nicht hinreichen, neben den laufenden Ausgaben noch einen Tilgungsfonds zu beſtreiten. Sehr häufig hat die Sucht einzelner Machthaber und ihrer Staats- und Börſentrabanten hiervon ganz irrige Begriffe; ſie machen die Amortiſation zu einer Plünderungsanſtalt der Steuerpflichtigen zu Gunſten der Börſenmänner. Nur höchſt wenige unſerer heutigen Staaten, Oldenburg, einige Schweizer Cantone und zu verſchiedenen Zeiten die vereinigten Staaten von Nordamerika, haben ſich ſchuldenfrei zu erhalten gewußt. Der Krieg hat alle übrigen in Schulden geſtürzt; der Friede ſoll die Aufgabe haben, die Schulden zu bezahlen. — Hinſichtlich der Verwendung der durch Anleihen aufgenommenen Capitalien giebt es zweierlei Arten von Staatsſchulden. Solche, die zu nützlichen Unternehmungen, z. B. Eiſenbahnen, gemacht wurden, und ſolche, die im Kriege oder zur Linderung augenblicklicher Noth contrahirt worden ſind. Die erſteren gehören der neueren Zeit an; sie bringen die Mittel zur Verzinsung und Tilgung entweder unmittelbar hervor, oder mittelbar durch die Vermehrung des Nationalreichthums und des Ertrages der Abgaben. Zur Verzinsung und Tilgung der anderen Anleihen schöpft der Staat aus der nämlichen Quelle, woraus er die Mittel zur Bestreitung der übrigen Ausgaben nimmt, aus den Abgaben und Einkünften. Will der Staat Mittel zur Schuldentilgung erhalten, so muß er einen Ueberschuß der Einnahmen zu erhalten suchen, entweder indem er die Ausgaben beschränkt, oder die Abgaben erhöht, oder endlich durch beides. Die Beschränkung des Aufwandes für das Kriegsheer, für den Hof und für Pensionen, Einführung einer Besoldungssteuer — sind höchst wirksame Mittel, um die Staatskassen zu füllen. — Welche Form der Rückzahlung die beste sei, läßt sich nur aus der Natur der Anleihe, der Einrichtung des Schuldenwesens, den Verhältnissen des Capital= und Papiermarktes beurtheilen. Die besten Muster für die Art und Weise, die Staatsschulden zu tilgen, bieten stets die Staaten mit f r e i e n Verfassungen, welche bisher mit dem größten Erfolg an der zweckmäßigen Verminderung der Staatsschuld gearbeitet haben. Dort wird jedes System, jede Maßregel auf der parlamentarischen Rednerbühne vor aller Welt aufgestellt, bekämpft, berathen; die f r e i e Presse beleuchtet alle Falten der Herzen und der Wissenschaft; die öffentliche Meinung zieht die Resultate der Prüfung vor ihren Richterstuhl. Auf der andern Seite hingegen kommen aus dem Dunkel der Cabinette einzelne officielle oder halbofficielle Berichte und Zahlen, geschmückt mit Lob und Preis der hohen und höchsten Weisheit zum Vorschein, um den umnachteten Blick des Publikums zu verblenden. Einer der größten Finanzmänner der neueren Zeit, Laffitte sagte einst: „ein gewisseres, reelleres und wirksameres Mittel, zur Verminderung der Schuld zu gelangen, als die Amortisation, ist die Zunahme des allgemeinen Reichthums, welche natürlicher Weise das Sinken des Zinsfußes herbeiführt. Durch das Sinken des Zinsfußes wird aber die Schuld wirklich vermindert; durch die Zunahme des Reichthums wird sie ebenfalls verhältnißmäßig geringer; aber die Erleichterung ist nicht weniger reell.“ — „Die w a h r e A m o r t i s a t i o n ist nicht allein, wie man sagt, der Ueberschuß der Staatseinnahmen über die Ausgaben, sondern der Ueberschuß aller Einkünfte des Landes über alle Ausgaben der Steuerpflichtigen. W.

Timarioten s. Zaims.

Timokratie, Ehrenherrschaft, wird die Staatsverfassung genannt, nach welcher nur die Reicheren zu den höheren Aemtern berufen werden. Das Abhängigmachen der Würde und Stellung von dem Zufall des Reichthums ist das schlechteste Mittel, um den Zweck des Staates zu erreichen.

Tirailleurs s. Scharfschützen.

Tischreden, Gespräche bei der Tafel, sind von manchen berühmten Männern des Alterthums und der neueren Zeit aufbewahrt worden. Man giebt sich in solchen Gesprächen, wie man ist, ohne Zierde und Heuchelei, wahr und offen. Bekannt sind die Tischreden Luthers: „Tischreden und Colloquia, so er in vielen Jahren gegen gelehrten Leuten, auch fremden Gästen und seinen Tischgesellen geführt hat.“ Sie enthalten sinnreiche Gedanken über theologische Gegenstände und ächt deutsche Scherze.

Titel, Titulatur. Im Volksleben, in seinem Wachsthum von Unten nach Oben, finden verschiedene amtliche Abstufungen statt; es bildet sich daraus eine entsprechende Titulatur zur Unterscheidung und Bezeichnung der verschiedenen amtlichen Verrichtungen. Was im Volke selbst entsteht, soll auch von den Einzelnen im Volke anerkannt werden; es entstanden daher, neben den wirklichen Amtstiteln, für die Bezeichnung der Stellung der Einzelnen zu den Inhabern solcher Aemter die sogenannten Ehrentitel, als: Majestät, Hoheit, Durchlaucht ꝛc. Ursprünglich lag darin eine vom Volkswillen dem Einzelnen auferlegte Pflicht des Gesetzes oder Herkommens, sich den im allgemeinen Interesse für nothwendig erachteten Ueberordnungen und Unterord-

nungen auch im perſönlichen und amtlichen Verkehre auf äußerlich erkennbare Weiſe
zu unterwerfen. Man vergleiche mit dieſen Bemerkungen die Geſchichte der einzelnen
Titel, ſo wird man die Wahrheit jener beſtätigt finden. Die erſten Grafen (entweder von Grau, Alter, Weiſer, oder von Gereſa, d. h. Einnehmer, Richter) waren
Unterbeamte, welche anfangs wenigſtens bei einigen germaniſchen Stämmen vom Volk
gewählt wurden. Die Grafſchaften ſelbſt waren Aemter, und wurden früher nach
dem Namen der Grafen genannt. Die Fürſten (ſ. d.) waren die Erſten im Kriegs-
heere, die Heerführer oder Herzoge, und weil die Führer im Kriege auch im Frieden
ihr Anſehen zu behaupten wußten, ſo wurde der Name Fürſt ſpäter auf jedes Staatsoberhaupt ausgedehnt. Die Inhaber ſolcher Macht fanden in derſelben bald das Mittel, theils ihre Befugniſſe erblich zu machen, theils auch die ihnen anfangs nur per-
ſönlich zukommende Auszeichnung auf die ihnen zunächſt Stehenden auszudehnen.
Darauf deutet ſchon das Wort König hin, welches von dem gothiſchen Wort chuni,
d. h. Geſchlecht, abzuleiten iſt. In gleicher Weiſe bildeten ſich aus andern Berufsarten und geſellſchaftlichen Stellungen durch erbliche oder herkömmliche Uebertragung
der damit verbundenen Auszeichnung auf die zunächſtſtehenden beſtimmte Stände und
Klaſſen aus, womit die Entſtehung der Standestitel wie der Adeligen zuſammenhängt. Als ſpäter der Titel nicht mehr ausſchließlich auf den Beruf hinwies, ſo
wurde es Sitte, daß von Seiten der höchſten Würdenträger im Staate Aemter und
Titel getrennt und oft nichts weiter als der leere Titel als gnädige Auszeichnung
verliehen ward. In neuerer Zeit wurde dieſe Uebertragung eines Titels ohne Rang die
Ertheilung eines Charakters genannt, ohne zu bedenken, daß hiermit die bitterſte Ironie
ausgeſprochen werde. Auf ſolche Weiſe bildete ſich jene Titelwelt des Scheines und
der Einbildung aus und es entſtand in Deutſchland, namentlich im 16. und 17.
Jahrhundert, eine wahre Titelwuth. — Aus dem Titelweſen kann man einen Schluß
auf den Charakter und die Verfaſſung des Staates machen. In einem Staate mit
demokratiſchen Unterlagen, wo ein ausgedehntes Wahlrecht ausgeübt wird, fallen Titel und Amt zuſammen, wie es naturgemäß iſt; ſo war es in Griechenland und in
Rom vor ſeinem Verfall; ſo iſt es in der Schweiz und in Nordamerika. Anders iſt
es in den despotiſchen Staaten Aſiens und in den Erbmonarchien. Zunächſt war
es Frankreich, wo ſich das Titelweſen am üppigſten ausbildete, bis die Revolution
der weitern Ausbreitung dieſes Unkrautes im Staate entgegen trat. Groß iſt noch
das kindiſche Gefallen an leeren Namen in England mit ſeiner genau ausgebildeten
Rangordnung und ſeinen 62 Abſtufungen von der königlichen Familie, und in Deutſchland, das mehr Titelfabriken hat als Münzſtellen. Auch in den Titeln der Monarchen zeigt ſich der ſtaatliche Unterſchied. Oeſterreich und Preußen haben drei Titel,
einen großen, mittleren und kleinen, deren ſich die Regenten je nach Umſtänden bedienen; Rußland und Spanien haben zwei, die übrigen Staaten einen Titel. Die
Titel der älteren Monarchien enthalten nicht blos die ſtückweiſe erfolgte Zuſammenſetzung derſelben, ſondern auch eine ganze Reihe wahrer oder vermeintlicher Anſprüche
auf die Territorialhoheit über ſolche Länder, die von andern Regenten beſeſſen werden;
ſ. Adel, Hof, Etikette, Courtoiſie.   **F.**

Toaſt iſt eigentlich der engliſche Name für die geröſteten Brotſchnitte, welche
man in England zum Thee zu geben pflegt; noch verſteht man unter dieſem Worte
einen Trinkſpruch, weil es in England Sitte war, Dem, welcher eine Geſundheit
ausbringen ſollte, das Glas mit einem geröſteten Brotſchnitte zu übergeben. Der Gebrauch, auf die Geſundheit der Anweſenden zu trinken, iſt nirgends ſo häufig, als in
England, wo kein Gaſt das Glas früher brauchen darf, bis der Hauswirth auf die
Geſundheit einer der anweſenden Frauen getrunken hat. Hierauf folgen die übrigen
Gäſte der Reihe nach mit ihren Trinkſprüchen; dieſen ſchließen ſich die Geſundheiten
auf die königliche Familie und andere Abweſenden an. Schon das Alterthum kannte
die Trinkſprüche; in Deutſchland ſind ſie ebenfalls eingeführt. Der bedeutendſte Trink-

spruch der neueren Zeit wurde am 12. September 1842 vom Erzherzog Johann von Oesterreich bei Gelegenheit einer Zusammenkunft mit den Königen von Preußen und Baiern auf dem Schlosse Brühl am Rhein ausgebracht. Er lautete: „kein Oesterreich, kein Preußen, kein Baiern! Sondern ein einiges großes Deutschland, fest wie seine Berge!" Dieser Toast schien für die ächte deutsche Gesinnung des Erzherzogs so gut zu sprechen, daß ihn die Nationalversammlung 1848 zum Reichsverweser wählte. In gleichem Sinne brachte auch König Friedrich Wilhelm von Preußen auf dem Dombaufeste in Cöln den bekannten Toast „Alaf Cöln" aus.

Tod, bürgerlicher, s. Strafarten und bürgerlicher Tod.

Todaustragen, Todaustreiben, ist der Name eines uralten deutschen Volksfestes. Es scheint seinen Ursprung von den Wenden erhalten zu haben, welche am vierten Sonntag in der Fasten, also beim Anfange des Frühlings, die Bildnisse ihrer ehemaligen Göttinnen der Liebe und des Feldbaues, Martana und Ziovenia, an Stangen steckten, unter kläglichem Gesange umhertrugen und endlich in das Wasser warfen. Das Fest sollte ursprünglich den Sieg des Frühlings über den Winter, später den des Christenthums über das Heidenthum andeuten. Gegenwärtig wird dasselbe noch in einigen Gegenden der Lausitz, Schlesiens und Böhmens gefeiert.

Todesstrafe s. Strafarten.

Todsünden werden nach einer Stelle im ersten Briefe des Evangelisten Johannes (1. Joh. 5, 16, 17) die Sünden genannt, welche den geistigen Tod, den Verlust des Standes der göttlichen Gnade, nach sich ziehen. Die Theologie unterscheidet die T. von den erlaßbaren Sünden, welche jene Strafe nach sich ziehen. Als T. bezeichnet man nach dem Kirchenlehrer Petrus Lombardus diese: Hochmuth, Geiz, Wollust, Zorn, Völlerei, Neid und Trägheit des Herzens. Bekannt ist der in jüngster Zeit erschienene Roman von Eugen Sue: „Die sieben Todsünden."

Todte Hand (Manus mortua), **Mortuarium, Haupt- und Sterbefall,** heißt das Recht eines Leib- oder Gutsherren, auf den Todesfall seines Leibeigenen und Gutsunterthanen Dasjenige zu fordern, was ihm vor den Erben nach Gesetz und Herkommen gebührt. In den verschiedenen Gegenden Deutschlands wird dieses Recht auch verschieden genannt, eben so wie der Betrag des Erbtheils verschieden ist. Man braucht den Ausdruck t. H. auch noch von den Gütern, welche aus Privatbesitz in den Besitz der Kirche oder „an die todte Hand" gelangen.

Todtenbestattung. Die Todtenbestattungen haben entweder den Zweck, für die Erhaltung des Leichnams zu sorgen oder beziehen sich auf seine Zerstörung. Für das Erstere sorgt das Einbalsamiren der Todten, welches besonders bei den Aegyptern üblich war; auf das Letztere bezieht sich das Verbrennen und Begraben der Leichname. Bei den Griechen und Römern fand das größte Gepränge hinsichtlich der Bestattung der Todten statt. Besonders feierlich war die Bestattung derer, die im Kampfe- gefallen oder sich sonst um das Vaterland verdient gemacht hatten. Man verbrannte die Körper und sammelte die Asche in Urnen, welche dann beigesetzt wurden. Auch bei den alten Deutschen wurden die Helden des Volkes mit großem Gepränge begraben. Ueber das Weitere in staatswissenschaftlicher Hinsicht s. Begräbnisse.

Todtenbücher s. Nekrologien.

Todtengericht hieß bei den alten Aegyptern eine Einrichtung, welche namentlich in der Hauptstadt des Reiches, in Memphis und der Umgegend derselben gebräuchlich war. Am See Möris, über welchen die Leichen auf einem Kahne geführt wurden, versammelten sich vor der Beerdigung eines Leichnams 40 Richter, vor denen Jedermann den Verstorbenen frei anklagen konnte. In England nennt man das gerichtliche Verfahren wegen vorsätzlichen Mordes und Todtschlages Todtengericht.

Todtenhaus s. Begräbniß.

Todtenstädte s. Nekropolen.

Todtschlag nennt man eine Tödtung, welche ohne bestimmten und festen Vorsatz vor sich gegangen ist und sich dadurch von dem mit Ueberlegung und Vorsatz

ausgeführten Mord (ſ. d.) unterſcheidet, zugleich aber auch von den gänzlich unvor=
ſätzlichen Tödtungen. In den neueren Geſetzgebungen iſt der T. ſtatt mit Todes=
ſtrafe, wie früher, mit Freiheitsſtrafen bedroht.

Tödtlichkeit (Letalität) der Verletzungen (Wunden) iſt ein Ausdruck der ge=
richtlichen Medicin (ſ. Medicinalpolizei). Es muß für den Richter von der größten
Wichtigkeit ſein, zu wiſſen, in wie weit eine Verletzung Urſache des Todes geworden
iſt. Der Gerichtsarzt hat daher in Fällen, wo Jemand an einer Verletzung geſtorben
iſt, ſein Gutachten darüber abzugeben, ob die beigebrachte Verletzung tödtlich geweſen
ſei oder nicht. Bei der großen Wichtigkeit, welche die Beantwortung dieſer Frage
hat, iſt man längſt darauf bedacht geweſen, die größtmöglichſte Sicherheit herbeizu=
führen, doch immer noch ohne den erwünſchten Erfolg, da eine Verletzung in man=
chen Fällen unfehlbar den Tod des Verwundeten herbeiführte, während ſie es in an=
dern Fällen nicht that. Es entſtand daher die Frage, welche Verletzungen als unbe=
dingt tödtlich anzuſehen ſeien, und welche nur als bedingungsweiſe tödtlich. Zu den
unbedingt tödtlichen Verletzungen gehören alle diejenigen, durch welche nach mediciniſch=
ſchen und chirurgiſchen Lehrſätzen die Fortdauer des Lebens unmöglich gemacht wird;
zu den bedingungsweiſe tödtlichen aber diejenigen, bei denen die Erfahrung zu dem
Schluſſe berechtigt, daß ſie in einem anders geſtalteten Falle dem Leben nicht nachthei=
lig geweſen ſein würden. Hierbei kommt Alter, Geſchlecht, Geſundheitszuſtand des
Verletzten, ſein augenblicklicher Körper= und Gemüthszuſtand, die ihm geleiſtete Hülfe,
der Transport und anderes mehr in Betracht, was über die Tödtlichkeit der Wunde
entſcheidet. Bei der großen Wichtigkeit der Sache für den beklagten Verletzer wird
die Entſcheidung über die Tödtlichkeit der Wunde nicht ſelten ganzen mediciniſchen
Collegien zur Beurtheilung übergeben. Die neueren Strafgeſetzgebungen, wie z. B.
die baieriſche, ſächſiſche, heſſiſche, erklären eine Verletzung dann für tödtlich, wenn ſie
den Tod des Beſchädigten herbeigeführt hat.

Toga wurde bei den Römern das Oberkleid genannt, welches die Bürger außer
dem Kriege trugen. Fremden und Verbannten war die T. verboten; ſie ſtand nur
den römiſchen Bürgern zu. In der Kaiſerzeit wurde ſie durch griechiſche Kleidung
verdrängt und kam nur noch bei Feierlichkeiten zum Vorſchein. Die T. war aus
Wolle gefertigt, von weißer Farbe und nur bei der Trauer ſchwarz; die höchſten
Magiſtrate trugen einen Purpurſtreif daran.

Toleranz, Duldung, bezeichnet das Verhältniß der von der Landeskirche ge=
trennt lebenden Religionsparteien, nach welchem man ihnen die Exiſtenz im Staate
unter gewiſſen Bedingungen und Einſchränkungen geſtattet. Wo mehrere Religions=
geſellſchaften in einem Staate gleichberechtigt ſind, findet der Begriff T. keine
Anwendung. Dieſe iſt ein Kind der neueren Zeit; das Mittelalter kannte keine T.;
wer von der päpſtlichen Kirche abfiel, verfiel der Inquiſition, dem Kerker und dem
Tode. Bayle, Locke, Voltaire wirkten viel für die T. und ſuchten die öffentliche
Meinung für ſie zu gewinnen. In Deutſchland war es Friedrich II. von Preußen,
der den Grundſatz der T. annahm und erklärte, es könne Jeder nach ſeiner Façon
ſelig werden. Kaiſer Joſeph II. erließ ein Toleranzedict, welches den Proteſtanten in
ſeinem Staate kirchliche Rechte gab. Das neueſte Edict dieſer Art erließ der König
von Preußen am 30. März 1847, welches zwar ſcheinbar Religionsfreiheit verſpricht,
von der **wahren** aber noch weit entfernt iſt.

Tomahawk wird die Streitart der nordamerikaniſchen Indianer genannt,
welche ſie als Symbol des Kriegs betrachten, was das Wort andeutet.

Tonſur. Schon in den früheſten Zeiten war ein kahlgeſchorenes Vorderhaupt
ein Ehrenzeichen des Prieſterſtandes; die chriſtlichen Lehrer der erſten Jahrhunderte tru=
gen an ihr Haar kurz geſchnitten, um ſich von den heidniſchen Prieſtern zu unter=
ſcheiden. Büßende ließen ſich ſpäter den Kopf ganz abſcheeren; ſo auch die Mönche.
Von dieſen ging nun die Gewohnheit, ſich eine Platte ſcheeren zu laſſen, auf die

Geistlichen über. Man unterschied ein kahlgeschornes Vorderhaupt, Tonsur des Apostel Paulus, welche in der griechischen Kirche und bei den Briten und Irländern üblich war, und eine kreisförmige Platte auf dem Scheitel, T. des Apostels Petrus, die in der römischen Kirche eingeführt wurde und den Priestern 633 als „priesterliche Krone" vorgeschrieben wurde. Die Größe der T. deutet zugleich die Größe der geistlichen Würde an.

Tontine, eine Art Leibrenten, welche im 17. Jahrh. der Italiener Lorenzo Tonti erfand; sie wurde 1653 in Frankreich eingeführt. Es traten eine Anzahl Darleiher zusammen; so lange noch einer derselben am Leben ist, wird die Rente bezogen. Die Antheile der zuerst Sterbenden wachsen den am längsten Lebenden zu.

Torgauer Artikel s. Symbolische Bücher.

Torys und **Whigs** sind die Namen für zwei politische Parteien, in welche die britische Aristokratie zerfällt. Seit der Ausbildung des constitutionellen Systems kämpfen beide Parteien um die Leitung der öffentlichen Geschäfte und erobern wechselsweise die höchste Gewalt. Die Torys sind im Allgemeinen die Vertreter der Aristokratie und des Alten, des Bestandenen; die Whigs sind die Vorkämpfer der Aufklärung und der Volksinteressen. Natürlich beschränkte sich die Theilnahme der Whigs für das Volk auf solche Maßnahmen, durch welches ihr Interesse als Adelspartei nicht gefährdet wurde. Die ältere Geschichte dieser Parteien ist für die Gegenwart ohne alle Bedeutung; wir bemerken daher nur, daß die Whigs, als das Haus Hannover auf den Thron kam, 1714, lange Zeit die Oberhand im Cabinet wie im Parlament behielten; als aber die Torys ihre frühere Neigung für den Katholicismus und die Stuarts vergaßen und nur für das Bestehende zu kämpfen anfingen, wurden sie bald Freunde und Begünstigte der neuen Dynastie. Unter Georg III. fiel die Staatsgewalt auf lange Zeit in die Hände der Torys, während sich im Unterhause jene glänzende Opposition der Whigs bildete. Nach dem Ausbruch der französischen Revolution blieben aber nur Wenige an Fox hängen, um sich dem Vernichtungskampf gegen die französische Republik zu widersetzen. Beim Anfange des gegenwärtigen Jahrhunderts waren es besonders zwei Fragen, welche alle Parteien jahrelang beschäftigte: die Emancipation der Katholiken und die Parlamentsreformen (s. d.). Die Torys hatten beide stets mit Strenge zurückgewiesen; 1829 aber boten sie, um sich das Staatsruder zu bewahren, zur Emancipation der Katholiken die Hand. Als die Aufregung immer mehr wuchs, berief König Wilhelm IV. 1820 die Whigs in das Ministerium, welche nun die Reformbill (s. d.) durchführten. Diese brachte nun eine eigentliche Volkspartei in das Unterhaus, welche bald den Whigs als Stützpunkt dienen mußte. Im Jahre 1841 mußte die Whigpartei im Ministerium einer gemäßigten Torypartei Platz machen, unter dem Vorsitz von Peel. Dieser räumte seinen Platz 1847 wieder dem Whigministerium Russel. In der jüngsten Zeit hat der Sieg zwischen beiden Parteien sehr häufig geschwankt.

Tortur s. Folter.

Tower ist der Name der berühmten Citadelle an der Ostseite von London am Ufer der Themse; sie ist mit Wällen und Wassergräben umgeben und bildet ein großes Viereck mit einem viereckigen Thurme in jedem Winkel. Der Bau ist uralt, soll sogar von den Römern angefangen worden sein. Ursprünglich diente der T. den Königen zur Wohnung; später wurde er Staatsgefängniß für hohe Personen und wurde Zeuge der scheußlichsten Verbrechen und Mordthaten geheimer Cabinetspolitik, welche die Opfer ihrer Rache hier verbluten ließ. Am 31. Oct. 1841 wurde der Theil der Gebäude, in dem sich die Waffenvorräthe befanden, ein Raub der Flammen.

Trabanten waren im Mittelalter die Leibwachen hoher Personen, welche diese stets begleiteten. Sie verrichteten ihren Dienst meist zu Fuß, da ihnen besonders die Bewachung der inneren Räume der fürstlichen Schlösser anvertraut waren. Zu diesem Dienst, welcher als ein Ehrenposten betrachtet wurde, wählte man die tapfersten und treuesten Leute. Sie gingen in spanischer Kleidung, waren mit Hellebarten und mit Seitengewehren bewaffnet und mit einem Kuraß versehen.

Tractat wird ein zwischen zwei [verschiedenen Staaten abgeschlossener Vertrag genannt. Tractaten aber sind die Unterhandlungen, welche dem Vertrage vor dessen Abschlusse vorausgehen, und ohne Verbindlichkeit sind, bis dieser nicht erfolgt ist. Erst durch völligen Abschluß, durch Unterschrift, Auswechselung der Ratification werden die Tractaten ein Vertrag.

Tradition nennt man eine aus früherer Zeit durch mündliche Fortpflanzung vererbte und verbreitete Erzählung. Im engern Sinne bezeichnet man mit T. in der Theologie den mündlichen Unterricht Jesu und der Apostel, den die christlichen Lehrer durch Erzählung von Geschlecht zu Geschlecht fortgepflanzt hätten. Die katholische Kirche legt der T. fast gleichen Werth mit der Bibel bei und unterstützt durch dieselbe eine Menge ihrer Lehren und Gebräuche. Die Reformatoren verwarfen die T. nicht gänzlich und unbedingt, sondern beriefen sich bei der Feststellung ihres Lehrbegriffs auch auf die T. der Kirche in den ersten Jahrhunderten; doch ordneten sie dieselbe der geschriebenen Offenbarung der Bibel unter. Die römisch-katholische Kirche sanctionirte auf dem Concil zu Trient die Lehre von der T., welche sie der Schrift vollständig gleichstellte. Es ist nicht in Abrede zu stellen, daß die protestantische Kirche durch die Verwerfung der T. eine Inconsequenz begangen hat, denn die Reformatoren stützten sich bei ihrem Glauben an die Aechtheit der Bibel eben nur auf die T.; eben so steht fest, daß ein großer Theil der Schriften des A. und N. Testaments nur auf T. beruht, daß die Verfasser der verschiedenen historischen Schriften zum großen Theil nur das schrieben, „was sie gehört hatten."

Train wird ein in Bewegung gesetzter Zug mehrerer hinter einander gehenden Fuhrwerke genannt. Es giebt nach der Art der letzteren Artillerie-, Munitions-, Belagerungs-, Ponton- und Provianttrains, obgleich man einen solchen Zug auch Colonne nennt.

Transfiguration heißt in der römischen Kirchensprache die Verklärung Christi auf dem Berge Tabor; zur Erinnerung daran feierte die Kirche am 6. August ein besonderes Fest, doch erst seit dem 12. Jahrhundert.

Transitohandel, Durchfuhrhandel, wird der Handel genannt, welcher bestimmt ist, fremde Waaren durch ein Land in ein anderes zu führen. Der T. ist sehr vortheilhaft für die Spediteurs, welche die Beförderung der Waaren zu besorgen haben. In der neueren Zeit hat der T. durch die Beförderung der Güter durch die Eisenbahnen eine große Veränderung erlitten.

Translocation, die Veränderung des Ortes, an dem man sich befindet, wird auf Gelehrtenschulen die jährlich oder halbjährlich stattfindende Versetzung der Zöglinge in höhere Klassen genannt.

Transpadanische Republik. Napoleon trug als General der französischen Republik die Freiheit zu den Völkern und bahnte dazu sich durch sein siegreiches Schwert den Weg. So auch in das so sehr geknechtete Italien. Nachdem er den italienischen Feldzug gegen die Oesterreicher durch die Schlacht bei Lodi 1796 siegreich beendigt hatte, gründete er jenseit des Po aus den Staaten der ehemaligen österreichischen Lombardei einen Freistaat, dem er den Namen Cispadanische Republik gab; die Verfassung war der französischen nachgebildet, ein Directorium von drei Personen übte die vollziehende, zwei Räthe besaßen die gesetzgebende Gewalt. Im Jahre 1797 wurde die transpadanische und cispadanische Republik mit der Cisalpinischen vereinigt, deren Gebiet von 1805—1814 das Königreich Neapel unter Murat bildete.

Transsubstantiation s. Abendmahl.

Trappisten ist der Name der Mönche eines der strengsten Orden, welcher aus der berühmten französischen Abtei Latrappe hervorging, welche in einem einsamen von Wald und Felsen eingeschlossenen Thale liegt und 1122 gestiftet worden war. Die

Mönche standen schon seit ihrer Stiftung unmittelbar unter dem Papste. Obschon sie durch die Regeln der Cistercienser zur Armuth, Arbeit und Enthaltsamkeit verpflichtet waren, so verfielen sie doch im 16. Jahrhundert in die größte Zuchtlosigkeit, so daß man sie wegen ihren Raub= und Mordthaten nur die Räuber von Latrappe nannte. Vom Jahre 1636 fing eine Reform die nur noch wenig Mönche zählenden Klosters an, welche die strengsten Regeln festsetze, die natürlich nur wenig Beifall fanden. In dieser Weise bestehen sie heute noch; bekannt ist ihre ewige Schweigsamkeit. Später entstand auch ein Kloster weiblicher Trappisten, so wie sie denn auch in Italien, in der Schweiz und anderwärts, wenn auch nur schwache Nachahmung fanden.

Trauung wird die kirchliche Handlung genannt, durch welche Verlobte feierlich zur Ehe verbunden oder einander angetraut werden. Es geschieht dieses entweder nur durch obrigkeitliche Bestätigung des Ehevertrages — Civilehe — oder durch kirchliche Einsegnung — priesterliche Trauung. Bei den meisten Völkern wurde von jeher der Anfang der Ehe durch religiöse Feierlichkeiten festlich begangen; so bei den Griechen und Römern. Bei den Hebräern gab es keine vorgeschriebene T., wohl aber Verträge und Festlichkeiten; später erst reiheten sich daran religiöse Feierlichkeiten. Die Christen schlossen Anfangs ihre Ehen unter Aufsicht ihrer Vorsteher oder Lehrer ab, obschon der Stifter des Christenthums gar nichts darüber festgestellt hatte. Seit dem 2. Jahrhunderte wurde es Sitte, jede zu schließende Ehe dem Bischof oder Presbyter (s. d.) anzuzeigen und keine Ehe ohne priesterlichen Segen einzugehen. Diese Anzeige wurde seit 1218 zur Einführung der kirchlichen Aufgebote benutzt. Im 6. Jahrhundert kamen die verschiedenen kirchlichen Trauungsfeierlichkeiten auf, und im 9. Jahrhundert erklärte der Staat diese Gebräuche für nützlich, gestand aber Ehen, welche ohne dieselben abgeschlossen worden waren, rechtliche Gültigkeit zu. Nach und nach brachte die Kirche die Ehesachen vollständig unter ihre Gerichtsbarkeit und erklärte im 12. Jahrhundert die Ehe für ein Sacrament (s. d.). Die jetzt bei der Einsegnung der Ehe vorkommenden Formeln stammen aus noch späterer Zeit. Die Reformatoren hoben das Sacrament der Ehe auf und setzten fest, daß nach dreimaligem Aufgebot die priesterliche T. zum Anfang der Ehe wesentlich nothwendig sei, und daß kein Ehebund ohne diese T. Gültigkeit habe. Das Wechseln der Ringe, welches schon die Griechen und Römer kannten, gehört bei den Katholiken zu den nothwendigen Formalitäten; die Protestanten haben es in neuerer Zeit hier und da in Wegfall gebracht, da der Ringwechsel schon bei der Verlobung statt zu finden pflegt. Die griechische Kirche hat noch einige sehr sinnreiche Ceremonien. Leider hat man bei dem Mangel eines Kirchenregimentes in der protestantischen Kirche noch nicht daran denken können, einige schreiende Mißbräuche bei den Trauungen abzuschaffen. Hierher gehören die für schweres Geld käuflichen Dispensationen vom Aufgebot; die nach Geld berechnete Stufenleiter in den Feierlichkeiten bei den Trauungen und anderes mehr. In neuerer Zeit ist auch die Frage über die Civilehe wieder lebhaft angeregt worden; bereits ist sie nach dem Vorgange Frankreichs hier und da eingeführt worden.

Treffen werden Gefechte genannt, an denen größere Truppenmassen Theil nehmen, welche aber kein bedeutendes Resultat herbeiführen. Auch bezeichnet man mit dem Worte T. die verschiedenen hinter einander aufgestellten Truppenlinien und spricht von einem ersten, zweiten und dritten ꝛc. T. Jedes T. in dieser Bedeutung ist aus allen drei Waffengattungen zusammengesetzt. Gewöhnlich wird eine Armee in zwei T. getheilt; die dritte Linie wird von der Reserveartillerie und Cavallerie gebildet.

Trepprecht heißt die Befugniß, bei der Bearbeitung eines Feldes mit dem Zugvieh so weit auf das Grundstück des Nachbars hineinfahren zu dürfen, daß das Ackergeräth bis an das Ende des zu bestellenden Feldes gelangt und dieses ganz umgepflügt werden kann. Eine Beseitigung dieses Rechtes, die allerdings wünschenswerth ist, kann nur durch Zusammenlegung der Grundstücke herbeigeführt werden.

Trias s. Dreieinigkeitslehre.

Tribunal wurde bei den Römern der erhöhte Ort genannt, auf welchem der Magistrat, namentlich der Prätor (s. d.), saß, und zwar auf der sella curulis, wenn er die Jurisdiction handhabte. Bei ihm fanden auf diesem Orte seine Beisitzer und Richter Platz. Gegenwärtig bezeichnet man mit dem Worte T. einen Gerichtshof im Allgemeinen, ohne dabei an die Oertlichkeit desselben zu denken.

Tribunat. Die Plebejer (s. d.) im alten Rom erhielten bekanntlich bei ihrem Siege über die aristokratische Partei zum Schutze ihrer Rechte Volkstribunen. Die wahrhaften Volksvertreter, gegen welche die der neueren Zeit nur Schattenbilder sind, hatten neben andern Befugnissen die außerordentliche Gewalt, gegen alle Beschlüsse und Maßregeln aller andern Staatsbehörden ihr Veto (Widerspruchsrecht) einzulegen und sie dadurch unwirksam zu machen. Auf diese Weise siegte der Volkswille überall, und das Volk wurde mit seinen Rechten und Interessen überall vertreten. Dieses Institut der Tribunen wurde im Mittelalter besonders in Städten nachgebildet. Gegenwärtig dürfte es seine beste Nachahmung durch eine zweckmäßige Volksrepräsentation mit allgemeiner politischer Preßfreiheit, mit allgemeiner Oeffentlichkeit aller Staatsverhältnisse und vollkommener Freiheit der öffentlichen Meinung am besten finden. Die Idee des Institutes der Volkstribunen wird ewig wahr bleiben; sie geht davon aus, daß alle öffentlichen Maßregeln im freien Staate, so viel es möglich ist, auf der vernünftigen Ueberzeugung der ganzen Nation beruhen müssen. Auch Frankreich führte nach der Revolution 1789 das Tribunat wieder ein. Bonaparte ließ zwar den Namen stehen, machte aber die Tribunen zu Werkzeugen seiner Pläne. Das Tribunat hatte die Aufgabe, die Gesetzentwürfe der Regierung zu berathen. Jeder Tribun mußte das Alter von 25 Jahren besitzen und erhielt einen jährlichen Gehalt von 15,000 Fr. Die Mitglieder des Tribunats wählte der Senat. Das T. war es, welches am 4. Mai 1804 den Vorschlag machte, Bonaparte zum Kaiser zu erheben; ein neuer Beweis, wie auch die besten Formen gemißbraucht werden können, wenn sie nicht der rechte Geist beseelt. Der Kaiser Napoleon nahm am 18. Mai 1804 eine durchgreifende Veränderung mit dem Tribunat vor; endlich hob er diese zur Schattengewalt herabgesunkene Körperschaft am 14. Aug. 1807 gänzlich auf.

Tribut war in dem römischen Staate eine Eigenthumssteuer der römischen Bürger. Sie hörte zur Zeit der Republik auf, wurde aber von den Kaisern wieder eingeführt. Gegenwärtig bezeichnet man mit dem Worte T. solche Abgaben, welche bezwungene Völker an ihre Sieger zahlen. Daß auch in sogen. Friedenszeiten Völker bezwungen werden können und Tribut zahlen müssen, ist erst in der neueren Zeit bekannt geworden.

Tridentinisches Concil s. Kirchenversammlungen.

Trillhaus, Triller, nannte man in verschiedenen Gegenden Deutschlands früher ein kleines hölzernes, vergittertes Häuschen, in welche Verbrecher zur Verbüßung polizeilicher Vergehen eingesperrt wurden. Das T. war an einer hölzernen Welle befestigt, drehte sich also immer um, und gab zu nicht nur zu Lächerlichkeiten, sondern auch zu namhaften Belästigungen des Eingesperrten Veranlassung.

Trillmeister war im Mittelalter der Name der Corporale, denen die Einübung der jungen Mannschaft in Stellung, Bewegung x., oblag. Jedenfalls gingen diese Uebungen nicht ohne „Trillen" ab, woher auch der Name stammt.

Trinitarier werden die Mitglieder eines in Spanien 1198 gestifteten Ordens von der heiligen Dreieinigkeit genannt, welcher neben den gewöhnlichen Mönchsgelübden auch die Verpflichtung übernahm, Almosen zur Loskaufung gefangener Christensclaven zu sammeln. Seit 1201 erhielt dieser Orden in Spanien auch weibliche

Mitglieder. Der Orden besaß im 18. Jahrhundert gegen 300 Klöster, war in Frankreich, Portugal, Spanien, Italien, Polen und Amerika verbreitet.

Trinität s. Dreieinigkeitslehre.

Triplik s. Duplik.

Triumph war im alten Rom eine der größten Feierlichkeiten und die höchste Belohnung für siegreiche Feldherren. Der aus dem Kampfe heimkehrende Feldherr mußte an der Spitze seines Heeres vor der Stadt Rom erscheinen und von da aus um eine Versammlung des Senats außerhalb der Stadt bitten, in welcher er seine Ansprüche auf einen T. aus einander setzte. Hatte der Senat den T. bewilligt und die Kosten desselben auf die Staatskasse übernommen, so ertheilte das Volk auf Antrag des Senats dem Feldherrn für den Tag des T. den Oberbefehl über die Stadt. Der Festzug wurde durch Musiker und Sänger eröffnet; ihnen folgten die weißen zum Opfer bestimmten Stiere, die erbeuteten Schätze, Kronen und bildliche Darstellungen, welche auf die Siege des Feldherrn Bezug hatten; die Gefangenen in Ketten, die Magistrate, der Senat und der Triumphator in ausgezeichneter Kleidung mit dem Lorbeerkranz auf dem Haupte, in der einen Hand einen Lorbeerzweig, in der andern einen elfenbeinernen Stab, dessen Spitze ein Adler schmückte. Er stand auf einem herrlichen Wagen, den vier Schimmel zogen. Hierauf folgte das siegreiche Heer. — Dieses nur wenig Züge zu dem prachtvollen Gemälde eines römischen Triumphes zur Zeit des Freistaates; unter den Kaisern hörten sie auf, oder kamen nur diesen zu. Unsere Zeit ist zu schwach, um sich ein Bild von der Großartigkeit eines solchen Volkslebens machen zu können.

Triumphbogen ist ein bogenförmiges, freistehendes Gebäude, zum Durchgang eingerichtet, welches früher in Rom zum Andenken des Triumphes siegreicher Feldherren errichtet wurde. Die Triumphbogen namentlich unter dem Kaiser gehörten unter die Prachtwerke, deren Ruinen wir heute noch anstaunen. Einige sind noch vollständig erhalten, wie die T. des Titus, Sept. Severus und Constantin.

Triumviri, Dreimänner, wurden im alten Rom mehrere aus drei Personen bestehende obrigkeitliche Körperschaften genannt. Für unsern Zweck ist das nähere Eingehen in diese abgestorbene Zeit nicht ersprießlich.

Trophäen, Siegeszeichen, werden die mit bewaffneter Hand im freien Felde eroberten Fahnen, Standarten und Geschütze genannt. Das Vorantragen dieser Siegeszeichen war schon bei den Römern Sitte.

Truchseß (im mittelalterlichen Latein Dapifer, in Frankreich Seneschall, in England High Steward) war im deutschen Reiche seit der Krönung Kaiser Otto I. (936) der Name des Hofbeamten, welcher über Küche und Oekonomie der kaiserlichen Hofhaltung die Oberaufsicht führte, und bei feierlichen Gelegenheiten die erste Schüssel auf die Tafel des Kaisers setzte. Später wurde dieses Erzamt (s. b.) nebst den übrigen mit den Kurämtern unter Kaiser Otto IV. (1198) vereinigt und zwar das Erztruchseßamt mit der Kurwürde in der Rheinpfalz. Als Kurfürst Friedrich V. von der Pfalz 1623 der Kur verlustig wurde, ging das Erztruchseßamt an Baiern über; zwar gelangte es noch ein Mal an die Pfalz, kam aber doch wieder an Baiern (1714), bei dem es bis zur Auflösung des Reichs verblieb.

Tuba, ein Messingblasinstrument, welches erst in der neueren Zeit erfunden worden ist; es ist das tiefste Blasinstrument, welches wir gegenwärtig besitzen. Der Name ist der römischen Tuba oder Kriegstrompete entlehnt.

Tugendbund. Unter diesem Namen bildete sich in den Jahren 1806 und 1807 in Preußen ein Verein, welcher den Zweck hatte, durch Wort, Schrift und Beispiel zunächst in dem preußischen Volke, dann in ganz Deutschland Vaterlandsliebe zu erwecken und so das Volk nach und nach zu seiner Befreiung von der französischen Fremdherrschaft zu befähigen. Dieser Verein trat zuerst unter dem Namen „sittlich-wissenschaftlicher Verein" auf. Die Zwecke des Bundes, sowie die Statuten und Mitglieder desselben, waren der preußischen Regierung bekannt, und nur für die Franzosen war er ein geheimer Bund. Napoleon erkannte bald das ihm Gefährliche eines solchen Vereins; sein Vertrauter, Davoust, sagte in Hamburg ganz offen zu einem preußischen Officier: „er hasse nicht Preußen, sondern den Tugendverein." Schon im Jahr 1809 schickte der französische Minister Murat Emissäre nach Deutschland, um über den Tugendbund Erkundigungen einziehen zu lassen, so wie man demselben auch 1813 im März den „undankbaren und unnatürlichen Krieg" Preußens gegen Frankreich zuschrieb. Zu diesem Bunde gehörten die bedeutendsten Männer jener Zeit: Scharnhorst, Schill, v. Stein, Fichte, Jahn, Arndt, Humboldt, Schleiermacher, Niebuhr, Gneisenau, Krug ꝛc. Merkwürdig, namentlich für unsere Gegenwart, ist es aber, daß dieser Bund nach seinem vollständigen Aufhören von der anticonstitutionellen Partei, von den Raubritterabkömmlingen und Fürstenknechten, als Gespenst hingestellt ward, um die kaum angebahnte Einigkeit zwischen Fürst und Volk zu stören. Die Veranlassung zu dem Bunde war diese: durch den Frieden zu Tilsit war Preußen ungemein erniedrigt. Eine Menge der ausgezeichnetsten Männer arbeiteten an der Rettung des Vaterlandes, wurden aber durch die unerträgliche Bevormundung des Volkes durch die Beamtenwelt, durch die Unterdrückung alles öffentlichen Lebens, alles Gemeingeistes und der öffentlichen Meinung gehemmt. Hierzu kam noch die Aufgeblasenheit des Junkerthums, welche es dahin gebracht hatte, daß das Volk die Niederlage bei Jena mit einem gewissen Jubel empfing. Diesen Uebeln wollte der T. begegnen. Scharnhorst schrieb am 27. Nov. an den General von Klausewitz: „nur auf einem Wege ist Rettung möglich. Man muß der Nation das Gefühl der Selbstständigkeit einflößen. Darauf hinzuarbeiten ist Alles, was wir können." Scharnhorst, Gneisenau, Müffling und Andere wirkten nun für die Umgestaltung des Heeres, hoben das Selbstgefühl des Kriegers durch Abschaffung der Kamaschendienste und der Prügelstrafe; eben so wirkte man in der Gesetzgebung und — im Tugendbund. Ursprünglich traten in Königsberg zwanzig Männer zusammen, welche die Statuten entwarfen und sie der Regierung zur Genehmigung vorlegten, die auch erfolgte. An der Spitze des Bundes stand ein hoher Rath von 5 Mitgliedern; der Verein selbst bestand aus 5 Abtheilungen: für Erziehung und Volksbildung, für die Staats- und häusliche Oekonomie, für die Polizei, für die Literatur und für Musik. Jede Abtheilung hatte wöchentlich einen Arbeitstag und jedes Mitglied mußte sich bei seiner Aufnahme eine oder mehrere Abtheilungen wählen, in denen es arbeiten wollte. Aufgenommen wurde jeder unbescholtene christliche Bewohner des Königreiches, der von einem Mitgliede vorgeschlagen war und dem der Censor nichts zur Last legen konnte. In jedem Monat fand eine Generalversammlung statt; der Stiftungstag des Vereins, der Geburtstag des Königs und der Krönungstag waren Festtage, die im Vereine durch Reden, Musik und Gelag begangen wurden. Das Siegel des Vereins waren 5 mit einem Bande verschlungene Garben. Um den Rand stand: „Siegel des sittlich-wissenschaftlichen Vereins." Der Bund verbreitete sich bald durch die ganze Monarchie und auch außerhalb derselben, und wurde nach und nach die Mutter des „deutschen Bundes." Schill gehörte ihm an und unternahm in der Haltung auf große Volksbegeisterung seinen verunglückten Zug. Im Jahre 1809 ward der König von Preußen genöthigt, den Bund der Form nach aufzuheben, doch wirkte dieser kräftig, auch ohne Form, fort, bis der Brand von Moskau das Zeichen gab. Ueber die Wirksamkeit des Bundes nach der leipziger Völkerschlacht sind gewisse Nachrichten nicht vorhanden. Zuerst als Denunciant gegen den T. trat der Staatsrath Dabelow, damals Professor in Göttingen, auf. Die Aufregung und der Unwille des Volkes dagegen war ungeheuer; die Göttinger Studenten ließen die Schandschrift durch geeignete Personen an den Schandpfahl heften und Dabelow ging nach — Dorpat. Eine zweite Schrift gab der ge-

heime Rath Schmalz in Berlin gegen den T. heraus, welche bedeutenderen Einfluß hatte, indem sie dazu beitrug, daß gewisse fürstliche Versprechungen — nicht
gehalten wurden. Schmalz verdächtigte den Bund hinsichtlich seiner deutschen Ein-
heitsbestrebungen und erreichte so ziemlich seinen Zweck, obgleich ihn Männer
wie Niebuhr und Schleiermacher durch ihre Entgegnungen moralisch zermalmten. Als
die Erbitterung gegen diese Denunciation immer heftiger wurde, erschien am 6. Jan.
1816 eine Cabinetsordre, in welcher der König dem T. selbst ein rühmliches Zeugniß ausstellte und hinzufügte: „seitdem haben dieselben Grundsätze und Gesinnungen,
welche die erste Stiftung desselben veranlaßten, nicht blos eine Anzahl der vorigen
Mitglieder desselben, sondern die Mehrheit unseres Volkes beseelt, woraus unter der
Hülfe des Höchsten die Rettung des Vaterlandes und die großen und schönen Thaten
hervorgegangen sind, die sie bewirkt haben.“ Nach diesem höflichen Abschied ward
unter Anziehung des Edictes vom 20. Oct. 1798 die Gesellschaft, so wie der
Streit darüber — verboten! Schmalz erhielt mehrere hohe Orden, und alle niederträchtige Denunciaten seitdem den Namen — Schmalzgesellen.   F.

Tumult s. Aufstand.

Tunica war bei den Römern ein Kleidungsstück für Männer und Frauen;
man trug gewöhnlich zwei; die eine war wie ein Hemd gestaltet, die andere gleich
einem Ueberwurf ohne Aermel; dieß war die eigentliche Tunica.

Turban heißt die Kopfbedeckung bei den Türken und übrigen morgenländischen
Völkern. Der T. besteht aus einem Stück Zeug, welches vier Mal um eine darun-
ter befindliche, unmittelbar den Schädel bedeckende Mütze gewickelt ist und daher auch
Bund genannt wird.

Turnen, Turnerei, Turnkunst. Im classischen Alterthum war die Entwickelung und Ausbildung des Körpers ein wesentlicher Theil der Erziehung, und unter dem Namen Gymnastik bekannt. Bei den alten Griechen und Römern stand
die Gymnastik oder das Turnen mit ihrem freien öffentlichen Leben in der innigsten
Wechselverbindung. Eins unterstützte das andere. Im Mittelalter ersetzten die Rit-
terspiele das Turnwesen der früheren Zeit bei der bevorzugten Adelsklasse; die Ritter-
spiele bildeten aber nur Helden — oder Raufbolde. Erst später fing der Bürgerstand an, Geschmack an körperlichen Uebungen zu finden; es bildeten sich die Schützengilden, die aber mit der Zeit ebenfalls in den Sand verliefen. Erst in neuerer Zeit
erwachte die Idee wieder, für das körperliche Wohl, für die körperliche Ausbildung
mehr Sorge zu tragen. Basedow war es (s. Philanthropinismus), welcher 1776
die erste Anregung gab; ihm folgte Salzmann und Guts-Muths, welcher das
Turnwesen systematisch ausbildete. Größere Bedeutung erhielt es durch Jahn, welcher 1810 in Berlin einen Turnplatz eröffnete. Er brachte statt des Wortes Gymnastik das alte deutsche Wort Turnen wieder in Anwendung und zu Ehren. Es ist
nicht zu läugnen, daß Jahn damals das Turnen als Mittel zum Zweck benutzte;
er wollte eine körperlich-kräftige Jugend bilden, um durch diese an der Befreiung des
Vaterlandes von fremder Herrschaft arbeiten zu können. Sein Plan war ganz gut;
1813 trat die durch ihn gebildete Turnerschar in die Reihen der Streiter, unter denen sie wahrlich nicht die schlechtesten waren. Nach dem Kriege, 1815, begünstigte
die Regierung die Turnübungen, welche dem Vaterlande so segensreich geworden waren; nicht nur in Berlin, auf allen Universitäten und Schulen wurden Turnlehrer
angestellt. Bald darauf begann die Jagd auf die Burschenschaften (s. b.). Das
Wartburgfest (s. b.) gab den Ausschlag; man feindete auch das Turnwesen an,
suchte es nach Kotzebue's und Anderer Vorgang zu verdächtigen, machte Jahn den
Vorwurf, daß seine Turnerei darauf hinausliefe, die Ordnung im Staate zu untergraben und die politische Einheit Deutschlands (!) zu stören. Im Jahre 1818 wurden
in Preußen alle Turnplätze geschlossen; Jahn verhaftet und wegen „demagogischer
Umtriebe“ in Untersuchung gezogen. Er ward zwar wieder frei gelassen, mußte aber

für immer zu Freiburg an der Unstrut wohnen. Erst in der neueren Zeit, nachdem die Demagogenfurcht etwas vergangen war, griff das Turnwesen wieder Platz; besonders aber seit dem Jahre 1848. Die hierauf einherschreitende Reaction hat auch an das Turnwesen Hand gelegt; in mehreren Staaten wurden die Turnanstalten geschlossen, der Turnapparat, ohne das Privateigenthum zu achten, hinweggenommen. — Ein großes, unsterbliches Verdienst gebührt Jahn, welcher die Turnkunst nicht blos wieder in das Leben rief, sondern auch ungemein vervollkommnete. Man urtheilt sehr einseitig, wenn man die Turnkunst nur für die Ausbildung der körperlichen Kräfte und Fähigkeiten berechnet glaubt; soll die Turnkunst in ihrer wahren Bedeutung erkannt und gewürdigt werden, soll von ihr ein wirklicher Vortheil für das gemeine Wesen erzielt werden, so muß man sie als allgemeines Erziehungs- und Bildungsmittel für das ganze Volk auffassen. Die Turnkunst ist nichts anderes, als eine stufenweise, folgerechte Entwickelung der Anlagen und Kräfte des menschlichen Körpers und eine Uebung der Seele im Beherrschen desselben. Sie läßt zu keiner Uebung zu, von welcher ihr Schüler nicht **weiß**, daß er sie ausführen kann, wenn er es will. Sie ist ein stetes Kämpfen des Willens mit der körperlichen Kraft. Sie trägt in sich selbst den Lohn und darum die Ermunterung zur unabläßigen Fortsetzung des Kampfes, weil sie die **Macht des Wollens empfinden** und dadurch den **Turner sich selbst achten lehrt.** — Dieses ist von der höchsten Wichtigkeit. Die Turnkunst weckt jenen frischen, heiteren Lebensmuth, welcher die Freude veredelt und die Gemeinheit auch vom Muthwillen fern hält. Sie weckt zugleich Wetteifer in Anstrengung und Ausdauer, Ehrgefühl und einen Eifer, der alle Schlaffheit haßt.

„Frisch, fromm, fröhlich, frei,
Das ist die ächte Turnerei."

Daß sie dieses sei, hat die Erfahrung zur Genüge gezeigt. Die Vorwürfe, welche man dem Turnwesen bisher gemacht hat, haben sich von selbst widerlegt. Es hat keine Demagogen erzogen, es hat Gottesfurcht und Sitten nicht untergraben, wohl aber ungemein viel Gutes gestiftet. Die Sitten der deutschen Jugend schwanken zwischen krankhafter, liederlicher Zierbengelei und roher, ungeschlachteter Biertummelei. Die nöthige Umwandlung kann nur durch das Turnwesen geschehen und ist hier und da vor Aller Augen schon geschehen. — Wie wohlthätig würde das Turnwesen auf das Kriegswesen einwirken, wenn es in allen Schulen eingeführt wäre! Wer vom 8. Lebensjahre an geübt wurde, nicht blos seine Glieder frei zu brauchen, sondern auch in Mühe auszudauern, wer von Kindheit an gewöhnt wurde, nach Ruf und Wink des Vorturners sich zu bewegen — der wird im 20. Lebensjahre mit Leichtigkeit die Waffe handhaben, sich frei und sicher bewegen, den Beschwerden des Marsches trotzen und — was die Hauptsache ist, sich nicht erst in einem Alter, wo der Körper fast ausgebildet ist — dressiren lassen müssen. — Soll aber die Turnerei Segen stiften, dann lasse man sie sich auch frei entfalten und entwickeln. Halb geduldet, halb unterdrückt, ängstlich beaufsichtigt, gedeiht sie nicht. Allgemein, in allen Schulen, in den Städten, wie auf dem Lande, muß geturnt werden. Aber wie, wenn man dann ein **frisches, frommes, fröhliches** und — **freies** Volk erzöge? —
                                                                                                    B.

Turniere hießen die im Mittelalter üblichen kriegerischen Kampfspiele, welche meist bei festlichen Gelegenheiten an den Höfen der Großen gehalten wurden. Nur der Adel war turnierfähig, daher erhielten sich auch diese Kampfspiele, welche eine Uebung in den Waffen während des Friedens sein sollten, in Frankreich aber noch zahlreicher waren, als in Deutschland, nur so lange, als das Ritterthum selbst blühete; als dieses erstarb und mit der Erfindung und Anwendung des Schießpulvers die Kriegführung eine andere wurde, hörten auch die T. auf, zumal sie ausgeartet waren. Die Waffen des Ritters waren Lanze und Schild, zuweilen beim Fußkampf auch Schwert und Streitaxt. Ein Nachklang von ihnen hat sich noch erhalten in ben Duellen (f. Zweikampf), welche in den höheren Ständen, unter Militärs, auf Universitäten ꝛc. zur Ausgleichung von Ehrensachen immer noch vorzukommen pflegen. Auch die Pferderennen, welche der Adel in England, aber auch in Deutschland in Schlesien, Pommern, Mecklenburg, in der neuesten Zeit auch im Königreich Sachsen, veranstaltete, sollen das Andenken an die Zeit, wo er hoch zu Roß über dem Bürger= und Bauernvolke erhaben und nicht blos ein bevorrechteter, sondern der allein berech= tigte Stand war, wieder auffrischen. Aber die Zeit ist unwiderruflich dahin und ein Junker, der in einem solchen Pferderennen gesiegt hat, steht in den Augen des den= kenden Mannes deshalb auch nicht um eine Stufe höher. Der Bürgerstand hat in der Turnerei (f. Turnen) das beste Mittel zur Uebung und Stählung des Körpers erkannt und die Turnfeste, namentlich, wo sie mit Preisen verbunden sind, sind für ihn das, was für den Adel zu seiner Zeit die T. waren.   Cramer.

    Tutel f. Vormundschaft.

    Typhus f. ansteckende Krankheiten.

    Tyrann ward im alten Griechenland im Allgemeinen jeder unumschränkte Herr= scher genannt, im Gegensatz zu den Obrigkeiten der Freistaaten. Die Griechen ver= standen unter Tyrannen die asiatischen Despoten, die Alleinherrscher ohne Zwang und Band. Sobald sich in den freien griechischen Staaten Jemand die Oberherrschaft an= maßte und die freien Staatseinrichtungen zerstörte, ward er mit dem eben nicht schmei= chelhaften Namen Tyrann belegt. In der neueren Zeit nennt man jeden Herr= scher so, welcher die Grenzen der ihm verfassungsmäßig zustehenden Gewalt über= schreitet.

U.

    Ubboniften ist der Name der von dem Wiedertäufer (f. Taufgesinnte) Philipps Ubbo gestifteten Religionsgesellschaft; die U. waren später mit den Mennoniten ver= bunden; sie unterschieden sich von den andern Wiedertäufern durch die Annahme eines geistigen Reiches Christi auf Erden, verwarfen die Vielweiberei und Ehescheidung.

    Uebereinkunft f. Vertrag.

    Uebergabe (Traditio) ist in Rechtsgeschäften die wirkliche Ueberlieferung einer Sache, die Einweihung in ein Recht, die Einräumung des Besitzes. Durch das Ver= sprechen, Jemandem eine Sache zu geben, vermöge eines Tausches, Kaufes oder einer Schenkung, geht die Sache noch nicht wirklich in das Eigenthum des Andern über; es entsteht durch jenes Versprechen nur eine persönliche Forderung an den, welcher das Versprechen gegeben hat. Die Uebergabe hat daher großen Werth, obschon auch sie nicht immer für sich allein die Uebergabe des Eigenthums bemerkt, indem bei dem Kauf z. B. noch die Bezahlung dazu gehört, um dem Käufer das Eigenthum zu verschaffen. Werden Gegenstände übergeben, welche nicht beweglich sind, wie Grund= stücke, Häuser, so beglaubigt man die Uebergabe durch bildliche, symbolische Handlun= gen, z. B. durch das Aushauen eines Spanes aus einem Balken, das Ausstechen

, einer Erdscholle, die Uebergabe der Schlüssel ꝛc. Auch das bloße Hinweisen auf das Grundstück mit der Hand, die traditio longa manu, hatte die Wirkung der Uebergabe; auch genügte die bloße Erklärung des früheren Besitzers, daß er von nun an von dem Besitz zurücktrete. Die Belehnung hat die Kraft der Uebergabe.

Uebervölkerung ist ein Wort und Begriff, welcher erst in der neueren Zeit entstanden ist. Von einer allgemeinen U. kann nie die Rede sein, wohl aber von einer U. einzelner Provinzen oder Erdtheile. Wenn die Bevölkerung einer Gegend oder eines Landes so zugenommen hat, daß das Gleichgewicht zwischen den Mitteln der Erzeugung der Nahrungsmittel, Production, und dem Verbrauch, Consumtion, gestört ist, so daß die Bevölkerung ihre Bedürfnisse nicht mehr zur Genüge befriedigen kann, so ist U. eingetreten. Früher hielt man das Fortschreiten der Bevölkerung für ein Zeichen, daß die Wohlfahrt des Staates im Steigen begriffen sei, und suchte sogar durch künstliche Mittel, durch Begünstigung der Ehen, die Bevölkerung zu heben; gegenwärtig halten unsere Staatsweisen die zu große Bevölkerung für kein Glück mehr, da sie in Zeiten der Theuerung, bei gestörtem Verkehr dem Staate lästig wird. Allerdings kam dazu auch die Furcht vor einem zu großen besitzlosen Proletariat. Diese Besorgnisse alle würden schwinden, die oft mehr als unnatürlichen und harten Maaßregeln, wie die Eheverbote, würden nicht nöthig sein, wenn wir unter freieren Staatseinrichtungen lebten, welche es jedem möglich machten, das durch seine Kraft bedingte Lebensziel zu erreichen. Es würde dann weit weniger Besitzlose geben, zur Zeit der Theuerung weit weniger Bedürftige, als gegenwärtig, wo in manchen Staaten die ungeheueren Ausgaben das Mark des Landes verzehren. Die Welt ist weit und groß; ganze Länderstrecken, die in der üppigsten Naturfülle prangen, liegen noch wüste und leer — man denke nur an Ungarn, reißt die Schranken weg, welche die Völker trennen, schafft ein freies Volksleben — und das Gespenst der U. ist verschwunden.

Ueberzugsgeld s. Abschoß.

Ubiquität, Allgegenwart. Mit diesem Worte bezeichnete Luther die Eigenschaft des Leibes Christi, vermöge welcher derselbe im Abendmahle in der Form des Brotes überall gegenwärtig wäre. Luther hatte durch dieses Wort die Sache auf die Spitze gestellt; man ließ es daher auch später in den Streitschriften wieder fallen, als dasselbe später von den würtembergischen Theologen wieder aufgenommen und zu einem Hauptpunkte der Rechtgläubigkeit in der protestantischen Kirche erhoben ward; s. Abendmahl.

Ukas wird in Rußland jeder vom Kaiser ausgehende Befehl genannt. **Prikas** ist der militärische Tagesbefehl.

Ulanen ist der Name einer berittenen Truppengattung, welche mit Lanze, Säbeln und Pistolen bewaffnet sind. Der Name ist tartarischen Ursprunges; Ulanen heißt bei den Tartaren so viel als „wacker, tapfer," und ist der Name für die leichte Reiterei, welche die Grenzen sichert. In Rußland heißt diese Truppengattung Kosaken.

Ultimatum nennt man in der diplomatischen Sprache die letzten Bedingungen, welche man bei dem Abschluß eines Vertrags oder einer Friedensverhandlung macht, und bei welchen man unwiderruflich beharren zu wollen erklärt.

Ultra heißt wörtlich jenseit, darüber hinaus; in moralischer Bedeutung bezeichnet es Jemanden, welcher über die von der Vernunft und dem Gewissen gezogene Grenze bei Befolgung irgend einer Ansicht hinausgeht. Gegenwärtig braucht man dieses Wort vorzüglich in politischer Bedeutung und spricht von Ultraliberalen, Ultraroyalisten, Ultramontanen. Ultraliberale wären diejenigen, welche über die Grenze eines freisinnigen monarchischen Bestrebens hinausgehen. Ein Gleiches thun die Ultraroyalisten, indem sie aus übertriebener Vorliebe für das Königthum diesem nur Schaden zufügen und wie Ludwig XVIII. ausruft: „sie mögen doch um Alles nicht königlicher als der König selbst sein!" Ultramontane endlich sind diejenigen, welche in der katholischen Kirche den Ansichten huldigen, die von jenseits der Berge, der Alpen, oder von Rom kommen und von der päpstlichen Curie ausgehen. Das Uebertriebene hat stets den verschiedenen Parteien sowohl auf dem Gebiete des politischen, als des religiösen Lebens geschadet. Namentlich hat die jüngste deutsche Geschichte die allseitigsten Belege dazu geliefert, und manches edle, dem Kern des Volkes entwachsene Streben würde seine guten Früchte getragen haben, wenn es nicht von den Ultras ausgebeutet worden wäre.

Ultramontanismus ist das von Rom ausgehende Bestreben, die katholischen Nationalkirchen der verschiedenen Länder dem Papste und der römischen Curie mehr zu unterwerfen, als die bischöflichen und landesherrlichen Rechte gestatten. Dieses System, welches unter Papst Gregor VII., Innocenz III. und Bonifacius VIII. blühete, sucht sich seit 1814, nach Wiedereinführung der Jesuiten, wieder geltend zu machen. Es hat in Frankreich wie in Deutschland namhafte Verfechter gefunden.

Umbraculum nannte man früher in der Kirche einen auf vier Säulen ruhenden Himmel, welcher über den Altären angebracht war.

Umlagen s. Abgaben.

Umtriebe, demagogische, s. Demagog und politische Umtriebe.

Unabhängigkeit der Justiz s. Cabinetsjustiz.

Unabhängigkeit des Staats s. Staat.

Unabsetzbarkeit der Richter ist die Eigenschaft des richterlichen Standes, vermöge welcher Richter nicht nach Willkür und Ermessen abgesetzt oder in „Ruhestand" versetzt werden sollen. In einem wohl geordneten Staate darf beides nur dann geschehen, wenn die Richter durch ein Verbrechen ihre Amtsentsetzung nach „Urtheil und Recht" verwirkt haben; s. richterliche Gewalt.

Uneheliche Kinder, uneheliche Vaterschaft und Kindschaft. Das ältere römische Recht ging von der Ansicht aus, daß die Vaterschaft ein Rechtsbegriff sei, die thatsächliche Unterlage aber mit Gewißheit nicht ermittelt werden könne, weshalb man sich hinsichtlich derselben lediglich an die Wahrscheinlichkeit halten müsse. Auf diesen Grund haben die Gesetze aller gesitteten Staaten schon frühzeitig die Rechtsvermuthung aufgestellt, daß ein in rechtmäßiger Ehe erzeugtes Kind den Ehegatten seiner Mutter zum Vater habe; für Kinder also, die nicht in der Ehe erzeugt sind, fehlt die rechtliche Voraussetzung der Präsumtion. Bei den Römern galten daher nur die in gesetzlicher Ehe erzeugten Kinder als rechtmäßig erzeugte, und jedes Kind, welches auf anderem Wege, als in der Ehe, erzeugt worden war, wurde unehelich genannt. Wen nun die Rechte der Legitimität nicht unterstützten, der hatte gegen seinen Erzeuger keinen Anspruch auf Unterhaltung. Als aber später in den Kaiserzeiten das Concubinat aufkam, erklärte man die aus solcher Nebenehe entsprossenen Kinder ebenfalls insofern für legitim, daß sie nach dem Ableben ihres Erzeugers eine den Vermögensverhältnissen des Vaters entsprechende Unterhaltungssumme verlangen konnten. Als im 12. Jahrhunderte in Deutschland das römische und kanonische Recht zur Geltung gelängte, trat der deutsche Sinn, welcher weder politische noch bürgerliche Rechte eines außerehelichen Sprößlings anerkennen wollte, jenen gesetzlichen Bestimmungen entgegen; in einigen Gegenden siegte er und unehelich Geborne wurden von Ehrenstellen, von erbrechtlichen Ansprüchen und der Nachfolge im Lehen ausgeschlossen. In andern Gegenden aber siegte das fremde Recht, obschon der Grund zu demselben, die Nebenehe oder das Concubinat, verboten war. Man stellt den Grundsatz fest, daß der außereheliche Vater verbunden sei, seine unehelichen Kinder zu ernähren. Es bildete sich die Praxis nun nach folgenden Grundsätzen aus: 1) wer erwiesener Maßen innerhalb des Zeitraums des 182—300. Tages vor der Geburt eines Kindes mit dessen Mutter in geschlechtlichem Umgange gelebt hat, hat

die rechtliche Vermuthung gegen sich, daß er Vater dieses Kindes sei. Diese Vermuthung wird aber aufgehoben, sobald der angebliche Vater beweisen kann, daß die
Mutter des Kindes auch mit Andern den Beischlaf gepflogen hat; 2) jedem Kinde,
welches vor dem 182. Tage nach Abschluß der Ehe, oder nach dem 300. Tage nach
Auflösung des Ehebandes durch den Tod des Mannes oder durch Ehescheidung geboren wird, geht die Legitimität ab, wenn dessen rechtmäßige Abstammung in erster
Beziehung von dem Ehemanne, in dem letzteren aber von den Hinterlassenen bestritten wird. Eben so ist ein in der Ehe gebornes Kind nicht legitim, wenn der Mann
beweisen kann, daß er innerhalb des Zeitraums des 182—300. Tages vor der Geburt des Kindes zeugungsunfähig oder ununterbrochen abwesend war; 3) die Rechtsverhältnisse der Brautkinder sind jenen der übrigen außerehelichen Kinder gleich zu
achten; 4) der erweisliche außereheliche Vater ist zur Alimentation seines außerehelichen Kindes verbunden. Er hat demnach neben Bestreitung der Taufgebühren für
dessen Ernährung, Kleidung und Erziehung mit Schulunterricht bis zu der Zeit
zu sorgen, wo das Kind durch eigenen Erwerb sich erhalten kann, in der Regel bis
zum 14. Lebensjahre des Kindes. Ist das Kind außer Stande, sich selbst fortzuhel-
fen, so währt die Verbindlichkeit des Vaters fort. Das Quantum der Alimentation
ist auf die Nothdurft beschränkt, so daß ein außereheliches Kind zu seiner Ernährung
und Erziehung nicht mehr verlangen kann, als wie sie bei ehelichen Kindern der niederen Volksklasse stattfindet; 5) diese Pflicht der Erhaltung des Kindes erfüllt der
Vater in der Regel durch Verabreichung von Geldzahlungen im Voraus an diejenige
Person, welcher das Kind mit Genehmigung der vormundschaftlichen Behörde überlassen ist. Als Ausnahme gilt es, wenn der Vater das außereheliche Kind selbst er-
nähren will, wozu die vormundschaftliche Behörde ihre Zustimmung geben muß; 6) ist der außereheliche Vater unvermögend zur Bestreitung der Alimentation, so geht
die Verpflichtung dazu auf die Mutter des Kindes und die nächst folgenden mütter-
lichen Verwandten über; die väterlichen dagegen sind davon befreit; 7) eine väterliche
Gewalt steht dem Vater über sein außerehelich erzeugtes Kind nicht zu; diese kann
bloß mittelst Legitimation durch die nachfolgende Ehe geschehen; 8) uneheliche Kinder
führen den Familiennamen der Mutter; 9) uneheliche Kinder sind von der Geburt
an unter Vormundschaft des Staates gestellt; 10) ein Erbrecht kommt dem unehelichen Kinde am Nachlasse des Vaters und der väterlichen Verwandten nicht zu; seine
erbrechtlichen Ansprüche beschränken sich auf den Nachlaß der Mutter. Dieses sind
die allgemeinen Grundzüge der Gesetzgebung über diesen Gegenstand; natürlich haben
sie in den verschiedenen Staaten, auch in Deutschland, mancherlei Abänderungen erlitten. Unter den deutschen Gesetzgebungen über uneheliche Kinder zeichnet sich besonders das würtembergische Gesetz vom 5. Septbr. 1834 aus. Die englische Parlamentsacte vom 14. Aug. 1864 legt der Mutter des unehelichen Kindes allein die
Verbindlichkeit auf, für dasselbe zu sorgen.

Unfähigkeit zur Regierung. Da in der Monarchie die gesammte Staatsgewalt in einer Person dargestellt wird, so ergiebt sich als eine Folgerung aus dem
eigenthümlichen Charakter der Souverainitätsrechte das Erforderniß der Regierungsfähigkeit der herrschenden Person. Die Regierungsfähigkeit setzt theils gewisse Bedingungen voraus; theils setzt sie gewisse Dinge nicht voraus. Zur Zeit des
deutschen Reiches mußte der König zu den semperfreien Herren gehören; so wird noch
jetzt die Abstammung aus dem herrscherberechtigten Hause durch legitime Zeugung erfordert.
In einigen Staaten ist männliches Geschlecht unbedingt nöthig, während in andern
die Frauen von der Thronfolge (s. d.) nicht ausgeschlossen sind. Zu den Dingen,
welche die Regierungsunfähigkeit bedingen, gehören solche geistige und körperliche
Gebrechen und Mängel, welche die damit behaftete Person zu den Geschäften der Regierung untauglich machen würden. Die Entwickelung der Grundsätze ist aber immer
großen Schwierigkeiten unterworfen gewesen, da das positive Recht sehr wenig Be-

stimmungen darüber hat. Die goldene Bulle Kaiser Karls IV. von 1356 setzt in Bezug auf die Kurwürde fest, daß jeder davon ausgeschlossen sein sollte, welcher geistesschwach („mente captus") wäre oder sonst ein offenkundiges und schweres Verbrechen hätte, „wegen dessen er über andere weder herrschen dürfe noch könne. Man vermied es damals schon, einzelne, besonders körperliche Mängel aufzustellen, und begnügte sich mit dem allgemeinen Ausdruck, um den verschiedenen Umständen gerecht zu werden. Man kann wohl notorischen Blödsinn, Wahnsinn und Raserei als Gründe der unbedingten Regierungsunfähigkeit anführen, man kann aber nicht unbedingt Blindheit oder andere Gebrechen hierher zählen, da sie in gewissen Fällen die Regierung nur erschweren, aber nicht unmöglich machen. Das Urtheil darüber, ob eine Behinderung des Regenten oder des Thronfolgers an der ordnungsmäßigen Führung der Regierung statt finde und in welchem Grade, steht im Zweifel den Agnaten als Familienangelegenheit des regierenden Hauses zu. Dieser Grundsatz ist in der deutschen Geschichte uralt und durch Beschluß der Bundesversammlung vom 2. Decbr. 1830 bestätigt worden. Zur Zeit des deutschen Reiches konnte über die Unfähigkeit der Regierung auch ein eigentlicher Rechtsstreit vor den Reichsgerichten entstehen, wenn der Landesherr oder Thronfolger sich dem Ausspruche der Familie nicht fügen wollte, oder die Stände sich beschwerten. Die Absetzung eines Fürsten als regierungsunfähig konnte in diesem Falle durch einen Beschluß des Reichstags erfolgen, nachdem die Angelegenheit von den Reichsgerichten behandelt worden war. Der deutschen Bundesversammlung steht zwar jetzt ein solcher Machtspruch nicht zu; doch ist sie befugt, der öffentlichen Ruhe wegen, den Ausspruch der fürstlichen Familien zur Geltung und Anwendung zu bringen. B.

Ungehorsamsstrafe, Ableugnung, Antwortverweigerung, Lüge. In staatswissenschaftlicher Hinsicht ist das Ableugnen, Antwortverweigern, Lügen und die damit verbundene **Ungehorsamsstrafe** insofern von Wichtigkeit, als dabei folgende Fragen in Betracht kommen: 1) ist das Ableugnen, Nichtantworten oder Lügen ein juristisches Unrecht? 2) Kann es im Civil- und Criminalproceß mit nachtheiligen Folgen belegt oder 3) gar bestraft werden? — Jede Ableugnung ist eine Verneinung einer bestimmten Thatsache, sie ist ein Gegensatz der Aussage der Wahrheit, wie die Lüge und die Verweigerung der Antwort. Um nun die wichtige Frage zu beantworten, ob es rechtlich und gesetzgeberisch räthlich sei, im Strafproceß Antwortverweigerung, Ableugnung und Lüge für juristisch strafbar zu halten und durch die U. ihr Gegentheil zu erzwingen, muß man zuvor das Gebiet der Religiosität und Sittlichkeit von dem Gebiet des juristischen Rechtes trennen. Daraus, daß das Ableugnen sittlich verwerflich ist, folgt keineswegs, daß es eine Rechtspflicht verletze und strafbar sei. Viele sittliche Schändlichkeiten sind juristisch straflos, wie ja oft die scheußlichsten Verbrechen ungeahndet bleiben, weil es für sie kein Gesetz giebt. Antwortverweigerung, Ableugnung und Lüge können nur dann strafbar sein, wenn durch sie eine besondere nachweisbare Rechtspflicht verletzt wird (vergl. Wächter, Strafrecht, Th. II. S. 211 ff). Man wird aber weder rechtlich noch politisch verfahren, wenn man Antwortverweigerung, Leugnen und Lüge des Angeklagten im Civil- oder Criminalproceß bürgerlich strafen oder mit anderen Nachtheilen belegen wollte, als solchen, welche sich von selbst der Natur der Sache nach damit verbinden. Diese Nachtheile begründen zugleich eine heilsame natürliche Strafe, sobald dem verstockten Rechtsgefühle der Juristen endlich einleuchten wird, daß die nicht von dem Angeschuldigten besonders verschuldeten Leiden durch die Untersuchung möglichst vergüten und an der Strafe abziehen muß. Dann wird ein Untersuchungs- und Gefangenschaftsnachtheil, der durch Verweigerung der Wahrheit herbeigeführt wurde, von dem völlig unverschuldeten sich sehr unterscheiden. Gegen eine bürgerliche Strafbarkeit der Antwortverweigerung, Ableugnung und Lüge spricht aber auch hauptsächlich der im altrömischen, altdeutschen, englischen, amerikanischen und französischen

Strafverfahren durchgeführte natürliche Rechtsgrundsatz, daß einestheils jeder Bürger bis zum vollen Beweis einer Schuld als ganz schuldlos zu behandeln sei, und daß andererseits rechtlich nicht der Angeklagte gegen sich selbst Zeugniß und Beweis zu liefern verbunden ist. Deßhalb verwerfen diese Gesetzgebungen auch Ungehorsamsstrafen. In Deutschland hat man diesen Grundsatz der Freiheit und Humanität immer mehr verletzt und aufgegeben. Durch den kanonischen Inquisitionsproceß zerstört man Leben, Ehre und Freiheit der Bürger, welche abhängig werden von dem Ausspruch geheim verhandelnder bezahlter Diener der Regierung, von welcher diese Diener mehr oder weniger abhängig sind. Daher sah man sich auch genöthigt, um eine scheinbare Rechtfertigung für die criminalrechtlichen Urthel zu erhalten, vor allem das Geständniß der Angeschuldigten zu verlangen. Dazu nahm man Zwang und Tortur zur Hülfe. Als im vorigen Jahrhunderte die Folter abgeschafft werden mußte, nahm man, um den zu vielen Lossprechungen bei bloßen Vermuthungen, Indicien, zu entgehen, seine Zuflucht zu außerordentlichen Strafen, zu Strafen ohne vollständigen Beweis, man machte die Verdächtigkeit zum Verbrechen. Man wollte zwar nicht eine Strafe für bloßes Leugnen, man strafte aber das Nichtgestehen dessen, was der inquirirende Richter seiner vorgefaßten Meinung nach für wahrscheinlich hielt, nicht selten durch Schläge, Hunger und andere Qual. Man raubte so jeder Aussage des Angeschuldigten allen Werth und alle Sicherheit. Die größten Rechtslehrer der neuesten Zeit verwerfen daher die Bestrafung der Antwortsverweigerung und das Leugnen, oder die U. Bei dem Anklageproceß, verbunden mit Oeffentlichkeit und Geschwornengericht, kann sie nie vorkommen.   F.

Unglaube ist der Zweifel an dem, was entweder glaubwürdig ist oder dafür gehalten wird. Man unterscheidet den historischen und religiösen U. In letzterer Beziehung kommt es sehr häufig vor, daß Personen sich U. gegenseitig vorwerfen; so nennt der Muhamedaner den Christen einen Ungläubigen und dieser wieder jenen. Im Glauben muß volle Freiheit herrschen, und Niemand sollte einem Andern Mangel an Glauben vorwerfen, was, wie die Geschichte lehrt, zu dem größten Unheil geführt hat.

Uniform heißt die gleichförmige Kleidung gewisser Körperschaften und namentlich des Militärs. Bei diesem wird die Einführung der U. zugleich mit der Errichtung der stehenden Heere vorgenommen. Die U. soll vor allem den Zweck haben, den Soldaten so zu bekleiden, daß seine Gesundheit geschützt ist, daß er die Einwirkungen der Witterung ertragen und dabei seine Waffen leicht gebrauchen kann. Die Zweckmäßigkeit ist bei der U. die erste Bedingung, welcher der äußere Glanz nachstehen muß. In neuerer Zeit hat man in dem Bekleidungswesen der Armeen wesentliche Verbesserungen vorgenommen, während früher die unzweckmäßige Bekleidung jährlich eine große Anzahl Menschenleben forderte.

Uniformitätsacte, Gleichförmigkeitsacte, war der Name eines englischen Gesetzes, durch welches man Einheit der Kirche und des Glaubens erzwingen wollte (s. Testacte). Nach Karls II. Zurückberufung auf den Thron gelang es den Anhängern der Hochkirche (s. anglicanische Kirche), im Parlament 1662 die Uniformitätsacte durchzusetzen, durch welche die früheren Verfolgungsgesetze erneuert wurden. Laut dieser Acte sollte jeder Geistliche vom 24. Aug. 1662 an nach den Bestimmungen der bischöflichen Kirche sein Amt verwalten, wie diese in dem öffentlichen Gebetbuche enthalten waren, und ähnliche Zwangsmaßregeln mehr. Auch nicht ein Presbyterianer ließ sich zum Uebertritt bewegen; gegen 2000 legten sofort ihre Stellen nieder. Erst 1689 trat diese Acte mit der Veröffentlichung der Toleranzacte (s. Toleranz) außer Kraft.

Unigenitus Dei filius wird nach diesen Anfangsworten eine Bulle des Papstes Clemens XI. genannt, welches er 1713 erließ, um die Jansenisten (s. d.) zu unterdrücken. Der Erlaß dieser Bulle erregte große Aufregung und Kämpfe; 1730 mußte sie das Parlament annehmen, wodurch sie zum Reichsgesetz erhoben ward.

In andern katholischen Ländern hat man diese Bulle, welche vorzugsweise für die französischen Verhältnisse berechnet war, wenig beachtet. Joseph II. von Oesterreich unterdrückte sie sogar.

Union, Bund, Vereinigung. Zu einer **politischen,** wahrhaften Union hat man es in Deutschland wenigstens noch nicht gebracht. In neuerer Zeit hat zwar Preußen durch das Bündniß vom 26. Mai 1849 den Versuch zu einer U. gemacht, doch ohne Erfolg. Was im Allgemeinen über politische U. zu sagen ist, darüber vergl. man die Artikel Bundesstaat und Staatsverfassung. Verschieden von der politischen ist die **kirchliche** U. Man versteht darunter eine Vereinigung kirchlicher Parteien zur Annahme eines gemeinschaftlichen Lehrbegriffs, wenigstens zur Verpflichtung gegenseitiger Toleranz. Natürlich hängt eine solche Vereinigung von der Auffassung des Begriffs Offenbarung; von der Bestimmung dessen, was man in der Kirche für göttlich, und was man für menschlich hält. Eine Kirche, welche wie die römisch-katholische in eiserner Consequenz, die sie auch nur allein erhalten hat, Alles für göttlich, auch in der Kirchenverfassung, ausgiebt, kann sich mit einer andern Religionsgemeinschaft nicht vereinigen. Daher sind auch alle Versuche gescheitert, die man seit Jahrhunderten machte, um eine U. der griechischen Kirche mit der römischen zu Stande zu bringen; eben so vergebens waren die Versuche auf dem Reichstage zu Augsburg, 1530, die protestantische Kirche wieder mit der katholischen zu vereinigen, und so auch alle späteren, zu Worms 1540, zu Regensburg 1541. Die eindringlichsten Vorstellungen katholischer Bischöfe und Fürsten bewirkten nicht, daß der Papst die Priesterehe und den Kelch im Abendmahle bewilligte. Von der katholischen Kirche gilt in dieser Hinsicht ganz dasselbe, was von dem Jesuiterorden gilt: „sie muß bleiben, wie sie ist, oder aufhören zu sein. Auch alle späteren Unionsversuche blieben erfolglos, eben so wie die Bemühungen der protestantischen Kirche, eine Vereinigung mit der griechischen und reformirten herbeizuführen. Das Göttliche in beiden Confessionen hätte sich vereinigt, aber das von Menschen Aufgebaute einigte sich nicht. Das Reformationsjubiläum 1817 gab von Neuem Veranlassung, den Versuch zu einer Vereinigung der protestantischen und reformirten Kirche zu machen. In Nassau gelang es sofort; in Preußen wurde die Union der reformirten und lutherischen Kirche am 31. Oct. 1817 ebenfalls vollzogen, doch nicht ohne Spaltungen zurückzulassen. Ein Gleiches geschah später in andern deutschen Ländern. In Preußen versuchte man 1821 durch eine neue „Kirchenagende" die noch bestehenden Gegensätze zu versöhnen; der 1834 gegebene **Befehl** aber, diese Agende auch in nicht unirten Kirchen zu gebrauchen, trieb die Lutheraner zur offenen Widersetzlichkeit; ein neuer Beweis, daß in Glaubenssachen Freiheit herrschen soll, und daß Gewalt nur erbittert. Eine Cabinetsordre vom Jahre 1846 verstattete endlich den Altlutheranern, selbstständige Gemeinden zu gründen. **W.**

Unirte Griechen werden die griechischen Christen genannt, welche sich unter gewissen Bedingungen mit der katholischen Kirche wieder vereinigt haben. Sie finden sich in Italien, Neapel, Siebenbürgen, Ungarn und Polen.

Unitarier nennen sich die Mitglieder einer christlichen Religionsgesellschaft; anfangs wurden sie von den Protestanten Antitrinitarier (s. d. und reformirte Kirche) genannt. Die Gemeinden, welche sich um die Mitte des 16. Jahrh. in Polen und Siebenbürgen bildeten, nannten sich **polnische Brüder** und besaßen in Rakow eine gelehrte Schule. Im Jahre 1638 ward Schule und Kirche aufgehoben, da innere Streitigkeiten zu äußeren Excessen Anlaß gegeben hatten. Später wurde den U. in Polen ihre Religionsausübung gänzlich untersagt und ihnen freigestellt, entweder katholisch zu werden oder das Land zu verlassen. Viele wanderten aus und gründeten in Preußen Colonien. In Siebenbürgen fanden sie die vorzüglichste Aufnahme, wo sie auch gegenwärtig allein noch in Europa eine gesetzlich gesicherte freie

Religionsübung genießen. Ihr Gottesdienst und ihre Kirchenverfassung haben viel Aehnliches mit dem Protestantischen.

Unität, Brüderunität, ist der Name der 1722 unter Begünstigung des Grafen von Zinzendorf in Bertheldorf am Hutberge in der Oberlausitz gegründeten Gemeinde, deren Mitglieder sich Herrnhuter nannten. Die Gründer dieser Gemeinde waren Nachkommen der böhmischen Brüder (s. d. und Brüdergemeinden).

Universalstaat, Universalmonarchie, Weltherrschaft. Durch diese Worte wird die Vereinigung aller bekannten Völker zu einem gemeinschaftlichen Staat oder zu einer gemeinschaftlichen Monarchie verstanden. Versuche zu einer solchen Weltherrschaft sind bereits gemacht worden und mehr oder weniger gelungen; die alten asiatischen Reiche, wie das persische, bezweckten eine Weltherrschaft, nach den damaligen Verhältnissen; eben so das römische, das päpstliche und das napoleonische Reich. Es hat auch Viele gegeben, welche die Idee einer Weltmonarchie in Schutz nahmen und vertheidigten. Die Geschichte bezeugt aber laut, daß Universalstaaten Cultur und Freiheit vernichten und das „Grab der Menschheit werden." Die Natur der Dinge selbst widersetzt sich einer solchen staatlichen Vereinigung aller Völker auf die Dauer; mehr noch verwirft sie die höhere moralisch-politische Gesetzgebung. Das allgemeine Gesetz der sittlichen Weltordnung für freie Personen: Reichthum und Mannigfaltigkeit, selbstständiges Leben und freie Entwickelung, gilt auch für die Staaten- und Völkerwelt. Die schönste aller irdischen Bildungen ist das freie Volk; das herrlichste aller Menschenwerke der freie Staat, die freie und bewußtvolle Erhebung des Volkes zum freien Staat. Wer alle Völker und Staaten mit Verlust ihrer Selbstständigkeit im Universalstaate untergehen lassen will, würde die größte Thorheit begehen. Ein geistig-sittlicher Universalstaat ist möglich: in dem wohlverstandenen Christenthum. Das ist die große, weltgeschichtliche Idee der römischen Kirche.

Universitas s. Körperschaft.

Universitäten, Entstehung, Entwickelung und Bedeutung der Universitäten für das gesammte Volks- und Staatsleben. Universitäten, Hochschulen, sind diejenigen öffentlichen Anstalten, auf denen die Wissenschaften in ihrem ganzen Bereiche in einer gewissen Vollständigkeit gelehrt und die akademischen Würden ertheilt werden. Bei allen Völkern findet sich zwar die Sorge für geistige Ausbildung der heranwachsenden Geschlechter; eigentliche Gelehrtenschulen aber, d. h. Vereine von Lehrern und Lernenden, in welchen der Einzelne zur Wissenschaft herangebildet im Universalstaate untergehen werden, damit er dann später selbst die Wissenschaft weiter bilde, finden sich nur bei den edlen Völkern, bei denen der Freiheit der Forschung nichts hemmend in den Weg trat. Die Aegypter, Chinesen, Hindus waren zwar im Besitze der Wissenschaft; aber bei ihnen blieb sie unter despotischer Verfassung Geheimgut; die Hellenen führten sie erst in das Leben ein. Die Ursache, weshalb wir die eigentliche Wissenschaft zuerst bei den Griechen finden, lag in ihrer freien Staatsverfassung, ganz besonders aber mit darin, daß sie keine Priesterkaste kannten, wie die Aegypter. Im Gegensatz zu den Priesterschulen der Aegypter, Perser, Indier entstanden bei den Griechen eigentliche Gelehrtenschulen für die Wissenschaft, die sich bald zu einer von keinem der alten Völker erreichten Höhe erhoben. In Athen, dem Mittelpunkte griechischer Bildung und dem Hauptsitze der ersten hohen Schulen lehrte Plato und Aristoteles; auch später blieb Athen die hohe Schule für die ganze damalige Welt, wo die größten Männer Roms, Cicero, Cäsar, Cato, Brutus, ihre Bildung erhielten. In diese Zeiten verlieren sich die Spuren „akademischer und landsmannschaftlicher Verbindungen." Auch nach Einführung des Christenthums als Staatsreligion erhielt sich das alte Ansehen dieser Bildungsanstalten; die gebildete Welt des römischen Reiches huldigte der heidnischen Bildung, während Hof und Volk christlich waren. Kaiser Theodosius ließ (380 n. Ch.) die heidnischen Schulen schließen; die christliche Geistlichkeit gelangte zur Herrschaft und trachtete in fana-

tischer Wuth alle heidnische Bildung zu vernichten, welche nun zu den Arabern flüch=
tete, welche sie später wieder nach Europa brachten. Der Rest der Wissenschaften
ward unter den wilden Stürmen der Zeit von der Kirche geborgen. Erst Karl der
Große begann an wissenschaftlichen Studien ein lebhafteres Interesse zu nehmen und
ließ bei den Klöstern und Stiftskirchen Schulen errichten. Leider war man in Rück=
sicht der Besetzung der Lehrerstellen als des Umfanges der damaligen Kenntnisse auf
diejenigen beschränkt, welche man für den geistlichen Stand für besonders wichtig
hielt. Man lehrte gewöhnlich nur die sogen. sieben freien Künste: Grammatik,
Dialektik, Rhetorik, Arithmetik, Geometrie, Astronomie und Musik. Im 11. und 12.
Jahrhunderte traten aber schon Männer auf, welche solche Wissenschaften lehrten, die
man in den Klosterschulen nicht kannte, Männer, welche durch ihre Begeisterung zahl=
reiche Schüler um sich her sammelten. Hierdurch ward der Grund zu dem sich viel
später entwickelnden Universitätswesen gelegt. So lehrte Abälard in Paris die
Theologie und Philosophie, Irnerius die Wissenschaft des römischen Rechts in
Bologna; der Jude Constantin in Salerno die Medicin. So entstanden wie=
derum „hohe Schulen,“ hervorgegangen aus dem Triebe zur Wissenschaft, ganz so wie
bei den Griechen. Ihr Hauptverdienst war, daß sie die Wissenschaft in das Leben
einführten und sie nicht mehr im alleinigen Besitz der Geistlichen ließen, daß sie den
Grund zu der Emancipation der Wissenschaft von der Kirche legten. Nach ger=
manischer Sitte traten diese anfangs ganz freien Vereine bald in geschlossene In=
nungen zusammen. Die hohen Schulen wurden nun als Gemeinden, Genossen=
schaften, Körperschaften, als universitas anerkannt; sie bildeten eine Gelehrteninnung,
deren Glieder sich später wieder in Nationen theilten. Kaiser Friedrich II., der große
Hohenstaufe, berief zuerst auf die von ihm zu Neapel 1224 gestiftete hohe Schule
Lehrer für alle drei Wissenschaften (Theologie, Rechtskunde und Medicin). Natürlich
lebte in diesen Schulen ein anderer Geist, als in den Stiftsschulen, welcher bald den
größten Einfluß auf Staat und Kirche übte. Der Grundzug in diesen Gelehrtenin=
nungen war die Befugniß, Statuten, Gesetze rc. selbst zu entwerfen, Selbständigkeit
in Hinsicht aller Gemeinheitsangelegenheiten, um welche sich die Staatsgewalt nie
kümmerte. Schon die gewöhnlichen Zunftvorsteher hatten eine ausgedehnte Gewalt
über die Zunftgenossen; um so mehr ging diese Selbständigkeit auf die Universität
über, da diese, nach der Kirche und dem Ritterthum die geachtetste Körperschaft war.
Dieses Recht der „Selbstgesetzgebung“ übten daher die Universitäten von den ältesten
Zeiten an, so wie es die Päpste und weltlichen Fürsten auch meist bestätigten. Ue=
berhaupt nahmen die U. ungemein viel aus dem Zunftleben in ihre Einrichtungen
auf. Die ersten Lehrer waren aufgetreten, ohne von Jemandem Auftrag zum Lehren
erhalten zu haben; bald aber traf man Vorkehrungen, daß nur Würdige sich zu Leh=
rern aufwerfen könnten. Dieses konnte aber Niemand entscheiden, als die anerkann=
ten Meister in der Wissenschaft; wen diese nach abgehaltener Prüfung für würdig
erklärten, der erhielt die Erlaubniß zu lehren. So bildeten sich nach und nach die
akademischen Würden aus, womit zugleich der Grund zu den vier Facultäten gelegt
war, als besondere Klassen von Lehrern, welche nicht nur gewisse Fächer auf hohen
Schulen zu lehren, sondern auch in diesen vollendete Jünger oder andere Gelehrte zu
prüfen und ihnen dann jene Würden mit der Befugniß zu lehren, zu ertheilen hat=
ten. Von den älteren kirchlichen Schulen unterschieden sich die Hochschulen eben durch
diese Befugniß, öffentlich zu lehren, sehr wesentlich. Doctores und magistri im
Sinne ihrer Verfassung waren nicht von einem Prälaten, sondern von der Uni=
versität dazu berechtigte Personen; diese Berechtigung erhielt noch eine allge=
meine Bedeutung, indem sie von jeder U. anerkannt wurde. Seit dem 13. Jahrh.
wurden zur Errichtung solcher Hochschulen päpstliche Privilegien nöthig, da durch ihre
Hülfe erst die Anerkennung der akademischen Würden, das Promotionsrecht, möglich
wurde. Das kaiserliche Privilegium ward in Deutschland erst viel später nöthig.

Niemandem aber fiel es damals ein, daß einzelne mit akademischen Würden bekleidete Lehrer noch von Seiten des Staates die Erlaubniß, Vorlesungen halten zu dürfen, hätten nachsuchen müssen. Noch viel weniger dachte man daran, daß jemals diese Erlaubniß nur vom Staate ertheilt werden könne und würde. — Möge man im Angesichte der Gegenwart diese Andeutungen über die frühere geschichtliche Stellung der Universitäten nicht unberücksichtigt lassen, namentlich je mehr man geneigt ist, denselben ihre „mittelalterliche Verfassung" zum Vorwurf zu machen. Die U. vertraten in jenem ganzen großen Zeitraume dem Staate und namentlich der Kirche gegenüber das volksfreiheitliche oder das demokratische Princip, und wurden dadurch eine Hauptursache, daß der Staat sich später von der Kirche emancipiren konnte. Aber, Undank ist der Welt Lohn! Das haben auch die Universitäten erfahren. Diesem Einfluß, dieser Selbstständigkeit verdankten die Universitäten aber nur ihrer damaligen Verfassung. Sie waren, wie Herder ganz trefflich bemerkt, ein Freistaat im Staate, der freilich jetzt manchem Ministerium ein Dorn im Auge geworden ist. Damals wurden Rechtsgelehrte die Räthe und Orakel der Fürsten, reif an Jahren und Wissenschaft; die Facultäten standen als geschlossene Zünfte und Vorkämpfer der Wissenschaft da; auch die von der Kirche sogenannten Ketzer wurden durch den Schild der Wissenschaft geschützt. In der Form der Disputation wurde über Manches verhandelt, worüber anderswo zu sprechen bei schwerer Strafe verboten war. Die U. hatten die Rechte des Adels und schwächten dadurch den rohen Kriegergeist und die raubritterliche Unwissenheit desselben. So wurden die U. endlich die Rüstkammern und Werkzeuge gegen das Papstthum. — Die bedeutendste und einflußreichste der damaligen Hochschulen war Paris, wo schon vor der Stiftung derselben vorzugsweise das neu erwachte wissenschaftliche Leben heimlich geworden war, während bei den Waldensern sich zuerst eine Volksreligion ausbildete. Nach dem Muster der U. Paris wurden bekanntlich auch die ältesten deutschen Hochschulen eingerichtet. Man berief an sie entweder Lehrer von der pariser Hochschule, oder wenigstens solche, welche sich dort gebildet hatten. Die erste deutsche Hochschule war Prag, 1348; hierauf folgte Wien, 1365; welche sich damals vorzugsweise durch demokratischen Geist auszeichnete; Heidelberg, 1386; Köln, 1388; Erfurt, 1392; Würzburg, 1403; Leipzig, 1409; Rostock, 1419; Greifswalde, 1456; Freiburg im Breisgau, 1457/60; Trier, 1472; Ingolstadt, 1472; Tübingen, 1477; Mainz, 1477; Basel, 1460; Löwen, 1426. Waren die Universitäten schon im Mittelalter die Lichtpunkte für Deutschland, so wurden sie es noch mehr nach Beginn der Reformation, der größten That des deutschen Volkes. Wie schon durch die Universitätslehrer Wycliffe und Huß der Geistesfreiheit das Wort so kräftig geredet worden war, so war es wieder ein deutscher Professor, welcher ein neues Zeitalter für die Menschheit anbahnte. „Den räsonnirenden Mönch Luther hätten die Kirchenobrigkeiten bei dem ersten Laute des Widerspruchs in finstere Klostergewölbe geworfen, in denen so Mancher verschmachtet sein mag, der Reformator werden wollte; aber den von vielen Hundert begeisterten Studenten umringten Professor anzutasten, durfte Niemand sich vermessen. Die Stimme des Mönchs wäre in den öden Gängen seines Klosters verhallt; ein Prediger hätte nur seine Gemeinde, vielleicht die Stadt und einige Nachbarorte überzeugt; aber das Wort des Professors Luther wurde von seinen Zuhörern binnen wenig Jahren in alle Gaue des deutschen Vaterlandes getragen." — Schon im 15. Jahrhundert zeichneten sich die deutschen U. durch größere Freiheit der Studenten aus, wie es denn fest steht, daß die akademische Freiheit sich bloß auf den deutschen Hochschulen ausbildete. Auf den ältesten U., namentlich auf den italienischen, wo die Studenten ihren Rector aus ihrer Mitte wählten und über die Lehrer eine Gerichtsbarkeit ausübten, war diese Freiheit anfangs eine ganz unbeschränkte, weil damals die Gesammtheit der Studirenden aus erwachsenen Männern und die Mehrzahl derselben aus solchen bestand, die bereits in hohen Kirchen=. und Staatsämtern standen. Dieses änderte sich natürlich, je jünger die Studenten wurden; zunächst aber in Frankreich. Das deutsche Universitätswesen war ursprünglich nach dem Muster der pariser Hochschule eingerichtet, wo der Grundsatz geistlicher oder klösterlicher Disciplin sehr früh zur Geltung kam, und wo die meisten Studirenden in großen Gebäuden oder Collegien zusammen unter Aufsicht ihrer Lehrer und meistens von Unterstützungen lebten, welche Collegien die eigentliche U. ausmachten. In Deutschland ward die Macht der Wissenschaft noch dadurch verstärkt, daß viele mächtige Ritter an ihr Geschmack fanden und die Gelehrten schützten, ja wohl selbst gegen das Mönchthum kämpften, wie Ulrich v. Hutten. Von großem Einfluß war es ferner, daß die Reformation die deutsche Sprache zur allgemeinen Büchersprache machte und diese nach und nach auch auf die akademischen Lehrstühle brachte. Die U. bekämpften zunächst Hand in Hand mit der Reformation die orientalische Vorstellung von dem absoluten Königthume oder der unbeschränkten fürstlichen Macht und dem unbedingten, blinden Gehorsam der Völker. — Was nun die Gegenwart anlangt, so drängen sich die Betrachtungen über die U. in eine Frage zusammen: entweder sollen unsere deutschen U., wie sie sich seit der von ihnen ausgegangenen Reformation gebildet haben, dem Geiste unserer neueren Zeit sich entwickeln, oder sollen sie dem ultramontanen Verknechtungsgrundsatze der Hierarchie und des Absolutismus, dem Obscurantismus und Verdummungssysteme als bloße Dressuranstalten für den Staats= und Kirchendienst liefern? „Sein — oder nicht sein, das ist die Frage." — Der wesentliche Grundcharakter des gesammten deutschen Universitätswesens ist die akademische Freiheit, welche aus dem Wesen der Wissenschaft, des deutschen Volksthums und des Protestantismus von selbst folgt, und, wie Fichte sagt: „der eigentlich belebende Odem der U." und die himmlische Luft ist, in welcher alle Früchte derselben aufs Fröhlichste sich entwickeln und gedeihen." Diese akademische Freiheit — nicht zu verwechseln mit dem Zerrbilde studentischer Zügellosigkeit — bezieht sich vor Allem auf das Verhältniß der Lehrer und ihren akademischen Wirkungskreis. Wir meinen die unbeschränkte Lehrfreiheit, die darin besteht, daß der akademische Lehrer in dem von ihm gewählten Fache nicht ein bestimmtes wissenschaftliches System, das etwa der Staat oder die Kirche vorschreibt, wählen müsse, sondern daß er selbst prüfen dürfe. Ferner besteht sie darin, daß es den akademischen Lehrern freisteht, wie sie es mit der inneren und äußeren Einrichtung halten wollen, z. B. in Bezug auf die Zahl der Stunden, die Wahl der Handbücher 2c. Diese akademische Freiheit der Lehrer bezieht sich weiter auf die Stellung derselben als Mitglieder der Gelehrtenrepublik oder Schriftstellerwelt, welche Freiheit durch Censur und Preßgesetze verkümmert werden kann. — Höchst wichtig ist für das Universitätswesen das Privatdocententhum, welches gegenwärtig dadurch sehr bedroht wird, daß die Erlaubniß, Vorlesungen halten zu dürfen, die venia docendi nicht mehr von der Facultätsprüfung, sondern von dem „Ermessen" der Staatsgewalt abhängt. Die akademische Freiheit bezieht sich aber auch auf die Studirenden, und besteht zunächst in Studir= oder Lern= und Hörfreiheit. Hierher gehört die freie Wahl der U. und der Lehrer. Nichts ist nachtheiliger, als Universitätsbann und Collegienzwang! Möge die Zeit bald diese rechte akademische Freiheit und mit ihr die schon längst eingeleitete Reform des Studentenlebens bringen! Zu beiden sind aber leider wenig Aussichten; s. Burschenschaften. **B.**

Unmittelbarkeit, Schriftlichkeit, s. Actenmäßigkeit.

Unmittelbarkeit, politische; Reichs= und Bundesunmittelbarkeit und Mittelbarkeit. Der Begriff der Mittelbarkeit oder Unmittelbarkeit in politischer Hinsicht bildet sich durch irgend ein zusammengesetztes Staatsverhältniß. Im deutschen Reiche wurden diejenigen moralischen oder einzelnen Personen reichsunmittelbar genannt, welche nicht einem der besonderen Unterstaaten, sondern unmittelbar der

Reichsstaatsgewalt untergeordnet waren. So gab es reichsunmittelbare Staaten, Städte, Dörfer, Abteien, Fürsten, Grafen, Herren und Ritter. Diejenigen dagegen, welche einer besonderen, dem Reiche untergeordneten Staatsgewalt unterworfen waren, hießen reichsmittelbar. Diese Mittelbarkeit konnte aber nicht ganz durchgreifend sein, da die einzelnen Bürger der einzelnen Staaten in vieler Beziehung als Reichsbürger in unmittelbarer Beziehung mit der Reichsgewalt, den Reichsgesetzen und Reichsgerichten standen. Wenn sie reichsgerichtlichen Schutz suchten, so bedurfte es keiner Vermittelung durch ihre nächste Staatsgewalt. Anders verhält es sich in einem völkerrechtlichen Bund. Hier stehen die Unterthanen der einzelnen Bundesstaaten nur vermittelst ihrer Regierungen unter dem Bunde. So ist es auch im deutschen Bunde, so weit derselbe nicht allen deutschen Bürgern einige bestimmte deutsche Staatsbürger- oder Nationalrechte verbürgt; s. Bund.

Unmündig s. Mündigkeit.

Unstandesmäßige Ehe, Mißheirath (s. d.), disparagium, mésalliance. In den ältesten Zeiten Deutschlands herrschte das Recht der Selbstgesetzgebung, Autonomie, oder die Befugniß, in privatrechtlichen Verhältnissen nach selbstgewählten Regeln sich zu richten. Je mehr sich die Staatsgesetzgebung ausbreitete, um so mehr verschwand jenes Recht der Selbstgesetzgebung. Am meisten erhielt es sich noch bei dem hohen Adel in Deutschland, weil seine Ausbildung hier am meisten begünstigt wurde. Der wichtigste Gegenstand desselben war die Erbfolge. Auf der Lehen haftete Verpflichtung zum Kriegsdienste; daher ein Stammeigenthum der Familie an Grund und Boden; daraus die Grundsätze der Unveräußerlichkeit des Stammgutes, vom Erbrecht nach Gemeinschaft des Blutes und die Ausschließung der Frauen. Die Reichsgesetzgebung trat dieser Ausbildung der Familienrechte nicht entgegen, da sie nicht ohne Mitwirkung des Adels handeln konnte. Die Erbfolge stand unter den Gegenständen dieses Gewohnheiterechtes oben an; hier war wieder die Hauptfrage, wie die Ehen beschaffen sein mußten, um das Ansehen der Familie zu erhalten und den Nachkommen das Erbrecht zu gestalten. Man traf daher Bestimmungen gegen unstandesmäßige Ehen. Ungleich, unstandesmäßig kann jede Ehe genannt werden, welche zwischen Personen verschiedenen Standes geschlossen wird, z. B. zwischen Bürgerlichen und Adeligen. Eine solche Bezeichnung hat aber keine juristische Bedeutung. Unstandesmäßige Ehe ist im juristischen Sinne eine solche, welche zwar nach bürgerlichen und kirchlichen Gesetzen giltig ist, jedoch in ihren Wirkungen gesetzlich wegen des niederen Standes der Gattin unvollkommen ist. Diese Unvollkommenheit besteht darin, daß die Gattin Namen, Titel und Wappen des Mannes nicht führt und den gewöhnlichen Wittthum nicht ansprechen kann; ferner, daß ihren Kindern weder Name, Titel noch Wappen des Vaters, noch ein Erbfolgerecht (Successionsrecht), wie Kindern aus ebenbürtiger Ehe, zusteht. Dem Sittengesetze ist diese Lehre ganz fremd, obschon sie in Deutschland noch gesetzlich begründet ist. — Unter der deutschen Reichsverfassung kam die Frage von unstandesmäßigen Heirathen nur bei dem hohen Adel vor, d. h. bei den reichsständischen Familien. Jede Ehe mit einer Gattin von niedrigerem Geburtsstande war unstandesmäßig. Dieser Grundsatz zieht sich durch das ganze Mittelalter; der Kaiser konnte jedoch die Folgen einer solchen Ehe durch Standeserhöhung beseitigen. Seit der Auflösung des deutschen Reiches hat die Macht der Gewohnheit und die Zeit manches in den früheren Bestimmungen geändert; s. Ehe.

Unterbotschafter s. Internuncius.

Unterhaus s. Parlament.

Unterschleif, Unterschlagung, Defraudation, ist die betrügerische Vorenthaltung, widerrechtliche Verheimlichung, Uebervortheilung, welche man sich an fremdem Eigenthume zu Schulden kommen läßt. Der U. kann in das Gebiet des Betrugs fallen, wenn wahrheitswidrige Aeußerungen dabei gemacht oder solche Handlungen,

Rechnungen, Quittungen dabei vorgenommen werden. Am häufigsten wird die Benennung U., Defraudation, der Verheimlichung, falschen Angabe oder Unterschlagung der den indirecten Steuern, der Accise oder dem Zoll unterliegenden Gegenstände beigelegt, und wird mit sehr harter Strafe geahndet. Manche Staaten haben fast an Grausamkeit grenzende Härte in den Strafbestimmungen für U. bewiesen, wogegen sich die öffentliche Meinung unbedingt erklärt hat. In manchen Fällen entspringt die Defraudation bloß aus dem gegen ein ungerechtes, unnatürliches Gesetz widerstrebenden natürlichen Rechts- und Freiheitsgefühle. Auf der andern Seite lockt wieder der mit der Höhe der Zölle oder Abgaben gleichmäßig steigende Gewinn so an, daß der Erfahrung gemäß auch die härtesten Strafen erfolglos waren. Diese Betrachtung spricht ungemein gegen das System der indirecten Steuern und der zu hohen Zölle.

Unzucht, Fleischesverbrechen, sind diejenigen Vergehen, welche die rechtlich anerkannten sittlichen Gesetze verletzen, die das würdige Verhältniß der Geschlechter festsetzen und sichern. Diese Gesetze sollen den stärksten menschlichen Trieb, den Geschlechtstrieb, unter der Herrschaft einer sittlichen Rechtsordnung halten. Es gehören zu den Vergehen gegen diese Gesetze die Schändung, Schwächung, stuprum, d. h. der außereheliche Beischlaf mit einer ehrbaren Person; die Fornication, der außereheliche Beischlaf mit feilen Dirnen, Concubinat, die Uebereinkunft, wodurch ein Weib einem Manne sich fortwährend zu ausschließender, aber unehelicher Geschlechtsverbindung widmet; Ehebruch, Bigamie, Entführung, Nothzucht, Verführung oder Kuppelei, Blutschande (Incest), Verletzung der Schamhaftigkeit, die verschiedenen Arten unnatürlicher Wollustbefriedigung, zum Theil Abtreibung der Leibesfrucht und Kindermord. Die römischen, kanonischen und deutschen Gesetze haben diese Verbrechen zum Theil mit sehr strengen Strafen bedroht, welche sie auch verdienen, da sie die sittliche Unterlage des Staates unterwühlen, und das Familienleben bedrohen. Sie verletzen die heiligsten Rechte weit schwerer, als Eigenthumsvergehen. Hierzu kommt noch, daß die Triebe und Leidenschaften, aus welchen jene Verbrechen hervorgehen, von einer solchen Stärke sind, daß, wenn ihnen nicht das Gesetz einen mächtigen Damm entgegen stellt, sie schneller, als alle anderen Leidenschaften um sich greifen und das gesellschaftliche Leben zerstören würden. Es ist ein trauriges Zeichen der Zeit, daß die Rechtslehre gegen diese Vergehen in der neueren Zeit etwas lau geworden ist; man deutelte alle strengeren Strafbestimmungen weg und untergrub damit die moralischen Unterlagen des Staates. Und doch hatte der Staat doppelte Verpflichtung, für die Sittlichkeit zu wachen, da die zu ihrer Zeit sehr wirksamen Kirchenbußen in Wegfall gekommen waren. Man griff sogar in lobenswerthe Volkssitten ein, indem man z. B. duldete, was sonst nicht geschehen durfte, daß Geschwächte den jungfräulichen Kranz trugen. Man vergaß, daß man dadurch der Liederlichkeit Vorschub leistete und durch Vermehrung der Unzuchtfälle auch die Vermehrung des Kindermordes begünstigte, wie thatsächlich erwiesen ist. Man vernichtete mit allen gesetzlichen Strafen der Schändung auch noch die natürlichsten Verpflichtungen des Vaters, und überwies sie der verführten unglücklichen Mutter, dem Staate oder den Ortsgemeinden. Noch verderblicher aber ist die Leichtigkeit, mit welcher die neueren Gesetzgeber den Ehebruch, diesen Hochverrath an der Staatsfamilie, behandeln; s. Geschlechtsverhältnisse. R.

Urbarmachung des Bodens wird diejenige Zubereitung des Bodens genannt, durch welche ein unfruchtbares, oder zum Feld-, Wiesen- und Gartenbau bisher nicht benutztes Grundstück in einen Zustand versetzt wird, welcher zur Erzielung der Feld- und Gartengewächse, so wie zum Wiesenbau geeignet ist. Bei der U. eines Stück Landes müssen vor Allem die Hindernisse der Cultur, Bäume, Sträucher, Steine, stehende Wasser ꝛc., entfernt werden. Im Interesse der Regierungen liegt es, daß so wenig als möglich Land unbebaut bleibe.

Urevangelium wird ein Abriß der evangelischen Geschichte und Lehre genannt, welcher unter der Beaufsichtigung der Apostel niedergeschrieben worden sein soll. Aus dem U. sollen die Evangelisten erst den Stoff zu ihren Evangelien geholt haben. Eine Gewißheit darüber, so wie über die Aechtheit des U. ist nicht zu erlangen.

Urfehde s. Urphede.

Urkunden, Archiv und Archivrecht. Urkunden, documenta, sind schriftliche Erklärungen und Darstellungen über irgend einen Gegenstand. Sie werden eingetheilt in Privaturkunden und in öffentliche U. Um die Anerkennung einer U. vor Gericht fordern zu können, muß dieselbe im Original vorgelegt werden, oder der Ort, wo die Urschrift sich befindet, angegeben und deren Herausgabe gefordert werden. Die U. müssen fehlerfrei sein, Jahreszahl und Monatstag nebst Unterschrift an sich tragen. Eine Ausnahme von der Regel, daß Privaturkunden für den Aussteller nicht beweisen, machen die Handlungsbücher der Kaufleute, welche, wenn sie beschworen worden sind, als Beweis dienen. Doch machen die verschiedenen Gesetzgebungen auch davon Ausnahmen. — Von großer Wichtigkeit für die Staatswissenschaften sind die öffentlichen U., Acten, Aufsätze 2c., welche den Zweck haben, Thatsachen, die sich auf die Verhältnisse des ganzen Landes beziehen. Sie werden gesammelt und geordnet unter Autorität des Staates in eigenen Gebäuden und Gemächern niedergelegt. Eine solche Urkundensammlung heißt ein Archiv. Bei den Alten dienten die Tempel, bei den Christen anfangs die Kirchen zu Archiven. Daher sind auch geistliche U. die ältesten, obschon Karl der Große die Anlegung von Archiven für den Staat befahl. Die Archive der Städte gehen nicht über das 12., die der Fürsten nicht über das 13. Jahrhundert hinaus. Ein zweckmäßig eingerichtetes Staatsarchiv ist die Hauptbedingung einer geregelten Staatsverwaltung; Preußen ist seit 1822 in dieser Hinsicht als Muster vorangegangen. Man unterscheidet Haupt- und Nebenarchive; Hausarchive und landständische Archive. Das deutsche Reichsarchiv befand sich an vier Orten: zu Wien das kaiserliche Reichshofarchiv; zu Wetzlar, für ältere Sachen auch zu Aschaffenburg, das Archiv des kaiserlichen und Reichskammergerichtes; zu Regensburg das Reichstags-Directorialarchiv; das erzkanzlerische Reichshauptarchiv, bis 1792 zu Mainz, später zu Aschaffenburg und seit 1818 in mehr als 200 Kisten zu Frankfurt a./M. Noch jetzt können die Betheiligten aus diesem Reichsarchiv die nöthigen Acten und U. erhalten. Zur Ablieferung derselben ward seit 1827 in Wien eine besondere „Hofcommission" niedergesetzt. Im Jahr 1809 ward die österreichische Abtheilung des Archivs während des Krieges nach Temeswar gebracht, den zurückgebliebenen Theil ließ Napoleon nach Paris abführen, welcher 1814 wieder ausgeliefert wurde. — In den landständischen Archiven, welche sich gewöhnlich in dem für die Versammlungen der Landstände bestimmten Gebäude befinden, werden diejenigen Acten und Urkunden aufbewahrt, welche theils von den Landtagsabgeordneten während der Dauer eines Landtages mit dem Fürsten und den Kammern, theils in der Zwischenzeit von einem Landtage zum andern durch die bestehenden Ausschüsse verhandelt werden. Mit der landständischen Archiveinrichtung ist eine Archivbibliothek gewöhnlich verbunden. — Archivrecht nennt man die Befugniß, öffentliche Archive zu haben, ihnen öffentliches Ansehen zu verleihen und für die darin aufbewahrten, an sich unverdächtigen U. die Rechtsvermuthung der Aechtheit zu verordnen. Dieses Recht steht nur den Regenten zu, kann aber auch landständischen und andern Corporationen, Stadt- und Grundobrigkeiten in bestimmter Art verliehen werden. Ferner wird auch unter Archivrecht noch der Vorzug verstanden, welcher den im Archiv aufbewahrten U. in Ansehung ihrer Beweiskraft beigelegt wird. Gegenwärtig wird das Recht, ein Archiv anzulegen, nicht mehr als ein ausschließliches Recht der Landeshoheit und noch weniger als ein Ausfluß derselben betrachtet. Vielmehr ist die Anlegung eines Archives lediglich als eine Sache der freien Willkür anzusehen; nur muß man öffentliche und Privatarchive unterschreiben, je nachdem dieselben von dem Landesherrn, als solchem, oder von moralischen Personen, welche als öffentliche Behörden zu betrachten sind, angelegt werden, oder nur von solchen eingerichtet sind, die nicht als öffentliche Behörden bestehen. Die nicht gehörige Beachtung des Unterschiedes zwischen öffentlichen und Privatarchiven hat zu manchen Mißverständnissen Anlaß gegeben. Um nämlich den Archivurkunden ein Vorzugsrecht beim Beweisverfahren zu geben, ist es nothwendig, daß sie aus einem Archive entnommen werden, welches einen öffentlichen Glauben hat und haben kann. Um diesen Glauben zu begründen, ist es ebenfalls wesentlich erforderlich, daß die moralische Person, welche es besitzt, von dem Staate als eine öffentliche Behörde anerkannt sei, und auch, daß sie Maßregeln getroffen habe, um dem Archive den öffentlichen Glauben zu erhalten. Also muß diese moralische Person vom Staate als öffentliche Behörde anerkannt und bei dem Archive ein ordentlich beeidigter und verpflichteter Archivar bestellt sein. Der wahre Grund des Archivrechts ist daher nur darin zu suchen, daß es selbst als ein öffentliches Institut betrachtet und von einer öffentlichen Person, dem Archivar, unter Aufsicht der Behörde, verwaltet wird. Aus dem Grundsatze des einem solchen Archive zustehenden öffentlichen Glaubens lassen sich nun folgende Vorzugsrechte für die darin niedergelegten U. ableiten: 1) jedes in dem Archiv aufbewahrte Original ist als eine öffentliche U. zu betrachten; 2) jedes in einem Archive aufbewahrte Original hat, falls es ächt ist, vollkommene Beweiskraft; 3) ist es zweifelhaft, ob die aus dem Archiv entnommene U. Original oder Copie sei, so hat sie so lange die Beweiskraft des Originals, bis der Gegner das Gegentheil erwiesen hat; 4) ist es ausgemacht, daß die dem Archiv entlehnte U. nur Copie sei, so hat sie bei dem Mangel des Originals in dem Archive die vollkommene Beweiskraft, sobald sie von dem Archivar beglaubigt ist (copia vidimata authentica); 5) ausgestrichene Worte, Rasuren ꝛc. mindern die Beweiskraft alter U. nicht, sofern nur der Anfang und das Ende vollständig erhalten sind; 6) Archivurkunden beweisen nicht allein gegen dritte Personen, sondern auch für den, in dessen Namen sie ausgestellt sind. **W.**

Urkundenbeweis, Edition, heißt der Beweis, welcher durch schriftliche Urkunden geführt wird. Diese müssen nach den meisten Proceßordnungen in Abschriften den Acten beigefügt werden. Der Kläger muß dem Beklagten alle Urkunden über den Gegenstand des Processes herausgeben, welche dieser zu seiner Vertheidigung nöthig hat. Behauptet Jemand, die Urkunde, die von ihm verlangt wird, nicht zu besitzen, so muß er den „Editionseid" schwören; weigert er sich sonst ohne Grund, die Urkunden herauszugeben, so wird angenommen, daß sie das Angegebene wirklich enthielten. Wenn die Urkunden anerkannt und vorgelegt worden sind, entscheidet das Gericht, was aus ihnen folgt.

Urkundenlehre, Diplomatik, nennt man die Wissenschaft von den Urkunden, Diplomen, deren Alter und Aechtheit. In der neueren Zeit, wo die Staatswissenschaften sich mehr ausbildeten, hat man die Diplomatie (s. d.) von der Diplomatik geschieden.

Urlaub. Recht zur Verweigerung des Urlaubs für Ständemitglieder aus dem Stande der Staatsdiener und der Geistlichen. Niemand wird bestreiten, daß die Regierung im Allgemeinen das Recht habe, darüber zu wachen, daß die Staatsdiener ihre Dienstgeschäfte nicht ohne ihre Zustimmung oder ohne ihren Urlaub auf längere Zeit aussetzen. Sehr wichtig ist aber für Deutschland die Frage geworden, ob und in wie weit die weltliche und kirchliche Regierung durch Urlaubsverweigerung die Staats- und Kirchendiener auch an der Uebernahme und Ausübung landständischer Pflichten beliebig verhindern dürfe, wenn dieselbe durch verfassungsmäßige Wahl dazu berufen worden sei. Ueber diese Frage haben in verschiedenen Ländern in den ständischen Versammlungen zwischen Regierung und Ständein Verhandlungen stattgefunden. Folgende Hauptgrundsätze müssen hier vorangestellt werden: 1) die Staatsverfassung steht über die Staatsverwaltung, das Verfassungsrecht über dem Verwaltungsrecht; 2) die Volksvertretung muß durch das Volk und nicht durch die Regierung gebildet werden. Nicht ohne Interesse sind die Verhandlungen, welche in Baden, Kurhessen und Baiern über diesen wichtigen staatsrechtlichen Gegenstand geführt worden sind, und damit endigten, daß die Regierungen den anfangs verweigerten U. bewilligen mußten.

Urphede, Ursehde, ein altes, nur noch in der Rechtssprache gebräuchliches Wort, welches das eidliche Versprechen bedeutet, sich wegen einer erlittenen Beleidigung, namentlich wegen bestandener Haft, nicht rächen zu wollen. Besonders nennt man U. den Eid eines entlassenen und verwiesenen Verhafteten, das Land, aus dem er verwiesen wird, nicht wieder zu betreten, noch weniger sich an den Bewohnern desselben zu rächen. Die U. stammt aus der faustrechtlichen Ritterzeit.

Urrechte, oder unveräußerliche Rechte; vorzüglich in Beziehung auf den Staat. Die Naturrechtslehrer nennen unveräußerliche Rechte diejenigen dem Menschen angebornen Rechte, welche durch keinen Vertrag oder Verzicht verloren gehen können. Zu diesen jedem Menschen angebornen Rechten, die man auch Urrechte, allgemeine Menschenrechte nennt, zählt man folgende: 1) das Recht, als rechtsfähiges Wesen, als Person oder Rechtssubject anerkannt zu werden, woraus das Recht der Ehre abgeleitet wird; 2) das Recht auf Leib und Leben, auf die Erhaltung seines Daseins und die Unverletzlichkeit der einzelnen Glieder und Organe seines Körpers; 3) das Recht auf ungehinderten Gebrauch der geistigen und körperlichen Kräfte — Recht der natürlichen Freiheit, welche wieder folgende besondere Rechte in sich schließt: die Denkfreiheit, oder die Befugniß, seine Gedanken zu äußern und andern mitzutheilen; die Gewissensfreiheit und die Glaubensfreiheit, oder die Befugniß, seiner sittlichen und religiösen Ueberzeugung gemäß zu handeln; das Recht der Zueignung an Sachen und das Recht der Verträge, oder die Befugniß, seinen Willen mit einem fremden Willen auszutauschen, zu vereinigen. Diese dem Menschen angebornen Rechte werden als unveräußerlich den erworbenen oder veräußerlichen Rechten entgegengesetzt. Je wichtiger diese Rechte im ganzen Rechtsgebiete sind, um so wichtiger ist auch die Bestimmung der Grenzlinie, bis zu welcher ihre Beschränkbarkeit im Gegensatze der Veräußerlichkeit geht. Denn daß im Gebrauch dieser unveräußerlichen Rechte jeder Mensch beschränkt ist, geht schon daraus hervor, daß Jeder von seiner Freiheit nur einen solchen Gebrauch machen darf, neben welchem die gleiche Freiheit der Uebrigen bestehen kann, da sonst gar kein Rechtszustand möglich wäre. — Geht man vom Begriff des Menschen als rechtsfähigem Wesen aus, so ist das von seinem Wesen durchaus nicht zu trennende Recht — das Recht, unter dem Rechtsgesetz zu stehen oder nach dem Gesetz behandelt zu werden. Auf dieses U., welches alle andere Rechte in sich faßt, kann nie verzichtet werden, weil es eine nothwendige Folge der vernünftig-sittlichen Natur des Menschen ist, deren Gesetze er zwar übertreten, aber nie ändern oder aufheben darf. Der Begriff des Menschen ist nun aber kein anderer, als der einer lebendigen Einheit an Leiblichkeit und Geist, eines Naturwesens mit vernünftig-sittlicher Bestimmung. Der Mensch ist 1) ein lebendiges, leiblich und geistig existirendes, 2) mit Vernunft und freiem Willen begabtes und 3) nach Maßgabe seiner leiblichen und geistigen Kräfte sowohl innerlich, als nach Außen thätiges Wesen, und aus der Anerkennung dieser drei von seinem Wesen unzertrennlichen Eigenschaften folgt sein Recht auf Leben, Ehre und Freiheit. Diese drei dem Menschen angebornen Rechte nun, die man zusammen das U. nennt, sind unveräußerlich, weil sie die Grundbedingung menschlich-sittlichen Daseins auf Erden bilden. Aber das U. ist darum nicht auch ein unbeschränktes, und in allen seinen Aeußerungen unbeschränkbares, sondern wird, wie bereits angedeutet wurde, nothwendiger Weise durch den Grundsatz der wechſelſeitig gleichen Geltung Aller beſchränkt. Das angeborne oder U. zerfällt daher in ein beſchränkbares und in ein unbeſchränkbares. Hienach, nach dieſen Grundſätzen, muß man die Grenze ziehen, wo eine Beſchränkung der unveräußerlichen Rechte nach dem Rechtsgeſetze zuläſſig iſt. Unbeſchränkbar iſt demnach: 1) das Recht des Daſeins, oder das Recht auf Leib und Leben, weil ſich das Leben von der Lebensthätigkeit nicht trennen läßt; 2) das Recht auf Ehre und 3) auf die innere Freiheit geiſtiger Thätigkeiten, wie des Wollens und Denkens. In Bezug auf dieſe letzteren Rechte der Freiheit ſind die wichtigſten das der Gewiſſensfreiheit, der Glaubens- und Religionsfreiheit. Haben ſchon die bisher erwähnten unveräußerlichen Privatrechte der Menſchen große Wichtigkeit, ſo haben es noch mehr die im Staatsverbande begründeten unveräußerlichen Rechte des Staatsbürgers. Das oben erwähnte Urrecht der Menſchen, das alle andern in ſich faßt, das Recht, unter dem Rechte zu ſtehen, kann und muß in Gemeinſchaft ausgeübt werden. Der Staat als Rechtsverein iſt für jeden ſeiner Angehörigen der Handhaber des Rechtsgeſetzes, der Schützer ſeiner Rechte. Das Erſte daher, was jeder Einzelne vom Staate erwarten darf und kann, iſt Anerkennung und Sicherſtellung derjenigen Gleichheit, welche Anfang und Ende alles Rechtes iſt, die Gleichheit vor dem Geſetz. Von dem unveräußerlichen Rechte der Theilnehmer an einem Rechtsverein iſt auch als unveräußerlich das Recht mit begriffen, von dieſem Verein auszuſcheiden, und der Austritt aus dem Staate iſt rechtlich eben ſo wenig zu verwehren, als der Austritt aus dem Leben. — Dieſer Begriff der unveräußerlichen Rechte hat im Privatrechte bereits einige Anerkennung erlangt; im öffentlichen Rechte aber muß er ſich dieſe noch erkämpfen. Daß kein Menſch der Sclave eines Andern ſein könne, darüber hat die Stimme der gebildeten Völker in der Geſetzgebung entſchieden; eben ſo iſt man darüber einig, daß das Unſittliche und Schändliche nie Rechtspflicht werden könne. Aber noch nicht genug anerkannt iſt, daß der Menſch auch der Staatsgewalt gegenüber nicht rechtlos, nicht Höriger des Staates oder des Staatsoberhauptes ſein kann, und daß es auch unveräußerliche Rechte der Geſammtheit giebt, obgleich ein dunkles Gefühl von dieſer Wahrheit in den meiſten Völkern lebt, das ſich zurückdrängen und verwirren, aber nie ganz — unterdrücken läßt. Denn wider den Willen der Mehrheit des Volkes kann ſich auf die Dauer keine Regierung behaupten, und für jede, auch die unumſchränkteſte, giebt es eine Grenze, die ſie nicht überſchreiten darf, ohne daß das Volk ſich ſeiner „unveräußerlichen Rechte“ erinnert und ſeinen Willen einmal in oberſter Inſtanz geltend zu machen ſucht. Daß der Fürſt der Staat, und Land und Volk ſein unbedingtes und unbeſtrittenes Eigenthum ſeien — dies wagen auch die erklärteſten Diener der Gewalt und Despotie nicht mehr zu behaupten, und daß der Wille des Monarchen von Rechtswegen Alles, der des Volkes Nichts gelte — iſt eine Lehre, die dem Zeitgeiſte widerſtrebt. Wohl aber kommt die Lehre von der unveräußerlichen Selbſtherrlichkeit des Volkes immer mehr zur Anerkennung.   B.

Urſulinerinnen iſt der Name eines Nonnenordens, welcher denſelben von der heiligen Urſula entlehnte, und wurde 1537 geſtiftet. Die Kleidung der U. iſt ſchwarz; ſie folgen der Regel des Auguſtinus, und verpflichten ſich zur Pflege der Kranken und Armen, und zum Unterricht junger Mädchen. Der Orden der U. zählte im 18. Jahrhundert über 350 Klöſter und beſteht wegen ſeiner Gemeinnützigkeit gegenwärtig noch in den meiſten katholiſchen Ländern.

Urtheil, Erkenntniß, heißt in der Rechtsſprache die richterliche Entſcheidung darüber, ob ein gegebener Fall unter ein Geſetz gehöre oder nicht; überhaupt die Entſcheidung einer ſtreitigen Rechtsſache, im Criminalproceß und die Beſtimmung einer Strafe im Criminalproceß. Dem U. müſſen die Entſcheidungsgründe beigegeben werden.

Uſurpation ſ. Gewaltanmaßung.

Ususfructus f. Nießbrauch.

Utopien, das Land „Nirgendswo" ward von dem englischen Kanzler Morus (st. 1535) die fabelhafte Insel genannt, auf welche er den Schauplatz seines berühmten Romans „über die beste Verfassung des Freistaates und über die neue Insel Utopien (De optimo reipublicae statu deque nova insula Utopia)" verlegte. Im Deutschen übersetzt man das Wort U. auch durch „Schlaraffenland," das Land einer geträumten Glückseligkeit.

Utraquisten f. Calixtiner.

Utrechter Friede, am 11. April 1713 abgeschlossen beendigte den spanischen Erbfolgekrieg zwischen Ludwig XIV. und dem deutschen Reiche und England. Durch ihn trat England zuerst in die Reihe der Großmächte ein; f. politisches Gleichgewicht.

V.

Vacanz nennt man die Erledigung einer Stelle, besonders einer kirchlichen. In der alten christlichen Kirche brauchte man das Wort V. nur von der Erledigung des Bischofstuhles (f. Sedisvacanz). Besondere Gesetze haben die ungebührliche Ausdehnung der V. beschränkt; die protestantische Kirche hat in der Regel 6 Monate dazu bestimmt. Die kirchlichen Amtsgeschäfte während der V. haben die benachbarten geistlichen Amtsbrüder zu besorgen.

Vacciniren heißt den Ansteckungsstoff der Kuhpocke auf einen menschlichen Körper übertragen; vaccinatio ist die Kuhpockenimpfung. Die ersten Spuren des Impfens finden sich bereits im Jahre 1717 in Griechenland, von wo aus man diese Heilart nach England zu verbreiten suchte. Dort starb sie aber, man fand in den Vorurtheilen der Menge, welche namentlich durch die Geistlichkeit genährt wurden, große Schwierigkeiten. Da machte Jenner (geb. 1749, gest. 1823) die Entdeckung der Kuhpockenimpfung, welche sich bald über die ganze gebildete Erde verbreitete. In den neueren Zeiten will man wahrgenommen haben, daß die Vaccination nicht für die ganze Lebensdauer schützt, weshalb man sie in den reiferen Jahren nicht selten wiederholt; f. Medicinalpolizei.

Valentinianer f. Apollinaristen.

Valvation ist im Allgemeinen die Schätzung des Werthes oder Preises einer Sache; gewöhnlich nennt man so die gesetzliche Würdigung einer Geldsorte oder die auf einen festgesetzten Münzfuß sich gründende Bestimmung des Werthes gewisser Geldsorten. Ein Verzeichniß der Münzsorten mit der Angabe des Preises heißt Valvationstabelle oder Münztarif.

Vandalen waren ein germanischer Volksstamm, welcher wahrscheinlich aus mehreren Zweigvereinen bestand. Sie erscheinen in der Geschichte zuerst im 2. Jahrhundert n. Chr. als Gefährten der Markomannen und Quaden; ihre Sitze waren am nordöstlichen Abhange des Riesengebirges, welches nach ihnen das Vandalische genannt wurde. Sie führten später ein unstätes Kriegerleben, brachen im 5. Jahrhundert in Spanien ein, welches sie nach ihrer Gewohnheit verwüsteten. Dasselbe thaten sie bald darauf mit Gallien. Der bekannte Heerführer Genserich führte im Mai 428 die Vandalen, deren Stärke auf 80,000 Mann angegeben wird, im Verein mit gothischen Völkerschaften nach Afrika, welches ebenfalls ihrer Zerstörungswuth verfiel. Im Jahr 455 brach ein Heer Vandalen in Italien ein und plünderte Rom 14 Tage lang. Namentlich diese That hat den Namen Vandalismus gebrandmarkt, so daß man bis jetzt jede empörende Roheit damit bezeichnet. Erst im 6. Jahrh. ward das Reich der Vandalen gestürzt.

Varianten, variae lectiones, werden die abweichenden oder verschiedenen Lesarten in den Handschriften eines und desselben alten Schriftstellers, welche durch die Abschreiber herrühren, genannt. Zugleich werden unter dem Ausdruck B. die Zusätze und Auslassungen einzelner Wörter oder ganzer Sätze verstanden. Die Sache des Kritikers, des sprachgelehrten Untersuchers, ist es nun, zu entscheiden, welche Lesart oder Variante wohl die richtige sein könne. Die deutschen Buchstabengelehrten haben Unglaubliches in der Aufsuchung und Vergleichung der B. geleistet, leider aber dabei das Wort vergessen: „der Buchstabe tödtet."

Vasall oder **Lehnsmann** wurde im Mittelalter nach der Ausbildung des Lehnwesens derjenige genannt, welcher sich einem Andern, dem Lehnherrn, zu Steuer und Dienst, namentlich zu Kriegsdienst, verpflichtete. Dagegen erhielt er das Versprechen des Schutzes und die Benutzung eines Grundstückes, einer Rente oder eines Amtes. Im früheren deutschen Reiche unterschied man unmittelbare **Reichsvasallen**, welche vom Kaiser selbst belehnt waren, und mittelbare Vasallen, welche bei einem deutschen Reichsfürsten oder einem anderen Herrn zur Lehn gingen. Das Uebrige über das Vasallenthum, welches in seinen Folgen noch jetzt auf dem Landbewohner lastet, siehe Lehn.

Vaterlandsliebe, Patriotismus.

> „Wie heißt das Land, an Thronen reich —
> Doch ach an Freiheit leer,
> Wo zwar noch Land und Ströme gleich,
> Die Zeiten nimmermehr;
>
> Wo zwar der Geist die Schwingen regt,
> Und muthig aufwärts strebt,
> Doch ach, durch Fesseln, die er trägt,
> Gedrückt am Boden klebt?"

Mit dieser Frage begrüßte Robert Blum im Mai 1846 in einem Festgesange die freisinnigen Mitglieder der sächsischen Ständeversammlung. Er fügte die Antwort sofort bei; sie hieß — leider:

> „Es ist — in schmerzerfüllter Brust
> Seid dieses Wechsels Euch bewußt —
> In Deutschland, in Deutschland,
> Dem theuren Vaterland!"

Es könnte leicht kommen, daß in diesem Lande „an Thränen reich, doch an Freiheit leer," sich etwas ereignete, was die Weltgeschichte nicht täglich zu erzählen weiß; es könnte leicht kommen, und der Anfang ist schon gemacht, daß der größere, mindestens der edlere und bessere Theil eines Volkes sich mit Abscheu und Fluch von einem Vaterlande abwenden müßte, welches, wie selten ein anderes Land, zur Wiege des Segens geschaffen, durch die Verknechtungs- und Verfinsterungssucht aber Stätte der Thränen und des Elends geworden ist. Robert Blum rief im Angesichte solcher Zustände in seinem eben erwähnten Festgesange aus:

„Doch ziemt's dem Mann nicht, daß er klagt,
Ihm ziemt Erhebung. Muth.
Der Hutten sprach: Ich hab's gewagt!
So wagt und es wird gut!"

Und so wollen wir denn auch in einer Zeit, die wahrhaftig nicht geeignet ist, die
Liebe zum Vaterlande zu wecken und zu nähren, noch ein Mal Alles zusammenstel=
len, was große, für Vaterland und Volk begeisterte Männer gesprochen
haben, um im Herzen des Volkes die heilige, für das Vaterland glühende Flamme
wach zu erhalten; vielleicht, daß Einer sich entschließt, zu wagen, vielleicht, daß ein
Anderer sich schamvoll abwendet von seinem frevelhaften Thun am Vaterlande. — —
Die Vaterlandsliebe, die besondere Zuneigung zu dem Lande, worin wir geboren und
erzogen sind, ist allen Menschen eben so eigen, wie die Aelternliebe, aber auch eben
so natürlich. Das väterliche Haus, der Ort, das Land, wo wir die schönen Tage
der Jugend verlebten, bleiben uns durch's ganze Leben unvergeßlich. Die Einbildungs=
kraft der Jugend ist stark und wichtig; sie schmückt uns eine reizlose Geburtsstätte mit
dem Zauber der Schönheit aus; daher diese Sehnsucht nach der Heimath, diese Liebe
und Anhänglichkeit an dieselbe, welche allen Völkern eigen ist. Sie fesselt den Lap=
pen und Grönländer an seine Eisfelder und läßt ihm seinen Fischthran munden; den
Neger an die brennenden Sandsteppen und läßt ihn die Gefahren vergessen, welche
ihm dort drohen. Einen sittlichen Werth aber hat diese aus einem natürlichen
Triebe hervorgehende Vaterlandsliebe nicht; einen sittlichen Werth hat nur
jene Vaterlandsliebe, welche mit dem wahren und ächten Gemeingeist ver=
bunden ist, welche in dem vernünftigen Wohlwollen gegen die Mitbürger und in
dem damit verbundenen Streben besteht, deren Wohl zu erhalten und zu fördern.
Diese höhere V. ist die allein wahrhaft menschliche; sie ist es, welche erst alle
bürgerliche Tugend adelt und die Mutter derselben in freien Staatsgesellschaften ist.
Diese Vaterlandsliebe, dieser Patriotismus beschränkt sich nicht auf bloße Anhänglich=
keit und das zufällige Heimathsland, sondern gibt sich durch regen Eifer für das
gemeine Wesen, für seine staatsgesellschaftlichen Einrichtungen, Interessen und Angele=
genheiten kund. Von dieser Liebe zum Vaterland wollen wir hier sprechen, welche
thätig ist, wirksam für das Wohl des Ganzen nach allen Seiten hin, kräftig, Gü=
ter und Leben freudig hingebend und opfernd. V. in diesem Sinne ist die innigste
Gemeinschaft mit dem Lande und Volke, wo man das Bürgerrecht hat; sie ist mit
den zartesten menschlichen Gefühlen, mit dem Drange der Selbsterhaltung an unser
und der Väter Dasein geknüpft, hängt mit allen geschichtlichen Lebensverhältnissen zu=
sammen und beruht vornehmlich auf dem Bewußtsein der Pflicht, auf der Er=
kenntniß, daß der Einzelne nichts ist, als ein Glied in der Kette des Ganzen. — Als
die bürgerliche Gesellschaft noch in ihren Anfängen war, bestand das Vaterland nur
in dem Boden, welchen ein Volk bewohnte; das Land war nebst den Familienbanden
das einzige Gemeinsame, was die in demselben zerstreuten Familien hatten. V. war
bei solchen Zuständen nichts als Vorliebe für den Boden, auf dem man geboren war.
Je unwissender, ungebildeter ein Volk ist, mit desto größerer Liebe hängt es an sei=
nem Geburtslande; so die Grönländer und Hottentotten, wie die Sennhirten auf den
Alpen. Der Wilde sehnt sich, von allen Herrlichkeiten des Lebens umgeben, nach dem
mühseligen Leben seiner Heimath und weist die Zumuthung, dieselbe zu verlassen, mit
den Worten zurück: „würde ich zu den Gebeinen meiner Väter sagen können: stehet
auf und folget mir!" wodurch er eben zu erkennen giebt, daß er das Vaterland nur
in dem heimathlichen Boden sieht. Höher schon steht die V., wenn sie sich zu=
gleich an die Einrichtungen des Vaterlandes knüpft. Die Grabschrift des hel=
denmuthigen Kämpfers Leonidas und seiner Waffengefährten lautete: „Wanderer, melde
Sparta, daß wir an diesem Orte unser Leben gelassen für seine heiligen Gesetze."
Durch die Schriften der alten Griechen und Römer zieht sich die glühendste V.;

„Nichts ist süßer, als das Vaterland." „Je länger Völker auf einem und demselben Boden leben und gelebt haben," — sagt der große Geschichtschreiber des deutschen Volks, Luden — „desto inniger wachsen Menschen und Boden in einander hinein. Der Einzelne will sein, wo sich die Gräber seiner Väter finden; Alle wünschen zu leben, wo sich die Geschichte ihrer Thaten und ihrer Leiden bewegt. Die Oerter sind heilig, an welchen der Zusammenhang der Geschlechter hängt, welche Zeugen waren von ihrem Glück und ihrem Unglück. Daher die Liebe zu dem heimathlichen Boden, daher die Sehnsucht zum Vaterlande unaustilgbar in der Brust des rohen Menschen und in der Brust des gebildeten." — „Wenn wir auch, gleich Odysseus, die Welt durchwandern," — sagt Weber, „vieler Menschen Sitten und Gebräuche kennen gelernt haben — unser Herz weilt doch am liebsten da, wo Vaterland, Eigenthum, Verwandte, Jugendfreunde und Rückerinnerungen froh durchlebter Kinderjahre unser harren. Und wenn man sein Vaterland auch nicht wegen seines Ruhmes, oder wegen seiner Verfassung, nicht wegen seiner Regenten oder Landsleute" — so geht's Vielen! — „lieben kann, dann hört man doch nicht auf, es noch als Land der Geburt zu lieben." — Allein der gebildete Mensch soll seine V., wie schon angedeutet, noch auf andere Gründe stützen, als auf den zufälligen Umstand, daß das Vaterland sein Geburtsland ist. „Sein Vaterland lieben" — sagt ein geistreicher Deutscher — „heißt: in ihm alle die verschiedenen Zwecke lieben, für die wir geschaffen sind. Das Land, welches allen unsern Bestimmungen am meisten huldigt, würde daher dasjenige sein, wo sich die Vaterlandsliebe auf die höchste Stufe des Eifers und der Thätigkeit erhöbe. Allein auch das glücklichste Land der Erde bietet nicht diese Vollendung. Darum stand die V. überall im Verhältniß zu der Befriedigung, welche ein Staat den ursprünglichen Bedürfnissen des menschlichen Herzens gewährt hat." Die V. hat einen sittlichen Grund und Boden und wird bei den Völkern in dem Maaße steigen, in welchem sie sittlicher werden. Sobald die Sittlichkeit und die Freiheit sich begegnen, bringt der erhabene Begriff des Opfers in die Gemüther und die wahrhafte Liebe des Vaterlandes schafft Wunder. Die meisten europäischen Völker müssen in der Sittlichkeit noch weit und in der Freiheit noch mehr vorschreiten, um diese Vollendung zu erreichen. Auf dieser Höhe ist die ächte Vaterlandsliebe, Patriotismus, mit der Weltbürgerschaft, Kosmopolitismus, sehr gut vereinbar. „Eine solche Vaterlandsliebe ist" — sagt Rousseau — „das wirksamste Mittel, die Staatsbürger gut und tugendhaft zu machen, d. h. dahin zu bringen, daß ihr besonderer Wille jederzeit mit dem allgemeinen Willen der Staatsvernunft und den Gesetzen der Pflicht übereinstimmt. Und in der That wurden die größten Wunder der Tugend durch eine solche V. hervorgebracht. Dieses süße und lebendige Gefühl, welches mit der vollen Schönheit der Tugend die Macht der Eigenliebe verbindet, macht dieselbe so stark, daß sie zur stärksten Leidenschaft wird, ohne deshalb in Ausschweifungen zu verfallen. Die V. erzeugte so viele unsterbliche Handlungen, deren Glanz unsere schwachen Augen blendet, und so viel große Männer, deren alte Tugenden in einem selbstsüchtigen Zeitalter wie Fabel erscheinen. Doch darüber darf man sich gar nicht wundern; denn auch die entzückenden Empfindungen zärtlicher Herzen werden von denen, die sie noch nicht gefühlt haben, für Einbildung gehalten, und von der Liebe zum Vaterlande, die noch hundert Mal lebhafter und süßer bei dem mit patriotischem Geiste beseelten Bürger ist, als die Liebe zur Geliebten, kann man sich einen Begriff machen, wenn man sie empfindet." — Der große deutsche Mann Haller sagt: „der durch das höhere Sittengesetz geleitete und geregelte Patriotismus ist ein wohlthätig erleuchtendes und erwärmendes Feuer, wodurch das Gemeinwesen emporgehalten und alles Gute zum Wachsthum und Gedeihen in demselben gebracht wird. Im Grunde ist er nichts anderes, als die gesellschaftliche Pflichterfüllung, aber durch die Neigung des Herzens erwärmt und in Thätigkeit gesetzt; er ist jener lebendige Eifer für alles Gerechte und Gute, der jedoch seinen nächsten Wirkungskreis vorzüg-

lich bei den ihm von der Natur angewiesenen Freunden und Mitbürgern sucht und
die Gesellschaft, die Wohlthaten, die man derselben verdankt, zu erwidern trachtet." —
Besonders in Zeiten der Noth und Gefahr zeigt sich diese Tugend in ihrer vollen
Größe. Da stürzen sich manche, gleich einem Winkelried, zum Heil ihrer Mitbürger in freiwilligen Tod; da strebt man nach der Ehre, im Kampf für das Vaterland zu sterben; da opfern Andere freudig ihr Vermögen, ihre Gesundheit und jedes
Glück des Lebens auf. Deutschland hat von 1813 an den Beweis gegeben, was
ächte Vaterlandsliebe leisten kann; sie war es, sie allein, welche den corsischen
Riesen schlug, nicht der Brand von Moskau, nicht der harte Winter, die warme V.,
das Feuer in der Brust der deutschen Volksstämme besiegte den gekrönten Eroberer.
Und was hatte diese Begeisterung angefacht? Nicht die Schwere des fremden Jo-
ches, nein — die durch die fürstlichen Verheißungen von Neuem erwachte V.
Wehe Deutschland, wenn seinen Boden ein fremder Eroberer betritt, bevor die wahre
Versöhnung zwischen Fürsten und Völkern zu Stande gekommen ist. Deutschland
wird ihm zur Beute, denn es bietet nichts als todte, willenlose Maschinen zur Gegen-
wehr, die je eher je lieber den Dienst versagen; die begeisterte Vaterlandsliebe ist in
ihrem Innersten verletzt und verwundet, und nur sie allein kann in Zeiten der
Gefahr das Vaterland retten. So lehrt die Weltgeschichte! — Der Charakter der
ächten V. ist vorzüglich Uneigennützigkeit, und an dieser Reinheit ist sie hauptsächlich
zu erkennen. „Ich habe im Umgange mit Franzosen oft bemerkt," — sagt die geist-
reiche Beobachterin Markgräfin Elisabeth von Anhalt — „daß sie mit Eitelkeit sich ihres Vaterlandes rühmen, weil sie auf ihre Person eitel sind." Solche Eitelkeit ist aber sehr verschieden von wahrem Patriotismus, der darin besteht, daß wir
unser Vaterland unabhängig von uns selbst lieben und die gegründete Ueberzeugung
haben: daß unsere im Staate vereinigten Kräfte die humane, geistig moralische Ausbildung, d. i. die Civilisation, befördern." „Das Gemeinwesen knüpft die Genossenschaft," lehrt der Republikaner Plato, „das Besondere zerstreut sie; daher ist es
für beide vortheilhaft, vorzüglich für das Oeffentliche Sorge zu tragen." Der große
Staatsmann Perikles rief einst einer Volksversammlung zu: „Ich habe die Ueberzeugung, daß ein Staat, so lange er im Ganzen aufrecht steht, den einzelnen Bürgern mehr Vortheil gewähre, als wenn bei dem Wohlstand der Einzelnen das Ganze
unglücklich ist. Denn mag es auch einem Manne für sich wohlgehen, so ist er
bei dem Untergange seines Vaterlandes nichts desto weniger verloren; erleidet er aber Unglück, dann ist ihm in einem glücklichen Vaterlande weit eher
geholfen. Wiefern nun ein Staat im Stande ist, das Unglück einzelner Bürger zu
ertragen, hingegen Einzelne nur fähig sind, beim Sturze des Staates sich zu behaupten, warum sollte man nicht mit vereinter Kraft den Staat unterstützen? Ihr dürft
also nicht, durch häusliches Ungemach bestürzt, der Theilnahme am öffentlichen Wohle
euch entziehen wollen. Ihr müßt über die besonderen Angelegenheiten euch hinweg
setzen, um des allgemeinen Staatswohles euch anzunehmen." Mit Donner-
worten sollte man dem engherzigen, selbstsüchtigen Geschlechte der Gegenwart diese
Worte des Weisen von Griechenland zurufen! — Eine solche allgemeine, sämmtlichen
Bürgern gemeinsame V. kann freilich nur in wahrhaften Freistaaten herrschen, da sie
eben auf einer herzlichen Theilnahme an dem Gemeinwesen beruht. Nur da lebt der
Bürger in der engsten Gemeinschaft mit dem Vaterlande und nimmt an allen Angelegenheiten desselben freien, thätigen Antheil. In Aristokratien und Monarchien kann
eine solche V. nicht in gleichem Umfange sich bethätigen, weil da so Vieles darauf
hinwirkt, die Mehrzahl der Bürger von der Theilnahme an den öffentlichen Geschäften entfernt zu halten oder auszuschließen, die Angelegenheiten der Staatsgesellschaft
bloß zum Eigenthum und Wirkungskreise einer Minderzahl zu machen. Als in Rom
die Kaiser die Bürger vom Forum in die Häuser zurückdrängten und die freien Vaterlandsvertheidiger zu Lohnsoldaten machten, da floh auch die alte V. und ließ das

Vaterland dem Verderben zueilen. — In erbmonarchischen Staaten verwechselt man häufig ächte V., die sich durch regen Gemeingeist und lebendigen Eifer für das Gemeinwohl kund thut, mit Anhänglichkeit an das regierende Haus und vorzüglich an die Person des jeweiligen Herrschers. Wäre die Monarchie immer das, was sie sein sollte, wäre der Monarch immer das, was er sein sollte, nämlich der höchste Repräsentant des vernünftigen Staatswillens, dann würde man ohne Bedenken die Liebe zum Fürsten der Liebe zum Vaterlande unterordnen können, oder beide wären vielmehr eins. Da aber in der Erbmonarchie die Sonderinteressen des Staatsoberhauptes und seiner Familie nicht selten dem Nationalinteresse gegenübersteht, so wird auch oft der Fall eintreten, daß der zu eifrige Freund des Fürsten ein Feind des Vaterlandes wird. Der V. unterliegen viel höhere und edlere Beweggründe, als der Ergebenheit an die Person des Fürsten, welche in unserer Zeit oft weiter nichts ist, als die Aeußerung eines knechtlichen Sinnes, welchem eigennützige Absichten zu Grunde liegen. Diejenigen, welche sich damit brüsten, die treuergebensten Diener ihrer Fürsten zu sein, sind in der Regel die schlechtesten Patrioten. Nach der bestehenden Erfahrung gehört es auch zu den Seltenheiten, daß ein Fürst großherzig genug dächte, einen Gefallen daran zu finden, daß der Vortheil der Gesammtheit der Staatsbürger dem seinigen vorgezogen werde. Im Gegentheil erlebt man häufig, daß Personen, welche selbstsüchtig genug dachten, das allgemeine Interesse nicht zu beachten, um dem Fürsten einen Dienst zu erweisen, auf ausgezeichnete Belohnungen sich Ansprüche erwerben. Es ging oft so weit, daß der Name Vaterlandsfreund, Patriot, bei den Machthabern in Verruf kam, daß man ihn gleichbedeutend mit „Revolutionär, Demagog, Jacobiner" zu machen suchte. In der Monarchie drängt Alles darauf hin, daß der Eifer für das allgemeine Wohl dem Eifer für das Wohl des höchsten Machthabers weiche. Der Regent ist ja der alleinige Spender aller Ehren, Aemter und Würden; man darf sich daher nicht wundern, daß stets eine Menge Leute geneigt sind, das Beste des Volkes zu vergessen, wenn sie dadurch den Fürsten gefällig sein können. Je mehr sich die monarchische Staatsform aber durch das Repräsentativsystem der republikanischen nähert, desto mehr verschwindet die für die Völker oft so verderbliche und in ihren Folgen nachtheilige Begriffsverwirrung, wornach sclavischer Knechtssinn und hündische Treue gegen den obersten Machthaber als Beweise der V. angepriesen werden. Durch den Grundsatz der Verantwortlichkeit der Staatsbeamten, insbesondere der vornehmsten unter ersten, hat man es in constitutionellen Monarchien selbst grundgesetzlich als ein Verbrechen ausgesprochen, der Person des Königs zum Nachtheil des Vaterlandes Dienste zu leisten. Sir Walter Scott giebt eine herrliche Schilderung von der Natur dieser monarchischen V., wie sie sich in Frankreich unter Ludwig XIV. ausgebildet hatte: „die hingebendste Pflichttreue des Volks gegen seinen König war viele Jahrhunderte hindurch ein ausgezeichneter Charakterzug der Franzosen gewesen. Das war ihre Ehre in ihren Augen, während es ein Gegenstand des Belächelns, ja der Verachtung in den Augen der Engländer war, weil in der Uebertreibung alle Begriffe eines ächten Patriotismus aufgelöst schienen. Dennoch war diese übertriebene sogen. Loyalität nicht auf einen sclavischen, sondern edleren Grundsatz gebaut. Bis zu den Zeiten Ludwigs XIV. war der französische König in den Augen seiner Unterthanen ein General und das ganze Volk ein Heer. Ein solches aber muß unter strenger Kriegszucht stehen und ein General muß unumschränkte Macht besitzen. Jeder ächte Franzose unterwarf sich daher ohne Bedenken der Beschränkung seiner persönlichen Freiheit, welche nöthig schien, den Monarchen groß und Frankreich siegreich zu machen. Dieselben Gefühle erregten sogar, nach der Revolution, die wundervollen Glück Napoleons, die durch Thaten, die fast den Glauben überstiegen, in vieler Rücksicht auf seine Person diese eigenthümliche Anhänglichkeit übertrug, mit welcher Frankreich seinen Königen ergeben war." Die deutschen Zustände haben freilich mit jenen französischen wenig Aehnlichkeit und dürften kaum im Stande sein, eine gleiche Anhänglichkeit hervorzurufen. Der große Staatslehrer **Haller**, dessen wir schon gedacht, geht so weit, daß er das Dasein des Patriotismus in monarchischen Staaten gar nicht zugiebt. Er hält denselben dem Wesen der Monarchie widerstreitend: „in dieser sind wohl Diensteifer, Anhänglichkeit an die Person des Fürsten, Gefühl für Ehre und Treue, Nationalstolz, Begierde nach Ruhm und Auszeichnung möglich, und diese Gesinnungen können auch ähnliche gemeinnützige Resultate hervorbringen, wie der Patriotismus, und werden daher häufig auch mit demselben verwechselt; aber der Patriotismus in der wahren Bedeutung läßt sich nur unter Mitgenossen denken, bei denen die gemeinsame Sache zum Theil zugleich ihre eigene ist, was in der Republik, nicht aber in der Monarchie der Fall ist. Das Wort Patriotismus war daher auch vormals in monarchischen Staaten gar nicht gebräuchlich, und ist in Beziehung auf diese erst in den neueren Zeiten aufgekommen, nachdem man anfing, den Begriff einer Republik auf den Staat überhaupt und auch auf die Monarchie anzuwenden, nämlich auf eine solche, wie sie nach den Ideen der Staatsphilosophen sein sollte." Haller meint daher, daß die Fürsten gar nicht Unrecht hätten, den Ausdruck Patriotismus verwerflich zu finden, und daß manche diejenigen nicht ohne Grund für verdächtig hielten, welche sich desselben so häufig bedienten. „Der Patriotismus setzt nämlich immer ein republikanisches oder Communitätsverhältniß, irgend eine bereits vorhandene oder im Aufkeimen begriffene öffentliche oder geheime Gesellschaft voraus, und diese Gesellschaft kann auch in einer unter sich eng verbundenen, fanatischen, auf den Umsturz der obwaltenden Ordnung hinarbeitenden Secte bestehen, die ihren Verein „Vaterland" nennt, und mithin die steigende Macht desselben, die ungehinderte Erfüllung ihrer eigenen Zwecke für das Wohl und die Freiheit des Vaterlandes ausgiebt. Es liegt demselben immer die Anhänglichkeit an irgend einen gemeinschaftlichen, es sei guten oder bösen Zweck zu Grunde, daher auch alle Insurgenten und Empörer sich „Patrioten" zu nennen pflegen, sich des Wortes „Patriotismus zur Verschleierung rebellischer und revolutionärer Gesinnungen und Unternehmungen bedienend." Allerdings können die Ausdrücke Patriot und Patriotismus in einer Monarchie, im Sinne Haller's, in der politischen Ordnung keine Anwendung finden, wo ein Einzelner, als alleiniger Inhaber der Souverainetät, nicht bloß der Repräsentant des Staates, sondern der Staat selbst ist, während alle übrigen Menschen nichts Gemeinsames in staatlicher Hinsicht haben, als den Landesfürsten. In einer despotischen Monarchie ist der Patriotismus geradezu ein Ding der Unmöglichkeit; auch in der reinen Monarchie kann das Wort Vaterlandsliebe nichts weiter bedeuten, als die Anhänglichkeit an das Heimathland und an den Herrscher. Denkt man sich aber unter Monarchie eines „gemeinen Wesens" eine „respublica" im wahren Sinne, so kann in derselben V. und Gemeingeist ebenfalls gedeihen, ungeachtet der großen Vorrechte des Staatsoberhauptes. Die V. wird sich da um so regsamer bewähren, wo die Staatsbürger am meisten zur Mitwirkung bei den staatsbürgerlichen Angelegenheiten zugezogen werden. Das Institut wahrer Volksvertretung ist daher die rechte Quelle der V. Kein europäisches Land bietet daher auch das Bild eines so regen und lebendigen, rastlos thätigen Patriotismus, als England. Einer seiner großen Söhne, Georg Moore, sagt darüber: „wenn der Name eines britischen Patrioten genannt wird, dann empfinden wir alle Regungen, die bei der Betrachtung der edelsten aller menschlichen Charaktere in jedem gefühlvollen Herzen entstehen müssen. Freiheit ist der Abgott des britischen Patrioten. Er liebt, er betet sie an. Es ist nicht die Freiheit des alten Griechenlands und Roms oder irgend eines Landes außer dem seinigen. Die Freiheit, die er liebt, ist die englische Freiheit — sie ist dasjenige, was er in den Gesetzen und Einrichtungen Englands verkörpert und beschrieben findet, was von einer langen Reihe hochverehrter, durch zahllose Ideenverbindungen ihm theuer gewordener Vorfahren ihm überliefert worden ist. In die Zahl dieser Ideenverbindungen gehört denn auch ebenfalls das königliche Ansehen: Dieses verhieß er als den

Schlußsteln des prächtvollen Bogens, welcher die Ereignisse von Jahrhunderten umfaßt. Als Philosoph kennt er die Vortheile, welche er im Schutze, in der Sicherheit, in dem milden, freisinnigen, durch dasselbe verbreiteten Geiste, in der durch dasselbe hervorgebrachten Milderung und Berichtigung dessen, was in den populären Formen und Einrichtungen rauh und anstößig ist, genießt. Allein mit den Vernunftgründen des denkenden Menschen, verbindet er die Gefühle eines Mannes von Ehre. In dieser Eigenschaft ist er seinem Könige mit einem Theile seiner Leidenschaft und seines Enthusiasmus für Freiheit ergeben. Sein ritterlicher Sinn umgiebt den König mit Majestät und Heiligkeit; aber diese verschiedenen Leidenschaften und Anhänglichkeiten vereinigen sich in der L i e b e f ü r s e i n V a t e r l a n d, welchem er Gut und Blut zu opfern stets bereit ist. Seinem Vaterlande, vertreten durch die Person seines Königs, ist stets sein Schwert geweiht." — Vaterlandsliebe in dieser Weise kann aber nur bei einem Volke erwachen, welches sich frei f ü h l t und deßhalb g l ü c k l i c h ist. „Daß der Privatmann seine Meinungen und Leidenschaften" — sagt J o h. v. M ü l l e r — „dem Staate opfere, wird nicht eher Sitte, als wenn die Staatsvorsteher alle ihre Interessen und Neigungen ihrem Amte opfern, niemals aber den Unterthan der Obrigkeit zum Opfer bringen; wenn sie die Rechte des Volks desto heiliger halten, je mehr man sie anderwärts unterdrückt; wenn sie unermüdet wachen und mit allem stillen Einfluß in Tugend, Weisheit und Ansehen, durch Rath und Beispiel wirken, ihre Person aber, ihre Familie, ihre Gewalt so stellen und bescheiden zeigen, daß bei dem Volke das allgemeine Gefühl sich kräftigt: es sei wirklich vor Andern frei und glücklich." — Man hat die große Anhänglichkeit an das Vaterland, wie sie in den Republiken des Alterthums sich findet, und oft die größten Aufopferungen der einzelnen Bürger zum Vorschein brachte, gewöhnlich dem Umstande zugeschrieben, daß vermöge des ganzen Staatsrechtes der Alten das Wohl des einzelnen Bürgers auf's Innigste an das Wohl des Staats geknüpft war. Es kann aber kaum zugegeben werden, daß in jenen alten Staaten das Wohl oder der Wohlstand der Einzelnen am Heile des Ganzen mehr gehangen habe, als in den neueren Staaten. Denn, eine Revolution konnte das Vermögen des Einzelnen auch nicht in der entferntesten Weise in solcher Weise erschüttern, als es jetzt bei dem Papier- und Schuldenwesen durch nur vorübergehende Steuern erschüttert wird. Die große V. der Alten hat ihre Quelle namentlich in den kleineren Gemeinschaftlichkeiten. Man darf nur an die alten Reichsstädte in Deutschland denken. Wie hingen die Bewohner derselben an ihrer Vaterstadt! Der alte Grieche und Römer stand in seinem Staate und in seiner öffentlichen Verfassung einst h a n d e l n d da, als Einzelner, seiner Stellung und seines Gewichtes sich bewußt. In den neueren staatsgesellschaftlichen Zuständen mit christlicher Grundlage, selbst den freiesten und öffentlichsten, kann der Einzelne nicht mit solcher Entschiedenheit und Bestimmtheit auftreten; aber in religiöser Hinsicht steht er frei und selbstständig da, obgleich die Eigensucht und falsche Götzendiener uns auch oft Aeußerlichkeiten für Religion und geweihtes Wasser für geweihte Thaten empfehlen wollen. Nimm den alten Athenienser und Römer sein Athen und Rom, und er ist vernichtet; mit dem Vaterlande verliert der Flüchtling nicht nur seine Bedeutung als Bürger, sondern als Mensch. Der Christ wandere ins Elend, wenn überhaupt der sittlich-kräftige Mensch in's Elend wandern kann: anderswo findet er ein neues Vaterland, wo Menschenwerth und Menschengute wie in der Heimath geachtet sind. Es ist daher Thorheit, christliche Völker mit den alten Griechen und Römern vergleichen zu wollen; man kann die Palme des Morgenlandes nicht mit der Eiche des Nordens zusammenstellen; wohl aber haben wir das Recht, die geistige Nachlassenschaft der Alten zu unserm Nutz und Frommen auszubeuten. — In vielen unserer Staaten sind die socialen Verhältnisse und öffentlichen Einrichtungen, das ganze Regierungs- und Verwaltungswesen mehr dazu geeignet, den patriotischen Sinn bei den Staatsbürgern zu lähmen und zu ersticken, als ihn zu erwecken und zu fördern. Wer wollte sich daher noch über den Mangel an V. wundern?

Man muß sich vielmehr darüber wundern, daß noch bisweilen so viel Theilnahme an dem Staatsleben auftaucht, als geschieht. Ein namhafter Staatsgelehrter unserer Zeit bemerkte: „Diejenigen sind in einem Irrthume befangen, welche sich einbilden, daß man sicherer auf Vaterlandsliebe und Gemeinsinn rechnen könne, wenn man die Menschen nur auf sich und den Staat verwiesen hat. Sie müssen etwas Höheres haben, um dessentwillen sie ihr Vaterland und ihre Verfassung lieben, als den Nutzen des Einzelnen, etwas Näheres als den Staat, der so Vielen doch nur in einzelnen Theilen bekannt wird, etwas Reelleres, als einige schöne Worte in öffentlichen Proclamationen. In Liebe und Eifer für Familie, Beruf, Stand, Provinz, wird die Liebe wie der Eifer für Vaterland und bestehende Ordnung erzogen.“ Auf die Liebe der Familienbande gründeten schon die Staatslehrer der Alten die Liebe zum Vaterlande. Denn wo das Familienleben auf sittlichen Grundlagen ruht, da wird auch im Staate Sittlichkeit herrschen. Sittenlosigkeit und Sittenverderbniß sind stets Zerstörer der Vaterlandsliebe gewesen; aber auch die Wechselwirkung fand statt, daß die Sittlichkeit zugleich mit der bürgerlichen Freiheit sank; daß der Verfall dieser der Grund zu dem Verfall der Sitten wurde. Ein anderer Grund zur Sittenverderbniß liegt in der Aufhäufung der Reichthümer in der Hand Weniger; während die Wenigen diese Reichthümer benutzen, um ihren Lüsten zu fröhnen, wird die große Mehrzahl der Armen aus Verzweiflung der Sittenlosigkeit in die offenen Arme gejagt. Gleichwohl arbeiten die meisten europäischen Staatsmänner dahin, um durch allerlei künstliche Einrichtungen das Vermögen und den Reichthum in die Hände einer gewissen Minderheit zu bringen. Der schon angeführte Haller, welchen unsere Tagespolitiker fast wie ein Götzenbild anbeten, sagt aber: „man muß nicht glauben, daß die reichsten und begütertsten Leute auch immer die meiste B. besitzen, dem gemeinen Wesen am eifrigsten ergeben seien, weil sie, wie man zu sagen pflegt, mehr zu erhalten und zu verlieren haben. Natur und Erfahrung beweisen im Allgemeinen das Gegentheil. In der Regel wird die Gemeinschaft mit Andern um so gleichgültiger, je weniger man derselben zu bedürfen glaubt, je mehr die Privatexistenz durch eigene Mittel gesichert ist. Opfer und Geld kann man von dem sehr Reichen wohl noch erhalten, aber selten die viel gewichtigeren Opfer des treuen, aufrichtigen Herzens, der Mühe und Anstrengung des Ausharrens, der Zeit, der Gesundheit, des Lebens selbst, wenn es nöthig ist. Die Tugend der wahren B. ist am meisten bei den Mittelklassen anzutreffen, die zur Erhaltung ihres Wohlstandes oder ihres Ansehens des Gemeinwesens nicht entbehren können, und es daher an lebendigem Gefühl, daß sie für dessen Erhaltung Alles thun müssen.“ — Allerdings, wo der Staatsverein sich so gestaltet hat, daß er mehr nur einer Minderheit, als einer Mehrheit seiner Genossen wegen vorhanden zu sein scheint, und gewissermaßen in demselben Alles darauf berechnet ist, daß es einer kleinen Zahl auf Kosten der großen Menge wohl ergehe, da könnte es allerdings gefährlich erscheinen, die Erhaltung des Staates und der bestehenden Ordnung auf die B. des ganzen Volkes zu bauen. Man hat sie nicht selten mit größerer Sicherheit auf Bajonette zu stützen versucht. Denn die zahlreichste Klasse wird in einem solchen Staate meist aus Proletariern bestehen, die keinen Gemeingeist besitzen, weil sie gewöhnlich factisch von jeder Theilnahme an dem Genusse politischer Rechte ausgeschlossen sind, zufrieden mit jedem Zustande, der ihnen nur gesicherte Nahrung und Lebensunterhalt verschafft oder zu versprechen scheint. Wo hingegen der Grundsatz staatsbürgerlicher Freiheit und Gleichheit sich mit Beseitigung aller Bevorrechtungen und Bevorzugungen Einzelner im Leben verwirklicht findet, da wird auch jene Verderbniß der Sitten, die eine allzugroße Ungleichheit in der Vertheilung der Glücksgüter so oft in ihrem Gefolge hat, in der Gesellschaft nicht einreißen und das dauernde Wohl dieser in der lebendigen B. aller Bürger die beste Bürgschaft finden. B. aber wird nur durch eine gemeinsame Nationalität begründet, welche einem ganzen Volke das Gepräge eines allgemeinen Volks-Nationalcharakters aufrückt. Bei einem Volke, welches in viele Theile gespalten ist, die sich wohl gar feindselig gegenüber stehen, kann die V. nie in dem Maße sich ausbilden, wie bei einem Volke, welches ein Ganzes bildet. In den Hunderten von kleinen Staaten des ehemaligen deutschen Reiches — es gab deren an 1500 — ließ sich weder ein eigentliches Vaterland, noch die wahre Vaterlands-liebe denken, höchstens jene instinctartige Anhänglichkeit an die Heimath, welche Voß mit den traurigen, aber wahren Worten also zeichnet:

„Das Vaterland? — Was Vaterland!
Der Topf, der Topf ist Vaterland,
Das Uebrige sind Fratzen!"

Die V. der edlen Art wird allerdings auch nur in edlen Seelen wohnen. Doch tragen die äußeren staatlichen Verhältnisse eines Landes ungemein viel dazu bei, die-sen Edelsinn zu wecken oder zu unterdrücken. In verhängnißvollen Zeiten, wo es sich um Sein oder Nichtsein des Vaterlandes handelt, erwacht auch die Liebe zu dem-selben oft auf überraschende Weise. Welche Beweise davon hat nicht die Revolutions-geschichte der Franzosen und Nordamerikaner, in früherer Zeit der Polen, in neuester Zeit der Ungarn und Schleswig-Holsteiner gegeben! Auch die jüngste deutsche Ge-schichte hat glänzende Beispiele der aufopferndsten V., obgleich sie die jeweilige Poli-tik noch mit dem Namen des Hochverrathes zu ächten sucht. Alle die großmüthigen Gefühle, die den Bürger für das Höchste begeistern, was der bessere Mensch auf Er-den kennt, diese Verleugnung und Aufopferung seiner selbst, wo es edle Zwecke gilt, diese patriotischen Tugenden, die um so mehr erheben, je seltener sie in der neueren Zeit geworden sind, lehren uns an den Adel der Menschheit glauben, an dem man zu verzweifeln durch die Gegenwart so oft versucht wird. —   M.

Väterliche Gewalt. Die Natur hat den Aeltern und vorzugsweise dem Va-ter die Pflicht auferlegt, das Kind zu schützen, zu ernähren und zu erziehen; für das Kind entsteht daraus die Pflicht des Gehorsams, für den Aeltern das Recht der Lei-tung und Züchtigung. Der Staat hat diese Rechte schärfer bestimmt; je lockerer die Bande des Staates sind, um so strenger sind gewöhnlich die älterlichen Rechte. Sehr streng und ausgedehnt war die väterliche Gewalt bei den ältern Römern. Der Vater konnte das Kind gleich bei der Geburt tödten, aber auch später, als dessen höchster Richter. Das Kind war ihm, auch wenn es erwachsen war, unbedingten Gehorsam schuldig. Die Kinder besaßen nichts Eigenes; was sie erwarben, gehörte dem Vater, der es ihnen zur Verwaltung (Peculium, s. d.) überlassen konnte. Der Vater konnte die Kinder verkaufen; ja seine Gewalt erstreckte sich auch auf die Enkel. Später milderten sich diese Gesetze dahin, daß der Staat das Recht über Tod und Leben an sich nahm; was der Sohn im Dienste des Staates erwarb, blieb sein Ei-genthum. Der Vater konnte die Kinder aus der väterlichen Gewalt entlassen, eman-cipatio, behielt aber zum Lohn dafür den Nießbrauch der Hälfte ihres Vermögens (s. Familienrecht). Das germanische Recht hatte weit mildere Bestimmungen, welche auch in das neuere europäische Recht übergegangen sind. Gegenwärtig hört die vä-terliche Gewalt durch die Errichtung einer eignen Haushaltung auf, sofern die Kinder dabei aus dem väterlichen Hause scheiden. Haben die Kinder ein besonderes, getrenn-tes Interesse mit den Aeltern, so werden ihnen vom Staate Vormünder bestellt, die gegen jene klagend auftreten können. Der Mutter sind Rechte eingeräumt, welche der väterlichen Gewalt ziemlich nahe kommen. Die einzelnen Bestimmungen sind in den einzelnen Gesetzgebungen verschieden; erworben wird die v. G. nicht bloß durch die Vaterschaft (s. d.), sondern auch durch Adoption oder Annahme an Kindesstatt (s. d.). — — In der neueren Zeit hat man nicht selten von Staatsrechtslehrern die v. G. des Erzeugers und Ernährers seiner von ihm zu ernährenden und zu erziehen-den Kinder auf das Verhältniß der mündigen, erzogenen und ihrerseits die Regierung ernährenden Bürger und Völker, zu den von den Völkern ernährten

Fürsten übertragen sehen. Dieser Versuch ist ein unglücklicher, wenigstens wenn man an die rechtlichen und politischen Folgen denkt. Mit größem Rechte und unterstützt von der Geschichte, z. B. auch der chinesischen, sagt der große Denker Kant: „die größte denkbare Despotie ist die „Väterlichkeit der Könige."

Vatermord, parricidium, ist der Mord an Aeltern, oder an denen, die deren Stelle vertreten, an Geschwistern oder, wie die peinliche Gerichtsordnung Karls V. (s. Carolina) sich ausdrückt: „an gesippten Freunden, Ehegatten, Stiefältern und Geschwistern. Das älteste römische Recht hatte für das Verbrechen des V. keine bestimmte Strafe, weil man es für unmöglich hielt. Später traten die härtesten Strafen, das Ersäufen in einem Sack, das Zerreißen durch wilde Thiere, dafür ein. Die ältere deutsche Gesetzgebung schrieb eine geschärfte Todesstrafe, Zerreißen mit glühenden Zangen ꝛc., vor. Das französische Gesetzbuch beschränkt den Begriff des V., parricide, auf Aeltern und andere Personen in aufsteigender Linie und schärft die Enthauptung noch durch Verhüllung des Hauptes mit einem schwarzen Schleier und Anderes. Die neuere deutsche Gesetzgebung hat die Verschärfung der Todesstrafe auch hier abgeschafft.

Vaterschaft, Paternität, heißt das Verhältniß, in welchem der Vater zu einem Kinde steht. Es giebt eine natürliche, außereheliche, eine leibliche, eheliche und eine blos auf dem Willen des Vaters beruhende V., die Adoption (s. Annahme an Kindesstatt). Jedes außer der Ehe erzeugte Kind kann nach den Grundsätzen des neueren Rechts von seinem Vater nothdürftige Ernährung verlangen (s. uneheliche Kinder). Ein Kind, welchem die Anerkennung als eheliches und rechtmäßiges Kind verweigert wird, kann darauf klagen, muß aber den Beweis der ehelichen Geburt führen.

Vatican ist der Name des päpstlichen Residenzpalastes in Rom, welchen er von dem vaticanischen Hügel erhalten hat, auf dem er erbaut ist. Kaiser Constantin baute den V. über dem angeblichen Grabe des Petrus. Der Pallast ist ein höchst weitläufiges Gebäude, welcher über 10,000 Zimmer enthalten soll. Seine gegenwärtige Gestalt erhielt er erst im 15. und 16. Jahrhundert durch die berühmtesten Künstler der damaligen Zeit. Die Bibliothek im V. ist die berühmteste in der Welt, mit 25,000 Handschriften und mehr als 100,000 gedruckten Büchern, da die Päpste früher alles dort aufzuhäufen suchten, was sie erlangen konnten.

Vedetten werden die von den Feldwachen ausgestellten Posten genannt. Gewöhnlich besteht ein solcher Posten aus zwei Mann; er wird etwas weit vorgeschoben, damit der Feind nicht sogleich an die Feldwachen gelangen kann. Mehrere V. bilden eine Vedettenlinie.

Vehmgericht s. Fehme.

Venedig, die Republik. Als gegen das Jahr 568 die Gothen, Hunnen und andere Völker unter Attila in Oberitalien eindrangen, flüchteten viele Bewohner auf die Laguneninseln des adriatischen Meeres, besonders auf die Insel Rialto, welche sie schon des Handels wegen angebaut fanden. Diese Auswanderer stifteten hier eine kleine demokratische Republik unter sogen. Tribunen (s. d.). Im Jahre 697 wählte der kleine Staat seinen ersten Doge (dux, Herzog), wobei noch das demokratische Element das überwiegende blieb. Mit der Zeit stieg auf der Rialtoinsel eine ansehnliche Stadt hervor; die Inseln blühten durch Handel und Schifffahrt. Bald wurde Venedig mächtig, machte Eroberungen und herrschte auf dem adriatischen Meer. Besonders wurde die Stadt durch die Kreuzzüge begünstigt, so daß sie bald die reichste und mächtigste der Lombardei wurde, wo die Schätze des Orients zusammen strömten. Damit fing aber auch die Aristokratie und an ihrer Spitze der Doge an, ihre Macht zu erweitern, wobei es zu wiederholten Aufständen kam. Nach der Ermordung des Dogen Vitale Michiel, 1172, ward die Verfassung dahin abgeändert, daß man die Macht der Dogen einschränkte und die höchste Gewalt einer Versammlung von Edlen, Nobili, übertrug, welche durch Gesetze in Schranken gehalten werden sollte. Das aristokratische Element hatte nun für immer über das demokratische gesiegt. Doch war die Aristokratie noch eine gemäßigte, unter welcher Sitten und Künste sich ausbildeten. Im Jahre 1202 eroberte der 90 Jahr alte, fast blinde Doge Dandolo auf einem mit Andern unternommenen Kriegszuge Constantinopel. Bald darauf, 1297, ward die Verfassung in eine aristokratisch-oligarchische (s. Oligarchie) verwandelt, mit einer Anzahl Erbaristokraten, welche in dem „goldenen Buche" verzeichnet waren. Durch Einsetzung des Rathes der Zehn, 1310, ward diese aristokratische Verfassung vollendet, dessen glänzende Vortheile wie Nachtheile sich bei keinem Volke wieder in dieser Größe gezeigt haben. Jetzt begann der Kampf Venedigs mit ihrer Nebenbuhlerin Genua, welche nach 130jährigem Kampfe, 1381, unterliegen mußte. Die Besitzungen des Staats auf dem festen Lande wurden immer bedeutender; Vicenza, Verona, Bassano, Feltre, Belluno und Padua wurden ihm 1402, Friaul 1421, Brescia, Bergamo und Crema, die Inseln Zante und Kephalonia 1483 einverleibt; Cypern 1486. Der Senat von Venedig glich damals dem alten Senat von Rom; andere Staaten holten hier ihre Weisheit; so daß V. gegen Ende des 15. Jahrhunderts reich, mächtig, geehrt und das gebildetste Volk in sich fassend dastand. Der erste Schlag für V. war die Entdeckung des Seeweges nach Ostindien, 1498, wodurch es den Seehandel verlor; der zweite die Eroberung Konstantinopels durch die Türken, welche ihr 1571 Cypern entrissen. Von jetzt an nahm die Republik keinen thätigen Antheil mehr an der Politik, sondern bemühte sich, ihre alte Verfassung zu bewahren. Durch die französische Revolution kam sie 1797 in die Gewalt Frankreichs. Seit 1814 bildet V. mit seinem Gebiet einen Theil des österreichischen lombardisch-venetianischen Königreiches. Im Jahre 1848, bei der allgemeinen Völkererhebung, suchte sich auch V. frei zu machen, es mußte sich jedoch nach einem hartnäckigen, 18 Monate währenden Kampfe wieder an Oesterreich ergeben, erhielt aber 1851 die Rechte als Freihafen. — Die Republik V. hat die glänzendsten Tugenden, aber auch die scheußlichsten Laster erzeugt, von welchen letzteren allerdings der Einfluß der römischen Kirche, namentlich der Inquisition, zum großen Theil die Schuld trug. Bekannt sind die Gefängnisse und die Bleikammern derselben, welche so viel unglückliche Opfer erhielten. **F.**

Venerie s. Lustseuche, ansteckende Krankheiten, Medicinalpolizei.

Veränderung, Verbesserungsantrag, s. Amendement.

Verantwortlichkeit der Fürsten, Minister und Beamten. Wo die Mittel fehlen, ein Recht mit der nöthigen Kraft durchzuführen, da ist es so gut wie nicht vorhanden. Wo ein Berechtigter ist, da muß auch ein rechtlich Verpflichteter sein, welcher gezwungen werden muß, seine Schuldigkeit zu thun, denn alles Recht ist gegenseitig. Wo dies nicht der Fall ist, herrscht Belieben, Willkür, Gnade, aber nicht Recht. Die Grundsätze, von denen wir hier auszugehen haben, sind so alt, als die menschliche Vernunft und die Geschichte freier Völker. Weil sie wahr sind, so bedarf es auch zum Schutze der Throne und der Völker einer Anstalt, welche die Rechte des Volkes der Regierung gegenüber schützt. Die Geschichte bezeugt laut, daß eine solche Anstalt im Interesse der Throne liege. Das Volk hatte Mittel und schuf sich Mittel, sein Recht durchzusetzen, wo Gefühl für Recht und Freiheit in den Völkern wohnte, wie bei dem germanischen. Traurig aber ist es stets, wenn das Volk das einzige Rechts- und Schutzmittel in der rohen, wilden Gewalt suchen mußte. Darum suchten auch die ältesten Verfassungsurkunden, die Magna Charta der Engländer, so wie ähnliche alte Gesetze in Deutschland diese wilde Gewalt zu ordnen; es ist ihnen aber nicht so gelungen, wie es durch ein kräftiges Verantwortlichkeitsgesetz gelingen würde. Jene Gesetze geben zum Theil ein vollkommnes Revolutions-, Absetzungs- und Strafrecht gegen die Fürsten. In Deutschland erhielt das Volk für seine Rechte geordneten Schutz durch die Reichsverfassung, natürlich die ältere. Rudolph v. Habsburg stellte auf's Neue den alten Gerichtshof her, vor welchem selbst der Kaiser zu Recht stehen mußte und gestraft werden konnte bis zur Acht, zur Absetzung und Rechtslosigkeit. Eben so waren alle deutschen Fürsten bis zur Auflösung des Reiches vor den Reichsgerichten persönlich verantwortlich; so wurde noch kurz vor derselben ein Strafurtheil gegen einen Kurfürsten von Hessen gefällt, dessen Vollziehung eben die Auflösung des Reiches hinderte. Diese persönliche Verantwortlichkeit der Fürsten dürfte heute eben so wenig an ihrer Stelle sein, wie die ungeordnete Revolution oder ein Tribunal, um den Fürsten vor Gericht zu stellen. Aber blicken wir hin auf die herrliche Frucht der englischen Staatsweisheit, die theilweise auch in unsere Verfassungen übergegangen ist, auf die Unverantwortlichkeit der Fürsten. Diese besteht aber nur dadurch, daß die Regierungshandlungen sämmtlich durch die Minister verantwortet werden müssen. Nur wenn diese Verantwortlichkeit eine Wahrheit ist, hat jene Unverantwortlichkeit Werth, nur dann ist die Krone wirklich gesichert, daß jenes kostbare Gut des Fürsten, die juristische Unverantwortlichkeit, nicht angetastet werde, daß nicht wilde Stürme hervorbrechen, welche auch Throne mit fortreißen können. Ob es in Deutschland an einer solchen Verantwortlichkeit der Minister nicht fehle, wird das Weitere ergeben. Als sehr ungenügend erscheint die bloß parlamentarische Verantwortlichkeit der öffentlichen ständischen Verhandlungen; Steuerverweigerungen, Unwürdigkeitserklärungen haben schon an sich den Charakter der Parteilichkeit, und erhalten ihre volle Geltung erst dann, wenn man auf eine strafrechtliche Verantwortlichkeit bauen kann. Schiedsgerichte dürften in ernsten Fällen kaum ausreichen; solche von Auswärtigen bilden zu lassen, widerspricht der Selbstständigkeit und Freiheit des Staates. Am nachtheiligsten aber ist das Anrufen fremden Beistandes, welches Polen in das Verderben brachte. Es dürfte daher nicht leicht ein anderer Schlußstein für eine freie Verfassung gefunden werden können, als die strafgerichtliche Ministerverantwortlichkeit. Eine solche Verantwortlichkeit kann einem rechtlich gesinnten Fürsten nicht verhaßt sein, denn sie schützt nur seine Würde. Eben so wenig darf man glauben, daß den Ministern durch diese Verantwortlichkeit Unrecht geschehe. Die Minister sind nicht bloß durch Unterlassungssünden schuld an dem Bösen, sondern durch ihre Unterschriften; statt zu unterzeichnen, was gegen ihre Verantwortlichkeit ist, können sie abtreten, was freilich bei manchen Ministern in Deutschland besonders schwer zu halten scheint; s. Ministerverantwortlichkeit und Staatsgerichtshof. **W.**

Verantwortlichkeit der Landstände. In einigen deutschen Ländern, in Würtemberg, Hannover, Hessendarmstadt und Baden, ist die Frage über die Verantwortlichkeit der Landstände in den letzten Jahren praktisch geworden, indem einzelne Abgeordnete wegen angeblich beleidigender Aeußerungen in ihren ständischen Reden gerichtlich belangt wurden. Die ganze landständische Körperschaft ist eine moralische Person oder eine moralische Körperschaft, kann aber als solche keine Verbrechen begehen und bestraft werden; deshalb kann auch die Verantwortlichkeit der ganzen landständischen Corporation keine andere als eine moralisch-politische sein. Hinsichtlich der einzelnen Mitglieder der Landstände nehmen in Deutschland einige Gerichte allerdings an, daß diese wegen wirklich verbrecherischer Handlungen verantwortlich gemacht werden können. Wo aber das Princip der Volkssouverainetät anerkannt ist, wird man jedes einzelne Glied der diese Volkssouverainetät ausübenden Corporation für alle Handlungen, so weit sie als Ausübung der Volkssouverainetät sich darstellen, eben so für unverantwortlich erklären, als den Regenten. Das Praktische an der Sache liegt in der Frage: sind in den deutschen constitutionellen Staaten die Gerichte befugt, über Klagen zu entscheiden, welche vor ihnen wegen gesetzwidriger Aeußerungen eines Mitgliedes der ersten oder zweiten Kammer erhoben werden? Die beiden berühmtesten Bearbeiter des positiven öffentlichen Rechtes, Klüber und Zachariä haben diese Frage verneint. Letzterer behauptet von seinem streng monarchischen Standpunkte: „da das Gesetz der einzige Maaßstab des Rechts für die Mitglieder des Staats ist, so wäre es ein Widerspruch, diejenigen, welche das Volk für die Mitwirkung bei Ausübung der gesetzgebenden Gewalt berufen hat und welche daher, ein Jeder für seinen Theil, das ganze Volk bei dieser Mitwirkung vertreten oder mit ihm als eine Person erscheinen, gleichwohl für das, was sie in dieser Eigenschaft durch Vorberathungen und Discussionen zur Bildung einer Kammermajorität oder durch Abstimmung gethan haben, zur Verantwortung gezogen werden können. Vielmehr nehmen sie, insoweit sie in dieser Eigenschaft handeln, an der Unverantwortlichkeit der souverainen gesetzgebenden Gewalt Theil. Sie sind also nur die Disciplinargewalt der Kammer darum und insoweit unterworfen, als dieses nothwendig ist, um durch geordnete Berathung vernünftige Majoritätsbeschlüsse zu bilden und auszusprechen. Diese aus dem Repräsentativsystem sich ergebenden Forberungen sind mit der Monarchie vollkommen vereinbar.“ Diese Rechtsanschauungen haben denn auch in den meisten deutschen Staaten wenigstens Geltung erlangt. W.

Verantwortlichkeit der Minister s. Ministerverantwortlichkeit.

Verarmung, Pauperismus, ist der Ausdruck für eine der neueren Zeit angehörende, auch in Deutschland sich zeigende höchst unheilvolle Erscheinung, für das Verarmen ganzer großer Volksklassen. Es ist hier nicht die Rede von der Aemuth, die es von Anfang an gegeben hat und stets geben wird, welche ihren Grund in körperlicher oder geistiger Schwäche, in Unglücksfällen ꝛc. hat, oder von der Dürftigkeit, sondern von dem Zustande zahlreicher Volksklassen, in welchem sie trotz der angestrengtesten Arbeit kaum im Stande sind, das Nöthigste für ihren Unterhalt zu verdienen. Es ist leider dahin gekommen, daß eine große Zahl arbeitsfähiger und arbeitslustiger Menschen heute nicht wissen, wovon sie morgen leben sollen; ja es ist für sie auch nicht die geringste Aussicht vorhanden, daß dieser Zustand je besser werden könnte. Natürlich verstinkt ein großer Theil dieser Unglücklichen in Stumpfsinn und Verzweiflung oder wirft sich dem Laster, namentlich dem Trunke, in die Arme; dieses Gespenst, die Verarmung ganzer Klassen, schleicht jetzt durch das altersschwache Europa; am ärgsten ist die Verarmung aufgetreten in England, Frankreich und Belgien; leider zeigt sie sich auch in Deutschland, namentlich in fabrikreichen Gegenden. Man hat die Gründe dieser höchst traurigen Erscheinung in den verschiedensten Dingen gesucht. Die Freunde der Volksverknechtung und Volksverbummung suchen die Ursachen der Verarmung in der „Aufklärung;“ Andere suchen sie in den morschen Unterlagen unserer gesellschaftlichen Verhältnisse (s. Socialismus, Gesellsch. St. Simonismus). Gründlich wird aber die V. weder durch das Zurückführen in die so gepriesenen Verhältnisse des Mittelalters, noch auch durch die von manchen Seiten her gewünschte „Theilung der Güter“ geheilt werden können. Man muß die Ursachen dieser Erscheinung tiefer suchen. Sie liegen zum Theil in den zur Unnatur gewordenen Verhältnissen des staatlichen und gesellschaftlichen Lebens, zum Theil aber in der immer mehr um sich greifenden sittlichen Verwilderung der Menschheit. Diese Thatsachen sind nicht mehr in Abrede zu stellen; die Wirkung dieser Ursachen ist eben die V. Will man diese nicht mehr haben, so entferne man die Ursachen. Man schaffe ein freies Volksleben, man sorge, daß Gott wieder in dem Geist und der Wahrheit angebetet werde, nicht aber in längst veralteten Formen. Man höre vor Allem auf, dem Wahne Raum zu geben, als ob das Uebel durch ein Zurückzwängen in frühere Zustände zu entfernen, oder daß es durch Mittel zu heilen sei, welche aus der Apotheke der Jesuiten kommen. Vergl. Arbeit.

Verbannung, Deportation, ist die Strafe, durch welche ein Verbrecher nicht blos des Bürgerrechts für verlustig erklärt und aus dem Vaterlande verwiesen, sondern auch durch die Bannung an einen gewissen Ort seiner Freiheit beraubt wird. Die Art und Weise, auf welche man diese Strafe ausübt, hat sie sehr gehässig gemacht. Die Verbannung war schon im Alterthum bekannt; das Exil galt für eine der härtesten Strafen und mit Unrecht haben es unsere Vorältern durch das Wort „Elend“ übersetzt. Namentlich übten die ersten römischen Kaiser die V. in großem Maaßstabe aus, indem sie eine große Menge Mißliebiger, Freunde der untergegangenen Republik an solche Orte verbannten, wo sie bald dem unvermeidlichen Tode verfielen, wobei sie zugleich ihres Vermögens beraubt wurden. In der neueren Zeit fielen in der französischen Revolution unerhörte Grausamkeiten mit den Deportirten vor; nicht selten wurden sie auf den Deportationsschiffen durch Fallthüren, die man angebracht hatte, den Meereswellen übergeben. Im großartigsten Maaßstabe übt gegenwärtig Rußland die Strafe der V. aus, indem es jährlich eine große Anzahl Sträflinge, namentlich politische Verbrecher, nach Sibirien schickt. Eine zweckmäßig eingerichtete Verbannungsstrafe, wie sie England vorbereitet, wäre für die Menschheit eine Wohlthat; die Todesstrafen und lebenslänglichen Zuchthausstrafen würden einen entsprechenden Ersatz in der Deportation finden, und nicht mehr in ihrer Nutzlosigkeit zum Hohn der Menschenwürde angewendet werden müssen. Die Kosten für Errichtung von Strafcolonien würden sich durch die Vereinigung mehrerer Staaten bedeutend vermindern und mancher Verbrecher würde seine Schuld an der beleidigten menschlichen Gesellschaft wieder gut machen; s. auch Landesverweisung.

Verbotene Ehen, besonders der Priester-Cölibat. Gewisse Erscheinungen der Zeit lassen uns auf diesen Gegenstand, der bereits in dem Artikel Cölibat (s. d.) berührt worden ist, noch ein Mal zurückkommen, um im Angesichte gewisser Vorgänge der neuesten Zeit einen Blick auf die geschichtlichen Verhältnisse zu werfen, welche mit den verbotenen Ehen, namentlich mit dem Priester-Cölibat der römischen Kirche, verknüpft sind. Zur Zeit des Stifters der christlichen Religion war die Priesterehe entschieden nicht untersagt; Jesus selbst wenigstens hat keine Andeutung gegeben, daß er die Ehelosigkeit auch nur für wünschenswerth halte (Matth: 19, 12), sondern überließ die Beurtheilung dieser Verhältnisse seinen Jüngern. Die Apostel erklärten zwar, daß die Ehe bei der Ausbreitung des Christenthums unter den damaligen Verhältnissen nicht selten als ein Hinderniß erscheine, dachten aber nicht daran, ein Verbot zu erlassen, forderten vielmehr die Verheirathung für die, welche ihrer Triebe nicht Meister werden könnten. Bald aber bildete sich unter den Christen die Vorstellung aus, daß gänzliche Unterdrückung der Sinnlichkeit, eheloses Leben, ein Gott besonders wohlgefälliges Werk sei. Solche Ansichten galten schon bei den Heiden und Juden. Die ägyptischen Priester, die griechischen Priester waren zur Enthaltsamkeit verpflichtet; die Priester der Cybele wurden sogar castrirt. Die jüdischen Priester durften, so lange sie Tempeldienst hatten, mit ihren Frauen in keiner Gemeinschaft leben. Diese Vorstellungen waren auch den Christen nicht fremd geblieben und wurden von Einigen freiwillig angenommen. Die Priesterehe blieb aber dabei in Gebrauch und in allgemeiner Achtung, wie die große Zahl der verehelichten Bischöfe beweist. Nach und nach aber gewann die Ansicht Geltung, daß die zweite Ehe eines Priesters, die Heirath einer Wittwe oder die Heirath nach erhaltener Priesterweihe, oder die Fortsetzung der Ehe nach derselben unzulässig sei. So entstand nach und nach eine freiwillige Ehelosigkeit der Priester, welche ohne große Bedeutung war, da diese meist ältere Männer waren. Die Päpste in Rom begünstigten diese Ehelosigkeit, ohne sie jedoch gesetzlich vorzuschreiben; dieses geschah erst im 5. Jahrhundert, als die Klostergeistlichkeit immer zahlreicher ward. Die vollständige Einführung des Cölibats setzte endlich Papst Gregor VII. im 11. Jahrhunderte erst mit dem heftigsten Widerspruch der Geistlichen durch. Er brauchte das Cölibat, um seine hierarchischen Pläne auszuführen und eine geistliche Heeresmacht gegen die weltliche zu haben. In dieser geistlichen Hierarchie wurde durch den Cölibat zugleich die Möglichkeit zerstört, daß nach dem Beispiele des weltlichen Staates die Vasallen durch Erblichkeit ihrer Güter die Bande der Herrschaft lockern und das Vermögen der Kirche verringern konnten. Es erfolgten bei der immer größer werdenden Unsittlichkeit der Geistlichen von den Besseren derselben die kräftigsten Protestationen gegen die Unchristlichkeit des erzwungenen Cölibats, so daß die Synode von Paris 1074 denjenigen für einen Ketzer erklärte, welcher den Geistlichen den Ehestand verbieten wollte, worauf zu Cambray ein Mönch als Ketzer und Vertheidiger des Cölibats verbrannt wurde. Erst im 12. Jahrhundert gelang die vollständige Durchführung des Cölibats, wobei natürlich das Concubinat und die ärgste Sittenlosigkeit fortbestand. Daher fand die Reformation so allgemeinen Anklang, als sie zunächst das sittenlose Cölibat aufhob. Selbst Fürsten drangen damals in den Papst, das Cölibat vollständig aufzuheben; doch sind alle die Mahnungen bis heute umsonst geblieben, obschon in der neuesten Zeit sogar in ständischen Kammern, wie in Würtemberg und Baden, von katholischen Abgeordneten um die Aufhebung des Cölibats nachgesucht ward. F.

Verbrechen und **Vergehen** werden die rechtlich strafbaren Handlungen genannt. Man hat hier und da einen Unterschied zwischen diesen strafbaren Handlungen gemacht. So richten in Frankreich die öffentlichen Schwurgerichte die Verbrechen (crimes), die öffentlichen collegialischen Zuchtpolizeigerichte die Vergehen (delits, delicta) und die öffentlichen Friedensgerichte die Ueberschreitungen (contraventions). Die Unterscheidung der strafbaren Handlungen in Verbrechen und Vergehen zeigt sich in der geringeren Strafbarkeit und in dem einfacheren Verfahren gegen eine ganze Klasse von Straffällen, und in der größeren Strafbarkeit und dem förmlicheren Verfahren einer andern Klasse. Der innere Grund aber besteht in der verschiedenen allgemeinen inneren Natur der strafbaren Handlungen selbst. Verbrechen bezeichnet einen wirklichen Bruch des rechtlichen Friedens, der rechtlichen Ordnung; Vergehen aber bezeichnet nur ein Verirren, ein bis zum Bruche des öffentlichen Friedens Hinausgehen neben dem Rechte. Das römische Recht nannte die öffentlichen Vergehen Verbrechen, crimina, und verfolgte sie durch förmliche rechtliche Anklage vor dem peinlichen Gerichte; die Privatvergehen, die Ueberschreitung bloßer Polizeivorschriften, Vergehen im engern Sinne, nannte es delicta. Im römischen Sinne aber waren öffentliche Vergehen solche, welche öffentliche Anklage und Bestrafung begründeten; Privatvergehen waren diejenigen, welche der Verfolgung des Verletzten überlassen waren. Ueber das Weitere s. Strafrecht.

Verbrennen der Todten war eine Gewohnheit der alten Völker, welche in der neuesten Zeit in England wieder in Anregung gebracht worden ist. Jedenfalls lag bei den Alten dem V. d. T. eine symbolische Bedeutung aus ihrer Götterlehre zu Grunde. Damals brachte das V. d. T. namentlich dem Handel Vortheile, weil auf dem Scheiterhaufen zugleich Specereien, Teppiche, in welche man den Leichnam hüllte, mit verbrannt wurden. Leider hat sich seit den finsteren Zeiten des Mittelalters noch bis in das vergangene Jahrhundert die christliche Menschheit so weit herabgewürdigt, daß sie das Lebendigverbrennen zu einer Todesstrafe, namentlich für der Ketzerei Verdächtige, machte. Das V. d. T. hat im Hinblick auf die Gesundheit der Lebenden, auf die Füglichkeit, die Aschenreste der Verblichenen aufzubewahren und in mancher anderen Beziehung viel Empfehlenswerthes.

Verbürgung, Bürgschaft (intercessio, fidejussio), heißt ein Vertrag, wodurch man sich verpflichtet, für die Verbindlichkeit eines Andern einzutreten, wenn dieser sie selbst unerfüllt läßt. Der ursprünglich Verpflichtete bleibt dabei immer noch der Hauptschuldner und wird seiner Verpflichtung nicht entlassen, nur geht dieses auf den Bürgen über. Die Bürgschaft setzt stets eine vorhandene Forderung voraus; man kann sich aber für nicht mehr verbürgen, als der Hauptschuldner schuldig war, und der Bürge kann alle Einwendungen gegen den Gläubiger machen, die der Schuldner vorgebracht haben würde. Früher war die Bürgschaft der Frau unzulässig, doch haben neuere Gesetze diese Bestimmung aufgehoben. Die Bürgschaft erlischt, sobald die Hauptschuld gedeckt ist; sei es durch Zahlung, Vergleich oder Erlaß. Der Bürge kann nicht eher belangt werden, als bis der Hauptschuldner ausgeklagt ist. — Auch in völkerrechtlicher Hinsicht ist die V. von großer Bedeutung; sie kommt hier gewöhnlich unter dem Ausdruck Garantie oder Gewährleistung (s. d.) vor.

Verdacht nennt man die auf erwiesenen Gründen, Anzeigen oder Indicien beruhende Wahrscheinlichkeit, daß Jemand ein Verbrechen begangen habe. Diese Gründe bilden noch keinen Beweis, welcher in unmittelbarer Wahrnehmung der That durch

Andere, oder im Geständniß des Thäters besteht. Stehen die Gründe zu einem Verdacht nicht in unmittelbarer Beziehung auf die That, so nennt man den V. einen
entfernten; stehen sie aber in unmittelbarer Verbindung zur That, so ist der V.
nahe, dringend. Die Verdachtsgründe können keinem Verbrechen vorausgehen,
wie Drohungen, feindschaftliches Verhältniß zu Jemandem, Vorbereitungen ꝛc., oder
der That nachfolgen oder diese begleiten. Die Carolina (s. d.) stellte fest, daß keine
Verurtheilung mehr aus Verdachtsgründen erfolgen sollte, sondern daß dazu Beweis
und Geständniß nöthig sei. Leider kam man aber auf den Abweg, das Letztere durch
die Folter zu erpressen. In der neueren Zeit, wo die Folter abgeschafft worden ist,
kehrte man, nach dem Vorgange Preußens, zur Verurtheilung auf bloßen V. hin
zurück. Die Opfer, welche bei dem geheimen Gerichtsverfahren dem V. noch anheimfallen, sind nicht unbedeutend; s. Beweis, Anzeige.

Verdict s. Geschworne.

Vereine, politische, Volksversammlungen, Vereinsrecht. Schon längst vor
dem Jahre 1848 drängte man zur Entscheidung der Frage über die Erlaubtheit und
Heilsamkeit von Vereinen und Volksversammlungen. Daß diese in der Regel politischer Art sein müssen und sollen, liegt in der Natur der Sache. Es kam zu einem lebhaften Streit über diesen Gegenstand, welchen das Jahr 1848 durch die
Verleihung der Grundrechte endigte. Es sind diese sammt dem Vereinsrechte den
deutschen Volksstämmen theils ganz wieder entrissen, theils so verkümmert worden,
daß nur ein Schattenbild davon übrig geblieben ist. V. sind so alt, als die Menschheit selbst; sie sind aber auch zugleich die Quelle aller höheren Bildung und Cultur
geworden, sind älter, als der Staat selbst, welcher erst aus dem Zusammentritt mehrerer Vereine entstanden ist. Denn nicht Einzelne, sondern wieder eine ganze Reihe
freier Vereine, Besitz-, Gewerbs-, Schutz- und Gemeindevereine bildeten, namentlich die allgermanischen Staaten, die Reichs- und Landesstaaten. Ja alle
unsere Rechte bildeten sich in diesen freien Vereinen und durch ihre freien Anerken-
nungen und Festsetzungen. So sind die V. auch heute noch die Quelle von Thätigkeit, Bildung, Wohlstand und Kraft der Bürger, üben selbst auf die rohesten Mitglieder der Gesellschaft eine bildende Kraft aus, entwickeln vor Allem den Gemeingeist, diese Quelle alles Herrlichen. Das Bedürfniß nach solchen Vereinen und die
Freiheit für dieselben findet sich bei allen Völkern, nur nicht bei solchen, welche unter
despotischen Regierungen ihrer Auflösung entgegen gehen. Während der eigentliche Despotismus vernichtet, ist der zahme Despotismus durch die Formen
sogenannter polizeilicher Sicherung oft noch schädlicher; deshalb ist er auch der
Feind aller V. Die griechischen und römischen Gesetze sicherten vor Allem
die Freiheit der V. und die Gültigkeit ihrer freien Gesetzgebung. Die spätern römischen Kaiser verboten zunächst neue förmliche Corporationen, die nicht herkömmlich
waren, doch enthält das Corpus juris noch die Anerkennung des freien Hauptgrund-
satzes. In Deutschland galt das uralte freie Vereinsrecht mit vollständiger Selbstgesetzgebung als das erste Freiheitsrecht durch das ganze Mittelalter. Die
V. oder Associationen in Stadt und Land, der verschiedenen Stände, Städte und
Landgemeinden unter einander, die freien V. der geistlichen und weltlichen Innungen,
Orden, Klöster und Universitäten (s. d.) wurden Zufluchtsorte für Freiheit, Frieden
und Cultur; sie wurden Grundlagen und Pflanzstätten neuer bürgerlicher Ordnung
und Bildung. In der neueren Zeit erst traten die Beschränkungen des Vereinsrechtes
ein, namentlich seit den Bundesbeschlüssen vom 20. Sept. 1819. Weniger aber diese
nur polizeilichen Beschränkungen ließen das Vereinsrecht unbenutzt liegen, als die
nach und nach erfolgte Abtödtung alles politischen Lebens und aller politischen Bildung, welche im Gefolge der geheimen Beamtengerichte sein mußte. Wie ganz anders steht das freie Britannien, wie ganz anders das freie Nordamerika mit seinen
freien Vereinen da, wo die freien Volksversammlungen mit ihren Berathungen öffent-

licher Angelegenheiten die Ursache großer gemeinnütziger Unternehmungen werden. Und, was sehr zu beachten ist, diese Länder sind zugleich frei von geheimen und revolutionären Vereinen und Verschwörungen. Die Erfahrung dieser Länder hat hinlänglich bewiesen, daß die Vereine, und namentlich die politischen, wesentlich die Blüthe und Kraft der Staaten, patriotischen Gemeingeist und Cultur befördern. Die Vereine sind die sicherste Stützen zur Erhaltung des Staates und der Verfassung, sie sind die Wächter für Erhaltung der Freiheit und der bürgerlichen Ordnung. Aber auch für die Cultur sind die einzelnen V. von großer Wichtigkeit, weil sie freier, vollständiger und schneller die wahren zeitlichen und örtlichen Ansichten, Gefühle, Bedürfnisse und Bestrebungen des Volkes zur Offenkundigkeit und zur Erkenntniß der Regierung bringen, als die Behörden dies thun können. Es läßt sich dabei allerdings nicht leugnen, daß gewisse Zeiten und Umstände Vorbeugungs- (Präventiv-) und Unterdrückungs- (Repressiv-)maßregeln als zulässig erscheinen lassen. Aus der Begründung und der Natur solcher Ausnahmegeseze aber und dadurch, daß sie die verfassungsmäßige persönliche und politische Freiheit verletzen, sie entweder ganz vernichten, oder doch, was rechtlich dasselbe ist, von dem Belieben der Regierung abhängig machen, ergeben sich folgende wesentliche Bedingungen dieser Ausnahmegeseze. Sie dürfen erstens nicht einseitig von der Regierung, sondern nur mit Zustimmung der Stände beschlossen, oder sie dürfen da, wo die Regierung das Recht zu provisorischen Gesetzen hat, doch nur unter ministerieller Verantwortlichkeit und nur bis zur nächsten Ständeversammlung gültig verfügt werden. Diese Beschränkungen dürfen ferner, wenigstens sofern sie die Vereinsfreiheit in ihren wesentlichen Punkten treffen, die Freiheit nur auf eine bestimmte Zeit, der Regel nach nur bis zur nächsten Ständeversammlung, *suspendiren*, so daß sie nie länger dauern, als die besonderen Zeitverhältnisse die Ausnahme nothwendig machen.

Vereinigte Staaten von Nordamerika. I. **Die nordamerikanische Revolution.** Es giebt wenig Revolutionen in der Geschichte, welche, außer der englischen im 17. Jahrhundert, so ruhm- und erfolgreich gewesen wären, als die nordamerikanische. **Schiller**, der große Freund der Freiheit, hat entweder nicht im Ernste, oder ironisch gesprochen, wenn er sagt:

„Wenn sich die Völker selbst befrei'n,
Da kann die Wohlfahrt nicht gedeih'n!"

Diese Worte werden durch nichts schlagender widerlegt, als durch die Selbstbefreiung der nordamerikanischen Völkerschaften. Bei den Grenzen, die uns hier gesteckt sind, können wir dieses weltgeschichtliche Unternehmen nur in seinen Grundzügen zeichnen. Die Revolution der Nordamerikaner gegen ihr Mutterland England lag in der fehlerhaften Verbindung, in welcher sie zu demselben standen. Das Mutterland beanspruchte das Recht, den Einwohnern der Colonien mancherlei Beschränkungen aufzuerlegen, die es seinen europäischen Unterthanen nicht auferlegen durfte. Daher kam es, daß man die Verbindung mit England als ein Uebel zu erkennen anfing, welches immer lästiger wurde. Schon waren auch volksthümliche Einrichtungen im Gange und angebahnt, was Sehnsucht nach vollständiger Befreiung nur erhöhte. Im Jahre 1765 gefiel es England in den nordamerikanischen Colonien eine Stempeltaxe einzuführen, nach welcher alle Verträge der Einwohner auf Stempelpapier geschrieben und die Taxe desselben nach dem Werth des Gegenstandes des Vertrags bestimmt werden sollte. Diese Maaßregel rief eine große Erbitterung und Aufregung hervor. Neun Provinzen traten zusammen, um zu berathen, was zu thun sei, um den Anmaßungen des Mutterlandes entgegen zu treten. Im October 1765 ward von dieser Versammlung jener 9 Provinzen in New-York eine Erklärung an England erlassen. Im englischen Parlamente wurden von den größten Staatsmännern Reden für die Sache der Nordamerikaner gehalten. Der ältere Pitt, nachmals Lord Chatam, erklärte, daß „Besteuerung kein Theil der Regierung oder der gesetzgebenden Gewalt sei; Steuern seien freiwillige Verwilligung des Volkes. Ich sehe mit Vergnügen," sprach er, „daß Amerika uns widersteht. Drei Millionen Menschen unseres Gleichen, feig genug, die Vertheidigung ihrer Freiheiten aufzugeben, würden mächtig dazu beitragen, auch die Uebrigen unter das Joch der Knechtschaft zu bringen." — Das Parlament nahm zwar die Verordnung der Stempeltaxe 1766 wieder zurück, wodurch aber die Gemüther nicht beruhigt wurden, da man zugleich die Absendung von Truppen ankündigte. Im Jahre 1769 beschränkte man den Umlauf des Papiergeldes zum Nachtheil der Colonien, was die Erbitterung noch mehr steigerte. Am 16. Decbr. 1773 geschah die erste That gegen England, indem in Boston von der Volksmenge die Theeschiffe der Engländer erstiegen und 342 Kisten Thee in's Meer geworfen wurden. Das Parlament erklärte dafür den Hafen von Boston in Blokadezustand, bis die Stadt eine ihr auferlegte Geldstrafe bezahlt habe. Allgemeine Theilnahme erwachte nun in der Colonie; Waffenrüstungen begannen. Am 5. Septbr. 1774 trat in Philadelphia ein Congreß von Abgeordneten aus 12 Colonien zusammen „mit der Gewalt und dem Auftrage über das gemeine Wohl sich zu benehmen und zu berathen. Man beschloß sofort allem Handel und Verkehr mit Großbritannien zu entsagen und erließ ein Sendschreiben an das großbritannische Volk, so wie eine Bittschrift an den König. Als Antwort erhielten die Colonisten die Nachricht, daß die Bewohner der Proving Massachussetts für Rebellen erklärt und die Aufruhracte gegen sie in Anwendung kommen solle. Aus der Erbitterung der Amerikaner wurde nun Wuth, man griff zu den Waffen, und am 1. April 1775 floß das erste Bürgerblut in Amerika. Im Mai d. J. kam ein neuer Congreß in Philadelphia zu Stande, welcher thatsächlich ohne Einmischung der Beamten die Souverainetät als Nationalversammlung ausübte. Den Gedanken an eine Versöhnung mit dem Mutterlande hatte man noch nicht aufgegeben und enthielt sich auch aller Antastungen der Souverainetät der englischen Krone. Das britische Ministerium beschloß nun die Absendung einer Kriegsmacht von 50,000 Mann; allein das englische Volk war der Werbung für diesen Kampf nicht günstig. Unterhandlungen mit Rußland und Holland zerschlugen sich ebenfalls, aber deutsche Fürsten fanden sich bereit, ihre Truppen an England zu verkaufen. Von jetzt an war jede Hoffnung auf Versöhnung verschwunden. Kühner trat der Congreß von 1776 auf; er ermächtigte zu Feindseligkeiten gegen alle britischen Unterthanen, und am 4. Juli 1776 wurde die Unabhängigkeitserklärung sämmtlicher 13 im Congresse vertretenen Colonien veröffentlicht. Es war dies ein Ereigniß in der neueren Geschichte. Dem Congreß fielen mit dieser Lossagung vom Mutterlande alle Souverainetätsrechte zu, während die einzelnen dreizehn Colonien noch kein bestimmtes Band umschloß. Erst am 15. Nov. 1777 nahm der Congreß den Entwurf einer Confoederation sämmtlicher Colonien an. Am 2. März 1781 die allgemeine definitive Annahme der „Articles of confederation and perpetual union" und der neue Staatenbund war geschaffen, als dessen verfassungsmäßiges Organ der bisher revolutionäre Congreß auftrat. Bald nahm man die Mängel der neuen Verfassung; am 21. Febr. 1787 wurde vom Congreß der Beschluß zur Einberufung einer Generalversammlung zur Reaction und Ergänzung der Confoederation gefaßt. Diese Versammlung kam in Philadelphia zusammen und am 25. Mai 1787 ward Washington als Präsident erwählt. Am 13. Septbr. 1788 ward die neue Bundesverfassung proclamirt und Washington abermals zum Präsidenten des Senats erwählt. Von dieser Zeit an ist die nordamerikanische Bundesverfassung fast unverändert geblieben. Der Kampf mit dem Mutterlande dauerte während dieser inneren Schöpfungen fort. Seine Darstellung ist aber hier nicht unser Zweck. Am 3. Sept. 1783 wurde zu Versailles der Friede unterzeichnet. Die Verdienste Washingtons um Nordamerika sind unermeßlich. Als die auf vier Jahr bestimmte Präsidentschaft 1793 zu Ende ging, wurde er von Neuem gewählt. Bei dem Anfange des neuen Jahrhunderts, 1800, hatten die Staa-

ten fast 7 Millionen Einwohner. II. Grundzüge der nordamerikanischen
Verfassung. „Die vereinigten Staaten von Nordamerika," sagt einer der gesin-
nungsvollsten Staatenkenner, „erkämpften ihre Freiheit mit Muth, beharrlicher Anstrengung und Aufopferung, die indessen in der Geschichte nicht ohne Beispiel sind,
das vielmehr von manchem Volke in gleicher Lage noch glänzender gegeben ward;
aber diese Freiheit sicherten sie durch eine Verfassung, von der die Geschichte kein
Beispiel gegeben und keins geben konnte." — Die politische Ordnung der Dinge in
den vereinigten Staaten ist vollständig neu; sie hat nichts gemein mit den Freistaaten des Alterthums und des Mittelalters, nichts gemein mit den neuen Staatencon-
föderationen, noch weniger mit den repräsentativen Monarchien. Factisch und rechtlich freier waren noch nie die Bürger eines andern Gemeinwesens. Aber niemals
gab es auch ein so glückliches Zusammentreffen günstiger Umstände und Verhältnisse.
Ein wesentlicher Umstand war der, daß die ersten Niederlassungen in jenen Gegenden
in ein Zeitalter fielen, welches bereits manche Fortschritte gemacht hatte. Die Länder
des Unionsgebietes waren von Colonisten aus den gebildetsten Völkern der alten Welt
bewohnt; die größte Zahl der Ansiedler gehörte England an, einem Lande, in welchem die politische Bildung am meisten vorgeschritten war, in welchem sich mehr
Rechtsbegriffe und Ansichten von wahrer Freiheit fanden, als bei den übrigen Völkern Europas. Den Amerikanern fiel es nicht ein, als es sich um die Errichtung
eines Repräsentativsystems handelte, alle die in unserem Welttheile zum Vorschein
kommenden Fragen aufzuwerfen. Man fand hier schon ein freies Volk vor sich, und
fast nichts als Volk, weder Kaiser noch Adelthum, weder Vorrechte von Ständen,
noch eine Staatsreligion. Der gesunde Menschenverstand hatte sich darum auch,
weil er auf reinem Boden stand, weder mit der Vergangenheit, noch mit der Gegenwart durch Zugeständnisse abzufinden, und es war ihm dadurch möglich, auf dem
Gebiete der Staatswissenschaft größere Fortschritte in einem Jahrzehnt zu machen,
als die Schulen, die sich mit Vermächtnissen, bestehenden Gesetzen, ererbten Einrichtungen und Privilegien Einzelner in Einklang zu setzen hatten, in einem Jahrtausend. In Europa übersah man bei der Bewunderung des so kräftig aufblühenden
Staates den Umstand, daß dort das Staatsgebäude nicht auf dem unebenen Boden der Geschichte aufgeführt war, sondern auf dem reinen Boden, nämlich rein
und frei von veralteten Einrichtungen und Verhältnissen. Das Glück der
Nordamerikaner war, daß sie ein geschichtsloses Volk waren, daß sie
keine Geschichte hatten, an die sich die Greuel früherer Jahrhunderte knüpften. —
Nichts beurkundet wohl besser und schlagender die Güte, Trefflichkeit und Vorzüglichkeit der im freien Nordamerika bestehenden Ordnung der Dinge, als das wahrhaft
wunderbare Gedeihen und Fortschreiten dieses großen Landes. In keinem Lande ist
mit so überschwänglichem Segen an dem Altar der Civilisation gebaut worden, als
in den vereinigten Staaten; sie gleichen einem jungen Orangenbaum, immergrünend,
immer blühend und Früchte tragend. Eine solche politische Ordnung aber, die solche
Blüthen und Früchte trägt, verdient gewiß in einem hohen Grade die Aufmerksamkeit der Staatsweisen. Von allen Bundesverfassungen der Welt ist wohl keine vollkommener, naturgemäßer, genauer den höchsten Grundsätzen und Bedürfnissen entsprechend, als die nordamerikanische. Dieser Sieg, den das demokratische Princip dort
davon getragen hat, muß natürlich allen denen mißfallen, welche der entgegengesetzten
Ansicht huldigen; die Monarchisten und Aristokraten lassen es auch nicht daran fehlen, die amerikanische Demokratie auf alle Weise zu verdächtigen und ihr alles Uebele
nachzusagen. — Die nächste Folge der Gesetze und Einrichtungen, welche in Nordamerika aus dem demokratischen Grundsatze hervorgegangen sind, ist der gänzliche Mangel an privilegirten Ständen und an irgend einer künstlichen Aristokratie.
In jeder Staatsgesellschaft wird und muß es mehr oder weniger durch Vermögen,
Verdienst, Talente, Kenntnisse ꝛc. ausgezeichnete und dadurch über die Masse des Vol-

kes hervorragende Menschen geben; die nordamerikanischen Gesetzgeber waren aber so weise, diesen ohnehin schon Bevorzugten nicht noch mehr Begünstigungen einzuräumen. In Amerika ist fast kein anderer Unterschied zwischen den Staatsbürgern vorhanden, als der zwischen Reichen und Armen, und letztere machen, obschon sie weit weniger zahlreich sind, als in Europa, natürlich die größere Zahl aus. Die Allgemeinheit des Stimmrechtes giebt daher den weniger Bemittelten, weil sie die Mehrheit bilden, das Uebergewicht, macht sie gewissermaßen zu Herren der Regierung. Eine Unterdrückung dieser Mehrheit, des eigentlichen Volkes, ist also von Oben herab gar nicht möglich, wie sich auch unter solchen Verhältnissen sich nie eine Minderzahl, wie die Reichen in den Besitz der Macht setzen und Vorrechte aneignen kann. Das Reich der Privilegien und Bevorzugungen ist in den vereinigten Staaten mit Stumpf und Stiel für alle Zeiten ausgerottet. Zu dieser Eigenthümlichkeit der durch die Herrschaft des demokratischen Princips begründeten Verfassung kommt noch eine andere; es ist die der Selbstregierung des amerikanischen Volkes; die glänzenden Erfolge dieser Selbstregierung haben hinlänglich bewiesen, daß das Menschengeschlecht dazu fähig ist. Joh. von Müller schrieb 1807: „nachdem die alte Römerwelt der Fortdauer unwerth geworden war, hat der Papst die Völker Europas lange mit schulmeisterlicher Zucht gegängelt; sie sind ihm endlich entwachsen und haben als Jünglinge, doch unter Königen und Hofmeistern, viel toll Zeug getrieben.“ In der neuen Welt aber hat man die Staatsgesellschaft anders eingerichtet, als in der alten. Das Bevormundungsprincip von Oben herab ist dort gänzlich abgeschafft und an dessen Stelle die Selbstregierung — self government — des Volks getreten. Die Amerikaner wollen keine Herren über sich haben, sondern ihr eigner Herr sein und immerdar bleiben, und sie glauben der Minderjährigkeit entwachsen zu sein und keine Vormünder mehr für die Besorgung ihrer eigenen Angelegenheiten zu bedürfen. Dieser Grundsatz, daß die politischen, ökonomischen, religiösen und andern Angelegenheiten jeder. Gesellschaft unter der gemeinschaftlichen Aufsicht und Leitung aller Mitglieder stehen müssen, und nicht von einem fremden oder einem oder mehreren mit Ausschluß aller übrigen besorgt und verwaltet werden müssen, steht mit der Vernunft und dem gemeinen Rechte so in Einklang, daß es mehr an Wahnsinn als an Irrthum gränzen würde, ihn zu leugnen. Ueberblicken wir nun noch die auffallendsten Vortheile, welche die Verfassung der vereinigten Staaten gewährt, so sind sie folgende: Freiheit jeder Art, persönliche, bürgerliche, religiöse, politische; insbesondere unbeschränkte Rede-, Schreib- und Preßfreiheit. Freiheit jeder menschlichen Thätigkeit und Betriebsamkeit, des Gewerbfleißes, des Verkehrs und Handels. Daher keine Monopole, keine Handwerksgilden und Zünfte, keine Mauth- und Zollschranken. Vollständig freies Associationsrecht, öffentliche Volksversammlungen. Sicherheit der Person und des Eigenthums, gegenüber den willkürlichen Verhaftungen und Confiscationen der alten Welt; persönliche Unabhängigkeit und Selbstständigkeit, von der man in den alten Staaten keinen Begriff hat. Daher auch Selbstgefühl des freien Staatsbürgers und als Folge davon keine zur Vergessenheit der Menschenwürde und dadurch zur Niederträchtigkeit verleitende knechtische Denkart selbst nicht bei den Aermsten. Auf die Bürger der vereinigten Staaten findet die Schilderung eines geistreichen Zeitgenossen von dem Leben der Engländer volle Anwendung: „ein behagliches Leben in ihren friedlichen Häusern genießend, sind sie freie Könige im Schooße ihrer Häuslichkeit, die ruhig in der Sicherheit ihres unantastbaren Eigenthums ihre Tage zubringen. Glückliche, die frei von Eingriffen in ihren Beutel, frei von Unwürdigkeiten für ihre Person, frei von Plackereien ihrer Macht fühlen lassen wollender Beamten und Behörden, frei von den Aussaugungen unersättlicher Staatsblutegel, und die dabei als unumschränkte Herren in ihrem Eigenthum nur Gesetzen zu folgen brauchen, die sie selbst mitgeben halfen.“ Daher finden wir auch dort das freiste, bewegteste öffentliche Leben, wobei Jeder Theil nehmen kann an den

24*

Angelegenheiten des Gemeinwesens; daher ist die öffentliche Sache — res publica — Sache eines Jeden; darum auch ächte Vaterlandsliebe, lebhafte Theilnahme an Allem, was das Wohl des Vaterlandes betrifft. Kein fürstlicher Hof und keine kostspielige Hofhaltung; keine Sinecuren und Pfründen, keine besoldeten Müßiggänger, kein Abgabendruck. Dort pressen. nicht hundertfache Finanzschreiben dem Bürger seinen Erwerb ab; die Börse der Nation unterliegt nicht den Brandschatzungen auf zahllose Weise. Allgemeiner Wohlstand im ganzen Volke und stets wachsender Nationalreichthum; Sittlichkeit und religiöser Sinn, Häuslichkeit, Familienglück, Wohlbehagen und Zufriedenheit aller Volksklassen ohne die europäischen Gespenster des — Proletariats und der Verarmung! III. Hauptbestimmungen der nordamerikanischen Verfassung. Die nordamerikanische Union bestand bei ihrer Gründung aus 13 Staaten: Massachussets, New-Hampshire, Connecticut, New-York, New-Jersey, Pennsylvanien, Delaware, Maryland, Virginien, Rhode-Island, Nord-Carolina, Süd-Carolina und Georgien. Gegenwärtig besteht die Union aus 26 Staaten; es traten noch bei: Vermont, 1791; Kentucky, 1792; Tennessee, 1796; Ohio, 1803; Louisiana, 1812; Indiana, 1812; Illinois, 1818; Alabama, 1819; Mississippi, 1819; Maine, 1820; Missuri, 1821 und in der neuesten Zeit Michigan und Arkansas, welche letztere Provinz, als die größte, 121,000 engl. ☐M. (verhalten sich zu deutschen wie 21,2 zu 1) umfaßt. Die Bevölkerung der vereinigten Staaten dürfte jetzt 20 Millionen betragen. — Der verfassungsmäßige Träger der gesetzgebenden Gewalt ist ein vom Volke theils direct, theils indirect erwählter Congreß, dessen Gewalt sich zugleich auf alle Angelegenheiten erstreckt, welche die Nation als ein Ganzes betrachten. Er ist das vornehmste Organ des souverainen Volks und bildet die oberste regierende Autorität, Gesetze berathend und beschließend und Anordnungen treffend über alle Gegenstände, welche mit dem gemeinsamen Interesse der Bundesstaaten in Berührung stehen. Selbst nur als Bevollmächtigter der Nation handelnd stellt er eine Selbstregierung dar. Manche Rechte und Befugnisse, die in der Monarchie dem Fürsten zustehen, finden sich hier dem Congreß übertragen. Dieser ist aber nicht, wie der Monarch, mit der vollziehenden Gewalt bekleidet. Für die Ausführung der vom Congreß gefaßten Beschlüsse besteht neben ihm noch eine andere verfassungsmäßige Macht, die, zwar unabhängig von ihm, doch dessen Willen zu vollführen verpflichtet ist. Der Congreß besitzt aber nur diejenigen Gewalten, welche ihm durch die Bundesacte anvertraut sind; er hat daher nicht die volle Macht des britischen Parlaments. Das Volk und die einzelnen Bundesstaaten haben sich gewisse Befugnisse vorbehalten. So ist dem Congreß die Befugniß abgesprochen, die Preßfreiheit zu beschränken, öffentliche Versammlungen zu hindern, das Waffenrecht zu schmälern, Glaubensfreiheit zu beeinträchtigen. Es steht ihm aber zu, Abgaben aufzunehmen und zu erheben; er hat die Verfügung über alles Eigenthum der vereinigten Staaten; er kann Anleihen machen, den Handel mit fremden Nationen regeln, im Namen der Staaten Krieg erklären, aber nie Gelder für die Armee auf länger, als zwei Jahre verwilligen ɾc. Der Congreß, als Träger der Nationalsouverainetät, ist in allen seinen Gliedern unverletzlich; er besteht aus zwei von einander unabhängigen Abtheilungen, deren die eine den Namen „Senat der vereinigten Staaten" führt, während die andere „Haus der Repräsentanten heißt. Jeder einzelne Staat ernennt ohne Unterschied der Größe der Volkszahl eine gleiche Zahl von Mitgliedern für die eine Abtheilung des Congresses, nämlich zwei, und eine gewisse mit seiner Bevölkerung in Verhältniß stehenden Anzahl für die andere Abtheilung. Alle Bestimmungen der Bundesverfassung in Betreff des Congresses der vereinigten Staaten sind darauf berechnet, ihm die größte Selbstständigkeit und Unabhängigkeit bei der Uebung seiner Gerechtsame innerhalb der Schranken seiner verfassungsmäßigen Befugnisse zu sichern und eine unparteiische Stellung der obersten ausführenden Macht gegenüber zu verleihen. Jedem der beiden Congreßhäuser steht unbedingt, allein nnd ausschließlich das Richteramt über die Wahlen und Legitimation seiner eignen Mitglieder zu. Jedes Haus des Congresses übt die volle Polizeigewalt in seinem Sitzungslocale, und hat deshalb seine eigenen, ihm allein verpflichteten Beamten und Diener und die alleinige Gerichtsbarkeit über seine Mitglieder. Die Mitglieder des Repräsentantenhauses werden alle zwei Jahre in sämmtlichen Staaten der Union gewählt. Gesetzlich ist festgestellt, daß der zu Wählende ein Alter von 25 Jahren erreicht haben, seit 7 Jahren Bürger der vereinigten Staaten gewesen und zur Zeit seiner Erwählung Einwohner des Staats sein muß, in welchem er gewählt wird. Der Beweis von einem Eigenthumsbesitze wird eben so wenig verlangt, als irgend eine religiöse Erklärung. Im Jahr 1832 setzte man fest, daß auf je 48,000 Einwohner Ein Repräsentant kommen sollte; nach dieser Anordnung beträgt die Zahl der Mitglieder des Repräsentantenhauses gegen 240. Zum Senator kann nur erwählt werden, wer 30 Jahre alt ist und 9 Jahr Bürger der vereinigten Staaten gewesen. Die Zahl der Mitglieder des Senats ist doppelt so groß, als die Zahl der Staaten, also jetzt 52; sie werden auf 6 Jahre gewählt; die Abstimmung geschieht nicht nach Köpfen, sondern nach Staaten. Sie theilen sich in drei Klassen, damit sie alle zwei Jahre, nach einem bestimmten Turnus zu $\frac{1}{3}$, gleichzeitig aus der alsdann eintretenden Wahl neuer Mitglieder des Repräsentantenhauses ernannt werden. — Die oberste ausführende Gewalt in der Union ist einem Einzigen unter dem Namen „Präsident der vereinigten Staaten" anvertraut. Die Bundesverfassung fordert, daß er Eingeborner sei, das Alter von 35 Jahren erreicht und 14 Jahr im Lande seinen Wohnsitz gehabt habe. Vermögen, Stand und Religion kommen nicht in Betracht. Die Wahl liegt in den Händen des Volks; der Präsident wird von Wahlkörpern erwählt, die in jedem der Bundesstaaten aus eben so viel Mitgliedern bestehen, als der Staat Senatoren und Repräsentanten zum Congresse zu wählen das Recht hat. Diese Wahlkörper versammeln sich bei der Wahl an einem und demselben Tage in sämmtlichen Staaten und stimmen durch Kugeln oder Ballotage; die Gesammtzahl der Wähler ist also einige Hundert und die Stimmenmehrheit aller Wähler entscheidet. Sind die Stimmen zwischen mehreren Candidaten getheilt, so trifft das Repräsentantenhaus dann die Wahl. Die Amtsdauer des Präsidenten ist auf vier Jahre festgesetzt, doch kann er wieder gewählt werden. Aus der Bundeskasse bekommt er eine Vergütung für seine Dienste, die durch einen Congreßbeschluß vom 18. Febr. 1793 auf 25,000 Dollars jährlich festgesetzt ist. Außerdem hat er freie Amtswohnung in Washington. Vor Antritt des Amtes muß der Präsident schwören, daß er getreulich sein Amt verwalten, die Bundesverfassung erhalten, beschützen und vertheidigen will. Der Präsident der vereinigten Staaten ist Vollzieher des Gesetzes, hat aber keinen Antheil an der Gesetzgebung; er kann nur durch ein suspensives Veto den Aufschub der Verwirklichung eines Gesetzes beantragen, und zwar nur auf kurze Zeit. Weder er, noch seine Minister haben Zutritt zu den Sitzungen der beiden Häuser. Maßregeln anempfehlen kann er nur auf dem schriftlichen Wege der Botschaft. Er hat weder das Recht, die Dauer des Congresses zu bestimmen, noch denselben aufzulösen oder neue Wahlen anzuordnen, wie in constitutionellen Monarchien. Der Präsident hat die Gesetze zu vollziehen, mag er sie billigen oder nicht. Er hat ferner das Begnadigungsrecht, die Befugniß, über Staatsverträge mit fremden Staaten zu unterhandeln, die Abschließung hängt aber von der Beistimmung des Senats ab; die Ernennung der Bundesbeamten geschieht zwar durch den Präsident, aber die förmliche Einsetzung ist durch die Zustimmung des Senats bedingt. Allen diesen grundgesetzlichen Vorsichtsmaßregeln, um etwaigen Mißbräuchen der Einem Bürger anvertrauten obersten Gewalt ist noch die Krone aufgesetzt durch die persönliche Verantwortlichkeit für alles sein Thun und Lassen bei der Amtsführung. Diese Präsidentenverantwortlichkeit aber ist keine leere Drohung auf dem Papier, wie hier und da die Ministerverantwortlichkeit in Deutschland, sondern kann stets auf verfassungsmäßigem

Wege verwirklicht werden. Diese Verantwortlichkeit wird aber dadurch gemildert, daß
der Präsident viele wichtige Amtshandlungen nicht ohne Beistimmung des Senats
verrichten kann. Ueber die Entfernung und Entsetzbarkeit des Präsidenten schreibt die
Bundesverfassung Folgendes vor: der Präsident soll seiner Stelle entsetzt werden, auf
Anklage (durch das Haus der Repräsentanten) vor dem Senate der vereinigten Staaten, wegen Hochverraths, Bestechung oder anderer hohen Verbrechen und Vergehen!
Bis jetzt ist es noch nicht vorgefallen, daß ein Präsident der vereinigten Staaten wäre
in Anklagezustand versetzt worden. — Neben diesen zwei Gewalten, der obersten
gesetzgebenden und der obersten vollziehenden, errichteten die Gründer des Bundes noch
eine dritte in der Constituirung einer obersten bundesrichterlichen Gewalt,
als einer eignen, von der gesetzgebenden und vollziehenden Autorität der Union unabhängigen Bundesstaatsgewalt. In das Grundgesetz des Bundes ward die Bestimmung aufgenommen, daß die Jurisdiction dieser Behörde sich über alle streitige Fälle
von Gesetz und Billigkeit zu erstrecken habe, welche der Verfassung, den Gesetzen und
Verträgen der Union unterworfen sind und unter der Bundesverfassung und durch sie
entstehen mögen. Auf diese Weise wurde eine Gewalt geschaffen, welche bekleidet mit
der eigenthümlichen Machtvollkommenheit über die Verfassungsmäßigkeit der von der
gesetzgebenden und vollziehenden Behörde nicht blos des Bundes, sondern auch der
einzelnen Bundesstaaten erlassenen Beschlüsse, Gesetze, Anordnungen und Verfügungen
ein Urtheil zu fällen und in allen den Fällen zu entscheiden, welche durch die von
jenen Behörden innerhalb der Grenzen ihrer constitutionellen Befugnisse vorgenommenen Handlungen sich ergeben könnten. Die Bundesacte hatte sich darauf beschränkt,
blos im Allgemeinen die Errichtung eines höchsten Bundesjustiztribunals nebst Bun-
desgerichten in niederer Instanz anzuordnen, der Gesetzgebung der vereinigten Staaten es überlassend, für die weitere Organisation der Bundesgerichtsbarkeit Sorge zu
tragen, das Verhältniß derselben zur Staatengerichtsbarkeit zu bestimmen und die erforderlichen Bundesuntergerichte in das Leben zu rufen. Das ganze jetzige Gerichts-
system der vereinigten Staaten verdankt seine Entstehung einer Congreßacte vom 24.
Septbr. 1789, wodurch der Oberrichter Ellsworth sich ein bleibendes Denkmal
setzte. Nach diesem System ist das oberste Bundesschiedsgericht allein mit der Macht
bekleidet, alle Competenzfragen in Betreff der Bundesgerichtsbarkeit in Collisionsfällen
mit den obersten Gerichten der einzelnen Staaten in letzter Instanz zu entscheiden.
Dieses oberste Bundestribunal hat seinen Sitz in Washington; als höchstes Gericht
hat es nicht bloß mit einzelnen Personen oder Körperschaften zu thun, sondern es
läßt Souveraine vor seinen Schranken erscheinen. Wenn der Huissier auftritt und
verkündet: „der Staat New-York gegen den Staat Ohio," dann sieht man, daß hier
mehr als gewöhnlicher Justizhof ist, denn Kläger und Beklagter sind — Millionen.
Kein anderer Gerichtshof der Welt kann sich des Besitzes einer so großen Machtvollkommenheit rühmen, als dieses Bundesgericht. Die Beamten desselben werden ebenfalls vom Präsidenten mit Hinzuziehung des Senats ernannt. — Dieses sind die
Hauptgrundzüge eines Staats, welcher gegenwärtig berufen ist, den verfaulten Staatseinrichtungen anderer Welttheile als Muster vorzuleuchten.   B.

Vererbungsabzug f. Abschoß.

Verfahren, das rechtliche, wird in der Rechtssprache eine zusammengehörende
Reihe von Handlungen des Richters und der Parteien zu dem Zweck einer richterlichen Entscheidung genannt; s. Proceß und Proceßordnung.

Verfassung. Es kann hier nur von der V. der Staaten die Rede sein,
denn von der V. der Gemeinden ist unter „Gemeindeordnung" abgehandelt.
V. ist dann das Grundgesetz, welches das Verhältniß zwischen Regierung und Volk
feststellt und ordnet. Seit dem Ende des vorigen Jahrhunderts hat namentlich durch
den Einfluß der französischen Revolution alle europäischen Völker der Gedanke ergriffen und durchdrungen, daß die Leitung und Verwaltung des Staates nicht in blin-

dem kindlichem Vertrauen einer Familie als uneingeschränktes Erbrecht zu überlassen
sei, sondern wenn nicht vollständig und ausschließlich, so doch theilweise wenigstens
dem Volke selbst gebühre; daß das Volk nicht in einem Zustand der Rechtlosigkeit
gehalten werden dürfe, in welchem es Alles über sich ergehen lassen müsse, was Laune
oder Willkür für gut finde, sondern einen wohl begründeten Anspruch auf eine Rechtssphäre habe; daß namentlich die Gesetzgebung und Besteuerung nicht nach blosem Belieben vom Throne herab verhängt, sondern unter Mitwirkung, Betheiligung und
Zustimmung des leidenden Theiles, eben des Volkes, vor sich gehen müsse. Damit
kein Zweifel stattfinde, wie weit die Berechtigung der Regierung, wie weit die des
Volkes reiche, hat man zu dem Mittel geschriebener Urkunden gegriffen, welche die
Auseinandersetzung des Verhältnisses zwischen Regierung und Volk geben, die bestimmte Grenzlinie ziehen, innerhalb welcher sich jeder der beiden Theile zu halten
und zu bewegen hat. Diese Urkunden können theils auf dem Wege eines förmlichen
feierlichen Vertrages zwischen Volk und Fürst entstanden sein und heißen dann pac-
tirte, oder sie können nach blosem Belieben des Fürsten aus eigener Machtfülle und
Machtvollkommenheit ertheilt und vom Volke nur angenommen und stillschweigend geduldet sein und heißen dann octroyirte (s. octroyirte Verfassung). Der sittlichen
Idee des Staates entsprechender ist es, wenn eine solche Urkunde (Verfassungsurkunde) durch ausdrücklichen, förmlichen, feierlichen Vertrag zwischen den beiden
Theilen festgesetzt und niedergeschrieben wird, zu Stande kommt. Sie wird beiderseits
beschworen und bindet so fest, daß erst mit Leistung des Eides auf die Verfassung der
Regierungsnachfolger wirklicher Regent wird. Der Hauptinhalt einer solchen V. ist
der: es wird bestimmt, welches die Rechte des Volkes, welches die der Staatsgewalt
seien; welche Regierungsform, ob monarchische, aristokratische oder republikanische statt
finde; wie weit oder wie eng der Kreis dieser Gewalt gezogen; wo sie selbstständig,
oder an die Mitwirkung und Zustimmung der Volksvertretung — in der Gesetzgebung
und Besteuerung — gebunden sei; nach welchen Grundsätzen der Vertretung — durch
Stände, Kammern, Ausschüsse, Häuser u. dergl. — nach welchem Gewicht ihres Ausspruchs — einfache gutachtliche Berathung oder entscheidende Beschlußfassung — das
Volk seinen Antheil an der Leitung und Verwaltung des Staatswesens ausübe. Je
nachdem die Rechte der Regierung oder die des Volkes ausgedehnter oder eingeschränk-
ter sind, ist von monarchischen oder demokratischen Verfassungen die Rede. Der Zug
der Zeit geht offenbar dahin, die Regierungsgewalt mehr und mehr einzuschränken,
der Stimme des Volkes bei der Leitung der Staatsangelegenheiten einen mächtigeren
oder wohl gar ausschließlichen Nachdruck zu geben, mit einem Worte, das Staatswesen mehr und mehr zu demokratisiren und zur Selbstregierung hinüber zu führen, und
alle Kämpfe, die in der alten Zeit in Griechenland und Rom zwischen Patriciern und
Plebejern, in der mittleren Zeit zwischen Landesherren und Landständen, in der Neuzeit zwischen Fürsten und Völkern stattfanden, liefen auf denselben Zweck hinaus: die
herrschende Gewalt, weil sie zu oft zum Vortheil der Einzelnen mißbraucht worden,
einzuschränken und das Volk, welches zu oft in völliger Unterdrückung und Rechtlosigkeit gehalten wurde, zum Antheil oder in den ausschließlichen Besitz der Gewalt, des
Entscheidungsrechtes in Staatssachen zu bringen. Es ist eine müßige Sache, darüber
zu streiten, welches die beste Verfassung sei; nicht jede V. eignet sich für jedes
Volk, für Rußland eignet sich keine republikanische und für die Völker des europäischen Westens keine despotische V., in kleinen, auf das Gebiet einer Stadt beschränkten Republiken kann die gesammte Staatsbürgerschaft über ihre allgemeinen Angelegenheiten selbst berathen und beschließen (Landesgemeinden der Schweiz), bei nur einigermaßen ausgedehntem Ländergebiet wird sie ihr Mitrathungs- und Mitthatungsrecht
durch abgesandte Vertreter ausüben lassen müssen (Repräsentativverfassung). In der
Hauptsache wird sich die Verfassung zumeist nach dem Bildungsstande des Volkes richten müssen und ihm angepaßt sein; sie wird daher auch nicht im Laufe der Jahr-

hunderte unabänderlich sein dürfen, sondern mit den Culturfortschritten des Volkes, mit seinem erwachenden Bewußtsein, seinen steigenden geistigen Bedürfnissen gleichen Schritt halten müssen. Wo die V. beiderseits aufrichtig gehalten, wo weder von der Staatsgewalt in die Rechtssphäre des Volkes — der Gemeinden oder der Volksvertretung — eingegriffen, noch vom Volke die Regierungsrechte angetastet werden, wo der oberste Grundsatz herrscht, daß der Staat (s. d.) nicht im Interesse einer Familie oder einzelner Körperschaften (Aristokratie, Priesterschaft, Adel, s. d.) ausgebeutet, sondern zum Besten Aller und im Geiste gleichen Rechts verwaltet werden muß, wo daneben noch dem Volke das seiner geistigen Bildung entsprechende Mitwirkungsrecht bei den höchsten Angelegenheiten des Vaterlandes durch freie Gemeinde- und Volksvertretung zusteht, ihm also ein Wirkungskreis für geistige und materielle Fortbildung eröffnet ist, da wird das Volk die beste V. zu haben glauben und sich zufrieden fühlen. Solche Länder kennt Europa außer England, Norwegen, Belgien und einigen Schweizer Cantonen kaum noch. In den übrigen Ländern dauert der Kampf um die V. mit einzelnen Unterbrechungen noch fort, sei es, daß sie sich überhaupt noch gar nicht Bahn gebrochen haben, oder auf einer Stufe zurückgeblieben sind, die dem jetzigen Geschlechte nicht mehr genügt, welches auch im ärmsten Bürger nicht zurückgesetzt sein will hinter dem reichen, für seine Kräfte und Fähigkeiten einen freien weitern Spielraum verlangt und nur dem persönlichen Verdienst, nicht dem Verdienst der Ahnen, zu Dank verpflichtet zu sein glaubt; oder endlich auch in einem Geiste gehandhabt werden, der, wo er die verfassungsmäßigen Schranken und Formen nicht zu überspringen wagen darf, Mittel zu finden weiß, durch Hinterthüren ihnen zu entkommen und im Angesicht ihrer ein willkürliches Regiment zu führen. Letzteres Verhältniß hat namentlich in Frankreich zum Sturz und zur Vertreibung Karls X. und Ludwig Phillpps geführt, als man sah, daß unter ihnen die **Verfassung keine Wahrheit** wurde, sondern nur der Selbstsucht des regierenden Hauses dienen mußte, das Volk auszubeuten und niederzudrücken. — In Deutschland war durch die Franzosenkriege die Kraft des Volkes so aufgerüttelt, angespannt und gebildet worden, daß die alten Verfassungszustände, in denen nur die Geistlichkeit, der Adel und die Magistrate der Städte zur Behandlung der Staatsangelegenheiten zugezogen wurden, davor nicht Stand halten konnten und in die Bundesacte der berühmte Artikel 13 aufgenommen werden mußte, wonach in **allen deutschen Landen eine landesständische Verfassung** stattfinden sollte. Wie trotz dem in manchen Ländern die alte land- oder feudalständische V. noch lange fortbestand, in andern der Bürger- und Bauernstand zwar als vollberechtigtes Glied in die Staatsordnung eintrat, aber nur mit seinen reicheren Schichten (Grundbesitz, Steuercapital u. dergl.) und so, daß das Gewicht der Prälaten, Standesherren, Ritter und Edeln ihn erdrückte; wie ferner auch diese kümmerlichen Anfänge eines Verfassungslebens durch die Ausnahmegesetze des Bundes beinahe überall verkümmerten, ist bekannt (s. Bund, deutscher). Erst der März des Jahres 1848 rief bessere Aussichten für die Entwickelung der V. in Deutschland hervor; indem ihre Umgestaltung in demokratischem Sinne verheißen und nicht blos verheißen, sondern auch angebahnt und versucht wurde. Diese Aussichten sind aber zum größten Theil wieder zerronnen, indem Vieles von dem, was damals verheißen ward, zurückgenommen, beseitigt — oder auch, wenn Zwiespalt zwischen Fürst und Volk eintrat, dieser durch Octroyirung — und oft auf Kosten des Rechts — entschieden ward. Eine Hoffnung ist namentlich nicht in Erfüllung gegangen, die: statt der von allen Seiten für unbrauchbar, ungenügend und unvolksthümlich gehaltenen Bundesverfassung (Bundesacte) eine neue Verfassung für das gesammte vereinigte Deutschland zu erlangen, in der nicht mehr allein die Fürsten oder ihre Gesandten über Deutschland entscheiden, sondern endlich auch das deutsche Volk selbst zur Mitentscheidung über sein Wohl oder Wehe berufen würde. Denn die deutsche Nationalversammlung vollendete zwar eine V. für das deutsche

Reich (die deutsche Reichsverfassung vom 26. März 1849, mit einem Kaiser an der Spitze, einem Ober- und Unterhaus und allgemeinem Wahlrecht für letzteres), von den Fürsten erkannten aber gerade die mächtigsten, Preußen, Oesterreich, Baiern ꝛc. dieselbe nicht an, und so ist sie nie in Wirksamkeit getreten. Und da auch der von Preußen gemachte Versuch für eine engere Union im Bund mit Ausschluß Oesterreichs eine V. zu begründen, theils scheiterte, theils von ihm selbst aufgegeben wurde, so besteht in Deutschland zur Zeit immer noch die von Allen angefochtene, Niemandem genügende, am allerwenigsten aber beim Volke beliebte Bundesverfassung mit dem Bundestag in Frankfurt am Main an der Spitze.   Cramer.

Verfassungsprincip, ständisches. In der neueren Zeit ist sehr häufig die Frage aufgeworfen worden, ob und welcher Weise das Volksleben ständischer Abtheilungen bedürfe. Man scheint sich nicht überall ganz klar darüber gewesen zu sein, was man unter Ständen eigentlich zu verstehen habe. Im Allgemeinen sind Stände gewisse Abtheilungen in den gesellschaftlichen Verhältnissen der Menschen, welche hauptsächlich auf der Verschiedenartigkeit der Beschäftigung und der Theilung der Arbeit beruhen, oder doch daraus hervorgegangen sind. Im engern Sinne sind aber die Stände zunächst historisch entstandene mit politischen Rechten versehene Abtheilungen der Staatsgesellschaft, welche sich zwar ursprünglich auf die Verschiedenheit der Beschäftigung stützen, jedoch darin ihre jetzige Charakteristik nicht mehr finden. Auch darf man nicht vergessen, daß jene politischen Stände, auf welchen in Deutschland der Organismus des Völkerlebens Jahrhunderte hindurch ruhete, zum Theil als solche nicht mehr bestehen, daß dagegen andere Elemente, wie der Bauernstand, neue Bedeutung erhalten haben. Ferner hat dieses Abweichen von dem geschichtlichen Standpunkte noch einen andern Gebrauch des Wortes „Stände" zur Folge gehabt, bei welchem der Unterscheidungsgrund wiederum lediglich von der Beschäftigung und Lebensweise entlehnt, auf besondere Rechte oder eine besondere Stellung zum Staate aber keine Rücksicht genommen ist. So die Eintheilung der Gesellschaft in Nährstand, Lehrstand und Wehrstand; auch wohl in Adel, Bürger und Bauern. Schon im Mittelalter hatten sich wirkliche politisch-ständische Abtheilungen gebildet, allein nur mit der Erblichkeit der Lehen. In dieser Weise bildeten sich zuerst die Reichsstände aus, indem die höchsten kirchlichen Würdenträger, die Inhaber der erblich gewordenen Reichsämter und der damit verbundenen Beneficien und endlich die freigebliebenen Städte dem Kaiser gegenüber als die alleinigen Träger der Volksrechte, als das eigentliche Reich erschienen, woher auch der Ausdruck: Kaiser und Reich. Mit der Entstehung der Territorien (s. d.) traten andere Formen hervor, welche sofort eine bestimmte Bedeutung dadurch erhielten, daß schon jetzt freie Vereinigungen verschiedener Stände zu eigenem Schutze durch ganz Deutschland sich gebildet hatten, durch deren den Fürsten gewährte Unterstützung allein es möglich wurde, eine mittelbare Staatsgewalt in den Fürstenthümern zu bilden. Hier finden wir als Stände Prälaten, Ritter und Städte, oft auch schon Landgemeinden. Zur richtigen Auffassung der Bedeutung des Begriffes von Ständen und Standesunterschieden ist es erforderlich, sich der Abänderungen zu erinnern, welche die Geschichte in der socialen wie politischen Stellung jener Abtheilungen unter einander, so wie auch in ihren eigenen Grundelementen hervorgebracht hat. Hier zeigt sich nun, daß ihr Wesen im Strome der Zeiten fast ganz untergegangen ist. Der geistliche Stand hat jetzt seinen Grundbesitz verloren und theilt die gelehrte Bildung mit andern Ständen, die ihm darin überlegen sind. Der Adel in seiner heutigen Bedeutung ist niemals ein politischer Stand gewesen, wenn er auch einzelne persönliche Vorrechte gehabt hat und noch hat. Die politischen Vorrechte des zweiten Standes, den man höchst uneigentlich den Adelstand genannt hat, waren ein Zubehör bestimmter größerer Güter, deren Besitzer jetzt durch Zufall meist dem Adel angehören. Der Bürgerstand endlich hat sich den übrigen Ständen wesentlich genähert und ist zum Theil

in diefelben übergegangen. Viele Bürgerliche haben Landgüter erworben, treiben Land=
wirthſchaft in den Städten; in Fabrikgegenden iſt der Unterſchied zwiſchen Stadt und
Land faſt verſchwunden. So ſind ſchon die alten politiſch=ſocialen Unterſcheidungen
an ſich den jetzigen Verhältniſſen nicht mehr entſprechend; noch verworrener wird aber
dasjenige ſtändiſche Syſtem, welches man das hiſtoriſch begründete nennt, wenn man
erwägt, daß durch die ganze Richtung der Zeit auf die Entwickelung eines allgemei=
nen Staatsbürgerthums noch ein ganz neuer Stand, der Stand der Landleute
oder Bauern, in den Vordergrund getreten iſt, welchem mit dem Aufhören ſeiner
früheren Abhängigkeit und Hinterſäßigkeit eine Theilnahme an den allgemeinen politi=
ſchen Rechten nicht verweigert werden konnte; ein Stand, der mit dem grundbeſitzen=
den Adel die Beſchäftigung, mit dem Bürgerſtande aber die Abneigung gegen den
Adel theilt. Wohin wir daher blicken, überall finden wir in dem Syſtem der ſtän=
diſchen Gliederung Berufung auf geſchichtliches Herkommen ohne klaren Blick in die
einfachſten Grundlagen der Geſchichte, Eintheilungen ohne allen Theilungsgrund.
Selbſt der Leidenſchaftlichſte unter unſern Edelleuten würde nicht wagen, den Vor=
ſchlag zu machen, daß der Geſammtmaſſe des Adels in einem Lande ein beſonderer
ausſchließlicher Antheil an den politiſchen Volksrechten übertragen werden dürfe.
Hieraus folgt aber, daß, wenn es ſich um die Feſtſtellung der Grundformen des
Staatslebens handelt, der Adel dazu ein Element darzubieten, gar nicht im Stande
iſt, und wir dürfen überzeugt ſein, daß grade die edleren, verſtändigeren ſei=
ner Mitbürger darin vollſtändig mit uns einverſtanden ſind. Bei dieſen Anſich=
ten wird der Streit über die ſtändiſche Eintheilung des Volkes viel einfacher werden.
Die natürlichen Grundbeſtandtheile des Volkslebens liegen jetzt viel klarer vor dem
Blicke und die Frage nach dem eigentlichen Weſen und den Grundlagen der jetzigen ſtän=
diſchen Gliederung iſt leichter zu beantworten. Vor Allem haben wir uns hierbei
die Frage zu beantworten: ob überhaupt ſtändiſche Unterſchiede in der Monarchie in
der That nothwendig ſind oder nicht? Wir nehmen keinen Anſtand, ſolche Stände
nicht nur für entbehrlich, ſondern ſogar für ſchädlich und unmöglich zu erklären.
Das alte Aegypten und Indien zeigen uns das Bild einer ſolchen Staatsverfaſſung,
und wir haben nachgewieſen, daß ſie in Deutſchland früher nie einheimiſch geweſen
iſt. Wollen und müſſen wir Stände haben, ſo muß der Eintheilungsgrundſatz ein
wirklich einiger ſein. Iſt die Beſchäftigungsweiſe der Theilungsgrund, ſo kann
die Erblichkeit der Standesrechte nicht daneben ein Merkmal einer einzelnen Klaſſe
ſein. — Gleiches Recht für Alle vor dem Geſetz, Ehre und Achtung, nach dem Ver=
dienſte abgemeſſen und nicht nach Zufälligkeiten vertheilt, freie Wahl und ungehin=
derter Wetteifer in der Anwendung der geiſtigen und körperlichen Fähigkeiten: das
ſind die Zielpunkte, nach denen das Jahrhundert in Europa drängt. Das alte=Eu=
ropa will das haben, was das junge Amerika beſitzt; die Mutter will ſich
nicht länger von der Tochter beſchämen und — verlachen laſſen.   W.

Verfaſſungsurkunde f. Verfaſſung.

Vergantung f. Concurs.

Vergeltung, Wiedervergeltung, iſt die Handlung, durch welche ich Jemandem
das zufüge, was er mir gethan hat, oder etwas dem Aehnliches. Eine ſolche That
kann eine Wohlthat oder Uebelthat ſein; der Begriff der V. bezieht ſich auf beides.
Daß die V. im übeln Sinne unchriſtlich, unmoraliſch iſt, verſteht ſich von ſelbſt; doch
iſt ſie auch vor den Geſetzen ſtrafbar.

Vergeſellſchaftung f. Aſſociation und Vereine.

Vergleich iſt im allgemeinen Sinne ſo viel als Vertrag; im engern Sinne
aber ein Vertrag, welcher den Zweck hat, einen Rechtsſtreit aufzuheben oder einen
ſolchen zu verhindern. Die Richter ſind geſetzlich angewieſen, die Vergleiche zu ver=
mitteln. Nichtig ſind ſie aber, wenn ſie durch falſche Urkunden zu Stande kommen
oder durch Irrthum in Anſehung der Sache; ſ. Bankerott, Concurs.

Berhaftung, perſönliche Sicherheit. Man verſteht unter perſönlicher Sicherheit gegenwärtig den geſetzlichen Schutz derjenigen Rechte, welche in der perſönlichen Freiheit enthalten ſind, und zunächſt die verfaſſungsmäßigen Garantien gegen willkürliche Freiheitsbeſchränkungen von Seiten der Verwaltungsbehörden. Die Bundesacte enthält darüber keine allgemeine Beſtimmung; verſchiedene Staaten haben den Mangel einer ſolchen zu erſetzen geſucht, indem ſie alle oder einzelne der folgenden Beſtimmungen aufnahmen: Keiner ſoll verfolgt oder verhaftet werden, als in den geſetzlich beſtimmten Fällen und in der geſetzlich vorgeſchriebenen Form; Keiner ſoll länger, als 1—3 Mal 24 Stunden über den Grund ſeiner Verhaftung in Ungewißheit gelaſſen, Keiner ſeinem ordentlichen Richter entzogen werden. Es iſt bekannt, wie ungenügend dieſe Beſtimmungen ſind; die Geſetze, auf welche man ſich bezieht, ſind eben ſo ungenügend, daß in ihrer Anwendung meiſt nur richterliche Willkür entſcheidet. Noch weniger aber iſt Denjenigen eine Strafe angedroht, deren willkürliches Verfahren dem Geſetze zuwider läuft. Es fehlt alſo noch ſehr viel, daß die Deutſchen eine Gewährleiſtung der perſönlichen Sicherheit hätten, wie ſie den Engländern die Habeascorpusacte (ſ. d.) bietet. — Den früheren freien Völkern, auch unſern deutſchen Vorfahren, waren Verhaftungen, Gefängniſſe, vollends unſere deutſchen oft ſo viele Jahre langen qualvollen Unterſuchungsverhaftungen länger, als ein Jahrtauſend lang unbekannt. Die Unterſuchungshaft, welche jährlich ſo viele Tauſend von Familien unglücklich macht — man denke nur an die jüngſten politiſchen Rieſenproceſſe — war unſern Vorältern ſchon deshalb unbekannt, weil ſie keinen Unterſuchungs-Inquiſitionsproceß kannten. In ihrem Anklageproceß, wo der Bürger gegen den Bürger als Kläger auftrat, konnte dieſer den Mitbürger nicht verhaften laſſen, höchſtens nach einigen deutſchen Geſetzen in gewiſſen Fällen, wenn er ſich etwa verhaften laſſen wollte. Strafgefängniß war auch höchſt ſelten und ſchon darum unzuläſſig, weil die höchſte Strafe in der Entziehung des Glückes an der Theilnahme am väterlichen Rechtsverein, in der Verbannung und Acht beſtand und bei großartiger glücklicher vaterländiſcher Freiheit beſtehen konnte. Das Freiheitsgefühl widerſtrebte der Verhaftung der freien Perſönlichkeit. Als bei den neueren Völkern Freiheitsberaubungen entſtanden, ſuchten ſie gegen dieſelben doch die Bürger in ihren Grundgeſetzen zu ſchützen. So durfte bei den Engländern, nach der Beſtimmung der Magna Charta (ſ. d.) kein Bürger vor der Verurtheilung des Schwurgerichtes in den Kerker gebracht werden. In Deutſchland erzeugte der, namentlich durch Ketzer und Hexenproceſſe ausgebildete, Inquiſitionsproceß die häufigen Einkerkerungen und Unterſuchungsverhaftungen. In Deutſchland auch allein haben dieſe Verhaftungen eine ſolche beiſpielloſe Ausdehnung erreicht. — Die Verfaſſungsloſigkeit, der fürſtliche Abſolutismus, der Beamten- und Polizeideſpotismus hat in Deutſchland manche betrübende Wirkung hervorgebracht, aber keine ſo betrübende, als die, daß in unſerem deutſchen Volke, welches noch bis in das Mittelalter als das freiheitliebendſte und ſtolzeſte geprieſen wurde, daß in dem Volke, deſſen Väter die perſönliche Würde und Freiheit und ihre Hausfreiheit ſo hoch und heilig hielten, daß ſelbſt bei Anklagen der ſchwerſten Verbrechen der Richter nicht Hand an ihre Perſonen legen, ihnen durch Gefängniß die Freiheit nicht rauben, noch ihr Haus betreten durfte (Immunitas ab introitu judicis publici) — daß bei dieſem Volke faſt alle wahren Begriffe der perſönlichen Würde und Freiheit, wie der Hausfreiheit abgekommen zu ſein ſcheinen. Sie werden in den neueren Geſetzen angeblich um der Sicherheit willen, als unbedeutende Güter preisgegeben. Man opfert alle wahre bürgerliche Freiheit den willkürlichen, Leben und Geſundheit zerſtörenden, Monate und Jahre langen Verhaftungen, Hausſuchungen und Beſchlagnahmen auf. So zerſtört man alle Sicherheit um der Sicherheit willen. Man zerſtört die bürgerliche Freiheit, giebt nicht blos alle Bürger der Regierungs- und Beamtenwillkür preis, ſondern nimmt ihnen auch alle wahre Bürgerkraft und freies bürgerliches Zuſammenſtehen zur Abwehr des Unrechts, der Frevler. Man hat in

Deutschland keinen Begriff davon, daß, wie in England, die größte Sicherheit ohne Paßwesen, ohne Gensdarmen, ohne Ausweisungen, ohne Inquisitionsprocesse durch Bürgersinn mit der außerordentlichsten Freiheit bestehen kann. Zu den oft wahrhaft grausenhaften, barbarischen und schändlichen Gefängnißleiden, die oft durch schlecht eingerichtete und schlecht verwahrte Gefängnisse, durch Feuchtigkeit, Kälte, Ketten, Mangel an Bewegung entstehen, fügt nicht selten die politische Verfolgung- und Rachsucht neue Qualen, Zumauern aller Aussicht, Halbdunkel, grausame Härte und — Disciplinarstrafen. Deßhalb ist es verdienstlich, die Blicke unserer Neudeutschen auf unsere bessere Vorzeit, auf die würdigeren Grundsätze eines edleren, freieren, rechtlicheren und humaneren Volkes hinzuweisen, das durch seine Freiheit seine Größe und Macht gründete. Hier und da fängt die neuere Gesetzgebung an, die freieren Gesichtspunkte wenigstens etwas hervorzuheben; aber viel ist noch nicht gethan worden. F.

Verhandlung heißt die zwischen mehreren Parteien gegenseitig gegebenen Erklärungen; auch eine von dem Richter vorgenommene Handlung, z. B. Vernehmung der Parteien, wird so genannt. Noch versteht man unter V. oder Debatte im Staatsleben die Erklärungen, Reden und Gegenreden, welche in Ständeversammlungen vorkommen.

Verheimlichung der Schwangerschaft und Niederkunft gehört zwar nach dem gemeinen deutschen Strafrechte nicht zum Begriff und Thatbestand des Verbrechens des Kindermordes, doch erkennt man darin die Begründung des Verdachtes, wenn das Kind todt gefunden wird. Die neueren Rechtsprecher finden aber auch in dieser Verheimlichung, die eigentlich nur vom polizeilichen Gesichtspunkte aus zu betrachten ist, ein Vergehen, welches sie dann bestrafen, wenn der darin wurzelnde Verdacht des Kindermordes nicht zum Beweise erhoben wird, also die Verheimlichung nicht als Versuch des Kindermordes erscheint. So namentlich bestimmt die preußische Gesetzgebung; die bairische bedroht die V. nur dann mit Strafe, wenn dadurch die todte Geburt oder das Absterben des Kindes herbeigeführt worden ist.

Verhör, peinliches Verhör. Das Vorlegen von Fragen durch einen Richter, um über etwas Auskunft zu erhalten, heißt vernehmen; ein Verhör aber setzt einen Verdacht voraus, daß Jemand etwas Verbotenes gethan habe; s. Inquisitionsproceß und Strafrecht.

Verjährung, auch Ersitzung, ist eine sehr wichtige Einrichtung der Gesetzgebung welche bei allen Völkern vorkommt. Sie tritt z. B. ein, wenn man einen Anspruch nicht innerhalb einer bestimmten Zeit geltend macht, sein Recht binnen derselben nicht gebraucht. Wer ein gewisses Recht als Recht eine bestimmte Zeit hindurch ausübt, erwirbt durch die V. dieses Recht. Die Gesetzgebungen über die Verjährung weichen in den verschiedenen Staaten sehr von einander ab. Im sächsischen Rechte dauert die V. für bewegliche Sachen 1 Jahr 6 Wochen 3 Tage; für unbewegliche 31 Jahre 6 Wochen 3 Tage, gegen Staat und Kirche aber 40 Jahre. Die Strafverjährung erfolgt gewöhnlich nach 20 Jahren, bei schweren Verbrechen nach 30, bei leichteren nach 5 Jahren.

Verkehr s. Straßen.

Verlagsrecht s. Nachdruck.

Verlöbniß s. Sponsalien.

Vermögensteuer ist entweder eine bloße Ausführung der Einkommensteuer (s. d.) oder sie ist eine Abgabe, welche das Capitalvermögen trifft und über das Einkommen hinausgeht. Sie ist nur in außerordentlichen Fällen statthaft.

Vernunftrecht s. Naturrecht.

Versammlungen s. Vereine und Volksversammlungen.

Verschneidung heißt die Operation, durch welche einem männlichen oder weiblichen Geschöpf die Kraft sich fortzupflanzen (durch Verstümmelung an den Hoden oder Eierstöcken) genommen wird. Es ist dies eine Barbarei und Naturwidrigkeit, welche den früheren Zeiten angehört, in Griechenland, Rom und Asien üblich war, im Orient jedoch auch noch jetzt sehr gewöhnlich ist, wo sich eifersüchtige Männer dergleichen Halbmänner (Castraten, Eunuchen) besonders als Hüter und Wächter der Frauen in den Haremis halten. In der Geschichte der orientalischen Reiche ist es nichts Seltenes, daß die Verstümmelung, Entmannung, auch als Strafe verhängt wird, eben so häufig aber auch, daß Verschnittene eine einflußreiche Rolle bei Hofe, ja den Regenten selbst spielen. Nach Einführung des Christenthums gab es sogar Fanatiker, welche, um sich den Lüsten der Welt zu entziehen, die Entmannung als ein „Gott wohlgefälliges Werk" an sich vollziehen ließen. In den neueren Zeiten war es besonders in Italien Sitte, Knaben zu verstümmeln, um bei ihnen die Discantstimme zu erhalten, und es ist dann auch in Deutschland aufgekommen; in fürstlichen Kapellen (z. B. lange Zeit in der Dresdner) italienische Castraten anzustellen, indem man ihren Gesang höher schätzte, als den eines ausgebildeten Chorknaben oder einer Kunstsängerin, also die Unnatur auf die Spitze trieb. Mehrere päpstliche Bullen haben das Castriren bei Strafe des Kirchenbannes untersagt, doch es nicht ganz zu unterdrücken vermocht.　　　　　　　　　　　　　　　　　　　　　　　　X.

Verschollen, Abwesenheit. Man nennt denjenigen verschollen, welcher sich von seinem Wohnort entfernt hat, ohne zum Beweise seiner Angelegenheiten einen Bevollmächtigten zurückgelassen zu haben, dessen Aufenthalt unbekannt ist. Ist bei einem Verschollenen das 70. Lebensjahr eingetreten, so kann er auf Antrag seiner Verwandten, nach erlassener Aufforderung sich zu stellen, für todt erklärt werden.

Verschwender, prodigus, wird derjenige genannt, welcher sein Vermögen auf unverständige Weise zum Nachtheil der Seinigen durchbringt. Die nächsten Verwandten haben das Recht, ihn für einen V. erklären zu lassen, in dessen Folge ihm ein Curator, Vormund gesetzt wird, ohne dessen Mitwirkung kein rechtliches Geschäft von ihm Giltigkeit hat. Dieser kann jedoch im Fall der Besserung zurückgenommen werden.

Verschwörung ist eine geheime Verbindung Mehrerer, entweder zum Umsturz des Staats, oder der Verfassung, oder zur Veränderung des regierenden Oberhauptes. In der neueren Zeit sind Verschwörungen aus der Mode gekommen; sie arten gewöhnlich in Aufruhr, Aufstand aus (s. d.).

Versicherung, Versicherungsgesellschaften. Die Unglücksfälle, mit denen die Natur, die Elemente den Menschen und seine Habe bedrohen, haben ihn auf den Gedanken geführt, in Gesellschaften zusammenzutreten, welche diesen Schaden ihm vergüten und so den gefallenen Schlag von ihm abwehren. Sein Haus, mit Allem, was es an Mobilien, Waaren, Werkzeugen, Geräthschaften enthält, kann ihm niederbrennen, die Frucht auf dem Felde vom Hagel zerschlagen werden, seine Schiffsladung im Sturme untergehen, sein Vieh fallen, er würde in solchem Falle ein armer Mann sein, wenn er nicht Hilfe von Außen erhielte. Diese Hilfe gewährt ihm die Feuer, Hagel, Vieh, See und Strom-Versicherungsgesellschaft, an die er einen regelmäßigen Beitrag nach Verhältniß seiner Versicherungssumme zahlt, — der von allen Theilnehmern der Gesellschaft eingezahlten Beiträge bilden den Fond, aus welchem vorkommende Unglücksfälle vergütet werden. Ja selbst auf das menschliche Leben hat man diesen Grundsatz angewendet, damit im Sterbefall den Angehörigen ein Capital zufließe, durch welches sie ihre Lage erleichtern (Lebensversicherung). Diese Versicherungsgesellschaften sind die ältesten Formen der Association, und ihr Nutzen ist so einleuchtend, daß deren nicht nur immer mehr entstanden sind, sondern auch sie immer mehr Theilnehmer gefunden haben. In einigen Staaten, z. B. in Baiern, Sachsen u. s. w., ist sogar die Versicherung gegen Feuersgefahr bezüglich Immobilien nicht in das bloße freie Belieben der Staatsangehörigen gestellt, sondern eine vom Staate auferlegte Zwangspflicht, bei deren Erfüllung er selbst die Leitung und Verwaltung übernimmt. Das hilfreiche Eingreifen der Versicherungsgesellschaften ist von so erheblichen Folgen für den Volkswohlstand, daß die Benutzung derselben im

Intereffe des Einzelnen wie des Ganzen nicht dringend genug empfohlen werden kann.
Doch soll damit einem Zwange, den der Staat mit der Versicherung gegen Feuerschä=
den z. B. ausüben möge, keineswegs das Wort geredet werden. Dieser Zwang ist
bei der Menge und Ausdehnung der Feuerversicherungsgesellschaften in unsern Tagen über=
flüssig und hat, weil er in Gestalt eines Monopols auftritt und durch Abhaltung
der Concurrenz das Versicherungsgeschäft häufig vertheuert, doch etwas Gehässiges an
sich. Es bieten sich dem Einzelnen gegenwärtig so viele Gelegenheiten zum Versichern
von selbst dar, daß der Staat nicht mehr als Vermittler einzutreten braucht, sondern
diese Arbeit den Privaten allein überlassen kann, und wer ein nur einigermaßen vor=
sorgender Wirth ist, sich und den Seinigen gegen Unglücksfälle eine gewisse Beruhi=
gung gewähren will, wird sich durch sich selbst gedrungen fühlen, als Grundbesitzer
sein Haus, als Miethsmann seine Mobilien, als Gelehrter seine Bibliothek, als
Landwirth seine Feldfrüchte, als Fabrikant seine Vorräthe und Maschinen, als Kauf=
mann seine Waaren, als Schiffsherr sein Schiff und die Ladung u. f. w., ja
wohl selbst sein Leben zu versichern.   *Cramer.*

Versiegelung ist diejenige gerichtliche oder notarielle Act, durch welchen die
Sachen eines Gestorbenen oder eines in Concurs Verfallenen in gerichtliche oder no=
tarielle Obhut gestellt werden. Bei diesem Acte müssen alle aufgefundenen Gegen=
stände genau aufgezeichnet werden, während das vorhandene baare Geld, Preciosa,
Urkunden und andere Werthpapiere vom Gericht oder dem Notar in Beschlag genom=
men werden. — Die V. ist eine Maßregel, die die Erben oder die Gläubiger einer
Falliten vor Verschleppung der Erbschaft oder der Masse gegen habsüchtige Verwand=
ten und betrügerische Schuldner schützen soll, und hat, rechtzeitig in Anwendung ge=
bracht, schon vielen Nutzen gewährt.

Versöhnung, Versöhnungslehre, ist der Grundpfeiler der kirchlichen Glaubens=
lehre. V. ist die Wiedervereinigung des sündigen Menschen mit Gott. Diese Wie=
dervereinigung, die Aufnahme des Menschen von Gott zu Gnaden ist nur möglich
durch den Glauben an den Versöhnungstod Jesu. So lehrt die Kirche. Der an=
dere Stützpunkt der Versöhnungslehre ist die Lehre von der Erbsünde, durch welche
alle Menschen verderbt worden sind. Die Lehre Jesu in ihrer reinen, ungetrübten
Auffassung weiß davon kein Wort; der Stifter des Christenthums verlangt Thaten
der Liebe von den Seinen; das ist allerdings ein schwereres, als blinder Glaube;
deshalb zog man das Leichtere vor.

Versorgungsanstalt s. Arbeitshäuser.

Versteigerung, Subhastation, wird der öffentliche Verkauf eines Gegenstandes
an den Meistbietenden genannt. Dieser Verkauf kann von Obrigkeitswegen oder auch
privatim geschehen. Die Subhastation ist entweder eine freiwillige, oder eine
nothwendige, wenn sie von der Obrigkeit verfügt wird.

Versuch eines Verbrechens, conatus, wird die Handlung genannt, welche auf
Hervorbringung eines Verbrechens gerichtet ist, aber den gewünschten Erfolg nicht
hat. Man unterscheidet entfernten V., der in bloßen Vorbereitungen besteht; na=
hen V., wo der Verbrecher bereits in der Ausführung der verbrecherischen Handlung
begriffen war, und vollendeten V., wenn der Verbrecher alle zur Verübung des
Verbrechens für nöthig gehaltenen Handlungen verrichtete, ohne sein Ziel zu errei=
chen. Die neuere strafrechtliche Gesetzgebung bedroht den Versuch gewöhnlich mit der
geringsten Strafe, welche auf das beabsichtigte Verbrechen gesetzt ist. Doch läßt sich
nicht läugnen, daß viel Mißbrauch mit der Bestrafung getrieben wird, namentlich wo
das Gerichtsverfahren noch das geheime und das Vergehen politischer Art ist.

Vertagen ist der Ausdruck, mit welchem man die Aussetzung ständischer Ver=
sammlungen bezeichnet; das Recht der Vertagung steht gewöhnlich dem Staatsober=
haupte zu. Nicht selten ist die V. einer ständischen Versammlung einer Auflösung
derselben gleich.

Vertheidigung, Defenfion, Schutzfchrift, ift bei ftrafrechtlichen Befchuldigungen eine Darftellung von Gründen zur Abwendung oder Milderung einer dem Beklagten nachtheiligen Verfügung. Die Schutzfchrift hat die Anfchuldigungsbeweife zu prüfen, und die Nachweifung ihrer Unzulänglichkeit herzuftellen, dann den Entfchuldigungsbeweis zu führen. Dem Vertheidiger ift die volle Einficht der Acten und die Unterredung mit dem Beklagten geftattet; befindet fich diefer in Haft, fo wird in der Regel eine Gerichtsperfon dazu gezogen. Das öffentliche und mündliche Anklageverfahren, die größere Achtung der perfönlichen Freiheit und der Bürgerwürde bei den Griechen, Römern und unfern deutfchen Vorfahren begünftigten den nur felten verhafteten An= . geklagten weit mehr, als es gegenwärtig der Fall ift. Selbft die Carolina (f. d.) that diefes noch. Der Inquifitionsproceß, der geheime Krieg der Staatsgewalt gegen den Angefchuldigten, die Leichtigkeit und lange Dauer der Verhaftungen, der nicht felten körperliche, ftets aber moralifche Zwang zur Erlangung von Geftändniffen — dies Alles hat alle Gefühle und Grundfätze der Gerechtigkeit, der Freiheit und Menfchenwürde auf das Tieffte verletzt. Unfere Juriften find allerdings gegen diefe oft himmelfchreienden Uebelftände abgeftumpft und erfchrecken felbft vor jahrelanger Unterfuchungshaft nicht, mag auch Weib, Kind und alles Lebensglück des Angefchuldigten zu Grunde gehen und — am Ende eine Freifprechung erfolgen. Wenn nun vollends der Vertheidiger vielleicht den Angefchuldigten nur in Gegenwart feiner Verfolger fprechen darf und bei irgend männlicher Rüge der Gefetzwidrigkeiten im Verfahren für fich felbft Zerftörung feines Lebensglückes oder gar ähnliche Criminalproceffe zu befürchten hat — darf es da noch wundern, wenn fo viele Vertheidigungen ihren Zweck nicht erreichen? Soll die V. wirklich die „höchfte Gunft" fein, wie fie die Alten nannten, fo muß man dem Angeklagten die Befprechung mit feinem Vertheidiger ohne Zeugen, diefem zu jeder Zeit die Einficht der Acten und bei der Befragung der Zeugen gleiche Freiheit der Fragen wie dem Kläger geftatten. Für den Rechtsgelehrten, nämlich für den erfahrenen und ehrlichen, follte es ftets Ehrenpflicht fein, ohne wichtige Gründe eine Bitte zur Vertheidigung nicht abzufchlagen.

Vertrag, Pact, Convention. Der Begriff „Vertrag, pactum," ift von jeher in der verfchiedenften Weife aufgefaßt worden. Bald hat man ihn an die Spitze der ganzen Rechtswiffenfchaft geftellt, und über das gefammte Rechtsgebiet ausgedehnt, bald auf die engften Grenzen befchränkt. Einige haben den Vertrag auf den rein privatrechtlichen Kreis des „Mein und Dein" des Eigenthums und folcher Leiftungen, die einen Geldwerth haben, eingefchränkt, fo daß ein bekannter Rechtslehrer die Anwendung der Vertragsverhältniffe auf den Staat für einen Unfinn, ein noch bekannterer Philofoph, Hegel, die Auffaffung der Ehe als Vertragsverhältniß für eine Schändlichkeit erklärt hat. Andere wieder behaupten, alles wirklich erzwingbare und äußerlich giltige Recht fei ein Erzeugniß des Vertrags oder der freien Anerkennung und Uebereinkunft. Ein V. ift ein Willensaustaufch, eine Willenseinigung zwifchen verfchiedenen Perfonen. Es follte daher der V. wenigftens als Quelle alles pofitiven Rechtes, da diefem ftets eine thatfächliche Einigung zu Grunde liegt, betrachtet werden, und es follten namentlich folche Rechtsverhältniffe, von denen allgemein anerkannt ift, daß ihre Eingehung Sache des gegenfeitigen freien Willens ift, wie bei der Ehe, bei dem Staat und bei der Kirche, keiner wefentlichen Beftreitung unterliegen. Die entgegengefetzte Anficht beruht entweder auf begriffslofer Willkür, oder auf Myfticismus. Die Annahme einer fchlechthin unerweisbaren Rechtskraft des Vertrags würde zu Folgerungen führen, welche der gefunden Vernunft widerftreben, indem aus der unbedingten Rechtskraft des Vertrags als folchem folgen würde, daß auch Schändlichkeiten Gegenftand eines rechtsgiltigen Vertrages fein könnten, daß alfo z. B. vertragsmäßige Sklaverei nichts Widerrechtliches fei. Der V. muß alfo hinfichtlich feiner Giltigkeit oder Ungiltigkeit unter einem höheren Gefetze ftehen, durch ein höheres Gefetz bedingt fein. Diefes höhere Gefetz aber kann nur das **Sittengefetz** oder ein davon verschiedenes Rechtsgesetz sein. Die Ansicht gefeierter Rechtslehrer ist nun allerdings, das Recht sei überhaupt nichts anderes, als das Sittengesetz, so weit es allgemeiner Anerkennung fähig ist und auch wirklich anerkannt ist. Bei dieser Ansicht ist es klar, daß nichts dem Sittengesetz Widersprechendes zur Rechtspflicht werden kann, denn was Rechtspflicht sein soll, muß vor allen Dingen eine moralische Pflicht sein. Eben so kann diese Ansicht auch nur das für ein wirkliches und erzwingbares Recht erklären, was auf einem B. beruht, dessen Vollziehung von dem Betheiligten schon nach dem Sittengesetze verlangt und erzwungen werden kann. — Aus dem Rechtsgesetze, als einem Gesetze wechselseitiger Gleichheit der Willensgeltung Aller fließt nun einerseits die Pflicht, Andere nicht zu verletzen, andererseits die Pflicht, eingegangene Verträge zu erfüllen, als Rechtspflicht. Es besteht daher jeder B. in einer Willenseinigung zweier oder mehrerer Personen, über eine Leistung oder Unterlassung, zu welcher ohnedies keine oder wenigstens keine äußerlich anerkannte Verpflichtung vorhanden gewesen wäre. Denn jeder Vertrag ist eine Uebereinkunft oder gegenseitige Willenserklärung des Inhalts: „weil dies Dein Wille ist, so ist es auch der meinige!" Oder: „weil Du mir dies versprochen hast, verspreche ich Dir dagegen das!" Zu einer solchen Uebereinkunft ist jeder rechtsfähige Mensch befugt und es muß derselbe so lange erfüllt und eingehalten werden, bis sie durch beiderseitiges Einverständniß der Vertragschließenden aufgehoben wird. Die Willensmeinung selbst muß aber entweder auf freiem Willen oder auf rechtmäßigem Zwange beruhen, indem Gewalt und Zwang, so weit sie nicht im Rechtsgesetze begründet sind, wohl ein Zwangsrecht, auch Schadensloshaltung für den, der sie erlitten, aber kein Recht und namentlich kein Zwangsrecht auf Erfüllung für denjenigen, der sie angeordnet hat, erzeugen können. Nichtig ist daher jeder auf unbefugtem Zwange beruhende Vertrag, und ebenso derjenige B., dem ein Irrthum zu Grunde liegt. Jeder Irrthum, der auf die Willensbestimmung des einen oder beider Vertragschließenden von Einfluß war, vernichtet das betreffende Rechtsgeschäft und davon macht auch der Irrthum in den Beweggründen (falsa causa, error impellens), so wie der durch Betrug erzeugte keine Ausnahme. — Aus der Unzulässigkeit einseitiger Vertragsaufhebung folgt übrigens nicht, daß auch derjenige Theil an dem B. gebunden bleibe, dem der Gegentheil nicht Wort hält. Wenn der Eine das Versprochene nicht leistet, so hat der Andere auch nicht nöthig, es zu erfüllen. Mit dem Grunde hört die Folge, mit der Bedingung das Bedingte auf. — Weil positive Rechtspflichten oder Leistungspflichten einzig durch Vertrag entstehen können, so können auch diejenigen Rechtsverhältnisse, welche solche Verbindlichkeiten auferlegen, wie der Staat, die Ehe, die Gemeinde, nur auf Vertrag beruhen. Das einzige Mittel zur Erschaffung positiver Leistungspflichten ist die freie Willensmeinung im Vertrage, und in letzterer Entwickelung und nämlich dem Staatsvertrag, beruhend und deshalb nach Vertragsgrundsätzen zu beurtheilen, ist somit auch jedes Staatsgesetz, welches dem einzelnen Staatsbürger positive, in keiner natürlichen Verbindlichkeit begründete Rechtspflichten auferlegt und Dienste, Leistungen, Gehorsam und Treue von ihm fordert. M.ᵗᵉˢ

Vertrauensvotum, diejenige Abstimmung, wodurch eine parlamentarische Versammlung ihr Vertrauen zu einem Ministerium ausspricht, im Gegensatz des Mißtrauensvotums, wodurch dieselbe erklärt, daß sie kein Vertrauen zu demselben habe. Wenn ein Mißtrauensvotum in Staaten, wo das constitutionelle System wahrhaft durchgeführt ist, jederzeit den Rücktritt eines Ministeriums zur Folge hat, weil dieses sich sagt, daß es unwürdig sei, ein Regierungssystem, das von der Volksvertretung für unheilvoll betrachtet wird, dem Lande aufzwingen zu wollen, so wird ein Vertrauensvotum, beruhend und deshalb weil es seine Regierungsgrundsätze ausdrücklich gut heißt, seine Stellung nur befestigen. Manchmal suchen Minister ein Gesetz oder auch eine Geldforderung mit der Erklärung durchzusetzen, daß sie sagen, die Ablehnung der Sache müßten sie für eine Mißtrauenserklärung ansehen, mit allen Folgen, die sich daran knüpfen; aus der Bewilligung müßten sie eine Vertrauenssache machen; und schwache Kammern sind dann leicht geneigt, um es nicht zum Sturz der Minister zu treiben, auch Dinge zu genehmigen und zu bewilligen, gegen die sich ihr Herz und Verstand sträubt. Das sind schon mißbräuchliche Anwendungen des constitutionellen Systems. Zuweilen läßt sich auch ein Ministerium für gewisse unvorhergesehene Fälle einen ganz allgemeinen Auftrag, einen bestimmten oder unbestimmten Credit geben, was einem Vertrauensvotum ganz gleich kommt. Mit solchen Voten, Creditvoten namentlich, müssen Volksvertretungen so vorsichtig und zurückhaltend als möglich sein, denn es ist schon vorgekommen, daß ein Minister zu einer Zeit z. B., wo er nicht an Krieg dachte, Kriegslärm blies, um Geld, z. B. eine Anleihe, bewilligt zu bekommen, oder einen Credit für Eisenbahnen verlangte, der nachher zu militärischen Promenaden benutzt wurde.   *Cramer.*

Veruntreuung, Peculat, heißt im römischen Rechte die Entwendung oder Unterschlagung öffentlicher Gelder aus Staats- oder Gemeindekassen. Auch zog man hierher die Verfälschung des dem Staate gehörigen Goldes, Silbers und Erzes. In den meisten Staaten wird die V. mit der Strafe des Diebstahls bedroht.

Verwaltung s. Staatsverwaltung.

Verwandtschaft des Blutes, Blutsverwandtschaft, wird die Verbindung mehrerer Personen durch die Abstammung in gerader, d. h. aufsteigender und absteigender, Linie zwischen Vorfahren und Nachkommen genannt; hierzu gehört noch die Seitenlinie zwischen denen, welche von gemeinschaftlichen Stammältern abstammen. Die Nähe der Verwandtschaft wird nach Graden bestimmt, d. h. nach Zeugungen; im römischen Rechte werden diese gezählt.

Verzehrung, Consumtion, s. Nahrungsmittel.

Verzicht, Renunciation, nennt man die Erklärung, daß man ein Recht, entweder im Allgemeinen, oder zu Gunsten einer Person aufgeben wolle. Rechten kann man allerdings entsagen, aber nicht Pflichten; wo daher eine solche mit dem Rechte verbunden ist, dem man entsagen will, ist der V. ohne Giltigkeit.

Verzug heißt die Unterlassung einer Handlung, zu welcher man verbunden ist, theils um selbst eine Verbindlichkeit zu erfüllen, theils um die Erfüllung von Seiten des Verpflichteten anzunehmen. Ein Verzug tritt erst dann ein, wenn die Verbindlichkeit fällig war und der Verpflichtete ohne rechtlichen Grund die Erfüllung unterließ. Die Folgen des Verzugs sind nicht selten sehr wichtig.

Vesper, der Nachmittagsgottesdienst in der christlichen Kirche. Auch die in den Klöstern üblichen Festlichkeiten, welche den Kirchenfesten vorausgingen und entweder am Nachmittag oder am Abend vorher stattfinden, heißen Vesper.

Veteranen wurden bei den alten Römern die Soldaten genannt, welche ihre Dienstzeit vollendet und einen ehrenvollen Abschied erhalten hatten. Dieses wurde auf eine kleine Tafel von Erz geschrieben; damit waren gewöhnlich noch Belohnungen, Verleihung des Bürgerrechts verbunden. Später wurden den V. ganze Städte angewiesen und so Militärcolonien (s. d.) gegründet.

Veto, d. h. ich verbiete, heißt die gesetzliche Befugniß Jemandes, durch seinen Widerspruch die Ausführung eines von einer Versammlung gefaßten Beschlusses zu verhindern. In der römischen Republik hatte jeder Tribun das Recht, durch sein V. den Beschlüssen des Senats entgegen zu treten. Auch im Königreich Polen hatten die Landboten ein V. gegen die Beschlüsse des Reichstages; auch den Königen von England steht es dem Parlament gegenüber zu.

Vicar ist der Name eines Stellvertreters für einen Beamteten. Apostolischer V. ist in der katholischen Kirche der Titel eines höheren Geistlichen, welcher vom Papste besondere Vollmacht hat. Bekannt sind die V. der Geistlichen in England durch ihre klägliche Stellung.

Vicariatsmünzen werden die Münzen genannt, welche von den deutschen Reichsvicaren (f. b.) geschlagen wurden. ....

Bidimirung heißt die gerichtliche Bestätigung, daß die Abschrift einer Urkunde mit dem Originale gleichlautet.

Vielgötterei, Polytheismus f. Monotheismus.

Vielweiberei f. Ehe.

Vigilien. Die Römer theilten, wenn sie im Felde standen, die Zeit von Sonnenuntergang bis zu Sonnenaufgang in vier V. oder Nachtwachen, deren jede aus drei Stunden bestand. In der katholischen Kirche heißt Vigilie der Tag vor jedem großen Kirchenfeste; auch der Gottesdienst am Abend vor dem Tage aller Seelen.

Vinalia waren zwei auf den Weinbau bezügliche Feste bei den alten Römern, das eine im April, wo der Hausvater die Weinfässer öffnete und dem Jupiter den ersten Becher darbrachte, das andere im August, wo der Priester die ersten Trauben schnitt und dem Jupiter weihete.

Vindication heißt in der Rechtssprache das Zurückfordern seines Eigenthums; die Vindicationsklage ist daher die Klage, mittels welcher Jemand auf Herausgabe einer Sache klagt, an der er Eigenthumsrecht hat.

Vindicta wurde ursprünglich der Stab bei den Römern genannt, mit welchem man die Sklaven bei ihrer Freilassung berührte. Dann heißt V. auch Rache, oder Bestrafung; zuweilen wohl auch eine Klage wegen zugefügten Schadens oder Unrechtes.

Visum repertum, parere medicum, wird der auf gerichtliches Verlangen verfaßte schriftliche Bericht eines Arztes über die bei einer medicinisch-gerichtlichen Untersuchung gefundenen Resultate genannt.

Vitalianer, Vitalienbrüder, so wurde eine Seeräuberschar, welche zu Ende des 14. Jahrhunderts im Norden Deutschlands auftrat, genannt. Von Fürsten zur Kaperei aufgefordert und unterstützt, wurden sie von Fürsten wieder bekämpft, nachdem der Zweck erfüllt, sie sich der Seeräuberei und Plünderung zuwandten und nunmehr weder Freund noch Feind schonten; erst nach vielfachen Kämpfen, wo sie mehrmals Sieger waren, gelang es, diese so furchtbar gewordenen Seeräuber zu bezwingen, so daß endlich im Jahre 1439 ihr Name gänzlich verschwand.

Vogelfrei wird derjenige genannt, welcher so ganz rechts- und schutzlos ist, daß ihn jeder ungestraft tödten kann, oder daß alle aufgefordert werden, ihn lebendig oder todt zu greifen. Das erstere geschah früher bei der Acht (f. Bann); das letztere, die Erklärung für vogelfrei, wurde in der neueren Zeit zum letzten Male von den Verbündeten gegen Napoleon angewendet, als er von Elba zurückkehrte.

Volk, Volksthum, f. Nation, Nationalität, Nationalcharakter und besonders deutsches Volksthum.

Völkerrecht ist der Inbegriff aller derjenigen Rechtsgrundsätze, welche für die wechselseitigen Verhältnisse unabhängiger Völker unter sich gelten. Auch die rohesten Nationen haben eine Art V.; sie senden sich Gesandtschaften und halten auf gewisse Formen bei Kriegserklärungen und Friedensschlüssen. Das V., welches die in civilisirte Staaten vereinigten Völker gegen einander zu beobachten haben, muß sich ebensowohl auf die Rechtsidee stützen, wie das für die einzelnen Bürger des Staats unter einander geltende Recht. Ein solches, aus der Natur eines vernünftigen Rechts- und Friedensvertrags, der als sittliche Macht über der rohen physischen Macht steht, abgeleitetes V. ist das natürliche V., im Gegensatze zu dem positiven, wie es sich in bestimmten Kreisen von Völkern und Staaten theils durch besondere Verträge und Gewohnheiten, theils durch stillschweigende Anerkennung einzelner Bestimmungen des natürlichen V. festgestellt hat. Die erste äußerst einflußreich gewordene wissenschaftliche Bearbeitung des V. (verbunden mit den obersten Grundsätzen des natürlichen Rechts überhaupt) hat Hugo Grotius aufgestellt, in seinem berühmten, im

Jahre 1625 erschienenen Werke de jure belli ac pacis (vom Recht des Kriegs und Friedens), in welchem er zwar an seine, aus den geschichtlich gegebenen und zumeist aus den römischen und jüdischen Verhältnissen abgeleiteten obersten Grundsätze den Maasstab der Vernunft anlegte, immerhin aber jenem Bestehenden zu große Rücksicht schenkte. Wenn man das Urtheil über die Römer, welches Tacitus dem britischen Heerführer Calgacus in den Mund legt (Agricola c. 30. „Romani — raptores orbis, postquam cuncta vastantibus defuere terrae, et mare scrutantur: si locuples hostis est, avari; si pauper ambitiosi: quas non Oriens, non Occidens satiaverit; soli omnium opes atque inopiam pari adfectu concupiscunt. Auferre, trucidare, rapere falsis hominibus imperium; atque, ubi solitudinem faciunt, pacem adpellant." (Die Römer — diese Welträuber! nun ihnen das Festland nichts mehr zu verwüsten darbletet, beuten sie das Meer aus; der reiche Feind lockt ihren Geiz, der arme ihre Herrschsucht: nicht das Morgenland, nicht das Abendland genügte den Unersättlichen: sie allein wollen Alles, und mit gleicher Lüsternheit zehren sie vom Glück und vom Unglück. Stehlend, mordend, die Herrschaft unter Täuschungen an sich reißend, verwandeln sie die Länder in Einöden und heißen das Frieden machen.) nicht anders, als gerecht nennen kann, und nun die von Grotius aufgestellten völkerrechtlichen Grundsätze, als zumeist den römischen Verhältnissen entnommen sich vorstellt, so kann man auf den Inhalt derselben schließen; da findet man denn, als nach Völkerrecht erlaubt, die Ermordung aller Einwohner, die sich auf friedlichem Grund und Boden vorfinden, auch der Frauen und Kinder, um so viel mehr also die Abführung derselben in Sclaverei u. s. w. Nichts destoweniger ist das Verdienst des Grotius ein bedeutendes; denn er unterscheidet stets zwischen Demjenigen, was völkerrechtlich erlaubt sei, dessenungeachtet aber nicht ohne Makel (non sine vitio) gethan werden könne, und Demjenigen, was nach der übereinstimmenden Meinung der Bessern gethan oder unterlassen werden müsse. In diesen letzteren Ausführungen bahnte er mildere Grundsätzen den Weg, welche heutzutage in allen civilisirten Staaten theoretische, wenn auch nicht immer praktische, Anerkennung gefunden haben. Montesquieu (Geist der Gesetze, vergl. Buch 1 und 10.) stellt als obersten Grundsatz für die Verhältnisse der Völker unter sich den auf, daß sie einander im Frieden so viel Gutes erzeigen und im Kriege so wenig Uebles zufügen sollen, als dies ohne Verletzung ihrer eigenen wahren Interessen möglich ist. Zweck des Kriegs ist ihm Sieg; Zweck des Siegs Unterwerfung; Zweck der Unterwerfung Erhaltung. In weiterer Entwickelung dieser Grundsätze beschränkt er die Zulässigkeit des Kriegs einzig und allein auf das Recht der Nothwehr, bei welchem aber die für die Privaten geltende Grenze der Abwehr insoweit überschritten werden darf, als das eine Volk, wenn es sieht, daß die andere durch längeres Zuwarten in den Stand gesetzt werden würde, ihm den Untergang zu bereiten, auch angriffsweise gegen dieses verfahren kann. Kriegführung aus Ruhmsucht, oder wegen eines Vortheils, oder aus bloßen Nützlichkeitsrücksichten verwirft er auf das Entschiedenste. Von demselben Grundsatze geht Kant (Metaphysik der Sitten. Zweiter Theil.) aus, wenn er jedem Staate, der sich in seinem Rechte von dem andern Staate verletzt oder bedroht findet, das Recht zum Kriege einräumt. Aus dem Verhältnisse der Staaten zu einander folgert er weiter, daß kein Krieg zwischen unabhängigen Staaten ein Strafkrieg, noch weniger ein Ausrottungs- oder Unterjochungs-Krieg sein dürfe. Die Staaten sind gleichberechtigt, keiner steht in einem Unterwürfigkeitsverhältnisse zu dem andern, und der Zweck des Kriegs ist nur der, das gestörte Rechtsverhältniß wieder herzustellen, daher denn auch die durch den Sieg erlangte Gewalt nicht über diesen Zweck hinaus benutzt werden darf. Einem besiegten Staate seine Selbstständigkeit zu nehmen, einen Staat gleichsam auf der Erde verschwinden zu machen — „das wäre Ungerechtigkeit gegen das Volk, welches sein ursprüngliches Recht, sich in ein gemeines Wesen zu verbinden, nicht verlieren kann." Findet sich in dem besiegten Staate eine solche Ver-

25 *

faffung, nach welcher, „wenn sie zur allgemeinen Regel gemacht würde, kein Friedens-
zustand unter den Völkern möglich wäre, sondern der Naturzustand verewigt werden
müßte, so kann man ihn eine neue Verfassung annehmen laffen, die ihrer Natur nach
der Neigung zum Kriege ungünstig ist." Hierdurch wird der Zweck erreicht, ohne
den betreffenden Staat seiner Selbstständigkeit zu berauben. Auch der lediglich auf
die rechtliche Nothwehr zurückgeführte Krieg ist kein nothwendiges Uebel, und
der ewige Völkerfriede ist keine hohle Idee. Darauf, ob Jahrhunderte oder Jahrtausende noch vergehen müffen, ehe die Idee zur Wirklichkeit wird, kommt nichts an; der
Menschen Streben muß dennoch stets dahin gerichtet sein, die endliche Verwirklichung
derselben herbeizuführen. Ein Hauptmittel zu diesem Zwecke besteht darin, daß die
Kriegsführung an die Zustimmung der Nation geknüpft wird. Dies ist ohnedies Rechtens. Kant äußert sich darüber so: „bei jenem ursprünglichen Rechte zum Kriege
freier Staaten gegen einander erhebt sich zuerst die Frage, welches Recht hat der
Staat gegen seine eigenen Unterthanen, sie zum Kriege gegen andere Staaten zu brauchen, ihre Güter, ja ihr Leben dabei aufzuwenden oder auf's Spiel zu setzen, so daß
es nicht von diesem ihrem eigenen Urtheil abhängt, ob sie in den Krieg ziehen wollen
oder nicht, sondern der Oberbefehl des Souverains sie hineinschicken darf? Dieses Recht
scheint sich leicht darthun zu laffen; nämlich aus dem Rechte, mit dem Seinen (Eigenthum) zu thun, was man will. Hier ist also die Deduction, so wie sie ein bloßer Jurist abfaffen würde. — Dieser Rechtsgrund aber, der vermuthlich den Monarchen auch dunkel vorschweben mag, gilt zwar freilich in Ansehung der Thiere, die
ein Eigenthum des Menschen sein können, will sich aber doch schlechterdings nicht auf
den Menschen, vornehmlich als Staatsbürger, anwenden laffen, der im Staate immer
als mitgesetzgebendes Glied betrachtet werden muß (nicht bloß als Mittel, sondern auch
zugleich als Zweck an sich selbst) und der also zum Kriegführen nicht allein überhaupt, sondern auch zu jeder besondern Kriegserklärung vermittelst seiner Repräsentanten seine freie Beistimmung geben muß, unter welcher einschränkenden Bedingung allein der Staat über seinen gefahrvollen
Dienst disponiren kann." Würde diese Bedingung in allen Staaten zur verfassungsmäßigen Geltung gebracht, hinge es also in allen Staaten von der Volksrepräsentation
ab, ob eine Kriegserklärung erlaffen werden dürfe oder nicht, so würden die Kriege
weit seltener werden. In Verbindung hiermit können Völkerverträge, die an die
Stelle monarchischer Congreffe ein oberstes Staaten-Schiedsgericht-setzen, dem ewigen
Völkerfrieden ebenfalls näher führen. Die höchste Aufgabe bei Fortbildung des Völkerrechts bleibt es, dieses Ziel zu erstreben, im Hinblick auf welches Kant sich so äußert: „die praktisch-moralische Vernunft in uns spricht ihr unwiderstehliches Veto
(Verbot) aus: es soll kein Krieg sein. Und wenn das Letztere (nämlich dem
Kriege ein Ende zu machen), was die Vollendung dieser Absicht betrifft, auch immer
ein frommer Wunsch bliebe, so betrügen wir uns doch gewiß nicht mit der Annahme
der Maxime, dahin unablässig zu wirken, denn diese ist Pflicht; das moralische Gesetz aber in uns selbst für betrüglich anzunehmen, würde den Abscheu erregenden
Wunsch hervorbringen, lieber alle Vernunft zu entbehren, um sich, seinen Grundsätzen
nach, mit den übrigen Thierklaffen in einen gleichen Mechanism der Natur geworfen anzusehen." Was die Kriegsführung selbst anlangt, so ergiebt es sich aus den
oben aufgeführten Grundsätzen, daß Tödtungen und Zerstörungen nur insoweit stattfinden dürfen, als sie durch den Zweck des Kriegs ausdrücklich geboten sind, daß also
z. B. Tödtungen unter dem Vorwande von Repreffalien, Zerstörungen aus Rache,
oder, wie man sich hier und da auszudrücken pflegte, um ein Exempel zu statuiren,
durchweg verwerflich sind. Hiernächst muß Treue und Glauben auch zwischen Feind
und Feind gelten, und kein Theil darf sich überhaupt solcher heimtückischer Mittel bedienen, die das Vertrauen, welches zur künftigen Gründung eines dauerhaften Friedens erforderlich ist, vernichten würden. Das Völkerrecht umfaßt verschiedene einzelne

Theile. Der hauptsächlichste und umfassendste, das Recht vom Kriege und Frieden ist vorstehend in der Kürze besprochen. Andere Theile sind das Seerecht, das Gesandtschaftsrecht (s. Gesandter), die Rechtsverhältnisse der Consuln und Handelsagenten (s. Consul), die Diplomatie (s. d.). D. L. H.

Völkerwanderung. Mit diesem Worte bezeichnet man eine Reihe von Zügen germanischer und anderer Völker, welche nach dem Westen und Süden Europa's sich bewegten und den Uebergang aus der Zeit des Alterthums in das Mittelalter bildeten. Das südwestliche Europa erhielt durch diese Wanderungen germanischer Völker, welche die Herrschaft der Römer zertrümmerten, eine neue Bevölkerung, welche sich im Laufe der Zeit durch die Vermischung der Einwanderer mit der alten Einwohnerschaft bildete, wobei sowohl neue gesellschaftliche Verhältnisse, als auch neue Sprachformen (s. Romanische Sprache) entstanden. In Germanien dehnten sich die zurückgebliebenen Stämme theils weiter aus, theils rückten dort, wo die Wohnsitze verlassen waren, andere Völker ein, bis die Völker endlich in den Sitzen blieben, in welchen wir sie beim Anfang des Mittelalters finden. Der Einbruch der Hunnen im Jahre 375 in Europa wird gewöhnlich als der Anfang dieser Völkerzüge bezeichnet; als letzten Zug nimmt man den Einbruch der Longobarden in Italien (568) an. Die Ursachen dieser Völkerzüge sind uns nicht mehr bekannt; Uebervölkerung einzelner Gegenden, Lust am Kriege und an Abenteuern mögen dazu beigetragen haben. Von dem Main aus rückten schon gegen das Ende des 3. Jahrhunderts die Alemannen nach Süden hin in die römischen Provinzen (s. Teufelsmauer); von hier aus drangen sie später bis über den Rhein. Die Franken des Niederrheins, die salischen Franken, setzten sich seit Ende des 3. Jahrhunderts zwischen Rhein und Schelde fest; ihr König, Chlodwig, eroberte 486 den römischen Theil Galliens und gründete ein Reich, das von ihm selbst durch die Unterwerfung der Alemannen 496, so wie durch andere Eroberungen weit ausgedehnt wurde. Bedeutend war auch die Wanderung der Gothen, welche schon im 3. Jahrhundert an der Weichsel nach dem schwarzen Meer erfolgte. Am weitesten nach Süden drangen später die Wandalen (s. d.).

Volksbelehrung, Volksbildung. Wenn das Wort „Wissen ist Macht" wahr ist, wie es wahr ist, so ist der Weg auch damit ganz einfach vorgezeichnet, auf welchem das Volk eine Macht werden kann; so ist damit das Mittel gegeben, durch welches das Volk seine Rechte, seine Freiheit, sein Glück wieder erlangen kann. Belehrung, Bildung des Volkes sind die einzigen Mittel, um es wahrhaft zu heben. Daß dem so sei, sehen wir schon aus den Maßregeln, welche die Tyrannen, die Bevorzugten und Privilegirten in Staat und Kirche ergreifen. Verdummung ist das Feldgeschrei, welches diese schwarzen, volksfeindlichen Schaaren ertönen lassen; nichts ist bei ihnen größer, als die Furcht vor Aufklärung, vor Bildung, welche etwa unter das Volk kommen könnte. Die Thoren! Sie wollen den Strahlen der Sonne verbieten zu leuchten! — Die höchste Bestimmung der Menschen, welche sie durch wechselseitige Mittheilung und besonders auch durch gut eingerichtete Staatsvereinigung erreichen sollen, ist möglichste allseitige Ausbildung. Der beste Staat ist derjenige, welcher die höchsten Zwecke der Menschheit am meisten fördert, d. h. am wenigsten stört. Möglichste Belehrung des ganzen Volkes, namentlich auch politische Belehrung, ist als unmittelbare Beförderung der höchsten Menschenzwecke selbst und als eins der wichtigsten politischen Mittel für das Staatswohl nothwendig und nützlich. Die Hauptfrage aber ist: wodurch und wie ist zu belehren? Die Belehrung muß einestheils eine unmittelbare sein, von allen möglichen Lehranstalten und Lehrmitteln ausgehen; von der Kirche, dem kirchlichen, religiösen und moralischen Unterricht; von den sämmtlichen Bildungsanstalten, von der Volksschule bis hinauf zur Hochschule; von der Presse, oder von den Schriften aller Art, von Zeitschriften, Zeitungen und Flugschriften. Die Belehrung ist aber auch eine mittelbare, indem sie ausgeht vom Leben, von den gesellschaftlichen Einrichtungen und Vereinigungen, von den öffentlichen und Gemeindeversammlungen, von den Associationen, Gesellschaften und Volksfesten; auch von den Theatern, welche so volksmäßig sein sollten, wie im Alterthum. Namentlich für die große Masse des Volkes, welche weniger liest, muß diese lebendige Volksbelehrung die reichste Quelle der Bildung werden. Oeffentliche und Geschwornengerichte geben dem Volke mehr Bildung, als aller Unterricht in der Rechtskunde. Hiermit ist die Frage beantwortet, wodurch das Volk belehrt werden soll. Das Wie? bezieht sich auf die Form, in welcher das Volk belehrt werden soll. Man glaube ja nicht, daß das Volk für das Hohe, Schöne und Wahre so unempfänglich sei, als sich viele in ihrer Vornehmthuerei einbilden. Es ist ein großer Irrthum, wenn man das Seichte, Gemeine, Gedankenlose für Jugend und Volk für verständlicher und heilsamer hält, als das Tüchtige in würdiger Form. Eben so ist es ein Irrthum, welchem sich meist schwache Staatsmänner überlassen, wenn man glaubt das Böse und Verderbliche durch gänzliches Entfernthalten, durch bloßes Zurückdrängen, Unterdrücken beseitigen zu wollen. Das wirkt eben so, als wenn der ungeschickte Arzt es mit den Krankheitsstoffen in dem menschlichen Körper so macht. Er würde nur Weichlinge erziehen, aber keine gesunden kräftigen Menschen, wenn er den Körper von aller Berührung mit Krankheitsstoffen fern halten wollte. Wer sich eines kräftigen, tüchtigen Lebens erfreuen will, muß vor Allem den Muth haben, gesund zu sein! Auch die Deutschen werden wohl ein Mal diesen Muth fassen, werden jene für freie gebildete und würdige Völker so sehr natürlichen Grundsätze und Gesinnungen vollständig in das Leben rufen, damit das Bedürfniß deutscher Nationalehre eben so siege, wie bei andern freien Völkern. Volksbelehrung ist der Same, Volksbildung ist die Frucht. Vor Allem müssen wir uns aber bei der Besprechung der letzteren vor der Ansicht verwahren, als verständen wir unter Bildung hier das, was man im gewöhnlichen Leben damit bezeichnet, nämlich jene feine Dressur für das gesellige Leben. „Das ist ein feiner, ein gebildeter Mann" — mit diesen Worten bezeichnet man nicht selten den geistig- und sittlich-rohesten und gemeinsten, den kenntnißlosesten und gefühllosesten Menschen, wenn er nur äußerlich abgeglättet, dressirt ist, und nicht gegen die Formen verstößt, welche das gesellige Leben gezogen hat. Diese Afterbildung ist der Fluch eines Volkes, sie ist der Vorläufer sittlichen Verfalles und der gänzlichen Unterjochung; sie ist der Stempel der Schwäche, der Charakterlosigkeit. Mit dieser Bildung haben wir es hier nicht zu thun, wohl aber mit einer andern, mit der wahren kernhaften Volksbildung, die in der Hütte eben so heimisch sein soll, wie im Palaste. — Nach einem bekannten Sprüchwort macht uns nicht die Geburt zu Menschen, sondern die Erziehung oder das, was wir durch die Erziehung erlangen, die Bildung. Der Staat hat aber das Recht und die Pflicht, sich um die Bildung des Einzelnen zu bekümmern, damit jeder Einzelne seine Aufgabe als Mensch erfülle. Er hat also dafür zu sorgen, daß in allen Theilen seines Gebietes eine dem Bedürfniß der Bevölkerung entsprechende Anzahl von niederen Schulen, sodann auch von höheren Bürgerschulen errichtet werden. Der Staat hat ferner das Recht und die Pflicht für die religiöse und sittliche Bildung des Volkes zu sorgen, und neben jenen allgemeinen Lehranstalten auch besondere für die höheren Zweige des Unterrichts zu gründen, als Gewerbschulen, Akademien ꝛc. Endlich muß der Staat alle weiteren Beförderungsmittel der Bildung in Ausübung setzen und alle Hindernisse hinwegräumen, welche derselben entgegenstehen. In wie weit der Staat bisher dieser Verpflichtung nachgekommen ist, überlassen wir Jedem, zu beurtheilen. Nur darf man nicht glauben, daß der Staat seine Pflicht schon erfüllt habe, indem er jene Schulanstalten errichtet; die Hauptsache ist der Geist, in welchem darin erzogen und gebildet wird. Ist dieser Geist nicht auf die wahre Bildung des Volkes berechnet, sondern, wie nicht selten, auf die methodische

Verdummung desselben, so sind jene Anstalten kein Segen für das Volk, sondern
ein — Fluch. **W.**

Volksbewaffnung. Es liegt im Begriff der staatsbürgerlichen Gleichheit, daß
alle streitbaren Männer, wenn das Vaterland ruft, zu den Waffen greifen, und es ist
auch in älteren und neueren Zeiten vielfach vorgekommen, daß ganze Völker sich bewaffneten und in den Krieg zogen. Das Kriegswesen hat aber im Laufe der Zeit
die Ausbildung genommen, daß nur ein Theil, ein besonders dazu auserlesener und
eingeübter Theil des Volkes, das stehende Heer, zum Kriege verwendet wird. Dieser
nichts Anderes, als das Waffenhandwerk treibende Theil hat sich dadurch zu einem besondern Stande ausgebildet, der auch im Frieden fortbesteht. Der Standes-
geist, der dadurch in das Militär hineinwuchs und es oft zu einem gefährlichen
Werkzeuge gegen die Freiheit des Volks machte, andererseits aber die großen Ausgaben, welche die Erhaltung der stehenden Heere (s. Heer) den Völkern auferlegt, indem
diese oft den vierten, ja den dritten Theil sämmtlicher Staatseinnahmen, und noch
mehr hinwegnimmt, haben den Gedanken wieder angeregt, das Heerwesen zu verein-
fachen, es auf sein ursprüngliches Verhältniß zurückzuführen und durch eine Volksbewaffnung zu ergänzen, wo nicht zu ersetzen. Anfänge hierzu sind in der französischen Nationalgarde (seit der ersten französischen Revolution), in der deutschen Bür-
ger- und Communalgarde (seit den dreißiger Jahren in Sachsen, Kurhessen, Braunschweig) gegeben. Doch waren sie nicht eigentlich zum Kriege außer Landes, sondern
nur zur Aufrechthaltung der Ordnung und Ruhe im Lande, zum Schutz des öffentlichen und Privateigenthums bei entstehenden Unruhen und dergl. bestimmt. Das Militär,
welches bei dergleichen Gelegenheiten mit seinen Waffen oft Mißbrauch getrieben hatte, sollte
die Aufrechthaltung oder Wiederherstellung der bürgerlichen Ordnung der Bürgerwehr überlassen, und man glaubte, daß ihr dies um so eher gelingen müsse, weil der moralische
Eindruck gewiß ein größerer sei, wenn Bürger, friedliebende Bürger zum Schutz des
Gesetzes und der Ordnung, des Eigenthums und der Privaten bewaffnet auftreten,
als wenn dies von Seiten des stehenden Heeres geschehe, welches häufig als der natürliche Feind des Volkes und seiner Freiheit angesehen würde. Dieser Zweck ist sonach ein beschränkter und mehr oder weniger polizeilicher Natur. Weil man aber
fürchtete, daß vorkommenden Falls das bewaffnete Bürgerthum auch einer Regierung
und ihren Truppen gegenübertreten könnte, wie dies während der französischen Julirevolution wirklich stattgefunden, so ist selbst diese Art von V. noch mit mistrauischen
Augen betrachtet worden, und erst der Märztage des Jahres 1848 bedurfte es, um
der Idee einer V. überall Eingang zu verschaffen. Ist auch die gänzliche Entlassung
und Abschaffung der stehenden Heere so lange nicht möglich, als Nachbarstaaten in
voller Rüstung und Krieg drohend dastehen, so könnte doch im Frieden durch möglichste Beschränkung des stehenden Heeres, durch Beibehaltung eines Stammes von Of-
fizieren und Unteroffizieren (Rahmen, Cadres), denen im Kriegsfalle die in der
Bürgerwehr vorgebildete Wehrmannschaft einzureihen wäre, Vieles erspart, und die
durch den Kriegsdienst häufig verwildernde, ihren Ursprung aus dem Volke vergessende,
nur unproductiv beschäftigte, und von den Kräften des Landes zehrende Jugend ihrem
Berufe, friedlicher productiver Arbeit zurückgegeben werden, — so meinte man.
Wirklich entstanden auch überall Nationalgarden, die dadurch, daß sie als Bürger den
Eid auf die Verfassung geleistet und so zur Aufrechthaltung derselben verpflichtet
waren, eine starke Schutzmauer für die Volksfreiheit werden mußten. Die Neuzeit
hat jedoch auch hier die alten Verhältnisse zurückgeführt, die Nationalgarden, in deren Mitte die Strömungen der Zeit natürlich nicht blos Wiederhall, sondern auch
Unterstützung fanden, sind fast überall wieder aufgelöst und die stehenden Heere als
alleinige Wächter der Ordnung, ja „als Stützen und Säulen des Staates" übrig geblieben. Jenes volksthümliche Wehrsystem, nach welchem es keinen besonderen Soldaten-
stand und kein stehendes Heer giebt, aber das Volk waffentüchtig gemacht wird, im

Falle des Kriegs ausrückt und nach demselben sogleich wieder nach Hause zu seinen friedlichen Geschäften zurückkehrt, besteht in der Schweiz und in Amerika. Ein Mal werden dadurch große Ersparungen herbeigeführt, und durch die allgemeine Wehrpflicht können im Augenblicke der Noth ungleich größere Heere aufgestellt werden. Die Landwehr und der Landsturm in Preußen sind ähnliche Einrichtungen, nur daß sie ihren volksthümlichen Grundlagen entwachsen sind und eine rein soldatische Natur angenommen haben.   X.

Volksbücher, Volksschriften, sind Schriften, welche zunächst zur Bildung und Unterhaltung des Volks geschrieben sind. Es ist eine sehr schwere Aufgabe, gute Volksschriften zu liefern, welche auch nur selten glücklich gelöst wird. Der Volksschriftsteller muß das Volk wirklich zu sich und seiner Bildung herauf ziehen, nicht aber sich darin gefallen, zu ihm herabzusteigen. Ein anderer Mangel unserer Volksschriften ist, daß das religiöse Moment in denselben in zu orthodoxer Richtung vorwaltet; wir wollen keine Ungläubige erziehen, aber noch viel weniger Ueber- oder Abergläubige. In neuerer Zeit haben sich in einigen Ländern Vereine für Verbreitung von Volksschriften gebildet, wie in Würtemberg, in Magdeburg und in Sachsen.

Volksfeste s. deutsche Feste und Feste.

Volksfreiheit s. Freiheit.

Volksherrschaft, gewöhnlicher noch mit dem Fremdnamen Demokratie bezeichnet, ist diejenige Staatsform, nach welcher die höchste Gewalt im Staate bei der Gesammtheit des Volkes ist. Je nachdem sie vom Volke unmittelbar oder durch gewählte Stellvertreter geübt wird, nennt man die Demokratie eine reine oder repräsentative. Die erstere, nach welcher gesetzgebende, richterliche und vollziehende Gewalt den Versammlungen sämmtlicher Staatsbürger innewohnt und durch Mehrheit der Stimmen unter ihnen die Entscheidung über alle wichtigen Fragen gefaßt wird, ist eigentlich nur in sehr kleinen Staaten, bei sehr einfachen Staatsaufgaben und großer Gleichheit der Bildung, Gesinnung und Verhältnisse möglich, und wenn sie in den Staaten des Alterthums, namentlich in Griechenland und Rom, in bestimmten Zeiträumen bestand, so war dies doch mehr nur dem Schein, als der Wirklichkeit nach, indem die alten Freistaaten auf der Sclaverei beruhten, wo neben einer Minderheit vollberechtigter Bürger eine Mehrheit völlig rechtloser Sclaven bestand. Um dieselbe auch auf größere Reiche und zusammengesetztere Zustände anzuwenden, wählte man die Form der repräsentativen Demokratie, nach welcher in den Versammlungen sämmtlicher stimmberechtigter Bürger diejenigen gewählt werden, welche im Namen des Volks die verschiedenen Thätigkeiten der Staatsgewalt ausüben sollen, also die gesetzgebenden, richterlichen und vollziehenden Behörden, die Abgeordneten zur Nationalversammlung, die Richter (Geschwornen), die Beamten, bis hinauf zum obersten Träger der Staatsgewalt, dem Präsidenten: alle aber ihre Gewalt als vom Volke ausgehend, von ihm übertragen, betrachten und im Namen desselben ausüben (s. Republik). Demokratie in diesem Sinne ist gegenwärtig nur in den vereinigten Staaten Nordamerika's (s. d.) und in den Schweizer Kantonen giltige und lebendige Verfassungs- und Verwaltungsform, bei der sie sich allerdings glücklich befinden. Die Versuche, welche man zu Ende des vorigen Jahrhunderts in Frankreich zur Herstellung der Demokratie gemacht hat, sind an der Klippe, welche alle Demokratien bedroht, an der Herrschsucht und dem Ehrgeiz der Volksführer gescheitert: auf die Demokratie folgte wieder die Monarchie, und obgleich diese, weil sie im Laufe der Zeit gänzlich entartet war, von dem sittlichen Zorn des Volkes im Jahre 1848 nochmals gestürzt und durch die Demokratie verdrängt wurde, so hat sie sich dort doch noch nicht so befestigt oder ihren Character so rein und unbesiegt erhalten, daß sie von der in ihrem Rücken lauernden Monarchie wieder verschlungen zu werden nicht befürchten müßte. Im übrigen Europa hat der Monarchismus ausschließlich die Herrschaft in

Besitz, und wird sie auch — wenigstens in der gemischten Verfassung der constitutionellen Monarchie — bei der großen Gewalt, welche das Bestehende über den Einzelnen, wie über ganze Völker hat, so lange behalten, als er die Stundenuhr der Nationen zu lesen und die Lehren der Geschichte, welche mit Donnerstimme verkündet, daß jeder Mißbrauch der Gewalt sein Ende findet, zu beherzigen versteht. Inzwischen so ausgemacht die monarchische Verfassung Europa's ist, in allen Staaten der Gegenwart stehen sich doch zwei Parteien mit wesentlich verschiedenen Grundansichten, mit zwei wesentlich verschiedenen politischen Systemen gegenüber, die einander im offenen oder geheimen Kriege, in der Wissenschaft, in der Geschichte, in der Staatenwelt bekämpfen. Jedes der beiden Systeme in seiner Spitze aufgefaßt, ist das eine das der Volksherrschaft, deren Grundsatz lehrt, daß alle Gewalt, das Herrschen wie Regieren, nach dem unverjährbaren und angebornen Menschenrecht bei dem Inbegriff aller stimmfähigen Mitglieder des Staatenvereins sei; — diese Lehre, schon vor der ersten französischen Revolution besonders von französischen Schriftstellern vertreten, hat namentlich seit dem Jahre 1848 in Deutschland mehr und mehr Boden gewonnen; — das ˮandere System ist das der Volksbeherrschung, nach deren Grundsatz der Fürst oder der Adel Kraft eigenen angeborenen und angestammten Rechts in dem Sinne regiert, daß der Eine oder der Andere weder seine Gewalt einer förmlichen Wahl des Volks, sondern dem Herkommen oder einer göttlichen Einsetzung verdankt, noch auch wegen des Gebrauchs, den er von seiner Gewalt macht, dem Volke selbst verantwortlich ist. Jenes ist das demokratische, dies das aristokratische oder monarchische Prinzip; jenes kann man als das Prinzip der Bewegung und der Beweglichkeit, dieses als das Prinzip der Beständigkeit, der Beharrung und Stabilität bezeichnen. Beide Prinzipien haben von jeher mit einander im Streite gelegen. Im Mittelalter standen sich Staat und Kirche gegenüber, gewöhnlich so, daß die Kirche das demokratische Prinzip gegen die weltliche Aristokratie und gegen das Königthum vertrat. Im Zeitalter der Reformation vertrat der Katholicismus das aristokratische und die protestantischen Fürsten das demokratische Element. Seit der Mitte des 18. Jahrhunderts dauert aber ununterbrochen und mit immer steigender Heftigkeit der Gegensatz zwischen Bürgerthum und Adel und Königthum fort. Der Glaube an das sogen. göttliche Recht ist gefallen oder wankend geworden, mit ihm der Glaube, daß das Land und das Volk um des Fürsten willen da sei, und an dessen Stelle der Grundsatz getreten, daß der Fürst um des Volks willen da sei und das Gedeihen des Volkes das Ziel aller Regierung sein müsse. Dem Talente, dem Geist, der Bürgertugend, die an kein Geschlecht, an kein Archiv, an keine Burg gefesselt ist, wird der Beruf zuerkannt, das Wort zu führen und die Massen zu leiten. Wahrheit, Gerechtigkeit und Uneigennützigkeit werden als die wahren Grundlagen der bürgerlichen Gesellschaft anerkannt. Der Bürgerstand hat als dritter Stand in den Repräsentativverfassungen Theil an der Staatsgewalt erhalten, die Vorrechte der Geburt und des Standes fielen, die Fesseln des Grund und Bodens, so wie der Industrie und des Verkehrs mußten gelöst werden: und das Ringen des Volkes nach freier selbständiger Bewegung und Entwickelung, nach immer größerem Antheil an der Regierungsgewalt, nach immer ausgedehnteren Rechten, nach Selbstbestimmung und Selbstregierung ist so ungestüm geworden, daß daraus die Kämpfe hervorgegangen sind, welche alle europäischen Staaten durchzucken und in fortwährender Erregung erhalten. Eine Menge demokratischer Grundsätze haben bereits überall Anwendung und Geltung gefunden: so namentlich die, daß vor dem Gesetz kein Ansehen der Person herrschen dürfe, sondern alle vor dem Gesetz gleich seien; daß die Staatsämter Jedem zugänglich sein müssen; daß die Steuerfreiheit des Adels ein Raub am Vermögen des Volks sei ꝛc. Andere ringen noch nach Anerkennung, wie eine freigewählte Nationalvertretung, die vollständige Durchführung der Herrschaft der Majoritäten, der Grundsatz einer parlamentarischen Regierung, das allgemeine Stimmrecht, oder die staatsbürgerliche

Gleichheit bei Gemeinde- und Volksvertretungswahlen, die allgemeine Wehrpflicht, der Grundſatz von Seinesgleichen gerichtet zu werden (ſ. Geſchworne) ꝛc. England, Belgien und Norwegen ſind in dieſer Hinſicht am weiteſten vorgegangen, ohne daß es dort deshalb zu feindlichen Reibungen zwiſchen der Regierungs- und Volksgewalt käme. In Deutſchland waren zwar in Folge des Umſchwungs der Märztage 1848 die land- und feudalſtändiſchen Verfaſſungen im demokratiſchen Sinne erweitert und ausgebaut oder auch ganz neue derartige in's Leben gerufen worden; ſo war namentlich eine Volksvertretung, das allgemeine Wahlrecht, das vollſtändige Steuerbewilligungsrecht, die Initiative der Volksvertretung, allgemeine Militär- und Steuerpflicht, Geſchworne ꝛc. eingeführt und die privilegirten Adelskammern und Ständevertretungen, hier und da auch das unbedingte abſolute Veto abgeſchafft worden, ſo daß man von einer „Monarchie auf der breiteſten demokratiſchen Grundlage" ſprach, die Miniſter als Staats-, nicht als Fürſtendiener, den Fürſten ſelbſt als Repräſentanten und Vollzieher des Volkswillens anſah und ſo die Vortheile der demokratiſchen Verfaſſung — Vollziehung des Volkswillens — mit den Vortheilen der monarchiſchen — Stetigkeit in der Regierung — vereinigt zu haben glaubte. Die monarchiſch geſinnte Partei aber, zürnend ob des Verluſtes ſo vieler Vorrechte und daß ſie die Kammern der Volksvertretung zum erſten Factor im Staat gemacht, den Fürſten zu der paſſiven Rolle eines Vollſtreckers des von dieſen Kammern ausgeſprochenen Volkswillens hinabgedrängt ſah, arbeitete dieſen neuen Verhältniſſen mit aller Macht entgegen und hat es auch durch Mittel aller Art dahin gebracht, daß die Verfaſſungen dieſes demokratiſchen Anbaues und Putzes wieder entkleidet und auf das frühere Maas der Volksrechte zurückgeführt wurden, wonach im Sinne des monarchiſchen Prinzips die geſammte Staatsgewalt in der Perſon des Fürſten vereinigt ſein und bleiben ſoll. Wo das in den Einzelſtaaten noch nicht geſchehen oder in dieſer Hinſicht noch Etwas zu thun übrig iſt, das will der Bundestag, der dazu berufen zu ſein glaubt, dieſes monarchiſche Prinzip zu ſchützen und gegen alle Anfechtungen aufrecht zu erhalten, vollends vermitteln. Der Zwieſpalt und Kampf der Meinungen und Intereſſen, der durch die zunehmende Wiſſenſchaft im Volke, durch die Fortſchritte der Induſtrie, durch die Erleichterung des Verkehrs zwiſchen den Völkern noch mehr genährt wird, wird indeß ſo lange dauern, bis das eine oder andere dieſer Prinzipe einen völligen Sieg erringt; ob dies früher oder ſpäter, mit Unterbrechungen oder in unaufhaltſamem Laufe geſchieht, iſt an ſich gleichgültig. Daß aber die Geſchichte den Ausſchlag nicht zu Gunſten des willkürlichen Regierungsſyſtems des Abſolutismus geben wird, iſt nach der Macht, welche die demokratiſchen Grundſätze der Freiheit und Gleichheit nicht in den Gemüthern allein, ſondern auch in dem Gemeinde- und Staatsleben bereits errungen haben, mehr als wahrſcheinlich. Die Entwickelung aller geiſtigen Kräfte der Nationen iſt ſo angeſchwollen, die bürgerliche Geſellſchaft zu ſolchen Fortſchritten herangewachſen, daß jede Macht, welche ſich ihr auf dem Wege zu allgemeiner Bildung, allgemeinem Wohlſtand, allgemeiner Gleichberechtigung entgegenſtellen möchte, auf die Dauer Stand zu halten nicht vermögend ſein wird.   **Cramer.**

Volksverſammlung. Die älteſten Volksverſammlungen fanden bei den Griechen und Römern ſtatt, wo die Vollbürger (das Volk) in der V. (ἐκκλησία, Comitien, ſ. d.) zuſammentraten, um über die Staatsangelegenheiten zu beſchließen, die Beamten zu wählen u. ſ. w. Auch bei den alten Germanen wurde in der V. über Krieg und Frieden beſchloſſen, der Herzog gewählt. Noch weit hinein in das Mittelalter reichen die V. auf dem Maifeld (ſ. d.), wo die Königswahl vom Volk vorgenommen wurde. Mit der Erweiterung der Staaten, der Begründung einer feſten Fürſtengewalt, der Ausbildung des Adels, mußten dieſe V. beſeitigt werden, indem ihre Rechte auf einzelne wenige Bevorrechtete übergingen, im Reiche dem Kaiſer gegenüber auf die Reichsſtände (die Kaiſerwahl auf die Churfürſten), in den Territorien den Landesherrn gegenüber auf die Landſtände. Nur in einigen kleinen Schwei-

zer Cantonen hat sich dieses rein demokratische Verhältniß bis in die neueste Zeit erhalten, indem da das Volk auf der Landesgemeinde (s. d.) zusammen kam und über
gewisse vom Landammann vorgetragene Staatsangelegenheiten als gesetzgebender Körper
Beschluß faßte. In allen größeren Staaten ist an die Stelle dieser reinen Demokratie, wo das Volk in seiner Gesammtheit seine Gewalt selbst ausübt, selbst abstimmt,
das Repräsentativ-System, die Ausübung dieses Rechtes durch Vertreter, Abgeordnete,
getreten. In Ländern mit freier Verfassung hat sich jedoch daneben noch das Recht
des Volks, sich zu versammeln und öffentliche Angelegenheiten zu besprechen, zu berathen, erhalten. Es versteht sich von selbst, daß in einer solchen Versammlung auch
nicht das ganze Volk zusammenkommt, sondern nur eine beliebig große Menge desselben, — Jeder, der Antheil nehmen will oder vermöge des Ortes — sei es im geschlossenen Raume oder unter freiem Himmel — Antheil nehmen kann. Diese V.
werden von Parteiführern veranstaltet, um die öffentliche Meinung aufzuklären, zu bearbeiten und zu einem Meinungsausdruck zu bestimmen. Die Presse soll zwar die
öffentliche Meinung vertreten, aber wenn sie bei großen Abtheilungen des Volkes Unterstützung und Nachdruck findet durch Aneignung und Beförderung dessen, was sie
anstrebt oder bekämpft, so wird ihr Einfluß um so größer sein. In England und
Nordamerika hat sich dieses Verhältniß so eingelebt, daß es nicht sowohl ein Recht,
als eine Sitte des Volks geworden ist, zusammen zu kommen, über öffentliche Dinge
zu verhandeln und zu beschließen, für oder wider ein Ministerium, für oder
wider ein Gesetz, für oder wider eine alte Einrichtung einen Ausspruch zu thun.
Die Regierenden, die gesetzgebenden Körper erfahren auf diese Weise die Meinung des
Volks am lautersten und werden sie nicht ungehört lassen dürfen. Die Parlamentsreform, die Abschaffung der Korngesetze, die Emancipation der Katholiken und dergl.
ist in England zum großen Theil nur dadurch durchgesetzt worden, daß die Wortfüh-
rer für diese Neuerungen das Volk in großen V. für sich zu gewinnen, für die Sache
des Fortschrittes zu begeistern und es dahin zu bestimmen wußten, daß es bei jeder
Gelegenheit, z. B. bei Wahlen, in diesem Sinne seine Stimme abgab. Es wird natürlich kein Beschluß gefaßt, der verbindliche Kraft für die Staatsbürger hätte, wie
ein Gesetz — das ist und bleibt Sache der gesetzgebenden Gewalt —, aber es wird
ein öffentliches Urtheil abgegeben, ein Meinungsausdruck zu Wege gebracht, der, weil
er von Tausenden kommt, seine Rückwirkung auf die Gesetzgebung nicht verfehlen kann.
Wir sind der Meinung, daß das Ministerium das Vertrauen des Volkes nicht verdient, wir verdammen die Sclaverei und die Kornzölle, wir sind für das allgemeine
Stimmrecht ꝛc., so und ähnlich lautet der Beschluß (die Resolution), den der Sprecher vorschlägt und die V. faßt. Auch pflegen diejenigen, welche sich um eine Wahl
in das Parlament bewerben, vorher vor dem Volke aufzutreten, ihre politischen Grundsätze darzulegen und dergl., so daß die Wähler wissen, ob sie für ihn oder für einen
Andern stimmen können. In Deutschland, wo man eine Opposition weniger dulden
mag, als in England, waren die V., weil sich einige gegen die Regierungen erklärt
hatten, durch die Bundesgesetzgebung untersagt. Die größte in den dreißiger Jahren
war das Hambacher Fest. Der Umschwung des Jahres 1848 hatte dem deutschen
Volke auch das Recht gebracht, in Vereine und Versammlungen zusammenzutreten,
welche politische Angelegenheiten verhandelten, und dieses Vereins- und Versammlungsrecht erschien der deutschen Nationalversammlung als ein so natürliches, so unveräußerliches Recht, als ein Urrecht (s. d.), daß sie es in „die Grundrechte des
deutschen Volks" aufnahm und es durch keine vorbeugende (Präventiv-)Maßregel
beschränkt, sondern nur seinen Mißbrauch bestraft sehen wollte. (§. 29 der Grundrechte: „die Deutschen haben das Recht, sich friedlich und ohne Waffen zu versammeln; eine besondere Erlaubniß dazu bedarf es nicht. Volksversammlungen unter
freiem Himmel können bei dringender Gefahr für die öffentliche Ordnung und Sicherheit
verboten werden.") Es ist deshalb auch im Jahre 1848 ein sehr ausgedehnter —

vielleicht, wie von allem Neuen, ein zu ausgedehnter Gebrauch davon gemacht worden. Weil es bei so großen Versammlungen nicht alle Mal ohne Ruhestörung abging, weil zuweilen auch ganz überschwengliche Dinge in denselben geredet wurden und weil es überhaupt wieder Grundsatz wurde, den Geist des Volks in gewisse polizeiliche Schranken einzuschließen und den Oppositionsbestrebungen nicht nur Zügel anzulegen, sondern überhaupt den freien Spielraum zu entziehen: so ist in den meisten deutschen Staaten das Vereins= und Versammlungsrecht zwar nicht völlig beseitigt, aber durch Hereinziehen von Präventiv=Maßregeln, als da sind: vorherige Anzeige bei der Polizeibehörde, Anwesenheit eines Polizeibeamten, Recht der Polizeibehörde, sie aufzuheben oder auch in Fällen, wo Ruhe und Ordnung gefährdet werden könnte, sie im Voraus zu untersagen, ganz unscheinbar gemacht worden. Wenn es auf der einen Seite nicht geläugnet werden mag, daß in deutschen Volksversammlungen Uebertreibungen vorgekommen sind, so ist doch auch auf der andern Seite die Furcht vor jeder größeren Versammlung des Volkes, als ob es mit dem Ausspruch einer oppositionellen Meinung nun auch an den Umsturz des Staates oder an Mord und Brand gehe, eine übertriebene. Durch längern Gebrauch des Versammlungsrechtes würde man davon, wie von jedem Rechte, einen weiseren Gebrauch haben machen lernen, während durch das halb freiwillige, halb erzwungene Einstellen der politischen Vereins= und Volksversammlungen die Regierungen eines der untrüglichsten Mittel, die Stimmung und Meinung des Volkes, seine Zufriedenheit oder sein Unbehaglichfühlen, kennen zu lernen, beraubt sind. Die Freiheit eines Volkes hat auch ihr Unbequemes in ihrem Gefolge: aber größer für das Ganze ist der Nachtheil, wenn der Volksgeist niedergehalten wird, so daß er sich nicht äußern darf oder um eines möglichen Mißbrauches willen der Gebrauch eines natürlichen Rechtes mit verdächtigen Augen und ängstlicher Scheu angesehen wird (s. auch **Vereine**).   Cramer.

Volksvertreter s. Abgeordnete.

Volkswirthschaftslehre, Nationalökonomie. Die Volkswirthschaft ist ein aus vielen Theilen bestehendes Ganzes, ein Organismus in einander greifender Thätigkeiten, welche sich nach bestimmten Gesetzen bewegen. Die Volkswirthschaftslehre hat nicht nur die Entstehung und die Vertheilung, sondern auch die Verzehrung der Güter zu betrachten. Als Wissenschaft verdankt sie ihre Entstehung und Ausbildung der neueren Zeit; es fehlte früher nicht an gewissen Systemen, allein man war sich der letzten Gründe derselben doch weniger bewußt. In der neueren Zeit brach besonders Quesnay (s. Quesnay'sches, physiokratisches System) durch sein physiokratisches System eine neue Bahn, auf welcher man mit Erfolg fortgeschritten ist.

Vollmacht, Mandat. Unter Bevollmächtigungs=, Mandatscontract versteht man den Vertrag, wodurch Jemand (Mandatar, Vollmachtübernehmer) die Besorgung eines Geschäfts für einen Andern (Mandanten, Vollmachtgeber) übernimmt. Das Recht des Mandatars heißt Vollmacht oder Mandat; ebenso wird die darüber abgefaßte Urkunde genannt.

Vollziehung, Execution, heißt in der Rechtssprache die Vollziehung eines Urtheils, sowohl im Civil= und Criminalproceß. In staatswissenschaftlicher Hinsicht kommt hier noch in Betracht die sogenannte vollziehende Gewalt, oder die Organe des Staates, durch welche er die Gesetze, gesetzlichen Entscheidungen ausführen läßt. Das gewöhnliche Mittel zur Vollziehung der Execution sind die Soldaten; s. Cabinetsjustiz.

Voltigeurs waren ursprünglich in Frankreich leichte Infanteristen, die hinter den Cavaleristen aufsaßen, um so schneller an Ort und Stelle zu kommen, und besonders im Springen auf und über das Pferd und vom Pferde geübt waren. Jetzt versehen sie das Tiralliren und den leichten Dienst.

Von Gottes Gnaden, Dei gratia, ist eine in den Titel monarchischer Staatshäupter aufgenommene Form. Sie ward seit dem 4. und 5. Jahrhundert zunächst an christlichen Kirchenobern, Bischöfen, scheinbar aus Demuth gebraucht; doch lag auch darin die Andeutung, daß man die inne habende Würde nicht menschlicher, sondern göttlicher Verleihung verdankt. In späterer Zeit fügte die päpstliche Anmaßung noch hinzu: „und von des heiligen Stuhles Gnade," um ihre Unabhängigkeit von der weltlichen Macht anzudeuten. Von den Fürsten wurde dieser Titel B.G.G. seit dem 7. Jahrhundert angenommen, um den unmittelbaren Ursprung der Majestät von Gott zu bezeichnen, und den Unterthanen außer der bürgerlichen Gehorsampflicht noch eine unmittelbar religiöse Unterwerfungspflicht aufzulegen. Die Vorstellung von dem unmittelbaren Ursprung der Majestät von Gott, deren Herrschaft wohl in der Zeit der Rohheit von Wirksamkeit sein mochte, konnte freilich in dem Zeitalter gereifter Bildung sich nicht mehr behaupten. Noch bis zur Mitte des vorigen Jahrhunderts wurde jener Satz mit den Schrecken des kaiserlich-römischen Majestätsgesetzes umgeben, wie ein Glaubensartikel vertheidigt, bis ihn Friedrich der Große dem Spotte preisgab. Gegenwärtig kann die Formel „von Gottes Gnaden" keinen andern vernünftigen Sinn mehr haben, als daß sie die juristische Heiligkeit, Unverantwortlichkeit und Unverletzlichkeit der Fürsten bezeichnen soll. Im Jahr 1848 fing man an, diesen Titel abzulegen, hat ihn bald aber wieder hervorgesucht.

Vorbehalt, geistlicher, s. reservatum ecclesiasticum.

Vorkaufsrecht. Das V. beruht ursprünglich auf einem dem Kaufvertrage beigefügten Nebenvertrage, pactum protimiseos, wodurch sich der Verkäufer einer Sache auf den Fall, daß der Käufer dieselbe wieder verkaufen sollte, den Vorkauf vor jedem Andern ausbedingt. Insofern es der Berechtigte geltend machen will, muß er sich zu demselben Gebote und zu denselben Bedingungen verstehen, welche der Dritte angeboten hat. Außer durch Vertrag kann es auch aus einem Testamente entstehen, und in einigen Fällen tritt es gesetzlich ein. Dies sind nach gemeinen Rechten folgende: 1) der Eigenthümer hat das Vorkaufsrecht gegen den vorkaufenden Emphyteuta. Das Verhältniß des Emphyteuta entspricht so ziemlich dem Verhältnisse des Besitzers eines Erbzinsgutes. Im Königreich Sachsen stehet sowohl diesem als dem mit noch beschränkterem Rechte versehenen Erbpachter das Befugniß zu, und zwar Letzterem, das Erbpachtsgrundstück gegen Erhöhung des davon zu entrichtenden jährlichen Canons um den zwanzigsten Theil oder um fünf Procent, und Ersterem, das Erbzinsgrundstück, gegen Erhöhung des jährlichen Erbzinses um drei Procent, in freies Eigenthum zu verwandeln, wodurch das fragliche V. in Wegfall kommt; 2) beim Concurse haben die licitirenden (bietenden) Gläubiger vor andern Licitanten, welche nicht Gläubiger sind, und zwar unter mehreren Gläubigern derjenige, welcher die stärkste Forderung hat, ingleichen der erste Licitant vor den folgenden, und, nächst den Gläubigern, die Verwandten des Gemeinschuldners vor Fremden den Vorkauf. In Sachsen findet dies nicht statt, indem demjenigen Licitanten, dessen Gebot bei dreimaligem Ausruf nicht überstiegen worden, das Gut zugeschlagen wird; 3) der Staats-Fiscus hat den Vorkauf der Metalle aus den Bergwerken der Privaten. Dieses Vorkaufsrecht ist in Sachsen in Bezug auf die saigerwürdigen Kupfer, ingleichen die Blei- und Silbererze dahin ausgedehnt, daß diese, insofern sie die Gewerken nicht selbst ausschmelzen, dem Erzkaufe unterworfen sind, vermöge dessen sie dem Staats-Fiscus für einen festgesetzten Preis, die Erztaxe, noch überlassen werden müssen. Die bei Güterzertheilungen (Dismembrationen) in Sachsen den Betheiligten früher auferlegte Verpflichtung, dem Vertrage die Clausel beizufügen, daß dem Hauptgutsbesitzer der Vorkauf am Trennstücke zustehen solle, ist durch das Hypothekengesetz beseitigt worden. Dagegen bleiben die älteren, aus der früheren Gesetzgebung herrührenden V. in Kraft. Das V. ist übrigens, abgesehen von den Verhältnissen unter 1) ein rein persönliches Recht und kann nur gegen den, der es versprochen, und seine Erben, nicht aber gegen den Nachbesitzer des Grundstücks geltend gemacht werden, dergestalt, daß, wenn der Nachbesitzer das Eigenthumsrecht durch Eintrag ins

Hypothekenbuch erworben hat, der Vorkaufsberechtigte nicht weiter auf Ueberlassung des Grundstücks, sondern nur auf Entschädigung wegen des ihm verloren gegangenen Rechts klagen kann. Soll das V. ein dingliches Recht werden, so muß eine ausdrückliche Hypothek dafür bestellt und diese im Hypothekenbuche eingetragen werden.

D. L.

Vorhallen s. Propyläen.

Vorladung, Citation, s. Anklageproceß.

Vormundschaft wird die Jemandem mit obrigkeitlicher Bestätigung übertragene Aufsicht über das Vermögen und die rechtlichen Handlungen einer Person, die gesetzlich unmündig ist (s. Mündigkeit) genannt. Die Aufsicht über die Vormünder führen die Civilgerichte, oder die in einigen Ländern besonders errichteten Vormundschaftsgerichte. Die Wahn- und blödsinnigen Personen gesetzten Vormünder heißen Zustandsvormünder; wird einem Abwesenden ein Vormund gesetzt, so ist dies eine Abwesenheitsvormundschaft.

Vorstellung heißt in der Rechtssprache eine Eingabe an richterliche Behörden, in welcher man irgend eine Erklärung abgiebt oder irgend ein Gesuch anbringt.

Vortrab s. Avantgarde..

Votum heißt eigentlich ein Gelübde, dann aber hat es auch die Bedeutung von Stimme oder Abstimmung; votiren heißt daher, seine Stimme bei einer Berathung abgeben. In staatswissenschaftlicher Hinsicht ist die Abstimmung, das Votiren, namentlich bei landständischen Versammlungen von großer Bedeutung. Man sehe das Weitere darüber in „Abstimmung."

Vulgata wird die lateinische Bibelübersetzung genannt, welche in der römisch-katholischen Kirche das Ansehen des Urtertes hat. Durch den Beschluß des Concils zu Trient am __ Mai 1546 wurde die V. als die einzig beglaubigte Uebersetzung der Bibel erklärt.

W.

Waarenversicherung s. Versicherungswesen.

Wache oder **Wacht** wird eine Anzahl Soldaten genannt, welche Schildwachen oder Posten ausstellen. Im Frieden dienen die Wachen zur Sicherstellung gewisser Vorräthe, als Ehrenwachen bei hohen Personen.

Wachtmeister, Name einer militärischen Stelle, so viel als Feldwebel (s. d.).

Wachtschiff wird das Schiff genannt, welches vor oder neben einer Flotte, die vor Anker liegt, in der See kreuzt, um Alles zu beobachten, und im nöthigen Falle Signale zu geben.

Waffen heißen alle Gegenstände, deren man sich zum Angriff oder zur Vertheidigung bedient. Die ersteren heißen Trutz-, die andern Schutzwaffen. Manche W. werden aber oft so zum Angriff, als wie zur Vertheidigung gebraucht. Zu den Trutzwaffen rechnet man das Geschütz, die Handwaffen, Handfeuerwaffen und blanke W. Die Schutzwaffen umfassen zunächst alle Theile der Rüstung des Mannes, so wie des Pferdes.

Waffen- und **Wehrhoheit.** Die kriegerische Vertheidigung des Staates gegen feindliche auswärtige Gewalt, so wie gegen eine Gewaltthätigkeit, ist eine Pflicht, also auch ein Hoheitsrecht der Regierung. Diese Waffenhoheit, Waffengewalt, besteht zunächst in dem Recht, eine stehende bewaffnete Macht und Festungen zu unterhalten. Im deutschen Bund ist dieses Recht im 11. Art. als ein selbstständiges Recht eines jeden Bundesstaates anerkannt worden.

Waffen- und **Wehrpflicht** und Recht s. **Heer** und **Militär.**

Waffenplatz wird jeder befestigte Ort genannt, der zur Sammlung zerstreuter Truppen und zu ihrer Versorgung mit Waffen, Munition und andern Kriegsbedürfnissen dient. Noch heißt so der Theil einer Festung, in welchem sich die zur Vertheidigung bestimmten Truppen sammeln.

Waffenstillstand ist der Vertrag zwischen kriegführenden Theilen, in Folge dessen die Feindseligkeiten von einer bestimmten Zeit an bis zu einer bestimmten Zeit, oder bis zur Aufkündigung eingestellt werden. Nach Abschluß des W. vereinigen sich die beiderseitigen Heerführer über ihre Stellungen, welche durch eine Demarcationslinie (s. d.) getrennt werden. Ein Bruch des W. gilt als Verletzung des Völkerrechts.

Wagenburg nennt man eine Anzahl Fuhrwerke, welche zur Beschützung eines freigelassenen Raumes zusammengefahren und unter sich durch Ketten verbunden werden. Sie hat Aehnlichkeit mit den in neuerer Zeit in Aufnahme gekommenen Barricaden (s. d.) und diente früher namentlich zum Schutz gegen die Reiterei.

Wahabiten, Wahabi, Wechabiten s. **Mohamed.**

Wahl, Wahlgesetz, Wahlrecht. Die Art und Weise, wie in einem Staate die Vertreter des Volkes oder der Gemeinden gewählt werden, ist für das Volk von der größten Wichtigkeit. Man hat unmittelbare, directe Wahlen, und mittelbare, indirecte zu unterscheiden. Wo directe Wahlen eingeführt sind, wählt das Volk in der That selbst seine Vertreter, wo aber indirecte Wahlen bestehen, d. h. wo erst Wahlmänner gewählt werden, welche erst den Volksvertreter wählen, da ist die Wahlfreiheit nur Schein, besonders wenn das Wahlgesetz noch wie gewöhnlich, eine Menge Beschränkungen enthält. Ueber diese Beschränkungen enthält das Weitere der Artikel „Census."

Wahlcapitulation, Kaiserwahl, Kurfürstenwahl. Die germanischen oder deutschen Völker hatten in den frühesten Zeiten den Grundsatz, daß die **Volksgemeinde** als die alleinige Quelle aller öffentlichen Gewalt und alles öffentlichen Rechts betrachtet werden müsse, zur vollsten Geltung gebracht. Die Gemeinde urtheilte als Richter über Anklagen, erließ als Richter gemein verbindende Vorschriften, verlieh Bestellungen zu den Aemtern. Diese Ernennungen geschahen durch **Wahl** der Volksgemeinde, wobei man jedoch an die jetzt üblichen Wahlen nicht denken darf. Die Beschlüsse der Volksversammlungen beruhten auf Einhelligkeit der Stimmen, die sich bei den Wahlen dadurch kund gab, daß ein bekannter, in der Gemeinde geachteter Mann zu dem Amte in Vorschlag gebracht und dieser Vorschlag mit allgemeinem Beifall aufgenommen wurde. Der Drang der Umstände zur Zeit des Krieges rief vor Allen den Tüchtigsten und Erfahrensten an die Spitze des Heerbanns; wer zu dieser Stelle gelangt war, der konnte sich nicht nur im Vertrauen des Volks befestigen, sondern auch bewirken, daß das Amt einem seiner Nachkommen übertragen wurde, die sich unter seiner Leitung dazu vorbereiten konnten. Die von einer Reihe trefflicher Vorfahren bekleideten Aemter und Würden verbreiteten sodann über ganze Familien einen Glanz, der die Mitglieder derselben vor allen andern in den Augen des Volks als befähigt zu diesen Aemtern erscheinen ließ. Doch ging dieses nicht in Verblendung gegen ausgeartete Kinder oder Enkel über. — Nach der Theilung des großen Frankenreiches durch den Vertrag von Verdun 843 traten die deutschen Völker zuerst in einem besonderen Reiche vereinigt in der Geschichte auf. Ludwig der deutsche, ein Nachkomme Karl des Großen, ward ihr König. Die Herzöge verdankten der Wahl oder wenigstens der

Beiſtimmung des Volkes ihre Würde; eben ſo achteten ſie nie bei der Wahl eines
deutſchen Königs auf dieſe Volksſtimme, welche Wahl urſprünglich unter freiem Himmel zu geſchehen pflegte, wobei die verſammelten Völker dem, was ihr Führer in
Uebereinſtimmung mit ihren Wünſchen beſchloſſen hatte, Beifall zuriefen. In Folge
der Unterwerfung der deutſchen Völker unter die fränkiſche Herrſchaft waren die deutſchen Herzöge zu den fränkiſchen Königen in ein Lehnsverhältniß gekommen, und es
gingen nun verſchiedene Aemter an ſie über. Sie mußten nun eine Regierungsgewalt
in ihren Herzogthümern geltend zu machen, ſo wie nach und nach ein Mitregierungs-
recht in Reichsangelegenheiten ſich anzueignen. Bald wurden ſie bei wichtigen Angelegenheiten zu Rathe gezogen und Beſchlüſſe nur mit ihrer Zuſtimmung verfaßt.
Eben ſo waren ſie es auch, welche vorzugsweiſe den König wählten. Auf dieſe Weiſe
entwickelte ſich das Kurfürſtenthum. Die geiſtlichen Kurfürſten kamen zu den weltlichen, weil der König außer der Wahl der Großen und des Beifalls des Volks noch
den — Segen der Kirche bedurfte. Nachdem nun die Reichsvaſallen immer mehr
Macht erlangt hatten, erwarben ſie auch das Recht der Stimmführung in allen öffentlichen Angelegenheiten als ein ausſchließendes Vorrecht. Es erſtreckte ſich namentlich auch auf die Königswahlen, wobei jedoch Anfangs nur eine geringe Zahl von
Reichsvaſallen den zu Wählenden in Vorſchlag brachte, oder eine Vorwahl ausübte. Dieſe Vorwahl geſchah durch die Angeſehenſten; nach vollbrachter Wahl übten
ſie gegen den Gewählten beim öffentlichen feierlichen Mahle die perſönlichen Obliegenheiten von Dienſtmannen aus, als Zeichen der Unterwerfung der verſchiedenen Völ-
kerſchaften. So entſtanden ſpäter die Aemter eines Truchſeß (ſ. d.), Kämmerer ꝛc.
Nach und nach entſtand nun aus dieſer Vorwahl ein ausſchließendes Wahlrecht einer
geringen Zahl von Reichsſtänden, wozu das Beiſpiel bei der Wahl des Papſtes aufforderte. So wurde denn im Jahre 1208 auf einem Reichstage zu Frankfurt am
Main beſchloſſen, daß, wie die Wahl des Papſtes durch ſieben Cardinäle, ſo auch
die des Königs durch ſieben Erzfürſten geſchehen müſſe, unter denen drei geiſtliche
und vier weltliche ſein ſollten, indem dieſe Zahlen (ſieben, drei, vier) ſchon in der
heiligen Schrift als heilige Zahlen vorkämen. Außer den rheiniſchen Erzbiſchöfen
wurden nun als Erzfürſten anerkannt der Pfalzgraf bei Rhein; der Herzog
von Sachſen; der Herzog von Böhmen, der Markgraf von Brandenburg.
Dieſe Erzfürſten durften aber nur dann bei der Wahl eines deutſchen Königs eine
Stimme führen, wenn ſie von Geburt und nach ihrer Abſtammung Deutſche waren.
Die Wahl mußte auf fränkiſcher Erde geſchehen, daher Aachen, die alte Hauptſtadt des Reichs, Worms, Mainz, Frankfurt es waren, wo die Fürſten und Völker-
ſchaften zur Wahl eines Königs zuſammenkamen. Durch Gewohnheit ward ſpäter
Frankfurt zur Wahlſtadt erhoben, während in Aachen die Krönung vorgenommen
ward. Die Wahl geſchah übrigens nicht im Innern der Stadt, ſondern im Freien,
weil ſie als Sache der Nation betrachtet wurde. Jene zur Wahl berufenen Fürſten
führten Anfangs keinen gemeinſamen Namen, ſondern jeder nannte ſich nach dem
Amte, womit er beliehen war; wie Herzog, Markgraf ꝛc., oder nach dem Dienſtver-
hältniſſe, in dem er zum König ſtand, als: Erzkanzler, Erztruchſeß ꝛc. Erſt nachdem dieſe Fürſten beſchloſſen hatten, das Recht den König zu wählen, zu behaupten,
ſchufen ſie für ſich den Namen Wahl- oder Kurfürſten und ſetzten denſelben als
den ausgezeichnetſten ihren übrigen vor. Nur der König von Böhmen achtete ſeinen
Königstitel höher. — Von nun an ging das Streben der Kurfürſten dahin, ihre Stellung
als höhere ariſtokratiſche Körperſchaft den übrigen Reichsſtänden gegenüber zu befeſtigen
und ihr Anſehen zu vermehren. Anfangs ſtanden dieſen die Parteiungen in ihrer
eigenen Mitte entgegen; ſie ſuchten dieſe aber zu beſeitigen, indem ſie 1338 zu Renſe den
erſten Kurverein ſchloſſen, wobei ſie feſtſetzten, daß von nun an bei der Königswahl die Mehrheit der Stimmen entſcheiden ſolle. Am meiſten wurden die Verhältniſſe der Kurfürſten durch das Reichsgeſetz, die goldene Bulle, von 1356, geregelt.

Eine der wichtigsten Bestimmungen war, daß die kurfürstlichen Würden und Wahl-
stimmen mit den Ländern für unzertrennlich verbunden wurden, worauf sie ruhten,
und diese Länder für untheilbar erklärt wurden. Der Umfang der Kurländer wurde
nach dem Besitzstande zur Zeit der goldenen Bulle (s. d.) festgesetzt. Die weltlichen
Kuren sollten auf die Nachkommen ihrer Inhaber nach Erstgeburtsrecht forterben. Die durch Aussterben erledigten Kuren sollten dem Kaiser zur Wiederbesetzung
heimfallen, mit Ausnahme Böhmens, dessen Stände das Recht der Königswahl hatten. Die veränderten Zeitverhältnisse ließen es bald unthunlich erscheinen, daß die
Kurfürsten noch persönlich jene Hofdienste verrichteten. Der Kaiser umgab sich daher
mit andern Dienern, die entweder zum adeligen Stande gehörten oder dazu erhoben
wurden, worin der Anlaß zu dem Briefadel zu suchen ist. Diese und andere Verhältnisse wurden mit der Zeit Ursachen einer besonderen Beschränkung in der Wahl der
Kurfürsten. Früher konnten diese aus dem Stande der Fürsten und Grafen des
Reichs wählen, wen sie wollten; der Gewählte überließ sein bisheriges Reichsland sei-
nen Stammverwandten, da ihm zur Unterhaltung in seiner neuen Würde die zum
Reiche gehörigen Kammergüter und Einkünfte zu Theil wurden. Da aber die Kaiserkrone und das damit verbundene Einkommen nicht bei der Familie des jeweiligen
Inhabers blieben, so wurden die meisten Kaiser gleichgiltig gegen die Interessen ihrer
Nachfolger und suchten die in ihre Hände gelegten Mittel zur Erreichung ihrer Nachkommen, so wie zur Verminderung der kaiserlichen Macht und zur Vergrößerung der
Hausmacht zu benutzen. Auf diese Weise wurden nach und nach die meisten Kammergüter und nutzbaren Gerechtsame des Thrones zur Vermehrung des Familienerbes
der Kaiser verwendet, und der zuletzt noch bleibende Rest von Reichseinkünften konnte
zur Unterhaltung des Thrones um so weniger genügen, als der Aufwand sich steigerte. Sollte daher das kaiserliche Ansehen nicht ganz sinken oder lediglich von der
Freigebigkeit der Reichsstände abhängen, so mußte vorher nur ein solcher Kaiser gewählt werden, der eine bedeutende Hausmacht besaß. Diesen Forderungen entsprach
unter den Reichsfürsten am meisten der Erzherzog von Oesterreich, welcher zu einer
so ausgedehnten Macht gelangt war, daß er unter den ersten europäischen Fürsten
glänzte. Daher fiel nun von Kaiser Karl IV. (1346—78) an die Wahl der Kurfürsten beständig auf die Erzherzöge von Oesterreich. Die Kurfürsten waren aber von
jetzt an darauf bedacht, ihre aristokratischen Vorrechte gegen die Eingriffe der Kaiser
aus dem Hause Oesterreich zu sichern. Sie stellten daher die Einrichtungen des Reichs,
wie sie sich allmälig gebildet hatten, urkundlich zusammen und machten dem zu wählenden Kaiser die eidliche Zusicherung der Aufrechterhaltung und Beobachtung derselben
als Bedingung zur Wahl (Wahlcapitulation). Zuerst geschah dies bei Karl V.
(1519). Diese Wahlcapitulationen kamen nun bei allen Kaiserwahlen vor, wobei
die Kurfürsten sich manche Abänderungen zu ihren Gunsten erlaubten. Die übrigen
Reichsstände erhoben dagegen Einsprache und verlangten die Abfassung einer beständigen Wahlcapitulation, welche bei allen Kaiserwahlen als unabänderliche Richtschnur
dienen sollte. Die Kurfürsten wußten aber diesem Verlangen auszuweichen und es
erhielt die neue feste Wahlcapitulation Bestand. Die Reichsstände erinnerten wiederholt beim Abschluß des westphälischen Friedens an diese Angelegenheit; sie wurde auf
den nächsten Reichstag verschoben; sie kam aber erst 1664 in Berathung und 1711
zur Entscheidung. Im westphälischen Frieden war zu Gunsten der wieder eingesetzten
Pfalzgrafen die achte Kur geschaffen worden; 1692 stiftete Kaiser Leopold I. zu Gunsten der Nachkommen Heinrichs des Löwen, der Herzöge von Braunschweig-Hannover
die neunte. Die Erlöschung des Hauses Baiern, 1777, und die dadurch bewirkte
Vereinigung mit der Pfalz brachte jedoch die Zahl der Kurwürden wieder auf acht
zurück. Der Friede zu Lüneville, 1801, durch welchen das linke Rheinufer, mithin
der größte Theil der Kuren, Mainz, Trier, Köln an Frankreich kam, hatte zur Folge,
daß die geistlichen Kuren von Trier und Köln gänzlich verschwanden. An ihre Stelle

kamen vier neue weltliche: 1) das bisherige Erzbisthum Salzburg; 2) die Markgrafschaft Baden; 3) das Herzogthum Würtemberg; 4) die Landgrafschaft Hessen Kassel. Durch den Rheinbund (s. d.) gelangten die angeseheneren Reichsstände zur Souverainetät und mit der Auflösung des Reichs erlosch auch die Kurwürde. Diese geschichtliche Entwickelung der Kurherrschaft ist noch für unsere gegenwärtigen Zustände von Wichtigkeit.   W.

Wahlkindschaft s. Annahme an Kindesstatt.

Wahlreich wird ein Reich genannt, wo die Herrschaft dem Staatsoberhaupt nur für seine Person, nicht aber für seine Nachkommen von dem Volke oder deren Vertretern durch freie Wahl übertragen wird. Das deutsche Reich war bekanntlich ein W. Demselben steht das Erbreich entgegen.

Wahlspruch s. Symbol.

Wahlstatt, Wahlplatz (von dem alten deutschen Worte Wal, Gefecht, Leiche), nennt man einen Ort, wo ein Gefecht oder Kampf stattgefunden hat.

Wahrheit. In mehrfacher Beziehung hat das Wort Wahrheit auch im Staatsleben eine hohe Bedeutung erlangt. „Die Verfassung soll eine Wahrheit werden," d. h. sie soll in allen Stücken unverbrüchlich gehalten und in Wahrheit Norm für die Regierung sein — war die Verheißung, mit welcher Ludwig Philipp den französischen Thron bestieg, und die er so wenig hielt, daß seine Regierung vielmehr das Muster des Scheinconstitutionalismus und hinterher deshalb gestürzt wurde. „Die Verfassungen müssen zur Wahrheit werden" — war das Losungswort der Liberalen vor dem März, wenn die Ausführung wichtiger Bestimmungen derselben durch Bundestagsbeschlüsse, die Karlsbader Beschlüsse, Wiener Conferenzbeschlüsse oder andere Ausnahmegesetze verhindert oder verboten, statt der verfassungsmäßigen Preßfreiheit z. B. die Censur fortgeführt oder das landständische Steuerbewilligungsrecht beschränkt wurde. Und noch heute ist es Grundsatz der demokratischen Partei, daß, wenn die Volksvertretung und das Verfassungswesen eine Wahrheit sein soll, nicht eine Minderheit des Volkes, sondern das ganze Volk vertreten, nicht der Wille einer Minderheit, sondern der Wille der Mehrheit zum Ausdruck gebracht werden müsse; denn nur der Wille der Mehrheit sei der wahre Volkswille, dieser aber gehe nur aus dem allgemeinen Stimmrecht hervor. Es versteht sich von selbst, daß das Repräsentativsystem geradezu verfälscht und zur Lüge gemacht wird, wenn eine Regierung durch Drohungen, Versprechungen, Belohnungen und Bestechungen auf die Wahlen Einfluß zu üben oder Volksvertreter zu sich herüber zu ziehen; oder auch durch erdichtete Verschwörungen, vorgespiegelte Gefahren für die Ruhe und Sicherheit des Staates, in Aussicht gestellten Krieg und dergl. die Freiheitsrechte des Volkes (Preße, Vereins- und Versammlungsrecht, persönliche Freiheit) zu beschränken, Ausnahmegerichte niederzusetzen, Geld oder Credit zur Vermehrung des Heeres, zur Befestigung der Hauptstadt 2c. zu erhalten sucht, wie dies namentlich der Regierung Ludwig Philipps vielfach zum Vorwurf gemacht wurde. Als das wichtigste Förderungsmittel der Wahrheit in Staatsdingen wird mit Recht die freie Preße betrachtet, indem durch die freie Discussion, durch die unbehinderte Beleuchtung eines Gegenstandes nach allen Seiten und von den verschiedenen Standpunkten der verschiedenen Parteien aus die Wahrheit (s. Censur, Preße), die wahre Volksmeinung zu Tage kommt. Im Rechtsverfahren ist es die Oeffentlichkeit, in deren Lichte die Schuld oder Unschuld eines Angeklagten am besten und sichersten sich erkennen läßt (s. Geschworne). Die gefährlichsten Feinde der Wahrheit sind die Jesuiten und die Anhänger Macchiavells (s. d.). Wo deren Grundsätze in einem Staate zur Geltung gelangen, da werden Lug und Trug, Rechtsbruch und Rechtsverweigerung in alle Verhältnisse des öffentlichen Lebens einziehen.   Cramer.

Waisenhäuser s. Wohlthätigkeitsanstalten

Waldbrand ist das Brennen des trocknen Mooses, Heidekrautes im Walde, so wie auch das Brennen der Bäume selbst. Die Waldbrände sind in der Regel sehr schwer zu löschen und verursachen oft großen Schaden.

Waldenser, eine Religionsgesellschaft, welche dem Petrus Waldus (Waldo, Vaud), einem reichen Bürger zu Lyon, ihr Dasein verdankt, und bereits gegen das Jahr 1180 gebildet wurde. Die W. waren die ersten Vorläufer der Reformation, hatten daher auch die meisten Verfolgungen zu ertragen, wobei die fromme Kirche sich Grausamkeiten zu Schulden kommen ließ, welche unglaublich scheinen. Der Hauptsitz der W. wurden die Thäler im westlichen Piemont, wo sie jetzt noch sich befinden. Ihre Lehre gründet sich auf das reine Evangelium; ihre Lehrer bilden keinen besonderen Priesterstand, ihre Verfassung ist republikanisch. Dabei empfehlen sie sich durch reine Sitte, Fleiß und Betriebsamkeit. Die Verfolgungen gegen die W. dauerten bis in das vorige Jahrhundert fort. Gegenwärtig befinden sich in 17 Gemeinden noch gegen 30,000, doch leben sie immer noch unter großer Bedrückung von Seiten der sardinischen Regierung.

Walhalla war nach der nordischen Götterlehre der Aufenthaltsort der Seelen der in den Schlachten gefallenen Edlen. Die Phantasie hatte diesen Ort mit allem Zauber ausgeschmückt. König Ludwig I. von Baiern errichtete in der neueren Zeit ein Prachtgebäude auf dem Brauberge bei Regensburg, dem er bei seiner Einweihung (18. Oct. 1841) den Namen Walhalla gab. Sie ist bestimmt, die Büsten großer, um das Vaterland in königlich-katholischem Sinne verdienter Deutschen aufzunehmen.

Walide ist einer der Namen von der Gattin des Sultan.

Walzende Grundstücke werden solche Grundstücke genannt, welche nicht unbedingt zu einem Landgut gehören, sondern auch ohne diese einzeln verkauft werden können. Es giebt auch walzende Güter, deren Grundstücke ebenfalls einzeln von den Erben vertheilt oder verkauft werden können.

Wappen werden im Allgemeinen Schilde mit allerlei Figuren verziert, genannt. Die Ausbildung der W. gehört dem Mittelalter an; das Wappenwesen selbst steht mit dem Lehnwesen in enger Verbindung. Das Recht, ein Wappen zu führen, wurde ursprünglich einzelnen Personen ertheilt, welche dadurch besondere Rechte erwarben; später erbte es fort und ging auf das Besitzthum über. So entstanden die Landes- und Geschlechtswappen. In den Kreuzzügen und Turnieren wurde das Wappenwesen besonders ausgebildet. Das Wappen bezeichnete den, welcher es führte, als Inhaber gewisser Rechte und eines gewissen Besitzes. Die ältesten W. wurden entweder von den dazu Berechtigten willkürlich angenommen, oder durch Verleihung ertheilt. Diese W. sind noch sehr einfach. Mit dem Gebrauch der W. war der Begriff bürgerlicher Ehre verbunden; der Verlust der letzteren hatte auch den Verlust der ersteren nach sich. Man hat Personen-, Familien-, Geschlechts-, Gesellschafts- und Landeswappen. Jedes W. besteht aus Haupt- und Nebenstücken; zu den ersteren gehört der Schild mit Figuren; letztere sind Unterscheidungsstücke, Helm, Krone, Mantel ec.

Wappenherold. Bei den Ritterspielen mußte es Kunstverständige geben, welche Kenntniß der Wappen, so wie der Regeln und Gesetze der Kampfspiele besaßen; sie hießen Wappenherolde, oder auch nur Herolde. Sie bildeten einen besonderen Stand und mußten die Heroldskunst oder Adelswissenschaft erlernt haben. Sie zerfielen in Wappenkönige, Herolde und Persevanten (poursuivants); welche letztere gleichsam Lehrlinge waren.

Wappenkunde (Heraldik) ist die Wissenschaft von den Wappen. Die Wappenkunde ist eigentlich von der Heraldik verschieden, indem sich die letztere auch mit der Kunst, die Wappen zu bilden, beschäftigte, die erstere daher nur als ein Theil derselben erscheint. Gegenwärtig ist sie eine der historischen Hülfswissenschaften, welche besonders bei Successionsfragen Dienste leistet und mit der Siegelkunde (s. d.) oder Sphragistik in Verbindung steht.

Wardein s. Münzwardein.

Wartburgfest. Die deutsche Bundesacte und die Art und Weise, wie man gewisse fürstliche Verheißungen in derselben erfüllte, hatte nach dem Jahre 1815 in Deutschland nicht geringe Aufregung hervorgerufen. Namentlich regte sich auch auf den Hochschulen oder Universitäten ein lebhaftes politisches Sein und Theilnahme an dem öffentlichen Leben. Viele academische Lehrer, Tausende von Jünglingen hatten an dem „Freiheitskampf" mit Theil genommen. Diese namentlich fanden sich durch so Manches bitter getäuscht. Es bildeten sich geschlossene Vereine (s. Burschenschaft, politische Vereine), in welchen die sogenannten „politischen Umtriebe" (s. d.) vorgekommen sein sollen. Man beschloß das Reformationsjubiläum im Jahre 1817 festlich zu begehen. Die Studenten aller deutschen Universitäten zogen zu dieser Feier nach der Wartburg; gefeierte Universitätslehrer, Fries, Oken und Andere, nahmen Theil an der großartigen Feier, welche durch den hochherzigen Großherzog von Weimar wesentlich gefördert worden war. Da geschah es, daß am Schluß der Feier, am 18. Oct. 1817, ohne Wissen und Willen des Festausschusses, verschiedene Schriften, deren Verfasser man für Volksfeinde erklärte, öffentlich verbrannt wurden, welche bald in ganz Deutschland ein unverdientes Aufsehen erregte und die Regierungen zu ganz unverhältnißmäßigen Einschreitungen veranlaßte. Die Rückschrittspartei beutete diese Vorfälle, so wie später die blutige That Ludwig Sands, in ihrer gewöhnlichen Weise aus. Die nächste Folge davon war die polizeiliche Ueberwachung der Universitäten, Untersuchungen und das Verbot „geheimer Verbindungen."

Warte ist ein erhabener Ort, von dem man die Umgegend überschauen kann. Im Mittelalter nennt man Wachtthürme so, von welchen man Reisende entdecken wollte, welche die adeligen Raubritter plünderten. Auf diesen Warten, Schauthürmen, Hochwachten, hielt der Burgwart die Wache. Gegenwärtig befindet sich das alte Wort noch in der Zusammensetzung in dem Worte Sternwarte.

Wasserleitung, Aquäduct, ist ein Bau, durch welchen das Wasser von einem Orte zum andern geleitet wird. Schon bei den Aegyptern und Juden fanden sich W. Die größten aber haben die Römer aufgeführt, indem sie das Wasser mit beispiellosen Kosten oft 30—40 Meilen weit leiteten. Noch die Trümmer dieser W. erregen Bewunderung und Staunen.

Wasserprobe s. Ordalien.

Wasserregal heißt das Recht des Staates, die im Lande befindlichen Gewässer, fließende und stehende, für den Staatsfiscus zu benutzen, so daß von dem Gebrauche derselben ein Wasserzins abgegeben werden muß. Das W. bezieht sich namentlich auf den Gebrauch des Wassers als bewegende Kraft, bei Anlegung von Mühlen ꝛc., auf Schiffrecht, Holzflößen, auf Brücken, Fähren, auf Grund und Boden, das Flußbett, die Inseln und die Ufer, und endlich auf die Fischerei, oder was sonst im Wasser gewonnen wird, z. B. Perlen.

Wasserweihe ist ein hohes Fest, welches die griechische Kirche am 6. Januar zum Andenken an die Taufe Jesu feiert.

Waterländer s. Taufgesinnte.

Wechabiten s. Mohamed.

Wechsel, Wechselrecht, Wechselordnung. Ueber den Ursprung des Wechselgeschäftes sind unsere Gelehrten sehr verschiedener Meinung; die Einen — unter ihnen Ayrer — bemühen sich ausführlich darzuthun, daß die Ehre dieser Erfindung den Römern zukomme, Andere schreiben die Einführung des Wechselgeschäfts den aus Frankreich durch König Dagobert, Philipp August und Philipp dem Langen vertriebenen Juden zu, Andere den aus Italien vertriebenen Gibellinen oder deren Gegnern, den Guelfen; einer, Sigismund Scaccia, glaubte, um den wahren Ursprung des Wechselgeschäftes aufzufinden, bis zur Erschaffung der Welt zurückgehen zu müssen, Andere endlich — Püttmann, Heineccius, Danz und Moshamm — behaupten, daß die ersten Keime des heutigen Wechselgeschäftes bei den Italienern und zwar insbesondere bei den venetianischen und lombardischen Kaufleuten aufzusuchen seien. — Dieser letzteren Ansicht stimmen auch wir bei und es liefert einen fast untrüglichen Beweis für die Richtigkeit dieser Ansicht, die beim Wechselwesen noch heut zu Tage übliche italienische Terminologie. „Indossamento, cambio d'abuono a buono, tratta, adaso, scontro, giro, disconto etc. Mit dieser Ansicht wollen wir etwa nicht behaupten, als ob die Venetianer und Lombarden schon Wechselgesetze gehabt hätten, sondern es bildete sich aus der Uebereinstimmung der Wechselcontracte und der Gleichförmigkeit der Entscheidungen nach und nach ein feststehender Gebrauch — ein Gewohnheitsrecht. Der älteste und bekannteste Wechselbrief ist vom 9. Mai 1325. Von Italien aus verbreitete sich der Wechselhandel über die anderen Theile Europa's und fand besonders in Deutschland eine günstige Aufnahme, wo er auch eigentlich seine Ausbildung und Vollkommenheit erhalten hat. Ohne Rechtsschutz, ohne geordnete Rechtspflege kann der Handel nicht blühen, und es ist Pflicht der gesetzgebenden Organe, gerade dem Handels- und Wechselrecht ihre ungetheilte Aufmerksamkeit zuzuwenden, um für Gleichheit des materiellen Rechtes sowohl, als des Processganges in einem möglichst ausgedehnten Länderumfange zu sorgen. Diesem in Deutschland längst anerkannten Bedürfnisse ist durch die neue „Allgemeine deutsche Wechselordnung," welche aus den vom 20. October bis 9. Decebr. 1847 in Leipzig abgehaltenen Wechselconferenzen hervorging, von der Nationalversammlung zu Frankfurt am 24. Novbr. 1848 angenommen und am 26. deff. von dem Reichsverweser als Reichsgesetz eröffnet wurde, insofern abgeholfen worden, als man wenigstens über die hauptsächlichen Bestimmungen ziemlich in ganz Deutschland einig ist. Es hat aber fast jede Regierung durch besondere Einführungsgesetze an einzelnen Bestimmungen gemäkelt und somit ist die angestrebte Gleichheit des materiellen Rechtes immer noch nicht zur Geltung gekommen. Was nun endlich den Begriff des Wechsels anlangt, so nennt man einen Wechsel denjenigen schriftlichen Vertrag, durch welchen sich Jemand verbindlich macht, eine gewisse Summe Geldes zu bestimmter Zeit und an bestimmtem Orte entweder selbst oder durch einen Dritten bei Vermeidung der Wechselstrenge zu bezahlen, und besteht das Charakteristische der Wechselstrenge darin, daß der Wechselschuldner in der Regel für die Erfüllung seiner Verbindlichkeit nicht allein mit seinem Vermögen, sondern vorzugsweise auch mit seiner Person haftet. Weiter in die Bestimmungen des Wechselrechts einzudringen, ist hier nicht am Orte.

Wechselproceß s. Proceß und Wechsel.

Wechselseitige Schuleinrichtung s. Bell-Lancaster'sche Unterrichtsmethode.

Wechselwirthschaft nennt man die Art und Weise der Feldwirthschaft, wobei der ganze Grund und Boden eines Gutes abwechselnd zum Frucht- oder Futterbau benutzt wird. Auch bezeichnet man mit W. die Fruchtwechselwirthschaft im engern Sinne.

Weglosung s. Abschoß.

Wehrgeld nannte man die Abfindungssumme des Todtschlägers, welche derselbe der Familie des Getödteten geben mußte, um diese zu versöhnen. Für den Tod so wie für jede Verletzung mußte nach einem gewissen Tarif W. gegeben werden. Wegen unvorsätzlichen Todtschlages hat sich das W. noch hier und da erhalten. Im Uebrigen tritt jetzt das Strafgesetz ein.

Weichbild wird der zu einer Stadt gehörige Gerichtsbezirk genannt, auch wohl die Stadt selbst mit ihrem Gebiet, in der Regel aber die Stadtflur außerhalb der Ringmauern. Endlich bezeichnet man damit auch das Stadtrecht, welches innerhalb des Stadtgebietes zur Geltung gekommen ist.

Weide- oder Hutungsrecht. Dasselbe ist stets ein Uebel für den Landbau und eine Quelle von Streitigkeiten gewesen. Nach dem Hutungsrechte steht dem Bester des einen Grundstückes frei, auf die Felder des andern seine Heerden treiben. Dieses Recht, was aus früheren Zugeständnissen entstanden ist, wurde sehr drückend, so daß man es im Wege der Ablösung (s. d.) nach und nach in Wegfall zu bringen suchte.

Weihbischof wird in der katholischen Kirche der hohe Geistliche genannt, welcher zwar zum Bischof geweiht ist, aber noch kein Bisthum besitzt, sondern den Titel nach einem ehemaligen, jetzt in der Gewalt der Ungläubigen sich befindlichen Bisthum erhält.

Weihe s. Priesterweihe.

Weissagung, Wahrsagung, Prophezeihung. Von den ältesten Zeiten her finden wir bei den Menschen das Verlangen, einen Blick in die Zukunft zu thun. Von jeher hat es auch Menschen gegeben, welche dieses Verlangen zu ihrem eigenen Vortheil zu benutzen wußten, indem sie die Unwissenheit, den Aberglauben der Menge benutzten, und ihr künftige Dinge voraussagten. Die Weissager, Wahrsager und Propheten, in diesem Sinne, waren zu allen Zeiten mehr oder weniger Betrüger, oder im gelindesten Falle Selbstgetäuschte. Bei den Griechen und Römern spielte das Orakelwesen eine große Rolle (s. Mysterien); bei den Juden hat man unter Propheten nicht immer an Vorherverkündiger der Zukunft zu denken, sondern an begeisterte Volksredner, welche auch dann und wann einen Blick in die Zukunft warfen. Auf eine vernünftige Weise in die Zukunft blicken und darüber ein Urtheil abgeben, was geschehen kann, ist aber nicht weissagen im gewöhnlichen Sinne. So braucht man z. B. eben kein Prophet zu sein, um mit ziemlicher Sicherheit sagen zu können, was in Deutschland etwa geschehen wird.

Weisthum s. Actenversendung.

Welfen s. Gibellinen.

Weltbürgersinn, Kosmopolitismus. Man schreibt demjenigen W. zu, welcher nicht blos dem engeren Vaterlande, sondern dem ganzen menschlichen Geschlechte mit Liebe und Theilnahme angehört; s. Vaterlandsliebe.

Weltgeistliche, Weltpriester, Leutpriester oder Laienpriester, sind diejenigen Geistlichen der katholischen Kirche, welche keinem geistlichen Orden angehören, sondern an Kirchen als Pfarrer rc. angestellt sind. Sie heißen Clerici saeculares, zum Unterschiede von den Ordensgeistlichen, Clerici regulares.

Weltgericht, jüngster Tag s. tausendjähriges Reich.

Welthandel ist überhaupt der Handel mit dem entfernten Auslande, im Gegensatz zu dem Handel mit benachbarten Ländern; s. Handel, Handelsfreiheit.

Weltherrschaft s. Universalstaat.

Werbung wird der Ersatz des Heeres durch Recruten genannt, die man zum Kriegsdienste ankauft. Das Werbesystem steht dem Conscriptionssystem und der Aushebung gegenüber. Gegenwärtig ist es fast allgemein verdrängt; s. Aushebung und Heer.

Werft, Schiffswerfte s. Schiffsbaukunst.

Werkhäuser s. Arbeitshäuser.

Westphälische Domainen. Im Jahre 1810 war man in dem ehemaligen Königreich Westphalen, um der Finanznoth zu steuern, zum Verkauf eines Theils der Staatsdomainen geschritten. Nach der Auflösung des Königreichs erklärten der Churfürst von Hessen und die Ständekammern von Hannover und Braunschweig jenen Verkauf für ungültig und die Domainenkäufer wurden ohne Entschädigung aus ihrem Besitzthume vertrieben. Dieselben führten später Klage bei dem Bundestage, der ihnen 1817 den Weg des Rechtens gestattete, auf dem sie aber nichts ausrichteten. Auch eine wiederholte Berufung an den Bundestag blieb erfolglos, bis dieser 1823 erklärte, daß er sich in dieser Sache nicht für competent halte. Preußen hatte sich mit den Käufern 1827 geeinigt; die übrigen Länder aber haben jede Entschädigung verweigert.

Weſtphäliſcher Friede heißt der im Jahre 1648 zu Münſter und Osnabrück abgeſchloſſene Friede, durch welchen endlich dem dreißigjährigen Blutvergießen und Länderverwüſten ein Ende gemacht wurde. Mit dem W. F. nahm ein neues politiſches Syſtem (ſ. politiſches Gleichgewicht) ſeinen Anfang, was ſich auch bis zur franzöſiſchen Revolution erhielt. Beſonders wichtig waren die Beſtimmungen, welche die Religionsfreiheit betrafen (ſ. Normaljahr); für Einheit des deutſchen Reichs aber, für ſeine Kraft und Würde war dieſer Friede höchſt nachtheilig, welcher zugleich dem Reiche einen Verluſt von 1900 ☐ Meilen zufügte.

Wette iſt ein Vertrag, wodurch zwei oder mehrere etwas Beſtimmtes gegenſeitig verſprechen, wenn eine ungewiſſe Thatſache ſich ereignen oder als wahr oder unwahr ergeben ſollte. Das gemeine römiſche Recht erlaubt die Wette, wenn der Gegenſtand nichts unſittliches enthält. Wenn der eine der Wettenden ſchon von dem wahren Verhältniß der Sache Nachricht hat, ſo iſt die Wette ungiltig. Der Preis für eine verlorne Wette kann nicht eingeklagt, das ſchon Geleiſtete aber auch nicht gerichtlich zurückgefordert werden.

Wetterableiter ſ. Feuerpolizei.

Whigs ſ. Torys.

Widerklage, Reconvention, wird die Klage genannt, welche der Beklagte gegen den Kläger in demſelben Gerichte anſtellt, in welchem die Klage gegen ihn ſelbſt angebracht worden iſt, nach dem Grundſatz, daß ein Jeder, wo er gegen einen Andern Recht ſucht, dieſem auch zu Recht ſtehen müſſe. In einigen Ländern iſt die W. nur auf ſolche Dinge beſchränkt, die mit der Klage in Verbindung ſtehen.

Widerlegung iſt die Zurückweiſung einer Behauptung als einer unbegründeten. Dieſes geſchieht, indem man den Grund des Irrthums in der zu widerlegenden Anſicht aufdeckt und den Schein deſſelben zerſtört. Am beſten führt man die W. durch Thatſachen.

Widerruf ſ. Abbitte.

Widerſetzlichkeit ſ. Nothwehr.

Widerſpruch, Widerſpruch der Geſetze, nennt man ſich entgegengeſetzte Beſtimmungen. Der W. iſt entweder ein unmittelbarer, wenn zwei Vorſtellungen ſich von ſelbſt als unvereinbar aufheben, wie der Begriff eines viereckigen Zirkels, oder mittelbar, wenn die Vermittelung einer dritten Vorſtellung nöthig iſt. In ſtaatswiſſenſchaftlicher Hinſicht erwähnen wir den W., welcher ſich häufig in den poſitiven Geſetzen findet. Es hat dieſes ſeinen Grund in der Entſtehung unſerer Geſetzbücher. Sie ſind meiſt eine Anhäufung allmälig aufgekommener willkürlicher Beſtimmungen, welche das Gepräge der wechſelvollen Zeiten und Umſtände an ſich tragen. Es war nicht zu vermeiden, daß die zu verſchiedenen Zeiten veranſtalteten Sammlungen ſolcher noch Geiſt und Richtung verſchiedener Geſetze den Charakter jener Ungleichartigkeit erhielten, welchen ſie eben an ſich tragen. Dieſer W., Antinomie, iſt ſowohl bei den Rechtsgeſetzen, als bei den politiſchen ein großer Uebelſtand. Er erzeugt jene Unbeſtimmtheit des Rechts, welche die Willkür und den Macchiavellismus (ſ. d.) der Gewalthaber begünſtigt. Die einzige Geſetzgebung ohne Widerſprüche iſt — die Geſetzgebung der Vernunft. Das Vernunftrecht ſollte daher die Richtſchnur für das poſitive ſein.

Widerſtandspartei ſ. Bewegungspartei.

Wiedemuthsleute ſ. Dotalen.

Wiedereinſetzung in den vorigen Stand, Reſtitution (restitutio in integrum), Rehabilitation, iſt aus dem römiſchen Rechte in das gemeine übergegangen und kommt beſonders in Proceſſen vor, wo Friſten und Formen durch Nachläſſigkeit der Sachwalter verſäumt worden ſind. Die Bedingungen der Reſtitution ſind ein nicht unbedeutender Schade, welchen man ohne Schuld erleiden würde, und daß ſie binnen vier Jahren nachgeſucht wird.

Wiedererzeugung, Reproduction, eine Sache in den ursprünglichen Zustand zurückführen; mit reproduciren bezeichnet man auch in der Rechtssprache, einen Gegenbeweis führen, Gegenzeugen aufstellen.

Wiedertäufer s. Taufgesinnte.

Wiedervergeltung s. Vergeltung.

Wiener Congreß. Dieser Congreß der Verbündeten war die einflußreichste politische Versammlung in der neueren Geschichte. Es galt, nachdem Napoleon besiegt war, einer Wiederherstellung des politischen Gebäudes von Europa. Sämmtliche europäische Staaten hatten ihre Abgeordneten nach Wien gesandt, wo die Verhandlungen Ende September 1814 eröffnet wurden. Die Hauptfragen bildeten die Fragen über das Schicksal Sachsens und Polens, oder vielmehr des Großherzogthums Warschau. Schon drohete der Krieg zwischen den Verbündeten selber auszubrechen, als Napoleons Rückkehr nach Frankreich, März 1815, die Verhandlungen zum Abschluß trieb. Es ist bekannt, daß hinsichtlich Deutschland der Congreß seine Thätigkeit mit der Hervorbringung der „Bundesacte‟ beendigte, welche am 10. Juni 1815 unterzeichnet wurde. Die Schlußacte über den Congreß war am 9. Juni unterzeichnet; gegen sie protestirte Spanien und der Papst.

Wiener Friede wird vorzugsweise der am 14. Oct. 1809 zu Schönbrunn zwischen Frankreich und Oesterreich abgeschlossene Friede genannt. Der Krieg war zu Napoleons Gunsten durch die Schlacht bei Wagram beendigt. Oesterreich zahlte 85 Millionen Fr. Contribution und verlor bedeutende Länderstrecken.

Wildbann nennt man die Gerichtsbarkeit des Landesherrn über das Jagdwesen, d. h. das Recht, in allen auf die Jagd bezüglichen Sachen Ordnungen und Gesetze zu erlassen. Der W. gehört zum Jagdregal (s. Jagd).

Wilddiebstahl. Ein eigentlicher Diebstahl beruht auf der Voraussetzung, daß die entwendete Sache sich wirklich im Besitz des Bestohlenen befunden habe. Es kann daher an dem Wilde, so wie an Fischen kein eigentlicher Diebstahl begangen werden, da sie sich in ihrer natürlichen Freiheit befinden. Die Herren der Jagd, welche nicht selten auch in den höchsten Kreisen ihre Liebhaber fand, haben es dahin gebracht, daß gerade der W. sehr hart, sogar mit dem Tode bestraft wurde. Die neuere Gesetzgebung ist etwas milder, bedroht aber die Wilddiebe noch mit dem Zuchthause.

Wildfangsrecht (jus Wildfangiatus) hieß die Befugniß, Fremde, welche sich in der Gegend, wo dieses Recht galt, niederließen, für Leibeigene des Schutz- oder Landesherren zu erklären und als solche zu behandeln. Diese Leibeigenschaft trat in allen Gegenden ein, wo blos Hörige lebten, und von welchen es hieß: die Luft macht eigen. Das Wildfangsrecht galt in mehreren Ländern, und man nannte die auf diese Art gewonnenen Unterthanen Wildfänger, Wildflügel, Bachstelzen, d. h. in der Wilde herumirrende aufgefangene Menschen. Vorzugsweise wurde aber das dem Pfalzgrafen bei Rhein noch in späteren Zeiten des deutschen Reiches zustehende W. verstanden. In neueren Zeiten ist dieses Recht verdrängt worden.

Wild-, Rhein- und Raugrafen, war der Titel mehrerer westdeutscher adeliger Geschlechter, welche eine große Anzahl Burgen und Güter in der Rheinpfalz und Lothringen besaßen. Im Mittelalter vererbten diese verschiedenen Titel zugleich mit den Burgen und Gütern auf einen Stamm. Die Rheingrafen hielten sich zu dem Erzstift Mainz, wo sie bald zu hohen Ehrenstellen gelangten. Gegenwärtig führt den Titel Wild- und Rheingraf nur noch die Grumbachsche Linie des Hauses Salm, die 1817 von dem König von Preußen unter dem Namen Salm-Horstmar in den Fürstenstand erhoben ward.

Wildschaden. Die übermäßige Hegung des Wildes war früher eine der größten Beschwerden des Landmannes. Dem Vergnügen der Jagd wurde jährlich ein großer Theil der Ernten geopfert und die Menschen in Folge der Hörigkeit und Lehnsverpflichtungen dabei nicht selten ärger gehetzt als das Wild. Die Nachwelt wird die

Barbareien kaum glauben, welche mit dem Jagdwesen noch vor kurzer Zeit verbunden waren. Es wurde daher schon früh eine Ordnung des Wildschadenersatzes eingeführt. Kaiser Joseph II. erließ am 28. Febr. 1781 ein Jagdgesetz, in dem, wie es heißt: „Alles zusammengefaßt ist, was auf der einen Seite den Jagdeigenthümern den billigen Genuß ihres Rechtes zu erhalten, auf der andern aber dem allgemeinen Feldbau die Früchte seines Fleißes gegen die unzeitige Jagdlust sicher zu stellen fähig sein kann.“ Dieses Gesetz könnte heute noch manchen Gesetzgebern als Muster vorleuchten. Aehnliche Gesetze sind nun auch in der neueren Zeit erlassen worden; auch haben sich die Verhältnisse durch die Aufhebung der Jagdberechtigung wesentlich geändert; s. Jagd.

Willenlosigkeit, Abulie, heißt derjenige Zustand der Menschen, in welchem er die Kraft zur Selbstbestimmung verloren hat, und dem Willen Anderer maschinenmäßig gehorcht. Die W. ist eine Folge krankhafter Zustände, besonders des Gehirns.

Willkür heißt im Allgemeinen Dasjenige, was aus dem menschlichen Willen hervorgeht; eine Entscheidung, welche weder das Gesetz, noch die Vernunft, sondern der bloße Wille hervorgerufen hat. Am gefährlichsten ist die richterliche W., welche da Platz greift, wo die Gesetze keine bestimmte Strafe aussprechen, oder das Strafmaaß in das richterliche Ermessen,“ d. h. in die W. der Richter, stellen. Der gewissenhafte Richter wird natürlich bei solchen Entscheidungen, die in seine Hand gegeben sind, der Stimme des Gewissens und der Pflicht folgen. Leider aber giebt es nicht lauter gewissenhafte Richter, und dann wird der W. Thor und Thür geöffnet.

Windbruch nennt man die durch heftige Stürme in den Waldungen entwurzelten und abgebrochenen Bäume. Kann das umgeworfene Holz bald verkauft werden, so ist der Schaden unbedeutend und wird durch neue Anpflanzungen ersetzt; ist dieß aber nicht der Fall, so ist der Schaden oft sehr groß, den ein Windbruch anrichten kann.

Windrose, Schiffsrose, heißt die an dem Schiffscompaß angebrachte, den Horizont vorstellende Scheibe, welche durch 32 von dem Mittelpunkte nach der Umkreisung gezogene, gleichweit von einander abstehende Linien, die Lage der Himmelsgegenden anschaulich macht. Diese Scheibe stellt 16 Himmelsgegenden dar, welche noch mehrfach getheilt werden können.

Winne, Sterbelehn, s. Lehn.

Wipper und **Kipper** wurden im 17. Jahrhunderte die Münzherren (s. Münzwesen) genannt, welche das gute Geld einschmolzen und geringeres daraus prägten; auch wurden die Wechsler so genannt, welche das Geld beschnitten. Namentlich war Deutschland zur Zeit des dreißigjährigen Kriegs mit solchen schlechten Münzsorten überschwemmt.

Wirthschaftssysteme enthalten die Eintheilung der Ländereien in Bezug auf die Ordnung und das Verhältniß, in welchem sie gedüngt, mit verschiedenen Früchten bestellt und überhaupt benutzt werden sollen. Die Fruchtfolge ist von dem W. verschieden, diese lehrt nur, in welcher Ordnung die landwirthschaftlichen Gewächse nach einander gebaut werden sollen. Der Hauptunterschied der W. liegt darin, ob der Dünger ausschließend auf Wiesen und Weiden oder auf dem Acker selbst durch den Wechsel mit den Früchten erzielt werden soll; ob das Vieh geweidet oder im Stall gefüttert wird. Hieraus sind die verschiedenen Systeme entstanden, als Dreifelderwirthschaft, Fruchtwechselwirthschaft, Wechselwirthschaft.

Wissenschaft heißt das Wissen selbst, dann der Inbegriff dessen, was man weiß. Die Wissenschaften sind die verschiedenen Theile des allgemeinen Gesammtwissens. In staatswissenschaftlicher Hinsicht ist hier nur darauf hinzuweisen, daß das Wissen im Leben das ist, was Licht und Wärme in der Natur. Die Veredlung des menschlichen Gesellschaft schreitet nur in der Maaße fort, in welcher das Wissen Gemeingut wird. In Deutschland hat man erst den Anfang dazu gemacht; das Wissen ist immer noch faſt ausſchließliches Eigenthum der gelehrten Kaſten, obſchon nicht zu leugnen iſt, daß in der neueren Zeit viel geſchehen iſt, um auch das Volk an den Schätzen und Ge= nüſſen der Wiſſenſchaften Theil nehmen zu laſſen. Dieſes iſt nun freilich manchen Regierungsſyſtem nicht recht: dieſe möchten lieber jene mittelalterliche Nacht heraufbe= ſchwören, in welcher ſich Pfaffenthum und Raubritterſchaft ſo wohl befanden; ſiehe Bildung.

Wittenberger Capitulation wird der Vertrag genannt, welchen Kurfürſt Joh. Friedrich von Sachſen nach der für ihn ſo unglücklichen Schlacht bei Mühlberg, 1547, mit Kaiſer Karl V. abſchloß, wodurch die Kurwürde an Herzog Moritz von Sachſen kam.

Witthum, Wittwenſitz, heißt der Theil der Güter des Mannes, welcher nach ſeinem Tode der Wittwe zufällt. Bei den germaniſchen Völkern war es Sitte, daß der Frau ſogleich bei der Verheirathung ein Theil der Güter des Mannes, ein Drit= tel und auch ein Viertel, zum lebenslänglichen Genuß oder zum Beſitz ausgeſetzt wurde. Durch das Lehnweſen wurde dieſes vermindert; auch geſchah es ſpäter, daß die Frau dem Manne baares Vermögen zubrachte. Aus der Zurückgabe deſſelben entſtand nun das eigentliche Witthum, dotalitium, eine Art der Zurückgabe des Eingebrachten, in= dem der Frau ſtatt des Capitals doppelte und von dem gewöhnlichen Gegenvermächt= niſſe gleichfalls doppelte, alſo einfache Zinſen auf Lebenszeit, als Leibgedinge (ſ. d.) bezahlt wurden. Hieraus entſtand ſpäter der ſtandesmäßige Unterhalt, welcher der Wittwe aus den Gütern des Mannes gewährt wird.

Wittwencaſſen ſ. Wohlthätigkeitsanſtalten.

Wohlfahrtsausſchuß, Heilsausſchuß, wurde in der franzöſiſchen Revolution die Regierungsbehörde des Nationalconvents (ſ. d.) genannt. Er ward am 6. April 1793 beſchloſſen und eingeführt. Als der Convent aber ſah; daß eine Art Dictatur zur Ausführung ſeiner Maßregeln unumgänglich nothwendig ſei, beſchloß er am 4. December 1793 eine revolutionäre Regierung bis zum Frieden, und ſtellte an ihre Spitze den mit großer Machtvollkommenheit ausgerüſteten Wohlfahrtsausſchuß. Die= ſer übte nun eine abſolute Gewalt über alle Behörden, beſetzte alle Aemter und konnte Jedermann verhaften. Seine Rechenſchaft legte er dem Convent monatlich ab. Er beſtand aus zwölf Mitgliedern, unter denen ſich Robespierre, Couthon, Saint= Juſt, Carnot und andere Größen der Revolution befanden. Die erſten drei bilde= ten das Triumvirat, und übten die größten Schreckensthaten aus. Später, nach dem Fall des Terrorismus (ſ. Schreckensherrſchaft), verſank der W. in Trägheit und ward von dem Directorium aufgelöſt.

Wohlfahrtspolizei ſ. Polizei.

Wohlthätigkeitsanſtalten. Durch eine richtigere Lehre von den Wirthſchafts= geſetzen iſt man nach und nach zum Bewußtſein der Mittel gelangt, durch welche das Gefühl der Barmherzigkeit bethätigt werden kann. Der Scharfſinn in der Auffin= dung der Fälle und der Mittel einer Hilfe iſt ſo groß geworden, die perſönliche Nei= gung der Helfenden ſo verſchieden, das örtliche Bedürfniß zuweilen ſo eigenthümlich, daß wir uns hier auf eine Schilderung der Hauptzwecke beſchränken. Der Mann hat vor Allem dafür zu ſorgen, daß Anſtalten in das Leben treten, welche 1) Ar= muth und Elend gänzlich abwenden. Hierher gehören zunächſt Anſtalten zur Erhaltung der bisherigen Arbeit. Es iſt eine höchſt beklagenswerthe Er= ſcheinung, wenn eine gewiſſe Arbeit keinen Abſatz mehr findet, weil Diejenigen, welche dieſelbe bisher betrieben haben, ſelten zu einer andern Arbeit Fähigkeit und Kapital haben, und ſo dem Elend ohne Schuld entgegen gehen. Solchen Veränderungen kann man allerdings nicht vollſtändig entgegengetreten werden; allein in einzelnen Fäl= len kann durch vernünftig geleitete Wohlthätigkeitsanſtalten Hülfe geleiſtet werden. Hierher gehören: Werkhäuſer, Induſtriemagazine und Waarenbeſtellungen auf öffentliche Koſten. Ferner muß man bedacht ſein, eine neue, lohnende Arbeit an die Stelle der werthlos gewordenen zu bringen. Hier kann durch die Eröffnung unentgeltlicher Unterrichtsanstalten viel gethan werden, auch durch öffentliche Bauarbeiten. Ein anderer Grund gänzlicher Verarmung ist, daß häufig dem Unvermögenden das nöthige Capital fehlt, um sich eine neue Arbeit zu begründen, oder welche ihn in den Stand setzt, eine außerordentliche Ausgabe tragen zu können. Der Arme wird in solchen Fällen oft das Nöthigste verkaufen müssen und sich so den größten Schaden zufügen. Zur Beseitigung dieser Noth sind bestimmte Creditkassen einzurichten. Am gewöhnlichsten sind: Krankenkassen, Leichenkassen. Nicht selten wird auch großes Elend durch das Erlöschen der persönlichen Arbeits- und Verdienstfähigkeit herbeigeführt. Gänzlich abgeändert kann solches Unglück nicht werden, wohl aber können die schlimmsten Folgen davon durch Anstalten beseitigt werden. Hierher gehören die Sparkassen, die Lebensversicherungsanstalten, Wittwen- und Waisenkassen. Der Zweck der W. ist aber hiermit noch nicht erfüllt. Wir bedürfen 2) noch der Anstalten zur Unterstützung Dürftiger und Unglücklicher. Hierher gehören die Anstalten zur Unterstützung der Hausarmen, weniger durch Geld, als Speiseanstalten, Holzvertheilungen ꝛc., die Unterstützung gänzlich Hülfloser und Gebrechlicher. Eine höchst wichtige Einrichtung sind die Findelhäuser (s. d.), Waisenhäuser und öffentlichen Krankenhäuser. Für diese Anstalten muß der Staat mit sorgen, da dem Einzelnen noch menschliches Elend genug zu mildern übrig bleibt. W.

Wrack heißt in der Schiffersprache der Körper eines gescheiterten oder sonst untauglich gewordenen Schiffes; s. Strandrecht.

Wucher, Wuchergesetze. Schon das Alterthum hatte Gesetze gegen den Zinswucher. Mose verbot den Juden das Zinsennehmen unter sich, 5 Mos. 23, 19. Dieses Verbot der mosaischen Gesetzgebung wurde durch das kanonische Recht auch ein Gesetz für die Christenheit, namentlich auch ein für Deutschland geltendes Recht. Das kanonische Recht bedrohte den Zinswucher mit Excommunication, mit dem Verluste der Testamentsfähigkeit und der Versagung eines christlichen Begräbnisses. Die deutschen Reichsgesetze sanctionirten das Verbot; bedrohten aber das Zinsennehmen mit dem Verluste des vierten Theils des Capitals. Dieses Verbot bestand in das 17. Jahrhundert; die Bedürfnisse des Verkehrs verdrängten aber nach und nach diese Gesetze, und die Verhältnisse gestalteten sich so, wie wir sie jetzt finden, daß Zinsen bis zu einer gewissen, durch das Gesetz bestimmten, Höhe zu nehmen erlaubt ist.

Würderungsklage s. Abbitte.

Z.

Zabier s. Sabäismus.

Zahlenlotterie s. Glücksspiel.

Zaims und **Timarioten** hießen die Inhaber türkischer Kriegslehen. Ihre Anzahl war sehr bedeutend. Bei der Einführung eines neuen Heersystems im J. 1826 wurden auch diese Kriegslehen aufgehoben.

Zaungerichte f. Pfahlbürger.

Zeche, das einer Gewerkschaft verliehene Feld mit den dazu gehörigen Gruben-gebäuden; f. Bergbau.

Zehnt (decem) ist eine Abgabe von dem rohen Ertrage des urbaren Bodens; in weiterer Ausdehnung auch von dem Ertrage des Bergbaues, der Forstwirthschaft, der Viehzucht, im weitesten Sinne von allem Erwerbe und Einkommen aus Arbeit, Gewerbe und Handel. Die Benennung Zehnt, zehnter Theil, bezeichnete früher die höchste Grenze der Abgabe, über welche nicht hinausgegangen werden durfte. Der Ursprung des Zehnten führt zu den der Gottheit dargebrachten Opfergaben, welche an die Priester übergingen. Mit der Sonderung der Kirche an den Staat schieden sich auch die Zehnten in geistliche (decimae ecclesiastione) und weltliche (d. seculares). Der weltliche Zehnt war eine an das Staatsoberhaupt, den König, entrich-tete Landessteuer. Im Laufe der Zeiten kamen Zehnte von beiderlei Arten in den Besitz von Kriegern, Herren, Gemeinden und Corporationen. Wie die ursprüngliche freiwillige Gabe später als Steuer auferlegt wurde, so verwandelte sich diese in eine Grundlast und vermischte sich mit andern persönlichen Leistungen, den Frohnen 2c. Nach und nach wurde der Zehnt unerträglich, weshalb auch fast in allen Staaten Gesetze erschienen, welche seine Ablösung möglich machten.   —

Zehntmänner, Decemvirn f. Actenversendung.

Zeidelgüter wurden sonst die in den Reichsforsten bei Nürnberg gelegenen Gü-ter der Zeidler genannt, d. h. derjenigen Personen, welche in den erwähnten Wal-dungen die Aufsicht über die Bienenzucht und das Recht des Zeidelns, des Bienen-haltens, besaßen. Sie zahlten dafür eine jährliche Abgabe und standen unter einem besonderen Gericht, dem Zeidelgericht.

Zeitalter, Weltalter, werden in der Geschichte die Bildungsperioden des Men-schengeschlechtes genannt. Schon die Griechen hatten die Idee der Zeitalter; sie ver-gleichen das Leben der Menschheit mit dem Leben eines einzelnen Menschen. Hesiod nimmt fünf Zeitalter an: das goldene, saturnische, das silberne, üppige, das eherne, kriegerische, das heroische und das eiserne, wo Gerechtigkeit, heilige Sitte und Treue von der Erde entwichen sind, also ein Zustand, wie er sich beinahe hier und da in Deutschland findet.

Zeitgeist, der Geist der Zeit, der zu einer bestimmten Zeit unter einem Volke oder unter mehreren Völkern herrschende, dieser Zeit eigenthümliche, sie bewegende und von anderen Zeiten unterscheidende Geist. Es ist, wenn von Z. die Rede ist, damit noch keineswegs ein Urtheil über den sittlichen Werth desselben abgegeben; es soll nur gesagt sein, daß im Denken, Wollen und Leben der Menschen eine gewisse Richtung vorherrscht, gewisse Ideen allgemein verbreitet sind und sich geltend machen. Der Z. kann zum Guten, aber auch zum Schlechten, er kann zu Sitten-Einfalt und Strenge, aber auch zu Verweichlichung, Luxus und Sittenverderben sich hinneigen, er kann auf Licht und Aufklärung in religiöser Beziehung, aber auch auf Aberglauben und Fröm-melei, auf ideelle oder materielle Interessen gerichtet sein 2c. Die Macht des Z. ist so groß, daß sich ihr Niemand ganz zu entziehen vermag. Aber wie es eines denken-den und selbstständigen Mannes unwürdig wäre, sich einer Richtung der Zeit zu un-terwerfen und anzuschließen, die er für noch, unsittlich, verwildernd und unrecht hält, blos darum, weil sie in der Zeit liegt, vom Zeitgeiste getragen wird, — dies wird namentlich auf die Sitten Anwendung erleiden müssen — so dürfen auf der andern Seite die Regierenden den Geist der Zeit nicht unbeachtet lassen, sollen sich vielmehr mit ihm in Einklang setzen, weil er mächtiger ist, als alle Macht der Erde und gegen jedes Hinderniß, das sich ihm entgegen stellt, ankämpft, bis er es überwindet und sich durchsetzt. Waren in früheren Zeiträumen der Geschichte Glaubenshaß und Unduld-samkeit, Sittenrohheit und Standesunterschied, Krieg, das patriarchalische Verhältniß oder auch das exclusiv-nationale Element vorherrschend, so liegt im heutigen Zeitgeist, was ganz unverkennbar ist, jedenfalls das Streben nach bürgerlicher und kirchlicher Freiheit, jene milde und humane Anschauung, welche nicht blos Duldung, sondern Freiheit für jeden Glauben, gleiches bürgerliches und staatsbürgerliches Recht für jeden Menschen, ein freies Bürger- und Volksthum, die Heranziehung der Massen durch Bildung und die Verbrüderung, das friedliche Zusammenwirken der Völker als das Ziel erkennt. Und diese unsere Zeit bewegenden, ihren edlen Inhalt bildenden Ideen werden sich nicht blos immer weiter Bahn brechen, weil sie einen sittlichen Fortschritt bezeichnen, die Bestimmung der Welt aber Fortschritt ist; sondern auch, allen Gegenanstrengungen zum Trotz, endlich, wenn auch nur langsam und nach und nach, doch gewiß und um so sicherer in die Gesetzgebung aufgenommen und durch sie geweiht werden. Schon jetzt befindet sich in den Ländern, wo die Gesetzgebung ihnen nicht Rechnung trägt, die öffentliche Meinung des Volkes, der Z. in vollem Widerspruch mit den Gesetzen, und mit Denen, die sie geben und vollziehen.　　　　Cramer.

Zeitkunde, Zeitrechnung, Chronologie, ist die Wissenschaft, welche sich mit der Ausmessung der Zeit beschäftigt. Man unterscheidet die mathematische oder astronomische Chronologie von der historischen. Es giebt verschiedene Arten, die seit Erschaffung der Welt vorgefallenen Begebenheiten zu berechnen; die üblichste Zeitrechnung ist die christliche, indem man die Begebenheiten nach Jahren vor oder nach Christi Geburt berechnet. Die Römer rechneten nach Erbauung ihrer Stadt Rom; eine andere Zeitrechnung ist die nach Olympiaden (s. d.).

Zeitschriften, Zeitungen. Man pflegt solche Schriften Zeitschriften zu nennen, welche in regelmäßiger Aufeinanderfolge erscheinen und fortgesetzte Nachrichten über neue Erscheinungen geben. Zeitungen sind solche Zeitschriften, welche in einzelnen Blättern oder Bogen erscheinen. Früher war der gewöhnliche Inhalt der Zeitungen politisch-statistisch; in der Gegenwart aber giebt es für die verschiedensten Zweige des Lebens und der Wissenschaft Zeitungen. Die ersten Zeitungen waren mehr „fliegende Blätter," welche in Briefform erschienen, so in Augsburg 1524. Seit Anfang des 17. Jahrhunderts entstanden auch in Deutschland fortgesetzte Neuigkeitsblätter, so das Frankfurter Journal seit 1615. Die Zeitungen sind für die Volksbildung und Volksfreiheit von unermeßlicher Bedeutung; deshalb hat man auch, ungeachtet der bei Aufhebung der Censur 1848 gegebenen Versprechungen wieder das Cautionssystem und Confiscationssystem in das Leben gerufen; s. Censur.

Zeloten, Eiferer, hießen bei den Juden Alle, welche für die Ehre Gottes und des Tempels in Feuereifer geriethen, was sie durch wüthenden Haß gegen Nichtjuden kund gaben. Gegenwärtig nennt man so alle Diejenigen, welche in Religionssachen sich einem ähnlichen fanatischen Eifer hingeben.

Zeltbruder f. Conftabel.

Zendavesta, d. h. lebendiges Wort, ist der Name der heiligen Bücher, in welchen die Lehren des Zoroasterschen Glaubens enthalten sind. Im Jahre 1762 kamen die Z. in der Ursprache nach England und 1771 erschien die erste französische Uebersetzung. Sie enthält die ältesten Berichte über die menschliche Cultur.

Zent, Zentgericht, f. Centgericht.

Zetergeschrei ward im Mittelalter das Geschrei genannt, welches man erhob, wenn ein Verbrecher sich auf frischer That ergreifen ließ, um seine Verfolgung zu veranlassen und Zeugen herbeizurufen. Bei Hinrichtungen mußten der Scharfrichter, die Beisitzer und Richter bei dem Zerbrechen des Stabes drei Mal Zeter über den Verbrecher rufen, welches das gerichtliche Z. war. In neuerer Zeit ist es zugleich mit dem Halsgericht abgeschafft worden.

Zettelacten f. Acten.

Zettelbank f. Bank.

Zeuge, Zeugenbeweis. (Vergl. von Zevenar, Theorie der Beweise im Civilprocesse.) Beweis ist der Inbegriff der Gründe, aus welchen die Wahrheit einer Be-

hauptung oder Thatsache erkannt wird. Die Beweisgründe zerfallen in zwei Haupt-
klassen: in Gründe der Vernunft und Gründe der Erfahrung. Alle Beweise
aus der Erfahrung lassen sich wieder auf zwei Gattungen zurückführen, nämlich auf
Geständnisse, d. i. Darstellungen, welche die bei dem Geschäfte betheiligten Personen
selbst von der Sache geben, und Zeugnisse, Darstellungen, welche andere Personen von der
Sache entwerfen. Die Person, welche ein Zeugniß ablegt, heißt Zeuge. Der Zeuge muß
durch die Sinne, durch Hören und Sehen, eine anschauende Erkenntniß von der Sache erlangt
haben, und im Stande sein, diese Erkenntniß Andern mitzutheilen. Die Gegenstände,
worüber Zeugnisse abgelegt werden, sind alle möglichen Thatsachen und Begebenheiten,
Handlungen, Verträge, Haupt= und Nebenumstände. Die Zeugnisse beschränken sich
aber auf Erfahrungen und einfache Begriffe; der Zeuge hat nur die von ihm gemachten Wahrnehmungen wiederzugeben, ohne sich in Folgerungen, Schlüsse und Urtheile einzulassen. Jeder Mensch, der sich seiner Menschenwürde und der daraus entspringenden Pflichten bewußt ist, wird die Wahrheit sagen. Da dieses Pflichtge-
fühl im religiösen Gefühle am lebendigsten zum Bewußtsein kommt, ist es allgemein eingeführt, daß der Zeuge die Wahrheit seines Zeugnisses durch abgelegten
Zeugeneid noch besonders bekräftigt. Die Zulässigkeit und Glaubwürdigkeit
der Zeugen beruht auf allgemeinen und besonderen Eigenschaften. Bei den allgemeinen wird hauptsächlich die persönliche Fähigkeit des Zeugen in's Auge gefaßt:
der Zeuge muß, in Civilsachen, das 18., in Criminalsachen, das 20. Jahr zurückge-
legt haben; er muß den vollen Gebrauch seines Verstandes besitzen, gesunde Sinne,
zusammenhängende Begriffe und überhaupt zureichende Kräfte haben, um richtige Erfahrungen zu bekommen; man muß endlich bei ihm diejenige Aufrichtigkeit voraussetzen
können, welche erwarten läßt, daß er den Willen hat, die volle Wahrheit zu sagen.
Zeugen, gegen welche in dieser Beziehung ein gerechter Zweifel obwaltet, wie z. B.
geständige Meineidige, sind unzulässig. Frauen können eben so gut Zeugen sein, als
Männer. Nur bei Handlungen, wo Zeugen der Förmlichkeit wegen zugegen sein müssen, z. B. bei Notariatsacten, oder, wo Civilehen statt finden, bei Eintragung der
Ehe-, Geburts= und Sterbeacte in die Civilstandsregister werden Frauenspersonen
nicht zugelassen. Die besonderen Verhältnisse, die einen Zeugen unzulässig oder
verdächtig machen, bestehen in dem Interesse, welches der Zeuge bei der streitigen
Sache hat, oder in den Beziehungen, die zwischen ihm und den Parteien statt finden.
Wer vom Ausgang der Sache Vortheil oder Schaden zu erwarten hat, kann in derselben nicht Zeuge sein, und insofern das Interesse ein entfernteres ist, gilt er nur
als verdächtiger Zeuge: der Zeuge darf nicht in die Lage versetzt werden, daß die
Pflicht, die er sich selbst und Andern schuldig ist, mit der Pflicht, die Wahrheit zu
sagen, in Widerspruch tritt. Daher können Theilnehmer an einem Vertrage, Personen,
die zur Gewährleistung verbunden sind, z. B. Verkäufer und Verpächter, nicht in
Sachen des Vertrags, Kaufs oder Pachts, Advocaten und Vormünder nicht in Sachen ihrer Clienten und Mündel, Kinder, Eltern, Gatten und sonstige nahe Verwandte
nicht für oder gegen einander Zeugen sein; und wenn das Verwandtschaftsverhältniß
kein ganz nahes ist, oder wo andere besondere Verhältnisse zwischen den Parteien und
Zeugen stattfinden, die das Zeugniß als nicht ganz unparteiisch erscheinen lassen, z. B.
Dienstverhältnisse, vertraute Freundschaft, erklärte Feindschaft u. s. w., da gilt das
Zeugniß wenigstens nicht für vollbeweisend. Nur in Criminalfällen findet eine Ausnahme statt. Die Vertheidigung der Unschuld und des straffreien Verhaltens ist unbeschränkt, mithin das Zeugniß der Eltern, Kinder, Gatten für den Angeschuldigten
hier zulässig. Wie viel Gewicht darauf zu legen, ist nach den Umständen zu beurtheilen. Zur Zeugnißablegung ist jeder Staatsbürger verpflichtet. Nur die nächsten Verwandten, Vormünder, Advocaten haben das Recht, ein Zeugniß für ihre Angehörigen, Mündel und Clienten abzulehnen, und Niemand kann gezwungen werden,
über Thatsachen auszusagen, die ihn entehren. Wer sich außerdem des Zeugnisses

weigert, kann durch Geld- und Gefängnißstrafen zur Erfüllung seiner Zeugenpflicht angehalten und außerdem wegen Leistung des vollen Schadenersatzes in Anspruch genommen werden. Nach den im Vorstehenden mitgetheilten allgemeinen Grundsätzen hat man bestimmte Categorien von Zeugen aufgestellt und dieselben, je nach den einschlagenden Verhältnissen, in ganz unzulässige und in verdächtige getheilt. Die Ersteren werden gar nicht abgehört, die Letzteren werden zwar zum Zeugniß zugelassen, wie viel Glauben aber ihren Aussagen beizulegen sei, ist nach den Umständen von dem Richter zu beurtheilen. Feste Regeln lassen sich darüber nicht aufstellen. Der Werth einer Zeugenaussage ist theils nach ihrem inneren Zusammenhange und ihrer inneren Glaubwürdigkeit, theils nach dem Charakter, den Fähigkeiten, dem Verstand und dem Herzen des Zeugen, nach der Verbindung seiner Aussage mit Zeit und Ort nach seinem ganzen Wesen und Auftreten zu bemessen. Die gewissenhaftesten Zeugen verletzen oft die Wahrheit gerade dadurch, daß sie sich bestreben, ihr gar nichts zu vergeben; in Vorurtheilen befangene Zeugen betrügen sich oft selbst, ohne es zu wissen und zu wollen; unachtsame und einfältige Zeugen fassen die Dinge nur halb und falsch auf und geben ein Bild von der zu bezeugenden Begebenheit, welches, so wahr auch einzelne Züge sein mögen, doch im Ganzen völlig entstellt ist, eifrige, einbildungsreiche, sich gern wichtig machende Zeugen schmücken einfache Thatsachen mit einer Menge von Zusätzen aus, die sie selbst um so fester glauben, je öfter sie vielleicht die Sache schon erzählt haben, und die für die Ermittelung der Wahrheit, ohne daß sie es ahnen, höchst gefährlich werden können. Faßt man alle diese Umstände zusammen, so gelangt man zu dem Ergebnisse, daß das Interesse der Parteien im Civilprocesse und das Interesse des Staats sowohl, als das Lebensglück und die Ehre des Angeschuldigten im Criminalprocesse in tausendfach empfindlicher Weise gefährdet wird, wenn der Richter die Zeugen nicht selbst sieht und hört, als welches Letztere nur im öffentlichen und mündlichen Verfahren der Fall ist. D. L. H.

Zeughaus s. Arsenal.

Ziehgelder, Alimente, nennt man den Unterhalt, welchen Väter ihren unnatürlichen Kindern zu reichen haben; s. Uneheliche Kinder- und Vaterschaft.

Zigeuner sind ein Nomadenvolk, dessen asiatischer Ursprung aus ihrer Bildung, ihrer Sprache und ihren Sitten hervorgeht. Sie sind jetzt durch ganz Europa verbreitet; die meisten leben in der Moldau und Wallachei. Im Jahre 1416 erschienen sie in der Moldau, 1417 in Böhmen und Ungarn, und 1418 in der Schweiz; von diesen Ländern aus verbreiteten sie sich weiter. Kaiser Sigismund ertheilte ihnen sogar 1423 einen Geleitsbrief.

Zinne heißt im Allgemeinen ein flaches Dach, oder die Einfassung desselben. Zinnen nennt man auch den obersten Theil der Vertheidigungsmauern, die mit Schießscharten durchbrochen sind.

Zins ist der Name für Abgaben in Geld und Naturalien. Man hat zu unterscheiden: 1) Zinsen von Geldcapitalien; sie können in Folge eines Versprechens und dann gefordert werden, wenn der Schuldner nicht zur rechten Zeit zahlt (Verzugszinsen); 2) Zins von einer gemietheten oder gepachteten Sache (s. Miethe); 3) Grundzinsen oder Abgaben von Grundstücken; s. Abmeierungsrecht und bäuerliche Lasten.

Zinszahl s. Römer Zinszahl.

Zoll heißt ursprünglich eine Stätte, wo von dem Vorbeifahrenden oder Gehenden eine Abgabe erhoben wird. Später nannte man die Abgabe selbst Zoll. Zollstätten wurden angelegt an Land- und Wasserstraßen, an den Thoren der Städte, in den Seehäfen, an den Grenzen des Landes und im Innern. Die Abgabe wurde auf Personen gelegt — Leibzoll, Judenzoll; auf Handelsgüter, auf Erzeugnisse der Landwirthschaft; sie ward für den Schutz der Reisenden und Waaren gefordert, für die Benutzung der Straßen, insbesondere von Fremden. Der Zoll war schon im Alterthum bekannt. In Rom waren die Zölle an Einnehmer verpachtet. Das Wort Mauth ist dem Zoll nahe verwandt. Später galt es für die Einrichtung zur Erhebung und Sicherung der Zollabgaben (Douane). Das Recht, Zölle anzulegen und die Abgabensätze zu bestimmen, bildete sich im Mittelalter zu einem Hoheitsrechte, Regal, aus, und stand in Deutschland dem Kaiser zu, welcher dasselbe einzelnen Reichsständen verleihen konnte. In vielen Wahlcapitulationen (s. d.) mußten die Kaiser versprechen: keine Verleihungen der Erhöhungen bestehender Zölle ohne Zustimmung der Kurfürsten zu gewähren. Noch bis auf die neuere Zeit spricht man von den Zöllen als einem Hoheitsrechte des Landesherrn entfließend, im Gegensatz der Steuern. Die Umgestaltungen, welche das Zollwesen nach und nach erlitten hat, sind im Wesentlichen folgende: es wurden von den Zöllen diejenigen Abgaben ausgeschieden, welche von inländischen Erzeugnissen vor dem Verbrauche erhoben wurden (s. Accise); die Binnenzölle wurden aufgehoben und die Zollstätten an die Landesgrenzen verlegt. Die Grenzzölle trafen nur fremde Waaren bei der Ein- und Durchfuhr, Einheimische bei der Ausfuhr (Eingangs-, Durchgangs-, Ausgangszoll. Die Grenzen wurden ferner mit militärisch organisirten Zollschutzwachen besetzt, um gegen den Schleichhandel (s. d.) zu schützen. Durch diese Einrichtung ist der innere Verkehr allerdings freier geworden. Den Inbegriff der Anordnungen, welche im Zollwesen getroffen werden, nennt man das Prohibitivsystem. Ihm gegenüber steht das Freihandelssystem; zwischen beiden steht das Schutzsystem, welches im deutschen Zollverein angenommen worden ist.

Zollverein. Der Art. 19. der deutschen Bundesacte bestimmt: „die Bundesmitglieder behalten sich vor, wegen des Handels und Verkehrs zwischen den verschiedenen Bundesstaaten, sowie wegen der Schifffahrt nach Anleitung der auf dem Congresse zu Wien angenommenen Grundsätze in Berathung zu treten." Die Wiener Schlußacte vom 15. Mai 1820 sagt Art. 65: „die in den besonderen Bestimmungen der Bundesacte zur Berathung der Bundesversammlung gestellten Gegenstände bleiben derselben, um durch gemeinschaftliche Uebereinkunft zu möglichst gleichförmigen Verfügungen darüber zu gelangen, zur ferneren Bearbeitung vorbehalten." — Sonach konnte man eine Uebereinkunft über ein gemeinsames Zoll- und Handelssystem erwarten. Der Gegenstand wurde auch, namentlich von Ständeversammlungen, vielfach angeregt; es kam aber nie etwas zu Stande. Nachdem nun Preußen im J. 1818 die Zölle im Innern beseitigt und eine Douanenlinie um seine ganze Grenzen gezogen hatte, konnten sich die Regierungen der kleineren deutschen Staaten über das Unhaltbare ihrer Stellung nicht mehr täuschen; sie mußten sich entweder verbinden oder einem größeren Staate anschließen. An Preußen schlossen sich die anhaltischen Fürstenthümer; 1826 das Großherzogthum Hessen; in demselben Jahre entstand der Verein zwischen Würtemberg und Baiern; aus einer in Kassel am 24. Sept. 1828 abgeschlossenen Uebereinkunft ging der mitteldeutsche Handelsverein hervor. Von 1833 bis 1835 führten endlich eine Reihe von Verträgen zu dem deutschen Zollverein. In der nächsten Zukunft dürften wir wieder bedeutenden Veränderungen im Zollwesen hinsichtlich Oesterreichs entgegensehen.

Zuchthäuser, Zuchthausstrafe. Die Strafen, welche der Staat über diejenigen verhängt, die sich gegen seine Gesetze vergehen, bestehen theils in Geld-, theils in Freiheits-, theils in Lebensstrafen. Mit Geld- und Lebensstrafen wurde früherhin bei Weitem das Meiste abgemacht. Aber Geldstrafen schienen der veränderten Zeit gegenüber nicht mehr wirksam genug und gegen die Lebensstrafen erklärte sich die fortschreitende Gesittung und Humanität, so daß gegenwärtig die Freiheitsstrafen mit den Strafgefängnissen, in denen sie verbüßt werden, in den Vordergrund getreten sind. Von den Freiheitsstrafen lassen sich zwei Hauptarten unterscheiden: die Gefängnißstrafe, die sich einfach auf Freiheitsentziehung beschränkt, deshalb auch in bürgerlicher und staatsbürgerlicher Beziehung keinen Makel mit sich führt, und leichtere Vergehen

trifft, und die **Zucht- und Arbeitshausstrafe**, welche mit der Freiheitsentziehung
zugleich Entziehung der Genüsse des Lebens und außerdem Arbeit und strenge Zucht
verbindet, auf schwerere Vergehen und Verbrechen gesetzt ist und den Charakter des
Entehrenden hat. Der Zuchthausgefangene soll nicht blos seiner Freiheit beraubt
und in diesem Zustande sowohl Entbehrungen aller Art ausgesetzt, als für die bürgerliche Gesellschaft unschädlich gemacht, sondern auch zur Arbeit (je nach Verhältniß
zu schwerer, harter Arbeit) angehalten werden, damit er die Kosten seines Unterhaltes ver-
diene; außerdem schon durch sein Aeußeres, durch das abgeschorene Haar, die besondere doppelfarbige Kleidung, in den schwersten Fällen auch wohl noch durch Eisen
am Fuße als einer jener Verbrecher gekennzeichnet werden, die sich schwer an der Gesellschaft versündigt haben; und auch, wenn er seine Strafe verbüßt hat, doch nicht
wieder in die politischen Ehrenrechte (Aemter, Titel 2c.) eintreten dürfen, sondern für
seine Lebenszeit in den Augen des Staates ehrlos, gebrandmarkt sein. Es liegt
auf der Hand, daß der Aufenthalt in diesen Anstalten — eine kleine Zelle, hartes
Lager, dürftige Kost, Entziehung aller Bequemlichkeiten und Genüsse des Lebens, vorgeschriebene, vielleicht ganz ungewohnte, Arbeit — nur ein trauriger sein kann; er
soll es eben sein, er soll eine Strafe sein, und dadurch der Gefangene zum Bewußtsein seiner Schuld und zur Besserung gebracht werden. Dennoch darf der Staat die
Unglücklichen, welche diesen Anstalten verfallen sind, nicht als für immer verloren betrachten und behandeln; er hat auch Pflichten gegen sie, namentlich hat er dafür zu
sorgen, daß die Gefängnisse mit der Festigkeit und Sicherheit, die ihr Zweck erfordert,
doch auch die mögliche Rücksicht auf die Gesundheit der Gefangenen verbinden. Die
Gefängnisse müssen eine gesunde Lage haben und ihre innere Einrichtung darauf berechnet sein, Reinlichkeit, Zugang des Lichtes und der frischen Luft zu vermitteln, auch
in Beziehung auf Arbeit, Kost, Feuerung, Schlafstätten, Bewegung, den Staat der
großen moralischen Verantwortung zu überheben, die er dann auf sich ladet, wenn
seine Gefängnisse Leben und Gesundheit der Gefangenen gefährden. Denn der Gefangene, auch der ärgste Verbrecher, hat nur seine gesetzliche Strafe zu verbüßen und
zu der gehört es nicht, daß schlechter Zustand des Gefängnisses (vielleicht unterirdisch
oder naß oder erstickend heiß — Bleidächer von Venedig) oder ungesunde Arbeit den
Keim des Siechthums in ihn lege oder gar eine langsame Todesstrafe über ihn ver-
hänge. — Ferner liegt es in der Natur der Sache, daß die Ordnung in diesen Anstalten nur mit Strenge aufrecht erhalten werden kann. Auf der andern Seite darf
aber auch, wenn der Besserungszweck nicht verfehlt werden soll (s. besonders Auburnsches Gefängnißsystem und Besserungsanstalten), die Milde, der
freundliche Zuspruch, nicht blos von Geistlichen, sondern auch von andern theilnehmenden Menschen (Vereine) nicht fehlen. Denn der Stock und die Hartherzigkeit, die
hier wohl häufig eine unbedingte Willkür-Herrschaft führen, erbittern und verstocken
nur, und führen dahin, daß, was die Erfahrung häufig gezeigt, die Verbrecher nicht
gebessert, sondern sittlich verschlechtert und mit dem Gedanken der Rache aus dem Z.
zurückkehren. Noch ein trübes Bild zu diesen Nachtseiten der Gesellschaft hat die
Neuzeit geliefert, indem sie politische Verbrecher den Zuchthäusern überliefert hat.
Die politischen Vergehen entspringen in den seltensten Fällen aus böser, unehrenhafter
Gesinnung, in den meisten nur aus einem Vergreifen in den Mitteln. Daß die
Strafgesetzgebungen zu dieser milderen Anschauung sich noch nicht erhoben haben,
daß sie solche Vergehen mit der entehrenden Zuchthausstrafe belegen und selbst wissenschaftlich gebildeten Männern alle Demüthigungen dieser Strafe (das Versagen wissenschaftlicher Arbeit, die Züchtlingsjacke, das Spinnen, Spulen, Wollkämmen) auferlegen, das zeigt, daß sie hinter der öffentlichen Meinung, welche in allen Ländern zwischen gemeinen entehrenden Vergehen und politischen Vergehen einen scharfen Unterschied zieht, zurückgeblieben sind. Ohnehin wird es ein seltener Fall sein, daß politische Verbrecher durch die Haft ihre politische Gesinnung ändern, im Sinne des

Staats, der sie verurtheilt, „sich beffern;" sie pflegen die Haft als ein ihrer Ueberzeugung gebrachtes Opfer, mehr als ein Unglück, wie als verdiente Strafe zu betrachten. Wenn dieser Haft nun auch noch der Charakter des Entehrenden aufgedrückt
wird, so werden sie selbst gegen den Staat nur gereizter, ihrer Partei aber, je mehr
sie entehrt und gedemüthigt werden, nur als um so strahlendere Märtyrer erscheinen.
Der beim badischen Aufstand betheiligte und deshalb im Zuchthaus zu Naugard an's
Spinnrad gestellte Professor Kinkel ist ein schlagender Beleg für diese Behauptungen.
Die entehrenden Zuchthausstrafen sollten für politische Vergehen aus den Strafgesetzen
ganz verschwinden. Sie verfehlen ihren Zweck vollständig. **Cramer.**

Zueignung, Dedication, war bei den Römern der feierliche Act der Einweihung eines öffentlichen Gebäudes, durch welchen es dem Schutze einer Gottheit übergeben wurde. Gegenwärtig braucht man dieses Wort, um Schriften, Kunstsachen,
Jemandem zu widmen, um entweder einen Beweis von Dank und Ehrerbietung zu geben, oder sich zu empfehlen.

Zugführer s. Lieutenant.

Zündhütchen sind bei Percussionsgewehren die kupfernen Hütchen, welche das
Knall- und Zündungspräparat enthalten. Sie werden auf den sogenannten Piston
gesetzt, dessen Kanal mit der Ladung in Verbindung steht. Die Entzündung wird
durch einen Schlag des dazu besonders eingerichteten Hahns bewirkt.

Zündnadelgewehre sind im Jahre 1832 durch den Mechanikus Dreyse in
dem thüringischen Dorfe Sömmerda erfunden worden. Die Entzündung des Pulvers
wird durch eine Nadel bewirkt, welche durch besondere Vorrichtung in die an der
Patrone befindliche Zündmasse gestochen wird. Gegenwärtig sind diese Gewehre wegen
der ungemein großen Schnelligkeit, mit welcher man schießen kann, bereits bei einem
Theil des preußischen Heeres eingeführt und haben ihre traurige Brauchbarkeit bei der
Unterdrückung der Dresdner und Badenschen Volkserhebung für die Reichsverfassung
zuerst bewiesen.

Zunftwesen und Innungen. Schon bei den Römern finden wir gewisse
Klassen von Handwerkern zu Collegien vereinigt. Die eigentlichen Zünfte aber sind
ein germanisches Institut aus dem Mittelalter, welches mit der Bildung des Bürgerstandes und Städtewesens (s. d.) zusammenhängt. Lange Zeit galt der Betrieb des
Handwerks für ein natürliches Alleinrecht der Städte. Die Zünfte erlangten nach
und nach eine ungemein große politische Bedeutung, welche viel zur Erstärkung der
Städte dem Adel gegenüber beitrug. So bildete sich aber auch eine strenge Absonderung der einzelnen Gewerbe als Zunftzwang aus, welches bei anderen Verhältnissen, wie in der neueren Zeit, als überlebt und schädlich erschienen ist. Eine Umgestaltung des Zunftwesens in Deutschland ist zu einem unabweisbaren Bedürfniß
geworden.

Zunftzwang s. Zunftwesen.

Zurechnung, imputatio, nennt man das Urtheil, daß irgend eine Person als
Ursache einer That betrachtet werden müsse. Dieses Urtheil enthält zweierlei; ein Mal
die blos factische Zurechnung, daß Jemand der Thäter sei, die Zurechnung der
That; dann die rechtliche Zurechnung, daß der Thäter auch für seine That verantwortlich sei, die Zurechnung der Schuld. Diese Zurechnung der Schuld geht
davon aus, daß die That aus dem Willen eines Menschen hervorgegangen ist; sie
fällt also weg, wo dieser Wille nicht zu einem menschlich vernünftigen entwickelt oder
unterdrückt ist, also bei Kindern, Wahnsinnigen und Andern, die ihres Thuns sich
nicht bewußt sind. Die Zurechnung umfaßt auch die Fahrlässigkeit und begründet
eine Verbindlichkeit zum Schadenersatze. Die volle Zurechnung trifft aber nur den
bestimmten und festen Vorsatz den muthwilligen, mit Bewußtsein des Unrechtes handelnden Thäter.

Zurückberufung s. Abberufung.

Zusatz s. Amendement.

Zuständigkeit, Competenz. Der Begriff Competenz, Rechtszuständigkeit — vom lateinischen competere — ist ein verschiedener, je nachdem man ihn in Bezug auf Criminalrecht, Civilproceß und Civilrecht versteht. In civil- und criminalrechtlicher Beziehung versteht man zunächst unter Competenz das Recht eines bestimmten Gerichtes, eine bestimmte Rechtssache oder Untersuchung zu leiten, zu entscheiden und das gefällte Erkenntniß zu vollstrecken. Im Civilprocesse kommen folgende Gerichtsstände vor: 1) der Gerichtsstand des Wohnortes — forum legale ordinarium commune domicilii. Diesen hat nun jeder Staatsbürger bei dem Untergerichte desjenigen Ortes, wo er sich zu der Zeit, zu welcher die Klage gegen ihn erhoben wird, auf unbestimmte Zeit niedergelassen hat. Um den Gerichtsstand des Wohnortes zu begründen, ist eigner Haushalt eben so wenig erforderlich, als eignes Wohnhaus. Blos zufälliger Aufenthalt begründet den Gerichtsstand des Wohnortes nicht; 2) der Gerichtsstand wegen Erbschaft — forum hereditatis jacentis. Dieser ist bei demjenigen Gerichte begründet, bei welchem der Erblasser zur Zeit seines Ablebens seinen persönlichen Gerichtsstand hatte. Dieser Gerichtsstand fällt weg, sobald die Erbschaft dem Erben vollständig ausgeantwortet, nach Befinden, wenn deren mehrere vorhanden sind, unter dieselben vertheilt worden ist; 3) der Gerichtsstand der gelegenen Sache, unter welchem derjenige Gerichtsstand verstanden wird, in dessen Bezirke der bewegliche oder unbewegliche Proceßgegenstand gelegen ist; 4) der Gerichtsstand des Arrestes. Diesem muß sich ein Schuldner dann unterwerfen, wenn an einem Orte eine Sache desselben auf des Gläubigers Antrag zur Sicherung des Streitgegenstandes oder eines Executionsobjektes gerichtlich mit Beschlag belegt worden ist. Dieser Gerichtsstand ist dann begründet, wenn ein Schuldner in Abfall der Nahrung gerathen, oder weil der Schuldner flüchtig oder der Flucht verdächtig ist, oder aus dem Inlande wegziehen und nicht so viel an Grundstücken hinterlassen, als zur Befriedigung des Gläubigers hinreicht, oder wenn ein Ausländer mit Inländern contrahirt und im Inlande zu bezahlen sich verpflichtet und nicht bezahlt hat. Hierbei muß der Gläubiger nicht nur einen der angegebenen Umstände, sondern auch die Richtigkeit der gefährdeten Forderung bescheinigen; 5) der Gerichtsstand der entstandenen Verbindlichkeit, der geführten Verwaltung und des Verbrechens. In criminalrechtlicher Beziehung begegnen wir dem Gerichtsstande des Verbrechens, des Verbrechers und dem des Ergreifens. Ihre Bedeutung geht aus den einzelnen Worten selbst hervor und bedarf es hierbei keiner besonderen Erklärung. Im Civilrecht versteht man unter Rechtswohlthat der Competenz das Vorrecht, vermöge dessen dem Schuldner vom Gläubiger so viel, als zu seinem nothdürftigen Unterhalt nöthig ist, gelassen werden muß. Diese Rechtswohlthat haben Alle, welche durch Unglück in schlechte Umstände gekommen sind und deshalb ihr Vermögen den Gläubigern abgetreten haben, enterbte Söhne, in Rücksicht der in der väterlichen Gewalt gemachten Schulden, Eltern, wenn den Kindern schuldig sind, Geschwister unter einander, Ehegatten gegenseitig, der Schwiegervater gegen den Schwiegersohn, so lange die Ehe währt, Gesellschafter unter einander und aus einer besondern Begünstigung Militärpersonen.

Zwang heißt die Ueberwindung des Willens Anderer oder die Bestimmung zu einem Thun oder Lassen gegen den Willen des handelnden Subjects. Der Z. ist ein psychischer, körperlicher, wenn äußere, körperliche Mittel dazu gebraucht werden; ein moralischer, physischer, wenn man durch geistige Mittel den Zwang ausübt, Jemanden zwingt, von zwei Uebeln das geringste zu wählen. Zwang hebt die Freiheit des Willens auf, und macht daher auf alle daraus hervorgegangenen Verpflichtungen ungültig, insofern der Zwang ein ungerechter war. Der Staat hat das

27*

Recht zu zwingen sich angeeignet; die öffentliche Gewalt ist eine zwingende und zwar oft unwiderstehlich zwingende.

Zwanzigguldenfuß s. Münzwesen.

Zweikammersystem. Es ist eine viel bestrittene Frage, ob die Volksvertretung eine einzige Versammlung oder mehrere Abtheilungen (Kammern, Häuser) bilden solle. Zieht man die geschichtliche Entwickelung zu Rathe, so behauptet allerdings das Zweikammersystem das Uebergewicht. Denn mit Ausnahme einiger kleineren deutschen Staaten besteht nicht blos in allen Repräsentativverfassungen der Monarchien Europa's, sondern auch in den amerikanischen Republiken das Zweikammersystem, wonach die ständische Gewalt in zwei gleichberechtigte Körper gegliedert ist. Man führt hauptsächlich dafür an, daß es zweckmäßig sei, wichtige Staatsfragen einer mehrmaligen Berathung durch verschiedene Personen zu unterwerfen, um Uebereilungen und Verkehrtheiten zu vermeiden. Von einem anderen Gesichtspunkt ist man freilich da ausgegangen, wo neben die Gewählten des Volkes eine erbliche oder lebenslängliche Pairie gestellt wird, die durch die bürgerliche Stellung oder die Vermögensverhältnisse ihrer Mitglieder — Adel, Würdenträger der Kirche, großer Grundbesitz, Capital — Bürgschaft dafür gewähren soll, daß der Gesetzgebung ein conservatives Element oder wenigstens ein Vermittler zwischen Volk und Regierung nicht fehle. Es läßt sich aber dagegen einwenden, daß Uebereilungen auch dann vermieden werden können, wenn Etwas erst nach mehrmaliger Berathung zum Gesetz erhoben wird, bei einer Scheidung der Volksvertretung in zwei Theile aber entgegengesetzte Beschlüsse vorkommen müssen, für welche das Mittel der Ausgleichung fehlt, wenn nicht, wie in England, das Unterhaus ein solches moralisches Uebergewicht vor dem Hause der Lords genießt, daß dieses dem Willen des Volkes nicht, wenigstens nicht auf die Dauer, zu widerstreben vermag, sondern endlich nachgeben muß; endlich, daß erfahrungsgemäß die Pairs- und Adels- oder ersten Kammern nur zu häufig mit den Regierungen gegen die übrigen Stände Partei machen, wenn diese den Fortschritt anstreben, aber den Ersteren entgegentreten, sobald sie ihre Sonderinteressen und Standesvorrechte, oder das, was man das geschichtliche Recht nennt, z. B. die Feudallasten, die Steuerfreiheit ꝛc. bedroht glauben. In Deutschland namentlich ist es vor dem März 1848 Regel, daß der grundherrliche Adel (die Standesherren) und die Prälaten, welche den Kern der ersten Kammern bilden, im Verein mit dem Beamtenthum eine Gewalt darstellen, welche hemmend in das Rad der Zeit eingreift, ja wohl auch die Rückschrittsmaßregeln der Regierungen mit dem Schilde ihrer Zustimmung deckt, sich überhaupt nicht als Vermittler neben, sondern als tonangebende Aristokratie über die Volksvertretung stellt und dem Volke eine bestimmte Richtung aufdringen will. Darum und weil das Misverhältniß gar zu oft und zu scharf hervortrat, daß eine kleine Zahl persönlich Bevorrechteter, gleichviel, ob ihr Vorrecht aus ihrer adeligen Geburt oder ihrem großen Grundbesitz oder aus Ernennung des Fürsten herfließt, in der Gesetzgebung eben so viel gilt, als die gewählten Vertreter eines ganzen Volks, sind die ersten Kammern und das Zweikammersystem überhaupt beim Volke sehr in Ungunst gekommen. Die Märzbewegung wollte darum auch sie entweder ganz abschaffen, oder wenigstens aus der Wahl des Volkes hervorgehen lassen: mit dem einzigen Unterschiede, daß vielleicht ein höheres Alter oder ein bestimmter Census erfordert würde. Es ist aber in den neuesten Zeit auch hier wieder Alles auf den alten Fuß gestellt, oder da, wo die erste Kammer den Charakter als Adelskammer nicht erhalten hat, wenigstens ein so hoher Census für das Wahlrecht und die Wahlfähigkeit eingeführt worden, daß sie Kammern der Reichen, des großen Grundbesitzes und großen Capitals genannt werden können. Für kleine Staaten genügt offenbar das Einkammersystem, wie es in mehreren kleineren deutschen Staaten besteht; und auch für größere Staaten sagen wir: besser nur eine Kammer, als zwei, wenn die erste auf der Aristokratie des Grundbesitzes oder des Geldreichthums beruht, weil die hierauf beruhenden Vorrechte, überhaupt alle Standesvorrechte, gegen den Geist der Zeit verstoßen. Beim Z. würde für die erste Kammer die zweckmäßigste Grundlage noch das Alter — ein Rath der Alten — sein. **Cramer.**

Zweikampf. Man versteht darunter den Kampf zweier Personen, von denen der Beleidigte den Beleidiger gefordert hat. In der neueren Zeit hat man das Unsittliche des Zweikampfes eingesehen und er ist immer seltener geworden; wenigstens beschränkt er sich nur noch auf einzelne Stände, wie auf das Militär und die Studenten. Ehrengerichte sind der zweckmäßigste Ersatz für ein Institut, welches weder den Stempel der Christlichkeit, noch der Humanität, noch auch der Vernunft an sich trägt, und, auch in der feinsten Form, stets etwas Bestialisches an sich hat.

Zwischenhandel s. Handel.

Zwischenherrscher heißen die Machthaber, welche während der Eroberung, Revolution ꝛc. zur Gewalt gelangt sind, und die Reihe der legitimen Herrscher unterbrechen. Wenn sich die Gewalt eines solchen Herrschers behauptet, wie z. B. Ludwig Philipps, so entwickelt sich aus ihr von Neuem eine Legitimität.

Zwischenreich s. Interregnum.

Zwölfnächte heißen die Nächte vom 25. December bis 6. Januar. Der Aberglaube knüpfte an dieselben Vorherbedeutungen für das Wetter im Jahre.

Zwölftafelgesetz wurden die Gesetze genannt, welche in der alten römischen Republik im Jahre 449 v. Chr. auf zwölf ehernen Tafeln als Grundgesetze eingeführt wurden. Sie bildeten die Grundlage des römischen Rechts (s. d.) bis zur Kaiserzeit.

Lightning Source UK Ltd.
Milton Keynes UK
UKHW02f2341170918
329048UK00011BA/848/P